KB009554
Hudson Bay
80°
70°
Quebec
Ontario
Quebec
St. Lawrence R.
40
Montreal
Augusta
L. Superior
Sault-Ste-Marie
OTTAWA
Montpelier
42
Portland
40°
Toronto
Concord
41
Boston
Rochester
Syracuse
Paul
23
Lansing
Hamilton
Buffalo
35
Albany
43
Providence
Milwaukee
26
Flint
Scranton
Hartford
45
44
Madison
Detroit
L. Erie
Cleveland
36
New York
Newark
Chicago
Gary
Toledo
Pittsburgh
Harrisburg
Trenton
Columbus
Baltimore
46
Philadelphia
24
Indianapolis
31
Annapolis
47
Springfield
Dayton
32
Dover
Cincinnati
WASHINGTON
48
Jefferson City
27
Frankfort
37
D. C.
Richmond
Norfolk
ATLANTIC
OCEAN
St. Louis
Louisville
28
Charleston
Greensboro
Raleigh
Appalachian M
38
29
Nashville
Charlotte
Chattanooga
Memphis
39
Columbia
30°
21
Tennessee
Atlanta
Eastern
Standard
Time
Rock
Birmingham
Augusta
Charleston
Mississippi
30
West Point
25
Montgomery
33
Jackson
Jacksonville
22
Mobile
Florida Pen.
Baton Rouge
New Orleans
34
Tampa
REP. OF
BAHAMA
W. Palm Beach
Gulf of Mexico
Miami
NASSAU
Central
Standard
Time
REP. OF
CUBA
DOMINICAN
REP
20°
of Cancer
HAVANA
HAITI
SANTO
DOMINGO
Yucatan
Pen.
Caribbean Sea
JAMAICA
PORT-AU-
PRINCE
KINGSTON
80°
70°
HONDURAS
(Br.)
90°
170°
160°
150°
140°
130°
Russian F.
Arctic Circle
49
Fort Yukon
Nome
Yukon R.
CANADA
Alaska Pen.
Fairbanks
60°
U. S. A
60°
Anchorage
BERING
SEA
Alaska
Standard
Time
Juneau
Ketchikan
PACIFIC OCEAN
0
200 km
170°
160°
Oahu
Molokai
Honolulu
Maui
50
FIC OCEAN
Hawaii
Hilo
km
158°
156°
A
M
B
N
C
O
D
P
E
Q
F
R
G
S
H
T
I
U
J
V
K
W
L
XYZ

문형 55

Ⅰ 완전자동사

1. 《Ⅰ $v_{Ⅰ}$》
2. 《Ⅰ 부》
3. 《Ⅰ 전 + 명》
4. 《Ⅰ -*ing*(*g.*)》
5. 《Ⅰ *to* do》
6. 《Ⅰ (절)》
7. 《Ⅰ 전 +(절)》

Ⅱ 불완전자동사

8. 《Ⅱ 명, 대》
9. 《Ⅱ 형》
10. 《Ⅱ 부》
11. 《Ⅱ 전+명》
12. 《Ⅱ *as*+(보)》
13. 《Ⅱ *to be* +(보)》
14. 《Ⅱ (*to be*)+(보)》
15. 《Ⅱ *to* do》
16. 《Ⅱ -*ing*》
17. 《Ⅱ *done*》
18. 《Ⅱ 의문사/접속사+*to* do》
19. 《Ⅱ (절)》
20. 《Ⅱ 전 +(절)》

Ⅲ 완전타동사

21. 《Ⅲ (목)》
22. 《Ⅲ $v_{Ⅲ}$ + 명 + 전 +(목)》
23. 《Ⅲ $v_{Ⅰ}$ + 전 +(목)》
24. 《Ⅲ $v_{Ⅰ}$ + 전 + 명 + 전 +(목)》
25. 《Ⅲ (목)+ 부》
26. 《Ⅲ (목)+ 전 + 명》
27. 《Ⅲ (목)+ 전 + -*ing*(*g.*)》
28. 《Ⅲ -*ing*(*g.*)》
29. 《Ⅲ *to* do》
30. 《Ⅲ *to be* + …》
31. 《Ⅲ *do*》
32. 《Ⅲ 의문사/접속사 +*to* do》
33. 《Ⅲ (절)》
34. 《Ⅲ 전 + 명 +(절)》

Ⅳ 두 개의 목적어를 취하는 완전타동사

35. 《Ⅳ 명, 대 +(목)》
36. 《Ⅳ (목)+(목)》
37. 《Ⅳ 명, 대 + 부 +(목)》
38. 《Ⅳ 명, 대 +*to* do》
39. 《Ⅳ 명, 대 + 의문사/접속사 +*to* do》
40. 《Ⅳ 명, 대 +(절)》

Ⅴ 불완전타동사

41. 《Ⅴ (목)+ 명》
42. 《Ⅴ (목)+ 형》
43. 《Ⅴ (목)+ 부》
44. 《Ⅴ (목)+ *as* +(목보)》
45. 《Ⅴ (목)+ 전 + 명》
46. 《Ⅴ (목)+ 전 + -*ing*》
47. 《Ⅴ (목)+ 전 +*done*》
48. 《Ⅴ (목)+*to be* +(목보)》
49. 《Ⅴ (목)+(*to be*)+(목보)》
50. 《Ⅴ (목)+*to* do》
51. 《Ⅴ (목)+ *do*》
52. 《Ⅴ (목)+ -*ing*(*p.*)》
53. 《Ⅴ (목)+*done*》
54. 《Ⅴ (목)+(절)》
55. 《Ⅴ $v_{Ⅰ}$ + 전 +(목)+(목보)》

◇ *g.* -- gerund(동명사)
◇ *p.* -- present participle(현재분사)

MINJUNG'S MAIN ENGLISH-KOREAN DICTIONARY

메인 영한사전

윤창남 편저

민중서림

머 리 말

지난 60여년 동안 우리나라에서 발간된 영한 사전은 내용 · 분량 면에서 괄목할 만한 발전을 거듭해 왔고 어려운 여건 속에서도 학습자들에게 많은 공헌을 한 것도 사실이지만, 세계화 시대에 들어 영어의 비중은 날로 높아져 각계 각층이 필요로 하는 어휘와 내용을 최대한 담아야 하는 부담도 지게 되었다. 한편 시대의 흐름도 빨라져 수정 · 보완의 속도를 더욱 가속화하지 않으면 안되게 되었다. 이러한 저간의 사정을 감안하여 새로운 영한 사전의 필요성을 절실히 느끼게 되어 본 사전을 세상에 내놓기에 이르렀다.

일반인이나 대학생은 물론 고등학교 학생도 학습에 능률적으로 활용할 수 있는 영한 사전을 만들려고 노력하였다. 시대 변천에 따라 각 분야의 자료를 선정하는 과정에서 보다 더 현실성있게 접근할 수 있도록 정성을 기울였다. 학생들에게는 수험 준비에 보탬이 되도록 하였고, 각계의 일반인들에게는 그 분야에서의 필요성을 해결할 수 있도록 하였다.

1. 현실성 있는 사전: 영국식 영어는 뿌리이므로 원칙적으로 앞서 다루었지만, 오늘날의 현실을 비추어서 미국식 영어도 중시하였다. 회화체 뿐만 아니라 문법에 이르기까지 미국식 영어를 다루었다. 교과서는 물론·신문 · 잡지 그리고 전문 서적을 읽는 데 도움을 주는 용례를 다수 수록하여 영문을 읽는 사람에게 도움을 주는 사전의 역할을 다하고자 했다. 영국식 발음을 수록하면서도, 현실성을 고려해서 미국식 발음을 앞에 내세운 경우도 많다.

2. 풍부한 어휘: 표제어 및 복합어, 파생어, 숙어를 합쳐 총 19만여 어(語)를 수록하였다. 각 분야에서 필요한 어휘를 망라한 것이다. 신어, 시사용어, 전문어, 문어, 구어, 속어, 방언에 이르기까지 광범하게 수록하여 전문 서적이나 신문 · 잡지, 기타 신간 서적을 읽는 데 불편함이 없도록 하였다. 그리고 어의(語義)를 소상하게 전개하여 수록함으로써 영문을 이해하는 데 만전을 기하고자 하였다.

3. 다수의 숙어: 의미적인 관용구, 구성적인 관용구를 최대한 수록하였다. 외국어로 영문을 읽는 우리에게는 의미적인 관용구나 구성적인 관용구나 모두 다 중요한 것이다. 표제어를 생략하지 않고 관용구 전체를 나타내 보임으로써 읽는 데 편리하도록 하였다. 영문을 이해하는 데 숙어의 중요성은 더 말할 필요도 없을 것이다.

4. 중요한 어법 · 문법: 영어의 근간을 이루는 기능어는 어의(語義)의 풀이와 더불어 이에 수반되는 어법 · 문법 사항을 체계적으로 상세하게 설명함으로써 초학자는 물론 전문가에게도 도움이 되도록 하였다. 특히 수험생을 위해서 많은 배려를 하였다. 의문점들이나 모호한 점들을 선명하게 풀어 줄 수 있으리라 기대한다.

5. 명료한 문형: 대부분의 사전들이 문형(文型)을 수록하고 있는데, 이는 외국어로 학습하는 한국인에게는 참으로 유용한 것이기 때문이다. 문형을 수록함에 있어서 중요한 것은 명료하게 표시하여야 하는 것인데, 일부 기간 사전들 중에는 불명료한 부분이 눈에 띈다. 본 사전은 이에 역점을 두어 명료한 문형을 표시하는 데 성의를 다했으므로 본 사전을 활용하면서 독자들은 그것을 발견할 수 있을 것이다. 이는 독자들이 영문을 파악하는 데 결정적인 역할을 하리라 믿는다.

언어는 끊임없이 생성 · 발전 · 소멸하는 과정을 계속하는 것이어서 꾸준히 연구 검토되어야 한다. 따라서 어느 사전이건 완벽을 기하기란 어려운 것이며, 본 편자 역시 앞으로 미비한 점을 수정 · 보완해 나갈 것을 다짐할 뿐이다. 부족하지만, 이용자 여러분의 영어 실력 향상에 다소나마 기여해 주었으면 하는 마음이다. 이 사전이 세상에 나올 때까지 함께 일한 여러분 그리고 격려해 주신 여러분에게 깊은 감사를 드린다.

2006년 1월

편 자

일 러 두 기

Ⅰ. 표 제 어

1. 배열(配列) 영어의 일반 어휘 외에 고유명사·접두사·접미사; 파생어, 복합어·연어; 상용(常用) 외래어구; 약어 등을 알파벳순으로 배열하였다.
2. 자체(字體) 고딕체 활자로 나타냈으며, 아직 완전히 영어화되지 않은 외래어는 이탤릭 고딕체로 표시했다.
   보기 ; ***em·bon·point*** [F]《프랑스어》.
3. 기본어의 표시 표제어 가운데 중학교 기본 어휘 1,500어에는 ★표를, 고등학교 기본 어휘 4,500어에는 ⁑표를, 대학 교양 정도의 어휘 6,000어에는 *표를 붙였다.
   보기 : ★**book** ; ⁑**heal** ; ***max·im**
4. 철자(綴字) 영·미 철자에 차이가 있는 것은 미식을 먼저 표시하고, 다음에 영식을 병기하였다.
   보기 : **fer·vor|fer·vour**
5. 분철(分綴) 중점(·)으로 분철을 표시하여, 하이픈(-)을 사용한 복합어와 구별하였다.
   보기 : **e·nor·mi·ty**
6. 생략·대체어 생략할 수 있는 부분은( ), 대체할 수 있는 말은〔 〕로 표시하였다.
   보기 : **fledg(e)·ling, hóusing devèlopment**〔《영》**estàte**〕
7. 어원(語源)이 다른 말 같은 철자의 말이라도 어원이 다른 경우에는, 각각 별개의 표제어로 하여 오른쪽 어깨에 작은 숫자로 번호를 붙여 구별하였다. 보기 : ⁑**neat**¹, **neat**²

Ⅱ. 발 음

1. 표제어 다음에 국제 음성 기호를 사용하여 [ ] 속에 표시하였다.
2. 미식과 영식 미국식을 주로하였지만, 필요한 경우에는 [/] 뒤에 영국식 발음도 표시하였다. 보기 : **lodge** [lɑdʒ/lɔdʒ]
3. 하이픈의 이용 공통되는 부분은 하이픈을 사용하여 생략하였다.
   보기 : **hy·drog·e·nous** [haidrɑ́dʒənəs/-drɔ́dʒ-]
4. 발음은 같고 악센트만 다른 경우에는 각 음절을 대시(−)로 표시하고, 악센트의 위치 차이를 나타내었다.
   보기 : **ab·so·lute·ly** [æbsəlú:tli, ⌐ − ⌐ −]
5. 장음과 단음 두 가지가 있을 경우에는 장음 부호를 ( ) 속에 넣어 표시하였다.
   보기 : **sched·ule** [skédʒu(:)l/ʃédju:l]
6. 생략할 수 있는 음 경우에 따라 발음되지 않는 음은 이탤릭으로 표시하였다.
   보기 : **pro·ceed** [prou*s*í:d]
7. 품사에 따라서 발음이 달라질 때
   보기 : **reb·el** [rébəl] … ── [ribél] *vi.*
8. 파생표제어 중 다음 어미가 붙는 것은 원칙적으로 발음을 생략하였다. 그러나 기본어 표시 ★, ⁑, *가 붙은 것은 생략하지 않았다. **-able · -ible** [əbəl], **-bility** [biləti], **-ism** [izəm, ìzəm], **-ist** [ist], **-ize** [àiz], **-ization** [izéiʃən/aizéiʃən], **-less** [lis],

-ly[li], **-ment**[mənt], **-ness**[nis], **-tion**[ʃən], **-ed**[d] (단, [t], [id]가 될 때는 그 부분만 표시), **-er**[ər], **-est**[ist], **-ing**[iŋ], **-s**[s, z], **-es**[iz]

9. 외래어의 발음 그 영어화의 정도를 고려하여 본래음에 가깝게 표시하였다.
⇨ 발음기호표

Ⅲ. 품사와 어형 변화

1. 품사 한 단어에 두 가지 이상의 품사로 분류될 때에는 —— 로 품사의 바뀜을 표시하였다.
2. 어형 변화 변화되는 철자·발음 등은 다음과 같이 표시하였다.

(a) 명사의 복수형 보기 : **la·dy**[léidi] *n.* (*pl.* **-dies**), **mon·key**[mʌ́ŋki] *n.* (*pl.* ~**s**), **he·ro**[híːrou, híər-] *n.* (*pl.* ~**es**),
pi·an·o[1] [piǽnou, pjǽnou] *n.* (*pl.* ~**s**[-z]), **bam·boo**[bæmbúː] *n.* (*pl.* ~**s**), **knife**[naif] *n.* (*pl.* **knives**[naivz]), **safe**[seif] *a.* —— *n.* (*pl.* ~**s**), **dwarf** [dwɔːrf] *n.* (*pl.* ~**s, dwarves**[-vz]), **ox**[ɑks/ɔks] *n.* (*pl.* **ox·en**[ɑ́ksən/ɔ́ks-]), **sheep**[ʃiːp] *n.* (*pl.* ~), **fo·cus**[fóukəs] *n.* (*pl.* ~**es, -ci**[-sai, +-kai]), **mon·key** [mʌ́ŋki] *n.* (*pl.* ~**s**)

(b) 대명사 필요한 경우에만 변화형을 표시하였다.
보기 : **who**[huː, 弱 hu] *pron.* (목적격 **whom**, 《口》 **who** ; 소유격 **whose**)

(c) 동사의 과거형, 과거분사형, 진행형 보기 : **stay**[1] [stei] (~**ed**, 《古》 **staid** [steid]), **stop**[stɑp/stɔp] (~**ped**; ~·**ping**) *vt.*, **die**[1][dai](**dy·ing**) *vi.*, **dye**[dai] *n.* —— (**dyed**; ~·**ing**) *vt.*, **trav·el**[trǽvəl](~**ed**; ~·**ing**|~**led**; ~·**ling**) *vi.*, **get**[1] [get] (**got**[gɑt/gɔt], 《古》 **gat**[gæt]; **got**, 《古·미》 **got·ten**[gɑ́tn/gɔ́tn]; **gét·ting**) *vt.*, **go**[gou] (**went**[went]; **gone**[gɔ(ː)n, gɑn]; ~**ing**[góuiŋ]) *vi.*, **give**[giv] (**gave**[geiv]; **giv·en**[gívən]) *vt.*, **have**[hæv, 弱 həv, əv] (**had**[hæd, 弱 həd, əd]; **hav·ing**[hǽviŋ]; 직설법 3인칭 단수 현재형 **has**[hæz, 弱 həz, əz]; 《古》 2인칭 단수 현재형 (thou) **hast**, 2인칭 단수 과거형 (thou) **hadst**) *vt.*, **lay**[1] [lei] (**laid**[leid]) *vt.*, **lie**[1] [lai] *vi.* (**lay**[lei]; **lain**[lein]; **lying**[láiiŋ]), **lie**[2] [lai] *n.* —— (~**d**; **lying**) *vi.*, **cast**[kæst, kɑːst] (**cast**) *vt.*, **let**[1] [let] (~; ~**ting**) *vt.*, **choose**[tʃuːz] (**chose**[tʃouz]; **cho·sen**[tʃóuzn]) *vt.*

(d) 형용사·부사의 비교급, 최상급 1음절어는 원급에 어미 **-er**을 붙여 비교급, **-est**를 붙여 최상급을 만드는 것을 원칙으로 한다. 2음절어에서 **형용사**는 대다수 **-er, -est** 형이나; 원급 앞에 **more**를 붙여 비교급, **most**를 붙여 최상급을 만들 수 있다. 그리고 **부사**는 어미 **-ly**가 붙지 않은 것은 **-er, -est** 형을 취하고; 어미 **-ly**가 붙은 것은 **more, most**를 붙여 비교급, 최상급을 만든다. 3음절어 이상인 것은 **more, most**를 붙여 비교급, 최상급을 만든다. 그러나 접두사가 붙어 3음절어로 된 것은 **-er, -est** 형을 취한다. 이러한 규칙대로 변화하지 않는 것이 있는데, 주의를 요하는 몇 가지 보기를 들면 다음과 같다.
보기 : **hap·py**[hǽpi] *a.* (**-pi·er**; **-pi·est**), **good**[gud] *a.* (**bet·ter**[bétər]; **best**[best]), **bad·ly**[bǽdli] *ad.* (**worse**[wəːrs]; **worst**[wəːrst]), **tired**[1] [taiərd] *a.* (**more tired, tired·er; most tired, tired·est**), **un·hap·py**[ʌnhǽpi] *a.* (**-pi·er**; **-pi·est**), **late**[leit] *a.* (**lat·er**[léitər], **lat·ter**[lǽtər]; **lat·est**[léitist], **last**[læst/lɑːst])

Ⅳ. 어의·용례

1. 어의(語義) (1) 말뜻은 원칙적으로 사용 빈도순으로 배열하였다. 자주 쓰이는 말뜻은 굵은〔고딕체〕 활자로 표시하였다.
(2) 어의가 복잡한 것은 **A**, **B** 또는 **1**, **2**, **3**이나 **a**, **b**, **c**로 자세히 구분하였으나, 그 밖의 경우는 , ; 으로 구별하였다.
(3) 말뜻 다음의 ( ) 속에 있는 영문 어구는 동의어를 나타낸다.
(4) 풀이에서 (the ~)는 '**the**를 붙여서 사용한다' / (a ~)(an ~)은 '**a**, **an**을 붙여서 사용한다' / (~s)(~**es**)(~**ies**)는 '복수형으로 사용한다'는 뜻이다.
2. 용례(用例) 어의 뒤의 (:)표 다음에 수록하였다. 해당되는 단어는 형태가 표제어와 다른 변화형인 경우 외에는 (~)로 대신하였다.

Ⅴ. 숙 어

각 품사의 어의 풀이 다음에 일괄하여 고딕체로 수록하였다. 뜻이 둘 이상 있는 것은 (1), (2), (3)으로 구분하였다.

숙어를 다음과 같이 세 가지 부류로 나누어 볼 수 있다.

(1) 의미적인 관용구 : 두 개 이상의 단어가 결합하여 융합적인 의미를 나타내는 것이다(보기 : **call** a person **names** …을 욕하다, 비난하다). (2) 구성적인 관용구 : 두 개 이상의 단어가 결합하여 혼합적인 의미를 나타내는 것이다(보기 : **go with** (1) …와 동행〔동반〕하다, 같이 가다. (2) …와 어울리다, 조화하다. (3) 〈사물이〉 …에 따르다, 부수하다. …). (3) 단순한 형성적인 관용구 : 두 개 이상의 단어가 결합하여 쓰이지만 각 단어의 개별적 의미를 그대로 지니는 것이다(보기 : **go to** school〔church〕 학교〔교회〕에 가다).

그러나 위와 같은 구별은 상대적이지만, (1)과 (2)는 모두 숙어란에 수록하였다. (3)은 어의 풀이란에 수록하는 것을 원칙으로 하였지만, 특히 보다 더 명확히 보일 필요가 있을 경우에는 숙어란에 수록하였다.

Ⅵ. 파생어·관련어

1. 파생어(派生語) 주표제어로 수록된 것 이외의 파생어, 즉 표제어에 **-ed, -er, -ly, -ment, -ness, -tion** 따위를 붙여 이루어지는 파생어는 해당 표제어 끝에 수록하였다. 그러나 발음·분철·악센트의 위치가 표제어와 다른 파생어는 다 써주거나 일부를 생략하여 발음·분철·악센트를 표시하였다.
2. 관련어(關聯語) 표제어와 관련된 중요어는 해당 표제어 맨끝에 ⊕표 다음에 수록하였다.

Ⅶ. 가산명사·불가산명사

가산(可算) 명사〔셀 수 있는 명사(Countable Noun)〕, 불가산(不可算) 명사〔셀 수 없는 명사(Uncountable Noun)〕에 각각 Ⓒ, Ⓤ를 붙여 구별하였다. 그러나 이 구별은 이론상 엄격할 수 없는 것이지만, 학습상 효과를 고려하여 다음과 같이 표시하였다.

대체로 가산 명사로 쓰일 때는 C를 생략하고, 그 중에서 불가산 명사로 쓰이는 경우에 U만을 표시하였다. 이와는 달리 대체적으로 불가산 명사로 쓰일 때는 U를 생략하고, 그 중에서 가산 명사로 쓰이는 것만 C를 표시하였다. 그리고 C, U 그 어느 쪽으로도 쓰일 때 대체적으로 C로 많이 쓰이면 C,U, U로 많이 쓰이면 U,C로 표시하였다.

Ⅷ. 어법 · 어원

1. 어법(語法) 풀이 중에서 특히 알아 둘 필요가 있는 어법이나 문법 사항 등을 ◇표 다음에 표시하였다.
2. 어원(語源) 발음기호 다음에 **[L]**, **[F]**처럼 무슨 말에서 유래되었는가 만을 표시하였다.

Ⅸ. 문 형

영어를 외국어로서 학습하는 사람에게 초석(礎石)이 되는 것이 문형(文型)이다. 대체로 기간 사전들이 문형을 수록하고 있는 것은 이것이 중요하다는 것을 반영한 것이다.
문형을 표시함에 있어서 기간 사전들은 《~+전+명》, 《~+-*ing*》, 《~+*to* do》 등으로 나타내고 있는데, 이것은 불분명한 표현이다.
전+명, -*ing*, *to* do 등이 완전 자동사 다음에 오는 것인지, 불완전 자동사 다음에 오는 것인지 알 수 없기 때문이다.
이 사전에서는 《Ⅰ 전+명》, 《Ⅰ -*ing*》, 《Ⅰ *to* do》; 《Ⅱ 전+명》, 《Ⅱ -*ing*》, 《Ⅱ *to* do》로 표시하여 분명히 하였다.
문형을 동사형, 명사형, 형용사형 세 가지로 나누는 경우도 있지만, 명사형이나 형용사형은 전·후치 수식어를 나타내는 것이므로 이 사전에서는 동사형만을 문형으로 포괄하였다.
동사마다 문형을 나타내는 것은 번거로울 뿐이기 때문에 이 사전에서는 수험자가 알아둘 필요가 있다고 여겨지는 것만을 표시했다.
⇨ 문형 해설

Ⅹ. 부 호

1. ( ) 생략 가능한 부분을 나타낸다.
2. 〔 〕 대체 가능한 부분을 나타낸다.
3. 〈 〉 풀이 되는 말의 전후에 써서 연결될 수 있는 어구를 나타낸다.
4. 《 》 부연 및 해설을 하는 데 썼으며, 용례 앞에서는 문형을 나타내는 데에 사용하였다.
5. [ ] 어원을 표시하는 데에 사용하였다.
6. ~ 용례에서 표제어의 되풀이를 피하기 위하여 썼다.
7. / 용례와 용례 사이의 구분을 나타낸다.
8. ⇨ 참고로 그곳에 가보란 뜻으로 사용하였다.

발 음 기 호 표

모 음

단순 모음(단모음과 장모음)

기호	보기
[iː]	east[iːst]
[i]	live[liv]
[e]	get[get]
[æ]	bat[bæt]
[ɑː]	father[fɑ́ːðər]
[æ/ɑː]	laugh[læf/lɑːf]
[ɑːr][1]	park[pɑːrk]
[ɑ/ɔ]	hot[hɑt/hɔt]
[ɔ(ː)]	long[lɔ(ː)ŋ]
[ɔː]	ball[bɔːl]
[ɔːr][1]	door[dɔːr]
[u]	book[buk]
[uː]	food[fuːd]
[ʌ]	bus[bʌs]
[ə]	album[ǽlbəm]
[ər][1]	sister[sístər]
[əːr][1]	bird[bəːrd]
[əːr/ʌr]	current[kə́ːrənt/kʌ́r-]

이중 모음

기호	보기
[ei]	tape[teip]
[ou]	over[ouvər]
[ai]	night[nait]
[au]	house[haus]
[ɔi]	boy[bɔi]
[i(ː)ə]	idea[aidí(ː)ə]
[iər][1]	ear[iər]
[i(ː)ər][2]	serial[sí(ː)əriəl]
[ɛər][1]	chair[tʃɛər]
[ɛ(ː)ər][2]	daring[dɛ́(ː)əriŋ]
[uər][1]	tour[tuər]
[u(ː)ər][2]	tourist[tú(ː)ərist]
[juː]	few[fjuː]
[juər][1]	pure[pjuər]
[ju(ː)ər][2]	Europe[jú(ː)ərəp]

삼중 모음

기호	보기
[aiər][1]	fire[faiər]
[auər][1]	flour[flauər]

자 음

폐쇄음〔파열음〕

기호	보기
[p]*	pace[peis]
[b]	base[beis]
[t]*	time[taim]
[d]	dime[daim]
[k]*	coat[kout]
[g]	goat[gout]

파찰음

기호	보기
[tʃ]*	choke[tʃouk]
[dʒ]	joke[dʒouk]

마찰음

기호	보기
[f]*	fan[fæn]
[v]	van[væn]
[θ]*	breath[breθ]
[ð]	breathe[briːð]
[s]*	peace[piːs]
[z]	peas[piːz]
[ʃ]*	dish[diʃ]
[ʒ]	garage[gərɑ́ːdʒ]
[h]*	hat[hæt]
[h][3]	where[hwɛər]

비음

기호	보기
[m]	sum[sʌm]
[n]	sun[sʌn]
[ŋ]	sung[sʌŋ]

설측음

기호	보기
[l]	lake[leik]

반모음

기호	보기
[w]	wood[wud]
[j]	yes[jes]
[j][3]	new[njuː]
[r]	rake[reik]

1 [ər], [ːr] 음의 [r]을 생략하는 것은 영국식 발음 : 예 sister[sístər] → [sístər/sístə], park[pɑːrk] → [pɑːrk/pɑːk]
2 [(ː)ər]의 표기는 영국식 발음에서는 [ər], 미국식 발음에서는 [ːr]이 됨을 나타냄 : 예 serial[sí(ː)əriəl] → [síːriəl/síəriəl]
3 [h] 음을 생략하는 것은 영국식 발음 : where[hwɛər] → [hwɛər/wɛə]
[j] 음을 생략하는 것은 미국식 발음 : new[njuː] → [nuː/njuː]
4 [hɑt/hɔt]의 사선(/)의 왼쪽은 미국식 발음, 오른쪽은 영국식 발음임.
5 이탤릭체, ( )내의 장음(ː)은 생략가능함을 나타냄.
6 *표가 붙은 것은 무성음, 안 붙은 것은 유성음.

외국음 및 기타 기호

[y] 입술을 동그랗게 [u]처럼 하고 [i]를 발음한다 : *Zürich*[tsýːri]
[ø] 입술을 동그랗게 하고 [e]를 발음한다 : *jeu*[ʒø]
[œ] 입술을 동그랗게 하고 [ɛ]를 발음한다 : *jeunesse dorée*[ʒœnɛsdɔre]
[ç] '히'의 자음(무성 마찰음) : *Reich*[raiç]
[x] 뒤혓면을 경구개에 다가서 내는 무성 마찰음 : *Bach*[bɑːx]
[ɲ] '냐'의 자음에 가깝다. [n]의 유성 비음 : *Montaigne*[mɔ̃tɛɲ]
[m̥] [m]의 무성음 : humph[hʌmf, m̥m̥m̥ mm̥]
[ɥ] 입술을 [w]처럼 오므리고 혀는 [i]의 위치에서 발음하는 반모음 : *ennui*[ɑ̃nɥi]
[ɯ] 입술을 둥글리지 않는 [u] : ugh[ɯːx]
[ɸ] 양 입술을 좁혀서 내는 무성 마찰음. '후'의 자음 : phew[ɸː]
[˜] [ɑ̃] [ɛ̃] [ɔ̃] 프랑스어의 모음 위에 붙여 비음화를 나타냄 : *pensée*[pɑ̃se]
[̥] 무성화의 기호 : hem[m̥m, hm]
[ʇ] 혀를 차면서 내는 소리 : tut[ʇ, tʌt]

약 어 표

a.	adjective(형용사)
ad.	adverb(부사)
aux.v.	auxiliary verb(조동사)
cf.	confer(참조하라)
conj.	conjunction(접속사)
def.art.	definite article(정관사)
fem.	feminine(여성)
imit.	imitative(의성어)
indef.art.	indefinite article(부정관사)
int.	interjection(감탄사)
mas.	masculine(남성)
n.	noun(명사)
opp.	opposite(반대말)
p.	past(과거)
pl.	plural(복수)
pp.	past participle(과거분사)
pref.	prefix(접두사)
prep.	preposition(전치사)
pron.	pronoun(대명사)
prp.	present participle(현재분사)
sing.	singular(단수)
suf.	suffix(접미사)
v.	verb(동사)
vi.	intransitive verb(자동사)
vt.	transitive verb(타동사)
&	and

AF	Anglo-French
Afr.	Africa
Afrik.	Afrikaans
Alb.	Albanian
Am.	American
Amh.	Amharic
Am.Ind.	American Indian
Am.Sp.	American Spanish
Angl.	Anglian
Arab.	Arabic
Aram.	Aramaic
Assyr.	Assyrian
Austral.	Australia
Bulg.	Bulgarian
Can.F	Canadian French
Cat.	Catalan
Celt.	Celtic
Chin.	Chinese
Copt.	Coptic
Corn.	Cornish
Dan.	Danish
Du.	Dutch
E	English
Egypt.	Egyptian
F	French
Finn.	Finnish
Flem.	Flemish
Frank.	Frankish
Fris.	Frisian
G	German
Gael.	Gaelic
Gk.	Greek
Gmc.	Germanic
Goth.	Gothic
Haw.	Hawaiian
Heb.	Hebrew
Hind.	Hindustani
Hung.	Hungarian
Icel.	Icelandic
IE	Indo-European
Ind.	India
Ir.	Irish
It.	Italian
Jap.	Japanese
Jav.	Javanese
L	Latin
L.L.	Low Latin
Latv.	Latvian
LG	Low German
Late L.	Late Latin
Lith.	Lithuanian
M	Middle/Medieval
Malay.	Malayan
MDu.	Middle Dutch
ME	Middle English
MHG	Middle High German
MLG	Middle Low German
Mod.Gk	Modern Greek
Mod.Heb.	Modern Hebrew
N.Zeal.	New Zealand
NL	Neo-Latin
Norm.	Norman
Norw.	Norwegian
O	Old
ODu.	Old Dutch
OE	Old English
OF	Old French
OHG	Old High German
ON	Old Norse
OS	Old Saxon
Pers.	Persian
Pol.	Polish
Port.	Portuguese
Prov.	Provencal
Rom.	Romanic
Rum.	Rumanian

Russ. ……Russian
Sc. ……Scottish
Scand. ……Scandinavian
Sem. ……Semitic
Serb. ……Serbian
Serbo-Croat ……Serbo-Croatian
Skt. ……Sanskrit
Slav. ……Slavonic
Sp. ……Spanish
Swed. ……Swedish
Syr. ……Syriac
Teut. ……Teutonic
Turk. ……Turkish
Wel. ……Welsh
W. Ind. ……West Indies
W.S. ……West Saxon
Yid. ……Yiddish

《南아方》……남아프리카 방언
《뉴질方》……뉴질랜드방언
《독》……독일어 (German), 독일 용법
《라틴》……라틴어(Latin)
《미》……미어(American English), 미국 용법
《미口》……미국 구어
《미方》……미국 방언
《미俗》……미국 속어
《스코》……스코틀랜드 용법
《스코方》…스코틀랜드 방언
《아일》……아일랜드 용법
《아일方》……아일랜드 방언
《영》……영국 영어 (British English), 영국 용법
《오스》‥오스트레일리아 용법
《오스方》……오스트레일리아 방언
《인도方》……인도 방언
《카리브方》……카리브 (Carib) 방언
《캐나다》……캐나다 용법
《프》……프랑스어 (French), 프랑스 용법

《强》……강형
《古》……고어(archaic)
《口》……구어(colloquial)
《軍俗》……군대속어
《蔑》……경멸적
《文》……문어(literary)
《方》……방언(dialect)
《卑》……비어(vulgar)
《比》……비유어
《非標準》……비표준 (non standard)
《俗》……속어(slang)
《詩》……시어(poetical)
《CB俗》……Citizens Band 속어
《兒》……소아어(小兒語)
《略》……약어(abbreviation)
《弱》……약형
《옛투》……고풍(古風)·약간 고어(古語)
《婉》……완곡어(婉曲語)
《郵》……우편 약자
《廢》……폐어 (disused/obsolete)
《學生》……학생어 (school term)
《學俗》……학교 속어
《諧》……해학어(humorous)
《戱》……희언·희담
《稀》…희용어(rare)·드물게

〔가톨릭〕……천주교(天主敎)
〔建〕…건축(학)·건구(建具)·건조·건축 시공
〔競〕……경기
〔經〕……경제
〔考〕……고고학(考古學)
〔古그〕……고대 그리스
〔古로〕……고대 로마
〔古史〕……고대사(史)
〔古生〕……고대 생물·고대생물학
〔古典그語〕…고전 그리스어
〔昆〕……곤충(학)
〔工〕……공학
〔空〕……항공, 비행
〔鑛〕……광물(학)·광석
〔光〕……광학·광학공구
〔敎〕……교육
〔구약〕‥구약성서(舊約聖書)
〔軍〕……육해공군, 군사
〔拳〕……권투
〔菌〕……균류(菌類)·세균학
〔그史〕……그리스사(史)
〔그神〕……그리스 신화
〔그正敎〕……(正敎)
〔그·로神〕……그리스·로마 신화
〔그·로遺〕……그리스·로마 유적(遺蹟)·유물(遺物)
〔劇〕……연극
〔金工〕……금속공학
〔機〕……기계
〔基〕……기독교
〔氣〕……기상
〔幾〕……기하(학)
〔勞〕……노동
〔論〕……논리학
〔籠〕……농구
〔農〕……농업
〔代〕……대수(학)
〔陶〕……제도(製陶)
〔動〕……동물(학)

〔로法〕……………………로마법
〔로史〕…………로마사(史)
〔로神〕……………로마 신화
〔로傳〕………로마전설(傳說)
〔로켓〕……………로켓 공학
〔馬〕………………마술·승마
〔舞〕……………………무용
〔紋〕……………문장(紋章)
〔物〕…………………물리학
〔美〕……………미술·미학
〔미史〕…………미국사(史)
〔미蹴〕……………미식 축구
〔博〕……………………박물
〔紡〕……………………방적
〔法〕……………법률, 법학
〔病〕………………병리(학)
〔保〕……………………보험
〔服〕………복식(服飾)·의복
〔簿〕……………………부기
〔史〕……………역사·사학
〔社〕…………………사회학
〔寫〕……………………사진
〔史言〕……………역사언어
〔算〕……………………산수
〔產〕……………………산업
〔商〕……………………상업
〔生〕………………생물(학)
〔生保〕……………생명 보험
〔生地〕……………생물지리
〔生化〕………………생화학
〔船〕………선박·조선(造船)
〔纖〕……………섬유(纖維)
〔聖〕……………………성서
〔聲〕…………………음성학
〔城〕……………축성(築城)
〔修〕…………………수사학
〔數〕……………………수학
〔스코法〕………스코틀랜드법
〔스콜라哲〕………스콜라철학
〔詩〕……………시학(詩學)
〔植〕………………식물(학)
〔神〕……………신화(神話)
〔신약〕……………신약성서
(新約聖書)
〔神學〕…………기독교 신학
〔心〕…………………심리학
〔아랍神〕…………아랍 신화
〔아서왕傳〕…………아서왕
전설(王傳說)
〔樂〕……………………음악
〔眼〕……………………안과
〔岩〕……………………암석
〔野〕……………………-야구
〔冶〕……………………야금
〔藥〕……………약학·약제
〔釀〕……………………양조
〔魚〕……………………어류
〔漁〕……………………어업
〔言〕…………………언어학
〔力〕……………역학(力學)
〔染〕……………염색·염료
〔獵〕……………수렵(狩獵)
〔映〕……………………영화
〔泳〕……………………수영
〔영史〕…………영국사(史)
〔藝〕……………………예술
〔料〕……………………요리
〔窯〕………요업(窯業)(공학)
〔郵〕……………………우편
〔宇宙〕……………우주과학
〔韻〕………운율학(韻律學)
〔遺〕…………유물(遺物)·
유적(遺蹟)
〔遺傳〕…………유전(공)학
〔倫〕…………………윤리학
〔醫〕……………………의학
〔이집트藝〕……이집트 예술
〔이집트神〕……이집트 신화
〔理化〕……………물리화학
〔印〕……………………인쇄
〔인神〕……………인도 신화
〔인哲〕……………인도 철학
〔磁〕………………전자기학
〔材〕……………제재(製材)
〔電〕……………………전기
〔電子〕……………전자공학
〔占星〕………………점성술
〔政〕……………………정치
〔晶〕……………결정(結晶)
〔精醫〕……………정신의학
〔紙〕……………제지(製紙)
〔彫〕……………………조각
〔鳥〕……………………조류
〔宗〕……………………종교
〔宗史〕…………종교사(史)
〔鑄〕……………주조(鑄造)
〔證〕……………증권·주식
〔地〕……………………지리
〔地物〕……………지구물리학
〔織〕……………직물·방직
〔天〕…………………천문학
〔鐵〕……………………철도
〔哲〕……………………철학
〔體〕……………………체육
〔畜〕……………………축산
〔蹴〕……………………축구
〔測〕……………………측량
〔齒〕………………치과(학)
〔칼뱅神〕…………칼뱅 신학
〔컴퓨〕………………컴퓨터
〔켈트傳〕…………켈트 전설
〔土〕……………………토목
〔統〕………………통계(학)
〔튜턴傳〕…………튜턴 전설
〔TV〕………………텔레비전
〔貝〕……………………패류
〔砲〕……………………포(술)
〔프史〕………프랑스사(史)
〔解〕………………해부(학)
〔海〕………해양·항해·해사
〔海法〕………………해양법
〔海保〕……………해상보험
〔化〕……………………화학
〔環境〕……………환경공학
〔畵〕……………회화(繪畵)
〔회교神〕…………회교 신화

문 형 해 설

문 형 55

Ⅰ. 완전자동사

1. 《Ⅰ *v*Ⅰ》
2. 《Ⅰ 부》
3. 《Ⅰ 전+명》
4. 《Ⅰ -*ing*(*g.*)》
5. 《Ⅰ *to* do》
6. 《Ⅰ (절)》
7. 《Ⅰ 전+(절)》

Ⅱ. 불완전자동사

8. 《Ⅱ 명, 대》
9. 《Ⅱ 형》
10. 《Ⅱ 부》
11. 《Ⅱ 전+명》
12. 《Ⅱ *as*+(보)》
13. 《Ⅱ *to be*+(보)》
14. 《Ⅱ (*to be*)+(보)》
15. 《Ⅱ *to* do》
16. 《Ⅱ -*ing*》
17. 《Ⅱ *done*》
18. 《Ⅱ 의문사/접속사+*to* do》
19. 《Ⅱ (절)》
20. 《Ⅱ 전+(절)》

Ⅲ. 완전타동사

21. 《Ⅲ (목)》
22. 《Ⅲ *v*Ⅲ+명+전+(목)》
23. 《Ⅲ *v*Ⅰ+전+(목)》
24. 《Ⅲ *v*Ⅰ+전+명+전+(목)》
25. 《Ⅲ (목)+부》
26. 《Ⅲ (목)+전+명》
27. 《Ⅲ (목)+전+-*ing*(*g.*)》
28. 《Ⅲ -*ing*(*g.*)》
29. 《Ⅲ *to* do》
30. 《Ⅲ *to be*+…》
31. 《Ⅲ *do*》
32. 《Ⅲ 의문사/접속사+*to* do》
33. 《Ⅲ (절)》
34. 《Ⅲ 전+명+(절)》

Ⅳ. 두 개의 목적어를 취하는 완전타동사

35. 《Ⅳ 명, 대+(목)》
36. 《Ⅳ (목)+(목)》
37. 《Ⅳ 명, 대+부+(목)》
38. 《Ⅳ 명, 대+*to* do》
39. 《Ⅳ 명, 대+의문사/접속사+*to* do》
40. 《Ⅳ 명, 대+(절)》

Ⅴ. 불완전타동사

41. 《Ⅴ (목)+명》
42. 《Ⅴ (목)+형》
43. 《Ⅴ (목)+부》
44. 《Ⅴ (목)+*as*+(목보)》
45. 《Ⅴ (목)+전+명》
46. 《Ⅴ (목)+전+-*ing*》
47. 《Ⅴ (목)+전+*done*》
48. 《Ⅴ (목)+*to be*+(목보)》
49. 《Ⅴ (목)+(*to be*)+(목보)》
50. 《Ⅴ (목)+*to* do》
51. 《Ⅴ (목)+*do*》
52. 《Ⅴ (목)+-*ing*(*p.*)》
53. 《Ⅴ (목)+*done*》
54. 《Ⅴ (목)+(절)》
55. 《Ⅴ *v*Ⅰ+전+(목)+(목보)》

◇ *g.*--gerund(동명사)
◇ *p.*--present participle(현재분사)

해 설

Ⅰ. 완전자동사

1. 《Ⅰ *v*Ⅰ》
She *laughed.* 그녀는 웃었다./School *begins.* 수업이 시작된다./
Who *care*? 알게 뭐야(상관없다)./Her name *was alluded to.* 그녀의 이름은 언급되지 않았다《*was alluded to* 는 완전자동사구(수동태)》./It *snows.* 눈이 온다.《◇ It은 비인칭 주어》./*It seems* that he was ill. 그는 앓고 있었던 것 같다.《◇ *It*은 예비 주어; that he was ill이 진주어》.
◇ 이 사전에서는 1.《Ⅰ *v*Ⅰ》표시를 원칙적으로 생략하였다.

2. 《Ⅰ 부》
Prices are going *up.* 가격이 오르고 있다.
《Ⅰ (부구)》
He will be *home soon.* 그는 곧 집에 돌아올 것이다.

3. 《Ⅰ 전+명》
She arrived *on time.* 그녀는 정각에 도착했다.

4. 《Ⅰ -*ing*(*g.*)》
She went *shopping.* 그녀는 쇼핑하러 갔다.《앞에 전치사가 생략된 것으로 -*ing*(*g.*)는 부사구로 쓰이는 동명사로 본다》.

5. 《Ⅰ *to* do》
We eat *to* live. 우리는 살기 위해서 먹는다.《*to* live는 목적 표시의 부사구》.

6. 《Ⅰ (절)》
Things are never *where one wants them.* 흔한 물건도 어쩌다 필요해서 찾으면 없다.《*where*는 종속 접속사; *where* 이하는 부사적 종속 접속사절》.

7. 《Ⅰ 전+(절)》
I often think *about when I was young.* 나는 어렸을 때를 종종 생각한다.《*when* 이하는 선행사가 생략된 관계부사절(명사절)인데, 전치사 *about*의 목적어의 역할을 하고 있다; *about when* 절은 부사절을 이룬다; think를 수식하고 있다; *about*을 생략할 수 없다; 간접의문문이 아님을 주의》.
《Ⅰ (구전)+(절)》
They disputed *as to who is the greatest scientist.* 그들은 누구가 가장 위대한 과학자인가를 논의했다.《*who* 이하 전체가 구전치사(*as to*)의 목적어; 의문사(*who*)의 격이 변동되지 않음을 주의》.

Ⅱ. 불완전자동사

8. 《Ⅱ 명,대》
He died *a richman.* 그는 부자로 죽었다./The red coat is *mine.* 그 빨간 코트는 내 것이다.《명사(*a richman*), 대명사(*mine*)가 주격보어이다》.
What is this called? 이것은 무엇이라고 불립니까.《this는 주어, is called는 수동태

동사(불완전자동사구), *What*은 주격보어》.

9. 《Ⅱ 형》
I am *busy.* 나는 바쁘다./He died *poor.* 그는 가난하게〔빈자로〕 죽었다.《형용사(*busy, poor*)가 주격보어》.
She was made *happy.* 그녀는 행복하게 되었다.《was made는 수동태 동사(불완전자동사구), 형용사(*happy*)가 주격보어》.

10. 《Ⅱ 부》
We are *off.* 우리는 간다.《부사(*off*)가 주격보어》.

11. 《Ⅱ 전+명》
That book is *above me.* 그 책은 내게 너무 어렵다.《전치사부구(*above me*)가 주격보어》.
《Ⅱ 전+-*ing*》
He is *above telling a lie.* 그는 거짓말을 할 사람이 아니다.《전+-*ing*(*above telling a lie*)가 주격보어》.

12. 《Ⅱ *as*+(보)》
He is regarded *as the greatest poet of the day.* 그는 당대 최고의 시인이라고 간주되고 있다.《*the greatest poet* 가 주격보어》.
◇ 이 사전에서는 (보)를 좀 더 분명히 표시한다. 즉 《Ⅱ *as*+명》으로 표시한다.

13. 《Ⅱ *to be* +(보)》
The child seems *to be asleep.* 그 아이는 잠든 것 같다./He seems *to be enjoying the party.* 그는 파티를 즐기고 있는 것 같다《*to be* 다음에 서술적 용법의 형용사나 현재분사형 형용사가 올 때는 *to be*를 생략할 수 없다: *asleep, enjoying the party*가 주격보어》.
◇ 이 사전에서는 (보)를 좀 더 분명히 표시한다. 즉 《Ⅱ *to be* +형》/《Ⅱ *to be* +-*ing*(*p.*)》로 표시한다.

14. 《Ⅱ (*to be*)+(보)》
She seems (*to be*) *happy.* 그녀는 행복한 듯하다./She seemed (*to be*) *satisfied.* 그녀는 만족하고 있는 것 같았다./He seems (*to be*) *a professor.* 그는 교수인 것 같다.《*to be* 다음에 일반 형용사나 과거분사형 형용사 그리고 명사가 올 때는 *to be*를 생략할 수 있다: *happy, satisfied, a professor*가 주격보어》.
◇ 이 사전에서는 (보)를 좀 더 분명히 표시한다. 즉 《Ⅱ (*to be*)+명》/《Ⅱ (*to be*)+형》/《Ⅱ (*to be*)+*done*》으로 표시한다.

15. 《Ⅱ *to* do》
His work was *to* deliver telegrams. 그의 일은 전보를 배달하는 것이었다.《명사적 부정사구 *to* deliver telegrams가 주격보어》./You are *to* go there. 너는 거기에 가야한다.《형용사적 부정사구 *to* go there 가 주격보어: 이와 같이 쓰이는 형용사적 부정사구에는 예정, 필요, 가능, 운명 따위를 나타내는 것이 많다》. ◇ 이 사전에서는 *to* do를 분명히, 즉 《Ⅱ *to* do(*n.*)》/《Ⅱ *to* do(*a.*)》로 표시할 수 있다.

16. 《Ⅱ -*ing*》
Seeing is *believing.* 보는 것이 믿을 수 있는 것이다.《동명사 *believing*이 주격보어》./

He came *running.* 그는 달려 왔다.《현재분사 *running*이 주격보어》. ◇ 이 사전에서는 *-ing*를 좀 더 분명히 해서, 즉 《Ⅱ *-ing*(*g.*)》/《Ⅱ *-ing*(*p.*)》로 표시할 수 있다.

17.《Ⅱ *done*》

He remained *undisturbed.* 그는 여전히 평온하게 있다.《과거분사 *undisturbed*가 주격보어》.

18.《Ⅱ 의문사/접속사+*to* do》

The question is *what to* do first. 무엇을 먼저 할 것인가가 문제다.《명사구 *what to* do first가 주격보어; *what*은 의문사》.

The problem is *who to* take. 누구를 데리고 갈 것인가 하는 게 문제다.《명사구 *who to* take가 주격보어; *who*는 의문사》.

The question is *whether to* go there. 거기에 가느냐가 문제다.《명사구 *whether to* go there가 주격보어; *whether*는 접속사》.

◇ 이 사전에서는 《Ⅱ 의문사/접속사+*to* do》를 좀 더 분명히 표시한다. 즉 《Ⅱ *what to* do》/《Ⅱ *wh. to* do》/《Ⅱ *whether to* do》로 표시한다.

19.《Ⅱ (절)》

This is *how he did it.* 이것이 그가 그것을 했던 방법이다.《명사절 *how he did it*이 주격보어; *how*는 의문사》.

The question is *that he is a deaf boy.* 문제는 그가 귀머거리 소년이란 것이다.《명사절 *that he is a deaf boy*가 주격보어; *that*은 접속사》. ◇ 이 사전에서는《Ⅱ (절)》을 좀 더 분명히 표시한다. 즉《Ⅱ *wh.*(절)》/《Ⅱ *that*(절)》로 표시한다.

20.《Ⅱ 전+(절)》

This lesson is *about how uncertain the English weather is.* 이 과는 영국의 날씨가 얼마나 불순한가에 관한 것이다.《형용사절 *about how uncertain* … *is*가 주격보어; *how* 는 의문사: *how*(절)은 전치사 *about*의 목적어》. ◇ 이 사전에서는《Ⅱ 전+(절)》을 좀 더 분명히 표시한다. 즉《Ⅱ 전+*wh.*(절)》로 표시한다.

Ⅲ. 완전타동사

21.《Ⅲ (목)》

We lean English. 우리는 영어를 배운다.

◇ 이 사전에서는 21.《Ⅲ (목)》 표시를 원칙적으로 생략하였다.

22.《Ⅲ *v*Ⅲ+명+전+(목)》

He *caught sight of* a group of boys. 그는 한 무리의 소년들을 보았다.《(*v*Ⅲ+명+전) (*catch*〔*caught*〕 *sight of*)은 완전타동사구; a group of boys가 목적어》.

23.《Ⅲ *v*Ⅰ+전+(목)》

They *laughed at* the impudent fellow. 그들은 그 염치 없는 녀석을 비웃었다.《(*v*Ⅰ+전) (*laugh*(*ed*) *at*)은 완전타동사구; the im-pudent fellow가 목적어》.

24.《Ⅲ *v*Ⅰ+전+명+전+(목)》

He *came to grips with* the problem of television. 그는 텔레비전의 문제와 씨름했다.《(*v*Ⅰ+전+명+전) (*come*〔*came*〕 *to grips with*)는 완전타동사구; the problem of television이 목적어》.

25.《Ⅲ (목)+부》
We study English hard. 우리는 영어를 열심히 공부한다.
They put the baseball game *off.* 그들은 야구 경기를 연기했다.《부사가 위치를 이동할 수 있다: They put *off* the baseball game. 이 경우에는 《Ⅲ 부+(목)》으로 표시한다》.
They put it *off.* 그들은 그것을 연기했다.《목적어가 인칭대명사(it)일 때는 부사가 위치를 이동할 수 없다: *They put *off* it.(誤)》.

26.《Ⅲ (목)+전+명》
They played tennis ***with interest.*** 그들은 재미있게 정구를 쳤다.《전+명(***with interest***)는 보통 부사구이다》.
He sold his old car *to one of his friends.* 그는 그의 친구들 중 어떤 사람에게 그의 고물차를 팔았다.《명(***one of his friends***)는 간접목적어에 상당한다》./She made a beautiful doll *for her daughter.* 그녀는 딸에게 예쁜 인형을 만들어 주었다.《명(***her daughter***)는 간접목적어에 상당한다》.
May I help you *to some more potatoes*? 감자를 좀 더 드릴까요《의미상으로 you는 간접목적어에 상당하는 목적어이다; *to some more potatoes*는 직접목적어에 상당하는 대격적 부사구이다》.

27.《Ⅲ (목)+전+-***ing***(***g.***)》
She blamed herself *for* not *going* to Chicago. 그녀는 시카고에 가지 못한 것을 후회했다.《목적어가 재귀대명사이다》.

28.《Ⅲ -***ing***(***g.***)》
He stopped *smoking.* 그는 담배를 끊었다.《목적어가 동명사(-***ing***(***g.***))이다》.

29.《Ⅲ *to* do》
He asked *to* help him. 그는 도움을 요청했다.《목적어는 부정사(*to* help him)이다》.

30.《Ⅲ *to be*+...》
It will cease *to be* novel. 그 일은 신기하지 않게 되겠지.《목적어는 부정사구(*to be* novel)이다》.
◇ 이 사전에서는《Ⅲ *to be*+...》를 좀 더 분명히 표시한다. 즉《Ⅲ *to be*+형》으로 표시한다.

31.《Ⅲ *do*》
Tom helped *solve* the problem. 톰은 문제를 푸는 것을 거들었다.《목적어는 원형부정사구(*solve* the problem)이다》.

32.《Ⅲ 의문사/접속사+*to* do》
I don't know *who to* see first. 나는 누구를 먼저 만나봐야 할지 모르겠다.《목적어는 의문사+부정사(*who to* see first)이다》.
◇ 이 사전에서는《Ⅲ 의문사+*to* do》를 좀 더 분명히 표시한다. 즉《Ⅲ *wh. to* do》로 표시한다.
I don't know *whether to* invite her. 나는 그녀를 초대해야 좋을지 어떨지 모르겠다.《목적어는 접속사+부정사(*whether to* invite her)이다》. ◇ 이 사전에서는《Ⅲ 접속사+*to* do》를 좀 더 분명히 표시한다. 즉《Ⅲ *whether to* do》로 표시한다.

33.《Ⅲ (절)》
I remember *when* I have been there. 나는 거기에 다녀 온 때가 기억난다.《목적어는 명사절(선행사가 생략된 관계부사절)(*when* ...)이다》. ◇ 이 사전에서는 《Ⅲ (절)》을 분명히 해서, 즉 《Ⅲ *wh.*(절)》로 표시한다.

34.《Ⅲ 전+명+(절)》
He inquired *of me if* I would go there with him. 그는 나에게 내가 거기에 그와 함께 가지 않겠느냐고 물었다.《목적어는 명사절(접속사절)(*if*...)이다: 완전타동사와 목적어((절)) 사이에 전+명(*of me*)가 삽입되어 있다는 것을 주의》.
◇ 이 사전에서는 《Ⅲ 전+명+(절)》을 좀 더 분명히 표시한다. 즉 《Ⅲ 전+명+*if*(절)》로 표시한다.
◇ 완전타동사의 목적어가 될 수 있는 명사절은 의문사, 관계사 또는 접속사로 인도되는 절이다.

Ⅳ. 두 개의 목적어를 취하는 완전타동사

35.《Ⅳ 명, 대+(목)》
He read her a fairy tale. 그는 그녀에게 동화를 읽어 주었다.
She bought her husband a new tie. 그녀는 남편에게 새 넥타이를 사 주었다.《대(her), 명(husband)는 간접목적어; (목)(tale, tie)는 직접목적어이다; 간접·직접 목적어를 취하는 완전타동사를 수여동사라고 칭한다》.

36.《Ⅳ (목)+(목)》
I envy you your good husband. 나는 네 훌륭한 남편이 부럽다.
《(목)(you), (목)(husband) 둘 다 직접목적어이다》.
◇ **유례**(두 개의 직접목적어를 취할 수 있는 완전타동사): answer, bear, bet, bring, catch, deal, deny, do, envy, forgive, give, hear, kiss, play, save, slap, spare, strike, take.

37.《Ⅳ 명, 대+부+(목)》
Please bring me back those books. 제발 그 책들을 나에게 돌려주시오.《대(me)는 간접목적어, (목)(books)는 직접목적어이다: 간접목적어와 직접목적어 사이에 부사가 삽입되어 있는 것에 주의》.
◇ 《Ⅳ 부+명, 대+(목)》/《Ⅳ 명, 대+(목)+부》의 형태로는 쓸 수 없다.

38.《Ⅳ 명, 대+*to* do》
He promised me *to* make her happy. 그는 나에게 그녀를 행복하게 해 주겠노라고 약속했다.《부정사구(*to* make her happy)가 직접목적어이다》.

39.《Ⅳ 명, 대+의문사/접속사+*to* do》
He asked me *which to* choose first. 그는 나에게 어느 것을 먼저 고를까를 물어보았다.《의문사+*to* do(*which to* choose first)가 직접목적어이다》.
◇ 이 사전에서는 《Ⅳ 대+의문사+*to* do》를 좀 더 분명히 표시한다. 즉 《Ⅳ 대+*wh. to* do》로 표시한다.
Would you advise me *whether to* accept her offer? 그녀의 제안을 들어줘야 할지 어떨지 말 좀 해 주게.《접속사+*to* do(*whether to* accept her offer)가 직접목적어이

다》.

◇ 이 사전에서는 《Ⅳ 대+접속사+*to* do》를 좀 더 분명히 표시한다. 즉 《Ⅳ 대+*whether to* do》로 표시한다.

40. 《Ⅳ 명, 대+(절)》

He asked me *when* I was going to move. 그는 나에게 내가 언제 이사할 예정이냐고 물어보았다. 《의문사절(*when* I was going to move)가 직접목적어이다》.

◇ 이 사전에서는 《Ⅳ 대+(절)》을 좀 더 분명히 표시한다. 즉 《Ⅳ 대+*wh.*(절)》로 표시한다.

Ⅴ. 불완전타동사

41. 《Ⅴ (목)+명》

The people elected him *President.* 국민들은 그를 대통령으로 선출했다. 《명사(*President*)가 목적격보어이다》.

42. 《Ⅴ (목)+형》

He made her *happy.* 그는 그녀를 행복하게 해주었다. 《형용사(*happy*)가 목적격보어이다》.

43. 《Ⅴ (목)+부》

He disputed her *down.* 그는 그녀를 논파(論破)했다. 《부사(*down*)가 목적격보어이다》.

44. 《Ⅴ (목)+*as*+(목보)》

They regard him *as a poet.* 그들은 그를 시인으로 여긴다. 《*as* 다음의 명사(*a poet*)가 목적격보어이다》.

◇ 이 사전에서는 (목보)를 좀 더 분명히 표시한다. 즉 《Ⅴ (목)+*as*+명》으로 표시한다.

I regard the situation *as serious.* 나는 그 사태를 중대시하고 있다. 《*as* 다음의 형용사(*serious*)가 목적격보어이다》.

◇ 이 사전에서는 (목보)를 좀 더 분명히 표시한다. 즉 《Ⅴ (목)+*as*+형》으로 표시한다.

They regarded the discover *as of little value.* 그들은 그 발견을 거의 가치가 없다고 생각했다. 《*as* 다음의 전치사부구(형용사구)(*of little value*)가 목적격보어이다》.

◇ 이 사전에서는 (목보)를 좀 더 분명히 표시한다. 즉 《Ⅴ (목)+*as*+전+명》으로 표시한다.

I regard the contract *as having been broken.* 나는 계약은 파기된 것으로 간주합니다. 《*as* 다음의 현재분사구(형용사구)(*having been broken*)가 목적격보어이다》.

◇ 이 사전에서는 (목보)를 좀 더 분명히 표시한다. 즉 《Ⅴ (목)+*as*+*-ing*(*p.*)》로 표시한다.

We regard the money *as gone.* 우리는 그 돈은 없어진 것으로 생각한다. 《*as* 다음의 과거분사(형용사적)(*gone*)가 목적격보어이다》.

◇ 이 사전에서는 (목보)를 좀 더 분명히 표시한다. 즉 《Ⅴ (목)+*as*+*done*》으로 표시한다.

45. 《Ⅴ (목)+전+명》

Please make yourself *at home.* 부디 편히 하십시오. 《전치사부구(*at home*)가 목적격보어이다》.

46.《V (목)+전+-*ing*》
His weak eyesight disqualifies him *from joining army.* 그는 시력이 약해서 군에 입대할 자격이 없다.《전치사+동명사구(*from joining army*)가 목적격보어이다》.

47.《V (목)+전+*done*》
We take modern conveniences *for granted.* 우리는 현대의 편리한 설비들을 당연한 것이라고 생각한다.《전치사+과거분사(*for granted*)가 목적격보어이다》.

48.《V (목)+*to be*+(목보)》
I guess him *to be* a wise man. 나는 그가 현명한 사람이라고 생각한다.《계사적 부정사 *to be* 다음의 명사(man)가 목적격보어이다》.
◇ 이 사전에서는 (목보)를 좀 더 분명히 표시한다. 즉《V (목)+*to be*+명》으로 표시한다.
They felt the plan *to be* unwise. 그들은 그 계획이 상책이 아니라는 느낌이 들었다.《계사적 부정사 *to be* 다음의 형용사(unwise)가 목적격보어이다》. ◇ 이 사전에서는 (목보)를 좀 더 분명히 표시한다. 즉《V (목)+*to be*+형》으로 표시한다.
◇ **유례**(《V (목)+*to be*+(목보)》--*to be*를 생략할 수 없는 불완전타동사): feel, guess, judge, know, see, *etc.*

49.《V (목)+(*to be*)+(목보)》
We think him (*to be*) a good teacher. 우리는 그가 훌륭한 교사라고 생각한다.《계사적 부정사 *to be* 다음의 명사(teacher)가 목적격보어이다; 계사적 부정사 *to be*는 생략할 수도 있다》.
◇ 이 사전에서는 (목보)를 좀 더 분명히 표시한다. 즉《V (목)+(*to be*)+명》으로 표시한다.
We think him (*to be*) smart. 우리는 그가 영리하다고 생각한다.
《계사적 부정사 *to be* 다음의 형용사(smart)가 목적격보어이다; 계사적 부정사 *to be*는 생략할 수도 있다》.
◇ 이 사전에서는 (목보)를 좀 더 분명히 표시한다. 즉《V (목)+(*to be*)+형》으로 표시한다.
◇ **유례**(《V (목)+(*to be*)+(목보)》--*to be*를 생략할 수 있는 불완전타동사): believe, consider, find, perceive, presume, prove, report, suppose, think, *etc.*
◇ 그러나 완료부정사인 경우에는 생략할 수 없다.: They reported the news *to have been* a true information. 그들은 그 소식이 사실이었음을 보도했다.《*to have been*은 생략할 수 없다》./We think him to have been diligent. 우리는 그가 근면하게 지내왔다고 생각한다.《*to have been*은 생략할 수 없다》.

50.《V (목)+*to do*》
I want you *to* help him. 나는 네가 그를 도와주기를 바란다.《부정사구(*to* help him)가 목적격보어이다》.

51.《V (목)+*do*》
I saw him *drive* a bus. 나는 그가 버스를 운전하는 것을 보았다.
《원형 부정사구(*drive* a bus)가 목적격보어이다》.
Don't let the rope *go.* 밧줄을 놓지 마라.《원형 부정사(*go*)가 목적격보어이다》.
◇ **유례**(원형 부정사구를 목적격보어로 취하는 불완전타동사)

(1) 지각동사: feel, hear, notice, observe, see, watch. *etc.*

(2) 사역동사: bid, have, 《미》help, let, make. *etc.*

52.《V (목)+-*ing*(*p.*)》

I watched him *working.* 나는 그가 일하고 있는 것을 지켜보았다.

《현재분사(*working*)가 목적격보어이다》.

◇ **유례**(현재분사구를 목적격보어로 취하는 불완전타동사): catch, feel, find, have, hear, keep, leave, notice, observe, see, set, smell, start, understand, watch. *etc.*

53.《V (목)+*done*》

I had my watch *fixed.* 나는 시계를 고쳤다.《과거분사(*fixed*)가 목적격보어이다》.

◇ 과거분사가 타동사일 때는 수동의 뜻을 나타내며, 자동일 때는 완료의 뜻을 나타낸다.

◇ **유례**(과거분사를 목적격보어로 취하는 불완전타동사): feel, find, get, have, hear, like, make, see, want, wish, *etc.*

54.《V (목)+(절)》

She has made the salad *what it is.* 그녀가 샐러드를 그렇게 만들어 놓았다.《절(*what it is*)이 목적격보어이다》.

◇ 이 사전에서는 (절)을 좀 더 분명히 표시한다. 즉《V (목)+*what*(절)》로 표시한다.

55.《V *v*I+전+(목)+(목보)》

They *laughed at* him a perfect *idiot.* 그들은 그가 완전한 백치라고 비웃었다.《명사(*idiot*)가 목적격보어이다: *laughed at* (*v*I+전)은 불완전타동사구》.

◇ 이 사전에서는 (목보)를 좀 더 분명히 표시한다. 즉《V *v*I+전+(목)+명》으로 표시한다.

◇ '완전자동사+전치사'가 불완전타동사구로 쓰이는 경우에 그 목적격보어로 명사, 형용사, 부정사, 현재분사, 과거분사 등을 취할 수 있다.

A

A a

a[1], **A**[1] [ei] *n.* (*pl.* **a's, as, A's, As** [-z]) **1** 에이《영어 알파벳의 첫 자》. **2** A자 꼴〔형〕(의 것). **3** (연속하는 것의) 첫 번째(의 것). **4** 제 1 가정(假定)의 사람〔사물〕, 갑(甲). **5** (**A**) 최상의 것, 제1급, A급. **6** 《미》 수(秀)《학업 성적에서》: straight A's 전 수. **7** 〔樂〕 가 음, 가 조(調). **8** 〔數〕 제1 기지수(既知數). **9** (**A**) (ABO식 혈액형의) A형. **10** (**A**) A사이즈《브래지어 컵이나 구두 볼의 B보다 작고 AA보다 큰 것》. **A 1** [éi-wʌ́n] 제1급《로이드 선급(船級) 협회의 선박 검사 등급》; 《口》 최고의, 제1류의(=A one). **A for effort** 노력 인정상. **from A to Z** 처음부터 끝까지. **not know A from B** A와 B의 구별도 모르다, 낫 놓고 기역자도 모르다, 일자 무식이다. **the A to Z of** …에 관한 모든것.

A[2] *n.* 《미俗》 **1** 암페타민(amphetamine). **2** LSD(*a*cid(=LSD)의 생략: A).

★**a**[2], **an** [弱 ə; 强 ei], [弱 ən; 强 æn] *indef. art.* [one과 동어원] 《◇ (1) 불특정한 것임을 나타내는 부정관사(**a, an**)는 단수 가산 명사에만 붙는다. (2) 자음 앞에서는 **a**, 모음 앞에서는 **an**을 쓰며, 철자에 의존하지 않는다. 모음자로 시작되더라도 발음이 자음[j, w]인 것에는 **a**를 붙인다: *a* boy/*a* u[juː]/*a* unit[júːnit]/*a* European[jùərəpíːən]/*a* young man/*a* woman/*a* one-man show[wʌ̀nmæ̀nʃóu]/*an* ox/*an* uncle/*an* s[es]/*an* office girl. (3) 발음되지 않는 h+모음으로 시작되는 말에는 **an**을 쓴다: *an* hour[auər]. h를 발음하는 말에는 **a**를 쓴다: *a* horse/*a* hot day. (4) 약어에서 자음으로 시작되면 **a**; 모음으로 시작되면 **an**을 붙인다: *a* PTA[pìːtìːéi] (사친회)/*an* MP[émpíː](국회의원), *an* SOS[ésòués] (조난신호). (5) 의미를 강조하거나 특별히 강세를 둘 때는 [ei], [æn]으로 발음한다. (6) 불가산 명사 앞에 **a**(**n**)가 쓰이는 경우가 있다: *a* necessity(필수품)/*a* new courage/*a* kind of (일종의)/*an* instance of(한 사례의)/*an* iron(다리미)》.

1 a (단수형 가산 명사 앞에 써서) (막연히) 어떤 하나〔한 사람〕의(one의 약한 뜻): *a* pen/*a* good job 좋은 일자리/*an* editor and writer 편집자이자 작가《한 사람》/*an* editor and *a* writer 편집자와 작가《두 사람》. ◇ 한 사람의 양면 활동·성질을 강조할 때는 두 군데에 다 관사가 붙는다: He was *an* editor and *a* writer. 그는 편집자인 동시에 작가였다/*a* watch and chain 줄 달린 시계《and는 with의 뜻으로 한 개의 것으로 간주한다》. b 하나의, 한 사람의 《one의 뜻》: *a* mile long 길이 1 마일/*a* day or two 하루 이틀/at *a* mouthful 한 입에/in a word 한 마디로 말하면, 즉/to *a* man 한 사람도 빠짐없이/Not *a* soul was to be seen there. 거기에는 사람이라고는 한 사람도 볼 수 없었다/I never said a word. 아무 말도 안 했다/Yes, I had *a*[éi] reply. (강조적으로) 예, 한 차례 회답은 있었습니다.

2 a (dozen, score; hundred, thousand, million 등의 집합수사 앞에 써서) 하나의: *a* dozen pencils 연필 한 다스/*a* gross of matches 성냥 한 그로스/*a* hundred and fifty thousand won 15만원/*a* million dollars 일백만 달러/*a*〔《영》 *an*〕 hundredfold 백배로. b few, great〔good〕 many; little, great〔good〕 deal 등의 앞에 붙여 관용적 수량을 표현한다: for *a* few days 며칠 동안/*a* great many books 대단히 많은 책/*a* little (water) 약간(의 물)/*a* good deal (of money) 많은 돈. ◇「many *a*+단수명사」는 문어에서 배분적 뜻을 나타내어 강조적이다: many *a* time 여러 번. c (서수사(序數詞) 앞에 써서) 또 하나의, 다시 한 번의: She tried *a* third time. 그녀는(두 번 한 뒤에) 다시 한 번 해보았다. *cf.* She tried for the third time. 그녀는 세번째로 또 해보았다. d (보통 불가산 명사로 쓰이는 명사 앞에 붙이어) …의 한 잔, 한 조각, 한 사람분의, 1회분, 한 예, 한 종류, 결과 (만들어지는 것): Two teas and *a* coffee, please! 홍차 두 잔과 커피 한 잔 주세요/*a* beer〔whiskey and soda〕 맥주〔위스키 소다〕 한 잔/*an* aspirin 아스피린 한 알/*a* stone 돌멩이/*a* fire 모닥불, 화재, 난로불/*a* murder 살인 사건/*a* kindness (하나의) 친절한 행위/have *a* sleep 한잠 자다/*an* invention 발명품/a building 건축물.

3 어느 (정도의)(some, a certain의 약한 뜻): in *a* sense 어떤 의미로.

4 (고유명사에 붙이어) a …이라는 사람 《a certain 의 뜻》: *a* Mr. Brown 브라운씨라는 분. b …집안〔가문〕의 사람: *a* Johnson 존슨 집안 사람. c …의 작품〔제품〕《a work by 의 뜻》: *a* Rodin 로댕의 작품〔조각〕/*a* Ford 포드 (회사제) 차.

5 a …와 같은 사람〔것〕《one like》: *a* Einstein 아인슈타인과 같은 사람〔위대한 과학자〕. b (… of *a* …의 형태로) …와 같은 …: *an* angel of *a* child 천사와 같은 귀여운 아이. ◇ 이 경우의 of 뒤에는 고유명사도 쓰이는 일이 있음: that fool of *a* John 저 어리석은 존. c (고유명사에 붙이어: 사람 등의 새로운 면이나 그때까지 알려지지 않았던 면을 나타낸다): *a* vengeful Peter Baron 복수에 불탄 피터 배런.

6 (같은 종류의 것을 대표하는 총칭적 용법) 어느 …도, …은 모두, …이라는 것, 모든 … 《any 또는 every의 약한 뜻》: *A* cat can see in the dark. 고양이는 어두운 곳에서도 볼 수 있다.

7 (단위를 나타내는 말에 붙이어) 각…, 매…, …당, … 마다, …에《each, per의 뜻》: thirty miles *an* hour 시속 30마일/twice *a* day 매일 2회/at three dollars *a* yard 1야드에 3달러로.

8 《稀》 동일한, 같은《the same의 뜻: 보통 of *a* …의 형태로 쓴다》: birds of *a* feather 같은 깃털을 가신 새/men all of *a* mind 모두 한 마음인 사람들/be of *an* age 〈두 사람 이상이〉 동갑이다/These hats are much of *a* size. 이 모자들은 대체로 같은 크기입니다.

a[3] [ə] *prep.* 《口·方》 =OF: thread *a* gold 금실/kind*a*〔sort*a*〕 다소(kind of〔sort of〕).

a[4] [ei, ɑː] [L =from] *prep.* (공간적·시간적으로) …으로부터; (공간적으로) …에서 떨어져서, …에서 나뉘어서; (시간적으로) …이래, …후: *a* priori 선험적(先驗的)인〔으로〕/*a* posteriori 후천적인〔으로〕.

a[5] [ə, æ] *aux. v.* 《口·方》 (종종 앞의 조동사에 붙여) =HAVE: I'd *a* done it./could*a*〔might*a*, would*a*〕.

A

@ [ət] 〔商〕 단가(單價) …으로(at).

à [ɑː] [F] *prep.* to, at, in, after 따위의 뜻(…에서, …으로, …의; ⇨À LA CARTE, À LA MODE).

a' [ɑː, ɔː] *a.* 《스코》 =ALL. **for a' that** 그럼에도 불구하고.

a-[1] [ə] *pref.* **1** in, into, on, to, toward의 뜻. a (명사에 붙여 형용사·부사를 만듦): *a*foot 도보로/*a*shore 해안에/*a*bed 《古》 = in bed 잠자리에. b (동사에 붙여 형용사·부사를 만듦): *a*buzz 떠들썩한. ◇ a, b에서 이 **a-**가 붙은 말은 서술적 형용사로서만 쓰임. **2** (동명사에 붙여) 《古·方》 「…중인; …하러」의 뜻: fall (*a*-)crying 울기 시작하다/go (*a*-)fishing 낚시질하러 가다/The house is (*a*-)building. 집은 건축 중이다/set the bell (*a*-)ringing 종을 울리기 시작하다. ◇ 위 **2** 용례 중의 *a*-는 현재 보통 생략되기 때문에 -*ing*을 현재분사로도 볼 수 있다.

a-[2] [ei, æ, ə] *pref.* 「비(非)…; 무(無)…」(non-, without-)의 뜻: *a*moral, *a*sexual, *a*chromatic, *a*tonal.

-a *suf.* 「산화물」의 뜻.

a. about; acceleration; 〔商〕 accepted; acre(s); act(ing); adjective; adult; after; afternoon; age(d); alto; amateur; ampere; *anno*(L=in the year); answer; *ante*(L=before); approved; area; 〔野〕 assist(s); at.

A ampere; 〔物〕 angstrom; 〔化〕 argon.

A. absolute; Academician; Academy; 《영》 〔映〕 (for) adults (only)(1982년부터 "PG"); Airplane; America(n); April; Army; Artillery; 〔時計〕 *avancer*(F =accelerate).

Å 〔物〕 angstrom (unit(s)).

a·a [ɑ́ːɑː] *n.* Ⓤ 〔地質〕 아아 용암(표면이 거친 현무암질 용암).

aa, AA, A̅A̅, A̅ 〔處方〕 *ana*(Gk =of each an equal quantity). **AA** 《영》 〔映〕 accompanied by adult(성인 영화(14세 미만 입장 금지)); Afro-Asian; American Airlines; Asian-African. **A.A.** Alcoholics Anonymous; antiaircraft artillery; antiaircraft gun〔fire〕; Associate in〔of〕 Arts; Automobile Association.

AAA [éiéiéi] (신발 너비의) AAA사이즈(AA보다 좁음); 〔電〕 (건전지 사이즈의) AAA; 〔金融〕 AAA, triple-A(사채·공채 따위 등급에서 최우량의 평가); 〔野〕 AAA, triple-A(마이너 리그의 최상위). **A.A.A.** [èièiéi, trípəl éi] Agricultural Adjustment Act; Agricultural Adjustment Agency〔Administration〕; 《영》 Amateur Athletic Association; American Automobile Associ-ation; antiaircraft artillery. **A.A.A.A.** American Association of Adver-tising Agencies; Associated Actors and Artists of America. **A.A.A.L.** American Academy of Arts nd Letters 미국 예술원. **A.A.A.S.** American Association for the Advancement of Science. **AAES** AmericanAssociation of Engineering Societies. **AAF** 《미》 Army Air Forces. **A.A.G.** Assistant Adjutant General.

aah [ɑː, ɑ́ːə] *n., vi.* 탄성(을 발하다), 아아(하다).

A.A.H. Advanced Attack Helicopter(신형 공격 헬리콥터).

A.A.I. Associate of the Chartered Auctioneers' and Estate Agents' Institute.

AAM air-to-air missile. **A. & M.** agricultural and mechanical; 《讚頌歌》 Ancient and Modern. **A. & R.** artists and repertory〔repertoire, recording〕. **A.A.of A.** Automobile Association of America. **AAP** Association of American Publishers. **A.A.P.S.S.** American Academy of Political and Social Science. **A.A.Q.M.G.** Assistant Adjutant and Quartermaster General. **A.A.R.** 〔海保〕 against all risks; air-to-air rocket.

aard·vark [ɑ́ːrdvɑ̀ːrk] *n.* 〔動〕 땅돼지(남아프리카산 개미핥기의 일종).

aard·wolf [-wùlf] *n.*(*pl.*-**wolves** [-wùlvz]) 〔動〕 땅늑대(남아프리카산 hyena의 일종).

Aar·on [ɛ́ərən, ǽr-] *n.* 〔聖〕 아론(모세의 형; 유대 최초의 제사장).

Aar·on's-beard [ɛ́ərənzbìərd, ǽr-] *n.* 〔植〕 물레나물·범의귀류의 식물.

Aar·on's ród 〔植〕 미역취; 〔建〕 아론의 지팡이(막대에 뱀이 감긴 모양의 장식).

A.A.S. *Academiae Americanae Socius*(L = Fellow of the American Academy) 미국 학술 협회 회원; American Academy of Sciences. **A'asia** [èiéiʒə, -ʃə] Australasia.

aas·vo·gel [ɑ́ːsfòugəl] *n.* 독수리의 일종(남아프리카산).

A.A.U. Amateur Athletic Union. **A.A.U.N.** American Association for the United Nations. **A.A.U.P.** American Association of University Professors. **A.A.U.W.** American Association of University Women.

AB [éibíː] *n.* Ⓤ (ABO식 혈액형의) AB형.

ab [æb] [L] *prep.* from의 뜻: ⇨ab extra.

Ab, Av [ɑːb, æb, ɑːv], [ɑːv, æv, ɔːv] *n.* 유대력의 제11월(유대 교회력의 5월; 현 태양력(그레고리오력)의 7-8월에 해당).

ab-[1] [æb, əb] *pref.* 「이탈; 멀리에; 결여(缺如)되어」의 뜻: *ab*normal, *ab*duct, *ab*use.

ab-[2] *pref.* '절대…'의 뜻. cgs 전자 단위계에서 '10^x'를 나타낸다: *ab*coulomb.

ab-[3] *pref.* AD의 변형(b의 앞에서).

ab. about; absent. **a.b., ab., A.B.** at bat 〔野〕 타(석)수. **Ab** 〔化〕 alabamine. **AB** airbase; airborne. **A.B.** able-bodied seaman; *Artium Baccalaureus*(L=Bachelor of Arts) 문학사.

a·ba [əbɑ́ː, ɑː-] *n.* **1** Ⓒ (아랍인의) 소매없는 긴 겉옷. **2** Ⓤ 낙타·염소 털의 직물.

A.B.A. Amateur Boxing Association; American Bankers Association; American Booksellers Association.

a·ba·ca [æ̀bəkɑ́, ɑ̀ːbə-] *n.* Ⓤ 〔植〕 마닐라삼; (밧줄 원료인) 마닐라삼의 섬유.

a·back [əbǽk] *ad.* 〔海〕 돛이 역풍을 받고; 《古》 뒤쪽으로. **be taken aback** 깜짝놀라다; 〔海〕 〈배가〉 역풍을 받다, 〈돛이〉 역범(逆帆)이 되다.

a·bac·te·ri·al [èibæktíəriəl] *a.* 〔醫〕 비세균성의.

a·bac·u·lus [əbǽkjələs] *n.* (*pl.* **-li** [-lài, -liː]) 〔建〕 모자이크용 각유리; 작은 주판.

***ab·a·cus** [ǽbəkəs] [Gk] *n.* (*pl.* **~·es, -ci** [-sài]) 주판; 〔建〕 (원주(圓柱) 꼭대기의) 관판(冠板).

A·bad·don [əbǽdən] *n.* **1** 지옥, 나락. **2** 〔聖〕 =APOLLYON의 헤브라이어(語)명.

a·baft [əbǽft, əbɑ́ːft] 〔海〕 *prep.* …뒤쪽에〔으로〕, …의 고물에. — *ad.* (배의) 후반부쪽으로, 고물쪽으로, 고물 부근에.

ab·a·lien·ate [æbéiljənèit, -liən-] *vt.* 〔法〕 〈재산 등을〉 양도하다.

ab·a·lo·ne [æ̀bəlóuni] *n.* 〔貝〕 전복.

a·ban·don[1] [əbǽndən] *vt.* **1** 〈계획·습관

A

등을〉 그만두다, 단념하다(give up): ~ one's plan 계획을 포기하다. **2** 〈사람·지위 등을〉 버리다: ~ one's friend 친구를 버리다/《Ⅲ (목)+전+명》 They *~ed* their pretty country house for a narrow, dusty in a long, straight street. 그들은 아름다운 시골집을 버리고 긴 직선 도로에 임해 있는 좁고 먼지 투성이의 집으로 이사했다. **3** 〔法〕〈권리·재산을〉 포기하다, 〈처자를〉 유기하다; 〔海保〕〈배·화물 등 피보험물을〉 위탁하다. **4** 〈소유물을〉 넘겨주다, 명도하다, 내주다: …을 …이 하는 대로 내맡기다《*to, for*》: ~ one's country *to* the invaders 자기 나라를 침략자들에게 내맡기다/《Ⅲ (목)+전+명》 We *~ed* him *to* his fate. 우리는 그를 그의 운명에 맡겼다. **abandon oneself to** pleasure(s)〔grief〕(환락〔비탄〕)에 빠지다. **abandon** a person **to his fate** …을 그의 운명에 맡기다. ◈ abándonment *n.*

a·ban·don² *n.* Ⓤ 자유 분방; 방종, 방자. **with**〔**in**〕 **abandon** 멋대로, 흥에 겨워; 마음껏; 닥치는 대로.

a·ban·doned [əbǽndənd] *a.* **1** 버림받은. **2** 자포 자기한; 방자한, 파렴치한, 불량한, 방탕한. **3** 자유 분방한. **4** 폐기된《채굴장·광산 등》.

a·ban·don·ee [əbæ̀ndəníː] *n.* **1** 〔法〕 피(被)유기자. **2** 〔海保〕 피위탁자.

a·ban·don·er [əbǽndənər] *n.* **1** 〔法〕 유기자. **2** 〔海保〕 위탁자.

a·ban·don·ment [əbǽndənmənt] *n.* **1** 포기. **2** 〔法〕 유기, 위탁. **3** 자포자기. **4** 방종(=ABANDON²)

à bas [ɑːbɑ́ː] [F] *int.* …을 타도(하라)!(*opp.* vive).

a·base [əbéis] *vt.* 〈지위·품격 등을〉 떨어뜨리다; 깎아내리다. **a·base oneself** 자기의 품격을 떨어뜨리다. **~·ment** *n.* Ⓤ 실추, 굴욕.

a·bash [əbǽʃ] *vt.* **1** 무안하게 하다. **2** 당황하게 하다《◇ 보통 과거분사로 형용사적으로 씀 ⇨abashed》. **~·ment** *n.*

a·bashed [əbǽʃt] *a.* 부끄러워, 무안하여; 당황하여《*at, by*》. **be**〔**feel**〕 **abashed** 겸연쩍어하다, 당황하다: The girl was〔felt〕 ~ *at* the sight of the room filled with strangers. 그 소녀는 그 방이 낯선 사람들로 가득 찬 것을 보고 당황했다.

a·ba·si·a [əbéiʒə, -ʒiə, -ziə] *n.* 〔病理〕 실보(失步), 보행 불능(증).

a·bask [əbǽsk, əbɑ́ːsk] *ad.* (햇볕에) 쬐어서, 빛을 받고.

***a·bate** [əbéit] *vt.* **1** 감소시키다(make less); (값을) 낮추다, (세금을) 줄이다; (세력·고통 등을) 덜다, 약화하다. **2** 〔法〕 배제〔중지〕하다; (영장을) 무효로 하다. — *vi.* **1** 감소되다; (세력·심한 정도가) 줄다, 덜어지다; (홍수·폭풍우·유행병 등이) 가라앉다, (비바람이) 자다. **2** 〔法〕 (영장이) 무효가 되다.

a·bát·er *n.* ◈ abátement *n.*

a·bate·ment [ˊmənt] *n.* **1** Ⓤ,Ⓒ 감소, 감퇴; 경감, 완화; (가격·세 등의) 경감액. **2** 폐지, 금지, 제거. **3** 〔法〕 배제, 중지, 각하, 실효. **plea in abatement** 〔法〕 소송 각하 항변.

ab·a·tis [ǽbətìː, -tis] *n.* (*pl.* ~[-tìːz], ~·**es**) 〔軍〕 녹채(鹿砦), 가시 울타리; 철조망.

a·ba·tor [əbéitər] *n.* 〔法〕 (소송 절차 등의) 배제자, 공제자; (정당한 상속인이 아닌) 유산 불법 점유자.

A bàttery [éi-] 〔電子〕 A전지《라디오 진공관 등의 필라멘트 가열용》.

a·bat·tis [əbǽtiː, -tis] *n.* =ABATIS.

ab·at·toir [ǽbətwɑ̀ːr] [F] *n.* 《영》 도살장.

ab·ax·i·al [æbǽksiəl] *a.* **1** 〔植〕 축(軸)에서 떨어져 있는, 축외(軸外)의, 배축(背軸)의. **2** 〔動〕 몸 중추에서 떨어져 있는.

abb [æb] *n.* 《영》 (직물의) 씨실(*opp.* warp).

Abb. abbess; abbey; abbot.

Ab·ba [ǽbə] *n.* 〔聖〕 아바, 하나님 아버지《마가복음 14:36》; (a ~) 사부(師父)《수도원장 등》.

ab·ba·cy [ǽbəsi] *n.* (*pl.* **-cies**) Ⓤ,Ⓒ 대수도원장(abbot)의 관할 구역〔직(권), 임기〕.

ab·ba·tial [əbéiʃəl] *a.* 대수도원의; 대수도〔수녀〕원장의.

ab·bé [æbéi, ˊ–] [F] *n.* (*pl.* ~**s**[-z]) (프랑스 인의) 대수도원장(abbot); 성직자, 신부, 승려.

ab·bess [ǽbis] *n.* 대수녀원장.

Ab·be·vill·i·an, vill·e·an [æbəvíliən] *n., a.* 〔考古〕 아브빌 문화(기)(의)《구석기 문화 중 가장 오래된 것》.

⁑**ab·bey** [ǽbi] *n.* **1** a 대수도원《abbot 또는 abbess가 관리하던 중세의 수도원》. b (종종 **A-**) 대성당, 대저택《원래는 대수도원이었음》. c (the **A-**) =WESTMINSTER ABBEY. **2** (the ~; 집합적) 대수도사〔수녀〕들(monks, nuns).

***ab·bot** [ǽbət] *n.* 대수도원장. **~·ship** *n.* =ABBACY. ◈ abbatial *a.*

abbr(ev). abbreviated; abbreviation(s).

⁑**ab·bre·vi·ate** [əbríːvièit] [L] *vt.* **1** 〈낱말을〉 줄여 쓰다, 간략화하다, 생략하다, 단축하다(shorten): "United Nations" is commonly *~d to* "UN." United Nations는 보통 UN으로 약기된다. **2** 〔數〕 약분하다. ◈ abbreviátion *n.*

ab·bre·vi·at·ed [əbríːvièitid] *a.* **1** 단축된, 간결하게 한. **2** 〈의복이〉 겨우 몸을 가리는. **3** 축소형으로 된.

⁑**ab·bre·vi·a·tion** [əbrìːviéiʃən] *n.* **1** Ⓤ 생략, 단축. **2** 생략형, 약어, 약자(*for, of*). **3** Ⓤ 〔數〕 약분; 〔樂〕 생략법, 약호(略號). ◈ abbréviate *v.*

ab·bre·vi·a·tor [-ər] *n.* 생략자.

abc automatic brightness control 〔TV〕 자동 휘도(輝度) 조정.

***ABC** [éibìːsíː] *n.* (*pl.* ~'**s**, ~**s**) **1** (종종 *pl.*) 에이 비 시, 알파벳(alphabet). **2** (the ~) 초보, 입문《*of*》: an ~ book 입문서/the ~ of economics 경제학 입문. **3** 《영》 ABC순으로 된 철도 여행 안내(=ˊ **Ráil Guìde**). **4** [ˊˊˊ] 《영》 ABC순 세계 정기 항공 시간표(=ˊ **Wórld Áirways Guìde**).

as simple〔**plain, easy**〕 **as ABC** 아주 쉬운, 매우 간단한.

ABC, A.B.C. 《영》 Aerated Bread Company('s Shop); American Broadcasting Company; Australian Broadcasting Commission; atomic, biological and chemical.

ABCC Atomic Bomb Casualty Commission(일본·미국 합동) 원폭 상해 조사 위원회.

ab·cou·lomb [æbkúːlɑm, -loum/-lɔm] *n.* 〔電〕 10 쿨롱《전하(電荷)의 C.G.S. 전자(電磁) 단위》.

ABC wárfare〔**wèapons**〕 [èibìːsíː-] 〔軍〕 화생방전〔무기〕[*a*tomic, *b*iological, and *c*hemical *warfare*〔*weapons*〕].

ABD [èibìːdíː] [*a*ll *b*ut *d*issertation] *n.* 대학원 박사 과정 수료자《박사과정에서 논문 통과만 남은 사람》.

abd. abdicated; abdomen.

ab·di·ca·ble [ǽbdikəbəl] *a.* 퇴임〔사임〕할

수 있는.
ab·di·cant[ǽbdikənt] *a.* 〈왕위·권리·권력·지위 등을〉 버리는, 포기하는《*of*》. ── *n.* 퇴위자〔관〕; 포기자.
ab·di·cate[ǽbdikèit] *vt., vi.* 〈왕위·권리를〉 버리다, 포기하다; 양위하다; 퇴위하다: the ~*d* queen 양위〔퇴위〕한 여왕. **abdicate (from) the crown**〔**throne**〕 퇴위하다. **-ca·tive**[-kèitiv] *a.*
ab·di·ca·tion[-ʃən] *n.* Ⓤ 퇴위; (고관의) 사직; (권력의) 포기, 기권.
ab·di·ca·tor[-tər] *n.* 포기자; 퇴위자.
abdom. abdomen; abdominal.
⁎**ab·do·men**[ǽbdəmən, æbdóu-] *n.* (사람의) 배(belly); 〔解·動〕 복부.
⁎**ab·dom·i·nal**[æbdámənəl/-dɔ́m-] *a.* 복부의: ~ breathing〔respiration〕 복식 호흡/the ~ region 복부. ◇ ábdomen *n.*
ab·dom·i·nous[æbdámənəs/-dɔ́m-] *a.* 올챙이배의.
ab·duce[æbdjú:s] *vt.* 〔生〕 =ABDUCT 2.
ab·du·cent[æbdjú:sənt] *a.* 〔解·生理〕 〈근육 등이〉 외전(外轉)의.
ab·duct[æbdʌ́kt] *vt.* **1** 유괴하다《*from*》. **2** 〔生理〕 외전시키다(*opp.* adduct).
ab·duc·tion[-ʃən] *n.* **1** 유괴. **2** 〔解〕 (근육 등의) 외전(外轉).
ab·duc·tor[-tər] *n.* **1** 유괴자. **2** 〔解〕 외전근(筋)(*opp.* adductor).
Abe[eib] *n.* Abra(ha)m의 애칭.
a·beam[əbí:m] *ad.* 〔海·空〕 …와 직각 방향으로, 정(正)우현〔좌현〕으로《*of*》.
a·be·ce·dar·i·an[èibi:si:dέəriən] *a.* ABC의, ABC 순의; 초보의(elementary). ── *n.* 초보자, 초학자; 초보를 가르치는 선생.
a·bed[əbéd] *ad.* 잠자리에. **ill**〔**sick**〕 **abed** 앓아 누워. **lie abed** 자리에 눕다.
abeg·ging[əbégiŋ] *a., ad.* 냉대받은〔받고〕, 등한히 여기는〔여겨져〕.
A·bel[éibəl] *n.* **1** 남자 이름. **2** 〔聖〕 아벨 (Adam의 둘째 아들; 형 Cain에게 피살됨).
a·bele[əbí:l, éibəl] *n.* 〔植〕 은백양(white poplar).
A·bé·li·an gróup[əbí:liən-] 〔數〕 아벨군, 가환군(可換群).
a·bel·mosk[éibəlmàsk/-mɔ̀sk] *n.* (북아프리카산) 닥풀속(屬)의 상록 관목《okra 따위; 그 씨에서 향유를 채취함》.
ABEND[á:bend] [*ab*normal *end* (of task)] *n.* 〔컴퓨터〕 (태스크) 이상(異常) 종료《컴퓨터가 그릇된 프로그램을 검출하여 작업을 도중에서 종료함》.
Ab·er·deen[æ̀bərdí:n] *n.* **1** 애버딘《스코틀랜드 Grampian주의 주도》. **2** 스코치테리어(= ∠ **térrier**)《애완견의 일종》.
Áberdeen Ángus 스코틀랜드산의 뿔 없는 검은 소《식육용》.
ab·er·de·vine[æ̀bərdəváin] *n.* 〔鳥〕 방울새.
Ab·er·do·ni·an[æ̀bərdóuniən] *a., n.* Aberdeen의 (사람).
A·ber·glau·be[á:bərglaubə] [G] *n.* 미신.
Ab·er·ne·thy[ǽbərnì:θi] *n.* (caraway 열매를 넣은) 딱딱한 비스킷(= ∠ **biscuit**).
ab·er·rance, -ran·cy *n.* Ⓤ,Ⓒ 정도에서 벗어남, 탈선 (행위), 과오, 상규 일탈.
ab·er·rant[əbérənt, ǽbər-] *a.* **1** 정도(正道)에서 벗어난, 탈선적인. **2** 〔生〕 〈발육 등이〉 이상한.
ab·er·ra·tion[æ̀bəréiʃən] *n.* Ⓤ,Ⓒ **1** 정도에서 벗어남; 탈선. **2** 〔精醫〕 (일시적인) 정신 이상. **3** 〔生〕 (발육·위치 등의) 변형, 변이. **4** 〔光〕 수차(收差); 〔天〕 광행차(光行差).
a·bet[əbét] *vt.* (~·**ted**; ~·**ting**) 부추기다, 선동하다, 교사하다: 《Ⅲ (목)》 ~ a crime. 범죄를 교사하다/《Ⅲ (목)+전+명》 ~ a person *in* crime. (아무를) 부추겨 범행하게 하다. **aid and abet** 교사하다. **~·ment** *n.* Ⓤ,Ⓒ 교사(敎唆), 선동. **~·tor, ~·ter** *n.* 교사자.
ab ex·tra[æb-ékstrə] [L] *ad.* 외부로부터 (*opp.* ab intra).
a·bey·ance[əbéiəns] *n.* Ⓤ **1** 중지 (상태), 정지. **2** 〔法〕 소유자 미정《부동산의》. **be in abeyance** 〈권리 등〉 정지중이다. **fall into abeyance** 정지되다. **hold**〔**leave**〕 … **in abeyance** …을 미결로 두다.
a·bey·ant[-ənt] *a.* **1** 정지중의. **2** 소유자 미정의.
ABF Asia Boxing Federation.
ab·far·ad[æbfǽræd, -əd] *n.* 〔電〕 절대 패럿 《정전용량(靜電容量)의 cgs 전자(電磁) 단위; $=10^9$ farads; 기호 aF》.
ab·hen·ry[æbhénri] *n.* 〔電〕 절대〔애브〕 헨리《인덕턴스의 cgs 전자 단위; $=10^{-9}$ henry; 기호 aH》.
⁎**ab·hor**[æbhɔ́:r] *vt.* (~**red**; ~·**ring**) **1** 몹시 싫어하다; 혐오〔증오〕하다: 《Ⅲ -*ing*(g.)》 I ~ *telling* lies. 나는 거짓말하기를 싫어한다/《Ⅲ (목)》 I ~ snakes. 난 뱀이 질색이다. **2** 거부하다, 멸시하다(*cf.* horror).
ab·hor·rence[æbhɔ́:rəns, -hár-] *n.* **1** Ⓤ 혐오, 증오. **2** 질색인 것, 몹시 싫은. **have an abhorrence of** … =**hold** … **in abhorrence** …을 몹시 싫어하다.
ab·hor·rent[æbhɔ́:rənt, -hár-] *a.* **1** 아주 질색인, 싫어서 견딜 수 없는: 《Ⅱ 형+전+명》 It is ~ *to* me. =《Ⅱ 형+전+명》 I am ~ *of* it.(=《Ⅲ (목)》 I abhor it.) 나는 그게 질색이다. **2** 상반되는《*to*》. **~·ly** *ad.*
ab·hor·rer[æbhɔ́:rər, -hár-] *n.* **1** 몹시 싫어하는 사람. **2** (**A-**) 〔영史〕 국회 소집 반대자.
a·bid·ance[əbáidəns] *n.* Ⓤ **1** 지속. **2** 거주, 체재《*in, at*》 **3** 준수《*by*》. **abidance by rules** 규칙의 준수.
⁑**a·bide**[əbáid] (**a·bode**[əbóud], **a·bide**) *vi.* 《文語·古》 **1** 머물다, 체류하다(stay), 남다, 살다(dwell)《*in, at*》: 《Ⅰ 전+명》 ~ *in* the same place 같은 장소에 머물다. **2** 지속하다, 버티다, 지탱하다《*in*》: 《Ⅰ 전+명》 ~ *in* memory 기억에 남다. ── *vt.* **1** (각오하고) 기다리다: ~ one's time 때를 기다리다. **2** 〈운명·판결을〉 달게 받다: 《Ⅲ (목)》 ~ one's doom 운명을 감수하다/~ a punishment 벌을 달게 받다. **3** (부정·의문문에서) 〔口〕 참고 견디다: 《Ⅲ *to be pp.*》 He can't ~ *to be* thwarted. 그는 방해당하는 것을 참고 견디지 못한다. **4** …에 대항〔저항〕하다, 맞서다: 《Ⅲ (목)》 ~ the storm 폭풍우와 맞서다. **abide by** 〈규칙·법령·결정 등을〉 지키다, 묵묵히 따르다(*cf.* LAW-ABIDING): 《Ⅲ *v* Ⅰ+전+(목)》 *abide by* the law 법을 지키다. **a·bid·er**[əbáidər] *n.* 준수자(遵守者).
a·bid·ing[əbáidiŋ] *a.* 오래 지속되는, 영구적인: an ~ friendship 변치 않는 우정. **~·ly** *ad.* 영구적으로, 영속하여.
Abidjan[æ̀bidʒá:n] *n.* 아비장《코트디부아르(Côte d'Ivoire: Ivory Coast)의 수도》.
Ab·i·gail[ǽbəgèil] *n.* **1** 여자 이름. **2** (**a**-) 시녀(侍女).
⁑**a·bil·i·ty**[əbíləti] *n.* (*pl.* **-ties**) **1** Ⓤ 능력, 할 수 있는 힘, 솜씨《*in, for, of, to* do》(*opp.*

A

inability):《Ⅲ (목)+〈전+-*ing*〉》He has the ~ *of* seeing the other person's point of view. 그는 남의 견해를 이해하는 능력이 있다/《Ⅲ (목)+〈*to* do〉》He has the ~ *to* manage a large business. 그는 대기업을 관리할 수 있는 능력을 지니고 있다. **2** (종종 *pl.*) 수완, 재능: a man of ~〔abilities〕 수완가. **3** Ⓤ〔法〕 유자격. **to the best of** one's **ability** 힘 자라는 데까지, 능력껏. ◇ áble *a.*

-a·bil·i·ty[-əbíləti] *suf.*「…할 수 있음」의 뜻 《-ABLE의 명사 어미》: cap*ability*.

ab in·i·ti·o[æb-iníʃiòu] [L] *ad.* 최초부터《略: *ab init.*》.

ab in·tra[æb-íntrə] [L] *ad.* 내부로부터 (*opp.* ab extra).

a·bi·o·chem·is·try[èibaio*u*kéməstri, æ̀bi-] *n.* Ⓤ〔化〕 무기 화학(*cf.* BIOCHEMISTRY).

a·bi·o·gen·e·sis[-dʒénəsis] *n.* Ⓤ〔生〕 자연 발생(론); 자생(自生), 우발.

a·bi·o·ge·n·e·tic[-dʒənétik] *a.*〔生〕 자연 발생의. **-i·cal·ly**[-əli] *ad.* 자연 발생적으로.

a·bi·og·e·nist[èibaiɑ́dʒənist, æ̀bi-] *n.* 자연 발생론자.

a·bi·o·log·i·cal[èibaiəlɑ́dʒikəl/-lɔ́dʒ-] *a.* 비생물(학)적인; 생명이 없는. **~·ly** *ad.*

a·bi·o·sis[èibaióusis, æ̀bi-] *n.* Ⓤ〔病理〕 무기력 상태, 생활〔생명〕력의 결여.

a·bi·ot·ic[èibaiɑ́tik, æ̀bi-, -ɔ́t-] *a.* 생명〔생물〕에 관계 없는; 비생물적인.

ab·ir·ri·tant [æbírətənt] *n., a.*〔醫〕 자극 완화제(의).

ab·ir·ri·tate[æbírətèit] *vt.*〔醫〕 …의 자극을 완화하다.

*****ab·ject**[ǽbdʒekt, -́] *a.* **1** 비천한, 영락한 〈상태〉: ~ poverty 극빈. **2** 비열한, 비굴한, 천한 〈사람·행위〉: 《Ⅲ (목)》((목)-형+명) make an ~ apology 굽실거리며 사과하다. **~·ly** *ad.* **~·ness** *n.* ◇ abjéction *n.*

ab·jec·tion[æbdʒékʃən] *n.* Ⓤ 영락; 비천; 비열, 비굴.

ab·ju·ra·tion[æ̀bdʒəréiʃən] *n.* Ⓤ,Ⓒ 맹세하고 그만둠; (고국·국적의) 포기. **abjuration of the realm**〔영古法〕 영구 이국(離國)의 선언. **oath of abjuration**《미》(귀화 지망자가 하는) 고국 포기의 선서.

ab·jure[æbdʒúər/əb-] *vt.* **1** 맹세하고 버리다. **2** 〈주의·신앙 등을〉 공공연하게 버리다. **3** 〈고국을〉 영구히 버릴 것을 선서하다. **abjure the realm** (죄를 범하여) 고국을 떠날 것을 선서하다.

ab·jur·er[æbdʒúərər/əb-] *n.* 맹세하고 〈신앙 등을〉 버리는 사람; 〈국적을〉 포기하는 사람.

Ab·kház Repúblic[æbkɑ́:z-] *n.* (the ~) 아브하즈 (자치) 공화국《Georgia 공화국 내의 자치 공화국》.

abl. ablative.

ab·lac·tate[æblǽkteit] *vt.* 이유(離乳)시키다(wean).

ab·lac·ta·tion[-ʃən] *n.* Ⓤ 젖떼기, 이유.

ab·late[æbléit] *vt., vi.* (용해·증발·부식 등으로) 제거하다〔되다〕.

ab·la·tion[æbléiʃən] *n.* **1** (일부의) 제거, (수술에 의한) 절제. **2**〔地質〕(빙하·암석 등의) 삭마(削磨);〔宇宙〕 융제(融除)《우주선·유도탄이 지구의 대기권 내에 재돌입시에 피복(被覆) 물질이 녹아서 증발하는 현상》.

Ab·la·ti·val[æ̀blətáivəl] *a.*〔文法〕 탈격적인.

ab·la·tive[1] [ǽblətiv] *n., a.*〔文法〕 탈격(奪格)(의).

ab·la·tive[2] [æbléitiv] *a.* 제거할 수 있는;〔로켓〕 융제용의〔융제에 적합한〕.

áb·la·tive ábsolute 탈격 독립어구.

áblative cáse 탈격.

ab·la·tor[æbléitər] *n.*〔宇宙〕 융제재(材).

ab·laut[ɑ́:blaut, ǽb-] [G] *n.* Ⓤ〔言〕 모음전환〔교체〕《sing-sang-sung 등》.

ab·laze[əbléiz] *a.* **1** 불타는. **2** 밝게 빛나는 《*with*》. **3** 흥분한, 격한《*with*》. — *ad.* 불타올라서. **set ablaze** 불타오르게 하다.

★**a·ble**[éibəl] *a.* (**a·bler; a·blest**) **1** …할 수 있는(*opp.* unable): 《Ⅱ 형+*to* do》 He is ~ *to* play the piano. 그는 피아노를 칠 수 있다. **2** 유능한, 재능을 나타내는: an ~ man 수완가/an ~ speech 뛰어난 연설. **3**〔法〕 자격 있는. **4**〔海〕= ABLE-BODIED. **be able to** do …할 수 있다. ◇ abílity *n.*: enáble *v.*: ábly *ad.*

-a·ble[əbl] *suf.* **1** (수동의 뜻으로 타동사에 붙여)「…할 수 있는; …하기에 적합한; …할 만한」의 뜻: usable, eatable, lovable. **2** (명사에 붙여)「…에 적합한; …을 좋아하는」의 뜻: marriageable, peaceable. (◇ 명사형은 -ABILITY, ~NESS.)

a·ble-bod·ied[éibəlbɑ́did/-bɔ́d-] *a.* 강건한; 숙달한;〔海〕 A.B. 급의 〈선원〉.

áble(-bodied) séaman〔海〕 A.B. 급의 선원《숙련 갑판원; 略: A.B.; *cf.* ORDINARY SEAMAN》.

abled[éibld] *a.* 강건한 신체를 가진; 심신 건전자의, 심신의 능력을 지닌.

Áble Dày《미》 제1회 Bikini섬 원폭 실험일《1946년 6월 30일(한국 날짜로는 7월 1일)》.

ab·le·gate[ǽbləgèit] *n.* 교황 특사(特使).

a·ble·ism[éiblizəm] *n.* =강건 신체주의.

a·bloom[əblú:m] *ad., a.* 꽃이 피고.

ab·lu·ent[ǽbluənt] *a.* 씻어서 깨끗이 하는, 세정(洗淨)의. — *n.* 세정제(洗淨劑).

a·blush[əblʌ́ʃ] *ad., a.* 얼굴을 붉히고, 홍당무가 되어.

ab·lute[əblú:t] *vi., vt.*《口》〈몸·얼굴·손을〉 씻다(wash). **ab·lút·ed** [əblú:tid] *a.*

ab·lu·tion[əblú:ʃən] *n.* **1** Ⓤ,Ⓒ〔基督教〕(성찬식 전후에 손과 성기(聖器)를 씻는) 세정식(洗淨式). **2** (주로 *pl.*) 몸〔얼굴, 손(등)〕을 씻음: perform〔make〕 one's ~s 몸을 씻다; 목욕 재계하다.

ab·lu·tion·ar·y[əblú:ʃənèri/-əri] *a.* 세정식(洗淨式)의.

a·bly[éibli] *ad.* 유능하게, 솜씨 있게, 교묘히, 훌륭히(skillfully).

ABM antiballistic missile(탄도탄 요격 미사일); Atomic Bomb Mission(원자탄 조사위원회).

abn airborne.

ab·ne·gate[ǽbnigèit] *vt.* 〈쾌락 등을〉 끊다; 〈신념·권리를〉 버리다, 포기하다.

ab·ne·ga·tion[æ̀bnigéiʃən] Ⓤ 거절; 기권; 자제(self-denial), 극기.

ab·ne·ga·tor[ǽbnigèitər] *n.* 포기〔거절〕자.

‡**ab·nor·mal**[æbnɔ́:rməl] *a.* 비정상의, 이상한, 예외적인; 변칙의; 정상 이상〔이하〕의, 변태적인, 병적인(*opp.* normal). **~·ìsm** *n.* ◇ abnormálity, abnórmity *n.*

ab·nor·mal·i·ty[æ̀bnɔ:rmǽləti] *n.* (*pl.* **-ties**) Ⓤ 이상, 변칙; Ⓒ 비정상적인 것, 변칙적인 것, 기형. ◇ abnórmal *a.*

ab·nor·mal·ly[æbnɔ́:rməli] *ad.* 비정상적으로, 변태적으로; 병적으로.

abnórmal psychólogy 변태 심리(학).

ab·nor·mi·ty[æbnɔ́:rməti/-nɔ́:-] *n.* (*pl.* **-ties**) =ABNORMALITY.

A

abo, Abo[ǽbou/ǽbəu] [*aborigine, aboriginal*] (*pl.* ~**s**) 《오스俗》 (종종 경멸적) 원주민. ― *a.* 토착민의.

‡**a·board** [əbɔ́ːrd] *ad.* **1** 배로〔에〕, 승선하여 (*opp.* ashore): 《미》 기차〔버스, 비행기〕를 타고. **2** 《俗》〔野〕 베이스에 나가서. **3** 뱃전에.
― *prep.* 〈배·열차·버스·비행기를〉 타고. **All aboard!** 《미》 (1) 여러분 타십시오, 발차합니다. (2) 발차!, 출발! **close aboard** …의 가까이에. **come**〔**go**〕 **aboard** (a ship) (배를) 타다. **fall**〔**run**〕 **aboard** (**of**) 〈딴배·딴사람과〉 충돌하다. **have aboard** 태우고〔싣고〕 있다. **keep the land aboard** 육지를 따라 항행하다. **lay** (an enemy's ship) **aboard** (쳐들어 가기 위해) 배를 (적의 배에) 대다(옛 해전). **take aboard** 태우다, 싣다. ◇ board *n.*

‡**a·bode**[1] [əbóud] *n.* 주소, 주거; 거주; 체류(*cf.* ABIDE). **make**〔**take up**〕 **one's abode** 거주하다, 거처를 정하다(*at, in*). **of**〔**with**〕 **no fixed abode**=**without any fixed abode** 주거 부정의. ◇ abíde *v.*

abode[2] *v.* ABIDE의 과거·과거 분사.

ABO gròup[èibìːóu-] =ABO SYSTEM.

ab·ohm[æbóum] *n.* 〔電〕 절대 옴(전기 저항의 cgs 전자(電磁) 단위; =10^{-9} ohm).

‡**abol·ish**[əbáliʃ/əbɔ́l-] *vt.* 〈제도·법률·습관 등을〉 폐지하다(do away with). **~·a·ble** *a.* 폐지할 수 있는. **~·er** *n.* **~·ment** *n.* Ⓤ 폐지. ◇ abolítion *n.*

*__ab·o·li·tion__[æbəlíʃən] *n.* Ⓤ 철폐, 폐지; (때로 **A-**) 《미》 노예 제도 폐지. **~·ar·y**[-èri/-əri] *a.* 폐지의. **~·ìsm** *n.* Ⓤ (노예 제도) 폐지론. **~·ist** *n.* (노예 제도) 폐지론자. ◇ abólish *v.*

ab·o·ma·sum[æbəméisəm], **-sus**[-səs] *n.* (*pl.* **-sa**[-sə]; **-si**[-sai, -siː]) 〔動〕 추위(皺胃)(반추 동물의 제4위(胃)).

A-bomb[éibàm/-bɔ̀m] *n.* 《口》 원자폭탄(atomic bomb); 《俗》 개조한 고속 자동차; 《俗》 배합 마약. ― *vt.* 원자폭탄으로 공격하다.

*__a·bom·i·na·ble__[əbámənəbl/əbɔ́m-] *a.* **1** 지긋지긋한, 혐오스러운, 언어 도단의. **2** 《口》 참으로 싫은, 지독한 〈날씨 등〉. **-bly** *ad.* 밉살맞게; 《口》 지독히, 지긋지긋하게.

Abóminable Snówman (때로 **a- s-**) 《口》 설인(雪人), 눈사람(yeti)(히말라야 산중에 산다는 짐승).

a·bom·i·nate[əbámənèit/əbɔ́m-] [L] *vt.* (구역질 나도록) 싫어하다, 혐오하다; 《口》 아주 질색하다.

*__a·bom·i·na·tion__[əbàmənéiʃən/əbɔ̀m-] *n.* **1** Ⓤ 싫음, 혐오, 증오. **2** Ⓒ 가증스러운 행위, 추행, 아주 싫은 것(*to*). **have**〔**hold**〕 … **in abomination** …을 몹시 싫어하다. ◇ abóminate *v.*

a·bom·i·na·tor[-ər] *n.* 증오하는 사람.

à bon chat, bon rat[ɑː-bɔ́ːn-ʃáː-bɔ́ːn-ráː] [F] *n.* (같은 종류의) 보복, 앙갚음(to a good cat, a good rat).

à bon droit[ɑː-bɔ́ːn-drwáː] [F] *ad.* 올바르게, 공정히, 당연히(with justice).

à bon mar·ché[ɑː-bɔ́ːn-mɑərʃéi] [F] *ad.* 싸게, 염가로, 유리한 값으로; 수월히(at a good bargain).

a·boon [əbúːn] *ad., prep.* 《스코·영方》 = ABOVE.

ab·o·rig·i·nal[æbərídʒənəl] *a.* **1** 원생(原生)의, 토착의, 원래부터의: ~ races〔fauna, flora〕 토착 인종〔동물, 식물〕. **2** 토착민의: ~ language 토착어. ― *n.* =ABORIGINE 1, 2. **~·ly** *ad.* 원시적으로, 태곳적부터; 본래.

ab·o·rig·i·nal·i·ty[æbərìdʒənǽləti] *n.* Ⓤ 원생(原生), 원생 상태; 토착, 원시적임.

ab o·rig·i·ne[æb-ərídʒəniː] [L] *ad.* 처음부터; 근원부터(from the beginning).

ab·o·rig·i·ne[æbərídʒəniː] *n.* **1** (한 나라·한 지방의) 원주민, 토착민(*opp.* colo-nist). **2** (**A-**) 오스트레일리아 원주민. **3** (*pl.*) 토착 동식물.

a·born·ing[əbɔ́ːrniŋ] *ad., a.* 실현되기 직전의, 태어나려고 하는.

a·bort[əbɔ́ːrt] *vi.* **1** 유산〔낙태〕하다. **2** 〔生〕 〈동식물·기관 등〉 발육하지 않다, 퇴화하다. **3** 〈병세 등〉 주춤하다. 〈계획·사람 등〉 실패하다. **4** 〈로켓·미사일의 비행을〉 중지하다. ― *vt.* **1** 유산〔낙태〕시키다; 〈임신을〉 중절하다. **2** 〈병·계획 등을〉 억제〔중지〕하다. **3** 〈미사일 발사등을〉 중지하다. ― *n.* 미사일〔로켓〕의 비행 중지; 〔컴퓨터〕 (프로그램 진행의) 중단.

a·bort·ed[əbɔ́ːrtid/əbɔ́ːt-] *a.* **1** 유산된, 달이 차지 않은. **2** 〔生〕 발육 부전의, 제대로 생기지 않은.

a·bor·ti·cide[əbɔ́ːrtəsàid] *n.* Ⓤ 낙태; Ⓒ 낙태약.

a·bor·ti·fa·cient[əbɔ̀ːrtəféiʃənt] *a.* 유산시키는, 낙태용의. ― *n.* 낙태약.

a·bor·tion[əbɔ́ːrʃən] *n.* Ⓤ,Ⓒ **1** 유산, 낙태. **2** (인공) 유산아, 미숙아. **3** (동식물·기관의) 발육 정지〔부전〕. **4** (계획 등의) 실패. **criminal**〔**illegal**〕 **abortion** 낙태죄. **have an abortion** 유산〔낙태〕하다. **procure abortion** 낙태시키다. **~·ìsm** *n.* (임부의) 임신 중절권 지지〔옹호〕. **~·ist** *n.* 낙태 시술자; 임신 중절권 지지자.

a·bor·tion-on-de·mand[əbɔ́ːrʃənɑndimǽnd, -mɑ́ːnd/-ɔn-] *n.* (임부의) 요구에 의한.

abórtion pìll 피임약, 임신 방지약.

a·bor·tive[əbɔ́ːrtiv] *a.* **1** 유산의; 유산을 촉진시키는. **2** 조산의, 발육 부전의, 미성숙의; 〈병이〉 비진행성의. **3** 실패의. ― *n.* 유산; 낙태약(abortifacient) **~·ly** *ad.*

ABÓ sỳstem[èibìːóu-] (혈액형의) ABO식 분류법(A, B, AB, O의 4형으로 구분).

a·bou·li·a, a·bou·lic *n.* =ABULIA.

*__a·bound__[əbáund] *vi.* 〈사물이〉 (어떤 장소에) 많이 있다.(*in, on*): 《Ⅰ 전+명》 Fish ~ *in* this river.(=This river ~*s in* fish.) 이 강에는 물고기가 많다. **2** 〈장소·사람 등에게〉 (물자·특징 등이) 풍부하다(be rich) (*in, with*): 《Ⅰ 전+명》 This river ~*s in*〔*with*〕 fish.(=Fish ~ *in* this river.) 이 강에는 물고기가 많다. **3** 〈장소 등이〉 (…으로) 그득하다, 충만해 있다 (*with*): 《Ⅰ 전+명》 This house ~*s with* cockroaches. 이 집에는 바퀴(벌레)가 우글거린다. ◇ abúndance *n.*; abúndant *a.*

a·bound·ing *a.* 풍부한, 많은. **~·ly** *ad.*

★**about**[əbáut] *prep.* **1** a …에 대하여〔대한〕, …에 관하여〔관한〕: a book ~ gardening 원예에 관한 책/There was a quarrel ~ money. 돈 문제로 말다툼이 있었다/I am sure ~ it. 그것은 틀림없다/What is it all ~? 도대체 무슨 일이야(◇ on의 경우보다 일반적인 내용의 것에 씀). b …에게: 《Ⅱ 형+전+명》 She is crazy〔mad〕 ~ him. 그녀는 그에게 미쳐 있다.
2 …경에, (때)쯤; 약…, 대략, 거의: 《Ⅰ 전+명》 She came ~ six o'clock 그녀는 여섯 시경에 왔다; ~ midnight 자정 때쯤/~ the end of July 7월 말께.
3 …의 근처〔부근〕에, …가까이에; (건물 등의) 안 어디엔가: ~ here 이 근처에/stand ~ the

door 문 언저리에 서다/She is ~ the building. 그녀는 빌딩 안 어디엔가에 있다.
4 …의 둘레〔주변〕에, …의 주위에〔의〕, …을 에워싸고: the railings ~ the pond 연못 둘레의 울짱/the trees ~ the house 집 주위의 나무들.
5 …의 여기저기에〔로〕, …의 사방에〔으로〕: walk ~ the park 공원을 돌아다니다/travel ~ the country 나라 안을 여기저기 여행하다.
6 《文語》 몸에 지니고, …손 가까이에, 마침 손에 있어서: all he had ~ him 그의 소지품 전부/ Do you have any money ~ you? I have no money ~ me. 돈 가진 것 있습니까? 마침 가진 돈이 없습니다.
7 (보통 there is ~ …의 구문에서 사람·사물이 풍기는 분위기를 나타내어) …의 신변에, …에게는; (사물)에는: There is something noble ~ him. 그는 어딘지 기품이 있다/There is something strange ~ the incident. 그 사건에는 어딘지 이상한 데가 있다.
8 …에 종사〔관계〕하여: go〔set〕 ~ 〈일 등에〉 착수하다/while I am〔you are〕 ~ it 그 일을 하는 김에/What is she ~? She is busy ~ her packing. 그녀는 무엇을 하고 있니? 그녀는 짐 꾸리기에 바쁘다/Don't be long ~ it. 꾸물대지 말고 빨리 해라(=Be quick ~ it! 빨리 하거라). **go about** … (*prep.* 8: ⇨go). **How**〔**what**〕 **about** …**?** 《口》 (1) (제의·권유) 하면 어떤가. (2) (문의) …은 어떤가. (3) (반대·비난) 어떻게 되는 거야. **What about it?** 《口》 그래서 어쨌다는 거야. **What**〔**How**〕 **about that?** (놀람경탄 등) 이거 대단하군. **set about** … (*cf. prep.* 8: ⇨set).
— *ad.* **1 a** (수사와 함께) 대략, 약…, …쯤; 《口》 거의, 대강(*cf. prep.* 2): ~ eight miles 약 8마일/It's at ~ seven (o'clock). 7시쯤 됐다./It's ~ time to start. 떠날 시간이 거의 됐다/She is (of) ~ my size〔height, age〕. 그녀는 나와 몸집 크기〔키, 나이〕가 거의 같다. **b** 《口·비꼼》 약간, 좀, 꽤, 어지간히, 어쩐지: I'm ~ frozen. (추워서) 얼어죽을 지경이다/I'm ~ disgusted with the job. 그 일에는 어지간히 넌더리가 난다.
2 둘레〔주위〕에, 둘레〔주위〕를, (둘레를) 빙 둘러: be compassed ~ 둘러싸이다/look ~ 둘러보다; 경계하다.
3 근처〔부근〕에, 가까이에: There is nobody ~. 가까이에 아무도 없다/There was a storm ~. 폭풍우가 다가 오고 있었다.
4 a (보통 동작을 나타내는 동사와 함께) 여기저기에, 이리저리로, 사방에; …하고 돌아다니는: go〔walk〕 ~ 걸어〔움직여〕 돌아다니다/carry a thing 물건을 가지고 다니다/follow a person ~ 남을 따라다니다, 남의 뒤를 밟다/travel ~ 여행하며 다니다. **b** (보통 동사와 함께) 사방에, 널려 있어: lie ~ 흩어져 있다/drop things ~물건을 사방에 떨어뜨리다. **c** (보통 동사와 함께) 어슬렁어슬렁, 빈둥빈둥: hang ~ 서성거리다, 배회하다, 방황하다/fool ~ 빈둥거리며 지내다 ⇨fool *vi.*/idle ~ ⇨idle *vi.*
5 a (바깥쪽을) 빙 돌아서, 우회하여: all ~ 주위를 빙 돌아/go a long way ~ 멀리 우회하다. **b** 방향을 바꾸어, 반대의 위치〔방향〕로: the wrong〔other〕 way ~ 반대로, 거꾸로; 〔海〕 바람 불어오는 쪽으로 돌려서/face ~ 〔軍〕 뒤로 돌아를 시키다; 몸의 방향을 틀다.
6 순번으로, 차례로, 교대로: take turns ~교대로〔차례로〕 하다(《미》에서는 보통 about을 붙이지 않음)/turn (and turn) ~ 번갈아 가며(⇨TURN *n.*).

about and about 《미》 비슷비슷하여, 거의 같아서. **About face**〔**turn**〕**!** 《口令》 뒤로 돌아(⇨*adv.* 5.b). **be about** 종사하고 있다, (자리에서) 일어나 있다. **be about to do** 《Ⅱ 부+*to* do(*a.*)》 (1) 지금 막〔바야흐로〕 …하려 하다: I *am about to* start. 지금 막 출발하려던 참이다/Something unusual *was about to* happen. 뭔가 이상한 일이 일어나려 하고 있었다. (2) (부정구문에서) …할 생각이 없다, …하기는 싫다: I'*m* not *about to* take the job. 그 일을 맡기는 싫다(*cf.* **be about** doing--be는 조동사, about은 부사, do*ing*은 본동사(현재분사)로서 be동사와 결합하여 현재진행형을 이룸--아주 가까운 미래를 나타낸다: 《Ⅲ 조+부+*v*Ⅲ+(목)+〈*wh.*(절)〉》 I *am about* rehears*ing* the events which took place some three years ago. 나는 약 3년 전에 일어난 사건을 자세히 말하겠다). **just about** ⇨JUST[1]. **much about** 거의. **out and about** ⇨OUT. **put about** (1) 널리 알리다, 퍼뜨리다. (2) (put … ~) …을 감다, 두르다. (3) (배를) 반대 방향으로 바꾸다. **take turns about** (⇨ *ad.* 6). **That's about it.** 대충 그렇다. **the wrong way about** 거꾸로, 반대로.
— *a.* (서술적) **1** (침상에서) 일어난, 움직여 다니는; 활동하는: 《Ⅱ 형+(부구)+전+명》 She was ~ a good deal in Paris. 그녀는 파리에서 크게 활동하고 있었다. **2** 〈병·소문 등이〉 유행하는, 퍼지는: 《Ⅱ 형》 Influenza is ~. 유행성 감기가 돌고 있다. **be out and about** (병후에) 원기가 회복되다, 일을 할 수 있게 되다. **be up and about** 《口》 침상〔병상〕에서 (다시) 일어나 걸어다닐 수 있게 되다.
— *vt.* (돛·배 따위의) 방향을〔진로를〕 돌리다〔반대로 바꾸다〕. **About ship!** 〔海〕 바람 불어오는 쪽으로 돌려〔돌릴 준비〕.

a·bout-face [əbáutfèis] *n.* 뒤로 돌기; 온 방향〔거꾸로〕 되돌아감; (주의·태도 등의) 180도 전향. — *vi.* 뒤로 돌다; 주의〔태도〕를 일변하다.

a·bout-ship [-ʃíp] *vi.* 〔海〕 돛의 바람 받는 방향에 따라 침로를 바꾸다(tack).

a·bout-town·er [-táunər] *n.* 나이트클럽이나 극장 등의 단골.

a·bout-turn [*n.* əbáuttə́:rn ; *v.* –⌣⌣] *n., vi.* 《영》 =ABOUT-FACE.

★**a·bove** [əbʌ́v] *prep.* **1 a** (공간적) …보다 위에〔로〕, …보다 높이〔높은〕, …의 위에 (나와서) (*opp.* below): fly ~ the earth 지상을 날다/The peak rises ~ the clouds. 그 봉우리는 구름 위에 솟아 있다/~ the horizon 지평선 위에. **b** …의 위에, …에 포개어져〔겹치어〕; …의 위층에: one ~ another 겹쳐 쌓이어/The girl lives ~ me. 그 소녀는 나의 위층에 살고 있다. **2** (지리적) 보다 멀리, …보다 상류에, 보다 북쪽에, …의 앞쪽〔건너〕에, 더 가서: a waterfall ~ the bridge 다리 상류에 있는 폭포/She lives three doors ~ the school. 그녀는 학교에서 세 집 더 간 데에서 살고 있다. **3** (초과) …을 넘는〔넘어〕: ~ a hundred 100이 넘다/He lives ~ his means. 수입을 초과한 생활을 하고 있다/I value honor ~ life. 목숨보다 명예를 존중한다. **4** (지위·신분) …보다 위에: He is ~ me in rank. 그는 나보다 지위가 높다. **5** (능력) …이 미치지 못하는: 《Ⅱ 전+명》 That book is ~ me. 그 책은 내게 너무 어렵다. **6** …을 초월하여: her conduct ~ criticism〔reproach, suspicion〕 비판〔비난, 의심〕의 여지가 없는 그녀의

A

행동. **7** (do*ing*을 목적어로 하여) 〈사람이 … 따위 짓은〉 하지 않는, (…하는 것을) 부끄럽게 여기는: 《Ⅱ 전+-*ing*(*g*.)》 He is ~ tell*ing* lies. 그는 거짓말을 할 사람이 아니다/I am not ~ ask*ing* questions. 나는 질문하는 것을 부끄럽게 여기지 않는다. **above all**=**above all things** 특히, 그 중에서도, 무엇보다도. **above and beyond** …=**over and above** …《文語》…에 더하여(⇨OVER *prep.*). **above everything** (**else**) 무엇보다도. **be**〔**get, rise**〕 **above oneself** (1) 분수를 모르다, 자만하다. (2) 흥분하고 있다, 들떠 있다. **be above** do*ing* (⇨7).

— *ad.* (*opp.* below) **1 a** 위쪽에〔으로〕, 위에〔로〕: a voice from ~ 위에서 들려오는 목소리. b 하늘에, 공중에: in heaven ~ 하늘에/the stars ~ 하늘의 별/soar ~ 하늘로 날아오르다. c 〈하천의〉 상류에: 《Ⅰ (부구)+부》 The bridge is three miles ~. 다리는 3마일 상류에 있다. **2** 위층에: a room ~ 위층의 방(◇ the room ~는 「바로 윗방」). **3** 〈지위·신분이〉 상위에〔로〕, 상급에〔으로〕: appeal to the court ~ (상급 법원에) 상소하다. **4** 〈수량이 … 을〉 초과하여; 보다 많이〔크게〕: persons of twenty and ~ 20세 이상의 사람들. **5** (책 등의) 앞 글에; (페이지의) 위쪽에: as (stated〔mentioned〕) ~ 위〔상기, 위에서 말한 바〕와 같이. **6** (복합어를 이루어): ⇨above-mentioned. **above and beyond** =**over and above** 그 위에, 게다가. **from above** 위편으로부터(의), 상사로부터(의); 하늘〔하느님〕로부터(의). — *a.* 상기의, 위에서 말한, 전술한, 상술의: the ~ facts 상기의 사실/the ~ instance 위의 예. — *n.* Ⓤ **1** (the ~; 집합적으로)《文語》 상기〔상술, 이상〕의 사실〔사람〕(◇ 집합체로 생각할 때는 단수, 구성 요소로 생각할 때는 복수 취급): The ~ proves this. 상술의 사실은 이를 증명한다. **2** 천상, 하늘(heaven). **3** 상층부. **from above** 위로부터; 하늘〔신〕로부터.

a·bove-av·er·age[əbʌ̀vǽvəridʒ] *a.* 평균을 넘는; 보통이 아닌.

a·bove·board[əbʌ́vbɔ̀ːrd] *ad., a.* 공명 정대하게〔한〕 있는 그대로(의). **open and aboveboard** 아주 드러내 놓고.

a·bove-cit·ed[-sáitid] *a.* 위에 인용한.

a·bove·deck[-dèk] *ad.* 갑판 위에서; 공명정대하게, 있는 그대로.

a·bove·ground[-gràund] *ad., a.* 지상에〔의〕; 《미》 공공연히〔한〕; 땅에 묻히지 않고; 아직 생존하여.

a·bove-men·tioned[-ménʃənd] *a.* 위에 말한, 상기(上記)한.

a·bove·stairs[-stɛ̀ərz] *ad., a.* 《영》 위층에〔의〕(《미》 upstairs): a room ~ 위층 방.
— *n. pl.* (아래층의 하인방에 대하여 위층의) 가족이 사는 곳.

ab o·vo[æb-óuvou] [L] *ad.* 처음부터.

Abp. archbishop.

abr. abridge(d); abridgment.

ab·ra·ca·dab·ra[æ̀brəkədǽbrə] *n.* 아브라카다브라(옛날 병 예방의 부적으로 썼던 주문(呪文)); 헛소리.

a·brad·ant[əbréidənt] *a., n.* =ABRASIVE.

ab·rade[əbréid] *vt.* **1** 문질러 벗겨지게〔닳게〕 하다. **2** 〈바위 등을〉 침식하다. **3** 신경질나게 하다. — *vi.* 닳다, 벗겨지다.

a·brad·er *n.* 연마기, 연삭기(研削器).

A·bra·ham[éibrəhæ̀m, -həm] *n.* **1** 남자 이름. **2** 〔聖〕 아브라함(유대인의 선조). **in Abraham's bosom** 천국에 잠들어; 행복하게. **sham Abraham** 아픈〔미친〕 체하다.

A·bra·ham-man[éibrəhæmmæ̀n] *n.* (*pl.* **-men**[-mèn])〔영史〕(16-17세기경 영국내를 방랑한) 미친 체하는 거지.

A·bram[éibrəm] *n.* **1** 남자 이름. **2** 〔聖〕 아브람(Abraham의 옛이름). **sham Abram** ⇨ Abraham.

a·bran·chi·ate[eibrǽŋkit, -èit] *a., n.* 〔動〕 아가미 없는 (동물).

a·bra·ser *n.* =ABRADER.

a·bra·sion[əbréiʒən] *n.* **1** (피부의) 찰과부〔상〕, 찰상. **2** Ⓤ 연마, (기계의)마멸; (바람·물에 의한) 침식, 마모. **3** Ⓤ 염증; 자극; 초조, (정신의) 소모.

a·bra·sive[əbréisiv, -ziv] *a.* **1** 문질러 닳게 하는 (작용을 하는). **2** 〈목소리 등이〉 귀에 거슬리는, 〈인품이〉 마찰을 일으키기 쉬운.
— *n.* 연마재〔제〕, 연마분(研磨粉), 금강사(金剛砂).

ab·re·act[æ̀briǽkt] *vt.* 〔精神分析〕 〈억압된 감정을〉 해제〔해방〕시키다, 정화하다.

ab·re·ac·tion[-ʃən] *n.* 〔精神分析〕 해제〔해방, 정화〕 반응.

***a·breast**[əbrést] *ad.* (옆으로) 나란히, …와 병행하여: three ~ 세 사람이 나란히 〈나아가다 등〉. **abreast of the sheriff** 《미》 겨우 파산하지 않고〔을 면하고〕. **be**〔**keep**〕 **abreast of**〔**with**〕 (the times) (시대)의 흐름에 뒤떨어지지 않다. **get abreast of** (배 따위가〔를〕) …와 나란히 하다. — *prep.* …와 나란히(◇ abreast 다음에 오는 of나 with를 생략한 용법): ~ the times 시류에 뒤떨어지지 않고.

***a·bridge**[əbrídʒ] *vt.* **1** 〈서적·이야기 등을〉 요약〔초록(抄錄)〕하다: an ~*d* edition 요약판(版)/~ a long story 긴 이야기를 요약하다. **2** 단축하다, 줄이다. **3** 《古》 빼앗다(deprive): 《Ⅲ (목)+전+명》 ~ a person of one's rights (사람)의 권리를 빼앗다. **~·a·ble** *a.*
a·bridg·er *n.* ◈ abridg(e)ment *n.*

a·bridg(e)·ment[əbrídʒmənt] *n.* **1** (서적·연설 등의) 요약본, 초본; 적요. **2** Ⓤ 축소, 단축, 요약.

a·bris·tle[əbrísəl] *ad., a.* (개 등이) 털을 곧추세워〔세운〕.

a·broach[əbróutʃ] *ad., a.* (형용사로서는 서술적) (통의) 주둥이를 내서〔낸〕; 공표하여. **set abroach** (통의) 마개를 따다; 〈감정을〉 토로하다; 〈신설(新說)·소문 등을〉 유포시키다.

‡**a·broad**[əbrɔ́ːd] *ad.* **1** 국외〔해외〕로〔에〕: live ~ 해외에서 살다/send ~ 해외에 파견하다. **2** 집 밖으로, 외출하여: walk ~ 나다니다. **3** 널리, 일반에게: 〈소문 등이〉 퍼져, 〈비밀이〉 새어. **4** 진실〔사실〕에서 벗어나, 틀려서. **at home and abroad** 국내외에서 모두. **be abroad** 외국에 있다; 밖에 나가 있다; 널리 퍼져 있다. **be all abroad** 전혀 짐작이 틀리다, 어찔줄 모르다. **from abroad** 외국으로부터(의): news from ~ 해외 통신/return from ~ 귀국하다. **get abroad** 〈소문이〉 퍼지다; 외출하다. **go abroad** 해외로 가다; 집 밖으로 나가다. **set abroad** 〈소문 등을〉 퍼뜨리다.

ab·ro·gate[ǽbrəgèit] *vt.* 〈법률·습관 등을〉 폐기하다. **-ga·ble** [-gəbəl] *a.*

ab·ro·ga·tion[-géiʃən] *n.* Ⓤ 폐기.

ab·ro·ga·tive[-gèitiv] *a.* 폐지〔폐기〕의.

ab·ro·ga·tor[-gèitər] *n.* 폐기자, 철회자.

***ab·rupt**[əbrʌ́pt] [L] *a.* **1** 뜻밖의, 돌연한; 당돌한. **2** 험준한, 가파른. **3** 급전하는 〈문체〉. **4**

〔地質〕 단열(斷裂)의. **5** 〔植〕 툭 잘라낸 꼴의. **~·ness** *n.* ◇ abrúption *n.*; abrúptly *ad.*

ab·rup·tion[əbrʌ́pʃən] *n.* Ⓤ **1** 《古》 (갑작스런) 중단, 종결. **2** (갑작스런) 분리, 분열.

***ab·rupt·ly**[əbrʌ́ptli] *ad.* 갑자기(suddenly), 뜻밖에, 퉁명스럽게, 무뚝뚝하게.

abs-[æbs, əbs] *pref.* =AB-[1]《c, q, t 앞에서》: *abs*cond, *abs*tract.

abs. absent; absolute(ly); abstract.

ABS anti-lock brake〔breaking〕 system.

A.B.S. American Bible Society 미국 성서 협회.

Ab·sa·lom[ǽbsələm] *n.* **1** 〔聖〕 압살롬《유대왕 다윗의 셋째 아들; 부왕에게 반역하여 살해됨; 사무엘 하 13-18》. **2** 총애하는 아들. **3** 버릇없는〔반항적인〕 아들.

ab·scess[ǽbses] *n.* 〔病理〕 농양, 종기.

áb·scessed[-t] *a.* 종기가 생긴.

ab·scind[æbsínd] *vt.* 절단하다, 잘라내다.

ab·scis·sa[æbsísə] *n.* (*pl.* **~s, -sae**[-siː]) 〔數〕 횡좌표.

ab·scis·sion[æbsíʒən, -ʃən] *n.* Ⓤ **1** 절단; 갑작스런 중단. **2** 〔植〕 기관탈리(器官脫離). **3** 〔修〕 돈단법(頓斷法).

ab·scond[æbskɑ́nd/-skɔ́nd] *vi.* 도망하다, 자취를 감추다(*from, with*): 《I 전+명》 ~ *from* a place 어떤 장소에서 도망치다/ ~ *with* public money 공금을 갖고 도망하다. **~·er** *n.* 실종자, 도망자.

ab·scon·dence[-əns] *n.* Ⓤ 도망, 실종.

ab·seil[ɑ́ːpzail] [G] 〔登山〕 *n.* 압자일렌(현수(懸垂) 하강). ── *vi.* 현수 하강하다.

****ab·sence**[ǽbsəns] *n.* **1** Ⓤ,Ⓒ 부재(不在); 불참, 결석, 결근(*opp.* presence)(*from*): 《I 전+명》 Who called in my ~? 내가 없는 사이에 누가 들렀는가/(I *There* vi +(주)+전+명) There has been Tom in your ~. 네가 없는 사이에 톰이 왔다 갔다/mark the ~ 출석을 부르다/ several ~*s from* school 수 차례의 결석. **2** Ⓤ,Ⓒ 〈증거 등이〉 없음, 결여(*of*): the ~ *of* evidence 증거 없음/There was an ~ *of* time. 시간이 없었다. **3** Ⓤ 방심: He has fits *of* ~. 그는 가끔 멍해 있다. **absence of mind** 방심, 얼빠짐 (*opp.* presence of mind). **absence without leave** 〔軍〕 무단 결근〔외출〕(*cf.* AWOL). **after** ten years' **absence** (10년)만에 〈돌아오다 등〉. **during** one's **absence** 없는 동안에. **in** one's **absence** …이 없는 사이에; 없는 데서. **in the absence of** …이 없을 때는; …이 없으므로.

★**ab·sent**[ǽbsənt] [L] *a.* **1** 부재의; 불참의, 결석의, 결근의(*from*)(*opp.* present): 《Ⅱ 형+전+명》 be ~ *from* home〔school〕 집을 비우고〔결석하고〕 있다/《Ⅱ 형+(부)》 Who is ~ (today)? 누가 (오늘) 결석했습니까/be ~ *in* Busan 부산에 가고 없다. **2** …없는(lacking), 결여된. **3** 방심한: an ~ air 멍한 모습/ in an ~ sort of way 멍하니. **absent without leave** ⇨AWOL. **Long absent, soon forgotten.** 《속담》 거자일(去者日疎)《오래 헤어져 있으면 잊혀진다》. ── [æbsént] *vt.* 결석〔결근〕하다: 《Ⅲ (목)+전+명》((목)-oneself) He ~ed himself *from* school. 그는 학교에 결석했다《◇ ~one*self from* 용법으로만 쓰인다》. ◇ ábsence *n.*; ábsently *ad.*

ab·sen·tee[æ̀bsəntíː] *n.* **1** 불참자, 결석자, 결근자: ~ interview 〔勞〕 면담에 의한 결근 조사. **2** 부재자, 부재지주(=∠ lándlord). **an absentee without leave** 무단 결석자, 무단 외출자.

ábsentee bállot 부재자 투표 용지.

ab·sen·tee·ism[æ̀bsəntíːizəm] *n.* Ⓤ **1** 부재 지주 제도. **2** 장기 결석〔결근〕; 계획적 결근《노동 쟁의 전술의 하나》.

ábsentee vóte 부재자 투표.

ábsentee vóter =ABSENT VOTER.

ab·sen·te re·o[æbsénti-ríːou] [L] *ad.* 〔法〕 피고의 결석으로(略: abs. re.).

ab·sen·ti·a[æbsénʃiə] [L] *n.* 결석: be tried *in* ~ 결석 재판을 받다.

ab·sent·ly[ǽbsəntli] *ad.* 방심하여, 멍하니, 얼빠져; 넋을 잃고.

****ab·sent-mind·ed**[ǽbsəntmáindid] *a.* 방심 상태의, 멍하고〔얼빠져〕 있는. **~·ly** *ad.* **~·ness** *n.*

ábsent vóter 부재 투표자.

ab·sinth(e)[ǽbsinθ] *n.* **1** Ⓤ 압생트《쓴쑥으로 맛들인 프랑스산의 독주》. **2** 〔植〕 쓴쑥 (wormwood). **ab·sin·thism**[∠ìzəm] *n.* Ⓤ 압생트(술) 중독.

ab·sit in·vi·di·a[ɑ́ːbsit-inwídiɑ̀ː] [L] 악의를 품지 마라, 나쁘게 생각지 마라.

ab·sit o·men[ǽbsit-óumen] [L] *int.* (제발) 그런 (불길한) 일이 없기를.

absol. absolute(ly).

****ab·so·lute**[ǽbsəlùːt, ∸-∸] *a.* **1** 절대의, 절대적인(*opp.* relative). **2** 다른 것에 제약되지 않는, 무조건의(*opp.* limited). **3** 전제〔독재〕의. **4** 완전 무결한; 순수한, 순전한. **5** 확실한, 의심할 여지 없는; 《口》 단연 …한; 정말로…한; 전적으로 …한. **6** 〔文法〕 독립의, 유리된: an ~ construction 독립 구문/an ~ infinitive〔participle〕 독립 부정사〔분사〕. **7** 〔컴퓨터〕 기계어(語)로 쓰인. ── *n.* **1** (the ~) 절대적인 것〔현상〕. **2** (the A-) 〔哲〕 절대(자); 우주; 신; (*pl.*) 절대 불변의 성질〔개념·기준〕; 〔컴퓨터〕 절대. **~·ness** *n.* ◇ ábsolutely *ad.*

ábsolute addréss 〔컴퓨터〕 절대 번지.

ábsolute álcohol 무수(無水) 알코올.

ábsolute altímeter 〔空〕 절대 고도계.

ábsolute áltitude 〔空〕 절대 고도《비행기에서 지면〔수면〕까지》.

ábsolute béing (the ~) 절대적 실재, 신.

ábsolute céiling 〔空〕 절대 상승 한도.

ábsolute humídity 〔氣〕 절대 습도.

****ab·so·lute·ly**[æbsəlúːtli, ∸-∸-] *ad.* **1** 절대적으로, 무조건으로; 전제〔독재〕적으로; 완전히. **2** (부정을 강조하여) 《口》 전혀 (…않다), 단연, 전적으로. **3** 《口·俗》 정말 그래, 그렇고 말고(quite so). **4** 〔文法〕 〈타동사가 목적어 없이〉 독립하여, 단독으로. **an adjective**〔**a verb**〕 **used absolutely** 독립적으로 쓰인 형용사〔동사〕(The *blind* cannot *see.*).

ábsolute mágnitude 〔天〕 (천체의) 절대 등급.

ábsolute majórity 절대 다수, 과반수.

ábsolute mónarchy 전제 군주 정체(*cf.* LIMITED MONARCHY).

ábsolute músic 절대 음악(*opp.* program music).

ábsolute pítch 〔樂〕 절대 음고(音高)〔피치〕; 절대 음감.

ábsolute préssure 〔物〕 절대 압력.

ábsolute scále 〔物〕 (절대 온도 0도를 기점으로 하는) 절대 (온도) 눈금.

ábsolute spáce 〔物〕 절대 공간.

ábsolute témperature 〔物〕 절대 온도.

ábsolute térm 〔論〕 절대 명사(名辭).

ábsolute válue 〔數〕 절대치.

A

ábsolute wéapon 절대 무기((흔히 핵무기를 가리킴)).
ábsolute zéro 〔物〕 절대 영도.
*__ab·so·lu·tion__[æ̀bsəlúːʃən] *n.* Ⓤ **1** 〔法〕 면제; 무죄 언도((*from, of*)). **2** 〔가톨릭〕 사면; Ⓒ 사면식〔선언〕. ⇔ absólve *v.*
ab·so·lu·tism[æ̀bsəlùːtizəm] *n.* Ⓤ **1** 전제주의, 독재주의. **2** 〔哲〕 절대론.
ab·so·lut·ist[-ist] *n.* **1** 절대론자. **2** 전제정치론자, 전제주의자.
ab·so·lu·tize[æ̀bsəluːtàiz] *vt.* 절대화하다.
*__ab·solve__[æbzɑ́lv, -sɑ́lv/-zɔ́lv] *vt.* 방면(放免)하다, 사면하다; 무죄를 선고하다(set free, pronounce free): ((Ⅲ(목)+전+명)) ~ a person *from* an obligation …의 의무를 면제하다/ ~ a person *of* a sin …의 죄를 용서하다, 사면을 선언하다. ⇔ absolútion *n.*
ab·so·nant[æ̀bsənənt] *a.* 조화되지 않는.
⁑**ab·sorb**[æbsɔ́ːrb, -zɔ́ːrb] [L] *vt.* **1** 흡수하다, 빨아들이다. **2** 〈충격·소리 등을〉 없애다, 완화시키다. **3** 〈작은 나라·기업 등을〉 흡수병합하다((*into, by*)): Those small states were ~*ed into* the empire. 그들 작은 나라들은 그 제국에 병합되었다. **4** 〈사상 등을〉 흡수동화하다. **5** 〈사람·마음을〉 열중시키다(⇨ absorbed 1); 〈시간·주의 등을〉 빼앗다: The task ~*ed* all my time. 그 일 때문에 시간을 모두 빼앗겼다. **6** 〈비용을〉 부담하다. ⇔ absórption *n.*; absórptive *a.*
ab·sòrb·a·bíl·i·ty *n.* Ⓤ 흡수됨, 피(被)흡수성. **ab·sórb·a·ble** *a.* 흡수되는.
ab·sórb·ance *n.* 〔物〕 흡광도(吸光度).
ab·sorbed[æbsɔ́ːrbd, -zɔ́ːrbd] *a.* **1** 마음을 빼앗긴, 열중한, 여념 없는((*in*)): ((Ⅱ 형+전+명)) She was ~*ed in* thought. 그녀는 생각에 빠져 있었다/((Ⅱ 형+전+-*ing*)) The girl is ~*ed in* read*ing* a book. 그 소녀는 독서에 열중하고 있다. **2** 흡수된. **3** 병합된. **with absorbed interest** 열중하여, 흥미진진하게.
absórbed dóse 〔物〕 흡수선량(線量)((방사선이 물질에 흡수된 양)).
ab·sorb·ed·ly[-bidli] *ad.* 열중하여.
ab·sor·be·fa·cient[æbsɔ̀ːrbəféiʃənt, -zɔ̀ːr-] *a.* 흡수〔촉진〕성의. — *n.* 〔醫〕 흡수〔촉진〕제.
ab·sor·ben·cy[æbsɔ́ːrbənsi, -zɔ́ːr-] *n.* Ⓤ 흡수성.
ab·sor·bent[æbsɔ́ːrbənt, -zɔ́ːr-] *a.* 흡수성의. — *n.* 흡수제; 〔解〕 흡수관(管).
absórbent cótton ((미)) 탈지면(((영)) cotton wool).
ab·sorb·er[æbsɔ́ːrbər, -zɔ́ːrb-] *n.* **1** 흡수(장치); 흡수하는 사람; 〔物〕 흡수체, 흡수재. **2** =SHOCK ABSORBER.
ab·sorb·ing[æbsɔ́ːrbiŋ, -zɔ́ːrb-] *a.* **1** 흡수하는. **2** 열중케 하는; 흥미 진진한.
ab·sorp·tance[æbsɔ́ːrptəns, -zɔ́ːrp-] *n.* 〔物〕 흡수율〔비〕.
*__ab·sorp·tion__[æbsɔ́ːrpʃən, -zɔ́ːrp-] *n.* Ⓤ **1** 흡수, 흡수 작용. **2** 병합. **3** 전념, 열심, 골똘함((*in*)). ⇔ absórb *v.*
absórption bànd 〔物〕 흡수대((흡수 스펙트럼에 나타나는 띠 모양의 어두운 선)).
ab·sórp·tion lìne 〔光〕 (흡수 스펙트럼의) 흡수선(線).
absórption spèctrum 〔物〕 흡수 스펙트럼.
ab·sorp·tive[æbsɔ́ːrptiv, -zɔ́ːrp-] *a.* 흡수하는, 흡수력 있는, 흡수성의: ~ power 흡수력. ⇔ absórb *v.*
ab·squat·u·late[æbskwɑ́tʃəlèit, -skwɔ́-] *vi.* ((익살)) 뺑소니치다, 종적을 감추다.
*__ab·stain__[æbstéin] *vi.* 삼가다, 절제하다, 그만두다, 끊다((*from*)); 금주하다; 기권하다((*from*)): ((Ⅰ 전+명)) ~ *from* food〔flesh and fish〕 단식하다〔육식을 피하다〕/((Ⅰ 전+-*ing*)) I must ~ *from* smok*ing*. 나는 담배를 끊어야만 한다. **ab·stain·er** *n.* 절제가, 금주가: a total ~ 절대 금주가.
⇔ abstḗntion, ábstin·ence *n.*; ábstinent *a.*
ab·ste·mi·ous[æbstíːmiəs] *a.* **1** 〈음식을〉 절제하는 〈생활〉: an ~ diet 절식. **2** 검소한 〈식사 등〉. **be abstemious in** …을 절제하다. **~·ly** *ad.* 절제하여. **~·ness** *n.*
ab·sten·tion[æbsténʃən] *n.* **1** 절제, 자제: ~ *from* drink 금주. **2** (권리 등의) 회피; 기권: ~ *from* voting 투표의 기권.
ab·sten·tious[æbsténʃəs] *a.* 〈술을〉 끊은, 절제하는.
ab·sterge[æbstə́ːrdʒ] *vt.* **1** 〔醫〕 변이 통하게 하다. **2** 닦아내다, 깨끗이 하다.
ab·ster·gent[æbstə́ːrdʒənt] *a.* 깨끗이 하는. — *n.* 세척제((비누 등)); 설사제.
ab·ster·sion[æbstə́ːrʃən, -ʒən] *n.* Ⓤ 세정(洗淨), 정화.
ab·ster·sive[æbstə́ːrsiv] *a.* =ABSTERGENT.
ab·sti·nence, -nen·cy[æ̀bstənəns], [-si] *n.* Ⓤ **1** 절제, 끊음, 금욕((*from*)). **2** 자제, 인내(temperance, moderation). **3** 〔基督敎〕 금식((신에게 기도 드리는 기간에)); 〔가톨릭〕 금육재(禁肉齋)((새·짐승의 고기를 먹지 않음)). **4** 금주: total ~ 절대 금주. **5** 〔經〕 제욕(制慾)((자본 축적을 위해 현금 사용을 삼가는 일)).
ábstinence sýndrome 〔醫〕 금단 증후군, 금단 증상.
ab·sti·nent[æ̀bstənənt] *a.* 절제하는, 금욕적인; 금주하는. **~·ly** *ad.* 삼가서, 절제하여.
abstr. abstract; abstracted.
⁑**ab·stract**[æbstrǽkt, ⌐–] [L] *a.* **1** 추상적인, 관념상의; 이론적인, 이상적인; 공상적인 (*opp.* concrete). **2** 심오한, 난해한. **3** 멍한, 방심한(absent). **4** 〔數〕 무명의: an ~ number 무명수. **5** 〔美〕 추상파의(*opp.* representational). — [⌐–] *n.* **1** (보통 the ~) 추상, 개괄. **2** 추상 개념, 추상 명사. **3** 개요, 발췌, 강령. **4** 〔美〕 추상 예술 작품. **in the abstract** 이론적인〔으로〕, 추상적인〔으로〕. **make an abstract of** (a book, etc.) (책 등을)을 요약하다, 발췌하다.
— [–⌐] *vt.* **1** 〈개념 등을〉 추상하다. **2** ((완곡)) 빼어내다, 훔치다(steal)((*from*)): ((Ⅲ(목)+전+명)) A thief ~*ed* my purse *from* my pocket. 도둑이 내 호주머니에서 지갑을 빼갔다. **3** 떼어내다, 분리하다; 〈주의 따위를〉 다른 데로 돌리게 하다((*from*)): ~ one's attention *from* something 어떤 것에서 주의를 다른 데로 돌리게 하다. **4** [⌐–] 발췌하다, 요약〔적요〕하다(summarize). **5** 〔化〕 추출하다((*from*)): ~ salt *from* water 물에서 염분을 추출하다. abstráction *n.*; abstráctive *a.*
ábstract árt 추상 미술.
ab·stract·ed[æbstrǽktid] *a.* **1** 추상된; 추출된. **2** 넋 잃은, 멍한. **with an abstracted air** 멍하니. **~·ly** *ad.* 추상적으로; 멍하니.
ab·stract·er[æbstrǽktər] *n.* 추출하는 사람〔물건〕.
ábstract expréssionism 〔美〕 추상적 표현주의((2차 대전 후의 미국 회화의 일파)).
*__ab·strac·tion__[æbstrǽkʃən] *n.* Ⓤ **1** 추상(작용); Ⓒ 추상적 개념. **2** 방심: with an air of ~ 멍하니, 얼빠진 듯이. **3** ((완곡)) 절취(竊取), 빼어 냄. **4** Ⓒ 〔美〕 추상주의 작품〔도안〕. **5** 〔化〕

추출. **~·al**[-ʃənəl] *a.* **~·ìsm**[-ìzəm] *n.* Ⓤ 추상주의. **~·ist** *n.* 추상파 화가.
⊕ ábstract *a., n., v.*: abstráctive *a.*
ab·strac·tion-mon·ger[-mʌ̀ŋgər] *n.* 공상가, 얼빠진 사람.
ab·strac·tive[æbstrǽktiv] *a* **1** 추상적인; 추출력이 있는. **2** 초록(抄錄)의. **~·ly** *ad.*
ab·stract·ly[æbstrǽktli] *ad.* 추상적으로. **ab·stract·ness** *n.* Ⓤ 추상성.
abstráct nóun 〔文法〕 추상 명사.
ab·struse[æbstrúːs] *a.* 난해한, 심오한 〈사상 등〉. **~·ly** *ad.* **~·ness** *n.* **ab·stru·si·ty**[-əti] *n.* 난해(함); 난해한 것〔점〕.
⁑**ab·surd**[æbsə́ːrd, -zə́ːrd] [L] *a.* **1** 불합리한, 모순된; 부조리한; 우스꽝스러운(laughable); 어리석은(foolish): (Ⅱ *It v* Ⅱ+형+*for*+명+*to* do)It's ~ *for* him *to* sing like that. 그가 그렇게 노래하는 것은 어울리지 않는다. **2** (the ~; 명사적) 부조리. **the theater of the absurd** 부조리 연극.
~·ly *ad.* **~·ness** *n.* ⊕ absúrdity *n.*
ab·surd·ism *n.* Ⓤ (문학·연극 등의) 부조리주의. **-ist** *n., a.*
*__ab·surd·i·ty__[æbsə́ːrdəti, -zə́ːr-] *n.* **1** Ⓤ 불합리, 부조리, 모순. **2** 어리석은 일. ⊕ absúrd *a.*
abt. about.
Ábt ràck (아프트식 철도의) 치상(齒狀) 궤도.
Ábt sỳstem 아프트식 철도(창안자인 스위스의 철도 기사 Roman Abt의 이름에서 유래).
ABU Asia-Pacific Broadcasting Union; Asian Broadcasters Union.
a·bub·ble[əbʌ́bəl] *a.* (서술적) 거품이 일어; 끓어올라, 동요〔흥분〕하여.
A·bu Dha·bi[áːbuːdáːbi] *n.* 아부다비(아랍에미리트 연방의 주요 구성국; 동 연방의 수도).
a·build·ing[əbíldiŋ] *a.* (서술적) (미) 건축〔건설, 건조〕 중인.
a·bu·li·a, a·bou-[əbjúːliə] *n.* Ⓤ 〔精醫〕 의지(意志) 상실; (정신분열증에 의한) 무위(無爲). **-lic** *a.*
⁑**a·bun·dance**[əbʌ́ndəns] *n.* Ⓤ **1** 풍부, 다수, 다량. **2** 유복, 부유. **an abundance of** 많은, 풍부한. **a year of abundance** 풍년. **in abundance** 많이, 풍족하게; 유복하게 〈살다〉. ⊕ abúndant *a.*: abóund *v.*
⁑**a·bun·dant**[əbʌ́ndənt] *a.* 풍족한, 많은, 풍부한: an ~ harvest 풍작/be ~ *in* …풍부하다. **~·ly** *ad.* ⊕ abóund *v.*: abúndance *n.*
abúndant yéar (the ~) 〔유대曆〕 355일의 평년, (또는) 385일의 윤년(=perfect year).
ab uno dis·ce om·nes[ɑːb-úːnou-dískeɔ́ːmneis] [L] 하나에서 모든 것을 배워라(from one learn all).
ab ur·be con·di·ta[ɑːb-úrbe-kɔ́ːnditɑ̀ː; æbə́ːrbi-kɑ́nditə] [L] 로마시 건설(기원전 735년) 이래(from the city built)(略: A.U.C.): the year 500 A.U.C. 로마시 건설 이래 500년째.
a·bus·age[əbjúːsidʒ/-zidʒ] *n.* Ⓤ 말의 오용.
⁑**a·buse**[əbjúːz] *n.* **1** Ⓤ,Ⓒ 남용, 악용, 오용: an ~ of power 권력 남용. **2** Ⓤ 학대, 혹사; (특히) 성폭행; 〔法〕 능욕; 욕설, 독설: personal ~ 인신 공격/a term of ~ 욕설. **3** (종종 *pl.*) 악폐, 폐해, 악습: election ~*s* 선거 때의 폐단(매수 등). — *vt.* **1** 〈재능·지위·사람의 호의 등을〉 남용〔악용, 오용〕하다. **2** Ⓤ 학대하다, 혹사하다(treat badly); 〈여자를〉 욕보이다. **3** 욕하다, 매도하다. **4** (古) 속이다(deceive). **abuse oneself** 자위〔수음〕하다. **abuse the confidence of** …을 배반하다. ⊕ abúsive *a.*: abúsage *n.*

a·bu·sive[əbjúːsiv] *a.* **1** 입버릇 사나운, 욕설의, 독설의: use ~ language 욕설하다. **2** 남용〔악용〕하는. **3** (특히 육체적으로) 학대〔혹사〕하는. **~·ly** *ad.* **~·ness** *n.* ⊕ abúse *n., v.*
a·but[əbʌ́t] *vi.* (**~·ted; ~·ting**) **1** 〈나라·장소 등이 다른 곳과〉 접경하다, 인접하다(*on, upon*). **2** 〈건물의 일부가 사물에〉 접하다, 연하다(*on*); 〈물건에〉 기대다(*against, on*).
a·bu·ti·lon[əbjúːtəlɑ̀n/-lən] *n.* 〔植〕 어저귀속(屬)의 식물.
a·but·ment[əbʌ́tmənt] *n.* **1** 인접; 접합〔접촉〕부. **2** 〔建〕 홍예받침대, 교대(橋臺). **3** 〔齒科〕 교각치, 의치 받침대.
a·but·tal[əbʌ́tl] *n.* 인접; (*pl.*) 경계.
a·but·ter[əbʌ́tər] *n.* 인접된 것; 〔法〕 인접지 소유주.
a·but·ting[əbʌ́tiŋ] *a.* **1** 인접한, 접경한. **2** 〔建〕 홍예받침대〔교대〕 역할을 하는.
a·buzz[əbʌ́z] *ad., a.* (서술적 형용사) **1** 윙윙거리고, 떠들썩하여. **2** 활기에 넘쳐, 한창 활동하여.
ab·volt[æbvòult] *n.* 〔電〕 절대 볼트(기전력(起電力)의 cgs 전자(電磁) 단위; 10^{-8}볼트; 기호 aV).
ab·watt[ǽbwɑ̀t] *n.* 〔電〕 절대 와트(전력의 cgs 전자(電磁) 단위; 10^{-7}와트; 기호 aW).
a·by(e)[əbái] *vt.* (**abought**[əbɔ́ːt]) 〔古〕 〈죄를〉 씻다; 〈괴로움을〉 견디다.
a·bysm[əbízəm] *n.* (詩) =ABYSS.
a·bys·mal[əbízməl] *a.* **1** 끝없이 깊은, 심연의, 나락의. **2** (口) 극히 나쁜.
*__a·byss__[əbís] [Gk] *n.* **1** Ⓤ 심연. **2** Ⓤ (the ~) 나락, 지옥. **3** (천지 창조 전의) 혼돈(chaos). **the abyss of despair** 절망의 구렁텅이. **the abyss of time** 영원.
⊕ abýsmal, abýssal *a.*
a·byss·al[əbísəl] *a.* (해면에서 300피트를 넘는) 깊은 바다〔밑〕의; 바닥을 알 수 없는.
abýssal róck 〔岩石〕 심성암(深成岩).
abýssal zóne (the ~) 〔生態〕 심해저대(深海底帶)(수심 3,000-7,000m).
Ab·ys·sin·i·a[æ̀bəsíniə] *n.* 아비시니아(Ethiopia의 옛이름).
Ab·ys·sin·i·an[æ̀bəsíniən] *a.* 아비시니아의. — *n.* 아비시니아 사람; Ⓤ 아비시니아 말.
Ac 〔化〕 actinium.
ac-[æk] *pref.* =AD-(c, k, q 앞): *ac*cede.
-ac[æk] *suf.* **1** (형용사 어미) 「…적인; …과 같은; …에 관한; …에 사로잡힌」의 뜻: demoni*ac*, elegi*ac*. **2** (명사 어미) 「…병〔증〕 환자」의 뜻: mani*ac*, cardi*ac*. (◇ 이 어미의 말은 명사로서 많이 쓰이며, 형용사는 -al을 붙여서 씀이 일반적이다: mani*acal*).
a/c, A/C account; account current. **A.C., a.c.** 〔電〕 alternating current; 〔處方〕 *ante cibum*(L =before meals). **A.C., AC** 〔컴퓨터〕 adaptive control; Aero Club; Air Corps; aircraft(s)man; Alpine Club; analog computer; 〔電話〕 area code; Army Corps; Athletic Club; Atlantic Charter; *ante Christum*(L =before Christ).
A.C.A. (영) Associate of the Institute of Chartered Accountants.
a·ca·cia[əkéiʃə] *n.* **1** 〔植〕 아카시아. **2** (미) 개아카시아(locust). **3** 아라비아 고무.
Acad. Academic; Academician; Academy.
ac·a·deme[ǽkədìːm, ⌐-⌐] *n.* **1** 학구적 생활, 학자 생활. **2** 학구(學究), (특히) 학자연하는 사람. **3** (**A-**) (고대 아테네의) 아카데미 학원; (詩) 학원, 대학.

A

a·cad·e·mese[ækədəmíːz, -s, əkæ̀də-] *n.* Ⓤ (딱딱한) 학자풍의 문체〔용어〕.
a·ca·de·mi·a[ækədíːmiə, dém-] *n.* Ⓤ **1** 학구적인 세계〔생활, 흥미〕. **2** 학계.
*__ac·a·dem·ic__[ækədémik] *a.* **1** 학원(學園)의; 대학의: an ~ curriculum 대학 과정/an ~ degree 학위. **2** 《미》 (대학의) 인문과의, 문과 대학의, 일반 교양의(liberal). **3** 학구적인; 비실용적인: ~ interest 학구적 관심. **4** 예술원의; 학사원의, 학회의. **5** 격식〔전통〕을 중요시하는, 인습적인, 진부한. **6** (**A-**) 〔哲〕 아카데미 학파의, 플라톤 학파의. ── *n.* **1** 학생, 대학생, 대학 교수. **2** 학사원 회원, 학회원. **3** (**A-**) 플라톤 학파 사람들. **4** (*pl.*) 공리공론, 탁상론. ◇ acádemy *n.*
ac·a·dem·i·cal[ækədémikəl] *a.* =ACADEMIC. ── *n.* (*pl.*) 대학의 예복과 예모: 대학생의 정장. **~·ly** *ad.* 학문상, 이론적으로. ◇ acádemy *n.*
académic áptitude tèst 진학 적성 검사.
académic árt (전통에 얽매여 독창성이 없는) 아카데미 예술.
académic cóstum〔dress〕 대학의 예복.
académic fréedom 학문의 자유; (학교에서의) 교육의 자유.
ac·a·de·mi·cian[ækədəmíʃən, əkæ̀də-] *n.* **1** 아카데미〔학술원, 예술원〕 회원. **2** 학문〔예술〕의 전통의 존중자; (독창성이 없는) 전통주의 예술가〔작가〕. **3** 대학인; 학구적인 사람.
ac·a·dem·i·cism, a·cad·e·mism[ækədéməsìzəm], [əkǽdəmìzəm] *n.* Ⓤ **1** 학구적 태도, 전통주의, 형식주의. **2** 〔哲〕 플라톤 학파 철학.
académic yéar (대학 등의) 학년(도)《보통 9월부터 6월까지》(school year).
a·cad·e·my[əkǽdəmi] *n.* (*pl.* **-mies**) **1** 학원(學園), 학원(學院)《보통 university보다 하급》; 《미》 고등 학교; 전문 학교: an ~ of music 음악 학교. **2** (학술·문예·미술의) 협회, 학회, 예술원, 학술원. **3** (the A-) **a** 《영》 왕립 미술원(the Royal Academy of Arts의 약칭); 그 미술원에서 개최하는 전람회. **b** 프랑스 학술원. **4** (the A-) 아카데미 학원《옛날 철학자 Plato가 가르친 학원》; 〔哲〕 아카데미 학파, 플라톤 철학. **military academy** 육군 사관 학교. **naval academy** 해군 사관 학교. ◇ académic, académical *a.*
Acádemy Awárd 아카데미상(*cf.* OSCAR).
acádemy bòard 〔美〕 두꺼운 판지 캔버스 《유화용》.
A·ca·di·a[əkéidiə] *n.* 아카디아《캐나다의 남동부, 지금의 Nova Scotia 주(州)를 포함하는 지역의 구칭》 **-an** *a., n.* Acadia의 (사람).
ac·a·leph[ǽkəlèf] *n.* 〔動〕 해파리의 일종.
a·can·thoid[əkǽnθɔid] *a.* 가시 모양의, 가시가 있는.
a·can·thus[əkǽnθəs] *n.* (*pl.* ~**·es, -thi** [-θai]) **1** 〔植〕 아칸서스. **2** 〔建〕 (코린트식 원주두(圓柱頭) 등의) 아칸서스 무늬.
a cap·pel·la, a ca·pel·la[àːkəpélə] [It = in chapel style] *a., ad.* 〔樂〕 **1** 〈합창이〉 악 반주 없는〔없이〕, 아카펠라의〔로〕. **2** 교회 음악의〔식으로〕.
a ca·pric·cio[àːkəpríːtʃou] [It =capriciously] *ad.* 〔樂〕 〈템포·형식·발상은〉 연주자의 임의로.
A·ca·pul·co[àːkəpúːlkou, æk-] *n.* 멕시코 남서부 태평양 연안의 항구《휴양지》.
Acapúlco góld *n.* 《俗》 아카풀코골드《멕시코산(産)의 질 좋은 마리화나(marijuana)》.
ac·a·ri·a·sis[ækəráiəsis] *n.* (*pl.* **-ses**) 〔病理〕 진드기(기생)증.
ac·a·rid[ǽkərid] *n.* 〔動〕 진드기.
a·car·pous[eikáːrpəs] *a.* 〔植〕 열매 맺지 않는.
ACAS[éikæs] Advisory, Conciliation and Arbitration Service 《영》 (노사 분규를 해결하기 위한) 조언·화해·조정 기관《정부 기관》.
a·cat·a·lec·tic[eikæ̀təléktik] 〔詩學〕 *a.* 행 끝의 시각(詩脚)이 완전한, 완전 운각(韻脚)의. ── *n.* 완전 시각, 완전구(句).
a·cat·a·lep·sy[eikǽtəlèpsi] *n.* Ⓤ 〔哲〕 불가지론(不可知論).
a·cat·a·lep·tic[eikæ̀təléptik] 〔哲〕 *a.* 불가지론의. ── *n.* 불가지론자.
A-C býpass[éisíː-] [*a*uto-*c*orony *bypass*] 〔醫〕 대동맥·관동맥 바이패스《심근 경색 등의 환자의 폐색 부동맥을 제거하고 하퇴의 정맥을 대신 이식하여 만드는 관》.
ACC Area Control Center 항공로 관제 센터; Administrative Committee on Coordination (유엔의) 행정 조정 위원회; 《미》 Air Coordinating Committee. **acc.** acceptance; accepted; according; account(ant); accusative. **A.C.C.** 《영》 Army Cadet College (*cf.* MA).
ac·cede[æksíːd] [L] *vi.* **1** 〈제의·요구 등에〉 동의하다, 응하다(agree, assent)《*to*》: 《Ⅲ *v*Ⅰ+전+(목)》I ~*d to* his offer. 나는 그의 제의에 응했다. **2** 〈왕위에〉 오르다, 〈관직·높은 지위에〉 취임하다, 계승하다《*to*》: ~ *to* the throne 즉위하다. **3** 〈조약·당에〉 가입〔가맹〕하다《*to*》: ~ *to* a treaty 조약에 가입하다.
ac·céd·ence[-əns] *n.* **ac·céd·er** *n.* ◇ accéssion *n.*
accel. accelerando.
ac·ce·le·ran·do[æksèlərǽndou, -ráːn-] [It = accelerate] 〔樂〕 *ad., a.* 아첼레란도, 점점 빠르게〔빠른〕. ── *n.* 아첼레란도 음(音)〔악절〕 (*cf.* STACCATO).
ac·cel·er·ant[æksélərənt] *n.* 〔化〕 촉진제, 촉매.
*__ac·cel·er·ate__[ækséləréit] *vt.* **1** 〈차 등의〉 속력을 빠르게 하다, 가속하다. **2** 촉진하다. **3** 〈일의〉 시기를 빠르게 하다. ── *vi.* 속도가 더하다, 빨라지다. ◇ acceleráton *n.*; accélerative *a.*
*__ac·cel·er·at·ed__ *a.* 속도가 붙은, 가속된: ~ motion 〔物〕 가속 운동. **~·ly** *ad.*
*__ac·cel·er·a·tion__[æksèləréiʃən] *n.* Ⓤ **1** 가속; 촉진. **2** 〔物〕 가속도: positive〔negative〕 ~ 가〔감〕속도/the ~ of gravity 중력 가속도. ◇ accélerate *v.*; accélerative *a.*
acceleráton làne〔strip〕 (고속도로의) 가속 차선.
acceleráton prìnciple 〔經〕 가속도 원리.
ac·cel·er·a·tive[æksélərèitiv, -rət-] *a.* 가속적인, 촉진적인.
ac·cel·er·a·tor[æksélərèitər] *n.* **1** 가속자〔물, 기〕; (자동차의) 가속 장치, 액셀러레이터(=∠ **pèdal**): step on〔release〕 the ~ 액셀러레이터를 밟다〔떼다〕. **2** 〔解〕 촉진 신경〔근(筋)〕; 〔化〕 촉진제; 〔寫〕 현상 촉진제; 〔物〕 (입자의) 가속 장치.
ac·cel·er·om·e·ter[æksèlərámitər/ -rɔ́m-] *n.* 〔空·物〕 가속도계; 〔機〕 진동 가속도계.
ac·cent[ǽksent/-sənt] [L] *n.* **1 a** 〔音聲〕 악센트, 강세: the primary〔secondary〕 ~ 제1〔제2〕 악센트. **b** 〔韻〕 강음(ictus), 양음(揚

音). c 악센트 부호: an acute ~ 양부호(揚符號)(ˊ)/a grave ~ 억(抑)부호(ˋ)/a circumflex ~ 곡절(曲折) 부호(˜,^). **2** 강조 《*on*》; 드러나게 하는 것: 특색, 특징《개인·국가·지방 등의》. **3 a** (보통 *pl.*) 《독특한》 말투, 어조. **b** 《지방·외국》 사투리, 말투: English with a foreign ~ 외국 말투가 섞인 영어. **4** (*pl.*) 어조: 《詩》 어떤 감정을 나타내는 말, 언어(language), 말(words). **5** 〔樂〕 악센트, 악센트 기호(>, ∨, ∧). **6** 〔數〕 《문자·숫자의 오른쪽 위에 붙이는》 표점(標點), 프라임, 대시. **keep〔put〕 the accent on** …에 중점을 두다.
— [ǽksent, –ˊ] *vt.* **1** 〈낱말·음절에〉 악센트를 두다, 강하게 발음하다, 악센트 부호를 붙이다: an ~*ed* syllable 악센트가 있는 음절. **2** 〈…을〉 강조〔역설〕하다(accentuate). **3** 두드러지게 하다, 뚜렷하게 하다.
◈ accéntual *a.*: accéntuate *v.*

áccent màrk 악센트〔강세〕 부호.

ac·cen·tu·al [ækséntʃuəl] *a.* **1** 악센트의〔가 있는〕. **2** 〔韻〕 음의 강약을 리듬의 기초로 삼는 〈시〉. **~·ly** *ad.* ◈ áccent *n.*

ac·cen·tu·ate [ækséntʃuèit] *vt.* **1** 강조하다, 역설하다: 〈색·악음(樂音) 등을〉 두드러지게 하다, 〈그림 등을〉 눈에 띄게 하다. **2** 《문제를》 한층 악화시키다. **3** …에 악센트(부호)를 붙이다(=ACCENT). ◈ accentuátion *n.*

ac·cen·tu·a·tion [æksèntʃuéiʃən] *n.* Ⓤ **1** 음의 억양법: 악센트(부호)를 붙이는 법. **2** 강조, 역설: 두드러지게 하기.

★**ac·cept** [æksépt] [L=take] *vt.* **1** 〈호의·선물 등을 기꺼이〉 받아들이다, 수납하다(⇨receive): 《Ⅲ(목)》 ~ a favor 호의를 받아들이다. **2** 〈구혼·초대·신청·임무·명예 등을〉 수락하다, 받아들이다: 《Ⅲ(목)》 I ~ your kind invitation. 나는 당신의 친절한 초대를 받아들이겠다. **3** 〈사태 등에〉 순응하다, 감수하다. **4** 용인하다, 믿다: 〈설명·학설 등을〉 인정하다: 《Ⅲ(목)+전+명》 She ~*ed* it in earnest. 그녀는 그것을 진지하게 받아들였다/《Ⅲ(목)+전+명》 ~ the story at its face value 그 이야기를 액면 그대로 믿다/《Ⅴ(목)+*as*+명》 ~ the explanation *as* true〔*as* a fact〕 설명을 진실〔사실〕로서 받아들이다/《Ⅴ(목)+*as*+명》 I ~*ed* him *as* a trustworthy person. 나는 그를 믿을만한 사람으로 받아들였다. **5** 〈어구의〉 뜻을 취하다, 해석하다. **6** 〔商〕 〈어음을〉 인수하다(*opp.* dishonor). **7** 《소켓 따위가 부속물삽입물 등을》 끼워넣게〔끼우게〕 하다. **accept battle** 싸움에 응하다, 응전하다. **accept persons** 《古》 편들다; 역성하다; 두둔하다. **accept** a person**'s hand in marriage** …의 청혼을 받아들이다. **accept the person〔face〕 of** 《古》 …에게 편들다〔역성들다〕. — *vi.* 《초대·제의 등을》 수락하다, 받아들이다《*of*》.
◈ accéptance, acceptátion *n.*

ac·cept·a·bil·i·ty [æksèptəbíləti] *n.* Ⓤ 수용성, 응낙; 만족.

*****ac·cept·a·ble** [ækséptəbəl] *a.* **1** 〈선물·제안 등이〉 받아들일〔수락할〕 수 있는; 만족스러운, 훌륭한, 마음에 드는. **2** 〈어법·행위 등이〉 용인할 수 있는. **-bly** *ad.* 기꺼이 받아들일 수 있게; 마음에 들게. ◈ acceptabílity *n.*

accéptable lòss 〔軍〕 허용 손해〔피해〕 《전과에 비해 크지 않은 아군 손해》.

*****ac·cep·tance** [ækséptəns] *n.* Ⓤ **1** 수납, 가납(嘉納), 수리(*opp.* refusal). **2** 수락, 용인. **3** 〔商〕 어음의 인수; Ⓒ 인수필 어음. **acceptance for honor** 〔商〕 참가 인수. **acceptance of persons** 편들기, 역성. **find〔gain, win〕 general acceptance with〔in〕** 일반적으로 용인되다〔받다〕. **with acceptance** 호평으로.
◈ accépt *v.*: accéptant *a.*

accéptance tèst 《제품의 품질·성능에 대한》 합격 판정 시험.

ac·cep·tant [ækséptənt] *a.* 〈…을〉 기꺼이 받아들이는《*of*》. — *n.* 받아들이는 사람; 수락자.

ac·cep·ta·tion [æksептéiʃən] *n.* 《일반적으로 통용되는》 어구의 뜻, 어의, 통념.
◈ accépt *v.*

ac·cept·ed [ækséptid] *a.* **1** 일반적으로 인정된. **2** 〔商〕 인수가 끝난. **~·ly** *ad.*

accépted páiring 용인 광고《경쟁 상품의 우수한 점을 인정하면서 자사 상품의 보다 더 우수함을 강조하는 광고》.

ac·cep·ter [ækséptər] *n.* **1** 받아들이는 사람, 수납자; 수락〔승낙〕자. **2** 〔商〕 어음 인수인.

ac·cépt·ing〔accéptance〕 hóuse 《영》 《런던의》 어음 인수 상사.

ac·cépt·ive *a.* 받아들일 수 있는(acceptable); 〈사고 방식 등을〉 받아들이는《*of*》.

ac·cep·tor [ækséptər] *n.* **1** 수납자, 승낙자. **2** 〔商〕 어음 인수인. **3** 〔通信〕 통파기(通波器); 〔化〕 수용체; 〔電子〕억셉터.

⁑**ac·cess** [ǽkses] *n.* **1** Ⓤ 접근, 면회, 출입; 《자료 등의》 입수, 이용《*to*》: a man of difficult〔easy〕 ~ 접근하기 어려운〔쉬운〕 사람. **2** 〔컴퓨터〕 액세스《기억 장치에 정보를 넣고 빼는 것》; 〔放送〕 국(局)〔프로그램〕 개방. **3** Ⓤ 접근〔입수〕할 방법, 이용〔참가〕할 권리. **4** 진입로, 입구, 통로《*to*》. **5** 《文語·古》 《감정의》 격발, 《병의》 발작(fit): an ~ of anger〔fever〕 발끈 성을 냄〔열이 남〕. **6** 《재산 등의》 증가, 증대. **easy〔hard, difficult〕 of access** 접근〔면회〕하기 쉬운〔어려운〕. **gain〔obtain〕 access to** …에 접근〔출입〕하다, 을 면회하다. **give access to** …에게 접근〔출입〕을 허락하다. **have access to** …에게 접근〔출입〕할 수 있다, …을 면회할 수 있다. **within easy access of** …에서 쉽게 갈 수 있는 곳에. — *vt.* **1** 입수〔이용〕하다. **2** 〔컴퓨터〕 기억 장치로부터 〈정보를〉 호출하다; 기억 장치에 〈정보를〉 입력하다. ◈ accéssible *a.*

áccess àrm 〔컴퓨터〕 액세스 암《자기 디스크 장치 일부에서 헤드를 운반하는 장치》.

ac·ces·sa·ry [æksésəri] *n., a.* (*pl.* **-ries**) 〔法〕 종범(의)(=ACCESSORY).

áccess bròadcasting 《영》 《방송국〔프로그램〕 개방을 이용한》 자주적〔국외(局外)〕 제작 방송.

áccess contròl 〔컴퓨터〕 액세스 관리.

ac·ces·si·bil·i·ty [æksèsəbíləti] *n.* Ⓤ **1** 접근할 수 있음, 접근하기 쉬움. **2** 움직여지기 쉬움, 영향을 받기 쉬움.

*****ac·ces·si·ble** [æksésəbəl] *a.* **1** 〈장소·사람 등이〉 접근하기 쉬운, 가기 쉬운; 면회하기 쉬운《*to*》. **2** 손에 넣기 쉬운, 얻기 쉬운; 이용할 수 있는; 이해하기 쉬운《*to*》. **3** 〈사람·마음이〉 《…에》 영향을 받기 쉬운《*to*》: ~ *to* pity 정에 약한/~ *to* reason 사리를 아는/~ *to* bribery 뇌물에 약한, 매수하기 쉬운. **-bly** *ad.*

*****ac·ces·sion** [ækséʃən] *n.* Ⓤ **1** 《어떤 상태에》 이름, 접근, 도달《*to*》. **2** 《권리·지위·재

A

산 등의) 취득, 상속, 계승(*to*). **3** 취임, 즉위. **4** Ⓤ,Ⓒ (요구·계획 등에 대한) 동의, 승인, 수락. **5** 〔國際法〕 (조약·협정 등에의) 정식 수락; (국제협정·당·단체 등에의) 가맹, 가입(*to*). **6** (종업원의) 신규 채용. **7** a (첨가에 의한) 증가; Ⓒ 증가물, 획득물. b (도서관 등의) 수납(收納) 도서; (미술관의) 수납 미술품. **8** 〔法〕 재산 가치의 (자연) 증가. **9** (병감정의) 발작(access). — *vt.* (도서관·미술관 등의) 수납 원부에 기입하다. ⇔ accéde *v.*

accéssion bòok (도서관의) 도서 원부, 신착 도서 목록.

accéssion nùmber (도서관에서 도서의) 수납 번호.

accéss méthod 〔컴퓨터〕 액세스법(주기억 장치와 입출력 장치간의 데이터 전송 관리 방법).

ac·ces·so·ri·al[æ̀ksəsɔ́:riəl] *a.* **1** 보조적인. **2** 〔法〕 종범의. **~·ly** *ad.*

ac·ces·so·ri·ly[æksésərəli] *ad.* 보조적〔종적(從的)〕으로.

ac·ces·so·rize[æksésəràiz] *vt., vi.* (…에) 액세서리〔부속품〕를 달다(*with*).

***ac·ces·so·ry**[æksésəri] *n.* (*pl.* **-ries**) **1** (보통 *pl.*) 부속물, 부속품, 부대물, 액세서리; 복식품, 장신구. **2** 〔法〕 종범(accessary)(*to*). **an accessory after**〔**before**〕 **the fact** 사후〔사전〕 종범. — *a.* **1** 보조적인, 부속의, 부(副)의, 부대적인 **2** 〔法〕 종범의(accessary)(*to*). ⇔ accessórial *a.*; accéssorily *ad.*

accéssory frùit 〔植〕 위과(僞果), 가과(假果), 헛열매.

accéssory nèrve 〔解〕 부신경.

áccess pérmit 《미》 기밀 자료 열람 허가증, 일반인 출입 금지 구역의 출입 허가증.

áccess prògram 《미》 **1** (지방국의) 자주적 프로그램. **2** (방송국〔프로그램〕 개방을 이용한) 자주적〔국외(局外)〕 제작 프로그램.

áccess ròad (간선도로나 어떤 시설로 들어가는) 진입로(進入路).

áccess tèlevision 《영》 (방송국〔프로그램〕 개방을 이용한) 자주적〔국외(局外)〕 제작 텔레비전 (프로그램).

áccess tìme **1** 〔컴퓨터〕 액세스 타임, 접근 시간(제어 장치에서 기억 장치로 정보 전송 지령을 내고 실제로 전송이 개시되기까지의 시간). **2** 〔TV〕 (지방국의) 자주적 프로그램 방송 시간(대).

ac·ci·dence[ǽksidəns] *n.* Ⓤ **1** 〔文法〕 어형(변화)론, 형태론; 어형 변화. **2** 초보, 입문, 기본.

⁑**ac·ci·dent**[ǽksidənt] [L] *n.* **1** 사고, 재난, 고장, 재해(⇨incident): 상해: a railway〔traffic〕 ~ 철도〔교통〕 사고/*A-s* will happen. 《속담》 사고는 생기기 마련. **2** 우연; 우연한 일, 뜻밖의 일; 우연한 기회, 운좋음: an ~ of birth (부귀·귀천 등의) 타고남. **3** 부수적인 사태〔성질〕. **4** 〔醫〕 우발증후; 〔法〕 우발사고; 〔論〕 우유성(偶有性). **5** 〔地質〕 지형의 기복. **a chapter of accidents** (1) (the ~) 예상할 수 없는 일련의 일. (2) (a ~) 계속되는 불행(⇨chapter). **by** (**a mere**) **accident** 우연히(*opp.* on purpose). **have**〔**meet with**〕 **an accident** 불의의 변을 당하다. **inevitable accident** 〔法〕 불가피적 사고, 불가항력. **without accident** 무사히.

⁑**ac·ci·den·tal**[æ̀ksidéntl] *a.* **1** 우연한, 우발적인, 뜻밖의; 고의가 아닌: (an) ~ death 불의의 죽음, 사고사/an ~ fire 실화/~ homicide 과실 치사. **2** 비본질적인, 부수적인. **3** 〔論〕 우유적인(inessential); 〔樂〕 임시 변화의: ~ notation 임시표. — *n.* **1** 우발적〔부수적인〕인 사물; 비본질적인 사물. **2** 〔論〕 우유성(偶有性); 〔樂〕 변화음, 임시표. ⇔ áccident *n.*

accidéntal cólors 〔物〕 우생색(偶生色), 보색 잔상(補色殘像).

accidéntal érror 〔數·統〕 우연〔우발〕 오차.

***ac·ci·den·tal·ly**[æ̀ksidéntəli] *ad.* 우연히, 뜻하지 않게(by chance); 잘못하여. **accidentally on purpose** 《口》 우연을 가장하여, 고의적으로.

accidéntal président (대통령의 사망·사임으로 부통령에서 오른) 승격 대통령.

áccident bòat 〔海〕 (선박에 비치한) 구명정, 비상〔긴급〕용 보트.

ac·ci·dent·ed[ǽksidèntid] *a.* 〔地〕 울퉁불퉁한, 기복이 있는(*opp.* even[1]).

áccident insùrance 상해〔재해〕 보험.

ac·ci·dent-prone[ǽksidəntpròun] *a.* 〈사람·차 등이 보통보다〉 많은 사고를 내기〔만나기〕 쉬운, 사고 다발의. 〔醫〕 재해〔사고〕 빈발성 소질을 지닌.

ac·ci·die[ǽksidi] *n.* =ACEDIA.

ac·cip·i·ter[æksípitər] *n.* 〔鳥〕 **1** 새매속(屬)의 매의 총칭(익더귀새매·난추니 등). **2** (일반적으로) 매, 맹금(猛禽).

ac·cip·i·tral *a.* 새매〔매〕 같은, 맹금성의.

***ac·claim**[əkléim] *vt.* 갈채〔환호〕하다, 갈채하여 …으로 인정하다: 《Ⅴ (목)+㊉+-*ing*》 They ~*ed* him for rescuing the drowning child. 그들은 물에 빠진 어린애를 구출한 그에 대해 갈채를 보냈다/《Ⅴ (목)+(*as*+)㊔》 They〔The people〕 ~*ed* him king〔as king〕. 그들〔민중〕은 환호 속에 그를 임금으로 맞이하였다/《Ⅱ *be pp.*+(*as*+)㊔》 He was ~*ed* king〔as king〕. 그는 환호하여 임금으로 추대되었다. — *vi.* 환호〔갈채〕하다. — *n.* Ⓤ 《詩》 환호, (대)갈채; 절찬. ⇔ acclamátion *n.*

ac·cla·ma·tion[æ̀kləméiʃən] *n.* Ⓤ **1** 대갈채(칭찬·찬성의); (종종 *pl.*) 환호: amidst loud ~*s* 대환호 가운데/hail with ~(s) 환호로 맞이하다. **2** (갈채·박수로 찬성을 나타내는) 발성(發聲) 투표: carry a motion by ~ 만장의 갈채로 의안을 통과시키다.

ac·clam·a·to·ry[əklǽmətɔ̀:ri/-təri] *a.* 갈채의, 환호의.

ac·cli·mat·a·ble[əkláimitəbəl] *a.* 풍토에 순응시킬 수 있는.

ac·cli·mate[ǽkləmèit, əkláimit] *vt.* 《미》 〈사람·동식물 등을 새 풍토에〉 익히다〔순응시키다〕(*to*): 《Ⅱ *be pp.*+㊉+-*ing*》 The animals *were* ~*d to* eat*ing* rice. 그 동물들은 쌀을 먹도록 길들여졌다. **acclimate oneself to** new surroundings (새 환경)에 순응하다. — *vi.* 〈새 풍토에〉 익(숙해지)다〔순응하다〕(*to*). **become acclimate** 풍토에 익숙해지다.

ac·cli·ma·tion[æ̀kləméiʃən] *n.* Ⓤ 《미》 새 환경 순응; 〔生態〕 새 풍토 순화(馴化).

acclimátion fèver (주로 열대 지방에서 새 이주민이나 가축이 걸리는) 순화열(풍토 열병).

ac·cli·ma·ti·za·tion[əklàimətizéiʃən/-tai-] *n.* =ACCLIMATION.

ac·cli·ma·tize[əkláimətàiz] *vt.* =ACCLIMATE.

ac·cliv·i·ty[əklívəti] *n.* (*pl.* **-ties**) 오르막, 치받이, (치받이) 경사(*opp.* declivity).

ac·cliv·i·tous[əklívətəs], **ac·cli·vous**[əkláivəs] *a.* 오르막의.

ac·co·lade[ǽkəlèid, ⸗-⸗] *n.* **1** 《古》 나이

트(knight) 작위 수여(식). **2** 영예, 상: 찬양. **3** 〔樂〕 연결 괄호. **receive the accolade** 나이트 작위를 받다.

:ac·com·mo·date[əkámədèit/əkɔ́m-] [L] *vt.* 《文語》 **1** 편의를 도모하다: 〈부탁 등을〉 들어주다: 〈돈 등을〉 융통〔공급〕해 주다: 《Ⅲ (목)+전+명》 ~ a person *with* a thing = ~ a thing *to* a person …에게 물건을 융통〔마련〕해 주다. **2** 숙박시키다: 〈차가 손님을〉 태우다: 〈환자 등을〉 수용하다: (보통 수동형) 설비가 있다: 《Ⅲ (목)+전+명》 He ~*d* a friend *with* a night's lodging. 그는 친구를 하룻밤 재워주었다/《Ⅲ 부+(목)》 The stadium will ~ *about* one hundred thousand spectators. 그 경기장은 약 10만 명의 관객을 수용할 수 있다. **3** 적응시키다, 조절시키다 (adapt) 《*to*》: (~ one*self* 로) (환경·처지 등에) 순응하다: 《Ⅲ (목)+전+명》 ((목)-one*self*) He soon ~ him*self to* the new circumstances. 그는 곧 새로운 환경에 적응했다. **4** 〈차이·대립·분쟁 등을〉 화해시키다, 조정하다.
— *vi.* 순응하다, 적응하다: 화해하다.
◇ accommodátion *n.*: accómmodative *a.*

ac·com·mo·dat·ing[əkámədèitiŋ/əkɔ́m-] *a.* **1** 친절한, 잘 돌봐 주는, 붙임성 있는, 싹싹한. **2** (나쁜 의미에서) 융통성 있는, 고분고분한. **~·ly** *ad.*

***ac·com·mo·da·tion**[əkàmədéiʃən/əkɔ̀m-] *n.* **1** Ⓤ 적응, 조화: 조절《*to*》: 〔生理〕 (눈의 수정체의) 원근 조절. **2** 화해, 조정: come *to* an ~ 화해하다《*with*》. **3** Ⓤ 〔商〕 융통, 대부(금). **4 a** Ⓤ,Ⓒ 편의, 도움. **b** (《미》 에서는 보통 *pl.*) 숙박〔수용〕 설비《여관·여객선·기차·여객기·병원 등의》; (열차·비행기 등의) 자리, 좌석: phone a hotel for ~s〔《영》 ~〕 호텔에 방 예약의 전화를 걸다.
~·al[-ʃənəl] *a.* ◇ accómmodate *v.*

accommodátion addrèss 편의상 (수신) 주소《주소가 일정치 않거나 알리고 싶지 않은 사람들의 우편물 수신을 위한 주소》.

accommodátion bìll〔**nòte**〕 융통 어음.

accommodátion còllar 《미俗》 건수를 올리기 위한 체포.

ac·com·mo·da·tion·ist[əkàmədéiʃənist/əkɔ̀m-] *a., n.* 《영》 화해〔융화〕파의 (사람), 《특히》 백인 사회와의 화해파의 (흑인).

accommodátion làdder 〔海〕 (모선으로 오르내리는) 현측(舷側) 사다리.

accommodátion pàyment 위장〔암묵〕 초과 지급《차액을 뇌물로 받음》.

accommodátion ròad 〔土木〕 특설 도로.

accommodátion tràin 《미》 (역마다 서는) 보통 열차, 완행 열차(local train).

accommodátion ùnit 《官廳用語》 주택.

ac·com·mo·da·tive[əkámədèitiv/əkɔ́m-] *a.* 필요에 대응하는, 적응〔순응〕적인: 조화〔조절〕적인: 협조적인, 친절한.
◇ accómmodate *v.*

ac·com·mo·da·tor[əkámədèitər/əkɔ́m-] *n.* **1** 적응자: 조정자: 융통해 주는 사람. **2** 〔機〕 조절기(器). **3** 《미》 임시 고용〔파트타임〕의 가정부, 파출부.

***ac·com·pa·ni·ment**[əkʌ́mpənimənt] *n.* **1** 부속물, 딸린 것; 곁들인 것《*of, to*》: Famine is frequent ~ *of* war. 전쟁에는 기근이 종종 수반된다. **2** 〔樂〕 반주부; 반주: play an ~ *to* …의 반주를하다/without ~ 반주 없이.
to the accompaniment of …의 반주로; …에 맞추어서.

ac·com·pa·nist, -ny·ist[əkʌ́mpənist], [-niist] *n.* 〔樂〕 반주자.

:ac·com·pa·ny[əkʌ́mpəni] [OF] *vt.* (**-nied**) **1** 〈사람이〉 동반하다, 동행하다, 함께 가다, 수행하다(go with): 〈사물이〉 …을 수반하다, (…와) 동시에 일어나다: ~ the guest *to* the door …을 문까지 전송하다. **2** 〔樂〕 반주하다: ~ a song〔singer〕 *with* a flute〔*on* the piano〕 플루트〔피아노〕로 노래〔가수〕의 반주를 하다. **3** 따르게 하다, 곁들이다, 덧붙이다: ~ one's angry words *with* a blow 호통치며 한 대 갈기다. **be accompanied by** a person 사람을 동반하다. **be accompanied with** a thing 사물을 수반하다, …이 수반하여 일어나다.
◇ accómpaniment, accómplice *n.*

ac·com·pa·ny·ing[əkʌ́mpəniŋ] *a.* 따르는 〈징조 등〉, 동봉〔첨부〕한 〈편지 등〉.

ac·com·plice[əkámplis/əkɔ́m-] *n.* 공범자, 종(從)범인, 연루자, 한패《*in, of*》.

:ac·com·plish[əkámpliʃ/əkɔ́m-] *vt.* **1** 이루다, 성취하다, 완수하다, 완성하다. **2** (보통 수동형) 〈…에게 학업·기예 등을〉 가르치다.
~·er *n.* ◇ accómplishment *n.*

ac·com·plish·a·ble[əkámpliʃəbl/əkɔ́m-] *a.* 이룰 수 있는, 완성〔성취〕할 수 있는; 습득할 수 있는.

***ac·com·plished**[əkámpliʃt/əkɔ́m-] *a.* **1** 성취〔완료, 완성〕된: 〈사실이〉 기정의: an ~ fact 기정 사실/an ~ villain 낙인찍힌 악당. **2** 〈어떤 예능 등에〉 뛰어난, 능란한, 조예가 깊은《*in, at*》: 익숙한, 숙달한: an ~ violinist 뛰어난 바이올린 연주자. **3** 교양이 있는, 세련된: an ~ gentleman 교양 있는 신사.

ac·com·plish·ment[əkámpliʃmənt/əkɔ́m-] *n.* **1** Ⓤ 성취, 완성; 수행, 실행. **2** Ⓒ 성과, 업적. **3** (*pl.*) (사교상 필요한) 교양, 소양, 예능, 재예(才藝): a man of many ~*s* 다재다능한 사람. **4** Ⓒ 《경멸》 서투른 재주.

accómplishment quòtient 〔心·教育〕 성취 지수, (학업) 성적 지수《교육 연령을 정신 연령으로 나눈 수를 100배 한 것; 略: AQ, A.Q.》.

:ac·cord[əkɔ́ːrd] [L] *vi.* (보통 부정·의문문에서) 일치〔조화, 화합〕하다, 맞다《*with*》: Her actions do not ~ *with* her words. (= Her words and actions do not ~.) 그녀는 언행이 일치하지 않는다. — *vt.* **1** …을 조화〔일치, 적응〕시키다. **2** 《文語》 〈…에게 허가·칭찬·명예 등을〉 주다, 허용하다(grant), 수여하다(bestow), 용인하다(concede) 《*to*》: 《Ⅲ (목)》 due praise 합당한 칭찬을 하다/《Ⅳ 명+(목)》 ~ a literary luminary due honor = 《Ⅲ (목)+전+명》 ~ due honor *to* a literary luminary 문호에게 당연한 명예를 주다/《Ⅲ (목)+전+명》 He ~*ed* a request *to* her. 그는 그녀의 요구를 받아들였다.
— *n.* **1** Ⓤ 일치, 조화 **2** Ⓒ (국제간의) 협정, 조약; 강화(peace treaty). **3** 임의, 자유의사. **4** Ⓤ,Ⓒ 〔樂〕 화음(*opp.* discord). **be in**〔**out of**〕 **accord with** …와 조화되어 있다〔있지 않다〕, 〈주장 등〉 …에 맞다〔맞지 않다〕. **be of one accord** 〈모두가〉 일치되어 있다. **of one's**〔**its**〕 **own accord** 자발적으로; 저절로. **with one accord** 다함께, 일제히, 마음〔소리〕을 합하여, 이구동성으로.
◇ accórdant *a.*; accórdance *n.*

***ac·cor·dance**[əkɔ́ːrdəns] *n.* Ⓤ 일치, 조화. **in accordance with** …에 따라서, …와 일치하여, …대로. **out of accordance with** …에 따르지 않고, …와 일치하지 않고.

◇ accórd *v.*: accórdant *a.*

ac·cor·dant[əkɔ́ːrdənt] *a.* 일치〔조화〕하여《*with, to*》: 《Ⅱ 형+전+명》His opinion is ~ *with* truth〔*to* reason, *to* logic, *to* the law〕. 그의 의견은 진실〔이치, 논리, 법〕에 맞는다.

★**ac·cord·ing**[əkɔ́ːrdiŋ] *ad.* (=ACCORDINGLY)(보통 다음 성구로) **according as** …《文語》(접속사적으로) …에 따라서〔준하여〕, …나름으로: You will receive ~ *as* you give. 남에게 주는 정도에 따라서 너도 받게 될 것이다. **according to** … (전치사적으로) (1) …에 따라, 에 의하여, …나름으로: arrangement ~ *to* authors 저자별로 된 배열/~ *to* plan 계획대로. (2) …(이 말하는 바)에 의하면: A- *to* today's paper … 오늘 신문에 의하면 …. **That's according.** 《영口》 그건 사정 나름이다《생략 어법》.

⁑**ac·cord·ing·ly**[əkɔ́ːrdiŋli] *ad.* **1** (접속부사적으로: 동사 앞에 위치하여) 따라서, 그래서, 그러므로(therefore): He was told to speak briefly; ~ he cut short his remarks. 간단히 말해달라는 말을 들었기 때문에 그는 짤막하게 의견을 말했다/I ~ sent for the doctor. 그래서 나는 의사를 부르러 보냈다. **2** (바로 앞의 동사를 수식하여) 그에 따라서, 그에 알맞게, 적절히: Will you arrange ~? 사정에 따라 적절히 결정해 주시겠습니까?
accordingly as =ACCORDING as.

***ac·cor·di·on**[əkɔ́ːrdiən] *n.* 아코디언, 손풍금. **~·ist** *n.* 아코디언 연주자.

accórdion dóor 자유 자재로 접었다 폈다 하는 칸막이 문.

accórdion pléats (스커트의) 아코디언 모양의 주름.

ac·cost[əkɔ́(ː)st, əkάst] *vt.* **1** 〈모르는 사람에게〉 가까이 가서 말을 걸다. **2** 〈거지가 남에게〉 말을 걸다, 〈창녀가 손님을〉 끌다.

ac·couche·ment[əkúːʃmɑ̃ː, -mənt] [F] *n.* 해산, 분만(childbirth).

ac·cou·cheur[æ̀kuːʃə́ːr] [F] *n.* 조산원(助産員), 산부인과 의사《남자》.

ac·cou·cheuse[æ̀kuːʃə́ːz] [F] *n.* 산파, 조산원《여자》.

★**ac·count**[əkáunt] *n., v.* ── *n.* **1** (금전상의) 계산, 셈, 회계: 계정: 계산서, 청구서: Short ~*s* make long friends. 《속담》 셈이 빨라야 친분이 오래간다. **2** 계정(略: A/C): (은행 등과의) 거래: (예금) 계좌, 구좌: 예금(액): 외상(거래)(charge ~). **3** (금전·책임의 처리에 관한) 보고, 전말서: 답변, 변명, 설명. **4** (사건 등에 대한) 기술(記述), 기사(記事): (차례를 따라 하는 자세한) 이야기(narrative), 말: (흔히 *pl.*) 소문, 풍문: A-*s* differ. 사람에 따라 말이 다르다. **5** Ⓤ 근거, 이유. **6** Ⓤ 평가, 고려: 《文語》 중요성. **7** Ⓤ 이익, 덕. **8** 고객, 단골. **account of** 《口》 =on ACCOUNT of. **ask〔demand〕 an account** 받을 돈을 청구하다: 답변〔해명〕을 요구하다. **balance accounts with** =settle ACCOUNTs with. **bring〔call〕** a person **to account** …의 책임을 추궁하다: 해명〔설명〕을 요구하다: 책망하다. **by〔from〕 all accounts** 누구 말을〔어디서〕 들어도. **cast accounts** 계산하다. **charge〔place, pass〕 it to a person's account** … 앞으로 달다. **close an account with** …와 거래를 그만두다, 〈은행과〉 거래 관계를 끊다. **cook〔falsify, manipulate〕 accounts** 장부를 속이다〔조작하다〕. **find one's〔no〕 account in** …은 수지가 맞다〔맞지 않다〕. **for account of** …의 계정으로 〈팔다 등〉. **give a bad〔poor〕 account of** 《俗》 깍아내리다, 비방하다. **give a good account of** 〈상대·적을〉 지우다, 처치하다, 죽이다, 잡다: …을 잘 해내다: 《俗》 칭찬하다. **give a good account of oneself** 《口》 (경기 등에서) 당당히 이기다, 훌륭하게 해내다. **give an account of** …을 설명〔답변〕하다, 의 전말을 밝히다: …의 이야기를 하다. **go to** one's **(long) account** =《미口》 **hand in** one's **account(s)** 저승에 가다, 죽다. **have an account with** …와 거래가 있다, 〈은행에〉 계좌가 있다. **hold … in〔of〕 great account** …을 매우 중요시하다. **hold in〔of〕 no〔low〕 account** …을 경시하다. **in account with** …와 거래하고. **keep (a) strict〔careful〕 account of** …을 꼼꼼하게〔주의 깊게〕 기장하다: 남김 없이 지켜보다. **keep accounts** 치부〔기장〕하다, 경리를 맡아보다. **lay** one's **account with〔for, on〕** 《古》 …을 예기하다, 기대하다. **leave … out of account** …을 무시하다, 셈에 넣지 않다(=take no ACCOUNT of). **make much〔little, no〕 account of** …을 중요시하다〔하지않다〕. **of much〔no〕 account** 중요한〔하찮은〕. **on account** (1) 계약금으로서. (2) 외상(판매)로: 할부로. (3) 우선, 먼저. **on account of** …의 이유로, …때문에. **on all accounts**=**on every account** 모든 점에서, 어느 모로 보나: 기어코. **on no account** =**not … on any account** 결코 …(하지) 않다. **on** a person**'s account** 남의 셈〔비용〕으로: 남을 위하여. **on** one's **own account** 독립하여, 자립하여: 자기 책임으로: 자기(의 이익)을 위하여. **on that〔this〕 account** 그〔이〕 때문에. **On what account?** 무슨 이유〔관계〕로? **open〔start〕 an account with** …와 거래를 시작하다, (은행에) 계좌를 개설하다. **pay an account** 셈을 치르다. **put** … **(down) to** a person**'s account** …을 남의 셈에 달다. **render an account** 해명〔답변〕하다: 결산 보고를 하다. **send (in) an account** (미불금의) 청산〔청구〕서를 보내다. **send** a person **to** his **long account** 《영》 남을 죽이다. **settle〔square, balance〕 accounts〔an account〕 with** …와의 거래〔계정, 셈〕를 청산하다: …에게 원한을 풀다《*with*》. **take … into account** =**take account of** …을 고려하다: 참작하다: …에 주의를 기울이다. **take no account of** …을 무시하다, 고려〔계산〕에 넣지 않다. **the great〔last〕 account** 〔基督教〕 최후의 심판(날). **turn〔put〕 … to (good〔poor, bad〕 account** …을 이용〔활용〕하다〔하지 않다〕, …에서 이익〔불이익〕을 얻다.

── *vt.* **1** 〈…을 …이라고〉 생각하다(consider), 여기다(count), 간주하다(regard): 《Ⅴ (목)+(*to be*)+형》We ~ him (*to be*) honest. 우리는 그를 정직하다고 생각한다. **2** 소유로 간주하다: 〈…을 …탓으로〉 돌리다, 책임지우다(attribute)《*to*》: his bad temper ~*ed to* his illness 병으로 인한 그의 신경질.

── *vi.* **1** 설명을 하다《*for*》, 〈사람이 …의 이유를〉 밝히다: 〈사실이 …의〉 원인〔설명〕이 되다(cause)《*for*》: 《Ⅲ *v* Ⅰ+전+(목)》I cannot ~ *for* my preferences. 나는 내가 더 좋아하는 것들에 대해 설명을 할 수 없다/《Ⅲ *v* Ⅰ+전+(목)》His illness ~*ed for* his absence. 그의 결석 사유는 질병으로 밝혀졌다/《Ⅰ *be pp.*+전+명》The problem was ~*ed for* by him. 그 문제에 대해 그가 설명했다. **2** (위탁금 등의) 용도〔처리〕에 대해 설명〔보고〕하다(*to, for*): (Ⅲ 조+*v* Ⅰ+{전+명}+전+(목)) You'll have to ~ to me *for* the money spend. 너는 소비한 돈을 나에게 보고해야 한다. **3** (행위 등의) 책임을 지다(*for*). **4** (적·사냥감 등을) 잡다, 죽이다; 사로잡다(*for*); 〔競〕〈몇 점〉 따다; (…의) 비율을 차지하다(*for*): (Ⅲ *v* Ⅰ+전+(목)) The cat ~*ed for* three of them. 고양이가 그 중의 셋을 잡았다. **be much〔little〕 accounted of** 중시〔경시〕되다. **There is no accounting for tastes.** (속담) 취미〔기호〕는 각양각색.

ac·count·a·bil·i·ty[əkàuntəbíləti] *n.* Ⓤ 책임 (있음).

*__ac·count·a·ble__[əkáuntəbəl] *a.* **1** (서술적) 〈사람·일에 대하여〉 설명할 의무가 있는; 책임이 있는(responsible)(*for*). **2** 설명〔해명〕할 수 있는, 그럴 듯한(*for*). **-bly** *ad.*

ac·coun·tan·cy[əkáuntənsi] *n.* Ⓤ 회계사의 직〔사무〕.

ac·coun·tant[əkáuntənt] *n.* 회계원, 경리 사무원; 회계사.

accóuntant géneral (*pl.* **accountants general**) 회계 과장; 경리 국장.

accóunt bòok 회계 장부, 출납부.

accóunt cúrrent (*pl.* **accounts current**) = CURRENT ACCOUNT(略: A/C, a/c).

accóunt dày (보통 the ~) (런던 증권 거래소의) 그 주일 결제 거래의 수도일(受渡日).

accóunt exècutive (광고업 등의) 고객 담당 임원〔주임〕.

ac·count·ing[əkáuntiŋ] *n.* Ⓤ 회계(학); 계산, 계리(計理).

accóunt pàyable (*pl.* **accounts payable**) 〔會計〕 지불 계정, 외상 매입 계정, 채무 계정.

accóunt recéivable (*pl.* **accounts receivable**) 〔會計〕 수취 계정, 외상 매출 계정, 미수금 계정.

accóunt réndered (*pl.* **accounts rendered**) 〔商〕 지불 청구서, 대차 청산서.

accóunt sàles (적송품(積送品)의) 매상 계산서; 외상 판매.

ac·cou·ter | -tre[əkú:tər] *vt.* (보통 수동형) (특수한) 복장을 착용시키다; 〈병사에게〉 장구(裝具)를 착용시키다(*for*). **be accoutered in〔with〕** …을 착용하고 있다.

ac·cou·ter·ments[əkú:tərmənts] *n. pl.* 복장, 몸차림; 〔軍〕 장구(무기·군복 이외의).

Ac·cra[əkrá:, ǽkrə] *n.* 아크라(Ghana의 수도).

ac·cred·it[əkrédit] *vt.* **1** 〈어떤 일을〉 …의 공적〔짓〕으로 치다, …으로 돌리다(attribute) (*to, with*); …을 (…으로) 인정〔간주〕하다(*with*): (Ⅲ (목)+전+명) We ~ the invention *to* him. =We ~ him *with* the invention. 그 발명은 그가 한 것으로 되어 있다. **2** 믿다, 신용하다, 신임하다; 신임장을 주다; 신임장을 주어 〈대사 등을〉 파견하다: (Ⅰ *be pp.*+전+명) He was ~*ed to* Tokyo. 그는 일본 대사로 파견되었다/(Ⅲ (목)+전+명) ~ an envoy *to* a foreign country (신임장을 주어) 사절을 외국에 파견하다. **3** (정부·관청 등이) …을 인가하다. **4** 기준에 합격했다고 인정하다; 품질을 인정하다: an ~*ing* system 자격 인정 제도; (대학의) 학점 제도.

ac·cred·i·ta·tion[əkredətéitʃən] *n.* (학교·병원 등의) 인정, 인가; 신임장.

ac·cred·it·ed[əkréditid] *a.* **1** 〈사람·학교 등이〉 기준 합격의, 인정된, 공인된; 〈우유·소 등이〉 품질 인정된: an ~ school 인가된 (정규) 학교; ~ milk 품질 보증 우유. **2** 〈신앙이〉 정통의(orthodox); 〈학설 등이〉 일반적으로 인정된, 용인된.

ac·crete[əkrí:t] *vt.* 합쳐 커지게 하다〔늘리다〕; 부착시키다, (주위에) 모으다. — *vi.* 부착하다; (부착하여) 커지다. — *a.* 〔植〕 부착하여 커진.

ac·cre·tion[əkrí:ʃən] *n.* Ⓤ **1** 증대(발육·부착(附着)·포함 등에 의한); 부착. **2** Ⓒ 증가〔부착〕물. **3** 〔法〕 자연 증가(유산·강변 토지의 증가 등).

ac·cre·tive[əkrí:tiv] *a.* 증가〔첨가〕하는; 증가성의; 확대하는; 퇴적하는.

ac·cru·al[əkrú:əl] *n.* Ⓤ (자연) 증가〔증식〕; Ⓒ 증가물, 증가액(이자·연체료 등).

ac·crue[əkrú:] *vi.* **1** 〈이익 등이 자연 증가로〉 생기다, 〈빌려준 돈에 이자가〉 붙다; 〈…에 대해 …으로부터〉 생기다(*to, from*): (Ⅰ 전+명+전+명) One advantage ~*d to* him *from* the accident. 그 사고로 그에게 유리한 점이 생겼다. **2** 〔法〕 (권리로서) 생기다, 발생하다. **~·ment** *n.* =ACCRUAL.

acct. account; accountant.

ac·cul·tur·ate[əkʌ́ltʃərèit] *vt., vi.* (이문화(異文化)와의 접촉에 의해) 문화를 변용시키다, 문화가 변용하다.

ac·cul·tur·a·tion[əkʌ̀ltʃəréiʃən] *n.* Ⓤ **1** 〔社〕 (상이한 문화간의 접촉으로 인한) 문화 변용(變容). **2** 〔心〕 (어린이의) 문화적 적응. **-ize**[ㅅàiz] *v.* =ACCULTURATE.

ac·cum·bent[əkʌ́mbənt] *a.* **1** 기댄. **2** 〔植〕 대위(對位)의, 측위(側位)의.

**__ac·cu·mu·late__[əkjú:mjəlèit] *vt.* (장기간에 걸쳐 조금씩) 모으다, 축적하다; 〈부·재산을〉 모으다: ~ a fortune 축재하다. — *vi.* 모이다, 쌓이다, 축적되다.
⊕ accumulátion *n.*; accúmulative *a.*

__ac·cu·mu·la·tion__[əkjù:mjəléiʃən] *n.* **1 Ⓤ 축적, 누적; 축재; 복리에 의한 원금 증가; (금리 등의) 이식(利殖). **2** 축적물, 모인 돈.
⊕ accúmulate *v.*; accúmulative *a.*

ac·cu·mu·la·tive[əkjú:mjəlèitiv, -lət-] *a.* **1** 축적하는, 모이는, 누적적인; 적립식의. **2** 축적〔이식(利殖)〕을 좋아하는, 축재적인. **~·ly** *ad.* **~·ness** *n.*

ac·cu·mu·la·tor[əkjú:mjəlèitər] *n.* **1** 축적자, 축재자. **2** 〔機〕 축압기(蓄壓器), 어큐뮬레이터; 완충 장치; (영) 축전지; 〔컴퓨터〕 누산기(累算器).

__ac·cu·ra·cy__[ǽkjərəsi] *n.* Ⓤ 정확(성), 적확성, 정밀도(*opp.* inaccuracy). **with accuracy 정확히. ⊕ áccurate *a.*

__ac·cu·rate__[ǽkjərit] [L] *a.* (주의를 기울여) 정확〔적확, 정밀〕한, 용의 주도한, 엄밀한 (exact)(*in, at*). **to be accurate 정확히 말해서. ⊕ áccuracy *n.*

*__ac·cu·rate·ly__[-li] *ad.* 정확히(exactly), 정밀하게.

*__ac·cursed, ac·curst__[əkə́:rsid, əkə́:rst] *a.* **1** 저주받은, 벌려입은; 운수가 사나운(ill-fated). **2** 저주할; 《口》 지긋지긋한, 지겨운.
ac·curs·ed·ly *ad.* **-ed·ness** *n.*

accus. accusative.

ac·cus·a·ble[əkjú:zəbəl] *a.* 고소〔고발〕해야할; 비난할 만한.

*__ac·cu·sa·tion__[æ̀kjuzéiʃən] *n.* Ⓤ,Ⓒ **1** 〔法〕 고발, 고소; 죄상, 죄(명), 죄과(charge): (a) false ~ 무고. **2** 비난, 트집. **bring an ac-**

cusation against …을 고발〔기소〕하다. **under an accusation of** …의 죄로 고소되어; …을 비난받고. ◇ accúse *v.*

ac·cu·sa·ti·val[əkjù:zətáivəl] *a.* 〔文法〕 대격(對格)의, 직접 목적격의.

ac·cu·sa·tive[əkjú:zətiv] 〔文法〕 *a.* (그리스말·라틴말·독일말 등의) 대격의, (영어의) 직접 목적격의. ── *n.* **1** (the ~) 대격. **2** 대격어; 대격형. **~·ly** *ad.* 대격으로, 대격으로서.

ac·cu·sa·to·ri·al[əkjù:zətɔ́:riəl] *a.* 고발자의, 비난자의; 고발주의의.

ac·cu·sa·to·ry[əkjú:zətɔ̀:ri/-təri] *a.* 고소의, 고발하는; 비난의, 힐문(詰問)적인; 고발〔탄핵〕주의적인.

*****ac·cuse**[əkjú:z] *vt.* **1** 〔法〕 고발〔고소〕하다, …에게 죄를 추궁하다《*of*》: 《Ⅲ (목)+전+명》 They ~*d* him *of* theft. (=He was ~*d of* theft. 《Ⅰ *be pp.*+전+명》) 그들은 그를 절도죄로 고발했다(수동태는 theft를 강조)/《Ⅴ (목)+전+-*ing*》 She ~*d* him *of* having stolen her car. 그녀는 그가 그녀의 자동차를 훔쳤다고 고소했다/《Ⅴ (목)+*as*+명》 ~ a person *as* a murderer …을 살인범으로 고발〔고소〕하다. **2** 비난하다(blame), 책망하다《*of*》: 《Ⅲ (목)》 ~ oneself 자신을 꾸짖다/《Ⅴ (목)+전+-*ing*》 She ~*d* me *of* be*ing* late. 그녀는 내가 늦었다고 책망했다/《Ⅳ 명+*that*(절)》 They ~*d* the man *that* he had taken bribes. (=They ~*d* the man *of* hav*ing* taken bribes. 《Ⅴ (목)+전+-*ing*》) 그들은 그 남자가 뇌물을 받았다고 비난하였다.
◇ accusátion *n.*; accúsatory *a.*

ac·cused[əkjú:zd] *a.* **1** 고발〔고소〕 당한. **2** (the ~; 명사적) (형사) 피고인(들), 피의자 (*opp.* accuser).

ac·cus·er[əkjú:zər] *n.* 고발인; 비난자.

ac·cus·ing[əkjú:ziŋ] *a.* 고발하는; 비난하는, 책망하는 듯한. **~·ly** *ad.* 힐난조로; 비난하듯.

*****ac·cus·tom**[əkʌ́stəm] *vt.* 익히다, 익숙케 하다, 길들게〔습관 들게〕 하다《*to*》: 《Ⅲ (목)+전+명》 He ~*ed* his eyes *to* the dark. 그는 눈을 어둠에 익숙해지게 했다. **accustom oneself to** (…에) 익숙해지다, 길들다(⇨accustomed 1): 《Ⅴ (목)+전+-*ing*》 He ~*ed* himself *to* gett*ing* up early. 그는 일찍 일어나는 데에 익숙해 있다.

*****ac·cus·tomed**[əkʌ́stəmd] *a.* **1** (…에) 익숙한, 길든(habitual)《*to*》: 《Ⅱ 형+전+-*ing*》 She was ~*ed to* us*ing* her left hand. 그녀는 왼손을 쓰는 데에 익숙해 있다. **2** 여느 때와 다름 없는, 평소의(usual). **be〔become, get〕 accustomed to** do〔**to** (동)명사〕 …하는 데〔…에〕 익숙하다〔하여지다〕.

AC/DC alternating current/direct current *n., a.* **1** 교류·직류〔교직〕 양용(의). **2** 《俗》 양성애(兩性愛)의. **3** 우유 부단(한), 중립적인.

*ace**[eis] *n.* **1** 《口》 최고의 것, 넘버원; 최우수 선수, 극히 노련한 사람. **2** 〔軍〕 (적기를 많이 격추한) 하늘의 용사, 격추왕(미군에서는 5대, 영국군에서는 10대 이상의 적기를 격추한). **3** 〔카드·주사위〕 에이스, 1, 1의 패; 〔球技〕 한 번 쳐서 얻은 점수; 〔庭球·배드민턴 등〕 서비스 에이스(service ace)(받아칠 수 없는 서브); 서비스 에이스로 얻은 1점; 〔골프〕 홀인원(hole in one); 〔野〕 주전 투수, 최우수 선수. **4** 《미俗》 친구; 마리화나 담배; 《미黑人俗》 멋쟁이. **5** (수량정도가) 아주 조금; 《미俗》 1달러 지폐. **an ace of aces** 하늘의 용사 중의 용사. **an〔one's〕 ace in the hole** 〔카드〕 상대방이 눈치채지 않게 엎어둔 에이스; 《口》 만일의 경우에 의지할 수 있는 것, 마지막 비수〔비방〕; 〔골프〕 홀인원. **have an ace up** one's **sleeve** 《口》 비장의 술수가 있다. **play** one's **ace well** 홍정을 잘하다. **within an ace of death〔being killed〕** 하마터면 (죽을〔피살될〕) 뻔하여.
── *a.* 최우수의, 숙달한, 일류의, 가장 인기가 있는.

ACE American Council on Education.

-a·ce·a[éiʃiə] *suf.* 〔動〕 강(綱)(class) 및 목(目)(order)의 이름에 사용: Crust*acea*(갑각류).

-a·ce·ae[éisiì:] *suf.* 〔植〕 과(科)(family)의 이름에 사용: Ros*aceae*(장미과).

a·ce·di·a[əsí:diə] *n.* Ⓤ 나태, 게으름; 무관심.

ace-high[éisháì] *a.* 《미口》 극히 우수한, 가장 인기가 있는, 존경받고 있는.

A·cel·da·ma[əséldəmə, əkél-] *n.* **1** 〔聖〕 아겔다마, 피의 밭《예수를 배반한 유다가 자살한 밭; 사도행전 1:19》. **2** 유혈의 땅, 수라장.

a·cel·lu·lar[eiséljələr] *a.* 세포를 가지지 않은, 세포로 갈라지지 않은, 무세포의.

a·cen·tric[eiséntrik] *a.* 중심이 없는, 중심을 벗어난.

-a·ce·ous[éiʃəs] *suf.* 「…와 같은, …성(性)의」의 뜻: crust*aceous,* ros*aceous.*

a·ceph·a·lous[eiséfələs] *a.* 머리가 없는, 무두(無頭)의; 〔動〕 무두(류)의 〈연체 동물〉; 지도자가 없는.

a·ce·quia[əséikjə] *n.* (*pl.* **~s**) 《미南西部》 관개용 수로.

ac·er·ate[ǽsərèit, -rit] *a.* 〔植〕 침상(針狀)의, 침엽을 가진.

a·cerb[əsə́:rb] *a.* 〈맛이〉 신, 떫은; 〈말·태도·기질 등이〉 신랄한, 엄한.

ac·er·bate[ǽsərbèit] *vt.* 시게 하다.
── *a.* 쓰라린, 가혹한, 신랄한.

a·cer·bic[əsə́:rbik] *a.* =ACERB.

a·cer·bi·ty[əsə́:rbəti] *n.* (*pl.* **-ties**) **1** Ⓤ 쓴 맛, 떫은 맛, 신 맛. **2** Ⓤ (성미·태도·말 등의) 격렬함, 신랄함; Ⓒ 신랄한 말〔태도 《등》〕.

ac·er·ose[1] [ǽsəròus] *a.* =ACERATE.

acerose[2] *a.* 겉겨 모양의; 겉겨가 섞인.

a·cer·vate[əsə́:rvət/ǽsərvèit] *a.* 〔植〕 군생(群生)하는. **~·ly** *ad.*

ac·es[éisiz] *a.* 《미俗》 최고의, 일류의, 멋진 (tops).

a·ces·cent[əsésənt] *a.* **1** 시게 되는, 미산성(微酸性)의; 신듯한. **2** 시무룩한, 언짢아하는, 약간 까다로운.

a·cet-[ǽsət, əsí:t], **ac·e·to-**[ǽsətou, əsí:t-] 《연결형》 〔化〕 「초산의, 아세틸을 함유한」의 뜻 《모음 앞에서는 acet-》.

ac·e·tab·u·lum[æ̀sətǽbjələm] *n.* (*pl.* **-la**[-lə]) 〔動〕 빨판; 〔解〕 비구, 관골구. **-lar** *a.*

ac·e·tal[ǽsətæ̀l] *n.* Ⓤ **1** 아세탈《용제(溶劑)·최면제》. **2** (*pl.*) 알데히드 또는 케톤과 알코올과의 화합물; 아세탈 수지(樹脂).

ac·et·al·de·hyde[æ̀sətǽldəhàid] *n.* Ⓤ 〔化〕 아세트알데히드《가연성의 무색 액체; 초산 제조용》.

ac·et·am·ide[əsétəmàid, æ̀sətǽmaid] *n.* Ⓤ 〔化〕 아세트아미드《결정성 초산 아미드; 유기 합성·용제용》.

ac·et·a·min·o·phen[əsì:təmínəfən, æ̀sətə-] *n.* Ⓤ 〔藥〕 아세트아미노펜《해열·진통제》.

ac·et·an·i·lide[æ̀sətǽnəlàid] *n.* Ⓤ 〔化〕 아세트아닐리드《해열·진통제》.

ac·e·tar·i·ous[æ̀sətέəriəs] *a.* 샐러드용의 《야채 등》.

ac·e·tate[ǽsətèit] *n.* [U,C] **1** 〔化〕 초산염. **2** 아세테이트《초산 인조 견사》. **copper acetate** 초산동, 녹청(綠靑).
ac·e·tat·ed[-tèitid] *a.* 초산으로 처리한.
ácetate ráyon 아세테이트《초산 인조 견사》.
a·ce·tic[əsí:tik, əsét-] *a.* 초의, 신맛 나는.
acétic ácid 〔化〕 초산(醋酸).
acétic anhýdride 〔化〕 무수(無水) 초산.
a·ce·ti·fi·ca·tion[-fikéiʃən] *n.* [U] 〔化〕 초화(醋化).
a·ce·ti·fi·er[-fàiər] *n.* 초화기; 초산 제조기.
a·ce·ti·fy[əsétəfài, əsí:tə-] *vt., vi.* (**-fied**) 초〔초산〕로 하다〔되다〕, 초화하다, 시게 하다, 시어지다.
ac·e·tim·e·ter *n.* =ACETOMETER.
ac·e·to-[ǽsətou, əsí:t-] 《연결형》 =ACET-.
a·ce·to·a·cé·tic ácid[əsì:touəsí:tik-] 아세토초산($C_4H_6O_3$).
ac·e·tom·e·ter[æ̀sətɑ́mitər/-tɔ́m-] *n.* 〔化〕 초산 비중계, 초산 농도 측정기.
ac·e·tone[ǽsətòun] *n.* [U] 〔化〕 아세톤《무색·휘발성의 가연(可燃) 액체》.
ácetone bòdy 〔生化〕 아세톤 체(ketone body).
ac·e·tose[ǽsətòus] *a.* =ACETOUS.
ac·e·tous[ǽsətəs, əsí:-] *a.* 초의, 식초산의; 신; 심술궂은, 꾀까다로운, 신랄한.
a·ce·tyl[əsí:tl, əsétl, ǽsə-] *n.* [U] 〔化〕 아세틸(기).
a·cet·y·late *vt.* 아세틸화(化)하다. ― *vi.* 아세틸화되다.
a·ce·tyl·cho·line[əsì:təlkóuli:n, əsètl-, æ̀sə-] *n.* 〔生化〕 아세틸콜린《혈압 강하제》.
a·ce·tyl-Co·A[əsí:tlkòuéi] *n.* 〔生化〕 =ACETYL COENZYME A.
acétyl coénzyme Á 〔生化〕 아세틸 보효소(補酵素) A., 활성 아세트산《대사(代謝) 중간체》.
a·cet·y·lene[əsétəlì:n, -lin] *n.* [U] 〔化〕 아세틸렌(가스).
acétylene sèries (the ~) 〔化〕 아세틸렌열(列)〔계〕.
a·ce·tyl·sal·i·cýl·ic ácid[əsí:təlsæ̀ləsílik-, əsétl-, ǽsə-] 〔藥〕 아세틸살리실산(酸)(aspirin).
ac·ey-deuc·ey[éisidjú:si] *n.* BACKGAMMON의 일종.
A.C.F. 《영》 Army Cadet Force. **A.C.G.B.** Arts Council of Great Britain. **ACH** acetylcholine.
A·chae·a, A·chai·a[əkí:ə] *n.* 아카이아《옛 그리스의 한 지방》.
A·chae·an, A·chai·an[əkí:ən] *a.* 아카이아의; 그리스의. ― *n.* 아카이아 사람; 그리스 사람.
A·cha·tes[əkéiti:z] *n.* **1** 아카테스《Virgil 작 Aeneid 중의 인물 이름》. **2** 성실한 친구.
‡**ache**[eik] *vi.* **1** 〈이·머리·마음 등이〉 아프다, 쑤시다: 《 I *v* I 》My head〔tooth〕 ~*s.* 머리〔이〕가 아프다. **2** 마음이 아프다, 동정하다: 《 I 전+명》His heart ~*d for* the sickly girl. 그 병약한 소녀 생각으로 그는 가슴이 아팠다. **3** 《口》 …하고 싶어 못 견디다(be eager); 그리워하다; …을 동경하다, 열망하다(long, yearn)《*for*》: 《 II *to* do》She ~*s to* see you. 그녀는 당신을 몹시 만나고 싶어 한다/《 III *v* I + 전+(목)》(*pass. rare*) He ~*s for* his mother〔home〕. 그는 어머니를〔고향을〕 몹시 그리워한다. ― *n.* [C,U] (종종 복합어를 이루어) 아픔, 쑤심, 아림(⇨pain): a head~ 두통/a stomach~ 복통/a tooth~ 치통/(a) heart~ 상심.
a·chene[eikí:n, əkí:n] *n.* 〔植〕 수과(瘦果).
Ach·er·nar *n.* 〔天〕 아케르나르《에리다누스(Eridanus) 자리의 수성(首星)》.
Ach·er·on[ǽkərɑ̀n/-rɔ̀n] *n.* **1** 〔그·로神〕 아케론 강, 삼도내《三途川》. **2** 저승, 황천; 지옥.
A·cheu·le·an[əʃú:liən] *a.* 〔考古〕 (구석기 시대의 한 시기인) 아슐기(期)의.
a·chiev·a·ble[-əbəl] *a.* 성취〔달성〕할 수 있는.
‡**a·chieve**[ətʃí:v] [OF] *vt.* **1** 〈일·목적 등을〉 이루다, 성취〔완수〕하다, 달성하다(⇨accomplish): ~ one's purpose 목적을 달성하다. **2** 〈공적을〉 세우다; 〈명성을〉 얻다; 〈좋은 결과·명예 등을〉 쟁취하다, 획득하다(gain, obtain): ~ victory 승리를 거두다. ― *vi.* **1** 《稀》 목적을 이루다. **2** 《미》 (학업에서) 일정한 표준에 도달하다. **achíever** *n.*
‡**a·chieve·ment**[ətʃí:vmənt] *n.* **1** 업적, 공적, 공로, 위업. **2** [U] 달성, 성취, 성공 **3** [U] (학생의) 성적, 학력. **4** =HATCHMENT.
achíevement àge 〔心·教育〕 교육 연령, 성취 연령.
achíevement quòtient 〔心·教育〕 성적 지수《학력 연령을 실제 연령으로 나눈 것에 100을 곱한 것; 略: AQ; *cf.* INTELLIGENCE QUOTIENT》.
achíevement tèst 〔教育〕 학력 고사(*cf.* INTELLIGENCE TEST).
a·chi·la·ry[əkáiləri] *a.* 〔植〕 무순판(無唇瓣)의.
Ach·il·le·an[æ̀kəlí:ən] *a.* 아킬레스의〔같은〕, 불사신의, 힘이 매우 센, 장사인.
A·chil·les[əkíli:z] *n.* 아킬레스《Homer 작 Iliad 중의 그리스 영웅; 그의 유일한 약점인 발꿈치에 활을 맞아 쓰러졌음》.
Achílles(') héel 유일한 급소〔약점〕.
Achílles(') téndon 〔解〕 아킬레스건(腱).
ach·ing[éikiŋ] *a.* 쑤시는, 아리는: an ~ heart〔tooth〕 아픈 마음〔이〕. **~·ly** *ad.*
ach·lu·o·pho·bi·a[æ̀kluəfóubiə] *n.* [U] 〔精醫〕 암흑(暗黑) 공포증.
a·chon·dro·pla·sia[eikɑ̀ndrəpléizə] *n.* (머리가 크고 팔다리가 짧은) 왜소 발육증(dwarfism)의 원인이 되는 병.
a·choo[ɑ:tʃú:] *int.* 《미》 =AHCHOO.
a·chro·mat[ǽkrəmæ̀t] *n.* 〔光〕 색(色)지움 렌즈.
ach·ro·mat·ic[æ̀krəmǽtik] *a.* **1** 〔光〕 수색성(收色性)의; 무색의; 색지움의: ~ vision 전색맹(全色盲), 명암시(明暗視). **2** 〔生〕 비(非)염색성의. **3** 〔樂〕 온음계의.
achromátic cólor 〔心〕 무채색《백색·흑색·회색》.
achromátic léns 〔光〕 색지움 렌즈(achromat).
a·chro·ma·tin[eikróumətin, æk-] *n.* 〔生〕 (세포핵 안의) 비염색질(非染色質).
a·chro·ma·tism, ach·ro·ma·tic·i·ty[eikróumətìzəm], [æ̀kroumətísəti, èi-] *n.* [U] 〔光〕 색지움, 소색성(消色性); 무색.
a·chro·ma·tize[eikróumətàiz] *vt.* 색을 지우다, 무색으로 하다; (렌즈의) 색수차(色收差)를 없애다.
a·chro·ma·top·si·a[eikròumətɑ́psiə/-tɔ́p-] *n.* 〔病理〕 (전)색맹.
a·chro·mic[eikróumik] *a.* 무색의; 〔生〕 염색 물질이 결여된, 색소 결여(증)의.
Á chròmosome[éi-] 〔遺傳〕 A 염색체《과잉 염색체 이외의 보통 염색체》.
Ach·ro·my·cin[æ̀kroumáisin] *n.* 〔藥〕 아크로마이신《TETRACYCLINE의 상표명》.

A

ach·y[éiki] *a.* 아픈, 동통이 있는, 쑤시는.
A.C.I. 《영》 Army Council Instruction.
a·cic·u·la[əsíkjələ] *n.* (*pl.* **-lae**[-lìː], ~**s**) 〔生〕 바늘 모양 부분〔돌기〕; 바늘, 가시, 강모(剛毛); 〔鑛〕 침상(針狀) 결정(체). **-lar**[-lər] *a.* 바늘 모양의, 바늘처럼 뾰족한; 가시〔강모〕가 있는. **-late**[-lit, -lèit] *a.* 바늘 모양의 (돌기가 있는); 바늘로 긁은 자국이 있는; 바늘처럼 뾰족한.
ac·id[ǽsid] *a.* **1** 신, 신맛나는(sour). **2** 〔化〕 산(성)의(*opp.* alkaline): an ~ reaction 산성 반응. **3** 〈기질·표정·말 등이〉 까다로운, 신랄한. — *n.* **1** 신 것〔액체〕; Ⓤ,Ⓒ 〔化〕 산. **2** 《俗》 환각제(LSD). ◈ acídify *v.*; acídity *n.*
ácid clòud 산성가스로 인한 환경 파괴.
ácid dróp 《영》 (설탕에 주석산을 섞은) 신 캔디.
ácid dúst (대기 오염에 의한) 산성 먼지.
ac·id-fast[-fæ̀st, -fɑ̀ːst] *a.* 산으로 탈색되지 않는, 항산성(抗酸性)의.
ac·id-form·ing[-fɔ̀ːrmiŋ] *a.* **1** 〔化〕 산을 만드는. **2** 〔生化〕 〈식품이〉 산성의, 체내에서 주로 산성 물질을 생성하는.
ácid frèak 《俗》 =ACIDHEAD.
ac·id·head[ǽsidhèd] *n.* 《俗》 LSD 상용자.
a·cid·ic[əsídik] *a.* **1** 산을 내는〔만드는〕. **2** 〔化·地質〕 산성의. **3** 〈태도·말·성질이〉 까다로운, 신랄한, 가혹한.
a·cid·i·fi·a·ble[əsídəfàiəbəl] *a.* 산성화할 수 있는.
a·cid·i·fi·ca·tion[əsìdəfikéiʃən] *n.* Ⓤ 산성화; 산패(酸敗).
a·cid·i·fy[əsídəfài] *vt., vi.* (**-fied**) 시게 하다; 시어지다; 〔化〕 산성화하다; 산패하다. **-fi·a·ble** *a.* **-fi·er** *n.*
ac·i·dim·e·ter[æ̀sədímitər] *n.* 〔化〕 산정량기(酸定量器), 산적정기(酸滴定器).
a·cid·i·ty[əsídəti] *n.* Ⓤ 신맛; 산(성)도.
ác·id·less tríp 《미俗》 LSD 없는 황홀함《집단 감수성 훈련 또는 중독 환자 치료를 비꼬는 말》.
ácid míst (대기 오염에 의한) 산성 안개.
a·cid·o·phil, -phile[əsídəfil, ǽsə-, -fàil] *a.* (미생물이) 호산성(好酸性)인(=**ac·i·do·phil·ic**). — *n.* 호산성 물질; 〔解〕 호산성 백혈구; 〔生〕 호산성 세포〔조직, 미생물 《등》〕.
ac·i·dóph·i·lus mílk[æ̀sədɑ́fələs-/-dɔ́f-] 유산균(乳酸菌) 우유.
ac·i·do·sis[æ̀sədóusis] *n.* Ⓤ 〔病理〕 애시도시스, 산(성)증(症), 산과다증, 산독증(酸毒症).
ácid precipitátion 산성 강수《대기 오염에 의한 산성의 비나 눈》.
ácid ráin (대기 오염에 의한) 산성 비.
ácid ràpper 《미俗》 LSD 대량 복용자.
ácid róck 《俗》 애시드 록《LSD의 황홀함을 연상시키는 환각적인 록 음악》.
ácid tèst (보통 the ~) 질산에 의한 시금(試金); 엄밀한 검사.
ac·id-tongued[ǽsidtʌ̀ŋd] *a.* 입이 사나운, 말이 날카로운, 신랄한.
ácid tríp 《俗》 LSD에 의한 환각 체험.
a·cid·u·late[əsídʒəlèit] *vt.* 신맛이 나게 하다. **a·cìd·u·lá·tion**[-ʃən] *n.*
a·cid·u·lat·ed[əsídʒəlèitid] *a.* 신맛이 나는; 성미가 까다로운.
a·cid·u·lous, -lent[əsídʒələs], [-lənt] *a.* 새콤한, 신맛이 나는; 〈말·태도 등이〉 통렬한, 신랄한.
ácid vàlue 〔化〕 산가(酸價)(acid number).
ac·id·y[ǽsidi] *a.* 산성의, 신.
ac·i·form[ǽsəfɔ̀ːrm] *a.* 침상(針狀)의; 끝이 뾰족한.
A.C.I.I. 《영》 Associate of the Chartered Insurance Institute.
a·cin·i·form[əsínəfɔ̀ːrm] *a.* **1** 포도 송이 모양의. **2** =ACINOUS.
ac·i·nous, -nose[ǽsənəs, -nòus] *a.* 입상과(粒狀果)의, 소핵과(小核果)의; 〔解〕 포도상선(腺)의, 선포(腺胞)의.
ac·i·nus[ǽsənəs] *n.* (*pl.* **-ni**[-nài]) **1** 〔植〕 입상과, 소핵과(小核果); 소핵, 작은 씨《포도 등의》. **2** 〔解〕 포도상선, 선방(腺房).
-a·cious[éiʃəs] *suf.* 「…의 경향이 있는, …을 좋아하는, …이 많은」 등의 뜻의 형용사를 만듦: pugn*acious*, loqu*acious*.
A.C.I.S. 《영》 Associate of the Chartered Institute of Secretaries.
-ac·i·ty[ǽsəti] *suf.* -acious로 끝나는 형용사에 대응하는 명사를 만듦: pugn*acity*, loqu*acity*.
ack. acknowledge; acknowledg(e)ment.
ack-ack[ǽkæ̀k] AA(=*a*nti*a*ircraft)의 신호 용어. — *n.* (때로 *pl.*) 고사포 (사격).
áck ém·ma[ǽkémə] [A.M.의 통신 용어] **1** 《영口》 오전(에)《전화 등에서 씀; *cf.* PIP EMMA》: at 9 ~ 오전 9시(에). **2** 《영軍俗》 비행기 수리공(air mechanic).
ackgt. acknowledg(e)ment.
ac·knowl·edge[æknɑ́lidʒ, ik-/-nɔ́l-] *vt.* **1** 인정하다, 승인하다, 용인하다, 자인하다, 고백하다: 《Ⅲ *that*(절)》 He ~*d* *that* he was our boss. 그는 그가 우리의 우두머리임을 인정했다(=He ~*d* himself (*as*) our boss. 《Ⅴ(목)+(*as*+)명》((목)-oneself)/=He ~*d* himself (*to be*) our boss.《Ⅴ(목)+(*to be*+)명》)/《Ⅴ(목)+(*to be*+)명》 We ~ him (*to be*) our boss. 우리는 그를 우리의 우두머리로 인정한다(=He *is* ~*d* (*to be*) our boss. 그는 우리의 우두머리로 인정받고 있다《Ⅱ *be pp.*+(*to be*)+명》)/《Ⅴ(목)+*done*》((목)-oneself) He won't ~ himself *beaten*. 그는 자기가 졌음을 결코 인정하려 들지 않을 것이다(=He won't ~ hav*ing* been beaten. 《Ⅲ-*ing*(*g.*)》)《◇ 목적어가 사람일 때는 as, to be를 생략할 수 있음》. **2** 〈편지·지불 등을〉 도착〔수령〕을 통지하다: 《Ⅲ(목)》 I ~ (the receipt of) your letter. 편지는 잘 받아보았습니다. **3** 사례하다; 〈인사에〉 답례하다; 〈몸짓·표정 등으로 …을〉 알아차렸음을 알리다: ~ a favor 호의에 감사하다: ~ a gift 선물에 대해 사례하다. **4** 〔法〕 (증서 등을 정식으로) 승인하다, 인지하다: 《Ⅲ 조+(주)+*v*Ⅲ+(목)》 Do you ~ this signature? 이것이 당신의 서명임을 승인합니까. **~·able** *a.*
ac·knowl·edged[-d] *a.* 일반적으로 인정된; 승인된; 정평 있는.
ac·knowl·edg(e)·ment[æknɑ́lidʒmənt, ik-/-nɔ́l-] *n.* **1** Ⓤ 승인, 인정; 자인, 자백《*of*》. **2** 도착〔수령〕 통지〔증명〕, 영수증. **3** Ⓤ 사례, 감사; 사례 편지; Ⓒ 감사의 표시, 답례품. **4** (*pl.*) (협력자에 대한 저자의) 감사의 뜻〔말〕. **5** 〔法〕 승인서; 인지(認知). **bow one's acknowledgements** (of applause) (갈채에) 답하여 절하다. **in acknowledgement of** …을 감사〔승인〕하여, …의 답례〔답장〕로.
a·clin·ic[eiklínik] *a.* 무경각(無傾角)의, 무복각(無伏角)의.
aclínic líne[eiklínik-] (지자기(地磁氣)의) 무경각〔무복각〕선, 자기(磁氣) 적도(赤道).
ACLS American Council of Learned Societies. **A.C.L.U.** American Civil Liberties Union.

a·clut·ter[əklʌ́tər] *a.* 어지러이 흩어진, 몹시 혼란한.

ACM African〔Arab〕 Common Market.

ac·me[ǽkmi] *n.* (the ~) (…의) 절정, 극점, 극치, 전성기《*of*》; 《古》 (병의) 위기.

ac·ne[ǽkni] *n.* 〔病理〕 좌창《여드름(pimple) 등의 피부병》.

ácne rosácea *a.* 〔病理〕 =ROSACEA.

a·cock[əkɑ́k/əkɔ́k] *ad., a.* 바짝〔비스듬히〕 세우고〔세운〕. **set one's hat acock** 모자의 테를 세우다.

ac·o·lyte[ǽkəlàit] *n.* **1** 〔가톨릭〕 시종직(侍從職), 시종품(品), 보미사, 복사(服事). **2** 조수, 종자; 신참자. **3** 〔天〕 위성.

A·con·ca·gua[ɑ̀:kɔ:ŋkɑ́:gwɑ:/æ̀kənkɑ́:gwə] *n.* 아콩카과《남미 Andes산맥 중의 최고봉》.

ac·o·nite[ǽkənàit] *n.* **1** 〔植〕 백부자(白附子) 독초. **2** Ⓤ 〔藥〕 아코닛《진통제》.

ac·o·nit·ic[æ̀kənítik] *a.*

a·con·i·tine[əkɑ́nətì:n, -tin/əkɔ́n-] *n.* Ⓤ 〔化〕 아코니틴《바곳속(屬)의 식물에서 빼내는 유독 물질; 진통제》.

a·cop·ic[əkɑ́pik/əkɔ́p-] *a.* 〔醫〕 피로 회복의.

‡**a·corn**[éikɔ:rn, -kərn] *n.* 도토리《oak의 열매》. a sweet ~ 모밀잣밤나무의 열매.

ácorn cùp 도토리 깍정이; 종지.

ácorn shèll 도토리 껍질; 〔貝〕 굴등.

ácorn tùbe〔《영》 **vàlve**〕 〔電子〕 에이콘관(管)《도토리 모양의 고주파 진공관》.

a·cot·y·le·don[èikɑ̀təlí:dən, eikɑ̀t-/-kɔ̀t-] *n.* 〔植〕 무자엽(無子葉) 식물, 민떡잎 식물.

a·cou·me·ter[əkú:mitər] *n.* 〔醫〕 청력계(聽力計).

a·cous·tic, -ti·cal[əkú:stik], [-əl] *a.* **1** 청각의, 귀의, 청신경의; 음향(상)의; 음향학의: ~ education 음감 교육/an ~ instrument 보청기. **2** 〈악기가〉 전기적으로 증폭(增幅)되지 않은. ━ *n.* 난청 치료(술); 어쿠스틱 악기.

-ti·cal·ly[-tikəli] *ad.*

acóustical clóud 〔建〕 (연주회장의 천장의) 음향 반사판《음향 효과를 높이는 장치》.

acóustic cóupler 음향 결합기《데이터 통신에서 변복조(變復調) 장치의 하나》.

acóustic guitár (전자 기타가 아닌) 보통 기타.

ac·ous·ti·cian[æ̀kustíʃən] *n.* 음향학자; 음향 기사.

acóustic léns 음향 렌즈, 음의 확산기.

acóustic míne 〔軍〕 음향 기뢰.

acóustic nérve 〔解〕 청신경.

a·cous·ti·con[əkú:stəkɑ̀n/-kɔ̀n] *n.* 보청기《원래는 상표명》.

acóustic pérfume 소음 제거를 위한 배경음.

acóustic phonétics 음향 음성학.

a·cous·tics[əkú:stiks] *n. pl.* **1** (단수 취급) 음향학. **2** (복수 취급) (극장 등의) 음향 상태〔효과〕; 음질.

a·cous·to-[əkú:stou] 《연결형》「음, 음파, 음향(학)」의 뜻.

a·cous·to·e·lec·tron·ics[əkù:stouilektrɑ́niks/-trɔ́n-] *n. pl.* (단수 취급) 음향 전자 공학.

ACP African, Caribbean, and Pacific (Associables) 제3세계의 46개국으로 구성된 경제 기구. **acpt**. acceptance.

ac·qua al·ta[ɑ́:kwɑ:ɑ́:ltɑ:] [It =high water] *n.* 고조(高潮), 만조.

‡**ac·quaint**[əkwéint] *vt.* **1** (…에게 …을) 알려 주다《*with*》: 《Ⅲ (부구)+(주)+*v*Ⅲ+(목)+전+명》By degrees she ~*ed* him *with* the whole. 서서히 그녀는 그에게 그것의 전모(全貌)를 알려 주었다. **2** (~ one*self*로) 숙지시키다, 정통하게 하다《*with*》: 《Ⅲ (목)+전+명》 ~ him *with* our plan 그에게 우리의 계획을 숙지시키다. **3** 《미》 (…을) 소개하다, 친분을 맺어 주다, (…와) 아는 사이가 되게 하다《*with*》: 《Ⅲ (목)+전+명》I ~*ed* an artist *with* her. 나는 화가를 그녀에게 소개했다/《Ⅰ 조+*be*+부+*pp*.(+전+명)》 She and I have *been* long ~*ed* (*with* each other). 그녀와 나는 오래 전부터 친하게 지내고 있다.

‡**ac·quain·tance**[əkwéintəns] *n.* **1** Ⓤ (또는 an ~) 알고 있음, 면식, 지면; 교제, 교우 관계(friendship보다 얕은 교제)《*with*》: have personal ~ *with* …을 친히〔직접〕 알고 있다. **2** 아는 사람〔사이〕(friend만큼 친밀하지는 않은 사람): 《Ⅱ 명》 He is not a friend, only an ~. 그는 친구라고 할 것까지는 없고, 그저 아는 사이이다. **3** Ⓤ (또는 an ~) 지식, (사물에) 밝음, 알고 있음《*with, of*》: have a profound ~ *with* one's business 자기의 일에 깊은 지식을 갖고 있다. **cultivate** a person's **acquaintance** …와 사귀려고 노력하다. **cut**〔**drop**〕 one's **acquaintance with** …와 절교하다. **gain acquaintance with** …을 알게 되다. **have**〔**have no**〕 **acquaintance with** …와 면식이 있다〔없다〕; …에 통해 있다〔…을 모르다〕, 안면이 넓다〔좁다〕. **have a nodding**〔**bowing**〕 **acquaintance with** …와는 만나면 인사나 나눌 정도의 사이이다. **have a slight**〔**an intimate**〕 **acquaintance with** …을 조금〔잘〕 알고 있다. **have a wide acquaintance** =**have a wide circle of acquaintances** 교제 범위가 넓다. **keep up** one's **acquaintance with** …와 사귀고 있다. **make**〔**seek**〕 **the acquaintance of** a person=**make**〔**seek**〕 a person's **acquaintance** …와 아는 사이가 되다〔되고자 하다〕. **renew** one's **acquaintance with** …와 옛정을 새로이 하다. **strike up on acquaintance with** …와 친해지다.

acquáintance ràpe 친지에게 당하는 성폭행《특히 교제 상대에 의한 date rape를 지칭》.

ac·quain·tance·ship[-ʃip] *n.* Ⓤ (또는 an ~) **1** 지기(知己)임, 사귐, 면식《*with*》; 지식. **2** 교우 관계, 교제《*with, among*》.

‡**ac·quaint·ed**[əkwéintid] *a.* **1** 안면이 있는, 와 아는 사이인《*with*》; 사귀게 된, 친한: 《Ⅱ 부+형》She is widely ~. 그녀는 안면이 넓다/《Ⅱ 형+전+명》We are ~ *with* her. 우리는 그녀와 안면이 있다. **2** 정통한《*with*》. **be**〔**get, become**〕 **acquainted with** 〈사람과〉 아는 사이이다〔가 되다〕; 〈사물을〉 알고 있다〔알다〕; …에 정통하다〔해지다〕, 에 밝다〔밝아지다〕: 《Ⅱ 부+형+전+명》She *is* well ~ *with* English. 그녀는 영어에 정통하다. **get** a person **acquainted** 《미》 …에게 사귈〔교제할〕 사람을 소개하다. **make** a person **acquainted with** a thing〔person〕 …에게 〈사물을〉 알려 주다〔〈사람을〉 소개하다〕.

~·ness *n.*

ac·quest[əkwést] *n.* 취득(물); 〔法〕 (상속에 의하지 않은) 취득 재산.

ac·qui·esce[æ̀kwiés] *vi.* (마지못해) 동의하다, 묵인하다, 〈제안 등에〉 묵종(默從)하다 《*in*》: 《Ⅲ *v*Ⅰ+전+(목)》They wouldn't ~ *in* her request. 그들은 그녀의 요구에 순순히 동의하지 않을 것이다.

ac·qui·es·cence[æ̀kwiésəns] *n.* Ⓤ 묵종, 묵인, 본의 아닌 동의.

ac·qui·es·cent[ækwiésənt] *a.* 묵종하는, 묵인하는, 순종하는. **~·ly** *ad.*

⁑**ac·quire**[əkwáiər] [L] *vt.* **1** 손에 넣다, 획득하다;〈지식·학문 등을 노력하여〉배우다, 습득하다;〈습관 등을〉몸에 익히다, 지니게 되다:《Ⅳ 대+(목)》His eloquence *~d* him great success. 그는 웅변으로 대성공을 했다/《Ⅲ(목)》~ a bad habit 나쁜 버릇이 붙다/~ a foreign language 외국어를 습득하다. **2**〈재산·권리 등을〉취득하다, 획득하다. **3**〈비평·평판 등을〉받다, 초래하다:《Ⅳ 대+(목)》His manner *~d* him universal odium. 그의 태도는 일반의 증오를 초래했다. **4**〈목표물 등을 레이더 등으로〉잡다, 포착하다. **acquire currency** 퍼지다. ◈ acquést, acquírement, acquisítion *n.*; acquísitive *a.*

*****ac·quired**[əkwáiərd] *a.* **1** 획득한, 기득(既得)의〈권리 등〉. **2** 습득한; 후천적인(*opp.* innate).

acquíred cháracter〔**characterístic**〕〔生〕획득 형질(形質), 후천성 형질.

acquíred táste 익힌 기호〔취미〕; (an ~) 맛을 익힌 것《음식·술·담배 등》.

*****ac·quire·ment**[əkwáiərmənt] *n.* **1** Ⓤ 취득, 획득, 습득 (능력)《*of*》《◇ acquisition 쪽이 일반적임》. **2** (종종 *pl.*) 습득한 것; 《특히》학식, 기능, 기예(*opp.* gift, talent).

*****ac·qui·si·tion**[ækwəzíʃən] *n.* Ⓤ 획득, 습득; Ⓒ 취득물, 이득, 뜻밖에 얻은 귀한 물건〔사람〕; 입수 도서: recent *~s to* the library 도서관의 새 구입 도서. ◈ acquíre *v.*

ac·quis·i·tive[əkwízətiv] *a.* 탐내는; 욕심 많은; 획득하려고 하는《*of*》: an ~ mind 향학심, 욕심/~ instinct 취득 본능/be ~ *of* knowledge 지식욕이 있다/be ~ *of* money 돈을 탐내다. **~·ly** *ad.* 탐내어. **~·ness** *n.* 욕심. ◈ acquíre *v.*

*****ac·quit**[əkwít] *vt.* (**~·ted; ~·ting**) **1** 석방하다, 무죄로 하다《*of*》: ~ a prisoner 죄인을 석방하다/《Ⅰ *be pp.*+전+명》He *was ~ted of* the charge. 그는 고소가 취하되었다〔면소되었다〕/《Ⅲ (목)+전+명》We cannot ~ him *of* negligence. 그의 태만은 용서할 수 없다. **2** (책임 등으로부터) …을 해제하다, 면제해 주다《*of*》:《Ⅲ (목)+전+명》~ a person *of* his duty …의 의무를 해제하다/《Ⅰ *be pp.*+전+명》She *was ~ted of* her responsibility. 그녀는 책임이 면제되었다. **3** (~ one*self*로) **a** (양태(樣態)의 부사와 함께) (…하게) 행동하다; 연기하다: ~ one*self* well〔badly〕훌륭하게〔졸렬하게〕행동하다; 맡은 역을 잘〔서투르게〕연기하다. **b**〈책임·채무 등을〉수행〔이행〕하다《*of, in*》:《Ⅲ (목)+전+명》((목)-oneself) She *~ted* her*self of*〔*in*〕her very responsible part. 그녀는 훌륭히 임무를 수행했다.

*****ac·quit·tal**[əkwítəl] *n.* Ⓤ,Ⓒ **1**〔法〕석방, 무죄 방면, 면소. **2** (책임의) 면제; (부채의) 변제. **3** (임무의) 수행, 이행.

ac·quit·tance[əkwítəns] *n.* **1** Ⓤ,Ⓒ (채무의) 면제, 소멸; (책임의) 해제. **2** Ⓒ (전액) 영수증, 채무 소멸 증서.

a·crawl[əkrɔ́:l] *ad., a.* (서술 형용사) 우글거려, 들끓어, 득실거려《*with*》.

★**a·cre**[éikər] [OE] *n.* **1** 에이 커《면적의 단위; 약 4046.8m², 약1,224평; 略: a.》. **2**《古》밭, 경지 (field); (*pl.*) 토지 (lands): broad *~s* 넓은 토지. **3** (*pl.*)《口》대량, 다수《*of*》. **God's Acre** 묘지.

a·cre·age[éikəridʒ] *n.* **1** Ⓤ 에이커 수, 평수, 면적. **2** (넓은) 토지(acres).

a·cred[éikərd] *a.* **1** 토지의; 토지를 소유하는. **2** (보통 복합어를 이루어) …에이커 되는: a large-~ land 여러 에이커의 토지/a many-~ estate 광대한 소유지.

a·cre-foot[éikərfút] *n.* (*pl.* **-feet**[-fí:t]) 에이커 풋《관개용수 등의 양의 단위: 43,560 입방 피트, 1,233.46m³》.

a·cre-inch[-íntʃ] *n.* 에이커 인치《관개용수·토양 등의 양의 단위: 3,630 입방 피트》.

ac·rid[ǽkrid] *a.* **1**〈냄새·맛 등이〉매운, 쓴. **2**〈말·태도 등이〉가혹한, 신랄한, 혹독한, 독살스러운. **~·ness** *n.* =ACRIDITY.

ac·ri·dine[ǽkrədi:n, -din] *n.*〔化〕아크리딘《콜타르에서 얻는 염료·의약품 원료》: ~ dyes 아크리딘 염료.

ac·rid·i·ty[ækrídəti] *n.* Ⓤ 매움, 쓰디씀; 자극성; 신랄함.

ac·ri·fla·vine[ækrəfléivin, -vi:n] *n.*〔藥〕아크리플라빈《방부·소독제》.

Ac·ri·lan[ǽkrəlæ̀n] *n.* 아크릴란《아크릴계 섬유; 상표명》.

ac·ri·mo·ni·ous[ækrəmóuniəs] *a.*〈태도·말 등이〉통렬한, 신랄한, 독살스러운. **~·ly** *ad.*

ac·ri·mo·ny[ǽkrəmòuni] *n.* Ⓤ〈태도·말 등의〉호됨, 신랄함, 독살스러움.

ac·r(o)-[ǽkr(ou)]《연결형》「선단, 처음; 정점, 높이; (신체의) 말단」의 뜻.

ac·ro·bat[ǽkrəbæ̀t] [Gk] *n.* **1** 곡예사; 체조의 명수. **2** (정견·주의 등을 함부로 바꾸어대는) 정치적〔사상적〕표변자, 변절자.

ac·ro·bat·ic[ækrəbǽtik] *a.* 곡예의, 재주부리기의: an ~ feat〔dance〕곡예〔곡예 댄스〕. **-i·cal·ly** *ad.*

ac·ro·bat·ics[ækrəbǽtiks] *n. pl.* **1** (단수 취급) 곡예의 기술〔재주〕; (복수 취급) (곡예에서의) 일련의 묘기, 곡예, 줄타기: aerial ~ 곡예 비행. **2** (복수 취급) 초인적인 행위.

ac·ro·bat·ism[ǽkrəbæ̀tizəm] *n.* =ACROBATICS.

ac·ro·gen[ǽkrədʒən] *n.*〔植〕정생(頂生) 식물《고사리·이끼처럼 정단〔선단〕분열 조직으로 자라는 식물》.

a·crog·e·nous[əkrɑ́dʒənəs] *a.*〔植〕정생의. **~·ly** *ad.*

ac·ro·lect[ǽkrəlèkt] *n.* (어떤 사회·집단의) 가장 격식 높은 상층 방언(*cf.* basilect).

a·cro·le·in[əkróuliin] *n.* Ⓤ〔化〕아크롤레인《자극적인 냄새가 나는 무색 액체; 최루 가스 등에 쓰임》.

ac·ro·lith[ǽkrəliθ] *n.* (옛 그리스의) 머리·손·발은 돌이고 몸은 나무로 된 상(像).

ac·ro·me·gal·ic[ækrouməgǽlik] *a., n.* 선단(先端) 비대증의 (사람).

ac·ro·meg·a·ly[ækrəmégəli] *n.* Ⓤ〔病理〕선단 비대증《머리·손·발이 비대해지는 병》.

a·cron·i·cal, -y·cal[əkrɑ́nikəl/-rɔ́n-] *a.*〔天〕〈별 등이〉일몰에 나타나는〔일어나는〕; 저녁의《별의 출몰에 관해서 말함》.

ac·ro·nym[ǽkrənìm] *n.* 두문자어(頭文字語)《보기: WAC = Women's Army Corps》.

a·cron·y·mize[əkrɑ́nəmàiz/-rɔ́n-] *vt.* 머리글자로 나타내다.

a·cron·y·mous[əkrɑ́nəməs/-rɔ́n-] *a.* 머리글자의.

ac·ro·phobe[ǽkrəfòub] *n.* 고소(高所) 공포증인 사람.

ac·ro·pho·bi·a[ækrəfóubiə] *n.* Ⓤ〔精醫〕고소 공포증.

a·croph·o·ny[əkrɑ́fəni/-rɔ́f-] *n.*〔言〕두

음서법(頭音書法)《표의문자(表意文字)의 어두음(語頭音)을〔제1음을〔제1자(字)를, 제1음절을〕〕 나타내기》.

a·crop·o·lis[əkrɑ́pəlis/-rɔ́p-] *n.* **1** (옛 그리스 도시의 언덕 위의) 성채(城砦). **2** (the A-) 아크로폴리스《아테네의 성채; Parthenon신전이 있음》.

ac·ro·sin[ǽkrəsin] *n.* 〔生化〕 아크로신《정자의 첨체(尖體)에 있는 효소; 난자의 표면을 녹임》.

ac·ro·some[ǽkrəsòum] *n.* 〔生〕 선체(先體)《정자(精子)의 머리 끝부분의 돌기상(突起狀)의 구조》.

★**a·cross**[əkrɔ́:s, əkrɑ́s] *ad.* **1** 가로 건너서〔질러서〕; 저쪽에〔까지〕, 거너서;(가로질러) 맞은편에: get〔go〕 ~ 저쪽으로 건너가다/hurry ~ *to*〔*from*〕 the other side 급히 맞은편으로〔에서〕 건너가다〔건너오다〕. **2** 지름으로, 직경으로(in diameter): a lake 3 miles ~ 직경 3마일의 호수/What is the distance ~? 지름은 얼마나 됩니까. **3** 《稀》 (십자형으로) 교차하여: with one's arms〔legs〕 ~ 팔짱을 끼고〔책상다리를 하고〕. **across from** 《미》 …의 맞은편에서. **be across to** a person 《미口》 …의 책임〔임무〕이다. **get across** (1) 맞은편으로 건너다〔넘어가다〕. (2) (생각 따위가) 통하다, 전달되다. (3) (연극 따위가) 인기를 얻다. **get … across to** (1) …을 건네주다. (2) …을 알게 하다, …을 이해시키다: He could not *get* his point ~ *to* her. 그는 자기의 말뜻을 그녀에게 이해시키지 못했다. **get it across** 《미》 (청중 등에) 호소하다, 이해되다〔시키다〕. **go across** (1) 맞은편으로 건너다〔넘어가다〕. (2) (일이) 어긋나다, 잘 되지 않다. **put … across** (1) …을 훌륭히 해내다, …을 완수하다. (2) (생각 따위를) 통하게 하다, 이해시키다, 받아들이게 하다.
— *prep.* **1** …을 가로질러, …을 건너서; …의 저쪽에; …의 맞은〔반대〕편에〔으로〕: a bridge (laid) ~ the river 강에 놓인 다리/go ~ the road 도로를 횡단하다/live ~ the river 강 건너에 살다. **2** …와 교차하여, …와 엇갈리어: with a rifle ~ one's shoulder 라이플총을 어깨에 메고/lay one stick ~ another 막대기 2개를 열십자로 놓다. **3** …의 전역에서: in every town ~ the country 나라 안의 모든 도시에. **across country** 들판을 횡단하여. **across from** 《미》 의 맞은쪽에(opposite). **across** one's **shoulder** 어깨에 메고. **across the country**〔**world**〕 온 나라〔세계〕에. **across the sea**(**s**) 해외로〔에서〕. **be across a horse's back** 말을 타고 있다. **be across to** a person 아무의 책임〔역할〕이다. **get across** a person 아무와 충돌하다, 틀어지다. **go across** (1) (의) 저편으로 건너다. (2) (일이) 어긋나다. **lay across each other** 열십자로 놓다.

a·cross-the-board[-ðəbɔ́:*r*d] *a.* **1** 전 종류를 포함한, 전면적인, 종합적인, 《특히》 전원에 관계하는, 일괄의: an ~ pay raise 일괄 임금 인상. **2** 《미口》 (경마에서) 1등·2등·3등의 전부를 포함하는, 복식 경마 투표의 〈도박〉. **3** 〔라디오·TV〕 주(週) 5일〔월요일부터 금요일〕에 걸쳐 같은 시간에 방송되는 〈프로〉: an ~ program 연속 프로.

a·cross-the-ta·ble[-ðətéibəl] *a.* 얼굴을 맞댄, 직접적인 〈협의·협상〉.

a·cros·tic[əkrɔ́:stik, -rɑ́s-] *n.* 이합체시(離合體詩)《각 행의 머릿자 등을 모으면 어구가 됨》;(일종의) 글자 퀴즈. — *a.* 이합체시의〔같은〕: an ~ puzzle 이합체시 퍼즐.
-ti·cal·ly *ad.*

ac·ro·te·ri·on, -rium[æ̀krətíəriɑ̀n, -ən, -riəm] *n.* (*pl.* **-ri·a**[-riə]) 〔建〕 조상대(彫像臺).

ac·ro·the·a·ter[ǽkrouθì:ətə*r*] *n.* 《미》 곡예 (연극).

ac·ro·tism[ǽkrətìzəm] *n.* Ⓤ 〔病理〕 무맥증(無脈症), 약맥(弱脈); 정맥(停脈).

ac·ryl *n.* 〔化〕 아크릴.

ac·ryl·am·ide[əkríləmàid, æ̀krəlǽmaid, -mid] *n.* 〔化〕 아크릴아미드《유기 합성·플라스틱·접합제의 원료》.

ác·ry·late plástic =ACRYLIC PLASTIC.

ácrylate résin =ACRYLIC RESIN.

a·cryl·ic[əkrílik] *a.* 〔化〕 아크릴의. — *n.* **1** =ACRYLIC RESIN; =ACRYLIC FIBER. **2** (보통 *pl.*) 아크릴 제품; 아크릴 도료〔그림물감(으로 그린 그림)〕.

acrýlic ácid 〔化〕 아크릴산.

acrýlic fíber 아크릴 섬유.

acrýlic nítrile =ACRYLONITRILE.

acrýlic plástic 아크릴 플라스틱〔합성수지〕.

acrýlic résin 〔化〕 아크릴 수지.

ac·ry·lo·ni·trile [æ̀krəlou*n*áitril, -tri:l, -trail] *n.* Ⓤ 〔化〕 아크릴로니트릴《인공 수지의 원료》.

ACS antireticular cytotoxic serum 〔生化〕 항망상(抗網狀) 세포혈청. **A.C.S.** American Chemical〔Cancer〕 Society; American College of Surgeons. **A/cs pay.** accounts payable. **A/cs rec.** accounts receivable. **ACT** American College Test; Association of Classroom Teachers.

★**act**[ækt] *n.* **1** 행위, 짓, 소행: a foolish ~ 어리석은 짓/*Acts* speak louder than words. 《俗》 행위는 말보다 목소리가 크다. **2** (the ~) 행동(중), 현행(doing): He was caught *in* the (very) ~ *of* steal*ing*. 절도 현장에서 체포되었다. **3** (종종 **A-**) 법령, 조례(條例);(연극의) 막; 《口》 시늉, 꾸밈: a one-~ play 단막극/in A-I, Scene ii 제 1막 제 2장에서. **4** (쇼·서커스 등의) 프로그램 중의 하나. **5** (보통 the A-s) (법정·의회의) 결의, 결의서(*of*). **6** 〔영大學〕 학위 논문의 공개 구술시험. **7** (the A-s; 단수 취급) 〔聖〕 사도행전. **act and deed** (후일의) 증거(물). **act of God** 〔法〕 불가항력, 천재(天災). **act of grace** (1) 특사(特赦)(법); 사면령. (2) 호의로 한 행위. **Act**〔**act**〕 **of Congress**〔《영》 **Parliament**〕 《미》 법령, 법률. **act of Providence** 불가항력. **act of war** (선전포고 없는) 전쟁 행위. **get in on**〔**get into**〕 **the**〔a person's〕 **act** 《口》 (남이 하고 있는 이득이 있을 것 같은 일에) 한몫 끼다, 가담하다. **have act or part in** …에 가담하다, …의 공범자이다. **put on an act** 《口》 짤막한 연기〔연예〕를 해보이다; 시늉을 하다, 꾀병을 부리다. **the Acts of the Apostles** 〔聖〕 사도 행전.
— *vt.* **1** 하다, 행하다. **2** (보통 the+단수 명사를 목적어로 하여) 〈…의〉 시늉을 하다, (…인) 체하다: ~ the knave 악인인 체하다. **3** 연기를 하다, 〈역을〉 맡아 하다; 〈극을〉 상연하다: ~ Hamlet 햄릿 역을 하다, 햄릿으로 출연하다. — *vi.* **1** 행동하다, 처신하다, 행하다, 실행하다;(…에 따라) 행동하다, 〈…을〉 따르다(*on, upon*): (Ⅱ *to* do(*n.*)) To think is *to* act. 사고(思考)는 곧 행동이다(=Thinking is *acting*.(Ⅱ -*ing*(*g.*)))/(Ⅰ 早+전+-*ing*) You ~*ed* wisely in obey*ing* him. 너는 그에게 복종함에 현명한 처신을 했다./~

on〔*against*〕a person's advice 남의 충고에 따라 행동하다〔충고를 거역하다〕/ ~ from a sense of duty 의무감에서 행동하다. **2** (보어를 수반하여) (…처럼) 처신하다, …인〔하는〕 체하다, 가장하다(pretend): ~ angry 화가 난 체하다/ ~ old〔tired〕 늙은〔지친〕 듯이 처신하다/ ~ like a mad man 미친 사람처럼 행동하다. **3** 직무를 맡아 보다(serve)《*as*》: 대리를 하다, 대행하다(substitute)《*for*》: 《Ⅱ *as*+명》 ~ as guide〔interpreter〕 안내〔통역〕의 일을 맡아 보다《◇ as의 뒤에 오는 명사는 흔히 무관사》/《Ⅲ 조+*v* I +전+(목)+*while*(절)》(*pass. rare*) I'll ~ *for* you *while* you are away. 당신이 안 계신 동안 제가 대리를 맡겠습니다. **4** 〈기계가 정상적으로〉 작동하다, 움직이다; 〈브레이크가〉 듣다; 〈일이〉 잘되어 가다; 작용하다, 〈약 등이〉 듣다, 효험이 있다《*on*》: 《I *v* I》The brake did not ~. 브레이크가 듣지 않았다/《I 부》This medicine ~*s* well. 이 약은 잘 듣는다/《I 전+명》This drug ~*s* on the stomach. 이 약은 위장에 효험이 있다. **5** 〈사람이〉 무대에 서다, 출연하다; 〈각본이〉 상연되다, 상연할 수 있다; 〈극·역이〉 상연하기에 알맞다; (비유) …인 체하다, 연극하다: 《I 부》 She ~*ed* well 그녀는 연기를 잘했다/《I 부》 His plays do not ~ well. 그의 각본은 상연에 부적합하다/《I 전+명》She will ~ *on* the stage. 그녀는 무대에 설 것이다/《I *to* do》She is only ~*ing to* get your sympathy. 그녀는 너의 동정을 사려고 연극을 하고 있을 뿐이다. **6** 《미》 결정하다, 판결을 내리다《*on*》. **act against** …에 반대하다; …에 불리한 일을 하다. **act a part** 하나의 역을 맡아 하다; 시늉을 하다, 가장하다, 「연극」하다. **act as guide** (안내)역을 하다. **act for** a person …의 대리를 하다. **act on**〔**upon**〕 (1) …에 작용하다. (2) 《미口》 의결하다. (3) 〈주의·충고·정보 등에〔을〕〉 따라〔좇아〕 행동하다(follow): 《Ⅲ *v* I+전+(목)》 The police ~*ed on* the information. 경찰은 그 정보에 따라 행동했다. **act one's age** 《미口》 점잖게 행동하다. **act out** 〈이야기·역 등을〉 실연(實演)하다, 연출하다; 〈욕망 등을〉 실행에 옮기다; 〔精神分析〕 〈억압된 감정 등을〉 행동화하다. **act one's part** 자기의 본분을 다하다. **act the fool** 어릿광대역을 맡아 하다; 바보 시늉을 하다, 어리석은 짓을 하다. **act the knave**〔**the lord**〕 악한〔나리〕처럼 행동하다. **act the part of** …의 역을 하다; …을 흉내내다. **act up** 《口》 사납게 굴다, 떠들다; 장난치다; 〈기계 등이〉 기능이 나빠지다; 〈증세 등이 다시〉 악화하다, 재발하다. **act up to** …을 따라 행동하다; 〈주의·이상 등을〉 실행하다; (약속을) 지키다: 《Ⅲ *to* do》(*to* do: Ⅲ *v* I +부+전+(목)) They endeavoured *to* ~ *up to* the caricature. 그들은 풍자만화를 따라 행동하려고 애썼다.
⊕ áction *n.*; áctive *a.*; enáct *v.*

A.C.T. *A*merican *C*ollege *T*est; *A*ustralian *C*apital *T*erritory.

act·a·ble[ǽktəbl] *a.* 〈희곡·배역·장면 등이〉 상연하기에 알맞은, 상연할 수 있는; 실행할 수 있는. **act·a·bil·i·ty**[æ̀ktəbíləti] *n.*

áct cùrtain〔**dròp**〕 〔劇〕 액트드롭, 도구막 《막간의 현수막》.

actg. acting.

ACTH, Acth[èisì:tì:éitʃ, ækθ] [*a*dreno*c*ortico*t*ropic *h*ormone] *n.* 〔生化〕 뇌하수체에서 뽑은 호르몬《관절염·류머티즘 열 치료용》.

ac·tin[ǽktən] *n.* 〔生化〕 액틴《근육을 구성하며 그 수축에 필요한 단백질의 일종》.

ac·tin-[ǽktin], **ac·ti·ni-**[ǽktinə], **ac·ti·no-**[ǽktənou] 《연결형》「방사(放射) 구조를 가진, 방사상의; 화학선의; 말미잘의」의 뜻 《모음 앞에서는 actin-》.

⁑**act·ing**[ǽktiŋ] *a.* **1** 직무 대행의; 대리〔서리〕의: an A- Minister 장관 서리, 대리 공사. **2** 상연하기에 알맞은; 연출용의: an ~ copy 대본. **3** 가짜의, 허울만의. ── *n.* Ⓤ **1** 연출(법), 실연. **2** 연기, 짓: good〔bad〕 ~ 훌륭한〔서툰〕 연기. **3** 시늉, 허울, 「연극」.

ac·tin·i·a[æktíniə] *n.* (*pl.* **-i·ae**[-iì:], ~**s**) 〔動〕 말미잘 무리. **-i·an**[-iən] *n., a.* 말미잘(의〔비슷한〕).

ac·tin·ic[æktínik] *a.* 화학선의.

actínic rày 화학 방사선《사진용》.

àc·ti·nide sèries[ǽktənàid-] 〔化〕 악티니드 계열《원자 번호 89의 악티늄부터 103의 로렌슘까지의 방사성 원소의 총칭》.

ac·tin·i·form[æktínəfɔ̀:rm] *a.* 〔動〕 방사형(形)의.

ac·ti·nism[ǽktənìzəm] *n.* Ⓤ 화학선 작용.

ac·tin·i·um[æktíniəm] *n.* Ⓤ 〔化〕 악티늄 《기호 Ac, 번호 89》.

ac·ti·noid[ǽktənɔ̀id] *a.* 방사선 모양의 〈성게·불가사리 등〉.

ac·tin·o·lite[æktínəlàit] *n.* Ⓤ 〔鑛〕 각섬석(角閃石)의 일종《녹색의 결정체》.

ac·ti·nom·e·ter[æ̀ktənámitər/-nɔ́m-] *n.* 〔化〕 (화학) 광량계(光量計); 〔寫〕 노출계.

ac·ti·nom·e·try[-tri] *n.* Ⓤ 〔物〕 광량〔일사량〕 측정, 방사 에너지 측정(학).

ac·ti·no·my·ces[æ̀ktənoumáisi:z, æktìnou-] *n.* (*pl.* ~) 〔細菌〕 (악티노미세스속(屬)의) 방(사)선균(放(射)線菌).

ac·ti·no·my·cete[-máisi:t, -maisí:t] *n.* (보통 *pl.*) 〔細菌〕 방(사)선균(류).

ac·ti·no·my·cin[-máisin] *n.* Ⓤ 〔生化〕 악티노마이신《땅속에 사는 방(사)선균에서 분리한 항생 물질의 하나》.

ac·ti·no·my·co·sis[-maikóusis] *n.* 〔病理〕 악티노미세스증, 방(사)선균증.

ac·ti·non[ǽktənàn, -nɔ̀n] *n.* 〔化〕 악티논 《radon의 방사성 동위 원소; 기호 An》.

ac·ti·no·ther·a·py[-θérəpi] *n.* Ⓤ 〔醫〕 방사선〔화학선〕 치료(법).

ac·ti·no·u·ra·ni·um[-juréiniəm] *n.* 〔化〕 악티노우라늄《우라늄의 방사성 동위 원소의 하나》.

ac·ti·no·zo·an[æ̀ktənəzóuən, æktìnə-] *n., a.* 〔動〕 =ANTHOZOAN.

★**ac·tion**[ǽkʃən] *n.* **1** Ⓤ 행동, 활동, 실행: ~ *of* the mind 정신 활동/a man *of* ~ 활동가. **2** Ⓒ (구체적인) 행동, 행위(deed); (*pl.*) (평소의) 행위, 행실, 거동: a kind ~ 친절한 행위. **3** Ⓒ (보통 *sing.*) (신체·기관(器官)의) 움직임, 작용; 《특히》 변통(便通). **4** Ⓤ,Ⓒ (자연력·약품 등의) 작용《*on*》: chemical ~ 화학작용. **5** Ⓤ (배우의) 몸짓, 연기; (영화 등에서 손에 땀을 쥐게 하는) 활동적 연기(가 많은 장면), 액션. **6** (보통 *sing.*) (운동 선수·말 등의) 거동. **7** (보통 *sing.*) (기계의) 작동, 움직임; (기계 장치·총 등의) 기능; 작동 장치, (피아노 등의) 기계장치, 액션. **8** Ⓤ 방책, 조치(steps). **9** 〔法〕 소송(suit). **10** Ⓤ 《미》 결정, 판결, 의결. **11** Ⓤ 〔軍〕 교전(fighting), Ⓒ 전투(battle). **12** Ⓤ (소설·연극 등의) 줄거리(의 전개); (그림 등에 등장한 인물의) 움직임. **13** (the ~) 《俗》 가장 활기〔자극, 흥미〕가 있는 곳. **14** Ⓤ,Ⓒ 《俗》 도박 행위, 노름돈. **Action!** 〔映〕 액션!, 연기 시작! **action of the bowels** 〔醫〕 변통

(便通). **break off an action** 전투를 그치다. **bring〔file, have, take〕 an action against** a person …을 (상대로 하여) 고소하다. **bring〔come〕 into action** 활동시키다〔하다〕; 발휘하다〔되다〕; 실행하다〔되다〕; 전투에 참가시키다〔하다〕. **clear for action** 〔海〕 전투 준비를 하다. **go into action** 활동〔전투〕을 개시하다. **in action** (1) 활동하여; 실행하여. (2) 〈기계 등이〉 움직여, 작동하여. (3) 교전〔전투〕중에. (4) 경기〔시합〕중에. **line of action** 작업 계통; 행동의 방침; 〔物〕 작용선(線). **out of action** (1) 〈기계 등이〉 움직이지 않아; 〈사람이 부상·질병 등으로〉 움직일 수 없게 되어. (2) 〈군함·전투기 등이〉 전투력을 상실하여. **put ... in〔into〕 action** …을 운전시키다; 실행에 옮기다. **put ... out of action** 〈기계를〉 움직이지 않게 하다; 〈군함 등의〉 전투력을 잃게 하다. **rouse to action** 분발시키다. **see action** 전투에 참가하다. **take action** 활발해지다; 조치를 취하다 《*on*》; 고소하다《*against*》; 《미》 의결(議決)하다. **under the action of** …의 작용으로. **where the action is** 《미俗》 가장 활발한 활동의 중심; 핵심.

── *vt.* 《영》 고소하다(sue)《*for*》. ⊕ act *v.*

ac·tion·a·ble[ǽkʃənəbəl] *a.* 기소할 수 있는. **-a·bly** *ad.*

áction commìttee〔gròup〕 (정치 단체 등의) 행동 위원회, 행동대.

áction film 〔映〕 활극.

ac·tion·ist[ǽkʃənist] *n.* 행동파의 사람〔정치가〕.

ac·tion·less[ǽkʃənlis] *a.* 움직임이 없는.

áction lèvel 《미》 (식품의 유해 물질 함유량에 대해 정부가 지정한) 한계 수준.

áction pàinting 〔美〕 행동 회화《물감을 뿌리거나 하는 전위 회화》.

áction potèntial 〔生理〕 (신경 세포 안팎 사이 등의) 활동 전위(電位)(spike).

áction stàtion 〔軍〕 전투 배치.

ac·ti·vate[ǽktəvèit] *vt.* **1** 활동〔작동〕시키다. **2** 〔化〕 활성화하다; 반응을 촉진하다. **3** 〔物〕 방사능을 주다. **4** 〈정화하기 위해 하수를〉 공기에 노출시키다. **5** 〔미軍〕 〈부대를〉 전시 편성하다.

ac·ti·vat·ed[ǽktəvèitid] *a.* 활성화된.

áctivated cárbon〔chárcoal〕 활성탄.

áctivated slúdge 활성 슬러지, 하수 정화용 진흙.

ac·ti·va·tion[-ʃən] *n.* Ⓤ 활동화; 〔化〕 활성화; 〔미軍〕 부대 전시 편성.

activátion anàlysis 〔物·化〕 방사화〔활성화〕 분석.

áctivation ènergy 〔化〕 활성화 에너지.

ác·ti·và·tor[-tər] *n.* 활동적이 하게 하는 사람〔물건〕; 〔化·生化〕 활성물, 활성제, 활성체.

áctivator RNA[-ὰːrènéi] 〔生化〕 활성화 RNA.

‡**ac·tive**[ǽktiv] *a.* **1** 활동적인, 민활한. **2** 활동 중인: an ~ volcano 활화산. **3** 적극적인, 의욕적인. **4** 〈상황(商況) 등이〉 활기 있는(lively), 활발한(busy): The market is ~. 시장은 활발하다. **5** 실제의, 현실의(actual). **6** 〈법률 등이〉 유효한, 효력 있는. **7** 〔軍〕 현역의(*opp.* retired). **8** 〔文法〕 능동(태)의(*opp.* passive). **9** 〔컴퓨터〕 (다기능으로) 프로그램된; 고성능의.

── *n.* **1** 정규회원. **2** Ⓤ (보통 the ~) 〔文法〕 능동태(active voice). **take an active interest in** …에 자진하여 관계하다, …에 투신하다. **take an active part in** …에서 활약하다. **~·ness** *n.*

⊕ act, áctivate *v.*; actívity *n.*

áctive cápital 〔經〕 활동 자본.

áctive cárbon =ACTIVATED CARBON.

áctive càrd (stripe 대신 마이크로 프로세서, 메모리 등의 반도체 칩을 내장한) 자체 키보드와 디스플레이를 가진 스마트 카드.

áctive dúty 〔軍〕 현역 (근무); 전시 근무: be on ~ 현역으로 복무 중이다.

áctive líst (the ~) 〔軍〕 현역 명부.

*__ac·tive·ly__ *ad.* 활발히, 활동적으로; 적극적으로; 〔文法〕 능동으로.

áctive pártner (합명 회사의) 업무 담당 사원.

áctive prógram 〔컴퓨터〕 활동 프로그램 《load되어 실행 가능 상태에 있는 프로그램》.

áctive sátellite 능동 위성《적재한 무선기로 전파를 수신·증폭·재송신하는 통신 위성》.

áctive sérvice 〔軍〕 =ACTIVE DUTY.

áctive sún 〔天〕 (11년 마다 일어나는) 활동기의 태양《활동 최대시의 태양》.

áctive suspènsion (컴퓨터에 의해 조종되는) 자동차의 능동 현가 장치.

áctive sỳstem (hi-fy 등) 컴퓨터에 의한 시스템.

áctive tránsport 〔生理〕 능동 수송《생체막을 통해 이온·당 등 특정 물질을 투과시키는 세포 기능》.

ac·tiv·ism[ǽktəvìzəm] *n.* Ⓤ 적극적 행동〔실천〕주의. **-ist**[-ist] *n.* (정치적) 활동가, 행동주의자, 행동 대원.

‡**ac·tiv·i·ty**[æktívəti] *n.* (*pl.* **-ties**) **1** Ⓤ 활동, 운동. **2** (종종 *pl.*) (여러 가지) 활약, 활동; 활동 범위, 활동력: social *activities* 사회 활동. **3** Ⓤ 활발, 활기, 민활. **4** Ⓤ (상황(商況) 등의) 활기(liveliness), 활황(活況), 호경기. **5** Ⓤ 〔物·化〕 활성도(度), 활량(活量). **be in activity** 〈화산 등이〉 활동중이다. **with activity** 활발히; 민첩하게.

⊕ áctive *a.*; áctivize *v.*

ac·ti·vize[ǽktəvàiz] *vt.* =ACTIVATE.

ac·to·my·o·sin[æktəmáiəsin] *n.* 〔生化〕 악토미오신《근수축의 요소》.

ac·ton[ǽktən] *n.* 갑옷 밑에 입는 홑옷.

‡**ac·tor**[ǽktər] *n.* **1** 배우, 남배우, 연기자: a film ~ 영화 배우. **2** (사건의) 관여자, 참가자; 관계자; 〔法〕 행위자. **a bad actor** 믿지 못할 사람, 고약한 인간〔동물〕; 《俗》 무법자, 위험 인물; 상습범.

‡**ac·tress**[ǽktris] *n.* 여배우.

ACTU Australian Council of Trade Unions.

‡**ac·tu·al**[ǽktʃuəl] *a.* **1** 현실의, 실제상의, 사실상의(⇨real[1]) **2** 현행의, 현재의: the ~ state 현상(現狀). **in actual fact** 사실상.

⊕ actuálity *n.*; áctually *ad.*

áctual addréss 〔컴퓨터〕 =ABSOLUTE ADDRESS.

áctual cásh válue 〔經〕 현금 환산 가치; 현금〔실제〕 가액, 시가《略: ACV》.

áctual cóst 〔經〕 실제 원가.

áctual gráce 〔가톨릭〕 도움의 은총.

ac·tu·al·ist[ǽktʃuəlist] *n.* 현실주의자.

*__ac·tu·al·i·ty__[æktʃuǽləti] *n.* (*pl.* **-ties**) **1** Ⓤ 현실(성), 현존; 실재(實在); 실제. **2** (보통 *pl.*) 실정. **in actuaiity** 실제로, 현실적으로. ⊕ áctual *a.*

àc·tu·al·i·zá·tion[-ləzéiʃən] *n.* Ⓤ 현실화, 실현.

ac·tu·al·ize[ǽktʃuəlàiz] *vt.* **1** 〈생각·계획 등을〉 현실화하다; 실현하다. **2** 사실적으로 묘사하다.

‡**ac·tu·al·ly**[ǽktʃuəli] *ad.* **1** 실지로(in fact),

실제로; 사실은, 실은. **2** (설마 하겠지만) 참으로, 정말로(really): He ~ refused! 그는 정말 거절했어요! **3** 현시점에서, 현재.

áctual sín 〔가톨릭〕 현실적으로 범한 죄, 자죄(自罪)(*opp.* original sin).

ac·tu·ar·i·al[æktʃuέəriəl] *a.* 보험 통계의; 보험 회계사의.

ac·tu·ar·y[ǽktʃuèri/-əri] *n.* (*pl.* **-ar·ies**) 보험 회계사.

ac·tu·ate[ǽktʃuèit] *vt.* …에 작용하다(act upon); 〈기계 등을〉 가동〔작동〕시키다; 〈사람을〉 행동시키다. **be actuated by** (어떤 동기)에 의하여 행위를 하다.

ac·tu·a·tion[æktʃuéiʃən] *n.* Ⓤ 발동〔충동〕 작용.

ac·tu·a·tor[ǽktʃuèitər] *n.* 작동시키는 것, 작동기〔장치〕; 발동자〔물〕.

ACU 〔컴퓨터〕 automatic calling unit 자동 호출 장치. **AcU** 〔化〕 actinouranium.

ac·u·ate[ǽkjuət, -èit] *a.* (끝이) 뾰족한.

a·cu·i·ty[əkjú:əti] *n.* Ⓤ 《文語》 날카로움, 뾰족함《바늘 등의》; 격심함《병의》; 예민함《재주·지혜의》. ⊕ acúte *a.*

a·cu·le·ate[əkjú:liit, -èit] *a.* **1** 끝이 뾰족한, 예리한. **2** 〔植〕 가시가 있는; 〔動〕 침이 있는. **3** 날카로운, 신랄한.

a·cu·le·us[əkjú:liəs] *n.* (*pl.* **-le·i**[-liài]) (식물의) 가시; (동물의) 침, 독침.

a·cu·men[əkjú:mən, ǽkjə-] *n.* Ⓤ 《文語》 예리함, 안식(眼識), 총명, 통찰력: critical ~ 날카로운 비평력.

a·cu·mi·nate[əkjú:mənit, -nèit] *a.* 〔植〕 〈잎 등이〉 뾰족한; 날카로운. ── [-nèit] *vt.* 뾰족하게〔날카롭게〕 하다; 예민하게 하다. ── *vi.* 뾰족해지다.

a·cu·mi·nous[əkjú:mənəs] *a.* 예민한; 〈잎(끝) 등이〉 뾰족한.

ac·u·na·tion[ækjənéiʃən] *n.* Ⓤ 화폐 주조.

ac·u·pres·sure[ǽkjuprèʃər] *n.* 지압(요법).

ac·u·pres·sur·ist *n.* 지압술(치료)사.

ac·u·punc·ture[ǽkjupʌ̀ŋktʃər] *n.* Ⓤ 침요법, 침술. ── *vt.* 침술로 치료〔마취〕하다.

ác·u·pùnc·tur·ist *n.* 침술사.

⁑**a·cute**[əkjú:t] *a.* **1** 날카로운, 뾰족한(*opp.* obtuse); 〔數〕 예각(銳角)의: an ~ angle 예각. **2** 〈감각·통찰력 등이〉 예리한(keen): an ~ critic 예리한 비평가. **3** 〈사태 등이〉 심각한, 중대한. **4** 〈아픔·감정 등이〉 격렬한(intense); 심한: ~ pain 격통. **5** 〔醫〕 급성의(*opp.* chronic). **6** 〔音聲〕 양음(揚音)〔예음(銳音)〕 부호(´)가 붙은, 양음〔예음〕의(*opp.* grave). **~·ly** *ad.* 날카롭게, 격렬하게. **~·ness** *n.* 날카로움; 격렬함. ⊕ acúity *n.*

acúte áccent 〔音聲〕 예음〔양음(揚音)〕 악센트 부호(´).

a·cute-care[-kέər] *a.* 《미》 급성병〔급성 환자〕 치료의.

ACV actual cash value; air-cushion vehicle.

ACW alternating continuous waves 교류 연속 전화.

-a·cy[-əsi] *suf.* 「성질; 상태; 직(職)」의 뜻: accur*acy*, celib*acy*, magistr*acy*.

a·cy·clo·vir[eisáiklouvìər, -klə-] *n.* 〔藥〕 아시클로비어《세포확대 바이러스를 포함하는 항 바이러스성 약품; 포진에 유효》.

ac·yl[ǽsi(:)l] *n.* 〔化〕 아실(기).

***ad**¹[æd] *n.* 《口》 광고(advertisement). **classified ads** (신문의) 안내〔3행〕 광고.

ad²[advantage] *n.* 〔庭球〕 =VANTAGE 2.

ad[æd] [L] *prep.* to, up to, toward(s), according to의 뜻.

ad-[æd, əd] *pref.* 「…으로; …에」《「이동, 접근, 방향, 변화, 완성, 근사, 고착, 첨가, 부가, 증가, 개시; 강의〔강조〕」의 뜻》: *ad*apt, *ad*here, *ad*vance.

-ad¹[æd, əd] *suf.* **1** 집합 수사의 어미: mon*ad*, tri*ad*, myri*ad*. **2** 요정 이름: Dry*ad*. **3** 서사시의 제목: Illi*ad*, Dunci*ad*.

-ad²[əd] *suf.* =-ADE(e의 탈락형: ball*ad*, sal*ad*).

ad. adapt; adapted; adverb; advertisement.

a.d. *ante diem*(L =before the day).

⁑**A.D.**¹[éidí:, ǽnoudɑ́mənài, -nì:/-dɔ́m-] [L *A*nno *D*omini(=in the year of our Lord)] 그리스도 기원〔서기〕 …년(*cf.* B.C.): A.D. 73, 73 A.D. 서기 73년(◇ the 3th century A.D. (3세기) 등은 항상 뒤에 두지만; 연대 앞(주로 《영》) 또는 뒤(주로 《미》)에 쓰임).

A.D.² 〔木材〕 air-dried; assembly district; drug addict. **a/d, a.d.** after date 〔어음〕 일자후(日字後). **A/D** 〔컴퓨터〕 analog-to-digital: *A/D* conversion(아날로그-디지털〔A/D〕변환).

ADA, A·da[éidə] *n.* **1** 〔컴퓨터〕 에이더《미국 국방부가 개발한 프로그램 언어》. **2** 여자 이름《애칭 Addie》.

ADA Atomic Development Authority 원자력 응용 개발 기관. **A.D.A., ADA** Americans for Democratic Action.

ad·age[ǽdidʒ] *n.* 금언, 격언, 속담.

a·da·gio[ədɑ́:dʒou, -ʒiòu] [It] *a., ad.* 〔樂〕 아다지오, 느린, 느리게. ── *n.* (*pl.* **~s**) 느린 곡〔악장, 악절〕.

ad·a·lin(e)[ǽdəlin] *n.* 아달린《수면·진정제》.

***Ad·am**¹[ǽdəm] *n.* 〔聖〕 아담《기독교 성서에서 하느님이 처음으로 창조한 남자; 인류의 시조》. **(as) old as Adam** 태고로부터의. **not know** a person **from Adam** …을 전혀 모르다. **since Adam was a boy** (먼) 옛날부터, 원래부터. **the old Adam** (회개하기 전의) 옛 아담, 인간의 약점〔원죄〕. **the second〔new〕 Adam** 제2의〔새로운〕 아담《그리스도》.

Adam² *a.* 아담 양식의《18세기 영국의 형제 가구 설계가 이름에서 유래; 고대 로마 디자인과 섬세한 장식이 특징인 가구 양식》.

ad·a·man·cy, -mance[ǽdəmənsi], [-məns] *n.* 견고(무비); 확고, 불굴; 완고.

ad·a·mant[ǽdəmənt, -mæ̀nt] [Gk] *n.* Ⓤ **1** (전설상의) 단단한 돌《금강석 등으로 생각됨》. **2** 견고하기 짝이 없는 것: a will of ~ (철석 같은) 강한 의지. **as hard as adamant** 견고 무비한. ── *a.* 《文語》 **1** 견고 무비한. **2** 〈사람·태도 등이〉 단호한, 확고한(firm); 완고한; 강경히 주장하는; 단호하여(*in, on, about, to*): be ~ to temptation 단호히 유혹에 넘어가지 않다. ⊕ adamántine *a.*

ad·a·man·tine[æ̀dəmǽnti(:)n, -tain] *a.* 금강석 같은; 견고 무비한, 철석 같은; 불굴의: ~ courage 굳센 용기. ⊕ ádamant *n.*

Ad·am·ism[ǽdəmìzəm] *n.* 〔醫〕 노출증.

Ad·am·ite[ǽdəmàit] *n.* **1** 아담의 자손, 인간. **2** 벌거벗은 사람; 나체주의자. **3** 아담파의 사람《고대 기독교의 한 파》.

Ádam's ále〔wíne〕 《익살》 물(water).

Ádam's àpple 결후(結喉), 후골(喉骨).

ad·ams·ite[ǽdəmzàit] *n.* 아담사이트《재채기 나게 하는 독가스》.

Ádam's proféssion 원예, 농업.

⁑**a·dapt**[ədǽpt] *vt.* **1** a 〈언행·풍습 등을 환경·목적 등에〉 적합, 적응〔조화, 순응〕시키다(*to,* *for*)(⇨adapted 2): You must ~ your plan *to* situations. 계획을 상황에 적합시켜야 한다. b (~ one*self* 로) 〈새로운 환경 등에〉 순응하다, 익숙해지다: ~ *oneself* to circumstances 환경에 순응하다: 융통성 있게 행동하다/(Ⅲ (목)+전+명)((목)-oneself) He has not ~*ed* himself to a lower state of civiliation. 그는 그보다 낮은 문명 상태에는 순응하지 않았다. **2** 〈건물·기계 등을 용도에 맞추어〉 개조하다(*for*): 〈소설·극을〉 개작〔번안, 각색〕하다(modify)(*for, from*): The play was ~*ed from* a novel. 그 희곡은 소설을 개작한 것이다. ◈ adaptátion *n.*: adáptive *a.*

a·dapt·a·bil·i·ty [-bíləti] *n.* Ⓤ 적응성, 순응성: 융통성.

a·dapt·a·ble [ədǽptəbəl] *a.* **1** 〈동식물이〉 적응할 수 있는: 〈사람·기질이〉 순응성 있는, 융통성 있는(*to, for*). **2** 개조할 수 있는: 개작〔각색, 번안〕할 수 있는.

⁑**ad·ap·ta·tion** [æ̀dəptéiʃən] *n.* **1** Ⓤ 적응, 적합(*to*). **2** Ⓤ,Ⓒ 개조: 개작, Ⓒ 개작(물), 번안(물), 각색(*for, from*). **~·al** [-ʃnəl] *a.* **~·al·ly** *ad.* ◈ adápt *v.*

*****a·dapt·ed** [ədǽptid] *a.* **1** 개조된: 개작〔번안, 각색〕된: an ~ story *for* the stage 무대용으로 개작한 이야기. **2** 〈…에〉 적당한, 알맞은(*for, to*): a climat ~ *to* the growing of orange 오렌지 재배에 알맞은 기후.

a·dapt·er, a·dap·tor [ədǽptər] *n.* **1** 개작자, 번안자. **2** 〔電·機〕 어댑터: 〔컴퓨터〕 접속기.

a·dap·tion [ədǽpʃən] *n.* (미) =ADAPTATION.

a·dap·tive [ədǽptiv] *a.* 적응할 수 있는, 적응성의. **~·ly** *ad.* ◈ adápt *v.*

adáptive contról sỳstem 〔컴퓨터〕 적응 제어계.

adáptive convérgence 〔進化〕 적응적 수렴(收斂)(계통적으로 먼 종(種)이 특정 환경 적응으로 비슷한 특징을 가짐).

adáptive radiátion 〔進化〕 적응 방산(放散)(환경 적응에 따라 계통이 분리되는 것).

ad·ap·tom·e·ter [æ̀dəptɑ́mitər, -tɔ́m-] *n.* 〔眼科〕 명암 순응 측정기, 순응계.

ADAPTS [ədǽpts] [*a*ir *d*eliverable *a*n*t*i-*p*ollution *t*ransfer *s*ystem] *n.* 어댑츠(해양상의 기름 유출 사고 때 쓰는 공중 투하식의 기름 확산 방지 및 회수 설비).

A·dar [ɑːdɑ́ːr, ə-] *n.* (유대력의) 12월(현행 태양력의 2-3월).

A-day [éidèi] *n.* **1** =ABLE DAY. **2** 개시〔완료〕 예정일.

a·daz·zle [ədǽzəl] *ad., a.* 눈부신, 눈부시게, 휘황찬란하여.

ADB Asian Development Bank. 아시아 개발 은행. **ADC** advanced developing countries. **ADC, A.D.C., a.d.c.** aide-de-camp. **A.D.C.** 〔미空軍〕 Air Defense Command; (영) Amateur Dramatic Club.

***ad cap·tan·dum* (*vul·gus*)** [æd-kæptǽndəm (-vʌ́lgəs)] [L] *a., ad.* 인기를 끌려는〔끌려고〕: 선정적인.

Ád·cock antènna [ǽdkɑk-/-kɔk-] 〔電子〕 애드콕 안테나.

★**add** [æd] *vt.* **1** 더하다, 보태다, 증가〔추가〕하다(*to*)(*opp.* subtract): (Ⅲ (목)+전+명) ~ sugar *to* tea 홍차에 설탕을 넣다/The child ~*ed* two *to* three. 그 아이는 셋에 둘을 더했다. **2** 〈둘 이상의 것을〉 합치다, 합계하다(sum up)(*up, together*): ~ A and B A와 B를 합치다. **3** 부언하다, 덧붙여 말하다: (Ⅲ (*that*)(절)) He ~*ed* (*that*) he would come again soon. 그는 근일 중 다시 오겠다고 덧붙였다. **4** 산입하다, 포함시키다(include)(*in*): (Ⅲ (목)+부) ~ her *in* 그녀를 포함시키다. ── *vi.* **1** 더하다, 첨가하다, 증가하다(increase)(*to*): (Ⅲ *v*Ⅰ+전+(목)) That ~*ed to* her joy. 그 사실은 그녀에게 기쁨을 더해 주었다. **2** 덧셈을 하다: know how to ~ and subtract. 덧셈과 뺄셈을 할 줄 알다. **add in** ⇨*vt.* 4. **add on** …을 덧붙이다, 보태다. **add to** ⇨*vi.* 1. **add up** 합계하다: 계산이 맞다: (口) 이해가 가다. **add up to** (1) 합계 …이 되다: (Ⅰ 부+전+명) The separate numbers *add up to* 500. 이 개개의 수들의 합계는 500이 된다. (2) (口) 요컨대 …이라는 뜻이 되다, …을 의미하다(mean): (Ⅲ *v*Ⅰ+부+전+(목))(*no pass*) Flu *adds up to* influenza. Flu란 말은 독감(influenza)을 의미한다. **to add to this** (보통 문두에 써서) (이)에 더하여, 그 외에 또. ── *n.* (신문·잡지 등의) 추가 원고〔기사〕: 〔컴퓨터〕 가산. ◈ addítion *n.*: ádditive *a.*

add. addenda; addendum; additional; address.

ad·dax [ǽdæks] *n.* (*pl.* **~·es, ~**) 〔動〕 큰 영양(羚羊)(북아프리카·아라비아산).

ad·ded *a.* 추가된, 부가된.

ádd·ed líne 〔樂〕 덧줄, 가선(加線).

ádded vàlue 부가가치.

ádd·ed-vál·ue tax [ǽdidvǽljuː-] 부가가치세.

ad·dend [ǽdend, ədénd] *n.* 〔數〕 가수(加數).

ad·den·dum [ədéndəm] *n.* (*pl.* **-da** [-də]) 추가: 보유(補遺), 부록(appendix).

add·er[1] [ǽdər] *n.* **1** 계산하는 사람. **2** 〔컴퓨터〕 =ADDING MACHINE.

ad·der[2] *n.* 〔動〕 살무사(유럽산): 독없는 뱀(북미산).

ad·der's-tongue [ǽdərztʌ̀ŋ] *n.* 〔植〕 나도고사속(屬)의 고사리: (미) 얼레지속(屬)의 식물.

add·i·ble [ǽdəbl] *a.* 더할 수 있는.

ad·dict [ədíkt] *vt.* (~ one*self* 로) 〈…에게 마약 등을〉 상용시키다, 〈사람을 마약〉 중독시키다: 〈나쁜 버릇·일에〉 빠지게 하다(devote)(*to*)(◇ 대체로 나쁜 뜻). **addict** one**self to** …에 빠지다〔열중하다〕. ── [ǽdikt] *n.* **1** (마약 등의) 상용자, 중독자: an opium〔a drug, a morphine〕 ~ 아편〔마약, 모르핀〕 중독자. **2** 열중자, 열광하는 사람, 열렬한 팬: a baseball ~ 야구광.

ad·dict·ed [ədíktid] *a.* 〈마약 등을 사용하여〉 …에 중독되어, …에 빠져: …에 탐닉하여; …에 열중〔몰두〕하여(*to*). **be addicted to** …에 빠지다〔탐닉하다〕: (Ⅱ 형+전+-*ing*(*g.*)) He *is addicted to* smok*ing*. 그는 담배에 중독되어 있다.

ad·dic·tion [ədíkʃən] *n.* Ⓤ (마약 등의) 중독: 탐닉: 열중, 몰두(*to*).

ad·dic·tive [ədíktiv] *a.* 〈약제 등이〉 습관이 되는, 습관성〔중독성〕의.

Ad·die [ǽdi] *n.* 여자 이름(Ada, Adelaide의 애칭).

ádd·ing machìne 계산〔가산〕기.

ad·di·o [ɑːdíːou] [It] *int.* 안녕히 가시오.

Ad·dis A·ba·ba [ǽdis-ǽbəbə] *n.* 아디스아바바(에티오피아(Ethiopia)의 수도).

Ad·di·son [ǽdəsən] *n.* 애디슨 Joseph ~(영국의 평론가·시인(1672-1719)).

Ad·di·so·ni·an [æ̀dəsóuniən] *a.* 애디슨류의(세련된 문체가 특색).

Áddison's disèase [발견자인 영국 의사

의 이름] 애디슨병(피부가 갈색으로 되는 부신(副腎)의 병).

ad·dit·a·ment[ədítəmənt] *n.* 부가〔첨가〕물.

⁑**ad·di·tion**[ədíʃən] *n.* **1** Ⓤ 추가, 부가(*to*): Ⓤ,Ⓒ 〔數〕 덧셈. **2** 부가물; 증축(*to*); (소유지의) 확장 부분. **3** 〔法〕 직함. **an addition to a name** 직함. **have an addition to** one's **family** 식구가 하나 더 늘다, 아기가 태어나다. **in addition** 게다가, 더구나, 그 위에(besides). **in addition to** …에 더하여, …외에 또(besides). ◇ add *v.*; additional *a.*

⁑**ad·di·tion·al**[ədíʃənəl] *a.* 부가적인, 추가의; 특별한: an ~ charge 할증 요금. ── *n.* 부가물; 과외 강의. **~·ly** *ad.* 부가적으로, 그 위에, 덧붙여, 게다가. ◇ addítion *n.*

addítional táx (누진적인) 부가세.

ad·di·tive[ǽdətiv] *a.* 부가적인; 〔數〕 덧셈의, 가법의. ── *n.* (식품·휘발유 등에의) 첨가물, 첨가제. **~·ly** *ad.*

ad·dle¹ [ǽdl] *a.* 〈달걀이〉 썩은; (보통 복합어를 이루어) 〈머리가〉 혼란한(muddled). ── *vt.* 〈달걀을〉 썩이다; 《口》 〈머리를〉 혼란시키다(confuse): Don't ~ your mind〔brain〕 with such a trifle. 그런 하찮은 일로 고민하지 말라. ── *vi.* 썩다; 《口》 〈머리가〉 혼란해지다.

addle² *vt., vi.* 《영北部》 벌다(earn).

ad·dled *a.* =ADDLE¹.

ad·dle·brained, -head·ed, -pat·ed[ǽdlbrèind], [-hèdid], [-pèitid] *a.* 머리가 혼란한, 논리적이 아닌, 우둔한(stupid).

addn. addition. **addnl.** additional.

add-on[ǽdàn, -ɔ̀:n] *n.* 덧붙인 것, 추가액〔량, 항목〕; (재생 장치·컴퓨터 등의) 부가물〔장치〕; 〔金融〕 애드온 방식(원금과 이자를 합산하여 분할 상환하는 방식)(=ádd-on lóan). ── *a.* 부속〔부가〕의: add-on fare 부가 운임.

ádd-on mémory 〔컴퓨터〕 부가 기억 장치.

ádd operátion 〔컴퓨터〕 덧셈.

★**ad·dress**[ədrés] [L] *n.* **1** [미+ǽdres] (수신인) 주소, (편지나 소포의) 겉봉 주소; 〔컴퓨터〕 번지, 어드레스((1) 기억 장치 안에 특정 데이터가 있는 위치 또는 그것의 번호. (2) 명령의 어드레스 부분): one's name and ~ 주소 성명/one's business〔home, private〕 ~ 영업소〔자택〕 번지. **2** (청중을 향한 공식적인) 인사말; 연설(speech), 강연: deliver an ~ of thanks 감사 연설을 하다/an ~ of welcome 환영사/give the opening〔closing〕 ~ 개회〔폐회〕사를 하다. **3** Ⓤ 응대하는 태도, (특히) 말〔노래〕하는 태도: a man of good〔pleasing, winning〕 ~ 사람 응대에 능한 사람. **4** Ⓤ 사무 능력, (좋은) 솜씨. **5** 청원; (the A-) 《영》 칙어(勅語)에 대한 봉답문(奉答文), 《미》 대통령의 교서. **6** (*pl.*) 구혼, 구애. **7** Ⓤ 〔골프〕 타구 자세. **an address to the Throne** 상주문. **deliver give an address** …연설을 하다. **form of address** (구두·서면에서의) 호칭(법), 경칭, 직함. **of no address** 주소 불명의. **pay** one's **addresses to** 〈여자〉에게 구애〔구혼〕하다. **with address** 솜씨 좋게.
── *vt.* **1** 〈…에게〉 말을 걸다, 연설〔인사, 설교〕하다: 《Ⅲ (목)+전+명》 She ~*ed* a few words *to* me. 그녀는 내게 몇 마디의 말을 걸어왔다/《Ⅲ (목)+전+명》 He ~*ed* the audience *on* the subject of atomic power. 그는 원자력 문제에 대하여 청중들에게 연설을 했다/《Ⅴ (목)+*as*+명》 She ~*ed* the boy *as* "my dear brorher." 그녀는 "사랑하는 동생" 하고 소년에게 인사를 했다. **2** 〈…을 …이라고〉 부르다; (정식 호칭이나 올바른 경칭을 써서) 〈…을 …이라고〉 부르다: How should one ~ the Governor? 지사는 어떻게〔어떠한 경칭으로〕 불러야 합니까/《Ⅴ (목)+*as*+명》 ~ a person as 'General' …을 「장군」으로 호칭하다. **3** 〈항의 등을〉 제기하다, 제출하다, 신청〔청원, 건의〕하다(*to*): a protest〔a warning, memorial, complaint〕 *to* a person …에게 항의를 제기하다〔경고하다, 건의하다, 진정하다〕/《Ⅲ 전+명+(목)+전+명》 ~ *to* the Mayor a plea *for* clemency 시장에게 자비를 탄원하다(목적어가 후치된 것)/~ a message to Congress 《미》 〈대통령이〉 의회에 교서를 보내다. **4** 〈편지·소포 등의 겉봉에〉 주소(성명)을 쓰다; 〈편지·소포 등을〉 …앞으로 하다(*to*); 〔컴퓨터〕 (데이터를) 기억 장치의 번지에 넣다; (정보를) 어드레스를 지정하여 전송(轉送)하다: ~ a letter *to* a person … 앞으로 편지를 하다. **5** 〈문제 등을〉 역점을 두어 다루다, 처리하다. **6** 〔골프〕 타구 자세를 취하다. **address** one**self to** …에게 말을 걸다; …에게 쓰다; 〈일 등에〉 본격적으로 착수하다; 《口》 (요리)에 손을 대다, …을 먹기 시작하다. **address the ball** 〔골프〕 공을 향해 칠 자세를 취하다.

ad·dress·a·ble[ədrésəbəl] *a.* 〔컴퓨터〕 어드레스로 불러낼 수 있는.

addréss bòok 주소록.

ad·dress·ee[æ̀dresí:, əd-] *n.* 수신인.

ad·dress·er, ad·dres·sor[ədrésər] *n.* 발신인(◇ sender 쪽이 일반적임); 말을 거는 사람, 이야기하는 사람; 주소 성명 인쇄기.

ad·dress·ing[ədrésiŋ] *n.* **1** 〔通信〕 어드레싱(국간(局間), 단말과의 통신에서 교신 상대와 접속 또는 선택하기). **2** 〔컴퓨터〕 번지 지정.

addréssing machìne 주소·성명 자동 인쇄기.

Ad·dres·so·graph[ədrésəgræ̀f, -grɑ̀:f] *n.* =ADDRESSING MACHINE의 상표명.

ád·dress spàce 〔컴퓨터〕 번지 공간(CPU, OS, 응용 등이 접근할 수 있는 기억 번지의 범위).

ad·duce[ədjú:s] *vt.* 예증(例證)으로서 들다, 인증(引證)〔인용, 제시〕하다.

ad·du·cent[ədjú:sənt] *a.* 〔生理〕 내전(內轉)의.

ad·duc·i·ble *a.* 인증〔인용〕할 수 있는, 예증으로 들 수 있는.

ad·duct¹ [ədʌ́kt] *vt.* 〔生理〕 내전(內轉)시키다(*opp.* abduct).

ad·duct² [ǽdʌkt] *n.* 〔化〕 부가 생성물, 부가물.

ad·duc·tion[ədʌ́kʃən] *n.* Ⓤ 예증, 인증; 〔生理〕 내전.

ad·duc·tive[ədʌ́ktiv] *a.* 〔生理〕 내전하는, 내전의.

ad·duc·tor[ədʌ́ktər] *n.* 〔解〕 내전근.

add-up[ǽdʌ̀p] *n.* 《미口》 결론, 요점.

-ade[eid] *suf.* **1** 「동작, 과정」의 뜻: escap*ade*, tir*ade*. **2** 「달콤한 음료」의 뜻: lemon*ade*, orange*ade*. **3** 「행위자(들)」의 뜻: crus*ade*.

Ad·e·laide[ǽdəlèid] *n.* **1** 여자 이름. **2** 애들레이드(오스트레일리아 남부의 도시).

A·dé·lie (pénguin)[ədéli(-)] 〔鳥〕 아델리 펭귄(남극의 소형 펭귄).

a·demp·tion[ədémpʃən] *n.* Ⓤ 〔法〕 유증(遺贈)의 철회〔취소〕.

A·den[ɑ́:dn, éi-] *n.* 아덴(예멘(Yemen) 남서부의 도시).

ad·en-[ǽdən], **ad·e·no-**[ǽdənou] 《연결형》 「선(gland)」의 뜻(모음 앞에서는 aden-).

ad·e·nec·to·my[æ̀dənéktəmi] *n.* (*pl.* **-mies**)

U,C 〔外科〕 선(腺) 절제(술).

ad·e·nine[ǽdəniːn, -nàin] *n.* U 〔生化〕 아데닌(췌장 등 동물 조직 또는 찻잎에 있는 염기).

ad·e·ni·tis[æ̀dənáitis] *n.* 〔病理〕 선염(腺炎).

ad·e·no·car·ci·no·ma[æ̀dənoukɑ̀ːrsənóumə] *n.* (*pl.* **~s, ~·ta**[-tə]) 〔病理〕 선암(腺癌).

ad·e·noid[ǽdənɔ̀id] *a.* **1** 〔解〕 선(상)(腺(狀))의. **2** 〔病理〕 아데노이드의; 인두 편도선의. — *n.* 〔解〕 인두 편도; (*pl.*) 〔病理〕 아데노이드, 선(腺) 증식 비대(증)(=∠ **grówth**).

ad·e·noi·dal[æ̀dənɔ́idl] *a.* =ADENOID.

ad·e·noi·dec·to·my[æ̀dənɔidéktəmi] *n.* (*pl.* **-mies**) U,C 〔外科〕 아데노이드 절제술.

ad·e·noi·di·tis[æ̀dənɔidáitis] *n.* 〔病理〕 인두 편도염, 아데노이드 인두염.

ad·e·no·ma[æ̀dənóumə] *n.* (*pl.* **~s, ~·ta**[-tə]) 〔病理〕 아데노마, 선종(腺腫). **~·tous**[-təs] *a.*

ad·e·nose, -nous[ǽdənòus], [-nəs] *a.* 선(腺)의, 선 모양의; (보통 adenose로) 선이 (가득) 있는.

a·den·o·sine[ədénəsiːn] *n.* 〔生化〕 아데노신($C_{10}H_{13}N_5O_4$).

adénosine diphósphate 〔生化〕 아데노신 2인산(燐酸).

adénosine mon·o·phós·phate 〔生化〕 아데노신 1인산.

adénosine tri·phós·phate 〔生化〕 아데노신 3인산.

ad·e·no·sis[æ̀dənóusis] *n.* (*pl.* **-ses**[-siːz]) 〔醫〕 선(腺)질환, 선증(腺症).

ad·e·no·vi·rus[æ̀dənouváiərəs] *n.* 〔醫〕 아데노바이러스(호흡관의 상부에 침범하는).

ad·e·nyl[ǽdənìl] *n.* 〔化〕 아데닐(아데닌에서 유도되는 1가의 기).

ad·e·nyl·ate cy·clase[ǽdənìleit sáikleis, -z, ədénəlit-] 〔生化〕 아데닐(산) 시클라제(ATP에서 cyclic AMP의 생성 반응을 촉매하는 효소).

ádenyl cýclase 〔生化〕 =ADENYLATE CYCLASE.

ad·e·nýl·ic ácid[æ̀dənílik-] 〔生化〕 아데닐산.

a·dept[ədépt] *a.* 숙달〔정통〕한(expert), 능숙한(*at, in*): (Ⅱ 형+{전+명}) She is ~ *in* flattery. 그녀는 아첨을 잘 한다/(Ⅱ 형+{전+*-ing*}) He is ~ *in*〔*at*〕 solving a riddle. 그는 수수께끼를 잘 푼다. — [ǽdept] *n.* 숙련자, 정통한 사람, 명수(expert), 수완가(*in, at*); 열렬한 신자〔지지자〕(*of*): (Ⅱ 명+〈전+명〉) He is an ~ *in* chess. 그는 서양 장기의 명수이다/(Ⅱ 명+〈전+*-ing*〉) She is an ~ *at* teaching parrot to speak. 그녀는 앵무새에게 말을 가르치는 데 있어서 명수이다.

ad·e·qua·cy[ǽdikwəsi] *n.* U 적절, 충분. ◇ ádequate *a.*

⁑**ad·e·quate**[ǽdikwit] [L] *a.* **1** 〈어떤 목적에〉 어울리는, 알맞은, 적절한, 적당한; 부족하지 않은, 충분한; (직무를 다할) 능력이 있는, 적임의(*for, to*): (Ⅱ 형+*to do*) No language is ~ *to* describe my feelings. 어떤 말로도 내 감정을 묘사할 수는 없다/an income ~ *to* one's needs 필요를 충족할 만한 수입/~ *to* one's post 그 자리를 감당할 만한. **2** 겨우 필요 조건을 충족하는, 그런대로 어울리는, 간신히 합격한: (only) an ~ performance 그런 대로 볼 만한 연기〔연주〕. **~·ly** *ad.* **~·ness** *n.* ◇ ádequacy *n.*

ad e·un·dem (gra·dum)[æd-iʌ́ndəm(-gréidəm)] [L=to the same (degree)] *ad., a.* 같은 정도로〔의〕.

à deux[ɑːdə́ː] [F=for two] *ad., a.* 둘이서, 2인용의, 양자 간에〔의〕; 둘 만으로〔의〕.

ad ex·tre·mum[æd-ikstríːməm] [L=to the extreme] *ad.* 극단적으로; 결국, 마침내.

ADF Arab Deterrent Forces; Asian Development Fund; automatic direction finder 〔空〕 자동 방향 탐지기.

ad·fat[ǽdfæ̀t] *a.* 광고가 많은: an ~ newspaper 광고가 많은 신문.

ad fin. *ad finem*.

ad fi·nem[æd fáinəm] [L=toward the end] *ad.* 최후까지, 최후로.

ad·freeze[ædfríːz] *vt.* 빙결력(氷結力)으로 고정〔고착〕시키다.

ADH antidiuretic hormone 〔生化〕 항이뇨(抗利尿) 호르몬.

⁑**ad·here**[ædhíər] *vi.* **1** 접착〔부착, 유착〕하다(*to*): (Ⅰ 전+명) Mud ~*d to* his shoes. 진흙이 그의 신에 들러붙었다. **2** (文語) 집착하다, 고수하다, 고집하다(*to*); 지지〔신봉〕하다(*to*): (Ⅲ *v* Ⅰ+전+(목)) She ~*d to* the plan. 그녀는 그 계획을 고수했다. **ad·hér·er**[-rər] *n.* ◇ adhérence, adhésion *n.*; adhérent, adhésive *a.*

ad·her·ence[ædhíərəns] *n.* U **1** 고수, 집착; 충실, 지지(*to*). **2** =ADHESION 1.

***ad·her·ent**[ædhírənt] *a.* 점착성의, 부착력 있는, 부착하는(*to*); (특히 정식으로) 가맹한; 〔植〕 착생(着生)의. — *n.* 자기편, 지지자; 당원; 신자(*of, to*); (*pl.*) 여당: gain〔win〕 ~s 지지자를 얻다. **~·ly** *ad.* ◇ adhére *v.*

ad·he·sion[ædhíːʒən] *n.* U **1** 부착, 점착(력), 들러붙음. **2** U,C 〔病理〕 유착; 〔化〕 응착(凝着)(력); 〔植〕 착생(着生), 합착(合着); C 유착 장소. **3** =ADHERENCE 1. **give in** one's **adhesion** to the treaty (조약) 가맹을 통고하다. ◇ adhére *v.*; adhérent, adhésive *a.*; adhérence *n.*

ad·he·sive[ædhíːsiv, -ziv] *a.* 점착성의, 끈끈한; 잘 들러붙는: an ~ envelope 풀 바른 봉투. — *n.* 점착성이 있는 것, 끈끈한 것; 접착제, 접착 테이프, 반창고. **~·ly** *ad.* 끈끈하게.

adhésive plàster 반창고(특히 대형의 것).

adhésive tàpe 접착 테이프; 반창고.

ad·hib·it[ædhíbit] *vt.* **1** 〈사람·물건을〉 들이다, 넣다; 붙이다. **2** 〈약·요법 등을〉 쓰다. **ad·hi·bi·tion**[æ̀dhəbíʃən] *n.*

ad hoc[æd-hák, -hóuk] [L=for this] *ad.* 특별히 이〔그〕를 위하여, 임시 변통〔임기 응변〕으로; 특별히. — *a.* 임시 변통〔임기 응변〕의, 특별한: an ~ election 특별 선거.

ad-hoc·(c)er·y[æd-hákəri/-hɔ́k-] *n.* (俗) 임기 응변의 정책〔결정〕.

ad-hoc·ra·cy[æd-hákrəsi/-hɔ́k-] *n.* U,C (俗) 특별 위원회(중심의 정치 (기구)).

ad ho·mi·nem[æd-hámənèm/-hɔ́m-] [L=to the man] *a., ad.* 대인적(對人的)인〔으로〕; (이성보다) 감정·편견에 호소하는〔하여〕; 인신 공격적인〔으로서〕.

ADI acceptable daily intake (유해 물질의) 1일 허용 섭취량; area of dominant influence 특정 TV〔라디오〕 프로가 잘 시청되는 지역.

ad·i·a·bat·ic[æ̀diəbǽtik, èidaiə-] 〔物〕 *a.* 단열적(斷熱的)인; 열이 통할 수 없는. — *n.* 단열 곡선. **-i·cal·ly** *ad.*

ad·i·an·tum[æ̀diǽntəm] *n.* 〔植〕 공작고사리속(屬)(maidenhair).

***a·dieu**[ədjúː] [F=to God] *int.* (古·文語) 안녕, 안녕히 가시오(good-by(e)!). — *n.* (*pl.*

~**s**, ~**x**[-z]) 《文語》 작별 (인사), 고별(farewell). **bid adieu to** =**make**〔**take**〕 **one's adieu to** …에게 작별을 고하다.
ad inf. *ad infinitum*.
ad in·fi·ni·tum[æd-ìnfənáitəm] [L =to infinity] *ad.* 무한히, 영구히.
ad init. *ad initium*.
ad i·ni·ti·um[æ̀d-iníʃiəm] [L =at the beginning] *ad.* 최초에, 처음에.
ad int. *ad interim*.
ad in·te·rim[æd-íntərim] [L =for the time between] *ad., a.* 중간에〔의〕, 그동안에〔의〕, 임시로〔의〕: the Premier ~ 임시 수상/an ~ report 중간 보고.
a·di·os[æ̀dióus, ɑ̀:di-] [Sp] *int.* 안녕, 안녕히 가시오(adieu).
ad·i·po·cere[ǽdəpousìər] *n.* Ⓤ 시랍(屍蠟), 사체 지방(死體脂肪).
ad·i·pose[ǽdəpòus] *a.* 지방(질)의, 지방이 많은(fatty). — *n.* Ⓤ (동물성) 지방.
ádipose fín (물고기의) 기름 지느러미.
ádipose tíssue 〔動〕 지방 조직.
ad·i·pos·i·ty[æ̀dəpɑ́səti/-pɔ́s-] *n.* Ⓤ 〔病理〕 (동물성) 지방과다증; 비만성.
Ad·i·ron·dack[æ̀dərɑ́ndæk/-rɔ́n-] *n.* (*pl.* ~, ~**s**) **1** (the ~(s)) 아디론댁족《북아메리카 인디언의 일족》; 아디론댁족의 사람. **2** (the ~s) =ADIRONDACK MOUNTAINS.
Adiróndack Móuntains *n. pl.* (the ~) (미국 뉴욕주 북동부에 있는) 아디론댁 산맥.
ad·it[ǽdit] *n.* 입구(entrance); (광산의) 횡(橫)갱도. **have free adit** 출입이 자유이다.
ad-i·to·ri·al[æ̀dətɔ́:riəl] [*ad*vertisement + ed*itorial*] *n.* 논설 광고.
ADIZ 〔미空軍〕 Air Defense Identification Zone. **adj.** adjacent; adjective; adjourned; adjunct; adjustment. **Adj.** Adjutant.
ad·ja·cen·cy[ədʒéisənsi] *n.* (*pl.* **-cies**) **1** Ⓤ 인접, 이웃《*of*》. **2** (보통 *pl.*) 인접물, 인접지; 〔放送〕 인접 프로그램.
⁎**ad·ja·cent**[ədʒéisənt] [L] *a.* 이웃의, 인접한, 부근의, 가까이 있는《*to*》: ~ houses 이웃집들/a park ~ to the river 강에 인접한 공원. ~·**ly** *ad.* ⟐ adjácency *n.*
ad·ject[ədʒékt] *vt.* 《古》 더하다, 덧붙이다, 부가하다.
ad·jec·ti·val[æ̀dʒiktáivəl] *a.* 형용사의〔적인〕; 형용사가 많은 〈문체·작가〉. — *n.* 형용사적 어구(형용사와 그 상당 어구). ~·**ly** *ad.*
⁑**ad·jec·tive**[ǽdʒiktiv] [L] *n.* 〔文法〕 형용사. — *a.* **1** 〔文法〕 형용사의〔적인〕: an ~ phrase 〔clause〕 형용사구〔절〕. **2** 부수적〔종속적〕인; 〔法〕 (소송) 절차에 관한. ~·**ly** *ad.* ⟐ adjectíval *a.*
ádjective láw 〔法〕 부속법, 절차법(*cf.* SUBSTANTIVE LAW).
⁑**ad·join**[ədʒɔ́in] *vt.* …에 인접하다: Canada ~*s* the U.S. 캐나다는 미국에 인접해 있다. — *vi.* 〈두 가지가〉 서로 인접하다.
⁑**ad·join·ing**[ədʒɔ́iniŋ] *a.* 인접하는, 이웃의; 부근의: ~ rooms 서로 붙은 방/two ~ houses 접해 있는 두 집.
⁑**ad·journ**[ədʒə́:*r*n] [L] *vt.* **1** 〈회의 등을〉 휴회〔산회, 폐회〕하다: ~ the court 재판을 휴정하다. **2** 〈회의·토의·토론·심의 등을〉 연기하다: 《Ⅲ (목)+전+명》 We ~*ed* the debate *for* an hour. 토론을 한 시간 동안 연기했다/《Ⅰ *be pp.*+전+명》 The meeting *was* ~*ed for* a week〔until the following day〕. 회의는 1주일 동안〔다음 날까지〕 연기되었다.
— *vi.* **1** 회의를 연기하다; 정회〔휴회, 산회〕하다: ~ *without* day〔*sine die*〕 무기 연기하다. **2** 회의장을 옮기다《*to*》; 《口》 자리를 옮기다《*to*》: 《Ⅰ 전+명》 We ~*ed to* the hall. 홀로 자리를 옮겼다. ~·**ment** *n.* U,C (의사(議事) 등의) 미룸; 회의 연기, 산회, 휴회 (기간); 자리 이동.
Adjt. (Gen.) Adjutant (General).
ad·judge[ədʒʌ́dʒ] *vt.* 《文語》 **1** 〈…을 …으로〉 판결하다, 결정〔재결〕하다; 〈…에게 …을〉 선고하다(pronounce); 〈소송에〉 판결을 내리다, 재판하다: 《Ⅴ (목)+(*to be*)+형》 The court ~*d* him (to be) guilty. 법원은 그에게 유죄를 선고했다/The court ~*d* the evidence (to be) groundless. 법원은 그 증거가 근거없다고 판결했다. **2** 판단하다, 간주하다(consider): 《Ⅱ *It be pp.*+형 +*to do*》 It *was* ~*d* wise *to* do so. 그렇게 하는 것이 현명하다고 판단되었다(= They ~*d it* wise *to* do so. 《Ⅴ *it*+형+*to* do》). **3** 〈법률의 결정으로 정당한 소유자에게 재산 등을〉 주다; 〈심사하여 상 등을〉 수여하다(award); 선정하다《*to*》: 《Ⅰ *be pp.*+전+명》 The prize *was* ~*d to* her. 상〔상금〕은 그녀에게 수여되었다.
ad·judg(e)·ment[-mənt] *n.* 판결, 선고; 심판, 판정; (심사한 뒤의) 수여, 수상.
ad·ju·di·cate[ədʒú:dikèit] *vt.* **1** 〈법관·법정이 소송에 대해〉 판결을 내리다; 재정(裁定)을 내리다. **2** 〈사람을 …으로〉 판결〔재결, 선고〕하다: 《Ⅴ (목)+(*to be*)+명, 형》 The court ~*d* him (*to be*) bankrupt〔guilty〕. 법원은 그를 파산자〔유죄〕로 선고했다. — *vi.* 심판하다, 심사원 노릇을 하다; 판결을 내리다《*on, upon*》: 《Ⅰ 전+명》 The court ~*d upon* the case. 법원은 그 사건에 대해 판결했다. **-ca·tor** *n.*
ad·ju·di·ca·tion[ədʒù:dikéiʃən] *n.* **1** Ⓤ 판결, 재결, 선고; 재정. **2** U,C 〔法〕 파산 선고.
ad·ju·di·ca·tive[-kèitiv, -kətiv] *a.* 판결의.
⁎**ad·junct**[ǽdʒʌŋkt] *n.* **1** 부가물, 부속〔종속〕물《*to, of*》. **2** 〔文法〕 부가어(구), (부가적) 수식어(구); Ⓤ 〔論〕 첨성(添性). — *a.* 종속〔수반〕하는; 보조의. ⟐ adjúnction *n.*; adjúnctive *a.*
ad·junc·tion[ədʒʌ́ŋkʃən] *n.* U,C 부가, 부속, 첨가; 〔數〕 첨가.
ad·junc·tive[ədʒʌ́ŋktiv] *a.* 부속의.
ádjunct proféssor 《미》 (일부 대학의) 부교수(associate professor).
ad·ju·ra·tion[æ̀dʒəréiʃən] *n.* U,C 서원(誓願), 간청; 엄명.
ad·jur·a·to·ry[ədʒúərətɔ̀:ri/-təri] *a.* 엄명의〔적인〕; 간청의〔적인〕.
ad·jure[ədʒúə*r*] *vt.* 《文語》 **1** 엄명하다: 《Ⅴ (목)+*to* do》 I ~ you *to* speak the truth. 절대로 사실을 말하시오(=I ~ you *that* you speak the truth. 《Ⅳ 대+*that*(절)》). **2** 간청하다(entreat): 《Ⅴ (목)+*to* do》 I ~ you *to* do it. 제발 그리 해 주세요.
⁑**ad·just**[ədʒʌ́st] [L] *vt.* **1** 조절〔조정〕하다, 맞추다(⇨adapt): ~ a radio (dial) 라디오(의 다이얼)을 맞추다/~ *a telescope to* one's eye 망원경을 눈에 맞추다〔잘 보이게 조절하다〕. **2** 〈기계를〉 조절〔조정〕하다. **3** 〈의견·분쟁 등을〉 조정하다. **4** (~one*self*로) (환경 등에) 순응하다《*to*》. **5** (계산 따위를) 청산하다. — *vi.* **1** 〈기계가〉 조정되다. **2** (…에) 순응하다《*to*》. ⟐ adjústment *n.*
ad·just·a·ble[ədʒʌ́stəbl] *a.* 조정〔조절, 순응〕할 수 있는.
ad·just·er, ad·jus·tor[ədʒʌ́stə*r*] *n.* **1** 조

정자; 조절 장치. **2** 〔海保〕 (해손(海損)의) 정산인(精算人); 〔保〕 손해 사정자. **3** (보통 adjustor) 〔生理〕 조정체(體).

‡**ad·just·ment**[ədʒʌ́stmənt] *n.* Ⓤ,Ⓒ **1** 조정(調整), 조절; 수정; 〔海保〕 정산(서). **2** (쟁의 등의) 조정(調停).

adjústment cénter 《미》 (교도소의 난폭한 죄수 · 정신 이상자의) 교정(矯正) 센터.

ad·ju·tage, aj·u-[ǽdʒətidʒ, ədʒúː-] *n.* (분수 등의) 방수관(放水管).

ad·ju·tan·cy *n.* Ⓤ 부관의 직〔지위〕.

ad·ju·tant[ǽdʒətənt] *n.* **1** 〔軍〕 (부대장의) 부관(*cf.* AIDE-DE-CAMP). **2** 조수(helper). **3** 〔鳥〕 =ADJUTANT BIRD. ── *a.* 보조의.

ádjutant bìrd〔**cràne**〕 〔鳥〕 무수리《인도산 황새과의 새》.

ádjutant géneral (*pl.* **ádjutants géneral**) 〔軍〕 **1** (사단 이상의 부대의) 고급 부관《대령 · 중령》. **2** (the A- G-)(미국의) 군무(軍務) 국장《소장》. **3** 《미》 (주병(州兵) 부대의) (최)고급 장교.

ad·ju·vant[ǽdʒəvənt] *a.* 도움이 되는, 보조의. ── *n.* 도움이 되는 것〔사람〕; 〔藥〕 보조약.

ad·land[ǽdlæ̀nd] *n.* 광고업계.

adlay, adlai[ǽdlài] 〔植〕 율무.

ad·less[ǽdlis] *a.* 광고 없는 〈잡지 등〉.

ad lib[ædlíb, ∸∸] [L] *ad.* 임의로, 즉흥적으로; 무제한으로. ── *n.* (*pl.* **ad libs**) 즉흥적인 것〔연주, 대사〕.

ad-lib[ædlíb, ∸–] 《口》 *v.* (~**bed**; ~·**bing**) *vt.* 즉석에서 만들다, 〈대본에 없는 대사를〉 즉흥적으로 지껄이다; 〈악보에 없는 곡을〉 즉흥적으로 부르다〔연주하다〕; 즉흥적으로 짤막한 익살을 부리다. ── *vi.* 즉석에서〔즉흥적으로〕 하다〔연주하다〕, 즉석 연설을 하다. ── *a.* 즉석의, 즉흥적인; 임의의, 무제한의.

ad lib·i·tum[æd-líbətəm] [L] *ad., a.* 임의로〔의〕, 무제한으로〔의〕; 연주자 임의의《略: ad lib.》.

ad lit·ter·am[æd-lítəræ̀m] [L =to the letter] *ad.* 문자 그대로; 정확히.

ad loc. *ad locum*.

ad lo·cum[æd-lóukəm] [L =to〔at〕 the place] *ad.* 그 장소로〔에서〕.

ADM air-launched decoy missile 공중 발사 유인 미사일. **adm.** administrative; administrator. **Adm.** Admiral; Admiralty.

ad·man[ǽdmæ̀n, -mən] *n.* (*pl.* **-men**[-mèn, -mən]) 《口》 광고업자, 광고 선전원.

ad·mass[ǽdmæ̀s] *n.* Ⓤ 《영口 · 稀》 **1** (사회에 나쁜 영향을 주는 듯한) 매스컴 광고. **2** (매스컴 광고에 영향받기 쉬운) 일반 대중.

ad·mea·sure[ædméʒər] *vt.* 〈토지 등을〉 할당하다; 재다, 측정하다(measure). **~·ment** *n.* Ⓤ,Ⓒ 할당; 측정, 계량; 크기, 치수.

Ad·me·tus[ædmíːtəs] *n.* 〔그神〕 아드메토스《Thessaly의 왕, Alcestis의 남편》.

ad·min[ǽdmin] *n.* 《영口》=ADMINISTRATION.

admin. administration; administrator.

ad·min·i·cle[ædmínikəl] *n.* Ⓤ,Ⓒ 보조(aid), 보조자〔물〕; 〔法〕 보강 증거, 부증(副證).

ad·mi·nic·u·lar[æ̀dmənìkjələr] *a.* 보조의; 〔法〕 보강의, 보충의.

***ad·min·is·ter**[ædmínəstər, əd-] *vt.* **1** 〈국가 · 회사 · 가정 등을〉 다스리다, 통치하다, 관리〔처리〕하다; 〈업무 등을〉 관리하다, 운영하다; 〈법률 · 규칙 등을〉 시행〔집행〕하다: ~ the affairs of state 나라일을 보다/~ justice *to* a person 아무를 재판하다. **2** 베풀다, 주다, 공급하다《*to*》: ~ the Sacrament 성사를 베풀다. **3** 〈약 등을〉 주다, 투여하다, 바르다《*to*》: 《Ⅲ (목)+전+명》 The nurse ~*ed* the medicine *to* her patient. 간호사는 환자에게 약을 먹였다(=The nurse ~*ed* her patient the medicine. 《Ⅳ 명+(목)》). **4** 〈처치 등을〉 집행하다; 〈벌을〉 주다; 〈타격 등을 …에게〉 가하다; 〈…에게 …을〉 과하다, 부담시키다: ~ punishment *to* him 그에게 벌을 주다. **5** 〔法〕 유산을 관리〔처분〕하다. **6** 선서시키다: ~ an oath *to* a person …에게 선서시키다.
── *vi.* **1** 공헌하다, 도움이 되다, 보충하다(be of service)《*to*》: ~ *to* the poor 가난한 사람들에게 도움이 되다/Health ~*s to* peace of mind. 건강은 마음의 평화를 돕는다. **2** 〔法〕 유산을 관리하다.
◇ administrátion *n.*; admínistrative *a.*

ad·mín·is·tered príce 〔經〕 관리 가격.

ad·min·is·te·ri·al *a.* =ADMINISTRATIVE.

ad·min·is·tra·ble[ædmínəstrəbər, əd-] *a.* 관리〔집행〕할 수 있는.

ad·min·is·trant[ædmínəstrənt, əd-] *a., n.* 관리하는 (사람).

ad·min·is·trate[ædmínəstrèit, əd-] *vt., vi.* =ADMINISTER.

‡**ad·min·is·tra·tion**[ædmìnəstréiʃən, əd-] *n.* **1** Ⓤ 경영, 관리, 운영, 지배(management); (종종 the ~; 집합적) 관리책임자들; 〔法〕 유산〔재산〕 관리: letters of ~ 유산 관리장(狀). **2** Ⓤ 행정, 정치, 통치; Ⓒ (종종 the A-) 《미》 정부, 내각(《영》 government); Ⓤ (행정관 · 관리자 등의) 임기: mandatory ~ 위임통치/during the Johnson A ~ 존슨 대통령 재임중에/~ senators〔witnesses〕 정부 측의 상원 의원〔증인〕. **3** (종종 the ~; 집합적) (대학 등의) 본부, 당국; 이사회. **4** Ⓤ (법률 등의) 시행, 집행《*of*》; (종교적 의식 · 식전 등의) 집행《*of*》. **5** Ⓤ (약 등의) 투여, 투약. **6** 선서시키기. **the administration of justice** 재판; 처벌. **the board of administration** 이사회. **the civil**〔**military**〕 **administration** 민정〔군정〕.

administrátion offícial 정부 고관, 당국자.

***ad·min·is·tra·tive**[ædmínəstrèitiv, -trə-] *a.* **1** 관리의, 경영상의. **2** 행정상의: ~ ability 행정 수완, 관리〔경영〕 솜씨/an ~ district 행정 구역/~ readjustments 행정 정리(整理). **~·ly** *ad.* 관리상; 행정상.

admínistrative cóunty 《영》 행정상의 주(州).

admínistrative cóurt 행정 재판소〔법원〕.

admínistrative guídance 행정 지도.

admínistrative láw 행정법.

admínistrative láw jùdge 《미》 행정법 판사《정부에서 임명하며, 청문회 등에서 얻은 사실이나 방책을 답신하는 연방관》.

***ad·min·is·tra·tor**[ædmínəstrèitər, əd-] *n.* **1** 행정관, 통치자. **2** 관리자; 집행자; 〔法〕 관재인(管財人). **3** 행정〔관리〕 능력이 있는 사람, 행정가. **~·ship** *n.* Ⓤ 그 직.

ad·min·is·tra·trix[ædmìnəstréitriks, əd-] *n.* (*pl.* **-tri·ces**[-trəsìːz], **~·es**) 여자 관리인, 여자 관재인.

***ad·mi·ra·ble**[ǽdmərəbəl] *a.* **1** 칭찬할 만한, 감탄할 만한(worth admiring). **2** 훌륭한, 우수한. **~·ness** *n.* **-bly** *ad.* 훌륭하게.

***ad·mi·ral**[ǽdmərəl] [Arab] *n.* **1** 해군 대장, 해군 장성, 제독(*cf.* GENERAL)《略: Adm., Adml.》. **2** 《영》 어선〔상선〕 대장. **3** 《古》 기함(旗艦)(flagship). **4** 〔昆〕 (여러 가지) 나비(butterfly)의 속칭. **Fleet Admiral** 《미》 =

Admiral of the Fleet 《영》 해군 원수(元帥). (**Full**) **Admiral** 해군 대장. **Vice Admiral** 해군 중장. **Rear Admiral** 해군소장(*cf.* COMMODORE). **Lord High Admiral** 〔영史〕 함대 사령 장관《국왕의 칭호의 하나》.
◇ ádmiralty *n.*

ad·mi·ral·ship [-ʃip] *n.* Ⓤ 해군 대장〔장성〕의 직〔지위〕.

ad·mi·ral·ty [ǽdmərəlti] *n.* (*pl.* **-ties**) **1** (the A-) 《영》 (전) 해군 본부(의 건물)《1964년에 국방성의 한 부분이 되었음》. **2** =ADMIRALSHIP. **3** 해사법; 《미》 해사 법원. **4** Ⓤ 《文語》 제해권. **the Court of Admiralty** 《영》 해군 재판소. **the First Lord of the Admiralty** 《영》 해군 본부 위원회 수석 위원, 해군 대신《1964년 폐지》. **the Lords Commissioners of Admiralty** 《영》 해군 본부 위원회 위원《1964년 폐지》.

Ádmiralty Islands *n. pl.* (the ~) 애드미럴티 제도《남서 태평양, 뉴기니섬 북방에 있는 군도; 오스트레일리아령》.

Ádmiralty míle, a- m- 《영》 〔海〕 해리 (nautical mile).

‡ad·mi·ra·tion [æ̀dməréiʃən] *n.* **1** Ⓤ 감탄, 찬양, 칭찬; 경애, 동경(*of, for*). **2** (the ~) 찬양〔칭찬〕의 대상(*of*). **3** 《古》 경이, 놀람(wonder). **express** one's **admiration for** …을 기리다. **in admiration of** …에 감탄〔찬탄〕하여. **stand in admiration before** =**be lost in admiration of** …을 감탄〔찬양〕해 마지않다. **struck with admiration** 감탄을 금할 수 없이. **the note of admiration** 감탄 부호(!) (exclamation mark). **to admiration** 훌륭하게. **to the admiration of everybody** 만인이 감탄한 바로는 〔할 정도로〕. **with admiration** 감탄하여.

‡ad·mire [ædmáiər, əd-] *vt.* **1** …에 감탄〔탄복, 찬탄〕하다; 칭찬하다; 사모하다: 《Ⅲ (목)》 He ~*d* her talent. 그는 그녀의 재능에 탄복했다. **2** (반어적) …에 감탄〔탄복〕하다: I ~ his impudence. 그의 뻔뻔스러움에 감탄 안할 수 없다. **3** …하고 싶어하다, (…하기를) 좋아하다: 《Ⅲ *to be*+명》 He would ~ *to be* a doctor. 그는 의사가 되고 싶어 한다. **4** 《미口·方》 (겉치레로, 인사말로) 칭찬하다: ~ her cat 그녀의 고양이를 칭찬하다. — *vi.* …에 감탄〔탄복〕하다(*at*): 《Ⅰ 전+명》 I ~ *at* your good fortune. 너의 행운에 감탄한다. ◇ admirátion *n.*

‡ad·mir·er [ædmáiərər, əd-] *n.* **1** 찬양자, 팬(*of*); (여성의) 환심을 사려는 남자. **2** (여성에 대한) 숭배자, 구혼자(suitor).

***ad·mir·ing** [ædmáiəriŋ, əd-] *a.* 감탄하는, 찬양하는. **~·ly** *ad.* 감탄하여.

ad·mis·si·bil·i·ty [ædmìsəbíləti, əd-] *n.* Ⓤ 허용됨; 허용(성).

ad·mis·si·ble [ædmísəbəl, əd-] *a.* **1** 들어갈 자격이 있는; 〈생각·증거 등이〉 용인 될 수 있는. **2** (지위에) 취임할 권리〔자격〕가 있는(*to*).

‡ad·mis·sion [ædmíʃən, əd-] *n.* **1** Ⓤ 들어감을 허락함〔받음〕, 입장; 입회, 입학, 입국(*to, into*); 들어갈 권리: A~ by ticket. 《게시》 입장권 지참자만 입장/an ~ ticket 입장권/applicants for ~ 입학〔입회〕 지망자. **2** Ⓤ (또는 an ~) 입장료, 입회금 《등》(=~ fee). **3** Ⓤ 승인, 용인; 〈과오 등 좋지 않은 일을〉 자인(하기), 고백, 자백(*of*): Ⓒ 승인된 사실. **admission free** 입장 무료. **by**〔**on**〕 **one's own admission** 본인이 인정하는 바에 의하여. **charge (an) admission** 입장료를 받다. **gain**〔**get, obtain**〕 **admission to** …에 입회〔참가, 입장〕를 허락받다. **give** a person **free admission to** …을 자유로이 출입시키다, 무료 입장을 허락하다. **grant admission to** a person =**grant** a person **admission** …에게 입장〔입회, 입학 《등》〕을 허가하다. **make an admission of** the fact **to** a person (사실)을 …에게 고백하다.
◇ admít *v.*; admíssive *a.*

Admíssion Dày 《미》 (주(州)의) 합중국 편입 기념일《법정 휴일임》.

admíssion fèe 입장료, 입회〔입학〕금.

ad·mis·sive [ædmísiv, əd-] *a.* 입장〔입회, 입학〕 (허가)의; 허용의, 시인의.

★ad·mit [ædmít, əd-] *v.* (**~·ted; ~·ting**) [L] *vt.* **1** 들이다, 넣다; …에게 입장〔입학, 입회〕을 허락〔허가〕하다(*in, to, into*): 《Ⅲ (목)》 This ticket ~*s* three persons. 이 표로 세 사람이 입장할 수 있다/The school ~*ted* only one more student. 그 학교는 겨우 한 사람의 학생만 더 받아들였을 뿐이었다/《Ⅰ *be pp.*+전+명》 *be* ~*ted to* the bar 변호사의 자격을 얻다/《Ⅲ (목)+전+명》 ~ aliens *into* a country 외국인의 입국을 허가하다. **2** 허락하다; 〈주장·변명·증거 등을〉 인정하다, 시인하다: 《Ⅲ (목)》 He ~*ted* his mistakes. 그는 자기의 잘못을 인정했다/《Ⅲ *-ing*(*g.*)》 The thief ~*s* hav*ing* stolen the purse. 그 도둑은 지갑을 훔쳤음을 시인하고 있다/《Ⅲ *that*(절)》 I ~ *that* I am wrong. 나는 내가 잘못임을 인정한다 (=I ~ myself *to be* wrong.《Ⅴ (목)+*to be*+형》 ((목)-one*self*))/《Ⅴ (목)+(*to be*)+형》 I ~ her (*to be*) wrong. 나는 그녀가 잘못임을 인정한다/《Ⅴ (목)+(*to be*)+형》 ((목)-one*self*) I ~ myself (*to be*) wrong. 나는 내 자신이 잘못임을 인정한다/《Ⅴ (목)+*to be*+형》 I ~ it *to be* wrong. 나는 그것이 잘못임을 인정한다(=I ~ *that* it is wrong.《Ⅲ *that*(절)》)/《Ⅴ (목)+*done*》 I ~ myself *beaten.* 나는 졌다고 인정한다.《◇ *admit*는 직접 목적어로 *to*-infinitive를 취하지 않음》. **3** 〈장소가 사람을〉 들일 수 있다, 수용할 수 있다(have room for): 《Ⅲ (목)》 This room ~*s* only 10 men. 이 방은 겨우 10 명밖에 들어가지 못한다. **4** (보통 부정문으로) (사실사정이) 의 여지를 남기다, 허용하다: This case ~*s* no other explanation. 본건은 달리 설명할 여지가 없다. — *vi.* **1** 허용하다, 인정하다, 〈…을〉 허락하다, (사물 이름을 주어로 하여 보통은 부정문으로) 〈사실 등이 …의〉 여지가 있다: 《Ⅰ 전+명》 This ~*s of* no doubt. 이것은 의문의 여지가 없다. **2** 끌어 들이다, …에 들어갈〔접근할〕 수단이 되다, (길이) …에 이르다〔통하다〕(*to*): 《Ⅰ 전+명》 This key ~*s to* the house. 이 열쇠로 그 집에 들어갈 수 있다. **3** 〈…을〉 인정하다, 고백하다(*to*): 《Ⅲ *v* Ⅰ+전+(목)》 She ~*ted to* her fears. 그녀는 걱정된다고 시인했다.
(**While**) **admitting** (**that**) …이라는 점은 일단 인정하지만, …이기는 하나.
◇ admíssion, admíttance *n.*

ad·mit·ta·ble [-əbəl] *a.* 용인할 수 있는, 허용할 수 있는; 들어갈 자격이 있는.

ad·mit·tance [ædmítəns, əd-] *n.* Ⓤ 입장(허가), 《稀》 입학, 입회: grant〔refuse〕 a person ~ *to* …에게 …로의 입장을 허락〔거절〕하다. **admittance free** 입장 무료. **gain**〔**get**〕 **admittance to** …의 입장을 허가받다, …에 입장하다. **No admittance** (**except on business**). 《게시》 (무용자) 입장 금지.

ad·mit·ted [ædmítid, əd-] *a.* 공인된: an ~

fact 공인된〔명백한〕 사실.

ad·mit·ted·ly *ad.* (보통 문장 전체를 수식하여) 일반적으로 인정되어, 자기가 인정하는 바와 같이; 틀림없이, 확실히, 명백하게.

ad·mix[ædmíks, əd-] *vt.* 〈두 가지를〉 혼합하다(mix). — *vi.* (…와) 혼합되다《*with*》.

ad·mix·ture[-tʃər] *n.* Ⓤ 혼합; Ⓒ 혼합물.

Adml. Admiral; Admiralty.

*__ad·mon·ish__[ædmániʃ, əd-/-mɔ́n-] [L] *vt.* 《文語》 **1** 훈계하다, 타이르다, 깨우치다; 권고〔충고〕하다(advise)《*against*》: 《Ⅲ *that*(절)》 She ~*ed* that the boys were lazy. (=She ~*ed* the boys for being lazy.《Ⅴ(목)+전+-*ing*》) 그녀는 아이들에게 게으르다고 훈계하였다/《Ⅴ(목)+*to do*》I ~*ed* him to do his duty. 나는 그가 자기의 의무를 다할 것을 훈계했다/《Ⅴ(목)+전+-*ing*》 She ~*ed* the boys *against* smoking. 그녀는 그 소년들에게 담배 피우지 말라고 타일렀다/《Ⅴ(목)+전+-*ing*》She ~*ed* the student for being idle in his study. 그녀는 그 학생에게 공부를 게을리한다고 타일렀다/《Ⅲ(목)+전+명》I ~*ed* him *of*〔*about*〕 his duty. 나는 그에게 의무가 있음을 그가 알아채게 했다. **2** (위험 등을) 알리다, …의 주의를 촉구하다, 경고하다(warn)《*of, about*》: 《Ⅲ(목)+전+명》I ~*ed* her *of*〔*about*〕 the danger. (=I ~*ed* her *that* it was dangerous.《Ⅳ 대+*that*(절)》) 나는 그녀에게 위험을〔위험하다고〕 경고했다./《Ⅳ 대+*that*(절)》I ~*ed* him *that* he should do his duty. 나는 그에게 그의 의무를 다해야 한다고 주의를 촉구했다. — *vi.* 훈계〔경고〕를 주다.

~·er *n.* **~·ment** *n.* =ADMONITION.

◈ admonítion *n.*: admónitory *a.*

ad·mon·ish·ing·ly[-iŋli] *ad.* 타이르듯이, 충고〔경고〕하듯이.

ad·mo·ni·tion[ædməníʃən] *n.* Ⓒ,Ⓤ 훈계; 설유(說喩); 경고. ◈ admónish *v.*

ad·mon·i·tor[ædmánitər, əd-/-mɔ́n-] *n.* 설유〔경고, 충고〕하는 사람.

ad·mon·i·to·ry[ædmánitɔ̀:ri, əd-/-mɔ́nitəri] *a.* 《文語》 설유하는, 권고하는, 경고하는.

admor. administrator.

ad·nate[ǽdneit] *a.* 〔動·植〕 착생(着生)의; 측생(側生)하는.

ad nau·se·am[æd-nɔ́:ziəm, -si-, -æ̀m] [L =to nausea] *ad.* 싫증이 나도록, 지겹도록.

ad·nex·a[ædnéksə] *n. pl.* 〔解〕 부속기(器); 《특히》 자궁 부속기.

ad·nom·i·nal[ædnámənl/-nɔ́m-] *a.* 〔文法〕 연체적(連體的)인, 관형사적인.

ad·noun[ǽdnàun] *n.* 〔文法〕 《특히》 명사적 용법의 형용사《the useful(유용한 것), the poor(가난한 사람들) 등에서 useful, poor》.

*__a·do__[ədú:] *n.* Ⓤ (보통 much〔more, further〕 ~로) 야단 법석(fuss), 소동; 수고, 고심(difficulty). **make**〔**have**〕 **much ado** 떠들어대다《*to* do; *in* do*ing*》. **much ado about nothing** 공연한 법석, 헛소동. **with much ado** 야단법석을 떨며, 고심끝에. **without more**〔**further**〕 **ado** 그 이상 별 수고 없이; 손쉽게, 척척.

ado. adagio.

a·do·be[ədóubi] *n.* **1** Ⓤ (햇볕에 말려서 만든) 어도비 벽돌; 어도비 벽돌 제조용 찰흙. **2** 어도비 벽돌로 만든 집〔담《등》〕. — *a.* 어도비 벽돌로 지은.

ad·o·lesce[ædəlés] [adolescence의 역성(逆成)] *vi.* 청년〔사춘〕기에 이르다; 청년기를 지내다; 청년기의 사람답게 행동하다.

ad·o·les·cence, -cen·cy[ædəlésəns], [-i] *n.* Ⓤ **1** (또는 an ~) 청년기《12, 13세부터 18세쯤까지》; 사춘기, 청년(youth). **2** 청년다움, 젊디젊음.

ad·o·les·cent [ædəlésənt] [L] *a.* **1** 청년기의, 청춘의. **2** 한창 젊은; 미숙한, 불안정한. — *n.* 청년 남자〔여자〕, 젊은이(*cf.* CHILD, ADULT).

A·do·nai[ɑ̀:dənɔ́i, -nái] *n.* (우리) 주(主) 《헤브루 사람이 하느님을 완곡하게 부른 말》.

A·don·ic[ədánik/ədɔ́n-] *a.* **1** 〔韻〕 (고전시에서) 아도니스 시격의《장장격 또는 장단격을 수반한 장단단격의 격조를 지닌 시형의》. **2** ADONIS의〔같은〕, 아름다운, 미모의. — *n.* 〔韻〕 아도니스격의 시〔시행〕.

A·don·is[ədánis, ədóu-] *n.* **1** 〔그神〕 아도니스《여신 Aphrodite가 사랑한 미소년》. **2** (때로 a~) 미소년, 미남자, 멋쟁이(beau). **3** (a-) 〔植〕 복수초속(屬)의 식물.

ad·o·nize[ǽdənàiz] *vt., vi.* 멋부리다, 모양내다, 미남인 체하다: ~ one*self* 〈남자가〉 멋부리다, 모양내다.

‡**a·dopt**[ədápt/ədɔ́pt] [L] *vt.* **1** 양자〔양녀〕로 삼다〔받아들이다〕《*into*》: 《Ⅴ(목)+*as*+명》I ~*ed* him *as* a son. 나는 그를 양자로 삼았다/~ a person *into* a family …을 가족의 일원으로 삼다. **2** 〈사상·이론·방법·의견·정책 등을〉 채용〔채택〕하다(take up), 고르다(choose); 〈의회 등에서 의안·보고 등을〉 채택하다, 승인하다; 《영》 〈정당이 후보자를〉 지명하다, 공인하다: The plan *was* ~*ed at* the meeting. 그 계획이 회의에서 채택되었다. **3** (자기의 것으로서) 받아들이다; 〈외국어 등을〉 차용하다: ~*ed* words 외래어/《Ⅲ(목)+전+명》~ a word *from* French 프랑스어에서 단어를 차용하다.

a·dòpt·a·bíl·i·ty *n.*

a·dópt·a·ble *a.* 양자로 삼을 수 있는; 채택할 수 있는. ◈ adóption *n.*: adóptive *a.*

a·dopt·ed[´-id] *a.* 양자가 된; 채택된: my ~ son〔daughter〕 나의 양자〔양녀〕.

~·ly *ad.* 양자 결연으로.

a·dopt·ee[ədɑptí:/-ɔp-] *n.* 양자; 채용〔채택〕된 사람〔것〕.

a·dopt·er *n.* 채용〔채택〕자; 양부모(養父母).

*__a·dop·tion__[ədápʃən/ədɔ́p-] *n.* Ⓤ,Ⓒ 양자 결연; 채택, 채용《*of*》; (입후보자의) 공인; (외국어의) 차용. ◈ adópt *v.*: adóptive *a.*

a·dop·tion·ism[ədápʃənìzəm/ədɔ́p-] *n.* Ⓤ 〔神學〕 양자론(養子論)《예수는 본래 보통 사람이었으나 성령으로 신의 아들이 됐다는 설》.

a·dop·tive[ədáptiv/ədɔ́p-] *a.* 채용〔채택〕하는; 《文語》 양자 관계의: an ~ son〔mother〕 양자〔양모〕.

a·dor·a·ble[ədɔ́:rəbəl] *a.* **1** 숭앙〔숭배〕할 만한. **2** 《口》 사랑스러운, 귀여운(charming), 반하게 하는. **~·ness** *n.* **-bly** *ad.*

ad·o·ra·tion[ædəréiʃən] *n.* **1** a Ⓤ (신에 대한) 숭배, 숭앙. b (the A-) (아기 예수에 대한) 예배(그림). **2** Ⓤ 동경, 사모, 열애《*for*》.

‡**a·dore**[ədɔ́:r] [L] *vt.* **1** 〈하느님을〉 숭배하다, 받들다. **2** 〈사람을〉 경모하다, 동경하다, 열애하다; 〈사람을 신으로서〉 숭앙하다, 흠모하다: 《Ⅴ(목)+*as*+명》 They ~*d* him *as* a living god. 그를 살아 있는 신으로 받들었다. **3** 《口·女性語》 (…을, …하기를)아주 좋아하다: 《Ⅲ(목)》I ~ football. 나는 미식 축구를 매우 좋아한다/《Ⅲ -*ing*(*g.*)》She ~*s* listen*ing* to music. 그녀는 음악듣기를 아주 좋아한다.

◈ adorátion *n.*

a·dor·er[-rər] *n.* 숭배자; 열렬하게 애모하는 사람.

a·dor·ing[ədɔ́:riŋ] *a.* 숭배〔경모〕하는; 경배할 만한; 홀딱 반한. **~·ly** *ad.*

a·dorn[ədɔ́:*r*n] [L] *vt.* **1** 꾸미다, 장식하다 (decorate, ornament)《*with*》: 《Ⅲ (목)+전+명》~ a room *with* pictures 방을 그림으로 꾸미다. **2** 〈…의〉 아름다움을 돋보이게 하다; 보다 매력적〔인상적〕으로 하다. **adorn oneself with** (jewels) (보석)으로 몸치장을 하다. **~·er** *n.* ⊕ adórnment *n.*

a·dorn·ment[-mənt] *n.* **1** Ⓤ 꾸미기, 장식 (decoration). **2** Ⓒ 장식품: personal ~*s* 장신구.

a·down[ədáun] *ad., prep.* 《古·詩》=DOWN.

ADP 〔生化〕 adenosine diphosphate; 〔컴퓨터〕 automatic data processing.

ad·per·son[ǽdpə̀:*r*sən] [*ad*vertisement+person] *n.* (*pl.* **~s,** (때로) **ad·peo·ple**[-pì:pl]) 광고인, 광고계의 사람《카피라이터·광고 대행사 직원 등》.

ad quem[æd-kwém] [L =to〔at〕 which] *ad.* 거기로, 거기에. ── *n.* 목표, 종점.

ADR American Depository Receipt 미국 예탁 증권.

ad ref·er·en·dum[æd-rèfəréndəm] [L =for further consideration] *a., ad.* 좀 더 고려〔검토〕해야 할, 잠정적인〔으로〕, 가(假)〈계약〉.

ad rem[æd-rém] [L =to the point] *ad., a.* 문제의 본질〔요점〕을 찔러〔찌른〕, 요령 있게〔있는〕, 적절하게〔한〕.

ad·ren-[ədrí:n], **ad·re·no-**[ədrí:nou] 《연결형》「부신, 부신 호르몬, 아드레날린」의 뜻《모음 앞에서는 adren-》.

ad·re·nal[ədrí:nəl] 〔解〕 *a.* **1** 신장 부근의. **2** 부신(副腎)의. ── *n.* 부신(=~ **glànd**).

A·dren·a·lin[ədrénəlin] *n.* 아드레날린제《상표명》.

a·dren·a·line[ədrénəlin, -lì:n] *n.* Ⓤ 〔生化〕 아드레날린(epinephrine)《부신 호르몬의 하나》; 《비유》 자극제, 흥분시키는 것.

adrénal insuffíciency =ADDISON'S DISEASE.

ad·re·nal·ize[ədrí:nəlàiz] *vt.* 흥분시키다, 자극하다(excite).

ad·ren·er·gic[ædrənə́:rdʒik] *a.* 아드레날린(에피네프린(epinephrine)) 모양의; 아드레날린 작용의. ── *n.* 아드레날린제(*cf.* CHOLINERGIC).

ad·re·no·cor·ti·cal[ədrì:noukɔ́:*r*tikəl] *a.* 부신 피질의, 부신 피질로부터의.

a·dre·no·cor·ti·co·ster·oid[ədrì:noukɔ̀:*r*tikoustérɔid] *n.* 〔生化〕 부신 피질 자극 호르몬; 부신 피질에서 분비되는 스테로이드계(系) 호르몬.

ad·re·no·cor·ti·co·tro·phic, -pic[ədrí:noukɔ̀:*r*tikoutrɑ́fik/-trɔ́fik], [-pik] *a.* 〔生化〕 부신 피질을 자극하는.

adrenocorticotróp(h)ic hórmone 〔生化〕 부신 피질 자극 호르몬.

a·dri·a·my·cin, A-[èidriəmáisin] *n.* 〔藥〕 아드리아마이신《악성 임파선종·폐암·유암 등에 사용되는 항생 물질; 상표명》.

A·dri·an[éidriən] *n.* 남자 이름.

A·dri·at·ic[èidriǽtik, æ̀d-] *a.* 아드리아해의. ── *n.* (the ~) (이탈리아와 발칸 반도 사이의) 아드리아해(=∠ **Séa**).

a·drift[ədríft] *ad., a.* **1** 〈배가〉 표류하여; 〈배가〉 매어둔 밧줄·닻줄 등이 풀리어. **2** 〈사람이 정처없이〉 떠돌아, 방황하여; 어찌할 바를 몰라; 〈사물이〉 풀리어, 벗어나, 고장나. **cut adrift** 〈배를〉 떠내려 보내다; 헤어지게 하다; …와 교제〔연분〕를 끊다《*from*》. **get adrift** 〈배가〉 떠내려 가다. **go adrift** 표류하다; (주제에서) 탈선하다《*from*》; 《口》 〈물건이 …에서〉 없어지다, 도난당하다《*from*》; 《口》 〈수병 등이 허가 없이〉 배를 떠나다. **set adrift** 〈배를〉 떠내려 보내다. **turn** a person **adrift** …을 내쫓다, 해고하다.

a·droit[ədrɔ́it] [F] *a.* 교묘한, 손재주가 있는(dexterous); 기민한, 빈틈없는(clever)《*at, in*》. **~·ly** *ad.* **~·ness** *n.*

a·dry[ədrái] 《古》 *ad.* 말라서; 목말라. ── *a.* 마른; 목마른.

ads. advertisements. **A.D.S.** American Dialect Society.

ad·sci·ti·tious[ædsətíʃəs] *a.* **1** 밖에서 추가된, 외래의, 고유의 것이 아닌. **2** 보충의, 부가적인; 중요하지 않은.

ad·script[ǽdskript] *a.* **1** 뒤〔후〕에 쓴, 오른쪽에 쓴〔인쇄된〕. **2** 〈농노가〉 토지에 부속된. ── *n.* 뒤〔후〕에 써 넣은 문자〔부호〕; (토지에 부속된) 농노.

ad·scrip·tion[ædskrípʃən] *n.* =ASCRIPTION.

ad·smith[ǽdsmìθ] *n.* 《미》 광고문 고안가.

ad·sorb[ædsɔ́:*r*b, -zɔ́:*r*b] *vt., vi.* 〔化〕 흡착(吸着)하다〔되다〕.

ad·sor·bate[ædsɔ́:*r*beit, -bit, -zɔ́:*r*-] *n.* 〔化〕 흡착된 것, 흡착질.

ad·sor·bent[ædsɔ́:*r*bənt, -zɔ́:*r*-] 〔化〕 *a.* 흡착성의. ── *n.* 흡착제.

ad·sorp·tion[ædsɔ́:*r*pʃən, -zɔ́:*r*p-] *n.* Ⓤ 〔化〕 흡착(작용).

ad·sorp·tive[ædsɔ́:*r*ptiv, -zɔ́:*r*p-] *a.* 〔化〕 흡착 (작용)의, 흡착성의.

ad·sum[ǽdsʌm] [L =I am here] *int.* 네 《호명에 대한 대답》.

ad·u·late[ǽdʒəlèit] *vt.* 아첨하다, 비위 맞추다; 무턱대고 칭찬하다. **-la·tor** *n.*

ad·u·la·tion[-ʃən] *n.* Ⓤ 추종, 아첨, 알랑거림.

ad·u·la·to·ry[-lətɔ̀:ri/-lèitəri] *a.* 아첨하는, 추종하는, 알랑거리는.

A·dul·lam·ite[ədʌ́ləmàit] *n.* **1** 〔영 史〕 어덜럼 당원《1886년 선거법 개정안에 반대하여 자유당을 탈당한 의원》. **2** 탈당파 의원.

a·dult[ədʌ́lt, ǽdʌlt] [L] *a.* **1** 성장한, 성숙한; 성인이 된(mature): an ~ person 성인. **2** 어른의, 성인의; 성인다운; 성인용의: ~ movies 성인용 영화. ── *n.* **1** 어른, 성인(grown-up); 〔法〕 성년자. **2** 성체(成體)《충분히 성장한 동식물》, 성충. **Adults Only.** 《게시》 미성년자 사절. **~·like** *a.* **~·ly** *ad.* **~·ness** *n.*

adúlt educátion 성인 교육.

a·dul·ter·ant[ədʌ́ltərənt] *n., a.* 혼합물(의) 《우유에 섞은 물 등》.

a·dul·ter·ate[ədʌ́ltərèit] *vt.* **1** 섞음질을 하다《*with*》: ~ milk with water 우유에 물을 타다. **2** (섞음질하여) 품질을 떨어뜨리다, 불순하게 하다. ── [-rit, -rèit] *a.* **1** 섞음질을 한. **2** 간통한(adulterous). ⊕ adulterátion *n.*

a·dul·ter·at·ed[ədʌ́ltərèitid] *a.* 섞음질을 한; 순도〔제조법, 상표 표시〕가 법정 기준에 맞지 않는, 불순한: ~ drug 불량 의약품.

a·dul·ter·a·tion[-réiʃən] *n.* Ⓤ 섞음질; Ⓒ 불순품, 저질품. ⊕ adúlterate *v., a.*

a·dul·ter·a·tor[-rèitər] *n.* 불순품〔저질품〕 제조자; 〔法〕 통화 위조자.

a·dul·ter·er[ədʌ́ltərər] *n.* 간부(姦夫).

a·dul·ter·ess[ədʌ́ltəris] *n.* 간부(姦婦).

a·dul·ter·ine[ədʌ́ltəri:n, -ràin] *a.* **1** 불순한, 가짜의. **2** 간통의, 간통으로 태어난. **3**

부정한, 불법의.

a·dul·ter·ous [ədʌ́ltərəs] *a.* **1** 간통의. **2** 섞음질한, 불순한, 가짜의.

*****a·dul·ter·y** [ədʌ́ltəri] *n.* (*pl.* **-ter·ies**) U,C **1** 간통, 부정: commit ~ 간통하다. **2** 〔聖〕 간음; 정신적 간음.

a·dult·hood [ədʌ́lthùd, ǽdʌlt-] *n.* U 성인〔어른〕임; 성인기.

a·dul·ti·fy [ədʌ́ltifài] *vt.* 〈어린이를〉 성인같이 만들다, 성인화(化)하다.

a·dult-rat·ed [-rèitid] *a.* 어른〔성인〕용의.

adúlt Wéstern 《미》 성인용 서부극〔영화〕.

ad·um·bral [ædʌ́mbrəl] *a.* 그늘진, 그늘.

ad·um·brate [ædʌ́mbreit] *vt.* 《文語》 **1** 윤곽을 나타내다; 〈이론·생각 등을〉 어렴풋이 나타내다. **2** 〈미래를〉 예시하다. **3** 어둡게 하다.

ad·um·bra·tion [æ̀dəmbréiʃən] *n.* U,C **1** 윤곽 묘사, 약화(略畵)(sketch). **2** 그늘지게 함, 투영. **3** 표상(表象); 예시, 전조.

ad·um·bra·tive [ædʌ́mbrətiv, ǽdəmbrèi-] *a.* 윤곽적인; 예시하는, 암시하는(*of*). **~·ly** *ad.*

Ad·u·rol [ǽdərɔ̀(:)l, -ròul, -rɑ̀l] *n.* 〔寫〕 아듀롤(사진 현상약).

a·dust [ədʌ́st] *a.* **1** 바싹 탄〔마른〕; 햇볕에 탄(sunburnt). **2** 우울한(melancholy).

adv. *ad valorem*; advance; adverb; adverbial(ly); advertisement; advocate.

ad val. *ad valorem*.

ad va·lo·rem [æd-vəlɔ́:rəm] [L =according to the value] *ad., a.* 값에 따라서: an ~ duty 종가세(從價稅).

★**ad·vance** [ædvǽns, əd-] [L] *vt.* **1** 나아가게 하다, 전진〔진보〕시키다(*to*): 《Ⅰ *be pp.*》 The troops *were* ~*d.* 그 부대는 전진했다/~ the hour〔minute〕 hand 시침〔분침〕을 앞으로 돌리다. **2** 〈시간·기일을〉 앞당기다: ~ the time of the meeting from 4 o'clock to 2 o'clock. 회의 시간을 4시에서 2시로 앞당기다. **3** 〈일을〉 진척시키다, 촉진하다, 증진하다: ~ growth 성장을 촉진하다. **4** 〈의견·요구·제의 등을〉 제출하다, (반대·비판을) 감히 하다; 〈신학설 등을〉 주창하다: ~ an opinion 의견을 진술하다/~ a new theory 새 학설을 주창하다. **5** 《稀》 〈값을〉 올리다(raise): ~ the price 값을 올리다. **6** 승진시키다(promote) (*from* … *to*): 《Ⅰ *be pp.*+전+명+전+명》 He has *been* ~*d from* captain *to* major. 그는 대위에서 소령으로 승진했다. **7** 〈돈을〉 선불하다, 가불하다, 빌려 주다; 〈약조금을〉 치르다: 《Ⅳ 대+(목)》 Will you ~ me the money? (=Will you ~ the money *to* me.《Ⅲ (목)+전+명》) 그 돈을 내게 선불해 주시겠습니까/《Ⅳ 대+(목)+전+명》 ~ him money *on* his wages 급료를 가불해주다/《Ⅲ (목)+전+명》 ~ money *on* a contract 계약금을 치르다. ── *vi.* **1** 나아가다, 전진하다: ~ *to*〔*toward*〕 table 식탁 쪽으로 가다/~ *on*〔*upon, against*〕 an enemy 적을 향해 진격하다. **2** 〈시간이〉 경과하다, 〈밤·계절이〉 깊어가다; 〈나이를〉 먹다(*in*): *as* the night ~*d* 밤이 깊어짐에 따라/~ *in* age〔years〕 나이를 먹다. **3** (지식·연구·출세 등이) 진보〔향상, 숙달〕하다, 출세하다(*in*): ~ in knowledge 지식이 향상하다. **4** 승진하다: ~ *to* captain 대위로 승진하다. **5** 《稀》 〈값이〉 오르다(rise in price). **6** 《미》 입후보자 유세의 사전 준비를 하다(*for*). **advance in life**〔**the world**〕 출세하다. **advance on**〔**upon**〕 …에 밀어닥치다, …에 육박하다.
── *n.* **1** U,C 전전, 진출, (시간의) 진행: *with* the ~ of the evening 밤이 깊어감에 따라. **2** (보통 *sing.*) 전진, 진군. **3** U,C 진보, 향상, 진척, 증진: the ~ of science 과학의 진보 **4** (보통 *sing.*) 승급, 승진, 출세. **5** 《稀》 가격 인상, 등귀; (양의) 증대. **6** 선불, 선금, 가불금, 대출금. **7** (보통 *pl.*) (남에게의) 빌붙음, 접근; (여자에게의) 구애, 접근; (화해·교제 등의) 제의, 신청. **8** 〔劇〕 예매권 (매상고). **9** 《미》 =ADVANCE GUARD. **be on the advance** 값이 오르고 있다. **encourage**〔**repel**〕 **a person's advances** …의 접근을 기꺼이 받아들이다〔물리치다〕. **in advance** 앞서서; 미리; 선금으로; 입체하여. **in advance of** …에 앞서서, 보다 나아가서〔진보하여〕. **make advances to** …에게 돈을 입체해 주다; …에게 제의하다; 환심을 사려들다; 〈여자〉에게 접근하다, 구애하다.
── *a.* **1** 전진의, 선발의: an ~ party 선발대. **2** 앞서의, 사전의: an ~ notice 예고, 사전 통고/~ sale 예매/an ~ ticket 예매권/~ sheets 견본쇄, 내용 견본/~ booking 《영》 (호텔·극장 등의) 예약. **3** 선금의, 선불의: an ~ payment 선불금, 선금. ⊕ adváncement *n.*

advánce àgent (흥행 단체 등의) 선발자, 예비 교섭자, 사전 준비자(《미》 advance man).

advánce cópy 신간 서적 견본(발매 전에 비평가 등에게 보내는).

‡**ad·vanced** [ædvǽnst, -vɑ́:nst, əd-] *a* **1** 앞으로 나온〔낸〕: with one foot ~ 한쪽 발을 앞으로 내어. **2** 진보한, 진보적인; 고도의; 고등의, 고급〔상급〕의: an ~ country 선진국/~ ideas 진보적 사상/~ studies 고도의 연구/an ~ course 고급 과정. **3** 〈때가〉 많이 경과한; 〈밤이〉 이슥한, 깊어진: 《Ⅱ 부+형》 The night was far ~. 밤이 이슥하였다. **4** 〈연령이〉 많은, 늙은(*in*): an ~ age 고령/《Ⅱ 형+전+명》 He is ~ in years. 그분은 고령이시다.

advánced crédit〔**stánding**〕 《미》 기득 학점(수)(전입 학생이 인정 받은 전(前) 대학에서의 취득 학점).

advánced degrée 고급 학위, 학사보다 높은 학위(석사·박사).

advánced guárd =ADVANCE GUARD.

advánced lével 〔영敎育〕 상급과정(A level).

advánced technólogy índustry 선진 기술 산업.

advánce guárd **1** 〔軍〕 전위 (부대), 선발대. **2** =AVANT-GARDE.

advánce màn 《미》 **1** =ADVANCE AGENT. **2** 입후보자의 선발 보좌원.

*****ad·vance·ment** [ædvǽnsmənt] *n.* U **1** 진보, 발달; 증진, 촉진, 진흥: the ~ of science 과학의 진흥. **2** 전진, 진출. **3** 승진, 출세, 향상: ~ *in* life〔one's career〕 입신 출세, 영달. **4** 선불, 가불(금).

advánce póll 《캐나다》 (투표일 전에 하는) 부재(자) 투표.

‡**ad·van·tage** [ædvǽntidʒ, -vɑ́:n-, əd-] [L] *n.* **1** U 유리, 편의, 이익. **2** C 유리한 점, 장점, 이점(*of*): the ~*s of* birth, wealth, and good health 가문, 재산, 건강의 여러 이점/a personal ~ 미모. **3** U 우세, 우월(*of* something *to* someone): 《Ⅰ 전+명》 The ~ is with you. 당신 쪽이 우세하다. **4** 〔庭球〕 =VANTAGE. **gain**〔**win**〕 **an advantage over** a person …을 능가하다, …보다 우월하다. **have the advantage of** …이라는 장점이 있다; …보다 유리하다: I'm afraid you *have the advantage of* me. 몰라뵈서 죄송합니다만 (누구신지요)(알아 보(는 척 하)면서 가까이 하

려는 상대를 거절하는 말). **of great〔no〕advantage to** …에게 크게 유리한〔조금도 이롭지 않은〕. **take advantage of** (1) 〈좋은 기회·사실〉을 이용하다. (2) 〈무지 등〉을 틈타다, 역이용하다, 속이다; 〈여자〉를 유혹하다. **take** a person **at advantage** …의 허를 찌르다. **to advantage** (1) 유리하게. (2) 한결 낫게 〈보이다, 들리다등〉, (보다) 효과적으로. **to one's advantage** (…에게) 유리하게. **to the advantage of** …에게 유리하도록. **turn … to advantage** …을 이용하다, 유리하게 하다. **with advantage** 유리하게, 유효하게(*to*).

— *vt.* 이롭게 하다, …에 이익이 되다; 촉진하다. ⇔ advantágeous *a.*

ad·van·taged[ædvǽntidʒd, -vɑ́:n-, əd-] *a.* (태생·환경 등에서) 유리한, 혜택 받은 〈아이 등〉.

****ad·van·ta·geous**[æ̀dvəntéidʒəs] *a.* 유리한; 이로운, 유익한, 편리한(*to*). **~·ly** *ad.* **~·ness** *n.* ⇔ advántage *n.*

advántage rùle〔làw〕 〔럭비·蹴〕 어드밴티지 룰(반칙을 인정하지 않게 하는 규칙).

ad·vect[ædvékt, əd-] *vt.* 〔物〕 (열을) 대기의 대류(對流)에 의해서 옮기다; (물 따위를) 수평 방향으로 이동시키다.

ad·vec·tion[ædvékʃən, əd-] *n.* 〔物·氣〕 수평(기)류. **~al** *a.* **ad·véc·tive** *a.* 수평류의〔를 일으키는〕.

****ad·vent**[ǽdvent, vənt-] [L] *n.* **1** (the A-) 그리스도의 강생〔강림〕; 강림절(크리스마스 전 약 4주일간). **2** (the ~) (중요한 인물·사건의) 출현, 도래(*of*). **the** (**Second**) **Advent** 그리스도의 재림.

Ad·vent·ism[ǽdventìzəm, ædvént-] *n.* Ⓤ 그리스도 재림설.

Ad·vent·ist *n.* 그리스도 재림론자(=Second ~). — *a.* 그리스도 재림설의.

ad·ven·ti·tious[æ̀dvəntíʃəs] *a.* **1** 우연의(accidental); 외래의; 〔生〕 부정(不定)의, 우생(偶生)의. **2** 〔病理〕 우발적인: an ~ disease 우발병(후천성의 병). **~·ly** *ad.*

ad·ven·tive[ædvéntiv] 〔生〕 *a.* 외래의, 토착이 아닌. — *n.* 외래 동물〔식물〕.

Ádvent Súnday 강림절의 첫 일요일.

‡**ad·ven·ture**[ædvéntʃər, əd-] [L] *n.* **1** Ⓤ 모험(심): a spirit of ~ 모험심/a story of ~ 모험 소설/(Ⅱ 형+전+명) He is full of ~. 그는 모험을 좋아한다. **2** (종종 *pl.*) 모험(담): the A-*s* of Robinson Crusoe 로빈슨 크루소 표류기. **3** Ⓒ (우연히 일어난) 희한한 사건, 진기한 경험: a strange ~ 기묘한 사건/What an ~! 굉장한 사건이군! **4** Ⓤ,Ⓒ 〔商〕 투기, 요행. **5** 〔컴퓨터〕 ADVENTURE GAME. — *vt.* **1** (文語) 〈목숨을〉 걸다, 위험을 무릅쓰고 …하다(*on, upon*): ~ oneself 위험을 무릅쓰다/(Ⅲ (목)+전+명) ~ one's life *on*〔*upon*〕 an undertaking 사업에 목숨을 걸다. **2** 감행하다; 감히 말하다: ~ an opinion 감히 의견을 진술하다(◇ 이 뜻으로는 보통 venture가 쓰임. venture *to* do라고는 하지만 adventure *to* do라고는 하지 않음). — *vi.* **1** 위험을 무릅쓰다(*into, in, upon*)(◇ venture 쪽이 일반적임). **2** 〈일을〉 대담하게 시도하다〔착수하다〕(*on, upon*); 〈위험한 장소에〉 발을 들여놓다(*on, upon, into*).

⇔ advénturous, advénturesome *a.*

advénture plàyground (영) 어린이의 자발성·창의성을 기르기 위해 필요한 재료를 갖춘 놀이터.

****ad·ven·tur·er**[ædvéntʃərər, əd-] *n.* **1** 모험가. **2** 투기꾼(speculator); 협잡꾼. **3** 엉큼한 수단으로 지위나 돈을 노리는 사나이.

ad·ven·ture·some[ædvéntʃərsəm, əd-] *a.* =ADVENTUROUS.

ad·ven·tur·ess *n.* ADVENTURER의 여성형.

ad·ven·tur·ism[ædvéntʃərìzəm, əd-] *n.* 모험주의(특히 정치·외교에서의).

****ad·ven·tur·ous**[ædvéntʃərəs, əd-] *a.* **1** 모험을 좋아하는, 모험적인, 대담한. **2** 위험한. **3** 새로운 요소〔신선미〕가 있는. **~·ly** *ad.* **~·ness** *n.* ⇔ advénture *n., v.*

‡**ad·verb**[ǽdvə:rb] 〔文法〕 *n.* 부사(略: *adv., ad.*). **interrogative adverb** 의문 부사. **relative adverb** 관계 부사. — *a.* =ADVERBIAL. ⇔ advérbial *a.*

ad·ver·bi·al[ædvə́:rbiəl] *a.* 부사의, 부사적인: an ~ phrase〔clause〕 부사구〔절〕. ⇔ ádverb *n.*

ad·ver·bi·al·ly *ad.* 부사적으로, 부사로서.

ad ver·bum[æd-və́:rbəm] [L =to a word] *ad., a.* 축어적(逐語的)으로〔인〕, 직역적으로〔인〕.

ad·ver·sar·i·a[æ̀dvərsέəriə] *n. pl.* (단수·복수 취급) 주해, 주석; 각서, 메모; 비망록, 발췌(본).

ad·ver·sar·i·al[æ̀dvərsέəriəl] *a.* 반대자의, 반대하는; 〔法〕 당사자주의의.

****ad·ver·sar·y**[ǽdvərsèri/-səri] [L] *n.* (*pl.* **-sar·ies**) **1** 적, 반대자; (경기 등의) 상대자(opponent). **2** (the A-) 마왕(Satan).

ad·ver·sa·tive[ædvə́:rsətiv, əd-] 〔文法〕 *a.* 반대의 뜻을 나타내는 〈말 등〉. — *n.* 반의 접속사(but, nevertheless, while 등).

****ad·verse**[ædvə́:rs, ⸗-] [L] *a.* (文語) **1** 거스르는, 반대의(opposed)(*to*); 반하는(*to*): an ~ wind 역풍〔맞바람〕/an ~ trade balance 무역 역조, 수입 초과. **2** 불리한, 불운한(unfavorable): ~ circumstances 역경. **3** 〔植〕 대생(對生)의(*opp.* averse). **~·ness** *n.* ⇔ advérsity *n.*

ad·verse·ly *ad.* **1** 거꾸로, 반대로. **2** 불리하게, 불운하게.

advérse posséssion 〔法〕 불법 점유.

****ad·ver·si·ty**[ædvə́:rsəti, əd-] *n.* (*pl.* **-ties**) **1** Ⓤ 역경, 불운. **2** (종종 *pl.*) 불행, 재난. ⇔ advérse *a.*

ad·vert[1] [ædvə́:rt, əd-] *vi.* (文語) **1** 언급〔논급〕하다(refer)(*to*). **2** 유의하다, 주의를 돌리다(*to*): (Ⅰ 전+명) ~ *to* a person's opinion …의 의견에 주의를 돌리다. **~·ly** *ad.*

ad·vert[2] [ǽdvə:rt] *n.* (영口) =ADVERTISEMENT(*cf.* AD[1]).

ad·ver·tence, -ten·cy[ædvə́:rtəns, əd-], [-i] *n.* (*pl.* **-tenc·es; -cies**) Ⓤ,Ⓒ 주의; 언급.

ad·ver·tent[ædvə́:rtənt, əd-] *a.* 주의 깊은. **~·ly** *ad.*

‡**ad·ver·tise, -tize**[ǽdvərtàiz, ⸜-⸗] [MF] *vt.* **1** 광고하다, 선전하다: (Ⅲ (목)) ~ a house for sale 매가(賣家)의 광고를하다/(Ⅲ (목)+전+명) ~ a job〔one's wares〕 *in* a newspaper 신문에 구인 광고를 내다〔상품을 선전하다〕/(Ⅴ (목)+*as*+형) ~ a child *as* lost 미아 광고를 내다/~ one*self as* …라고 자기 선전을 하다. **2** 공시하다: ~ a reward 보상을 공시하다. **3** 눈에 띄게 하다; …을 돋보이게 하다. **4** (廢) 통고하다, 알리다. — *vi.* **1** 광고하다; 광고하여 구하다(*for*): (Ⅰ 전+명) ~ *for* a servant〔a job〕 하인〔직업〕을 구하는 광고를 내다. **2** 자기 선전을 하다: (Ⅰ (부구)) She ~*s* so much. 그녀는 자기 선전을 몹시 한다.

‡**ad·ver·tise·ment, -tize-**[æ̀dvərtáizmənt,

ædvə́:rtis-, -tiz-] *n.* U,C 광고, 선전: an ~ *for* a situation 구직 광고. **put〔insert〕an advertisement in** …에 광고를 내다.
advertísement cólumn 광고란.
*__ad·ver·tis·er, -tiz-__[ǽdvərtàizər] *n.* **1** 광고자〔주〕. **2** (**A-**) …신문《제명(題名)》.
*__ad·ver·tis·ing__[ǽdvərtàiziŋ] *a.* 광고의, 광고에 관한. — *n.* **1** 광고업. **2** (집합적) 광고(advertisements): an ~ agency 광고 대리점〔회사〕.
ádvertising línage 광고 행수.
ádvertising màn =ADMAN.
ádvertising mèdia 광고 매체.
ad·ver·to·ri·al[æ̀dvərtɔ́:riəl] [*adver*tisement+edi*torial*] *n.* (잡지 등의) 기사 형식 광고, PR 기사.
advg. advertising.
★**ad·vice**[ədváis, əd-] *n.* **1** U 충고, 조언, 권고(counsel)《*on, of, about*》: (의사의) 진찰, 진단: (변호사의) 감정: seek medical ~ 의사의 진찰을 받다. **2** 통지: (보통 *pl.*) 《文語》 (외교·정치상의) 보고: 〔商〕(거래상의) 보고, 통지(서): a remittance ~ 송금 통지/shipping ~*s* 발송 통지/an ~ note 안내장/an ~ slip 통지 전표/as per ~ 통지한 바와 같이. **act on〔against〕 a person's advice** 충고에 따라〔거역하고〕 행동하다. **ask advice of** …의 조언을 구하다. **follow** a person's **advice** …의 권고에 따르다. **give** a person **a piece〔a bit, a word〕 of advice** …에게 한마디 충고를 하다. **take** a person's **advice** …의 충고를 받아들이다. ◈ advíse *v.*
ad·vis·a·bil·i·ty[ədvàizəbíləti, əd-] *n.* 권할 만함, 타당함; 득책: (방책의) 적부(適否).
*__ad·vis·a·ble__[ədváizəbəl, əd-] *a.* 권할 만한, 타당한〔적당한〕, 현명한: 《Ⅱ *It v* Ⅱ+형+*for*+대+*to* do+(부구)》It is ~ *for* you to start early in the morning. 아침 일찌기 출발하는 게 좋을 것이다/《Ⅴ *v* Ⅴ+*it*+형+*to do*》Do you think it ~ to send for a doctor? 의사를 부르러 보내는 것이 타당하다고 생각하느냐/《Ⅱ *It v* Ⅱ+형+*for*+대+*to do*》It is ~ for her to see a doctor. 그녀가 의사에게 진찰을 받는 게 좋을 것이다.
~·ness *n.*
ad·vis·a·bly *ad.* (보통 문장 전체를 수식하여) 타당하여, 현명하게.
⁑**ad·vise**[ədváiz, əd-] [L] *vt.* **1** 충고〔조언〕하다, 권하다: 《Ⅲ (목)+전+명》He ~*d* me of the present state. 그는 현상태에 대해 내게 충고해 주었다/《Ⅰ *There v* Ⅰ+(주)+〈*wh.*(절)〉》(《*wh.*(절)-Ⅲ (목)+전+대》) There is one thing *on which* you may ~ me. 너는 나에게 충고할 것이 하나 있다/《Ⅴ (목)+*to do*》I should ~ you not *to* go there. 너는 거기에 가지말 것을 충고한다/《Ⅴ (목)+*to be*+형》I ~*d* him to be polite to his superiors. 나는 그에게 어른들에게 공손하라고 충고했다/《Ⅴ (목)+전+*-ing*》He ~*d* her against marrying in haste. 그는 그녀에게 경솔하게 결혼하지 말라고 충고했다/《Ⅳ 대+*whether to* do》Would you ~ me *whether to* accept her offer (or not)? 그녀의 청을 들어줘야 할지 어떨지〔말아야 할지〕 말 좀 해주게 《Ⅳ 대+*what*(절)》Can you ~ me *what* I'd better take among these? 이들 중에서 무엇을 고르는 게 좋을지 제게 말씀 좀 해 주시겠습니까《◇ me가 생략되면 Ⅲ *what*(절)》/《Ⅲ *-ing*(*g.*)》I ~ *reading* the letter carefully before answering it. 편지를 주의해서 읽고 나서 회답할 것을 권한다/《Ⅴ (목)+*to do*》I ~*d* him *to* go with me the place. 나는 그에게 그 장소에 나와 함께 동행할 것을 권했다. **2** 《文語》〔商〕 통지〔통고〕하다, 알리다《*of*》: 《Ⅲ (목)+전+명》 Please ~ her *of* the date. 그녀에게 날짜를 알려 주시오. **advise oneself** 숙고하다.
— *vi.* **1** 충고하다, 권하다: 《Ⅱ *as*(절)》(*as*(절)-(주)+*v* Ⅰ) I will act *as* you ~. 당신이 충고해 주시는대로 하겠습니다. **2** 《미》 (남과) 의논하다, 상담하다《*with*》. **advise with** a person **about〔on〕**… …에 관해〔대해〕 아무와 의논하다. **Advise with your pillow.** 밤새 잘 생각해 보게. ◈ advíce *n.*: advísory *a.*
ad·vised[ədváizd, əd-] *a.* (보통 복합어를 이루어) 숙고한, 신중한(deliberate): ill-〔well-〕 ~ 무분별한〔분별있는〕. **be better advised to** do …하는 것이 현명하다.
ad·vis·ed·ly[-idli] *ad.* 숙고한 끝에, 신중하게; 고의로, 일부러(deliberately).
ad·vis·ee[æ̀dvaizí:, əd-] *n.* 조언을 받는 사람; 《미》 (지도 교수의) 지도를 받는 학생.
ad·vise·ment[ədváizmənt, əd-] *n.* U **1** 《미》 숙고, 숙려. **2** =ADVICE. **take … under advisement** …을 숙고하다.
*__ad·vis·er, ad·vi·sor__[ədváizər, əd-] *n.* **1** 충고자, 조언자; 의논상대자, 고문《*to*》. **2** 《미》 (대학 등의) 신입생 지도 교수. **legal adviser** 법률 고문《◇ adviser는 advise하는 행위를, advisor는 그 직책을 강조함: adviser가 보통》.
ad·vi·so·ry[ədváizəri, əd-] *a.* 조언하는; 권고하는; 자문〔고문〕의: an ~ committee 자문 위원회/an ~ group 고문단. — *n.* 《미》 (기상 등의) 상황 보고.
advísory cìrcular 통고〔주의〕 사항《운수·항공·공항의 관계 당국으로부터 게시됨》.
ad·vo·ca·cy[ǽdvəkəsi] *n.* U 옹호, 지지; 고취, 창도《*of*》.
ádvocacy àdvertising (자기) 옹호적 광고.
ádvocacy jòurnalism 특정의 주의〔견해〕를 창도〔옹호〕하는 보도 (기관).
ádvocacy plànning 시민이 참여하는 도시 계획.
*__ad·vo·cate__[ǽdvəkit, -kèit] [L] *n.* **1** 대변자; 《스코》 변호사(barrister). **2** 주창자, 창도자《*of, for*》. **devil's advocate** 〔天主敎〕 =DEVIL'S ADVOCATE[2]. **judge advocate** 〔軍〕 법무관. **the Lord Advocate** 《스코》 검찰 총장.
— [ǽdvəkèit] *vt.* 변호하다; 옹호〔지지〕하다(support); 주장〔창도〕하다: ~ war〔peace〕 전쟁을〔평화를〕 주장하다/《Ⅲ *-ing*(*g.*)》The mayor ~*d* building a new town-hall. 시장(市長)은 새로운 시 청사(市廳舍)를 지을 것을 주장했다/~ abolish*ing* class distinctions 계급 차별의 폐지를 창도하다.
◈ ádvocacy *n.*
ad·vo·ca·tor[ǽdvəkèitər] *n.* 주창〔창도〕자.
ad·vow·son[ədváuzən, əd-] *n.* U 〔영法〕 성직자 추천권, 성직록 수여권.
advt. advertisement. **advtg.** advantage; advertising.
ad·y·nam·i·a[æ̀dinéimiə, èidainǽm-] *n.* 〔病理〕 (근(筋))무력증.
ad·y·nam·ic[-nǽmik] *a.* (근)무력증의.
ad·y·tum[ǽditəm] *n.* (*pl.* **-ta**[-tə]) **1** (고대 신전의) 지성소(至聖所). **2** 사실(私室), 밀실(sanctum).
adz(e)[ædz] *n., vt.* 까뀌(로 깎다).
A·dzhár Repúblic[ədʒɑ́:r-] *n.* (the ~) 아자르 공화국(=**A·dzha·ri·a**[ədʒɑ́:riə])《그루지야 공화국 남부의 흑해에 접한 자치 공화국》.
ae, ae, Æ, Ae[i:] **1** 라틴말에 쓰이는 a와 e

의 합자: Csar, Caesar, AEsop, Aesop. **2** -a로 끝나는 라틴말의 명사의 복수 어미: formul*ae*(◇ 고유명사 이외는 종종 e로 줄임).

A.E.A. 《미》 Actors' Equity Association: 《영》 Atomic Energy Authority.

Ae·a·cus[íːəkəs] *n.* 〔그神〕 아이아코스(Zeus의 아들; 저승 Hades의 재판관이 됨).

A.E. and P. Ambassador Extraordinary and Plenipotentiary 특명 전권 대사. **AEC** Atomic Energy Commission 《미》 원자력 위원회. **AECB** arms export control board 〔미軍〕 무기 수출 관리국.

a·e·des[eiíːdiːz] *n.* (*pl.* ~) 〔昆〕 (황열병을 매개하는) 각다귀의 일종.

ae·dile[íːdail] *n.* 조영관(造營官)(옛 로마의 공공 건물·도로·공중 위생 등을 관장).

A.E.F. American Expeditionary Force(s) (제1차 대전 중의) 미국 해외 파견군.

A-ef·fect[éiifèkt] *n.* 〔劇〕 (Brecht의) 이화(異化) 효과(alienation effect).

Ae·ge·an[i(ː)dʒíːən] *a.* 에게해의, 다도해의. **the Aegean** (**Sea**) 에게해, 다도해(그리스와 터키 사이의 바다).

Aegéan Íslands *n. pl.* (the ~) 에게해 제도.

ae·ger[íːdʒər] *n.* =AEGROTAT.

Ae·gir[íːdʒiər, éigiər] *n.* 〔北歐神〕 아에기르(항해와 고기잡이를 방해하는 바다의 신).

ae·gis, e·gis[íːdʒis] *n.* **1** 〔그神〕 (Zeus신이 딸 Athena신에게 주었다는) 방패. **2** 보호; 후원, 주최, 지도. **3** (the A-) 〔미海軍〕 (최신 방어 시스템을 장비한) 이지스함(艦). **under the aegis of** …의 보호〔후원〕 아래.

Ae·gis·thus[i(ː)dʒísθəs] *n.* 〔그神〕 아이기스토스(Clytemnestra와 밀통하고 그녀의 남편 Agamemnon을 살해; 나중에 그의 아들 Orestes에게 살해됨).

ae·gro·tat[íːgroutæ̀t, ─ ╯─] *n.* 〔영大學〕 (수험 불능을 증명하는) 질병 진단서.

AEIS aeronautical en-route information service.

-ae·mi·a[íːmiə] 《연결형》 =-EMIA.

Ae·ne·as[iníːəs] *n.* 〔그·로神〕 아에네아스(트로이의 영웅으로 로마의 건설자).

Ae·ne·id[iníːid] *n.* Aeneas의 유랑을 읊은 서사시(Virgil 작).

ae·ne·ous[eiíːniəs] *a.* 청동색의 〈곤충〉.

Ae·o·li·an[iːóuliən] *a.* **1** 바람의 신 Aeolus의. **2** Aeolis(사람)의. ── *n.* Aeolis 사람.

aeólian hárp〔**lýre**〕 에올리언 하프(바람을 받으면 저절로 울림).

Ae·ol·ic[iːɑ́lik/-ɔ́l-] *a.* Aeolis 지방〔사람〕의. ── *n.* Ⓤ (고대 그리스말의) Aeolis 방언.

ae·ol·i·pile, -pyle[iːɑ́ləpàil/-ɔ́l-] *n.* (기원전 2세기에 발명된 증기력에 의한) 회전 장치.

Ae·o·lis[íːəlis] *n.* 아이올리스(소아시아 북서안의 고대 그리스 식민지).

ae·o·lo·trop·ic[ìːəloutrɑ́pik/-trɔ́p-] *a.* 〔化〕 이방성(異方性)의.

ae·o·lot·ro·py[ìːəlɑ́trəpi/-lɔ́t-] *n.* Ⓤ 〔化〕 이방성.

Ae·o·lus[íːələs] *n.* 〔그神〕 아이올로스(바람의 신).

ae·on, e·on[íːən, -ɑn] *n.* 영겁(eternity).

ae·o·ni·an[iːóuniən], **ae·on·ic**[iːɑ́ːnik/iɔ́n-] *a.* 영원한(eternal).

ae·py·or·nis[ìːpiɔ́ːrnis] *n.* 〔鳥〕 융조(隆鳥)(Madagascar에 서식하던 타조보다 큰 주금류).

aeq. *aequales* (L =equal).

ae·quo·rin[ikwɔ́ːrin, -kwɑ́r-] *n.* 〔生化〕 에쿼린(해파리의 발광(發光) 단백질).

aer-[εər] 《연결형》 =AERO-.

aer·ate[έəreit, éiərèit] *vt.* 공기에 쐬다, …에 공기를 통하게 하다; 〈혈액에〉 호흡으로 산소를 공급하다; 〈액체·토양 등에〉 탄산 가스를 포함시키다: ~*d* bread 탄산으로 부풀려 구운 (무(無)효모) 빵/~*d* water(s) 《영》 탄산수.

aer·at·ed[-id] *a.* 《영俗》 화난, 흥분한.

aer·a·tion[-ʃən] *n.* Ⓤ 공기에 쐼; 탄산 가스 포화; 〔生理〕 (정맥혈의) 동맥혈화(化).

aer·a·tor[έəreitər, éiərèi-] *n.* 통풍기; 탄산수 제조기; (밀 등의) 훈증(燻蒸) 살충기.

A.E.R.E. Atomic Energy Research Establishment 《영》 원자력 연구소.

⁑**aer·i·al**[έəriəl, eiíər-] *a.* **1** 공기의, 대기의; 기체의: an ~ current 기류. **2** 공기 같은, 희박한, 엷은; 가공의, 꿈같은. **3** 공중의, 항공(기)의; 항공기에 의한: an ~ attack 공습/an ~ beacon 항공 표지/an ~ bomb 투하 폭탄/~ defense 방공/an ~ fight 공중전/an ~ lighthouse〔beacon〕 항공 등대〔표지〕/an ~ line〔route〕 항공로/~ navigation 항공술/an ~ navigator 항공사/an ~ observation 항공 관측/~ performance 공중 곡예/~ photography 항공 사진(술)(aerophotography)/~ reconnaissance〔inspection〕 공중 정찰〔사찰〕/~ sickness 항공병(멀미 등)/an ~ transport 공중 수송(◇ 현재는 air-를 쓰는 경우가 많다). **4** 공중에서 사는〔서식하는〕: an ~ plant 기생(氣生)식물. ── *n.* 공중선(空中線); 안테나. **~·ly** *ad.* ◈ aeriálity *n.*

áerial cábleway 공중 케이블, 가공 삭도.

aer·i·al·ist[έəriəlist, eiíər-] *n.* 공중 곡예사.

aer·i·al·i·ty[ὲəriǽləti, eiìəri-] *n.* Ⓤ 공기 비슷한 성질; 공허.

áerial làdder 《미》 접(摺)사다리(소방용).

áerial mìne (낙하산에 매단) 투하 폭탄.

áerial perspéctive 〔畫〕 농담(濃淡) 원근법.

áerial photógraphy 항공 사진술.

áerial ráilway =AERIAL CABLEWAY.

áerial refùeling 〔空〕 공중 급유.

áerial róot 〔植〕 기근(氣根).

áerial rópeway =AERIAL CABLEWAY.

aerial torpédo 공중 어뢰, 공뢰.

aerial trámway 공중 케이블, 로프웨이.

aerial wíre 〔通信〕 공중선, 가공선, 안테나.

ae·rie[έəri, íəri] *n.* **1** (높은 곳에 있는 맹금(猛禽)의) 둥지; (맹금의) 한배 새끼. **2** 높은 곳에 있는 집〔성, 요새〕.

aer·i·fi·ca·tion[ὲərəfikéiʃən, eiìər-] *n.* Ⓤ 공기와의 화합; 기체화, 기화.

aer·i·form[έərəfɔ̀ːrm, eiíər-] *a.* 공기 같은, 기체의; 실체 없는, 촉지(觸知)할 수 없는.

aer·i·fy[έərəfài, eiíər-] *vt.* (**-fied**) 공기에 쐬다; 기화하다.

aer·o[έərou] *a.* 항공(기)의; 항공학〔술〕의: an ~ society 비행 협회.

aer·o-[έərou] 《연결형》 「공기, 공중, 기체, 항공(기)」의 뜻(모음 앞에서는 aer-).

aer·o·al·ler·gen[ὲərouǽlərdʒən] *n.* 〔生化〕 공기 알레르겐(알레르기를 일으키는 대기 중의 물질).

aer·o·bal·lis·tics[ὲəroubəlístiks] *n. pl.* (단수 취급) 항공 탄도학.

aer·o·bat·ic[ὲərəbǽtik] [*aero*+acro*batic*] *a.* 고등 비행의, 공중 곡예의: an ~ flight 고등〔곡예〕 비행.

aer·o·bat·ics[ὲərəbǽtiks] *n. pl.* **1** (단수 취급) 고등 비행술. **2** (복수 취급) 곡예 비행.

aer·obe[έəroub] *n.* 〔生〕 호기성(好氣性) 생물; 《특히》 호기성 (세)균류.

aer·o·bee[ɛ́ərəbìː] *n.* 에어로비《초고층 대기 연구용 로켓의 일종》.

aer·o·bic[ɛəróubik] *a.* 〔生〕 **1** 〈세균 등이〉 호기성의; 호기성 세균의〔에 의한〕. **2** 에어로빅스의: ~ exercises 에어로빅 체조.

aer·o·bics[ɛəróubiks] *n. pl.* (단수 취급) 에어로빅스《산소의 소모량을 늘려 심장·폐 등의 기능을 활발하게 하는 운동》.

aer·o·bi·ol·o·gy[ɛ̀əroubaiɑ́lədʒi/-ɔ́l-] *n.* Ⓤ 공중 생물학.

aer·o·bi·o·sis[ɛ̀əroubaióusis] *n.* (*pl.* **-o·ses** [-siːz]) 〔生〕 산소(성) 생활, 호기〔유기(有氣)〕 생활.

aer·o·bi·um[ɛəróubiəm] *n.* (*pl.* **-bi·a**[-biə]) =AEROBE.

aer·o·bod·y[ɛ̀ərəbɑ́di/-bɔ́di] *n.* 경비행기.

aer·o·cam·er·a[ɛ́ərəkæ̀mərə] *n.* 항공 사진기.

aer·o·car[ɛ́ərəkɑ̀ːr] *n.* =HOVERCRAFT.

aer·o·craft[ɛ́ərəkræ̀ft, -krɑ̀ːft] *n.* (*pl.* ~) =AIRCRAFT.

aer·o·do·net·ics[ɛ̀əroudənétiks] *n. pl.* (단수 취급) (글라이더 등의) 활공 역학, 활공술.

***aer·o·drome**[ɛ́ərədròum] *n.* 《영》 (소형) 비행장, 공항(airport).

aer·o·dy·nam·ic[ɛ̀əroudainæ̀mik] *a.* 공기 역학의. **-i·cal·ly** *ad.*

aer·o·dy·nam·i·cist[ɛ̀əroudainæ̀məsist] *n.* 공기 역학자.

aer·o·dy·nam·ics[ɛ̀əroudainæ̀miks] *n. pl.* (단수 취급) 공기 역학, 항공 역학.

aer·o·dyne[ɛ́ərədàin] *n.* 〔空〕 (공기보다 무거운) 중(重)항공기(*opp.* aerostat).

aer·o·em·bol·ism[ɛ̀erouémbəlìzəm] *n.* Ⓤ 〔病理〕 공기 색전증(塞栓症).

aer·o·en·gine[ɛ̀erouéndʒən] *n.* 항공(기용) 엔진.

aer·o·foil[ɛ́ərəfɔ̀il] *n.* 《영》 =AIRFOIL.

aer·o·gen·er·a·tor[ɛ̀ərədʒénərèitər] *n.* 풍력 발전기.

aer·o·gram(me)[ɛ́ərəgræ̀m] *n.* 《영》 **1** 무선 전보(radiogram); 항공 편지. **2** 기상 자기기(氣象自記器)의 기록.

aer·o·graph[ɛ́ərəgræ̀f, -grɑ̀ːf] *n.* 〔氣〕 (고층) 기상 자동 기록기; =《영》 AIRBRUSH.

aer·og·raph·er[ɛərɑ́grəfər/-rɔ́g-] *n.* 〔미海軍〕 항공 기상 관측병(兵).

aer·og·ra·phy[ɛərɑ́grəfi/-rɔ́g-] *n.* 기술(記述) 기상학; 대기지(大氣誌); =METEOROLOGY.

aer·o·hy·dro·plane[ɛ̀ərəháidrəplèin] *n.* 수상 비행기.

aer·o·lite, -lith[ɛ́ərəlàit], [-liθ] *n.* 석질(石質) 운석.

aer·ol·o·gy[ɛərɑ́lədʒi/-rɔ́l-] *n.* Ⓤ (고층) 기상학; =METEOROLOGY. **-gist** *n.*

aer·o·mag·net·ic[ɛ̀əroumægnétik] *a.* 공자기(空磁氣)의.

aer·o·ma·rine[ɛ̀əroumərí:n] *a.* 〔空〕 해양 비행의.

aer·o·me·chan·ic[ɛ̀əroumәkǽnik] *a.* 항공 역학의. — *n.* 항공 기사; 항공 역학자.

aer·o·me·chan·ics[ɛ̀əroumәkǽniks] *n. pl.* (단수 취급) 항공 역학.

aer·o·med·i·cine[ɛ̀ərəmédəsən] *n.* Ⓤ 항공 의학.

aer·o·me·te·or·o·graph[ɛ̀ərəmíːtiərəgræ̀f, -grɑ̀ːf, -mìːtiɔ́ːrə-, -ɑ́rə-] *n.* 〔氣〕 (고층) 자기(自記) 기상계.

aer·om·e·ter[ɛərɑ́mitər] *n.* 양기계(量氣計), 공기계(空氣計).

aer·om·e·try *n.* Ⓤ 기체 측정, 양기학.

aer·o·mod·el·ler[ɛ́əroutmɑ̀dlər/-mɔ̀d-] *n.* 《영》 항공 모형 제작자.

aer·o·mo·tor[ɛ́əroumòutər] *n.* 항공기용(경)발동기.

aeron. aeronautics.

aer·o·naut[ɛ́ərənɔ̀ːt] *n.* 기구〔비행선〕 조종자; 비행기의 조종사.

aer·o·nau·ti·cal, -tic[ɛ̀ərənɔ́ːtikəl], [-tik] *a.* 항공학의; 항공술의.

aeronáutical chárt 〔空〕 항공도.

aeronáutical engineéring 항공 공학.

aeronáutical station 〔空〕 지상 통신국.

aer·o·nau·tics[ɛ̀ərənɔ́ːtiks] *n. pl.* (단수 취급) 항공술; 항공학.

aer·o·neu·ro·sis[ɛ̀erounjuəróusis] *n.* Ⓤ 〔病理〕 항공 신경증.

ae·ron·o·my[ɛərɑ́nəmi/-rɔ́n-] *n.* Ⓤ 초고층 대기 물리학.

aer·o·o·tí·tis média[ɛ̀ərououtáitis-] 〔病理〕 항공 중이염(aviator's ear).

aer·o·pause[ɛ́ərəpɔ̀ːz] *n.* 대기 계면(大氣界面)《지상 약 20,000-23,000m의 공기층》.

aer·o·phobe[ɛ̀ərəfóub] *n.* 비행 공포증자.

aer·o·pho·bi·a[ɛ̀ərəfóubiə] *n.* Ⓤ 〔精醫〕 혐기증(嫌氣症).

aer·o·phone[ɛ́ərəfòun] *n.* 기명(氣鳴) 악기, 관악기, 취주 악기.

aer·o·pho·to[ɛ́ərоufòutou] *n.* (*pl.* **~s**) 항공 사진.

aer·o·pho·tog·ra·phy[-fətɑ́grəfi/-tɔ́g-] *n.* Ⓤ 항공 사진술.

aer·o·phyte[ɛ́ərəfàit] *n.* 〔植〕 기생(氣生)〔착생(着生)〕 식물.

****aer·o·plane**[ɛ́ərəplèin] *n.* 《영》 비행기(《미》 airplane) **by aeroplane** 비행기로. **take an aeroplane** 비행기를 타다.

aer·o·plank·ton[ɛ̀ərəplǽŋktən] *n.* Ⓤ 공중 부유 생물.

aer·o·pol·i·tics[ɛ̀ərəpɑ́litiks/-pɔ́i-] *n. pl.* (단수 취급) 국제 항공 정책.

aer·o·scope[ɛ́ərəskòup] *n.* 대기 오염물 수집(검사)기.

aer·o·sol[ɛ́ərəsɔ̀ːl, -sɑ̀l] *n.* Ⓤ 〔物·化〕 에어러졸, 연무질(煙霧質); 연무제; Ⓒ 분무기.

áerosol bòmb〔**contàiner**〕 (압축 가스를 이용한) 분무기.

áerosol càn 에어러졸 캔《방취제·살균 소독제·페인트 등을 분사하는 금속 용기》.

aer·o·space[ɛ́ərouspèis] *n.* Ⓤ 기권(氣圈)《대기권과 대기권 밖으로 형성된 부분》; 항공우주(공간); 항공 우주 산업; (항공) 우주 의학. — *a.* 항공 우주의; 항공 우주선(제조)의.

áerospace mèdicine 항공 (우주) 의학.

aer·o·sphere[ɛ́ərəsfìər] *n.* 〔空〕 (항공 가능한) 대기권.

aer·o·stat[ɛ́ərəstæ̀t] *n.* 경(輕)항공기《경기구·비행선 등》(*opp.* aerodyne).

aer·o·stat·ic, -i·cal[ɛ̀ərəstǽtik], [-əl] *a.* 기체 정역학(靜力學)의; 항공술의; 경항공기의.

aer·o·stat·ics[ɛ̀ərəstǽtiks] *n. pl.* (단수 취급) 기체 정역학(靜力學); 경항공기학.

aer·o·sta·tion[ɛ̀ərəstéiʃən] *n.* Ⓤ 경기구〔경항공기〕 조종법〔학〕.

aer·o·ther·a·peu·tics[ɛ̀erouθèrəpjúːtiks] *n. pl.* (단수 취급) 〔醫〕 대기〔공기〕 요법(학).

aer·o·ther·a·py[-θérəpi] *n.* =AEROTHERAPEUTICS.

aer·o·ther·mo·dy·nam·ics[ɛ̀erouθə̀ːrmoudainǽmiks] *n. pl.* (단수·복수 취급) 공기 열역학(熱力學).

aer·o·ti·tis[ɛ́ərətàitis] *n.* 〔病理〕 공기염(炎)《공기압(壓)의 변화에 의한 귀의 염증》.
aer·o·train[ɛ́ərətrèin] *n.* 에어러트레인《프로펠러 추진식 공기 부상(浮上) 고속 열차》.
aer·tex[ɛ́ərtèks] *n.* Ⓤ 에어텍스《셔츠·내의용의 성긴 직물; 상표명》.
aer·u·gi·nous[irú:dʒənəs, ai-] *a.* 녹청(綠青)의, 청록색의.
ae·ru·go[irú:gou, ai-] *n.* Ⓤ 녹, 《특히》 녹청.
ae·ry¹ [ɛ́əri, éiəri] *n.* (*pl.* **-ries**) =AERIE.
aer·y² [ɛ́əri, íəri] *a.* (**aer·i·er; -i·est**) 《詩》 공기의〔같은〕; 실체 없는, 공허한, 비현실적인; 하늘 높이 솟은.
Aes·chy·lus[éskələs/í:s-] *n.* 아이스킬로스《525-456 B.C.; 그리스의 비극 시인》.
Aes·cu·la·pi·an *a.* 의술(醫術)의 신 Aesculapius의; 의술의.
Aes·cu·la·pi·us[èskjəléipiəs/ì:s-] *n.* 〔로神〕 의약과 의술의 신; 의사(physician).
Ae·sir[éisiər, éiziər] *n. pl.* (the ~) 〔北歐神〕 아사신족(神族)《Asgard에 살았던 신들》.
⁑**Ae·sop**[í:səp, -sɑp/-sɔp] *n.* 이솝《619?-564 B.C.; 그리스의 우화(寓話) 작가》.
Ae·so·pi·an[i(:)sóupiən] *a.* 이솝(식)의; 이솝 이야기 같은; 우의(寓意)적인.
Áesop's Fábles (단수 취급) 이솝 우화〔이야기〕.
aesth. aesthetics.
aes·thete, es-[ésθi:t/í:s-] *n.* **1** 유미(唯美)주의자, 탐미(耽美)주의자. **2** 미적 감각이 있는 사람, 심미가(審美家); (자칭) 미술 애호가. **3** 《영大學》 연구〔공부〕에 열중하는 학생.
*__aes·thet·ic, es-__[esθétik/i:s-] *a.* **1** (특히 예술의) 미의; 심미적인; 미적 감각이 있는. **2** 미학의.
aes·thet·i·cal, es-[-ikəl/i:s-] *a.* =AESTHETIC. **~·ly** *ad.*
aesthétic dístance 심미적 거리.
aes·the·ti·cian, es-[èsθətíʃən/ì:s-] *n.* 미학자.
aes·thet·i·cism, es-[esθétəsìzəm/i:s-] *n.* Ⓤ 유미주의, 탐미주의; 예술 지상주의.
aes·thet·ics, es-[esθétiks/i:s-] *n. pl.* (단수 취급) 〔哲〕 미학; 〔心〕 미적 정서의 연구.
aes·tho·phys·i·ol·o·gy[èsθoufiziɑ́lədʒi/ì:sθoufiziɔ́l-] *n.* =ESTHESIOPHYSIOLOGY.
aes·ti·val[éstəvəl, estài-] *a.* 여름(철)의, 하계의.
aes·ti·vate[éstəvèit] *vi.* 여름을 지내다, 피서하다; 〔動〕 여름잠을 자다(*opp.* hibernate).
aes·ti·va·tion[-ʃən] *n.* Ⓤ 피서; 〔動〕 여름잠.
aet., aetat.[i:t, í:tæt] *aetatis*.
ae·ta·tis[i:téitis] [L=aged] *a.* (나이가 당년) … 살의 (at the age of) 《略 aet.[i:t], aetat.[í:tæt]》: aet. 12 열두살의.
ae·ther *n., vt.* =ETHER.
ae·the·ri·al *a.* =ETHERIAL.
ae·ti·o·log·ic *a.* =ETIOLOGIC.
ae·ti·ol·o·gy *n.* =ETIOLOGY.
A.E.U. 《영》 Amalgamated Engineering Union. **AEW** airborne early warning 〔空〕 공중 조기 경보(기).
af-[æf, əf] *pref.* =AD-《f 앞에서》: *af*firm, *af*flict.
AF, a.f., a-f 〔通信〕 audio frequency. **Af.** Africa(n). **A.F., AF** Admiral of the Fleet; Air Force; Allied Forces; Anglo-French; Army Form. **A.F.A.** Amateur Football Association. **A.F.A.M.** Ancient Free and Accepted Masons.

*__a·far__[əfɑ́:r] *ad.* 《文語》 멀리, 아득히(far). **afar off** 멀리 저쪽에, 멀리 떨어져. ── *n.* (다음 성구로) **from afar** 멀리서.
A.F.A.S. Associate of the Faculty of Architects and Surveyors. **AFB** 《미》 Air Force Base. **A.F.B.S.** American and Foreign Bible Society. **AFC** automatic flight control; automatic frequency control; 《미》 American Football Conference. **A.F.C.** Air Force Cross. **AFCS** 〔空〕 automatic flight control system. **A(F)DB** African Development Bank. **AFDC** 《미》 Aid to Families with Dependent Children; Agricultural and Fishery Development Corporation.
a·fear(e)d[əfíərd] *a.* 《古·方》 =AFRAID.
a·feb·rile[eifí:brəl, -féb-] *a.* 열 없는, 무열(성)의.
aff. affirmative; affirming.
af·fa·ble[ǽfəbəl] [L] *a.* **1** 상냥한, 붙임성 있는, 사근사근한(sociable). **2** 정중한(courteous). **-bly** *ad.*
af·fa·bil·i·ty[æ̀fəbíləti] *n.* Ⓤ 상냥함, 붙임성 있음, 사근사근함.
⁑**af·fair**[əfɛ́ər] [L] *n.* Ⓒ **1** 일, 용건; (*pl.*) 직무, 사무, (일상의) 업무, 할일, 용무; (보통 one's ~) 개인적인 문제〔관심사〕: family *~s* 집안일, 가사/private〔public〕 *~s* 사무(私務)〔공무〕/Attend to〔Mind〕 your own ~. 네 할 일이나 해라/the *~s* of state 나랏일, 국사. **2** (종종 고유명사와 함께) (세상을 떠들석하게 하는) 사건, 생긴 일(event), 추문, 스캔들: the Watergate 워터게이트 사건. **3** (*pl.*) 상황, 정세. **4** 전투; 사변. **5** (일시적인 불순한) 연애 사건, 정사(=love ~): an extramarital ~ 혼외 정사. **6** (보통 형용사와 함께) 《口》 (막연한) 일, 사정; 것, 물건(thing): a laborious ~ 힘드는 일/a cheap 싸구려/a badly made ~. 형편없이 만들어진 물건. **a man of affairs** 사무가, 실무가. **a pretty state of affairs** 곤경. **an affair of honor** 결투. **an affair of the heart** =AFFAIREDE COEUR. **as affairs**〔**things, matters**〕 **stand** 현상태로는, 현재로 봐서. **have an affair with** …와 관계〔정사〕를 가지다. **in the affair** 그 건(件)으로. **That's my**〔**your**〕 **affair!** 그것은 네가〔내가〕 알 바 아니다. **the state of affairs** 사태, 형세. **wind up** one's **affairs** 업무를 결말짓다, 가게를 걷어 치우다.
af·faire d'a·mour[əfɛ́ərdəmúər] [F] *n.* (*pl.* ***af·faires d'a·mour***) 연애 사건, 정사(=affair of love).
af·faire de cœur[əfɛ́ərdəkə́:r] [F] *n.* (*pl.* ***af·faires de coeur***) 연애 사건, 정사(=affair of heart).
af·faire d'hon·neur[əfɛ́ərdɑnə́:r] [F] *n.* (*pl.* ***af·faires d'hon·neur***) 결투(=affair of honor).
⁑**af·fect¹** [əfékt] [L] *vt.* **1** …에 영향을 미치다, 작용하다; 악영향을 미치다: be *~ed* by heat 더위를 먹다/The weather *~s* the growth of the plants. 날씨는 식물의 성장에 영향을 끼친다. **2** 〈병·고통이 사람·신체의 부분을〉 침범하다, 걸리다: 《Ⅲ (목)》 The cancer *~ed* her stomach. 그녀는 위암에 걸렸다(=Her stomach *was ~ed by* the cancer.《Ⅰ *be pp.*+전+명》)/《Ⅰ *be pp.*+전+명》 She *is ~ed with* tuberculosis 그녀는 결핵에 걸려 있다/She *is ~ed in* the lungs 그녀는 폐병을 앓고 있다. **3** 감동시키다, …에게 감명을

주다 : The music〔performance〕~*ed* me deeply. 그 음악은〔연기는〕 내게 깊은 감동을 주었다/*be* ~*ed by*〔*with*〕 compassion 측은한 생각이 들다/She *was* much ~*ed at* the news. 그녀는 그 소식을 듣고 크게 감동되었다. — [ǽfekt] *n.* 〔心〕 정서, 감동.
◇ afféction *n.*: afféctive *a.*

*__affect__[2] [əfékt] [L] *vt.* **1** …체하다, 가장하다, …인 양 꾸미다: He ~*s* a poet. 그는 시인인 체한다/~ ignorance 모르는 체하다/《Ⅲ *to be*+형》~ *to be* faithful 충실을 가장하다/《Ⅲ *to* do》She ~*ed* not *to* see me. 그녀는 나를 보고도 못 본 체했다. **2** …을 즐기다, 즐겨 …을 사용하다: She ~*s* loud dress. 그녀는 화려한 옷을 즐겨 입는다. **3** (동식물이) …에 즐겨 살다〔생기다〕: Birds ~ the woods. 새는 즐겨 숲에 산다. **4** 〈물건이 어떤 형태를〉 잘 취하다: Drops of fluid ~ a round figure. 액체의 방울은 둥근 형태를 잘 취한다.
◇ affectátion *n.*

af·fec·ta·tion [æ̀fektéiʃən] *n.* Ⓤ,Ⓒ **1** 가장, …체함. **2** 태, 허식, 겉꾸밈, 뽐냄, 으스댐. **make affectation of** …인 체하다. **without affectation** 체하지〔꾸미지〕 않고, 솔직히.

af·fect·ed[1] [əféktid] *a.* **1** 영향을 받은: (병 등에) 걸린, 침범된, (더위 등을) 먹은: the ~ part 환부/the ~ areas 피해지. **2** 감동된, 슬픔에 잠긴; 변질된. **3** (양태의 부사(구)와 함께)(어떤) 마음〔감정〕을 품고: How is he ~ toward(s) us? 그는 우리에 대해 어떤 생각을 하고 있는가/*well-*〔*ill-*〕~ *to*〔*toward*〕 … 에게 호의〔악의〕를 가진.

affected[2] *a.* …체하는, 짐짓 꾸민, 젠체하는; 부자연한: ~ airs 잘난 체하는 태도/~ laughter 거짓 웃음. **~·ly** *ad.* **~·ness** *n.*

af·fect·ing [əféktiŋ] *a.* 감동시키는, 감동적인; 가련한, 애처로운. **~·ly** *ad.*

af·fec·tion [əfékʃən] *n.* **1** Ⓤ 애정, 호의 (*for, toward*(*s*)); (*pl.*) 애착, 사모: the object of one's ~*s* 사랑하는 사람, 마음에 있는 사람. **2** Ⓤ 감동, 감정. **3** Ⓤ,Ⓒ 영향, 작용. **4** Ⓒ 병, 질환. **5** 기질, 성향. **set one's affection on** …에 애정을 품다. **~·less** *a.* 애정이 없는. ◇ afféct[1] *v.*: afféctionate *a.*

af·fec·tion·ate [əfékʃənit] *a.* **1** 애정이 깊은, 자애로운, 상냥한. **2** 〈말·편지 등〉 애정어린, 친애하는: Your ~ son〔brother, cousin, etc.〕 사랑하는〔친애하는〕 아들〔형, 사촌《등》〕 올림〔으로 부터〕《편지의 맺는 말》.
◇ afféction *n.*: afféctionately *ad.*

af·fec·tion·ate·ly *ad.* 애정을 다하여, 자애롭게. **Yours affectionately** =**Affectionately** (**yours**) 친애하는 …으로부터《친족간·여자 친구 사이에서 편지를 맺는 말》.

afféctionless chàracter 〔心〕 애정 상실 성격.

af·fec·tive [əféktiv, ǽfektiv] *a.* 감정의, 감정을 움직이는, 정서적인. **~·ly** *ad.*

afféctive lógic〔**réasoning**〕 〔心〕 감정 논리.

af·fec·tiv·i·ty [æ̀fektívəti] *n.* Ⓤ 정서성; 감정, 정서; 〔心〕 감정 상태.

af·fect·less [əféktlis, ǽfektlis] *a.* 감동 없는, 무정한, 냉혹한.

af·fen·pin·scher [ǽfənpìnʃər] [G] *n.* 아펜핀셔《독일 원산의 털이 복슬복슬한 애완견》.

af·fer·ent [ǽfərənt] 〔生理〕 *a.* 수입(輸入)〔도입(導入)〕성의 〈혈관〉; 구심성(求心性)의 〈신경〉 (*opp.* efferent). — *n.* 수입관(管), 구심성 신경.

af·fet·tu·o·so [əfètʃuóusou] [It] *ad.* 〔樂〕 감정을 담아.

af·fi·ance [əfáiəns] 《文語》 *n.* Ⓤ 서약; 약혼; 《古》 신뢰(faith)(*in*). — *vt.* 약혼시키다(⇨affianced).

af·fi·anced [əfáiənst] *a.* 《文語》 약혼한: one's ~ (husband〔wife〕) 약혼자/the ~ couple 약혼한 남녀. **be affianced to** …와 약혼하고 있다. **the affianced** (**couple**) 약혼 중인 두 사람.

af·fi·ant [əfáiənt] *n.* 〔미法〕 선서 진술인.

af·fi·da·vit [æ̀fədéivit] *n.* 〔法〕 선서서(宣誓書), 선서 진술서. **affidavit of support** 재정 보증서. **swear**〔《口》 **make, take**〕 **an affidavit** 〈증인이〉 진술서에 거짓이 없음을 선서하다. **take an affidavit** 〈판사가〉 진술서를 받다.

af·fil·i·ate [əfílièit] [L] *vt.* **1** (회원으로) 가입〔가맹〕시키다; (특별) 관계를 맺다; 지부〔분교(分校)〕로 삼다; 합병시키다. **2** 《稀》 양자로 삼다(*to*); 〔法〕 (법원·어머미가 사생아의) 아버지를 결정〔확인〕하다 (*to, on*). **3** …의 기원〔유래〕을 …에 구하다, …으로 돌리다(*to, on*): ~ Greek art *on*〔*upon, to*〕 Egypt 그리스 예술의 기원을 이집트에 있다고 하다. **affiliate oneself with**〔**to**〕 …에 가입하다.
— *vi.* **1** …에 관계〔가입, 가맹〕하다; 제휴하다(*with*). **2** 《미口》 교제하다, 친분을 맺다 (*with*). — [əfíliit, -èit] *n.* **1** 《미》 관계〔외곽〕 단체, 지부, 분회(branch); 계열〔자매〕 회사. **2** 가입자, 회원.

af·fil·i·at·ed [əfílièitid] *a.* (특별) 관계가 있는; 가입〔가맹〕한, 제휴하고 있는, 계열의, 지부의. **affiliated company** 방계〔계열〕 회사. **affiliated societies** 협회 지부. **affiliated unions** 가맹조합. one's **affiliated college** 출신 대학. **be affiliated with** …와 (특별) 관계가 있다; …와 사귀다; …에 가입하고 있다.

af·fil·i·a·tion [əfìliéiʃən] *n.* Ⓤ **1** 입회, 가입; 합병, 합동, 제휴: a university ~ letter 대학의 입학 승인 편지. **2** 양자 결연; 〔法〕 사생아의 인지(認知), 입적(入籍). **3** 사물의 기원의 인정. **4** (*pl.*) 《미》 (특히 정치적인) 교우 관계, 제휴: party ~s 당파 관계.

affiliátion òrder 〔영法〕 (치안 판사가 부친에게 내는) 비적출자 부양료 지불 명령.

affiliátion procèedings 〔法〕 부자(父子) 관계 인지〔결정〕 절차.

af·fined [əfáind] *a.* 인척 관계의; 밀접하게 결합된.

af·fin·i·tive [əfínətiv] *a.* 밀접한 관계가 있는.

*__af·fin·i·ty__ [əfínəti] *n.* (*pl.* **-ties**) **1** Ⓤ,Ⓒ (혈연 이외의) 인척 관계(*cf.* CONSANGUINITY) **2** (공통의 기원 등에서 오는) 밀접한 관계, 유사성〔점〕(*between, with*). **3** (보통 an ~)(…에 대한) 애호, 좋아함; 친근감, 공감, 호감(*for, to, between*). **4** 맞는 성질; 성미가 맞는 사람. **5** Ⓤ 〔生〕 유연(類緣); 〔化〕 친화력. **have an affinity for** …에 매력을 느끼다; …에 친화력을 가지다. ◇ affínitive, affíned *a.*

affínity (credit) càrd 《영》 은행이나 카드 회사가 자선 사업이나 공적인 활동에 협찬하여 발행하는 크레디트 카드.

affínity gròup 〔空〕 유연(類緣) 단체《여행 이외의 목적을 가진 단체: 운임 특별 할인의 대상이 됨》.

af·firm [əfə́ːrm] [L] *vt.* **1** 단언하다, 확언하다; 주장하다; 긍정하다: ~ one's loyalty 충성을 맹세하다/《Ⅱ *be pp.* (*to be*)+형》He *is* ~*ed* (*to be*) honest. 그는 정직하다고 단언되었다/《Ⅲ *that*(절)》He ~*ed that* the news was true. 그는 그 소식이 사실이라고 단언했다. **2** 〔法〕〈하급 법원의 판결을〉 확인하다, 지지하다; …에 관해서 무선서 증언을 하다: 《Ⅲ(목)》The appellate court ~*ed* the judgment of the lower court. 상소 법원은 하급 법원의 판결을 확인〔지지〕했다. ― *vi.* **1** 확언하다, 단언하다《*to*》. **2** 〔法〕〈증인 등이〉 무선서 증언을 하다; 하급심의 판결을 확인〔지지〕하다. **It may be safely affirmed that** … …이라고 해도 별 지장은 없겠지. ― *a., n.* 《미口》 긍정의〔긍정적인〕(대답). **~·er** *n.* 확언자, 증언자. ◇affirmátion *n.*; affírm·ative *a., n.*; affírmatory *a.*

af·firm·a·ble *a.* 확언〔긍정〕할 수 있는.

af·fir·mance *n.* Ⓤ 단언; 확인.

af·fir·mant *n.* 〔法〕 AFFIRM하는 사람.

***af·fir·ma·tion**[æ̀fərméiʃən] *n.* ⓊⒸ **1** 확언, 단언. **2** 〔論〕 긍정. **3** 〔法〕 확약, 무선서 증언.

****af·firm·a·tive**[əfə́:rmətiv] *a.* **1** 긍정의, 확언적인, 단정적인. **2** 〔法〕 확인의; 〔論〕 긍정적인; 〔數〕 정(正)의(*opp.* negative). ― *n.* **1** 〔論〕 긍정(문), 긍정적 명제. **2** 긍정어(구), 긍정적 표현. **3** (the ~) 동의자측(側), 찬성표. **answer in the affirmative** 긍정하다(say yes).

affírmative áction 《미》 차별 철폐 조처《소수 민족 차별 철폐·여성 고용 등을 추진 하는 계획》.

af·firm·a·tive·ly *ad.* **1** 긍정적으로. **2** 단언적으로.

affírmative séntence 〔文法〕 긍정문.

af·fir·ma·to·ry[əfə́:rmətɔ̀:ri] *a.* 단정적인, 긍정의(affirmative).

af·fix[əfíks] *vt.* **1** 첨부하다(fix), 〈우표 등을〉 붙이다(stick)《*to, on*》. **2** 〈서명 등을〉 써넣다, 〈도장을〉 찍다《*to*》. **3** 〈허물·책임 등을〉 지우다(attach): ~ blame *to* a person 죄를 …에게 씌우다. ― [ǽfiks] *n.* **1** 부착(물), 첨부(물). **2** 〔文法〕 접사(接辭)《접두사·접미사 등》.

af·fix·a·tion[æ̀fikséiʃən] *n.* Ⓤ 첨부, 부가, 덧붙임; 〔文法〕 접사 첨가.

af·fix·ture[əfíkstʃər] *n.* Ⓤ 부가, 첨부; Ⓒ 부가〔첨부〕물.

af·flat·ed[əfléitid] *a.* 영감을 받은, 신령에 감응한.

af·fla·tus[əfléitəs] *n.* Ⓤ (시인·예언자 등의) 영감(inspiration).

****af·flict**[əflíkt] [L] *vt.* (정신적·육체적으로) 괴롭히다(distress): ~ one*self* with illness 병으로 고생하다. **be afflicted at**〔**by**〕 …으로 고민〔괴로워〕하다. **be afflicted with** …에 시달리다, …으로 괴로움을 당하다, …을 앓다. ◇afflíction *n.*

af·flict·ed *a.* 괴로워하는, 고민하는. **the afflicted** 고통받는〔괴로워하는〕 사람들.

***af·flic·tion**[əflíkʃən] *n.* **1** Ⓤ (심신의) 고통, 괴로움(misery). **2** 고민거리, 불행의 원인《*to*》. ◇afflíct *v.*; afflítive *a.*

af·flic·tive[əflíktiv] *a.* 고통을 주는, 쓰라린.

af·flu·ence[ǽflu(:)əns, əflú:-] *n.* **1** Ⓤ 풍부, 풍요; 부유, 유복. **2** (an ~) 유입(流入), 쇄도《*of*》: *an* ~ *of* tourists 관광객의 쇄도. **live in affluence** 부유〔유복〕하게 살다. ◇ áffluent *a.*; áfflux *n.*

af·flu·ent[ǽflu(:)ənt, əflú:-] *a.* 풍부〔풍족〕한(abundant)《*in*》; 부유한; 거침 없이 흐르는: in ~ circumstances 유복하게. ― *n.* 지류(tributary). **~·ly** *ad.*

af·flu·en·tial *n.* (부로 인한) 영향력 있는 인사; 거물.

áffluent socíety (the ~) 풍요한 사회.

af·flu·en·za[æ̀flu:énzə] *n.* 부자병《막대한 상속 재산을 받은 여성의 병적 증상》.

af·flux[ǽflʌks] *n.* Ⓤ 유입(流入); (사람 등의) 쇄도; 〔病理〕 충혈: an ~ of blood to the brain 〔head〕 뇌충혈, 상기(上氣).

****af·ford**[əfɔ́:rd] [OE] *vt.* **1** (can, could, be able to와 함께; 목적어로 *to* do) (보통 부정문·의문문) …할 수 있다, …할 여유가 있다, …하여도 되다: 《Ⅲ *to* do》I cannot ~ *to* buy a car. 나는 자동차를 살 여유가 없다. **2** (can, could, be able to와 함께; 목적어로 명사)(보통 부정문·의문문) …을 살〔가질, 지불할〕 여유가 있다, …에 시간을 낼 수 있다: 《Ⅲ(목)》I can't ~ the time nor the money. 그럴 시간도 없고 돈도 없다/Can you ~ $100? 100 달러를 마련할 수 있겠니. **3** 《文語》 주다, 제공하다; (남에게) 가져오다《*to*》: 《Ⅲ(목)》Reading ~*s* pleasure. 독서는 즐거움을 준다/《Ⅳ 대+(목)》He ~*ed* me some assistance. 그는 나에게 다소의 원조를 제공했다(=He ~*ed* some assistance *to* me.《Ⅲ(목)+전+명》). **4** 《文語》 〈천연 자원 등을〉 공급하다, 산출하다(yield): 《Ⅲ(목)》Some trees ~ resin. 어떤 나무에서는 수지(樹脂)가 난다.

af·ford·a·ble[əfɔ́:rdəbəl] *a.* 줄 수 있는; 입수 가능한, 알맞은〈가격〉.

af·for·est[əfɔ́(:)rist, əfɑ́r-] *vt.* 〈토지를〉 삼림으로 만들다, 조림〔식림〕하다(*opp.* deforest).

af·fòr·es·tá·tion *n.* Ⓤ 조림(造林), 식림.

af·fran·chise[əfrǽntʃaiz] *vt.* 〈노예를〉 해방하다, 석방하다. **~·ment** *n.*

af·fray[əfréi] *n.* 《文語》 싸움, 소란; (공공 장소에서의) 난투; (작은 집단간의) 충돌.

af·freight[əfréit] *vt.* 〈배를〉 화물선으로서 용선(傭船)하다. **~·er** *n.* **~·ment** *n.*

af·fri·cate[ǽfrikit] *n.* 〔音聲〕 파열 마찰음, 파찰음.

af·fric·a·tive[əfríkətiv, ǽfrəkèi-] *n., a.* 〔音聲〕 파찰음(의).

af·fright[əfráit] 《古》 *n.* 공포(fright), 놀람; 위협. ― *vt.* 두려워하게〔놀라게〕 하다(frighten).

***af·front**[əfrʌ́nt] *vt.* **1** (면전에서) 모욕하다, 무례한 언동을 하다: 《Ⅰ *be*+부+*pp.*+{*that*(절)}》He *was* so ~*ed that* he left the meeting. 그는 심하게 모욕을 받고서 그 회의에서 탈퇴하였다. **2** 〈죽음·위험 등에〉 태연하게 맞서다: 《Ⅲ(목)+(부목)》He ~*ed* death a hundred times. 그는 일백 번이나 죽음에 태연하게 맞섰다. ― *n.* (면전에서의·공공연한·의도적인) 모욕, 무례한 언동. **put an affront upon**=**offer an affront to** …을 모욕하다. **suffer an affront** 모욕을 당하다《*at*》. **~·ed** *a.* 모욕을 당한, (모욕을 당하여) 분한: 《Ⅱ 형+전+-*ing*》He felt *affronted at* being refused admission to the conference. 그는 회의 입장을 거절당한 데 대하여 모욕감을 느꼈다.

af·fron·tive[əfrʌ́ntiv] *a.* 《古》 모욕적인.

afft. affidavit.

af·fu·sion[əfjú:ʒən] *n.* Ⓤ 〔基督教〕 (세례의) 관수식(灌水式); 〔醫〕 관주(灌注)(요법).

Afg., Afgh. Afghanistan.

Af·ghan[ǽfgən, -gæn] *a.* 아프가니스탄(말, 사람)의. ― *n.* **1** 아프가니스탄 사람; Ⓤ

아프가니스탄 말. **2** (**a-**) 모포〔숄〕의 일종.

Áfghan hóund 아프간 개《발이 빠른 사냥개》.

af·ghan·i[æfgǽni, -gɑ́:ni] *n.* 아프가니《아프가니스탄의 화폐 단위: =100 puls: 기호 Af》.

Af·ghan·i·stan[æfgǽnəstæ̀n] *n.* 아프가니스탄《서아시아의 공화국: 수도 Kabul》.

Af·ghan·i·stan·ism[æfgǽnəstænìzəm] *n.* (신문 기자 등이) 가까운 문제를 등한시하고 먼 나라의 문제에 역점을 두는 일.

a·fi·cio·na·da[əfìʃiənɑ́:də][Sp] *n.* (*pl.* **-das**) 열광자《여성》; 여자 aficionado.

a·fi·cio·na·do[əfìʃiənɑ́:dou][Sp] *n.* (*pl.* **~s** [-z]) 열렬한 애호가,《특히》 투우 팬.

a·field[əfí:ld] *ad., a.* **1** 〈농부가〉 들에,〈군대가〉 싸움터에. **2** 집〔고향〕에서 멀리 떨어져; 정상을 벗어나. **far afield** 멀리 떨어져.

AFIPS American Federation of Information Processing Societies.

a·fire[əfáiər] *ad., a.* **1** 불타(on fire):《Ⅱ [형]》 The building is ~. 그 빌딩이 불타고 있다. **2** 격하여. **set afire** 불지르다; 격정을 불러 일으키다; (정신적으로) 자극하다. **with heart afire** 가슴〔마음〕이 불타 (올라).

AFKN American Forces Korea Network 주한 미군 방송망. **AFL** American Federation of Labor(⇨AFL-CIO); American Football League.

a·flame[əfléim] *ad., a.* **1** 불타 올라(in flames). **2** (얼굴이) 화끈 달아서; 새빨갛게 빛나서, 홍조를 띠고:《Ⅱ [형]+[전]+[명]》Autumn woods are ~ with color. 가을의 숲은 불타는 듯한 색깔이다. **3** (호기심·열의 등에) 불타서《*with*》. **set aflame** (1) 타오르게 하다. (2)〈피를〉 끓게 하다.

af·la·tox·in[æ̀flətɑ́ksin/-tɔ́ks-] *n.* [U] 〔生化〕 아플라톡신《곰팡이가 내는 발암성 독소》.

AFL-CIO American Federation of Labor and Congress of Industrial Organizations 미국 노동 총연맹 산업별 회의.

*__a·float__[əflóut] *ad., a.* **1** 〈물위·공중에〉 떠서(floating about):《Ⅱ [형]》 Scores of ships are ~. 수 십 척의 배가 떠 있다. **2** 해상에(at sea); 선상〔함상〕에: the largest tanker ~ 세계 가장 큰 유조선. **3** 〈갑판·전답 등이〉 침수하여. **4** 빚지지 않고, 파산하지 않고; 크게 활약하여. **5** 〔商〕〈어음이〉 유통하여. **6** 〈소문이〉 퍼져서. **cargo afloat** 〔商〕 해상에 있는 하물. **keep afloat** 가라앉지〔빚지지〕 않게 하다〔않고 있다〕. **life afloat** 해상 생활. **service afloat** 해상〔함상〕 근무. **set afloat** …을 뜨게 하다; 유포시키다,〈소문〉을 퍼뜨리다. ⊕ float *v., n.*

a·flut·ter[əflʌ́tər] *ad., a.* 〈날개·기 등이〉 펄럭이고; 흥분하여, 안절부절못하여.

A.F.M., AFM ⓔ Air Force Medal; American Federation of Musicians. **AFN** American Forces Network; Armed Forces Network 미군 방송망. **AFNOR** *Association Francaise de Normalisation*《F=Standards Organization of France》 프랑스 규격 협회.

A.F.O. Admiralty Fleet Order.

à fond[ɑ:-fɔ́ŋ] [F] *ad.* 충분히, 철저하게.

*__a·foot__[əfút] *ad., a.* **1** 《古》 걸어서(on foot). **2** 일어나서, 움직여; 병상을 떠나; 〈일이〉 발생하여, 진행 중에; 계획 중에. **set afoot** 〈계획을〉 세우다, 〈일을〉 시작하다.

a·fore[əfɔ́:r] *ad., prep., conj.* 《古·方》〔海〕 = BEFORE. **afore the mast** ⇨mast[1]

a·fore·men·tioned[əfɔ́:rmènʃənd] *a.* 《文語》 앞서 말한, 전술(前述)한. — *n.* [U] (the ~; 집합적) 전술한 사항.

a·fore·said[-sèd] *a., n.* =AFOREMENTIONED.

a·fore·thought[-θɔ̀:t] *a.* (보통 명사 뒤) 미리〔사전에〕 생각한, 계획적인, 고의의: with malice ~ 〔法〕 살의를 품고. — *n.* [U,C] 사전 숙고.

a·fore·time[-tàim] 《古》 *ad.* 앞서, 미리(previously), 이전에. — *a.* 이전의, 사전의.

a for·ti·o·ri[ei-fɔ̀:rʃiɔ́:rai] [L] *ad.* 한층 유력한 이유로, 더욱 더(all the more). — *a.* 〈증거 등〉 더욱 유력한〔확실한〕 이유가 되는.

a·foul[əfául] *ad., a.* 《미》 엉클어져서; 충돌하여. **run**〔**fall**〕 **afoul of** (1) …와 옥신각신하다, 충돌하다. (2) 〈법률·규칙 등〉에 저촉되다.

AFP *Agence France-Presse* 프랑스 통신사.

Afr. Africa(n). **A.-Fr.** Anglo-French.

★**a·fraid**[əfréid] [ME] *a.* **1** 두려워하여, 무서워하여(*of*):《Ⅱ [형]+[전]+[명]》 He is ~ *of* nothing. 그는 아무 것도 두려워하지 않는다/《Ⅴ (목)+[형]+*to do*》 Something within us makes us ~ *to* do it. 우리 마음 속에 있는 무엇인가가 그것을 하는 데 우리를 두렵게 한다. **2** 걱정〔염려〕하여, 근심하여(*of*):《Ⅱ [형]+[전]+[명]》 You need not be ~ *of* being late. 늦을까봐〔늦더라도〕 걱정할 필요없다/《Ⅱ [형]+*lest*(절)》 I am ~ *lest* he should die. 그가 죽지나 않을까 걱정이다/《Ⅱ [형]+*that*(절)》 I was ~ *that* I might be late. 나는 내가 늦지 않을까 염려되었다/I was ~ *that* you will be late. 나는 네가 늦을 것 같아 염려되었다. **3** (I'm ~, I am ~로, 말씨를 부드럽게 하는 데 쓰여서) 유감으로 생각하다, (유감이지만) …이라고 생각하다《흔히 that을 생략한 명사절을 수반》: I'm ~ (=I'm sorry) I cannot help you. (미안하지만) 도와 줄 수가 없습니다/I'm ~ it's going to rain. 비가 올 것 같다《이 용법에서는 보통 *that*이 생략됨》/Is this your writing? — I am ~ it is. 이것이 당신이 쓴 것입니까? — 그런 것 같습니다/Is it true? — I'm ~ not. 사실인가 — 그렇지 않을 것이다. 《◇ I hope와 I am afraid — 자신의 발언에 「…이라고 생각한다」라고 가볍게 부가하는 경우, 좋은 일에는 I hope를, 나쁜 일에는 I am afraid를 씀》. **4** 《口》 싫어하여(*of*): He's ~ *of* hard exercise. 그는 맹연습을 싫어한다/《Ⅱ [부]+[형]+*to* do》 He's (very) much ~ *to* pay taxes. 그는 세금을 내는 것을 몹시 싫어한다.《◇ afraid의 1, 2, 3을 강조하는 부사로서 much는 낡은 표현이며, very를 씀. 특히 구어에서는 very를 씀; 4를 강조할 때에는 (very) much를 씀》.

A-frame[éifrèim] *a.* A(자)형의. — *n.* **1** 〔建〕 A형 틀《무거운 물건·호이스트·샤프트·파이프 등을 받치는 데 씀》. **2** 《미軍俗》 지게.

af·reet, af·rit(e)[ǽfri:t, əfrí:t] *n.* (아라비아 신화의) 악마.

*__a·fresh__[əfréʃ] *ad.* 새로이, 다시(again): start ~ 다시 시작하다. ⊕ fresh *a.*

Af·ric [ǽfrik] *a.* 《古·詩》 =AFRICAN.

★**Af·ri·ca**[ǽfrikə] *n.* 아프리카(대륙).

⁑**Af·ri·can**[ǽfrikən] *a.* 아프리카의; 아프리카 사람〔흑인〕의. — *n.* 아프리카 사람; 아프리카 흑인(Negro). **~·ism** *n.* [U] 아프리카 사투리; 아프리카적 특색; 아프리카 민족주의. ⊕ Africa *n.*; Africanize *v.*

Af·ri·ca·na[æ̀frikɑ́:nə, -kǽnə, -kéinə] *n. pl.* 아프리카에 관한 문헌, 아프리카지(誌).

Áfrican bláck 《미俗》 아프리카산 마리화나의 한 등급.

Af·ri·can·der, -kan-[æ̀frikǽndər] *n.* **1** = AFRIKANER. **2** 남아프리카산의 육우(肉牛).

Áfrican dóminoes 《미俗》 주사위 (노름).
Af·ri·can·ist[ǽfrikənist] *n.* 아프리카 언어 연구자; 아프리카 민족 해방주의자; 범아프리카주의자.
Af·ri·can·ize[ǽfrikənàiz] *vt.* 아프리카화하다; 아프리카 흑인의 세력 하에 두다.
Áf·ri·ca·ni·zá·tion[-nizéiʃən] *n.*
Áfrican mahógany 〔植〕 아프리카마호가니.
Áfrican tóothache 《俗》 성병.
Áfrican víolet 〔植〕 아프리카 바이올렛 《탕가니카 고지 원산》.
Af·ri·kaans[æ̀frikɑ́:ns, -z] *n.* Ⓤ (남아프리카의) 공용 네덜란드 말(略: Afrik.).
Afrikander *n.* =AFRICANDER.
Af·ri·ka·ner[æ̀frikɑ́:nər, -kǽn-] *n.* 남아프리카 태생의 백인(특히 네덜란드계)(*cf.* BOER).
~·dom[-dəm] *n.* (남아프리카 태생의) 백인의 세력〔사회〕; 아프리카너 민족주의.
Af·ro[ǽfrou] *n.* (*pl.* **~s**) 아프로 머리(흑인의 헤어 스타일); 아프리카 흑인. **—** *a.* 〈머리가〉 아프로형의. **Af·roed**[-d] *a.* 아프로로 머리 모양을 한.
Af·ro-[ǽfrou] 《연결형》 「아프리카」의 뜻.
Af·ro-A·mer·i·can[æ̀frouəmérikən] *n., a.* (아프리카계) 미국 흑인(의).
Af·ro-A·sian[æ̀frouéiʒən, -ʃən] *a.* 아시아·아프리카의.
Af·ro-A·si·at·ic[æ̀frouèiʒiǽtik, -ʃiǽt-] *n.* Ⓤ, *a.* 〔言〕 아시아·아프리카어족(의).
Af·ro-beat[ǽfroubì:t] *n.* 애프로비트(하이라이프(highlife)·칼립소·아메리카 재즈의 요소를 갖춘 팝 음악).
Af·ro-Cu·ban[ǽfroukjú:bən] *n.* 아프리카계(系) 쿠바 사람의〔문화의〕.
Af·ro-pop[ǽfroupɑ̀p/-pɔ̀p] *n.* (전자 악기로 연주하는) 아프리카 팝 음악.
af·ror·mo·si·a[æ̀frɔ:rmóuziə, -ʒə] *n.* 아프로모지아(아프리카산의 가구 장식재).
Af·ro-Sax·on[æ̀frousǽksən] *n., a.* 《경멸》 (서인도 제도에서) 백인 체제에 속하는 흑인(의).
AFRTS Armed Forces Radio and Television Service. **AFS** American Field Service (미국의 국제 장학 재단(에 의한 고교생 유학 제도)). **AFSC** American Friends Service Committee. 미국 프렌드 교도 봉사위원회; Armed Forces Staff College 〔軍〕 참모 대학.
aft[1] [æft, ɑ:ft] 〔海·空〕 *ad.* 고물(쪽)에, 기미(機尾)에. **fore and aft** 이물에서 고물까지; (선내를) 세로로. **right aft** (배의) 바로 뒤에; 선미〔기미〕 가까이에. **—** *a.* 고물(쪽)에 있는, 후미〔기미〕의.
aft[2] *ad.* 스코 =OFT.
AFT, A.F.T. American Federation of Teachers 미국 교원 연맹. **AFTA** ASEAN Free Trade Area 아세안 자유 무역 지역.
★**af·ter**[ǽftər, ɑ́:f-] *ad.* **1** (순서) 뒤에: go ~ 뒤에 가다/follow ~. 뒤따르다, 뒤따라가다. **2** (시간) 뒤에, 나중에: I arrived ~ 3 days and Jane arrived 2 days ~. 나는 (어떤 사건이 있은지) 삼일 뒤에 도착했고, 제인은 (그로부터) 이틀 후에 도착했다(◇ 첫 after는 전치사; 뒤의 after는 부사)/the day〔week, year〕 ~ 그 다음 날〔주, 해〕/long〔soon〕 ~ 훨씬〔바로〕 뒤에/for months ~. 그 뒤에 여러 달 동안. **yearn after** …을 그리워〔사모〕하다.
— *prep.* **1** (순서·장소) **a** …의 뒤에: Come ~ me. 나를 따라오시오(격식을 차린 Come with me.가 보통)/A- you, please 〔sir, madam〕. 먼저 하세요〔타세요, 가세요 등〕/Put the object ~ the verb. 동사 뒤에 목적어를 두어라. **b** (앞 뒤에 같은 명사를 써서 계속·반복을 나타내어) …에 계속하여, 차례로 …도(명사는 보통 관사 없이): read page ~ page 여러 페이지를 계속 읽다. **c** …다음에, …다음 가는: the greatest poet ~ Shakespeare 셰익스피어 다음 가는 대시인(「셰익스피어 이후의 대시인」이라고도 해석됨).
2 (시간) **a** …의 후에, …이 끝나고 나서, …지나서: ~ dinner 저녁식사 후에/~ dark 해가 진 뒤에/~ school 방과 후에/a month 한 달이 지나서/the day ~ tomorrow 모레. **b** (앞뒤에 같은 명사를 써서 계속·반복을 나타내어) …에 계속하여, …도, …씩이나 (명사는 보통 관사 없이): hour ~ hour 몇 시간씩이나/day ~ day 다음날도 그 다음날도, 매일 **c** 《미》 (…시) …분(《영》 past): seven minutes ~ five 5시 7분.
3 (인과 관계) …했으니, …고로, …에 비추어: A- all he has been through, he deserves a rest. 그는 무척 고생을 했으니까 당연히 쉬어야 한다/A- what you have said, I shall be careful. 말씀을 해주셨으니 앞으로 조심하겠습니다.
4 (목적·추구) …의 뒤를 따라〔쫓아〕, …을 찾아, …을 추구하여: The police are ~ the murderer. 경찰은 살인범을 쫓고 있다/What is he ~? 그는 무엇을 노리고〔찾고〕 있는가/Run ~ him and catch him! 그를 쫓아가서 붙잡아라.
5 (모방) …에 따라서, …을 본받아, …을 따서, …식의: a picture ~ Rembrandt 렘브란트풍(風)의 그림/He was named George ~ his grandfather. 그는 할아버지의 이름을 따서 조오지라고 이름지어졌다.
6 (관련) …에 관하여〔대하여〕: inquire〔ask〕 ~ a friend 친구의 안부를 묻다/look〔see〕 ~ the children 아이들을 감독하다〔돌보다〕.
7 (all과 함께) …에도 불구하고, (그토록) …했는데도: A- all my advice, you took that measure. 그렇게 충고를 했는데도 그 따위로 했구나.
after a fashion 그럭저럭, 어느 정도, 얼마간; 어떤 의미에서는. **after all** (1) (문장 머리에 써서) 아무튼, 하지만, 어쨌든. (2) (문장 끝에 써서) 역시, 결국. **after hours** 몇 시간 후에, 근무를 마치고 나서. **After you, please**〔**sir, madam**〕! 먼저 하세요〔타세요, 가세요 등〕. **after you with** …먼저 하십시오. **be after** …을 추구하다, …을 찾다. **be eager after** …을 열망하다. **be named after** …의 이름을 따서 명명하다. **day after day** 매일. **look after** ⇨look. **one after another** ⇨one *pron.* **one after the other** ⇨one *pron.* **run after** ⇨run. **see after** ⇨see. **seek**〔**search**〕 **after** …을 찾다. **time after time** ⇨time.
— *conj.* (…한) 뒤〔다음〕에, …하고 나서, 나중에: I arrive ~ she (had) left. 나는 그녀가 가버린 뒤에 도착했다/*A*- she comes, I shall start. 그녀가 온 뒤에 떠날 예정이다(접속사 after는 때의 전후관계가 분명히 나타나므로 그것이 인도하는 절에서 완료형을 쓸 필요는 없으나, 종종 쓰여지기도 한다). **after all is said (and done)** 역시, 결국(=after all).
— *a.* **1** (시간적·공간적으로) 뒤의, 나중의, 후방의: ~ ages 후세(에)/(in) ~ year 후년(에). **2** 〔海〕 선미〔후부, 고물〕의〔에 가까운〕: ~ cabins 후부 선실. **—** *n.* **1** 미래, 그후: all the before and ~ of Romanticism 낭만주의의

전후. **2** (*pl.*) =AFTERS. **3** 《口》 오후(afternoon).
after-[ǽftər] 《연결형》「뒤에, 후에」의 뜻: *after*body, *after*shave.
af·ter·ages[ǽftərèidʒiz, ɑ́:f-] *n. pl.* 후세.
af·ter·birth[ǽftərbə̀:rθ, ɑ́:f-] *n.* (보통 the ~) 〔醫〕 후산(後産), 태(胎), 포의(胞衣).
af·ter·bod·y[-bɑ̀di/-bɔ̀di] *n.* (*pl.* **-bod·ies**) (배·항공기·유도 미사일 등의) 후부 선체〔기체, 동체〕.
af·ter·brain[-brèin] *n.* 〔解〕 후뇌(後腦).
af·ter·burn·er[-bə̀:rnər] *n.* 애프터버너 《제트 엔진의 재연소(再燃燒) 장치》.
af·ter·burn·ing[-bə̀:rniŋ] *n.* (제트 엔진의) 재연소(법).
af·ter·care[-kɛ̀ər] *n.* Ⓤ **1** 병후〔산후〕의 몸조리. **2** 보도, 갱생 지도.
af·ter·clap[-klæ̀p] *n.* 후탈, 도짐; 뜻밖의 결과〔타격〕.
áfter còst 〔會計〕 사후(事後) 비용.
af·ter·crop[-krɑ̀p/-krɔ̀p] *n.* 이모작, 그루갈이.
af·ter·damp[-dæ̀mp] *n.* Ⓤ 폭발 후 갱내에 남은 유독 가스.
af·ter·dark[-dɑ́:rk] *a.* 해진 뒤의, 밤의.
af·terdeck[-dèk] *n.* 〔海〕 후갑판.
af·ter-din·ner[-dínər] *a.* 정찬 후의: an ~ speech 식후의 연설.
af·ter·ef·fect[-ifèkt] *n.* (종종 *pl.*) **1** 여파; 잔존 효과; (사고의) 후유증《*of*》. **2** (약 등의) 후작용《*of*》.
af·ter·glow[-glòu] *n.* (보통 *sing.*) **1** 저녁놀. **2** (성공 후의) 즐거운 쾌감〔회상〕, 여운. **3** 〔氣〕 잔광(殘光).
af·ter·grass[-græ̀s, -grɑ̀:s] *n.* 두번째 나는 풀, 재생초(再生草).
af·ter·growth[-gròuθ] *n.* (곡물·나무 등) 두번째로 나는 것; 2차 성장; (바람직하지 않은 것의) 2차적 발생.
af·ter·guard [-gɑ̀:rd] *n.* 《海俗》 요트 소유주와 승객들; 후갑판원.
af·ter·heat [-hì:t] *n.* Ⓤ 〔核物理〕 (원자로의 잔류 방사능에서 발하는) 여열(餘熱).
af·ter-hours[-áuərz] *a.* 근무〔영업〕 시간 후의.
af·ter·im·age[-ìmidʒ] *n.* 〔心〕 잔상(殘像).
af·ter·life[-làif] *n.* (*pl.* **-lives**[-làivz]) **1** (보통 *sing.*) 내세, 사후의 생활, 후세. **2** 여생, 만년.
af·ter·light[-làit] *n.* Ⓤ 저녁놀, 잔광(殘光); 뒤늦은 생각〔꾀〕; 회고, 회상.
af·ter·mar·ket[-mɑ̀:rkit] *n.* 부품시장, 서비스 용품 시장.
af·ter·math[-mæ̀θ] *n.* (보통 *sing.*) **1** 그루갈이, 두번째 베는 풀. **2** (전쟁·재해 등의) 여파, 영향; (전쟁 등의) 직후의 시기《*of*》.
af·ter·most[ǽftərmòust, ɑ́:f-/ɑ́:ftərməst] *a.* 〔海〕 최후부(最後部)의; 맨뒤의(*opp.* foremost).
★**af·ter·noon**[æ̀ftərnú:n, ɑ̀:f-] *n.* **1** 오후《정오에서 일몰까지》: this〔tomorrow, yesterday〕 ~ 오늘〔내일, 어제〕 오후/in〔during〕 the ~ 오후에/on Saturday ~ 토요일 오후에/on the ~ of the 3rd. 3일 오후에《◇ 특정한 날의 오후를 나타낼 경우는 보통 on을 씀》. **2** (the ~) 《文語》 후반, 후기《*of*》: the ~ of life 만년, 늘그막/one's pensioned ~ 연금 생활의 만년. **good afternoon.** (오후의 인사) 안녕하십니까《내림조》; 안녕(히 가〔계〕십시오) 《올림조》. ── *a.* 오후의〔에 쓰는, 에 하는〕: an ~ farmer 게으름쟁이/an ~ lady 분꽃/an ~ sleep 낮잠.
áfternoon dríve 《미放送俗》 (자동차 통근자가 라디오를 들으며 귀가하는) 저녁 러시아워.
af·ter·noon·er[æ̀ftərnú:nər] *n.* 《미》 석간 (신문)(=AFTERNOON PAPER).
áfternoon páper 석간 (신문)《evening paper보다 먼저 나옴》.
af·ter·noons[æ̀ftərnú:nz, ɑ̀:f-] *ad.* 《미口》 오후에는 흔히〔언제나〕(*cf.* EVENINGS, MORNINGS, NIGHTS).
af·ter·pain[ǽftərpèin, ɑ́:f-] *n.* 〔醫〕 **1** Ⓤ 후통(後痛). **2** (*pl.*) 산후 복통, 훗배앓이.
af·ter·piece[-pì:s] *n.* (본 연극 뒤에 하는) 익살맞은 촌극(寸劇).
af·ters[ǽftərz, ɑ́:f-] *n. pl.* 《영口》 디저트 (dessert).
áf·ter-sáles sèrvice 《영》 애프터 서비스.
af·ter·sen·sa·tion[-sensèiʃən] *n.* 〔心〕 잔류 감각《자극이 없어져도 남아 있는 감각》.
af·ter·shave[-ʃèiv] *n.* 면도 후의 로션. ── *a.* 면도 후의, 면도후 용(用)의.
áf·ter·shòck *n.* 여진(餘震); 여파.
áf·ter-skì *a., n.* =APRÈS-SKI.
af·ter·taste[-tèist] *n.* Ⓤ,Ⓒ **1** 뒷맛. **2** (어떤 체험 후의 불쾌한) 뒷맛, 여운(餘韻)《*of*》.
af·ter·tax[-tæ̀ks] *a.* (소득)세를 공제한: an ~ income 세금을 뺀 순수입.
af·ter·thought[-θɔ̀:t] *n.* **1** 뒷궁리, 뒤늦은 꾀〔생각〕, 결과론. **2** 보족(補足), 추가; 〔文法〕(일단 완결한 진술 뒤의) 추가 표현.
af·ter·time[-tàim] *n.* Ⓤ 앞날, 장래, 미래.
af·ter·war[-wɔ̀:r] *a.* =POSTWAR.
★**af·ter·ward**[-wərd] *ad.* 후에, 나중에(later); 그 후에. 《◇ 《영》에서는 afterwards를 씀》. ── *n.* 내세, 저승.
⁑**af·ter·wards**[-wərdz] *ad., n.* =AFTERWARD.
af·ter·wit[-wìt] *n.* Ⓤ,Ⓒ 뒤늦은 지혜.
af·ter·word[-wə̀:rd] *n.* (특히 저자 아닌 사람이 쓴) 발문(跋文), 후기.
af·ter·world[-wə̀:rld] *n.* 후세; 내세.
af·ter·years[-jìərz] *n. pl.* 그 후의 세월, 후년; 만년(晩年).
af·to[ǽftou, ɑ́:f-] *n.* 《오스俗》 =AFTERNOON.
AFTRA 〔라디오·TV〕 American Federation of Television and Radio Artists. **Ag** 〔化〕 *argentum*(L =silver). **ag.** agriculture. **Ag.** August. **A.G.** Adjutant General; Attorney General.
ag- *pref.* =AD-《g 앞에서의 변형》: *ag*gression.
a·g(h)a[ɑ́:gə] *n.* (터키 제국의) 고관, 사령관.
A·ga·da[əgɑ́:də, əgɔ́:-] *n.* =HAGGADA(H).
★**a·gain**[əgén, əgéin] *ad.* **1** 다시, 또, 다시〔또〕 한 번: once ~ 한 번 더/Try ~ 다시 해봐. **2** 그 만큼 더, 다시 …만큼〔…배〕: *as* large〔many, much, old〕 ~ (*as* …) (…의) 2배의 크기〔수, 양, 나이〕로/half *as* large〔many, much, old〕 ~ (*as* …) (…의) 1배 반의 크기〔수, 양, 나이〕로. **3** 원위치〔원상태〕로: come〔go〕 back ~ 돌아가다, 귀가하다/get well ~ 건강을 회복하다/come to life ~ 소생하다. **4** 《稀》 응하여, 대답하여, 〈소리가〉 반향하여: answer a person ~ …에게 말대꾸하다: She shouted till the valley rang ~. 그녀는 골짜기가 메아리치도록 소리쳤다. **5** 게다가 또(besides): *Again* there is another matter to consider. 게다가 또 생각해야 할 일이 하나 더 있다. **6** (보통 and, and then, but then 뒤에서) 또 한편, 반면에 (on the other hand): It might rain, and ~ it might not. 어쩌면 비가 올지도 모르고 또 한

편 어쩌면 안올지도 모른다. **again and again=time and (time) again** 몇 번이고, 되풀이하여. **as large〔many, much, old〕 again (as ...)**⇨*ad.* 2. **back again** 본 자리로, 원래대로. **be oneself again** (병이 나아서) 원래대로 되다; 의식을 회복하다. **half as large〔many, much, old〕 again (as ...)** ⇨*ad.* 2. **never again** 두 번 다시 …안하다. **once again** 다시 한번. **once and again** 다시 되풀이하여, 새로. **to and again** 여기저기, 왔다갔다.

★**a·gainst**[əgénst, əgéinst] *prep.* **1 a** …에 반대하여, 반항하여(*opp.* for, in favor of; *cf.* WITH): We are ~ the war. 우리는 그 전쟁에 반대한다. **b** …에 거슬러서; …에 거역하여, …에 반하여: We were rowing ~ the current. 우리는 흐름을 거슬러 저어가고 있었다. **c** …에 불리하게〔하여〕: There is nothing ~ her. 그녀에게 불리한 것은 아무것도 없다. **2 a** …을 배경으로 하여: ~ the morning sky 아침 하늘을 배경으로 하여. **b** …와 대조하여: set A over ~ B. A를 B와 대조하다. **3** …에 기대어서, …에 의지하여, …에 대고: lean ~ the door 문에 기대어/stand an umbrella ~ the door 우산을 문간에 기대어 세우다. **4** …에 대비하여: Passengers are warned ~ pickpockets. 《게시》 (승객 여러분) 소매치기에 조심하십시오. **5** …에 부딪쳐서: dash ~ the post 기둥에 부딪치다. **6** 〔商〕 …와 교환으로: Please deliver this package ~ payment of cost. 대금을 받고 이 하물을 내어 주십시오. **against time〔the clock〕**⇨time. **as against** …와 비교하여: reason *as against* emotion 감정과 대비한 이성, 이성 대 감정. **close against** …에 접하여. **over against** ⇨over *ad.* **run against** ⇨run[1] *v.*
— *conj.* 《古·方》 …까지는, …때에 대비하여.

a·ga·ma[ǽgəmə] *n.* 〔動〕 아가마 도마뱀《아프리카·인도산》.

Ag·a·mem·non[æ̀gəmémnɑn, -nən] *n.* 〔그神〕 아가멤논《트로이 전쟁 당시 그리스군 총지휘관》.

a·gam·ic[əgǽmik] *a.* 〔生〕 단위(單爲) 생식의, 무성(無性)의; 〔植〕 은화(隱花)의.

a·gam·o·gen·e·sis[æ̀gəmoudʒénəsis, èigæmə-] *n.* Ⓤ 〔生〕 단위 생식(單爲生殖); 무성 생식.

a·gam·o·sper·my[ǽgəmouspə̀ːrmi, eigǽmə-] *n.* 〔植〕 (성결합 부전으로 인한) 단성 생식.

ag·a·mous[ǽgəməs] *a.* 〔生〕 =AGAMIC.

ag·a·my[ǽgəmi] *n.* **1** Ⓤ (어느 집단에서) 결혼이 없음〔인정되지 않음〕. **2** 〔生〕 =AGAMOGENESIS.

ag·a·pan·thus[æ̀gəpǽnθəs] *n.* 〔植〕 아가판서스, 자주군자란.

a·gape[1][əgéip, əgǽp] *ad., a.* 입을 딱 벌리고 (open-mouthed); 멍하니; 아연하여.

a·ga·pe[2][ɑːgɑ́ːpei, ɑ́ːgəpèi, ǽgə-] [Gk] *n.* 〔基督教〕 사랑, 아가페《인간에 대한 신의 사랑》; 애찬(愛餐)《초기 기독교도의 회식》.

Ag·a·pem·o·ne[æ̀gəpéməni, -píːm-] *n.* (the ~) 사랑의 집《19세기 중엽 영국의 자유 연애주의자 집단》; (때로 **a-**) 자유연애자 집단.

a·gar(-a·gar)[ɑ́ːgɑːr, ǽgər] *n.* Ⓤ **1** 우뭇가사리; 우무. **2** 〔生〕 (우무를 베이스로 한) 세균 배양기〔배지(培地)〕.

ag·a·ric[ǽgərik, əgǽr-] *n.* 〔植〕 들버섯; 모균류의 버섯.

a·gar·ose *n.* 아가로우스《우무에서 추출하여 착색〔색층〕 분리에 사용》.

ag·ate[ǽgit] *n.* Ⓤ **1** 〔鑛〕 마노(瑪瑙). **2** 《미》 〔印〕 아게이트《5 1/2포인트 활자; =《영》 ruby》.

ágate jàsper 〔鑛〕 마노벽옥(碧玉).

ágate lìne 광고면의 1행《광고 스페이스의 단위; 높이 1/14인치》.

ag·ate·ware [ǽgitwɛ̀ər] *n.* Ⓤ 마노 무늬의 도기(陶器)〔법랑 철기(琺瑯鐵器)〕.

Ag·a·tha[ǽgəθə] *n.* 여자 이름《애칭 Aggie》.

a·ga·ve[əgéivi, əgɑ́ː-] *n.* 〔植〕 용설란.

a·gaze[əgéiz] *ad., a.* 응시하여, 바라보고; (놀라서) 눈이 휘둥그래져.

AGC automatic gain control 〔通信〕 자동 이득 조정. **AGCL** automatic ground controlled landing 자동 지상 관제 착륙. **agcy.** agency. **AGE** aerospace ground equipment 항공 우주용 지상 장치.

★**age**[eidʒ] *n.* **1** Ⓤ 나이, 연령: nine years of ~ 아홉 살/at the ~ of nine 아홉 살 때에/What's her ~? 그녀는 몇 살인가《◇ How old is she?가 보다 일반적임》/a boy (of) your ~ 네 나이 또래의 소년/She is just my ~. 그녀는 나와 동갑이다. **2** 햇수, 연대, 시기: What's the ~ of that building? 저 빌딩은 지은 지 얼마나 되었습니까. **3** Ⓤ **a** 성년(=full ~); (규정된) 연령: be〔come〕 of ~ 성년이다〔에 달하다〕/over〔under〕 ~ 연령 초과〔미달〕인. **b** 노년, 노령, 장수(old age); (집합적) 노인들(*opp.* youth). **4** Ⓤ **a** 수명, 일생 (lifetime): the ~ of man〔a horse〕 인간〔말〕의 수명. **b** (생애의) 한 시기: middle〔old〕 ~ 중년〔노년〕. **5** 세대, 일대(generation); (보통 *pl.*) 시대의 사람들; (종종 **A-**) 시대, 시기(⇨period): from ~ to ~ 대대로/~*s* yet unborn 후세 사람들/the spirit of an ~ 시대 정신: the Victorian *Age* 〔史〕 빅토리아조(1837-1901)/the Middle *Ages* 중세 시대 (500-1450 A.D.)/the Ice〔Stone, Bronze, Iron〕 *Age* 빙하〔석기, 청동기, 철기〕 시대. **6** (종종 *pl.*) 《口》 오랫동안(long time): ~*s* ago 먼 옛날에, 《俗》 옛날 옛적에/I haven't seen you for ~*s*〔an ~〕.=It is ~*s* since I saw you last. 오래간만입니다.

Age before beauty. 《익살》 미인보다 노인이 우선《젊은 여성 등이 길을 양보할 때 쓰는 말》. **be〔act〕 one's age** 나이에 걸맞게 행동하다. **for an age** 오랫동안. **from〔with〕 age** 나이 탓으로, 고령으로. **for one's age** 나이치고는. **in all ages** 어느 시대에나, 예나 지금이나. **of all ages** 모든 시대〔연령〕의. **the age of consent** ⇨consent. **the age of discretion**⇨discretion. **the age of reason** (특히 18세기 영국·프랑스의) 이성의 시대; 〈아이가〉 옳고 그름의 판단을 하기 시작하는 나이, 철들 나이.
— **(aged; ág(e)·ing)** *vi.* **1** 나이를 들다, 늙다; 노화하다; 원숙하다. **2** 〈술·치즈가〉 숙성(熟成)하다. — *vt.* **1** 〈사람을〉 늙게 하다; 〈물건을〉 낡게 하다. **2** 〈술·치즈를〉 익히다, 숙성시키다.

-age[-idʒ] *suf.* 「집합·상태·동작·결과·수량·요금」의 뜻: bagg*age*, pass*age*, post*age*.

áge bràcket (일정한) 연령층(의 사람들).

⁑**aged** *a.* **1** [eidʒd] …살의〔에〕(⇨old): a boy ~ 10 (years) 10세 소년/He died ~ 30. 30세에 죽었다. **2** 〈술·치즈 등이〉 묵은, 오래된: ~ wine 묵은 술. **3** [éidʒid] 늙은(old), 노령의: an ~ man 노인/~ wrinkles 늙은이 주름살. **4** (the ~; 명사적; 집합적; 복수 취급) 노인(들). **aged·ness**[éidʒdnis] *n.*

age-date[éidʒdèit] 〔考古·地〕 *vt., vi.* (발굴물 등의) 연대를 과학적으로 결정하다. ― *n.* 과학적으로 결정한 연대.
age-group, grade[éidʒgrù:p], [-grèid] *n.* (집합적)(특정의) 연령층〔집단〕; 연령 계급.
age-hard·en·ing *n.* 〔冶·化〕(합금의) 시효경화(時效硬化).
age·ing *n.* =AGING.
age·ism, ag·ism[éidʒizəm] *n.* Ⓤ 《미》 연령층 차별, 《특히》 고령자층 차별.
áge·ist, ág·ist *n., a.*
age·less[éidʒlis] *a.* **1** 불로(不老)의. **2** 영원한, 영구한. **~·ly** *ad.*
áge lìmit 연령 제한, 정년(停年): retire under the ~ 정년으로 퇴직하다.
age·long[éidʒlɔ̀(:)ŋ, -làŋ] *a.* 오랜 세월의; 오래 계속되는.
age-mate[ˊmèit] *n.* 동년배(의 사람).
A·ge·na[ədʒí:nə] *n.* 《미》 어지너《우주 로켓의 하나》.
a·gen·bite of in·wit[əgénbait-əv-ínwit] 《영》 양심의 가책.
a·gen·cy[éidʒənsi] *n.* (*pl.* **-cies**) **1** Ⓤ (어떤 결과를 가져오는) 힘(force), 작용; 〔哲〕 작인(作因): the ~ of Providence 신의 힘, 섭리. **2** Ⓤ 대리(권); 대리 행위, 대리업(무); Ⓒ 대리점, 특약점: a detective ~ 비밀 탐정/a news ~ 통신사/a general ~ 총대리점. **3** Ⓤ 중개, 주선, 알선, 매개(instrumentality). **4** (종종 **A-**) 《미》 정부 기관, …청(廳), …국(局). **by**〔**through**〕 **the agency of** (1) …의 중개로〔주선으로〕. (2) …의 작용으로, …의 힘으로.
ágency shòp 《미》 에이전시 숍《조합 미가입자도 조합비를 내는 노동 조합 형태의 하나》.
a·gen·da[ədʒéndə] [L] *n. pl.* (*sing.* **-dum** [-dəm]; *pl.* **~s**) 《agenda는 단수로 취급하며, 복수형은 ~s가 일반적임》(보통 단수 취급) 의사 일정, 협의 사항; 비망록: the first item on the ~ 의사 일정의 제1항목.
a·gen·dum[ədʒéndəm] [L] *n.* (*pl.* **-da**[-də], **~s**) ⇨agenda.
a·gene [éidʒi:n] *n.* Ⓤ 〔化〕 3염화 질소(三鹽化窒素)《밀가루 표백용》.
a·gen·e·sis *n.* **1** 〔生〕 발육〔형성〕 부전. **2** 〔醫〕 음위; 불임.
a·ge·nize *vt.* 〈밀가루를〉 3염화 질소로 표백하다.
áge nòrm 〔心〕 연령 기준《일정한 연령 단계에서 기준이 되는 심신 발달 수준》.
a·gent[éidʒənt] [L] *n.* **1** a 대리인, 대행자; 특약점, 중개상; 알선인, 관리자: a commission ~ 위탁 판매인/an estate ~ 토지 관리인〔매매 중개인〕/a forwarding ~ 운송 취급인, 운송점/a general ~ 총대리인/a house 〔land〕 ~ 가옥〔토지〕 관리자/a patent ~ 특허 변리사. b 《미口》 외판원(traveling salesman) **2** a (관청의) 대표자, 관리(官吏), 사무관; 조사관, 수사관. b 앞잡이, 스파이, 비밀 탐정(=secret ~). **3** 행위자, 발동자(發動者): a free ~ 자유 행위자. **4** a 작인(作因), 동인(動因); (어떤 변화를 생기게 하는) 힘; 작용제, 약품: chemical ~*s* 화학 약품. **5** 〔文法〕 동작의 주체, 동작주. ⊕ agéntial *a.*
a·gent-gen·er·al[éidʒəntdʒénərəl] *n.* (*pl.* **á·gents-**) (런던 주재 캐나다·오스트레일리아의) 자치령〔주〕 대표.
a·gen·tial[eidʒénʃəl] *a.* 행위자의; 대리자〔점〕의.
a·gen·tive [éidʒəntiv] *a., n.* 〔文法〕 동작주를 나타내는 (접사, 어형)《teacher의 -er》.
ágent nòun 〔文法〕 행위자 명사(maker, actor).
Ágent Órange 오렌지제(劑)《월남전에서 미군이 쓴 고엽제; 용기의 줄무늬가 오렌지색》.
á·gent pro·vo·ca·téur[æʒɑ:ŋ-prəvɑ̀kətə́:*r*/-vɔ̀kə-] [F] *n.* (*pl.* ***á·gents pro·vo·ca·téurs*** [-s-])(경찰측의 도발 목적의) 첩자, 앞잡이; (권력층의) 밀정; (노조·정당 등에 잠입하여 불법 행위를 선동하는) 공작원(provoking agent).
a·gent·ry[éidʒəntri] *n.* Ⓤ AGENT의 직〔의무〕.
age-old[ˊòuld] *a.* 예로부터의, 오랜 세월을 거친; 매우 낡은.
áge pìgment 〔生化〕 (성장에 따라 세포 중에 축적되는) 연령 색소(色素).
ag·er[éidʒə*r*] *n.* 〔染色〕 (염색물을) 발색(發色)〔고착(固着)〕시키는 기계〔설비〕.
ag·er·a·tum[ædʒəréitəm, ədʒérə-] *n.* 〔植〕 아게라툼《엉거시과의 일년초》.
age-spe·cif·ic[ˊspisífik] *a.* 특정한 연령층에 고유한.
AGF Asian Games Federation 아시아 경기 연맹.
ag·fay[ǽgfei] *n.* 《미俗》 (남성의) 호모.
ag·ger[ǽdʒə*r*] *n.* 이중 조수《일시적으로 작은 간만을 수반하는 썰물 또는 밀물》.
ag·gie[ǽgi] *n.* 《미口》 마노(같은 유리) 구슬.
Ag·gie[1] [ǽgi] *n.* 《미俗》 농업 학교, 농대; (종종 *pl.*) 농업 학교〔농대〕 학생.
Aggie[2] *n.* 여자 이름《Agatha, Agnes의 애칭》.
ag·gior·na·men·to[ədʒɔ̀:*r*nəméntou] [It] *n.* (*pl.* **-ti**[-ti]) 〔가톨릭〕 (체제·교리 등의) 현대화(modernization).
ag·glom·er·ate[əglɑ́mərèit/-lɔ́m-] *vt., vi.* 덩어리로 만들다〔되다〕. ― [-rit, -rèit] *a.* 덩어리의, 집적(集積)된. ― [-rit, -rèit] *n.* 덩어리; 집괴암(集塊岩).
ag·glom·er·a·tion[əglɑ̀məréiʃən/-lɔ̀m-] *n.* Ⓤ,Ⓒ 덩어리로 만듦〔됨〕, 응집 작용; 덩어리.
ag·glom·er·a·tive[əglɑ́mərèitiv, -rə-] *a.* 덩어리가 되는, 응집하는.
ag·glu·ti·na·bil·i·ty[əglù:tənəbíləti] *n.* (적혈구 등의) 응집력.
ag·glu·ti·nate[əglú:tənèit] *vt., vi.* 교착(膠着)〔접합〕시키다〔하다〕; 〔言〕 〈말을〉 접합하여 복합어를 만들다. ― [-nit, -nèit] *a.* 교착한; 〈언어가〉 교착성의.
ag·glu·ti·nat·ed *a.* 점착(粘着)한; 교착성의.
ag·glu·ti·na·tion[əglù:tənéiʃən] *n.* Ⓤ **1** 교착, 접합. **2** (상처의) 유착(癒着); (적혈구·세균 등의) 응집. **3** 〔言〕 교착법, 교착성; Ⓒ 교착어형(보기: steamboat).
ag·glu·ti·na·tive[əglú:tənèitiv, -nə-] *a.* **1** 교착하는, 접합적인. **2** 〔言〕 교착성의: an ~ language 교착어《한국말·일본말 등》.
ag·glu·ti·nin[əglú:tənin] *n.* Ⓤ 〔醫〕 응집소(凝集素).
ag·glu·tin·o·gen[æ̀glutínədʒən, əglú:tənə-] *n.* 〔醫〕 (세포) 응집원(原).
ag·gra·da·tion[æ̀grədéiʃən] *n.* 〔地質〕 매적(埋積) 작용.
ag·grade[əgréid] *vt.* 〔地質〕 매적(埋積)하다.
ag·gran·dize[əgrǽndaiz, ǽgrəndàiz] *vt.* **1** 크게 하다, 확대하다(enlarge). **2** 〈사람·국가 등의 지위·중요성 등을〉 강화하다. **-diz·er**[əgrǽndaizə*r*, ǽgrəndài-] *n.*
ag·gran·dize·ment[əgrǽndizmənt] *n.* Ⓤ (부·지위 등의) 증대, 강화.
ag·gra·vate[ǽgrəvèit] [L] *vt.* **1** 더욱 악화시키다(make worse): 〈부담·죄 등을〉 한결 무겁

게 하다. **2** 《口》 화나게 하다, 괴롭히다(annoy): feel ~*d* 약오르다, 화나다.
⊕ aggravátion *n.*
ág·gra·vat·ed assáult 〔法〕가중(加重) 폭행.
ag·gra·vat·ing[ǽgrəvèitiŋ] *a.* **1** 더욱 악화하는. **2** 《口》 약오르는, 화나는. **~·ly** *ad.*
ag·gra·va·tion[ægrəvèiʃən] *n.* U,C **1** 악화(시킴), 심각〔악질〕화(*of*); 악화시키는 것. **2** 《口》 화남, 약오름; 약오르게 하는 것.
ag·gra·va·tor *n.* 더욱 악화시키는 것.
*__ag·gre·gate__[ǽgrigèit] [L] *vt.* …을 모으다, 집단을 이루게 하다. ── *vi.* **1** 집합하다; 모이다. **2** 《稀》 총계 …이 되다(amount to). ── [-git, -gèit] *a.* **1** 집합적인(collective). **2** 총계의(total): ~ tonnage 총톤수(선복(船腹)의)/~ demand 〔經〕(일정 기간의 상품 및 서비스의) 총수요. ── [-git, -gèit] *n.* **1** 《文語》 집합(체). **2** (*sing.*) (콘크리트 제조용) 골재(骨材). **3** (the ~) 《文語》 총계, 총수, 총액. **in the aggregate** 전체로서; 총계로. **~·ly** *ad.*
ag·gre·ga·tion[ægrigéiʃən] *n.* **1** U 집합, 집성(集成). **2** 집합체, 집단.
ag·gre·ga·tive[ǽgrigèitiv] *a.* 집합하는; 집합성의; 사교적인.
ag·gress[əgrés] *vi.* 공세를 취하다, 시비를 걸다. ── *vt.* 공격하다.
*__ag·gres·sion__[əgréʃən] *n.* U,C (정당한 이유 없는) 침략, 공격(*on*); 호전성; 〔精醫〕 공격성.
*__ag·gres·sive__[əgrésiv] *a.* **1** 침략적인, 공격적인, 공세의(offensive)(*opp.* defensive): an ~ war 침략 전쟁. **2** 〈병기가〉 공격용의. **3** 《미》 적극적인, 의욕적인, 활동적인(active); 억척스러운. **4** (the ~; 명사적; 단수 취급) 공세. **assume〔take〕 the aggressive** 공세를 취하다, 공세로 나오다. **~·ly** *ad.* **~·ness** *n.*
⊕ aggréss *v.*; aggréssion *n.*
ag·gres·sor[əgrésər] *n.* 침략자, 침략국: an ~ nation〔country〕 침략국.
ag·grieve[əgríːv] *vt.* (보통 수동형) 괴롭히다, 고통을 주다, 학대하다; …의 감정을 해치다. **be〔feel〕 aggrieved at〔by〕** …에 불만을 품다, 감정을 상하다.
ag·grieved[əgríːvd] *a.* 고민하는, 고통받고 있는; 화가 난, 기분이 상한. **~·ly** *ad.* **~·ness** *n.*
ag·gro, ag·ro[ǽgrou] *n.* 《영俗》 화남; (폭력적인) 항쟁; 분쟁; 도발, 시비.
Agh. afghani.
a·ghast[əgǽst, əgɑ́ːst] *a.* 깜짝 놀라, 혼비백산하여(*at*): stand ~ *at* …을 보고 아연실색하여 서 있다.
ag·ile[ǽdʒəl, ǽdʒail] *a.* **1** (동작이) 기민한, 재빠른, 민첩한. **2** 머리 회전이 빠른, 예민한. **~·ly** *ad.*
a·gil·i·ty[ədʒíləti] *n.* U 민첩; 명민함.
a·gin[1] [əgín] *prep.* 《영口·方》 =AGAINST.
agin[2] *ad.* 《口·方》 =AGAIN.
ag·ing[éidʒiŋ] *n.* **1** U 나이 먹음, 노화; (술 등의) 숙성(熟成). **2** =AGE-HARDENING.
a·gin·ner[əgínər] *n.* 《俗》변화〔개혁〕 반대자.
ag·io[ǽdʒiòu] *n.* (*pl.* **~s**) 〔商〕 프리미엄; 환전 수수료; U 환전업.
ag·io·tage[ǽdʒiətidʒ] *n.* U 〔商〕 환전업(換錢業); 〔證券〕 투기, 투기 거래.
a·gist[ədʒíst] *vt., vi.* 〔法〕 〈가축을〉 위탁 사육하다; 〈토지나 그 소유주에〉 과세하다.
ag·i·tate[ǽdʒətèit] [L] *vt.* **1** 심하게 움직이다; 〈액체를〉 흔들다; 휘젓다; 〈바람이 파도를〉 일으키다. **2** 〈사람을〉 선동하다, 〈마음을〉 교란하다(excite), 동요시키다. **3** 〈문제를〉 활발히 논의하다, 열심히 검토하다; 〈주의 등에〉 관심을 환기하다. ── *vi.* 선동하다(*for, against*), 여론을 환기하다, …의 (정치) 운동을 하다(*for*): ~ *for*〔*against*〕 reform 개혁 찬성〔반대〕 운동을 하다. **agitate oneself** 초조해 하다, 안절부절 못하다. **be agitated over** …에 흥분하다; …에 대하여 떠들고 있다.
⊕ agitátion *n.*; ágitative *a.*
ag·i·tat·ed[ǽdʒətèitid] *a.* 흥분한; 동요한.
ag·i·tat·ed·ly *ad.* 동요〔흥분〕하여.
ag·i·ta·tion[ædʒətéiʃən] *n.* U **1** (인심의) 동요, 흥분. **2** U,C 선동, 선동적 유세, 여론 환기 운동. **3** 논의, 검토. **4** 뒤흔들기, 휘저어 뒤섞기, 교반(攪拌). **~·al** *a.*
ag·i·ta·tive [ǽdʒətèitiv] *a.* 선동적인.
a·gi·ta·to[ædʒətɑ́ːtou] [It] *a., ad.* 〔樂〕 격한〔하여〕, 급속한〔히〕.
*__ag·i·ta·tor__[ǽdʒətèitər] *n.* **1** 선동자, 정치 운동자, 선전원. **2** (세탁기 등의) 교반기.
ag·it·prop[ǽdʒətprɑ̀p/-prɔ̀p] [*agit*ation+*prop*aganda] *n., a.* (특히 공산주의의) 선동과 선전(의).
A·glai·a[əgléiə, əgláiə] *n.* 〔그神〕 아글라이아 《미(美)의 3 여신(three Graces)의 하나》.
a·glare[əgléər] *ad., a.* 번쩍번쩍 빛나고.
a·glaze *a.* 〈눈이〉 흐릿한.
a·gleam[əglíːm] *ad., a.* 번쩍번쩍; 반짝이는, 빛나는.
ag·let[ǽglit] *n.* (구두끈 등의 끝을 감은) 쇠붙이; (군복 등에 다는) 장식용 술.
a·gley[əglíː, əgléi, əglái] *ad.* 《스코》 비스듬히, 빗나가; 어긋나서, 잘못되어(awry).
a·glim·mer[əglímər] *ad., a.* 깜박깜박〔희미하게〕 빛나서〔빛나는〕.
a·glit·ter[əglítər] *ad., a.* 번쩍번쩍 빛나서〔빛나는〕.
a·glow[əglóu] *ad., a.* 불타서, 발개져서(*with*); 흥분하여(*with*): (Ⅱ 형+전+명) The sky was ~ *with* the setting sun. 하늘에는 석양 빛이 붉게 물들어 있었다.
a·gly·con,[əgláikɑn/-kɔn] **-cone**[-koun] *n.* 〔生化〕 아글리콘(배당체(配糖體)의 가수 분해로 얻어지는 당 이외의 성분).
AGM air-to-ground missile. **AGM, A.G.M.** Annual General Meeting 연차(年次) 총회.
ag·ma[ǽgmə] *n.* 〔音聲〕 비음(鼻音) (기호).
ag·nail[ǽgnèil] *n.* 손거스러미; 〔病理〕 표저.
ag·nate[ǽgneit] *a.* 부계(父系)의, 〔法〕 남계친(男系親)의; 동족〔동종〕의. ── *n.* 부계 친족 (*cf.* COGNATE).
ag·nat·ic[ægnǽtik] *a.* 부계의, 남계의.
ag·na·tion[ægnéiʃən] *n.* U 부계의 친족 관계(*cf.* COGNATION).
Ag·nes[ǽgnis] *n.* 여자 이름《애칭 Aggie》.
ag·no·men[ægnóumən] *n.* (*pl.* **~s, -nom·i·na**) **1** 〔古로〕 넷째 이름, 덧붙이는 이름(*cf.* NOMEN). **2** 별명.
ag·no·si·a[ægnóuʒiə] *n.* U 〔精醫〕 실인(失認)(증), 인지 불능(증).
ag·nos·tic[ægnɑ́stik/-nɔ́s-] 〔哲〕 *a.* 불가지론(不可知論)(자)의. ── *n.* 불가지론자.
ag·nos·ti·cism[-təsìzəm] *n.* U 〔哲〕 불가지론.
Ag·nus De·i[ǽgnəs-díːai, -déi, ɑ́ːnjus-déiː] [L=lamb of God] **1** 하나님의 어린 양 《예수의 호칭의 하나》. **2** 하느님의 어린 양의 상《예수의 상징》. **3** (the ~)〔가톨릭〕 이 말로 시작되는 기도〔음악〕. **4** (the ~; 때로 an ~) 〔영國教〕 이 말로 시작되는 성가; 그 음악.
★**a·go**[əgóu] [OE] *ad.* (지금부터) …전에: a

short time ~ 조금 전에/long〔a long time〕~ 오래 전에, 옛날에/not long ~ 불과 얼마 전에/four weeks ~ yesterday〔last Monday〕 4주일 전의 어제〔전전 주의 월요일에〕.《◇ 명사 또는 부사를 동반하여 부사구를 만듦(*cf.* BEFORE)》.《◇ (1) ago는 현재를 기준으로 하여 과거를 가리키는 표현이므로 동사는 과거형을 사용한다. 완료형과 함께는 쓰지 않는다: I met him two days ~. 이틀 전에 그를 만났다(*cf.* I have met him somewhere before. 전에 어디서 그를 만난 일이 있다. (2) 과거의 어느 시점을 기준으로 하여 그 이전의 일을 나타낼 때는 before를 사용한다; 따라서 직접 화법에서 ago를 사용한 것을 간접화법으로 표현할 때에는 before가 된다: He said, "I met him two days ~."→He said that he had met him two days *before*》.

a·gog[əgάg/əgɔ́g] *ad., a.* **1** (기대·흥분으로) 들먹들먹하여, 흥분하여《*with*》. **2** (…하고 싶어) 근질근질하여, 좀이 쑤셔《*for, to* do》: The villagers were ~ *for*〔*to* hear〕 the news. 마을 사람들은 그 뉴스를 기다리다 못해 웅성거리고 있었다/set the whole town ~ (온 마을을) 떠들썩하게 하다.

a-go-go[əgóugòu, ɑː-] *ad., a.* 마음껏, 열광적으로〔인〕; 고고로〔의〕(*cf.* GO-GO). — *n.* 디스코테크(discotheque); 디스코 클럽.

-agog(ue) 《연결형》「이끄는 것; 분비·배설을 촉진하는 것」의 뜻: dem*agogue*, emmen*agogue*.

a·go·ing[əgóuiŋ] *ad., a.* 움직여, 진행하여. **set agoing** 〈사업 등을〉 일으키다, 시작하다; 〈기계 등을〉 시동하다.

a·gon[ǽgoun, -ɑn, ɑːgóun] *n.* (*pl.* **~s, a·go·nes**[əgóuniːz]) **1** 〔옛그리스〕 현상 경기회. **2** 〔文藝〕 (희극에서 주요 인물간의) 갈등, 언쟁 부분.

ag·o·nal[ǽgənl] *a.* 고민의; 임종(의 고통)의.

ag·o·nic[eigάnik/əgɔ́n-] *a.* 각을 이루지 않는; 무편각선(無偏角線)의.

agónic líne 〔物〕 (지자기의) 무편각선.

ag·o·nist[ǽgənist] *n.* **1** 싸움〔경기〕의 가담자; (문학 작품의) 주인공. **2** 〔解〕 주동〔작동〕근(筋); 〔藥〕 작용〔작동〕약〔물질〕.

ag·o·nis·tic, -ti·cal[æ̀gənístik], [-tikəl] *a.* **1** 고대 그리스의 운동 경기의; 경기의; 논쟁을 좋아하는. **2** 무리한, 부자연스러운. **-ti·cal·ly** *ad.*

*__ag·o·nize__[ǽgənàiz] *vt.* 괴롭히다, 고민하게 하다. — *vi.* 괴로워하다, 고민하다; 필사의 노력을 하다, 〈투기자 등이〉 악전 고투하다. ⊕ ágony *n.*

ag·o·nized *a.* 괴로워하는, 고민하는.

ag·o·niz·ing[ǽgənàiziŋ] *a.* 고민을 주는; 괴로워하는, 고민하는. **~·ly** *ad.*

⁑**ag·o·ny**[ǽgəni] [Gk] *n.* (*pl.* **-nies**) **1** Ⓤ (정신 또는 육체의) 심한 고통, 고민, 고뇌(anguish): in ~ 고민하여, 괴로워서. **2** (감정의) 격발(outburst), (희비(喜悲)의) 극치: in an ~ of joy 미칠 듯이 기뻐서. **3** 죽음의 고통; (*pl.*) 몸부림: in agonies of pain 고통에 몸부림치며/the death ~ 단말마의 고통. **4** (the **A-**) 〔基督教〕 (수난 전 겟세마네에서의) 그리스도의 고통. **pile up**〔**on**〕 **the agony** 《口》 괴로움을 과장하여 말하다. ⊕ ágonize *v.*

ágony áunt 《俗》 (신문·잡지의) 인생 상담의 여성 회답자〔담당자〕.

ágony còlumn (보통 the ~) 《口》 (신문의) 사사(私事) 광고란《찾는 사람·분실물·이혼 광고 등》; (신문의) 신상(身上) 상담란.

ag·o·ra¹ [ǽgərə] [Gk] *n.* (*pl.* **~s, -rae**[-rìː]) 〔옛그리스〕 집회; 집회장, 시장, 광장.

a·go·ra² [ɑːgərάː, æg-] *n.* (*pl.* **-rot**[-róut]) 아고라《이스라엘 화폐 단위; =1/100 shekel》.

ag·o·ra·pho·bi·a[æ̀gərəfóubiə] *n.* Ⓤ 〔精醫〕 광장(廣場) 공포증.

ag·o·ra·pho·bic *a., n.* 광장 공포증의 (사람).

a·gou·ti, -ty[əgúːti] *n.* (*pl.* **~s, -ties**) 〔動〕 들쥐의 일종《사탕수수 밭에 해를 끼침; 남미·중미산》.

AGR advanced gascooled reactor 《영》 개량형 가스 냉각로. **agr.** agricultural; agriculture.

a·gra(f)fe[əgrǽf] *n.* **1** 작은 꺾쇠(small cramp). **2** (의류·갑옷의) 걸쇠. **3** (피아노 현의) 진동 방지 장치.

a·gran·u·lo·cyte[eigrǽnjəlousàit, ə-] *n.* 〔解〕 무과립 백혈구(*cf.* GRANULOCYTE).

a·gran·u·lo·cy·to·sis[əgrænjəlousaitóusis] *n.* 〔醫〕 과립(顆粒)세포 감소증《백혈구의 이상 감소로 인해 발생되는 혈액병》.

ag·ra·pha[ǽgrəfə] *n. pl.* 아그라파《성서 외의 그리스도 어록》.

a·graph·i·a[eigrǽfiə, ə-] *n.* Ⓤ 〔精醫〕 실서증(失書症)《대뇌 장애로 글을 못 씀》.

a·grar·i·an[əgrέəriən] *a.* 농지의, 토지의; 농민의; 농업의: ~ outrage 소작 폭동/an ~ reformer 농지 개혁자. — *n.* 토지 균분〔재분배〕론자.

a·grar·i·an·ism[-ìzəm] *n.* Ⓤ 토지 균분론〔운동〕, 농민 생활 향상 운동.

a·grav·ic[əgrǽvik, ei-] *a.* 〔宇宙〕 무중력(상태)의.

★**a·gree**[əgríː] *v.* (**~d; ~·ing**) *vi.* **1** 동의하다, 찬성하다, 승낙하다, 응하다; 합의하다《*to, with, on*〔*upon*〕》: 《Ⅰ 전+-*ing*》 Father ~*d to* my becoming an engineer. 아버지께서는 내가 기술자가 되는 데 찬성하셨다/《Ⅰ 전+명》 I can never ~ *with* you on this point. 나는 이 점에 대해서는 결코 찬성할 수 없다《◇ agree *to*는 일에, agree *with*는 사람 또는 일에 쓰임》/We could not ~ *on* the price. 우리는 가격에 대해서 합의를 볼 수 없었다/《Ⅲ v_I+전+(목)》 We've ~*d on* Canada for our holidays this year. 우리는 금년에 휴가를 캐나다에서 보내기로 결정했다《◇ agree *with*: 주어가 단수이다/agree *on*: 주어가 복수이다—decide *on*의 일종이다》. **2** 의견이 맞다, 같은 의견이다, 동감이다《*with, among*》: 《Ⅰ 전+명》 I ~ *with* him in his views. 나는 그와 견해가 같다. **3** 마음이 맞다, 사이가 좋다《*with*》: They cannot ~. 그들은 사이가 좋지 않다/《Ⅰ 전+명》 They ~ *with* each other. 그들은 서로 잘 지내고 있다. **4** 합치하다, 일치〔부합〕하다, 조화하다; (그림 따위가) 비슷하다; (음식·일 따위가) 맞다; 건강에 적당하다《*in, with*》: 《Ⅰ 전+-*ing*》 We all ~ *in* lik*ing* our new teacher. 우리는 모두 신임(新任) 선생님을 좋아하는 데에 생각이 일치한다/《Ⅲ v_I+전+(목)》 (*no pass*) This copy does not ~ *with* the original. 이 사본은 원본과 일치하지 않는다/《Ⅲ v_I+전+(목)》 (*no pass*) This weather does not ~ *with* me. 이 기후는 내게 맞지 않는다. **5** 〔文法〕 (인칭성수격 따위가) 일치〔호응〕하다《*with*》: The predicate verb must ~ *with* its subject in person and number. 서술 동사는 인칭과 수에 있어서 주어와 일치해야 한다.

— *vt.* **1** (…임을) 인정하다, 용인〔승낙〕하다: 《Ⅲ *that*(절)》 She ~*d that* his plan was better. 그녀는 그의 계획이 더 낫다는 것을 인정했다/ **2** 《주로 영》 (조건제안 등에 대해 논의한 뒤에) 동의〔찬성〕하다; (조정 후) …에 합의하다; 의견이 일치하다: 《Ⅲ *to do*》 We ~*d to* accept the offer. 우리는 그 제의를 받아들이기로 합의했다(=*It was* ~*d to* accept the offer. 《Ⅰ *It be pp.*+*to do*》)/《Ⅲ *that*(절)》 We ~*d that* we should go on a round-the-world trip. 우리는 세계 일주 여행을 하기로 의견 일치를 보았다(=*It was* ~*d that* we should go on a round-the-world trip.《Ⅰ *It be pp.*+*that*(절)》). **3** (계정 따위)를 일치시키다. **agree in** (의견)이 맞다; (생각)이 일치하다. **agree like cats and dogs** 사이가 매우 나쁘다, 견원지간이다. **agree on** ⇨agree *vi.* **agree to differ**〔**disagree**〕 서로 견해 차이를 인정하여 다투지 않기로 하다. **agree with** ⇨ agree *vi.* **I agree.** 찬성이오, 옳소《제의에 동의》. **I couldn't agree** (**with you**) **more.** (이보다 더한 의견 일치란 있을 수 없을 만큼) 대찬성이다. ◈ agréement *n.*

***a·gree·a·ble**[əgríːəbəl/əgríə-] *a.* **1** 기분 좋은, 유쾌한; 사근사근한, 상냥한(pleasing, pleasant) : ~ *to* the ear〔taste〕 듣기〔맛이〕 좋은. **2** 기꺼이 동의하는, 찬동하는《*to*》: 《Ⅱ 형+전+-*ing*》 She is ~ *to* look*ing* after our children during our absence. 그녀는 우리가 없는 동안 우리 어린애들을 돌봐주기로 쾌히 응하고 있다. **3** 적당한, 맞는《*to*》: music ~ to the occasion 그 경우에 어울리는 음악. **agreeable to** 〈규칙·이론 등〉에 따라, …대로. **be agreeable to** 〈제안 등〉에 기꺼이 응하다, 마음이 내키다; 〈사리〉에 맞다. **do the agreeable to** 상냥하게 대하다. **make oneself agreeable** …에게 상냥하게 대하다, 장단을 맞추다《*to*》. **~·ness** *n.*

a·gree·a·bly[əgríːəbli/əgríə-] *ad.* **1** 기꺼이, 유쾌하게: I was ~ surprised. 기분 좋게 놀랐다《뜻밖의 좋은 일 등에》. **2** 〈지시·약속 등〉에 따라《*to*》: ~ *to* your instructions 지시대로.

a·greed[əgríːd] *a.* **1** 일치한, 협정한〔에 의한〕: an ~ rate 협정 (할인) 요금. **2** 동의하여: I am ~ *to* accept the offer. 그 제의의 수락에 동의합니다. (**That is**) **agreed!** 좋소, 알았소!

***a·gree·ment**[əgríːmənt] *n.* **1** 협정; 계약: a labor ~ 노동 협약. **2** Ⓤ,Ⓒ 일치, 조화; 동의, 합의, 승낙(*opp.* disagreement). **3** Ⓤ 〔文法〕 〈수·격·인칭·성의〉 일치, 호응(concord) (*cf.* SEQUENCE). **arrive at**〔**come to**〕 **an agreement** 협정이 성립하다, 합의를 보다. **by** (**mutual**) **agreement** 합의로, 협정에 따라. **make**〔**enter into**〕 **an agree-ment with** …와 계약을 맺다. **in agreement with** …에 일치〔동의〕하여, …에 따라서.

a·gré·ment[àːgreimɑ́ːnt/əgréimɑːŋ] [F] *n.* (*pl.* **~s**[-]) **1** 〔外交〕 아그레망《대사·공사 파견에 있어서 주재국에 요청하는 사전 승인》. **2** (*pl.*) 쾌적한 환경. **3** (*pl.*) 〔樂〕 장식음.

a·gres·tic[əgréstik] *a.* 시골(풍)의; 촌스러운.

ag·ri·busi·ness[ǽgrəbìznis] [*agri*culture+*business*] *n.* Ⓤ 농업 관련 산업.

agri(c). agricultural; agriculture.

ag·ri·chem·i·cal [æ̀grikémikəl] *a.* 농약의. — *n.* (*pl.*) 농약(agricultural chemicals).

***ag·ri·cul·tur·al**[æ̀grikʌ́ltʃərəl] *a.* 농업의, 농사〔농예〕의, 농학(상)의: ~ chemistry 농예화학/an ~(experimental) station 농업 시험장/an ~ show 농예 전람회. **~·ly** *ad.* ◈ ágriculture *n.*

agricultúral chémical 농약.

ag·ri·cul·tur·al·ist[æ̀grikʌ́ltʃərəlist] *n.* = AGRICULTURIST.

***ag·ri·cul·ture**[ǽgrikʌ̀ltʃər] [L] *n.* Ⓤ 농업; 농학, 농예《축산·임업을 포함》: the Ministry of A- and Fisheries 농수산부/the Department of A- 《미》 농무부.

ag·ri·cul·tur·ist[æ̀grikʌ́ltʃərist] *n.* **1** 농학자 **2** 농업가; (*pl.*) 농경민.

ag·ri·mo·ny[ǽgrəmòuni] *n.* (*pl.* **-nies**) 〔植〕 짚신나물속(屬).

ag·ri·mo·tor[ǽgrəmòutər] *n.* 농경용 트랙터(agricultural motor tractor).

ag·ri·ol·o·gy[æ̀griɑ́lədʒi/-ɔ́lə-] *n.* Ⓤ 원시 풍습학(風習學).

ag·ro-[ǽgrou] 《연결형》 「토양; 농업」의 뜻.

ag·ro·bi·ol·o·gy[æ̀groubaiɑ́lədʒi/-ɔ́lə-] *n.* Ⓤ 농업 생물학.

ágro bòy 《영俗》 불량 소년.

ag·ro·busi·ness[ǽgrəbìznis] *n.* 사업으로서의 농업, 기업 농업.

a·gro·chem·i·cal[æ̀grəkémikəl] *n.* 농약; 농작물에서 얻어지는 화학 물질.

ag·ro·ec·o·nom·ic[æ̀grouèkənɑ́mik, -nɔ́m-] *a.* 농업 경제의.

ag·ro·ec·o·sys·tem[æ̀grouíːkousìstəm, -ékou-] *n.* 농업 생태계.

ag·ro-in·dus·tri·al[æ̀grouindʌ́striəl] *a.* 농업 및 공업의, 농공용의; 농업 관련 산업의.

a·grol·o·gy[əgrɑ́lədʒi/əgrɔ́l-] *n.* Ⓤ 농업 과학, 응용 토양학.

ag·ro·nom·ic, -i·cal[æ̀grənɑ́mik/-nɔ́m-], [-ikəl] *a.* 농경법(農耕法)의.

ag·ro·nom·ics[æ̀grənɑ́miks/-nɔ́m-] *n. pl.* (단수 취급) 경종학(耕種學); 농업 경영학.

a·gron·o·mist[əgrɑ́nəmist/əgrɔ́n-] *n.* 농업 경제학자, 경종학자.

a·gron·o·my[əgrɑ́nəmi/əgrɔ́n-] *n.* Ⓤ 농업 경제학, 작물(재배)학, 경종학《축산·임업을 제외한 협의의 농학》.

ag·ro·pol·i·tics[æ̀groupɑ́lətiks/-pɔ́l-] *n. pl.* (단수 취급) 농업 정책.

ag·ros·tol·o·gy[æ̀grəstɑ́lədʒi/-tɔ́l-] *n.* Ⓤ 화본학(禾本學), 초본학.

ag·ro·tech·nol·o·gy[æ̀grouteknɑ́lədʒi/-nɔ́l-] *n.* Ⓤ (혁신적) 농업 기술.

ag·ro·type[ǽgrətàip] *n.* 토양형; (농작물의) 재배 품종.

a·ground[əgráund] *ad., a.* 〔海〕 지상에; 좌초하여. **go**〔**run, strike**〕 **aground** 〈배가〉 좌초하다; 〈계획이〉 좌절되다. **run a ship aground** (배를) 좌초시키다.

AGS abort guidance system 〔宇宙〕 보조 유도 장치; alternating gradient synchrotron 〔物〕 강집속(强集束) 싱크로트론.

agt. against; agent; agreement.

a·guar·di·en·te[àːgwɑːrdiénti, -djéntei] [Sp] *n.* 스페인산의 조악한 브랜디; 화주(火酒).

a·gue[éigjuː] *n.* Ⓤ **1** 〔病理〕 학질. **2** 오한.

a·gued *a.* 학질에 걸린.

a·gu·ish[éigju(ː)iʃ] *a.* **1** 학질의〔같은〕; 학질에 걸린. **2** 오한이 나는.

***ah**[ɑː] *int.* 아아!《기쁨·슬픔·놀람·고통·경멸·동정·한탄 등을 나타냄》 **Ah, but** … 그렇지만 말이야. **Ah, me!** 아아(어쩌면 좋을까). **Ah, well,** … 뭐, 할 수 없지《등》.

AH, a.h., a-h ampere-hour. **A.H.** *Anno Hegirae*《L=in the year of the Hegira》 이슬람〔회교〕 기원.

***a·ha, ah ha**[ɑːhɑ́ː, əhɑ́ː], [ɑːhɑ́ː] *int.* **1** 아

하!, 으홍!《놀람·기쁨·승리·비웃음·비꼼 등을 나타냄》. **2** 그래, 알았어《말·의도를 이해하였음을 나타냄》.

A.H.A. American Historical Association.

A·hab[éihæb] *n.* 〔聖〕《아합 이스라엘 왕》.

ahá expèrience 〔心〕 아하〔「아 그렇구나」〕 체험(*cf.* AHA REACTION).

ahá reàction 〔心〕 아하〔「아 그렇구나」〕 반응《문득 떠오르는 통찰·해명》.

ah·choo[ɑːtʃúː] *int., n.* 에취《재채기 소리》 (achoo, atishoo, kerchoo; *cf.* SNEEZE).

‡**a·head**[əhéd] *ad.* **1** 앞쪽에, 앞길에(in front): Breakers ~! 침로 상에 암초 있음!: 전도에 위험이 있음! **2** (거침없이) 앞으로(forward): Go straight ~. 곧장 앞으로 나가시오. **3** (시간적으로) 앞에: 앞으로. **4** 앞서서, 능가하여(in advance)(*of*). **ahead of** (1) …의 전방에; …보다 앞에(나아가). (2) (시간적으로) …보다 이전에. (3) …보다 나아, 보다 앞서. **get ahead in the world** 출세하다. **go ahead** (1) 앞으로 나아가다, 전진하다: 진보하다, 진전하다. (2) 〈일이〉 진행하다: 〈계획 등을〉 추진하다, 계속하다. (3) (망설이지 않고) 〈이야기·일 등을〉 진행시키다. **Go ahead** (명령법으로) (1) 하라! (2) (재촉하여) 자 어서:(허가를 구하는 말에 답하여) 어서. (3) 《미》 (전화에서) 말씀하세요. (4) 〔海〕 전진! **right ahead** 바로 앞에. **wind ahead** 맞바람.

A-head[éihèd] *n.* 《미俗》 암페타민〔LSD〕 상용자.

a·heap[əhíːp] *ad., a.* 산더미같이 (쌓여).

a·hem[əhém, mmm, hm] *int.* 음!, 으흠!, 에헴!《주의 환기, 의심·경고를 나타낼 때, 말이 막혔을 때에 내는 소리》.

a·her·ma·type[eihə́ːrmətàip] *n.* 〔動〕 암초를 만들지 않는 산호.

a·him·sa[əhímsɑː] [Skt] *n.* Ⓤ (힌두교·불교 등의) 불살생(不殺生).

a·his·tor·ic, -i·cal[èihistɔ́(ː)rik, -tɑ́r-],[-kəl] *a.* 역사와 무관계한; 역사에 무관심한.

a.h.l. *ad hunc locum*(L =at this place).

a·hold, a·holt[əhóuld], [əhóult] *n.* 《方·口》 잡음(hold). **get ahold of** …을 잡다, 와 연락을 취하다; …을 입수하다.

-a·hol·ic[əhɔ́ːlik, -hɑ́l-/-hɔ́l-] 《연결형》「…중독자, …광(狂)」의 뜻: food*aholic*; work*aholic*.

A-ho·ri·zon[éihəràizən] *n.* 〔地質〕 A층위(層位)《토양의 맨 위층》.

a·horse[əhɔ́ːrs] *a.* 기마의, 말탄. — *ad.* 말을 타고.

a·hoy[əhɔ́i] *int.* 〔海〕 어어이!《다른 배를 부르는 소리》. **Ahoy there!** 《익살》 어어이, 이봐《먼데 있는 사람을 부를 때》. **Ship ahoy!** 어어이, 이봐 그 배!

Ah·ri·man[ɑ́ːrimən] *n.* 〔조로아스터敎〕 아리만《암흑과 악의 신》.

A.H.S. Anno Humanae Salutis(L=in the year of human salvation).

à huis clos[ɑːwíːklóu] [F] *ad.* 비밀리에; 방청을 금지하고(in camera).

a·hull[əhʌ́l] *ad.* 〔海〕 돛을 걷고 타륜을 바람 불어가는 쪽으로 잡아 매어《폭풍우에 대비해서》.

A·hu·ra Maz·da[ɑ́ːhurə-mǽzdə] *n.* 〔조로아스터敎〕 =ORMAZD.

a.h.v. ad hanc vocem(L = *at this word*).

ai[1] [ɑ́ːi] *n.* 〔動〕 세발가락나무늘보《중남미산》.

ai[2] [ai] *int.* 아아《고통·슬픔·연민 등을 나타내는 소리》.

AI Amnesty International; artificial intelligence 인공 지능《인간의 지능과 유사한 기능을 수행하는 컴퓨터 등의 능력》; artificial insemination. **A.I.A.** American Institute of Architects 미국 건축가 협회.

Ai·as *n.* 〔그神〕 =AJAX.

A.I.B. 《영》 Associate of the Institute of Bankers.

aib·lins *ad.* 《스코》 아마도, 필경.

A.I.C. American Institute of Chemists.

A.I.Ch.E. American Institute of Chemical Engineers.

‡**aid**[eid] *vt.* **1** 돕다, 거들다, 원조하다: 《V 명+전+-*ing*》〔《V 명+*to* do》〕 She ~*ed* the old lady *in* dress*ing*〔*to* dress〕. 그녀는 노부인께서 옷을 입는 데 도와주었다/~ war victims 전쟁 피해자를 원조하다/She ~*ed* me *to* cook 〔*in* cook*ing*〕. 그녀는 내가 요리하는 것을 거들어 주었다(◇ 보통은 She helped me (*to*) cook.)/We ~*ed* him *in* the enterprise. 우리는 그의 사업을 원조했다. **2** 조성(助成)하다, 촉진하다(promote): ~ recovery 회복을 촉진하다/~ a country *to* stand on its own feet 나라가 독립할 수 있도록 조성하다. — *vi.* 도움이 되다. **aid and abet** 〔法〕 범행을 방조하다. — *n.* **1** Ⓤ 도움, 조력; 원조, 부조; 구원: 《Ⅱ 명+〈전+-*ing*〉》 Phonetic reading are the best ~ *in* teach*ing* pronunciation. 음독(音讀)은 발음을 가르치는 데 가장 도움이 된다. **2** 조력자, 보조자, 조수. **3** (종종 *pl.*) 보조 기구, 《특히》 보청기(hearing aid): audio-visual ~s 시청각 교구. **4** 〔영史〕 (국왕에게 바치는) 임시 상납금. **by (the) aid of** …의 도움으로. **call in a person's aid** …의 원조를 청하다. **come〔go〕 to a person's aid** …을 원조하러 오다〔가다〕. **first aid** 구급 요법, 응급 치료. **in aid of** …을 돕기 위해. **What's (all) this in aid of?** 《영口》 목적〔이유〕이 무엇인가; 왜 이것이 있는가; 도대체 무슨 뜻인가; 도대체 어떻게 된 일인가. **áid·er** *n.*

AID[eid] Agency for International Development. **A.I.D.** artificial insemination by donor 비배우자(非配偶者)간 인공 수정.

-Aid, (-)aid *n.* (복합어의 제 2요소를 이루어) 자선기금 노력: Fashion-Aid 자선 모금 패션쇼/Sport-Aid 자선 스포츠 대회.

A·i·da *n.* 아이다《베르디의 오페라(1871); 그 여주인공인 에티오피아 왕녀》.

aide[eid] *n.* **1** =AIDE-DE-CAMP. **2** 조력자; 측근자. **3** 《미》 (대통령 등의) 보좌관.

aide-de-camp, aid-[éiddəkǽmp, -kɑ́ːŋ] [F =assistant in the field] *n.* (*pl.* **aides-, aids-**[éidz-]) 〔軍〕 (왕족·장성에게 딸린) 부관 (略 A.D.C.; *cf.* ADJUTANT).

áid·ed schóol[éidid-] 《영》 정부 지원 학교.

aide-mé·moire[éidmeimwɑ́ːr] [F] *n.* (*pl.* **aides-**[éidz-]) 비망록; 〔外交〕 각서.

aid fatigue =COMPASSION FATIGUE.

aid·man[éidmæ̀n, -mən] *n.* (*pl.* **-men**[-mèn]) 〔軍〕 위생병《전투 부대에 배속된》.

áid pòst 《영》 =AID STATION.

AIDS[eidz] acquired immune deficiency syndrome 〔醫〕 에이즈, 후천성 면역 결핍증.

Aids =AIDS.

Aids·line *n.* AIDS 환자를 위한 전화 서비스.

Áid Socìety 《미》 여성 자선 협회.

ÁIDS-relàted còmplex 에이즈바이러스에 의한 증후군《처음에는 만성적 림프샘이 부어오르고 열이 지속; 종종 Aids의 전조로 나타남: 略: ARC》.

Áids-related vìrus =HIV.

áid stàtion 〔미軍〕 전방 응급 치료소.

ÁIDS vìrus 에이즈 바이러스《면역 조직의 T 세포에 침투, Aids 및 에이즈 콤플렉스의 원인이 됨》.

A.I.E.E. American Institute of Electrical Engineers. **A.I.F.** Australian Imperial Force.

ai·glet *n.* =AGLET.

ai·gret(te)[éigret, –´] *n.* **1** 〔鳥〕 백로, 해오라기(egret). **2** 백로 깃털 장식《모자·투구 등의》. **3** 〔植〕 관모(冠毛).

ai·guille[eigwí:l, ´–] [F =needle] *n.* 침상봉(針狀峰), 뾰족한 산봉우리《알프스 등의》.

ai·guil·lette[èigwilét] [F] *n.* (군복의) 장식술, 장식끈.

A.I.H., AIH artificial insemination by husband 배우자〔부부〕간 인공 수정.

*__ail__[eil] *vt.* 《古》 〈사물이 사람을〉 괴롭히다, 고통을 주다(afflict): What ~*s* you? 왜 그러느냐, 어디가 아프냐. ― *vi.* (보통 진행형으로) 앓다: He is ~*ing*. 그가 아프다. ⊕ áilment *n.*

ai·lan·thus[eilǽnθəs] *n.* 〔植〕 가죽나무속(屬)의 식물.

Ai·leen[eilí:n; *Ir.* ailí:n] *n.* 여자 이름《Helen의 아일랜드 어형》.

ail·er·on[éilərɑ̀n/-rɔ̀n] *n.* 〔空〕 보조익.

ail·ing[éiliŋ] *a.* 병든; 괴로워하는.

*__ail·ment__[éilmənt] *n.* (보통 가벼운 또는 만성의) 병; 불쾌: a slight ~ 가벼운 병.

ai·lu·ro·phobe[ailúərəfòub, ei-] *n.* 고양이 공포증을 가진 사람, 고양이를 싫어하는 사람.

ai·lu·ro·pho·bi·a[ailùərəfóubiə, ei-] *n.* 고양이 혐오〔공포〕증.

‡**aim**[eim] *vt.* **1** 〈총 등을〉 겨누다(point), 겨누어 …을 던지다〔발사하다〕: The soldier ~*ed* a gun *at* him. 그 병사는 그에게 총을 겨누었다/ ~ a stone *at* a person …을 향해 돌을 던지다. **2** 〈욕·비꼼 등을〉 빗대어 말하다《*at*》: ~ a satire *at* a person …을 빗대어〔비꼬아〕 말하다/That remark was ~*ed at* him. 그 말은 그를 빗대어〔비꼬아〕 한 것이었다.

― *vi.* **1** 겨냥하다(direct), 노리다, 겨누다《*at*》: fire *without* ~*ing* 겨냥도 하지 않고〔마구잡이로〕 쏘다/~ *at* a mark *with* a gun 총으로 표적을 겨누다. **2** 빗대어 말하다《*at*》: She was ~*ing at* me. 그녀는 나를 빗대놓고 말하고 있었다. **3** 목표 삼다, 뜻하다, 마음 먹다《*at, for*》: ~ *at* success 성공을 목표삼다/We were ~*ing for*〔*toward*〕 Paris 〔the capital〕. 우리는 파리〔수도〕로 향하고 있었다. **4** …할 작정이다(intend), …하려고 애쓰다: 《Ⅲ *v* Ⅰ +전+-*ing*》 He ~*s* at improving his invention. 그는 자기의 발명품을 개선하려고 노력한다/《Ⅰ *to do*》 He ~*s to* go tomorrow. 그는 내일 가려고 (노력)한다.

aim high〔**low**〕 뜻하는 바가 크다〔작다〕.

― *n.* **1** Ⓤ 겨냥, 조준(照準), 가늠. **2** 목적, 뜻, 의도, 계획: my ~ *in* life 나의 인생 목표. **aim and end** 궁극〔최후〕의 목적. **attain**〔**miss**〕 **one's aim** 과녁을 맞히다〔겨냥이 빗나가다〕. **take** (**good**) **aim** (**at**) (잘) 겨냥하다. **without aim** 목적 없이.

AIM Air Interceptor Missile 공대공 요격 미사일; American Indian Movement 미국 인디언 인권 확장 운동. **A.I.M.E.** American Institute of Mining, Metallurgical and Petroleum Engineers.

aim·ing[éimiŋ] *n., a.* 겨냥(하는), 조준(의).

áiming pòint 조준점《무기·관측 기구에서》.

*__aim·less__[éimlis] *a.* (이렇다 할) 목적〔목표〕없는. **~·ly** *ad.* **~·ness** *n.*

ain[ein] *a., n.* 《영方》 =OWN.

aî·né[enéi] [F] *a.* 〈형제가〉 연상의, 연장의, 최연장의(*opp.* cadet).

Ai·no[áinou] *n.* (*pl.* **~s**) *a.* =AINU.

A.Inst.P. 《영》 Associate of the Institute of Physics.

*__ain't, an't__[eint] **1** 《口》 am not의 단축형; 의문형, 《특히 부가 의문문의》 ain' t I?, an' t I?(= am I not?). **2** 《卑》 are〔is〕 not, have〔has〕 not의 단축형.

Ai·nu[áinu:] *n.* (*pl.* ~, **~s**) 아이누 사람; Ⓤ 아이누 말. ― *a.* 아이누 사람〔말〕의.

ai·o·li, aï-[aióuli, ei-] *n.* 아이올리《마늘·노른자위·올리브유·레몬 주스로 만든 소스》.

★**air**[εər] *n.* **1** Ⓤ 공기: fresh〔foul〕 ~ 신선한〔탁한〕공기: We should〔would〕 die *without* ~. 공기가 없으면 사람은 죽을 것이다. **2** (the ~) 대기, 하늘, 공중. **3** 《稀》 미풍: a slight ~ 산들바람. **4** 외양, 외모, 풍채, 태도(bearing). **5** (*pl.*) 뽐내는 꼴. **6** Ⓒ 〔樂〕 멜로디, 가락(tune), 곡조; 영창(詠唱); 최고음부: sing an ~ 한 곡조 부르다. **7** Ⓤ (의견 등의) 발표, 공표. **8** 항공 교통〔수송〕; 공군. **9** (보통 the ~) 전파 송신 매체; 라디오(방송), 텔레비전 (방송). **airs and graces** 점잔빼는 태도. **assume airs** 젠체하다, 뽐내다. **beat the air** 〔聖〕 헛수고하다. **by air** (1) 비행기로. (2) 무전으로. **change of air** 전지(轉地). **dance on air** 〈범죄자 등이〉 교수형에 처해지다. **fan the air** 《野球俗》 삼진하다. **give air to** 〈의견 등을〉 발표하다. **give** a person〔**get**〕 **the air** 《미俗》 해고하다〔당하다〕; 〈애인·친구 등을〉 버리다〔버림받다〕. **give oneself airs** 젠체하다, 점잔빼다. **hit the air** 방송되다. **in the air** (1) 공중에. (2) 〈분위기 등이〉 감돌고. (3) 〈풍설 등이〉 퍼져서. (4) 〈계획 등이〉 막연하여, 미정으로. (5) 《口》 화내어. **in the open air** 옥외〔야외〕에(서). **into thin air** 흔적도 없이: disappear〔vanish〕 *into thin air* 흔적도 없이〔감쪽같이〕 사라지다. **off the air** 방송되지〔하지〕 않고; 〈컴퓨터가〉 작동하지 않고. **on the air** 방송중에: go〔be〕 *on the air* 방송하다〔되고 있다〕. **out of thin air** 무(無)에서; 난데없이. **over the air** 방송된. **put on airs** 젠체하다, 으스대다. **put**〔**send**〕 ... **on the air** …을 방송하다. **take air** 알려지다, 널리 퍼지다. **take the air** (1) 외출하다. (2) 산책〔드라이브〕하러 나가다. (3) 《俗》 (급히) 떠나가다. (4) 이륙하다(take off). (5) 방송을 시작하다. **take to the air** 비행사가 되다. **tread**〔**walk, float**〕 **on air** 기뻐 어쩔 줄 모르다. **up in the air** (1) 공중에. (2) 《口》 기뻐 어쩔 줄 몰라. (3) 《口》 흥분하여, 화나서. (4) 《口》 미정의, 미해결의, 막연한. **with an air** 자신을 가지고; 점잔빼며. **with a sad air** 쓸쓸하게, 풀이 죽어.

― *a.* **1** 공기의〔를 사용하는〕. **2** 하늘의, 공중의; 비행기의〔에 의한〕.

― *vt.* **1** 〈의복 등을〉 바람에 쐬다; …에 바람을 통하게 하다, 환기하다. **2** 〈의견을〉 발표하다; 〈불평을〉 늘어 놓다. **3** 《미口》 〔라디오·TV〕 방송하다. **4** 《미俗》 〈애인 등을〉 버리다. **air oneself** 바람쐬다, 산책하다.

― *vi.* 바람쐬다; 마르다. ⊕ áiry *a.*

áir alèrt **1** 대공 경계 (태세); 그 신호. **2** 공습 경계 경보.

áir àmbulance 병상자 수송기.

air at·ta·ché[´–] 대사〔공사〕관부 공군 무관.

áir attàck 공습(air raid).

air-at·tack *vt.* 공습하다.
áir bàg (자동차 충돌시에 부푸는) 안전용 공기 주머니, 에어백.
áir bàll[ballòon] (장난감) 고무 풍선.
áir bàse 공군 기지; 항공 기지.
áir bàth 1 (건강을 위한) 공기욕(空氣浴). **2** 통풍 건조기.
áir bàttery 〔電〕 공기 전지《air cell 또는 그것을 몇 개 이은 것》.
air·bear·ing *n.* 공기 베어링, 공기 축받이.
áir bèd 공기 침대.
áir bèll (유리 제조시에 생기는) 기포.
áir bènds 〔醫〕 항공 색전증(塞栓症).
áir·bìll *n.* =AIRWAYBILL.
áir blàdder 1 (물고기의) 부레. **2** 〔植〕 기포(氣泡).
áir blàst 충풍(衝風); (공중 핵폭발 등의) 충격파.
air·boat[´bòut] *n.* **1** 비행정, 수상 비행기(seaplane). **2** 프로펠러선; 에어보트.
air·borne[´bɔ̀ːrn] *a.* **1** 공중 수송의, 공수된 〈부대 · 물자〉. **2** 〈비행기가〉 이륙한. **3** 〈꽃가루 · 씨 등〉 공기로 운반되는; 풍매(風媒)의.
áirborne sóccer 《미》 공중 사커《공 대신 프리스비(Frisbee)를 써서 7명씩 팀을 짬》.
air-bound[´bàund] *a.* 〈파이프 등이〉 공기로 막힌.
áir bràke 〔機 · 空〕 공기 제동기, 에어 브레이크.
air-breathe[´brìːð] *vi.* (제트기 등이 연료 산화를 위해) 공기를 빨아들이다.
air-breath·er[´brìːðər] *n.* 〔空〕 공기 흡입 미사일.
áir brìck 통풍〔구멍 있는〕 벽돌《통기용》.
áir brìdge 공중 가교《공수에 의한 두 지점간의 연결》; (두 건물 사이의) 구름다리; (공항 터미널과 비행기를 직결하는) 공중 통로.
áir bròker 《영》 항공 운송 중개인.
air·brush[´brʌ̀ʃ] *n.* 에어브러시《사진 수정 · 도료 분무용》. — *vt.* 에어브러시로 수정하다〔뿜어 칠하다〕.
áir bùmp 〔空〕 (에어 포켓의) 상승 기류.
air·burst[´bə̀ːrst] *n.* (폭탄의) 공중 폭발.
air·bus[´bʌ̀s] *n.* 에어 버스《중 · 단거리용 대형 여객기》.
áir càrrier 항공(운송)회사; (화물)수송기.
áir càsing 〔機〕 (열의 발산을 방지하는) 공기벽, 방열 피복(防熱被覆).
áir càstle 공중 누각, 공상.
áir càvalry, áir càv 〔미軍〕 공정 부대.
áir cèll 〔解〕 폐포(肺胞); 〔電〕 공기 전지.
áir chàmber 〔機〕 (수압 펌프 등의) 공기실; 〔動〕 (새알의) 기실(氣室).
áir chìef márshal 《영》 공군 대장.
áir clèaner 공기 청정기.
áir còach 2등 여객기; 요금이 싼 여객기.
áir còck 〔機〕 공기판(空氣瓣).
áir commànd 《미》 공군 총사령부; 항공군.
áir cómmodore 《영》 공군 준장.
áir comprèssor 공기 압축기.
áir condènser 〔機〕 공랭(空冷) 콘덴서, 공기 냉각기; 〔電〕 공기 콘덴서.
air-con·di·tion[´kəndìʃən] *vt.* 〈실내 등에〉 공기 조절 장치를 하다; 공기를 조절하다.
air-con·di·tioned[-d] *a.* 냉난방 장치를 한.
air-con·di·tion·er *n.* 공기 조절 장치, 냉난방 장치, 에어 컨디셔너.
áir condìtioning 공기 조절 (장치)《실내의 공기 정화, 온도 · 습도의 조절》.
áir contròl 제공(권); 항공 (교통) 관제.
áir contròller 항공 (교통) 관제관; 〔軍〕 항공 통제관.
air-cool[´kùːl] *vt.* 공기로 냉각시키다; 《특히》 〈내연 기관 등을〉 공랭식(空冷式)으로 하다; 냉방 장치를 하다.
air-cooled[-d] *a.* 공랭식의.
air-cool·er *n.* 공랭 장치.
air cooling 공기 냉각법.
Air Corps 미국 육군 항공대의 옛 이름.
áir còrridor 〔空〕 국제 공중 회랑《국제 협정에 의한 특정 항로》.
air-cou·pled[´kʌ́pld] *a.* 〈난방기 방식 등이〉 외기 접속(外氣接續)의; 외기를 열원(熱源)으로 하는.
áir còver 공중〔상공〕 엄호(대).
*****air·craft**[ɛ́ərkræ̀ft, -krɑ̀ːft] *n.* (*pl.* ~) 항공기《비행기 · 비행선 · 기구 · 헬리콥터 등의 총칭》: by ~ 항공기로/an ~ station 〔空〕 기상(機上) 무전국.
áircraft càrrier 항공 모함.
áircraft clòth[fàbric] =AIRPLANE CLOTH.
áircraft equìpment 항공기 장비 물품《비행중에 사용하는 이동 가능한 장비》.
áircraft obsèrver 〔미空軍〕 기상(機上) 감시병《정찰과 화기 발사 담당》.
air·craft(s)·man[ɛ́ərkræ̀ft(s)mən, -krɑ̀ːft(s)-] *n.* (*pl.* **-men**[-mən])〔영空軍〕 공군 2등병《영공군의 최하위 계급》.
áircraft tènder 〔海軍〕 항공 모선(母船), 비행기 운반선《비무장의》.
áircraft wìng 〔軍〕 항공단.
áircrew, áir crew [ɛ́ərkrùː] *n.* 항공기 승무원; 비행기 탑승원.
air·crew·man[ɛ́ərkrùːmən] *n.* (*pl.*-**men**[-mən]) 항공기 승무원의 한 사람.
áir-cùre *vt.* 〈담배 · 목재 등을〉 바람에 쐬다, 통기 처리하다.
áir cùrrent 기류(氣流).
áir cùrtain 〔建〕 에어 커튼《실내 공기와 외부 공기를 차단하는 공기벽》.
áir cùshion 1 공기 쿠션《공기 베개 등》. **2** 〔機〕 에어쿠션《완충 장치》. **3** (호버크라프트(Hovercraft)를 부상시키는) 분사 공기.
air-cush·ion(ed)[´kùʃən(d)] *a.* 공기 부상식(浮上式)의.
áir-cushion véhicle 〔空〕 에어쿠션정(艇)(ground-effect machine), 호버크라프트(Hovercraft).
áir dàm 에어 댐《자동차 · 비행기의 공기 저항을 감소시키고 안정도를 높이는 장치》.
air·dash[´dæ̀ʃ] *vi.* 비행기로 급히 가다.
air·date[´dèit] *n.* 방송(예정)일.
áir defènse 방공(防空)(수단〔기술, 조직〕).
áir dèpot 《미》 항공기 발착장; 항공 보급소.
áir divìsion 〔미空軍〕 항공 사단.
áir dòme 〔建〕 에어돔, 공기막(膜) 공법〔구조〕.
áir dòor 〔建〕 =AIR CURTAIN.
áir dràin 〔建〕 통기관(通氣管), 통기구(溝).
air-driv·en[´drìvən] *a.* 압축 공기를 원동력으로 하는, 공기 … 〈공구(工具)〉.
airdrome[´dròum] *n.* 《미》 비행장, 공항.
air·drop[´drɑ̀p/´drɔ̀p] *n.* 공중 투하. — *vt.* (~**ped**; ~·**ping**) 〈인원 · 장비 · 식료품 등을〉 공중 투하하다.
air-dry[´drài] *vt.* (**-dried**) 공기로 말리다. — *a.* 공기로 말린.
áir dùct 통풍공(孔); 급기관(給氣管).
Aire·dale[ɛ́ərdèil] *n.* 에어데일 테리어종(種)의 개(=´ **tèrrier**); (**a-**) 《미俗》 괴상한 남자.
áir èddy 기류의 소용돌이.

áir edìtion (신문 · 잡지의) 공수판(空輸版).
áir èngine 항공 발동 기관; 공기 기관.
air·er[έərər] *n.* 《영》 빨래 말리는 대〔틀〕. (의복의) 건조 장치.
áir exprèss 소하물 공수업; 항공 소하물〔속달〕.
air·fare[⌐fὲər] *n.* 항공 운임〔요금〕.
áir fèrry (수역을 건너는) 공중 수송, 에어페리.
air·field[έərfì:ld] *n.* 비행장; (설비 없는) 이착륙장.
áir·fight *n.* 공중전.
áir flèet 항공기 편대; (일국의) 공군력, 공군.
air·flow[⌐flòu] *n.* 기류《비행기 · 자동차 등 운동체 주위에 생기는》.
air·foil[⌐fɔ̀il] *n.* 〔空〕 (항공기의) 외장(《영》 aerofoil)《날개 · 프로펠러 · 방향타 등의 총칭》.
áir fòrce 공군(略: A.F.): the Royal〔United States〕 *Air Force* 영국〔미국〕 공군.
air-force *a.* 공군의.
Áir Fòrce Óne 공군 제 1호기《미국 대통령 전용기》.
air·frame[⌐frèim] *n.* 〔空〕 (비행기의 엔진을 제외한) 기체.
Áir Fránce 에어 프랑스《프랑스 항공 회사》.
air·freight[⌐frèit] *n.* Ⓤ 항공 화물편; 항공 화물 운임; 항공 화물. **~·er**[-ər] *n.* 화물 수송기.
áir gàp 〔電〕 에어갭, 공극(空隙)《방전(放電) 때 또는 자극(磁極) 간의 간극》.
áir gàs 공기 가스; 발생로(發生爐) 가스.
áir gàuge 기압계.
air·glow[⌐glòu] *n.* 야광(夜光).
air·graph[⌐græ̀f, ⌐grɑ̀:f] 《영》 *n.* 항공 축사(縮寫) 우편. ── *vt.* 항공 축사 우편으로 보내다.
áir gròup 〔미空軍〕 비행군(群)《air wing 아래의 편성 단위》.
áir gùn 공기총; 에어건《페인트 등의 분사 장치》.
áir hàll 《영》 에어홀《옥외 수영장 · 테니스장 등을 덮는 간이 플라스틱제 돔》.
áir hàmmer 공기 해머.
air·head[1][⌐hèd] *n.* 《북미俗》 바보, 멍청이 (bubblehead).
air·head[2] *n.* (적지 내의) 낙하 교두보.
áir hòist (압축 공기를 이용한) 승강기.
áir hòle 바람 구멍; 얼음 위의 구멍; =AIR POCKET.
air·hop[⌐hɑ̀p] *n.* 단거리 비행기 여행. ── *vi.* 비행기로 여기 저기 돌아다니다.
áir hòstess =AIR STEWARDESS.
air·house[⌐hàus] *n.* 공기집《공기를 넣어 부풀리는 공사용 비닐하우스》.
áir hùnger 〔醫〕 공기 기아《일종의 호흡 곤란》.
air·i·ly[έərəli] *ad.* 경쾌하게; 마음이 들떠서, 쾌활하게; 뻐기며.
air·i·ness[έərinis] *n.* Ⓤ 환기가 좋음; 경쾌; 쾌활, 유쾌; 공허.
air·ing[έəriŋ] *n.* **1** 공기〔바람〕에 쐼, 불에 쬠. **2** (보통 *sing.*) 외출, 산책; 드라이브, 옥외 운동: take an ~ 옥외 운동〔산책, 승마〕을 하다. **3** 《미口》 (라디오 · 텔레비전의) 방송. **4** (의견 등의) 개진, 공표; 고백.
áiring cùpboard 《영》 세탁물 건조 선반〔장〕.
áir injèction (분사식) 연료 공급.
air-in·take[έərìnteik] *n.* 공기 흡입구; 공기 흡입량.
áir jàcket 구명대; 〔機〕 공기 재킷.
áir làne 항공로(airway).
air-launch[έərlɔ̀:ntʃ, -lɑ̀:ntʃ] *vt.* (비행기 등에서) 공중 발사하다.
air·less[έərlis] *a.* 공기 없는; 바람이 통하지 않는.
áir lètter 항공 우편; 항공 서한, 항공 봉함엽서(*cf.* AEROGRAM(ME)).
air·lift[έərlìft] *n.* 공수(空輸) (작전); 항공 보급(로), 공수 물자. ── *vt.* 항공 보급하다, 공수하다.
air·like[⌐làik] *a.* 공기 같은.
air-line *a.* 《미》 일직선의.
air·line[⌐làin] *n.* **1** 정기 항공(로): ~ passenger tariff 국제 항공 운임표/~ ticket 항공권, 비행기표. **2** (종종 *pl.*; 단수 취급) 항공 회사《Air Lines로도 씀》. **3** 《미》 일직선, 최단 거리(beeline). **4** 공기 파이프〔호스〕.
áirline còde 항공 회사 코드: ~ number 항공 회사 코드 번호.
áirline hòstess 《미》 (정기 여객기의) 스튜어디스.
air·lin·er[⌐làinər] *n.* (대형) 정기 여객기.
air·link *n.* (두 지점간의) 항공 연결.
air·load[⌐lòud] *n.* (승무원 · 연료를 포함한) 항공기의 총적재 중량.
áir lòck 〔土木〕 에어록, 기실(氣室); (우주선 등의) 기밀식 출입구.
áir·lock módule[έərlɑ̀k-/-lɔ̀k-] (우주 정거장 내의) 기밀(氣密) 구획실.
áir lòg 〔空〕 항공 일지; (비행기의) 비행 거리 기록 장치; (유도탄 등의) 사정 조절 장치.
air·mail[έərmèil] *n.* Ⓤ 항공 우편, 항공편; (집합적) 항공 우편물: by ~ 항공(우)편으로. ── *a.* 항공(우)편의: an ~ stamp 항공편 우표. ── *ad.* 항공편으로. ── *vt.* 항공편으로 부치다〔보내다〕.
air·man[έərmən] *n.* (*pl.* **-men**[-mən]) 비행사, 항공병, 비행가(aviator), 파일럿: a civil(ian) ~ 민간 비행가. **~·shìp** *n.* 비행술.
air·mark[⌐mɑ̀:rk] *vt.* 대공 표지를 하다.
áir márshal 《영》 공군 중장.
áir màss 〔氣〕 기단(氣團), 기괴(氣塊).
áir màttress 에어매트리스《침대 · 구명대》.
áir mechànic 항공 정비병.
Áir Mèdal 〔미軍〕 공군 수훈장(殊勳章).
áir mìle 항공 마일, 국제 공리(空里)(=international ~)《1,852m》.
air-mind·ed[⌐màindid] *a.* 비행을 좋아하는; 항공 사업에 관심을 가진〔열성적인〕.
Áir Mìnistry (the ~) 《영》 항공성《군부 · 민간의 항공을 통괄했음; 1964년 Ministry of Defence에 흡수됨》.
áir mìss 에어미스《항공기의 이상(異常) 접근 (near miss)의 공식 용어》.
air·mo·bile[⌐mòubəl, -bi:l/-bail] *a.* 〔軍〕 공수부대의: ~ operation 〔軍〕 공수 기동 작전.
áir mosàic (항공 사진을 이어 만든) 항공 지도.
áir mòtor =AIR ENGINE.
áir obsèrver 〔미空軍〕 기상〔공중〕 감시병《정찰과 화기 발사를 맡아봄》.
áir ófficer 《미》 해군 항공 참모; (**A- O-**) 《영》 공군 참모《공군 준장 이상》.
air·pack *n.* 에어팩《휴대용 공기통과 보호마스크가 연결되어 있는 공기 공급 장치; 소방관 등이 사용》.
air·park[⌐pɑ̀:rk] *n.* 작은 비행장《특히 공업 지대 근처의》.
áir pàssage **1** 통기구(通氣口), 통풍로. **2** 항공 여행(travel by air). **3** 비행기편 (이용).
áir patròl 공중 정찰; 비행 정찰대.
áir pìllow 공기 베개.
áir pìpe 공기관(空氣管), 송기관(送氣管).
áir pìracy 항공기 납치, 하이재킹.
áir pìrate 공중 납치범, 하이재커.

★**air·plane**[έərplèin] *n.* 《미·캐나다》 비행기 (《영》aeroplane) 《口》에서는 종종 plane》; 항공기《글라이더나 헬리콥터 등》: *by* ~ 비행기로/take an ~ 비행기를 타다. — *vi.* 비행기로 가다.
áirplane càrrier 항공 모함.
áirplane clòth〔**fàbric**〕 비행기 부품용 면포; 그 비슷한 무명《셔츠감》.
áirplane spìn 〔레슬링〕 비행기 던지기.
áir plànt 〔植〕 기생(氣生) 식물.
air·play[∸plèi] *n.* 방송에서의 레코드 연주.
áir pòcket 〔空〕 에어포켓.
áir polìce 공군 헌병대.
áir pollùtion 공기〔대기〕 오염.
★**air·port**[έərpɔ̀ːrt] *n.* 공항《정비 시설 등을 포함; *cf.* AIRFIELD》: Incheon A- 인천 공항.
air·post *n.* 《영》 =AIRMAIL.
áir pòwer 공군력; 공군.
áir prèssure 기압.
air·proof[∸prùːf] *a.* 공기가 통하지 않는, 내기성(耐氣性)의. — *vt.* 내기성으로 하다.
áir propèller (항공기 등의) 프로펠러, (선풍기 등의) 회전 날개.
áir pùmp 공기〔배기(排氣)〕 펌프.
áir ràid 공습.
air-raid[έərrèid] *a.* 공습의. — *vt.* 공습하다.
áir-raid shèlter 방공호, 공습 대피소.
áir-raid wàrden 공습 감시원, 방공 지도원.
áir recèiver 〔機〕 기조(氣槽).
áir resìstance 공기 저항.
áir rìfle (선조식) 공기총.
áir rìght 〔法〕 공중권.
áir ròute 항공로.
áir sàc 〔動〕 (새의) 공기주머니; 〔植〕 공기주머니.
air·scape[έərskèip] *n.* 《미》 공감도(空瞰圖), 항공 사진.
áir scòop 〔空〕 공기 흡입구.
áir scòut 비행 정찰병; 정찰기.
air·screw[∸skrùː] *n.* 《영》 프로펠러.
air-sea *a.* 해공(海空)(협동)의.
air-sea rescue[∸sìː-] 해공 협동 구조 작업.
áir sèrvice 항공 병과, 공군; (육·해군의) 항공부; 항공 운수 사업.
áir shàft (광산·터널의) 통풍 수갱(竪坑).
air·shed[∸ʃèd] *n.* 한 지역의 대기(大氣)(량); (지역별로 구분한) 대기 분수계.
‡**air·ship**[∸ʃìp] *n.* **1** 비행선: an ~ shed 비행선 격납고/a rigid〔nonrigid〕 ~ 경식(硬式)〔연식〕 비행선. **2** 조종할 수 있는 기구(dirigible). — *vt.* 《미》 항공기로 나르다.
air·show *n.* 항공기로 하는 공중 묘기; 에어쇼.
áir shòwer 〔物〕 공기 샤워.
áir shùttle 《口》 (통근용) 정기 항공편.
air·shut·tle[∸ʃʌ̀tl] *vi., vt.* (단거리) 정기 항공편으로 여행하다.
air·sick[∸sìk] *a.* 비행기 멀미가 난.
~·ness *n.* Ⓤ 항공병; 비행기 멀미.
air·side *n.* (여권의 통제를 받지 않는) 공항 출입구《공항 관계자, 국가 여행 등으로 인한 출입시》.
air-slake[∸slèik] *vt.* 풍화(風化)시키다.
áir·spàce *n.* **1** 영공(領空)《영토·영해에 대하여》; 공역(空域): international ~ 공해 상공/controlled ~ 관제 공역. **2** (실내의) 공적(空積); 〔建〕 공기층; (식물의) 기실(氣室).
air·speed[∸spìːd] *n.* 풍속; 〔空〕 대기(對氣) 속도(*cf.* GROUND SPEED). — *vt.* 항공편으로 급송하다. **~·ed** *a.* 항공편에 급송한.
áirspeed ìndicator〔**mèter**〕 〔空〕 대기(對氣) 속도계, 비행 속도계.
áir sprày 분무액(이 든 분무기)(aerosol).
air-sprayed *a.* 압축 공기로 분무한.
áir sprìng 〔機〕 압축 공기 완충기.
áir stàtion (격납고·정비 시설이 있는) 비행장.
áir stèwardess (여객기의) 스튜어디스.
áir stòp 《영》 헬리콥터 발착소.
áir strèam[∸strìːm] 기류, 《특히》 고층 기류.
áir strìke 공습(air raid).
air·strip[∸strìp] *n.* 〔空〕 (가설) 활주로.
áir suppòrt =AIR COVER.
áir-sup·pórt·ed strùcture =AIRHOUSE.
áir·tàx·i *n.* 《미》 에어택시《근거리 소형 여객기》. — [∸tæ̀ksi] *vi.* 근거리 비행을 하다.
air·tel[έərtèl] [*air*+ho*tel*] *n.* 공항 호텔.
áir tèrminal 에어터미널《여객의 출입구가 되는 건물·사무소 등; 공항에서 떨어진 시내에 있는 승객 안내 집합소》.
áir thermòmeter 공기 온도계.
air·tight[∸tàit] *a.* 밀폐된, 기밀(氣密)의; 《미》 공격할 여지가 없는, 빈틈없는, 완벽한.
áir·tìme *n.* 〔라디오〕 방송 시간.
air-to-air[∸tu∸, ∸tə∸] *a., ad.* 공대공(空對空)의〔으로〕, 비행중의 항공기간의〔에〕: an ~ missile 공대공 미사일(略: AAM)/~ refueling 공중 급유.
air-to-sur·face, -to-ground[∸təsə́ːrfis], [∸təgràund] *a., ad.* 공대지(空對地)의〔로〕: an ~ missile 공대지 미사일 (略: ASM, AGM).
air-to-un·der·wa·ter[∸tuʌ́ndərwɔ̀ːtər] *a., ad.* 공대 수중의〔으로〕: an ~ missile 공대 수중 미사일(略: AUM).
áir tòurist =AIR COACH.
áir tràctor 농업용〔농약 살포용〕 항공기.
áir tràffic 〔空〕 항공 교통〔수송〕(량).
áir tràffic contròl 〔空〕 항공 교통 관제 (기관)(略: ATC).
áir tràffic contròller 항공 교통 관제관.
áir tràin 공중 열차《한 대 혹은 두 대의 글라이더를 연결한 비행기; *cf.* SKY TRAIN》.
áir trànsport 항공 운수, 공수(空輸); 수송기.
áir tràp 〔機〕 공기 트랩, 방취기(防臭器), 방취판(瓣).
áir tràvel 비행기 여행(자 수).
áir tùrbine 〔機〕 공기 터빈.
áir tùrbulence 난기류(亂氣流).
air·twist *n.* (유리를 불 때 기포(氣泡)를 술잔의 손잡이 속에 만들어 잡아 늘여 비틀어 만든) 뱀 모양의 무늬.
Áir UK[-jùːkéi] 유케이 항공《영국의 항공 회사》.
áir umbrèlla =AIR COVER.
Áir Ùnion 에어유니언《Air France, Sabena (벨기에), Alitalia(이탈리아), Lufthansa (옛 서독)의 4회사의 국제 항공 조직》.
áir vàlve 공기 밸브.
áir vèsicle 〔植〕 부유해초(浮遊海草)에서 볼 수 있는 기포(氣胞).
áir vice-márshal[-vàismáːrʃəl] 《영》 공군 소장.
air·view[έərvjùː] *n.*=AIRSCAPE.
áir wàrden 《미》 공습 감시원, 방공 지도원.
air·wave[∸wèiv] *n.* (일정 주파수의) 채널; (*pl.*) (라디오·텔레비전의) 방송 전파.
*__air·way__[∸wèi] *n.* 항공로; 〔鑛山〕 통풍로(通風路); 기도(氣道); (일정 주파수의) 채널 방송; (*pl.*: 단수 취급) 항공 회사: British Airways 영국 항공.
áirway béacon 항공(로) 등대.
air·way·bill[∸∸bìll] *n.* 항공 수송 증권, 항

공 화물 수령증.

áir wèll =AIR SHAFT.

áir wìng 〔空軍〕 비행단(*cf.* WING).

air-wise[∠wàiz] *a.* 항공 지식이 있는.

air·wom·an[∠wùmən] *n.* (*pl.* **-women**[-wìmin]) 여류 비행가, 여자 비행사.

air·wor·thy[∠wə̀:rði] *a.* 항공〔비행〕에 견딜 수 있는, 내공성(耐空性)이 있는(*cf.* SEAWORTHY). **-thi·ness** *n.* Ⓤ 내공성.

*__air·y__[έəri] *a.* (**áir·i·er; -i·est**) **1** 공기 같은, 공허한. **2** 가벼운, 경쾌한〈발걸음 등〉. **3** 쾌활한. **4** 바람이 잘 통하는. **5** 하늘 높이 솟은. **6** 공기의, 항공의(aerial). **7** 들뜬, 경박한. **8** 《口》 점잔빼는. ◇ air *n.*

air·y-fair·y[-fέəri] *a.* 요정 같은: 공상적인〈생각·계획〉.

AIS 〔會計〕 accounting information system; automatic interplanetary station (옛 소련의) 자동 행성간 정거장.

*__aisle__[ail] [L] *n.* **1** (교회당의) 측면의 복도, 측랑(側廊): (교회의 좌석 줄 사이의) 통로. **2** 《미》(극장·교실·열차·버스·상점안 등의) 통로, 복도. **rock**〔**knock, have, lay, roll**〕 (the audience) **in the aisles** 《미口》 (관중)을 도취시키다, 감동시키다: 크게 웃기다. **two on the aisle** 극장 정면 통로측의 두 좌석《한쌍의 가장 좋은 자리》.

aisled *a.* 측랑이 있는.

áisle sèat 통로쪽 좌석(*cf.* WINDOW SEAT).

áisle sìtter 《口》 연극 평론가.

ait[eit] *n.* 《영》 강〔호수〕 가운데의 작은 섬.

aitch[eitʃ] *n.* 'H' 자 〔꼴, 음〕. **drop** one's **aitches** 〈무교육자가〉 h 음을 빠뜨리고 발음하다(hair 를 air 로 하는 등).

aitch·bone[éitʃbòun] *n.* (소의) 볼기뼈: 뼈가 붙은 우둔살.

AIU American International Underwriters 미국 국제 보험 회사.

A·jan·ta[ədʒʌ́ntə] *n.* 아잔타《인도 서부의 마을: 석굴과 벽화가 유명》.

a·jar[1][ədʒá:r] *ad., a.* 〈문이〉 조금 열려져.

ajar[2] *ad., a.* 조화를 잃어, 불화의 상태로: set nerves ~ 신경을 초조하게 하다.

A·jax[éidʒæks] *n.* 〔그神〕 아작스《트로이 공위군(攻圍軍)의 용사》.

A.J.C. Australian Jockey Club. **AK** 〔미郵便〕 Alaska. **AKA** American Korean Association 한미 협회. **a.k.a.** also known as 별칭(別稱)은 …. **AKC** American Kennel Club 미국 애견가 클럽.

a·kene[eikí:n, ə-] *n.* =ACHENE.

a·kim·bo[əkímbou] *a., ad.* 손을 허리에 대고 팔꿈치를 양 옆으로 펴고: stand (with one's) arms ~ 양손을 허리에 대고 서다.

*__a·kin__[əkín] *a.* 혈족의(*to*), 동족의: 유사한, 비슷한(*to*): 《Ⅱ 형》 The fox and dog are ~. 여우와 개는 동족이다. **be akin to** …에 가깝다, 유사하다: Pity is ~ *to* love. 《속담》 연민은 사랑에 가깝다.

a·ki·ne·sia[èikainí:ʒə, -ki-] *n.* 〔病理〕 무운동《완전한·부분적 운동 마비》.

Ak·kad, Ac·cad[ǽkæd, á:kɑ:d] *n.* 아카드 (Nimrod 왕국 4도시의 하나).

Ak·ka·di·an[əkéidiən] *n.* Ⓤ 아카드 말《바빌로니아, 아시리아 지방을 포함하는 동부 지방의 셈어》: Ⓒ 아카드 사람. — *a.* 아카드의: 아카드 사람〔말〕의.

Al[æl] Albert; Alfred; 〔化〕 alumin(i)um.

AL 〔미郵〕 Alabama; Arab League. **A.L.** American League 미국 프로 야구 연맹; American Legion.

al-[əl, æl] *pref.* =AD-(l 앞에서): *al*lude.

-al[əl] *suf.* **1** (형용사 어미) 「…한 (성질의)」의 뜻: post*al*, sensation*al*. **2** (명사 어미) 「…함」의 뜻: arrive 〉arriv*al*. **3** 〔化〕 aldehyde기(基)를 함유한 것을 나타내는 화학 용어를 만듦: chlor*al*, butan*al*.

à la[á:lə, -lɑ:] [F =after the manner of] *prep.* …류〔풍〕의〔으로〕, …식의〔으로〕: 《口》 …을 본딴: 〔料理〕 …식의, …을 곁들인 ⇨à la carte, à la mode.

a·la[éilə] *n.* (*pl.* **a·lae**[éili:]) 〔動〕 날개, 깃; 우상부(羽狀部): 겨드랑이.

ALA Alliance for Labor Action. **ALA, A.L.A.** American Library Association.

Ala. Alabama.

*__Al·a·bam·a__[æ̀ləbǽmə] *n.* 앨라배마《미국 남동부의 주: 略: Ala.》. ◇ Alabámian *a.*

Al·a·bam·i·an[-miən], **-baman**[-mən] *a.* Alabama 의. — *n.* Alabama 사람.

al·a·bam·ine[æ̀ləbǽmi:n, -min] *n.* 〔化〕 알라바민(astatine)《기호 Ab》.

*__al·a·bas·ter__[ǽləbæ̀stər, -bὰ:s-] *n.* Ⓤ 설화석고(雪花石膏). — *a.* 설화 석고로 만든; 희고 보드라운.

al·a·bas·trine[æ̀ləbǽstrin] *a.* =ALABASTER.

à la carte[ὰ:ləkɑ́:rt, æ̀lə-] [F =by the bill of fare] *ad., a.* 메뉴〔정가표〕에 따라〔따른〕, 좋아하는 요리로〔의〕(*cf.* TABLE D'HOTE 정식(定食)).

a·lack(·a·day)[əlǽk(ədèi)] *int.* 《古》(비탄·유감·놀람을 나타내어) 아, 슬프도다.

a·lac·ri·tous[əlǽkrətəs] *a.* 민활한, 민첩한.

a·lac·ri·ty[əlǽkrəti] *n.* Ⓤ 민활, 민첩; 활기, 열의, 경쾌. **with alacrity** 민첩하게.

*__A·lad·din__[əlǽdn] *n.* 알라딘《아라비안 나이트에 나오는 인물로서 마술 램프의 주인》.

Aláddins lámp 알라딘의 램프《모든 소원을 이루어 준다는 마법의 램프》.

a·lae *n.* ALA의 복수.

à la fran·çaise[F] *a., ad.* 프랑스식의〔으로〕.

à la king[ὰ:ləkíŋ, æ̀lə-] [F] *a.* 《미》 고추와 버섯을 넣고 크림소스로 조리한.

a·la·li·a[əléiliə, -ljə] *n.* Ⓤ 〔病理〕 발어(發語) 불능증.

al·a·me·da[æ̀ləméidə] *n.* 《미》 가로수길, 산책길.

al·a·mo[ǽləmòu, ɑ́:l-] *n.* (*pl.* **~s**) 《미南部》 =COTTONWOOD.

Al·a·mo[ǽləmòu] *n.* (the ~) 앨라모 요새 《미국 Texas주 San Antonio에 있음; 1836년 멕시코군에 포위된 미국인 187명이 전멸》.

à la mode[ὰ:ləmóud, æ̀lə-] [F =in the fashion] *a., ad.* **1** 유행의, 유행을 따라서, 당대 유행의〔으로〕. **2** (보통 명사 뒤에서) 〔料理〕〈파이 등이〉 아이스크림을 얹은〔곁들인〕; 〈쇠고기가〉 야채와 끓인 육즙소스를 곁들인. **beef a la mode** 비프스튜의 일종. **pie a la mode** 아이스크림을 얹은 파이.

al·a·mode[ǽləmòud] *a.* =ALA MODE. — *n.* Ⓤ 얇고 윤이 나는 검은 명주.

Al·an[ǽlən] *n.* 남자 이름.

à l'an·glaise[á:lɑ:ŋgléiz] [F] *a., ad.* 영국식의〔으로〕.

al·a·nine[ǽləni:n] *n.* 〔化〕 알라닌《아미노산의 일종》.

Al-A·non[ǽlənɑ̀n/-nɔ̀n] [Alcoholics Anonymous] 알코올 중독자 자주(自主) 치료 협회.

al·a·nyl[ǽlənil] *n.* 〔化〕 알라닐(기)(=∠ **ràdical**〔**gròup**〕).

à la page[ὰ:ləpá:ʒ, æ̀lə-] [F] *a.* 첨단적인,

최신 유행의.
a·lar[éilər] *a.* 날개의, 깃의; 날개〔깃〕가 있는; 겨드랑이의.
Alar *n.* (과실수 등에 뿌려 일시 수확을 하는) 성장 조절 화학제《상품명》.
A·lar·cón[àːlaːrkóun/-kɔ́n] *n.* 알라르콘 Pedro Antonio de ~(1833-91)《스페인의 시인·소설가·외교관》.
‡**a·larm**[əláːrm] [It] *n.* **1** Ⓤ 놀람, 공포, 겁, 불안. **2** 경보, 비상 경보, 비상 소집. **3** 경보기, 경종; 자명종(=∠ **clòck**). **4** 〔펜싱〕 1보 내딛는 도전 동작. **a fire alarm** 화재 경보(기). **a burglar alarm** 도난 경보(기). **give a false alarm** 거짓 경보를 전하여 놀라게 하다. **give the alarm**=**raise an alarm** 경보하다. **in**〔**with**〕 **alarm** 놀라서, 걱정하여. **sound**〔**ring**〕 **the alarm** 경적〔경종〕을 울리다, 위급함을 알리다. **take** (**the**) **alarm** 놀라다, 경계하다. — *vt.* 경보를 전하다; 놀라게 하다: Don't ~ yourself. 놀라지 마라.
alárm bèll 경종, 경령(警鈴).
‡**alárm clòck** 자명종(自鳴鐘).
a·larmed *a.* 겁 먹은, 불안해 하는; 깜짝 놀란. **be alarmed at** (the news) (그 소식)에 놀라다. **be alarmed for** (a person's safety) (…의 안부)를 염려하다.
alárm gùn 비상 호포(非常號砲), 경포.
***a·larm·ing**[əláːrmiŋ] *a.* 놀라운, 심상치 않은, 불안하게 하는. **~·ly** *ad.*
a·larm·ism[əláːrmizəm] *n.* Ⓤ,Ⓒ 기우(杞憂); 부질없이 세상을 소란케 함.
a·larm·ist[əláːrmist] *n.* **1**. 인심을 소란케 하는 사람(scaremonger). **2** 군걱정하는 사람. — *a.* 인심을 소란케 하는 (사람의).
alárm reàction 〔生理〕 경고 반응《일반 적응 증후군의 제1단계》.
alárm sìgnal 경보; 비상 신호.
alárm wòrd 군호, 암호말.
a·lar·um[əlǽrəm, -láːr-] *n.* 경보기, 경종; 자명종 소리; 《古》 =ALARM. **alarums and excursions** 난투; 갈팡질팡.
alárum clòck 《영》 =ALARM CLOCK.
a·la·ry[éiləri, ǽl-] *a.* 날개〔깃〕의; 날개 모양의.
‡**a·las**[əlǽs, əláːs] *int.* 아아, 슬프도다, 가엾도다《슬픔·염려 등을 나타내는 소리》. **Alas the day!** 아아, 슬프도다.
Alas. Alaska.
***A·las·ka**[əlǽskə] *n.* 알래스카《미국의 한 주; 略: Alas.》.
Aláska Híghway (the ~) 알래스카 공로(公路)《알래스카의 Fairbanks와 캐나다의 Dawson Creek 사이의 도로; 통칭 Alcan Highway》.
A·las·kan[əlǽskən] *a.* 알래스카 (사람)의. — *n.* 알래스카 사람.
Aláskan málamute 알래스카 맬러뮤트 《썰매 개》.
Aláska (Stándard) Tìme 알래스카 표준시《GMT보다 10시간 늦음》.
A·las·tor[əlǽstər, -láːs-] *n.* **1** 〔그神〕 알라스토르《복수의 신》. **2** 남자 이름.
a·late, a·lat·ed[éileit], [-id] *a.* 날개가 있는; 날개 모양의.
alb[ælb] *n.* 〔가톨릭〕 장백의(長白衣).
Alb. Albania(n); Albany; Albert; Alberta.
Alba. Alberta (Canada).
al·ba·core[ǽkbəkɔ̀ːr] *n.* (*pl.* ~, ~**s**) 〔魚〕 날개다랑어.
Alban. *Albanensis*(L =of Albans; Bishop of St. Albans가 서명(署名)에 썼음; *cf.* CANTUAR).
Al·ba·ni·a[ælbéiniə, -njə] *n.* 알바니아《발칸 반도의 공화국; 수도 Tirana[tiráːnə]》.
Al·ba·ni·an[-n] *a.* 알바니아 (사람·말)의. — *n.* 알바니아 사람; Ⓤ 알바니아 말.
Al·ba·ny[ɔ́ːlbəni] *n.* 올버니《미국 New York 주의 주도》.
al·ba·ta[ælbéitə] *n.* Ⓤ 양은(洋銀).
al·ba·tross[ǽlbətrɔ̀(ː)s, -trɑ̀s] *n.* (*pl.* ~·**es**, ~) **1** 〔鳥〕 신천옹. **2** 걱정거리; 장애, 제약.
al·be·do[ælbíːdou] *n.* (*pl.* ~**s**) Ⓤ,Ⓒ **1** 〔天〕 알베도《달·행성이 반사하는 태양 광선의 율》. **2** 〔物〕 알베도《원자로 내의 반사체에 의하여 반사되는 중성자의 비율》.
al·be·it[ɔːlbíːit] *conj.* 《文語》 비록 …이기는 하나, …(임)에도 불구하고(even though).
Al·bert[ǽlbərt] *n.* **1** 남자 이름. **2** (Prince ~) 앨버트공《Victoria 여왕의 부군; the Prince Consort라 불렀음》. **3** (**a-**) 앨버트형 시계줄(=∠ **cháin**).
Al·ber·ta[ælbə́ːrtə] *n.* **1** 여자 이름. **2** 앨버타《캐나다 서부의 주; 주도 Edmonton》.
Álbert Háll (the ~) 앨버트 기념 회관《런던의 Kensington에 있음; 음악회 등에 사용됨》.
Al·bert·ville[ɑlbɛrvíːl][F] 알베르빌《프랑스 동부 Savoie 지방의 도시; 제16회 동계 Olympic 개최지(1992)》.
al·bes·cent[ælbésənt] *a.* 희어지는, 희끔한. **-cence**[-səns] *n.*
Al·bi·gen·ses[æ̀lbidʒénsiːz] *n. pl.* 알비파(派)《12-13세기 남프랑스의 종교 개혁자들》.
Al·bin[ǽlbin] *n.* 남자 이름.
Al·bi·na[ælbáinə, -bíː-] *n.* 여자 이름.
al·bi·nism[ǽlbənìzəm] *n.* Ⓤ 피부 백변증(白變症), (피부) 색소 결핍증(*opp.* melanism).
al·bi·no[ælbáinou/-bíː-] *n.* (*pl.* ~**s**) 흰둥이《피부 색소가 결핍된 사람》; 〔動·植〕 백변종.
al·bi·not·ic[æ̀lbənɑ́tic/-nɔ́-] *a.* 선천성 백피증(白皮症)의; 백변종(白變種)의.
Al·bi·on[ǽlbiən] [L] *n.* 《文語》 앨비언(England의 옛 이름》.
al·bite[ǽlbait] *n.* Ⓤ 〔鑛〕 조장석(曺長石).
ALBM air-launched ballistic missile 공중 발사 탄도탄.
★**al·bum**[ǽlbəm] [L] *n.* **1** 앨범《사진첩, 우표첩; 사인북, 악보철, 레코드첩 등》. **2** 문학〔음악, 명화〕 선집.
al·bu·men[ælbjúːmən] [L] *n.* (알의) 흰자위; 〔植〕 배젖; 〔生化〕=ALBUMIN.
al·bu·men·ize[ælbjúːmənàiz] *vt.* 〈인화지 등에〉 단백을 칠하다; 단백으로 처리하다.
al·bu·min[ælbjúːmən] *n.* Ⓤ 〔生化〕 알부민《단백질의 일종》.
al·bu·min·oid[ælbjúːmənɔ̀id] 〔生化〕 *a.* 단백성의. — *n.* 경(硬)단백질, 골격성 단백질.
al·bu·min·ous, -ose[ælbjúːmənòus], [-nəs] *a.* 단백성의, 단백질을 함유한; 〔植〕 배젖이 있는.
al·bu·min·u·ri·a[ælbjùːmənjúəriə] *n.* Ⓤ 〔病理〕 단백뇨증(尿症).
al·bu·mose[ǽlbjəmòus] *n.* 〔生化〕 알부모스《소화 효소 작용으로 단백질이 분해된 것》.
al·bur·nous[ælbə́ːrnəs] *a.* 백목질의.
al·bur·num[ælbə́ːrnəm] *n.* Ⓤ 〔植〕 백재(白材), 변재(邊材), 백목질(白木質)(sapwood).
alc. alcohol.
al·ca·hest *n.* =ALKAHEST.
Al·ca·ic[ælkéiik] *a.* 고대 그리스의 시인 Alcaeus의; 〔韻〕 알카이오스격의.
al·cai·de, -cay·de[ælkáidi] [Sp] *n.* (스페인 등의) 요새 사령관.
al·cal·de[ælkǽldi] [Sp] *n.* (스페인·포르투

갈 등의) 재판관 겸 시장(市長).
Ál·can Híghway[ǽlkæn-] [*Al*aska-*Can*adian] (the ~) =ALASKA HIGHWAY.
Al·ca·traz[ǽlkətræ̀z] *n.* 앨커트래즈《미국 San Francisco 만의 작은 섬; 교도소가 있었음》.
al·ca·zar[ǽlkəzɑ̀:r, ælkǽzər, ælkɑ́:zər] *n.* (스페인의) 성채(城砦), 궁전.
Al·ces·tis[ælséstis] *n.* 〔그神〕 알케스티스《Thessaly 왕 Admetus의 처》.
al·chem·ic, -i·cal[ælkémik], [-ikəl] *a.* 연금술(鍊金術)의. **-i·cal·ly** *ad.*
***al·che·mist**[ǽlkəmist] *n.* 연금술사.
al·che·mis·tic, -ti·cal[æ̀lkəmístik, -kəl] *a.* 연금술적인. **-ti·cal·ly** *ad.*
al·che·mize[ǽlkəmàiz] *vt.* (연금술로) 변질시키다.
***al·che·my**[ǽlkəmi] *n.* (*pl.* **-mies**) **1** Ⓤ 연금술, 연단술. **2** (물건을 변질시키는) 비법, 마력.
al·clad[ǽlklæd] *n.* 앨클래드《이중 금속판》.
ALCM air-launched cruise missile 공중 발사 크루즈 미사일.
Alc·me·ne[ælkmí:ni:] *n.* 〔그神〕 알크메네《Hercules의 어머니》.
⁑**al·co·hol**[ǽlkəhɔ̀(:)l, -hɑ̀l] *n.* Ⓤ 〔化〕 알코올, 주정(酒精); 알코올 음료, 술; 음주. ⊕ alcohólic *a.*; álcoholize *v.*
al·co·hol-free =-FREE.
***al·co·hol·ic**[æ̀lkəhɔ́(:)lik, -hɑ́l-] *a.* 알코올성(性)의; 알코올에 담근; 알코올 중독의: ~ liquors (여러 가지) 알코올 음료/~ poisoning 알코올 중독. ― *n.* (습관성) 대주가; 알코올 중독 환자. **-i·cal·ly** *ad.* ⊕ álcohol *n.*
al·co·hol·ic·i·ty[æ̀lkəhɔ(:)lísəti, -hɑl-] *n.* 알코올 도수〔함유량〕.
Alcohólics Anónymous 《미》 알코올 중독자 자주(自主) 치료 협회(=AL-ANON)《略: A.A., AA》.
al·co·hol·ism[ǽlkəhɔ(:)lìzəm, -hɑl-] *n.* Ⓤ 대주; 알코올 중독(증). **-ist** *n.* 알코올 중독 환자.
al·co·hol·ize[ǽlkəhɔ(:)làiz, -hɑl-] *vt.* 주정화하다; 알코올에 담그다; 알코올로 취하게 하다.
al·co·hol·om·e·ter[æ̀lkəhɔ(:)lɑ́mitər, -hɑl-] *n.* 알코올 비중계, 주정계.
al·co·hol·y·sis[æ̀lkəhɔ́(:)ləsis, -hɑ́l-] *n.* 알코올 분해.
al·com·e·ter[ælkɑ́mitər/-kɔ́m-] *n.* 취도계(醉度計).
Al·co·ran *n.* 《古》 =KORAN.
Al·cott[ɔ́:lkət, -kɑt] *n.* 올컷 **Louisa May** ~ (1832-88)《*Little Women*(1869)을 쓴 미국의 여류 작가》.
al·cove[ǽlkouv] *n.* 반침, 벽감(壁龕); 주실에 이어진 골방; 우묵한 곳《정원·수풀 사이 등의》; 정자.
Al·cy·o·ne *n.* 〔天〕 황소자리의 3등성.
Ald., Aldm. Alderman.
Al·deb·a·ran[ældébərən] *n.* 〔天〕 황소자리 중의 1등성.
al·de·hyde[ǽldəhàid] *n.* 〔化〕 알데히드.
al den·te[ældéntei, -ti] [It] *a.* <마카로니 등이> 되직하게〔씹히게〕 요리한.
al·der[ɔ́:ldər] *n.* 〔植〕 오리나무.
al·der·man[ɔ́:ldərmən] [OE] *n.* (*pl.* **-men**[-mən]) 《미》 구청장, 시의회 의원; 《영》 시〔읍〕 참사회원, 부시장. **~·ry**[-ri] *n.* (*pl.* **-ries**) alderman의 직〔선거구〕.
~·shìp *n.* Ⓤ alderman의 직〔신분〕.
al·der·man·ic[ɔ̀:ldərmǽnik] *a.* ALDERMAN의〔다운〕.
Al·der·ney[ɔ́:ldərni] *n.* 올더니종 젖소.
Al·der·shot[ɔ́:ldərʃɑ̀t/-ʃɔ̀t] *n.* 올더숏《잉글랜드 남부의 도시; 영국군 훈련 기지가 있음》.
Al·dine edìtion[ɔ́:ldain, -di:n] 올더스판(版)《16세기 Venice의 인쇄인 Aldus가 발행한 호화판》.
Áldis lámp[ɔ́:ldis-] (신호용) 올디스램프.
al·do·hex·ose[æ̀ldouhéksous] *n.* 〔化〕 알도헥소스.
al·dose[ǽldous] *n.* 〔化〕 알도스《알데히드기(基)가 없는 단당류(單糖類)의 총칭》.
al·do·ste·rone[æ̀ldoustiróun, ∠-∠-∠, æl-dɑ́stəròun] *n.* 〔生化〕 알도스테론《부신 피질 호르몬》.
al·do·ster·on·ism[æ̀ldoustérənizəm, ældɑ́-stərou-] *n.* 알도스테론증(症)《부신피질에 의한 알도스테론의 과다분비로 몸의 전해질(電解質) 균형이깨진 이상 증후; 고혈압, 다뇨증 등이 특징》.
Al·dous[ɔ́:ldəs] *n.* 남자 이름.
al·drin[ɔ́:ldrin] *n.* 앨드린《강력 살충제》.
⁑**ale**[eil] *n.* Ⓤ 에일 맥주《본래 lager beer보다 쓰고 독한 맛이며 현재 영국에서는 beer보다 품위있는 말로서 beer와 동의어로 씀》; 《영》 (옛날 에일을 마시는) 시골 축제.
a·le·a·tor·ic[èiliətɔ́(:)rik, -tɑ́rik] *a.* **1** = ALEATORY. **2** 〔樂〕 우연성의, 임의적인: ~ music 우연성 음악.
a·le·a·to·ry[éiliətɔ̀:ri/-təri] *a.* **1** 요행을 노리는, 우연에 의한, 도박적인. **2** 〔法〕 사행(射倖)적인: ~ contract 〔法〕 사행 계약《보험 계약 등》. **3** 〔樂〕 =ALEATORIC 2.
ale·bench[éilbèntʃ] *n.* 선술집의 긴 의자.
Al·ec(k)[ǽlik] *n.* 남자 이름《Alexander의 애칭》.
al·eck[ǽlik] *n.* =SMART ALECK.
ale·con·ner[éilkɑ̀nər/-kɔ̀n-] *n.* 〔史〕 주류(酒類) 검사관.
a·lee[əlí:] *ad.* 〔海〕 바람 불어가는 쪽에〔으로〕 (*opp.* aweather). **Helm alee!** 키를 아래로! 《바람 불어가는 쪽으로 돌리라는 구령》. **Luff alee!** 키를 한껏 아래로!
a·le·gar[ǽləgər, éil-] *n.* Ⓤ 맥아초(麥芽酢), 맥주초.
ale·house[éilhàus] *n.* (*pl.* **-hous·es**[-hàuziz]) 〔古〕 맥주홀, 선술집.
Al·e·man·nic[æ̀ləmǽnik] *n.* Ⓤ 알라만어《고지 독일어》. ― *a.* 알라만 말〔사람〕의.
a·lem·bic[əlémbik] *n.* (옛날의) 증류기(蒸溜器); 정화〔순화〕하는 것.
a·leph[ɑ́:lif, -lef] *n.* 알레프《헤브라이어 알파벳의 첫자; א》.
a·leph-null, -ze·ro[-nʌ́l], [-zíərou] *n.* 〔數〕 알레프 제로《자연수 전체 또는 그것과 1대 1로 대응하는 집합의 농도》.
⁑**a·lert**[ələ́:rt] [It] *a.* **1** 방심 않는, 경계하는, 조심하는(watchful): The soldiers were ~ *on* the water *to* seize enemy ships. 병사들은 적선을 나포하려고 물위를 감시하고 있었다. **2** 기민한, 재빠른, 민활한: He was very ~ *in* answer*ing*. 그는 재빨리 대답했다.
― *n.* (공습·폭풍우에 대한) 경보; 경계; 경계 태세〔상태〕; 경계 경보 기간. **on the alert** 빈틈없이 경계하고, 대기하여《*for*》.
― *vt.* 경고하다, 주의하다; 경보를 발하다; 경계시키다. **~·ly** *ad.* **~·ness** *n.*
-a·les[éili:z] *suf.* 〔植〕 목(目)(order)의 학명을 만드는 명사 어미: Viol*ales* 제비꽃목.

a·leu·ki·a[əlúːkiə] *n.* 〔醫〕 무백증(無白症)《백혈구의 감소·결여》.
al·eu·rone[ǽljəròun, əlúəroun] *n.* Ⓤ 〔植〕 호분(糊粉).
Al·eut[əlúːt, ǽliùːt] *n.* (*pl.* ~, ~**s**) 알류트족(族)《Aleutian 열도·Alaska에 삶》; Ⓤ 알류트 말.
A·leu·tian[əlúːʃən] *a.* 알류샨 열도의; 알류트족〔말〕의. — *n.* **1** =ALEUT. **2** (the ~s) = ALEUTIAN ISLANDS.
Aléutian Íslands (the ~) 알류샨 열도.
A lèvel[éi-] 《영》 A급 (시험)(advanced level)《대학 입학 자격 고사 G.C.E. 중의 상급 수준; *cf.* O LEVEL》.
al·e·vin[ǽləvən] *n.* 치어(稚魚), 《특히》 연어 새끼.
ale·wife[éilwàif] *n.* (*pl.* **-wives**[-wàivz]) 맥주집 안주인; 《미》 청어의 일종.
Al·ex[ǽliks] *n.* 남자 이름《Alexander의 애칭》.
Al·ex·an·der[æ̀ligzǽndər, -záːn-] *n.* **1** 남자 이름《애칭 Alec, Sander, Sandy》. **2** (~ the Great)(356-323 B.C.) 알렉산더 대왕. **3** (a-) 알렉산더 칵테일.
Alexánder technìque 나쁜 자세 교정 요법《발명자의 이름에서》.
Al·ex·an·dra[æ̀ligzǽndrə, -záːn-] *n.* 여자 이름.
Al·ex·an·dri·a[æ̀ligzǽndriə, -záːn-] *n.* 알렉산드리아《북아프리카의 항구 도시》.
Al·ex·an·dri·an[æ̀ligzǽndriən, -záːn-] *a.* Alexandria의; Alexander 대왕의.
Al·ex·an·drine[æ̀ligzǽndrin, -driːn, -záːn-] 〔韻〕 *a.* 알렉산더격(格)의. — *n.* 알렉산더격 시행(詩行)《억양격 ∪ - 또는 약강격 ×´ 의 6 시각(詩脚)으로 된 시구》; 그 시.
al·ex·an·drite[æ̀ligzǽndrait, -záːn-] *n.* Ⓤ 〔鑛〕 알렉산더 보석《짙은 초록색》.
a·lex·i·a[əléksiə] *n.* Ⓤ 〔精醫〕 독서 불능증.
a·lex·in[əléksin] *n.* Ⓤ 〔免疫〕 보체(補體).
al·ex·i·phar·mic[əlèksəfáːrmik] 〔醫〕 *a.* 해독성의. — *n.* 해독제.
Alf[ælf] *n.* 남자 이름《Alfred의 애칭》.
Alf. Alfonso; Alfred.
Al·fa[ǽlfə] *n.* 《미》 문자 a를 나타내는 통신 용어.
al·fal·fa[ælfǽlfə] *n.* 《미》 〔植〕 자주개자리 (《영》 lucerne).
alfálfa wèevil 〔昆〕 유럽 바구미《북미산; alfalfa에 치명적 해충》.
Al Fa·tah[àːlfaːtáː, ælfǽtə] 알파타(PLO의 주류 온건파).
al fi·ne[ælfíːnei] [It] *ad.* 〔樂〕 끝까지(to the end).
al·for·ja[ælfɔ́ːrhaː, -dʒə] *n.* 《미西部》 안장 주머니; (비비의) 볼주머니.
Al·fred[ǽlfrid, -fred] *n.* **1** 남자 이름《애칭 Fred》. **2** (~ the Great) 앨프레드 대왕(849-899)《West Saxon 왕국의 왕》.
al·fres·co, al fres·co[ælfréskou] [It =in the fresh (air)] *ad., a.* 야외에서〔의〕: an ~ lunch 들놀이 도시락.
alg-[ælg, ældʒ] 《연결형》「아픔」의 뜻.
alg. algebra. **Alg.** Algeria(n); Algiers.
al·ga[ǽlgə] *n.* (*pl.* **-gae**[-dʒiː], ~**s**) 〔植〕 조류(藻類), 말류《민물·바닷물의》.
al·gal[ǽlgəl] *a.* 조류의, 말류의〔같은〕.
⁑**al·ge·bra**[ǽldʒəbrə] [Arab] *n.* **1** Ⓤ 대수학. **2** 대수 교과서〔논문〕. **algebra of logic** 〔論〕 논리 대수. ⇔ algebráic *a.*
al·ge·bra·ic, -i·cal[æ̀ldʒəbréiik], [-əl] *a.* 대수의, 대수학상의. **-i·cal·ly** *ad.*
algebráic equátion 대수 방정식.
algebráic númber 대수적 수.
al·ge·bra·ist[ǽldʒəbrèiist/⌐--⌐-] *n.* 대수학자.
Al·ge·ri·a[ældʒíəriə] *n.* 알제리《북아프리카의 공화국; 수도 Algiers》.
Al·ge·ri·an[-n] *a., n.* 알제리의 (사람).
-al·gi·a[ǽldʒiə] 《연결형》「…통(痛)」의 뜻: neur*algia*.
al·gi·cide[ǽldʒəsàid] *n.* 살조제(殺藻劑).
al·gid[ǽldʒid] *a.* 추운, 한기가 드는.
al·gid·i·ty[-dəti] *n.* Ⓤ 오한(惡寒).
Al·giers[ældʒíərz] *n.* 알제《Algeria의 수도》.
al·gin[ǽldʒin] *n.* 〔化〕 알긴《갈조에서 채취되는 겔상(狀)의 물질》.
al·gín·ic ácid[ældʒínik-] 〔化〕 알긴산.
al·go-[ǽlgou] 《연결형》 =ALG-.
al·goid[ǽlgɔid] *a.* 조류〔말류〕 비슷한; 말류 모양의.
Al·gol[1] *n.* 〔天〕 알골성(星)《페르세우스 자리의 2등성》.
ALGOL, Al·gol[2][ǽlgal, -gɔ(ː)l] [*algo*rithmic *l*anguage] *n.* 〔컴퓨터〕 알골《과학기술계 산용 프로그램 언어》.
al·go·lag·ni·a[æ̀lgəlǽgniə] *n.* Ⓤ 기통애(嗜痛愛)《매저키즘과 사디즘》.
al·gol·o·gy[ælgáləd3i/-gɔ́l-] *n.* Ⓤ 조류학(藻類學). **-gist**[ælgálədʒist] *n.* 조류학자.
al·gom·e·ter[ælgámitər/-gɔ́m-] *n.* 〔醫〕 통각계(痛覺計).
Al·gon·ki·an[ælgáŋkiən/-gɔ́ŋ-] *a.* 〔地質〕 알곤키안(원생)대의. — *n.* (*pl.* ~, ~**s**) **1** 알곤키안(원생)대. **2** =ALGONQUI(A)N.
Al·gon·qui(·a)n[-kwi-] *n.* (*pl.* ~, ~**s**) **1** 알곤킨족《캐나다·미국 동부에 살고 있는 북미 원주민》; 알곤킨족의 사람. **2** Ⓤ 알곤킨 말.
al·gor[ǽlgɔːr] *n.* 〔病理〕 오한.
al·go·rism[ǽlgərìzəm] *n.* Ⓤ 아라비아 기수법(記數法); 아라비아 숫자 계산법; 산수; = ALGORITHM. **cipher in algorism** 영자(零字); 유명 무실한 사람.
al·go·rithm[ǽlgərìðəm] *n.* Ⓤ 연산(演算) (방식). **àl·go·rith·mic** *a.*
al·gous[ǽlgəs] *a.* 말류의, 말류가 무성한.
al·gra·phy[ǽlgrəfi] *n.* Ⓤ 〔印〕 알루미늄 평판 인쇄.
al·gua·cil, -zil[æ̀lgwəsíːl], [-zíːl] [Sp] *n.* (스페인의) 경찰관.
al·gum[ǽlgəm, ɔ́ːl-] *n.* 〔聖〕 백단(白檀).
Al·ham·bra[ælhǽmbrə] *n.* (the ~) 알함브라 궁전《스페인에 있는 무어 왕들의 옛 성》.
Al·ham·bresque[-brésk] *a.* 알함브라 궁전식의 〈건축·장식〉.
a·li·as[éiliəs] [L =at another time] *ad.* 일명 …, 별명은: Smith ~ Johnson 별명이 존슨인 스미스. — *n.* 별명, 가명.
A·li Ba·ba[áːlibáːbaː, ǽlibǽbə] *n.* 알리바바(「아라비안 나이트」에 나오는 나무꾼; ⇨ open SESAME).
***al·i·bi**[ǽləbài] [L] *n.* (*pl.* ~**s**) **1** 〔法〕 알리바이, 현장 부재 증명. **2** 《口》 변명, 구실(excuse). **set up**〔**prove**〕 **an alibi** 현장 부재를 증명하다. — *vi.* 《口》 변명하다. — *vt.* 《口》 …의 알리바이를 증언하다.
al·i·ble[ǽləbəl] *a.* 〔古〕 영양분 있는.
Al·ice, A·li·cia[ǽlis], [əlíʃə] *n.* 여자 이름 《애칭 Allie, Ally》.
Álice blúe 연푸른색(light blue).

Al·ice-in-Won·der·land [ǽlisinwʌ́ndərlæ̀nd] *a., n.* 《口》공상적인〔터무니없는〕(일·것). **Alice-in-Wonderland approach** 비현실적인 해결 자세〔정책〕

al·i·cy·clic [æ̀ləsáiklik, -sík-] *a.* 〔化〕 지환식(脂環式)의, 지환 화합물의.

al·i·dade, -dad [ǽlədèid], [-dæ̀d] *n.* 〔測〕 앨리데이드, 조준의(照準儀), 지방규(指方規).

*__a·lien__ [éiljən, -liən] [L] *a.* **1** 외국의(foreign); 외국인의; 외래의: ~ friends (국내에 사는) 우방 외국인/~ enemies 거류 적성국인. **2** 이질의, 성질이 다른《*from*》; 조화되지 않는《*to*》. — *n.* 외국인(foreigner); 거류 외국인; 우주인《지구인에 대하여》; 〔生態〕 귀화 식물. — *vt.* 〔法〕 양도하다; 《詩》 소외하다.
◇ álienate *v.*; álienage *n.*

a·lien·a·bil·i·ty [èiljənəbíləti, -liə-] *n.* Ⓤ 〔法〕 양도할 수 있음.

a·lien·a·ble [éiljənəbəl, -liə-] *a.* 〔法〕 〈재산 등이〉 양도할 수 있는.

a·lien·age [éiljənidʒ, -liə-] *n.* Ⓤ 외국인임, 외국인의 신분.

a·lien·ate [éiljənèit, -liə-] *vt.* **1** 〈친구 등을〉 멀리하다, 소원하게 하다; 이간하다: ~ A *from* B A와 B를 이간하다/He was ~*d from* her by his foolish acts. 그는 어리석은 짓을 하여 그녀와 사이가 소원해졌다. **2** 〔法〕 〈명의·재산·권리 등을〉 양도하다: ~ land *to* another 토지를 남에게 양도하다. **3** 〈감정 등을〉 딴 데로 돌리다(turn away); 전용(轉用)하다《*from*》.

a·lien·a·tion [èiljənéiʃən] *n.* Ⓤ 소원, 소외감, 이간; 〔法〕 양도, 이전; 전용(轉用); 정신 이상. **alienation of affections** 〔法〕 애정 이전《제3자에 의한 부부 이간》.

a·lien·a·tor [éiljənèitər, -liə-] *n.* 소원하게 하는 사람; 〔法〕 양도인.

a·lien·ee [èiljəníː, -liə-] *n.* 〔法〕 양수인(讓受人).

a·lien·ism [éiljənìzəm, -liən-] *n.* Ⓤ **1** 〔古〕 정신병학〔치료〕. **2** =ALIENAGE.

a·lien·ist [-ist] *n.* 〔古〕 정신과 의사.

a·lien·or [éiljənər, ⌐-nɔ́ːr, -liə-] *n.* 〔法〕 양도인.

a·li·form [ǽləfɔ̀ːrm, éil-] *a.* 날개 모양의.

‡**a·light**[1] [əláit] *vi.* (~·**ed, a·lit** [əlít]) **1** 〈말·차·배 등에서〉 내리다, 하차〔하선, 하마〕하다《*from*》; 〈새가 나무 등에〉 내려앉다; 〔空〕 착륙〔착수〕하다《*on*》: ~ *from* a horse 말에서 내리다/A robin ~*ed on* a branch. 울새가 나뭇가지에 (내려)앉았다. **2** 《文語》 우연히 만나다〔발견하다〕《*on, upon*》. **alight on** …위에 내리다; …와 마주치다, …을 우연히 발견하다. **alight on** one's **feet** 뛰어내려 서다.

alight[2] *ad., a.* 불타고(on fire); 점화하여; 생기 있게 빛나는: 《Ⅱ 형+전+명》 Her face was ~ *with* happiness. 그녀의 얼굴은 행복에 넘쳐 상기되어 있었다. **set alight** 타오르게 하다; 불을 켜다.

a·lign [əláin] *vt.* **1** 한 줄로 하다; 정렬시키다; 〈표적과 총의 조준을〉 일직선에 맞추다. **2** …에게 같은 태도를 취하게 하다; …을 …와 제휴시키다《*with*》: ~ one*self with* others 남과 동조하다〔공동 전선을 펴다〕. **3** 〔機〕 〈부품을〉 중심에 맞추다; 〈라디오·텔레비전을〉 조절〔조정〕하다; 〈자동차의 앞바퀴를〉 평행으로 하다. — *vi.* **1** 한 줄이 되다, 정렬하다: The troops ~*ed.* 부대가 정렬했다. **2** (어떤 목적으로) 결합하다, 제휴〔약속〕하다. ~·**er** *n.*

a·lign·ment [əláinmənt] *n.* Ⓤ,Ⓒ **1** 일직선(을 이루기); (일렬) 정렬; 정돈(선): in ~ (*with* …) (…와) 일직선이 되어 (있는). **2** 계열, 제휴《*with*》. **3** (라디오 등의) 조정; (자동차의) 앞바퀴 조정; 평면도.

‡**a·like** [əláik] *a.* 서로 같은, 비슷한: 《Ⅱ 형》 The twin sisters are ~. 그 쌍둥이 자매들은 닮았다/They are just ~. 그(것)들은 꼭 같다/Their opinions are very ~. 그들의 의견은 아주 비슷하다《《口》에서는 very 도 씀》. — *ad.* 똑같이, 마찬가지로, 동등하게: treat all men ~ 모든 사람을 차별 없이 대하다/young and old ~ 노소를 막론하고. **share and share alike** 균등하게, 절반씩. ~·**ness** *n.*

al·i·ment [ǽləmənt] *n.* Ⓤ,Ⓒ **1** 자양물; 음식물. **2** 부양, 부조(扶助); (마음의) 양식. — [-mènt] *vt.* …에(게) 자양분을 주다; 부양하다; 지지〔지원〕하다.

al·i·men·tal [æ̀ləméntl] *a.* 영양의, 영양이 되는; 양분이 많은. ~·**ly** *ad.*

al·i·men·ta·ry [æ̀ləméntəri] *a.* 영양의; 소화의; 영양을 주는; 부양하는.

aliméntary canál (입에서 항문까지의) 소화관(消化管).

al·i·men·ta·tion [æ̀ləmentéiʃən] *n.* Ⓤ 영양, 자양; 부양.

al·i·men·ta·tive [æ̀ləméntətiv] *a.* 영양이 있는, 영양의.

al·i·men·to·ther·a·py [æ̀ləméntouθèrəpi] *n.* Ⓤ,Ⓒ 식이 요법.

al·i·mo·ny [ǽləmòuni/-mə-] *n.* (*pl.* **-nies**) 〔法〕 별거 수당《이혼·별거한 처에게 남편이 주는》.

álimony dròne 《미·경멸》 별거 수당으로 살아가기 위해 재혼하지 않으려는 여자.

A-line [éilàin] *a.* A라인의《위가 좁고 아래가 퍼진 여성복》. — *n.* A라인(의 의상).

a·line *v.* =ALIGN.

a·line·ment *n.* =ALIGNMENT.

a·li·ped [ǽləpèd] 〔動〕 *a.* (박쥐처럼) 익수(翼手)가 있는. — *n.* 익수 동물.

al·i·phat·ic [æ̀ləfǽtik] *a.* 〔化〕 지방성의.

al·i·quant [ǽləkwənt] 〔數〕 *a.* 나눌 수 없는, 정제되지 않는(*opp.* aliquot). — *n.* 비약수(非約數)(=~ part).

al·i·quot [ǽləkwət] 〔數〕 *a.* 나누어지는(*opp.* aliquant). — *n.* 약수(=~ part).

Al·i·son [ǽləsn] *n.* 여자 이름.

a·lit [əlít] *v.* ALIGHT[1]의 과거·과거분사.

Al·i·tal·ia *n.* 이탈리아 항공 회사.

a·lit·er·ate [eilítərit] *n.* 읽을 수 있으나 좀처럼 읽지 않는 사람; 비문자 자료(TV, 비디오 등)에서 정보를 얻고자 하는 사람《읽을 수 있으나 글자화된 것을 싫어함》. — *a.* 글에서 정보를 얻기 싫어하는; 그 사람의.

‡**a·live** [əláiv] *a.* **1** 살아 있는(living)(*opp.* dead); (최상급 형용사를 가진 명사 등의 뒤에서 강조적으로) 현존하는, 이 세상에 있는: 《Ⅱ 형》 He is still ~. 그는 아직 살아 있다/the strongest man ~ 지금 가장 힘센 사람/the greatest scoundrel ~ 세계 제일의 악한. **2** 생생하여, 활발한, 활동하는. **3** 떼지어, 우글거려, 충만하여: a pond ~ *with* fish 물고기가 우글거리는 못/a river ~ *with*(=full of) boats 배들이 법석대고 있는 강. **4** 민감한, 알아채는《*to*》. **5** 전류가 통하고 있는, 전화가 통하는. **alive and kicking** 《口》 원기 왕성하여. **alive to** …에 민감하여, …을 눈치채어. **any man alive** 누구나. **as sure as I am alive** 아주 확실히. **catch alive** 생포하다. **keep alive** (1) 살아 있다, 살려 두다. (2) 〈불·흥미를〉 꺼지지 않게 하다. **keep the**

matter alive 문제를 계속 논의하다. **look alive** 싱싱해 보이다. **Look alive!** 정신 차려!, 꾸물거리지 마라! **Man〔Heart, Sakes〕 alive!** 《口》 뭐라고!, 농담 마라!, 기가 막혀. **more dead than alive** 《口》 기진맥진하여, 너무 지쳐서. **~·ness** *n.*

a·li·yah[ɑːlíːjɑː] *n.* (유대교에서) 성전대(聖典臺)로 가기; (유대인의) 이스라엘 이주.

a·liz·a·rin(e)[əlízərin] *n.* Ⓤ 〔化〕 알리자린 《빨간 물감》.

alk. alkaline.

al·ka·hest[ǽlkəhèst] *n.* Ⓤ 만물 용해액《연금술사가 상상했던 액체》.

al·ka·les·cence[æ̀lkəlésəns] *n.* Ⓤ 약(弱)알칼리성.

al·ka·les·cent[æ̀lkəlésənt] *a.* 약알칼리성의.

***al·ka·li**[ǽlkəlài] *n.* (*pl.* ~(**e**)**s**) **1** 〔化〕 알칼리. **2** 〔農〕 (토양 중의) 알칼리, 알칼리성 토양지대. **3** =ALKALI METAL. ◇ alkálify, álkalize *v.*

al·kal·ic [ælkǽlik] *a.* 〔地質〕 알칼리(성)의.

al·kal·i·fy[ǽlkələfài, ælkǽlə-] *vt., vi.* (**-fied**) 알칼리화하다. **ál·ka·li·fì·a·ble** *a.* 알칼리화할 수 있는.

álkali mètal 〔化〕 알칼리 금속.

al·ka·lim·e·try[æ̀lkəlímətri] *n.* Ⓤ 알칼리 정량(定量) (분석).

al·ka·line[ǽlkəlàin, -lin] *a.* 〔化〕 알칼리성의(*opp.* acid).

álkaline éarth 〔化〕 알칼리토류 (금속).

al·ka·lin·i·ty[æ̀lkəlínəti] *n.* Ⓤ 알칼리성〔도〕.

al·ka·lin·ize[ǽlkələnàiz] *vt.* =ALKALIFY.

àl·kalin·i·zá·tion[-əzéiʃən] *n.*

álkali sòil 알칼리(성) 토양《식물 생장에 부적합》.

al·ka·lize[ǽlkəlàiz] *vt.* =ALKALIFY.

àl·ka·li·zá·tion[-ləzéiʃən] *n.*

al·ka·loid[ǽlkəlɔ̀id] 〔化〕 *n.* 알칼로이드 《식물 염기》. ── *a.* 알칼로이드의.

al·ka·loi·dal[-dl] *a.* =ALKALOID.

al·ka·lo·sis[æ̀lkəlóusis] *n.* Ⓤ 〔病理〕 알칼리 혈증(血症).

al·kane[ǽlkein] *n.* 〔化〕 알칸《메탄계(系) 탄화 수소의 총칭(paraffin)》.

ál·kane sèries 〔化〕 알칸열(列).

al·ka·net[ǽlkənèt] *n.* 〔植〕 알카넷; Ⓤ 알카넷 염료《홍색》.

al·kene[ǽlkiːn] *n.* 〔化〕 알켄《에틸렌열 탄화수소》.

al·kine[ǽlkain] *n.* =ALKYNE.

Al·ko·ran[æ̀lkɔːrɑ́ːn, -rǽn, -kou-] *n.* =KORAN.

alky. alkalinity.

al·kyd[ǽlkid] *n.* Ⓤ,Ⓒ 〔化〕 알키드 수지류(=∠ rèsin)《접착성의 합성 수지》.

al·kyl[ǽlkəl] 〔化〕 *n.* 알킬(=∠ gròup〔ràdical〕). ── *a.* 알킬의〔을 함유한〕.

al·kyl·ate[ǽlkəlèit] 〔化〕 *vt.* 알킬화하다. ── *n.* 알킬레이트《알킬화 반응의 생성물》.

al·kyl·a·tion[-ʃən] *n.* 〔化〕 알킬화(化) (치환) 《유기 화합물의 수도 원자를 알킬기(基)로 치환하는 일》.

al·kyne[ǽlkain] *n.* 〔化〕 알킨《아세틸렌계 탄화수소》.

★**all**[ɔːl] *a.* **1** a (단수 명사 앞에서) 모든, 전부의, 전체의, 전…《종종 부사구가 됨》: ~ Korea 전 한국/~ day (long) 온종일/~ (the) morning=~ morning (long) 오전 중 내내/~ yesterday 어제 온종일/~ one's life 평생, 일생 내내/What have you been doing ~ this time? 이제껏 내내 무엇을 하고 있었습니까/*All* the world knows that. 그것은 세상(사람들)이 다 알고 있다. b (복수 명사 앞에서) 온갖, 모든, 모두: ~ men 사람은 다/in ~ directions 사면(팔방)으로/in ~ respects 모든 점에서/~ the pupils of this school 이 학교의 전교생/~ her friends 그녀의 모든 친구들. **2** (성질·정도를 나타내는 추상명사를 수식하여) 있는 대로의, 한껏의, 할 수 있는 한의, 최대한의, 최대의, 최고의: with ~ speed 전속력으로/make ~ haste 몹시 서두르다/in ~ sincerity 성심 성의껏/in ~ truth 진정으로, 틀림 없이. **3** (the, this 등과 더불어 강의어로) 대단한, 막대한, 엄청난: It makes ~ *the* difference. 그것은 대단한 차이다/You have ~ *these* books! 이렇게(도) 많은 책을 갖고 있는가. **4** (수사적 강조 표현으로서 보어 또는 동격으로 써서) a (추상명사를 수식하여) 대단히 …인: He is ~ kindness. 그는 매우 친절하다(=He is kindness itself.)/He is ~ attention. 그는 잔뜩 주의를 집중하고 있다(=He is very attentive.). b (신체의 부위를 나타내는 명사를 수식하여) 전신이 …뿐인, 온몸이 …이 되어: She was ~ ears〔smiles〕. 그녀는 온 신경을 귀에 집중시켰다〔활짝 웃었다〕/He was ~ skin and bones. 그는 피골이 상접하였다. **5** …뿐(only): ~ words and no thoutht 말뿐이지 사상이 없는/This is ~ the money I have. 내가 가진 돈은 이것뿐이다/These are ~ the books I have. 내가 가진 책은 이것뿐이다. **6** (부정적 뜻의 동사나 전치사 뒤에) 일체의, 아무런, 전혀, 하등의(any): I deny ~ connection with the crime. 나는 그 범죄와는 전혀 관계가 없다/beyond ~ doubt 아무런 의심없이.

All my eye (and Betty Martin)! 《영俗》 시시한 소리, 바보 같은 소리. **all round**〔《미》 **around**〕 골고루, 한 바퀴 빙둘러, 모두에게. **all the best** 잘 가, 안녕히 가십시오《작별 인사》. **all the go**〔**rage**〕 대단한 인기로, 대유행으로. **and all that** 《口》 그 밖의 여러 가지 …등등, …따위(and so forth). **be all things to all men** 사람에 따라 태도를 바꾸다, 팔방미인이 되다. **for all** … ⇨for. **of all** … 《口》 (그 많은 중에) 하필이면.

── *pron.* **1** (단수 취급) a 전부; 전원; 모든 것, 만사: *All* is lost. 만사가 끝장이다/*All* was still. (주위는) 온갖 것이 조용했다/That's ~. 그게 다야/*All* of the money was stolen. 돈은 전부 도둑 맞았다《◇ all이 물질명사, 추상명사 등을 받을 때는 단수로 취급함》. b (관계사절을 뒤에 두어) (…한) 모든 것: *All* I said was this. 내가 한 말은 이것뿐이다《◇ 관계대명사는 보통 생략함》/*All* you have to do is (*to*) send out the letters. 너는 편지들을 발송하기만 하면 된다《◇ 《口》에서는 부정사의 *to* 가 종종 생략됨》. c (동격으로) …은 전부, 모조리: He ate ~ of it.(=He ate it ~.) 그는 그것을 다 먹었다. **2** (복수 취급) a 모든 사람들: *All* were happy. 다들 반가워했다《◇ Everybody was happy.가 구어적》/*All* of the students were present. 학생들은 전원 출석했었다《◇ all of the〔these, those〕+복수형 가산명사─복수로 취급함》. b (동격으로) 누구나, 모두 다《보통 대명사의 경우에 씀》: We ~ have to go.=*All* of us have to go.=We ~ of us have to go. 우리는 모두 가야 한다.

above all ⇨above *prep.* **after all** ⇨after *prep.* **all but** ⇨but. **all in all** (1) (보통 문장 머리에서) 대체로, 대강 말하면. (2) 전부

해서, 통틀어, 합계(◇ 이 뜻으로는 《미》에서는 in all이 일반적). (3) 가장 중요하여. **all of** … (1) ⇨*pron.* (2) 《口》 완전히 …한 상태로. (3) 실하게; 충분히, 넉넉히. **all or nothing** (1) 〈조건 등〉 타협의 여지가 없는. (2) 이판사판으로. **All out!** 《미》 여러분, 다 갈아 타십시오(《영》 All change!). **and all** (1) 그 밖의 모든 것, …등등. (2) 《口》 …따위를 …하다니(불만의 말투). **at all** (1) (부정문에서) 조금도(…아니다). (2) (의문문에서) 조금이라도, 도대체, 이왕이면. (3) (조건문에서) 이왕, 적어도. **in all** 전부 해서, 합계 …. **once (and) for all** ⇨once *ad.* **one and all** 누구든지, 어느 것이나.

— *n.* **1** (보통 one's ~로) 전부, 전소유물: He lost his ~. 그는 몽땅 잃었다/It was my little ~. 그것은 내 보잘 것 없는 전재산이었다. **2** (종종 **A-**) 만물, 우주, 삼라만상. **for all I know** ⇨know. **for all of** …에 관한 한. **for all (that)** (접속사적으로) …에도 불구하고. **not at all** ⇨at ALL (1). **That's all** ⇨*pron.* 1 a. **when all comes**〔**goes**〕 **to all** 결국. **when all is said and done** 역시, 결국(=AFTER ~ is said and done).

— *ad.* **1** 전혀, 아주, 완전히, 온통: be ~ covered with mud 온통 진흙투성이이다/be dressed ~ in white 흰 것 일색의 옷을 입고 있다. **2** 단지 …만, 오직 …뿐, 오로지: She spent her money ~ on pleasure. 그녀는 돈을 오로지 오락에만 쏟아부었다. **3** (the+비교급 앞에서) 그만큼, 더욱, 오히려: You'll be ~ the better for a rest. 좀 쉬면(그만치) 기분이 나아질 걸세. **4** 《미口·方》 **5** 〔競〕 양편이 다: love ~ (정구에서) 양편이 다 영점/The score is one ~. 득점은 1대1. **all along** ⇨along. **all anyhow** 되는 대로, 아무렇게나. **all at once** ⇨once *n.* **all in** 《口》 기진맥진하여. **all one** 매한가지로, 똑같이. **all out** 《口》 (1) 전적으로, 온전히. (2) 전력을 기울여, 총력으로; 전속력으로(*cf.* ALL-OUT). (3) 기진맥진하여. **all over** (1) 다 끝나서. (2) …의 도처에. (3) 어디든지, 아무데나. (4) 온 몸이〔에〕. (5) 꼭, 아주. (6) (전치사적으로) …의 위에 잔뜩. **all over the place** 그 근처 사방에, 온통 어질러져. **all over with** …이 요절(결딴)이 나서, 가망이 없어. **all right** ⇨right *ad.* **all that** (형용사 등의 앞에 놓아, 부정·의문문에 써서) 《口》 그 만치 …, 그토록 …, 그다지 …. **all the better**〔**worse**〕 …때문에 오히려 더 낫게〔나쁘게〕(*for*). **all there** 《口》 (1) (부정문에서) 정신이 멀쩡한. (2) 매우 영악한〔유능한〕. **all the same** ⇨ same. **all the way** ⇨ way. **all together** (1) 다 함께. (2) 모두, 합계. **all told** ⇨tell. **all too** ⇨too. **all up** 《영》 만사가 끝나서. **all very well**〔**fine**〕 **(, but** …**)** (불만의 표현으로) 썩 좋지만(…).

all-, al·lo- [ǽlou, ǽlə] 《연결형》「다른」의 뜻(모음 앞에서는 all-).

allo- 《연결형》 =ALL-.

al·la bre·ve [ά:lə-brévei] [It] *ad., a.* 〔樂〕 2분의 2박자로〔의〕.

Al·lah [ǽlə, ά:lə] *n.* 알라(회교의 신).

al·la mar·cia [ά:lə-mά:rtʃə] [It] *ad., a.* 〔樂〕 행진곡풍으로〔의〕.

all-A·mer·i·can [ɔ́:ləmérikən] *a.* 전미국(대표)의. — *n.* 전미국 대표 선수.

Al·lan [ǽlən] *n.* 남자 이름(*cf.* ALAN).

al·lan·to·in [əlǽntouin] *n.* 〔化〕 알란토인(요산의 산화 생성물; 외상약에 씀).

al·lan·to·is [əlǽntouis, -tɔis] *n.* (*pl.* **-to·i·des** [æləntóuədì:z]) 〔解〕 요막(尿膜).

al·lan·to·ic *a.*

al·lar·gan·do [à:lɑ:rgά:ndou] [It] *ad., a.* 〔樂〕 차차 느리게〔느린〕 또 세게〔센〕.

all-a·round [ɔ́:ləráund] *a.* 《미》=ALLROUND.

~·ness *n.*

all-at-once·ness [ˊ-ətwʌ́nsnis] *n.* 동시 다발(한꺼번에 많은 일이 일어남).

*__al·lay__ [əléi] *vt.* **1** 〈흥분·화 등을〉 진정시키다(calm). **2** 〈고통·슬픔 등을〉 완화하다, 가볍게 하다.

áll cléar 공습 경보 해제 〔신호〕; 위험은 사라짐(신호).

all-day [ɔ́:ldéi] *a.* 하루 걸리는: an ~ tour of the city 하루 걸리는 시내 구경.

al·lée [æléi] [F] *n.* 산책길, 가로수길.

al·le·ga·tion [æligéiʃən] *n.* [C,U] (충분한 증거가 없는) 진술, 주장, 변증(辯證).

al·lege [əlédʒ] [ME] *vt.* 《文語》 **1** (충분한 증거도 없이) 단언하다, 강력히 주장하다; 〈사람이〉 …이라고 우겨대다: ~ a fact 사실을 주장하다/(《Ⅴ (목)+*as*+명》) ~ a matter *as* a fact 어떤 일을 사실이라고 주장하다/(《Ⅲ -*ing*》) He ~*s* hav*ing* seen you yesterday. 그는 어제 너를 만났다고 강력히 주장하고 있다. **2** (법정 등에서 선서하고) 증언하다(declare), 진술하다. **3** (변명으로) 내세우다: ~ illness 병 때문이라고 이유를 내세우다. **4** 《古》 인용 증언하다.

~·able *a.* ◇ allegátion *n.*

al·leged [əlédʒd, -dʒid] *a.* **1** (증거 없이) 주장된: the ~ murderer 살인 혐의자. **2** …이라고들 말하는: He is ~ *to* have done it. 그것은 그가 한 짓으로 알려져 있다.

al·leg·ed·ly [-idli] *ad.* 주장한〔전해진〕 바에 의하면, 이른바.

Al·le·ghe·nies [æligéiniz] *n. pl.* =ALLEGHENY MOUNTAINS.

Ál·le·ghe·ny Móuntains [æligéini-] *n. pl.* (the ~) 앨러게이니 산맥(Appalachian 산맥의 일부).

Állegheny spúrge 앨러게이니 수호초(회양목과(科) 수호초속(屬)의 다년초; 흰색 또는 보라색 수상화가 핌).

*__al·le·giance__ [əlí:dʒəns] *n.* [U] (봉건 시대의) 신하의 의무; 충성, 충절, 충직(loyalty); 전념, 헌신(*to*): pledge ~ *to* …에 충성을 맹세하다/in ~ *to* mathematics 수학에 전념하여.

al·le·giant [əlí:dʒənt] *a.* 충성을 다하는. — *n.* 충성의 의무가 있는 자, 신하.

*__al·le·gor·ic, -i·cal__ [æligɔ́(:)rik, -gάr-], [-əl] *a.* 풍유(諷喩)의, 우화(적)인. **-i·cal·ly** *ad.* ◇ állegory *n.*; állegorize *v.*

al·le·go·rise *v.* 《영》 =ALLEGORIZE.

al·le·go·rism [ǽligɔ̀:rizəm] *n.* [U,C] 풍유(사용); (성서의) 비유적 해석.

al·le·go·rist [ǽligɔ̀:rist, -gər-] *n.* 풍유가, 우화 작가.

al·le·go·ris·tic *a.* 비유〔풍유〕적인, 우화적인.

al·le·go·rize [ǽligəràiz] *vt.* 우화화하다. — *vi.* 비유〔풍유〕를 사용하다; 우화를 짓다. **-riz·er** *n.* **àl·le·go·ri·zá·tion** [æligɔ̀:rizéiʃən/-gərai-] *n.*

al·le·go·ry [ǽləgɔ̀:ri/-gəri] [Gk] *n.* (*pl.* **-ries**) 풍유; 우화, 비유한 이야기; 상징.

al·le·gret·to [æligrétou] [It] *a., ad.* 〔樂〕 조금 빠른〔빠르게〕(andante와 allegro의 중간).

al·le·gro [əléigrou] [It] *a., ad.* 〔樂〕 빠른〔빠르게〕. — *n.* (*pl.* **~s**) 알레그로(의 악장)(allegretto와 presto의 중간).

al·lele[əlí:l] *n.* 〔生〕 대립 유전자〔형질〕.
al·le·lic[əlí:lik] *a.*
all-e·lec·tric[ɔ́:liléktrik] *a.* (난방도 조명도) 모두 전력에 의한.
al·lel·o·morph[əlí:ləmɔ̀:rf, əlélə-] *n.* 〔生〕 상대 형질(相對形質), 대립 유전자.
al·le·lu·ia(h), -jah[æ̀ləlú:jə] *int., n.* =HALLELUJAH.
al·le·mande[æ̀ləmǽnd/ǽlmɑ̃:d] [F] *n.* 독일 댄스의 일종; 그 곡.
all-em·brac·ing[ɔ́:lembréisiŋ] *a.* 모든 것을 포함하는, 포괄적인, 총괄적인.
Al·len[ǽlən] *n.* 남자 이름.
al·ler·gen[ǽlərdʒèn, -dʒən] *n.* 〔醫〕 알레르겐《알레르기를 일으키는 물질》.
al·ler·gen·ic[æ̀lərdʒénik] *a.* 알레르기를 일으키는.
al·ler·gic[ələ́:rdʒik] *a.* 알레르기의〔에 걸린〕;《口》(…이) 질색인; 신경 과민의: be ~ *to* card playing 카드놀이를 아주 싫어하다.
al·ler·gist[ǽlərdʒist] *n.* 알레르기 전문 의사.
al·ler·gol·o·gy[æ̀lərdʒɑ́lədʒi] *n.* Ⓤ 알레르기학.
∗**al·ler·gy**[ǽlərdʒi] *n.* (*pl.* **-gies**) **1** 〔病理〕 알레르기, 이상 민감증. **2** 《口》 질색, 염오(antipathy)《*to*》. **have an allergy to**〔**for**〕 …을 몹시 싫어하다. ⊕ allérgic *a.*
al·le·vi·ate[əlí:vièit] *vt.* 〈심신의 고통을〉 덜다, 완화하다, 편하게 하다.
al·le·vi·a·tion[əlì:viéiʃən] *n.* Ⓤ 경감, 완화; Ⓒ 경감〔완화〕하는 것.
al·le·vi·a·tive[əlí:vièitiv, -viə-] *a., n.* 경감〔완화〕하는 (것).
al·le·vi·a·tor *n.* 경감〔완화〕하는 사람〔것〕.
al·le·vi·a·to·ry[əlí:vieitɔ̀:ri/-təri] *a.* 경감용의, 완화적인; 위자(慰藉)의.
all-ex·pense[ɔ́:lekspéns] *a.* 전 비용 부담의, 전액 포함의 〈여행 등〉.
∗**al·ley**[1] [ǽli] [OF] *n.* **1** (정원 · 공원 등의) 오솔길, 좁은 길(shady walk). **2** (건물 사이의) 골목, 샛길, 골목길(⇨path);《미》 좁은 뒷길(backlane): a blind ~ 막다른 골목. **3** (skittles 등의) 경기장;〔볼링〕 레인(lane); 볼링장;〔庭球〕 앨리《더블용 코트의 사이드라인과 서비스라인 사이의 좁다란 공간》. (**right**) **up**〔**down**〕 **one's alley** 《俗》 기호〔성미〕에 맞는, 장기인; 전문에 속하는. **strike into another alley** 〈이야기 도중에〉 말머리를 돌리다; 〈이야기가〉 다른 방향으로 빗나가다.
alley[2] *n.* 《미》 =ALLY[2].
álley àpple 《미俗》 말똥, 돌멩이.
álley cat 1 도둑 고양이. **2** 《俗》 매춘부.
al·ley-oop[ǽli:ú:p] *int.* 영차, 이여차《물건을 들어 올리거나 몸을 일으킬 때의 소리》.
al·ley·way[ǽli:úp] *n.* 골목, 좁은 길.
all-faith[ɔ́:lféiθ] *a.* 모든 종파(용)의.
all-fired[ɔ́:lfàiərd]['hell-fired'의 완곡어] *a., ad.* 《口》 대단한〔대단히〕, 무서운〔무섭게〕, 지독한〔지독히〕.
Áll Fóols Dày =April Fools' Day.
áll fóurs 1 (짐승의) 네 발; (사람의) 수족, 사지. **2** (단수 취급) 〔카드〕 =SEVEN-UP. **on all fours** 〈짐승 · 사람이〉 네 발로 기어;《영》 동등〔대등〕하여, 꼭 들어맞아, 일치하여《*with*》.
áll háil *int.* 《古》 만세, 야아.
All·hal·low·mas[ɔ:lhǽloumǝs] *n.* 《古》 Allhallows의 축제.
All·hal·lows[-louz] *n.* 《古》=ALL SAINTS' DAY.
áll hánds 〔海軍〕 (한 군함의) 총원;《口속》 전원 집합.
all·heal[ɔ́:lhì:l] *n.* 〔植〕 쥐오줌풀, 꿀풀; (외상용) 약초.
al·li·a·ceous[æ̀liéiʃəs] *a.* 〔植〕 파속(屬)의; 파〔마늘, 부추〕 냄새가 나는.
∗**al·li·ance**[əláiəns] *n.* **1** Ⓒ,Ⓤ 동맹, 연합; 동맹 관계; 동맹국. **2** Ⓒ,Ⓤ 인척 관계; 결연(結緣). **4** Ⓤ,Ⓒ (성질 등의) 유사, 공통점; 〔植〕 동속(同屬). **a triple alliance** 삼국〔삼각〕 동맹. **enter into an alliance with** …와 동맹〔제휴〕하다; …와 결연하다. **in alliance with** …와 연합〔결탁〕하여. **the Alliance for Progress** 발전을 위한 동맹《미국의 라틴 아메리카 원조 계획》. **the Holy Alliance** 신성 동맹《러시아 · 오스트리아 · 프로이센 사이에 1815년에 체결》. ⊕ ally[1] *v.*
al·li·cin[ǽləsin] *n.* 〔生化〕 알리신《마늘에서 추출되는 항균성 물질》.
⁑**al·lied**[əláid, ǽlaid] *a.* **1** 동맹한; (**A-**) 연합국측의. **2** 결연한, 인척 관계의. **3** 동류의, 유사한: Dogs are ~ *to* wolves. 개는 늑대와 동류이다. **the Allied Forces** (제1차 · 2차 대전 때의) 연합군.
al·li·ga·tion[æ̀ligéiʃən] *n.* Ⓤ 〔數〕 혼합법.
∗**al·li·ga·tor**[ǽligèitər] *n.* **1** 〔動〕 악어《미국 · 중국산; *cf.* CROCODILE》. **2** Ⓤ 악어 가죽. **3** 〔機〕 악어 입 같이 맞물리는 금속 공구. **4** 수륙 양용 전차. **5** 스윙 음악광(狂). ― *a.* 악어의〔같은〕; 악어 입의.
álligator clìp 〔電〕 악어입 클립.
álligator pèar =AVOCADO.
álligator tòrtoise[**tùrtle**] 〔動〕 큰 자라의 일종《북미의 멕시코만에 면한 여러 주에 삶》; =SNAPPING TURTLE.
all-im·por·tant[ɔ́:limpɔ́:rtənt] *a.* 가장〔아주〕 중요한.
all-in[ɔ́:lín] *a.* 《영》 **1** 모든 것을 포함한: an ~ 7-day tour 전 비용을 선납한 7일의 여정. **2** 결연한, 단호한 〈결심 등〉. **3** 〔레슬링〕 자유형의: ~ wrestling 자유형 레슬링. **4** (재즈에서) 총출연의, 앙상블의. **5** 《俗》 녹초가 된; 무일푼의. ― *n.* 난투.
all-in·clu·sive[⌐inklú:siv] *a.* 모든 것을 포함한, 포괄적인, 총괄적인.
all-in-one[⌐―wʌ́n] *n.* =CORSELET.
al·lit·er·ate[əlítərèit] *vi., vt.* 두운(頭韻)을 사용하다〔맞추다〕.
al·lit·er·a·tion[əlìtəréiʃən] *n.* Ⓤ,Ⓒ 〔韻〕 두운(頭韻)(법)《보기: *C*are *k*illed the *c*at./with *m*ight and *m*ain》.
al·lit·er·a·tive[əlítərèitiv,-rətiv] *a.* 두운체(體)의, 두운을 맞춘.
al·li·um[ǽliəm] *n.* 〔植〕 파 · 마늘류.
all-know·ing[ɔ́:lnóuiŋ] *a.* 전지(全知)의.
all-mains[⌐méinz] *a.* 어떤 전압(電壓)에도 맞는 〈라디오 등〉.
all·ness[ɔ́:lnis] *n.* 전체성, 보편성, 완전, 완벽.
∗**all-night**[⌐nàit] *a.* 철야의, 밤새도록 하는: ~ service 철야 운전〔영업〕. **áll-níghter** *n.* 《口》 철야 게임, 철야 수퍼마켓.
al·lo-[ǽlou, ǽlə] 《연결형》 =ALL.
al·lo·an·ti·bod·y[æ̀louǽntibɑ̀di/-bɔ̀di] *n.* 〔免疫〕 동종 (이계) 항체(isoantibody).
al·lo·an·ti·gen[æ̀louǽntidʒən, -dʒen] *n.* 〔免疫〕 동종 (이계) 항원(isoantigen).
al·lo·bar[ǽloubɑ̀:r] *n.* 〔氣〕 기압 변화역(域), 기압 등변화선.
al·lo·ca·ble *a.* 할당〔배분〕할 수 있는.
al·lo·cate[ǽləkèit] [L] *vt.* 〈일 · 임무 등을〉

할당하다: 〈이익 등을〉 배분하다(assign)《*to*》; 배치하다《*to*》; 〔컴퓨터〕 …에 할당하다: 《Ⅲ (목)+전+명》 They ~*d* bigger rations *to* heavy workers. 그들은 중노동자들에게 더 많은 식량을 분배했다 (=They ~*d* heavy workers bigger rations. 《Ⅳ 명+(목)》).

al·lo·ca·tee [æ̀ləkeitíː] *n.* (자재 등을) 배급받는 사람.

al·lo·ca·tion [æ̀ləkéiʃən] *n.* **1** Ⓤ 배당, 배급; 배치. **2** 배당액(額).

al·lo·ca·tor [ǽləkèitər] *n.* 배당자; 배치자; 〔컴퓨터〕 할당기(割當機).

al·lo·cu·tion [æ̀ləkjúːʃən] *n.* 연설, 강연; 로마 교황의 담화, 훈시(*cf.* LOCUTION).

al·lo·di·al [əlóudiəl] *a.* 〔法〕 완전 사유지의, 자유 보유 토지의(*cf.* FEUDAL).

al·lo·di·um [əlóudiəm] *n.* (*pl.* **-di·a** [-diə]) 〔法〕 (봉건시대의) 완전 사유지.

al·log·a·mous [əlɑ́gəməs/-lɔ́g-] *a.* 〔植〕 타화(他花)〔타가(他家)〕 수정의, 타식(他殖)의.

al·log·a·my [əlɑ́gəmi/-lɔ́g-] *n.* Ⓤ 〔植〕 타식(他殖), 타가〔타화〕 수정(*opp.* autogamy).

al·lo·graft [ǽləgræ̀ft, -grɑ̀ːft] *n.* 〔外科〕 타가 이식(他家移植).

al·lo·graph [ǽləgræ̀f, -grɑ̀ːf] *n.* 〔言〕 이서(異書)(체); 〔法〕 비(非)자필, 대필(代筆).

al·lo·im·mune [æ̀ləimjúːn] *a.* 동종 면역의.

al·lom·er·ism [əlɑ́mərìzəm/-lɔ́m-] *n.* Ⓤ 〔化〕 이질 동형(異質同形).

al·lom·er·ous [əlɑ́mərəs/əlɔ́m-] *a.* 〔化〕 이질 동형의.

al·lom·e·try [əlɑ́mətri/əlɔ́m-] *n.* 〔生〕 상대 성장 측정〔연구〕.

al·lo·morph [ǽləmɔ̀ːrf] *n.* 〔言〕 이형태(異形態)《형태소의 이형》; 〔鑛〕 이형 가상(假像).

àl·lo·mór·phic *a.* 〔言〕 이형태(異形態)의.

al·lo·mor·phism [æ̀ləmɔ́ːrfizəm] *n.* =ALLOTROPY.

al·lo·nym [ǽlənìm] *n.* (작가의) 필명; 가짜 이름.

al·lo·path, al·lop·a·thist [ǽləpæ̀θ], [əlɑ́pəθist/əlɔ́p-] *n.* 대증(對症) 요법 의사.

al·lop·a·thy [əlɑ́pəθi/əlɔ́p-] *n.* Ⓤ 〔醫〕 대증 요법(對症療法).

al·lo·pat·ric [æ̀ləpǽtrik] *a.* 〔生〕 이소(성)(異所(性))의, 지역마다 다른.

al·lo·phane [ǽləfèin] *n.* Ⓤ 〔鑛〕 알로페인《무정형 함수(無定形含水) 알루미늄 규산염》.

al·lo·phone [ǽləfòun] *n.* 〔音聲〕 이음(異音)《같은 음소(phoneme)에 속하는 음》.

àl·lo·phón·ic *a.*

al·lo·phyl·i·an [æ̀ləfíliən, -ljən] *a.* 아리안 및 셈어족에 속하지 않는.

al·lo·plasm [ǽləplæ̀zəm] *n.* Ⓤ 〔生〕 이형질.

áll-o·ríg·i·nals scène [ɔ́ːlərídʒənəlz-] 《미俗》 흑인만의 집회〔파티〕.

all-or-none [ɔ́ːlərnʌ́n] *a.* 전부가 아니면 아예 포기하는.

all-or-noth·ing [ɔ́ːləːrnʌ́θiŋ] *a.* 과단성 있는, 전부가 아니면 아예 포기하는.

al·lo·sau·rus, al·lo·saur [æ̀ləsɔ́ːrəs], [ǽləsɔ̀ːr] *n.* 〔古生〕 알로사우루스《육식 공룡》.

al·lo·ster·ic [æ̀ləstérik] *a.* 〔生化〕 알로스테릭한 〈효소·단백질〉.

al·lo·ster·y [əlɑ́stəri/əlɔ́-] *n.* 알로스테릭 효과.

al·lot [əlɑ́t/əlɔ́t] [OF] (~·**ted**; ~·**ting**) *vt.* **1** 할당하다(assign), (제비뽑기로) 분배하다, 배당하다: 《Ⅳ 대+(목)》 The government ~*ed* them a house. 정부에서는 그들에게 집 한 채를 배당했다/~ shares *to* persons 주식을 사람들에게 할당하다/《Ⅰ (부목)》 Each speaker was ~*ed* five minutes. 연사마다 5분씩 배당되었다. **2** 충당하다, 충용(充用)하다(appropriate); 가져다 대다; 지정하다: ~ money *for* investigation 조사에 비용을 충당하다.
— *vi.* 《미口》 …할 작정이다, …을 목적으로 하다(intend): I ~ *upon* go*ing*. 나는 갈 작정이다. ⊕ allótment *n.*

al·lot·ment [-mənt] *n.* **1** Ⓤ 할당, 분배. **2** Ⓒ 몫, 배당; 분담액. **3** 〔미軍〕 특별 수당《가족 수당·보험 수당 등》. **4** 지정 배치; 《영》 (소구분의) 경작 대부지(貸付地). **5** Ⓤ 운수, 천명(天命), 천수.

al·lo·trans·plant [æ̀loutrænsplǽnt/-plɑ́ːnt] 〔生·外科〕 *vt.* 타가(他家)〔이물(異物)〕 이식하다. — [ˌ–ˌ–ˊ–] *n.* 타가〔이물〕 이식.

al·lo·trope [ǽlətròup] *n.* 〔化〕 동소체(同素體).

al·lo·trop·ic, -i·cal [æ̀lətrɑ́pik/-trɔ́p-], [-əl] *a.* 동소체의. **-i·cal·ly** *ad.*

al·lot·ro·py, -pism [əlɑ́trəpi/əlɔ́t-], [-pìzəm] *n.* Ⓤ 〔化〕 동질 이체(同質異體), 동소체(同素體), 동질 이형(異形).

all' ot·ta·va [ɑ̀ːlətɑ́ːvə] [It] *ad.* 〔樂〕 알로타바, 1옥타브 높게〔낮게〕.

al·lot·tee [əlɑtíː/-lɔ-] *n.* 할당받는 사람.

al·lo·type [ǽlətàip] *n.* 〔生〕 (분류상의) 별모식(別模式) 표본; 〔免疫〕 알로타이프《종족내(內) 항원》.

all-out [ɔ́ːláut] *a.* 총력을 다한, 전면적인; 철저한. **~·er** *n.* 철저한 정책 주창자.

áll-out wár 총력전, 전면 전쟁.

all·o·ver [ɔ́ːlóuvər] *a.* 전면적인; 천 전체에 무늬〔자수〕가 있는. — *n.* 전면에 무늬가 있는 천.

all·o·ver·ish [ɔ́ːlóuvəriʃ] *a.* 《口》 어쩐지 불안한; 어쩐지 기운이 없는, 온몸이 나른한.

al·low [əláu] *vt.* **1** 허락하다, 〈…을〉 허가하다: Smoking is not ~*ed*. 금연입니다/《Ⅳ 대+(목)》 She ~*ed* her*self* no sweets. 그녀는 단 것을 먹지 않았다. **2** (깜빡하여) …하는 대로 두다, (상관 않고) …하게 하다, …하는 대로 놔두다: Please ~ me *to* carry your bag. 제가 당신의 가방을 들어다 드리게 해 주십시오/《Ⅴ (목)+*to do*》 He ~*ed* Jane to bemoan herself. 그는 제인이 비탄에 잠겨있게 내버려두었다/ He ~*ed* the door *to* stand open. 그는 (무심코) 문을 연 채 놓아두었다. **3** (정기적으로) …을 지급하다, 주다: 《Ⅳ 대+(목)》 He ~*ed* her some money *for* books. 그는 그녀에게 책 살 돈을 주었다. **4** 〈요구·논의 등을〉 인정하다, 시인하다: 《Ⅴ (목)+*to be*+형》 ((목): what he says) We must ~ *what* he says *to be* right. 우리는 그가 하는 말이 옳다고 인정해야 한다/ 《Ⅲ *what*(절)》 We must ~ *what* he says is right. 우리는 그가 하는 말이 옳다는 것을 인정해야 한다/《Ⅰ *It be pp.*+*to do*》 It is ~*ed to* have some merits. 몇 가지 좋은 점들은 있다〔인정할 수 있다〕. **5** 공제하다, 할인하다, 참작하다, 덜다; …의 여유를 잡아 두다: ~ five cents *in* the dollar 1달러에 5센트씩 할인한다/We must ~ half an hour *for* changing trains. 기차를 갈아타는 데 30분의 여유를 잡아 두어야 한다. **6** 《미方》 말하다; …이라고 생각하다; …할 작정이다: 《Ⅲ *that*(절)》 I ~ *that* it's quite right. 그것은 아주 옳다고 생각한다/《Ⅲ (목)+전+대》 He ~*ed* no rest *to* himself. 그는 휴식을 취하려 하지 않는다(=He ~*ed* himself no rest. 《Ⅳ 대+(목)》)(대-oneself)/《Ⅲ *to* do》 I ~ *to* go fishing tomorrow. 내일 낚시질하러 갈 작정이다.
— *vi.* **1** 인정하다, 허용하다; …의 여지가 있

다《*of*》: 《Ⅲ *v* I+[전]+(목)》(*no pass*) The matter ~*s of* no delay. 그 일은 지연될 여지가 없다. **2** 고려[계산]에 넣다, (사정 등을) 참작하다; 공제하다; …의 여지[여유]를 생각해 두다《*for*》: 《Ⅲ *v* I+[전]+(목)》We must ~ *for* her poor health. 그녀의 건강이 나쁜 것을 고려해야 한다/We must ~ *for* the unexpected. 예측할 수 없는 사태를 생각해 두어야 한다. **allowing for** …을 참작한다면《삽입구 따위로》. **allow oneself in** …에 몰두[열중]하다. **allow me to** (do) (실례지만) …하겠습니다. **allowing that** … …이라고 하더라도. ⊕ allówance *n.*

al·low·a·ble[əláuəbl] *a.* 허락할 수 있는, 무방한(permissible), 정당한. **-bly** *ad.*

⁑**al·low·ance**[əláuəns] *n.* **1** (정기적으로 지급하는) 수당, 급여액, …비(費); 《미》(가족에게 주는) 용돈(《영》 pocket money): clothing [family] ~ 피복[가족] 수당. **2** [U] 허용, 허가, 승인(permission). **3** 공제, 할인(deduction). **4** 여유; (보통 *pl.*) 참작. **5** (기계 치수 등의) 허용 오차, 공차. **an allowance for long service** 연공 가봉(年功加俸). **at no allowance** 참작하지 않고. **make** [**make no**] **allowance**(**s**) **for** …을 참작하다[참작하지 않다]. ── *vt.* 〈수당·식량 등을〉 일정량[일정액]으로 제한하다. ⊕ allów *v.*

al·lowed[əláud] *a.* 〔物〕 양자수(量子數)의 변화를 포함한.

al·low·ed·ly[əláuidli] *ad.* **1** 인정되어. **2** [문장 전체를 수식하여] 당연히, 명백히.

***al·loy**[ǽlɔi, əlɔ́i] *vt.* **1** 합금하다(mix). **2** (합금하여) 품위를 떨어뜨리다(debase). **3** 〈쾌감 등을〉 덜다, 잡치다; 해치다(impair). ── *vi.* 합금이 되다. ── *n.* [U,C] **1** 합금. **2** (금·은의) 품위. **3** 합금에 쓰는 비(卑)금속. **4** [əlɔ́i] 《비유》 섞음질; 불순물, 혼합물: joy without ~ 순수한 기쁨.

álloy stèel 〔冶〕 합금강, 특수강.

all-play-all[ɔ́:lplèiɔ́:l] *a., n.* 《영》〔競〕 모든 선수[팀]가 대전하는 (방식).

áll-póint bùlletin[**nòtice**][ɔ́:lpɔ̀ints-] (경찰의) 전국 지명 수배.

all-pos·sessed[ɔ̀:lpəzést] *a.* 《미口》 …에 홀린, 열중한, 홀딱 반한; 악마[악령]에 홀린: like ~ 정신없이, 열중하여.

all-pow·er·ful[ɔ́:lpáuərfəl] *a.* 전능한.

all-pur·pose[-pə́:rpəs] *a.* 만능의, 다목적의, 다용도의: an ~ tool 만능 기구.

all-red, All-Red[-réd] *a.* 영국령(領)만을 통과하는 〈길〉: ~ routes 전영령(全英領) 연락 항로《지도에 영령이 빨간 빛깔인 데서》.

àll ríght 더할 나위 없는[없이], 훌륭한[하게].

all·right·nik[--nik] *n.* 《俗》 중간(의 지위)에 안주하는 사람.

all-round[-ráund] *a.* 《영》 전반에 걸친; 전면적인; 만능의 〈선수〉, 다재 다능한(《미》 all-around). **~·er** *n.* 만능 선수[기술자, 학자, 심판].

Áll Sáints' Dày 〔가톨릭〕 모든 성인의 축일, 제성 첨례(諸聖瞻禮), 《속칭》 만성절(萬聖節)《11월 1일; 천상의 모든 성인과 순교자의 영혼을 제사 지냄; *cf.* HALLOWMAS》.

all·seed[ɔ́:lsì:d] *n.* 〔植〕 씨 많은 풀《마디풀·명아주 등》.

all-see·ing[-sí:iŋ] *a.* 널리 만물을 내다보는.

all-síng·ing all-dánc·ing 《口》 관심을 끌기 위해 가능한 모든 수단을 동원하는.

all-sorts[-sɔ́:rts] *n. pl.* 《영》 갖가지 구색을 섞은 것, 《특히》 각종 캔디의 구색.

Áll Sóuls Dày 〔가톨릭〕 위령의 날, 추사 이망 첨례(追思已亡瞻禮), 《속칭》만령절(萬靈節)《11월 2일》.

all·spice[ɔ́:lspàis] *n.* 〔植〕 =PIMENTO.

all-star[ɔ́:lstɑ̀:r] *a.* 명배우 총출연의, 명선수 총출전의.

áll-terráin bìke[-tərèin-] 전지형(全地形) 자전거, = MOUNTAIN BIKE《略: ATB》.

áll-ter·ráin véhicle 전지형차(全地形車)《略: ATV》.

all-time[ɔ́:ltàim] *a.* **1** 전대 미문의, 미증유의, 스포츠 사상 처음 보는: an ~ high[low] 최고[최저] 기록/an ~ baseball team 사상 최고의 야구팀. **2** =FULL-TIME.

***al·lude**[əlú:d] *vi.* **1** 언급[논급]하다《*to*》: 《Ⅲ *v* I+[전]+(목)+[전]+-*ing*》He ~*d to* her without mentioning her name. 그는 그녀의 이름은 말하지 않고 그녀에 대해 언급했다/《Ⅰ *be*+*v* I (*pp.*)+[전]》Her name was ~*d to*. 그녀의 이름은 언급되지 않았다. **2** (넌지시) 비추다[말하다], 암시하다, 시사(示唆)하다《*to*》: 《Ⅲ [부]+*v* I+[전]+(목)》He often ~*d to* his poverty. 그는 자기의 가난을 종종 암시했다. ⊕ allúsion *n.*; allúsive *a.*

áll-úp wéight[ɔ́:lʌ̀p-] 〔空〕 (비행 중인 항공기의) 전비중량(全備重量).

***al·lure**[əlúər] [OF] *vt.* 꾀다; 부추기다, 유인하다, 유혹하다; 매혹시키다《*from*》: ~ a person *from*[*to, into*] …을 …에서 꾀어내다[…로 꾀어넣다]/~ a person *from* his duty. 아무를 꾀어 직무를 게을리하게 하다/be ~*d to* give up one's post 지위를 내던지도록 유혹당하다. ── *n.* 《文語》 매력, 매혹; [U,C] 유혹(물). ⊕ allúrement *n.*

al·lure·ment *n.* [U] 매혹, 유혹; [C] 유혹물: the ~s of a big city 대도시의 여러 유혹물.

al·lur·er *n.* 유혹하는 사람[것].

***al·lur·ing**[əlú(:)riŋ] *a.* 유혹하는《*to*》; 마음을 끄는, 매혹적인, 황홀한(fascinating). **~·ly** *ad.* 매혹적으로.

***al·lu·sion**[əlú:ʒən] *n.* [U,C] 암시, 언급, 넌지시 하는 말; 〔修〕 인유(引喩). **in allusion to** 넌지시 …을 가리켜. ⊕ allúde *v.*

***al·lu·sive**[əlú:siv] *a.* 암시적인; 넌지시 빗대고 말하는《*to*》; 인유가 많은 〈문장 등〉. **~·ly** *ad.* ⊕ allúde *v.*

allúsive árms 〔紋〕 가명(家名)을 암시하는 문장.

al·lu·vi·a[əlú:viə] *n.* ALLUVIUM의 복수.

al·lu·vi·al[əlú:viəl] *a.* 〔地質〕 충적(沖積)의: the ~ epoch 충적기/~ gold 사금(砂金)/~ soil 충적토.

allúvial fán 〔地〕 선상지(扇狀地).

al·lu·vi·on[əlú:viən] *n.* **1** 파도의 밀려듦, 홍수, 범람(汎濫). **2** 충적지, 충적물. **3** 〔法〕 신생지《충적 등에 의하여 새로 생긴 땅》.

al·lu·vi·um[əlú:viəm] *n.* (*pl.* **-vi·a**[-viə], ~**s**) 〔地質〕 충적층, 충적토.

áll(-)wáve recéiver 〔通信〕 전파(全波) 수신기.

all-weath·er[-wèðər] *a.* 전천후(용)의.

all-wet[-wèt] *a.* 얼토당토 않은.

all-white[-hwáit] *a.* 백인만의, 백인 전용의.

⁑**al·ly**[1][əlái, ǽlai](**-lied**) *vt.* **1** (보통 수동형, 때로 ~ one*self*로) 〈…을〉 동맹[결연, 연합, 제휴]시키다《*with, to*》: Korea has been *allied with* the United States. 한국은 미국과 동맹을 맺고 있다/He *allied* him*self with* a wealthy family by marriage. 그는 유복한 집안과 혼인을 맺었다. **2** 〈…을〉 결합시키다, 동류(同

類)에 속하게 하다(*to*): (Ⅲ *be pp*+전+명) English is nearly *allied to* Dutch. 영어는 네덜란드어와 근연 관계에 있다.
— *vi.* 동맹〔결연, 연합, 제휴〕하다.
— [ǽlai, əlái] *n.* (*pl.* **-lies**) 동맹국, 맹방; 동맹자, 맹우(盟友), 자기편; (the Allies) (세계대전 중의) 연합국(제1차 대전 때는 독일에 대하여, 제2차 대전 때는 추축국(樞軸國)(the Axis)에 대하여 싸운 여러 나라).
al·lí·a·ble *a.* ◇ alliance *n.*
al·ly²[ǽli] *n.* (*pl.* **-lies**) (대리석 등의) 공기(돌).
all-year[ɔ́:ljìər] *a.* 연중(무휴)의.
al·lyl[ǽlil] *n.* U,C 〔化〕 알릴.
állyl résin 〔化〕 알릴 수지(樹脂).
alm[ɑ:m] [alms의 역성(逆成)] *n.* (자선) 구호금〔품〕.
ALM asset and liability management (미) 자산 부채 종합 관리; audio-lingual method.
Al·ma·gest[ǽlmədʒèst] *n.* 알마게스트 (Ptolemy의 천문학서); (**a-**) 중세의 이 비슷한 천문서·연금술 저서.
al·ma(h)[ǽlmə] *n.* (이집트의) 무희(舞姬).
al·ma ma·ter[ǽlmə-mɑ́:tər, -méitər] [L=fostering mother] *n.* **1** 모교, 출신교. **2** (미) 모교 교가.
∗**al·ma·nac**[ɔ́:lmənæ̀k] *n.* 달력, 책력; 연감(年鑑)(*cf.* CALENDAR).
Al·ma·nach de Go·tha[ɔ́:lmənæ̀k-də góuθə] *n.* 고타 왕족 명감(名鑑); (집합적) 유럽 왕족.
al·man·dine, -dite[ǽlməndì:n, dàin, -din], [-dàit] *n.* U 〔鑛〕 귀석류석(貴石榴石).
al·me(h)[ǽlme] *n.* =ALMA(H).
al·míght·i·ness *n.* U 전능.
⁑**al·might·y**[ɔ:lmáiti] *a.* **1** (종종 **A-**) 전능한, 만능의. **2** (미口) 대단한, 굉장한(great): an ~ nuisance 대단히 귀찮은 일. **Almighty God**=**God Almighty** 전능하신 하느님. **the almighty dollar**〔**gold**〕 황금 만능, 돈의 힘.
— *n.* (the A-) 전능자, 하느님(God).
— *ad.* (俗) 대단히, 무척(exceedingly): ~ glad 무척 기쁜.
al·mi·rah[ælmáiərə] *n.* (인도) 옷장; 찬장.
∗**al·mond**[ɑ́:mənd, ǽlm-] *n.* **1** 〔植〕 편도(扁桃), 아먼드(나무, 열매, 씨). **2** 〔解〕 편도선.
al·mond-eyed[-àid] *a.* 편도 같은 (가느다란 타원형) 눈을 가진(한국인·중국인·일본인 등의 특징).
álmond grèen 엷은 황록색.
álmond oil 아먼드유(油)(윤활유·약용유).
al·mo·ner[ǽlmənər, ɑ́:m-] *n.* **1** 구호금품 분배 관리(중세의 수도원·왕실 등의). **2** (영) 병원의 의료 복지 담당원.
al·mon·ry[ǽlmənri, ɑ́:m-] *n.* (*pl.* **-ries**) 구호금품 분배소.
★**al·most**[ɔ́:lmoust, −´] *ad.* **1** 거의, 거진, 거반; 대부분, 대체로; 하마터면: ~ every man 거의 모든 사람/Those prsesent were ~ all women. 출석자는 거의 여성이었다(◇ all은 생략할 수 없음)/It's ~ two o'clock. 거의 2시이다. **2** (한정용법의 형용사처럼 쓰여) 거의 …라고 할 수 있는: his ~ impudence 거의 건방지다고 할 만한 태도((文語)에서 명사를 수식). **almost all** 거의 전부(의). **almost always** 거의 언제나. **almost never**〔**no, nothing**〕 (미) 거의 …않다, 거의 없다.
∗**alms**[ɑ:mz] *n.* (*pl.* ~) (보통 복수 취급) 구호금, 구호품, 자선 기부금, 의연금: ask for (an) ~ 적선을 구하다.
alms·deed[´-dì:d] *n.* (古) 자선 행위.
alms·folk[´-fòuk] *n.* 구호금으로 생활하는 사람들.
alms·giv·er[´-gìvər] *n.* 자선가.
alms·giv·ing[´-gìviŋ] *n.* U 베풂, 회사, 자선 (행위).
alms·house[´-hàus] *n.* (*pl.* **-hous·es**[-hàuziz]) (영) (옛날의) 사설 구빈원; 양로원.
alms·man[´-mən] *n.* (*pl.* **-men**[´-mən]) **1** (稀) 구호를 받고 생활하고 있는 사람. **2** (古) 베푸는 사람.
alms·wom·an[´-wùmən] *n.* (*pl.* **-wom·en** [´-wìmin]) 구호를 받는 여자.
al·mug[ǽlmʌg, ɔ́:l-] *n.* 〔聖〕 =ALGUM.
al·ni·co[ǽlnikòu] [*al*uminum+*ni*ckel+*co*balt] *n.* U 〔冶〕 알니코(철·니켈·알루미늄·코발트를 함유한 강력 자석강(鋼)).
a·lo·di·al *a.* =ALLODIAL.
a·lo·di·um *n.* =ALLODIUM.
al·oe[ǽlou] *n.* (*pl.* ~**s**) **1** 〔植〕 노회, 앨로; (*pl.*: 단수 취급) 노회즙(하제(下劑)). **2** 침향(沈香). **3** 〔植〕 용설란(=American ~).
al·o·et·ic *a.*
al·oes·wood[ǽlouzwùd] *n.* 〔植〕 가라목(伽羅木).
∗**a·loft**[əlɔ́(:)ft, -lɑ́-] *ad.* 위에, 높이; 〔海〕 돛대 꼭대기에; (俗) 천국에. **climb aloft** 〈선원이〉 돛대 꼭대기에 올라가다. **go aloft** 천당에 가다, 죽다.
a·log·i·cal[eilɑ́dʒikəl/-lɔ́dʒ-] *a.* 논리를 넘어선, 무논리의.
a·lo·ha[əlóuə, ɑ:lóuhɑ:] [Haw=love] *n.* U,C **1** 인사; 만날 때의 인사. **2** 사랑; 친절.
— *int.* 안녕!, 어서 오십시오; 안녕히 가세요.
a·lo·ha·oe[ɑ:lòuhɑ:ɔ́i, -óui] [Haw] *int.* 어서 오세요; 안녕히 가세요.
alóha shìrt (색이 화려한) 남방 셔츠.
Alóha Státe (the ~) 미국 Hawaii주의 속칭.
al·o·in[ǽlouin] *n.* U 〔化〕 알로인(앨로 잎의 즙을 달인 결정체; 하제로 쓰임).
★**a·lone**[əlóun] [ME] *a.* **1** (서술적) **a** 다만 홀로〔혼자서〕, 고독한; 혼자 힘으로 살아가는〔행동하는, 나가는〕: (Ⅱ 형) She is ~. 그녀는 고독하다. **b** 필적할 것이 없는: He stands ~ *in* talent. 재능으로 그에 필적할 사람은 없다. **2** (명사·대명사 바로 뒤에서 그것을 수식하여) 다만 …뿐, …일 뿐(only): Man shall not live by bread ~. 〔聖〕 사람은 빵만으로 사는 것은 아니다. **all alone** 다만 혼자서; 혼자 힘으로. **go it alone** (口) 혼자서〔혼자 힘으로〕하다. **let alone** … 은 말할 것도 없이. **let**〔**leave**〕 someone〔something〕 **alone** (사람〔물건〕)을 내버려〔그냥〕 두다; (口) 방해 안 하다. **let**〔**leave**〕 **well** (**enough**) **alone** 현상에 만족하다.
stand alone in 비길 데 없다, 당할 사람이 없다. — *ad.* (文語) 단독으로, 남의 힘을 빌리지 않고; 단지, 전혀. **not … alone, but** (**also**) …뿐만 아니라 (또한)(◇ but (also)를 생략, 또는 대신 as well도 씀). **~·ness** *n.*
★**a·long**[əlɔ́:ŋ/əlɔ́ŋ] *prep.* **1** …을 따라서; …의 한 끝에서 다른 끝으로: ~ the street 거리를 따라/go ~ the river 강을 따라서 가다. **2** …의 도중에, …의 사이에: ~ the way to school 등교 도중에. **3** (방침 (등)) …대로: Let's proceed ~ the lines he suggested. 그가 제시한 방침대로 나아가자.
— *ad.* **1** (보통 ~ by로) 따라서, (따라) 죽: ~ *by* the hedge 울타리를 따라서/Come (~) here. 이리 오시오. **2** (멎지 않고) 계속 앞으로, 전방으로: Move ~, please. (서지 말고) 앞으로 나가 주세요. **3** 잇달아: pass

news ~ 잇달아 뉴스를 전하다. **4** (미) 데리고, 동반하여: I took my sister ~. 여동생을 데리고 갔다. **5** (미口) (흔히 far, well 등을 수반하여) 〈시간 · 일 등이〉 진행되어: The night was well ~. 밤이 이슥했었다. **6** (口) (보통 about와 함께) 〈어느 시기 · 나이가〉 가까워져서, 약 …: ~ about 6 o'clock 약 6시경에. **all along** 처음부터, 죽, 내내. (**all**) **along of** (俗) …의 탓으로. **along about** (미口) … 무렵에. **along back** (미口) 최근에. **along here**〔**there**〕 이쪽〔저쪽〕으로. **along with** …와 함께〔같이〕. **be along** (口) 오다; 가까워지다(미래 시제와 함께). **bring along** 가져오다. **Come along** (**with me**). 자, (나와 함께) 갑시다. **get along** (1) 지내다, 살아가다. (2) 번영하다. (3) (俗) 물러가라!, 꺼져라! **get along with** 〈연구 등을〉 해나가다, 진행시키다; 〈동료 등과〉 사이좋게 지내다. **go along** 나아가다. **Go along** (**with you**)! 그만둬라!, 어리석은 말 마라! **right along** (口) 쉬지 않고, 줄곧. **take along** 가지고〔데리고〕 가다.

a·long·shore[-ʃɔ́ːr] *ad.* 물가〔바닷가〕를 따라서.

*__a·long·side__[-sáid] *ad., prep.* 〔海〕 (…에) 옆으로 대고, (…의) 뱃전에〔을〕; (…의) 쪽에〔을〕 (beside). **alongside of** … 와 나란히.

a·loof[əlúːf] *ad.* **1** 떨어져서, 멀리서(away) (*from*). **2** 〔海〕 바람 불어 오는 쪽에. **keep** 〔**stand, hold**〕 **aloof** 떨어져 있다, 초연하다 (*from*). **spring aloof** 〔海〕 역풍으로 물결을 헤쳐 가다. ── *a.* 쌀쌀한, 무관심한, 냉담한. **~·ness** *n.* Ⓤ 무관심.

al·o·pe·ci·a[æ̀ləpíːʃiə] *n.* Ⓤ 〔病理〕 독두병(禿頭病), 탈모증, 대머리(baldness).

‡**aloud**[əláud] *ad.* **1** 소리 내어, 들리도록: read ~ 음독하다/think ~ (부지중에) 혼잣말을 하다. **2** 큰 소리로(loudly). ◇ 다음 성구로: cry 〔shout〕 ~ 큰 소리로 외치다. **3** (영口) 명백히. **reek aloud** 냄새가 코를 찌르다.

a·low[əlóu] *ad.* 〔海〕 밑으로, 배 아래쪽으로. **alow and aloft** 어디에나, 도처에.

alp[ælp] [Alps의 역성(逆成)] *n.* **1** 높은 산; 알프스산 허리의 목장. **2** (비유) 탁월한 것〔사람〕. **alps on alps** 첩첩 준봉; 잇단 난관.

ALP, A.L.P. American〔Australian〕 Labor Party.

al·pac·a[ælpǽkə] *n.* **1** 〔動〕 알파카(남미 페루산의 가축). **2** Ⓤ 알파카 털〔모직물〕; Ⓒ 알파카 옷.

al·pen·glow[ǽlpənglòu] *n.* Ⓤ 아침놀, 저녁놀(높은 산꼭대기에서 볼 수 있는).

al·pen·horn[ǽlpənhɔ̀ːrn] *n.* 알펜호른(스위스의 목동이 쓰는 긴 목제 피리; 2m가 넘음).

al·pen·stock[ǽlpənstɑ̀k/-pinstɔ̀k] *n.* 등산 지팡이.

al·pha[ǽlfə] *n.* **1** 알파(그리스 말 알파벳의 제1자 *Α, α*). **2** (the ~) 근본적인 이유, 가장 중요한 부분〔특징〕. **3** (영)(학업 성적의) A, 수(秀): ~ plus (학업 성적의) A⁺, 수. **4** (보통 **A-**) 〔天〕 (별자리 중의) 주성(主星), 알파 별. **the alpha and omega** 처음과 끝; 전체. ── *a.* 〔컴퓨터〕(키보드 · 디스플레이 등이) 문자인: =ALPHABETIC.

al·pha·ad·ren·er·gic *a.* 알파 수용체(alpha receptor)의〔에 관한〕.

★**al·pha·bet**[ǽlfəbèt/-bit] [Gk: alpha와 beta] *n.* **1** 알파벳, 자모(字母): the Roman ~ 로마자(옛 로마인이 라틴어의 표기에 썼던 것)/ a phonetic ~ 음표 문자. **2** (the ~) 초보, 입문(*of*). ⊕ alphabétic *a.*: álphabetize *v.*

‡**al·pha·bet·ic, -i·cal**[æ̀lfəbétik], [-əl] *a.* 알파벳의; ABC순의. **in alphabetic order** 알파벳순으로〔의〕. **-i·cal·ly** *ad.* ABC순으로. ⊕ álphabet *n.*

al·pha·bet·ize[ǽlfəbitàiz] *vt.* 알파벳순으로 하다, 알파벳으로 표시하다.

álphabet sòup 로마자 모양의 파스타(pasta)를 넣은 수프.

Alpha Cen·táu·ri[-sentɔ́ːrai] *n.* 〔天〕 켄타우루스자리의 알파(α)별.

álpha decày 〔物〕 (원자핵의) 알파 붕괴.

al·pha-fe·to·pro·tein[æ̀lfəfìːtoupróutiːn] *n.* 〔生化〕 알파페토프로테인(양수(羊水) 속의 태아에 의해서만 생성되는 유일한 단백질; 산모의 다중 임신이나 결함 진단에 유용함).

álpha glóbulin 〔生化〕 알파 글로불린.

al·pha-he·lix[-híːliks] *n.* 〔生化〕 (단백질 중의 polypeptide 사슬의) 알파(α)나선.

al·pha·met·ic[æ̀lfəmétik] *n.* 숫자 퍼즐.

al·pha·nu·mer·ic[æ̀lfənjuːmérik], **-i·cal, al·pha·mer·ic**[æ̀lfəmérik] *a.* 문자와 숫자를 조합한; 〔컴퓨터〕 문자와 숫자를 다 처리할 수 있는, 문자 숫자식(式)의.

álpha pàrticle 〔物〕 알파 입자(헬륨의 원자핵).

álpha rày 알파선(線).

álpha(-)recèptor 〔生理〕 알파 수용체(受容體).

álpha rhỳthm 〔生理〕 (뇌파의) 알파리듬.

al·pha·scope[ǽlfəskòup] *n.* 알파스코프(컴퓨터의 브라운관 표시 장치).

álpha tèst 〔心〕 알파〔A식〕 지능 검사; (컴퓨터 소프트웨어 등의) 사전 테스트. ── *vt.* (제품에) 사전 테스트를 하다 (*cf.* BETA TEST).

álpha wàve 〔生理〕 (뇌파의) 알파파(波).

Al·phe·us[ælfíːəs] *n.* 〔그神〕 알페오스(강의 신).

alp·horn[ǽlphɔ̀ːrn] *n.* =ALPENHORN.

*__Al·pine__[ǽlpain, -pin] *a.* **1** 알프스 산맥의. **2** 〔스키〕 알펜의, 활강의. **3** (때로 **a-**) 높은 산의, 아주 높은, 고산성(高山性)의: an ~ club 산악회/the ~ flora 고산 식물상(相)/an ~ plant 고산 식물. ── *n.* (**a-**) **1** 고산 식물. **2** 일종의 등산모. ⊕ Alps *n.*

álpine gárden 암산(岩山) 식물원.

álpine róse 〔植〕 석남, 에델바이스.

al·pin·ism[ǽlpənìzəm] *n.* (종종 **A-**) 알프스 등산; (고산의) 등산.

al·pin·ist[ǽlpənist] *n.* (종종 **A-**) 알프스 등산가; 등산가.

‡**Alps**[ælps] *n. pl.* (the ~) 알프스산맥(최고봉 Mont Blanc (4,807m)).

★**al·read·y**[ɔːlrédi] *ad.* **1** (긍정문에서) 이미, 벌써: I have ~ seen him. 벌써 그를 만났다/ When I called, he had ~ started. 내가 방문했을 때 그는 벌써 출발했었다/I have been there ~. 전에 거기에 가본 적이 있다(◇ 의문문 · 부정문에는 yet를 씀: Has he returned yet? 그는 벌써 돌아왔나요). **2** (놀람 등을 나타내어) a (의문문에서) 그렇게 빨리, 벌써: Is he back ~? 그는 벌써 돌아왔는가(놀랐어, 뜻밖이야). b (부정문에서) 설마 벌써: She is*n't* up ~, is she? 그녀는 설마 벌써 일어나진 않았겠지.

a.l.s. autograph letter signed 자필 자서(自署)의 편지. **A.L.S.** Automatic Landing System 자동 착륙 장치.

Al·sace-Lor·raine[-lɔːréin] *n.* 알사스로렌(프랑스 북동부의 지방; 옛부터 독일과 소유권을 다투던 지역).

Al·sa·tia[ælséiʃə] *n.* **1** Alsace의 옛 이름. **2** 알세이셔《옛날 런던의 범죄자나 빚에 쫓긴 사람들의 도피 장소; 지금의 Whitefriars에 해당》.

Al·sa·tian[ælséiʃən] *a.* **1** 알사스(Alsace)(주민)의. **2** (런던의) 알세이셔(Alsatia)의. ― *n.* **1** 알사스 사람. **2** 독일종 셰퍼드.

ál·sike (clóver)[ǽlsik(-), -saik(-), ɔ́:l-] 〔植〕 클로버의 일종《유럽산; 목초》.

Al Si·rat[æl-sirɑ́:t] *n.* 〔回教〕 **1** (종교의) 정도(正道). **2** (천국으로 가는 자가 지나야 할) 좁은 길.

*__al·so__[ɔ́:lsou] *ad.* (…도) 또한, 역시, 마찬가지로; 게다가, 뿐만 아니라(too, besides): Candy is ~ sold there. 캔디도 거기서 팔고 있다. **not only ... but (also)** ⇨only.
― *conj.* 《口》 그리고 또한(and also): He was mean, ~ ugly. 그는 천하고 또 못생겼다.

al·so-ran[ɔ́:lsouræ̀n] *n.* **1** (경마에서) 등외로 떨어진 말. **2** 《口》 출세 못한 사람, 범인(凡人); 실패자, 낙오자.

al·so-run·ner[-rʌ̀nər] *n.* (경기 등의) 패자.

alt[ælt] *n., a.* 〔樂〕 알토(의), 중고음(의)(alto). **in alt** 고음으로; 의기 양양하여, 뽐내어.

ALT 〔宇宙〕 approach and landing test.

ALT, Alt[ɔ:lt] 〔컴퓨터〕 alternate key.

alt. alternate; altitude; 〔樂〕 alto.

Alta. Alberta《캐나다 서부의 주》.

Al·tai[ǽltai, æltái/æltéiai] *n.* **1** 알타이《러시아의 한 지방》. **2** (the ~) =ALTAI MOUNTAINS.

Al·ta·ic[æltéiik] *a.* 알타이 산맥(주민)의; 알타이 어계(語系)의. ― *n.* 알타이어족.

Áltai Móuntains *n.* (the ~) 알타이 산맥.

Al·tair[æltέər, -táiər] *n.* 〔天〕 견우성《독수리자리의 주성(主星)》.

Al·ta·mi·ra[æltəmi:rə] *n.* 알타미라《스페인 북부의 구석기 시대의 동굴 유적》.

⁑**al·tar**[ɔ́:ltər] *n.* (교회의) 제단, 제대(祭臺), 성찬대. **lead a woman to the altar** 《文語》(여자와) 결혼하다《특히 교회에서》.

al·tar·age[ɔ́:ltəridʒ] *n.* (교회의 제단 위의) 제물; 교회에 바치는 공물; 공물 중에서 성직자에게 지불하는 사례(금).

áltar bòy 복사(服事)(acolyte).

áltar brèad 성찬용 빵, 미사용 빵.

áltar clòth 제대포(祭臺布).

al·tar·piece[ɔ́:ltərpi:s] *n.* 제단 뒤쪽〔위쪽〕의 장식《그림·조각·병풍 등》.

áltar ràil 제단의 난간.

áltar stòne **1** (제단의) 제대(祭臺). **2** 〔가톨릭〕 휴대 제단.

alt·az·i·muth[æltǽzəməθ] *n.* 〔天〕 경위의(經緯儀).

*__al·ter__[ɔ́:ltər] [L] *vt.* **1** 〈모양·성질·위치 등을〉 변경하다, 바꾸다; 〈집을〉 개조하다; 〈의복을〉 고쳐 만들다: ~ a house *into* a store 주택을 점포로 개조하다/~ the course *to* the southerly direction 침로를 남으로 바꾸다. **2** 《미·완곡》 거세하다; 난소를 제거하다.
― *vi.* 변하다; 바뀌다, 고쳐지다; 일변하다; 〈사람이〉 늙다. **alter for the better**〔**worse**〕 개선〔개악〕하다, 좋아〔나빠〕지다.
◈ álterative *a.*; alterátion *n.*

al·right[ɔ:lráit] *ad., a.* =ALL RIGHT.

al·ter·a·bil·i·ty[ɔ̀:ltərəbíləti] *n.* Ⓤ 변경할 수 있음, 가변성.

al·ter·a·ble[ɔ́:ltərəbl] *a.* 변경할 수 있는.

al·ter·ant[ɔ́:ltərənt] *a., n.* =ALTERATIVE.

*__al·ter·a·tion__[ɔ̀:ltəréiʃən] *n.* Ⓒ,Ⓤ **1** 변경, 개조: make an ~ to a building 개축하다. **2** 변화, 변질. **3** 변경된 곳.
◈ álter *v.*; álterative *a.*

al·ter·a·tive[ɔ́:ltərèitiv, -tərətiv] *a.* 〈체질 등을〉 바꾸는, 대사 기능을 개선하는; 서서히 회복시키는. ― *n.* 〔醫〕 변질제, 변질 요법.

al·ter·cate[ɔ́:ltərkèit] *vi.* 언쟁〔격론〕하다《*with*》.

al·ter·ca·tion[-ʃən] *n.* Ⓒ,Ⓤ 언쟁, 격론.

áltered chórd[ɔ́:ltərd-] 〔樂〕 변화 화음.

al·ter e·go[ɔ́:ltəri:gou, -égou, ǽl-/ǽl-] [L] *n.* 다른 나(other self); 둘도 없는 친구.

al·ter·nant[ɔ́:ltərnənt, ǽl-] *a.* 교호의, 교대의. ― *n.* 〔數〕 교대 함수.

*__al·ter·nate__[ɔ́:ltərnit, ǽl-] *a.* **1** 번갈아 하는, 교대〔교체〕의, 교호(交互)의. **2** 서로 엇갈리는, 하나 걸러의: on ~ days 하루 걸러, 격일로. **3** 〔植〕 호생(互生)의: ~ leaves 호생엽(互生葉), 어긋 나기 잎. **4** 〔電〕 교류의. **5** 《미俗》 부(副)의, 대리의. ― *n.* 《미》 (미리 정해 놓은) 대리인, 교체자; 〔컴퓨터〕 교체.
― *v.* [ɔ́:ltərnèit, ǽl-] *vi.* **1** 번갈아 일어나다〔나타나다〕, 교대〔교체〕하다; 엇갈리다, 교차하다《*with, in, between*》; (일 등을) 번갈아하다; (물건을) 번갈아〔교대로〕 사용하다《*in doing*》: Day ~*s with* night. 낮은 밤과 교대로 온다/~ *with* each other 서로 교대하다/Hope and fear ~*d in* her mind. 희망과 염려가 그녀의 마음 속에서 엇갈렸다(=She ~*d between* hope and fear. 그녀에게는 희망과 염려가 엇갈렸다)/《I 전+-*ing*》 We〔My sister and I〕 ~ *in* us*ing* this washing machine. 우리〔동생과 나〕는 이 세탁기를 교대로 사용한다. **2** 〔電〕 〈전류가〉 교류하다.
― *vt.* 교대〔교체〕시키다; 엇갈리게 하다; 번갈아 사용하다: We should ~ work *and*〔*with*〕 play. 공부와 놀이는 번갈아 해야 한다.
~·ly *ad.* 번갈아, 교대로; 엇갈리게, 하나씩 걸러. **~·ness** *n.* Ⓤ 교호(交互), 엇갈림.
◈ alternátion *n.*; altérnative *a.*

álternate áirport 대체(代替) 공항《예정된 공항의 착륙이 불가할 때, 착륙토록 선정해 놓은 제 2의 공항》.

álternate ángles 〔數〕 엇각, 착각(錯角).

al·ter·nat·ing[ɔ́:ltərnèitiŋ, ǽl-] *a.* 교호의, 교차의; 〔電〕 교류의.

álternating cúrrent 〔電〕 교류(略: AC).

álternating gróup 〔數〕 교대군(群).

al·ter·na·tion[ɔ̀:ltərnéiʃən, æ̀l-] *n.* Ⓤ,Ⓒ **1** 교대, 교체; 하나씩 거름. **2** 〔數〕 착렬(錯列). **3** 〔電〕 교번(交番). **alternation of generations** 〔生〕 세대 교번〔교체〕.

⁑**al·ter·na·tive**[ɔ:ltə́:rnətiv, æl-] *n.* **1** (보통 the ~) 둘 중에서의 선택, 양자 택일: the ~ of death or submission 죽음이냐 항복이냐 둘 중의 하나《◇ 드물게 셋 이상에서도 쓰임》. **2** 대안, 달리 택할 길, 다른방도: The ~ *to* submission is death. 항복을 피하는 길은 죽음뿐이다/There is〔I have〕 no (other) ~. 달리 방도가 없다/That's the only ~. 그것이 취할 수 있는 유일한 방법이다. **3** 그 중 하나를 택해야 할 양자(兩者): The ~*s* are death and submission. 죽음이냐 항복이냐 둘 중의 하나다.
― *a.* **1** (둘 중에서) 하나를 택해야 할, 양자 택일의: ~ courses of death or life 생사의 두 갈림길. **2** 대체되는, 대신의; 달리 택할: have no ~ course 달리 수단이 없다/an ~ plan 대안. **3** 기존의 전통적〔관례적〕인 접근 방식과 다른. **~·ly** *ad.* 양자 택일로.
◈ álternate *v.*; alternátion *n.*

altérnative bírthing 또 하나의 출산법《분만 때 기구·약을 사용하지 않는 출산》.
altérnative còmedy 종전의 틀에 박힌 소재가 아닌 초현실주의, 혹은 humor풍의 공격적 유모어.
altérnative conjúnction 〔文法〕 선택 접속사《but, or, either ... or 등》.
altérnative énergy 대체 에너지.
altérnative mèdicine〔**thèrapy**〕 대체 의약품《환자의 자기인식, 자조(自助) 등으로 건강을 회복시키는 요법》.
altérnative mùsic 전자 악기의 음을 강조하여 구성하는 록 음악.
altérnative púnishment 대체벌(代替罰)《투옥 이외의 방법으로 형벌을 주는 것》.
altérnative quéstion 〔文法〕 선택 의문(문).
altérnative schóol (전통적인 교육 과정을 탈피한) 새로운 초등〔중등〕 학교.
altérnative socíety 〔社〕 신(新)사회《현재의 사회와는 다른 질서와 가치관을 지닌 사회》.
altérnative technólogy (대체 에너지 사용 등을 위한) 대체 기술.
al·ter·na·tor[ɔ́:ltərnèitər, ǽl-] *n.* 〔電〕 교류(발전)기.
al·thae·a, al·the·a[ælθí:ə] *n.* 〔植〕 접시꽃속(屬)의 식물; 무궁화.
Al·the·a *n.* 여자 이름.
al·tho[ɔ:lðóu] *conj.* =ALTHOUGH.
alt·horn *n.* 〔樂〕 알토호른《고음 나팔; *cf.* SAXHORN》.
★**al·though**[ɔ:lðóu] *conj.* (양보의 부사절을 인도) 비록 …일지라도, 이기는 하지만, …이라 하더라도: *Although* it was so cold, he went out without an overcoat. 대단히 추웠지만, 그는 외투를 입지 않고 외출했다《◇ although와 though는 의미는 같지만, although는 though보다 좀 문어적이며, 사실을 말할 때와 주절에 앞서는 양보절을 인도할 때 쓰이며, though는 as though, even though, what though … 등 고정된 표현에 쓰인다. 이 표현에서 though 대신에 although를 쓸 수 없음》/*Although* we do not act like heroes in our normal life, yet we when confronted with danger reveal conspicuous bravery. 우리가 일상 생활에 있어서는 행동이 용사같지 못해도, 일단 위기에 직면하면 상당한 용기를 발휘한다《◇ Although, though 이하에서는 yet를 쓰고, but은 쓰지 않음》.
al·ti-[ǽlti] 《연결형》「높은, 고도」의 뜻.
al·ti·graph[ǽltəgræ̀f, -grɑ̀:f] *n.* 자동 고도 표시기.
al·tim·e·ter[æltímitər, ǽltəmì:tər] *n.* 〔空〕 고도계.
al·tim·e·try[æltímətri] *n.* Ⓤ 〔天〕 고각(高角)〔고도〕 측량(법).
al·tis·si·mo[æltísəmou] [It] 〔樂〕 *a.* (음조의) 가장 높은. ── *n.* (다음 성구로) **in altissimo** 알티시모로.
⁑**al·ti·tude**[ǽltətjù:d] [L] *n.* Ⓤ,Ⓒ **1** (산·비행기 등의) 높이, 고도; 해발(海拔), 표고(標高)(⇨height). **2** (보통 *pl.*) 높은 곳, 고지. **3** (*sing.*) 〔天〕 (천체의) 고도. **4** 〔幾〕 정점에서 밑변까지의 수직 거리. **5** 높은 자리, 고위(high position). **at an**〔**the**〕 **altitude of** …의 고도로. **in high altitudes** 《미俗》 의기양양하여. ◈ altitúdinal *a.*
áltitude sìckness 고공〔고산〕병.
al·ti·tu·di·nal[æ̀ltətjú:dinəl] *a.* 고도의; 표고(標高)의.
al·to[ǽltou] *n.* (*pl.* **～s**) 〔樂〕 **1** 알토, 중고음(中高音), 남성 고음《여성의 최저음》, 그 음역(⇨bass[1]). **2** 알토 가수〔악기〕. ── *a.* 알토의; 알토 가수의: an ～ solo 알토 독창. ── *ad.* 알토로: sing ～ 알토로 노래하다.
al·to-[ǽltou] 《연결형》「높은, 고도」의 뜻.
álto clèf 〔樂〕 알토 음자리표《제3선의 '다' 음자리표》.
al·to·cu·mu·lus[æ̀ltoukjú:mjuləs] *n.* (*pl.* **-li**[-lài]) 〔氣〕 고적운, 높쌘구름《略: Ac》.
⁑**al·to·geth·er**[ɔ̀:ltəgéðər, ⏑-⏑-] *ad.* **1** 전혀, 전연, 전적으로(entirely): She is not ～ a fool. 그녀는 아주 바보는 아니다《not과 함께 쓰면 부분 부정》. **2** 다 합하여, 전체로서, 총계로: *Altogether,* there were ten persons present. 다 합하여 10명이 출석했다. **3** (문두에 두어 문 전체를 수식) 전체적으로 보아, 일괄하여, 요컨대: *Altogether,* it was a successful party. 대체로 성공적인 파티였다. **taken altogether** 전체적으로 보아, 대체로. ── *n.* Ⓤ **1** 전체(whole). **2** (the ～) 《口》 나체, 벌거숭이(the nude). **in the altogether** 나체로, 벌거숭이로.
álto hórn =ALTHORN.
al·tom·e·ter[æltɑ́mitər/-tɔ́m-] *n.* 고도의(儀); 〔空〕 고도계.
al·to-re·lie·vo[ǽltourilí:vou] [It] *n.* (*pl.* **～s**) 〔彫〕 고부조(高浮彫), 높은 돋을 새김(*opp.* bas-relief).
al·to·stra·tus[æ̀ltoustréitəs, -strǽt-] *n.* (*pl.* **-ti**[-tai]) 〔氣〕 고층운《略: As》.
al·tru·ism[ǽltru:ìzəm] *n.* Ⓤ 이타〔애타〕주의〔설〕(*opp.* egoism). **-ist** *n.* 이타주의자.
al·tru·is·tic[æ̀ltru:ístik] *a.* 이타적인(*opp.* egoistic, selfish). **-ti·cal·ly** *ad.*
ALU 〔컴퓨터〕 arithmetical and logical unit.
al·u·la[ǽljələ] *n.* (*pl.* **-lae**[-lì:]) 〔動〕 (새의) 작은 날개〔깃〕.
al·um[1] [ǽləm] *n.* Ⓤ 〔化〕 명반.
a·lum[2] [əlʌ́m] *n.* 《미俗》 =ALUMNUS.
alum. aluminium, aluminum.
a·lu·mi·na[əlú:mənə] *n.* Ⓤ 〔化〕 알루미나, 반토(礬土).
a·lu·mi·nate[əlú:mənèit, -nit] *n.* 〔化〕 알루민산염.
⁑**al·u·min·i·um**[æ̀ljumíniəm] *n.* 《주로 영》 〔化〕 = ALUMINUM.
a·lu·mi·nize[əlú:mənàiz] *vt.* 알루미늄으로 처리하다, 알루미늄을 입히다.
a·lu·mi·no·sil·i·cate *n.* 알루미노 규산염(硅酸鹽)《알칼리 금속 또는 알칼리 토금속(土金屬)의 이온을 함유; 장석(長石), 비석(沸石), 군청(群青) 등》.
a·lu·mi·nous[əlú:mənəs] *a.* 백반의; 알루미늄을 함유하는.
⁑**a·lu·mi·num**[əlú:mənəm] *n.* Ⓤ 《미》 〔化〕 알루미늄《기호 Al, 번호 13》. ◈ alúminize *v.*
alúminum bràss 알루미늄 황동.
alúminum brònze 알루미늄 청동.
alúminum óxide 산화 알루미늄(alumina).
a·lum·na[əlʌ́mnə] *n.* (*pl.* **-nae**[-ni:]) 《미》 대학의 여자 졸업생《ALUMNUS의 여성형》.
a·lum·ni *n.* ALUMNUS의 복수.
a·lum·nus[əlʌ́mnəs] [L] *n.* (*pl.* **-ni**[-nai]) **1** 《영》 학생, 생도. **2** 《미》 대학의 남자 졸업생, 동창생, 교우(校友)(old boy): 《미》 운동부의 선배: an *alumni* association 《미》 동창회(old boys'〔girls'〕 association).
al·um·root[ǽləmrù:t] *n.* 〔植〕 범의귀속(屬)의 식물.
al·u·nite[ǽljənàit] *n.* Ⓤ 〔鑛〕 명반석(明礬

石).
Al·va(h) *n.* 남자 이름.
al·ve·o·lar[ælví:ələr] *a.* 〔解〕 소와상(小窩狀) 기포(氣胞)의; 치조(齒槽)의: ~ arch 치경.
alvéolar rídge 〔解〕 치조 융선(隆線).
al·ve·o·late[ælví:əlit] *a.* 소와 기포가 있는, 벌집 모양의.
al·ve·ole[ǽlviòul] *n.* 〔解〕 =ALVEOLUS.
al·ve·o·lus[ælví:ələs] *n.* (*pl.* **-li**[-lài]) **1** (벌집 모양의) 작은 구멍, 소와; 기포; 폐포(肺胞). **2** 〔解〕 치조.
al·vine[ǽlvain, -vin] *a.* 창자의, 아랫배의.
alw. allowance.
al·way[ɔ́:lwei] *ad.* 《古·詩》 =ALWAYS.
★**al·ways**[ɔ́:lweiz, -wiz, -wəz] *ad.* **1** 늘, 항상, 언제나: She is ~ busy. 그는 언제나 바쁘다/He ~ comes late. 그는 언제나 늦게 온다. **2** 언제까지나, 영구히: She will be remembered ~. 그녀는 길이 기억에 남을 것이다. **3** (보통 진행형과 함께) 줄곧, 노상, 끊임없이: She is ~ smiling. 그녀는 항상 생글거린다/He is ~ grumbling. 그는 노상 투덜대고 있다. 《◇ always의 어순은 (1) 조동사 및 be동사의 다음에, 일반동사의 앞에 위치한다. (2) 조동사 또는 be동사가 강조될 때는 그 앞에 위치한다》. **always excepting**〔**provided, supposing**〕 (1) 〔法〕 단 …은 차한에 부재함. (2) 《영》 …을 제외하고(는). **for always** 영구히. **nearly**〔**almost**〕 **always** 대개는. **not always** … (부분 부정) 반드시 …은 아니다〔…라고는 할 수 없다〕.
al·yo[ǽljou] *n.* 《미俗》 **1** 늘 정해진 일. **2** 평온한 상태; 침착한 사람. **3** 매수, 뇌물(fix).
a·lys·sum[əlísəm/ǽlisəm] *n.* 〔植〕 알리섬 뜰냉이《겨자과(科)의 1년생 식물》.
Álz·hei·mer's disèase[ɑ́:ltshàimərz-, ǽl-] 알츠하이머 병《노인성 치매(痴)》.
★**am**[æm; 弱 əm, m] *vi.* BE의 1인칭 단수 직설법 현재형《◇ 발음: I am[aiæm, aiəm], I'm[aim]; am not[æm-nɑt, m-nɑt]》.
Am 〔化〕 americium. **AM, A.M.** amplitude modulation(*cf.* FM). **am.** ammeter. **Am.** America(n).
‡**a.m., A.M.**[éiém] [L: *a*nte *m*eridiem(=before noon)] *ad., a.* 오전에(의)(*opp.* p.m.): at 5 *a.m.* 오전 5시에: Business hours, 8 *a.m.*-6 p.m. 영업 시간은 오전 8시부터 오후 6시까지 《◇ *a.m.*은 시각을 나타내는 숫자 뒤에 붙여서 쓴다; o'clock나 in the morning과는 같이 쓰지 않는 것이 좋다》.
a.m. *anno mundi*《L =in the year of the world》. **A.M.** 《미》 *Artium Magister*《L = Master of Arts(*cf.* M.A.)》. **A.M.A.** American Medical Association.
am·a·da·vat[æ̀mədəvǽt] *n.* 〔鳥〕 방울새 비슷한 작은 명금(鳴禽)《인도산》.
am·a·dou[ǽmədù:] *n.* Ⓤ 말굽버섯과(科)의 버섯으로 만든 해면상(海綿狀) 물질《부싯깃·지혈 등에 씀》.
a·mah[ɑ́:mə, ǽmə] *n.* (인도·중국 등 동양의) 유모(wet nurse), 하녀(maid), 아이 보는 여자.
a·main[əméin] *ad.* 《詩》 힘껏; 쏜살같이; 전속력으로; 황급히; 매우, 심히.
a·mal·gam[əmǽlgəm] *n.* **1** Ⓤ 〔冶〕 아말감《수은과 다른 금속과의 합금》: gold〔tin〕 ~ 금〔주석〕 아말감. **2** 혼합물: an ~ of wisdom and nonsense 지혜와 난센스의 혼합.
a·mal·ga·mate[əmǽlgəmèit] *vt.* **1** 〔冶〕 〈금속을〉 (수은과 화합하여) 아말감으로 만들다. **2** 〈회사 등을〉 합동〔합병〕하다(combine). **3** 〈다른 종족·사상 등을〉 혼합〔융합〕시키다. — *vi.* **1** 〔冶〕 아말감이 되다. **2** 〈회사 등이〉 합병하다. **3** 융합〔혼합〕하다.
a·mal·ga·ma·tion[əmæ̀lgəméiʃən] *n.* Ⓤ **1** 〔冶〕 아말감화(化), 혼홍(混汞). **2** (회사 등의) 합동, 합병. **3** 융합; 《미》 흑인과 백인과의 혼혈.
a·mal·ga·ma·tive[əmǽlgəmèitiv] *a.* 혼합하기 쉬운, 융합적인; 합동적인.
a·mal·ga·ma·tor[əmǽlgəmèitər] *n.* **1** 혼홍기(混汞器), 혼합기. **2** 합병자.
A·man·da *n.* 여자 이름.
am·a·ni·ta[æ̀mənáitə, -ní:tə] *n.* 〔植〕 독버섯의 일종.
a·man·ta·dine[əmǽntədì:n] *n.* 〔藥〕 아만타딘《항(抗) 바이러스 약》.
a·man·u·en·sis[əmæ̀nju:énsis] *n.* (*pl.* **-ses**[-si:z]) 《익살》 필기자, 필생(筆生), 서기; 비서.
am·a·ranth[ǽmərænθ] [L] *n.* **1** 《詩》 (전설의) 영원한 꽃, 시들지 않는 꽃. **2** 〔植〕 아마란스《비름속(屬)의 관상 식물》. **3** Ⓤ 자줏빛.
am·a·ran·thine[æ̀mərǽnθain, -θin] *a.* **1** 시들지 않는; 불사의. **2** 자줏빛의.
am·a·relle[æ̀mərél] *n.* 몹시 신 양버찌.
am·a·ryl·lis[æ̀mərílis] *n.* **1** 〔植〕 아마릴리스《수선과(科)의 식물》. **2** (**A-**) 《詩》 아마릴리스《전원시에 나오는 소녀의 이름》; 애인.
a·mass[əmǽs] *vt.* **1** 쌓다; 〈재산을〉 축적하다. **2** 대량으로 수집하다. — *vi.* 《詩》 모이다. **~·er** *n.* 축적자. **~·ment** *n.* Ⓤ,Ⓒ 축적.
‡**am·a·teur**[ǽmətʃùər, -tʃər, -tər, æ̀mətə́:r] [L] *n.* **1** 아마추어, 비전문가《*in*》(*opp.* professional). **2** 애호가《*of*》; 미숙한 사람. — *a.* **1** 아마추어의, 직업적이 아닌: an ~ dramatic club 아마추어 연극 클럽《略: A.D.C.》/~ theatricals 아마추어 연극. **2** =AMATEURISH.
am·a·teur·ish[æ̀mətʃúəriʃ, -tjúə, -tə́:r-] *a.* 아마추어 같은, 전문적이 못되는; 서투른. **~·ly** *ad.* **~·ness** *n.*
am·a·teur·ism[ǽmətʃuərìzəm, -tʃə-, -tjùər-] *n.* Ⓤ **1** 아마추어 솜씨; 도락(道樂). **2** (스포츠의) 아마추어의 자격〔규정〕.
ámateur níght 《미俗》 아마추어 연극의 밤; 프로답지 않은 서투름〔실수〕; 어쩌다 사귄 관계.
am·a·tive[ǽmətiv] *a.* 연애의, 색골의, 호색의(amatory). **~·ly** *ad.* **~·ness** *n.*
am·a·tol[ǽmətɑ̀l, -tɔ̀(:)l] *n.* Ⓤ 아마톨 폭약《질산 암모늄과 TNT 화약을 혼합한》.
am·a·to·ri·al[æ̀mətɔ́:riəl] *a.* =AMATORY.
am·a·to·ry[ǽmətɔ̀:ri/-təri] *a.* 연애의; 색욕적인.
am·au·ro·sis[æ̀mɔ:róusis] *n.* Ⓤ 〔病理〕 흑내장(黑內障). **-rot·ic** *a.*
‡**a·maze**[əméiz] *vt.* **1** 몹시 놀라게 하다, 아연케 하다. — *n.* 《詩》 =AMAZEMENT.
a·mazed[əméizd] *a.* 놀란: 《Ⅱ 형+전+-*ing*》 I am ~ *at* seeing you here. 여기서 너를 보고 깜짝 놀랐다/《Ⅱ 형+*to* do》 She was ~ *to* find her husband seriously wounded. 남편이 중상을 입은 것을 보고 몹시 놀랐다.
a·maz·ed·ly[-zidli] *ad.* 몹시 놀라서.
‡**a·maze·ment**[əméizmənt] *n.* Ⓤ 놀람, 경탄. **in amazement** 놀라서. **to one's amazement** 놀랍게도.
‡**a·maz·ing**[əméiziŋ] *a.* 놀랄 만한, 굉장한. **~·ly** *ad.* 놀랄 만큼, 굉장하게.
***Am·a·zon**[ǽməzɑ̀n, -zɔ̀n/-zən] [Gk] *n.* **1** (the ~) 아마존 강《남아메리카에 있는 세계

최대의 강). **2** (그리스 전설의) 아마존(용맹한 여전사). **3** (종종 **a-**) 여장부, 여걸; 키다리 여자 선수; 사나운 여자(virago).
Ámazon ánt 〔昆〕 불개미의 일종.
Am·a·zo·ni·an[æ̀məzóuniən] *a.* **1** 아마존 강의; 아마존 강 유역〔지방〕의. **2** (종종 **a-**) 용맹한, 여장부 같은, 남자 못지 않은.
am·a·zon·ite[ǽməzənàit] *n.* 〔鑛〕 천하석(天河石), 아마조나이트(녹색 장석의 일종).
Amb. Ambassador; Ambulance Corps.
am·ba·ges[æmbéidʒi:z] *n. pl.* (古) 우회적인 길〔말, 방법〕.
am·ba·gious[æmbéidʒəs] *a.* (古) 굽이굽이 돈; 우회적인, 에두른.
*****am·bas·sa·dor**[æmbǽsədər] *n.* 대사(*cf.* EMBASSY; MINISTER), 사절, 특사, 대표: as ~ extraordinary and plenipotentiary 특명전권 대사/the Korean A- to Great Britain〔to the Court of St. James's〕 주영(駐英) 한국 대사. **ordinary**〔**resident**〕 **ambassador** 판리(辦理) 대사, 주차(駐箚) 대사. **roving ambassador** 순회 대사. **~·shìp** *n.* Ⓤ 대사의 직〔신분, 자격〕. ◇ ambassadórial *a.*
am·bas·sa·dor-at-large[æmbǽsədərət-lɑ̀:rdʒ] *n.* (*pl.* **am·bas·sa·dors-**)(미) 무임소 대사, 특사.
am·bas·sa·do·ri·al[æmbæ̀sədɔ́:riəl] *a.* 대사의; 사절의.
am·bas·sa·dress[æmbǽsədris] *n.* **1** 여자 대사〔사절〕. **2** 대사 부인.
am·ber[ǽmbər] *n.* **1** 호박(琥珀). **2** Ⓤ 호박색(yellowish brown). **shoot the amber** (영俗) 노랑 신호에서 빨강 신호로 바뀌기 전에 지나가려고 속력을 내다. — *a.* 호박의(으로 만든); 호박색의.
am·ber·gris[ǽmbərgrì:s, -gris] *n.* Ⓤ 용연향(龍涎香)(향수의 원료).
am·ber·ite[ǽmbəràit] *n.* Ⓤ 앰버라이트(입상 무연(無煙) 화약).
am·ber·jack[ǽmbərdʒæ̀k] *n.* (미) 〔魚〕 방어류.
am·ber·oid[ǽmbərɔ̀id] *n.* 인조 호박(琥珀).
am·bi-[ǽmbi] *pref.* 「양쪽; 둘레」의 뜻: *ambi*dextrous.
am·bi·dex·ter[æ̀mbidékstər] *n.* **1** (古) 양수(兩手)잡이. **2** 두 마음이 있는 사람.
am·bi·dex·ter·i·ty[-térəti] *n.* Ⓤ **1** 양수잡이. **2** 비범한 손재주. **3** 표리부동.
am·bi·dex·t(e)rous[æ̀mbidékstrəs] *a.* **1** 양수잡이의. **2** 두 마음을 품은(deceitful). **~·ly** *ad.*
am·bi·ence, -ance[ǽmbiəns] *n.* (文語) **1** 환경. **2** (장소 등의) 분위기.
am·bi·ent[ǽmbiənt] *a.* (文語) 포위한, 에워싼. — *n.* 환경: (the) ~ air 주위의 공기, 대기.
ámbient áir stàndard 대기 오염 허용한 도(치).
*****am·bi·gu·i·ty**[æ̀mbigjú:əti] *n.* (*pl.* **-ties**) **1** Ⓤ 두〔여러〕 가지 뜻, 애매, 모호. **2** 모호한 표현; 다의성(多義性).
*****am·big·u·ous**[æmbígjuəs] *a.* **1** 두 가지 뜻으로 해석할 수 있는. **2** 모호한; 분명하지 않은; 확실치 않은. **~·ly** *ad.*
am·bi·po·lar[æ̀mbipóulər] *a.* 〔物〕 (동시) 2극성의.
am·bi·sex·trous[æ̀mbisékstrəs] *a.* (복장 등이) 남녀의 구별이 안 되는, 남녀 공용의; (파티 등이) 남녀를 포함한.
am·bi·sex·u·al[æ̀mbisékʃuəl] *a.* 양성의; 양성애의. — *n.* 양성애자(兩性愛者).
am·bit[ǽmbit] *n.* (文語) **1** 구내(precincts), 구역. **2** 범위, 영역.
am·bi·ten·den·cy[æ̀mbiténdənsi] *n.* 〔心〕 서로 상반되는 경향의 공존.
*****am·bi·tion**[æmbíʃən] [L] *n.* Ⓤ **1** 큰 뜻, 대망, 공명심, 포부, 향상심, 명예심, 패기, 열망; 야심, 야망: He had the high ~ *to* be a great statesman. 그는 위대한 정치가가 되겠다는 대망을 품고 있었다. **2** Ⓒ 야심의 대상. **3** 원기, 정력(energy). **4** (미中部) 원한(grudge). — *vt.* (口) 열망하다. ◇ ambitious *a.*
*****am·bi·tious**[æmbíʃəs] *a.* **1** 대망〔야심〕을 품은 (*for*); 패기 만만한, 열망하는, 갈망하는(*of, to* do); 야심적인: Boys, be ~! 소년들이여, 대망을 품어라/(Ⅱ 형+전+*-ing*) He is ~ *of* becom*ing our leader.* 그는 우리의 지도자가 되려고 열망하고 있다/(Ⅱ 형+*to do*) He is ~ *to* become a famous man. 그는 유명한 사람이 되려고 열망하고 있다/(Ⅱ 형+전+명+*to do*) He is ~ *for* his son *to* become famous. 그는 자기 아들이 유명하게 되기를 갈망하고 있다. **2** 〈작품·계획 등이〉 거창한, 의욕적인; (문제 등이) 화려한. **~·ly** *ad.* **~·ness** *n.* ◇ ambítion *n.*
am·biv·a·lence[æmbívələns] *n.* Ⓤ **1** 〔心〕 양면 가치, 반대 감정 병존. **2** 모순, 동요, 주저.
am·biv·a·lent[-lənt] *a.* **1** 서로 용납하지 않는, 상극인. **2** 〔心〕 양면 가치의. — *n.* 양성애자(bisexual). **~·ly** *ad.*
am·bi·ver·sion[æ̀mbivə́:rʒən, -ʃən] *n.* Ⓤ 〔心〕 양향(兩向) 성격(내향성과 외향성의 중간 성격).
am·bi·vert[ǽmbivə̀:rt] *n.* 〔心〕 양향 성격자(*cf.* INTROVERT, EXTROVERT).
am·ble[ǽmbəl] *vi.* **1** 〈말이〉 측대보(側對步)로 걷다. **2** 〈사람이〉 느릿느릿 걷다(*along, about, around*). — *n.* **1** 〔馬術〕 측대보(말이 같은 편의 두 발을 동시에 올려 걷기). **2** 완보(緩步); 산보.
am·bler[ǽmblər] *n.* **1** 측대보로 걷는 말. **2** 느리게 걷는 사람.
am·bling[ǽmbliŋ] *a.* 느린 걸음걸이의.
am·bly·o·pi·a[æ̀mblióupiə] *n.* Ⓤ 〔病理〕 약시(弱視). **-op·ic**[-ápik/-ɔ́p-] *a.*
am·bo[ǽmbou] *n.* (*pl.* **~s, ~·nes**[æmbóu-ni:z]) (초기 기독교회의) 설교단, 낭독대.
am·bo·cep·tor *n.* 〔醫〕 양수체(兩受體).
Am·boi·na, Am·boy·na *n.* **1** 암보이나(인도네시아 Molucca 제도 중의 섬). **2** 암보이나(항)(그 섬에 있는 해항).
am·broid[ǽmbrɔid] *n.* =AMBEROID.
am·bro·si·a[æmbróuʒiə] *n.* Ⓤ,Ⓒ **1** 〔그·로神〕 신들의 음식, 신찬(神饌)(*cf.* NECTAR)(먹으면 늙지 않고 죽지 않는다고 함). **2** (文語) 맛이나 냄새가 매우 좋은 음식. **3** (오렌지·코코넛 등으로 만든) 디저트.
am·bro·si·al[-l] *a.* 아주 맛이 좋은; (詩) 향기로운; 신성한(divine).
am·bro·type[ǽmbrətàip] *n.* Ⓤ 〔寫〕 유리판 사진.
am·bry[ǽmbri] *n.* (*pl.* **-bries**) **1** (영方) 찬장(cupboard). **2** (교회의) 성기장(聖器欌).
ambs·ace[éimzèis, ǽmz-] *n.* **1** 주사위 2개를 던져 둘 다 1점(ace)이 나오기, 따라지. **2** 운이 나쁨. **3** 최소량, 무가치한 것.
*****am·bu·lance**[ǽmbjuləns] [L] *n.* **1** 구급차; 병원선(船); 부상병〔환자〕 수송기. **2** (이동식) 야전 병원(field hospital): by ~ 구급차로. ◇ ámbulant *a.*; ámbulate *v.*

ámbulance càr 구급차.
ámbulance chàser ⟪미俗⟫ 교통 사고만 좇아다니는 변호사: 악랄한 변호사.
am·bu·lant[ǽmbjulənt] *a.* **1** 이동하는(shifting), 순회하는. **2** 〔醫〕 걸을 수 있는, 외래〔통원〕의.
am·bu·late[ǽmbjulèit] [L] *vi.* 이동하다; 걷다, 돌아다니다.
am·bu·la·tion[-ʃən] *n.* Ⓤ 보행, 이동.
am·bu·la·to·ry[ǽmbjulətɔ̀ːri] *a.* **1** 보행의; 보행용의. **2** 이동성의; 일시적인. **3** 〔醫〕 〈환자가〉 걸을 수 있는(*opp.* bedridden).
— *n.* 지붕 있는 유보장(遊步場)〔복도, 회랑〕.
am·bus·cade[æ̀mbəskéid] *n.*, *v.*=AMBUSH.
-cad·er *n.*
*__am·bush__[ǽmbuʃ] [L] *n.* **1** Ⓤ 매복, 잠복; Ⓒ 매복 장소. **2** (집합적) 복병. **fall into an ambush** 복병을 만나다. **lay〔make〕 an ambush** 복병을 배치하다⟪*for*⟫. **lie〔hide〕 in ambush** 숨어서 기다리다⟪*for*⟫. — *vi.*, *vt.* 숨어서 기다리다; (*pp.*로만 사용하여) 〈복병을〉 숨겨두다: ~ the enemy 적을 숨어서 기다리다.
~·er *n.* **~·ment** *n.*
A.M.D.G. *ad majorem Dei gloriam*⟪L =to the greater glory of God⟫ **amdt.** amendment. **AME** African Methodist Episcopal (Church).
a·me·ba *n.* (*pl.* **~s, -bae**) =AMOEBA.
am·e·bi·a·sis, am·oe-[æ̀mibáiəsəs] *n.* 〔醫〕 아메바증.
a·me·boid *a.*=AMOEBOID.
âme dam·née[ɑ̀ːmdɑːnéi] [F] *n.* (*pl.* **âmes dam·nées**[-z]) 로봇, 앞잡이, 부하.
a·meer[əmíər] *n.* =EMIR.
A·me·li·a[əmíːljə] *n.* 여자 이름.
a·me·lio·ra·ble[əmíːljərəbl] *a.* 개량〔개선〕할 수 있는.
a·me·lio·rate[əmíːljərèit, -liə-] [L] *vt.* ⟪文語⟫ 개량〔개선〕하다. — *vi.* 좋아지다, 고쳐지다(*opp.* deteriorate).
a·me·lio·ra·tion[əmìːljəréiʃən, -liə-] *n.* Ⓤ 개량, 개선, 개수, 향상(*opp.* deterioration).
a·me·lio·ra·tive[əmíːljərèitiv/-rətiv] *a.* 개량의, 개선적인.
a·me·lio·ra·tor[əmíːljərèitər, -liə-] *n.* 개량자.
*__a·men__[éimén, ɑ́ː-] [Heb] *int.* **1** 아멘⟪기독교에서 기도 끝에 하는 말⟫, 그리 되게 해주시옵소서(So be it!). **2** ⟪口⟫ 좋다! — *ad.* 진실로. — *n.* **1** 아멘(이라는 말). **2** Ⓤ 동의, 찬성. **say amen** ⟪俗⟫ 찬성하다(agree)⟪*to*⟫; 아멘이라고 말하다. **sing the amen** 아멘이라고 말하다.
A·men, A·mon *n.* =AMMON.
a·me·na·bil·i·ty[əmìːnəbíləti] *n.* Ⓤ 복종할 의무, 기꺼이 복종함, 순종.
a·me·na·ble[əmíːnəbəl] *a.* **1** 순종하는, 〈도리를〉 따르는⟪*to*⟫. **2** 복종할 의무가 있는, 〈법의〉 제재를 받는⟪*to*⟫. **3** 〈비난 등을〉 받을 여지가 있는⟪*to*⟫. **4** 〈시험 · 검사 등을〉 받을 수 있는⟪*to*⟫. **-bly** *ad.*
ámen còrner (the ~) ⟪미⟫ 교회 설교단 옆자리; 교회에서 독실한 신자들이 앉는 자리.
⁑**a·mend**[əménd] [L] *vt.* **1** 〈행실 등을〉 고치다. **2** 〈의안 등을〉 수정하다. — *vi.* 고쳐지다; 개심(改心)하다. **~·er** *n.*
⊕ améndatory *a.*: améndment *n.*
a·ménd·a·ble *a.* 수정할 수 있는, 수정의 여지가 있는.
a·men·da·to·ry[əméndətɔ̀ːri/-təri] *a.* 개정의, 수정의.
a·mende ho·no·ra·ble[əménd ɑ́nərəbl] [F] *n.* 공식 사과〔배상〕.
⁑**a·mend·ment**[əméndmənt] *n.* Ⓤ,Ⓒ **1** 개정, 수정議(안). **2** 개심(改心). **3** (the A-s) Ⓒ (미국 헌법의) 수정 조항. **Eighteenth Amendment** ⟪미⟫ 금주법⟪1920년 헌법 18조의 수정⟫. **Twenty-first Amendment** ⟪미⟫ (1933년의) 금주법 폐지법.
*__a·mends__[əméndz] *n. pl.* (때로 단수 취급) 보상(reparation). **make amends** (*to* a person *for*) 〈…에게 …을〉 배상하다, 보상하다(make up).
*__a·me·ni·ty__[əménəti, -míːn-] *n.* (*pl.* **-ties**) **1** (the ~) (장소 · 건물 · 기후 등의) 기분에 맞음, 쾌적함; (사람됨 등의) 상냥함, 싹싹함. **2** (보통 *pl.*) 생활을 즐겁게 해주는 가지가지의 일, 즐거움, 오락 시설. **3** (보통 *pl.*) 예의; 정의(情誼). **exchange amenities** 교환(交驩)하다.
aménity bèd ⟪영⟫ (의료 보험에 의한 병원의) 차액침대.
a·men·or·rh(o)e·a[eimènəríːə, ɑː-] *n.* Ⓤ 〔病理〕 무월경, 월경 불순(月經不順).
a men·sa et tho·ro, -sa et to-[ei-ménsə-et-θɔ́ːrou, -tɔ́ː-] [L] *ad.* 식탁과 침대를 따로; (부부가) 별거하여.
a·ment[1][ǽmənt, éi-] *n.* 〔精醫〕 (선천성) 정신 박약자.
am·ent[2][éimənt] *n.* 〔植〕 꼬리 꽃차례(catkin).
a·men·ti·a[eiménʃiə/əmén-] *n.* Ⓤ 〔精醫〕 (선천성) 정신 박약.
Amer. America; American.
Am·er·a·sian[æ̀məréiʒən, -ʃən] [*Ameri*can+*Asian*] *n.*, *a.* 미국인과 동양인의 튀기(의).
a·merce[əmə́ːrs] *vt.* …에게 얼마의 벌금을 과하다; 벌하다. **~·ment** *n.* Ⓤ 벌금형; Ⓒ 벌금. **a·mer·ci·a·ble**[əmə́ːrsiəbl] *a.* 벌금을 과할 수 있는.
Am·er·Eng·lish[æ̀məríŋgliʃ] *n.* ⟪영⟫ 미국 영어(American English).
★**A·mer·i·ca**[əmérikə] *n.* 아메리카⟪전후 관계로 다음의 어느 하나를 뜻함. (1) 미(합중)국(the United States of America, the United States, the U.S.(A), the States). (2) 북아메리카(North America). (3) 남아메리카(South America). (4) (the ~s) 남 · 북 · 중앙 아메리카(North, South, and Central America) 미대륙 전체⟫. ⊕ Américan *a.*
A·mer·i·can[əmérikən] *a.* 아메리카의, 아메리카 사람의; 미합중국의, 아메리카 원주민의, 미국의; 미국 영어의: an ~ citizen 미국 국민. — *n.* **1** 아메리카 사람, 미국인: an ~ 미국인⟪한 사람⟫/five ~s 5명의 미국인/the ~s 미국인⟪전체⟫; 미군(美軍). **2** Ⓤ 미국 영어.
~·ness *n.* ⊕ América *n.*: Américanize *v.*
A·mer·i·can·a[əmèrəkéinə] *n. pl.* 아메리카에 관한 문헌 〔사물〕, 아메리카의 풍물〔사정〕, 아메리카지(誌).
Américan áloe 〔植〕 =CENTURY PLANT.
Américan Béauty 〔植〕 붉은 장미의 일종⟪미국산⟫.
Américan chèese (미국산) 체더 치즈(Cheddar cheese).
Américan Cívil Wár (the ~) 〔미史〕 남북전쟁(1861-65).
Américan clòth ⟪영⟫ 에나멜 윤이 나는 유포(油布)⟪식탁보 등으로 쓰임⟫.
Américan dréam ⟪미⟫ 미국의 꿈⟪민주주의와 물질적 번영을 구현하려는 건국 초부터의 이상》.
Américan éagle 〔鳥〕 흰머리독수리《미국의 국장(國章)》.
Américan Énglish 미국 영어(*cf.* BRITISH ENGLISH).
Américan Fíeld Sèrvice =A.F.S.
Américan fóotball 미식 축구(*cf.* FOOTBALL).
Américan Ìndian 아메리칸 인디언(Red Indian, Amerind).
A·mer·i·can·ism[əmérikənìzəm] *n.* **1** Ⓤ 친미주의. **2** Ⓤ,Ⓒ 미국 기질〔정신〕. **3** Ⓤ,Ⓒ 미국 특유의 말〔어법〕, 미어(美語)《cookie, prairie, corn, store 등; *cf.* BRITICISM》: A Dictionary of ~s 미어 사전.
A·mer·i·can·ist[əmérikənist] *n.* **1** 미국 연구가《역사·지리 등의》. **2** 아메리칸 인디언의 언어·문화 연구가. **3** 친미주의자.
Américan ìvy 〔植〕 아메리카담쟁이덩굴.
A·mer·i·can·i·za·tion[əmèrikənizéiʃən] *n.* Ⓤ 미국 귀화, 미국화.
A·mer·i·can·ize[əmérikənàiz] *vt., vi.* 아메리카화하다〔되다〕; 미국식으로 하다〔이 되다〕, 미국에 귀화시키다〔하다〕; 미국 어법을 쓰다. ⊕ Américan *a.*
Américan lánguage (보통 the ~) 미국 영어(American English).
Américan Léague (the ~) 아메리칸 리그《미국 프로 야구의 양대 리그의 하나; *cf.* NATIONAL LEAGUE》.
Américan léather =AMERICAN CLOTH.
Américan Légion (the ~) 미국 재향군인회.
Américan léopard 〔動〕 아메리카표범.
A·mer·i·can·ol·o·gist[əmèrikənálədʒist/-ɔ́l-] *n.* 미국 정책 연구가, 미국 정치통.
A·mer·i·ca·no·phile[əmérikənəfàil] *n.* 친미파의 사람.
A·mer·i·ca·no·pho·bi·a[əmèrikənəfóubiə, -kæ̀n-] *n.* 미국을 싫어함〔두려워함〕.
Américan órgan =HARMONIUM.
Américan plán 미국식 호텔 요금제도《방세와 식비를 합산하는; *opp.* European plan》.
Américan Revísed Vérsion (the ~) 미국 개정역 성서.
Américan Revolútion (the ~) 〔미史〕 미국 독립 전쟁(1775-1783)《영 본국과 아메리카 식민지와의 전쟁; 《미》 the Revolutionary War, 《영》 the War of Independence 라고도 함》.
Américan Samóa *n.* 아메리칸 사모아《남태평양 Tutuila 섬 등을 포함한 Samoa 제도 중의 미국 신탁 통치령; 수도 Pago Pago》.
Américan Sélling Prìce 미국내 판매 가격《수입품과 같은 종류의 국산품 도매 가격; 수입품과의 차액이 관세 기준이 됨; 略: ASP》.
Américan Sìgn Lànguage 미식 수화(手話) 언어(Ameslan)《略: ASL》.
Américan Stáffordshire térrier 투견용으로 사육된 투견《미국산》.
Américan Stándards Códe for Ìnformátion Ìnterchánge 정보 교환용 미국 표준 코드《略: ASCII》.
Américan Stándard Vérsion (the ~) 미국 표준역 성서(American Revised Version).
Américan Stóck Exchànge 미국 증권 거래소.
Améríca's Cúp (the ~) 아메리카컵《1851년 창설된 국제 요트 경기의 우승컵》.
am·er·i·ci·um[æ̀məríʃiəm] *n.* Ⓤ 〔化〕 아메리슘《α방사성 원소; 기호 Am, 번호 95》.
A·me·ri·go Ves·puc·ci[əmérigou-vespúːtʃi] *n.* =VESPUCCI.
A·mer·i·ka[əmérikə] [G] *n.* 파쇼적 미국, 인종 차별 사회인 미국.
Am·er·ind[ǽmərind] [*Amer*ican+*Ind*ian] *n.* 아메리카 원주민《인디언 또는 에스키모인》.
Am·er·in·di·an [*Amer*ican+*Indian*] *n., a.* 아메리카 원주민(의).
Am·er·o·Eng·lish[æ̀mərouíŋgliʃ] *n.* =AMERENGLISH.
ames·ace[éimzèis, ǽmz-] *n* =AMBSACE.
A·me·slan[ǽməslæ̀n] *n.*=AMERICAN SIGN LANGUAGE.
Amés tèst[éimz-] 〔醫〕 (돌연변이 유발성 측정에 의한) 발암성 물질 검출 시험《미국 생화학자 Bruce N. Ames가 개발》.
am·e·thop·ter·in[æ̀məθáptərən/-θɔ́p-] *n.* 〔藥〕 아메톱테린《면역 억제제·제암제》.
am·e·thyst[ǽməθist] [Gk] *n.* **1** 〔鑛〕 자석영(紫石英), 자수정. **2** 자주색(purple).
Oriental amethyst 동양 자수정.
am·e·thys·tine[æ̀məθístain, -tin] *a.* **1** 자수정의〔과 같은〕. **2** 자줏빛의.
am·e·tro·pi·a[æ̀mətróupiə] *n.* Ⓤ 〔病理〕 비정시안(非正視眼), 굴절 이상(증)《난시·원시·근시 등》.
àm·e·tró·pic[-trápik/-trɔ́p-] *a.* 〔病理〕 비정시안〔굴절 이상〕의.
Am·ex[ǽmeks] American Stock Exchange.
A.M.F. airmail field. **A.M.G.(O.T.)** Allied Military Government (of Occupied Territory).
Am·ha·ra[æmhǽrə, ɑːmháː-] *n.* 암하라《에티오피아 북서부의 주의 구칭; 옛 왕국》.
Am·har·ic[æmhǽrik] *n.* Ⓤ, *a.* 암하라 말(의)《에티오피아의 공용어》.
a·mi[æmíː] [F=friend] *n.* (*pl.* **~s**) 남자 친구; 애인(*cf.* AMIE).
a·mi·a·bil·i·ty[èimiəbíləti] *n.* Ⓤ 사랑스러움, 상냥함, 온화, 온후(溫厚).
***a·mi·a·ble**[éimiəbəl] *a.* 붙임성 있는, 귀염성 있는; 마음씨 고운; 상냥한, 온화한: make oneself ~ to a person …에게 상냥하게 대하다. **~·ness** *n.* =AMIABILITY. **-bly** *ad.* 상냥하게, 친절하게, 온화하게.
am·i·an·thus, -tus[æ̀miǽnθəs], [-təs] *n.* Ⓤ 〔鑛〕 석면(asbestos)의 일종.
am·ic[ǽmik] *a.* 〔化〕 아미드의; 아민의.
am·i·ca·bil·i·ty[æ̀mikəbíləti] *n.* **1** Ⓤ 우호, 화친, 친선. **2** 친선 행위.
***am·i·ca·ble**[ǽmikəbəl] [L] *a.* 우호적인; 평화적인, 타협적인, 유쾌한: ~relations 우호 관계/an ~ settlement 화해. **~·ness** *n.* **-bly** *ad.* 평화적으로, 의좋게.
am·ice[ǽmis] *n.* **1** 〔가톨릭〕 개두포(蓋頭布). **2** (교단 등의 표지로 되어 있는) 모자, 두건, 완장.
a·mi·cus cu·ri·ae[əmáikəs-kjúːriìː/əmíkəs-kjuːriaí] [L] *n.* (*pl.* **a·mi·ci cu·riae**[əmíːki-, əmáikai-]) 〔法〕 (법원의) 고문(顧問).
***a·mid**[əmíd] *prep.* 《文語》 …의 한복판에; …이 한창일 때; ~ shouts of dissents 반대의 아우성 소리를 들으면서/~ tears 눈물을 흘리면서.
Am·i·da[áːmidəː] *n.* 〔佛教〕 아미타.
am·ide[ǽmaid, ǽmid] *n.* Ⓤ 〔化〕 (산)아미드.
am·i·dine[ǽmədìːn, -din] *n.* Ⓤ 〔化〕 아미딘.
a·mi·do-[əmíːdou, ǽmə-] 《연결형》 〔化〕 **1** 「amide의」의 뜻. **2** =AMINO-.
amidol *n.* Ⓤ 〔寫〕 아미돌《사진 현상약》.
am·i·done[ǽmədòun] *n.* 〔藥〕 아미돈(methadone).

a·mid·ship(s) [əmídʃìp(s)] *ad.* **1** 〔海〕 배 복판에. **2** 《比》 중앙에.

⁑**a·midst** [əmídst] *prep.* =AMID.

a·mie [ǽmi:] [F] *n.* (*pl.* ~**s**) 여자 친구(*cf.* AMI).

A.M.I.E.E. Associate Member of theInstitution of Electrical Engineers.

a·mi·go [əmí:gou, ɑ:-] [Sp =friend] *n.* (*pl.* ~**s**)《미口》 친구; 스페인어권의 친미적인 사람.

a·mim·i·a [eimímiə] *n.* Ⓤ 〔病理〕 《뇌질환에 의한》 무표정증.

A.M.I.Mun.E. Associate Member of the Institution of Municipal Engineers.

a·mine [əmí:n, ǽmin] *n.* 〔化〕 아민.

am·i·no- [əmí:nou, ǽmənòu] 《연결형》「amine 의」의 뜻: *amino*-compound 아민 화합물.

amíno ácid 〔化〕 아미노산.

am·i·no·ben·zó·ic ácid [əmì:noubenzóuik-] 〔生化〕 아미노안식향산.

am·i·noph·yl·line [əmì:noufílain, -in, æ̀mə-] *n.* 〔藥〕 아미노필린《이뇨제·혈관 확장제》.

am·i·nop·ter·in [æ̀mənáptərin/-nɔ́p-] *n.* 〔生化〕 아미놉테린《백혈병 치료제》.

a·mi·no·py·rine [əmì:noupáiəri:n] *n.* 〔藥〕 아미노피린《해열·진통제》.

am·i·no·tri·a·zole [əmì:noutráiəzòul] *n.* 〔化〕 아미노트리아졸《제초제》.

a·mir *n.* =EMIR.

a·mir·ate [əmíərit] *n.* =EMIRATE.

A·mish [á:miʃ, ǽm-] *n.* (the ~)(복수 취급) 아만(Ammann)파(의 신도들)《신교의 일파》. — *a.* 아만파의.

*__a·miss__ [əmís] *a.* (서술적) …이 적절하지 않은, 형편이 나쁜, 잘못한, 고장난《*with*》, 잘못한: What's ~ with it? 그것이 뭐 잘못었느냐. — *ad.* 잘못하여; 어울리지 않게, 부적당하게. **come amiss** (부정문에서) 탐탁치 않다, 잘못되다: Nothing comes ~ to a hungry man. 《속담》 시장이 반찬이다. **do amiss** 실수하다, 죄를 짓다. **go amiss** 〈일이〉 틀어지다. **not amiss** 나쁘지 않은, 괜찮은. **speak amiss** 실언하다. **take ... amiss** …을 나쁘게 해석하다, …에 기분이 상하다. **turn out amiss** 좋지 않은 결과가 되다.

Am·i·ta·bha [ʌ̀mitá:bə] [Sanskrit=infinite light] *n.* 〔佛敎〕 아미타, 무량광불(無量光佛).

am·i·to·sis [æ̀mətóusis, èimai-] *n.* (*pl.* **-ses** [-si:z]) 〔生〕(세포의) 무사 분열(無絲分裂).

am·i·ty [ǽməti] *n.* (*pl.* **-ties**) Ⓤ,Ⓒ 친목, 친선 (관계), 친교: a treaty of peace and ~ 친선 조약, 수호(修好) 조약. **in amity** (**with**) 의좋게, 우호적으로.

AMM antimissile missile.

Am·man [á:mmɑ:n, —⌐] *n.* 암만《Jordan 왕국의 수도》.

am·me·ter [ǽmmì:tər] [*am*pere+*meter*] *n.* 전류계.

am·mo [ǽmou] [ammunition의 변형] *n.* Ⓤ 《口》 탄약.

Am·mon [ǽmən] *n.* 아몬《고대이집트 태양신》.

am·mo·nal [ǽmənæ̀l] *n.* Ⓤ 암모날《강력 폭약》.

am·mo·nate [ǽmənèit] *n.*=AMMONIATE.

*__am·mo·nia__ [əmóunjə, -niə] *n.* Ⓤ 〔化〕 **1** 암모니아《기체》. **2** 암모니아수(=⌐ **wàter**). ⊕ ammoníacal *a.*; ammóniate *v.*

am·mo·ni·ac [əmóuniæ̀k] *a.* =AMMONIACAL. — *n.* Ⓤ 암모니아고무(=gum ~). **sal ammoniac** 염화 암모늄.

am·mo·ni·a·cal [æ̀mənáiəkəl] *a.* 암모니아의〔와 같은〕, 암모니아를 포함하는.

am·mo·ni·ate [əmóunièit] *vt.* 암모니아와 화합시키다. — [-niit] *n.* 암모니아 화합물. **-at·ed** [-èitid] *a.* 암모니아와 화합한.

ammónia wàter[solùtion] 〔化〕 암모니아수(水).

am·mon·i·fy [əmánəfài] *vt.* 암모니아와 화합시키다, 암모니아를 침투시키다. — *vi.* 암모니아화(化)하다, 암모니아 화합물이되다.

am·mo·nite [ǽmənàit] *n.* **1** 〔古生〕 암모나이트, 국석(菊石). **2** 암모니아 비료.

am·mo·ni·um [əmóuniəm] *n.* Ⓤ 〔化〕 암모늄《암모니아 염기》. ⊕ ammóno *a.*

ammónium cárbonate 탄산암모늄.

ammónium chlóride 염화암모늄.

ammónium hydróxide 수산화암모늄.

ammónium nítrate 질산암모늄, 초안(硝安).

ammónium súlfate 황산암모늄, 유안(硫安).

am·mo·no [ǽmənòu] *a.* 암모니아의; 암모니아 유도체의.

*__am·mu·ni·tion__ [æ̀mjuníʃən] *n.* Ⓤ **1** (집합적) 〔軍〕 탄약: an ~ belt 탄약대. **2** 공격〔방어〕 수단. **3** 《古》 군수품: ~ boots 군화/~ industry 군수 산업.

ammunítion bòx〔chèst〕 탄약 상자.

ammunítion brèad 군용빵.

am·ne·sia [æmní:ʒə] [Gk] *n.* Ⓤ 〔病理〕 기억력 상실(증), 건망증(forgetfulness). **-sic** [-ní:sik, -zik] *a.*, *n.* 건망증인(사람).

am·ne·si·ac [æmníziæ̀k, -ʒi-] *n.* 기억상실증〔건망증〕 환자. — *a.* 기억상실증의 (증세가 있는).

am·nes·tic [æmnéstik] *a.* 건망증의.

am·nes·ty [ǽmnəsti] [Gk] *n.* (*pl.* **-ties**) Ⓤ,Ⓒ 은사(恩赦), 대사(大赦), 특사: grant an ~ to …에게 사면을 허락하다. — *vt.* (**-tied**) 은사〔대사, 특사〕하다.

Ámnesty Internátional 국제 사면 위원회 《정치·사상범의 석방 운동을 위한 국제 조직》.

am·ni·o [ǽmniou] *n.* (*pl.* **-ni·os**) 《口》 =AMNIOCENTESIS.

am·ni·o·cen·te·sis [æ̀mniousentí:sis] *n.* (*pl.* **-ses** [-si:z]) 〔醫〕 양수 천자(羊水穿刺)《태아의 성별·염색체의 이상을 판정하는 방법》.

am·ni·og·ra·phy [æ̀mniágrəfi/-ɔ́g-] *n.* (*pl.* **-phies**) 〔醫〕 양수 조영(羊水造影)(법).

am·ni·on [ǽmniən] *n.* (*pl.* ~**s**, **-ni·a** [-niə]) 〔解〕 양막《태아를 싸는》.

am·ni·on·ic [æ̀mniánik/-ɔ́n-] *a.* =AMNIOTIC.

am·ni·o·scope [ǽmniəskòup] *n.* 〔醫〕 양수경(鏡).

am·ni·os·co·py [æ̀mniáskəpi/-ɔ́s-] *n.* (*pl.* **-pies**) 〔醫〕 양수경 검사(법).

am·ni·ot·ic [æ̀mniátik/-ɔ́t-] *a.* 〔解〕 양막이 있는.

amniótic flúid 〔生理〕 양수(羊水).

am·n't [ǽnt, ǽmənt] 《方》 am not의 단축형.

am·o·bar·bi·tal [æ̀moubá:rbətæ̀l, -tɔ̀:l] *n.* 〔藥〕 아모바르비탈($C_{11}H_{18}N_2O_3$)《무색 결정상(結晶狀)의 바르비탈 산염(鹽); 주로 진정제로 쓰임》.

a·moe·ba [əmí:bə] *n.* (*pl.* ~**s**, **-bae** [-bi:]) 〔動〕 아메바.

am·oe·b(a)e·an [æ̀məbí:ən] *a.* 〈시 등이〉 대화체의, 문답체의.

am·oe·bi·a·sis [æ̀mi:báiəsis] *n.* 〔病理〕 아메바증.

a·moe·bic [əmí:bik] *a.* 아메바의〔같은〕: ~

dysentery 아메바 적리(赤痢).
a·moe·bo·cyte[əmí:bəsàit] *n.* 〔生〕 변형〔유주(遊走)〕 세포.
a·moe·boid[əmí:bɔid] *a.* 아메바 모양의.
a·mok[əmʌ́k, əmák/əmɔ́k] *ad.* 〈사람이〉 미친듯이 날뛰어. **run amok**〔**amuck**〕 (피에 굶주려) 날뛰다, 닥치는 대로 베다; 몹시 난폭하게 굴다.
⋆**a·mong**[əmʌ́ŋ] *prep.* **1** …의 사이에, …의 가운데서, …에 둘러싸여: He was sitting ~ the girls. 그는 소녀들 사이에 끼어 앉아 있었다《◇ 보통 셋 이상의 사물〔사람〕의 경우에 쓰이므로 목적어는 복수명사, 집합명사임; *cf.* BETWEEN》. **2** 〈동료·동류〉 중의 한 사람으로〔하나로〕; 〈동류〉 중에서 뛰어난: a poet ~ poets 시인 중의 시인《빼어난 시인》. **3** …의 사이에서; …의 사이에서 분배하여; …의 사이에서 서로; …의 협력으로: He divided the money ~ them. 그는 그 돈을 그들에게 분배했다. **4** …사이〔간〕 전체에 걸쳐: popular ~ girls 소녀들에게 인기가 있는.
among others〔**other things**〕 여럿 가운데서; 그중에 끼어. **among ourselves** 우리끼리, 비밀로. **among the missing** 《미》 행방불명인, 없어져서. **among the rest** (1) 그중에서도, 특히. (2) 그중의 한 사람으로〔하나로〕. **among themselves** 저희끼리. **fall among thieves** 도둑의 수중에 들어가다. **from among** …의 가운데서. **one among a thousand** 천(사람)에 하나〔한 사람〕.
⁎**a·mongst**[əmʌ́ŋst] *prep.* =AMONG.
a·mon·til·la·do[əmɑ̀ntəlɑ́:dou/əmɔ̀n-] [Sp] *n.* Ⓤ 아몬틸라도《스페인산 셰리술》.
a·mor·al[eimɔ́:rəl, æm-, -mɑ́r-] *a.* =NONMORAL. **~·ly** *ad.* **a·mor·al·i·ty**[-rǽləti] *n.*
a·morce[əmɔ́:rs] *n.* 《영》 장난감 권총의 뇌관; 기폭제, 도화선.
am·o·rist[ǽmərist] *n.* **1** 호색꾼, 연애 유희자. **2** 연애 문학 작가.
am·o·rous[ǽmərəs] *a.* **1** 호색적인, 탐색의, 바람기 있는. **2** 사랑의, 연애(중)의. **3** 요염한: ~ glances 추파. **be amorous of** …을 연모하고 있다(be in love with).
~·ly *ad.* **~·ness** *n.*
a·mor pa·tri·ae[éimɔ:r-péitrii:] [L =love of fatherland] *n.* 조국애, 애국심.
a·mor·phism[əmɔ́:rfizəm] *n.* Ⓤ **1** 무정형(無定形). **2** 〔化·鑛〕 비결정(非結晶). **3** 《廢》 허무주의.
a·mor·phous[əmɔ́:rfəs] *a.* **1** 무정형의(formless); 〔化·鑛〕 비결정질의. **2** 조직이 없는. **~·ly** *ad.* **~·ness** *n.*
a·mort[əmɔ́:rt] *a.* 《古》 죽은 듯한; 원기〔활기〕 없는, 의기 소침한.
am·or·ti·za·tion | **-sa-**[æ̀mərtəzéiʃən, əmɔ̀:r-] *n.* Ⓤ **1** 〔法〕 법인에의 부동산 양도. **2** 〔經〕 (부채의) 할부 상환(액).
am·or·tize[æ̀mərtàiz, əmɔ́:rtaiz] *vt.* **1** 〔法〕 〈부동산을〉 법인에게 양도하다. **2** 〔經〕〈부채를〉 할부 상각하다. **à·mor·tíze·ment** [æ̀mər-táizmənt, əmɔ́:rtiz-] *n.* =AMORTIZATION.
Amos[éiməs/-mɔs] *n.* **1** 남자 이름. **2** 〔聖〕 아모스(Hebrew의 예언자); 아모스서(書)《구약 성서 중의 한 권》.
a·mo·ti·va·tion·al[èimoutəvéiʃənəl] *a.* 무동기의.
⋆**a·mount**[əmáunt] *vi.* **1** 총계가 …에 이르다, 〈금액이〉 …이 되다, 달하다(add up)《*to*》: Her debts ~*s to* a thousand dollars. 그녀의 빚은 1,000 달러나 된다. **2** 결과적으로 …이 되다, …에 해당〔상당〕하다, …와 매한가지이다, 같다: This answer ~*s to* a refusal. 이 대답은 거절이나 마찬가지다. **amount to much** 대단한 것이 되다; 훌륭하게 되다. **amount to very little** 거의 무가치하다.
── *n.* Ⓤ **1** (the ~) 총액, 총계; (대부금의) 원리 합계(total)《*of*》. **2** Ⓒ 양, 액(額)《◇ 수일 경우에는 number를 씀》: a large〔small〕 ~ of sugar〔money〕 다량〔소량〕의 설탕/a large〔small〕 ~ of money 막대한〔작은〕 금액. **2** 결과, 요지; 중요성《*of*》. **any amount of** 아무리 많은 …이라도. **in amount** 양으로 말하면; 총계; 요컨대. **to the amount of** (a thousand dollars) (일천 달러)까지; 총계(일천 달러)의.
a·mour[əmúər] [F =love] *n.* **1** 정사(情事), 바람기. **2** Ⓤ 불의, 밀통(密通).
am·ou·rette[æ̀mərét] [F] *n.* 한때의〔잠깐의〕 정사; 연애 상대자《여자》.
a·mour pro·pre[əmùərprɔ́:pr/ǽmuərprɔ́-pr] [F] *n.* 자존심, 자부심(self-esteem).
am·ox·i·cil·lin[æmɑ̀ksəsílin, əm-, əmɔ̀k-] *n.* 〔藥〕 아목시실린($C_1H_{19}N_3O_5S$), 경구(經口) 페니실린.
amp[1][æmp] *n.* 《俗》 전기 기타(amplified guitar); (스테레오 등의) 앰프(amplifier).
amp[2] *n.* 《俗》 마약 앰풀(ampul).
amp[3] *n.* 《미口》 =AMPERE.
AMP 〔生化〕 adenosine monophosphate.
amp. 〔電〕 amperage; ampere.
am·pe·lop·sis[æ̀mpəlɑ́psis/-pilɔ́p-] *n.* 〔植〕 담쟁이덩굴류의 식물.
am·per·age[æmpí:ridʒ, ǽmpər-] *n.* Ⓤ 〔電〕 암페어수(數), 전류량.
am·pere[ǽmpiər, ─́] *n.* 〔電〕 암페어《전류 세기의 실용 단위; 略: a., A》.
am·pere-hour[ǽmpiəráuər] *n.* 〔電〕 암페어시(時)《略: AH》.
am·pere·me·ter[ǽmpiərmì:tər] *n.* 전류계.
am·pere-turn[ǽmpiərtə̀:rn] *n.* 〔電〕 암페어 횟수《略: At》.
am·per·sand[ǽmpərsæ̀nd] *n.* 앰퍼샌드《&(=and)자(字)의 이름; short and라고도 함》.
am·phet·a·mine[æmfétəmì:n, -mìn] *n.* Ⓤ 〔藥〕 암페타민《중추 신경을 자극하는 각성제》.
am·phi-[ǽmfi] 《연결형》 「양(兩)…, 두 가지로…, 둘레에」의 뜻(*cf.* AMBI-).
am·phi·as·ter[ǽmfiæ̀stər] *n.* 〔生〕 쌍성상체(雙星狀體)《유사핵분열에서 비염색질의 방추체가 성상체를 가진 상태》.
Am·phib·i·a[æmfíbiə] *n. pl.* 〔動〕 양서류.
am·phib·i·an[æmfíbiən] *a.* **1** 양서류의. **2** 수륙 양용의: an ~ tank 수륙 양용 탱크.
── *n.* **1** 양서 동물〔식물〕. **2** 수륙 양용 비행기〔전차〕.
am·phi·bi·ol·o·gy[æmfìbiɑ́lədʒi/-ɔ́l-] *n.* Ⓤ 〔動〕 양서류학〔론〕.
am·phib·i·ous[æmfíbiəs] *a.* **1** 양서의. **2** 수륙 양용의; 육해공군 공동의, 상륙 작전의: ~ operations 육해(공) 공동 작전. **3** 이중 인격〔생활〕의. **~·ness** *n.*
am·phi·bole[ǽmfəbòul] *n.* Ⓤ 〔鑛〕 각섬석(角閃石).
am·phi·bol·ic[æ̀mfəbɑ́lik/-bɔ́l-] *a.* **1** 각섬석의. **2** 모호한, 불분명한(ambiguous); 〔醫〕 불안정한.
am·phi·bol·o·gy[æ̀mfəbɑ́lədʒi/-bɔ́l-] *n.* (*pl.* **-gies**) Ⓤ,Ⓒ 글귀의 모호함; 모호한 어법〔어구, 구문〕.
am·phib·o·lous[æmfíbələs] *a.* 두 가지로

해석되는, 뜻이 모호한.

am·phi·brach[ǽmfəbræ̀k] *n.* 〔韻〕 단장단격(短長短格)《∪-∪》, 약강약격(弱强弱格)《×⌐×》. **àm·phi·brách·ic** *a.*

am·phi·car[ǽmfəkɑ̀:r] *n.* 수륙 양용 자동차.

am·phic·ty·on[æmfíktiən] *n.* 〔그史〕 인보동맹(隣保同盟) 회의의 대의원.

am·phic·ty·o·ny[æmfíktiəni] *n.* (*pl.* **-nies**) 〔그史〕 인보(隣保) 동맹; 근린(近隣) 동맹.

am·phig·a·mous[æmfígəməs] *a.* 〈식물이〉 뚜렷한 자웅기(雌雄器)를 가지지 않은.

am·phi·go·ry, amphigouri[ǽmfəgɔ̀:ri/-gouri], [ǽmfəgù:ri] *n.* (*pl.* **-ries;** ～**s**) 무의미한 문장〔시〕.

am·phi·mix·is[æ̀mfəmíksis] *n.* (*pl.* **-mix·es** [-míksi:z]) ⓤⓒ 〔生〕 양성(兩性) 혼합, 교배.

Am·phi·on[æmfáiən, ǽmfi-] *n.* 〔그神〕 암피온(Niobe의 남편; 하프를 타서 돌을 움직여 성벽을 쌓았음).

am·phi·ox·us[æ̀mfiɑ́ksəs/-ɔ́k-] *n.* (*pl.* **-ox·i**[-ɑ́ksai/ɔ́k-], ～**·es**) 〔魚〕 활유어(魚)(lancelet).

am·phi·pod[ǽmfəpɑ̀d/-pɔ̀d] *a., n.* 〔動〕 단각목(短脚目)의 (동물).

am·phi·pro·style[æmfíprəstàil, æ̀mfəpróustail] *a., n.* 〔建〕 양면 주랑식(柱廊式)의 (건물).

am·phis·bae·na[æ̀mfəsbí:nə] *n.* (*pl.* **-nae** [-ni:], ～**s**) **1** (전설적인) 쌍두의 뱀(몸통 앞뒤에 머리가 있어 전후로 움직일 수 있음). **2** 〔動〕 (열대산) 발 없는 도마뱀.

am·phi·sty·lar[æ̀mfəstáilər] *a.* 〔建〕 2주(柱)식〔양주식〕의.

am·phi·the·a·ter[ǽmfəθì:ətər/-fiθìə-] *n.* **1** (고대 로마의) 원형 극장〔경기장〕(중앙의 투기장 둘레에 계단식 관람석이 있었음); (극장의) 계단식 관람석. **2** 《미》 계단 교실.

am·phi·the·a·tral[æ̀mfəθí:ətrəl/-θíə-] *a.* =AMPHITHEATRIC.

am·phi·the·at·ric, -ri·cal[æ̀mfəθiǽtrik], [-əl] *a.* 원형 극장(식)의.

am·phi·the·ci·um[æ̀mfəθí:ʃi:əm] *n.* (*pl.* **-ci·a**[-ʃi:ə]) 〔植〕 이끼 포자낭(胞子囊) 속의 포자를싸는 세포층(層).

Am·phi·tri·te[ǽmfitràiti] *n.* 〔그神〕 암피트리테(Poseidon의 처; 바다의 여신).

Am·phit·ry·on[æmfítriən] *n.* **1** 〔그神〕 암피트리온(Alcmene의 남편). **2** (접대하는) 주인역, 접대역(Molière의 극에서).

am·pho·ra[ǽmfərə] *n.* (*pl.* ～**s, -rae**[-rì:]) (고대 그리스·로마의) 양손잡이가 달린 단지·항아리(술·기름을 담는).

am·phor·ic[æmfɔ́:rik/-fóur-] *a.* 〔病理〕 공동음(空洞音)의.

am·pho·ter·ic[æ̀mfətérik] *a.* 〔化〕 양성(兩性)적인; 서로 다른 두 가지 성질을 가진.

amp.-hr. 〔電〕 ampere-hour.

am·pi·cil·lin[æ̀mpəsílin] *n.* ⓤ 〔藥〕 암피실린(페니실린에 가까운 항생 물질).

‡am·ple[ǽmpl] *a.* (**-pler; -plest**) **1** 넓은, 광대한, 대형의: an ～ house 넓은 집. **2** (남아날 정도로) 충분한, 풍부한: ～means 유복한 자산. **do ample justice to a meal** 음식을 남기지 않고 다 먹어버리다. **～·ness** *n.* ⓤ 광대(廣大), 풍부함.
◇ ámplitude *n.*; ámplify *v.*; ámply *ad.*

am·plex·i·caul[æmpléksikɔ̀:l] *a.* 〔植〕 포경형(抱莖形)의, 〈잎이〉 줄기를 감싸고 있는.

am·plex·us[æmpléksəs] *n.* (*pl.* **-us·es, -us**) 포접(抱接)(개구리 등의 암수가 몸을 밀착시켜 낳은 알에 즉시 정자를 씌우는 행위).

am·pli·dyne[ǽmplidàin] *n.* 〔電〕 앰플리다인(계자(界磁) 전류를 변화시켜 출력을 변화시키는 직류 발전기).

am·pli·fi·ca·tion[æ̀mpləfikéiʃən] *n.* ⓤ 확대; 〔光〕 배율; 〔電〕 증폭; 〔論〕 확충; 〔修〕 확충, 부연(敷衍).

am·pli·fi·ca·to·ry[æmplífəkətɔ̀:ri/ǽmplifikèitəri] *a.* 확충〔부연〕적인.

am·pli·fi·er[ǽmpləfàiər] *n.* **1** 확대하는 사람. **2** 확대하는 것, 확대경, 돋보기. **3** 〔電〕 증폭기, 앰프.

‡am·pli·fy[ǽmpləfài] (**-fied**) *vt.* **1** …을 확대〔증대〕하다; 넓히다, 확장하다: ～ knowledge 지식을 넓히다. **2** 〈서술·설명을〉 더욱 상세히 하다, 부연하다: ～a statement 상세하게 진술하다, 진술을 부연하다. **3** …을 과장하다(exaggerate). **4** 〔電〕 〈전류를〉 증폭하다.
── *vi.* 상세히 설명하다, 부연하다; …을 상세히 논하다(*on, upon*): He *amplified on* the subject. 그는 그 주제에 관하여 상세히 논했다.
◇ ámple *a.*; amplificátion *n.*

am·pli·tude[ǽmplitjù:d] *n.* ⓤ **1** 넓이, 크기; 도량(度量). **2** 충분함(fullness). **3** 〔物·電〕 진폭; 〔砲〕 사정(射程), 탄착 거리; 〔幾〕 각폭(角幅). **4** 〔天〕 (천체의) 출몰 방위각, 각경(角徑), 각거(角距).

ámplitude modulátion 〔電子〕 진폭 변조(略: AM, A.M.).

am·ply[ǽmpli] *ad.* 충분히; 널따랗게; 상세하게.

am·pul(e), -poule[ǽmpju:l/-pu:l] *n.* (주사약 1회분 들이의) 작은 병, 앰풀.

am·pul·la[æmpúlə] *n.* (*pl.* **-lae**[-li:]) **1** (고대 로마의) 양손잡이가 달린 병, 단지. **2** 〔基督敎〕 성유(聖油)〔성수〕 병. **3** 〔解〕 팽대부.

am·pul·la·ceous[æ̀mpəléiʃəs] *a.* 단지〔병〕 모양의.

am·pu·tate[ǽmpjutèit] *vt.* **1** 〈손발 등을〉 (수술로) 절단하다. **2** 〈큰 가지를〉 잘라내다.

am·pu·ta·tion[æ̀mpjutéiʃən] *n.* ⓤⓒ 절단(수술).

am·pu·ta·tor[ǽmpjutèitər] *n.* 절단 수술자; 절단기(器).

am·pu·tee[æ̀mpjutí:] *n.* (수족의) 절단 수술을 받은 사람.

am·rit, -ri·ta[ǽmrit], [əmrí:tə] *n.* ⓤⓒ **1** (인도 신화의) 불로불사의 음료, 감로. **2** 불로불사.

AMS Agricultural Marketing Service 《미》 농산물 시장 서비스 공사. **A.M.S.** Army Medical Staff. **AMSA** advanced manned strategic aircraft 차기(次期) 유인(有人) 전략 항공기. **AMSAM** anti-missile surface-to-air missile 지대공 미사일 요격 미사일.

Am·ster·dam[ǽmstərdæ̀m/⌐-⌐] *n.* 암스테르담(네덜란드의 헌법상의 수도·항구: *cf.* HAGUE).

amt. amount. **a.m.t.** airmail transfer.

am·trac[ǽmtræ̀k] [*am*phibious *trac*tor] *n.* 〔미軍〕 수륙 양용 견인차.

Am·trak[ǽmtræk] [*Am*erican *Track*] *n.* 전미(全美) 철도 여객 수송 공사.

am·u[ǽmju:] [*a*tomic *m*ass *u*nit] *n.* 〔物〕 원자 질량 단위.

a·muck[əmʌ́k] *ad.* =AMOK.

am·u·let[ǽmjəlit] *n.* 호부(護符), 부적.

A·mund·sen[ɑ́:munsən/-mən-] *n.* 아문젠 Roald[rɔ́:ɑl] ～(1872-1928)(1911년 처음으로 남극점에 도달한 노르웨이 탐험가).

A·mur[ɑ:múər] *n.* (the ~) 아무르강, 헤이룽강(黑龍江).

⁑**a·muse**[əmjú:z] *vt.* **1** 즐겁게 하다; …의 기분을 풀게 하다, 웃기다(*with*): (Ⅲ(목)+전+-*ing*) He ~*d* his guests by singing. 그는 노래부르면서 손님들을 즐겁게 했다. **2** (~one*self* 로) (여가를) 즐기다, 놀다; 지루함을 달래다 (*by, with*): (Ⅲ(목)+전+명) The children ~ themselves *with* their new toys. 어린아이들은 새 장난감들을 즐긴다. **You amuse me.** 웃기지 말게, 시시한 소리 말게.

a·mús·er *n.* ◈ amúsement *n.*

a·mused[əmjú:zd] *a.* 즐기는; 명랑한; 흥겨운; 즐거워〔재미있어〕하는(*at, with, by*); (하고) 재미있게 생각하는(*to* do): ~ spectators 흥겨워하는 구경꾼들/(Ⅱ형+전+명) The children were ~*d with*〔*by*〕 the tricks. 아이들은 장난을 치며 즐겼다/(Ⅱ부+형+전+명) I was very (much)〔highly〕 ~*d at* it. 그것을 보니 몹시 재미있었다(◇ be *amused at*〔*by, with*〕의 경우, 강조부사는 much보다 very를 쓰는 것이 (口)에서는 보통임).

a·mus·ed·ly[-zidli] *ad.* 재미나서, 즐거웁게.

⁑**a·muse·ment**[əmjú:zmənt] *n.* **1** Ⓤ 즐거움, 위안, 재미. **2** Ⓒ 오락(물), 놀이: my favorite ~*s* 내가 좋아하는 오락. ◈ amúse *v.*

amúsement arcàde (영) 실내 오락장 ((미) penny arcade).

amúsement cènter 환락지, 오락 센터〔가(街)〕.

amúsement pàrk (미) 유원지.

amúsement tàx 유흥세.

a·mu·si·a[eimjú:ziə] *n.* 〔精醫〕 실(失) 음악(증), 음치.

⁑**a·mus·ing**[əmjú:ziŋ] *a.* 재미나는, 즐거운; 우스운. **~·ly** *ad.* 재미나게, 우습게.

a·mu·sive[əmjú:ziv] *a.* =AMUSING.

AMVETS[ǽmvets] [American Veterans (of World War Ⅱ)] *n.* 제 2차 세계 대전 미국 재향 군인회.

A·my[éimi] *n.* 여자 이름.

a·myg·da·la[əmígdələ] *n.* (*pl.* **-lae**[-lì:]) 〔植〕 편도(扁桃); 〔解〕 편도선.

am·yg·dal·ic[æ̀migdǽlik] *a.* **1** 편도의. **2** 아미그달린의.

a·myg·da·lin[əmígdəlin] *n.* Ⓤ 〔化〕 아미그달린(살구 등의 씨에 있는 배당체).

a·myg·da·loid[əmígdəlɔ̀id] *n.* Ⓤ 〔地質〕 행인상(杏仁狀) 용암. ── *a.* =AMYGDALOIDAL.

a·myg·da·loi·dal[-əl] *a.* 행인상 용암의; 편도 모양의, 아몬드형의.

am·yl[ǽmil, éi-] *n.* Ⓤ,Ⓒ 〔化〕 아밀.

am·yl-, am·y·lo-[ǽməl], [ǽməlou] (연결형) 「녹말; 아밀」의 뜻(모음 앞에서는 amyl-).

am·y·la·ceous[æ̀məléiʃəs] *a.* 전분성(澱粉性)의, 녹말 같은.

ámyl álcohol 〔化〕 아밀알코올(퓨젤유의 주성분).

am·y·lase[ǽməlèis, -z] *n.* Ⓤ,Ⓒ 〔生化〕 아밀라아제(녹말을 당화(糖化)하는 효소).

ámyl nítrite 〔化〕 아질산 아밀(협심증에 사용하는 혈관 확장제).

am·y·loid[ǽməlɔ̀id] *n.* Ⓤ,Ⓒ 〔化〕 아밀로이드, 유전분체(類澱粉體). ── *a.* 녹말 같은.

am·y·lo·pec·tin[æ̀məloupéktin] *n.* 〔化〕 아밀로펙틴(전분 주성분의 하나).

am·y·lop·sin[æ̀məlɑ́psin/-lɔ́p-] *n.* Ⓤ 〔生化〕 아밀롭신(녹말 당화소(糖化素)).

am·y·lose[ǽməlòus, -z] *n.* 〔化〕 아밀로오스 (전분 주성분의 하나).

am·y·lum[ǽmələm] *n.* Ⓤ 〔化〕 전분, 녹말, (특히) 밀의 녹말.

Am·y·tal[ǽmitɔ̀:l, -tæ̀l] *n.* 아미탈(진정제; 상표명).

★**an**¹ *indef. art.* ⇨a².

an², an'[æn, 弱 -ən] *conj.* (方) =AND; (古·方) =IF.

an-[æn] *pref.* **1** 「무(無)」의 뜻: *an*archy. **2** =AD-(n 앞에 올 때): *an*nounce. **3** =ANA-.

-an *suf.* 「…의; …의 성질의; …사람」의 뜻: Anglic*an*, histori*an*, Republic*an*.

an. *anno*(L =in the year); anonymous.

A.N. Anglo-Norman; Arrival Notice.

a·na¹ [ǽnə, ɑ́:nə] *n.* (*pl.* **~, ~s**) 어록; 일화집; 소화(小話), 일화(anecdote).

an·a² [ǽnə, éi-, ɑ́:-] *ad.* 각각 같은 양으로 (略: aa, AA, A-): wine and honey ~ two ounces 와인과 꿀을 각각 2온스씩.

ANA antinuclear antibody 항핵항체(抗核抗體). **ANA, A.N.A.** American Newspapers Association 미국 신문 협회; American Nurses Association 미국 간호원 협회; Association of National Advertisers; Australina National Airways 오스트레일리아 항공 회사.

an·a-[ǽnə] *pref.* 「상(上)…; 후(後)…; 재(再)…; 전면적; 유사적」의 뜻: *ana*baptism.

-an·a[ǽnə/ɑ́:nə] *suf.* (인명·지명 뒤에 붙여서) 「…에 관한 자료(집); …어록; …일화집; …풍물지; …문헌」의 뜻(*cf.* -IANA): Johnson*iana*, Americ*ana*, Kore*ana*.

an·a·bap·tism[æ̀nəbǽptizəm] *n.* Ⓤ 재(再)침례, 재세례; (**A-**) 재세례교.

-tist[-tist] *n.* 재세례〔침례〕론자; (**A-**) 재세례〔침례〕 교도.

an·a·bas[ǽnəbæ̀s] *n.* 〔魚〕 아나바스(동남아시아산).

a·nab·a·sis[əmǽbəsis] *n.* (*pl.* **-ses**[-sì:z]) Ⓤ,Ⓒ **1** 진군, 원정. **2** (the A-) (페르시아왕소(小)키루스(Cyrus the Younger)의) 소아시아 원정기(Xenophon의 저서). **3** 〔醫〕 병세의 악화.

an·a·bat·ic[æ̀nəbǽtik] *a.* 〔氣〕 상승 기류의〔로 생기는〕(*opp.* katabatic).

an·a·bi·o·sis[æ̀nəbaióusis] *n.* Ⓤ 소생, 의식 회복.

an·a·bi·ot·ic[-ɑ́tik/-ɔ́t-] *a.* 소생의.

an·a·bol·ic[æ̀nəbɑ́lik/-bɔ́l-] *a.* 〔生〕 동화작용의(*opp.* catabolic).

anabólic stéroid 〔生〕단백 동화 스테로이드.

a·nab·o·lism[ənǽbəlìzəm] *n.* Ⓤ 〔生〕 동화작용(*opp.* catabolism).

an·a·branch[ǽnəbræ̀ntʃ, -brɑ̀:ntʃ] *n.* 〔地〕 (본류에 다시 합류하는) 지류.

an·a·chron·ic, -i·cal[æ̀nəkrɑ́nik/-krɔ́-], [-kəl] *a.* =ANACHRONISTIC.

a·nach·ro·nism[ənǽkrənìzəm] *n.* Ⓤ,Ⓒ **1** 시대 착오. **2** 시대에 뒤진 사물〔사람〕.

a·nach·ro·nis·tic *a.* 시대 착오의.

a·nach·ro·nous[ənǽkrənəs] *a.* =ANACHRONISTIC.

an·a·clas·tic[æ̀nəklǽstik] *a.* 〔光〕 굴절(성)의.

an·a·co·lu·thon[æ̀nəkəlú:θɑn/-θɔn] *n.* (*pl.* **-tha**[-θə], **~s**) 〔修〕 **1** Ⓤ 파격 구문(破格構文)(의 문장)(문법적 일관성이 없는 문장: *Who* hath ears to hear, let *him* hear.에서 who와 him이 격이 다름).

an·a·con·da[æ̀nəkɑ́ndə/-kɔ́n-] *n.* 〔動〕

아나콘다(남미산의 큰 구렁이).
an·a·cous·tic[ӕnəkúːstik] *a.* 소리가 통하지 않는: 소리가 없는.
A·nac·re·on[ənǽkriən] *n.* 아나크레온(572?-?488 B.C.)(그리스의 서정 시인).
A·nac·re·on·tic[-ántik/-ɔ́n-] *n.* (종종 *pl.*) 아나크레온체(體)의 시. ── *a.* 아나크레온체의; 술과 연애의; 명랑한.
an·a·cru·sis[ӕnəkrúːsis] *n.* (*pl.*-**ses**[-siːz]) 〔韻〕 행수 잉여음(行首剩餘音)(행의 첫머리에 파격으로 덧붙인 하나 또는 두 개의 약한 음절).
an·a·cul·ture[ǽnəkʌ̀ltʃər] *n.* 〔細菌〕 약독(弱毒) 세균 배양, 애너컬처(세균 발육 가능한 배양기 전부를 포르말린으로 처리한 것; 예방접종 백신용).
an·a·dem[ǽnədèm] *n.* 〔詩〕 화환, 화관(花冠)(여성의 머리를 꾸미는).
a·nad·ro·mous[ənǽdrəməs] *a.* 〔魚〕 (알을 낳으러) 강을 거슬러 올라가는 <연어 등>(*cf.* CATADROMOUS).
a·nae·mi·a[əníːmiə] *n.* (영) =ANEMIA.
a·nae·mic[-mik] *a.* (영) =ANEMIC.
an·aer·obe[ǽnəròub, ænέəroub] *n.* 〔生〕 혐기(嫌氣)〔무기(無氣)〕성 생물(미생물).
àn·aer·ó·bic *a.*
an·aes·the·sia *n.* (영) =ANESTHESIA.
an·aes·thet·ic *a., n.* (영) =ANESTHETIC.
an·aes·the·tist *n.* (영) =ANESTHETIST.
an·aes·the·tize *vt.* (영) =ANESTHETIZE.
an·a·glyph[ǽnəglìf] *n.* 얕은 돋을새김; 입체 사진. **àn·a·glýph·ic** *a.*
an·a·go·ge, -gy[ǽnəgòudʒi, ⌐-⌐́-] *n.* Ⓤ (성서 어구 등의) 신비적〔영적〕 해석.
an·a·gog·ic, -i·cal[ӕnəgádʒik/-gɔ́dʒ-], [-əl] *a.* (성서 어구 등의) 신비적〔영적〕 해석의; 〔心〕 (무의식적인) 이상(理想)〔덕성〕 추구의. **-i·cal·ly**[-ikəli] *ad.*
an·a·gram[ǽnəgrӕm] *n.* **1** (어구의) 철자 바꾸기(보기: live→*vile;* time→*item, mite* 등); 철자를 바꾼 말. **2** (*pl.*: 단수 취급) 철자 바꾸기 놀이.
an·a·gram·mat·ic, -i·cal[-grəmǽtik], [-əl] *a.* 어구의 철자 바꾸기(놀이)의; 철자를 바꾼 어구의.
an·a·gram·ma·tism[ӕnəgrǽmətìzəm] *n.* Ⓤ 어구의 철자 바꾸기. **-tist** *n.* 글자 수수께끼 고안〔제작〕자.
an·a·gram·ma·tize[ӕnəgrǽmətàiz] *vt.* <어구의 철자를> 바꾸어 다른 말로 만들다.
a·nal[éinəl] *a.* 항문(肛門)(부근)의.
anal. analogous; analogy; analysis; analytic; analyze; analyzer.
an·a·lec·ta[ӕnəléktə] *n. pl.* =ANALECTS.
an·a·lects[ǽnəlèkts] *n. pl.* 어록(語錄): the A～ of Confucius 논어(論語).
an·a·lep·tic[ӕnəléptik] 〔醫〕 *a.* 체력〔기력〕 회복의(restorative), 몸을 보하는. ── *n.* 강장제, (중추) 흥분제; 보약(tonic).
ánal eróticism〔**érotism**〕〔精神分析〕 항문애(肛門愛), 항문 성감(性感).
ánal fín 〔魚〕 뒷지느러미.
ánal fístula 치루(痔瘻).
an·al·ge·sia[ӕnəldʒíːziə, -siə] *n.* Ⓤ 〔病理〕 무통(無痛); 무통법.
an·al·ges·ic[ӕnəldʒíːzik, -dʒésik] *a.* 아픔을 느끼지 않는, 진통성의. ── *n.* 진통제, 마취약.
an·al·get·ic[ӕnəldʒétik] *a., n.* =ANALGESIC.
an·al·gia[ænǽldʒiə] *n.* =ANALGESIA.
ánal íntercourse 항문 성교.
a·nal·i·ty[einǽləti] *n.* 〔精神分析〕(심리적 특질로서의) 항문애.
an·a·log[ǽnəlɔ̀ːg, -làg/-lɔ̀g] *n.* (미) =ANALOGUE.
ánalog compùter 아날로그 컴퓨터, 상사형(相似形) 전자 계산기(어떤 물리량을 이용하여 표현된 수로 산술 연산하는 컴퓨터; *cf.* DIGITAL COMPUTER).
an·a·log·i·cal, -log·ic[ӕnəládʒikəl], [ӕnəládʒik/-lɔ́dʒ-] *a.* 유사한; 유추적(類推的)인. **-i·cal·ly**[-kəli] *ad.* 유추적으로.
a·nal·o·gism[ənǽlədʒìzəm] *n.* Ⓤ,Ⓒ 유추 추리, 추론; 유추 진단. **-gist** *n.* 유추론자.
a·nal·o·gize[ənǽlədʒàiz] *vt., vi.* 유추하다, 유추에 의해 설명하다; 유사하다(*with*); 유추로써 …을 나타내다; 유사함을 나타내다(*to*).
*__a·nal·o·gous__[ənǽləgəs] *a.* (文語) 유사한, 닮은, 상사(相似)한(*to, with*)(◇ analogous는 상사(相似) 관계, similar는 유사(類似) 관계를 뜻한다. **be analogous to** …와 비슷하다. **～·ly** *ad.* 비슷하게. **～·ness** *n.* 유사성. ⊕ análogy, ánalogue *n.*; análogize *v.*
ánalog sýstem 〔電子〕 아날로그 시스템(아날로그 신호를 발생 내지 처리하는 시스템).
an·a·logue[ǽnəlɔ̀ːg, -làg/-lɔ̀g] *n.* **1** 비슷한 물건. **2** 〔言〕 동류어(同類語) 〔生〕 상사 기관(相似器官)(*cf.* HOMOLOGUE). **4** 〔電子〕 아날로그형(데이터나 물리량을 연속적으로 변화하는 양으로 나타내는 것).
ánalogue compùter =ANALOG COMPUTER.
__a·nal·o·gy__[ənǽlədʒi] *n.* (*pl.* **-gies) **1** Ⓒ,Ⓤ 유사, 비슷함(*between, to, with*). **2** Ⓤ 유추, 유추에 의한 설명. **3** Ⓤ 〔論〕 유추법; 〔數〕 유비(類比), 등비; 〔言〕 유추. **4** 〔生〕 상사(*cf.* HOMOLOGY). **by analogy** 유추하여(analogically). **forced analogy** 억지로 갖다 붙이기. **have**〔**bear**〕 **some analogy with**〔**to**〕 …와 약간 비슷하다. **on the analogy of** =**by analogy with** …에서 유추하여. ⊕ análogous *a.*; análogize *v.*
análogy tèst 〔心〕 유추 검사(지능 인자로서의 유추 능력을 측정).
an·al·pha·bet·ic[ӕnælfəbétik, ⌐-⌐-⌐́-] *a.* **1** 알파벳 순이 아닌; 알파벳 문자에 의하지 않은. **2** 읽고 쓰지 못하는, 문맹의. ── *n.* 무식자, 문맹.
a·nal·y·sand[ənǽləsӕnd, -zӕnd] *n.* 정신 분석을 받는 사람〔환자〕.
__an·a·lyse__ *vt.* (영) =ANALYZE.
a·nal·y·ses *n.* ANALYSIS의 복수.
__a·nal·y·sis__[ənǽləsis] [Gk] *n.* (*pl.* **-ses[-sìːz]) Ⓤ,Ⓒ **1** 분석, 분해; 분석 결과; 분석적 검토. **2** 〔文法〕 (문장의) 해부, 분석; 〔心〕 정신 분석; 〔數〕 해석(解析); 〔化〕 분석. **in the last**〔**final**〕 **analysis** 결국(after all). **qualitative**〔**quantitative**〕 **analysis** 정성(定性)〔정량(定量)〕 분석. ⊕ ánalyze *v.*; analýtic *a.*
*__an·a·lyst__[ǽnəlist] *n.* **1** 분해자, 분석자; 해부학자. **2** 정신 분석자(psychoanalyst); 정세(情勢) 분석 해설자; 시스템 분석자.
__an·a·lyt·ic, -i·cal__[ӕnəlítik], [-əl] *a.* **1 분해의, 분석적인; 해부적인. **2** 〔心〕 정신분석의; 〔數〕 해석의. **-i·cal·ly** *ad.* 분해〔분석〕적으로. ⊕ ánalyze *v.*; análysis *n.*
analýtical chémistry 분석 화학.
analýtic geómetry 해석 기하학.
analýtic psychólogy 〔心〕 분석 심리학; 심리 분석법.
an·a·lyt·ics[ӕnəlítiks] *n. pl.* (단수 취급) 〔數〕 해석학; 〔論〕 분석론.
an·a·lyz·a·ble[ǽnəlàizəbəl] *a.* 분해〔분석,

해부〕할 수 있는. **àn·a·lýz·a·bíl·i·ty**[-əbíləti] *n.* 분석 가능성.
an·a·ly·za·tion[ӕnəlizéiʃən/-lai-] *n.* 분석, 분해; 해석(解析); 〔文法〕 해부.
‡**an·a·lyze**[ǽnəlàiz] *vt.* **1** 분해하다; 〔物·化〕 분석하다; 〔數〕 해석하다: Water can be ~d into oxygen and hydrogen. 물은 산소와 수소로 분해할 수 있다. **2** 분석적으로 검토하다, 분석하다. **3** 〔文法〕 〈문장을〉 해부하다, 분석하다; 검토하다. **4** 정신분석하다.
⊕ análysis *n.*; analýtic *a.*
an·a·ly·z·er[ǽnəlàizər] *n.* **1** a 분석자, 분해자. b 분석적으로 검토하는 사람. **2** 분석기(器); 〔光〕 분광기(分光器).
A·nam[ənǽm] *n.* =ANNAM.
an·am·ne·sis[ӕnæmní:sis] *n.* (*pl.* **-ses**[-si:z]) U,C **1** 추억, 회상(recollection). **2** 〔醫〕 병력(病歷). **-nes·tic**[-néstik] *a.*
an·a·mor·phic[ӕnəmɔ́:rfik] *a.* 〔光〕 일그러져 보이는 상(像)의, 왜상(歪像)의.
an·a·mor·pho·sis[ӕnəmɔ́:rfəsis] *n.* (*pl.* **-ses**[-sì:z]) **1** 〔光〕 일그러져 보이는 상(像), 왜상(歪像). **2** 〔植〕 기형, 변체(變體); 〔生〕 점변 진화(漸變進化).
an·a·nas[ǽnənæ̀s, əná:nəs] *n.* 〔植〕 아나나스속(屬)의 각종 식물《파인애플 등》.
an·an·drous[ænǽndrəs, ən-] *a.* 〔植〕 수술이 없는.
An·a·ni·as[ӕnənáiəs] *n.* **1** 〔聖〕 아나니아《신에게 거짓말하여 목숨을 잃음; 사도 행전 5:1-10》. **2** 《口》 거짓말쟁이(liar).
an·a·p(a)est[ǽnəpèst] *n.* 〔韻〕 단단장격(短短長格)《◡ ◡ –》, 약약강격(弱弱强格)《× × ´》.
an·a·p(a)es·tic *a.* 약약강〔단단장〕격의.
an·a·phase[ǽnəfèiz] *n.* 〔生〕 (핵분열의) 후기(後期)(*cf.* PROPHASE).
a·naph·o·ra[ənǽfərə] *n.* 〔修〕 첫머리 말〔구〕의 되풀이; 〔樂〕 악절의 반복.
an·a·phor·ic[ӕnəfɔ́:rik, fɑ̀r-/-fɔ́r-] *a.* 〔文法〕 앞에 나온 말을 가리키는, 지시 조응적(指示照應的)인.
an·aph·ro·dis·i·ac[ӕnæfrədíziæ̀k] 〔醫〕 *a.* 성욕을 억제하는. — *n.* 성욕 억제제.
an·a·phy·lac·tic[ӕnəfilǽktik] *a.* 〔醫〕 과민증〔과민성〕의, 아나필락시스의.
an·a·phy·lax·is[ӕnəfəlǽksis] *n.* U 〔醫〕 과민증〔성〕, 아나필락시스.
an·a·pla·sia[ӕnəpléiʒə, -ziə] *n.* U 〔醫〕 퇴화.
an·a·plas·tic[ӕnəplǽstik] *a.* 〔醫〕 성형(수술)의; 〈세포가〉 퇴화하는; 미분화의 〈암〉.
an·a·plas·ty[ǽnəplæ̀sti] *n.* U 성형 외과술.
an·arch[ǽnɑ:rk] *n.* 《詩》 반란 주모자; 무정부주의자(anarchist).
an·ar·chic, -i·cal[ænɑ́:rkik], [-əl] *a.* 무정부(상태)의; 무질서의; 무정부주의의. **-i·cal·ly** *ad.*
an·ar·chism[ǽnərkìzəm] *n.* U 무정부주의, 아나키즘; 무정부 (상태).
-chist[-kist] *n., a.* 무정부주의자(의).
an·ar·chis·tic[ӕnərkístik] *a.* 무정부주의(자)의.
an·ar·cho-[ænɑ́ərkou/ænɑ́:-] 《연결형》「무정부주의; 아나키스트」의 뜻.
an·ar·cho-syn·di·cal·ism[ӕnərkousíndikəlìzəm, ænɑ́:rkou-] *n.* U 무정부주의에 바탕을 둔 노동조합 운동 사상.
***an·ar·chy**[ǽnərki] [Gk] *n.* U **1** 무정부 상태(lawlessness). **2** 난세(亂世); 난맥(亂脈), 무질서(chaos). ⊕ anárchic *a.*
an·ar·thri·a[ənɑ́:rθriə] *n.* 〔醫〕 구어(構語) 장애, (뇌장애로 인한) 실구어증(失構語症).
an·ar·throus[ænɑ́:rθrəs] *a.* **1** 〔動〕 관절이 없는; 무절지(無節肢)의. **2** 〔그리스 文法〕 무관사(無冠詞)의.
an·a·sar·ca[ӕnəsɑ́:rkə] *n.* U 〔病理〕 전신 부종(全身浮腫).
an·a·stat·ic[ӕnəstǽtik] *a.* **1** 〔印〕 철판(凸版)의. **2** 〔生·生理〕 =ANABOLIC.
an·as·tig·mat[ənǽstigmæ̀t, ӕnəstígmæt] *n.* 〔光〕 아나스티그맷, 비점수차(非點收差) 보정(補正) 렌즈.
an·as·tig·mat·ic *a.* 비점수차를 보정한.
a·nas·to·mose[ənǽstəmòuz] 〔解〕 *vt.* 〈맥관(脈管) 등을〉 문합(吻合) 시키다. — *vi.* 〈맥관 등이〉 문합하다; 〈두 강이〉 합류하다.
a·nas·to·mo·sis[ənæ̀stəmóusis] *n.* (*pl.* **-ses**[-si:z]) **1** 〔解〕 (혈관·신경 등의) 문합. **2** 〔生〕 교차 연락. **3** (운하 등의) 망상(網狀) 형성, 합류.
a·nas·tro·phe, -phy[ənǽstrəfi] *n.* U,C 〔修〕 도치법(倒置法).
anat. anatomical; anatomist; anatomy.
a·nath·e·ma[ənǽθəmə] *n.* **1** 저주. **2** 〔가톨릭〕 파문(破門). **3** 저주 받은 사람〔것〕. **4** U (또는 an ~) 아주 싫은 것《*to*》: Alcohol is (*an*) ~ *to* me. 나는 술이 질색이다.
a·nath·e·mat·ic[ənæ̀θəmǽtik] *a.* 저주할, 혐오할; 증오에 찬.
a·nath·e·ma·ti·za·tion[ənæ̀θəmətizéiʃən/-tai-] *n.* 비난, 저주; 파문.
a·nath·e·ma·tize[ənǽθəmətàiz] *vt.* 저주하다; 파문하다.
An·a·to·li·a[ӕnətóuliə] *n.* 아나톨리아《옛날의 소아시아, 현재의 아시아 터키》.
An·a·to·li·an[-ən] *a.* 아나톨리아의; 아나톨리아 사람〔말〕의. — *n.* 아나톨리아 사람; U 아나톨리아 말.
an·a·tom·ic, -i·cal[ӕnətɑ́mik/-tɔ́m-], [-əl] *a.* 해부의, 해부(학)상의. **-i·cal·ly** *ad.* 해부학상; 해부적으로.
a·nat·o·mist[ənǽtəmist] *n.* 해부학자; 분석 해부자.
a·nat·o·mize[ənǽtəmàiz] *vt.* 〈동물체를〉 해부하다(dissect); 분석〔분해〕하다.
‡**a·nat·o·my**[ənǽtəmi] [Gk] *n.* (*pl.* **-mies**) **1** a U 해부; 해부술; 해부학. b (보통 *sing.*) (상세한) 분석. **2** 해부학적 구조〔조직〕; 해부도〔모형〕. **3** 《俗·古》 해골(skeleton), 미이라(mummy); 《俗》 말라깽이. **4** 인체.
⊕ anátomize *v.*; anatómic *a.*
an·a·tox·in[ӕnətɑ́ksin/-tɔ́k-] *n.* 〔免疫〕 아나톡신(toxoid).
an·bur·y[ǽnbəri] *n.* **1** 〔獸醫〕 (마소의) 연종(軟腫). **2** 〔植〕 근경(根莖) 비대증.
ANC African National Congress 아프리카 민족회의《남아프리카 공화국의 정당》.
anc. ancient; anciently.
-ance[əns] *suf.* 「행동; 상태; 성질; 정도」 등을 나타내는 명사 어미: assist*ance*, brilli*ance*, conduct*ance*, dist*ance*. 《◇ -ant로 끝나는 형용사에서 파생됨》.
‡**an·ces·tor**[ǽnsestər, -səs-] [L] *n.* **1** 선조, 조상(*opp.* descendant). **2** 〔法〕 피(被)상속인(*cf.* HEIR). **3** 〔法〕 원형, 선구자. **one's spiritual ancestor** 스승. ⊕ ancéstral *a.*
áncestor wòrship 조상 숭배.
***an·ces·tral**[ænséstrəl] *a.* 조상의, 조상 전래의. **~·ly** *ad.* ⊕ áncestor, áncestry *n.*
an·ces·tress[ǽnsestris] *n.* 여자 조상.
***an·ces·try**[ǽnsestri, -səs-] *n.* U **1** (집합

적) 선조, 조상(ancestors). **2** (때로 an ~) 가계(家系)(lineage): 문벌. **3** 〔生〕 계통.

An·chi·ses[ænkáisi:z, æŋ-] *n.* 〔그神〕 안키세스《아들 Aeneas에 의해 불길에 싸인 Troy에서 구출됨》.

‡an·chor[ǽŋkər] *n.* **1** 닻: drop (the) ~ 닻을 내리다. **2** 힘이〔의지가〕 되는 것. **3** 〔軍〕 (방위선의) 주요 거점. **4** (줄다리기의) 맨 끝 사람; (릴레이 팀의) 최종 주자〔수영 선수〕; 〔野〕 최강 타자. **5** (뉴스 프로의) 종합 사회자(anchorman, anchorwoman). **6** (*pl.*) 《俗》 차의 브레이크. **7** 〔建〕 닻장식. **8** 《일반적》 고정장치; 잠금쇠. **be〔lie, ride〕 at anchor** 정박하고 있다. **bower anchor** 큰 닻, 이물 닻. **cast an anchor to windward** (1) 〔海〕 바람이 불어오는 쪽으로 닻을 내리다. (2) 안전 대책을 강구하다. **cast〔drop〕 anchor** 닻을 내리다; (어떤 장소에) 머물다, 자리잡다. **come to (an) anchor** 정박하다. **drag anchor** (풍파 등으로) 닻이 끌리다; 뒤처지다; 실수하다; 실패하다. **foul anchor** 닻줄이 휘감긴 닻. **heave anchor** 닻을 (감아) 올리다. **kedge anchor** 작은 닻. **let go the anchor** 닻을 내리다; 《口令》 닻 내려! **sheet anchor** 예비용의 큰 닻; 최후의 수단, 마지막 믿는 것〔사람〕. **swallow the anchor** 《俗》 선원을 그만두다; 《미俗》 해군에서 제대하다. **weigh anchor** 닻을 감다, 출항하다; 떠나다.
— *vt.* **1** 〈배를〉 닻으로 고정시키다, 정박시키다. **2** 단단히 묶어 두다, 부착〔고정〕시키다《*to*》: ~ a tent *to* the ground 텐트를 땅바닥에 고정시키다. **3** 〈생각·주의력 등을 …에〉 고정〔고착〕시키다《*in, on*》: ~ one's hope *in*〔*on*〕 …에 희망을 걸다. **4** 〔競〕 …의 최후 주자가 되다. **5** 〔라디오·TV〕 앵커맨〔종합 사회자〕노릇을 하다. — *vi.* **1** 닻을 내리다; 정박하다: The ship ~*ed in* the harbor〔*off* the shore〕. 배는 항구〔앞바다〕에 닻을 내렸다〔정박했다〕 **2** 정착하다; 고정하다; 고착하다《*on, to*》: His eyes ~*ed on* the suspect. 그의 눈길은 그 용의자에게서 떠나지 않았다/The suckerfish ~*ed* fast *to* the whale. 빨판상어는 고래에 찰싹 달라붙어 있었다. **3** 주저앉다, 쉬다, 머물다.
⊕ ánchorage[1] *n.*

***an·chor·age**[1][ǽŋkəridʒ] *n.* [U,C] **1** 닻을 내림, 투묘, 정박, 계류. **2** 닻을 내리는 곳, 정박지. **3** (또는 an ~) 정박료. **4** 의지가 되는 것; 정신적 의지.

anchorage[2] *n.* 은자(隱者)의 주거, 은둔처.

An·chor·age *n.* 앵커리지《미국 알래스카주 남부의 항구 도시》.

ánchor bòlt 〔建〕 기초 볼트, 앵커 볼트.

ánchor bùoy 〔海〕 (닻의 위치를 가리키는) 앵커 부이〔부표〕.

an·chored[ǽŋkərd] *a.* 닻을 내린; 〔撞球〕 (표적구가) 서로 가까이 모여 있는.

ánchor escápement (시계 톱니바퀴의) 지동기구(止動機構)·장치.

an·cho·ress[ǽŋkəris] *n.* 여자 은자(隱者), 비구니(*cf.* ANCHORITE).

an·cho·ret[ǽŋkərit] *n.* =ANCHORITE.

an·cho·ret·ic[æ̀ŋkərétik] *a.*=ANCHORITIC.

ánchor gròund 투묘지(投錨地).

an·chor-hold[-hòuld] *n.* **1** 닻의 박힘; 닻이 걸리는 곳. **2** 안전(security).

ánchor ìce 묘빙(錨氷), 저빙(底氷)《물밑 바닥에 생기는 얼음》.

an·cho·rite[ǽŋkəràit] *n.* 은자(隱者), 은둔자(hermit). **an·cho·rit·ic**[æ̀ŋkərítik] *a.* 은자(隱者)의〔와 같은〕, 은둔적인.

ánchor lìght 〔海〕 정박등(停泊燈).

an·chor·man[ǽŋkərmæ̀n, -mən] *n.* (*pl.* **-men**[-mèn]) **1** (릴레이 팀의) 최종 주자〔선수〕; (줄다리기의) 맨 끝 사람; (야구 팀의) 최강타자. **2** 《미》 (단체 등의) 기둥, 대들보, 중진(mainstay). **3** (뉴스 프로의) 종합 사회자.

an·chor·peo·ple[-pì:pəl] *n. pl.* =ANCHORPERSONS《남녀 공통어》.

án·chor·pèr·son *n.* (뉴스 프로의) 종합 사회자(anchorman, anchorwoman)《남녀 공통어》.

ánchor ròpe 닻줄, 계류삭(繫留索).

an·chor·wom·an[-wùmən] *n.* (*pl.* **-wom·en**[-wìmin])《미》(뉴스 프로의) 여성 종합 사회자.

an·cho·vy[ǽntʃouvi, -tʃəvi, æntʃóu-] *n.* (*pl.* **-vies,** ~) 〔魚〕 멸치; 《특히》 안초비.

ánchovy pèar 안초비 배《망고 비슷한 과실》; 안초비배나무.

ánchovy sáuce 안초비로 만든 소스.

ánchovy tóast 안초비 페이스트를 바른 토스트.

an·chu·sa[æŋkjú:sə, -zə, æ̀n-] *n.* 〔植〕 지치과(科)의 약초.

an·chy·lose *vt., vi.* =ANKYLOSE.

an·chy·lo·sis *n.* =ANKYLOSIS.

an·cienne no·blesse[ɑ̃:sjénnoublés] [F = old nobility] *n.* (the ~; 집합적) 구제도의 귀족《특히 프랑스 혁명 전의》.

an·cien ré·gime[ɑ̃sjæ̃reiʒí:m] [F =old order] *n.* (*pl.* ***an·ciens ré·gimes***[-]) **1** 구(舊)제도, (특히 1789년 프랑스 혁명 이전의) 구체제. **2** 시대에 뒤진 제도〔체제〕.

★an·cient[1] [éinʃənt] *a.* **1** 옛날의, 고대의(*opp.* modern): ~ civilization 고대 문명/~ relics 고대의 유물. **2** 고래의, 예로부터의: an ~ custom 고래의 관습. **3** 《익살》 구식의(old-fashioned). **4** 〔法〕 30년〔20년〕 이상 경과한. **5** 《古》 노령(老齡)의(old, aged). — *n.* **1** 고대인. **2** (the ~s) a 고대 문명인《특히 고대 그리스·로마·헤브라이인》. b 고전 작가. **3** 노인, 선조. **the Ancient of Days** 하느님, 신(神). **~·ly** *ad.* 옛날에는, 고대에; 고래로. **~·ness** *n.* ⊕ áncientry *n.*

ancient[2] *n.* 《古》 기; 《廢》 기수(旗手).

Áncient Gréek 고대 그리스어(語).

áncient hístory **1** 고대사(A.D. 476년 서로마 제국 멸망까지). **2** 《口》 누구나 알고 있는 일, 진부한 이야기.

áncient líghts 〔영法〕 채광권 소유《창문에 내거는 게시 문구; 20년 이상 채광을 방해 받지 않은 창문은 이 권리를 인정 받음》.

áncient mónument (국가가 관리하는) 유적(등).

an·cient·ry[éinʃəntri] *n.* [U] 《古》 고풍(古風), 고대 양식; 고대, 먼 옛날.

an·cil·la[ænsílə] *n.* (*pl.* **-lae**[-li:]) **1** 부속물. **2** 도움이 되는 것(helper, aid). **3** 《古》 시녀, 하녀.

an·cil·lar·y[ǽnsəlèri/ænsíləri] *a.* 보조적인, 부수적인, 부(副)의《*to*》.
— *n.* (*pl.* **-lar·ies**) **1** 종속적인 것, 자회사(子會社), 부속 부품. **2** 조수.

an·cle *n.* =ANKLE.

an·con[ǽŋkɑn/-kɔn] *n.* (*pl.* **-co·nes**[-kóuni:z]) **1** 〔解〕 팔꿈치(elbow). **2** 〔建〕 첨차.

an·co·ne·al[æŋkóuniəl] *a.* **1** 〔建〕 첨차의. **2** 〔解〕 팔꿈치의.

an·cress[ǽŋkris] *n.* =ANCHORESS.

anct. ancient.

-an·cy[ənsi] *suf.* 「…한 성질〔상태〕」의 뜻: expect*ancy,* flamboy*ancy*(*cf.* -ANCE).

an·cy·lo·sto·mi·a·sis[æ̀ŋkilòustoumáiəsis, æ̀nsə-] *n.* (*pl.* **-ses**[-sìːz]) 〔病理〕 십이지장충증.

★**and**[ənd, nd, ən, n; 强 ǽnd] *conj.* **1** (문법상 같은 성질의 어·구·절을 대등히 연결하여) …와 —, …및—, 그리고: you ~ I 당신과 나 《◇ 2인칭, 3인칭 그리고 마지막에 1인칭의 순서로 놓음》/In that room there were a chair, a table(,) ~ a bed. 그 방에는 의자 하나, 탁자 하나, 그리고 침대 하나가 있었다《◇ 셋 이상의 어〔구·절〕를 연결할 때는 마지막 것 앞에만 and를 놓고 다른 것은 콤마로 끊는 것이 원칙이다(and 앞의 콤마는 없는 경우도 있음)》/Some followed us, others not. 일부는 우리 뒤를 따랐고, 또 일부는 그러지 않았다/He came here, he had his interview, he left. 그는 여기 와서, 회견을 하고, 떠났다《◇ 각 요소를 생각나는 대로 나열하는 경우에는 and를 쓰지 않는 수가 있음》.
2 a (동시성) (…와 동시에) 또, …하면서: We walked ~ talked. 우리는 걸으면서 얘기했다. b (전후 관계) …하고 (나서), 그 다음: He took off his hat ~ bowed. 그는 모자를 벗고 인사를 했다.
3 (동일인이나 동일물을 나타내는 경우: 발음은 보통 [ən]; 합하여 일체가 된 것: 단수 취급) …와 —이: He is an inventor ~ teacher. 그는 발명가인 동시에 교사다/Bread ~ butter[brédn-bʌ́tər] is essential for our breakfast. 버터 바른 빵은 우리 아침 식사에 없어서는 안 된다.
4 a (반복·계속·강조) …(한) 위에 또 —, …이고(—이고), 더욱 더: again ~ again 몇 번이고, 재삼재사/for ever ~ ever 영원히/He worked ~ worked, ~ finally succeeded. 그는 계속 공부하여 드디어 성공했다. b (비교급과 함께) 점점 더, 더욱 더: more ~ more 점점 (더)/higher ~ higher 점점 더 높이.
5 (의외·비난) 더욱이, 더구나 …인데〔…한 터에〕, …한데, 그러나: Midnight passed; ~ he did not appear. 자정이 지났다. 그러나 그는 돌아오지 않았다.
6 a (대립적 내용) …이긴 하나, …인〔한〕데도, …이면서도: She is rich, ~ she lives frugally. 그녀는 부자이면서도 검소하게 산다. b (추가): He did it, ~ did it well. 그는 그것을 했다, 그것도 썩 잘.
7 (상이·종류: 각양각색) 여러 (가지): There are books ~ books. 책에도 여러 가지가 있다.
8 (이유·결과) 그래서, 그러자: I've sent off my check ~ am looking forward to receiving my first parcel. 나는 수표를 보냈기 때문에 첫 번째 소포를 받게 될 것을 고대하고 있다/The policeman blew his whistle ~ the car stopped. 경찰관이 호루라기를 불자 그 차가 섰다.
9 (도입적) 그리고 (또), 그뿐 아니라〔게다가〕 또: 그런데, 그래: *And* you actually did it? 그래, 너는 정말 그걸 했는가.
10 a [ən, n] (come, go, run, try 등의 원형 또는 명령법 뒤에 써서) 《口》 …하러: Come (~) see me tomorrow. 내일 찾아오게《= Come to see … .로 고쳐 쓸 수 있음--and는 부정사의 구실을 함: 《미》에서는 come, go 뒤의 and를 생략하기도 함》/Work hard, ~ you will pass the examination. 열심히 공부하여라, 그러면 시험에 합격할 것이다. b (두 동사를 연결, 뒤의 동사가 현재분사의 뜻을 나타내어) …하면서: She sat ~ looked at television for hours. 그녀는 몇 시간이고 텔레비전을 보면서 앉아 있었다(=He sat looking … .로 고쳐 쓸 수 있음).
11 a (덧셈에서) …에 더하여: Three ~ two make(s)〔equal(s)〕 five. 3 더하기 2는 5. b (수사를 접속하여) …과〔와〕: three ~ a half = $3\,1/2$/one hundred ~ thirty-two = 132《◇ 100 자리 뒤에 and[ənd, ən]를 넣음: 《미》에서는 때로 생략됨》/one thousand ~ three = 1003《◇ 100 자리가 0일 때는 1000 자리 뒤에 and[ənd, ən]를 넣음; 연호·전화번호 등에서는 and를 넣지 않음》/one ~ twenty = 21(= twenty-one)《◇ 1의 자리를 앞에, 10의 자리를 뒤에 쓰는 형식은 옛 어법: 주로 문어에 속하며 21부터 99까지의 수에 쓰임》. c (단위가 다른 것을 나타내어; 종종 and는 생략됨) …와: four dollars ~ thirty-five cents 4달러 35센트/two pounds ten shillings ~ five pence(=two pounds ten ~ five) 2파운드 10실링 5펜스.
12 (두 개의 가로(街路) 이름을 연결하여, 그 교차점을 나타내어) 《미》 …와〔과〕 —의 교차점: at Second Street ~ First Avenue 2번가(街)와 1번로(路)의 교차점에서.
13 (두 개의 형용사(fine, good, nice, rare 등)를 연결하여 앞의 형용사를 부사적으로 씀; 종종 단순한 강조) 《口》 대단히, 아주: good ~ hungry 몹시 배가 고파서/good ~ tired 어지간히 피곤한/nice ~ cool 기분좋을 만큼 시원한/nice ~ warm 아늑하고 따뜻한.
and all ⇨all *pron.* **and all that** ⇨all *a.* **and all this** 그리고 이것도 모두. **&**(=and) **Co.** …회사. **and how** ⇨how. **and/or** 및 (또는). **and others** ⇨other *pron.* **and so forth** = **and so on** …등. **and such** = AND so forth. **and that** ⇨ that *pron.* **and the like** = AND so forth. **and then** 그리고 나서. **and then some** 기타 모두. **and the rise** 《미》 …이상. **and what not** ⇨ what *pron.* **and yet** 그럼에도 불구하고, 그런데도.

AND[ænd] *n.* 〔컴퓨터〕 앤드, 논리곱《논리곱을 만드는 논리 연산자(論理演算子): *cf.* OR》.

and. andante.

An·da·lu·sia[æ̀ndlúːʒə, -ʃiə] *n.* 안달루시아 《스페인 남부의 지방; 옛 Moor 문명 중심지》.

An·da·lu·sian[-n] *a., n.* Andalusia의 (사람): an ~ fowl 안달루시안 닭《털이 검푸른 닭》.

an·da·lu·site[æ̀ndlúːsait] *n.* Ⓤ 〔鑛〕 홍주석(紅柱石).

an·dan·te[ændǽnti, ɑːndɑ́ːntei] [It] 〔樂〕 *a., ad.* 느린〔느리게〕. — *n.* 안단테(의 악장).

an·dan·ti·no[æ̀ndæntíːnou, ɑ̀ːndɑːn-] [It] 〔樂〕 *a., ad.* 안단티노의〔로〕, 안단테보다 약간 빠른〔빠르게〕. — *n.* (*pl.* **~s**) 안단티노(의 악장).

ÁND cìrcuit〔**gàte**〕 〔컴퓨터〕 논리곱 회로, AND 회로〔문〕.

An·de·an[ændíːən, ǽn-] *a.* 안데스(Andes) 산맥의. — *n.* 안데스 산지 사람.

Ándean Gróup 안데스 그룹《남미 태평양 연안 5개국의 자유 무역 연합; 1969년 창설》.

***An·der·sen**[ǽndərsən] *n.* 안데르센 Hans Christian ~ (1805-75)《덴마크의 동화 작가》.

Án·der·son shèlter[ǽndərsən-] 《영》 (아치형의) 간이 방공 대피소.

An·des[ǽndiːz] *n. pl.* (the ~) 안데스 산맥 《남아메리카 서부의》.

an·de·site[ǽndizàit] *n.* Ⓤ 〔岩石〕 안산암(安山岩).

and·i·ron[ǽndàiərn] *n.* (보통 *pl.*) 난로 안

의 장작 받침쇠(대).
and/or[ǽndɔ́:r] *conj.* …및 또는 …(both or either)《양쪽 다, 또는 어느 한 쪽》: Money ~ clothes are welcome. 돈과 의류 또는 그 어느 쪽도 환영한다.
An·dor·ra[ændɔ́:rə, -dɑ́rə] *n.* 안도라《프랑스·스페인 국경의 산 중에 있는 공화국; 수도 Andorra la Vella[-lɑ:véljɑ:]》.
andr-, an·dro-[ændr], [ǽndrə, -drou] 《연결형》「인간; 남성; 꽃밥; 수꽃술」의 뜻《모음 앞에서는 andr-》.
an·dra·go·gy[ǽndrəgɔ̀dʒi, -gɑ̀-] *n.* 성인 교육학(법).
An·drew[ǽndru:] *n.* **1** 남자 이름《애칭 Andy》. **2** (St.~) 〔聖〕 안드레《그리스도 12사도 중의 한 사람》.
an·dro·cen·tric[æ̀ndrəséntrik] *a.* 남성 중심의. **-trism** *n.* 남성 중심주의.
An·dro·cles[ǽndrəklì:z], **-clus**[-kləs] *n.* 안드로클레스《로마 전설 중의 노예; 이전에 구해준 사자와 경기장에서 재회하였음》.
an·droe·ci·um[ændrí:ʃiəm] *n.* (*pl.* **-ci·a**[-ʃiə]) 〔植〕 수꽃술군(群).
an·dro·gen[ǽndrədʒən, -dʒen] *n.* Ⓤ 〔生化〕 남성호르몬, 안드로겐.
àn·dro·gén·ic[-dʒé-] *a.*
an·dro·gen·e·sis[æ̀ndrədʒénəsis] *n.* 〔生〕 **1** 웅성(雄性)(웅핵(雄核)) 발생. **2** 동정(童貞) 생식《단위(單爲) 생식의 하나》.
an·drog·en·ize[æ̀ndrɑ́dʒənaiz/-drɔ́dʒ-] *vt.* (남성 호르몬을 주사하여) 남성화하다.
an·drog·e·nous[ændrɑ́dʒənəs/-drɔ́dʒ-] *a.* 〔生〕 웅성 자손 산출의.
an·dro·gyne[ǽndrədʒàin] *n.* **1** 남녀 양성 구유자(具有者), 반음양. **2** 《古》 여성적인 남자. **3** 〔植〕 자웅동화서(雌雄同花序).
an·drog·y·nous[ændrɑ́dʒənəs/-drɔ́dʒ-] *a.* **1** 남녀 양성(兩性)의, 반남 반녀의. **2** 〔植〕 (같은 꽃차례에) 암수 양꽃이 있는.
an·drog·y·ny[-dʒəni] *n.* Ⓤ **1** 〔醫〕 (남녀) 양성을 지님. **2** 〔植〕 (동일 화서 내의) 자웅동주(同株). **3** 남녀 공용 의상.
an·droid[ǽndrɔid] *n., a.* (과학 소설에 나오는) 기계적 인조 인간(의).
an·drol·o·gy[ændrɑ́lədʒi/-drɔ́l-] *n.* 남성 병학(男性病學), 남성 과학.
An·drom·a·che[ændrɑ́məki:/-drɔ́m-] *n.* 〔그神〕 안드로마케《Hector의 정숙한 아내》.
An·drom·e·da[ændrɑ́midə/-drɔ́m-] *n.* **1** 〔그神〕 안드로메다《Perseus가 구해 준 미녀》. **2** 〔天〕 안드로메다 자리.
Andrómeda stràin 안드로메다 균주(菌株)《생화학적으로 알지 못하는 통제 불가한 위험한 세균》.
an·dro·sphinx[ǽndrəsfìŋks] *n.* 머리가 남자인 스핑크스《보통은 여자의 머리임》.
an·dros·ter·one[ændrɑ́stəròun/-drɔ́s-] *n.* Ⓤ 〔生化〕 안드로스테론《남성의 오줌 속에서 발견되는 호르몬의 일종》.
-an·drous[ǽndrəs] 《연결형》「…한 남성(수꽃술)을 가진」의 뜻: poly*androus*, mon*androus*.
-an·dry[ˊ-æ̀ndri] 《연결형》「남성(수꽃술)의 보유」의 뜻.
An·dy[ǽndi] *n.* 남자 이름《Andrew의 애칭》.
ane[ein] *n., pron., a.* 《스코》 =ONE.
-ane[ein] *suf.* **1** -AN의 변형《뜻은 약간 다름》: hum*ane*(*cf.* HUMAN). **2** 「포화 탄소 화합물」의 뜻《화학 용어의 명사적 어미》: meth*ane*.
a·near[əníər] *ad., prep.* 《古》 = NEAR.
an·ec·do·ta *n.* ANECDOTE 2의 복수.
an·ec·dot·age[ǽnikdòutidʒ] *n.* Ⓤ **1** (집합적) 일화집. **2** 《익살》 늙어서 옛날 이야기만 하고 싶어하는 나이(*cf.* DOTAGE).
an·ec·dot·al[æ̀nikdóutl, ˊ-ˋ-] *a.* 일화의; 일화거리가 많은. **~·ly** *ad.*
an·ec·do·tal·ism[æ̀nikdóutəlìzm] *n.* 일화주의; 일화적 방법을 즐겨 쓰기.
***an·ec·dote**[ǽnikdòut][Gk] *n.* **1** 일화, 일사(逸事). **2** (*pl.* **~s, -do·ta**[æ̀nikdóutə]) 비사(秘史). ⊕ anecdótal, anecdótic *a.*
an·ec·dot·ic[æ̀nikdɑ́tik/-dɔ́t-] *a.* 일화적인, 일화 같은; 일화가 많은. **-i·cal·ly** *ad.*
an·ec·dot·ist[ǽnikdòutist] *n.* 일화를 이야기하는 사람; 일화 수집가.
an·ech·o·ic[æ̀nəkóuik] *a.* 〈방 등이〉 울림이 없는.
a·nele[əní:l] *vt.* 《古》 임종의 성유(聖油)를 바르다.
an·em-, an·e·mo-[ǽnəm],[ǽnəmou] 《연결형》「바람; 흡입」의 뜻《모음 앞에서 anem-》.
a·ne·mi·a[əní:miə] *n.* Ⓤ 〔病理〕 빈혈증.
a·ne·mic[əní:mik] *a.* 〔病理〕 빈혈(증)의.
an·em·o·chore[ənéməkɔ̀:r] *n.* 〔植〕 풍매(風媒) 식물.
a·nem·o·graph[ənéməgræ̀f, -grɑ̀:f] *n.* 〔氣〕 자기 풍력계(自記風力計).
an·e·mom·e·ter[æ̀nəmɑ́mitər/-mɔ́m-] *n.* 〔氣〕 풍력계.
an·e·mo·met·ric[æ̀nəmoumétrik] *a.* 풍력 측정의.
an·e·mom·e·try[æ̀nəmɑ́mətri/-mɔ́m-] *n.* Ⓤ 〔氣〕 풍력 측정법.
***a·nem·o·ne**[ənéməni] [Gk] *n.* **1** 〔植〕 아네모네. **2** 〔動〕 말미잘(=sea ~).
an·e·moph·i·lous[æ̀nəmɑ́fələs] *a.* 〔植〕 풍매의(*cf.* ENTOMOPHILOUS).
a·nem·o·scope[ənéməskòup] *n.* 〔氣〕 풍향 측정기, 풍향계.
a·nent[ənént] *prep.* **1** …에 관하여. **2** …옆에, …와 나란히.
an·er·gy[ǽnərdʒi] *n.* Ⓤ **1** 〔醫〕 아네르기, 무력 체질, 정력 결핍. **2** 면역성 결여.
an·ér·gic[ænə́:rdʒik] *a.*
an·er·oid[ǽnərɔ̀id] *a.* 액체를(수은을) 사용하지 않은. — *n.* 아네로이드 기압계(=ˊ **barómeter**).
an·es·the·sia[æ̀nəsθí:ʒə, -ziə] *n.* Ⓤ 〔醫〕 마취, 무감각증. **local**(**general**) **anesthesia** 국소(전신) 마취.
an·es·the·si·ol·o·gy[æ̀nəsθì:ziɑ́lədʒi/-ɔ́l-] *n.* Ⓤ 마취학. **-gist** *n.* 마취 전문 의사.
an·es·thet·ic[æ̀nəsθétik] *a.* 마취의; 무감각한. — *n.* 마취제. **-i·cal·ly** *ad.* 마취적으로.
an·es·thet·ist[ənésθətist, æní:s-] *n.* (마취 의사는 아니지만 자격 있는) 마취사; 《영》 마취의(醫).
an·es·the·ti·za·tion[ənèsθətizéiʃən, ænì:s-θitai-] *n.* Ⓤ 마취(법), 마취 상태.
an·es·the·tize[ənésθətàiz, æní:s-] *vt.* 〔醫〕 마취시키다, 마비시키다.
an·es·trous[ænéstrəs, æní:s-] *a.* 〔動〕 발정(發情)이 없는; 발정 휴지기의.
an·es·trus[ænéstrəs, æní:s-] *n.* 〔動〕 비발정기(非發精期), 발정 휴지기(休止期).
an·eu·ploid[ǽnjuplɔ̀id] 〔生〕 *a.* 〈염색체가〉 이수성(異數性)의. — *n.* 이수체.
an·eu·rin[ǽnjurin] *n.* 〔生化〕 =THIAMINE.
an·eu·rysm, -rism[ǽnjurìzəm] *n.* 〔病理〕 동맥류(動脈瘤).

an·eu·rys·mal, -ris[æ̀njurízməl] *a.* 동맥류의.

*__a·new__[ənjúː] *ad.* 다시 한번; 새로이, 신규로(afresh).

an·frac·tu·os·i·ty[ænfræ̀ktʃuɑ́səti/-ɔ́s-] *n.* (*pl.* **-ties**) U,C 굴곡 (상태); (*pl.*) 구불구불한 길〔수로〕.

an·frac·tu·ous[ænfræ̀ktʃuəs] *a.* 굴곡이 많은, 구불구불한(circuitous).

A.N.G. American Newspaper Guild 미국 신문 협회.

an·ga[ʌ́ŋgə] *n.* (요가의) 행법(行法).

an·ga·ry[ǽŋgəri] *n.* U 〔國際法〕 전시(戰時) 수용권(收用權)《중립국 재산의 수용·파괴권》.

‡**an·gel**[éindʒəl] [Gk] *n.* **1** 천사, 하느님의 사자; 수호신(=guardian ~): one's evil ~ 악마/one's good ~ 수호천사, 수호신. **2** 천사같은 사람, 몸도 마음도 아름다운 여성, 귀여운 아이; 친절한 사람. **3** 《俗》 재정적 후원자. **4** 옛날의 영국 금화. **an angel of a** (child) 천사와 같은 (귀여운 아이). **angel of death** 죽음의 사자(使者). **Be an angel and** (sharpen my pencil). 착하지〔부탁하네〕 (연필 좀 깎아 다오). **entertain an angel unawares** 〔聖〕 고귀한 사람인지도 모르고 대접하다. **a fallen**〔**an evil**〕 **angel** 타락한 천사, 악마. **Fools rush in where angels fear to tread.** 《속담》 하룻강아지 범 무서운 줄 모른다. **on the side of the angels** 천사쪽에 서서; 선의 편을 들어. **Talk of angels and you will hear the flutter of their wings.** 《속담》 호랑이도 제 말 하면 온다. **write like an angel** 아름답게 쓰다; 훌륭한 문장을 쓰다. ◈ angélic *a.*

An·ge·la[ǽndʒələ] *n.* 여자 이름.

ángel dùst 《미俗》 합성 헤로인, PCP.

An·ge·le·no[æ̀ndʒəlíːnou] *n.* (*pl.* **~s**) 《口》 로스앤젤레스 주민.

an·gel·fish[éindʒəlfìʃ] *n.* (*pl.* **~, ~·es**) 〔魚〕 **1** 전자리상어. **2** 에인젤피시《관상용 열대어》.

ángel (fòod) càke 《미》 에인젤 케이크《카스텔라의 일종》.

*__an·gel·ic__[ændʒélik] *a.* **1** 천사의, 천사 같은: an ~ smile 천사같이 천진난만한 미소. **2** 완전무결한. ◈ ángel *n.*

an·gel·i·ca[ændʒélikə] *n.* **1** 〔植〕 안젤리카《멧두릅속(屬); 약용·요리용》. **2** U 그 줄기의 설탕 절임. **3** (**A-**) 《미》 캘리포니아산(産) 백포도주.

angélica trèe 《미》 =HERCULES'-CLUB.

An·ge·li·na[æ̀ndʒəlíːnə] *n.* 여자 이름.

An·ge·line[ǽndʒəlìːn] *n.* 여자 이름.

An·ge·li·no[æ̀ndʒəlíːnou] *n.*=ANGELENO.

an·gel·ol·a·try[èindʒəlɑ́lətri/-lɔ́l-] *n.* U 천사 숭배.

an·gel·ol·o·gy[èindʒəlɑ́lədʒi/-lɔ́l-] *n.* U 〔神學〕 천사론〔학〕, 천사 신앙.

ángel shàrk 〔魚〕 전자리상어.

ángel('s) vísit 《口》 진객(珍客).

An·ge·lus[ǽndʒələs] *n.* **1** 〔가톨릭〕 안젤루스, 삼종(三鐘) 기도《그리스도의 수태를 기념》. **2** 안젤루스의 종(=∠ **bèll**)《아침·낮·저녁에 울려 기도 시각을 알림》.

‡**an·ger**[ǽŋgər] *n.* U 노여움, 성. **in anger** 성내어. ── *vt., vi.* 성나게 하다, 성나다. **be angered by**〔**at**〕 …에 성을 내다. ◈ ángry *a.*

An·ge·vin(e)[ǽndʒəvin] *a.* 앙주(Anjou)의; Anjou〔Plantagenet〕왕가(王家)의. ── *n.* Anjou〔Plantagenet〕 왕가 사람(*cf.* ANJOU).

an·gi-, an·gi·o-[ǽndʒi], [ǽndʒiou] 《연결형》「혈관; 림프관; 혈관종; 과피(果皮)」의 뜻《모음 앞에서는 angi-》: *angio*carp.

an·gi·i·tis[æ̀ndʒiáitəs] *n.* (*pl.* **-gi·it·i·des** [-dʒiáitədìːz]) 〔病理〕 맥관염(脈管炎).

an·gi·na[ændʒáinə] *n.* U 〔病理〕 **1** 안기나, 후두염(喉頭炎). **2** 협심증(狹心症)(=∠ **péctoris**[-péktəris]). **-nal**[-nəl] *a.*

an·gi·o·gram[ǽndʒiougræ̀m] *n.* 〔醫〕 혈관촬영〔조영(造影)〕도.

an·gi·og·ra·phy[æ̀ndʒiɑ́grəfi/-ɔ́g-] *n.* 〔醫〕 혈관 조영(법)《X선 특수 조영법의 하나》.

an·gi·o·graph·ic[æ̀ndʒiəgrǽfik] *a.*

an·gi·ol·o·gy[æ̀ndʒiɑ́lədʒi/-ɔ́l-] *n.* U 〔解〕 맥관학(脈管學)《혈관과 림프관을 다룸》.

an·gi·o·ma[æ̀ndʒióumə] *n.* (*pl.* **~s, ~·ta**[-tə]) 혈관종(腫).

an·gi·om·a·tous[-təs] *a.* 혈관종의.

an·gi·o·sperm[ǽndʒiouspə̀ːrm] *n.* 〔植〕 피자(被子) 식물, 속씨 식물(*cf.* GYMNOSPERM).

àn·gi·o·spér·mous *a.* 〔植〕 피자 식물의.

an·gi·o·ten·sin[æ̀ndʒiouténsin] *n.* 〔生化〕 앤지오텐신《혈액 중에 만들어지는 혈압 상승 물질》.

Ang·kor[ǽŋkɔːr] *n.* 앙코르《캄푸치아 북서부의 석조 유적; 크메르 왕조의 수도》.

Angl. Anglican.

‡**an·gle**[1][ǽŋgl] *n.* **1** 〔數〕 각, 각도: an acute〔obtuse〕 ~ 예〔둔〕각/a right〔straight〕~ 직〔평〕각/the ~ of approach light 〔空〕 진입각 지시등《야간 착륙을 위해 활주로를 따라 설치된 등화 장치》. **2** 모, 모서리, 구석, 모퉁이(corner). **3** 《口》 각도, 견지(standpoint): from different ~s (여러 가지) 다른 각도에서. **4** 《口》 불순한 동기; 간악한 책략, 음모. **5** (사물의) 양상(aspect). **angle of depression** 〔數〕 부각(俯角). **angle ofelevation** 〔數〕앙각(仰角). **angle of incidence**〔**reflection**〕 〔光〕 입사〔반사〕각. **angle of refraction** 〔物〕 굴절각. **angle of view** 〔光〕 사진 렌즈의 촬영 범위. **at an angle** 굽어서, 비스듬히. **get**〔**use**〕 **a new angle on** …을 새로운 견지에서 보다. **know all the angles** 《미口》 단맛 쓴맛을 다 알다. **meet**〔**cross**〕 **at right angles** 직각을 이루다. **take the angle** 각도를 재다. ── *vt.* **1** 어떤 각도로 향하게 하다〔구부리다, 움직이다〕; 비스듬하게 하다, 기울이다: ~ a camera 카메라의 앵글을 잡다. **2** 〈의견·보도 등을〉 왜곡하다, 특정한 관점에서 쓰다: ~ an article at liberal readers 기사를 자유주의적 독자의 관점에서 쓰다. ── *vi.* 굽다, 구부러지며 나아가다.
◈ ángular *a.*; ángulate *a., v.*

angle[2] *n.* 《古》 낚시(fishing hook); 낚시 도구. **brother of the angle** 《文語》 낚시꾼. ── *vi.* **1** 낚시질하다. **2** (여러 가지 수를 써서 …을) 얻으려고 하다, 낚다, 꾀어내다(*for*): ~ *for* trout (with a fly) (제물낚시로) 송어를 낚다/~ *for* praise 칭찬을 받으려고 꾀다.

An·gle[ǽŋgl] *n.* (the ~s) 앵글족(族); 앵글족 사람.

ángle bàr **1** =ANGLE IRON. **2** 〔鐵道〕 산형(山形) 이음판.

ángle bràcket **1** 〔建〕 모서리용 브래킷. **2** (보통 *pl.*) 〔印〕 꺾쇠 괄호(〈 〉).

an·gled[ǽŋgld] *a.* (종종 합성어) 모난; 각이 있는; 각을 이루는.

An·gle·doz·er[ǽŋgldòuzər] [*angle*+bull*dozer*] *n.* 대형 불도저(상표명).

ángle ìron 거멀장, 앵글 (철)《L자형 철재》.

ángle mèter 각도 측정기, 《특히》 클리노미

터(clinometer).
an·gle-park·ing[ǽŋglpɑ̀:rkiŋ] *n.* Ⓤ (길가의) 비스듬한 주차.
*__an·gler__[ǽŋglər] *n.* **1** 낚시꾼. **2** 〔魚〕 아귀.
ángle shòt 〔寫〕 앵글숏((극단적인 카메라 앵글에 의한 촬영)).
an·gle·site[ǽŋglsàit] *n.* 〔鑛〕 황산납 광산.
ángle stèel 〔機〕 산형강(山形鋼), L형강(鋼).
ángle stòne 모퉁잇돌, 귀돌.
an·gle·wise[ǽŋglwàiz] *ad.* 각을 이루고, 각 모양으로.
an·gle·worm[ǽŋglwə̀:rm] *n.* (낚시 미끼로 쓰는) 지렁이.
An·gli·a[ǽŋgliə] *n.* England의 라틴명.
An·gli·an[ǽŋgliən] *a.* 앵글족의. ── *n.* **1** 앵글 사람. **2** Ⓤ 앵글 말.
An·glic[ǽŋglik] *n.* Ⓤ 앵글릭((스웨덴의 영어학자 R.E. Zachrisson(1880-1937)이 제창한 철자법을 개량한 영어)). ── *a.* =ANGLICAN.
*__An·gli·can__[ǽŋglikən] *a.* 영국 국교회의, 성공회의. ── *n.* 영국 국교도. **~·ìsm** *n.* Ⓤ 영국 국교회주의.
Ánglican Chúrch (the ~) 영국 국교회((◇ the Church of England, the Anglican Communion 이라고도 함)).
Ánglican Commúnion (the ~) 영국 국교회〔성공회〕파.
An·gli·ce, a-[ǽŋgləsi] [L =in English] *ad.* 영어로, 영어식으로 말하면.
An·gli·cise *vt.* =ANGLICIZE.
An·gli·cism, a-[ǽŋgləsìzəm] *n.* Ⓤ,Ⓒ **1** 영국식〔풍〕, 영국민 특유의 습관〔양식, 사고방식〕. **2** 영어 특유의 관용어법. **3** ((미)) 영국어법. **4** (영어 이외의 언어에서) 영어풍의 어구〔어법〕.
An·gli·cist[ǽŋgləsist] *n.* 영어〔영문〕학자.
An·gli·cize, a-[ǽŋgləsàiz] *vt.* 영국식으로 하다; 〈외국어를〉 영어화하다. ── *vi.* 영국〔영어〕식으로 되다.
Anglicizátion[æ̀ŋgləsizéiʃən/-sai-] *n.*
an·gling[ǽŋgliŋ] *n.* Ⓤ 낚시질, 낚시 기술.
An·glist[ǽŋglist] *n.* =ANGLICIST.
An·glis·tics[æŋglístiks] *n. pl.* (단수 취급) 영어〔영문〕학.
An·glo[ǽŋglou] *n.* (*pl.* **~s**) ((미南西部)) 영국계 미국 사람, 라틴계가 아닌 미국 백인.
An·glo-[ǽŋglou] ((연결형)) 「영국〔영어〕의」의 뜻: *Anglo*-Irish.
*__An·glo-A·mer·i·can__[ǽŋglouəmérikən] *a.* 영미(英美)의; 영국계 미국 사람의. ── *n.* 영국계 미국 사람.
An·glo-Cath·o·lic[-kǽθəlik] *n., a.* 영국 국교회 카톨릭파(의).
An·glo-Ca·thol·i·cism[-kəθɑ́ləsìzəm/-θɔ́l-] *n.* Ⓤ 영국 국교회 카톨릭파주의(의 교리).
An·glo-French[-fréntʃ] *a.* **1** 영불(英佛)의. **2** 앵글로 프랑스 말의. ── *n.* Ⓤ 앵글로 프랑스 말((영국 노르만 왕조에서 사용한 프랑스 말)).
An·glo-In·di·an[-índiən] *a.* **1** 영국과 인도의. **2** 영국 혼혈아의; 인도 거주 영국 사람의. **3** 인도 영어의. ── *n.* **1** 인도에 사는 영국 사람; 인도에서 태어난 영국 사람; 영국 사람과 인도 사람의 혼혈아. **2** Ⓤ 인도 영어.
An·glo-I·rish[-áiriʃ] *a.* 잉글랜드와 아일랜드(간)의. ── *n.* **1** 영국계 아일랜드 사람. **2** Ⓤ 아일랜드 영어.
An·glo·ma·ni·a[æ̀ŋgləméiniə, -njə] *n.* Ⓤ (외국인의) 영국 숭배, 영국광(狂).
An·glo·ma·ni·ac[-niæ̀k] *n.* 영국 숭배자.
An·glo-Nor·man[ǽŋglounɔ́:rmən] *a.* **1** 노르만 사람의 영국 점령시대(1066-1154)의. **2** 영국에 정착한 노르만 사람의, 노르만계 영국 사람의. **3** 앵글로노르만 말의. ── *n.* Ⓤ 앵글로노르만 방언((프랑스 말의)).
An·glo·phile, -phil[ǽŋgləfàil], [-fil] *n.* 친영파 사람. **Àn·glo·phíl·ic**[-fílik] *a.*
An·glo·phil·i·a[æ̀ŋgləfíliə] *n.* 영국 편애, 영국 숭배.
An·glo·phobe[ǽŋgləfòub] *n.* 영국(사람)을 싫어하는 사람.
An·glo·pho·bi·a[-biə, -bjə] *n.* Ⓤ 영국(사람) 혐오(*opp.* Anglomania).
An·glo·phone[ǽŋgloufòun] *n.* (복수의 공용어가 있는 나라의) 영어 사용자〔민〕. ── *a.* 영어 사용자의; 영어를 말하는.
⁑**An·glo-Sax·on**[ǽŋglousǽksən] *n.* **1** 앵글로색슨 사람. **2** (the ~s) 앵글로색슨 민족((5세기경 영국에 이주한 튜튼족)). **3** Ⓤ 앵글로색슨 말(Old English); ((口)) 순수한 영어((외래어를 넣지 않은)). **4** 전형적인 영국 사람. ── *a.* **1** 앵글로색슨 사람의. **2** 앵글로색슨 말의.
An·glo-Sax·on·ism[-sǽksnìzəm] *n.* Ⓤ,Ⓒ **1** 영국 사람 기질. **2** 앵글로색슨계의 말.
An·go·la¹, a-[æŋgóulə] *n.* =ANGORA 2.
Angola² *n.* 앙골라((서부 아프리카의 독립국; 수도 Luanda)).
An·go·ra[ǽŋgourə, æŋgɔ́:rə] *n.* **1** 앙고라((1930년 이전의 ANKARA의 옛 이름)). **2** (**a-**)= ANGORA CAT〔GOAT, RABBIT〕. **3** Ⓤ 앙고라 모직((앙고라 염소(Angora goat)의 털로 짠)).
Angóra cát 앙고라 고양이.
Angóra góat 앙고라 염소((mohair라는 털을 얻음)).
Angóra rábbit 앙고라 토끼.
Angóra wóol =MOHAIR.
an·gos·tú·ra (bárk) 앙고스투라(나무) 껍질((해열 강장제)).
Angostúra Bítters 앙고스투라 비터즈((칵테일에 쓴 맛을 내는 나무 껍질; 상표명)).
⁑**an·gri·ly**[ǽŋgrəli] *ad.* 노하여, 성나서, 화내어. ◈ ángry *a.*; ánger *n.*
an·gri·ness[ˊ-nis] *n.* Ⓤ 노여움, 화, 성.
★**an·gry**[ǽŋgri] *a.* (**-gri·er; -gri·est**) **1** 성난, 화를 낸((*about, at, with*)): an ~ look 성난 얼굴/(Ⅱ 형+전+*-ing*) She was ~ *at* find*ing* the door locked. 그녀는 문이 잠긴 것을 알고 화를 냈다(=She was ~ *to* find the door locked.(Ⅱ 형+*to do*)/=She was ~ *that* the door was locked.(Ⅱ 형+*that*(절)))/(Ⅱ 형+전+명) I'm ~ *with* you. 너에게 화내고 있는 거야/He is ~ *at*〔*about*〕 your behaviour. 그는 너의 행동에 대해서 화내고 있다. **2** 〈상처가〉 염증을 일으킨, 욱신거리는. **3** 〈파도·바람·하늘 등이〉 험한, 험악한, 심한: ~ waves 노도(怒濤). **4** 〈빛깔이〉 타는 듯한. **be**〔**feel**〕 **angry** 노해 있다((*with, at, about*))((◇ 「사람」의 경우에는 *with*가 보통, 감정을 중시할 때는 *at*)). **become**〔**get, grow**〕 **angry** 성내다((*with, at, about*)). **have angry words** 말다툼을 하다((*with*)). **look angry** 성난 얼굴을 하고 있다. ── *n.* (*pl.* **-gries**) (*pl.*) ((口)) (사회 등에 항의하는) 성난 사람〔젊은이〕들; =ANGRY YOUNG MEN.
◈ ánger *n.*; ángrily *ad.*
Ángry Yòung Mán〔**Mén**〕 **1** 〔文學〕 성난 젊은이(들)((전후 영국 문단에서 기성 사회 제도에 대한 분노를 나타내는 문학을 쓴 청년 작가들)). **2** ((일반적으로)) 반체제의 젊은이(들).
Ang.-Sax. Anglo-Saxon.
angst[ɑ:ŋkst] [G] *n.* (*pl.* **äng·ste**[éŋkstə]) 불안, 공포, 걱정, 고뇌.

áng·strom (unìt), A-[ǽŋstrəm] [스웨덴의 물리학자 이름] 〔物〕 옹스트롬《1억분의 1센티; 단파장(短波長)의 측정 단위: 略: A.U.》.
an·guine[ǽŋgwin] *a.* 뱀 같은, 뱀의.
*__an·guish__[ǽŋgwiʃ] *n.* Ⓤ (심신의) 격통(激痛), 고민, 고뇌. **in anguish** 고민하여.
an·guished[ǽŋgwiʃd] *a.* 고민의, 고뇌에 찬.
*__an·gu·lar__[ǽŋgjələr] *a.* **1** 모서리가 있는, 모난; 각도의; 각도로 잰: an ~ distance 각거리(角距離). **2** 뼈가 앙상한, 여윈, 마른, 수척한. **3** 〈성격이〉 딱딱한, 외고집의, 모난. **~·ly** *ad.* 모를 이루어; 모나게.
⊕ ángle¹, angulárity *n.*
ángular displácement 〔物〕 각변위(角變位)《축(軸) 둘레 물체의 회전 때의》; 〔光〕 각분산(角分散)《파장의 차이로 인한》.
an·gu·lar·i·ty[æ̀ŋgjəlǽrəti] *n.* (*pl.* **-ties**) **1** Ⓤ 모남; 앙상함. **2** (보통 *pl.*) 모가 난 형〔윤곽〕, 뾰족한 모서리.
ángular léaf spòt 〔植〕 각점병, 각반병(角斑病).
ángular velócity 〔物〕 각속도(角速度).
an·gu·late[ǽŋgjəlèit] *vt.* 모나게 하다; 각지게 하다. ── *vi.* 각지다. ── [ǽŋgjəlit, -lèit] *a.* 모가 있는. **-lat·ed**[-lèitid] *a.* 모가 있는, 모를 이룬. **~·ly** *ad.*
an·gu·la·tion[æ̀ŋgjəléiʃən] *n.* Ⓤ 모서리를 만듦; 모서리가 있는 모양〔부분, 부위〕.
An·gus[ǽŋgəs] *n.* **1** 남자 이름. **2** 〔켈트神〕 앵거스《사랑과 젊음과 아름다움의 신(神)》.
an·he·la·tion[æ̀nhəléiʃən] *n.* 〔醫〕 호흡 촉박.
an·hin·ga[ænhíŋgə] *n.* 〔鳥〕 뱀가마우지의 일종(snakebird).
anhyd. anhydrous.
an·hy·dride[ænháidraid] *n.* 〔化〕 무수물(無水物).
an·hy·drite[ænháidrait] *n.* Ⓤ 〔鑛〕 경석고(硬石膏), 무수 석고.
an·hy·drous[ænháidrəs] *a.* 〔化·鑛〕 무수(無水)의, 무수물의.
a·ni¹[ɑːníː, ⌐−] *n.* 〔鳥〕 아니《열대 아메리카산; 두견의 한 종류》.
a·ni² *n.* ANUS의 복수.
an·i·con·ic[æ̀naikɑ́nik/-kɔ́n-] *a.* **1** 〈종교가〉 우상이 없는, 우상 반대의. **2** 상징적인, 암시적인.
a·nigh[ənái] *ad., prep.* 《古》 =NEAR.
A·nik[ǽnik] [Eskimo =brother] *n.* 아니크《캐나다의 통신 위성》.
an·il[ǽnil] *n.* **1** 〔植〕 개물깜싸리, 목람(木藍). **2** Ⓤ 〔染色〕 쪽빛(indigo).
a·nile[ǽnail, éin-] *a.* 노파같은(old-womanish), 노망한.
an·i·line, -lin[ǽnəlin, -làin], [-lin] *n.* Ⓤ 〔化〕 아닐린《염료·합성수지의 원료》.
áni line dỳe 아닐린 염료(染料).
a·ni·lin·gus, -linc·tus[èinilíŋgəs], [-líŋktəs] *n.* Ⓤ 항문 입맞추기(에 의한) 성감 자극.
a·nil·i·ty[əníləti, æn-] *n.* **1** (노파의) 노망기. **2** 노망스런 생각.
anim. animato.
an·i·ma[ǽnəmə] [L] *n.* **1** Ⓤ,Ⓒ 영혼, 정신; 생명. **2** (the ~) 〔心〕 아니마《남성의 억압된 여성적 특성; *cf.* ANIMUS 3》.
an·i·mad·ver·sion[æ̀nəmædvə́ːrʃən, -ʒən] *n.* 《文語》 비평, 비난, 혹평(*on*).
an·i·mad·vert[æ̀nəmædvə́ːt] *vi.* 비평〔혹평〕하다, 비난하다(*on, upon, about*).
★**an·i·mal**[ǽnəməl] [L] *n.* **1** 동물《식물에 대하여》. **2** (인간 이외의) 동물, 짐승, 네발짐승; 포유동물: a wild〔domestic〕~ 야생 동물〔가축〕. **3** 짐승같은 인간, 사람 같지 않은 것. **4** (인간의) 동물적 요소. **5** (the ~) (사람의) 동물성, 수성(獸性)(animality). ── *a.* **1** 동물의; 동물성〔질〕의. **2** (정신에 대하여) 동물적인, 야수적인; 육욕적인.
ánimal bláck 애니멀 블랙《동물질을 탄화시켜 얻은 흑색 분말; 안료·탈색제》.
ánimal bòdy 동물체.
ánimal chárcoal 수탄(獸炭)《동물질을 탄화시킨 것》, 《특히》 골탄(骨炭)(bone black).
ánimal còurage 만용.
ánimal cràcker 《미》 동물 모양의 비스킷.
an·i·mal·cule[æ̀nəmǽlkjuː] *n.* 극미(極微)동물. **-cu·lar**[-kjulər] *a.*
an·i·mal·cu·lism[æ̀nəmǽlkjulìzəm] *n.* Ⓤ (병원체 등의) 극미 동물설.
an·i·mal·cu·lum[æ̀nəmǽlkjuləm] *n.* (*pl.* **-la**[-lə], **-lae**[-lìː, -lài]) =ANIMALCULE.
ánimal fòod 동물질 식품.
ánimal húsbandry **1** 가축학, 축산학. **2** 축산; 목축업.
an·i·mal·ier[æ̀nəməlíər] *n.* 동물 화가〔조각가〕. **an·i·mal·ism**[ǽnəməlìzəm] *n.* Ⓤ **1** 동물적 생활; 동물성, 수성(獸性); 수욕주의. **2** 인간 동물설. **án·i·mal·ist** *n.* **1** 수욕주의자. **2** 동물 화가〔조각가〕.
an·i·mal·is·tic[æ̀nəməlístik] *a.* 동물성의, 수욕주의적인; 동물의 모양을 한.
an·i·mal·i·ty[æ̀nəmǽləti] *n.* Ⓤ **1** 동물성, 수성(獸性). **2** 동물계, (집합적) 동물.
an·i·mal·i·za·tion[æ̀nəməlizéiʃən/-lai-] *n.* Ⓤ **1** 동물화. **2** (음식 등의) 동물질화.
an·i·mal·ize[ǽnəməlàiz] *vt.* **1** 동물화하다, 짐승같이 만들다. **2** 〈음식을〉 동물질로 바꾸다.
ánimal kìngdom (the ~) 동물계.
ánimal liberátion〔**lib**〕 동물 해방 운동《동물을 학대로부터 보호하려는 운동》.
ánimal lífe **1** 동물의 생태. **2** (집합적) 동물.
an·i·mal·ly[ǽnəməli] *ad.* 육체적으로.
ánimal mágnetism **1** 〔生〕 동물자기(磁氣). **2** 육체적〔관능적〕 매력.
ánimal màtter 동물질.
ánimal párk 동물 공원, 자연 동물원《야생 동물을 방사(放飼)하여 관람케 하는 곳》.
ánimal ríghts 동물 보호, 동물권(權)《학대·착취에서 보호받을 권리》.
an·i·ma mun·di[ǽnimə-mʌ́ndai] [L=soul of the world] *n.* (*pl.* ***an·i·mae mun·di***) 세계 영혼, 우주혼(world soul)《물질계를 조직·지배한다는 힘》.
*__an·i·mate__[ǽnəmèit] *vt.* **1** …에 생명을 불어넣다, …을 살리다: The dust of the ground was ~*d by* God. 땅의 먼지는 신에 의해 생명이 불어넣어졌다. **2** 생기 있게〔활기띠게〕 하다; 격려〔고무〕하다: The success ~*d* him *to* more efforts. 그 성공에 고무되어 그는 더욱 노력했다. **3** …을 움직이다, 가동시키다. **4** …에 움직임을 주다, 만화 영화〔동화(動畵)〕로 하다. ── [-mit] *a.* **1** 생명 있는, 살아 있는(living, alive). **2** 생기 있는, 활기가 있는(lively). **3** 생물인(*opp.* inanimate): ~ nature 생물계; 동식물계. **things animate and inanimate** 생물과 무생물. **~·ly** *ad.* **~·ness** *n.* ⊕ animátion *n.*
an·i·mat·ed[ǽnəmèitid] *a.* **1** 〈동식물이〉 생기가 있는(lively), 살아 있는, 생물인. **2** 싱싱한; 활기에 넘치는, 기운찬; 성한: an ~ discussion 격렬한 토론. **~·ly** *ad.*
ánimated cartóon 만화 영화, 동화(動畵).

ánimated pícture 활동 사진《영화(motion picture)의 옛 이름》.
a·ni·ma·teur[ænəmətə́:r] *n.* 추진자, 주모자(prime mover), 〈계획 등의〉 발기인.
an·i·mat·ing[ǽnəmèitiŋ] *a.* 생기를 주는; 고무하는. **~·ly** *ad.*
*****an·i·ma·tion**[ænəméiʃən] *n.* **1** Ⓤ 생기, 활기, 활발; 활기 띠움, 고무. **2** 동화(動畵), 만화 영화; 동화〔만화 영화〕 제작. **with animation** 기운차게, 활발히, 열심히.
an·i·ma·tism[ǽnəmətìzəm] *n.* Ⓤ 〔哲〕 자연물의 유의식론《무생물에 의식·인격을 인정하는 원시 종교》.
a·ni·ma·to[ɑ̀:nəmɑ́:tou][It] *a., ad.* 〔樂〕 활기 있는〔있게〕, 생기 있는〔있게〕《略: anim.》.
an·i·mat·o·graph[ænəmǽtəgræ̀f, -grɑ̀:f] *n.* (초기의) 영화 촬영기.
an·i·ma·tor[ǽnəmèitər] *n.* **1** 생기를 주는 사람〔것〕; 고무자. **2** 〔映〕 만화 제작자.
an·i·mé[ǽnəmèi, əní:mi] [F] *n.* Ⓤ 아니메《방향성 수지; 니스의 원료》.
an·i·mism[ǽnəmìzəm] *n.* Ⓤ 〔哲·心〕 **1** 물활론(物活論)《목석 등도 생물과 마찬가지로 영혼이 있다고 믿음》. **2** 정령(精靈) 신앙《사람 및 사물의 활동은 모두 영(靈)의 힘에 의한다는 설》; 정령 숭배.
an·i·mist[ǽnəmist] *n.* **1** 물활론자. **2** 정령 신앙자.
an·i·mis·tic[ænəmístik] *a.* 물활론적인.
an·i·mos·i·ty[ænəmɑ́səti/-mɔ́s-] *n.* (*pl.* **-ties**) Ⓤ,Ⓒ 악의, 증오(hatred), 원한, 앙심(*against, toward, between*): have〔harbor〕(an) ~ *against* …에게 원한을 품다.
an·i·mus[ǽnəməs] [L] *n.* Ⓤ **1** 적의(敵意), 미움. **2** 의지, 의향. **3** (the ~)〔心〕 아니무스《여성의 억제된 남성적 특성; *cf.* ANIMA 2》.
an·i·on[ǽnaiən] *n.* 〔化〕 음이온(*opp.* cation).
an·i·on·ic[ænaiɑ́nik/-ɔ́n-] *a.*
a·nis[ænís] *n.* 아니스(aniseed로 맛을 낸 스페인의 독한 술》.
an·is-, an·i·so-[ǽnais, ―⌐],[ǽnaisou] 《연결형》「부등; 부동」의 뜻(*opp.* is-)《모음 앞에서는 anis-》.
an·ise[ǽnis] *n.* 〔植〕 아니스《지중해 지방산 미나리과(科) 식물》; 그 열매(*cf.* DILL).
an·i·seed[ǽnisì:d] *n.* Ⓤ,Ⓒ 아니스의 열매《과자의 풍미료·감기약》.
an·is·ei·ko·ni·a[ænaisaikóuniə] *n.* 〔眼科〕(두 눈의) 부등상시증(不等像視症).
an·i·sette[ænəzét, -sét, ⌐―⌐] [F] *n.* Ⓤ 아니스를 넣은 술.
an·i·sog·a·mous[ænaisɑ́gəməs/-sɔ́g-], **-so·gam·ic**[-səgǽmik] *a.* 〔生〕 이형 접합(異形接合)의.
an·i·so·met·ric[ænàisəmétrik] *a.* **1** 부등(不等)의, 부동(不同)의; 부등곱의. **2** 〈결정체가〉 등축(等軸)이 아닌.
an·i·so·met·ro·pi·a[ænàisəmətróupiə, ænai-] *n.* 〔眼科〕(두 눈의) 굴절 부동(증), 부동시(不同視).
an·i·so·my·sin[ænaisoumáisin] *n.* 〔藥〕 아니소마이신《항(抗)트리코모나스 약》.
an·i·so·trop·ic[ænaisətrɑ́pik/-trɔ́p-] *a.* 〔化〕 이방성(異方性)의.
A·ni·ta[əní:tə] *n.* 여자 이름《Anna의 애칭》.
An·jou[ǽndʒu:] *n.* 앙주《프랑스 서부에 있던 옛 공국(公國)》.
An·ka·ra[ǽŋkərə, ɑ́:ŋ-] *n.* 앙카라《터키의 수도》.
an·ker[ǽŋkər] *n.* **1** 앙커《네덜란드·덴마크·러시아 등의 액량 단위; 약 10갤런》. **2** 1 앙커 들이 통.
ankh[æŋk] *n.* 〔이집트藝術〕 안사타〔앙크〕십자《고리 달린 T자형 십자; 생명의 상징》.
⁑**an·kle**[ǽŋkl] *n.* 발목(관절): twist〔sprain〕 one's ~ 발목을 삐다.
an·kle·bone[-bòun] *n.* 〔解〕 복사뼈.
an·kle-deep[-dí:p] *ad., a.* 발목까지 (올라오는).
ánkle sóck 《영》(발목까지 올라오는) 짧은 양말(《미》 anklet).
an·klet[ǽŋklit] *n.* **1** 발목 장식; 차꼬. **2** 《미》(여성·어린이용) 짧은 양말. **3** (복사뼈 위치에 가죽 띠가 달린) 여자〔어린이〕 구두.
an·ky·lose[ǽŋkilòus, -lòuz] *vt., vi.* 〈뼈 등〉 교착(膠着)시키다, 교착하다; 〈관절 등〉 경직되게 하다, 경직되다.
an·ky·lo·sis[æ̀ŋkəlóusis] *n.* Ⓤ 〔解〕 교착; 〔病理〕 관절 경직.
an·lace[ǽnlis] *n.* (끝이 가는 양날의 중세기의) 단검.
an·la·ge[ɑ́:nlɑ:gə, ǽn-] [G] *n.* (*pl.* **-gen**[-gən], ~**s**) **1** 〔生〕 원기(原基)(rudiment)《기관이 될 세포》. **2** 소질.
Ann[æn] *n.* 여자 이름《애칭 Annie, Nan, Nancy, Nanny, Nina》.
ann. annals; annual; annuities; annuity.
an·na[ɑ́:nə] *n.* 아나《인도·버마·파키스탄의 구화(舊貨), RUPEE의 1/16; 略: *a.*》.
An·na[ǽnə] *n.* 여자 이름《애칭 Anita, Ann, Anne, Annie, Nan, Nancy》.
An·na·bel, -belle[ǽnəbèl], **An·na·bel·la**[ænəbélə] *n.* 여자 이름.
Ánnabel Lée[-lí:] *n.* 아나벨 리《E.A.Poe의 동명(同名)의 시(1849)에 나오는, 해변의 왕국에 사는 아름다운 소녀》.
an·nal·ist[ǽnəlist] *n.* 연대기 편자(◇ ANALYST와는 동음 이의어).
an·nal·ist·ic[ænəlístik] *a.* 연대기(편자)의.
*****an·nals**[ǽnəlz] *n. pl.* **1** 연대기; 연사(年史)(history). **2** 사료(史料), 기록. **3** (때로 단수 취급)(학계 등의) 연보(年報).
An·nam[ənǽm] *n.* 안남(安南)《지금은 베트남의 일부》.
An·na·mese[ænəmí:z, -mí:s] *a.* 안남(사람·말)의. ― *n.* (*pl.* ~)**1** 안남 사람. **2** Ⓤ 안남 말.
An·na·mite[ǽnəmàit] *a., n.* =ANNAMESE.
An·nap·o·lis[ənǽpəlis] *n.* 아나폴리스《미국 Maryland주의 주도; 미국 해군 사관 학교 소재지》.
An·na·pur·na, An·a-[ænəpúərnə, -pə́:r-] *n.* **1** 〔힌두敎〕 SIVA의 배우(配偶) 여신(Devi). **2** 안나푸르나《히말라야 산맥 북부의 산》.
an·nates[ǽneits, ǽnits] *n. pl.* 〔가톨릭〕 성직 취임 후 첫 해의 수입《원래 로마 교황에 바쳤음》.
Anne[æn] *n.* 여자 이름.
an·neal[əní:l] *vt.* **1** 〈강철·유리 등을〉 달구었다가 천천히 식히다, 벼리다. **2** 〈정신을〉 단련하다. **~·ing** *n.* Ⓤ 가열 냉각, 벼림.
an·ne·lid[ǽnəlid] *n., a.* 〔動〕 환형(環形) 동물(의)《지렁이·거머리 등》.
An·nel·i·da[ənélədə] *n. pl.* 〔動〕 환형 동물문(門)《분류명》.
an·nel·i·dan[-dən] *a.* =ANNELID.
*****an·nex**[ənéks, æn-] [L] *vt.* **1** 부가하다, 첨부하다(add, append)(*to*): A protocol has been ~*ed to* the treaty. 그 조약에 의정서가 첨부되었다. **2** 〈영토 등을〉 합병하다: The

United States ~*ed* Texas in 1845. 미합중국은 1845년에 텍사스를 합병했다(=Texas was ~*ed to* the United States in 1845.) **3** (속성·수반물·결과로서) 부수〔동반〕시키다(*to*): Happiness is not always ~*ed to* wealth. 행복은 반드시 부에 따르는 것은 아니다. **4** 얻다(get), 손에 넣다(obtain); 《口》 훔치다(steal), 횡령〔착복〕하다(appropriate).
— [ǽneks, -iks] *n.* (*pl.* ~**·es**[-iz]) 부가물; 부록; (조약 등의) 부속 서류; (건물의) 부속 가옥, 별관, 별채, 증축 건물(*to*).
⟐ annexátion *n.*

an·nex·a·tion[æ̀nekséiʃən] *n.* **1** Ⓤ 부가, 첨가; (영토의) 합병. **2** 부가물, 부록, 부대물; 합병지. **~·ist** *n.* 영토 합병론자.

an·nexe *n.* 《영》 =ANNEX.

An·nie[ǽni] *n.* 여자 이름(Ann(e)의 애칭).

Ánnie Óak·ley 《미俗》 무료 입장권.

∗**an·ni·hi·late**[ənáiəlèit] [L] *vt.* **1** 전멸〔절멸, 근절〕시키다. **2** 무효로 하다; 무시하다; 〈법률을〉 폐지하다(annul). **3** 《口》 〈상대 등을〉 완패시키다, 압도하다. **4** 〈야심 등을〉 억누르다. **-la·to·ry**[-lətɔ̀:ri/-lèitəri] *a.*
⟐ annihilátion *n.*

∗**an·ni·hi·la·tion**[ənàiəléiʃən] *n.* Ⓤ 전멸, 절멸, 폐지.

annihilátion radiàtion 〔物〕 소멸 방사(선).

an·ní·hi·là·tive *a.* 전멸을 초래하는.

an·ní·hi·là·tor[-tər] *n.* 절멸〔섬멸〕자.

⁑**an·ni·ver·sa·ry**[æ̀nəvə́:rsəri] [L] *n.* (*pl.* **-ries**) (해마다 돌아오는) 기념일; 기념제, 〈몇〉 주년제, 주기(周忌): the 60th ~ of one's birth 환갑. — *a.* 예년의; 연제(年祭)의.

Anniversary Dày AUSTRALIA DAY의 옛 이름.

an·no ae·ta·tis su·ae[ǽnou-i:téitis-sjú:i:] [L =in the … year of his age] *ad.* (나이) …살 때에(略: aet., aetat.).

an·no Dom·i·ni[ǽnou-dɑ́mənài, -nì:, ɑ:n-] [L =in the year of our〔the〕 Lord] *ad.* 그리스도 기원 (후), 서기(略: A.D.): A.D. 2003 서기 2003년. (◇ 《미》에서는 2003 A.D.라고도 많이 씀(*cf.* B.C.)).

an·no mun·di[ǽnou-mʌ́ndai] [L =in the year of the world] *ad.* 천지 창조 이래, 세계 기원(후)(略: a.m., A.M.).

an·no·tate[ǽnətèit] *vt., vi.* 주석을 달다: an ~*d* edition 주석판. **-ta·tive**[-tiv] *a.*

an·no·ta·tion[-ʃən] *n.* Ⓤ,Ⓒ 주석, 주해(註解). **an·no·ta·tor**[-tər] *n.* 주석자.

★**an·nounce**[ənáuns] [L] *vt.* **1** 알리다, 고지〔발표〕하다, 공고〔공표〕하다; 전하다; 예고하다: (《Ⅲ (목)+전+명》) We have ~*d* her marriage to some friends only. 우리는 그녀의 결혼식을 몇몇 친구들에게만 알렸다/(《Ⅲ *that*(절)》) He ~*d* that all prisoners would be set free. 그는 모든 죄수들이 석방될 것이라고 발표했다. **2** 큰소리로 알리다: Dinner was ~*d.* 「식사 준비가 되었어요」라고 알렸다/The servant ~*d* Mr. and Mrs. Browns. 하인은 브라운 부처의 내방을 알렸다. **3** …임을 표시하다, 나타내다, 감지케 하다: A shot ~*d* the presence of the enemy. 한 발의 총소리로 적이 있다는 것을 알게 되었다/(《Ⅴ (목)+*to be*+명》) Her dress ~*s* her *to be* a nurse. 복장을 보아 그녀가 간호원이라는 것을 알 수 있다. **4** (라디오·텔레비전 등에서) 방송하다. — *vi.* **1** 아나운서로 일하다(*for, on*): He ~*s for* the private station. 그는 그 민간 방송국의 아나운서로 일하고 있다. **2** 《미》 입후보를 표명〔선언〕하다(*for*): He will ~ *for* governor. 그는 주지사로 입후보할 뜻을 표명할 것이다.
~·able *a.* ⟐ annóuncement *n.*

⁑**an·nounce·ment**[ənáunsmənt] *n.* Ⓒ,Ⓤ **1** 공고, 고시, 고지(告知), 포고. **2** 발표, 공표; 성명(서); 피로(披露): make an ~ of …을 공표하다. **3** 짧게 알리는 말, (라디오·텔레비전의) 커머셜. **4** (결혼식 등의) 청첩장, 정식 통지서. **5** 〔카드〕 가진 패를 보이기.

⁑**an·nounc·er**[ənáunsər] *n.* **1** 고지자, 발표자, 알리는 사람. **2** 아나운서, 방송원.

⁑**an·noy**[ənɔ́i] [L] *vt.* **1** 괴롭히다, 성가시게 굴다, 약오르게 하다: (《Ⅰ *be pp.*+전+명》) We were ~*ed* at〔about〕 the bad weather. 우리는 기후가 나빠서 괴로웠다/(《Ⅰ *be pp.*+전+명+전+*what*(절)》) I am ~*ed* with you for what you have done. 나는 네가 한 일에 대하여 괴롭다〔괘씸하다〕/(《Ⅱ *be pp.*+*to do*》) She was ~*d to* hear it. 그녀는 그것에 대한 이야기를 듣고 괴로워 했다. **2** (적을) 괴롭히다. **be 〔get〕 annoyed** 귀찮다, 애먹다; 화가나다 (*with* a person, *at*〔*about*〕 a thing). — *vi.* 불쾌하다, 얄밉다; 손해를〔타격을〕 입히다.
— *n.* 《古·詩》 =ANNOYANCE. ⟐ annóyance *n.*

∗**an·noy·ance**[ənɔ́iəns] *n.* **1** Ⓤ 성가심; 약오름. **2** 두통거리, 성가신 일. **put to annoyance** 괴롭히다; 괴로움을 끼치다. ⟐ annoy *v.*

∗**an·noy·ing**[ənɔ́iiŋ] *a.* 성가신, 지리한: How ~! 아이 귀찮아! **~·ly** *ad.*

⁑**an·nu·al**[ǽnjuəl] *a.* **1** 1년의, 1년에 걸치는. **2** 해마다의; 한 해 한 번씩의(yearly). **3** 〔植〕 일년생의. — *n.* **1** 연보, 연감(年鑑). **2** 《미》 졸업 앨범. **3** 1년생 식물. **hardy annual** 온실이 필요 없는 일년생 식물; 《익살》 해마다 겪는 귀찮은 일.

∗**an·nu·al·ly**[ǽnjuəli] *ad.* 매년, 1년에 한 번씩.

ánnual mèssage 《미》 연두 교서.

ánnual ríng 〔植·動〕 연륜, 나이테.

an·nu·i·tant[ənjú:ətənt] *n.* 연금받는 사람.

an·nu·it coep·tis[ǽnjuit-séptis, -sí:p-] [L] 신은 우리가 하는 일을 좋아하시니라(미국 국새(國璽) 뒷면의 표어).

an·nu·i·ty[ənjú:əti] *n.* (*pl.* **-ties**) **1** 연금, 연부금; 출자금: a life〔terminable〕 ~ 종신〔유기〕 연금/an ~ certain 〔保〕 확정 연금. **2** 연금 수령권; 연금 지불 의무.

an·nul[ənʌ́l] *vt.* (~**led;** ~**·ling**) **1** 무효로 하다, 〈명령·결의를〉 취소하다(cancel), 폐기하다. **2** 소멸시키다, 제거하다.

an·nu·lar[ǽnjələr] *a.* 고리 모양의; 환상(環狀)의. **~·ly** *ad.* 환상으로, 고리 모양으로.

ánnular eclípse 〔天〕 금환식(金環蝕).

an·nu·late, -lat·ed[ǽnjəlit, -lèit], [-lèitid] *a.* 고리의, 고리가 달린; 고리 모양의 무늬가 있는.

an·nu·la·tion[æ̀njəléiʃən] *n.* **1** Ⓤ 고리〔환(環)〕의 형성, 〔動〕 체환(體環) 형성. **2** 환상(環狀) 구조, 환상부.

an·nu·let[ǽnjəlit] *n.* **1** 작은 고리. **2** 〔建〕 고리 모양의 테 또는 띠(특히 Doric식 원기둥의).

an·nul·ment[ənʌ́lmənt] *n.* Ⓤ **1** 취소, 실효(失效), 폐. **2** (혼인의) 무효 선언. **3** 〔精神分析〕 (불쾌한 관념 등의) 소멸.

an·nu·loid[ǽnjəlɔ̀id] *a.* 환상(環狀)의.

an·nu·lose[ǽnjəlòus] *a.* 고리〔마디〕가 있는, 환상(環狀)의; 〔動〕 환상체의.

an·nu·lus[ǽnjələs] *n.* (*pl.* **-li**[-lài], ~**·es**) **1** 고리 띠, 고리. **2** 〔幾〕 환형(環形). **3** 〔天〕 금환(金環). **4** 〔植〕 환대(環帶)(고사리 무리의 홀씨주머니의); 〔動〕 체환(體環).

an·num[ǽnəm] [L =year] *n.* Ⓤ 연(年), 해. **per annum** 한 해에 〈얼마〉.
an·nun·ci·ate[ənʌ́nsièit] *vt.* 《古》 알리다.
an·nun·ci·a·tion[ənʌ̀nsiéiʃən] *n.* **1** Ⓤ,Ⓒ 《文語》 포고, 예고. **2** (the A-) **a** 〔基督敎〕 성수태 고지《천사 Gabriel이 성모 Maria에게 그리스도의 수태를 알린 일》. **b** 〔가톨릭〕 성모 영보 대축일(Lady Day)《3월 25일》.
an·nun·ci·a·tor[ənʌ́nsièitər] *n.* **1** 통고자, 예고자. **2** 호출 표시기(表示器)《부자가 울리면 그 방의 번호가 나타나는 장치》.
an·nus mi·ra·bi·lis[ǽnəs-hɔːríbələs] [L = year of wonders] *n.* (*pl.* ***an·ni mi·ra·bi·les*** [ǽnai-mərǽbəliːz]) 이상한 해, 사건이 많았던 해 《특히 영국에서 London의 큰불이나 페스트가 크게 유행한 1666년을 가리킴》.
an·o-[1] [ǽnou, éi-, -nə] 《연결형》「항문」의 뜻 (*cf.* ANUS).
an·o-[2] [ǽnou, -nə] *pref.* 「위: 위쪽」의 뜻: *ano*opsia 상향성 사시(斜視).
an·ode[ǽnoud] *n.* 〔電〕 **1** (전해조·전자관의) 양극(*opp.* cathode). **2** (축전지 등의) 음극.
an·o·dal, an·od·ic[ænóudl], [ænɑ́dik/-nɔ́d-] *a.*
ánode rày 〔物·化〕 양극선(陽極線).
an·od·ize[ǽnoudàiz] *vt.* 〔冶〕 〈금속을〉 양극 처리하다, 산화 피막이 생기게 하다.
an·o·dyne[ǽnoudàin] *a.* **1** 진통의. **2** 감정을 완화시키는. ── *n.* **1** 진통제. **2** 감정을 완화시키는 것.
an·oes·trous *n.* =ANESTROUS.
an·oes·trus[ænéstrəs, æníːs-] *n.* =ANESTRUS.
a·noi·a[ənɔ́iə] *n.* 정신 박약, 《특히》 백치.
***a·noint**[ənɔ́int] *vt.* **1** 〔基督敎〕 머리에 기름을 부어 신성하게 하다《종교적 의식으로서》. **2** 〈상처 등에〉 기름을 바르다: ~ the burn with ointment 덴 곳에 연고를 바르다. **the** (**Lord's**) **Anointed** 주의 기름 부음을 받은 자《그리스도》; 고대 유대의 왕; 신권(神權)에 의한 왕. **~·er** *n.* 기름 바르는 사람.
◇ anóintment *n.*
a·noint·ment[ənɔ́intmənt] *n.* Ⓤ 기름 부음; (약제 등의) 도포, 문질러 바름《*with*》; 〔基督敎〕 도유식(塗油式).
an·o·lyte[ǽnəlàit] *n.* 〔電·化〕 **1** 양극액(陽極液). **2** 애노드액(液)(anode).
a·nom·a·lism[ənɑ́məlìzəm/ənɔ́m-] *n.* **1** Ⓤ 변칙(성), 이상한 상태. **2** 예외, 이례(異例).
a·nom·a·lis·tic[ənɑ̀məlístik/ənɔ̀m-] *a.* **1** 보통과 다른; 예외의. **2** 〔天〕 근점(近點)의, 근일(近日)〔근지(近地)〕점의: an ~ month 〔year〕 근점월(月)〔년(年)〕.
anomalístic périod 〔宇宙〕 (인공 위성의) 근점 주기(近點周期)《근점 통과 후 다시 근점 통과할 때까지의 시간》.
a·nom·a·lous[ənɑ́mələs/ənɔ́m-] *a.* **1** 변칙의, 예외의, 이례(異例)의. **2** 변태적인, 파격적인. **3** 〔文法〕 변칙의. **~·ly** *ad.*
anómalous fínite 〔文法〕 변칙 정동사(定動詞)(be, have, do, shall, will, can, may의 과거형·현재형과 must, ought, need, dare, used 등 12종 (조)동사의 24어형).
anómalous wáter 〔化〕 중합수(重合水)(polywater).
a·nom·a·ly[ənɑ́məli/ənɔ́m-] *n.* (*pl.* **-lies**) Ⓤ,Ⓒ **1** 변칙, 예외, 이례; 변태; 예외적인 것〔사람〕; 〔生〕 이형(異形). **2** 〔天〕 근점 거리.
anom. fin. anomalous finite.
a·no·mi·a[ənóumiə] *n.* Ⓤ 〔精醫〕 건망성 실어증(失語症).
an·o·mie, -my[ǽnəmìː], [-mi] *n.* Ⓤ,Ⓒ 〔社會〕 사회〔도덕〕적 무질서.
an·o·mic[ənɑ́mik/ənɔ́m-] *a.*
a·non[ənɑ́n/ənɔ́n] *ad.* 《古》 곧, 이내. **ever and anon** 가끔, 때때로.
anon. anonymous.
an·o·nym[ǽnənìm] *n.* **1** 익명, 가명. **2** 익명자, 작자 불명의 저작(물).
an·o·nym·i·ty[æ̀nəníməti] *n.* Ⓤ 익명; 무명; 작자 불명; 개성의 결여; Ⓒ 정체 불명의 인물.
***a·non·y·mous**[ənɑ́nəməs/ənɔ́nə-] *a.* **1** 익명의; 작자 불명의 〈서적〉, 읊은 이 미상의 〈노래〉: remain ~ 이름을 밝히지 않고 있다. **2** 개성이 없는. **~·ly** *ad.* 익명으로. **~·ness** *n.* =ANONYMITY.
a·noph·e·les[ənɑ́fəlìːz/ənɔ́f-] *n.* (*pl.* ~) 《昆》 아노펠레스《말라리아 모기》.
-line[-láin, -lən] *a., n.*
a·no·rak[ǽnəræ̀k, ɑ́ːnərɑ̀ːk] *n.* 아노락《에스키모인들의 모피재킷》.
an·o·rec·tic, -ret·ic[æ̀nəréktik], [-rétik] *a.* 식욕이 없는, 식욕을 감퇴시키는. ── *n.* 식욕 감퇴제.
an·o·rex·i·a[æ̀nəréksiə] *n.* Ⓤ 〔精醫〕 **1** 식욕 감퇴. **2** 신경성 식욕 부진증.
anoréxia ner·vó·sa[-nəːrvóusə] 〔精醫〕 (사춘기 여성의) 신경성 무식욕증, 청춘기의 여위는 증세.
an·o·rex·ic[æ̀nəréksik] 〔醫〕 *a.* 식욕 부진의; 식욕을 감퇴시키는. ── *n.* 신경성 무식욕증 환자.
an·or·gas·tic[æ̀nɔːrgǽstik] *a.* 오르가즘을 얻지 못하는, 성불감증의.
an·or·thite[ænɔ́ːrθait/ənɔ́ː-] *n.* 〔鑛〕 회장석(灰長石)《사장석(斜長石)의 일종》.
an·os·mi·a[ænɑ́zmiə, ænɑ́s-/ænɔ́s-] *n.* Ⓤ 〔病理〕 후각(嗅覺) 상실(증).
★**an·oth·er**[ənʌ́ðər] *a.* **1** (단수 명사를 직접 수식하여) 또 하나〔한 사람〕의: I am going to stay ~ week. 1주일 더 묵겠습니다/Have ~ (cup〔glass〕). 한 잔 더 드십시오《◇ cup, glass를 없애고 대명사적으로 쓰는 편이 자연스런 표현》/~ Solomon 제 2의 솔로몬〔현인〕.
2 (수사와 함께) 다시〔또〕 …(개)의, 또 다른 …의: in ~ two weeks 또 2주일(이라는 기간이) 지나면/We've got ~ twelve days' journey. 12일 더 여행해야 한다《◇ '수사+복수 명사'를 한 덩어리로 생각하여 그 앞에 another를 씀; '수사+복수 명사'를 단수 취급하는 것이 보통이나 종종 복수 취급됨》.
3 다른, 딴, 별개의: Will you show me ~ kind of bag? 다른 종류의 가방을 보여주십시오/*Another* man than I might be satisfied. 나 이외의 사람이라면 만족할지도 모른다《◇ than을 쓰는 것이 원칙이나 from을 쓰는 이도 있음》/One man's meat is ~ man's poison. 《속담》 갑의 약은 을의 독, 사람마다 기호는 다른 법《◇ one과 대조적으로 썼음》.
another day (언젠가) 다음 날, 후일.
another place 딴 곳; 《영》 타원(他院)《하원에서는 '상원', 상원에서는 '하원'을 가리킴》.
another time 언젠가 다른 때에. **feel oneself another man** 생소한 기분이 들다. **in another moment** 다음 순간, 갑자기, 홀연.
── *pron.* **1** 또 다른 한 개, 또 다른 하나의 것, 또 다른 한 사람: distinguish one from ~ 어떤 것을 다른 것과 구별하다/He finished his beer and ordered ~. 그는 (주문한) 맥주

를 다 마시고 한 잔〔병〕을 더 주문했다. **2** 다른 것〔사람〕: I don't like this (book). Please show me ~. 이건〔이 책은〕 마음에 안 드니, 다른 것을 (하나) 보여 주십시오/It is one thing to promise, and ~ to perform. 약속하는 것과 실행하는 것은 다른〔별개의〕 것이다《one과 대조적으로 썼음》. **3** 그와 같은 것, 그와 같은 사람: "Liar !"—"You're ~!" 거짓말쟁이—너야 말로 거짓말쟁이다. **Ask another!** 《口》 당치 않은 소리 마라. **Ask me another!** 《口》 알 게 뭐야. **(from) one to another** 차례로. **just 〔like〕 another** 흔히 있는, 특별히 다를 바도 없는. **one after another** 차례차례, 잇따라, 연속하여. **one after the other** (두 개의 것〔두 사람〕이) 차례차례로. **one and another** 여러 종류의 사람(들). **one another** ⇨one *pron.* **one behind another** 세로로 줄지어. **one way or another** ⇨way. **such another** 그와 같은 사람〔물건〕, 같은 종류로 딴 것. **taking〔taken〕 one with another** 이것저것 생각해 보면, 전체적으로 보아. **Tell me another (one)!** 《口》 말도 안 돼, 거짓말 마. **You are another !** (1) ⇨*pron.* 3. (2) 《영口》 무슨 소리야《거의 뜻이 없는 반박》.

Á.N. Óther[éién-] 익명씨《another를 인명처럼 쓴 것》; 선수 미정《고려중인 출전 선수 이름 대신》.

an·oth·er-guess[-gès] *a.* 《古》 종류가 다른, 다른 모양의.

an·ov·u·lant[ænάvjulənt, ænóu-/ænɔ́v-] *n.* 배란(排卵) 억제제. — *a.* 배란 억제의.

an·ov·u·la·tion[ænɑvjuléiʃən] *n.* 〔生理〕 무배란, 배란 정지.

an·ov·u·la·to·ry[ænάvjulətɔ̀:ri, ænóu-/ænɔ́vjulətouri] *a.* 배란을 수반치 않는, 무배란(성)의; 배란을 억제하는.

an·ox·e·mi·a, -ae-[æ̀nɑksí:miə/æ̀nɔk-] *n.* Ⓤ 〔病理〕 무산소혈증.

an·ox·i·a[ænάksiə/ænɔ́k-] *n.* Ⓤ 〔病理〕 산소 결핍(증). **an·óx·ic**[-ik] *a.*

ANPA American Newspaper Publishers Association. 미국 신문 발행인 협회.

A.N.P.(P.) Aircraft Nuclear Propulsion (Program) 《미》 항공기 원자력 추진 계획.

anr. another. **ANS** Army News Service 육군보도반. **ans.** answer(ed). **A.N.S.** American Nuclear Society 미국 핵 학회.

An·schluss[ά:nʃlus] [G] *n.* 결합, 합병.

ANSCII American National Standard Code for Information Interchange 〔컴퓨터〕 미국 규격 협회 정보 교환용 표준 부호《원래는 ASCII》.

an·ser·ine[ǽnsəràin, -rin] *a.* 거위의, 거위 같은; 어리석은(silly).

ANSI American National Standards Institute 미국 규격 협회《1961년 이전은 American Standards Association》.

ANSP Agency for National Security Planning (한국) 국가 안전 기획부《1980년 12월, KCIA를 개편》.

★**an·swer**[ǽnsər, ά:n-] *n.* **1** 답, 대답, 회답, 응답《*to*》: get〔receive〕 an ~ 회답을 받다. **2** (문제의) 해답; (곤란한 사태에 대한) 해결(책), 대책. **3** 대응, 호응, 응수, 보복《*to*》. **4** 답변, 변명, 해명. **an answer to a maiden's prayer** 《俗》 남편으로 삼을만한 이상적인 (독신) 남자. **give〔make〕 an answer** 대답하다, 응답하다《*to*》. **in answer to** …에 답하여; …에 응하여. **know〔have〕 all the answers** (1) 머리가 좋다; 약삭빠르다. (2) 만사에 정통하다; 그 방면의 대가(大家)이다. **The answer is a lemon.** ⇨lemon.

— *vt.* **1** 〈사람 · 질문에〉 답하다: 《Ⅲ (목)+전+명》 She ~*ed* never a word *to* me. 그녀는 내게 한 마디의 대답도 안했다(=She ~*ed* never me a word.《Ⅳ 대+(목)》)/《Ⅳ 대+(목)》 Nobody could ~ me this question. 아무도 이 질문을 내게 대답할 수 없었다/《Ⅲ *that*(절)》 She ~*ed that* she would be happy to come. 그녀는 기꺼이 오겠다고 대답했다. **2** 〈노크 · 전화 등에〉 응하(여 나오)다; (요구에) 응하다, (소원을) 들어주다; (의무 · 채무 등을) 이행하다; (목적을) 이루다. **3** (손실 등을) 보상하다. **4** 〈비난 · 공격 등에〉 응수하다, 반론하다; …으로 보답하다: ~ blows *with* blows 주먹에는 주먹으로 응수하다/~ good *for* evil 악에 대해 선으로 보답하다. **5** …에 합치〔부합, 일치〕하다. **6** 〈문제 · 수수께끼 등을〉 풀다: ~ a problem〔riddle〕 문제〔수수께끼〕를 풀다.

— *vi.* **1** (대)답하다, 회답하다《*to*》: ~ with a nod 고개를 끄덕여 대답하다/~ *to* a question 〔a person〕 질문에〔…에게〕 답하다/《Ⅰ 부》 Who ~*ed* first? 누가 먼저 대답했는가/《Ⅰ 전+명》 He ~*ed* in English. 그는 영어로 대답했다. **2** 응하다, 응답하다《*to*》: 《Ⅰ 전+명》 The horse ~*ed* to its rider's touch. 그 말은 기수의 지시대로 움직였다. **3** 책임을 지다, 보증하다《*for*》: 《Ⅲ *v*I +전+(목)》 I can well ~ *for* truth of the story. 나는 그 이야기의 진실성을 충분히 보증할 수 있다. **4** 아쉬운 대로 도움이 되다, 쓸 만하다, 들어맞다《*for*》: ~ *for* the purpose 목적에 들어맞다. **5** 일치〔합치, 부합〕하다《*to*》: His features ~ *to* the description. 그의 용모는 그 인상서(人相書)와 일치한다. **6** 목적을 달성하다, 〈의도 등이〉 성공하다, 효과가 있다: His method has not ~*ed*. 그의 방법은 성공하지 못했다. **answer back** 《口》 말대꾸하다; 〔軍〕 복창하다. **answer for** …대신에 대답하다; …의 책임을 지다; …의 대가를 치르다; …을 보증하다. **answer for it that** …임을 보증하다. **answer the bell〔the door〕** 〈방문자를〉 응대하러 나가다. **answer the telephone** 전화를 받다. **answer to** …에 일치하다, 부합하다. **answer to the name of** Tom (톰)이라고 불려 대답하다; (톰)이라는 이름이다. **answer (to) the purpose of** …으로서의 구실을 다하다, …에 이바지하다. **answer up** 즉시 대답하다; 명확히 대답하다. **answer up to** …에게 대답하다; 척척〔거침없이〕 대답하다. **~·less** *a.* **~·less·ly** *ad.*

*****an·swer·a·ble**[ǽnsərəbəl, ά:n-] *a.* **1** 답할 수 있는. **2** 책임이 있는《*for*》: He is ~ (*to* me) *for* his conduct. 그는 (나에 대해) 그의 행위에 책임을 지지 않으면 안된다. **3** 《古》 해당할 만한, 적합한《*to*》. **-bly** *ad.*

an·swer·back[ǽnsərbæ̀k, ά:n-] *n.* 〔通信〕 응답《텔레타이프 · 컴퓨터의 자동 응답 장치로 송신되는 응답 신호》. — *a.* 응답의, 응답을 구성하는: a computer with ~ capability 응답 능력이 있는 컴퓨터.

ánswerback kèy 응답 키〔버튼〕.

an·swer·er[ǽnsərər, ά:n-] *n.* 회답〔해답〕자, 답변인.

an·swer·ing[ǽnsəriŋ, ά:n-] *a.* 응답〔대답〕의; 상응〔일치〕하는(corresponding)《*to*》.

ánswering machìne (부재시의) 전화 자동 응답기.

ánswering pénnant 〔海〕 응답기(應答旗)

《만국 선박 신호》.

ánswering sèrvice 《미》 (주인 부재시의) 전화 응답〔응대〕 대행업.

ánswer prìnt 〔寫〕 첫번째 프린트《2회 이후의 프린트를 위한 점검용》.

★**ant** [ænt] *n.* 개미(*cf.* TERMITE). **have ants in** one's **pants** 《口》 안절부절못하다, (무엇을 하고 싶어) 좀이 쑤시다.

an't [ænt, ɑːnt, eint/ɑːnt] =AIN'T.

ant- [ænt] *pref.* =ANTI-《모음이나 h 앞에 올 때의 변형》: *ant*acid.

-ant [ənt] *suf.* **1** (형용사어미) 「…성(性)의」의 뜻: malign*ant*; simul*ant*; pleas*ant;* defi*ant*. **2** (명사어미) 「…하는 사람〔것〕」의 뜻: serv*ant*; ; occup*ant;* stimul*ant*.

ant. antenna; antiquary; antonym.

an·ta [ǽntə] *n.* (*pl.* **-tae** [-tiː, -tai], **~s**) 〔建〕 벽끝의 기둥.

ANTA [ǽntə] American National Theater and Academy *n.* 미국 연극 아카데미.

An·ta·buse [ǽntəbjùːs, -z] *n.* 알코올에 싫증을 나게 하는 약, 술 끊는 약《상표명》.

ant·ac·id [æntǽsid] *a.* 산(酸)을 중화하는. ― *n.* 산 중화물, 제산제(制酸劑).

An·tae·an [æntíːən] *a.* 초인적인 힘을 가진; 매우 거대한《그리스 신화의 Antaeus 같은》.

An·tae·us [æntíːəs] *n.* 〔그神〕 안타이오스《바다의 신 Poseidon과 땅의 신 Gaea 사이에 태어난 거인》.

***an·tag·o·nism** [æntǽgənìzəm] *n.* Ⓤ 반대, 적대, 적의(敵意), 적개심, 반항심《*to, against, between, toward*》. **be in antagonism to** …와 적대〔대립〕하고 있다. **come into antagonism with** …와 반목하게 되다. **the antagonism between A and B** A와 B 사이의 반목. ⊕ antágonize *v.*

***an·tag·o·nist** [æntǽgənist] *n.* **1** 적대자, 경쟁자, 맞상대. **2** 〔解〕 길항근(拮抗筋). ⊕ antagonístic *a.*

an·tag·o·nis·tic [æntæ̀gənístik] *a.* **1** 반대의, 상반되는, 상극인, 대립하는: be ~ *to* religion 종교와 서로 상극이다. **2** 적대하는, 서로 용납될 수 없는, 사이가 나쁜《*to*》. **-ti·cal·ly** [-əli] *ad.* 반대〔적대, 반목〕하여.

an·tag·o·nize [æntǽgənàiz] *vt.* **1** 대항하다, 적대하다. **2** 반대〔대항〕시키다; 《미》 적으로 돌리다; …의 반감을 사다. **3** 《미》〈의안(議案)에〉 반대하다. **4** 중화하다, 상쇄하다; 반대로 작용하다.

ant·al·ka·li [æntǽlkəlài] *n.* (*pl.* **~(e)s**) 〔化〕 알칼리 중화제(中和劑)《보통 acid》.

ant·al·ka·line [æntǽlkəlàin, -lin] *n., a.* 알칼리 중화제(의).

An·ta·na·na·ri·vo [æ̀ntənæ̀nəríːvou] *n.* 안타나나리보《Madagascar의 수도; 구칭 타나나리브》.

ant·aph·ro·dis·i·ac [æ̀ntæfroudíziæk] *a.* 성욕을 억제하는. ― *n.* 제음제(制淫劑).

‡**ant·arc·tic** [æntɑ́ːr*k*tik] [Gk] *a.* (때로 **A-**) 남극의; 남극 지방의(*opp.* arctic). ― *n.* (the A-) **1** 남극 지방〔대륙〕. **2** 남빙양(南氷洋), 남극해(the Antarctic Ocean).

***Ant·arc·ti·ca** [æntɑ́ːr*k*tikə] *n.* 남극 대륙(the Antarctic Continent).

Antárctic Archipélago (the ~) 남극 열도《Palmer Archipelago의 별칭》.

Antárctic Círcle (the ~) 남극권(南極圈)(*opp.* Arctic Circle).

Antárctic Cóntinent (the ~) 남극 대륙 (Antarctica).

Antárctic Ócean *n.* (the ~) 남극해, 남빙양(南氷洋)(*opp.* Arctic Ocean).

Antárctic Península *n.* (the ~) 남극 반도.

Antárctic Póle (the ~) 남극(점)(the South Pole).

Antárctic Tréaty (the ~) 남극 조약.

Antárctic Zòne (the ~) 남극대(南極帶)《남극권 안의 지대》(*opp.* Arctic Zone).

An·tar·es [æntέəriːz] *n.* 〔天〕 안타레스《전갈자리의 주성; 붉은 일등성(星)》.

ánt bèar 〔動〕 큰개미핥기《남미산》.

ant·bird [ǽntbə̀ːrd] *n.* 〔鳥〕 개미잡이새《남미산》.

ánt còw 《昆》 진딧물.

an·te [ǽnti] *n.* **1** (보통 *sing*) 〔카드〕 (포커에서) 패를 돌리기 전에 태우는 돈. **2** 《미口》(사업 등의) 분담금, 자금. **raise**〔**up**〕 **the ante** 《口》 (1) 분담금〔자금〕을 인상하다. (2) (합의하기 위하여) 양보하다, (양보하여) 의견의 일치를 보다. ― *vt.* (**~(e)d; ~·ing**) **1** 〔카드〕〈위의 돈을〉 내다; 《미》 돈을 걸다. **2** 〈분담금을〉 내다, 치르다《*off, up*》. ― *vi.* 돈을 걸다〔태우다〕《*up*》; 《미口》 지불을 끝내다《*up*》.

an·te- [ǽnti] *pref.* 「앞(before)」의 뜻(*opp.* post-)《◇ ANTI-와는 뜻이 다름》.

ant·eat·er [ǽntìːtər] *n.* 〔動〕 개미핥기《남미산》.

an·te·bel·lum [æ̀ntibéləm] [L =before the war] *a.* 전쟁 전의(*opp.* postbellum)《◇ 문맥에 따라서, 세계 대전, 《영》 보어 전쟁, 《미》 남북 전쟁 전(前)을 말함》.

an·te·bra·chi·al [æ̀ntibréikiəl] *a.* 〔解〕 전박(前膊)의.

an·te·bra·chi·um [æ̀ntibréikiəm] *n.* (*pl.* **-chi·a** [-kiə]) 〔解〕 전박(前膊).

an·te·cede [æ̀ntəsíːd] *vt.* …에 선행하다; …보다 낫다.

an·te·ced·ence [æ̀ntəsíːdəns] *n.* Ⓤ **1** (순서·시간 등이) 앞섬, 선행, 선재(先在). **2** 〔天〕 (행성의) 역행(逆行).

an·te·ced·ent [æ̀ntəsíːdənt] [L] *a.* **1** 앞서는, 선행의; …보다 이전의(*to*). **2** 〔論〕 전제(前提)의, 가정의. ― *n.* **1** (보통 *pl.*) 전례. **2** 선행자, 선재자. **3** (*pl.*) 선조(ancestors). **4** 〔文法〕 (관계사의) 선행사. **5** 〔論〕 전항(前項). **6** 〔數〕 (비례의) 전항. **7** (*pl.*) a 경력, 이력, 신원: of shady ~s 전력이 수상한. **~·ly** *ad.* 앞서서, 전에; 추정적으로.

an·te·ces·sor [æ̀ntisésər] *n.* 《稀》 전임자, 전소유자.

an·te·cham·ber [ǽntitʃèimbər] *n.* (큰 방으로 통하는) 곁방, 대기실.

an·te·chap·el [ǽntitʃæ̀pəl] *n.* 예배당 전실(前室).

an·te·choir [ǽntikwàiər] *n.* Ⓤ (교회의) 성가대석 앞의 공간.

an·te·date [ǽntidèit] *vt.* **1** 〈날짜·시기·시대 등이〉 …보다 선행하다. **2** 〈편지·수표 등을 실제보다〉 앞의 날짜로 하다. **3** 앞당겨 추정하다. **4** 〈일을〉 빨리 발생시키다. **5** 고대하다. ― [∠-∠] *n.* 실제보다 앞선 날짜.

an·te·di·lu·vi·an [æ̀ntidilúːviən/-vjən] *a.* **1** (Noah의) 대홍수 이전의. **2** 《口》 태고의, 구시대적인. ― *n.* **1** 대홍수 이전의 사람〔동식물〕. **2** 아주 늙은 사람(old fogy), 시대에 뒤진 사람.

an·te·fix [ǽntifiks] *n.* (*pl.* **~·es, ~·a** [-ə]) 〔建〕 (처마 끝의) 장식 기와, 막새.

an·te·flex·ion [æ̀ntiflékʃən] *n.* Ⓤ 〔病理〕 (특히 자궁) 전굴(증).

ánt ègg 개미 알《사실은 번데기; 말려서 물고

기·새 등의 먹이로 씀).
an·te·lope[ǽntəlòup] *n.* (*pl.* ~, ~s)〔動〕 영양; Ⓤ 영양 가죽; ((미)) =PRONGHORN.
an·te·me·rid·i·an[æ̀ntimərídiən] *a.* 오전(중)의, 오전에 일어나는.
an·te me·rid·i·em[ǽnti-mərídiəm] [L = before noon] *a.* 오전(의) (*opp.* post meridiem)((略: a.m., A.M.[éi ém])): at 9 a.m. 오전 9시에.
an·te·mor·tem[æ̀ntimɔ́:rtəm] [L=before death] *a.* 죽기 전의.
an·te·mun·dane[æ̀ntimʌ́ndein] *a.* 천지 창조 이전의.
an·te·na·tal[æ̀ntinéitl] *a.* 출생〔출산, 탄생〕 전의. ── *n.* ((영)) 임신부 건강 진단(((미)) prenatal checkup).
antenátal tràining 태교.
‡an·ten·na[ænténə] [L] *n.* **1** (*pl.* ~s)((미))〔通信〕 안테나, 공중선(((영)) aerial). **2** (*pl.* -nae[-ni:])〔動〕 촉각, 더듬이, (달팽이의) 뿔.
anténna arrày 공중선〔안테나〕열(列), 빔 안테나(beam antenna).
anténna cìrcuit〔通信〕 안테나 회로.
an·ten·nal[ænténəl] *a.*〔動〕 촉각의.
an·ten·na·ry[ænténəri] *a.*〔動〕 촉각 (모양)의; 촉각이 있는.
anténna shòp 안테나 숍((상품·고객·지역의 정보 수집을 위해 메이커가 여는 직영 점포)).
an·ten·nate[ǽntənit, -nèit] *a.*〔動〕 촉각을 가진, 더듬이가 있는.
an·ten·nule[ænténju:l] *n.*〔動〕 (새우 등의) 작은 촉각.
an·te·nup·tial[æ̀ntinʌ́pʃəl] *a.* 결혼 전의.
an·te·or·bit·al[æ̀ntiɔ́:rbitəl] *a.*〔解〕 안와(眼窩)의; 눈 앞의.
an·te·par·tum[æ̀ntipɑ́:rtəm] *a.*〔醫〕 분만 전의.
an·te·pas·chal[æ̀ntipǽskəl] *a.* 부활절 이전의.
an·te·pen·di·um[æ̀ntipéndiəm] *n.* (*pl.* -di·a [-diə], ~s) (교회의) 제단의 앞장식(frontal).
an·te·pe·nult[æ̀ntipí:nʌlt, -pinʌ́lt/ǽntipinʌ́lt], **-pe·nulti·ma**[-pinʌ́ltəmə] *n.* 어미(語尾)에서 세 번째의 음절.
an·te·pen·ul·ti·mate[æ̀ntipinʌ́ltəmit] *a.* 어미에서 세번째 음절의; 끝에서 세번째의. ── *n.* =ANTEPENULT.
an·te·po·si·tion[æ̀ntipəzíʃən] *n.* Ⓤ〔文法〕 보통 뒤에 두는 말을 앞에 두는 일, 정상 어순의 역.
an·te·post[æ̀ntipóust] *a.*〔競馬〕 경쟁마의 번호가 게시되기 전에 내기를 하는.
an·te·pran·di·al[æ̀ntiprǽndiəl] *a.* 식사 전의(*opp.* postprandial).
***an·te·ri·or**[æntíəriər] [L] *a.* (*opp.* posterior) ((文語)) **1** (때·사건) 전의, 먼저의((*to*)). **2** (장소·위치) 앞의, 전방의. **~·ly** *ad.* 전에, 먼저, 앞에. ◈ anterióríty *n.*
an·te·ri·or·i·ty[æntì:riɔ́:rəti, -ɑ́r-/-tìəriɔ́r-] *n.* Ⓤ 전〔앞, 먼저〕임, 선재(先在), 앞선 시간〔위치〕.
an·te·room[ǽntirù:m, -rùm] *n.* **1** 곁방, 입구의 작은 방. **2** 대기실.
an·te·ro·pos·te·ri·or[æ̀ntəroupɑstíəriər/-pɔs-] *a.* 전후 방향의, 복배(腹背)의.
an·te·type[ǽntitàip] *n.* 원형(原型).
ánt flỳ 날개미.
anth-[1] [ænθ] *pref.* =ANTI-((h 음(音) 앞에 올 때의 변형)).
anth-[2] [ænθ], **antho-**[ǽnθou] ((연결형)) 「꽃(과 같은)」의 뜻((모음 앞에서는 anth-[2])).
An·the·a *n.* 여자 이름.
ánt hèap 개밋둑(anthill).
ant·he·lion[ænthí:liən, ænθí:li-] *n.* (*pl.* -li·a [-liə], ~s)〔氣〕 의일륜(擬日輪), 반대 환일(幻日)((태양과 정반대 위치의 구름〔안개〕에 나타나는 광점(光點))).
ant·hel·min·tic[æ̀nθelmíntik] *a.*〔藥〕 구충(驅蟲)의. ── *n.* 구충제, 회충약.
‡an·them[ǽnθəm] *n.* **1** 성가, 찬송가. **2** ((文語)) 축가, 송가(頌歌). **a national anthem** 국가(國歌). **the Royal Anthem** 영국 국가. ── *vt.* 성가〔축가〕를 부르며 축하하다.
an·the·mi·on[ænθí:miən] *n.* (*pl.* -mi·a[-miə])〔裝飾〕 인동 무늬((인동덩굴을 도안화한 일종의 당초 무늬)).
an·ther[ǽnθər] *n.*〔植〕 꽃밥, 약(葯).
an·ther·al[ǽnθərəl] *a.* 약(葯)의, 꽃밥의.
ánther dùst 꽃가루, 화분(花粉)(pollen).
an·ther·id·i·um[æ̀nθərídiəm] *n.* (*pl.* -i·a [-iə])〔植〕 웅기(雄器), 장정기(藏精器)((고사리 등의)).
an·the·sis[ænθí:sis] *n.* Ⓤ〔植〕 개화(기), ((특히)) 수술의 성숙.
ant·hill[ǽnthìl] *n.* **1** 개밋둑, 개미집. **2** 많은 사람이 늘 붐비는 거리〔건물〕.
an·tho·car·pous[æ̀nθəkɑ́:rpəs] *a.*〔植〕 가과(假果)의: ~ fruits 가과, 부과(副果).
an·tho·log·i·cal[æ̀nθəlɑ́dʒikəl/-lɔ́dʒ-] *a.* 시집의, 명시 선집의, 명문집의.
an·thol·o·gize[ænθɑ́lədʒàiz/-θɔ́l-] *vt.* 명시 선집을 편찬하다. ── *vi.* 명시 선집에 수록하다.
***an·thol·o·gy**[ænθɑ́lədʒi/-θɔ́l-] *n.* (*pl.* -gies) **1** 명시 선집, 시집, 명문집. **-gist** *n.* 명시선〔명문집〕 편집자.
An·tho·ny[ǽntəni, -θə-] *n.* **1** 남자 이름((애칭 Tony)). **2** (St. ~) (성) 안토니오(250?-355?)((돼지 치는 사람의 수호신)). **3** 앤소니 Susan B(rowell) ~((미국의 여성참정권·노예 제도 폐지 운동가(1820-1906))).
Ánthony Dóllar ((미)) 안토니화(貨)((1979년 7월에 발행된 1달러 경화(硬貨); S.B. Anthony의 초상이 있음)).
an·tho·phore[ǽnθəfɔ̀:r] *n.*〔植〕 화피 간주(花被間柱)((꽃받침과 꽃잎 사이의 자루)).
an·tho·tax·y[ǽnθətæ̀ksi] *n.* Ⓤ〔植〕 꽃차례, 화서(花序).
An·tho·zo·a[æ̀nθəzóuə] *n. pl.*〔動〕 산호충 무리((산호·말미잘 등)). **-an**[-n] *a., n.* 산호충 무리의 (동물).
an·thra·cene[ǽnθrəsì:n] *n.* Ⓤ〔化〕 안트라센(alizarin의 원료).
an·thra·ces *n.* ANTHRAX의 복수.
an·thra·cite[ǽnθrəsàit] *n.* Ⓤ 무연탄(=∠ **còal**). ◈ anthracític *a.*
an·thra·cit·ic[-sítik] *a.* 무연탄의〔같은〕.
an·thra·cit·ous[-sàitəs] *a.* 무연탄을 함유하는.
an·thrac·nose[ænθrǽknous] *n.*〔植〕 탄저병(炭疽病).
an·thra·coid[ǽnθrəkɔ̀id] *a.* 탄저병 같은, 비탈저(脾脫疽) 같은.
an·thran·i·late *n.*〔化〕 안트라닐산 염〔에스테르〕.
an·thra·níl·ic ácid〔化〕 안트라닐산((염료 합성 원료·의약품·향료용)).
an·thrax[ǽnθræks] *n.* (*pl.* -thra·ces[-θrəsì:z])〔病理〕 탄저병, 비탈저(脾脫疽).
anthrop. anthropological; anthropology.

an·thro·pho·bi·a[ænθrəfóubiə] *n.* 〔精醫〕 대인(對人) 공포증.
an·throp·ic, -i·cal[ænθrάpik/-θrɔ́p-], [-əl] *a.* 인류의; 인류 시대의; 인류 발생[발달]론의.
an·thro·po-[ǽnθrəpou] 《연결형》「사람; 인류; 인류학」의 뜻.
an·thro·po·cen·tric[ænθrəpouséntrik] *a.* 인간 중심의 〈사상, 관점 등〉.
an·thro·po·cen·tric·ism[ænθrəpouséntrisizm], **-trism**[-trizm] *n.* 인간 중심주의.
an·thro·po·gen·e·sis[ænθrəpoudʒénəsis] *n.* Ⓤ 인류 발생[기원]론.
an·thro·po·gen·ic[ænθrəpoudʒénik] *a.* 인류 발생(론)의; 〔生態〕 인위 개변(人爲改變)의.
an·thro·pog·e·ny[ænθrəpάdʒəni/-pɔ́dʒi-] *n.* =ANTHROPOGENESIS.
an·thro·pog·ra·phy[ænθrəpάgrəfi/-pɔ́g-] *n.* Ⓤ 인류지(人類誌).
an·thro·poid[ǽnθrəpɔ̀id] *a.* **1** 〈동물이〉 사람을 닮은. **2** 〈사람이〉 유인원 같은. ── *n.* 유인원(類人猿)(=∠ **àpe**).
an·thro·poi·dal[-dl] *a.* 유인원의[같은].
an·thro·po·lite, -lith[ænθrάpəlàit/-θrɔ́p-] *n.* Ⓤ 인체 화석.
an·thro·po·log·i·cal[ænθrəpəlάdʒikəl/-lɔ́dʒ-], **-ic**[-ik] *a.* 인류학의. **-i·cal·ly** *ad.*
***an·thro·pol·o·gy**[ænθrəpάlədʒi/-pɔ́l-] *n.* Ⓤ 인류학: cultural ~ 문화 인류학. **-gist** *n.* 인류학자.
an·thro·po·met·ric, -ri·cal[ænθrəpəmétrik, -rikəl] *a.* 인체 측정학의.
an·thro·pom·e·try[ænθrəpάmətri/-pɔ́mi-] *n.* Ⓤ 인체 측정학.
an·thro·po·mor·phic[ænθrəpəmɔ́:rfik] *a.* 의인화[인격화]된, 사람의 모습을 닮은.
an·thro·po·mor·phism[ænθrəpəmɔ́:rfizəm] *n.* Ⓤ **1** 의인화, 인격화. **2** 신인(神人) 동형 동성론. **3** 의인관(擬人觀), 의인주의. **-phist** *n.* 신인 동형 동성론자.
an·thro·po·mor·phize[-faiz] *vt.* 〈신을〉 인격화하다, 의인화(擬人化)하다.
an·thro·po·mor·phous[-fəs] *a.* 사람 모양을 한.
an·thro·poph·a·gi[ænθrəpάfədʒài/-pɔ́fəgài] *n. pl.* (*sing.* **-gus**[-gəs]) 식인종(cannibals).
an·thro·poph·a·gous[-gəs] *a.* 사람 고기를 먹는, 식인의.
an·thro·poph·a·gy[-dʒi] *n.* Ⓤ 사람을 잡아 먹는 풍습.
an·thro·pos·o·phy[ænθrəpάsəfi/-pɔ́s-] *n.* **1** 인지(人知); 인간성에 대한 지식. **2** 〔哲〕 인지학(人知學)《R. Steiner(1861-1925)가 주창한, 인식의 중심에 신이 아니라 인간을 두는 정신 운동》.
an·thro·pot·o·my[ænθrəpάtəmi/-pɔ́t-] *n.* Ⓤ 인체 해부(학).
an·thro·po·zo·ol·o·gy[ænθrəpəzouάlədʒi/-ɔ́l-] *n.* 인류 동물학《인간을 동물계의 일종으로 봄》.
an·ti[ǽnti, -tai] 《口》 *n.* (*pl.* **~s**) 반대(론)자(*opp.* pro), 반대물, 《미》 여성 참정권 반대론자. ── *a.* 반대 (의견)의.
an·ti-[ǽnti, -tai] *pref.* 「반대, 적대, 대항, 배척」의 뜻(*opp.* pro-)《◇ 고유 명사·형용사의 앞, 모음 i, 때로는 다른 모음 앞에서는 hyphen(-)을 씀: *anti*-British/*anti*-imperialistic: ANTE-와는 다른 말임》.
an·ti·a·bor·tion[æntiəbɔ́:rʃən, -tai-] *a.* 인공 임신 중절에 반대하는. **~ìsm** *n.* **~ist** *n.*

antiabórtion mòvement 《미》 임신 중절 반대 운동.
an·ti·ag(e)·ing[æntiéidʒiŋ, -tai-] *a.* 노화(老化) 방지.
an·ti·air[æntiέər, -tai-] *a.* 《口》 =ANTIAIRCRAFT.
an·ti·air·craft[æntiέərkræft, -krὰ:ft, æntai-] *a.* 방공(防空)(용)의: an ~ **gun** 고사포. ── *n.* (*pl.* ~) **1** 고사포; 대공(對空) 화기. **2** Ⓤ 대공 포화[사격].
antiáircraft báttery 〔軍〕 대공(對空)부대; (군함) 함상의 전(全)대공 포화.
an·ti·al·co·hol·ism[æntiǽlkəhɔ:lìzəm, -tai-] *n.* 과음 반대, 절주; 금주.
an·ti·a·lien *a.* 배외적(排外的)인, 배타적인.
an·ti·al·ler·gic[æntiələ́:rdʒik, -tai-] 〔免疫〕 *a.* 항(抗)알레르기성(性)의. ── *n.* 항알레르기성 물질, 《특히》 항히스타민제.
an·ti-A·mer·i·can[æntiəmérikən, -tai-] *a.* 반미의. ── *n.* 미국 방침[정책]에 반대하는 사람.
an·ti·an·ti·bod·y[æntiǽntibὰdi, æntai-] *n.* 〔免疫〕 항항체(抗抗體).
an·ti·anx·i·e·ty[æntiæŋzáiəti, -tai-] *a.* 〔醫〕 항(抗)불안성의: ~ **drugs** 항불안제.
an·ti·art[æntiά:rt, -tai-] *n.* Ⓤ, *a.* 반(反)예술(의).
an·ti·au·thor·i·tar·i·an[æntiəθɔ̀:rətέəriən, -tai-] *a.* 반(反)권위주의의. **~·ìsm** *n.*
an·ti·au·thor·i·ty[æntiəθɔ́:rəti, -tai-] *a.* 반(反)권위의.
an·ti·bac·chi·us[æntibəkáiəs] *n.* 〔韻〕 역(逆)버카이어스격(格)《장장단격(－－∪) 또는 강강약격(∠∠×)》.
an·ti·bac·te·ri·al[æntibæktíəriəl] *a.* 항균성의.
an·ti·bal·lis·tic[æntibəlístik] *a.* 대(對)탄도 미사일의.
antiballístic míssile 미사일 요격용 미사일(略: ABM).
an·ti·bi·o·sis[æntibaióusis, -tai-] *n.* Ⓤ 〔生化〕 항생(抗生) 작용.
an·ti·bi·ot·ic[æntibaiάtik, -tai-/-ɔ́t-] 〔生化〕 *a.* 항생 (작용)의, 항생 물질의. ── *n.* 항생 물질; (*pl.* 단수 취급) 항생 물질학. **-i·cal·ly** *ad.*
an·ti·black[æntiblǽk, -tai-] *a.* 흑인에 적대적인, 반(反)흑인의. **~ism** *n.* 흑인 배척주의.
an·ti·blast·ic[æntiblǽstik, -tai-] *a.* 세균 발육 억제성의, 항(抗)세균 발육성의.
an·ti·bod·y[ǽntibὰdi/-bɔ̀di] *n.* (*pl.*-**bodies**) 〔免疫〕 항독소(抗毒素), (혈액 중의) 항체(抗體).
an·ti·bus·ing[æntibʌ́siŋ, -tai-] *a.* 버스 통학을 반대하는《흑인·백인의 공학을 촉진하기 위한 버스 수송에 반대하는》.
antibúsing mòvement 《미》 강제 버스 통학 반대 운동.
an·tic[ǽntik] *a.* 색다른, 이상 야릇한, 괴상한; 《古》 익살스러운. ── *n.* (보통 *pl.*) 익살스러운 몸짓; 《古》 익살꾼. **play antics** 익살을 부리다. **án·ti·cal·ly** *ad.*
an·ti·can·cer[æntikǽnsər, -tai-] *a.* 항암성의.
an·ti·cat·a·lyst[æntikǽtəlist, -tai-] *n.* 〔化〕 **1** 항촉매《반응 속도를 느리게 하는 촉매》. **2** 촉매독《촉매 작용을 방해하는 물질》.
an·ti·cath·ode[æntikǽθoud, -tai-] *n.* 〔電〕 (X선관의) 대음극(對陰極); (진공 방전관의) 양극.

an·ti-Cath·o·lic[æ̀ntikǽθəlik, -tai-] *a.* 반(反)천주교주의의.
an·ti·chlor[ǽntiklɔ̀ːr] *n.* 〔化〕 염소 제거제.
an·ti·christ[ǽntikrὰist] *n.* **1** 그리스도의 적; 그리스도 반대자. **2** (**A-**) 적(敵)그리스도.
an·ti·chris·tian[æ̀ntikrístʃən, -tai-/æ̀nti-krístjən] *a.* 기독교에 반대하는. ── *n.* 기독교 반대자.
an·tic·i·fla·tion[æntìsəfléiʃən] *n.* 〔經〕 앤티시플레이션《인플레 압력의 발생을 예상한 물가·임금·소비 지출의 상승》.
an·tic·i·pant[æntísəpənt] *a.* 앞을 내다보는; 예기하는, 기대하는; 앞서는《*of*》. ── *n.* =ANTICIPATOR.
an·tic·i·pate[æntísəpèit] *vt.* **1** 예기하다, 예상〔예지, 예견, 기대〕하다《◇ expect가 일반적》(⇨want); 고대하다; 앞질러 걱정하다, 〈좋지 않은 일을〉 예상하다:《Ⅲ *that*(절)》I ~*d that* it would rain. 비가 오리라고 예상했다/《Ⅲ *ing*》I ~ see*ing* him soon. 나는 그를 곧 만나게 되기를 기대하고 있다《◇ expect와 달리 ~ *to* do를 쓰면 틀림》. **2** 앞질러 하다〔처리하다〕;(다음 달 봉급을 예상하고) 미리 쓰다; 〈부채 등을〉 기한 전에 갚다: You should not ~ your income. 수입이 있으리라 예상하고 미리 써서는 안된다. **3** 〈상대편을〉 앞서다, 선손을 쓰다; 앞지르다: We ~*d* the enemy's move. 우리는 적의 기선을 제압했다. **4** 〈파멸 등을〉 재촉하다: ~ one's ruin 파멸을 재촉하다. **anticipate** a person's **desires**〔**wishes**〕 …의 욕구〔소망〕를 알아차리고 들어주다, …의 가려운 곳을 긁어주듯 돌보아 주다. **anticipate the worst** 최악의 경우를 각오하다. **I anticipated as much.** 그렇게 될 줄 알았다. ── *vi.* 넘겨짚다, 예상하다; 〈증후 등이〉 예상보다 빨리 나타나다. ◈ anticipátion *n.*; antícipant, antícipative, antícipatory *a.*
an·tic·i·pa·tion[æntìsəpéiʃən] *n.* Ⓤ **1** 예기(豫期), 예상, 예견, 기대. **2** 선손 쓰기; 앞당겨 함; 앞당겨 씀, 앞지름, 선취(先取). **3** 〔樂〕 선행음, 앞선음; 〔醫〕 전구(前驅) 증상; 〔修〕 = PROLEPSIS; 〔法〕 기한전 양도〔사용〕. **in anticipation** 미리. **in anticipation of** …을 예상〔기대〕하고. **Thanking you in anticipation.** 청허하여 주시길 앙망합니다《부탁 편지 등의 끝맺는 말》. ◈ antícipate *v.*; antícipative, antícipatory *a.*
an·tic·i·pa·tive[æntísəpèitiv] *a.* 예상한, 선수를 치는, 선제적인; 기대에 찬. **~·ly** *ad.* 예상하고, 앞질러, 미리.
an·tic·i·pa·tor[æntísəpèitər] *n.* 예상자, 예기하는 사람; 선손을 쓰는 사람.
an·tic·i·pa·to·ry[æntísəpətɔ̀ːri, -tòu-] *a.* **1** 예상〔예기〕하고서의, 예상하고〔앞질러〕 하는. **2** 〔文法〕 선행하는. **an·tìc·i·pa·tó·ri·ly** *ad.*
an·tick *a.* 《古》 모양이 이상한, 괴기한(antic).
an·ti·cler·i·cal[æ̀ntiklérikəl] *a.* (공사(公事)에 대한) 교권(敎權) 개입에 반대하는. **~·ism** *n.* 교권 반대.
an·ti·cli·mac·tic[æ̀ntiklaimǽktik] *a.* 점강적(漸降的)인. **-ti·cal·ly** *ad.*
an·ti·cli·max[æ̀ntikláimæks] *n.* **1** Ⓤ 〔修〕 점강법(漸降法), 어세(語勢)〔문세(文勢)〕 점락(漸落)(*opp.* climax). **2** 용두 사미.
an·ti·cli·nal[æ̀ntikláinl] *a.* **1** 〔地質〕 배사(背斜)의(*opp.* synclinal). **2** 서로 반대쪽으로 경사진.
an·ti·cline[ǽntiklàin] *n.* 〔地質〕 배사층.
an·ti·clock·wise[æ̀ntiklάkwàiz, -tai-/æ̀nti-klɔ́k-] *a., ad.* =COUNTERCLOCKWISE.
an·ti·co·ag·u·lant[æ̀ntikouǽgjələnt] *a., n.* 〔醫〕 (혈액의) 응고를 방해하는 (물질).
an·ti·co·don[æ̀ntikóudɑn/-dɔn] *n.* 〔生化〕 대응(對應) 코돈.
an·ti-Com·mu·nism *n.* Ⓤ 반공(산)주의.
an·ti-Com·mu·nist[æ̀ntikάmjunist/-kɔ́m-] *a.* 반공(反共)의. ── *n.* 반공주의자.
an·ti·con·vul·sant[æ̀ntikənvʌ́lsənt, -tai-] 〔醫〕 *a.* 경련 방지의, 경련 억제 효과가 있는. ── *n.* 경련 방지〔억제〕제, 진경제(鎭痙劑).
an·ti·cor·ro·sive[æ̀ntikəróusiv, -tai-] *a.* 방식(防蝕)의. ── *n.* 방식제.
an·ti·crime[ǽntikrὰim] *a.* 방범(防犯)의.
an·ti·crop[æ̀ntikrάp, -tai-/æ̀ntikrɔ́p] *a.* 〈화학 병기 등이〉 농산물을 해치는, 곡류 고사(枯死)용의.
an·ti·cy·clone[æ̀ntisáikloun, -tai] *n.* 〔氣〕 역(逆)선풍; 고기압(권).
an·ti·cy·clon·ic[æ̀ntisaiklάnik, -tai-/æ̀n-tisaiklɔ́n-] *a.* 역선풍의; 고기압성의.
an·ti·dem·o·crat·ic[æ̀ntideməkrǽtik,-tai-] *a.* 반(反)민주주의의.
an·ti·de·pres·sant[æ̀ntidiprésənt, -tai-] 〔藥〕 *a.* 항울성(抗鬱性)의. ── *n.* 항울제.
an·ti·diph·the·rit·ic[æ̀ntidifθərítik, -tai-] 〔藥〕 *a.* 항(抗)디프테리아성의. ── *n.* 항(抗)디프테리아제.
an·ti·dis·crim·i·na·tion[æ̀ntidìskrimənéiʃən] *n., a.* 인종 차별 반대(의).
an·ti·di·u·rét·ic hórmone 〔生化〕 항이뇨(抗利尿) 호르몬《略: ADH》.
an·ti·dot·al[æ̀ntidóutl] *a.* 해독의.
an·ti·dote[ǽntidòut] *n.* 해독제; 교정 수단(矯正手段), 대책《*to, for, against*》.
an·ti-draft[æ̀ntidrǽft] *a.* 징병 반대의: an ~ activist 징병 반대 운동가.
an·ti·drug[æ̀ntidrʌ́g, -tai-] *a.* 마약 사용을 반대하는, 반(反)마약의, 마약 방지의.
an·ti·dump·ing[æ̀ntidʌ́mpiŋ, -tai-] *a.* (외국 제품의) 덤핑〔해외 투매(投賣)〕 방지를 위한.
an·ti·e·lec·tron[æ̀ntiiléktrɑn, -tai-/-trɔn] *n.* 〔物〕 =POSITRON.
an·ti·e·met·ic[æ̀ntiimétik, -tai-] 〔藥〕 *a.* 구토 방지〔억제〕 작용의. ── *n.* 구토 방지〔억제〕제.
an·ti·es·tab·lish·ment[æ̀ntiestǽbliʃmənt, -tai-] *a.* 반체제(反體制)의.
an·ti·es·tab·lish·men·tar·i·an[æ̀ntiestæbliʃməntέəriən, -tai-] *n.* 반체제주의자.
an·ti-Eu·ro·pe·an[æ̀ntijùərəpíːən, -tai-] *a.* 서유럽의(사회·문화·경제적) 통합 반대의; 영국의 EC가맹 반대의; 반(反)유럽의. ── *n.* 서유럽 통합 반대론자; 영국의 EC가맹 반대론자; 반유럽주의자.
an·ti·feb·rile[æ̀ntifíːbrəl, -tai-, -féb-] *a.* 해열(解熱)의, 해열에 잘 듣는. ── *n.* 해열제.
an·ti·fed·er·al[æ̀ntifédərəl, -tai] *a.* 연방주의(聯邦主義)에 반대하는. **~·ìsm** *n.* Ⓤ 반(反)연방주의. **~·ist** *n.* 반연방주의자.
an·ti·fe·male[æ̀ntifíːmeil, -tai-] *a.* 여성에 적대적인.
an·ti·fem·i·nist[æ̀ntifémənist, -tai-] *a.* 남성 상위의, 반(反)여권 확장주의의. ── *n.* 남성 상위주의자. **-nìsm** *n.*
an·ti·fer·til·i·ty[æ̀ntifəːrtíləti, -tai-] *a.* 불임의; 피임(용)의: ~ agents 피임약.
an·ti·for·eign·ism[æ̀ntifɔ́ːrənìzəm, -tai-, -fάr-/æ̀ntifɔ́r-] *n.* Ⓤ 배외 주의(排外主義), 배외 사상.
an·ti·form[æ̀ntifɔ́ːrm, -tai-] *a.* 〔美〕 반정형(反定型)의, 전위적인.

an·ti·foul·ing[æ̀ntifáuliŋ, -tai-] *n.* 오염 방지 페인트《배 밑바닥에 동식물이 부착되는 것을 막는 유독 도료》.
an·ti·freeze[ǽntifrì:z] *n.* **1** 부동액(不凍液). **2** 《미俗》 헤로인(heroin).
an·ti·fric·tion[æ̀ntifríkʃən, -tai-] *n.* 감마재(減摩材), 윤활재. ── *a.* 마찰을 감소시키는.
an·ti·fun·gal[æ̀ntifʌ́ŋgəl, -tai-] 〔藥·生化〕 *a.* 항진균성(抗眞菌性)의, 항균의, 살균용의. ── *n.* 항진균제〔물질, 인자〕.
an·ti-g[æ̀ntidʒí:, -tai-] *n.* =ANTI-G SUIT.
an·ti·gas[ǽntigǽs] *a.* 방독(防毒)용의.
an·ti·gen[ǽntidʒən] *n.*〔生化〕 항원(抗原).
an·ti·gen·ic[æ̀ntidʒénik] *a.*〔生化〕 항원의. **-i·cal·ly** *ad.*
An·tig·o·ne[æntígəni:] *n.* 〔그神〕 안티고네《Oedipus의 딸》.
an·ti·gov·ern·ment[æ̀ntigʌ́vərnmənt, -tai-] *a.* 반정부적인.
an·ti·grav·i·ty[æ̀ntigrǽvəti, -tai-] *n.* Ⓤ 반중력(反重力). ── *a.* 반중력의.
an·ti·grop·e·los[æ̀ntigrápələs, -làs, -lòus] *n.* (*pl.* ~) 방수(防水) 각반.
an·ti-Ǵ sùit 〔空〕 내중력복(耐重力服), 내가속도복.
An·ti·gua and Bar·bu·da[-ənd bɑ:rbú:də] *n.* 앤티가 바부다《카리브해 동부의 독립국; 수도 St. Johns》.
an·ti·hel·i·cop·ter[æ̀ntihélikàptər/-kɔ̀p-] *a.* 〔軍〕 대(對)헬리콥터용의: ~ weapon 대(對)헬리콥터용 무기.
an·ti·he·lix[æ̀ntihí:liks, -tai-] *n.* (*pl.*-**hel·i·ces**[-héləsì:z], ~·**es**) 〔解〕 대이륜(對耳輪).
an·ti·he·ro[ǽntihì:rou, -tai-] *n.* (*pl.* ~**es**) (문학 작품의) 주인공답지 않은 주인공; 반영웅(反英雄). **àn·ti·he·ró·ic**[-hiróuik] *a.*
an·ti·hi·jack·ing[æ̀ntiháidʒækiŋ] *a.* 하이잭 방지의, 비행기의 공중 납치 방지의.
an·ti·his·ta·mine[æ̀ntihístəmì:n] *n.* Ⓤ,Ⓒ 〔藥〕 항(抗)히스타민제(劑)《감기·알레르기 치료제》. **-hìs·ta·mín·ic**[-hìstəmínik] *a.*
an·ti·hu·man[æ̀ntihjú:mən, -ju:-, -tai-] *a.* 인간에 반항하는; 〔生化·醫〕 항인(抗人)의: ~ serum 항인 혈청.
an·ti·ic·er[æ̀ntiáisər] *n.* 〔空〕 방빙(防氷)장치.
an·ti-im·pe·ri·al·ism[æ̀ntiimpí:riəlìzəm, -tai-] *n.* Ⓤ 반(反)제국주의. **-ist** *n., a.* 반제국주의자(의).
an·ti-in·flam·ma·to·ry[æ̀ntiinflǽmətɔ̀:ri, æ̀ntai-] 〔藥〕 *a.* 염증에 효험이 있는, 항염증(抗炎症)의. ── *n.* 항염증약.
an·ti-in·tel·lec·tu·al[æ̀ntiìntəléktʃuəl] *a.* 지식인에게 반감을 갖는; 반주지주의의. ── *n.* 지식인에게 반감을 가진 사람; 반주지주의자.
an·ti-in·tel·lec·tu·al·ism[æ̀ntiìntəléktʃuəlìzəm, -tai-] *n.* 반지성주의; 지식인 불신.
an·ti·knock[æ̀ntinák, -tai-/æ̀ntinɔ́k] *n.* 폭연(爆燃) 방지제《엔진의 노킹을 방지》. ── *a.* 내폭성(耐爆性)의, 제폭(制爆)의.
An·ti-Leb·a·non *n.* 안티 레바논 산맥《아시아 서남부, 시리아와 레바논 사이. Lebanon 산맥 동쪽의 산맥》.
an·ti·leu·ke·mic[æ̀ntilu:kí:mik, -tai-] *a.* 〔藥〕 항백혈병의, 백혈구의 증가를 억제하는.
anti·life *a.* **1** 정상적 생활에 반하는. **2** (낙태·산아제한 등을 옹호하는) 반(反) 생명의.
an·ti·lit·ter[æ̀ntilítər, -tai-] *a.* 쓰레기 버리기를 금하는.
An·til·les[æntíli:z] *n. pl.* (the ~) 앤틸리스 열도《서인도 제도의 일부》.
an·ti·log[ǽntilɔ̀(:)g, -làg] *n.* =ANTILOGARITHM.
an·ti·log·a·rithm[æ̀ntilɔ́(:)gərìðəm, -rìθəm, -lág-] *n.*〔數〕 진수(眞數), 역대수(逆對數).
an·til·o·gy[æntílədʒi] *n.* (*pl.* **-gies**) Ⓤ,Ⓒ 자가 당착, 전후 모순. **-gous** *a.*
an·ti·ma·cas·sar[æ̀ntiməkǽsər] *n.* (의자의 등받이에 씌우는) 장식 달린 덮개(tidy).
an·ti·mag·net·ic[æ̀ntimægnétik, -tai-] *a.* 〈시계 등〉 항자성(抗磁性)의, 자기 불감의, 자화(磁化) 방지의.
an·ti·ma·lar·i·al[æ̀ntiməlέəriəl, -tai-] 〔藥〕 *a.* 말라리아 예방의; 말라리아에 듣는. ── *n.* 말라리아 예방약.
an·ti-Mar·ke·teer[æ̀ntimà:rkətíər/-mɑ̀:-] *n.* 영국의 EC가맹에 반대하는 사람(*cf.* ANTI-EUROPEAN).
an·ti·masque, -mask[ǽntimɑ̀:sk, -mæ̀sk] *n.* 〔劇〕 막간의 광대 놀이.
an·ti·mat·ter[ǽntimæ̀tər] *n.* Ⓤ 〔物〕 반물질(反物質).
an·ti·me·tab·o·lite[æ̀ntimətǽbəlàit, -tai-] *n.* 〔生化〕 대사길항(代謝拮抗) 물질.
an·ti·mi·cro·bi·al[æ̀ntimaikróubiəl, -tai-] 〔生化〕 *a.* 항균성의. ── *n.* 항균제(劑)〔물질〕.
an·ti·mil·i·ta·rism[æ̀ntimílətərìzəm, -tai-] *n.* Ⓤ 반(反)군국주의. **-rist**[-rist] *n.* 반군국주의자.
an·ti·mis·sile[æ̀ntimísəl, -tai-/æ̀ntimísail] *a.* 적의 유도미사일에 대항하는; 대(對)미사일의〔방어용의〕.
an·ti·mís·sile míssile 미사일 요격 미사일.
an·ti·mi·tot·ic[æ̀ntimaitátik, -tai-/-tɔ́t-] *a., n.* 〔生化〕 세포 분열 저지성의 (물질).
an·ti·mo·nar·chi·cal[æ̀ntiməná:rkikəl, -tai-], **-chic**[-kik] *a.* 군주 정치를 반대하는.
an·ti·mon·ar·chist[-mánərkist/-mɔ́n-] *n.* 군주 정치 반대자.
an·ti·mo·ni·al[æ̀ntimóuniəl] *a.* 안티몬의, 안티몬질(質)의.
an·ti·mon·ic[æ̀ntimóunik] *a.* 〔化〕 안티몬성(性)의: an ~ acid 안티몬산(酸).
an·ti·mo·nop·o·ly[æ̀ntimənápəli, -tai-/-nɔ́p-] *a.* 독점에 반대하는; 독점 금지의: the ~ law 독점 금지법.
an·ti·mon·soon[æ̀ntimɑnsú:n/æ̀ntimɔn-] *n.* 〔氣〕 반대 계절풍(*opp.* monsoon).
an·ti·mo·ny[ǽntəmòuni] *n.* Ⓤ 〔化〕 안티몬《금속 원소; 기호 Sb, 번호 51》.
an·ti·na·tal·ism[æ̀ntinéitəlìzəm] *n.* 인구 증가 억제 주의.
an·ti·na·tal·ist[-ist] *n.* 인구 억제론자. ── *a.* 인구 억제론의.
an·ti·na·tion·al[æ̀ntinǽʃənəl] *a.* 반국가적인, 국가주의에 반대하는.
an·ti-Ne·gro[æ̀ntiní:grou, -tai-] *a.* 반흑인의.
an·ti·ne·o·plas·tic[æ̀ntinì:əplǽstik, -tai-] 〔藥〕 *a.* 항(抗)종양성의. ── *n.* 항종양약.
an·ti·neu·ral·gic[æ̀ntinjurǽldʒik] 〔藥〕 *a.* 항(抗)신경통의. ── *n.* 신경통약.
an·ti·neu·tri·no[æ̀ntinju:trí:nou, -tai-] *n.* (*pl.* ~**s**) 〔物〕 반중성미자(微子).
an·ti·neu·tron[æ̀ntinjú:trɑn, -tai-/-njú:trɔn] *n.* 〔物〕 반중성자.
an·ti·noise[æ̀ntinɔ́iz, -tai-] *a.* 소음 방지의.
an·ti·no·mi·an[æ̀ntinóumiən] 〔神學〕 *a.* 도덕률 폐기론자의. ── *n.* 도덕률 폐기론자. **~·ism** *n.*
an·tin·o·my[æntínəmi] *n.* (*pl.* **-mies**) Ⓤ,Ⓒ

〔哲〕 이율 배반; 자가 당착.

an·ti·nom·ic[æ̀ntinάmik/-nɔ́m-] *a.* 모순된; 이율 배반의.

an·ti·nov·el[ǽntinɑ̀vəl, -tai-/-nɔ̀v-] *n.* 반소설(전통적인 수법에서 벗어난 소설).

an·ti·nu·clear[æ̀ntinjú:kliər, -tai-] *a.* 핵에너지 사용에 반대하는, 원자력에 반대하는. ── *n.* 핵에너지 사용 반대자.

an·ti·nu·cle·on[æ̀ntinjú:kliɑ̀n, -tai-/-ɔ̀n] *n.* 〔物〕 반핵자(反核子).

an·ti·nuke[æ̀ntinjú:k, -tai-] *a., n.* =ANTINUCLEAR.

an·ti·ob·scen·i·ty[æ̀ntiəbsénəti, -tai-] *a.* 외설물 단속의; 반외설의.

An·ti·ope[ǽntioup] *n.* 앤티오프(프랑스의 문자 다중(多重) 방송 시스템; *cf.* TELETEXT).

an·ti·ox·i·dant[æ̀ntiάksədənt, -tai-/æ̀ntiɔ́ksi-] *n.* 〔化〕 산화〔노화〕 방지제(劑).

an·ti·par·ti·cle[ǽntipɑ̀:rtikəl, -tai-] *n.* 〔物〕 반입자(반양자 · 반중성자 등).

an·ti·pas·to[æ̀ntipǽstou, -pά:s-] [It] *n.* (*pl.* ~s, -ti[-ti]) (이탈리아식) 전채(前菜)(appetizer), 오르 되브르.

an·ti·pa·thet·ic[æ̀ntipəθétik, æntì-] *a.* 반감을 가진, 비위에 맞지 않는, 본래부터 싫은, 성미에 안 맞는(*to*).

an·ti·path·ic[æ̀ntipǽθik] *a.* **1** 서로 맞지 않는(*to*). **2** =ANTIPATHETIC.

an·tip·a·thy[æntípəθi] [L] *n.* (*pl.* **-thies**) Ⓤ,Ⓒ **1** 반감, 혐오(*opp.* sympathy). **2** (지긋지긋하게) 싫은 일〔것〕: I have an ~ *to* 〔*against*〕 snakes. 뱀은 질색이다. **3** (감정 · 성격 등의) 불일치, 대립.

an·ti·per·son·nel[æ̀ntipə̀:rsənél, -tai-] *a.* 〔軍〕 지상 병력의 살상을 위한, 대인(對人)(용)의 〈폭탄 등〉.

an·ti·per·spi·rant[æ̀ntipə́:rspərənt] *n.* 〔藥〕 제한제(制汗劑).

an·ti·phlo·gis·tic[æ̀ntifloudʒístik, -tai-] 〔藥〕 *a.* 염증 치료의. ── *n.* 소염제(消炎劑)

An·ti·phlo·gis·tine[æ̀ntiflədʒístin, -tai-] *n.* 〔藥〕 소염고(膏)(상표명).

an·ti·phon[æ̀ntəfɑ̀n/-fɔ̀n] *n.* **1** (번갈아 가며 부르는) 응답 송가. **2** 〔가톨릭〕 교창(성가).

an·tiph·o·nal[æntífənl] *a.* 번갈아 (노래) 부르는. ── *n.* =ANTIPHONARY.

an·tiph·o·nar·y[æntífənèri/-nəri] *n.* (*pl.* **-nar·ies**) 교창(交唱) (성가)집.

an·tiph·o·ny[æntífəni] *n.* (*pl.* **-nies**) =ANTIPHON.

an·tiph·ra·sis[æntífrəsis] *n.* (*pl.* **-ses**[-sì:z]) Ⓤ,Ⓒ 〔修〕 반용(反用)(어구를 그 본뜻의 반대로 쓰는 것).

an·tip·o·dal[æntípədl] *a.* **1** 〔地〕 대척지(對蹠地)의, 지구상의 정반대쪽의. **2** 정반대의(*to*).

an·ti·pode[ǽntipòud] *n.* 정반대(의 사물)(*of, to*).

an·tip·o·de·an[æntìpədí:ən] *a.* **1** 대척지(對蹠地)의, 정반대쪽 주민의. **2** (**A-**) 《영》 호주(사람)의. ── *n.* **1** 대척지 주민. **2** (**A-**) 《영》 호주 사람.

an·tip·o·des[æntípədi:z] *n. pl.* (the ~) **1** 대척지(지구상의 정반대 쪽에 있는 두 지점). **2** 대척지 주민. **3** 정반대의 사물.

an·ti·pole[ǽntipòul] *n.* **1** 반대의 극(極). **2** 정반대(*of, to*).

an·ti·pol·i·tics[æ̀ntipάlətiks, -tai-/-pɔ́-] *n. pl.* (단수 취급) 반정치.

an·ti·pol·lu·tion[æ̀ntipəlú:ʃən, -tai-] *n., a.* 공해(公害) 방지〔반대〕(의). **~·ist** *n.* 공해 반대자.

an·ti·pope[ǽntipòup] *n.* (정통의 로마 교황에 대립하는) 대립 교황.

an·ti·pov·er·ty[æ̀ntipάvərti, -tai-/-pɔ́v-] *n.* Ⓤ, *a.* 빈곤 퇴치(의).

an·ti-pros·ti·tu·tion[æ̀ntiprɑ̀stətjú:ʃən, -tai-] *a.* 매춘 금지의.

an·ti·pro·ton[æ̀ntipròutɑn, -tai-/ǽnti-pròutɔn] *n.* 〔物〕 반양자(反陽子).

an·ti·psy·chot·ic[æ̀ntisaikάtik, -tai-/-kɔ́t-] 〔藥〕 *a.* 정신병에 효험 있는. ── *n.* 정신병 치료약, 항(抗)정신병약.

an·ti·py·ret·ic[æ̀ntipairétik, -tai-] *a., n.* 〔藥〕=ANTIFEBRILE.

an·ti·py·rin(e)[æ̀ntipáirin, -tai-, -rən] *n.* Ⓤ 〔藥〕 안티피린(해열 · 진통제).

antiq. antiquarian; antiquities.

an·ti·quar·i·an[æ̀ntikwɛ́əriən] *a.* 골동품 연구〔수집〕의, 골동품 애호의. ── *n.* 골동품 애호가〔수집가〕. **~·ism** *n.* Ⓤ 골동품(수집) 취미.

an·ti·quar·i·an·ize[-àiz] *vi.* 골동품 수집에 몰두하다.

an·ti·quark[æ̀ntikwɔ́:rk, -kwɑ̀:rk, ǽntai-] *n.* 〔物〕 쿼크(quark)의 반입자(反粒子).

an·ti·quar·y[ǽntikwèri] *n.* (*pl.* **-quar·ies**) **1** 호고(好古)학자, 골동품 연구〔수집, 애호〕가. **2** 골동품상.

an·ti·quate[ǽntikwèit] *vt.* 헐게 하다, 낡게 하다. **àn·ti·quá·tion** *n.*

an·ti·quat·ed[ǽntikwèitid] *a.* 헌 것이 된, 고풍의, 낡은; 노후한; 노령의.

***an·tique**[æntí:k] [L] *a.* **1** 고풍의, 구식의, 시대에 뒤떨어진. **2** 골동품의. **3** (특히 그리스 · 로마 등의) 고대의. ── *n.* **1** 고물, 고기(古器), 골동품. **2** (the ~) 고대 미술, 고대 양식; (특히 그리스 · 로마 등의) 고대의 것. **3** Ⓤ 〔印〕 앤티크체 활자. **~·ly** *ad.* **~·ness** *n.* ◇ ántiquate *v.*; antíquity *n.*

***an·tiq·ui·ty**[æntíkwəti] *n.* (*pl.* **-ties**) **1** Ⓤ 낡음, 고색(古色), 고아(古雅). **2** Ⓤ 태고, 고대, 상고(上古). **3** (집합적) 옛날 사람, 고대인(the ancients); 《익살》 시대에 뒤떨어진 사람〔물건〕. **4** (보통 *pl.*) 고기물(古器物), (고대의) 유물; (*pl.*) 고사(故事), 구제도, (고대의) 유풍. **of〔great〕antiquity** 매우 오래된. ◇ ántiquate *v.*; antíque *a.*

an·ti·rab·ic[æ̀ntirǽbik, -tai-] *a.* 공수병(恐水病) 예방〔치료〕의.

an·ti·ra·chit·ic[æ̀ntirəkítik, -tai-] *a.* 구루병(rickets) 치료〔예방〕의.

an·ti·rac·ism[æ̀ntiréisizəm, -tai-] *n.* 인종차별 반대주의. **-ist** *n., a.*

an·ti·ri·ot[æ̀ntiráiət, -tai-] *a.* 폭동 진압〔방지〕의.

an·ti·róll bár[æ̀ntiróul-, -tai-] (자동차의) 좌우 요동방지 바(선회시 차체의 흔들림을 방지).

an·ti·ro·man[*F.* ɑ̃tirɔmɑ̃] *n.* 〔文學〕 반(反)소설(*cf.* ANTINOVEL).

an·tir·rhi·num[æ̀ntiráinəm] *n.* 〔植〕 금붕어꽃, 금어초(金魚草).

an·ti·rust[æ̀ntirʌ́st, -tai-] *a.* 녹슬지 않는; 녹슬지 않게 하는. ── *n.* 녹 방지제.

an·ti·sab·ba·tar·i·an[æ̀ntisæ̀bətɛ́əriən, -tai-] *a., n.* 안식일 지키는 것을 반대하는 (사람).

an·ti·sa·loon[æ̀ntisəlú:n, -tai-] *a.* 《미》 주류 판매 반대의: *A*-League 주류 판매 반대 동맹.

an·ti·sat·el·lite[æ̀ntisǽtəlàit, -tai-] 〔軍〕 *a.* 군사 위성을 공격하는. ── *n.* 군사〔공격〕

위성.
an·ti·sci·ence[æ̀ntisáiəns, -tai-] *a.* 인간성을 무시한 과학에 반대하는. ── *n.* Ⓤ 반과학(주의).
an·ti·scor·bu·tic[æ̀ntiskɔːrbjúːtik, -tai-] 〔藥〕 *a.* 괴혈병(scurvy) 치료의. ── *n.* 괴혈병 특효약.
an·ti·scrip·tur·al[æ̀ntiskrípt∫ərəl, -tai-] *a.* 성서에 반대하는.
an·ti-Sem·ite[æ̀ntisémait, síːm-, -tai-] *n.* 반유대주의자.
an·ti-Se·mit·ic[-simítik] *a.* 반유대주의의. ── *n.* =ANTI-SEMITE.
an·ti-Sem·i·tism[-sémitìzəm] *n.* Ⓤ 반유대주의〔운동〕.
anti·sense[æ̀ntiséns] *a.* RNA 혹은 상보적 DNA에서 유래하는 유전인자의〔에 속하는〕.
an·ti·sep·sis[æ̀ntəsépsis] *n.* Ⓤ 〔醫〕 방부(법), 소독(법).
an·ti·sep·tic[æ̀ntəséptik] 〔醫〕 *a.* 방부성의. ── *n.* 방부제. **-ti·cal·ly** *ad.* 방부제로.
an·ti·sep·ti·cize[æ̀ntəséptəsàiz] *vt.* 방부처리하다.
an·ti·se·rum[ǽntisìərəm] *n.* (*pl.* ～s, **-ra** [-rə]) Ⓤ,Ⓒ 〔醫〕 항혈청(抗血淸), 면역 혈청.
an·ti·sex, -sex·u·al[æ̀ntiséks, -tai-], [-sék∫uəl] *a.* 성행위나 성의 표현에 반대하는.
an·ti·sex·ist[æ̀ntiséksist, -tai-] *a.* 여성차별(sexism) 반대의.
an·ti·skid[æ̀ntiskíd, -tai-] *a.* 미끄럼 방지의(nonskid).
an·ti·sky·jack·ing[æ̀ntiskáidʒæ̀kiŋ, -tai-] *a.* 비행기 납치 방지의.
an·ti·slav·er·y[æ̀ntisléivəri, -tai-] *n.* Ⓤ 노예 제도 반대. ── *a.* 노예 제도 반대의.
an·ti·smog[æ̀ntismág, -tai-/æ̀ntismɔ́g] *a.* 스모그 방지의.
an·ti·smok·ing[æ̀ntismóukiŋ, -tai-] *a.* 금연을 지향하는, 흡연에 반대하는.
an·ti·smut[æ̀ntismʌ́t, -tai-] *a.* 포르노 금지를 목적으로 하는.
an·ti·so·cial[æ̀ntisóu∫əl, -tai-] *a.* **1** 반사회적인: 사회 질서〔제도〕 반대의. **2** 비사교적인: 이기적인. **~·ist** *n.* **~·ly** *ad.*
an·ti-So·vi·et·ism[æ̀ntisóuviitìzəm, -tai-] *n.* 반소주의《동유럽 여러 나라에서의 반소련 운동》.
an·ti·spas·mod·ic[æ̀ntispæzmádik, -tai-] 〔藥〕 *a.* 경련을 막는. ── *n.* 진경제(鎭痙劑).
an·ti·stat[ǽntistæ̀t] *n.* 정전기 방지제.
an·ti·stat·ic[æ̀ntistǽtik, -tai-] *a.* **1** 〔通信〕 공전(空電) 방지의. **2** 정전기 방지의. ── *n.* 정전기 방지제(劑).
an·tis·tro·phe[æntístrəfiː] *n.* 응답 가장(應答歌章)《고대 그리스 연극에서 무용 합창대가 좌로부터 우로 바꿀 때 부르는 악장: *cf.* STROPHE》: 〔樂〕 대조〔응답〕 악절.
an·ti·stroph·ic[æ̀ntistráfik, -strɔ́f-] *a.*
an·ti·sub·ma·rine[æ̀ntisʌ́bməriːn, -tai-] *a.* 대(對)잠수함의.
an·ti·sub·ver·sive[æ̀ntisʌbvə́ːrsiv, -tai-] *a.* 파괴 활동 방지의.
an·ti·sun[ǽntisʌ̀n, -tai-] *n.* =ANTHELION.
an·ti·tank[æ̀ntitǽŋk, -tai-] *a.* 〔軍〕 대전차용의: an ～ gun 대전차포.
an·ti·tech·nol·o·gy[æ̀ntiteknálədʒi, -tai-] *n.* 반기술, 과학 기술 만능주의 반대. **-gist** *n.*
an·ti·ter·ror·ist[æ̀ntitérərist, -tai-] *a.* 테러에 대항하는, 반테러리즘용의.
an·ti·théft lóck 도난방지 자물쇠.
an·ti·the·ism[æ̀ntiθíːizəm] *n.* 반유신론(反有神論). **-ist** *n.* 반유신론자.
an·tith·e·sis[æntíθəsis] [Gk] *n.* (*pl.* **-ses** [-sìːz]) Ⓤ,Ⓒ **1** 대조(contrast): 정반대(의 사물). **2** 〔修〕 대조법: 대구(對句).
an·ti·thet·i·cal, -ic[æ̀ntiθétikəl], [-ik] *a.* 대조되는: 대조를 이룬: 정반대의. **-i·cal·ly** [-ikəli] *ad.* 대조적으로.
an·ti·tox·ic[æ̀ntitáksik/-tɔ́ks-] *a.* 항독소(抗毒素)의.
an·ti·tox·in[æ̀ntitáksin, -tɔ́ksin] *n.* 항독소.
an·ti·trade[ǽntitrèid] *a.* 반대 무역풍의. ── *n.* (보통 *pl.*) 역항풍(逆恒風), 반대 무역풍(*cf.* TRADE WIND).
an·ti-Trin·i·tar·i·an[æ̀ntitrìnitέəriən, -tai-] *a., n.* 삼위 일체론 반대의 (사람).
an·ti·trust[æ̀ntitrʌ́st, -tai-] *a.* 《미》 트러스트 반대의, 독점 금지의. **~·er** *n.* 《口》 반트러스트론자: 반트러스트법 집행자.
an·ti·tu·mor[æ̀ntitjúːmər, -tai-] *a.* 〔藥〕 항종양(抗腫瘍)의, 항암(성)의(anticancer).
an·ti·tus·sive[æ̀ntitʌ́siv, -tai-] 〔藥〕 *a.* 기침을 억제하는. ── *n.* 진해제(鎭咳劑), 기침약.
an·ti·type[ǽntitàip] *n.* (원형에 의해 표상(表象)되는) 대형(對型).
an·ti·typ·ic, -i·cal[-ik], [-típikəl] *a.* 대형(對型)의. **-i·cal·ly** *ad.*
an·ti·u·nion[æ̀ntijúːnjən, -tai-] *a.* 노동조합 반대의.
an·ti·u·ni·verse[ǽntijùːnəvə̀ːrs, -tai-] *n.* 〔物〕 반우주(反宇宙).
an·ti·u·to·pi·a[æ̀ntijuːtóupiə, -tai-] *n.* (*pl.* **-pi·as**) =DYSTOPIA.
an·ti·ven·in[æ̀ntivénin, -tai-] *n.* 〔醫〕 항사독소(抗蛇毒素): 사독(蛇毒) 혈청.
an·ti·ver·si·ty[æ̀ntivə́ːrsəti] *n.* 《俗》 반대학(反大學).
an·ti·vice[æ̀ntiváis] *a.* 매춘 반대의.
an·ti·vi·ral[æ̀ntiváiərəl, -tai-] *a.* 항바이러스성의.
anti·virus 〔컴퓨터〕 *n.* 항바이러스 소프트웨어.
an·ti·vi·ta·min[ǽntivàitəmin, -vìtə-] *n.* 항비타민(물), 비타민 파괴물.
an·ti·viv·i·sec·tion[æ̀ntivìvəsék∫ən, -tai-] *n.* 생체 해부 반대. **~·ist** *n.*
an·ti·war[æ̀ntiwɔ́ːr, -tai-] *a.* 전쟁 반대〔방지〕의: an ～ pact 부전(不戰) 조약.
an·ti·white[æ̀ntihwáit, -tai-] *a.* 반(反)백인의.
an·ti·world[ǽntiwə̀ːrld, -tai-] *n.* (종종 *pl.*) 〔物〕 반(反)세계.
ant·ler[ǽntlər] *n.* (보통 *pl.*) (사슴의) 가지진 뿔. **ánt·lered**[-d] *a.* 가지진 뿔이 있는, 가지진 뿔 모양의.
ánt lìon 〔昆〕 명주잠자리: 개미귀신《명주잠자리의 애벌레》.
An·toi·nette[æ̀ntwənét, -twɑː] [F] *n.* 여자 이름.
An·to·ni·a[æntóuniə, -njə] [It] *n.* 여자 이름.
An·to·ni·o[æntóuniòu] [It] *n.* 남자 이름.
an·ton·o·ma·si·a[æ̀ntənəméiʒə/-ziə] *n.* 〔修〕 환칭(換稱)《a wise man을 a Solomon이라고 말하는 등》.
An·to·ny[ǽntəni] *n.* **1** 남자 이름. **2** 안토니우스 Mark ～(83?-30 B.C.)《로마의 장군 · 정치가》.
an·to·nym[ǽntənim] *n.* 반의어, 반대어(*opp.* synonym).
an·ton·ymous[æntánəməs/-tɔ́n-] *a.*
An·toon[ɑ́ːntoun] *n.* 남자 이름.

an·tre[ǽntər] *n.* 〔詩〕 동굴(cavern).

An·trim[ǽntrim] *n.* 앤트림《북아일랜드 북동부의 주》.

an·trum[ǽntrəm] *n.* (*pl.* **-tra**[-trə]) 〔解〕 (뼈의) 공동(空洞).

ant·sy[ǽntsi] *a.* (**-si·er; -si·est**) 《미口》 침착하지 못한(restless), 안절부절 못하는, 좀이 쑤시는(jittery).

ANTU, an·tu[ǽntu:] *n.* 안투《쥐약: 상표명》.

Ant·werp[ǽntwə:rp] *n.* 앤트워프《벨기에의 해항》.

Á nùmber 1[éi-nʌ́mbər-wʌ́n] =A ONE.

A·nu·ra, An·ou·ra[ənjú:rə], [ənú:rə] *n. pl.* 〔動〕 무미류(無尾類).

a·nu·ran[ənjú:rən] *a., n.* 〔動〕 무미류의 (동물)(salientian).

an·u·re·sis[æ̀njurí:sis] *n.* 〔病理〕 **1** 요폐(尿閉). **2** 무뇨(증)(無尿(症)).

an·u·rét·ic[æ̀njurétik] *a.*

an·u·ri·a[ənjú:riə] *n.*=ANURESIS 2.

a·nu·rous[ənjúərəs] *a.* 〔動〕 〈개구리 등〉 무미(無尾)의.

a·nus[éinəs] [L] *n.* 〔解〕 항문(肛門).

***an·vil**[ǽnvəl] *n.* 모루; 〔解〕 침골(砧骨). **on the anvil** 준비중, 심의중.

‡**anx·i·e·ty**[æŋzáiəti] *n.* (*pl.* **-ties**) **1** Ⓤ 걱정, 근심, 불안(*about*); Ⓒ 걱정〔근심〕거리: He is all ~. 그는 몹시 걱정하고 있다. **2** Ⓤ 염원, 갈망, 열망(eagerness)(*for*): (Ⅲ (목)+〈*to do*〉) I know your ~ *to* meet him soon. 네가 곧 그를 만나기를 갈망하고 있는 것을 나는 알고 있다/Her ~ *for* wealth 그녀의 부유해지고 싶은 열망/He expressed ~ *that* fund (should) be sent at once. 그는 자금을 즉시 보내달라는 갈망을 말했다(◇ 《口》에서는 흔히 should를 생략함). **be in great anxiety** (몹시) 근심하고 있다. **give anxiety to** …에게 걱정을 끼치다. **with anxiety** 근심스럽게, 걱정하여. ◇ ánxious *a.*

anx·io·lyt·ic[æ̀ŋzioulítik, æ̀ŋksi-] 〔藥〕 *a.* 불안을 완화하는. ── *n.* 불안 완화제.

‡**anx·ious**[ǽŋkʃəs] [L] *a.* **1** 걱정하는, 근심하는, 불안한(uneasy)(*about, at, for, lest*…): (Ⅱ 형+*lest*(절)) She was ~ *lest* she should be left alone. 그녀는 홀로 남겨지지 않을까 걱정을 하고 있었다(◇ 《口》에서는 흔히 should를 생략함)/(Ⅱ 형+전+명) She is ~ *for* the safety of her husband. 그녀는 남편의 안전을 염려한다. **2** 열망하여, 갈망하는, 몹시 하고 싶어하는, 열심인(*for, to* do, *that*…): (Ⅱ 형+*to do*) They were all ~ *to* catch a fish. 그들은 모두 고기를 잡으려고 갈망하고 있었다/(Ⅱ 형+전+명+*to do*) I am ~ for the experiment *to* be repeated. 나는 그 실험을 반복하기를 갈망하고 있다/We were all ~ *that* you should return. 우리는 당신이 돌아오기를 몹시 바라고 있었습니다(◇ 《口》에서는 흔히 should를 생략함). **~·ness** *n.* ◇ anxíety *n.*

ánxious bènch〔**sèat**〕 《미》 (신앙 부흥회 등의) 설교단에 가까운 자리《종교 생활에 고민하여 신앙을 굳게 하려는 사람들의 자리》; 불안한 마음: be on the ~ 몹시 걱정하고 있다.

anx·ious·ly *ad.* 근심〔걱정〕하여; 열망하여: So she said ~. 그렇게 그녀는 걱정스럽게 말했다.

★**any**[éni, 弱 əni] *a.* **1** (의문문·조건절에서) 무언가의, 누군가의; 얼마간의 …, 몇 사람의 …; 어떤 하나의, 누구 한 사람의: Do you have ~ friends in there? 거기에 친구가 (몇 사람) 있습니까/Do you have ~ money〔matches〕 with you? 돈〔성냥〕이 있습니까/Are there ~ shops〔stores〕 there? 거기에는 가게가(몇 집) 있습니까?/If you have ~ pencils, will you lend me one? 연필이 있거든 하나 빌려 주십시오/If you see ~ interesting book, buy it for me. 어떤 재미있는 책이 눈에 띄거든 그것을 사다 주세요(◇ 남에게 음식 등을 권할 때의 의문문에서는 some을 씀: Would you like some tea? 차 좀 드시겠습니까).

2 (부정의 평서문에서) 어떤〔어느〕 …도, 아무 (…)도; 조금〔하나〕도 (…없다〔않다〕); 어떤 하나의 (…도 아니다), 누구 한 사람의(…도 아니다): I don't have ~ money〔books〕. 나는 돈〔책〕이 조금〔하나〕도 없다(◇ I have no money〔books〕.로 고쳐 쓸 수 있음/There isn't ~ coffee. 커피가 조금도 없다→There's no coffee.로 고쳐 쓸 수 있음. 그러나 이외의 구문 즉 I want no book(s).와 같은 표현은 딱딱하게 들리며, not … any가 보다 구어적임)/There isn't ~ barbershop near here. 이 근처엔 이발소가 한 집도 없다(◇ a(n)의 대용인데 다소 강조적: There's no barbershop…로 고쳐 쓸 수 있음)(◇ 관계대명사 등의 수식이 따르지 않는 경우의 any가 주어가 되었을 경우에, 그것을 부정하려면 No …로 한다: No man could solve the problem. 어떤 사람도 그 문제를 풀 수 없다: *Any* man could not solve the problem.은 잘못: *Any* man who tells a lie cannot be trusted. 거짓말을 하는 사람은 아무도 믿을 수 없다(正): not이 없어도 부정문에 준하는 경우에는 any를 씀: *without* ~ trouble 간단히(=with no trouble)/They *refused* to eat ~ cake. 그들은 케이크를 먹으려 하지 않았다).

3 (긍정의 평서문에서, 강조적으로, 보통 단수 명사 앞에서) 어떤〔어느〕 …(라)도, 무엇이든, 누구든(강세 있음); 얼마든지; 임의의 …: *Any* girl can do it. 어떤 소녀라도 그런 것쯤은 할 수 있다/*Any* food is better than none. 어떤 음식이라도 없는 것보다는 낫다/He is taller than ~ other boy in his class. 그는 반에서 누구보다도 키가 크다(◇ 동종의 비교일 때는 any other …를 비교급과 함께 써서 최상급의 뜻을 나타냄: He is the tallest of all the boys in his class. 또는 No other boy in his class is as tall as he.로 고쳐 쓸 수 있음).

any amount〔**number, length, quantity**〕 (**of**) 얼마의 …든지, 무한의; 많이. **any and every** 어떤 …도, 어느 …이나, 무엇이고, 모든. **any how** 《영口》 무질서한, 난잡한. **any old** 《俗》 어떤 …이라도. **any old how** 《미》 되는대로, 적당히; 무질서하게. **any one** (1) (형용사적으로도 써서) 어떤 하나(의), 누구든 한 사람(의). (2) =ANYONE. **any other**(**s**) 뭔가 다른 (것), 누군가 딴(사람). **any place** 어디든, 어디로든. **any time** 언제든지. **any which way** =EVERY which way. **at any moment** 언제든지, 언제 어느 때든. **at any price** 아무리 비싸라도; 어떤 희생을 치르더라도. **at any rate** 아무튼, 하여간; 적어도. **in any case** 어떤 경우라도, 어떻든, 어차피, 여하튼. **not** (**just**) **any** … 보통의 …은 아니다. **scarcely**〔**hardly**〕 **any** 거의〔좀처럼〕 … 없는〔않는〕.

── *pron.* (종종 any of의 형태로, 또는 이미 나온 명사를 생략할 때 씀) **1** (의문문·조건절에서) 어느 것인가, 무언가, 누군가; 얼마쯤, 다소: Do you want ~ (of these books)? (이 책들 중에) 어느 것을 원하느냐/If ~ of your friends are〔is〕 coming, let me know. 만약 네 친구 중 누가 오거든 내게 알려다오(◇

사람을 나타낼 경우에는 보통 복수 취급; 또는 물건이든 사람이든 of 이하가 둘〔두 사람〕이면 any는 either로 됨》.

2 (부정문의 평서문에서) 아무〔어느〕 것도, 아무도; 조금도: I don't want ~ (of these). (이 중) 어느 것도 필요없다/I'm not taking ~. 저는 (어느 것도) 필요없습니다〔괜찮습니다〕.

3 (긍정문에서) 어느 것이라도, 무엇이든, 누구든지〔라도〕; 얼마든지: Take ~ you please. 무엇이든 마음대로 가지시오/*Any* of you could do it. 너희들 중 누구라도 그것을 할 수 있다. **if any** 만약에 이따면, 만약에 있다손치더라도. **not have〔take〕 any** 《口》 받아들이지 않다, 거부하다, 무시하다.

— *ad.* **1** (비교급 또는 different, too 앞에서) 《의문》 얼마쯤, 조금은; 《조건》 조금이라도; 《부정》 조금도 (…않다〔없다〕): Is he ~ better? 그는 (몸이) 좀 나은가요/If he is ~ better, he had better take a walk. 조금이라도 낫다면, 그는 산책을 하는 것이 좋다/He is not ~ better. 그는 조금도 낫지 않았다.

2 (동사를 수식하여) 《미口》 조금은, 좀, 조금도: That won't help us ~. 그것은 우리에게 조금도 도움이 안 된다/Did you sleep ~ last night? 어젯밤에 (잠을) 좀 주무셨습니까. **any good** 조금은 도움이 되는. **any longer** (의문·부정문에서) 이미, 이 이상. **any more** 이제는 이미, 이 이상(많이). **any (old) how** 《俗》 제멋대로, 아무렇게나(anyhow).

★**an·y·bod·y** [énibàdi, -bʌ̀di/-bɔ̀di] *pron.* **1** (의문문·조건절에서) 누군가, 누가, 누구〔아무〕라도: Has ~ called on me in my absence? 내가 없는 사이에 찾아온 사람이 있었니/If ~ calls, tell him〔them〕 I have gone out. 만일 누구라도 찾아오면 그〔그들〕에게 나는 나갔다고 말해 주게.

2 (부정문에서) 누구도, 아무도: I haven't seen ~. 아무도 못 만났다.

3 (긍정문에서) 누구든지, 아무라도, 아무나 《◇ anyone보다 허물없는 말투》: *Anybody* can do that. 그런 일은 아무라도 할 수 있다. 《◇ 부정 구문에서 anybody를 사용하는 경우는 부정어를 선행시킨다. 따라서 There was nobody there.(그곳에는 아무도 없었다)를 There wasn't ~ there.라고 바꾸어 쓸 수는 있으나, 부정 구문에서 주어로 내세워 **Anybody* did not come. (아무도 오지 않았다)이라고는 할 수 없으므로, Nobody came. 이라고 한다》. **anybody's game〔race〕** 《口》 어느 편이 이길지 모르는 게임〔경주〕. **anybody's guess** 예상할 수 없는 것.

— *n.* (*pl.* **-bod·ies**) **1** 제법 알려진〔어엿한·버젓한〕 사람, 이름 있는 사람: Is he ~? 그는 좀 알려진 사람인가/If you wish to be ~, … 유명한 인사가 되려거든 …/Everybody who is ~ at all was there. 다소 이름 있는 사람은 다 와 있었다. **2** (복수형으로; 종종 just ~) 범인(凡人), 변변찮은 사람: unknown anybodies 이름도 없는〔변변찮은〕 사람들/He has been just ~. 그는 이름도 없는〔변변찮은〕 사람이었다.

⁑**an·y·how** [énihàu] *ad.* 《口》 **1** (부정문에서) 아무리 해도: I couldn' t get up ~. 아무리 해도 일어날 수 없었다. **2** (긍정문에서) 어떻게 해서든지, 어떤 식〔방법〕으로든《◇ 이 뜻으로는 somehow가 일반적》: I must do this in a few days ~. 어떻게 해서든지 이것을 수일 내에 해내야 한다. **3** (접속사적으로) 여하튼, 어쨌든, 어차피, 좌우간: *Anyhow,* let's begin. 여하튼 시작하자. **4** 적당히 얼버무려, 아무렇게나, 되는대로: She does her work (all) ~. 그녀는 일을 되는 대로 한다. **all anyhow** 아무렇게나, 날림으로; 무질서하게. **feel anyhow** 《口》 어쩐지 기분이 좋지 않다.

an·y·more [ènimɔ́:r] *ad.* (부정문·의문문에서) 《미》 이제는, 최근에는; 금후에는, 더 이상: She doesn't live here ~. 그녀는 이제는 여기에 살고 있지 않다.

★**an·y·one** [éniwʌ̀n, -wən] *pron.* **1** (부정문에서) 누구도, 아무도: I don't hate ~. 아무도 미워하지 않는다. **2** (의문문·조건절에서) 누군가 《◇ anybody보다 다소 격식차린 말》: Can ~ answer my question? 누군가 내 질문에 답할 수 있느냐. **3** (긍정문에서) 누구든지, 아무〔누구〕라도: *Anyone* knows that he is honest. 그가 정직하다는 것은 누구든지 알고 있다.

an·y·place [énipleìs] *ad.* 《미口》=ANYWHERE.

an·y·road [énirὸud] *ad.* 《영》 =ANYWAY; =ANYHOW《비표준적인 말》.

★**an·y·thing** [éniθìŋ] *pron.* **1** (의문문·조건절에서) 무언가: Do you see ~? 무언가 보이느냐/If you know ~ about it, please let me know. 만일 그것에 관해서 무언가 알게 되면 내게 알려 주시오. **2** (부정문에서) 아무 것도, 어떤 것도: She didn' t know ~ about it. 그녀는 그것에 관해서는 아무 것도 몰랐다/There isn't ~ important in her report. 그녀의 보고에는 중요한 것은 아무 것도 없다《◇ anything을 수식하는 형용사는 뒤에 놓인다; 부정문에서 anything을 주어로 쓸 수는 없다》. **3** (긍정문에서) 무엇이든〔나〕, 어떤〔어느〕 것이든: *Anything* is better than nothing. 《속담》 없는 것보다는 무엇이든 있는 것이 낫다. **anything but** (1) …이외에는 무엇이든. (2) …말고는 아무 것도 (…않다). (3) 결코 …아니다, …이기는커녕; 조금도 …아닌. **Anything doing?** (1) 무어 재미있는 것 있나. (2) 무언가 도울 일이 있는가. **anything else** 그 밖에 또 무엇인가〔다른〕. **Anything goes.** 《口》 뭐든지〔무엇을 해도〕 괜찮다. **anything like** (1) 조금은, 좀. (2) (부정문에서) 조금도 (…않다), …등은 도저히. **anything of** (부정문에서) 조금도; (의문문에서) 조금은. **(as) … as anything** 《口》 몹시, 아주. **for anything** (부정문에서) 무엇을 (다) 준대도; 결코, 절대로. **for anything I care** 나는 상관 없지만. **for anything I know** 잘은 몰라도, 어쩌면, 아마. **if anything** 어느 편이냐 하면, 오히려, 그렇기는 커녕. **like anything** 몹시, 맹렬히, 세차게. **… or anything** (보통 부정문·조건절·의문문에서) 《口》 …(그 밖에) 뭔가, …하거나 하면. — *n.* 임의(任意)의 것, 무슨 일.

— *ad.* 조금이라도, 적어도, 아무튼.

an·y·thing·ar·i·an [èniθiŋέəriən] *n.* 일정한 신념〔신조, 신앙〕이 없는 사람.

an·y·time [énitàim] *ad.* 언제든지; 언제나.

⁑**an·y·way** [éniwèi], (口·方) **-ways** [-wèiz] *ad.* =ANYHOW.

⁑**an·y·where** [éni*h*wὲər] *ad.* **1** (의문문·조건절에서) 어딘가에〔로〕, 어디엔가: Did you go ~ yesterday? 어제는 어디엔가 갔었나. **2** (부정문에서) 어디에〔라〕도, 아무데도: I did not go ~ yesterday. 어제는 아무데도 가지 않았다. **3** (긍정문에서) 어디(에)나, 어디(로)든지: You can go ~. 어디든지 가도 좋다. **4** 조금이라도; 《미口》 대체로, 대충. **anywhere between … and …=anywhere from … to …** (수량·시간·가격 등의 대강의 범위를 표시하여) …에서 …의 사이에〔정도〕. **anywhere near** (대개 부정문에서) 《口》 조금이라도, 조

금도, 결코. **get anywhere** ((*vt.*+부)) …을 잘 되어가게 하다. **get〔go〕 anywhere** (주로 부정문) ((口)) ((*vi.*+부)) 잘 되다, 성공하다. **not go anywhere** 아무데도 가지 않다; 은퇴 생활을 하다. **or anywhere** 또는 그 같은 곳. — *n.* 임의의 장소.

an·y·wheres[éni*h*wὲərz] *ad.* ((미俗)) = ANYWHERE.

an·y·wise[éniwàiz] *ad.* 〔文語〕 어떻게든지, 어떻게 해서든지, 어쨌든.

An·zac[ǽnzæk] [*A*ustralian and *N*ew *Z*ealand *A*rmy *C*orps] *n.* (the ~s) 앤잭((제1차 대전 때의 오스트레일리아와 뉴질랜드 연합 군단)); 그 대원.

ANZUK[ǽnzʌk] [*A*ustralia, *N*ew *Z*ealand and *U*nited *K*ingdom] *n.* 앤죽((오스트레일리아 · 뉴질랜드 · 영국 3국의 연합군)).

An·zus[ǽnzəs] [*A*ustralia, *N*ew *Z*ealand and the *U.S.*] *n.* 앤저스((오스트레일리아 · 뉴질랜드 · 미국 3국의 공동 방위체)).

A/O, a/o account of. **A.O.** Army Order.

a.o.b., A.O.B. any other business.

A.O.C.(-in-C.) Air Officer Commanding (-in-Chief).

ao dai[á:oudài, ǽ-] [Vietnamese] *n.* 아오자이((베트남 여성의 민족복)).

A.O.F. Ancient Order of Foresters ((영)) 자선 공제 조합. **A.O.H.** Ancient Order of Hibernians.

A-OK, A-O·kay[èioukéi] [All OK] *a.* ((미口)) 완전 무결한: an ~ rocket launching 더할 나위 없는 로켓 발사.

A.O.L. absent over leave 휴가 결근.

A-1[éiwʌ́n] =A ONE.

Á óne[éiwʌ́n] ((口)) 일류의, 우수한(excellent)((◇ A 1 또는 A No. 1이라고도 함)).

a·o·rist[éiərist] *n.* 〔그리스文法〕 부정 과거(不定過去). **à·o ·rís·tic** *a.*

a·or·ta[eiɔ́:rtə] *n.* (*pl.* **~s, -tae**[-ti:]) 〔解〕 대동맥. **a·ór·tic** *a.* 대동맥의.

aórtic árch 〔解〕 대동맥궁(大動脈弓), 대동맥호(大動脈弧).

a·ou·dad[á:udæ̀d, áu-] *n.* 야생의 양((북아프리카산)).

à out·rance[*F.* a utrɑ̃:s] [F] *ad.* 극도로, 최후까지.

AP airplane; Associated Press; American plan. **Ap.** Apostle; April. **A.P.** additional premium; arithmetic progression; armor-piercing; author's proof. **APA** American Press Association. **A.P.A.** American Philological Association.

ap-[1] [æp, əp] *pref.* =AD-((p의 앞에 올 때의 변형)).

ap-[2] [æp] *pref.* =APO-.

*__a·pace__[əpéis] *ad.* 〔文語〕 **1** 빨리, 신속히(fast): Ill news runs ~. ((속담)) 나쁜 소문은 빨리 퍼진다. **2** (…와) 발맞추어, (…에) 뒤지지 않고((*of, with*)). ⊕ pace *n.*

a·pache[əpá:ʃ, əpǽʃ] [F] *n.* (파리의) 조직 폭력단원, 깡패.

A·pach·e[əpǽtʃi] *n.* (*pl.* ~, ~s) **1** a (the ~(s)) 아파치족((북미 토인)). b 아파치족의 사람. **2** Ⓤ 아파치족의 말.

the Apache State 애리조나주의 속칭.

apáche dànce 일종의 난폭한 댄스.

APACL Asian People's Anti-Communist League 아시아 반공 연맹.

ap·a·nage[ǽpənidʒ] *n.* =APPANAGE.

a·pa·re·jo[à:pəréihou, æ̀pəréiou] [Sp] *n.* (*pl.* ~s) (가죽 쿠션을 댄 멕시코의) 길마.

⁑**a·part**[əpá:rt] *ad.* **1** (시간 · 공간적 으로) 떨어져서, 헤어져, 따로: walk ~ 떨어져 걷다/ live ~ 별거하다. **2** 산산이, 뿔뿔이: tear a book ~ 책을 잡아찢다: fall ~ 산산이 흩어지다. **3** a 별개〔별도〕로, 개별적으로: viewed ~ 개별적으로 보면/(Ⅲ{부+전+-*ing*+전+명}+(주)+*v*Ⅲ+(목)+〈전+명〉) *Apart* from working in a factory he has a small workshop of his own. 공장에서 일하는 것과는 별도로 그는 자신의 작은 작업장을 가지고 있다. b ((대)명사 · 동명사의 뒤에서) …은 제쳐놓고, 일단 보류하고〔차치하고〕: jesting〔joking〕 ~ 농담은 그만두고. **apart from** …은 별문제로 하고((미) aside from). **come apart** 〈물건이〉 산산이 흩어지다; 〈사람이〉 (정신적으로) 산란해지다. **set〔put〕 apart** 몫으로 따로 두다, 보류하다((*for*)). **stand apart** (…에서) 떨어져 있다((*from*)); 〈사람이〉 고립〔초연〕해 있다((*from*)). **take apart** (1) 분해하다 ⇨ take. (2) 비난하다. **tell〔know〕 (the two) apart** (양자를) 구별하다.
— *a.* **1** 떨어져((*from*)): be ~ *from* …에서〔와〕 떨어져 있다. **2** 다른, 의견이 갈라진. **3** (명사 뒤에서) (다른 것과) 별개의; 독특한, 특이한. **worlds apart** ((口)) 아주 딴판인.

a·part·heid[əpá:rthèit, *-h*àit] [Afrik=apart] *n.* Ⓤ ((南阿)) (흑인에 대한) 인종 차별〔격리〕 정책(*cf.* SEGREGATION).

a·part·ho·tel[əpà:rthoutél] *n.* ((영)) 임대 아파트식 호텔((분양된 가구 딸린 방으로, 소유주가 안 쓸 때는 제 3자에게 빌릴 수 있는)).

⁑**a·part·ment**[əpá:rtmənt] [F] *n.* **1** ((미)) a (공동 주택 내의) 한 세대가 살림하는 몇 개의 방, 아파트((영) flat), 임대 아파트: A-s for Rent. 〔廣告〕 아파트 세놓음((영) Flats to Let.). b =APARTMENT HOUSE. **2** (종종 *pl.*) (궁전 등의) 크고 훌륭한 방. **3** ((영)) 큰 호화 아파트 ((1세대분)).

a·pàrt·méntal[-méntəl] *a.*

apártment còmplex (공공 시설을 갖은 건물 · 부지 안에 갖춘) 아파트 대단지.

apártment hotél ((미)) (상주자용의) 아파트식 호텔.

apártment hòuse〔bùilding〕 ((미)) 공동 주택, 아파트((영) block of flats).

ap·a·tet·ic[æ̀pətétik] *a.* 〔動〕 보호색〔보호 형태〕을 가진.

ap·a·thet·ic, -i·cal[æ̀pəθétik], [-əl] *a.* 무감각한; 냉담한. **-i·cal·ly** *ad.*

ap·a·thy[ǽpəθi] *n.* (*pl.* **-thies**) Ⓤ,Ⓒ 냉담, 무관심. **have an apathy to** …에 냉담하다.

ap·a·tite[ǽpətàit] *n.* Ⓤ 〔鑛〕 인회석(燐灰石).

APB all points bulletin. **APC** all-purpose cure ((익살)) 만병 통치약; aspirin, phenacetin and caffeine 해열 진통제.

*__ape__[1] [eip] *n.* **1** 〔動〕 원숭이, ((특히)) 꼬리없는 원숭이. **2** 흉내내는 사람. **grin like an ape** 이를 드러내고〔바보 같이〕 히죽히죽 웃다. **lead apes in hell** 〈여자가〉 평생 독신으로 지내다. **play the ape** 남의 흉내를 내다, 장난하다. **say an ape's paternoster** (추워서 · 무서워서) 이가 덜덜 마주치다.
— *a.* ((俗)) 열광한, 열중한. **go ape** ((俗)) (1) …에 미치다, 이상하게 흥분하다. (2) …에 열중〔반〕하다((*over, for*)). — *vt.* 흉내내다. **ape it** 남의 흉내를 내다. **ápe·lìke** *a.*

ape[2] *n.* 절정, 정점(apex).

a·peak[əpí:k] *ad.* 〔海〕 수직으로 세워서.

ápe hàngers ((미俗)) (자전거 · 오토바이의)

높은 변형 핸들.
ape-man[éipmæ̀n] *n.* (*pl.* **-men**[-mèn]) 원인(猿人).
Ap·en·nine[ǽpənàin] *a.* (이탈리아의) 아펜니노 산맥의. ── *n.* (the ~s) 아펜니노 산맥.
a·pep·sy[əpépsi] *n.* 〔醫〕 소화 불량.
ap·er·çu[æ̀pəːrsjúː] [F] *n.* (서적 · 논문의) 개요(槪要); 일람(一覽)(outline).
a·pe·ri·ent[əpíəriənt] 〔藥〕 *a.* 변통(便通)을 순조롭게 하는. ── *n.* 완하제.
a·pe·ri·od·ic[eipìəriádik] *a.* 비주기적인, 불규칙한; 〔暗號〕 비반복성의; 〔物〕 비주기적인, 비진동의. **-i·cal·ly** *ad.*
a·pér·i·tif[ɑːpèritíːf, əpèr-] [F] *n.* (*pl.* ~**s**) 아페리티프(식욕 촉진을 위해 식전에 마시는 술).
a·per·i·tive[əpérətiv] *a.* **1** =APERIENT. **2** 식욕 증진의. ── *n.* **1** =APERIENT. **2** =APERITIF.
ap·er·ture[ǽpərtʃùər, -tʃər] *n.* 틈, 구멍, 틈새기(gap); (렌즈의) 구경(口徑).
áperture càrd 〔컴퓨터〕 개구(開口) 카드(카드의 개구 부분에 마이크로필름을 붙이게 한 것).
ap·er·y[éipəri] *n.* (*pl.* **-er·ies**) **1** Ⓤ,Ⓒ 모방, 흉내. **2** 원숭이 우리.
a·pet·al·ous[eipétələs] *a.* 〔植〕 화판(花瓣)이 없는, 꽃잎(petal)이 없는, 무판(無瓣)의.
a·pex[éipeks] [L=peak] *n.* (*pl.* ~**·es, a·pi·ces**[ǽpəsìːz, éi-]) (세모꼴 · 원뿔꼴 · 산 · 나뭇잎의) 꼭대기, 정점(summit); 절정, 극치(climax); 〔天〕 향점(向點): the solar ~ 태양 향점.
APEX, A·pex[éipeks] [*A*dvance *P*urchase *Ex*cursion] *n.* 에이펙스(수 주간의 외국 여행에 대한 항공 운임의 사전 구입 할인제).
Ap·gar scòre[ǽpgɑːr-] 애프가 채점법(신생아의 심장 박동수, 호흡속도, 근(筋)긴장도 등 각 항목의 평가를 1∼10까지의 지수로 나타낸 것).
aph-[æf] *pref.* =APO-.
a·phaer·e·sis[əférəsis] *n.* Ⓤ 〔言〕 어두(語頭) 음절 탈락(보기: 'tis, 'neath).
aph·ae·ret·ic[æ̀fərétik] *a.* 〔言〕 어두 음절 탈락의.
a·pha·si·a[əféiʒiə] *n.* Ⓤ 〔病理〕 실어증(失語症).
a·pha·sic[-zik] *a., n.* 실어증의 (환자).
a·phe·li·on[æfíːliən] *n.* (*pl.* **-li·a**[-liə]) 〔天〕 원일점(遠日點)(*opp.* perihelion).
a·phe·li·o·trop·ic[əfìːliətrápik/-tróp-] *a.* 〔植〕 배일성(背日性)의(*opp.* heliotropic).
a·phe·li·ot·ro·pism[əfìːliátrəpìzəm/-ót-] *n.*
aph·e·sis[ǽfəsis] *n.* Ⓤ 〔言〕 어두(語頭) 모음 소실(보기: especial〉special; esquire〉squire 따위).
a·phet·ic[əfétik] *a.* 〔言〕 어두 모음 소실의.
aph·i·cide[ǽfəsàid] *n.* (진디의) 살충제.
a·phid[éifid, ǽf-] *n.* 〔昆〕 진딧물.
a·phis[éifis, ǽf-] *n.* (*pl.* **a·phi·des**[-dìːz]) =APHID.
a·pho·ni·a, aph·o·ny[eifóuniə], [ǽfəni] *n.* Ⓤ 〔病理〕 실성증(失聲症).
a·phon·ic[eifánik/æfón-] *a.* 실성증의; 〔音聲〕 무성화(化)한, 무성의(voiceless).
aph·o·rism[ǽfərìzəm] *n.* 경구(警句), 잠언(箴言), 격언, 금언(金言). **-rist**[-rist] *n.* 경구가(家), 격언〔금언〕 작가.
aph·o·ris·tic[æ̀fərístik] *a.* 경구적인, 격언체의, 금언적인. **-ti·cal·ly** *ad.*
a·pho·tic[eifóutik] *a.* 〈바다밑 등〉 빛이 없는; 빛 없이 자라는〈식물 등〉.
aph·ro·dis·i·ac[æ̀frədíziæ̀k] *a.* 정욕을 일으키는. ── *n.* 최음제(催淫劑), 미약(媚藥).
Aph·ro·di·te[æ̀frədáiti] *n.* 〔그神〕 아프로디테(사랑 · 미의 여신; 로마 신화의 Venus에 해당).
aph·tha[ǽfθə] *n.* (*pl.* **-thae**[-θiː]) 〔醫〕 아구창(鵝口瘡). **aph·thous**[ǽfθəs] *a.*
a·phyl·lous[eifíləs/ə-] *a.* 〔植〕 잎이 없는.
API air position indicator 〔空軍〕 공중 위치 지시기; American Petroleum Institute.
A·pi·a[əpíːə, ǽpiə] *n.* 아피아(Western Samoa의 수도).
a·pi·an[éipiən] *a.* 꿀벌(bee)의.
a·pi·ar·i·an[èipiέəriən] *a.* 꿀벌의, 양봉(養蜂)의.
a·pi·a·rist[éipiərist] *n.* 양봉가.
a·pi·ar·y[éipièri, -əri] *n.* (*pl.* **-ar·ies**) 양봉장.
a·pi·cal[ǽpikəl, éip-] *a.* **1** 꼭대기의, 정상의. **2** 〔音聲〕 혀끝의. ── *n.* 〔音聲〕 설첨음(舌尖音).
a·pi·ces[ǽpəsìːz, éipə-] *n.* APEX의 복수.
a·pic·u·late[əpíkjulit, -lèit] *a.* 〔植〕 〈잎 등〉 끝이 짧고 뾰족한.
a·pi·cul·ture[éipəkʌ̀ltʃər] *n.* Ⓤ 양봉(養蜂). **à·pi·cúl·tur·al**[èipəkʌ́ltʃərəl] *a.*
a·pi·cul·tur·ist[-tʃərist] *n.* 양봉가.
*****a·piece**[əpíːs] *ad.* 하나에 대하여, 한 사람에 대하여, 각자에게: give five dollars ~ 각자에게 5달러씩 주다. ◇ piece *n.*
a·pik·o·ros[əpíkərous] *n.* **1** 쾌락주의자(hedonist). **2** 무신론자(atheist).
A·pis[éipis/ɑ́ː-] *n.* 〔이집트神〕 아피스(Memphis에서 숭배된 성우(聖牛)).
ap·ish[éipiʃ] *a.* 원숭이 같은; 남의 흉내를 내는; 어리석은(silly); 어리석게 뽐내는.
APL [*A P*rogramming *L*anguage] *n.* 〔컴퓨터〕 산술 · 논리 연산(演算)의 간결한 기술을 목적으로 고안된 프로그래밍 언어.
Apl. April.
ap·la·nat[ǽplənæ̀t] *n.* 〔光〕 구면 수차(球面收差)를 없앤 렌즈. **àp·la·nát·ic** *a.*
a·plás·tic anémia 〔病理〕 무형성 빈혈, 재생 불량성 빈혈(골수의 파괴, 또는 기능 저하가 원인).
a·plen·ty[əplénti] *ad.* 《미口》 많이. ── *a.* (서술적 또는 명사 뒤에서) 많은, 풍부한.
ap·lite[ǽplait] *n.* Ⓤ 반(半)화강암.
a·plomb[əplám, əplʌ́ːm/əplóm] [F=according to the plumb] *n.* Ⓤ 수직(垂直); 태연 자약, 침착.
ap·noe·a[æpníːə, ǽpniə] *n.* Ⓤ 〔病理〕 호흡 정지.
ap·o-[ǽpou] *pref.* 「(…에서) 떨어져(away, off); 〔化〕 …에서 유도된」의 뜻.
APO Army Post Office 《미》 육군 우체국; Asian Productivity Organization 아시아 생산성(生産性) 기구.
ap·o·ap·sis[æ̀pouǽpsis] *n.* (*pl.* **-si·des**[-sidìːz]) 〔天〕 궤도 최원점(最遠點).
Apoc. Apocalypse; Apocrypha.
a·poc·a·lypse[əpákəlìps/əpók-] *n.* **1** 묵시, 계시. **2** (the A-) 〔聖〕 요한 계시록(the Revelation). **3** (사회의) 대변동, 대사건.
a·poc·a·lyp·tic, -ti·cal[əpɑ̀kəlíptik/əpòk-], [-əl] *a.* 계시(록)의; 대참사를 예언하는; 세계 종말의〔을 방불케 하는〕. **-ti·cal·ly**[-tikəli] *ad.*
a·poc·a·lyp·ti·cism, -tism[əpɑ̀kəlíptəsìzəm/əpòk-], [-tizəm] *n.* 계시록적 세계의 도래에 대한 기대; 〔神學〕 계시 신앙; 지복 일천년설(說).
a·poc·a·lyp·ti·cist[əpɑ̀kəlíptəsist/əpòk-] *n.* 계시록적 세계의 도래를 예언하는 사람.
ap·o·car·pous[æ̀pəkɑ́ːrpəs] *a.* 〔植〕 이생

심피(離生心皮)의.
ap·o·chro·mat[ǽpəkroumæ̀t] *n.* 〔光〕 색수차(色收差) 및 구면(球面) 수차를 없앤 렌즈.
ap·o·chro·mat·ic[æ̀pəkroumǽtik] *a.* 〔光〕 색수차 및 구면 수차를 없앤.
a·poc·o·pate[əpákəpèit/əpɔ́k-] *vt.* 〔言〕 어미음 소실(語尾音消失)에 의하여 간단히 하다.
a·poc·o·pe[əpákəpi/əpɔ́k-] *n.* [U,C] 〔言〕 어미음 생략(*cf.* APHAERESIS, SYNCOPE).
ap·o·crine[ǽpəkrin] *a.* 〔生理〕 아포크린선(腺)이 분비하는.
A·poc·ry·pha[əpákrəfə/əpɔ́kri-] *n. pl.* (종종 단수 취급) **1** (the ~) 외전(外典), 외경(外經)《전거(典據)가 의심스럽다고 하여 신교도가 구약 성서에서 삭제한 14편》. **2** (**a-**) 출처가 의심스러운 문서.
a·poc·ry·phal[-fəl] *a.* **1** (**A-**) 외경의. **2** 출처가 의심스러운.
ap·od[ǽpɑd/ǽpɔd] 〔動〕 *n.* 무족(無足) 동물; 배지느러미가 없는 물고기. — *a.* =APODAL.
ap·o·dal[ǽpədl] *a.* 〔動〕 발이 없는; 배지느러미가 없는.
ap·o·dic·tic, -deic-[æ̀poudíktik], [-dáik-] *a.* 〔論〕 필연적인, 명백한.
a·pod·o·sis[əpádəsis/əpɔ́d-] *n.* (*pl.* **-ses**[-sìːz]) 〔文法〕 조건문의 귀결절《보기: If I could, I would.의 *I would*; *cf.* PROTASIS》.
ap·o·en·zyme[æ̀pouénzaim] *n.* 〔生化〕 애포 효소(酵素).
a·pog·a·my[əpágəmi/əpɔ́g-] *n.* [U] 〔植〕 무배(無胚) 생식. **-mous**[-məs] *a.*
ap·o·ge·an[æ̀poudʒíːən] *a.* 〔天〕 원지점의.
ap·o·gee[ǽpədʒìː] *n.* 최고점, 극점(climax); 〔天〕 원지점(遠地點)(*opp.* perigee).
ap·o·graph[ǽpəgræ̀f, -grɑ̀ːf] *n.* 사본, 등본.
ap·o·laus·tic[æ̀pəlɔ́ːstik] *a.* 향락적인.
ap·o·lit·i·cal[èipəlítikəl] *a.* 정치에 관심이 없는; 정치적 의의가 없는. **~·ly**[-kəli] *ad.*
A·pol·li·nar·is[əpɑ̀linέəris/əpɔ̀-] *n.* 광천수(鑛泉水)의 일종《독일산》.
‡**A·pol·lo**[əpálou/əpɔ́l-] *n.* (*pl.* ~**s**) **1** 〔그·로神〕 아폴로《옛 그리스·로마의 태양신》; 시·음악·예언 등을 주관함; *cf.* HELIOS. **2** 괭장한 미남자. **3** 《詩》 태양. **4** 《미》 아폴로 우주선《1969년 7월 21일 달착륙에 성공》.
Ap·ol·lo·ni·an[æ̀pəlóuniən] *a.* 아폴로의〔같은〕; (보통 **a-**) 고전미를 갖춘, 당당한.
A·pol·lyon[əpáljən/əpɔ́l-] *n.* 〔聖〕 마왕.
a·pol·o·get·ic[əpɑ̀lədʒétik/əpɔ̀l-] *a.* 변명의; 사죄의; 미안해 하는 〈태도〉. **be apologetic for**〔**about**〕 …에 대해서 사과〔변명〕하다. — *n.* 변명, 변증(辨證); (*pl.*) 〔神學〕 변증론. **-i·cal·ly** *ad.* 변명하여, 변명적으로.
ap·o·lo·gi·a[æ̀pəlóudʒiə] *n.* 변명서.
a·pol·o·gist[əpálədʒist/əpɔ́l-] *n.* 변명자; (기독교의) 변증자.
‡**a·pol·o·gize**[əpálədʒàiz/əpɔ́l-] *vi.* **1** 사과하다, 사죄하다, 해명하다《*to, for*》: 《Ⅲ *v*I +[전]+(목)+[전]+[명]》 *Apologize to* the gentleman for your rudeness. 그 신사분에게 실례를 사과하여라/《Ⅲ *v*I +[전]+*-ing*》 I ~ *for* be*ing* late. 늦은 것을 사과합니다. **2** 변명하다, 변호하다(defend). **-giz·er** *n.* ◈ apólogy *n.*
ap·o·logue[ǽpəlɔ̀ːg, -lɑ̀g/-lɔ̀g] *n.* 교훈담, 교훈적인 우화(寓話).
‡**a·pol·o·gy**[əpálədʒi/əpɔ̀l-] [Gk] *n.* (*pl.* **-gies**) **1** 사과, 사죄: a written ~ 사과장/a note of ~ (간단한) 사과 편지/With *apologies* for troubling you. 폐를 끼쳐 죄송하오나 잘 부탁합니다. **2** 변명, 핑계(excuse)《*for*》. **3** 명색뿐인 것, 체면 치레의 것《*for*》. an ~ *for* a dinner 명색뿐인 만찬. **in apology for** … 에 대한 사과로. **make**〔**accept**〕 **an apology** 사과하다〔사과를 받아들이다〕《*for*》.
◈ apólogize *v.*: apologétic *a.*
ap·o·lune[ǽpəlùːn] *n.* 〔天〕 원월점(遠月點)《달 궤도에서 우주선 등이 가장 멀어지는 점》.
ap·o·mict[ǽpəmikt] *n.* 아포믹트《아포믹시스(apo-mixis)에 의해 생긴 유기체〔생물〕》.
ap·o·mix·is[æ̀pəmíksis] *n.* (*pl.* **-mix·es**[-míksìːz]) [U,C] 〔生〕 아포믹시스《단위 생식·무배 생식·무포자 생식 등》.
ap·o·phthegm[ǽpəθèm] *n.* =APOTHEGM.
ap·o·phtheg·mat·ic[æ̀pəθegmǽtik] *a.* = APOTHEGMATIC.
a·poph·y·sis[əpáfəsis/əpɔ́-] *n.* (*pl.* **-ses**[-sìːz]) 〔植〕 융기; 〔解〕 돌기.
a·pòph·y·sé·al[-síːəl] *a.*
ap·o·plec·tic[æ̀pəpléktik] *a.* **1** 졸중(성)(卒中(性))의: an ~ fit 졸중의 발작. **2** 몹시 흥분하는〔화내는〕《*with*》. — *n.* 졸중성의 사람. **-ti·cal·ly** *ad.*
ap·o·plex·y[ǽpəplèksi] *n.* [U] 〔病理〕 졸중: cerebral ~ 뇌일혈/heat ~ 열사병(熱射病)/be seized with ~ =have (a fit of) ~ =have a stroke (of ~) 졸중으로 쓰러지다.
a·port[əpɔ́ːrt] *ad.* 〔海〕 좌현(左舷)으로. **Hard a·port!** (키를) 좌현으로 바짝 돌려!
ap·o·se·mat·ic[æ̀pəsəmǽtik] *a.* 〔動〕(체색 등이 방어 효과가 있는) 경계(색)의.
ap·o·si·o·pe·sis[æ̀pəsàiəpíːsis] *n.* (*pl.* **-ses**[-siːz]) 〔修〕 돈절법(頓絶法)《문장을 도중에서 그치는 것: *If we should fail* …》.
a·pos·por·y[ǽpəspɔ̀ːri, -pɔ̀u-] *n.* 〔植〕 무(無)포자 생식.
a·pos·ta·sy[əpástəsi/əpɔ́s-] *n.* (*pl.* **-sies**) [U,C] 배교(背教), 배신(背信); 변절, 탈당.
a·pos·tate[əpásteit, -tit/əpɔ́stit, -eit] *n.* 배교자, 배신자; 변절자, 탈당자. — *a.* 배교의; 배신〔변절〕의. **ap·o·stat·i·cal**[-ikəl] *a.*
a·pos·ta·tize[əpástətàiz/əpɔ́s-] *vi.* 신앙을 버리다《*from*》; 변절〔탈당〕하다《*from*》.
a pos·ter·i·o·ri[éi-pɑstìːriɔ́ːrai/-pɔstèriɔ́ː-] [L =from what comes after] *ad., a.* 후천적으로〔인〕; 귀납적으로〔인〕(*opp.* a priori).
a·pos·til(le)[əpástil/əpɔ́s-] *n.* 방주(傍註).
*__a·pos·tle__[əpásl/əpɔ́sl] [L] *n.* **1** a (**A-**) 사도《그리스도의 12제자의 한 사람》. b (the A-s) (그리스도의) 12사도. **2** (어떤 지방의) 최초의 기독교 전도자, 개조(開祖). **3** (주의 등의) 주창자. **4** 〔모르몬教〕 총무 위원《12명의 위원이 포교 사업을 관리함》. **the Apostle of Ireland** =St. PATRICK. **the Apostle of the English** =St. AUGUSTINE. **~·ship**[-ʃìp] *n.* [U] 사도의 신분〔직분〕. ◈ apostólic *a.*
Apóstles' Créed (the ~) 사도 신경〔신조〕.
apóstle spòon 자루 끝이 사도상(像)으로 된 스푼.
a·pos·to·late[əpástəlit, -lèit/əpɔ́s-] *n.* [U] 사도의 직〔임무〕; 로마 교황의 직〔지위〕.
ap·os·tol·ic, -i·cal[æ̀pəstálik/-tɔ́l-], [-əl] *a.* 사도의, 사도적인; (때로 **A-**) 로마 교황의(papal).
apostólic délegate 〔가톨릭〕 교황 사절《교황청과 외교 관계가 없는 나라에 파견되는》.
Apostólic Fáthers 사도 교부(教父).
apostólic sée 〔가톨릭〕 사도가 창설한 주교구; (the A- S-) 사도좌(座).
‡**a·pos·tro·phe**[əpástrəfi/əpɔ́s-] *n.* **1** 〔文法〕 아포스트로피(ʼ)《◇(1) 생략 부호: can't, ne'er, '77 seventy-seven이라고 읽음. (2) 소유격

부호: boy's, boys', Jesus'. (3) 복수 부호(문자나 숫자의 경우): two M.P.'s, two l's, three 7's). **2** 〔修〕 돈호법(頓呼法)《연설 따위 도중에 그곳에 없는 사람이나 관념 등을 부르기》. ⇔ apóstrophize *v.*

a·pos·tro·phize[-fàiz] *vt., vi.* 아포스트로피를 붙이다; 돈호하다.

a·póth·e·car·ies' mèasure[əpáθəkèriz-/əpɔ́θikəriz-] 약제용 액량법.

apóthecaries' wèight 약제용 형량법.

a·poth·e·car·y[əpáθəkèri/əpɔ́θ-] *n.* (*pl.* **-car·ies**) 《미·영古》 약종상, 약제사(druggist); 《미》 약국.

apóthecary jàr 약제용 아가리가 큰 그릇.

ap·o·thegm[ǽpəθèm] *n.* 경구, 격언.

ap·o·theg·mat·ic[æpouθegmǽtik] *a.* 격언〔경구〕의.

ap·o·them[ǽpəθèm] *n.* 〔數〕 변심 거리(邊心距離).

a·poth·e·o·sis[əpàθióusis/əpɔ̀θ-] *n.* (*pl.* **-ses**[-siːz]) **1** U,C (사람을) 신으로 모심, 신격화; 신성시, 숭배; 신격화된 것. **2** 이상(理想), 극치; 권화(權化)《*of*》.

a·poth·e·o·size[əpáθiəsàiz/əpɔ́θ-] *vt.* 신으로 모시다, 신격화하다; 예찬하다.

ap·o·tro·pa·ic[æpətrəpéiik] *a.* 마귀를 쫓는 (힘이 있는).

app. apparent(ly); appendix; applied; appointed; apprentice; approved.

Ap·pa·la·chian[æpəléitʃiən, -lǽtʃi-] *a.* 애팔래치아 산맥의. — *n.* (the ~s) = APPALACHIAN MOUNTAINS.

Appaláchian Móuntains *n. pl.* (the ~) 애팔래치아 산맥《북미 동해안을 따라 캐나다 Quebec주 남서부에서 미국 Alabama주 북부로 이어진 산맥》.

*__ap·pall__ | __-pal__[əpɔ́ːl] [OF] *vt.* (**-palled; -pall·ing**) 오싹하게〔질겁하게〕 하다, 질리게 하다(terrify): 《Ⅲ (목)》 The idea of atomic warfare ~*s* us. 핵전쟁을 생각하면 오싹해진다. **be appalled at**〔**by**〕 …에 간담이 서늘해지다: 《Ⅰ *be pp*+전+명》 We *are* ~*ed at*〔*by*〕 this idea. 우리는 이 생각에 간담이 서늘해진다.

*__ap·pall·ing__[əpɔ́ːliŋ] *a.* **1** 오싹 소름이 끼치는, 간담이 서늘해지는, 무시무시한(dreadful). **2** 《口》 질리는, 지독한. **~·ly** *ad.*

Ap·pa·loo·sa[æpəlúːsə] *n.* 애팔루사종(種)의 승용마《북미 서부산》.

ap·pa·nage[ǽpənidʒ] *n.* **1** 《文語》 속성; (지위·신분에 따르는) 이득, 부수입. **2** 《古》 (세자가 아닌) 왕자의 속령, 속지(屬地).

ap·pa·rat[æpərɑ́ːt] [Russ] *n.* (정부·정당의) 기관, 지하 조직.

ap·pa·ra·tchik[æpərǽtʃik] [Russ] *n.* (*pl.* ~**s, -tchi·ki**[-tʃiki]) (정부·당기관·지하 조직의) 기관원.

‡**ap·pa·ra·tus**[æpəréitəs, -rǽtəs] [L] *n.* (*pl.* ~, ~**·es**) **1** (한 벌의) 기구(器具), 기계, 장치: a chemical ~ 화학 기구/a heating ~ 난방 장치/a radio ~ 라디오 장치. **2** 〔生理〕 기관(器官): the digestive ~ 소화 기관. **3** (정치 활동 등의) 기구(機構), 조직.

ap·pa·ra·tus crit·i·cus[-krítikəs] [L] *n.* 문학 연구의 참고 자료; 본문 비평 자료.

*__ap·par·el__[əpǽrəl] *vt.* (~**ed**; ~**·ing** | ~**led**; ~**·ling**)《文語·詩》 옷을 입히다(dress): a person gorgeously ~*ed* 화려하게 차려 입은 사람. — *n.* U **1** (보통 수식어와 함께)《미》 의복, 복장, 어패럴: ready-to-wear ~ 기성복. **2**《文語》 (화려한) 의상; (성직복의) 자수(刺繡).

‡**ap·par·ent**[əpǽrənt, əpέər-] *a.* **1** 명백한(manifest), 분명한《*to*》: It must be ~ *to* everybody. 그것은 누구에게나 분명한 사실이다. **2** (눈에) 보이는: ~ *to* the naked eye 육안으로 보이는. **3** 겉모양만의, 표면상의, 외견〔관〕상 …같은, 겉치레의(*opp.* actual, real): The difference is more ~ than real. 그 차이는 외관상뿐이고 실제는 그렇지 않다.
⇔ appéar *v.*; appéarance *n.*

appárent horìzon (the ~) 〔天〕 시(視)수평〔지평〕선(visible horizon).

‡**ap·par·ent·ly**[əpǽrəntli, əpέər-] *ad.* **1** (실제는 어떻든) 보기에, 보매, 외관상으로는(seemingly): He is ~ a gentleman. 그는 보기에 신사인 것 같다/He has ~ forgotten it. 그는 그것을 잊은 것 같다. **2** 분명히, 명백히(clearly): It is ~ true. 그것은 분명히 사실이다.

appárent mágnitude 〔天〕 시(視) 등급.

appárent (sólar) tíme 〔天〕 (해시계 등의) 태양의 위치로 측정하는 시간.

*__ap·pa·ri·tion__[æpəríʃən] *n.* 환영(幻影)(phantom), 유령, 도깨비(specter); U 출현《유령 등의》. ⇔ appéar *v.*

ap·pa·ri·tion·al[-ʃənəl] *a.* 허깨비의〔같은〕.

ap·par·i·tor[əpǽritər] *n.* 하급 관리《옛 로마·종교 재판소의》; 〔영大學〕 총장의 권표(權標)를 받드는 사람(mace-bearer).

ap·pas·sio·na·to[əpàːsiənɑ́ːtou, əpæ̀sjə-] [It] *a., ad.* 〔樂〕 열정적인〔으로〕.

‡**ap·peal**[əpíːl] [L] *vi.* **1** 애원하다, 간청하다, 빌다《*to, for*》: 《Ⅲ *v* I+전+(목)+전+명》 He ~*ed to* me *for* further information. 그는 더 상세한 정보를 원한다고 내게 간청했다/《Ⅴ *v* I+전+(목)+*to* do》 I shall ~ *to* him not *to* make a rash decision. 나는 성급한 결정을 하지 않도록 그에게 간청하게 될 것이다/《Ⅱ 전+명+{*to do*}》 They are ~*ing for* financial aid *to* help people suffering from the floods. 그들은 홍수로 고통받고 있는 사람들을 돕기 위해 재정적 원조를 간청하고 있다. **2** (양심·여론·법률·무력 등에) 호소하다《*to*》: 《Ⅰ *There v* I+(주)+-*ing*》 There is no use (in) ~*ing to* him about it. 그것에 대해서 그에게 호소해 봤자 아무런 소용이 없다/《Ⅰ 전+명》 I ~ *to* your honor. 나는 당신의 명예에 호소합니다/~ *to* arms〔force, the public, reason〕 무력〔폭력, 여론, 이성〕에 호소하다. **3** 상소하다, 항소하다, 상고하다《*to, against*》; 〔스포츠〕 (심판에게) 항의하다《*to, against*》: ~ *to* the Supreme Court 대법원에 상고하다/《Ⅰ 전+명》 The accused ~*ed to* a higher Court. 피고인은 상급법원에 상소했다/《Ⅰ 전+명》 He ~*ed against* the sentence. 그는 판결에 불복하여 상소했다/《Ⅰ 전+명》 The players ~*ed to* the umpire〔referee〕. 선수들은 심판에게 항의했다. **4** 〈사물이 사람의〉 마음에 호소하다, 마음에 들다, 호감을 사다, 흥미를 끌다《*to*》: 《Ⅲ *v* I+전+(목)》《*no pass.*》 This sport ~ *to* young people. 이 운동 경기는 청년들에게 매력이〔인기가〕 있다.
— *vt.* 〔法〕 항소하다, 상고하다.
appeal from Philip drunk to Philip sober (상대방의) 취기가 깬〔마음이 변한〕 다음에 다시 의견을 묻다. **appeal to the country** 《영》 (국회를 해산하여) 국민의 여론에 호소하다.
— *n.* U,C **1** 애원, 간청《*for*》: a direct ~ 직소(直訴)/make an ~ *for* help 원조를 간청하다. **2** (여론·무력 등에의) 호소. **3** 〔法〕 항소, 상고, 상소; 심판에의 항의. **4** 사람의 마음을

움직이는 힘, 매력 : sex ~ 성적 매력/This sport has lost its ~ *to* young people. 이 운동경기는 청년들에게 매력이 없어졌다.
a court of appeal 항소 법원, 상고 법원. **an appeal to the country** 국회를 해산하여 국민의 의사를 물음. **have little**〔**great**〕 **appeal for** …에게 마음에 들지 않다〔썩 마음에 들다〕. **lodge**〔**enter**〕 **an appeal** 항소하다. **make an appeal to** …에 호소하다 : 호감을 사다 : 매혹하다. **the final appeal** 최후의 수단. **~·er** *n.*

ap·peal·a·ble[əpíːləbl] *a.* 항소〔상고, 상소〕할 수 있는《*to*》.

ap·peal·ing[əpíːliŋ] *a.* 애원적인 : 사람의 마음에 호소하는 : 마음을 끄는, 매력적인 : an ~ smile 매력적인 미소. **~·ly** *ad.*

appéal pláy 〔野球〕 어필 플레이《주자가 베이스를 밟지 않고 지나쳤을 때 수비측이 볼로 베이스를 터치한 후 심판에게 어필하여 아웃시키는 일》.

‡**ap·pear**[əpíər] *vi.* **1** 나타나다, 출현하다, 나오다, 보이게 되다(*opp.* disappear) : 《Ⅰ 전+명》 He *~ed at* five o'clock. 그는 5시에 나타났다/~ *on* the horizon 지평선 위에 나타나다/《Ⅱ *as*+명》 The airplane *~ed as* a small speck in the sky. 그 비행기는 하늘에 한 작은 점으로 나타났다/《Ⅰ *v*Ⅰ》 Talk of the devil and he'll ~. 《속담》 호랑이도 제말 하면 온다(=Speak of the devil and he is sure *to* appear.)《종종 and 이하를 생략하여 씀》. **2** …인 듯하다, …인 것 같이 보이다, …이라고 여겨지다(⇨seem) : 《Ⅰ *There v*Ⅰ+(주)》((주)-*to* do) There *~s to* have been an accident. 무언가 사고가 난 것 같다/《Ⅰ *It v*Ⅰ+대》 He is her uncle.—It ~*s* so〔So it ~*s*〕. 그는 그녀의 삼촌이야—그런 것 같군/《Ⅰ *It v*Ⅰ+전+명+(*to be*)+명》 It ~*s to* me *to be* a mistake. 내가 보기에는 잘못이 있는 것 같다/《Ⅰ *It v*Ⅰ+전+명+*that*(절)》 It ~*s to* me *that* he is quite well again. 내가 보기에는 그는 다시 아주 건강해진 것 같다/《Ⅰ *It v*Ⅰ (+전+명)+*that*(절)》 It ~ (*to* me) *that* something is wrong. (내가 보기에는) 뭔가 잘못된 것 같다/《Ⅱ 형》 He ~*s* uneasy. 그는 불안해 보인다/He *~ed* quite well again. 그는 다시 아주 건강해진 것 같았다/《Ⅱ (*to be*)+형》 He ~*s* (*to be*) rich. 그는 부자인 것 같다(=It ~*s* (*to* me) that he is rich.)/《Ⅱ *to* do》 She *~ed to* hesitate. 그녀는 망설이는 것 같다/He ~*s to* have been rich. 그는 부자였던 것 같다/《Ⅱ *done*》 She ~*s surprised.* 그녀는 놀란 표정이다/The apple ~*s rotten* inside. 그 사과는 속이 썩은 것 같다. **3** 출두〔등장〕하다 : 출연하다 : (사교계에) 나오다 : ~ *before* the audience 연단에 서다/~ *in* society 사교계에 나오다/~ *as* Hamlet 햄릿 역으로 등장하다. **4** 〈제품·작품·저서 등이〉 세상에 나오다, (신문 등에) 나다〔실리다〕 : Has his new book *~ed* yet? 그의 새 저서가 이제 출간되었습니까. **5** 〈…임이〉 명백하게 되다, 분명〔명료〕해지다(be obvious) : for reasons *that* do not ~ 분명하지 않은 이유로/It *~ed to* me *that* she was telling a lie. 그녀가 거짓말을 하고 있음이 틀림없다는 생각이 들었다.
appear before the judge 재판을 받다. **appear in court** 출정(出廷)하다. **make it appear that** … …이라는 것을 분명히 하다. **strange as it may appear** 이상하게 보일지 모르지만.
◈ appéarance, apparítion *n.* : appárent *a.*

‡**ap·pear·ance**[əpíərəns] *n.* **1** 출현 : 출두, 출정(出廷) : 출연, 출장(出場) : 출판, 발간, 발표. **2** 기색, 징조 : 현상 : an ~ *of* truth 정말 같은 일/There is no ~ *of* rain. 비가 내릴 것 같지는 않다. **3** (종종 *pl.*) 외관, 외양 : 체면 : 양상 : (사람의) 풍채, 생김새(=personal ~) : 《Ⅲ (목)+〈전+명〉》 He has the ~ *of* a vagabond. 그는 방랑자의 외양을 하고 있다〔그는 방랑자 같았다〕/《Ⅲ (목)+〈전+-*ing*〉》 He has the ~ *of being* an exserviceman. 그는 외양으로 봐서 제대 군인이다〔그는 제대 군인 같았다〕/《Ⅲ (목)+*to* do》 ((*to* do)-Ⅲ 부+(목)) He does his best *to* keep up ~*s*. 그는 체면을 차리기 위해 전력을 다한다. **4** (*pl.*) 형세, 상황, 정세 : *Appearances* are *against* her〔*in* her favor〕. 형세는 그녀에게 불리〔유리〕하다. **5** (사물의) 감각적 인상, 느낌 : (자연의) 현상.
enter an appearance 나타나다, 출두하다. **for appearance' sake** =**for the sake of appearance** 체면상. **in appearance** 보기에는, 외관은. **judge by appearances** 겉모양만으로 판단하다. **keep up**〔**save**〕 **appearances** 체면을 차리다. **make a good**〔**fine**〕 **appearance** 풍신이 좋다. **make**〔**put in**〕 **one's**〔**an**〕 **appearance** 출석하다, 출두하다. **make one's first appearance** 처음으로 나타나다 : (처음으로) 세상에 나오다. **put on the appearance of** (**innocence**) (천진난만한) 체하다. **to**〔**by**〕 **all appearance**(**s**) 보기에는, 어느 모로 보나.
◈ appéar *v.* : appárent *a.*

ap·pear·ing[əpíəriŋ] *a.* 《미》 …인 듯한(looking) : a youthful-~ man 젊어 보이는 사람.

ap·peas·a·ble[əpíːzəbl] *a.* 달랠 수 있는 : 가라앉힐 수 있는.

*****ap·pease**[əpíːz] [OF] *vt.* **1** 〈사람을〉 달래다 : 〈싸움을〉 진정시키다 : 〈노염·슬픔을〉 가라앉히다 : The sight ~*d* his anger. 그 광경을 보고 그는 화가 가라앉았다/~ a person *by* kindness〔*with* a present〕 친절〔선물〕로 …을 달래다. **2** 〈갈증을〉 풀어 주다 : 〈식욕·호기심 등을〉 충족시키다. **3** (절개를 굽혀) 양보하다. **~·ment** *n.* Ⓤ 위무, 진정, 완화, 양보 : 유화 정책. **ap·péas·er** *n.*

ap·pel[əpél] *n.* 〔펜싱〕 아펠《공격의 의사 표시로 마루를 쿵 딛거나, 상대방의 검을 세게 치는 것》.

ap·pel·lant[əpélənt] 〔法〕 *a.* 항소의, 상고의. — *n.* 항소인, 상고인.

ap·pel·late[əpélit] *a.* 항소〔상고〕의, 항소〔상고〕를 처리하는.

appéllate cóurt 항소〔상고〕 법원.

ap·pel·la·tion[æ̀pəléiʃən] *n.* 명칭, 통칭.

ap·pel·la·tive[əpélətiv] *a.* 명칭의, 호칭의 : 《稀》〔文法〕 총칭적인. — *n.* =APPELLATION : 《稀》〔文法〕 보통 명사. **~·ly** *ad.*

ap·pel·lee[æ̀pəlíː] *n.* 〔法〕 피항소인, 피상고인(*opp.* appellant).

ap·pel·lor[əpélɔːr] *n.* =APPELLANT.

ap·pend[əpénd] *vt.* 달아매다 : 덧붙이다(affix), 부가〔추가〕하다, 부록에 달다《*to*》 : 〔컴퓨터〕 추가하다 : ~ one's signature 서명하다/《Ⅲ (목)+전+명》 *Append* a label *to* the trunk 트렁크에 꼬리표를 붙여라.

ap·pend·age[əpéndidʒ] *n.* **1** (매달린) 부가물, 부속물《*to*》. **2** 〔生〕 부속 기관(器官).

ap·pend·ant[əpéndənt] *a.* 부가의, 부수의, 부대적인《*to*》 : 〔法〕(…에) 부대 권리로 종속하는. — *n.* 부수물, 부대적인 사람 : 〔法〕 부대 권리. **-ance, -an·cy** *n.*

ap·pen·dec·to·my[æ̀pəndéktəmi] *n.* (*pl.* **-mies**)〔外科〕 충수(蟲垂) 절제(수술), 맹장 수술.

ap·pen·di·ces[əpéndəsì:z] *n.* APPENDIX의 복수.

ap·pen·di·ci·tis[əpèndəsáitis] *n.* Ⓤ〔病理〕 충수염(蟲垂炎), 《속칭》 맹장염.

ap·pen·dic·u·lar[æ̀pəndíkjələr] *a.* 부속 부분의; 〔生〕 부속지(肢)의; 〔解〕 충수의.

ap·pen·dix[əpéndiks] *n.* (*pl.* **~·es, -di·ces** [-dəsì:z]) **1** 부가물, 부속물; 부록, 추가. **2** 〔解〕 충수(蟲垂), 《속칭》 맹장.
◈ appénd *v.*; appéndant *a.*; appéndage *n.*

ap·per·ceive[æ̀pərsí:v] *vt.* 〔心〕 지각(知覺)하다, 통각(統覺)하다; 〔教育〕 〈새 관념을〉 유화(類化)하다.

ap·per·cep·tion[æ̀pərsépʃən] *n.* Ⓤ 〔心〕 통각 (작용); 〔教育〕 유화.

ap·per·cep·tive[æ̀pərséptiv] *a.* 〔心〕 통각(統覺)적인.

ap·per·tain[æ̀pərtéin] *vi.* 속하다(belong) 《*to*》; 관련되다(relate)《*to*》.

ap·pe·ten·cy, -tence[ǽpitənsi], [-təns] *n.* (*pl.* **-cies; -tenc·es**) Ⓤ,Ⓒ 강한 욕망, 성욕, 본능적 욕망《*for, after, of*》; 〔化〕 친화력.

ap·pe·tent[ǽpitənt] *a.* 열망하는, 동경하는 《*after, of*》.

ap·pe·tite[ǽpitàit] [L] *n.* Ⓒ,Ⓤ 식욕; 욕망 (desire), 성욕; 욕구《지식 등의》; 흥미《*for*》: A good ~ is a good sauce. 〔속담〕 시장이 반찬이다. **be to one's appetite** 입에 맞다. **carnal**〔**sexual**〕 **appetite** =**the appetite of sex** 성욕. **give an appetite** 식욕을 돋우다. **have a good**〔**poor**〕 **appetite** 식욕이 있다〔없다〕. **have an appetite for** (**music**) (음악)을 좋아하다. **lose**〔**sharpen**〕 one's **appetite** 식욕을 잃다〔돋우다〕. **loss of appetite** 식욕 부진. **take the edge off** one's **appetite** (가벼운 식사로) 요기하다. **whet** a person's **appetite** …의 흥미를 돋우다; …이 〈…을〉 더욱 탐내게 하다《*for*》. **with a good appetite** 맛있게. ◈ áppetitive *a.*

ap·pe·ti·tive[ǽpitàitiv] *a.* 식욕이 있는; 식욕을 증진시키는.

ap·pe·tiz·er[ǽpitàizər] *n.* 식욕을 돋우는 것; 전채(前菜)(hors d'oeuvre).

ap·pe·tiz·ing[ǽpitàiziŋ] *a.* 식욕을 돋우는, 맛있어 보이는. **~·ly** *ad.*

Áp·pi·an Wáy (the ~) 아피아 도로《Rome에서 Brundisium까지의 고대 로마의 길》.

appl. applied.

ap·plaud[əplɔ́:d] [L] *vi.* 박수 갈채하다, 성원하다. ── *vt.* …에게 박수 갈채하다, 성원하다 (cheer); 칭찬하다, 절찬하다(praise): I ~ (you *for*) your decision. 잘 결심하셨습니다. **applaud to the echo** 극구 칭찬하다. **~·a·ble** *a.* ◈ appláuse *n.*; appláusive *a.*

ap·plause[əplɔ́:z] *n.* Ⓤ 박수 갈채; 칭찬: win general ~ 세상의 칭찬을 받다.
◈ appláud *v.*; appláusive *a.*

applausive[əpɔ́:siv, -ziv] *a.* 박수 갈채의; 칭찬의. **~·ly** *ad.*

ap·ple[ǽpl] *n.* **1** 사과; 사과나무(=**∠ trèe**). **2** 《미俗》 야구공. **3** 《미俗》 대도시, 번화가; 《미口》 녀석(fellow). **4** (**A-**) 애플《1977년 창립된 미국의 개인용 컴퓨터 제조 회사; 정식 명칭은 Apple Computer, Inc.》; 그 제품《상표명》. **apple of love** 토마토《별명》. **bitter apple** 〔植〕 콜로신스(colocynth). **Carthaginian apple** 석류. **Jew's apple** 가지. **polish apples**〔**the apple**〕 《口》 비위 맞추다, 아첨하다. **the apple of discord** 〔그神〕 여신들이 쟁탈한 황금 사과; 불화의 원인. **the apple of Sodom** =**the Dead Sea apple** 소돔의 사과《따면 연기를 내고 재가 된다고 함》; 실망의 원인. **the apple of** one's〔**the**〕 **eye** 눈동자; 장중 보옥(掌中寶玉), 매우 소중한 것.

ápple blòssom 사과꽃《Arkansas, Michigan 주의 주화(州花)》.

ápple brándy 사과 브랜디.

ápple bùtter (잼 모양의) 사과 버터; 《미方》 능변, 수다스러움.

ap·ple·cart[ǽplkà:rt] *n.* (사과 장수의) 손수레. **upset the**〔a person's〕 **applecart** …의 계획을 망쳐 놓다.

ápple chéese 사과 치즈.

ápple dúmpling 사과를 넣어 찐 경단.

ápple gréen 밝은 황록색, 푸른 사과빛.

ápple hèad 장난감 개의 둥근 머리.

ápplejack[-dʒæ̀k] *n.* 《미》 =APPLE BRANDY.

applejack càp 애플잭 모자《흑인 · 푸에르토리코 청년이 쓰는 화려한 빵모자》.

ápple knòcker 《미俗》 시골뜨기, 농부.

ápple òrchard 사과밭; 《野球俗》 야구장.

ápple píe 사과파이, 애플파이. (**as**) **American as apple pie** 극히〔참으로〕 미국적인.

ap·ple-pie[-pài] *a.* 완전한, 정연한; 순미국적인.

ápple-píe bèd 다리를 충분히 뻗을 수 없도록 장난으로 시트를 접어 깐 잠자리.

ápple-pie órder 《口》 정돈; 질서 정연한 상태: in ~ 질서 정연하게.

ap·ple-pol·ish[-pàliʃ/-pɔ̀l-] *vi., vt.* 《미口》 (…의) 비위를 맞추다, 아첨하다.

ápple pòlisher 《미口》 아첨꾼(flatterer).

ápple pómace 즙을 짜낸 사과 찌끼.

ap·ple·sauce[-sɔ̀:s] *n.* Ⓤ **1** 사과 소스. **2** 《미俗》 아첨(flattery); 터무니없는 말(nonsense).

Áp·ple·ton làyer 〔通信〕 애플턴층, F층.

ápple trèe 사과나무.

ap·ple·wife[-wàif] *n.* (*pl.* **-wives**[-wàivz]) 사과 파는 여자.

ap·pli·ance[əpláiəns] *n.* **1** 기구; 장치, 설비; 전기 제품〔기구〕: household ~s 가정 용구/medical ~s 의료 기구. **2** Ⓤ,Ⓒ 《稀》 적용, 응용. ◈ applý *v.*

applíance garàge 잡다한 전기기구 등을 보관하는 칸막이한 작은 방〔캐비닛〕《주로 부엌에 설치해서 쓰기 쉽게 함》.

ap·pli·ca·bil·i·ty[æ̀plikəbíləti] *n.* Ⓤ 적응성, 응용할 수 있음; 적부(適否).

ap·pli·ca·ble[ǽplikəbəl, əplíkə-] *a.* 적용〔응용〕할 수 있는; 들어맞는, 적절한《*to*》. **-bly** *ad.*

ap·pli·cant[ǽplikənt] *n.* 응모자, 출원자, 신청자, 지원자, 후보자《*for*》: an ~ *for* admission to a school 입학 지원자. ◈ applý *v.*

ap·pli·ca·tion[æ̀plikéiʃən] *n.* **1** Ⓤ,Ⓒ 적용, 응용《*of, to*》: a rule of general ~ 일반적으로 적용되는 규칙. **2** Ⓒ,Ⓤ 신청《*to*》; 출원, 지원 《*for*》: (⦗ *be pp.*)His ~ *to* join the expedition was rejected. 탐험에 참가하려는 그의 신청은 거절당했다. **3** 원서, 신청서(=WRITTEN ~): fill in〔out〕 an ~ (필요 사항을) 신청서에 기입하다. **4** Ⓤ (약을) 바름, 붙임; Ⓒ 외용약, 바르는 약: for external ~ 〔藥〕 외용의. **5** Ⓤ 열심, 몰두, 전력, 근면: a man of close ~ 부지런한 사람. **6** 〔컴퓨터〕 응용《컴퓨터에 의한 실무 처리 등, 또는 그 프로그램》. **make an application for** …을 신청하다, …을 출원하다《*to*》. **on application to** …에 신청하면,

신청하는 대로. **send in a written application** 원서를 제출하다.
⊕ ápplicative, ápplicatory *a.*; applý *v.*

application fòrm〔blànk〕 신청 용지, 신청서.

application pàckage 〔컴퓨터〕 적용 패키지《급여 계산·구조 해석 등의 프로그램을 모은 소프트웨어 집합체》.

application prògram 〔컴퓨터〕 응용 프로그램《유저(user)가 구체적인 일을 처리하기 위해 만들어진 프로그램: *cf.* SYSTEM PROGRAM》.

ap·pli·ca·tion-spe·cif·ic[æplikéiʃənspisífik] *a.* 특수 용도의 〈회로〉.

applicátions sátellite 실용 위성.

ap·pli·ca·tion·ware[æplikéiʃənwὲər] *n.* 〔컴퓨터〕 적용 웨어《컴퓨터를 어느 분야의 어떤 일에 어떻게 이용하느냐 하는 것》.

ap·pli·ca·tive[ǽplikèitiv, əplíkə-] *a.* 실용적인, 응용적인. **~·ly** *ad.*

ap·pli·ca·tor[ǽplikèitər] *n.* (약을 바르는데 쓰는) 작은 주걱.

ap·pli·ca·to·ry[ǽplikətɔ̀ːri, -tòu-, -əplíkə-] *a.* 적용〔응용〕할 수 있는; 실용적인.

*__ap·plied__[əpláid] *a.* (실지로) 적용된, 응용의 (*opp. pure, abstract, theoretical*): ~ chemistry〔tactics〕 응용 화학〔전술〕/~ music 《미》 (이론을 뺀) 실용 음악 (과목).

applíed genétics 응용 유전학《품종 개량·물질 생산·의료 등에 응용하는》.

ap·pli·qué[æplikéi] [F =applied] *a.* (다른 재료에) 꿰매붙인, 바른. ── *n.* Ⓤ 아플리케 《꿰매 붙인 장식·바른 세공》. ── *vt.* …에 아플리케를 하다.

‡**ap·ply**[əplái] [L] (**-plied**) *vt.* **1** 〈규칙을〉 적용하다, 〈원리를〉 응용하다《*to*》: ~ a theory *to* a problem 문제에 이론을 적용하다. **2** (자금 등을) 쓰다, 사용하다; 〈자금 등을 어떤 목적에〉 충당하다, 돌리다; (기계 등을) 작동시키다《*to*》: ~ force 폭력을 쓰다/~ a word *to* an idea different *from* its ordinary sense 어떤 낱말을 일반적인 뜻과 다른 뜻으로 쓰다/《Ⅲ (목)+전+명》 He constantly *applied* abusive epithets to them. 그는 그들에게 끊임없이 비방적인 형용어구들을 사용했다/《Ⅴ (목)+*do*》 Let us ~ this money to the relief of the poor. 이 돈을 빈민을 구제하는 데 충당하게 해 주십시오. **3** (힘열 등을) 가하다《*to*》: ~ pressure〔heat〕 *to* the plate 판금에 압력〔열〕을 가하다. **4** 〈표면에〉 대다; 〈약 등을〉 바르다《*to*》: ~ a plaster *to* a wound 상처에 고약을 바르다. **5** 〈몸을〉 바치다, 전념하다, 열중하다: ~ one's mind *to* one's studies 연구에 전념하다/《Ⅴ (목)+전+*-ing*》 She *applied* herself *to* learn*ing* English. 그녀는 영어 공부에 열중했다/《稀》《Ⅴ (목)+*to* do》 She *applied* herself *to* prepare for the exam. 그녀는 시험 준비에 전념하고 있었다/《Ⅲ (목)+전+명》 He *applies* himself *to* the study of English. 그는 영어 공부에 전념하고 있다/He *applied* himself assiduously *to* breakfast. 그는 부지런히 아침 식사를 했다. ── *vi.* **1** 적용되다, 알맞다, 적합하다《*to*》: This law *applies to* everybody. 이 법률은 모든 사람에 적용된다. **2** 신청하다, 출원〔지원〕하다《*to, for*》: 《Ⅰ 전+명》 He *applied for* a vacant post. 그는 결원을 보충하는 데 응모했다. **3** 문의하다, 조회하다, 의뢰하다《*to, for*》: *For* particulars, ~ *to* the office. 상세한 것은 사무실에 문의하시오/《Ⅲ *v*I+{전+명}+전+(목)》 He *applied to* me *for* information. 그는 나에게 정보를 문의했다.

ap·plí·er *n.* ⊕ applicátion, applíance, ápplicant *n.*; ápplicable *a.*

appmt. appointment.

ap·pog·gia·tu·ra[əpɑ̀dʒətúrə, -tjúə-] [It] *n.* 〔樂〕 아포자투라, 전타음(前打音), 장식음 (grace note).

‡**ap·point**[əpɔ́int] *vt.* **1** 지명〔임명〕하다; 명하다, 지시하다: 《Ⅴ (목)+(*to be*)명》 We have ~*ed* him (*to be*) chairman. 우리는 그를 의장으로 임명했다/《Ⅱ *be pp.*+명》 He was ~*ed* captain of the ship. 그는 그 배의 선장으로 임명되었다. **2** 《文語》 〈시일·장소를〉 정하다, 지정하다(fix), 약속하다: He ~*ed* the place for the meeting. 그는 회합의 장소를 지정했다/《Ⅱ *as*+명》 May 7 was ~*ed as* the day for the meeting. 회합의 날은 5월 7일로 정해졌다. **3** 《古》 〈신·하늘이〉 명하다, 정하다: 《Ⅲ *that*(절)》 God ~*s that* this shall be done. 신은 이것이 이루어지도록 정하신다. **4** 〔法〕 (재산의) 귀속을 정하다. **5** (보통 수동형) 〈방 등에〉 비품〔설비〕을 갖추다.
── *vi.* 지명〔임명〕권을 행사하다, 지명〔임명〕하다. ⊕ appóintive *a.*; appóintment *n.*

*__ap·point·ed__[əpɔ́intid] *a.* **1** 정해진, 지정된; 임명된: one's ~ task 자기의 정해진 일/at the ~ time 정각에, 약속된 시간에. **2** (보통 부사를 동반하여 복합어로) 설비를 갖춘: a well-~ house 설비가 잘된 집.

ap·poin·tee[əpɔ̀intíː, æpɔin-] *n.* 임명〔지명〕된 사람; 〔法〕 (재산권의) 피지정인.

ap·point·er[əpɔ́intər] *n.* 임명자.

ap·point·ive[əpɔ́intiv] *a.* 《미》 임명〔지명〕에 의한(*opp.* elective).

‡**ap·point·ment**[əpɔ́intmənt] *n.* **1** Ⓒ,Ⓤ 지정, 선정. **2** Ⓒ,Ⓤ 임명, 임용; Ⓒ 관직, 지위. **3** 천명, 운명. **4** (만날) 약속. **5** (*pl.*) (건물의) 설비, 장비(outfit). **by appointment** 때와 장소를 약속하여 〈만나다〉. **keep〔break〕 one's appointment** (…와의) 약속을 지키다〔어기다〕《*with*》. **make an appointment with** …와 만날 시일〔장소〕을 정하다. **take up an appointment** 취임하다.

ap·poin·tor[əpɔ́intər] *n.* **1** =APPOINTER. **2** 〔法〕 지정권자.

ap·port[əpɔ́ːrt] *n.* 〔心靈〕 환자(幻姿)《강신술(降神術)에서 영매(靈媒)로 나타남》.

ap·por·tion[əpɔ́ːrʃən] *vt.* 배분〔배당〕하다, 나누다, 할당하다《*to, between, among*》: ~ something *between*〔*among*〕 persons 물건을 사람들에게 배분하다/《Ⅳ 대+(목)+〈전+명〉》 His father ~*ed* him a share *in* the property. 그의 아버지는 재산의 한 몫을 그에게 배당했다/《Ⅲ (목)+〈전+명〉+전+명》 Their father ~*ed* a share in the property *to* each of his children. 그들의 아버지는 자녀 각자에게 재산의 한 몫을 배당했다/《Ⅲ *be pp.* (목)》 Each of them was ~*ed* a share *in* the property. 그들 각자는 재산의 한 몫을 배당받았다. **~·ment** *n.* Ⓤ,Ⓒ 분배, 배분, 배당, 할당; (손해 배상액의) 분담; 《미》 (인구 비율에 의한) 의원수의 할당.

ap·pose[əpóuz] *vt.* 〈두 물건을〉 나란히 놓다; 덧붙이다; 〈도장을〉 찍다.

ap·po·site[ǽpəzit] *a.* 적절한《*to, for*》. **~·ly** *ad.* **~·ness** *n.*

‡**ap·po·si·tion**[æ̀pəzíʃən] *n.* Ⓤ 병치(並置); 〔文法〕 동격(관계). **in apposition with〔to〕** …와 동격인〔으로〕. **~·al** *a.* 동격의.
⊕ ápposite *a.*; appósitive *n.*, *a.*

ap·pos·i·tive[əpɑ́zətiv/əpɔ́zi-] 〔文法〕 *a.*

동격의. ── *n.* 동격어〔구, 절〕. **~·ly** *ad.*

ap·prais·al[əpréizəl] *n.* [U,C] 값 매김, 평가; 감정, 견적, 사정(査定); [U] 견적〔사정〕액.

ap·praise[əpréiz] *vt.* 〈물건·재산을〉 값매기다, 견적〔감정〕하다; 〈사람·능력을〉 평가하다: 《Ⅴ(목)+*do*》 I had an expert ~ the house beforehand. 나는 사전에 전문가에게 그 가옥을 평가시켰다/~ property〔land〕 *at* sixty thousand dollars 재산〔토지〕을 6만 달러로 평가하다/~ property *for* taxation 과세하기 위해 재산을 감정하다. **~·ment** *n.* =APPRAISAL.

***ap·práisa·ble**[əprí:ʃiəbəl] *a.* 평가할 수 있는. **ap·práis·er** *n.* 평가〔감정〕인; 《미》 세관의 사정관. ⇔ appráisal *n.*

ap·prais·ing[əpréiziŋ] *a.* 평가하는 (듯한).

ap·pre·cia·ble[əprí:ʃəbl] *a.* 감지할 수 있을 정도의, 평가할 수 있는; 분명한, 상당한. **-bly** *ad.* ⇔ appréciate *v.*

****ap·pre·ci·ate**[əprí:ʃièit] [L] *vt.* **1** 진가〔좋은 점〕를 인정하다; 평가〔감정, 판단〕하다. **2** 〈사소한 차이를〉 식별하다; 〈사물을〉 올바르게 인식하다; 〈중대성 등을〉 통찰하다. **3** 〈문학 등을〉 감상하다. **4** 〈사람의 호의 등을〉 고맙게 생각하다, 감사하다: 《Ⅲ(목)+{*to be*+형〔전+명〕+전+명}》 I should ~ you *to be* serviceable〔*of* any service〕 *to* me. 저를 도와주신다면 감사하겠습니다/I ~ your kindness. 친절에 감사합니다. **5** 시세〔값〕를 올리다. **6** …의 가격을〔시세를〕 올리다.
── *vi.* 시세〔값〕가 오르다(*opp.* depreciate).
⇔ appreciátion *n.*; appréciable, appréciative *a.*

****ap·pre·ci·a·tion**[əprì:ʃiéiʃən] *n.* [U] **1** 진가(를 인정함), 올바른 인식; 식별, 감지(感知). **2** 감상, 완미(玩味), 이해: ~ of music 음악의 감상. **3** 감사, 존중. **4** (가격의) 등귀, (수량의) 증가. **in appreciation of** …을 인정하여; …에 감사하여. **with appreciation** 감사하여; 충분히 이해하여.
⇔ appréciate *v.*; appréciative *a.*

***ap·pre·cia·tive**[əprí:ʃətiv, -ʃièi-] *a.* **1** 감식력(鑑識力)이 있는, 눈이 높은; 감상적(鑑賞的)인《*of*》. **2** 감사의, 감사하고《*of*》. **be appreciative of** …을 감사하고 있다. **~·ly** *ad.* ⇔ appréciate *v.*; appreciátion *n.*

ap·pre·ci·a·tor[əprí:ʃièitər] *n.* 진가를 이해하는 사람; 감상자; 감사하는 사람.

ap·pre·cia·to·ry[əprí:ʃiətɔ̀:ri, -təri] *a.* = APPRECIATIVE.

***ap·pre·hend**[æ̀prihénd] [L] *vt.* **1** 《文語》 〈범인을〉 체포하다: The thief was ~*ed.* 도둑은 체포되었다. **2** 〈의미를〉 파악하다, 터득하다; 이해하다, 깨닫다: I ~*ed that* the situation was serious. 사태가 심각함을 깨달았다. **3** 우려하다, 염려하다: It is ~*ed that* influenza will prevail throughout the country. 독감이 전국에 만연될 우려가 있다.
── *vi.* 이해하다; 우려하다.
⇔ apprehénsion *n.*; apprehénsive *a.*

ap·pre·hen·si·bil·i·ty[æ̀prihènsəbíləti] *n.* [U] 이해할〔깨달을〕 수 있음.

ap·pre·hen·si·ble[æ̀prihénsəbəl] *a.* 이해할〔깨달을〕 수 있는《*to*》.

***ap·pre·hen·sion**[æ̀prihénʃən] *n.* [U] **1** (종종 *pl.*) 우려, 염려, 불안(fear): under the ~ *that*〔*lest*〕… …을 두려워하여, 을 염려하여. **2** (또는 an ~) 《文語》 이해, 이해력; 판단, 견해: in my ~ 내가 보는 바로는. **3** 체포(arrest). **be above one's apprehension** 이해할 수 없다. **be quick**〔**dull**〕 **of apprehension** 이해가 빠르다〔더디다〕. **have**〔**entertain**〕 **some apprehension(s)** 염려하다.
⇔ apprehénd *v.*; apprehénsive *a.*

***ap·pre·hen·sive**[æ̀prihénsiv] *a.* **1** 우려하여, 염려하여《*of, for, about*》: 《Ⅱ 형+*that*(절)》 They were ~ *that* he might not return in time. 그들은 그가 제 시간에 돌아오지 않을까 염려하고 있었다. **2** 이해가 빠른, 총명한; 인식하고〔깨닫고〕(있는). **be apprehensive for** (a person's safety) (…의 안부)를 걱정하다. **be apprehensive of** …을 두려워하다. **be apprehensive that** a person **may** …하지 않을까 근심하다. **~·ly** *ad.* **~·ness** *n.*
⇔ apprehénd *v.*; apprehénsion *n.*

***ap·pren·tice**[əpréntis] [OF] *n.* **1** 도제(徒弟), 계시, 견습생. **2** 초심자(novice). **apprentices' school** 도제 학교. **bind** a person〔**be bound**〕 **apprentice to** (a carpenter) (목수)의 도제로 삼다〔가 되다〕.
── *vt.* 도제로 보내다. **apprentice** a person〔**oneself**〕 **to** …의 도제로 보내다〔가 되다〕. **be apprenticed to** …의 도제가 되다.

ap·pren·tice·ship *n.* [U] 도제살이, 도제의 신분〔연한〕. **serve**〔**serve out**〕 **one's apprenticeship** 도제의 연한을 근무하다〔채우다〕.

ap·pressed[əprést] *a.* 바싹〔납작하게〕 밀어붙여진, 착 들러붙은.

ap·prise[1], **ap·prize**[1] [əpráiz] *vt.* 《文語》 〈사람에게 …을〉 통고하다(inform), 알리다《*of*》. **be apprised of** …을 알고 있다.

ap·prize[2], **ap·prise**[2] *vt.* =APPRAISE.

ap·pro[ǽprou] *n.* 《영口》 =APPROVAL. **on appro** =on APPROVAL.

****ap·proach**[əpróutʃ] [L] *vt.* **1** …에 다가가다, …에 가까이 가다, 접근하다: ~ the moon 달에 접근하다. **2** 〈성질·시간·상태 등이〉 …에 가까워지다, …와 비슷하게 되다: ~ completion 완성에 가까워지다. **3** (교섭할 목적으로) …에게 접근하다; 이야기를 꺼내다, …와 교섭하다; (환심을 사려고) 〈…에게〉 알랑거리다《*on*》: ~ a person *on* a matter 어떤 일로 …와 교섭하다/They ~*ed* the manager *for* the money. 그들은 돈 문제로 지배인과 교섭을 벌였다. **4** 《稀》 …을 …에 접근시키다《*to*》. **5** 〈일·문제 등에〉 착수하다; …을 연구하다.
── *vi.* **1** 〈사람·물건·때 등이〉 다가오다, 가까워지다, 접근하다: Winter ~*es.* 봄이 다가온다/A storm is ~*ing.* 폭풍이 접근하고 있다/The time ~*ed.* 시간이 다가왔다. **2** 〈성질·금액 등이〉 …에 가깝다, 거의 …와 같다(amount)《*to*》: This reply ~*es to* a denial. 이 대답은 거절이나 다름없다.
── *n.* **1** [U] 가까워짐, 접근《*of, to*》; (성질·정도 등의) 가까움, 근사; [C,U] 닮은 것, 가까운 것《*to*》: the ~ of winter 겨울철이 다가옴/his nearest ~ *to* a smile 그로서는 한껏 지어 보이는 미소. **2** [C] (접근하는) 길, 입구, 출입로, 접근로《*to*》. **3** (학문 등에의) 접근법, 학습〔연구〕법, 길잡이《*to*》: the best ~ *to* the learning of English 최선의 영어 학습법. **4** (*pl.*) 친근책(策), 교섭 개시의 계획, 제언(提言); (여자에게) 치근거림, 구혼《*to*》. **5** 〔空〕 (착륙) 진입(로); (*pl.*) 〔軍〕 적진 접근 작전; 〔골프〕 어프로치(=∠ **shòt**)(Putting green에 공을 올리기 위한 샷); 〔스키〕 점핑하기 위하여 지쳐 나가기. **easy**〔**difficult**〕 **of approach** 가까이하기 쉬운〔어려운〕, 가기 쉬운〔어려운〕. **make one's approaches** 접근하려 하다, 환심을 사려 하다.

ap·proach·a·ble[əpróutʃəbəl] *a.* 가까이 하기 쉬운; 사귀기 쉬운. **ap·pròacha·bíl·ity**

[əpròutʃəbíləti], **~·ness** *n.*
appròach àid 〔空〕 진입용 보조 설비.
ap·pròach-ap·próach cònflict 〔心〕 접근-접근 갈등(동시에 두 방향에서 끌리는 경우).
ap·próach-a·vóid·ance cònflict 〔心〕 접근-회피 갈등(양면 가치의 경우).
appróach chéck líst 〔空〕 (계기 착륙시의) 진입 점검 항목 리스트.
appróach lìght 〔空〕 (공항 활주로의) 진입등(燈).
appróach ròad (고속도로 등의) 진입로.
ap·pro·bate [ǽprəbèit] *vt.* 《미》 승인〔찬성〕하다(approve); 허가하다(license).
*__ap·pro·ba·tion__ [æ̀proubéiʃən] *n.* Ⓤ 허가, 인가, 면허; 승인, 시인, 찬동; 칭찬: meet with general ~ 일반 대중의 찬동을 얻다.
on approbation =on APPROVAL.
◈ ápprobate *v.*; ápprobative, ápprobatory *a.*
ap·pro·ba·tive [ǽproubèitiv] *a.* 승인하는, 인가의, 찬성의.
ap·pro·ba·to·ry [əpróubətɔ̀:ri, -tou-] *a.* 승인의; 칭찬의.
ap·pro·pri·a·ble [əpróupriəbəl] *a.* 전용〔사용(私用)〕할 수 있는; 유용〔충당〕할 수 있는.
‡**ap·pro·pri·ate** [əpróuprièit] [L] *vt.* **1** 〈특수한 목적에 돈 등을〉 충당하다: The money was ~*d for* education. 그 돈은 교육에 충당되었다/~ the money *to* payment 그 돈을 지불에 충당하다. **2** 《미》 〈의회가 자금의〉 지출을 승인하다, 〈정부가 어떤 금액을〉 예산에 계상하다(*for*): The legislature ~*d* the funds *for* the construction of the gymnasium. 의회는 체육관 건립을 위한 자금의 지출을 승인했다. **3** 〈공공물을〉 사유(私有)〔전유(專有)〕하다; 사물화(私物化)하다, 독점하다; 사용(私用)에 쓰다, 횡령〔착복〕하다; 훔치다: Let no one ~ a common benefit. 아무도 공공의 이익을 독점해서는 안 된다/~ public money *for* one's own use 공금을 횡령하다. ― [əpróupriit] *a.* **1** 적당한, 적절한, 알맞은, 어울리는(*to, for*): ~ *to* the occasion 그 경우에 어울리는/ (Ⅱ 형+전+명) The tie is ~ *for* your suit. 그 넥타이는 네 신사복에 잘 어울린다. **2** 특유한, 고유한(*to*). **~·ly** *ad.* **~·ness** *n.*
◈ appropriátion *n.*; appròpriative *a.*
appròpriate technólogy 적합 기술(도입국의 특유한 조건에 알맞은 기술).
*__ap·pro·pri·a·tion__ [əpròupriéiʃən] *n.* **1** Ⓤ 전유(專有); 사용(私用), 도용. **2** Ⓤ,Ⓒ 충당, 할당. **3** 《미》 (의회의 승인을 받은) 정부 지출금; …비(費)(*for*): an ~ *for* defense 국방비.
make an appropriation of …을 지출하다.
ap·pro·pri·a·tive [əpróuprièitiv, -priət-] *a.* 전유〔사용〕의; 충당의; 특별 사용의.
ap·pro·pri·a·tor [əpróuprièitər] *n.* **1** 전용자, 사용자(私用者); 유용자. **2** 충당자.
ap·prov·a·ble [əprú:vəbəl] *a.* 승인〔찬성〕할 수 있는.
‡**ap·prov·al** [əprú:vəl] *n.* Ⓤ 찬성, 동의; (정식) 승인, 인가: show one's ~ 찬성을 나타내다.
for a person**'s approval** …의 승인〔찬성〕을 얻고자. **meet with** a person**'s approval** …의 찬성을 얻다. **on approval** 《영口》 상품이 마음에 들면 산다는 조건으로. **with your kind approval** (고맙게도) 귀하의 찬성을 얻어.
‡**ap·prove** [əprú:v] *vt.* **1** …을 좋게 말하다〔생각하다〕, 호의적으로 판단하다, (좋다고) 시인하다, 찬성하다: I ~ your plan. 당신의 계획에 찬성한다. **2** 〈의회 등이 정식으로〉 승인하다, 인가〔재가〕하다. **3** …임을 보이다, 입증하다; (보통 ~ one*self* 로) …이 가치가 있음〔훌륭함〕을 나타내다(*to*): (Ⅴ (목)+명) He ~*d* himself a great teacher. 그는 (자신이) 훌륭한 교사임을 보여주었다/~ one*self to* God 하느님에게 받아들여질 가치가 있음을 입증하다.
― *vi.* 찬성하다, 승인하다(*of*): (Ⅲ *v*I +전+*pos.*+-*ing*) I don't ~ *of* cousin's marrying. 나는 사촌이 결혼하는 것이 마음에 들지 않는다/ (Ⅲ *v*I +전+(목)) I admired and ~*d of* all his remarks. 나는 그의 모든 의견을 찬양하면서 시인했다. ◈ appróval *n.*
ap·proved [əprú:vd] *a.* 인가된; 입증된, 정평 있는, 공인된.
appróved schóol 《영》 (비행 청소년을 선도하는) 교도 학교(지금은 community home이라 함).
ap·prov·er [əprú:vər] *n.* 승인자, 찬성자.
ap·prov·ing [əprú:viŋ] *a.* 찬성〔승인〕하는; 만족해 하는: an ~ smile 만족스러운 미소.
~·ly *ad.*
approx. approximate(ly).
ap·prox·i·mant [əprάksəmənt/-rɔ́k-] *n.* 〔音聲〕 접조음(接造音)(조음기관(調音器官)이 서로 접조해도 폐쇄음이나 마찰음을 형성하지 않는 음; 반모음(w, j) 및 r, l).
*__ap·prox·i·mate__ [əprάksəmèit/-rɔ́k-] [L] *vi.* 〈위치·성질·수량 등이〉 …에 가까이 가다, 접근하다(approach), 가깝다(*to*): Her account ~*d to* the truth. 그녀의 이야기는 진실에 가까웠다. ― *vt.* **1** 〈수량 등이〉 …에 접근하다, 가깝다; …와 비슷하다: ~ a solution 해결에 접근하다/The total income ~*s* 15,000 dollars. 총수입은 약 1만 5천 달러에 가깝다(◇ ~ *to*로 즉 *vi.*+전로 쓰는 견해도 있다)/The gas ~*s* air. 그 가스는 공기와 비슷하다. **2** 〈…을 …에〉 접근시키다(*to*): ~ two surfaces 두 면을 접근시키다/~ something *to* perfection 어떤 것을 완벽에 가깝게 하다. **3** 어림〔견적〕잡다(*at*). **4** 〔醫〕 (절개한 조직의 끝을) 접합하다. ― [əprάksəmit/-ɔ́k-] *a.* **1** 대략의, 거의 정확한; 비슷한, 근사한: an ~ estimate 개산(槪算)/~ value 개산 가격; 〔數〕 근사치, 근사값. **2** 근접한.
◈ approximátion *n.*; appróximative *a.*
ap·prox·i·mate·ly [-mitli] *ad.* 대략, 대체로, 거의(nearly): The area is ~ 100 square yards. 면적은 대략 100평방 야드이다.
*__ap·prox·i·ma·tion__ [əprὰksəméiʃən/-rɔ̀ksi-] *n.* **1** Ⓤ,Ⓒ 접근, 근사(*to, of*). **2** 개산(槪算); 〔數〕 근사치, 근사값.
ap·prox·i·ma·tive [əprάksəmèitiv/-rɔ́ksəmə-] *a.* 대략의, 개산의.
apps. appendixes.
appt. appoint(ed); appointment.
apptd. appointed.
ap·pui [æpwí:, əp-] [F] *n.* Ⓤ 〔軍〕 지원, 지지: a point of ~ 〔軍〕 거점, 지지점.
ap·pulse [əpʌ́ls] *n.* Ⓤ,Ⓒ (천체의) 근접; (배·파도 등의) 충돌, 접촉.
ap·pur·te·nance [əpə́:rtənəns] *n.* **1** 부속품, 부속물; (*pl.*) 기계, 장치. **2** 〔法〕 (주로 부동산의) 종물(從物).
ap·pur·te·nant [əpə́:rtənənt] *a.* 부속의, 종속하여 (있는)(*to*). ― *n.* 부속물.
Apr. April.
APR, A.P.R. annual percentage rate.
a·prax·i·a [əprǽksiə, ei-] *n.* 〔醫〕 운동 신경장애.
a·près [ά:prei, ǽprei] [F] *prep.* …의 뒤〔후〕에〔의〕(after). ― *ad.* 뒤에, 나중에.

a·près-mi·di[⌐mídi][F=afternoon] *n.* 오후.
a·près-ski[⌐skí:] [F=after-ski] *a., n.* 스키를 타고난 뒤의 (모임).
*__a·pri·cot__[éiprəkɑ̀t, ǽp-] *n.* 〔植〕 살구; 살구나무; Ⓤ 살구〔황적〕색.
★**A·pril**[éiprəl] [L] *n.* 4월《略: Ap., Apr.》.
Ápril fóol 4월 바보《4월 1일 만우절에 속아 넘어간 사람》.
Ápril Fóols' Dày 만우절(All Fools' Day)《4월 1일》.
Ápril shòwer 초봄의 소낙비.
Ápril wéather 비가 오다 개다 하는 날씨; 울다 웃다 하기.
a pri·o·ri[ɑ̀:-priɔ́:ri, èi-praiɔ́:rai] [L =from what is before] *ad., a.* (*opp.* a posteriori) 〔論〕 연역적으로〔인〕; 〔哲〕 선험〔선천〕적으로〔인〕, 아프리오리의.
a·pri·o·rism[ɑ̀:priɔ́:rizəm, èiprai-] *n.* Ⓤ 〔哲〕 선천설; 〔論〕 연역〔선험〕적 추론(推論).
a·pri·or·i·ty[ɑ̀:priɔ́:rəti] *n.* Ⓤ 〔哲〕 선천적임, 선험성.
__a·pron__[éiprən] *n.* **1 에이프런, 앞치마, 행주치마; (마차의) 가죽으로 만든 무릎 덮개; 성직복의 앞자락《영국 국교 감독의》; 〔機〕 에이프런《선반의 앞으로 처진 부분》. **2** 〔劇場〕 (막 앞으로 나온) 앞무대(=∠ **stàge**). **3** 〔空〕 격납고 앞의 포장된 광장. ── *vt.* …에 에이프런을 두르다.
a·proned[-d] *a.* 에이프런을 두른.
a·pron·ful[-fùl] *n.* 에이프런 가득(한 분량).
ápron stàge 〔劇場〕 **1** 막(幕) 앞으로 내민 무대. **2** 앞무대(Elizabeth 시대의 관람석 쪽으로 내민).
ápron strìng 에이프런 끈. **be tied to one's mother's〔wife's〕 apron strings** 어머니〔아내〕에게 쥐여살다.
ap·ro·pos[æ̀prəpóu] [F =to the purpose] *a.* 적절한(fitting), 알맞은. ── *ad.* 적절하게; 때마침; 그건 그렇고, 그런데(by the bye).
apropos of …에 관하여; …의 이야기로 생각났는데: ~of nothing 난데없이, 아닌 밤중에 홍두깨격으로.
APS American Philatelic〔Philosophical, Physical〕 Society.
apse[æps] *n.* **1** 〔建〕 후진(後陣)《교회당 동쪽 끝에 내민 반원형 부분으로 성가대의 뒤》. **2** 〔天〕 =APSIS 1.
ápse lìne 〔天〕 장축(長軸).
ap·si·dal[ǽpsədl] *a.* APSE〔APSIS〕의.
ap·sis[ǽpsis] *n.* (*pl.* **-si·des**[-sədì:z, æpsái-di:z]) **1** 〔天〕 (타원 궤도의) 장축단(長軸端)《근일점(近日點) 또는 원일점(遠日點)》. **2** 〔建〕 =APSE 1.
__apt__[æpt] *a.* **1 …하기 쉬운, …하는 경향이 있는(*to* do): We are ~ *to* waste time. 우리는 시간을 낭비하기 쉽다. **2** 차라리 하고 싶은 기분인: I am ~*to* think that … …라고 생각하고 싶은 기분이 든다. **3** …할 것 같은: It is ~ *to* snow. 눈이 올 것 같다. **4** 적절한; 적당한(*for*): a quotation ~ *for* the occasion 그 경우에 적절한 인용구. **5** 재기〔총기〕 있는, 이해가 빠른(quick to learn), 기민한, 영리한; 적성〔재능〕이 있는: She is very ~ *to* learn. 그녀는 빨리 깨닫는다/《Ⅰ 형+전+-*ing*》 He is ~ *at* devising new means. 그는 새로운 방법을 고안해 내는 데 재능이 있다.
be apt for …에 적절하다. ⊕ áptitude *n.*
APT Advanced Passenger Train《최고 시속 250킬로미터》; 〔컴퓨터〕 Automatically Programmed Tools《수치 제어와 관련된 컴퓨터용 언어》; Automatic Picture Transmission 자동 사진 송신. **apt.** apartment; aptitude.
ap·ter·al[ǽptərəl] *a.* 〔昆〕 날개가 없는; 〔建〕 측주(側柱)가 없는.
ap·ter·ous[-tərəs] *a.* 〔昆〕 무시(류)(無翅(類))의; 〔鳥·植〕 무익(無翼)의.
ap·ter·yx[ǽptəriks] *n.* 〔鳥〕 키위(kiwi).
*__ap·ti·tude__[ǽptitù:d, -titjù:d] *n.* Ⓒ,Ⓤ **1** 적성; 성질, 경향; 소질, 재능(*for*): Oil has an ~ *to* burn. 기름은 타는 성질이 있다/《Ⅲ (목)+〈전+-*ing*〉》 He has a natural ~ *for* teaching languages. 그는 어학을 가르치는 데 타고난 소질을 지니고 있다. **2** 적절함.
have an aptitude for …하는 재주가 있다.
have an aptitude to vices (악)에 물들기 쉽다. **àp·ti·tú·di·nal**[-dənəl] *a.* ⊕ apt *a.*
áptitude tèst 적성 검사.
apt·ly[ǽptli] *ad.* 적절히: It has ~ been said *that*… …이라 함은 지당한 말이다.
apt·ness[ǽptnis] *n.* Ⓤ 적절, 적합성《*for*》; 성향; 경향《*to*》; 재능, 소질《*at*》.
apts. apartments.
APU, A.P.U. Asian Parliamentary Union; Asian Payment Union; 〔空〕 auxiliary power unit.
AQ, A.Q. achievement quotient (*cf.* IQ).
aq. *aqua*《L =water》. **A.Q.M.G.** Assistant Quartermaster General 군〔군관구〕 병참부장.
aq·ua[ǽkwə, ɑ́:k-] [L =water] *n.* (*pl.* **-uae**[-wi:], ~**s**) 물; 용액.
áqua ammónia〔**ammóniae**〕[-əmóuniì:] [L] *n.* =AMMONIA WATER.
aq·ua·belle[ǽkwəbèl, ɑ́:k-] *n.* 수영복 차림의 미녀.
aq·ua·cade[ǽkwəkèid, ɑ́:k-] *n.* 《미》 수상 연예(演藝).
aq·ua·cul·ture[ǽkwəkʌ̀ltʃər, ɑ́:k-] *n.* = AQUICULTURE.
aq·ua·farm[ǽkwəfɑ̀:rm, ɑ́:k-] *n.* 양식장, 양어장.
aq·ua·for·tis [L] *n.* Ⓤ 질산(窒酸).
aq·ua·ki·net·ics[æ̀kwəkinétiks, ɑ́:k-] *n. pl.* (단수 취급) 부유(浮遊) 훈련법〔술〕《유아를 풀에서 수영을 익히게 하기》.
Aq·ua Li·bra *n.* (용천수·과일 쥬스 등을 함유한) 건강음료《상표명》.
Aq·ua-lung[ǽkwəlʌ̀ŋ, ɑ́:k-] *n.* 애쿼렁《잠수용 수중 호흡기; 상표명》.
aq·ua·ma·rine[æ̀kwəmərí:n, ɑ̀:k-] *n.* **1** 〔鑛〕 남옥(藍玉)《beryl의 변종》. **2** Ⓤ 남록색.
aq·ua·naut[ǽkwənɔ̀:t, ɑ́:k-] *n.* 해저 여행자, 해저 탐험가; 잠수 기술자.
aq·ua·nau·tics[æ̀kwənɔ́tiks, ɑ̀:k-] *n. pl.* (단수 취급) (스쿠버를 사용한) 수중 탐사.
aq·ua·pho·bi·a[æ̀kwəfóubiə, ɑ́:k-] *n.* 물 공포(증).
aq·ua·plane[ǽkwəplèin, ɑ́:k-] *n.* (모터보트로 끄는) 수상 활주판. ── *vi.* 수상 활주판을 타고 놀다.
Áq·ua·pulse gùn[ǽkwəpʌ̀ls-, ɑ́:k-] (해저 탐사용) 압축 공기총《상표명》.
áqua púra[-pjúərə] [L] *n.* 증류수.
áqua régia[-rí:dʒiə] [L] *n.* 〔化〕 왕수(王水)《진한 질산과 진한 염산의 혼합액》.
aq·ua·relle[æ̀kwərél, ɑ̀:k-] [F] *n.* Ⓒ,Ⓤ 수채화법; 수채화. **-rel·list** *n.* 수채화가.
A·quar·i·an[əkwέəriən] *a.* 물병자리의. ── *n.* 물병자리 태생의 사람《1월 20일-2월 18일 출생자》.
a·quar·ist[əkwέərist/ǽkwər-] *n.* 수족관

원, 어류 사육가.

*__a·quar·i·um__[əkwέəriəm] *n.* (*pl.* ~s, -i·a [-iə]) (유리로 된) 양어 수조, 유리 상자; 양어지; 수족관.

__A·quar·i·us__[əkwέəriəs] *n.* 〔天〕 물병자리 (the Water Bearer, the Water Carrier).

__Aq·ua·rob·i·cs__[ækwəróubiks] *n.* [*aqua*+ae*robics*] 얕은 풀장에서 하는 에어로빅 운동 《상표명》.

__aq·ua·space·man__[ǽkwəspèismæ̀n, ɑ́:kwə-spèismən] *n.* 수중 생활자〔작업원〕.

__aq·ua·tel__[ækwətél] *n.* 《영》 해상〔수상〕호텔.

__a·quat·ic__[əkwǽtik, əkwɑ́t-/əkwɔ́t-] *a.* 물의; 물 속에 사는; 물속〔위〕의: ~ birds〔plants〕 물새〔수초〕/~ products 수산물/~ sports 수상 경기. ── *n.* 수생(水生) 동물; 수초; (*pl.*: 때로 단수 취급) 수상 경기. __-i·cal·ly__ *ad.*

__aq·ua·tint__[ǽkwətìnt, ɑ́:k-] *n.* U,C 식각 요판(蝕刻凹版)의 일종; 그 판화(版畵).

__a·qua·vit__[ɑ́:kwəvìt, ǽkwə-] *n.* (스칸디나비아산) 투명한 증류주《식전 반주용》.

__áqua ví·tae__[-váiti:] [L] *n.* 알코올; 독한 술 《brandy, whiskey 등》.

__aq·ue·duct__[ǽkwədʌ̀kt] *n.* 수로(水路), 수도; 수도교(橋); 〔解〕 도관(導管), 맥관.

__a·que·ous__[éikwiəs, ǽk-] *a.* 물의, 물 같은 (watery); <암석이> 수성(水成)의.

__áqueous ammónia__ =AMMONIA WATER.

__áqueous húmor__ 〔解〕 (안구의) 수양액(水様液).

__áqueous róck__ 〔岩石〕 수성암(水成岩).

__aq·ui-__[ǽkwə, 미+ɑ́:k-] 《연결형》「물」의 뜻.

__aq·ui·cul·ture__[ǽkwəkʌ̀ltʃər] *n.* U **1** 수중 생물 배양, 수생(水生) 식물 재배, (수생 동물) 양식; 재배〔양식〕 어업. **2** =HYDROPONICS.

__aq·ui·fer__[ǽkwəfər, ɑ́:k-] *n.* 〔地質〕 대수층 (帶水層)《지하수를 간직한 다공질 삼투성 지층》.

__Aq·ui·la__[ǽkwələ, əkwílə] *n.* 〔天〕 독수리자리 (the Eagle).

__aq·ui·line__[ǽkwəlàin] [L *aquila*=eagle] *a.* 독수리의〔같은〕; 독수리 부리 같은, 갈고리 모양의: an ~ nose 매부리코.

__A·qui·nas__[əkwáinəs] *n.* 아퀴나스 St. Thomas ~(1225?-74)《이탈리아의 신학자·철학자》.

__A·qui·no__ *n.* 아키노 Corazon ~ (1933-)《필리핀 대통령(1986-92)》.

__a·quiv·er__[əkwívər] *a.* 부들부들〔와들와들〕 떨며《*with*》.

__a·quose__[əkwóus, éikwous] *a.* 물이 풍부한; 물의, 물 같은.

__a·quos·i·ty__[əkwɑ́səti/əkwɔ́s-] *n.* U 물기가〔젖어〕 있음(wateriness).

__ar-__[ær, ər] *pref.* =AD- 《r 앞에 올 때의 변형》.

__-ar__[ər] *suf.* **1** 「…한 성질의」의 뜻: famili*ar*, muscul*ar*. **2** 「…하는 사람」의 뜻: schol*ar*, li*ar*.

__Ar__ 〔化〕 argon. __AR__ 〔미郵便〕 Arkansas. __ar.__ arrival; arrive(s). __Ar.__ Arabic; Aramaic. __A.R.__ 〔海保〕 all risks; annualreturn; Army Regulations. __a.r.__ *anno regni*《L =in the year of the reign》. __A.R.A.__ 《영》 Associate of the Royal Academy.

*__Ar·ab__[ǽrəb] *n.* **1** 아랍 사람《셈인종》; (the ~s) 아랍 민족(의 사람). **2** (아라비아 반도의) 아라비아 사람. **3** 아라비아 말《馬》. **4** (a-) 부랑아; 《俗》 가두 상인. ── *a.* 아랍 (사람)의; 아라비아 (사람)의.

__Arab.__ Arabia(n); Arabic.

__Ar·a·bel, Ar·a·bel·la__[ǽrəbèl], [æ̀rəbélə] *n.* 여자 이름.

__ar·a·besque__[æ̀rəbésk] *n.* **1** 아라비아식 의장(意匠), 당초(唐草). **2** 아라베스크《발레의 자세의 하나》. ── *a.* (의장이) 아라비아풍의; 당초무늬의; 기이한.

*__A·ra·bi·a__[əréibiə] *n.* 아라비아.
◇ Arabian, Arabic *a.*

*__A·ra·bi·an__[əréibiən] *a.* 아라비아의; 아라비아 사람의: an ~ horse 아라비아 말《馬》. ── *n.* 아라비아 사람〔말《馬》〕.

__Arábian bírd__ 불사조(phoenix).

__Arábian cámel__ 아라비아 낙타, 단봉낙타.

__Arábian Désert__ *n.* (the ~) 아라비아 사막 《이집트 동부 사막; 아라비아 반도 북부의 사막》.

__Arábian lìght__ 〔經〕 아라비안 라이트《중동 원유 중 대표적 사우디산 표준 원유》.

__Arábian Níghts' Entertáinments__ (The ~)「아라비안 나이트」,「천일 야화(千一夜話)」《*The Arabian Nights* 또는 *The Thousand and One Nights*라고도 함》.

__Arábian Península__ *n.* (the ~) 아라비아 반도(Arabia).

__Arábian Séa__ *n.* (the ~) 아라비아해(海).

*__Ar·a·bic__[ǽrəbik] *a.* 아라비아 말〔문학〕의, 아라비아식의; 아라비아(사람)의: ~ literature 〔architecture〕 아라비아 문학〔건축〕. ── *n.* U 아라비아 말(略: Arab.).

__Árabic númerals〔fígures〕__ 아라비아 숫자 《0, 1, 2, 3 등; *opp. Roman numerals*》.

__ar·a·bin·o·side__[æ̀rəbínəsaid, ərǽbənə-] *n.* 〔生化〕 아리비노시드《아라비노오제 (arabinose) 배당체(配當體)》.

__Ar·ab·ism__[ǽrəbìzəm] *n.* U,C 아라비아어풍, 아라비아 말의 특징; 아라비아 (문화·관습) 연구〔애호〕.

__Ar·ab·ist__[ǽrəbist] *n.* 아라비아(말) 학자.

__Ar·ab·ize__[ǽrəbàiz] *vt.* 아랍화하다.

__ar·a·ble__[ǽrəbəl] *a.* <토지가> 경작할 수 있는, 경작에 알맞은: ~ land 경지(耕地). ── *n.* 경지. __àr·a·bíl·i·ty__ *n.*

__Árab Léague__ (the ~) 아랍 연맹《1945년 결성; 지금은 22개국으로 됨》.

__Árab Repúblic of Égypt__ *n.* (the ~) 이집트 아랍 공화국《공식명; 수도 Cairo》.

__Ar·ab·sat__[ǽrəbsæ̀t] *n.* 아랍 통신 위성.

__Ar·a·by__[ǽrəbi] *n.* 《詩》 =ARABIA.

__A·rach·ne__[əræ̀kni] *n.* 〔그神〕 아라크네《Athena에게 베짜기 경기에서 지고, 거미로 변신을 당한 여자》.

__a·rach·nid__[ərǽknid] *n.* 〔動〕 거미류의 동물 《거미·진드기 등》. __-ni·dan__[-ən] *a.*

__ar·ach·ni·tis__[æ̀ræknáitis] *n.* U 〔病理〕 거미줄막염(膜炎).

__a·rach·noid__[ərǽknɔid] *a.* 〔植〕 거미집 모양의. ── *n.* 〔解〕 거미 망막(網膜).

__A.R.A.D.__ Associate of the Royal Academy of Dancing.

__Ar·a·fat__[ǽrəfæ̀t] *n.* 아라파트 Yasir ~(1929-) 《PLO의 의장(1969-)》.

__Ar·a·gon__[ǽrəgɑ̀n/-gən] *n.* 아라곤《스페인 북동부의 지방, 옛날은 왕국》.

__Ar·a·go·nese__[æ̀rəgəní:z, -s] *a.* 아라곤의; 아라곤 사람〔말〕의. ── *n.* (*pl.* ~) 아라곤 사람; U 아라곤 말.

__ar·ak__[ǽrək] *n.* =ARRACK.

__Ar·al·dite__[ǽrəldàit] *n.* 애럴다이트《강력 접착제·절연체용 에폭시 수지; 상표명》.

__Áral Séa__[ǽrəl-] *n.* (the ~) 아랄 해(海)《카스피해 동부있는 내해(內海): =__Láke Áral__》.

__Ar·am__[éiræm, έə-] *n.* 아람《고대 시리아의 헤브루 이름》.

A.R.A.M. Associate of the Royal Academy of Music.
Ar·a·m(a)e·an[æ̀rəmíːən] *a.* Aram (사람〔말〕)의. ── *n.* 아람 사람; Ⓤ 아람 말.
Ar·a·ma·ic[æ̀rəméiik] *a.* Aram의. ── *n.* Ⓤ 아람 말《셈계(系)》.
ARAMCO[ɑːrǽmkou] the Arabian-American Oil Company.
ar·a·mid[ǽrəmid] *n.* 방향성의 합성 폴리아미드《내열성 섬유제품에 사용》.
a·ra·ne·id[əréiniid] *n.* 〔動〕 거미.
a·ra·ne·i·da[æ̀rəníːədə] *n. pl.* 거미류.
ar·a·ne·i·dan[æ̀rəníːədən] *a., n.* 거미목(目)의 (동물).
A·rap·a·ho(e)[ərǽpəhòu] *n.* (*pl.* ~, ~s) (북미 인디언의) 아라파호 족; Ⓤ 아라파호 말.
Ar·a·rat[ǽrəræt] *n.* **1** 아라라트 산(=Mount ~)《터키 동쪽, 이란·옛 소련 국경 근처의 화산; 5,164m》. **2** 〔聖〕 노아의 방주(方舟)가 상륙한 곳《창세기 8:4》.
a·ra·ro·ba[æ̀rəróubə] *n.* (*pl.* **-bas**) *n.* **1** 브라질산(産) 콩과(科)의 나무《GOA POWDER를 채취함》. **2** =GOA POWDER.
Ar·au·ca·ni·an[æ̀rɔːkéiniən] *n.* **1** 아라우칸족(族)(의 사람)《칠레 중부 및 아르젠틴 인접 지역의 American Indian》. **2** 아라우칸 말.
ar·au·car·i·a[æ̀rɔːkέəriə] *n.* 〔植〕 남양삼나무속(屬)의 나무.
Ar·a·wak[ǽrəwæ̀k, -wɑ̀ːk] *n.* (*pl.* ~, ~s) (남미 인디오의) 아라와크족; Ⓤ 아라와크 말.
Ar·a·wa·kan[ˊ--ˊən] *a.* 아라와크 어족의. ── *n.* (*pl.* ~, ~s) 아라와크족; 아라와크 어족.
arb[ɑːrb] *n.* [arbitrager의 약형] 사는 즉시 팔아 차액을 노리는 거래자.
ar·ba·lest, -list[ɑ́ːrbəlist] *n.* 석궁(石弓)《중세기의》. **~·er** *n.* 석궁을 쏘는 사람.
ar·bi·ter[ɑ́ːrbitər] *n.* **1** 중재인, 조정자. **2** (운명 등의) 결정자, 재결자(裁決者); (취미 등의) 권위자《*of*》; 〔野球〕 심판원.
ar·bi·ter e·le·gan·ti·a·rum[ɑ́ːrbitər-èləgæ̀nʃiːέərəm] [L] *n.* 취미의 권위자.
ar·bi·tra·ble[ɑ́ːrbitrəbəl] *a.* 중재〔조정〕할 수 있는.
ar·bi·trage[ɑ́ːrbitridʒ] *n.* Ⓤ **1** 〔商〕 사는 즉시 팔아 차액을 버는 거래. **2** 중재(arbitration).
ar·bi·trag·er | -tra·geur[ɑ́ːrbitrɑ̀ːʒər], [ˊ--trɑːʒə́ːr] *n.* 〔商〕 차액 취득 중개인.
ar·bi·tral[ɑ́ːrbitrəl] *a.* 중재의: an ~ tribunal 중재 재판소.
ar·bit·ra·ment[ɑːrbítrəmənt] *n.* Ⓤ,Ⓒ 중재(arbitration), 재정(裁定); 재결권.
ar·bi·trar·i·ly[ɑ̀ːrbitrérili, ˊ-ˋ--/ɑ́ːbətrərili] *ad.* 독단〔전단〕적으로; 제멋대로, 마음대로.
***ar·bi·trar·y**[ɑ́ːrbitrèri, -trəri] [L] *a.* **1** 멋대로인, 마음대로 하는, 변덕스러운(capricious). **2** 독단적인, 전단적인: an ~ decision 전단/~ rule〔monarchy〕 전제 정치〔왕국〕. **-trar·i·ness** *n.* ◇ arbitrárily *ad.*
ar·bi·trate[ɑ́ːrbitrèit] [L] *vi., vt.* 중재〔조정〕하다《*between, in*》; 〈사건을〉 중재 재판에 회부하다. **-tra·tive** *a.*
ar·bi·tra·tion[ɑ̀ːrbitréiʃən] *n.* Ⓤ,Ⓒ 중재, 조정(調停), 재정; 중재 재판. **a court of arbitration** 중재 재판소. **arbitration of exchange** 외국환의 재정. **refer〔submit〕** a dispute **to arbitration** (쟁의)를 중재에 회부하다. **~·al** *a.*
ar·bi·tra·tor[ɑ́ːrbitrèitər] *n.* 중재인, 재결(裁決)자, 심판자.
ar·bi·tress[ɑ́ːrbitris] *n.* 여자 중재인.
ar·bor[1][ɑ́ːrbər] [L] *n.* (*pl.* **-bo·res**[-bərìːz]) 〔植〕 수목(樹木), 교목(喬木).
arbor[2] *n.* 〔機〕 축(axle), 굴대.
***arbor**[3] **| ar·bour** *n.* (줄장미 등을 얹은) 정자(bower); 나무 그늘(의 휴게소, 산책길).
ar·bo·ra·ceous[ɑ̀ːrbəréiʃəs] *a.* =ARBOREAL.
Árbor Dày 《미·오스》 식목일《4월 하순에서 5월 상순에 하는 행사》.
ar·bor·e·al[ɑːrbɔ́ːriəl] *a.* 나무의, 교목성의; 〈동물이〉 나무에서 사는〔살기 알맞은〕.
ar·bored[ɑ́ːrbərd] *a.* 양쪽〔주위〕에 수목이 있는.
ar·bor·e·ous[ɑːrbɔ́ːriəs] *a.* 교목 같은; 수목이 많은(wooded).
ar·bo·res·cence[ɑ̀ːrbərésəns] *n.* Ⓤ 나무〔나뭇가지〕 모양《결정(結晶) 등의》.
ar·bo·res·cent[ɑ̀ːrbərésənt] *a.* 나무〔나뭇가지〕 모양의.
ar·bo·re·tum[ɑ̀ːrbəríːtəm] *n.* (*pl.* ~s, **-ta**[-tə]) 수목원(樹木園).
ar·bo·ri·cul·ture[ɑ́ːrbərikʌ̀ltʃər] *n.* Ⓤ 수목 재배(*cf.* SYLVICULTURE).
ar·bori·cul·tur·al[ɑ̀ːrbərikʌ́ltʃərəl] *a.* 수목 재배의. **ar·bo·ri·cul·tur·ist** *n.* 수목 재배가.
ar·bo·ri·form[ɑ́ːrbərifɔ̀ːrm] *a.* 나뭇가지 모양의.
ar·bo·rist[ɑ́ːrbərist] *n.* 수목 재배가.
ar·bo·ri·za·tion[ɑ̀ːrbərizéiʃən] *n.* Ⓤ 〔鑛·化〕 나뭇가지 모양; 수지상 분기.
ar·bo·rize[ɑ́ːrbəràiz] *vi.* 수지상(樹枝狀) 분기(分岐)를 나타내다.
ar·bor·ous[ɑ́ːrbərəs] *a.* 수목의.
arbor vi·tae[-váitiː] [L=tree of life] *n.* 〔解〕 소뇌 활수(小腦活樹).
ar·bor·vi·tae[ɑ̀ːrbərváitiː] *n.* 〔植〕 측백나무.
ar·bo·vi·rus[ɑ̀ːrbəváirəs] *n.* 아르보바이러스《척추 동물에 전염됨; 황열〔뇌염〕 바이러스 등》.
***ar·bour** *n.* 《영》 =ARBOR[3].
ar·bu·tus[ɑːrbjúːtəs] *n.* (*pl.* ~·**es**) 〔植〕 **1** 아르부투스《남유럽산의 상록 관목》. **2** 철쭉과(科)의 상록 관목《북미산》.
****arc**[ɑːrk] *n.* 〔數〕 호(弧), 원호(圓弧); 호형(弧形), 궁형(弓形); 〔電〕 호광(弧光), 아크. **diurnal〔nocturnal〕 arc** 〔天〕 일주(日週)〔야주(夜週)〕호.
ARC Aids-related complex. **ARC, A.R.C.** American Red Cross.
***ar·cade**[ɑːrkéid] *n.* **1** 아케이드, 유개(有蓋) 가로〔상점가〕; 게임 센터(《미》 game〔《영》 amusement〕 ~). **2** 〔建〕 공랑(拱廊); 열공(列拱)《건물 측면에 복도처럼 줄지은 아치》.
ar·cad·ed[-id] *a.* 아케이드를 이룬; 공랑이 있는.
arcade game 게임센터에서 행해지는 게임《pinball, rifle-shooting, 비디오 게임 등》.
Ar·ca·des am·bo[ɑ́ːrkədès-ɑ́ːmbou] [L] 직업〔취미〕이 똑같은 두 사람.
Ar·ca·di·a[ɑːrkéidiə] *n.* 아르카디아《고대 그리스 펠로폰네소스 반도 내륙의 경치 좋은 이상향(理想鄕)》.
ar·ca·di·an[ɑːrkéidiən] *n.* 게임 센터의 (단골) 손님.
Ar·ca·di·an[ɑːrkéidiən] *a.* 아르카디아(Arcadia)의; 목가적인; 순박한. ── *n.* 아르카디아 사람; 전원 생활을 하는〔즐기는〕 사람. **~·ìsm** *n.* Ⓤ 전원 취미, 목가적인 기풍(氣風).
ar·cad·ing[ɑːrkéidiŋ] *n.* 〔建〕 (일련의) 아치〔아케이드〕 장식.

Ar·ca·dy[ɑːrkədi] *n.* 《詩》 =ARCADIA.
ar·cane[ɑːrkéin] *a.* 《文語》 비밀의; 난해한.
ar·ca·num[ɑːrkéinəm] *n.* (*pl.* **-na**[-nə]) 비밀, 비결(mystery, secret); 비약(秘藥), 만능약(elixir).
arc furnace 아크로(爐)《전호(電弧)에 의한 열을 이용한 전기로》.
⁑**arch**¹ [ɑːrtʃ] [L] *n.* 〔建〕 아치, 홍예(문), 궁형(弓形)문; 아치 길; 반원형(의 것), 궁륭(穹), 둥근 천장. **memorial**〔**triumphal**〕 **arch** 기념〔개선〕문. **railway arch** (철도의) 형교(桁橋). **the blue arch of heavens** 창공. ― *vt., vi.* 홍예 틀다, 아치형〔궁형〕으로 만들다; 아치를 만들다.
arch² *a.* **1** 주요한(chief). **2** 깔보는 듯한; 교활하게 보이는; 장난꾸러기 같은.
arch-¹ [ɑərtʃ/ɑːtʃ] 《연결형》「으뜸의; 우두머리의; 제일의」의 뜻: *arch*bishop.
arch-² 《연결형》 ARCHI-¹의 변형.
-arch[ɑərk/ɑːk] 《연결형》「지배자; 왕; 군주」의 뜻: patri*arch*.
Arch. Archbishop. **arch.** archaic; archaism; archery; archipelago; architect(ural); architecture; archive(s).
Ar·chae·an[ɑːrkíː(ː)ən] *a.* =ARCHEAN.
ar·chae·o-[ɑ́ərkiou/ɑ́ː-] 《연결형》「고대의, 원시의」의 뜻.
ar·chae·o·as·tron·o·my[ɑ̀ːrkiouəstrɑ́nəmi/-trɔ́n-] *n.* 고(古)천문학, 천문 고고학.
archaeol. archaeology.
ar·chae·o·log·i·cal[ɑ̀ːrkiəlɑ́dʒikəl/-lɔ́dʒ-] *a.* 고고학의. **~·ly** *ad.*
*__ar·chae·ol·o·gy__[ɑ̀ːrkiɑ́lədʒi/-ɔ́l-] *n.* Ⓤ 고고학. **-gist** *n.* 고고학자. ◇ archaeológical *a.*
ar·chae·op·ter·yx[ɑ̀ːrkiɑ́ptəriks/-ɔ́p-] *n.* 〔古生〕 시조새《조류의 조상》.
Ar·chae·o·zo·ic[ɑ̀ːrkiəzóuik] *a., n.* =ARCHEOZOIC.
*__ar·cha·ic__[ɑːrkéiik] *a.* 고풍의; 고체(古體)의, 케케묵은(obsolete): an ~ word 고어. **-i·cal·ly** *ad.*
archaic smile 고졸(古拙)의 미소《초기 그리스 조각의 미소띤 듯한 표정》.
ar·cha·ism[ɑ́ːrkiìzəm, -kei-] *n.* U,C 의고체(擬古體), 고문체(古文體); 고어. **-ist** *n.* 고어 사용〔집착〕자.
ar·cha·is·tic[ɑ̀ːrkiístik] *a.* 고풍의, 고체의; 의고적인.
ar·cha·ize[ɑ́ːrkiàiz, -kei-] *vi., vt.* 고풍으로 하다, 고풍〔구식〕을 본뜨다.
arch·an·gel[ɑ́ːrkèindʒəl] *n.* 대천사, 천사장(長)《9천사 중 제 8위》.
arch·an·gel·ic[ɑ̀ːrkeindʒélik] *a.* 대천사의, 천사장의.
*__arch·bish·op__[ɑ̀ːrtʃbíʃəp] *n.* 〔基督教〕 대감독; 〔가톨릭·영國教〕 대주교(*cf.* BISHOP; 略: Abp., Archbp.). **~·ric**[-rik] *n.* U,C archbishop의 직〔관구(管區)〕.
archd. archdeacon; archduke.
arch·dea·con[ɑ̀ːrtʃdíːkən] *n.* 〔基督教〕 부(副)감독; 〔가톨릭 · 영國教〕 부주교. **~·ate** *n.* archdeacon의 지위. **~·ry** *n.* U,C archdeacon의 직〔관구, 주거〕. **~·shìp** *n.*
arch·di·o·cese[ɑ̀ːrtʃdáiəsìːs, -sis] *n.* ARCHBISHOP의 관구.
arch·du·cal[ɑ́ːrtʃdúːkəl, -djúː-] *a.* 대공(大公)(령(領))의.
arch·duch·ess[ɑ́ːrtʃdʌ́tʃis] *n.* 대공비(大公妃)《archduke의 부인》; 옛 오스트리아 황녀.
arch·duch·y[ɑ́ːrtʃdʌ́tʃi] *n.* (*pl.* **-duch·ies**) 대공국〔령(領)〕.
arch·duke[ɑ́ːrtʃdúːk, -djúːk] *n.* 대공《옛 오스트리아 황자의 칭호》. **~·dom** *n.* =ARCHDUCHY.
Ar·che·an[ɑːrkíːən] *a.* 〔地質〕 시원대(始原代)의, 태고의.
arched[ɑːrtʃt] *a.* 아치형의, 궁형의; 홍예가 있는: an ~ bridge 홍예 다리.
arched squall 〔氣〕 아치형 스콜《적도 지방의 심한 뇌우를 동반한 돌풍》.
ar·che·go·ni·um[ɑ̀ːrkigóuniəm] *n.* (*pl.* **-ni·a**[-niə]) 〔植〕 (이끼류 · 양치류 등의) 장란기(藏卵器).
arch·en·ceph·a·lon[ɑ̀ːrkenséfəlɑ̀n/-lɔ̀n] *n.* (*pl.* **-lons, -la**[-lə]) 〔解〕 태아의 초기 전뇌부(前腦部).
arch·en·e·my[ɑ̀ːrtʃénəmi] *n.* (*pl.* **-mies**) 대적(大敵): the ~ (of mankind) 인류의 대적, 사탄.
ar·che·o-[ɑ́ərkiou] 《연결형》 =ARCHAEO-.
ar·che·ol·o·gy *n.* =ARCHAEOLOGY.
Ar·che·o·zo·ic[ɑ̀ːrkiəzóuik] 〔地質〕 *a.* 시생대(始生代)의. ― *n.* (the ~) 시생대(=∠ éra).
*__ar·cher__[ɑ́ːrtʃər] *n.* **1** 활쏘는 사람, 궁수(弓手), 궁술가. **2** (the A-) 〔天〕 궁수자리(Sagittarius); 〔占星〕 인마궁(人馬宮).
ar·cher·ess[ɑ́ːrtʃəris] *n.* 여자 궁술가.
ar·cher·fish[-fìʃ] *n.* (*pl.* ~, ~·**es**) 〔魚〕 사수어(射水魚)《인도 · 남양산》.
*__ar·cher·y__[ɑ́ːrtʃəri] *n.* Ⓤ 궁술, 양궁; (집합적) 활과 화살; 사수대(射手隊).
ar·che·spo·ri·um[ɑ̀ːrkəspɔ́ːriəm], **arch·espore**[ɑ́ːrkəspɔ̀ːr] *n.* (*pl.* **spo·ri·a**) 〔植〕 포원세포(胞原細胞) 군(群)《포자(胞子)의 바탕이 되는 세포》.
ar·che·typ·al[ɑ́ːrkitàipəl] *a.* 원형적인; 전형적인.
ar·che·type[ɑ́ːrkitàip] *n.* 원형(原型)(prototype); 전형.
ar·che·typ·i·cal[ɑ̀ːrkitípikəl] *a.* =ARCHETYPAL. **~·ly** *ad.*
arch·fiend[ɑ́ːrtʃfíːnd] *n.* (the ~) 사탄, 마왕(Satan).
arch·fool[ɑ̀ːrtʃfúːl] *n.* 큰 바보.
ar·chi-¹ [ɑ́ərki/ɑ́ː-] 《연결형》「〔生〕 원(原)… (primitive, original)」의 뜻.
archi-² 《연결형》 ARCH-¹의 변형.
Ar·chi·bald[ɑ́ːrtʃəbɔ̀ːld, -bəld] *n.* **1** 남자 이름《애칭 Archie, Archy》. **2** (**a-**) 《영俗》 고사포(archie).
ar·chi·carp[ɑ́ːrkikɑ̀ːrp] *n.* 〔植〕 낭자균류(囊子菌類)의 자성 기관(雌性器官).
ar·chi·di·ac·o·nal[ɑ̀ːrkidaiǽkənəl] *a.* ARCHDEACON의.
ar·chi·di·ac·o·nate[ɑ̀ːrkidaiǽkənit, -neit] *n.* U,C ARCHDEACON의 직〔관구〕.
ar·chie[ɑ́ːrtʃi] *n.* 《영俗》 고사포; 《영俗》 개미; (**A-**) Archibald의 애칭.
Archie Bun·ker[-bʌ́ŋkər] 《미 · 캐나다》 완고하고 독선적인 노동자《텔레비전 희극 프로그램의 인물에서》. **Archie Bun·ker·ism**[-rìzəm] 《미》 바보스럽고 교양 없는 표현.
ar·chi·e·pis·co·pa·cy[ɑ̀ːrkiipískəpəsi] *n.* U,C ARCHBISHOP의 교구제; =ARCHIEPISCOPATE.
ar·chi·e·pis·co·pal[ɑ̀ːrkiipískəpəl] *a.* ARCHBISHOP의.
ar·chi·e·pis·co·pate[-pit, -pèit] *n.* U,C ARCHBISHOP의 직〔임기〕.
ar·chil[ɑ́ːrtʃil, -kil] *n.* 자줏빛 염료의 일종;

그것을 채취하는 이끼류.
ar·chi·mage[á:rkəmèidʒ] *n.* 대마술사.
ar·chi·man·drite[à:rkəmǽndrait] *n.* 〔그리스正教〕 대수도원장; 관장(管長).
Ar·chi·me·de·an[à:rkəmí:diən, -mədí:ən] *a.* 아르키메데스(의 원리 응용)의.
Ar·chi·me·des[à:rkəmí:di:z] *n.* 아르키메데스(287-212 B.C.경)《옛 그리스의 물리학자》.
Archimedes' principle 〔物〕 아르키메데스의 원리.
Archimedes' screw 〔機〕 아르키메데스의 나선식 양수기, 나사 펌프.
arch·ing[á:rtʃiŋ] *n.* **1** Ⓤ 아치 쌓기. **2** 궁형부; (일련의) 아치. — *a.* 아치를 이루는.
ar·chi·pel·a·go[à:rkəpéləgòu] [Gk] *n.* (*pl.* ~(**e**)**s**) 군도(群島); (the A-) 에게해, 다도해 《Aegean Sea의 구칭》.
ar·chi·pe·lag·ic[à:rkəpəlǽdʒik] *a.* 군도의.
ar·chi·pho·neme[á:rkəfòuni:m, ⌒⌒⌐] *n.* 〔言〕 원음소(原音素).
ar·chi·plasm[á:rkəplæ̀zəm] *n.* Ⓤ 〔生〕 미분화(未分化) 원형질.
archit. architecture.
⁑**ar·chi·tect**[á:rkitèkt] [Gk] *n.* **1** 건축가, 건축 기사. **2** 설계자, 기획자, 창조자: the ~ of one's own fortune 자기 운명의 개척자. **the** (**Great**) **Architect** 조물주.
ar·chi·tec·ton·ic[à:rkətektánik/-kitektɔ́n-] *a.* 건축술의; 구조상의, 구성적인; 지식 체계의. — *n.* (*pl.*; 단수·복수 취급) 건축학; 〔哲〕 지식 체계론. **-i·cal·ly** *ad.*
*__ar·chi·tec·tur·al__[à:rkətéktʃərəl] *a.* 건축술〔학〕의; 건축상의. **~·ly**[-i] *ad.*
architectural barrier 신체 장애자의 이용을 방해하는 구조.
⁑**ar·chi·tec·ture**[á:rkətèktʃər] *n.* Ⓤ **1** 건축술, 건축학: civil ~ 보통 건축/ecclesiastical ~ 사원 건축/military ~ 축성법/naval ~ 조선학. **2** Ⓤ,Ⓒ 건축 양식. **3** 구조, 구성(construction). **4** (집합적) 건축물. ◇ árchitect *n.*: architéctural, architectónic *a.*
ar·chi·trave[á:rkətrèiv] *n.* 〔建〕 **1** 엔태블러처(entablature)의 최하부《기둥과 접해 있음》. **2** 처마도리, 틀《문·창 등의》.
archival[ɑ:rkáivəl] *a.* 기록의, 고문서의, 공문서의; 기록 보관소의.
ar·chive[á:rkaiv] *n.* **1** (*pl.*) 기록〔공문서〕 보관소, 문서국. **2** (보통 *pl.*) (보관되어 있는) 고(古)기록; 공문서. **3** (정보·데이터 등의) 집적(소). — *vt.* (문서·기록 등을 기록 보관소 등에) 보관하다, 모으다.
ar·chiv·ing[á:rkaiviŋ] *n.* 〔컴퓨터〕 파일 보관.
ar·chi·vist[á:rkəvist] *n.* 기록〔공문서〕 보관인.
ar·chi·volt[á:rkəvòult] *n.* 〔建〕 장식 홍예 창도리.
arch·ly[á:rtʃli] *ad.* 교활하게, 능글맞게; 장난꾸러기처럼(mischievously).
arch·ness[á:rtʃnis] *n.* Ⓤ 교활; 능글 맞음.
ar·chon[á:rkɑn, -kən] *n.* 〔史〕 집정관《고대 그리스 Athens의 9명》; 지배자, 장(長). **~·shìp** *n.* Ⓤ 집정관의 직.
ar·cho·plasm[á:rkəplæ̀zəm] *n.* Ⓤ 〔生〕 시원질(始原質).
arch·priest[à:rtʃprí:st] *n.* 주목사; 〔가톨릭〕 수석 사제.
archt. architect.
arch·trai·tor[à:rtʃtréitər] *n.* 대반역자.
arch·way[á:rtʃwèi] *n.* 〔建〕 아치 밑의 통로, 그 입구.
arch·wise[á:rtʃwàiz] *ad.* 아치형으로, 활꼴로.
Ar·chy[á:rtʃi] *n.* ARCHIBALD의 애칭.
-ar·chy[àərki/à:-] 《연결형》「…정체(政體)」의 뜻: mon*archy*.
ar·ci·form[á:rsəfɔ̀:rm] *a.* 아치형의.
arc·jet[á:rkdʒèt] *n.* 아크제트 엔진(=⌐ èngine) 《추진 연료를 전기 아크로 가열하는 로켓 엔진》.
arc lamp〔**light**〕 아크등(燈).
A.R.C.M. Associate of the Royal College of Music. **A.R.C.O.** Associate of the Royal College of Organists.
ar·c·o·graph[á:rkəgræ̀f/-grà:f] *n.* 〔數〕 원호(圓弧)자.
ar·col·o·gy[ɑ:rkáləd3i/-kɔ́l-] [*ar*chitectural e*cology*] *n.* (*pl.* **-gies**) 완전 환경 계획 도시.
A.R.C.S. Associate of the Royal College of Science.
⁑**arc·tic**[á:rktik] [Gk] *a.* **1** (때로 **A-**) 북극의, 북극 지방의(*opp.* antarctic). **2** 극한(極寒)의, 한대(寒帶)의: ~ weather 극한. — *n.* **1** (the **A-**) 북극 (지방); 북극해. **2** (*pl.*) 《미》 방한 방수용 오버슈즈.
arctic char 연어과(科)에 속하는 민물고기 《북반구의 북극 호반이나 강에 서식》.
Arctic Circle (the ~) 북극권(圈)(*opp.* Antarctic Circle).
arctic fox 〔動〕 북극여우.
Arctic Ocean *n.* (the ~) 북극해, 북빙양 (*opp.* Antarctic Ocean).
Arctic Pole *n.* (the ~) 북극(the North Pole)(*opp.* Antarctic Pole).
Arctic Sea *n.* (the ~)=ARCTIC OCEAN.
arctic seal 모조 바다표범 모피《토끼 모피로 가공한》.
Arctic Zone (the ~) 북극대(帶)(*opp.* Antarctic Zone).
Arc·tu·rus[ɑ:rktjúərəs] *n.* 〔天〕 대각성(大角星)《목동자리의 가장 큰 별》.
ar·cu·ate, -at·ed[á:rkjuit, -èit], [-kjuèitid] *a.* 궁형(弓形)의, 아치형의.
ar·cu·a·tion[à:rkjuéiʃən] *n.* 활꼴로 굽음; 〔建〕 아치 구조〔사용〕; (일련의) 아치.
ar·cus[á:rkəs] *n.* 〔氣〕 아치운(雲).
arcus se·ni·lis[-sináilis] 〔病理〕 노인환(老人環).
arc welding 아크 용접.
-ard[ərd] *suf.* 「매우 …하는 사람」의 뜻《대개는 비난》: dot*ard*, drunk*ard*.
ARD acute respiratory disease 〔醫〕 급성 호흡기 질환. **ARDC** Air Research & Development Command 《미》 항공 기술 본부.
Ar·den[á:rdn] *n.* (the Forest of ~) 아든 《잉글랜드 중동부의 옛 삼림 지대》.
ar·den·cy[á:rdənsi] *n.* Ⓤ 열심, 열렬(zeal).
Ar·dennes[ɑ:rdén] *n.* 아르덴《프랑스 북동부, 벨기에와 접한 지대; 제 1·2차 세계 대전의 격전지》.
*__ar·dent__[á:rdənt] *a.* 불타는(burning); 타오르는 듯한; 열렬한, 열심인(eager): an ~ patriot 열렬한 애국자. **~·ly** *ad.*
ardent spirits 독한 술, 화주(火酒).
*__ar·dor__|__ar·dour__[á:rdər] [L] *n.* Ⓤ 열정, 열심; 충성; 작열. **with ardor** 열심히.
*__ar·du·ous__[á:rdʒuəs/-dju-] *a.* 《文語》 **1** 〈일 등이〉 어려운, 힘드는. **2** 분투적인, 끈기 있는(laborious). **3** 험한, 가파른(steep). **~·ly** *ad.* **~·ness** *n.*
★**are**[1] [ɑ:r, 弱 ər] *vi.* BE의 복수(2 인칭 단수) 직설법 현재형: We〔You, They〕 ~.

‡are²[ɛər, ɑːr][F=area] *n.* 아르《미터법의 면적 단위: 100평방 미터, 약 30.25평: 略: *a.*》.
ARE Arab Republic of Egypt 이집트 아랍 공화국《UAR는 구칭》.
‡ar·e·a[ɛ́əriə] *n.* **1** 지역, 지방, 지구. **2** 구역, 범위, 영역, 분야. **3** U,C 면적: a floor ~ 건평. **4** 지면, 평지. **5** 빈터, 공지(空地), 안뜰, 건물의 부지. **6** 《영》〔建〕 지하실〔부엌〕 입구《출입 · 통풍용 문 앞의 빈터》(《미》 areaway). **7** 〔解〕 뇌피질부(腦皮質部). **8** 〔컴퓨터〕 (기억) 영역. ⇔ áreal *a.*
area bell 지하실 출입문의 초인종.
area bombing 지역 폭격《목표 지역의 전역을 향해 실시되는 폭격》.
area code 《미 · 캐나다》 (전화의) 시외 국번(局番).
ar·e·al[ɛ́əriəl] *a.* 지면의; 면적의; 지역의. **~·ly** *ad.*
areal linguistics 지역 언어학.
area navigation 〔空〕 지상의 무선 표지로부터 신호를 받아 컴퓨터로 위치를 계산하는 항법 장치《略: RNAV》.
area rug 바닥 일부에 까는 융단.
area study 지역 연구《어느 지역의 지리 · 역사 · 언어 · 문화 등의 종합적 연구》.
ar·e·a·way[ɛ́əriəwèi] *n.* 《미》 =AREA 6; 건물 사이의 통로.
ar·e·ca[ǽrikə, əríːkə] *n.* 〔植〕 빈랑나무. (=∠ **pàlm**); 빈랑(betel nut)《열매》.
***a·re·na**[əríːnə] [L] *n.* **1** (고대 로마의) 투기장(鬪技場); 《일반적》 경기장, 도장. **2** 활동 무대, 경쟁의 장, …계(界): enter the ~ of politics 정계에 들어가다.
ar·e·na·ceous[æ̀rənéiʃəs] *a.* 사질(砂質)의, 모래땅의(sandy); 무미건조한(dry).
arena stage (원형 극장의) 중앙 무대.
arena theater 원형 극장.
ar·en·a·vi·rus[ɑ̀rənéivairəs] *n.* (*pl.* **-rus·es** [-iz]) RNA를 포함하는 바이러스《감염된 설치 동물의 배설물 접촉에 의해 전염됨》.
ar·e·nic·o·lous[æ̀rəníkələs] *a.* 〔動〕 모래 속에 사는; 〔植〕 모래 땅에 자라는.
ar·e·nite[ǽrənàit] *n.* 〔岩石〕 사암(砂岩).
ar·e·nose[ǽrənòus] *a.* 모래의, 모래 같은; 모래투성이의; 모래 섞인.
★aren't[ɑːrnt] are not의 단축형.
ar·e·o·cen·tric[ɛ̀əriousέntrik] *a.* 화성(火星) 중심의.
ar·e·og·ra·phy[ɛ̀əriɑ́grəfi] *n.* U 화성 지리학〔지지〕(火星地誌)《화성 표면의 지형 묘사》.
a·re·o·la[əríːələ] *n.* (*pl.* **-lae**[-liː], **~s**) 〔植 · 動〕 그물눈틈《엽맥(葉脈) · 시맥(翅脈) 간의》, 소공(小孔); 〔解〕 유두륜(乳頭輪).
a·re·o·lar, -late[əríːələr], [-lit, -lèit] *a.* 그물눈 모양의, 소공의; 유두륜의.
ar·e·o·la·tion[ɛ̀riəléiʃən, ərìːə-] *n.* U,C 〔生〕 소공(小孔) 형성.
ar·e·om·e·ter[æ̀riɑ́mətər/-ɔ́mi-] *n.* 액체 비중계.
Ar·e·op·a·gite[æ̀riɑ́pədʒàit, -gàit/-ɔ́pəgàit, -dʒàit] *n.* 〔史〕 아레오파고스(Areopagus)의 재판관.
Ar·e·op·a·gus[æ̀riɑ́pəgəs/-ɔ́p-] *n.* 아레오파고스《아테네의 언덕》; (고대 아테네의) 최고 재판소《아레오파고스 언덕에 있었음》.
Ar·es[ɛ́əriːz] *n.* 〔그神〕 아레스《군신(軍神); 로마 신화의 Mars에 해당》.
a·re·te[ɑ̀ritéi] *n.* 특질의 총집합체《가장 좋은 질을 이루기 위한》.
a·rête[əréit] [F] *n.* 〔地〕 (빙하의 침식에 의한) 날카로운 (바위) 산등성이.
Ar·e·thu·sa[æ̀rəθúːzə] *n.* 〔그神〕 아레투사《숲의 요정》.
arf[ɑːrf] *int.* 멍멍《개 짖는 소리》.
ARG Atlantic Fleet Amphibious Ready Group 미국 대서양 함대의 상륙 대기 부대.
arg. *argentum*(L =silver).
Arg. Argentina; Argentine.
arg[ɑːrg] *n.* 〔컴퓨터〕 인수(=ARGUMENT).
ar·gal *n.* =ARGOL.
ar·ga·la[ɑ́ːrgələ] *n.* 〔鳥〕 대머리황새《인도산》.
ar·ga·li[ɑ́ːrgəli] *n.* (*pl.* **~, ~s**) 아르갈리《중앙 아시아산의 크고 구부러진 뿔을 가진 야생 양》.
Ar·gand burner[ɑ́ːrgænd-, -gɑːnd-] 아르강 버너《ARGAND LAMP식의 가스〔석유〕 버너》.
Argand diagram 〔數〕 아르강 도표.
Argand lamp 아르강 등(燈)《원통형의 심지 안팎에서 공기를 주는 램프》.
ar·gent[ɑ́ːrdʒənt] *n.* U 《詩》 은(銀); 은빛. —— *a.* 은의, 은 같은; 은백색인.
ar·gen·tal[ɑːrdʒéntl] *a.* 은의, 은 같은, 은을 함유한.
ar·gen·tan[ɑ́ːrdʒəntæ̀n] *n.* 양은(洋銀)의 일종《니켈 · 동 · 아연의 합금》.
ar·gen·te·ous[ɑːrdʒéntiəs] *a.* 은 같은, 은백의.
ar·gen·tic[ɑːrdʒéntik] *a.* 〔化〕 (보통 2가(價)의) 은을 함유한, 은의.
ar·gen·tif·er·ous[ɑ̀ːrdʒəntífərəs] *a.* 은이 나는, 은을 함유한.
***Ar·gen·ti·na**[ɑ̀ːrdʒəntíːnə] [Sp] *n.* 아르헨티나《남미의 공화국; 공식명 the Argentine Republic, 수도 Buenos Aires》. ⇔ Árgentine *a.*
ar·gen·tine[ɑ́ːrdʒəntìːn, -tàin] *a.* 은의, 은 같은; 은빛의. —— *n.* 은빛
Ar·gen·tine[ɑ́ːrdʒəntìːn, -tàin] *a.* 아르헨티나의. —— *n.* **1** 아르헨티나 사람. **2** (the ~ (Republic)) =ARGENTINA.
Ar·gen·tin·e·an[ɑ̀ːrdʒəntíniən] *a.* 아르헨티나의. ⇔ Argentína *n.*
ar·gen·tite[ɑ́ːrdʒəntàit] *n.* U 〔鑛〕 휘은광(輝銀鑛)(Ag_2S).
ar·gen·tous[ɑːrdʒéntəs] *a.* 〔化〕 은의, 은이 섞인.
ar·gen·tum[ɑːrdʒéntəm] *n.* U 〔化〕 은(銀).
ar·ghan[ɑ́ːrgən] *n.* 아나나스속(屬)의 야생 파인애플《중미산》.
Ar·gie[ɑ́ːrdʒi] *n.* 아르헨티나 사람.
ar·gil[ɑ́ːrdʒil] *n.* U 도토(potter's clay).
ar·gil·la·ceous[ɑ̀ːrdʒəléiʃəs] *a.* 점토질의.
ar·gil·lite[ɑ́ːrdʒəlàit] *n.* U 규질 점토암(硅質粘土岩).
ar·gi·nase[ɑ́ːrdʒənèis, -z] *n.* U 〔化〕 아르기나아제《아르기닌을 요소로 분해하는 효소》.
ar·gi·nine[ɑ́ːrdʒəniːn, -nàin, -nin] *n.* U 〔化〕 아르기닌《아미노산의 일종》.
Ar·give[ɑ́ːrdʒaiv, -gaiv] *a.* 아르고스(Argos)의. —— *n.* 아르고스〔그리스〕 사람.
ar·gle-bar·gle[ɑ́ːrgəlbɑ́ːrgəl] 《口 · 方》 *n.* 입씨름, 토론. —— *vi.* 토론〔언쟁〕하다.
Ar·go[ɑ́ːrgou] *n.* **1** 〔그神〕 아르고선(船)(*cf.* ARGONAUT). **2** 〔天〕 아르고자리《성좌》.
ar·gol[ɑ́ːrgɔːl, -gəl] *n.* 조주석(粗酒石).
ar·gon[ɑ́ːrgɑn/-gɔn] *n.* U 〔化〕 아르곤《기체 원소; 기호 A 또는 Ar; 번호 18》.
Ar·go·naut[ɑ́ːrgənɔ̀ːt] *n.* **1** 〔그神〕 아르고선(Argo)의 승무원. **2** (때로 **a-**) 모험가, (특히 미국의) 금광 탐험자.
Ar·go·nau·tic[ɑ̀ːrgənɔ́ːtik] *a.* 아르고선 일행의: the ~ expedition 아르고선 일행의 원정.

Ar·gos[ɑ́ːrgɑs, -gəs/-gɔs] *n.* 아르고스(옛 그리스 남동부의 고대 도시).
ar·go·sy[ɑ́ːrgəsi] *n.* (*pl.* **-sies**) **1** ((詩)) 큰 상선((이탈리아의)); 대상선단. **2** 보고(寶庫).
ar·got[ɑ́ːrgou, -gət] [F] *n.* Ⓤ (도둑 등의) 암호 말, 은어(隱語)(jargon).
ar·gu·a·ble[ɑ́ːrgjuəbəl] *a.* 논〔논증〕할 수 있는; 논쟁의 여지가 있는. **-bly** *ad.* 논증할 수 있는 일이지만, 거의 틀림없이.
*__ar·gue__[ɑ́ːrgjuː] [L] *vi.* **1** 논하다, 논의하다; 논쟁하다((*about, on, upon, over, with*)): ~ along lines 일정한 줄거리를 따라 논하다/She ~*d with* him *about*〔*on*〕 the matter. 그녀는 그와 그 일에 대해 논의하였다. **2** (…에) 찬성〔반대〕론을 주장하다((*for, in favor of, against*)): She ~*d against*〔*for, in favor of*〕 the proposition. 그녀는 그 제안에 반대〔찬성〕론을 주장했다. — *vt.* **1** 논하다, 논의하다: They ~*d* the matter. 그들은 그 문제를 논했다. **2** (이론적으로) 〈…이라고〉 주장하다: He ~*d that* it was true. 그는 그것이 정말이라고 주장했다. **3** 설득하다, 설복시키다, 설득해서 …하게〔그만두게〕 하다((*into, out of*)): ((Ⅴ(목)+전+*-ing*)) She ~*d* me *into* granting her request. 그녀는 자기의 요청을 들어주도록 나를 설득했다. **4** ((文語)) 논증〔입증〕하다, 〈이유·증거 등이 …임을〉 나타내다, 보이다: ((Ⅴ(목)+명)) His words ~*d* him a man of strong intelligence. 그의 말은 그가 강력한 지능의 소유자임을 나타냈다. **argue against**〔**for, in favor of**〕 ⇨*vi.* 2. **argue** a person **down** …을 설복하다. **argue** a person **into**〔**out of**〕 ⇨*vt.* 3. **argue it away**〔**off**〕 설파하다; 설복시키다. **argue it out** 끝까지〔철저히〕 논하다. **argue on**〔**upon**〕 …에 언급하다. **argue with** a person **about**〔**on**〕 ⇨*vi.* 1. **arguing in a circle** 〔論〕 순환 논법(*cf.* CIRCULAR reasoning).
⊕ árgument *n.*; árgufy *v.*
ar·gu·er[ɑ́ːrgjuːər] *n.* 논쟁자, 논자.
ar·gu·fy[ɑ́ːrgjəfài] *vt., vi.* (**-fied**) ((口·方)) 귀찮게 논쟁하다.
*__ar·gu·ment__[ɑ́ːrgjəmənt] *n.* **1** Ⓤ,Ⓒ 논의, 주장, 논증; 논쟁; 논(論)((찬성·반대의)), 논법, 논거((*against, for, in favor of, with, on, over*)). **2** ((文語)) (주제의) 요지, (책의) 개요, (이야기·각본의) 줄거리. **3** 〔哲·論〕 증명. **4** 〔數〕 (복소수의) 편각(偏角), (함수의) 독립 변수. **5** 〔컴퓨터〕 인수(引數). **without argument** 이의 없이.
⊕ argumentative *a.*; argumentátion *n.*
ar·gu·men·ta·tion[ɑ̀ːrgjəməntéiʃən] *n.* Ⓤ,Ⓒ 입론(立論); 논증; 논쟁, 변론, 토론.
ar·gu·men·ta·tive, -men·tive[ɑ̀ːrgjəméntətiv], [-méntiv] *a.* 〈발언 등이〉 논쟁적인, 토론적인; 〈사람이〉 논쟁을 좋아하는, 따지기 좋아하는. **-ta·tive·ly** *ad.* **-ta·tive·ness** *n.*
ar·gu·men·tum[ɑ̀ːrgjəméntəm] [L] *n.* (*pl.* **-ta**[-tə]) 논(論), 논의 논증; 논거.
ar·gu·men·tum ad hom·i·nem[ɑ̀ːrgjəméntəm-æd-hɑ́mənèm/-əd-hɔ́mi-] [L] *n.* 대인 논증(對人論證)((상대방의 성격·지위·환경 등을 이용하는)).
Ar·gus[ɑ́ːrgəs] *n.* **1** 〔그神〕 아르고스((눈이 100개 달린 거인)). **2** 엄중한 감시인.
Ar·gus-eyed[-àid] *a.* 감시가 엄중한, 빈틈없는.
ar·gute[ɑːrgjúːt] *a.* 날카로운, 민첩한, 예민한, 빈틈없는.
ar·gy-bar·gy[ɑ̀ːrgibɑ́ːrgi] ((口)) *n.* (*pl.* **-gies**) 토론, 언쟁. — *vi.* (**-gied**) 토론〔언쟁〕하다.
ar·gyle[ɑ́ːrgail] *n.* (때로 **A-**) 마름모 색무늬; (보통 *pl.*) 마름모 색무늬의 짧은 양말.
— *a.* 마름모 색무늬가 있는.
ar·gyr-[ɑ́ərdʒər/ɑ́ː-], **ar·gy·ro**[ɑ́ərdʒərou/ɑ́ː-] ((연결형)) 「은, 은빛」의 뜻((모음 앞에서는 argyr-)).
ar·gyr·i·a[ɑːrdʒíriə] *n.* Ⓤ 〔病理〕 은(銀) 중독.
Ar·gy·rol[ɑ́ːrdʒərɔ̀ːl/-dʒirɔ̀l] *n.* 〔藥〕 함은액(含銀液)((방부용; 상표명)).
ar·hat[ɑ́ːrhət] *n.* (종종 **A-**) 〔佛敎〕 아라한(阿羅漢). **~·shìp** *n.*
a·ri·a[ɑ́ːriə, ǽər-] [It=air] *n.* 〔樂〕 아리아, 영창(詠唱)((오페라 등에서 악기의 반주가 있는 독창곡)).
Ar·i·an[1][ɛ́əriən] *a.* 아리우스(Arius)의; 아리우스파(派)의. — *n.* 아리우스파의 사람.
Arian[2] *a., n.* =ARYAN.
-ar·i·an[ɛ́əriən] *suf.* (명사·형용사 어미) **1** 「…파의 (사람), …주의의 (사람)」의 뜻: humanit*arian*, veget*arian*, totalit*arian*. **2** 「…살〔대(代)〕의 (사람)」의 뜻: octogen*arian*.
Ar·i·ane[ɛ́əriən, ǽr-] *n.* 〔宇宙〕 대형 위성 발사용 로켓((유럽 우주 기관(ESA)에서 개발)).
A·ri·an·ism[ɛ́əriənìzəm] *n.* Ⓤ 아리우스(Arius) 주의((그리스도의 신성(神性)을 부인)).
A.R.I.B.A. Associate of the Royal Institute of British Architects.
a·ri·bo·fla·vin·o·sis[eiràibəflèivənóusəs] *n.* 〔病理〕 비타민 B_2 결핍(증).
A.R.I.C. Associate of the Royal Institute of Chemistry.
ar·id[ǽrid] *a.* **1** 〈땅 등이〉 건조한, 메마른, 불모의. **2** 〈두뇌·사상 등이〉 빈약한; 무미 건조한(dull). **~·ly** *ad.* **~·ness** *n.*
a·rid·i·sol[ərídəsɔ̀ːl, -sòul] *n.* 아리디솔((건조지의 토양으로 유기물이 빈약하고 염류가 많은)).
a·rid·i·ty[ərídəti] *n.* Ⓤ 건조 (상태); 빈약; 무미 건조.
ar·i·el[ɛ́əriəl] *n.* 〔動〕 아라비아가젤.
Ar·i·el[ɛ́əriəl] *n.* **1** 아리엘((중세 전설의 공기의 요정; Shakespeare 작 *The Tempest*에도 나옴)). **2** 〔天〕 아리엘((천왕성의 제1위성)). **3** 〔聖〕 아리엘((예루살렘을 말함)). **4** 〔로켓〕 ((미·영) 공동의) 전리층 관측 위성.
Ar·i·es[ɛ́əriːz, -riìːz] [L=ram] *n.* **1** 〔天〕 양자리(the Ram). **2** 〔占星〕 백양궁(白羊宮); 양자리〔백양궁〕 위치에서 태어난 사람.
a·ri·et·ta[æ̀riétə] [It] *n.* (*pl.* ~**s**, **-et·te**[-tei]) 〔樂〕 아리에타, 소영창(小詠唱).
*__a·right__[əráit] *ad.* ((文語)) 바르게, 옳게((◇ rightly 쪽이 일반적)): if I remember ~ 내 기억이 옳다면.
ar·il[ǽrəl] *n.* 〔植〕 가종피(假種皮).
ar·il·late[ǽrəlèit, -lit] *a.* 가종피가 있는.
a·ri·o·so[ɑ̀ːrióusou, æ̀r-] [It] *a., ad.* 〔樂〕 영서창조(詠敍唱調)의〔로〕. — *n.* (*pl.* ~**s**, **-si**[-siː]) 영서창(詠敍唱).
-ar·i·ous[ɛ́əriəs] *suf.* 「…에 관한」의 뜻.
*__a·rise__[əráiz] *vi.* (**a·rose**[əróuz]; **aris·en**[ərízən]) **1** 〈문제·곤란 등이〉 일어나다, 나타나다, 발생하다, 생기다((*from, out of*)); ((古)) (목소리소리 따위가) 들려오다; (바람이) 일다: A dreadful storm *arose.* 무서운 폭풍이 일었다/Accidents ~ *from* carelessness. 사고는 부주의에서 일어난다. **2** (해가) 뜨다; (연기 등이) 피어오르다; (건물·산 따위가) 서 있다, 솟아 있다. **3** ((古·詩)) 아침에 일어나다, 기상하다; 일어서다. **4** (죽은 사람이) 되살아나다.
*__a·ris·en__[ərízən] *vi.* ARISE의 과거분사.

a·ris·ings[əráiziŋz] *n. pl.* 부산물, 잉여 산물.
Arist. Aristotle.
a·ris·ta[əríste] *n.* (*pl.* **-tae**[-tiː], ~**s**) 〔植〕 까끄라기, 수염(awn); 〔動〕 까끄라기 모양의 부속 기관.
a·ris·to[əristou] *n.* (*pl.* ~**s**) 《영口》 =ARISTOCRAT.
a·ris·to-[əristou, -tə] 《연결형》「최적의, 최상위의, 귀족(제)의」의 뜻.
*__ar·is·toc·ra·cy__[ærəstɑ́krəsi/-tɔ́k-] [Gk = rule of the best] *n.* (*pl.* **-cies**) **1** Ⓤ 귀족 정치; Ⓤ 귀족 정치의 나라. **2** (the ~; 집합적) 귀족, 귀족 사회(the nobility); 상류〔특권〕 계급《집합체로 볼 때에는 단수, 구성 요소라고 생각할 때에는 복수 취급》. **3** (집합적) 일류의 사람들(*of*): the ~ of wealth 손꼽히는 부호들. **4** Ⓤ 귀족적인 성질〔정신〕, 귀족풍.
⊕ arístocrat *n.*; aristocrátic *a.*
*__a·ris·to·crat__[əristəkræt, ǽrəs-] *n.* **1** 귀족; 귀족적인 사람; 귀족티 내는 사람. **2** 귀족 정치주의자. **3** (어떤 것 중의) 최고〔최상〕의 것(*of*). ⊕ aristócracy *n.*; aristocrátic *a.*
*__a·ris·to·crat·ic__[ərìstəkrǽtik, æ̀rəs-] *a.* **1** 귀족의; 귀족 정치의; 귀족주의의. **2** 귀족적인, 귀족다운, 품위 있는, 당당한. **3** 귀족티 내는, 배타적인, 거만한. **-i·cal·ly**[-tikəli] *ad.*
⊕ aristócracy, arístocrat *n.*
ar·is·toc·rat·ism[əristəkrætizəm/-tɔ́f-] *n.* Ⓤ 귀족주의; 귀족적 기풍〔정신〕.
Ar·is·toph·a·nes[æ̀ristɑ́fəniːz/-tɔ́f-] *n.* 아리스토파네스(448?-380? B.C.)《옛 아테네의 시인 · 희극 작가》.
Ar·is·to·phan·ic[æ̀ristəfǽnik] *a.* 아리스토파네스 풍(風)의《풍자적 희극 등을 이름》.
Ar·is·to·te·lian, -lean[æ̀ristətíːliən, -ljən] *a., n.* 아리스토텔레스(파)의 (학자). ~**·ism** *n.* Ⓤ 아리스토텔레스 철학.
Ar·is·tot·le[ǽristɑ̀tl/-tɔ̀tl] *n.* 아리스토텔레스(384-322 B.C.)《옛 그리스의 철학자》.
a·ris·to·type[əristətàip] *n.* ⓊⒸ 〔寫〕 아리스토 인화법; 아리스토 인화.
arith. arithmetic; arithmetical.
⁑**a·rith·me·tic**[əríθmətik] [Gk] *n.* **1** Ⓤ 산수, 셈; Ⓒ 산수책: decimal ~ 십진산(十進算)/ mental ~ 암산. **2** Ⓤ 산수의 능력; 계산.
— *a.* 산수의, 산수에 관한.
⁑**ar·ith·met·i·cal**[æ̀riθmétikəl] *a.* =ARITHMETIC. ~**·ly** *ad.*
a·rith·me·ti·cian[əriθmətíʃən, æ̀riθ-] *n.* 산술가(算術家).
arithmetic mean 〔數〕 등차 중항(等差中項); 상가(相加) 평균, 산술 평균.
arithmetic progression 〔數〕 등차 수열(等差數列)(arithmetical progression).
arithmetic series 〔數〕 등차〔산술〕 급수.
ar·ith·mom·e·ter[æ̀riθmɑ́mitər/-mɔ́m-] *n.* (초기의) 계산기.
-ar·i·um[ɛ́əriəm] *suf.* 「…에 관한 물건〔장소〕」의 뜻: sacr*arium*, aqu*arium*, herb*arium*.
Ar·i·us[ɛ́əriəs, əráiəs] *n.* 아리우스《알렉산드리아의 신학자(250?-336?); 그리스도의 신성(神性)을 부인》.
Ariz. Arizona.
*__Ar·i·zo·na__[æ̀rəzóunə] *n.* 애리조나주《미국 남서부의 주; 略: Ariz.》. **-nan**[-nən] *a., n.* 애리조나주의 (사람).
*__ark__[ɑːrk] [L] *n.* **1** 〔聖〕 (Noah가 대홍수를 피한) 방주(方舟); 《方·詩》 궤, 상자. **2** 《미》 평저선(平底船). **the Ark of Testimony**〔**the Covenant**〕 〔유대敎〕 결약〔계약〕의 궤《Moses의 십계명을 새긴 두 개의 납작한 돌〔증거판〕을 넣은 궤》.
Ark. Arkansas.
Ar·kan·san[ɑːrkǽnzən] *a., n.* Arkansas주의 (사람).
*__Ar·kan·sas__[ɑ́ːrkənsɔ̀ː] *n.* **1** 아칸소주(州) 《미국 중부의 주; 略 Ark.》. **2** (the ~) 아칸소 강《Colorado주로부터 남쪽으로 흐르는 미시시피 강의 지류》.
Arkansas toothpick 사냥칼의 일종.
Ar·kan·saw·yer[ɑ́ːrkənsɔ̀ːjər] *n.* 《口·方》 Arkansas주 사람《별명》.
Ar·kie[ɑ́ːrki] *n.* 《미口》 Arkansas주 출신의 유랑 농부; 이동 농업 노동자.
Ark·wright[ɑ́ːrkràit] *n.* 아크라이트 Sir Richard ~(1732-92)《영국의 방적 기계 발명자》.
arles[ɑːrlz] *n. pl.* 《스코》 예약금, 착수금, 계약금.
Arles *n.* 아를《프랑스 남동부의도시》.
Ar·ling·ton[ɑ́ːrliŋtən] *n.* 알링턴《미국 Virginia주 북동부에 있는 군(郡) · 시의 이름; 국립 군인 묘지가 있음》.
Arlington National Cemetery (미국의) 알링턴 국립 (군인) 묘지.
★**arm**¹[ɑːrm] *n.* **1** 팔, 상지(上肢); (동물의) 앞다리. **2** 팔 같이 생긴 것; (나무 줄기에서 뻗은) 큰 가지, (옆으로 내민) 가로대, 완목(腕木); 닻가지, 지렛대; (옷의) 소매; (의자 양 옆의) 팔걸이; 후미; (축음기의) 음관(tone arm). **3** Ⓤ 힘, 권력. **4** (관청 · 활동 등의) 부문, (조직 · 단체의) 지부. **5** (투수 등의) 투구력. **a child**〔**an infant**〕 **in arms** 안고 다니는 아이, 아직 걷지 못하는 아이〔갓난아이, 젖먹이〕. **an arm and a leg** 《口》 엄청난 금액, 거금. **an arm of the sea** 후미, 내포, (작은) 만. **arm in arm** 서로 팔을 끼고 (*with*). **as long as my**〔**your**〕 **arm** 《口》 몹시 긴. **at arm's length** 팔을 뻗치면 닿는 곳에(서); 어느 정도 거리를 두고, 쌀쌀하게. **fold** one's **arms** 팔짱을 끼다. **give**〔**offer**〕 one's **arms** (동행하는 여자에게) 팔을 내밀다; 협조를 제의하다(*to*). **have a child in** one's **arms** (아이)를 안고 있다. **in the arms of Morpheus** ⇨Morpheus. **make a long arm** 팔을 쑥 내밀다. **one's better arm** 오른팔. **one's right arm** 오른팔; 유능한 부하. **on the arm** 신용 대부로; 무료로. **put the arm on** 《미俗》 〈사람을〉 붙잡다, 체포하다; …에게 〈돈 등을〉 달라고 조르다, 강요하다. **take the arm** 내민 팔을 붙잡다; 제휴하다. **the fore arm** 팔뚝, 전박(前膊)《팔꿈치에서 팔목까지의 부분》. **the** (**long**) **arm of the law** 법의 힘, 특히 경찰(력). **the secular arm** 〔史〕 속권(俗權)《교권에 대하여 법원의 권력》. **throw** one's **arms around another's neck** 두 팔로 …의 목을 껴안다. **twist** a person's **arm** …의 팔을 비틀다; …에게 강제하다〔강요하다〕. **hold under** one's **arm** 겨드랑이에 (끼다). **with folded arms** 팔짱을 끼고. **within arm's reach** 손이 닿는〔가까운〕 곳에. **with open arms** 양팔을 벌리고; 충심으로 〈환영하다〉. ⊕ ármful *n.*
⁑**arm**² *n.* **1** (보통 *pl.*) 무기, 병기, 화기. **2** (*pl.*) 군사, 전쟁, 전투, 투쟁; 병역, 군인의 직. **3** 〔軍〕 병종, 병과《보병 · 기병 · 포병 · 공병》. **4** (*pl.*) (기사가 방패 · 기 등에 사용한) 문장(紋章), 표지. **appeal to arms** 무력에 호소하다. **arms and the man** 무예와 사람 《Virgil의 말》; 무용담. **be bred to arms**

군사 교육을 받다. **be up in arms** 전투 준비를 갖추다; 무기를 들고 일어서다; 반기를 들다; 분격하다 《*about, over*》. **bear arms** (1) 무기를 소유〔휴대〕하다. (2) 《文語》 무장하다; 병역에 복무하다. **bear arms against** …와 싸우다. **by arms** 무력에 호소하여. **call to arms** 〈부대에 대해〉 전투 준비를 명하다; 〈병력을〉 동원〔소집〕하다. **carry arms** 무기를 휴대하다, 어깨총을 하다. **change arms** 총을 (다른쪽 어깨로) 바꿔 메다. **deeds of arms** 무훈. **get under arms** 무장하다. **give up** one's **arms** 항복하여 무기를 넘겨주다. **go to arms** =appeal to ARMS. **in arms** 무장하여. **lay down** one's **arms** 무기를 버리다; 항복하다. **lie upon** one's **arms** 무장한 채로 자다. **man of arms** 전사; 장갑병. **Order arms!** 세워 총! **passage at arms** 논쟁, 필전(筆戰). **Pile arms!** 걸어 총! **Present arms!** 받들어 총! **rise** (**up**) **in arms** 무기를 들고 일어서다, 군사를 일으키다, 거병(擧兵)하다. **Shoulder**〔**Carry, Slope**〕 **arms!** 어깨 총! **side arms** 허리에 차는 무기《총검·권총 등》. **small arms** 소형〔휴대〕 무기《소총·권총 등》. **Stand to** (**your**) **arms!** 받들어 총하여 전투 대형으로! **suspension of arms** 휴전. **take** (**up**) **arms** 무기를 들다, 개전하다《*against*》; 군인이 되다. **To arms!** 전투 준비! **turn** one's **arms against** …을 공격하다. **under arms** 무장을 갖추고, 전쟁〔전투〕 준비가 되어.
— *vt.* **1** 무장시키다, …에게 무기를 주다; 장갑하다《*with*》: ~ a person *with* a weapon …을 무장시키다. **2** (방호구 등으로 또는 도덕적으로) 견고히하다, 방비하다: people ~*ed with* patience 인내력이 강한 사람들. **3** 〈무기 등에 …을〉 장비하다; (특별한 목적·용도 등)에 대비하다; …을 갖추다; (사람 등에게 용구·지식 등을) 주다, 공급하다; 준비하고 있다《*with*》: ~ a missile *with* a nuclear warhead 미사일에 핵탄두를 장비하다/~ a person *with* full powers …에게 전권을 맡기다. **4** 〔電〕 (유사시에 끊어지게 퓨즈를) 활성화하다. — *vi.* 무장하다; 무기를 들다; 전쟁 준비를 하다. **arm oneself** 무장하다; 빈틈없이 대비하다. **be armed at all points** 충분히 무장을 하다; 빈틈없이 대비하다. **be armed to the teeth** 빈틈없이 (완전) 무장하고 있다. **be armed with** …으로 무장하고 있다; …으로 몸차림을 하다; …을 준비하고〔갖추고〕 있다.

ARM anti-radiation missile.

ar·ma·da[ɑːrmáːdə, -méi-] [Sp] *n.* **1** 함대; (군용) 비행단. **2** (the A-)=INVINCIBLE〔SPANISH〕 ARMADA.

ar·ma·dil·lo[àːrmədílou] *n.* (*pl.* ~**s**) 〔動〕 아르마딜로《남미산의 야행성 포유 동물》.

Ar·ma·ged·don[àːrməgédən] *n.* **1** 〔聖〕 아마겟돈《세계의 종말에 있을 선과 악의 결전장》. **2** (국제적인) 대결전(장).

Ar·magh[ɑːrmáː] *n.* 아마《북아일랜드 남부의 주》.

ar·mal·co·lite[ɑːrmǽlkəlàit] *n.* 〔鑛〕 아말콜라이트《아폴로 11호의 우주비행사가 달에서 가져온 광물》.

***ar·ma·ment**[áːrməmənt] *n.* **1** (종종 *pl.*) (한 나라의) 군대; 군사력, 군비《군인·무기·소요물자·군수 산업 등을 포함함》: an ~ race 군비 경쟁/limitation〔reduction〕 of ~*s* 군비 제한〔축소〕. **2** (집합적) 무기, 병기; (요새·군함의) 장비, 비포(備砲): main〔secondary〕 ~ 주(主)〔부(副)〕포. **3** Ⓤ 군사력 정비〔증강〕, 군비, 무장: atomic ~ 핵무장. ⊕ arm² *v.*

ar·ma·men·tar·i·um[àːrməmentέəriəm] *n.* (*pl.* **-i·a**[-iə], ~**s**) **1** 〔醫〕 의료 필수품 전반《기구·약품·서적 포함》. **2** (특정 분야에 필요한) 전 설비〔자료, 요인〕.

armaments expenditures 군사비

ar·mar·i·um[ɑːrmέəriəm] *n.* (*pl.* **-i·a**[-iə], ~**s**)=AMBRY.

ar·ma·ture[áːrmətʃər, -tʃùər] *n.* **1** 〔動·植〕 방호 기관《이빨·가시 등》. **2** 〔電〕 전기자(電機子); (자극(磁極)의) 접극자(接極子). **3** 〔彫刻〕 보강재.

arm badge 완장.

arm·band[áːrmbæ̀nd] *n.* 완장; 상장(喪章).

***arm·chair**[áːrmtʃὲər/ˊˋ] *n.* 안락의자.
— *a.* (실제) 경험에 의하지 않은, 공론적인; 아마추어의.

armchair critic (경험이 없는) 관념적인 비평가.

armchair shopping 우편·전화에 의한 쇼핑.

arme blanche[áːrmbláːʃ] [F] *n.* (*pl.* ***armes blanches***[-]) 〔軍〕 **1** 백병전용 무기《기병도·기병창·총검 등》. **2** 기병(cavalry).

***armed**[ɑːrmd] *a.* 무장한: ~ eyes 안경 등으로 시력을 강화한 눈(*opp.* naked eyes)/~ neutrality 무장 중립/~ peace 무장 평화/~ robbery 무장 강도.

-armed[ɑərmd] 《연결형》 「…한 팔을 가진」의 뜻: long-*armed*.

armed forces〔**services**〕 (종종 the ~) (일국의 육·해·공의) 군대, 전군.

Armed Forces Day 《미》 국군의 날《5월 셋째 토요일; 휴일》.

Ar·me·ni·a[ɑːrmíːniə, -njə] *n.* 아르메니아《이란 북서부의 한 공화국》.

Ar·me·ni·an *a.* 아르메니아 (사람〔말〕)의.
— *n.* 아르메니아 사람; Ⓤ 아르메니아 말.

ar·met[áːrmət, -met] *n.* 투구《15세기에 사용된 것으로 머리 전체를 싸는》.

***arm·ful**[áːrmfùl] *n.* 한 아름《*of*》: an ~ of books 한 아름의 책.

arm·hole[áːrmhòul] *n.* (옷의) 진동 둘레.

ar·mi·ger[áːrmidʒər] *n.* 기사의 갑옷 시종; 문장(紋章)을 허락받은 사람《knight와 yeoman의 중간 계급》.

ar·mig·er·ous[ɑːrmídʒərəs] *a.* 문장을 패용할 자격이 있는.

ar·mil·lar·y[áːrməlèri, ɑːrmíləri] *a.* 원〔고리〕 모양의; 아밀러리 천구의의.

armillary sphere (옛날의) 아밀러리 천구의(天球儀).

arm·ing[áːrmiŋ] *n.* Ⓤ 무장을 갖춤; 무장; (자석의) 접극자(接極子); 문장(紋章).

Ar·min·i·an[ɑːrmíniən] *a., n.* 아르미니우스의 (신자).

Ar·min·i·us[ɑːrmíniəs] *n.* 아르미니우스 (1560-1609)《네덜란드의 신학자》.

ar·mip·o·tent[ɑːrmípətənt] *a.* 《稀》 무력이 뛰어난, 전쟁에 강한.

***ar·mi·stice**[áːrməstis] [L] *n.* 휴전, 정전: make an ~ 휴전하다.

Armistice Day (제1차 세계 대전의) 휴전 기념일《11월 11일》《◇ 제 2차 세계 대전의 휴전도 포함하여 미국에서는 VETERANS DAY로, 영국에서는 REMEMBRANCE SUNDAY로 개칭》.

arm·less¹[áːrmlis] *a.* 팔이 없는; 팔걸이가 없는 〈의자 등〉.

armless² *a.* 무방비의.

arm·let[áːrmlit] *n.* **1** 팔찌, 팔고리, 팔장식; 완장. **2** 좁은 후미, 강의 지류.

arm·load[á:rmlòud] *n.* 《미》 한 아름(의 양).
arm·lock[á:rmlàk/-lɔ̀k] *n.* 〔레슬링〕 암록《팔조르기》.
ar·moire[ɑ:rmwá:r] [F] *n.* (*pl.* **~s**[-z]) 대형 옷장〔벽장, 찬장〕.
⁑**ar·mor | ar·mour**[á:rmər] [L] *n.* Ⓤ **1** 갑옷; 철갑: a suit of ~ 갑옷 한 벌/in ~ 갑옷을 입고. **2** (군함 등의) 장갑(裝甲), 철갑(판); 방호구(防護具); 방호복; 잠수복; (전기줄의) 외장(外裝). **3** (집합적) 〔軍〕 기갑 부대. **4** 〔生〕 방호 기관《비늘·가시·껍질 등》. ── *vt.* 갑옷을 입히다; 장갑하다.
ar·mor-bear·er[á:rmərbὲərər] *n.* 기사의 갑옷 시종.
ar·mor-clad[á:rmərklæ̀d] *a.* 갑옷을 입은; 장갑한: an ~ ship 장갑함.
ar·mored[á:rmərd] *a.* 장갑한: an ~ battery 장갑 포대/~ concrete 철근 콘크리트/an ~ cruiser〔train〕 장갑 순양함〔열차〕.
armored cable 〔電〕 외장(外裝) 케이블.
armored car 장갑차; (현금 수송용) 무장 자동차.
armored cow[heifer] 《미俗》 깡통 우유, 분유.
armored division 〔軍〕 기갑 사단.
armored forces 〔軍〕 기갑 부대.
armored scale 〔昆〕 개각충.
ar·mor·er[á:rmərər] *n.* **1** (옛날의) 병기〔무기〕 제조자. **2** (군함·연대의) 병기계.
ar·mo·ri·al[ɑ:rmɔ́:riəl] *a.* 문장(紋章)의. ── *n.* 문장서(紋章書); 가문(家紋).
ar·mor·ing[á:rməriŋ] *n.* Ⓤ 무장; 〔電〕 외장(外裝)《피복선 겉을 철선이나 금속 테이프로 감아 보호하기》.
armor plate (군함·전차 등의) 장갑판.
ar·mor-plat·ed[á:rmərplèitid] *a.* 장갑한.
armory[1][á:rməri] *n.* (*pl.* **-mor·ies**) **1** 병기고(arsenal); 병기 공장, 조병창. **2** 《미》 주병(州兵) 부대 본부; (그) 옥내 훈련장. **3** (집합적) 《古》 무구(武具), 병기류.
ar·mor·y[2] *n.* Ⓤ 문장(紋章)(학(學)).
ar·mour *n.* 《영》 =ARMOR.
ar·mour·y *n.* (*pl.* **-mour·ies**) 《영》 =ARMORY[2].
arm·pit[á:rmpìt] *n.* 겨드랑이. **up to the armpits** 《미》 완전히, 온통 〈잠기어〉.
arm·rest[á:rmrèst] *n.* (의자 등의) 팔걸이.
arms *n. pl.* =ARM[2].
arms race 군비 (확장) 경쟁.
Arm·strong[á:rmstrɔ̀:ŋ] *n.* 암스트롱 **1** Louis ~(1900-71)《미국의 재즈 트럼펫 주자·가수; 애칭 Satchmo》. **2** Neil A. ~ (1930-)《미국의 우주 비행사; 1969년 7월 21일 인류 최초로 달에 첫 발을 디뎠음》(*cf.* APOLLO, EAGLE).
arm-twist·ing[á:rmtwìstiŋ] *n.* Ⓤ 강요, 강제, 강압. ── *a.* 강요하는, 강제적인.
arm wrestling 팔씨름.
★**ar·my**[á:rmi] *n.* (*pl.* **-mies**) **1** (종종 the **A-**) (해·공군에 대하여) 육군(*cf.* NAVY). **2** (육군의) 군대(armed force); 군: the Army Commander 군사령관. **3** (군대적 조직의) 단체: the Salvation Army 구세군. **4** (an ~ of) 큰 무리〔떼〕, 다수(host): an ~ ofworkmen 한 떼의 노동자. **an army of occupation** 진주〔점령〕군 **be in the army** 육군(군인)이다. **enter〔join, go into〕 the army** 육군에 입대하다, 군인이 되다. **raise an army** 군사를 일으키다, 거병(擧兵)하다; 모병하다. **serve in the army** 병역에 복무하다. **standing〔reserve〕 army** 상비〔예비〕군. **the Blue Ribbon Army** 《영》 청색 리본단《금주 단체의이름》. ── *a.* 군대의.
army act 육군 형법.
Army and Navy stores (the ~) 《영》 육해군 구매 조합 매점《略: A&N》.
army ant 〔昆〕 군대개미.
army brat 《미俗》 육군 사관·하사관의 자녀.
army broker〔contractor〕 《영》 육군 조달〔군납〕 업자.
army corps (집합적) 군단《2개(이상)의 사단(division)과 부속 부대로 편성》.
army installation 군사 시설.
army list 《영》 =ARMY REGISTER.
army look 〔服〕 군대식 복장.
army register 《미》 육군 현역 장교 명부.
Army Service Corps (the ~) 《영》 육군 병참단.
army surgeon 군의관.
ar·my·worm[á:rmiwə̀:rm] *n.* 〔昆〕 행렬구더기.
Ar·naut[á:rnaut] *n.* (특히 터키군에 복무하는) 알바니아 사람.
ar·ni·ca[á:rnikə] *n.* **1** 〔植〕 아르니카《엉거시과(科)》. **2** Ⓤ 아르니카 팅크《타박상 등의 외용 진통제》.
Ar·no[á:rnou] *n.* (the ~) 아르노 강《이탈리아 서부의 강》.
Ar·nold[á:rnəld] *n.* **1** 남자 이름. **2** 아놀드 Matthew ~ (1822-88)《영국의시인·비평가》.
ar·oid[ǽərɔid] *n., a.* 〔植〕 토란(의).
a·roint[ərɔ́int] *vt.* (다음 성구로) **Aroint thee〔ye〕!** 《古》 가라!, 물러가라!(begone).
a·ro·ma[əróumə] [Gk] *n.* Ⓤ,Ⓒ 방향(芳香), 향기(fragrance); (예술품 등의) 품격, 기품, 묘취(妙趣).
a·ro·ma·ther·a·py[əròuməθérəpi] *n.* **1** 향기를 사용하여 사람의 기분이나 행위를 바꾸는치료법. **2** (초목이나 방향성꽃에서 추출한 기름을쓰는) 얼굴 피부 치료법.
ar·o·mat·ic[æ̀rəmǽtik] *a.* 〈음식물이〉 향긋한, 향기로운, 방향의. ── *n.* 향기로운 것, 향료; 방향 식물; 방향약.
aromatic vinegar 향초(香醋)《냄새맡는》.
a·ro·ma·tize[əróumətàiz] *vt.* 향기롭게 하다. **-ti·zer** *n.*
a·ro·ma·to·ther·a·py[əròumətəθérəpi] *n.* 방향(芳香) 요법《피부 미용의 하나》.
⁑**a·rose**[əróuz] *vi.* ARISE의 과거.
★**a·round**[əráund] *ad.* **1** 주위에〔를〕, 둘레에; 빙《둘러 싸다 등》: the scenery ~ 주위의 경치. **2** 《미》 빙 돌아서, 주변을; (수사 있는 명사 뒤에 써서) 둘레가 (…으로)(《영》 round): fly ~ over a city 도시 상공을 빙 선회하다/The tree is three feet〔foot〕 ~. 그 나무는 둘레가 3피트이다. **3** 여기저기에, 이곳저곳에, 곳곳에; 근처에: travel ~ from place to place 여기저기 여행하고 다니다. **4** 《미口》 근처에, 부근〔주변〕에(서): Wait ~ awhile. 근처에서 잠시 기다려라. **5** (순번이) 모두에게 돌아가; 반대 방향으로 (빙) 돌아: turn ~ 방향을 빙 돌리다, 뒤돌아보다. **6** (계절·차례 등이) 돌아와; 전기간을 통하여《보통 다음 구에서》: (all) the year ~ =all year ~ 1년 내내. **7** 멀리 돌아서, 에둘러, 우회하여: drive ~ by the lake 호반을 우회하여 드라이브하다. **8** (수사와 함께) 대충, 약 …: ~ five hundred years ago 약 500년 전에. **9** 《口》 정상 상태에; (의식을) 회복하여: bring a person ~ …을 제정신이 들게 하다. **10** 《口》 존재하여, 활동하여, 현역으로: She is one of the best actress ~. 그

녀는 현존하는 최고 여배우 중의 한 사람이다. **all around** 도처에; 모든 사람에게 〈악수하다 등〉. **be around** (마침) 있다, 와 있다; (찾아)오다; 《미口》 일어나다. **come around** ⇨ come. **crowd around** ⇨ crowd *vi.* **fool around** ⇨ fool. **get around** ⇨ get. **have been around** 《口》 여러 가지 경험이 많다; 사람〔세상〕에 닳고 닳았다.
— *prep.* **1** …의 주위〔주변, 둘레〕에, …을 둘러〔에워〕싸고: with his friends ~ him 친구들에게 둘러싸여/sit ~ the fire 불을 둘러싸고 앉다. **2** 《미》 …의 주위를 돌아, …을 일주하여: The earth goes ~ the sun. 지구는 태양의 주위를 돈다/a trip ~ the world 세계 일주 여행. **3** …을 우회(迂回)하여; 〈모퉁이〉를 돈 곳에(《영》 round); 〈장애물〉을 피하여: a store ~ the corner 모퉁이를 돈 곳에 있는 가게. **4** 《미口》 …의 주변을: look ~ the room 방안을 빙 둘러보다. **5** …의 여기저기에, …의 군데군데를: travel ~ the country 국내를 여기저기 돌아다니다. **6** …가까이에: play ~ the house 집 근처에서 놀다. **7** 에 종사하여: She's been ~ the hospital for twenty years. 그녀는 병원에 20년이나 근무하고 있다. **8** …에 입각하여, …을 중심으로 하여: The story is written ~ his life. 그 이야기는 그의 일생을 중심으로 해서 쓰인 것이다. **9** 《미口》 약…, …쯤〔정도〕(about): ~ Christmas 크리스마스 무렵/~ five dollars〔o'clock〕 약 5달러〔5시경〕/~ five hundred years ago 약 500년 전에 (◇ 수사 앞의 around는 부사로 취급되는 경우가 많다).

a·round-the-clock [əráundðəklɑ̀k/-klɔ̀k] *a.* 《미》 24시간 꼬박의(《영》 round-the-clock): (in) ~ operation 무휴 조업(중).

a·round-the-world [-wə́ːrld] *a.* 《미》 세계 일주의.

a·rous·al [əráuzəl] *n.* U,C 각성; 환기; 자극.

****a·rouse** [əráuz] *vt.* **1** 〈사람을 잠에서〉 깨우다《*from*》: a person *from* sleep …의 잠을 깨우다. **2** 〈감정·호기심 등을〉 자극하다, 환기하다; 〈사람을 자극하여 어떤 행동으로〉 몰아대다《*to*》; 분기시키다: ~ anger 화나게 하다/~ a person *to* action〔activity〕 (자극하여) …을 활동〔분기〕하게 하다. — *vi.* 각성하다, 분기하다. ◈ rouse *v.*

a·row [əróu] *ad.* 일렬로; 잇달아.

ARP, A.R.P. air-raid precautions 공습 경보.

ARPA Advanced Research Projects Agency 고등 (우주) 연구 계획국.

ARPANET [ɑ́ːrpənèt] [*A*dvanced *R*esearch *P*rojects *A*gency+*net*work] *n.* 〔通信·컴퓨터〕 아르파네트《미국방부가 개발한 전미국 규모의 컴퓨터 네트워크》.

ar·peg·gi·o [ɑːrpédʒiòu, -dʒòu] [It] *n.* (*pl.* ~**s**) 〔樂〕 아르페지오《화음을 빨리 연속적으로 연주하기》; 그 화음, 펼침 화음.

ar·pent [F] *n.* 아르팡《프랑스의 옛 면적의 단위: ≒0.85 acre》.

ar·que·bus [ɑ́ːrkwəbəs] [F] *n.* 화승총.

ar·que·bus·ier [ɑ̀ːrkwəbəsíər] *n.* 화승총으로 무장한 병사.

arr. arranged (by); arrival; arrive(d).

A.R.R. *anno regni regis*〔*reginae*〕 (L=in the year of the king's〔queen's〕 reign).

ar·rack [ǽrək] *n.* U 아라크 술《야자즙·당밀 등으로 만드는 중근동(中近東)의 독한 증류주》.

ar·rah [ǽrə] *int.* 아!, 어머!, 저런!

ar·raign [əréin] *vt.* **1** 〔法〕 〈피고를〉 법정에 소환하여 죄상의 시인 여부를 묻다《*for, on*》: ~ a person *on* a charge of murder …에게 살인죄의 인정 여부를 묻다. **2** 나무라다, 비난하다, 규탄하다: a person *for* want of experience 남의 경험 부족을 나무라다.
— *n.* **1** 심문 **2** 고소, 공소; 비난, 규탄.
~·ment *n.* U,C (피고의) 죄상 인부(認否); 비난, 규탄.

****ar·range** [əréindʒ] [L] *vt.* **1** 가지런히 하다, 정돈하다, 정리하다; 배열하다, 배치하다; 정렬시키다, 가지런하게 갖추다: ~ things in order …을 깔끔히 정돈하다. **2** 준비하다, 수배하다, 예정을 세우다, …을 정하다: (Ⅲ *to* do) I ~*d to* lunch with him at my home. 나는 그와 내 집에서 점심을 함께 할 준비를 해놓았다/It is ~*d that* … …하기로 되어 있다/~*d for* … …로 정해지다. **3** 〈분쟁 등을〉 해결하다, 조정하다; 살펴서 처리하다: ~ differences 분쟁을 조정하다. **4** (방송용 등으로) 각색하다; 〔樂〕 편곡하다: ~ A for B A를 B로 각색하다〔편곡하다〕. — *vi.* **1** 타합하다, 합의로 정하다, 협정하다: ~ *with* a person *for*〔*about*〕 …에 대하여 …와 타합〔협정〕하다. **2** 마련하다, 준비하다; 예정을 세우다, 수배하다, 조처하다, 정하다: (Ⅱ 전+명+*to* do) I have ~*d for* them *to* start soon. 나는 그들이 곧 출발하도록 조처했다/(Ⅱ 전+명+*to be done*) I have ~*d for* a search *to be made.* 나는 조사가 이루어지도록 조처했다.
ar·rang·er *n.* ◈ arrángement *n.*

****ar·range·ment** [əréindʒmənt] *n.* **1** U,C 정돈, 정리; 배열, 정렬, 배치; 마련, 배합: flower ~ 꽃꽂이. **2** (보통 *pl.*) 준비, 수배; 예정, 작정; (몇 가지 부품으로 된) 장치, 설비: an ~ committee 준비 위원회. **3** C,U 협정, 타합, 합의; 타협, 화해; 낙착: I'll leave the ~ of time and place to you. 시간과 장소의 타합은 자네에게 맡기겠네. **4** U 각색; 〔樂〕 편곡; C 편곡한 곡; 〔數〕 순열. **arrive at**〔**come to**〕 **an arrangement** 합의가 이루어지다, 타협이 되다, 협정이 성립되다. **make ar·range ments for a party** (파티)의 준비를 하다. **make arrangements with** a person …와 타협〔타합〕하다. ◈ arránge *v.*

ar·rant [ǽrənt] *a.* 《文語》 대단한; 악명 높은, 이름난, 터무니없는: an ~ fool〔lie〕 형편 없는 바보〔거짓말〕. **~·ly** *ad.*

ar·ras [ǽrəs] *n.* (*pl.* ~) **1** U 아라스 천《아름다운 그림 무늬가 있는 천》. **2** C 아라스 직물의 벽걸이 천; 커튼.

***ar·ray** [əréi] *vt.* 《文語》 **1** 〈군대를〉 정렬시키다(arrange). **2** 성장(盛裝)시키다, 아름답게 차려 입히다: They all ~*ed* themselves〔were all ~*ed*〕 in ceremonial robes. 그들은 모두 예복을 차려 입고 있었다. **3** 〔法〕 〈배심원 전원을〉 소집하다. **4** 〈증거 등을〉 열거하다. **array themselves**〔**be arrayed**〕 **against** …에 일제히 반대하다. — *n.* U **1** (군대의) 정렬, 포진(布陣), 군세(軍勢). **2** 군대. **3** 〔法〕 배심원의 소집; C (소집된) 배심원. **4** 《詩·文語》 옷, 의상, 미장(美裝): bridal ~ 신부 차림. **5** 〔컴퓨터〕 배열《기억장치상에 취하는 데이터군》, 연속된 기억장치; 〔通信〕 =ANTENNA ARRAY. **an array of** umbrellas〔fishing rods〕 죽 늘어선 (우산〔낚싯대〕). **in battle array** 전투 대형을 취하여. **in fine array** 곱게 단장하고. **in proud array** 당당히. **make an array** 정렬하다. **set in array** 배열하다.

ar·ray·al [əréiəl] *n.* U 정렬, 배열; 성장(盛裝); C 정렬〔배열〕한 것. ◈ arráy *n.*

arráy procéssing 〔컴퓨터〕 배열 처리《여러

개의 연산 장치를 병렬로 접속시켜 배열이나 행렬 연산을 고속으로 실행하는 것).

arráy procéssor 〔컴퓨터〕 배열 처리기.

ar·rear[əríər] [L] *n.* (*pl.*) (일·지불금의) 지체, 밀림(*of*): 지불 잔금, 연체금. **fall into arrears** 지체되다. **in arrear(s) of** …보다 뒤져서(*opp.* in advance of). **in arrear(s) with** payment〔work〕 (지불〔일〕)이 지체되어. **work off arrears** 일하여 지체된 것을 만회하다.

ar·rear·age[əríəridʒ] *n.* U,C 지체; 밀린 것〔일, 지불금(등)〕; (종종 *pl.*) 미불 잔금, 연체 금액.

ar·rect[ərékt] *a.* 《口》 〈개·토끼 등의 귀가〉 서 있는; 〈사람 등이〉 귀를 기울이고 있는, 빈틈없이 신경을 곤두세운.

ar·rest[ərést] [OF] *vt.* **1** 〔法〕 체포하다(*for*): 검거〔구속〕하다, 억류하다: an ～*ed* vessel 억류선/～ a person *for* murder 을 살인죄로 체포하다. **2** 《(사물의) 진행·성장 등을》 정지시키다, 저지하다: ～ progress 진보를 막다. **3** 〈주의·이목·흥미 등을〉 끌다: ～ attention〔his eyes〕 주의〔그의 시선〕를 끌다. ― *n.* C,U **1** 〔法〕 체포, 검거, 구속, 구인; 억류; 차압. **2** 정지, 저지. **arrest of judgment** 판결 저지. **make an arrest** 체포하다. **under arrest** 구인〔수감〕되어. **ar·rést·a·ble** *a.* ◈ arréstive *a.*

ar·rés·tant[-tənt] *n.* 활동〔진행〕 저지물; 〔動〕 정착 물질, (해충의) 이동 저지제.

ar·res·ta·tion[æ̀restéiʃən] *n.* (발달·발전의) 억지, 정지.

ar·rest·ee[ərèstíː] *n.* 체포된 사람.

ar·rést·er, ar·rés·tor[-ər] *n.* 체포 자; 방지 장치; 피뢰기(器).

arréster gèar〔**hòok**〕 〔空〕 속도 제어 장치, 착함(着艦) 훅(항공모함 등에 착함할 때 비행기를 멈추게 하는 훅).

arréster wìre (항공모함 갑판에 있는 비행기 착함시의) 제동용 와이어.

ar·rest·ing[əréstiŋ] *a.* 사람의 이목을 끄는, 인상적인.

arresting gear 〔空〕 제동 장치.

ar·res·tive[əréstiv] *a.* 이목을 끌기 쉬운.

ar·rest·ment[əréstmənt] *n.* U 체포, 검속, 억류.

ar·ret[æréi] [F] *n.* (법원·국왕 등의) 판결, 결정, 명령.

ar·rhyth·mi·a[əríðmiə, ei-] *n.* U 〔病理〕 부정맥(不整脈).

ar·rhyth·mic, -mi·cal[əríðmik], [-kəl] *a.* 율동적〔주기적, 규칙적〕이 아닌. **-mi·cal·ly** *ad.*

ar·ride[əráid] *vt.* 《古》 기쁘게 하다, 만족시키다.

ar·ri·ere-ban[æ̀riɛ̀ərbǽn] [F] *n.* (봉건 시대의 프랑스 왕이 낸) 신하 소집령; (집합적) 소집된 신하들.

ar·riere-pen·see[æriɛ̀ərpɑ̃ːnséi] [F] *n.* (*pl.* ～**s**[-z]) 속마음, 저의(底意).

ar·ris[ǽris] *n.* (*pl.* ～, ～·**es**) 〔建〕 모서리, 외각, 구석.

arris gutter 〔建〕 (V자꼴의) 낙수 홈통.

ar·ris·wise[ǽriswàiz] *ad.* 모서리를〔각을〕 이루어.

ar·riv·al[əráivəl] *n.* **1** U,C 도착(*at, in*) (*opp.* departure): 입항, 임석, 출현: U (결론·연령 등에의) 도달(*at*): the ～*s* and departures of trains 열차의 발착: safe ～ 안착. **2** 도착자(물), 착하(着荷); 《口》 출생, 신생아. **cash on arrival** 〔商〕 착하불(着荷拂). **new arrival** 갓온 사람, 신착품, 신착서(書); 신생아. **on arrival** 도착하고 나서, 도착하는 대로. ― *a.* 도착의; 도착자〔물〕의: an ～ platform 열차 도착 플랫폼: an ～ contract〔sale〕 〔商〕 선물(先物) 계약〔매매〕. ◈ arrive *v.*

arríval lìst 도착 승객 명부.

★**ar·rive**[əráiv] [OF] *vi.* **1** 도착하다, 닿다 (*opp.* depart): 〈물건이〉 도착하다(*at, in, on*) (◇ 비교적 좁은 장소에 도착할 때에는 *at*, 넓은 장소에 도착할 때에는 *in*, 대륙·섬·현장 등에 도착할 때에는 *on*을 씀): ～ *at* the foot of the mountain 산기슭에 닿다/～ *in*〔*at*〕 London 런던에 도착하다/～ *from* a trip 여행에서 돌아오다/～ *on*〔*upon*〕 the scene 현장에 도착하다〔나타나다〕/(I 부+전+명) She ～*d* home before six. 그녀는 6시 전에 집에 도착했다/(I 부+전+명+*wh*.(절)) We ～*d* there *at* 8:30, *at* which〔and at that〕 time the party was in full swing. 우리는 8시 30분에 거기에 도착했는데, 그 때는 (벌써) 파티가 한창 무르익고 있었다/(I 전+명+전+명) I shall ～ *at* the airport by 7:30. 나는 7시 30분까지 공항에 도착될 것이다/(Ⅱ 부+형) She ～*d* home late. 그녀는 늦게 집에 도착했다/(Ⅱ 전+명+형) She ～*d at* school late. 그녀는 늦게 학교에 도착했다. **2** 〈어떤 연령·시기·결론·확신 등에〉 도달하다(*at*): ～ *at* man's estate 남자가 성년에 도달하다/～ *at* a good idea 좋은 생각이 떠오르다. **3** 《口》 성공하다, 명성을 얻다, (…으로서) 유명해지다: (Ⅱ *as*+명) He ～*d as* a writer. 그는 작가로서 성공했다. **4** 〈사건 등이〉 일어나다, 〈때가〉 오다, 도래하다(*to*). **5** 《口》 〈아기가〉 태어나다. **arrive at a bargain** 상담(商談)이 성립되다. **ar·rív·er** *n.*

ar·ri·ve[æ̀rivéi] [F] *n.* 갑자기 성공한 사람, 벼락 출세한 사람, 어정뱅이.

ar·ri·ve·der·ci[ɑ̀ːrivedɛ́ːrtʃiː] [It=till we meet again] *int.* 안녕, 그럼 또.

ar·ri·vism(e)[æ̀rivíːzəm] [F] *n.* 악착같은 야심; 출세 제일주의.

ar·ri·viste[æ̀rivíːst] [F] *n.* 악착같은 야심가; 벼락 출세자.

***ar·ro·gance, -gan·cy**[ǽrəgəns], [-i] *n.* U 거만, 불손, 오만. ◈ árrogant *a.*

***ar·ro·gant**[ǽrəgənt] *a.* 거만한, 거드름 부리는, 오만한(*opp.* humble). **～·ly** *ad.* ◈ árrogance, árrogancy *n.*

ar·ro·gate[ǽrəgèit] *vt.* **1** 〈칭호 등을〉 사칭하다; 〈권리를〉 침해하다; 남용하다, 침해하다; 사취하다: ～ a person's rights …의 권리를 침해하다/(Ⅲ (목)+전+대) The king ～*d* all power *to* himself. 그 왕은 모든 권력을 남용했다. **2** 〈동기·속성 등을〉 부당하게 남의 탓으로 하다, 남에게 씌우다(*to*).

ar·ro·ga·tion[æ̀rəgéiʃən] *n.* U,C 사칭; 횡탈, 월권 행위, 횡포.

ar·ron·disse·ment[ərɑ́ndismənt/æ̀rɔndíːsmɑ̃ːŋ] [F] *n.* (프랑스의) 군(郡); (파리의) 구.

‡**ar·row**[ǽrou] [OE] *n.* 화살(*cf.* BOW); 화살 모양의 물건; 화살표(→). **broad arrow** 《영》 굵은 화살촉 표(관유물에 표시). ◈ árrowy *a.*

ar·row·head[ǽrouhèd] *n.* **1** 화살촉. **2** 〔植〕 자고(慈姑)(쇠귀나물속(屬)의 수초(水草)). **～·ed**[-id] *a.* 화살촉〔쐐기〕 모양의.

arrowheaded characters 설형(楔形) 문자.

arrow key (컴퓨터의) 화살표 키.

ar·row·root[ǽrourùːt] *n.* **1** 〔植〕 칡의 일종

《열대 아메리카 · 브라질산》. **2** Ⓤ (그 뿌리에서 얻은) 칡 가루, 갈분.

ar·row·wood[ǽrouwùd] *n.* 가막살나무 속(屬)의 식물《줄기가 곧아 화살 만드는 데 사용》.

ar·row·y[ǽroui] *a.* 화살의, 화살 같은; 꼿꼿한; 빠른. ◈ árrow *n.*

ar·roy·o[ərɔ́iou] *n.* (*pl.* **~s**) 《美南西部》 시내; 마른골《보통 때는 물이 없는》.

ars[ɑːrz] [L] *n.* 예술, 학예, 아르스.

ARS. advanced record system 〔컴퓨터〕 기록 통신 시스템; 《미》 Agricultural Research Service.

arse[ɑːrs] *n.* 《영卑》 **1** 궁둥이; 항문. **2** 바보. ── *vi.* 《영俗》 빈들빈들 시간을 보내다, 빈들거리다《*around, about*》.

ar·sen-[ɑ́ːrsən], **ar·se·no-**[-nou] 《연결형》 「비소를 함유한」의 뜻《모음 앞에서는 arsen-》.

ar·se·nal[ɑ́ːrsənəl] *n.* 병기고; 조병창, 병기〔군수〕 공장; 축적(蓄積).

ar·se·nate[ɑ́ːrsənèit, -nit] *n.* Ⓤ 〔化〕 비산염.

ar·se·nic[ɑ́ːrsənik] *n.* Ⓤ 〔化〕 비소《기호: As》. ── *a.* 비소의; 비소를 함유한.

arsénic ácid 〔化〕 비산.

ar·sen·i·cal[ɑːrsénikəl] *a.* =ARSENIC. ── *n.* 비소 화합물; 비소제.

ársenic trióxide 〔化〕 3산화 비소, 무수아비산(無水亞砒酸).

ársenic tri·súl·fide 〔化〕 3황화비소.

ar·se·nide[ɑ́ːrsənàid] *n.* 〔化〕 비화물.

ar·se·ni·ous[ɑːrsíːniəs] *a.* 〔化〕 제 1비소의, 아비(亞砒)의.

arsénious ácid 〔化〕 아비산.

ar·se·nite[ɑ́ːrsənàit] *n.* Ⓤ 〔化〕 아비산염.

ar·se·no·py·rite[ɑ̀ːrsənoupáirait] *n.* Ⓤ 〔鑛〕 황비철광(黃砒鐵鑛).

ars gra·tia ar·tis[ɑ́ːrz-gréiʃiə-ɑ́ːrtis] [L] *n.* 예술을 위한 예술, 예술 지상주의.

A.R.S.H. Associate of the Royal Society for the Promotion of Health.

ar·sis[ɑ́ːrsis] *n.* (*pl.* **-ses**[-siːz]) **1** 〔韻〕 양음부(揚音部)〔절(節)〕(*opp.* thesis). **2** 〔樂〕 상박(上拍)(upbeat).

A.R.S.L. Associate of the Royal Society of Literature.

ars lon·ga, vi·ta bre·vis[ɑ́ːrz-lɔ́ŋgə-váitə-bríːvis] [L] 예술에 이르는 길은 멀고 인생은 짧다《art (is) long, life (is) short》.

ar·son[ɑ́ːrsn] *n.* Ⓤ 〔法〕 방화(죄). **~·ist** *n.* 방화 범인; 방화마(魔).

ars·phen·a·mine[ɑːrsfénəmìːn] *n.* Ⓤ 〔藥〕 살바르산(salvarsan).

ars po·e·ti·ca[ɑ̀ːrz-pouétikə] [L] *n.* 시의 기법, 시학; 시론.

ar·sy-var·sy, -ver·sy[ɑ́ːrsivɑ́ːrsi], [-vɔ́ːrsi] *a., ad.* 《口》 거꾸로(의), 뒤집힌〔혀서〕.

★**art**[1] [ɑːrt] *n.* **1** Ⓤ 예술; (종종 *pl.*) 미술; (집합적) 예술〔미술〕 작품: a work of ~ 미〔예〕술품/《Ⅱ 명+〈전+명〉》 Nature is the ~ of God. 자연은 신의 예술품이다. **2** 삽화《잡지 등의》; 〔印〕 (본문에 대하여) 삽화, 도판. **3** (특수한) 기술, 기예: military ~s 무술/the healing ~ 의술/the ~ of building〔war〕 건축술〔전술〕. **4** (*pl.*)(대학에서 이공계 과학(science)에 대하여) 인문과학, 문과계; 《미》 (대학의) 교양 과목; Ⓤ 《古》 학예. **5** Ⓤ 인공, 기교; 숙련, 솜씨, 수; 작위(作爲). **6** C,U (종종 *pl.*) 술책, 간책, 수완. **arts and crafts** 미술과 공예. **art and part** 계획과 실행, 교사 방조: be〔have〕 *art and part* in …에 가담하다. **art for art school** 예술 지상파, 유미파(唯美派). **art for art's sake** 예술 지상주의. **art for life's sake** 인생을 위한 예술. **Bachelor of Arts** 문학사《略: B.A.》. **black art** 마술, 요술. **by art** 인공으로; 술책으로; 숙련으로. **decorative art** 장식 미술. **industrial arts** (교과로서의) 공예, 공작. **Master of Arts** 문학 석사《略: M.A.》. **the fine arts** 미술《회화 · 조각 · 공예 · 건축》. **the liberal arts** 학예《중세 시대의 교양 학과》. **useful arts** 손기술. ── *a.* 예술의, 미술의: ~ history 미술사. ── *vi.* 예술적으로 하다, 예술적 기교를 가하다《*up*》. ◈ ártful, artístic *a.*

art[2][ɑːrt] *vi.* 《古 · 詩》 be의 제2인칭 단수 직설법 현재형《주어는 thou》: thou ~=you are.

Art *n.* 남자 이름《Arthur의 애칭》.

art. article; artificial; artillery; artist.

ARTC air route traffic control 항공로 교통 관제.

art de·co[ɑ̀ːrdeikóu] [F] *n.* (때로 **A- D-**) 〔美〕 아르데코《1920-30년대의 장식적인 디자인으로, 1960년대에 부활》.

árt dirèctor 〔映〕 미술 감독; 〔出版 · 印〕 미술 책임자, 아트 디렉터.

ar·te·fact[ɑ́ːrtəfæ̀kt] *n.* =ARTIFACT.

a·rtel [ɑːrtéi] [Russ] *n.* (옛 소련의) 공산 협동조합.

Ar·te·mis[ɑ́ːrtəmis] *n.* 〔그神〕 아르테미스《달과 사냥의 여신; 로마신화의 Diana에 해당》.

ar·te·mis·i·a[ɑːrtəmíziə] *n.* 〔植〕 향쑥속(屬)의 식물.

ar·te·ri·al[ɑːrtíəriəl] *a.* **1** 〔生理〕 동맥의(*cf.* VENOUS): ~ blood 동맥혈. **2** 〈도로 등이〉 동맥과 같은; 근간(根幹)의: an ~ railway 철도 간선/~ roads 간선 도로.

ar·te·ri·al·ize[ɑːrtíəriəlàiz] *vt.* 〔生理〕 〈폐가 정맥혈을〉 동맥혈로 변화시키다.

ar·tè·ri·al·i·zá·tion[ɑːrtìəriəlizéiʃən] *n.* Ⓤ 〔生理〕(폐에 의한) 정맥혈의 동맥혈화(化).

ar·te·ri·o-[ɑərtíəriə, -riou/ɑː-] 《연결형》 「동맥」의 뜻.

ar·te·ri·og·ra·phy[ɑːrtiəriɑ́grəfi/-ɔ́g-] *n.* 〔醫〕 (X선에 의한) 동맥 촬영(법).

ar·ter·i·ole[ɑːrtíəriòul] *n.* 〔解〕 소동맥.

ar·te·ri·o·scle·ro·sis[ɑːrtíəriòusklərόusis] *n.* 〔病理〕 동맥 경화증.

-rot·ic[-rɑ́tik/-rɔ́t-] *a., n.*

ar·te·ri·ot·o·my[ɑːrtìəriɑ́təmi/-riɔ́t-] *n.* (*pl.* **-mies**) 〔外科〕 동맥 절개(술).

ar·te·ri·o·ve·nous[ɑːrtìəriouvíːnəs] *a.* 〔解 · 病理〕 동정맥(動靜脈)의〔을 잇는〕.

ar·te·ri·tis[ɑ̀ːrtəráitis] *n.* Ⓤ 〔病理〕 동맥염(動脈炎).

★**ar·ter·y**[ɑ́ːrtəri] [Gk] *n.* (*pl.* **-ter·ies**) **1** 〔解〕 동맥(*opp.* vein): the main ~ 대동맥. **2** 주요 수로〔도로〕, 간선; 중추(中樞).

ar·té·sian wéll[ɑːrtíːʒən-/-ziən-] (지하수의 수압에 의한) 분수(噴水) 우물, 자분정(自噴井).

árt fìlm 예술 영화.

árt fòrm (전통적인) 예술 형식.

art·ful[ɑ́ːrtfəl] *a.* **1** 기교를 부리는, 교활한(cunning). **2** 기교가 뛰어난, 솜씨 있는, 교묘한. **~·ly**[-li] *ad.* **~·ness** *n.*

árt gàllery 미술관, 화랑.

árt glàss 공예 유리(제품)《19세기 말-20세기 초의》.

art-his·tor·i·cal[∸histɔ́ːrikəl] *a.* 《영》 예술사의, 미술사의.

árt hòuse =ART THEATER.

ar·thral·gia[ɑːrθrǽldʒə] *n.* Ⓤ 〔病理〕 관절통.
ar·thral·gic[-dʒik] *a.* 〔病理〕 관절통의.
ar·thrit·ic[ɑːrθrítik] *a.* 관절염의〔에 걸린〕. — *n.* 관절염 환자.
ar·thri·tis[ɑːrθráitis] *n.* Ⓤ 〔病理〕 관절염, 통풍.
ar·thr(o)-[ɑ́ːrθr(ou)/ɑ́ː-] 《연결형》「관절」의 뜻《모음 앞에서는 arthr-》.
ar·throd·e·sis[ɑːrθrádəsis/-θrɔ́d-] *n.* (*pl.* **-ses**[-sìːz]) 관절 고정(술).
ar·throp·a·thy[ɑːrθrápəθi/-θrɔ́p-] *n.* Ⓤ 〔病理〕 관절증.
ar·thro·pod[ɑ́ːrθrəpɑ̀d/-pɔ̀d] *n.* 〔動〕 절지(節肢) 동물《새우·게·거미·지네 등》.
Ar·throp·o·da[ɑːrθrápədə/-θrɔ́p-] *n. pl.* 〔動〕 절지 동물문.
ar·thro·scope[ɑ́ːrθrəskòup] *n.* 〔醫〕 관절 촬영 내시경(內視鏡).
ar·thro·scopic[ɑ̀ːrθrəskóupik] *a.*
ar·thros·co·py[ɑːrθráskəpi] *n.* 〔醫〕 관절 촬영 내시경 검사(법).
ar·thro·sis[ɑːrθróusis] *n.* (*pl.* **-ses**[-siːz]) 〔解〕 관절.
Ar·thur[ɑ́ːrθər] *n.* **1** 남자 이름《애칭 Art, Artid》. **2** king ~ 아서왕《6세기 경의 전설적인 영국왕》.
Ar·thu·ri·an[ɑːrθjúəriən] *a.* 아서왕의〔에 관한〕: the ~ legend 아서왕 전설.
ar·tic[ɑ́ːrtik] *n.* 《영口》 =ARTICULATED LORRY.
ar·ti·choke[ɑ́ːrtitʃòuk] *n.* 〔植〕 아티초크, 솜엉겅퀴; 뚱딴지(=Jerusalem ~).
★**ar·ti·cle**[ɑ́ːrtikl] [L] *n.* **1** 물품, 물건; (동종 물품의) 한 품목; (같은 종류의 것의) 한 개, 하나: ~*s* of food〔toilet〕 식료〔화장〕품/domestic ~*s* 가정 용품/an ~ of furniture 가구 한 점/~*s* of clothing 의류 몇 점. **2** (신문·잡지의) 기사, 논설: an ~ *on* America 미국에 관한 기사〔논설〕/an editorial〔《영》 a leading〕~ (신문의) 사설. **3** (조약·계약 등의) 조항, 조목; 규약, (회사의) 정관. **4** (*pl.*) 계약. **5** 〔文法〕 관사: a, an, the. **6** 《口》 사람, 놈. **article by article** 조목조목, 축조적(逐條的)으로. **articles of association** (회사)정관. **Articles of Confederation** 〔미史〕 연합 규약. **articles of faith** 신조. **articles of war** 군율. **be in**〔**under**〕 **articles** 도제살이 계약으로 일하고 있다. **City article** (런던 신문의) 경제 기사. **in the article of death** 죽는 순간에, 임종에. **leading article** 《영》 (신문의) 사설(◇ 《미》에서는 editorial쪽을 씀). **smooth article** 《미俗》 빈틈 없고 인사성 바른 사람. **the definite article** 정관사. **the indefinite article** 부정관사. **the Thirty-nine Articles** 39개조《영국 국교의 신조》. — *vt.* **1** 조목별로 쓰다, 열거하다. **2** (죄상을 나열하여) 고발하다. **3** 도제로〔계약으로〕 고용하다《*to, with*》: ~ a boy *to* a mason 소년을 석공의 도제로 삼다/be ~*d to* …의 도제가 되다. — *vi.* (죄상을 열거하여) 고발하다《*against*》.
ar·ti·cled[-d] *a.* 도제(살이) 계약의: an ~ clerk 도제 계약으로 고용된 점원.
ar·tic·u·lar[ɑːrtíkjələr] *a.* 관절의.
‡**ar·tic·u·late**[ɑːrtíkjəlit] [L] *a.* **1** 〈말·발음 등이〉 또렷하게 발음된, 명료한; 〈음성·언어가〉 분절적(分節的)인《음절·단어의 단락이 있는》: ~speech 뜻을 가진 어구로 나누어진 말, 인간의 말. **2** 〈사람이〉 말〔생각〕을 또렷하게〔명료하게〕 말할〔표현할〕 수 있는; 〈생각·논지 등이〉 명확한, 조리 있는. **3** 〔生〕 관절이 있는. — *n.* 관절〔체절〕 동물. — *v.* [ɑːrtíkjəlèit] *vt.* **1** 음절로 나누다; 〈각 음절·단어를〉 똑똑히〔또렷하게〕 발음하다; 〈생각·감정 등을〉 명료하게〔효과적으로〕 표현하다. **2** 〔音聲〕 (음을) 형성하다. **3** (보통 수동태) 관절로 잇다, 접합하다; …을 서로 관련짓다《*to, with*》. — *vi.* **1** 또렷또렷 발음하다; 명료하게 표현하다. **2** 조음(調音)하다. **3** 관절을 형성하다. **4** …과 잘 맞물리다《*with*》. **~·ly** *ad.* **~·ness** *n.*
ar·tíc·u·lat·ed jóint (특히 로봇 등의 팔과 같이 컴퓨터로 조종되는) 인조 신체 부속 기관.
artículated lórry 《영》 트레일러 트럭.
ar·tic·u·la·tion[ɑːrtìkjəléiʃən] *n.* Ⓤ **1** 〔音聲〕 유절(有節) 발음, 개개의 조음(調音); 언어(음); 《특히》 자음. **2** 또렷한〔명확한〕 발음; 발음(법); (생각 등의) 명확한 표현. **3** 〔言〕 분절(分節)《발화(發話)의 각 부분을 의미있는 언어음으로 가르기》. **4** 〔解〕 관절(접합); 〔植〕 절(節), 마디(node). ⊕ artículate *v.*
ar·tic·u·la·tor[ɑːrtíkjəlèitər] *n.* **1** 발음이 또렷한 사람. **2** 〔音聲〕 조음 기관《혀·입술·성대 등》. **3** 〔齒科〕 (의치용) 교합기(咬合器).
ar·tic·u·la·to·ry[ɑːrtíkjələtɔ̀ːri] *a.* **1** 유음절(有音節)의; 조음(상)의; 발음을 또렷하게 하는. **2** 관절의, 관절 접합의.
Ar·tie[ɑ́ːrti] *n.* Arthur의 애칭.
ar·ti·fact[ɑ́ːrtəfæ̀kt] *n.* **1** (천연물에 대하여) 인공물, 공예품; 예술품. **2** 〔考古〕 (자연의 유물에 대하여) 인공 유물, 문화 유물. **3** 〔生〕 인위(人爲) 구조〔결과〕, 인공 산물.
ar·ti·fice[ɑ́ːrtəfis] *n.* **1** Ⓤ 기술. **2** 교묘한 착상, 고안. **3** 기교; 숙련, 수완; 술책, 책략: by ~ 술책을 써서. **4** Ⓤ 교활, 기만.
ar·tif·i·cer[ɑːrtífəsər] *n.* 기술자, 공장(工匠), 숙련공; 고안자; 제작자(maker); 〔軍〕 기술병. **the Great Artificer** 조물주.
‡**ar·ti·fi·cial**[ɑ̀ːrtəfíʃəl] *a.* **1** 인조의, 인공적인, 인위적인(*opp.* natural); 모조의, 진짜가 아닌: ~daylight 태양등/~ flowers 조화/an ~ eye〔limb, tooth〕 의안(義眼)〔의지(義肢), 의치〕/~ ice 인조 얼음/~ leather〔stone〕 인조 가죽〔석〕/~ planet 인공행성/~ pump-oxygenator 〔醫〕 인공 심폐(心肺) 장치/~ rain 인공 강우/~ silk 인조견. **2** 부자연스런, 꾸민, 거짓의, 가짜의: an ~ smile 선웃음/~ tears 거짓 눈물. **3** 〈사람·문체 등이〉 젠체하는, 뇌꼴스런. **4** 〔生〕 (분류가) 인위적인. — *n.* 인공물, 모조물; 《특히》 조화; (*pl.*) 《영》 화학 비료.
⊕ ártifice, artificiálity *n.*; artifícialize *v.*
artifícial blóod 〔醫〕 인공 혈액.
artifícial géne 〔生化〕 인공 유전자.
artifícial horízon 인공 수평기(水平器); 〔空〕 인공 수평의(儀)《항공기의 경사를 재는》.
artifícial insemination 〔醫〕 인공 수정.
artifícial intélligence 〔컴퓨터〕 인공 지능《略: AI, A.I.》.
artifícial intélligent 인공 지능《컴퓨터·로봇·기계 장치 등이 인지·판단과 같은 기능을 수행하도록 프로그램된》.
ar·ti·fi·ci·al·i·ty[ɑ̀ːrtəfìʃiǽləti] *n.* (*pl.* **-ties**) **1** Ⓤ 인위적임; 부자연함, 꾸밈. **2** 인공적인〔부자연스런〕 것, 인공물; 가짜.
ar·ti·fi·cial·ize[ɑ̀ːrtəfíʃəlàiz] *vt.* 인위〔인공〕적으로 하다; 부자연스럽게 하다.
artifícial kídney 〔醫〕 인공 신장.
artifícial lánguage 인공 언어, 인조어; 〔컴퓨터〕 기계어.

ar·ti·fi·cial·ly *ad.* 인위적으로; 부자연하게.
artifícial pérson =JURISTIC PERSON.
artifícial radioactívity 〔物〕 인공 방사능.
artifícial respirátion 인공 호흡.
artifícial sátellite 인공 위성.
artifícial seléction 〔生〕 인공 도태, 인위 선택.
artifícial vóice 〔컴퓨터〕 =SYNTHETIC SPEECH.
ar·ti·fí·cial-vóice technòlogy 〔컴퓨터〕 음성 합성 기술.
ar·til·ler·ist[ɑːrtílərist] *n.* 포병, 포수; 포술 연습생.
*****ar·til·lery**[ɑːrtíləri] *n.* Ⓤ **1** (집합적) 포, 대포(*opp.* small arms); 미사일 발사기. **2** 포병과, 포병대. **3** 포술(gunnery). **heavy** 〔**field**〕 **artillery** 중(重)〔야전〕 포병대.
ar·til·ler·y·man[-mən] *n.* (*pl.* **-men**[-mən]) 포병, 포사수.
Ar·ti·o·dac·ty·la[àːrtioudǽktələ] *n. pl.* 〔動〕 우제류(偶蹄類)《소·양·염소·사슴 등; *cf.* PERISSODACTYLA》.
àr·ti·o·dác·ty·lous[-ləs] *a.*
ar·ti·san[áːrtəzən] *n.* 장인(匠人), 공장(工匠), 기능공; 직공, 기계공(mechanic).
~·al *a.* **~·shìp** *n.*
****art·ist**[áːrtist] *n.* **1** 예술가; 미술가, 《특히》 화가. **2** (어느 방면의) 명수, 명인《*at, in*》. **3** = ARTISTE. ◇ artístic *a.*; ártistry *n.*
ar·tiste[ɑːrtíːst] [F] *n.* 예능인《배우·음악가·댄서, 때로는 이발사·요리사 등의 자칭》.
****ar·tis·tic, -ti·cal**[ɑːrtístik], [-əl] *a.* **1** 예술적인, 미술적인; 아취있는. **2** 예술〔미술〕의; 예술〔미술〕가의. ◇ art[1], ártist *n.*
ar·tis·ti·cal·ly *ad.* **1** 예술〔미술〕적으로. **2** (문장 전체를 수식하여) 예술적으로 보아서〔보면〕.
ar·tist·ry[áːrtistri] *n.* Ⓤ **1** 예술적 수완〔기교〕; 예술성, 예술〔미술〕적 효과. **2** 예술적 재능; 예도(藝道).
art·less[áːrtlis] *a.* **1** 꾸밈 없는, 자연스러운. **2** 소박한, 순진한, 순박한(unsophisticated). **3** 비예술적인; 볼품 없는, 서투른(clumsy). **~·ly** *ad.* **~·ness** *n.*
art·mo·bile[áːrtmoubiːl] *n.* 《미》 이동〔순회〕 미술관, 이동 화랑.
árt mùsic 예술 음악《민속 음악·팝송 등에 대하여》.
árt nèedlework 미술 자수.
art nou·veau[àːrnuːvóu] [F =new art] *n.* (종종 **A- N-**) 〔美〕 아르누보《19세기 말부터 20세기 초의 장식 미술 양식》.
ar·to·type[áːrtətàip] *n.* Ⓤ,Ⓒ 〔印〕 =COLLOTYPE.
árt pàper 《영》 아트지《광택지》.
árt ròck 아트록《클라식 수법의 록 음악》.
árt schòol 미술 학교.
árt sìlk 인조견, 레이온.
art·sy[áːrtsi] *a.* (**-si·er, -si·est**) 《口》 =ARTY.
árt·si·ness *n.*
art·sy-craft·sy[áːrtsikrǽftsi/-kráːft-] *a.* 《미口》 =ARTY-(AND-)CRAFTY.
árt thèater 예술 극장《예술 영화·실험극을 주로 상연하는 극장》.
árt tìtle 〔映〕 의장 자막(意匠字幕), 장식 자막.
art·work[áːrtwə̀ːrk] *n.* **1** 수공예품; 예술적 제작 활동. **2** 〔印〕 (본문에 대하여) 삽화, 도판 제작.
art·y[áːrti] *a.* (**art·i·er; -i·est**) 《口》 **1** 〈사람이〉 미술가인 체하는. **2** 〈가구 등이〉 예술품같이 꾸민. **árt·i·ly** *ad.* **árt·i·ness** *n.*
Arty. Artillery.
art·y-(and-)craft·y[áːrtikrǽfti, -kráːfti] *a.* 《口》 **1** 〈사람이〉 예술가인 체하는. **2** 〈가구 등이〉 지나치게 공들인, (예술적이지만) 실용성이 없는.
a·ru·gu·la[ərúːgələ] *n.* 〔植〕 아루굴라《지중해산(産) 에루카속(屬) 일년초(rocket); 샐러드용》.
a·rum[ɛ́ərəm] *n.* 〔植〕 아룸속(屬) 식물《천남성과(天南星科)》.
árum lìly 〔植〕 칼라(calla).
ARV [*a*ircraft *r*ecreational *v*ehicle] 레크리에이션용 비행기《개인의 취미·스포츠용》.
A.R.V. American Revised Version (of the Bible) 미국 개역 성서.
ar·vo[áːrvou] *n.* (*pl.* **~s**) 《오스俗》 오후(afternoon).
A.R.W.S. 《영》 Associate of the Royal Society of Painters in Water Colours.
-ar·y[èri/əri] *suf.* **1** (형용사 어미) 「…의, …에 관한」의 뜻: element*ary,* milit*ary.* **2** (명사 어미) 「…에 관한〔속하는〕 사람〔사물, 장소〕」의 뜻: api*ary,* secret*ary,* diction*ary,* gran*ary.*
Ar·y·an[ɛ́əriən] *a.* **1** 《古》 아리아어족(語族)〔민족〕의. **2** 인도이란 말의. **3** (나치 독일에서) 아리아 사람〔인종〕의, 비(非)유대계 백인의. — *n.* **1** Ⓤ 《古》 아리아 말《지금은 Indo-European〔-Germanic〕(인도유럽〔게르만〕 말)이라고 함》. **2** Ⓤ 인도이란 말. **3** (나치 독일에서) 아리아 사람, 비유대계 백인.
ar·y·bal·los[æ̀rəbǽləs] *n.* (*pl.* **~·es, -loi**[-lɔi]) (고대 그리스의) 향유병《목이 짧고 공 모양임》.
ar·yl[ǽrəl] *n.* 〔化〕 아릴기(基).
ar·y·te·noid, -tae-[æ̀rətíːnɔid] 〔解〕 *a.* 피열(披裂)의. — *n.* 피열 연골, 피열근(筋).
★**as**[1] [æz, 보통은 작게 əz] *ad.* (보통 *as*… *as*로 형용사·부사 앞에서: 앞의 *as*가 지시부사, 뒤의 *as*는 접속사) …와 같은 정도로, 마찬가지로, 같을 만큼: She is *as* tall *as* you (are). 그녀는 키가 너만하다/The farmer's family is half *as* large *as* Tom's. 그 농부네 식구는 톰네 식구의 절반이다/This is one fifth *as* large *as* that. 이것은 저것의 5분의 1의 크기다/This is twice〔three times〕 *as* large *as* that. 이것은 저것의 2〔3〕배의 크기다/She is not *as*〔*so*〕 honest *as* Tom. 그녀는 톰만큼 정직하지 않다《◇ *as*… *as*의 부정에는 not *as*〔*so*〕 … *as*를 쓰는데, not *so* … *as*가 문어적이며, not *as*… *as*가 구어적이다: *as* busy *as* a bee, *as* strong *as* a horse 등 직유(直喩)의 관용구의 경우에는 보통 부정 표현은 쓰지 않음》/He has *as* many books. 그는 (내가 가지고 있는 것과) 같은 수의 책이 있다《◇ books 다음에 *as* I have가 생략되어 있음》/I can do it *as* well. (너〔그, 그녀〕처럼) 나도 할 수 있다《◇ 뒤에 *as* you, *as* he〔*she*〕 등이 생략되어 있음》.
as … as any 누구〔어느 것〕 못지 않게: She is *as* hardworking *as any.* 그녀는 누구 못지 않게 부지런하다. **as … as before** 전과 마찬가지로. **as … as (…) can be** 굉장히 …인; 더할 나위 없이 …한: He is *as* busy *as* (busy) *can be.* 그는 굉장히 바쁘다/*as* happy *as* (happy) *can be* 더할 나위 없이 행복한.
as … as … can be =**as … as** one **can** =**as … as possible** 가급적 …, 가능한 한 …, 될 수 있는 대로: She had a face *as* kind and good-humored *as* a face *could be.* 그녀는 남에게 가능한 한 친절하고 기분 좋은 얼굴을 했다/He ran *as* fast *as* he *could.* 그는 있

는 힘을 다해서 빨리 뛰었다/*as* soon *as possible* 가급적 일찍이. **as ... as ever** 변함 없이…, 여전히…: He works *as* hard *as* ever. 그는 여전히 근면하다/It was *as* vigorous and active a spider *as ever* dangled from an old ceiling. 그것은 지금까지 낡은 천정에 매달린 거미 중에서 가장 정력이 왕성하고도 활발한 놈이었다. **as ... as if** 마치 …인 것처럼 …하여: She flew to his side with confidence *as* unreserved *as if* they had been playmates from early infancy. 그녀는 마치 자기들 두 사람이 유아 시절부터 아는 사이처럼 사양함이 없이 대담하게 그의 곁으로 뛰어갔다. **as long as** ... ⇨long *ad.* **as many** ⇨many. **as much** ⇨much. **as much as** ⇨much. **as well** ⇨well. **as well as** ⇨well.

— *conj.* **1** a (비교) (*as*〔*so*〕... *as*...로 동등비교를 나타내어) …와 같이, …처럼, …만큼: She is *as* tall *as* I〔me〕. 그녀는 나 만큼 키가 크다(◇ 문법적으로는 *as* I (am)인데 종종 목적격도 씀). b (*so*〔*as*〕... *as*...로 명사 뒤에서) …만큼의: A man *so*〔*as*〕 clever *as* he (is) 〔him〕 cannot have made such a blunder. 그만큼 머리가 명석한 사람이 그런 실수를 했을 리 없다. c ((*as*) ... *as*로 직유(直喩)의 관용구를 만들어) … 처럼 (매우, 가장): (*as*) busy *as* a bee 무척 바쁜/(*as*) cool *as* a cucumber 아주 냉정하여/(*as*) black *as* a raven (까마귀처럼) 새까만.

2 (양태) a …와 같이; …처럼 …대로: Do *as* you like. 좋도록 하시오/Do *as* we do. 우리가 하는것처럼 해라/Do in Rome *as* the Romans do. 《속담》 로마에서는 로마인이 하는 대로 하다/A is to B *as*〔*what*〕 C is to D. A와 B의 관계는 C와 D의 관계와 같다/Living *as* I do so remote from town, I rarely have visitors. 이런 외진 시골에 살고 있다 보니 찾아오는 사람도 드물다(doing *as* A does는 분사구문의 강조형으로 「이처럼〔실제로〕 A는 …하고 있으므로」의 뜻). b (*as* ... *so*로 상관적으로 써서) …와 같이, …와 마찬가지로: *As* rust eats (into) iron, *so* care eats (into) the heart. 녹이 쇠를 갉아먹듯이 심려는 마음을 갉아먹는다.

3 (상태) …대로, …인 채로: Leave them as they are. (있는) 그대로 두어라/Let's go on *as* we are. 현재대로 계속 지내 보십시다/*As* it now stands 현재로서는/All was *as* it had been. 모든 것이 전과 다를 바 없었다.

4 (때) …하고 있을 때, …하자마자, …하면서(◇ when보다 동시성의 뜻이 강하며, while과 거의 같이 씀): He came up *as* I was speaking. 내가 말을 하고 있을 때 그가 왔다/Just *as* he began to speak, there was a loud explosion. 그가 말을 시작하자마자 큰 폭발이 일어났다/He trembled *as* he spoke. 그는 말을 하면서 떨었다/*As* a boy he was a good swimmer. 그는 소년 시절에 수영을 잘했다(◇ *As* a boy는 주어·동사의 생략의 형태: *as*를 전치사로도 볼 수 있음).

5 (비례·추이) …함에 따라, …할수록: *As* she grew older, she became more silent. 그녀는 나이가 듦에 따라서 말수가 적어졌다/Two is to three *as* four is to six. = *As* two is to three, four is to six. 2:3=4:6.

6 (원인·이유) a …이므로, …이기 때문에: *As* it was getting dark, we soon turned back. 어두워지고 있었으므로 우리는 곧 되돌아 왔다(◇ 보통 문두에 많이 쓴다). b (형용사〔부사〕+ *as*로) …이니까: Young *as* he was, it is not strange that he should have acted so foolishly. 젊었으니까, 그가 그런 어리석은 짓을 한 것도 무리가 아니다.

7 (양보) 《文語》 a (형용사〔부사·관사 없는 명사〕+ *as*로) …이지만, …이긴 하지만: Woman *as* she was, she was brave. 그녀는 여자이지만 용감했다. b (원형동사+*as*+주어+may〔might, will, would〕로) (아무리) …하여도: *Try as* you may, you will find it impossible to solve the problem. 아무리 애써 봐야 그 문제를 풀지는 못할 것이다.

8 (한정) …하는 한에서는: His criticisms, *as* I remember, were highly esteemed. 내가 기억하는 한에서는, 그의 평론은 높이 평가되고 있었다.

9 (직전의 명사를 한정하는 절을 인도) a (형용사절을 인도): The origin of universities *as* we know them is commonly traced back to the twelfth century. 우리가 알고 있는 대학교의 기원은 보통 12세기로 거슬러 올라간다. b (형용사·과거분사·전치사와 함께): the English language *as* (it is) spoken in America 미국에서 사용되고 있는 영어(◇ it is는 관용적으로 생략됨)/Socrates' conversations *as* reported by Plato were full of a shrewd humor. 플라톤이 전하는 (바의) 소크라테스의 회화에는 신랄한 유머가 많았다.

as above 위〔상기〕와 같이. **as against** …에 대해서, …와〔에〕 비교하여. **as before** 앞서와 같이. **as below** 아래〔하기〕와 같이. **(as) compared with〔to〕** …와 비교해서. **as far as** ⇨FAR. **as for** ... (문두에 써서) …에 관한 한은, …로 말한다면, …은 어떠냐 하면(◇ as to (2)의 용법은 없음): *As for* the journey, we will decide that later. 여행건은 나중에 정하자/*As for* myself, I am not satisfied. (남은 어떤지 몰라도) 나는 불만이다. **as from** ... 〈법률·계약 등〉〈날〉로부터(실시·폐지 등을 나타낼 때 씀): *as from* July 1. 7월 1일부터. **as if** (◇ *as if* 절 안에서는 가정법을 쓰지만, 《口》에서는 직설법도 씀) (1) 마치 …같이〔(인 것)처럼〕: I feel *as if* I hadn't long to live. 내 명은 얼마 남지 않은 것 같다/She looks *as if* she were〔was, is〕 dying. 그녀는 마치 다 죽어 가는 것처럼 보인다/He looked at her *as if* he had never seen her before. 그는 마치 지금껏 그녀를 본 적이 없는 것같은 표정으로 보았다. (2) (*as if to* do로) 마치 …하려는 듯이, 마치 …하는 것처럼: He raised his hand *as if to* command silence. 그는 마치 정숙을 명령하듯이 손을 들었다. (3) (*It seems*〔*looks*〕 *as if*로) …처럼〔같이〕 보이다〔생각되다〕: *It seemed as if* the fight would never end. 싸움은 끝이 없을 것처럼 보였다/*It looks as if* it is going to snow. 눈이 올 것 같다. (4) (*It isn't as if* 또는 *As if*로) …은 아니겠고, 설마 …할 셈은 아닐테지: *It isn't as if* he were poor. 그는 가난해 보이지 않는다. 그가 가난하다는 건 아니겠지/*It's not as if* he has no talent. 재능이 없다는 건 아니겠지/*As if* you didn't〔don't〕 know! 모르는 체 시치미 떼지마 (다 알면서). **as it is** (과거형은 *as it was*) (1) (문두에 써서: 보통 가정적인 표현과 함께) (가정에 반하여) (그러나) 실상〔실정〕은 (그렇지 않으므로), 실제로는: I would pay you if I could. But *as it is* I cannot. 될 수만 있으면 지불할 터이지만, 실상은 지불할 수가 없거든요. (2) (문중, 문미에 써서) 현재 상태로, 현상으로(도), 지금 상태로도 (벌써, 이미): The situation is bad enough *as it is*. 사태는 벌써 꽤 나쁘다. **as it stands** ⇨AS it is. (2). **as it were** (삽입구적으로: 문중, 문미에 써서) 말하자면: He is, *as it were,* an eternal boy. 그는 말하자면 영원한 소년이다. **as much by … as by** … 때문에 …하는 것과 꼭 같이 … 때문에 …한다: Men succeed in life quite *as much by* their temper *as by* their talents. 인간은 재능의 덕택에 성공하는 것과 꼭 같이, 성질이 침착하기 때문에 성공을 한다. **as of** … (1) 〈며칠날〉 현재로〔에〕: *as of* June 1 6월 1일 현재/*as of* today〔yesterday〕 오늘 현재〔어제 일자로〕. (2) =AS from. **as of old** 옛날 그대로. **as opposed to** … …와 대비하여. **as … so …** ⇨*conj.* 2 b. **as soon as** ⇨soon. **as things are** ⇨thing. **as though** =AS if. **as to** … (1) (문두에 써서)=AS for. (2) (문중에 써서) …에 관하여, …에 대하여(◇ 의문절〔구〕 앞의 as to는 생략되는 일이 많음): He said nothing *as to* the time. 그는 시간에 관해서는 아무 말도 하지 않았다/They were quarreling *as to* which was the stronger. 그들은 어느 것이 더 센지에 관해서 언쟁을 하고 있었다/He said nothing *as to* when he would come. 그는 언제 온다고도 말하지 않았다/Nobody could decide (*as to*) what to do. 무엇을 해야 할 지 아무도 결정할 수가 없었다. (3) …에 따라서: classify butterflies *as to* size and color 크기와 빛깔로 나비를 분류하다. **as we〔you, they〕 call it** =**as it is called** 소위, 이른바. **as who should say** … ⇨who. **as yet** ⇨yet. **As you were!** (口令) 바로! **so(…)as to〔so(…)as not to〕** do … …하게도, …할만치; …하도록〔하지 않도록〕(◇ *so as* (*not*) *to* =in order (not) *to*): He was *so* kind *as to* help me. 그는 친절하게도 나를 도와 주었다/He *so* arranged matters *as to suit* everyone. (=He arranged matters *so as to suit* everyone.) 그는 모든 사람의 형편에 맞도록 하였다/We came early *so as to* have plenty of time. 우리는 시간에 쫓기지 않도록 일찍 왔다(◇ *in order to* have plenty of time으로 고쳐 쓸 수 있음)/I got up early *so as to* be in time for the first train. 첫 기차에 댈 수 있도록 일찍 일어났다(◇ *in order to* take the first train으로 고쳐 쓸 수 있음).

— *rel. pron.* **1** (선행사에 붙은 as, such, the same, so와 상관하여 제한적으로) …와 같은, …하는 바의: As many goods *as* are necessary must be released. 필요한 만큼의 물자가 방출되어야겠다(*as* =which)/I gave her such money *as* I had with me. 나는 내 수주에 있던 돈을 그녀에게 주었다/He is not such a man *as* can afford the luxury. 그는 그러한 호강을 할 여유가 있는 사람이 아니다(*as* =who)/Such *as* wish to enter our club must pay membership fee. 우리 회에 가입하려는 사람은 회비를 내야 한다(Such *as* = those who)/This is the same watch *as* I have lost. 이것은 내가 잃어버린 것과 같은 시계이다(◇ 같은 종류를 나타내는 경우가 많으나, (口)에서는 the same watch *that* I have lost. (내가 잃어버린 그 시계)의 경우처럼 동일물을 가리키는 경우도 있음)/This is so much *as* I could find out. 내가 알아낼 수 있었던 것은 이것뿐이다. **2** (앞 또는 뒤에 있는 주절 전체를 선행사로 하여, 비제한적으로) 그것은 …이지만, 그 사실은 …이긴 하지만: He was a foreigner, *as* I knew from his accent. 그는 외국인이었다, (그것은) 그의 말투로써 안 일이지만/*As* might be expected, a knowledge of psychology is essential for the medical treatment. 당연한 일이지만, 내과 치료에는 심리학의 지식이 절대로 필요하다. **as … as ever** (1) 더할 나위 없이(◇ 뒤에 동사의 과거형이 온다): He is as wise a man *as* ever lived. 그는 더할 나위 없는 현인이다. (2) 변함없이, 여전히(◇ 문미에 오는 때가 많다): She is (*as*) poor *as ever*. 그녀는 여전히 가난하다. **as follows** ⇨follow. **as is** (口) 현상 대로, 정찰 대로; 현품으로: I bought the car *as is*. 그 차를 현품으로 샀다. **as is (often) the case (with)** 흔히 있는 일이지만, 흔히 있듯이: *as is the case with* her 그녀에게 흔히 있는 일이지만.

as regards …에 대해서 말하면, …에 관해서는, …의 점에서는: I cannot agree with you *as regards* that. 그것에 관해서는 네게 동의할 수 없다/*As regarded* rice, prices were rising. 쌀에 대해서 말하자면, 값이 올라가고 있었다(◇ 주절의 동사가 과거일 때는 *as regarded*로 쓴다)(⇨regard *v.*).

as regarding …에 대해서 말하면, …에 관해서는, …의 점에서는(=as regards).

as respects …에 관해서는(=as regards).

— *prep.* **1** …로서: He lived *as* a saint. 그는 성인의 생활을 했다/: It can be used *as* a knife. 그것은 나이프 대신에 쓸 수가 있다/a position *as* a teacher of English 영어교사(로서)의 지위/act *as* (a) go between 중개역을 하다(◇ 뒤따르는 명사가 관직·역할·자격·성격 등 추상적 개념을 의미할 때는 무관사; 개인 또는 개개의 물건을 의미하는 것으로서 쓰일 때는 a〔an〕을 씀).

2 (목적격 보어를 이끌어) …으로, …이라고 (◇ 뒤에 명사뿐 아니라 형용사나 분사가 쓰이기도 함): (Ⅴ(목)+*as*+명) I regard him *as* a fool. 그를 바보라고 생각한다/(Ⅴ *v* Ⅰ+부+전+(목)+*as*+명) They look up to him *as* their leader. 그들은 그를 지도자로 숭앙하고 있다/(Ⅴ *v* Ⅰ+전+(목)+*as*+형) Children look upon middleaged persons *as* extremely old. 아이들은 중년의 사람들을 아주 늙은이로 본다/Let us consider the matter *as* settled. 이 문제는 다 해결된 것으로 칩시다.

3 (가령) …와 같이〔같은〕, 이를테면(◇ (such (…,)) as가 일반적): Some animals, *as* the fox and squirrel, have bushy tails. 어떤 동물, 예컨대 여우나 다람쥐 등은 털이 북실북실한 꼬리가 있다/You require books of reference, *such as* a dictionary, an atlas, etc. 너에게 참고서가 필요할거야, 이를테면 사전, 지도책 등/*Such* accidents *as* this〔Accidents *such as* this〕 are rare. 이와 같은 사고는 드물다.

as a (general) rule〔thing〕 ⇨rule.

as a rule ⇨rule.

as such ⇨such *pron.*

as^2[æz] *n.* (*pl.* **as·ses**[ǽsiz]) 〔古로〕 **1** 아스(중량 단위; 약 327g). **2** 아스 동전.

as-[æs, əs] *pref.* =AD- (s 앞에 올 때의 변형): *as*similation.

As 〔化〕 arsenic. **a.s.** 〔商〕 at sight.

A.S., A/S 〔商〕 account sales; after-sales service; after sight.

AS, A.-S., A.S. Anglo-Saxonas-.

ASA 〔寫〕 필름의 노출 지수(American Standard Association에 의해 채택; 필름의 감광(感光) 유제의 광선 반응을 나타냄; *cf.* DIN).

A·sa[éisə] *n.* 남자 이름.
A.S.A. American Standards Association.
ASA 《영》 Amateur Swimming Association; American Statistical Association.
as·a·fet·i·da, -foet[æ̀səfétidə] *n.* **1** 〔植〕 아위(阿魏). **2** Ⓤ 그 진으로 만든 약《경련 진통제; 구충제》.
ASAP, a.s.a.p.[èièsèipí:, éisæp] as soon as possible. **ASAS** Association of Southeast Asian States 동남 아시아 국가 연합.
ASAT[éisæt] Antisatellite interceptor 대위성(對衛星) 공격 위성.
asb. asbestos.
as·bes·tine[æsbéstən, æz-] *a.* 석면(성)의, 불연성의.
as·bes·tos, -tus[æzbéstəs, æs-] *n.* Ⓤ 석면(石綿), 아스베스토: ~cloth 석면포.
as·bes·to·sis[æ̀sbestóusis] *n.* Ⓤ 〔病理〕 아스베스토증(症), 석면(침착)증.
ASC, A.S.C. American Society of Cinematographers; American Standards Committee 미국 공업 규격 위원회; Air Service Command; 《영》 Army Service Corps.
ASCAP, A.S.C.A.P. American Society of Composers, Authors, and Publishers 미국 작곡가·작가·출판인 협회.
as·ca·ri·a·sis[æ̀skəráiəsis] *n.* (*pl.* **-ses**[-sì:z]) 〔病理〕 회충증.
as·ca·rid, -ris[ǽskərid], [-ris] *n.* (*pl.* **~s, -car·i·des** [æskǽrədì:z]) 〔動〕 회충.
A.S.C.E. American Society of Civil Engineers 미국 토목 학회.
⁑**as·cend**[əsénd] [L] *vi.* 《文語》 (*opp.* descend) **1** (위로) 오르다, 올라가다: 〈연기 등이〉 올라가다: The balloon ~*ed high up in* the sky. 기구는 하늘 높이 올라갔다. **2** 〈길 등이〉 오르막이 되다: The path ~*s from* here. 길은 여기서부터 오르막이 된다. **3** 〈지위 등이〉 높아지다, 승진〔승격〕하다. **4** 〈물가 등이〉 등귀하다; 〈소리가〉 높아지다; 〔樂〕 〈음이〉 높아지다. **5** 〈강·시대·계도(系圖)를〉 거슬러 올라가다: ~ *to* the 19th century 19세기로 거슬러 올라가다/~ *against* a stream 개울을 거슬러 올라가다. ── *vt.* **1** …을〔에〕 오르다, 올라가다; 〈강 등을〉 거슬러 올라가다: ~ the stairs〔a hill〕 계단〔언덕〕을 올라가다. **2** 〈…의 지위에〉 오르다: ~ the throne 왕위에 오르다. **~·a·ble, ~·i·ble** *a.*
⊕ ascéndant *a., n.*; ascénsion, ascént *n.*
as·cen·dance[əséndəns] *n.* =ASCENDANCY.
as·cen·dan·cy, -den·cy[əséndənsi] *n.* Ⓤ 욱일승천의 세력, 우세, 패권, 지배권. **gain**〔**have an**〕 **ascendancy over** …보다 우세해지다〔하다〕; …을 지배하다.
as·cen·dant, -dent[əséndənt] *a.* **1** 상승하는, 떠오르는(rising). **2** 〈지위·권력 등이〉 욱일승천의, 우세한(dominant). **3** 〔占星〕 동녘 지평선 위의; 〔天〕 중천으로 올라가는: an ~ star 중천에 떠오르는 별. ── *n.* Ⓤ **1** 〔占星〕 (탄생할 때의) 성위(星位); 운세(horoscope). **2** 우월, 우세, 세력《*over*》. **in the ascendant** 〈사람·세력 등이〉 우세하여, 욱일승천의 기세로; 〈운세가〉 트이기 시작하여. **the lord of the ascendant** 〔占星〕 수좌성(首座星).
as·cend·er[əséndər] *n.* **1** ascend 하는 사람〔사물〕. **2** =ASCENDING LETTER.
as·cend·ing[əséndiŋ] *a.* 오르는, 상승적인; 위를 향한: ~ powers 〔數〕 승멱(昇冪).
ascénding infloréscence 〔植〕 상향 화서(上向花序).
ascénding létter 〔印〕 어센더(ascender) 《x의 높이보다 위로 나오는 부분; 또는 그것이 있는 활자 b, d, f, h 등》.
ascénding rhýthm =RISING RHYTHM.
ascénding scále 〔樂〕 상승 음계.
as·cen·sion[əsénʃən] *n.* Ⓤ **1** 오름, 상승, 올라감, 값이 오름. **2** 즉위. **3** 승천(昇天); (the A-) 예수 승천; (**A-**) =ASCENSION DAY.
as·cen·sion·al *a.* 상승의〔하는〕.
Ascénsion Dày 예수 승천일〔대축일〕《부활절(Easter) 후 40일째의 목요일》.
As·cen·sion·tide[əsénʃəntàid] *n.* 승천절(昇天節)《예수 승천일로부터 성령 강림제(Whitsunday)까지의 10일간》.
as·cen·sive[əsénsiv] *a.* **1** 상승하는; 진보적인. **2** 〔文法〕 강조의, 강의적인.
⁑**as·cent**[əsént] *n.* (*opp.* descent) Ⓒ,Ⓤ **1** 올라감, 오름. **2** 상승; 값이 오름; 향상, 승진. **3** 오르막(길); 오르막 경사: a rapid〔gentle〕 ~ 급〔완만한〕 경사. **make an ascent** (**of** a mountain) (산에) 오르다. ⊕ ascénd *v.*
*__as·cer·tain__[æ̀sərtéin] [OF] *vt.* (실험·검토·검사 등으로) …을 확인하다; 규명하다; 알아보다: 《Ⅴ (목)+*to be*+명》 The doctor ~*ed* the disease to be diphtheria. 의사는 그 병이 디프테리아라는 것을 확인했다(=The disease was ~*ed to be* diphtheria. 《Ⅱ *be pp.*+*to be*+명》). **~·a·ble** *a.* 확인할 수 있는. **~·ment** *n.* Ⓤ 확인, 탐지.
as·ce·sis[əsí:sis] *n.* (*pl.* **-ses**[-si:z]) Ⓤ,Ⓒ 고행; Ⓤ 자제, 극기, 금욕.
as·cet·ic[əsétik] *a.* **1** 고행의; 금욕적인, 금욕 생활의. **2** 〈표정 등이〉 고행자 같은. ── *n.* 금욕주의자; 고행자, 수도자; 은자(隱者). **-i·cal** *a.* =ASCETIC. **-i·cal·ly** *ad.*
ascétical theólogy 〔가톨릭〕 수덕 신학.
as·cet·i·cism[əsétəsìzəm] *n.* Ⓤ **1** 금욕주의. **2** 〔宗〕 고행 (생활). **3** 〔가톨릭〕 수덕(修德)주의.
as·ci[ǽsai, ǽski:] *n.* ASCUS의 복수.
as·cid·i·an[əsídiən] *n., a.* 〔動〕 우렁쉥이속(屬)(의), 해초류(의).
as·cid·i·um[əsídiəm] *n.* (*pl.* **-i·a**[-iə]) 〔植〕 배엽(胚葉); 낭상엽(囊狀葉).
ASCII [*A*merican *S*tandard *C*ode for *I*nformation *I*nterchange] *n.* 정보 교환용 미국 표준 코드.
as·ci·tes[əsáiti:z] *n.* Ⓤ 〔病理〕 복수(腹水)(증(症)).
As·cle·pi·us[æsklí:piəs] *n.* 〔그神〕 아스클레피오스《의술의 신; 로마 신화의 Aesculapius》.
as·co·carp[ǽskəkɑ̀rp] *n.* 〔植〕 자낭과(子囊果).
as·co·my·cete[æ̀skəmaisí:t] *n.* 〔植〕 자낭균(子囊菌). **-my·ce·tous** *a.*
as·cor·bate[æskɔ́:rbeit] *n.* 〔生化〕 아스코르브 산염(酸鹽).
a·scór·bic ácid 아스코르브산(酸)《비타민 C의 별명》.
as·co·spore[ǽskəspɔ̀:r] *n.* 〔植〕 자낭포자(子囊胞子).
As·cot[ǽskət, -kɑt] *n.* **1** 애스콧 경마장《영국 Berkshire주, London의 서방 약 40km》; 애스콧 경마《이곳에서 매년 6월의 제 3주에 거행》. **2** (**a-**) 《미》 폭이 넓은 넥타이의 하나(《영》 Ascot tie).
as·crib·a·ble[əskráibəbəl] *a.* …에 돌릴 수 있는, …에 기인하는, …의 탓인《*to*》.
*__as·cribe__[əskráib] [L] *vt.* **1** 〈원인·동기·기원 등을〉 …에 돌리다, …에 기인〔근거〕하는 것

으로 하다: 〈결과 등을〉 …의 탓으로 돌리다 ((*to*)): ~ one's failure *to* bad luck 실패를 불운의 탓으로 돌리다/These poems is ~*d to* Jihun. 이 시들은 지훈의 작품으로 여겨지고 있다. **2** 〈성질·특징을〉 …에 속하는 것으로 생각하다((*to*)): ((Ⅲ (목)+전+명)) We ought to ~ both understanding and glory *to* the peacock. 공작은 이해력과 명예감을 모두 지니고 있음에 틀림없다. ⊕ ascríption *n.*

as·crìbed státus 〔社〕 귀속 지위(歸屬地位) ((연령·성별·인종 등을 기초로 태어나면서부터 얻게 되는 사회적 지위; *cf.* ACHIEVED STATUS)).

as·crip·tion[əskrípʃən] *n.* Ⓤ 탓으로 함, 귀속시킴; Ⓒ 설교자가 설교 끝에 신을 찬미하는 말. **-tive** *a.*

as·cus[ǽskəs] *n.* (*pl.* **-ci**[ǽsai, ǽski:]) 〔植〕 자낭(子囊).

A.S.D.I.C., as·dic[ǽzdik] [*A*nti-*S*ubmarine *D*etection *I*nvestigation *C*ommittee] *n.* 수중(음파) 탐지기.

-ase[eis] *suf.* 〔生化〕 「효소」의 뜻.

A.S.E. American Stock Exchange 미국 증권거래소; Associate of the Society of Engineers.

ASEAN, A.S.E.A.N. [*A*ssociation of *S*outheast *A*sian *N*ations] *n.* 동남아시아 국가 연합, 아세안.

a·sea·son·al[eisí:zənəl] *a.* 계절적이 아닌, 계절에 관계 없는, 비계절성의.

a·seis·mat·ic[èisaizmǽtik, æ̀saiz-] *a.* 내진(耐震)의.

a·se·i·ty[əsi:əti, ei-] *n.* 〔哲〕 자존성(自存性).

a·sep·sis[əsépsis, ei-] *n.* Ⓤ 〔醫〕 무균(無菌) 상태; 무균법, 방부법(防腐法).

a·sep·tic[əséptik, ei-] *a.* **1** 〔醫〕 무균의; (외과의) 방부 처치의. **2** 활기없는; 객관적인. — *n.* 방부제. **-ti·cal·ly** *ad.*

a·sex·u·al[eisékʃuəl] *a.* **1** 〔生〕 성별이〔성기가〕 없는, 무성(無性)의. **2** 성과 관계가 없는. **3** 무성 생식의. **~·ly** *ad.*

aséxual generátion 〔生〕 무성 세대(世代).

a·sex·u·al·i·ty[eisèkʃuǽləti] *n.* Ⓤ 〔生〕 무성 (상태).

aséxual reprodúction 〔生〕 무성 생식.

asg. assigned; assignment. **A.S.G.** Association of Student Governments.

As·gard[ǽsgɑːrd, ɑ́:s-], **As·garth**[ǽsgɑːrð], **As·gar·dhr**[ǽsgɑːrðər] *n.* 〔北歐神〕 아스가르드((신들의 천상의 거처)).

asgd. assigned. **asgmt.** assignment.

ash[1] [æʃ] *n.* Ⓤ **1** (종종 *pl.*) 재; 화산회; 담뱃재. **2** (*pl.*) (화재 뒤의 타고 남은) 재. **3** 〔化〕 회(灰): soda ~ 소다회. **4** (*pl.*) 유골; ((詩)) 유해(remains): His ~*es* repose in Westminster Abbey. 그의 유해는 웨스트민스터 성당에 안치되어 있다/Peace (be) to his〔her〕 ~*es*! 그〔녀〕의 영혼이여 평안하소서! **3** (*pl.*) 슬픔〔회한, 굴욕〕을 상징하는 것. **4** (*pl.*) 회백색(ash gray); 창백함. **ashes in one's mouth** ((미口)) 환멸의 비애, 괴로운〔쓰라린〕 일. **be burnt**〔**reduced**〕 **to ashes** 전소하다, 재가 되다. **bring back the ashes** 〔크리켓〕 설욕하다. **haul** one's **ashes** ((俗)) 떠나다. **haul** a person's **ashes** ((俗)) (1) …을 떠나게 하다. (2) …에게 가해하다, …을 호되게 때려주다. **lay in ashes** 태워서 재로 만들다, 태워 버리다. **turn to ashes in** a person's **mouth** (처음에는 좋았던 것이) 불쾌한 것이 되다, 기대에 어긋나고 말다. **turn to dust and ashes** 〈희망 등이〉 사라져 버리다. ⊕ áshen[1], áshy *a.*

ash[2] *n.* **1** 〔植〕 서양 물푸레나무. **2** Ⓤ 물푸레나무 재목. **mountain ash** 〔植〕 마가목. **quaking ash** 〔植〕 사시나무, 백양(白楊).

ASH[æʃ] Action on Smoking and Health 금연 건강 증진 협회.

a·shamed[əʃéimd] *a.* **1** 부끄러워, 수줍어 ((*of*)): ((Ⅱ 형+전+-*ing*)) I am ~ *of* hav*ing* behaved liked a fool. 나는 바보처럼 행동한 것이 부끄럽다/((Ⅱ 형+전+대+전+-*ing*)) I am ~ *of* myself *for* hav*ing* behaved like a fool. 나는 바보처럼 행동하여 나 자신이 부끄럽다/((Ⅱ 형+*to* do)) I would be ~ *to be seen* here. 여기서 만나게 되면 부끄러울 것이다. **2** 딱하게〔유감스럽게〕 여겨((*of*)). **be**〔**feel**〕 **ashamed of** (ignorance) (무식)을 부끄러워하다. **be ashamed of doing** …하여 부끄럽다. **be ashamed of oneself for** … 때문에 부끄러워하다. **be ashamed to** do …하는 것이 부끄럽다; 부끄러워 …하지 못하다.

a·shám·ed·ness *n.*

a·sham·ed·ly[-idli] *ad.* 부끄러워서.

A·shan·ti[əʃǽnti, -ʃɑ́:n-] *n.* **1** 아샨티((아프리카 서부의 구 왕국; 현재는 가나의 한 주)). **2** (the ~(s)) 아샨티족; 아샨티족의 사람. **3** Ⓤ 아샨티 말.

ásh bìn ((영)) 쓰레기통(*cf.* ASH CAN); 잿통, (스토브의) 재 받는 통((금속제)).

ásh blónd(e) 은색이 도는 다갈색(의 머리를 한 사람).

ash-blond(e)[ǽʃblɑ̀nd/-blɔ̀nd] *a.* 엷은 금발의.

ash·cake[ǽʃkèik] *n.* 뜨거운 재로 구운 옥수수 과자.

ásh càn[ǽʃkæ̀n] ((미)) **1** (금속제의) 잿통; (재받이) 쓰레기통(((영)) ash bin). **2** ((俗)) 폭뢰(爆雷)(depth charge).

Ásh·can Schòol, Ásh Càn Schòol 〔美〕 (the ~) 애시캔파((20세기 초에 도시 생활을 그린 미국의 생활 풍경 화가들)).

ash-col·ored *a.* 회백색의.

ash·en[1][ǽʃən] *a.* 재의, 재 같은; 회색의, 창백한(pale): turn ~ 창백해지다.

ashen[2] *a.* 물푸레나무의〔같은〕; 물푸레나무(재목)로 만든.

Ash·er[ǽʃər] *n.* **1** 남자 이름. **2** 〔聖〕 아셀((야곱의 여덟째 아들)); 아셀족.

ásh fire 잿불, 묻은 불.

ásh fùrnace 유리 제조용 가마.

ásh gráy 회백색.

a·shiv·er[əʃívər] *a.* 몸을 떠는 (듯한), 떨고 있는.

Ash·ke·na·zi[æ̀ʃkənɑ́:zi] *n.* (*pl.* **-zim**[-zim]) 아시케나지((독일·폴란드 지방에 사는 유대인)). **-naz·ic** *a.*

ash·key[ǽʃkì:] *n.* 물푸레나무의 익과(翼果).

ash·lar, -ler[ǽʃlər] *n.* Ⓤ,Ⓒ (집합적) 마름돌; 마름돌 쌓기.

ash·lar·ing[-riŋ] *n.* Ⓤ 마름돌 쌓기; 지붕 밑의 칸막이.

ash·man[ǽʃmæ̀n] *n.* (*pl.* **-men**[-mèn]) ((미)) 청소부(((영)) dustman)((◇ garbage collector 쪽이 일반적임)).

a·shore[əʃɔ́:r] *ad.* 물가(해변)에; 물가로; 육상에(*opp.* aboard). **ashore and adrift** 육해상(陸海上)에. **be driven ashore** (바람이나 높은 파도 때문에) 좌초하다. **go**〔**come**〕 **ashore** (배에서) 상륙하다; 〈수영하는 사람이〉 뭍에 오르다. **life ashore** 육상 생활(*opp.* life afloat). **run ashore** (배의 조종 잘못

등으로) 좌초하다.

ash-pale[ǽʃpèil] *a.* 회백색의, 창백한.

ash·pan[ǽʃpæ̀n] *n.* (난로의) 재받이.

ash·pit[ǽʃpìt] *n.* (난로 안의) 재 떨어지는 구멍.

ash·ram[ǽʃrəm] *n.* **1** (힌두교의) 은둔자의 암자. **2** 《미》 히피의 집〔부락〕.

Ash·to·reth[ǽʃtərèθ] *n.* (구약 성서의) 아스다롯.

ash·tray[ǽʃtrèi] *n.* (담배) 재떨이.

A·shur, As·shur[ǽʃuər], **A·sur, As·sur** [ǽsər] *n.* **1** 아수르(Assyria의 최고 민족신). **2** Assyria의 옛 이름; 그 수도.

Ásh Wédnesday 재의 수요일, 성회일(聖灰日)(Lent의 첫날. 천주교에서 참회의 상징으로 머리에 재를 뿌림).

ash·y[ǽʃi] *a.* (**ash·i·er; -i·est**) **1** 재의; 재투성이의. **2** 회색〔회백색〕의, 창백한(pale).

ASI 〔空〕 airspeed indicator.

★**A·sia**[éiʒə, -ʃə] *n.* 아시아.

A·si·ad[éiʒiæ̀d, éiʃi-] *n.* =ASIAN GAMES.

A·sia·dol·lar[éiʒədɑ̀lər, -ʃə-/-dɔ̀lər] *n.* 아시아 달러.

Ásia Mínor 소아시아(흑해·지중해 사이의 지역).

★**A·sian, A·si·at·ic**[éiʒən, -ʃən], [èiʒiǽtik, -ʃi-] *a.* 아시아(사람)의. ― *n.* 아시아 사람. (◇ 인종을 말할 경우 Asiatic은 경멸의 뜻이 있다고 여겨져서 Asian이 쓰이는 경향이 있음).

Á·sian-Áf·ri·can Gròup 아시아·아프리카 그룹(略: A. A. Group).

Ásian Gámes (the ~) 아시아 경기 대회.

Ásian influénza〔**flú**〕, **Asiátic flú**〔**influénza**〕 〔病理〕 아시아 독감.

A·sian·i·za·tion[èiʒənizéiʃən, -ʃənaiz-] *n.* Ⓤ 아시아화(化).

Asiátic〔**Ásian**〕 **chólera** 〔病理〕 아시아〔진성〕 콜레라.

⁑**a·side**[əsáid] *ad.* **1** 곁에〔으로〕, 옆에; 떨어져서; 〔劇〕 옆을 보고, 방백(傍白)으로. **2** (어떤 목적을 위해) 따로 두고, 제쳐 놓고. **3** 생각하지 않고, 잊어 버리고. **4** 〔(동)명사 뒤에 써서〕 (…은) 별도로 하고, 제쳐두고, 접어두고. **aside from** 《미》 …은 별문제로 하고, 은 제쳐 놓고; …외(besides); …을 제외하고(except for). **be aside from the question** 문제가 안 되다, 문제 밖이다. **aside of** 《古·方》 …의 옆〔곁〕에, …와 나란히. **jesting**〔**joking**〕 **aside** 농담은 그만두고〔집어치우고〕. **lay aside** 옆에 두다, 따로 두다, 모아 두다; 버리다, 그만두다. **put aside** 옆에 두다; 모아 두다; 치우다. **set aside** =put ASIDE; 〈판결을〉 파기하다; …을 따돌리다, 제외하다. **speak aside** (상대방이 못 듣도록) 옆을 보고 (살며시) 말하다; 〈무대의 배우가〉 방백(傍白)을 하다. **stand**〔**step**〕 **aside** 옆으로 비켜서다〔비키다〕. **take**〔**draw**〕 a person **aside** …을 옆으로 데리고 가다(귓속말 등을 하기 위하여). **turn aside** ⇨turn.
― *n.* **1** 귓속말; 〔劇〕 방백. **2** (본론에서 벗어난) 여담, 탈선.

as·i·nine[ǽsənàin] *a.* 나귀(ass)의〔같은〕; 우둔한, 어리석은, 고집 센. **~·ly** *ad.* ◇ ass *n.*

as·i·nin·i·ty[æ̀sənínəti] *n.* Ⓤ,Ⓒ 고집(센 언행); 어리석음, 우둔(한 행실〔성질〕).

-a·sis[⌐əsis] *suf.* 「증상·특질」의 뜻(병명을 나타냄): elephanti*asis*.

★**ask**[æsk, ɑːsk] *vt.* **1** 〈…에게 …을〉 묻다, 물어 보다, 질문하다: 《Ⅲ (목)+전+명》 I ~*ed* my way *from*〔*of*〕 a passer-by. 나는 행인에게 길을 물었다/《Ⅲ (목)》 Might I ~ your address? 주소를 물어봐도 되겠습니까/《Ⅲ (목)+전+명》 ~ a question *of* him (=《Ⅳ 대+(목)》 ~ him a question) 그에게 질문을 하다/《Ⅲ (목)+부》 I ~*ed* a question first. 내가 먼저 질문을 했다/《Ⅳ 대+(목)》 I ~*ed* him several questions. 나는 그에게 몇 가지 질문을 했다/《Ⅲ (목)+전+명》 He ~*ed* me *about* my intentions. 그는 나의 의도를 (나에게) 물었다/《Ⅳ 명+(목)+〈전+명〉》 Do not ~ God the way *to* Heaven. 신에게 천국 가는 길을 묻지 말라/《Ⅳ 대+(목)+*to do*》 You will have to ~ him some questions *to* solve the problem with ease. 네가 그 문제를 쉽게 해결하려면 그에게 몇 가지를 물어봐야 될 것이다/《Ⅳ 대+*wh. to do*》 He ~*ed* me *what to do* first? 그는 나에게 무엇을 먼저 해야할까를 물었다/《Ⅳ 대+*if*(절)》 He ~*ed* me *if* I would go there with me. 그는 나에게 거기에 같이 가지 않겠느냐고 물었다/《Ⅲ 대+(목)+*if*(절)》 She ~*ed* me a question *if* I liked English poems. 그녀는 나에게 영시(英詩)를 좋아하느냐는 질문을 했다/《Ⅳ 대+*what*(절)》 He ~*ed* me *what* else I would like to browse. 그는 나에게 다른 것 더 구경할 게 없느냐고 물었다/《Ⅲ *what*(절)》 May I ~ *what* your name is? 존함을 여쭤봐도 되겠습니까/《Ⅳ 대+*how*(절)》 She ~*ed* me *how* I had opened the safe. 그녀는 내가 금고를 어떻게 열었냐고 내게 물었다/《Ⅳ 명+*how to* do》 *Ask* your teacher *how to* open the box. 그 상자를 여는 방법을 선생님께 여쭈어 보아라.
2 (대가로〔대상(代償)으로〕) 청구〔요구〕하다 (*for*): How much did she ~? 그녀는 얼마를 달라고 하더냐/She ~*s* (me) $7 *for* it. 그녀는 그것에 대해서 7달러를 (나에게) 청구하고 있다.
3 〈원조·조언·허가 등을〉 …에게 바라다, 부탁하다, 요청하다, 요구하다, 간청하다: 《Ⅲ (목)+전+명》 May I ~ a favor *of* you? 저 부탁이 하나 있습니다(=《Ⅳ 대+(목)》 May I ~ *you a favor*?)/《Ⅳ 대+(목)》 She ~*ed* him a favor. 그녀는 그에게 한 가지 부탁을 했다/《Ⅲ *to* do》 He ~*ed to* help him. 그는 도움을 요청했다/《Ⅲ *to be pp.*》 He ~*ed to be excused*. 그는 용서해 달라고 말했다/《Ⅲ 전+명+*to be pp.*》 She ~*ed for* the window to be shut. 그녀는 창문을 닫아달라고 했다/《Ⅴ 명+*to* do》 He ~*ed* Jane *to* find his little boy. 그는 자기 어린 아들을 찾아달라고 제인에게 부탁했다/《Ⅴ (목)+*to* do》 He ~*ed* me *to* lend him some money. 그는 나에게 돈을 좀 빌려 달라고 했다/《Ⅱ *be pp.*+*to* do》 We were ~*ed to* leave the sick-room. 우리는 병실을 나가달라는 요청을 받았다/I was ~*ed to* help her by him. 나는 그로부터 그녀를 도와주라는 부탁을 받았다.
4 〈사물이 …을〉 요구하다, 필요로 하다(*of*): It ~*s* your attention. 그것은 주의를 요한다/《Ⅲ (목)》 A great ship ~*s* deep waters. 《속담》 큰 배는 깊은 바다가 필요하다/《Ⅲ (목)+전+명》 The study ~*ed* much money of him. 그는 그 연구에 많은 돈을 요했다.
5 초대하다, 부르다(invite)(*to, for*): ~ a person *to* an entertainment〔~ a person *for* dinner〕 …을 연회〔저녁 식사〕에 초대하다.
― *vi.* **1** 묻다, 질문하다; (안부를) 묻다 (*about*): ~ *about* a person's whereabouts …의 거처〔소재〕를 묻다/《Ⅰ 부》 Who ~*ed* first? 누가 먼저 질문했는가. **2** 원하다, 구하다; 의뢰하다, 요구〔청구〕하다, 요청하다; 〈남을〉

만나러 오다〔가다〕, 면회〔면담〕을 청하다《*for*》: *Ask,* and it shall be given you. 〔聖〕 구하라, 그러면 너희에게 주실 것이다《마태복음 7:7》/~ *for* attention 주의를 요구하다/I ~*ed for* the boss. 사장에게 면담을 요청했다. **ask about** …에 관해서 묻다. **ask〔inquire〕 after** a person〔a person**'s health**〕 …의 안부를 묻다, 문안하다. **ask again〔back〕** 되묻다, 반문하다. **ask** a person **down** …을 시골에 초대하다. **ask for** (1) …을 찾아오다. (2) 〈물건을〉 청하다, 청구하다. (3) 필요로 하다. **ask for it〔trouble〕** 《口》 스스로 귀찮은 일을 저지르다, 재난을 자초하다, 자승자박하다, 경솔한 짓을 하다. **ask** a person **in** …을 불러 들이다. **Ask me (another〔a harder〕)!** 《口》 엉뚱한 질문은 마라, 어떻게 대답하겠나, 모르겠다! **ask oneself** 불청객이 되어 가다. **ask too much** 지나친〔무리한〕 부탁을 하다. **be asked in church**=**have** one**'s banns asked** 교회에서 결혼의 예고를 하게 하다. **be asked out** 초대받다《*to*》. **if I may ask** 물어서는 실례일지 모르지만: How old are you, *if I may* ~? 실례지마는 몇 살입니까. **if you ask me,** … 《口》 내 견해〔생각〕로는 …. **It may be asked whether** … …인지 아닌지 의문스럽다.

a·skance, a·skant [əskǽns], [əskǽnt] *ad.* 옆으로, 비스듬히; 곁눈으로. **look askance at** …을 곁눈으로 보다, 흘겨보다.

as·ka·ri [æskɑ́:ri] *n.* (*pl.* ~**s,** ~) (유럽 사람이 훈련한) 아프리카 원주민병(兵).

ask·er [ǽskər, ɑ́:sk-] *n.* 묻는 사람; 구하는 사람; 거지.

a·skew [əskjú:] *ad.* 비스듬히; 일그러져. —*a.* 구부러진, 비틀어진; 비스듬한. **look askew at** (의심쩍어) …을 곁눈질하다.

ask·ing [ǽskiŋ, ɑ́:sk-] *n.* Ⓤ 질문; 의뢰, 부탁; 청구. **for the asking** 청구만 하면, 거저, 무상으로(for nothing).

ásking prìce 《口》 부르는 값; 제시 가격.

ASL American Sign Language. **A.S.L.A.** American Society of Landscape Architects.

a·slant [əslǽnt, əslɑ́:nt] *ad., a.* 기울어져; 비스듬히(obliquely). —*prep.* …을 비스듬히 가로질러, 와 엇비스듬하게(athwart).

★a·sleep [əslí:p] *ad., a.* (형용사로는 서술적) **1** 잠들어(*opp.* awake): 《Ⅱ 형》 He is ~. 그는 잠들어 있다. **2** 〈손발이〉 저려, 마비되어. **3** 〈팽이가〉 자서, 서서. **4** 《완곡》 죽어, 잠들어 (dead). **be〔lie〕 fast〔sound〕 asleep** 깊이 잠들어 있다. **fall asleep** 잠들다; 《완곡》 죽다, 영면(永眠)하다.

A.S.L.E.F., ASLEF, Aslef Associated Society of Locomotive Engineers and Firemen. **A.S.L.I.B., Aslib** Association of Special Libraries and Information Bureaux 중요 도서 국제 보급회.

a·slope [əslóup] *ad., a.* 경사져서, 비탈〔언덕〕져서.

ASM air-to-surface missile. **A.S.M.E.** American Society of Mechanical Engineers. **ASMS** Advanced Strategic Missile System 신형 전략 미사일 시스템.

a·so·cial [eisóuʃəl] *a.* 비사교적인; 이기적인; 반사회적인.

asp[1] [æsp] *n.* 〔動〕 이집트코브라《북아프리카의 작은 독사의 일종》; 《일반적으로》 살모사.

asp[2] *n., a.* 《古·詩》 =ASPEN.

ASP American Selling Price 미국 판매 가격; Anglo-Saxon Protestant 영국계 신교도인 미국 사람. **ASPAC** [ǽspæk] Asian and Pacific Council 아시아 태평양 각료 이사회.

as·par·a·gine [əspǽrədʒì:n, -dʒin] *n.* Ⓤ 〔生化〕 아스파라긴《식물에 많은 α 아미노산의 일종》.

***as·par·a·gus** [əspǽrəgəs] *n.* (*pl.* ~) Ⓤ,Ⓒ 〔植〕 아스파라거스.

as·par·tame [æspɑ́:rtèim] *n.* 아스파테임《저칼로리 인공 감미료》.

as·pár·tic ácid [əspɑ́:rtik-] 〔生化〕 아스파르트산《α 아미노산의 일종》.

as·par·to·ki·nase [əspɑ́:rtoukàineis, -neiz] *n.* 〔生化〕 아스파르토키나아제, 아스파르트산 키나아제.

As·pa·sia [æspéiʒiə] *n.* 아스파샤(470?-410 B.C.)《Pericles의 정부》.

A.S.P.C.A. American Society for the Prevention of Cruelty to Animals.

☆as·pect [ǽspekt] [L] *n.* **1** Ⓒ,Ⓤ 양상, 모습, 외관, (사람의) 용모, 표정. **2** 형세, 상황, 국면(phase), 정세. **3** 견지, 견해; (문제를 보는) 각도: consider a question in all its ~*s* 문제를 모든 각도에서 고찰하다. **4** (방향을 나타내는 수식어를 수반하여) (가옥 등의) 방향, 방위: Her house has a southern ~. 그녀의 집은 남향이다. **5** (마음에 비치는) 모습, 상(相). **6** Ⓤ 〔文法〕 상(相)《러시아말 등의 동사에서 계속·완료·기동(起動)·종지(終止)·반복 등의 구별을 나타내는 형식》. **7** 〔占星〕 별의 상(相), 성위(星位), 시좌(視座); 〔空〕 애스펙트《진로면에 대한 날개의 투영》. **assume〔take on〕 a new aspect** 〈사태 등이〉 새 국면에 접어들다, 면목을 일신하다.

áspect ràtio 〔TV·映〕 화상(畫像)〔영상〕의 가로 세로의 비(比), 영상비; 〔空〕 날개의 가로 세로의 비.

as·pec·tu·al [æspéktʃuəl] *a.* 〔文法〕 aspect의.

as·pen [ǽspən] *n.* 〔植〕 미루나무, 포플러 (poplar). —*a.* 포플러의, 포플러의 잎과 같은; 잘 떠는: tremble like an ~ leaf 사시나무 떨듯 벌벌 떨다.

as·perge [əspə́:rdʒ] *vt.* 〔가톨릭〕 성수를 뿌리다〔살포하다〕.

As·per·ges, a- [əspə́:rdʒi:z, æs-] *n.* 〔가톨릭〕(주일 High Mass 전의) 살수식(撒水式); 살수식의 성가.

as·per·gil·lo·sis [æ̀spərdʒəlóusis] *n.* (*pl.* **-ses** [-si:z]) 〔獸醫〕 아스페르길루스증(症).

as·per·gil·lum [æ̀spərdʒíləm] *n.* (*pl.* **-gil·la** [-lə], ~**s**) 〔가톨릭〕 성수채.

as·per·i·ty [æspérəti] *n.* (*pl.* **-ties**) 《文語》 **1** Ⓤ (기질·어조의) 거칢; 무뚝뚝함; (보통 *pl.*) 거친 말, 신랄한 말: speak with ~ 거칠게 말하다. **2** Ⓤ (또는 *pl.*) (기후의) 혹독함, 매서움; (환경·처지의) 어려움, 쓰라림. **3** Ⓤ 감촉의 나쁨, 꺼칠꺼칠함, 울퉁불퉁함; 울퉁불퉁한〔꺼칠꺼칠한〕 곳: the *asperities* of the ground 땅의 울퉁불퉁한 부분들.

as·perse [əspə́:rs] *vt.* **1** 〈사람·인격·명예 등에 대해〉 험담하다, 헐뜯다, 중상하다 (slander). **2** 《稀》〔基督教〕 〈세례 물을〉 뿌리다(sprinkle)《*with*》.

as·per·sion [əspə́:rʒən, -ʃən] *n.* Ⓤ,Ⓒ 《文語》 **1** 비방, 중상: cast ~*s* on a person's honor …의 명예를 중상하다. **2** 〔基督教〕(세례할 때의) 성수 살포; 살수례(撒水禮), 성수 예절.

as·per·so·ri·um [æ̀spərsɔ́:riəm] *n.* (*pl.* ~**s, -ri·a** [-riə]) 〔가톨릭〕 성수반(盤).

∗**as·phalt**[ǽsfɔːlt/-fælt] *n.* Ⓤ 아스팔트, 아스팔트 포장재: an ~ pavement 아스팔트 포장도로. — *vt.* 〈길을〉 아스팔트로 포장하다.
as·phal·tic[æsfɔ́ːltik/-fǽl-] *a.* 아스팔트(질)의.
ásphalt clòud 아스팔트 구름(적의 미사일의 내열(耐熱) 차폐물을 파괴하기 위해 요격 미사일이 분사하는 아스팔트 입자군).
as·phal·tite[æsfɔ́ltait/[-fǽl-] *n.* 〔鑛〕 아스팔트광(鑛)(천연 아스팔트).
ásphalt júngle (종종 the ~) 아스팔트 정글(범죄 · 폭력이 횡행하는 생존 경쟁이 심한 대도시): 그런 특정 지역.
ásphalt pílot (미俗) 트럭 운전사.
as·phal·tum[æsfɔ́ːltəm/-fǽl-] *n.*=ASPHALT.
a·spher·ic, -i·cal *a.* 〔光〕 (반사면 · 렌즈가) 비구면(非球面)의: an ~ lens 비구면 렌즈.
a·spher·ics[èisfériks] *n. pl.* 비구면 렌즈 (aspheric lenses).
as·pho·del[ǽsfədèl] *n.* **1** 〔植〕 아스포델(백합과의 식물). **2** 〔그神〕 낙원에 핀다는 지지 않는 꽃: (詩) 수선화.
as·phyx·i·a[æsfíksiə] *n.* Ⓤ 〔病理〕 기절, 가사(假死): 질식(suffocation).
as·phyx·i·al[-siəl] *a.* 기절한: 질식한.
as·phyx·i·ant[-ənt] *a.* 질식성의. — *n.* 질식제: 질식할 듯한 상태.
as·phyx·i·ate[æsfíksièit] (文語) *vt.* 질식시키다(suffocate): *asphyxiating* gas 질식 가스. — *vi.* 질식하다.
as·phyx·i·a·tion[-ʃən] *n.* Ⓤ 질식(suffocation): 기절, 가사 상태.
as·phyx·i·a·tor[æsfíksièitər] *n.* **1** 질식제: 질식 장치, 동물 질식시험기. **2** 소화기(消火器)(탄산 가스를 응용한).
as·phyx·y[æsfíksi] *n.* =ASPHYXIA.
as·pic[1][ǽspik] *n.* Ⓤ (요리용의) 고기 젤리.
aspic[2] *n.* (詩 · 古) =ASP[1].
as·pi·dis·tra[æ̀spidístrə] *n.* 〔植〕 엽란(葉蘭).
as·pi·rant[ǽspərənt, əspáiər-] *n.* 큰 뜻을 품은 사람: (지위 등의) 지망자, 지원자, 열망자(*after, for, to*). — *a.* 큰 뜻을 품은, 향상적인(aspiring).
as·pi·rate[ǽspərit] *n.* 〔音聲〕 **1** 기식음(氣息音), 기음(氣音), 음: 기식음자(h의 글자), 기식음표(ʽ). **2** 대기음(帶氣音)(p^h, k^h, b^h, d^h 등의 음). — *a.* =ASPIRATED.
— [ǽspərèit] *vt.* **1** 〔音聲〕 기식음으로 발음하다([h]음을 내다, 또는 [h]음을 섞어서 발음하다). **2** 〈가스 · 먼지 등을〉 빨아들이다, 빨아내다.
as·pi·rat·ed[ǽspərèitid] *a.* 〔音聲〕 기식음의, [h] 음의.
‡**as·pi·ra·tion**[æ̀spəréiʃən] *n.* **1** Ⓒ,Ⓤ 포부, 향상심, 대망, 큰 뜻, 열망(*for, after*): Ⓒ 염원〔소원, 소망〕의 대상: His ~ *to* attain the ideal has been realized. 이상을 달성하려는 그의 염원은 이루어졌다. **2** Ⓤ (稀) 호흡(breathing). **3** Ⓤ 〔醫〕 흡출(suction). **4** Ⓤ 〔音聲〕 기식음 발성: Ⓒ 기식음, 대기음.
◈ aspíre, áspirate *v.*: aspíratory *a.*
as·pi·ra·tor[ǽspərèitər] *n.* **1** 흡기기(吸氣器), 흡입기. **2** 〔醫〕 (가스의) 흡인기(吸引器): (고름의) 흡출기(吸出器).
as·pir·a·to·ry [əspáirətɔ̀ːri/-təri] *a.* 흡기〔호흡, 흡인〕의〔에 알맞은〕.
‡**as·pire**[əspáiər] [L] *vi.* **1** 열망하다, 포부를 가지다, 큰 뜻을 품다: 동경하다: 갈망하다(*to, after*): (Ⅲ *v*Ⅰ+전+(목)) He ~*d to* the highest honors. (no pass.)그는 최고의 서훈(敍勳)을 열망했다/(Ⅲ *v*Ⅰ+전+(목)) (*no pass.*) He ~*d after* knowledge. 그는 지식을 열망했다/(Ⅱ *to do*) He secretly ~*d to* win the hand of this lady. 그는 이 여자와의 결혼을 은근히 갈망하였다/He ~*d to* lead the nation. 그는 나라를 지도하려는 뜻을 품었다/He ~*d to be proclaimed* emperor. 그는 황제로 선포되기를 열망했다. **2** (詩 · 古) 솟아 오르다(rise), 높이 오르다: 높이 우뚝 솟다(tower up).
aspire to the hand of (여자)와의 결혼을 바라다. **as·pír·er**[-rər] *n.* 열망자.
∗**as·pi·rin**[ǽspərin] *n.* (*pl.* ~, ~s) **1** Ⓤ 〔藥〕 아스피린. **2** 아스피린 정제.
as·pi·ring[əspáiəriŋ] *a.* **1** 대망을 품고 있는, 포부〔야심〕가 있는(ambitious). **2** 상승하는, 높이 솟은(towering).
a·sprawl[əsprɔ́ːl] *ad., a.* (팔다리를 쭉 뻗고) 누워서.
ASQC American Society for QualityControl 미국 품질 관리 협회.
a·squint[əskwínt] *ad., a.* 흘기는 눈으로, 곁눈으로, 비스듬히(obliquely): 사팔뜨기의.
look asquint 곁눈질하다, 흘겨보다.
ASR airport surveillance radar; air-sear-escue.
‡**ass**[1] [æs] *n.* **1** 〔動〕 나귀(*cf.* DONKEY). **2** 고집쟁이, 바보(fool). **an ass in a lion's skin** 사자의 탈을 쓴 나귀, 남의 권세로 뽐내는 교활한 사람. **make an ass of** a person …을 우롱하다. **make an ass of oneself** 바보짓을 하다, 웃음거리가 되다. **play the ass** 바보짓을 하다. ◈ ásinine *a.*
ass[2] [æs] [arse의 변형] *n.* (미卑) **1** 엉덩이(arse). **2** 항문. **3** Ⓤ (a bit of ~로) 여자(girl): 여자의 성기: 성교. **a pain in the ass** (미俗) 화남: 초조(하게 하는 것). **ass backwards** (미俗) 엉망으로. **break one's ass** (미俗) 필사적으로 버티다. **kiss** a **person's ass** (미俗) …에게 굽실거리다. **on one's ass** (미俗) 실패하여: 아주 난처하여. **save one's ass** (미俗) 몸을 지키다.
ass. assistant; association.
as·sa·fet·i·da, -foet-[æ̀səfétidə] *n.*=ASAFETIDA.
as·sa·gai [ǽsəgài] *n., vt.* =ASSEGAI.
as·sa·i[1] [əsáːi] [It=very] *ad.* 〔樂〕 매우: allegro ~ 매우 빠르게.
assai[2] *n.* (*pl.* **-sa·is**) 〔植〕 아시아 야자나무, 캐비지 야자나무.
∗**as·sail**[əséil] [L] *vt.* (文語) **1** 〈사람 · 진지 등을 무력으로〉 맹렬히 공격하다, 맹공하다, 습격하다(attack): 〈남을 질문 · 비난 등으로〉 공격하다, 공박하다, 몰아 세우다, 비난하다: ~ a castle 성을 공격하다/He ~*ed* me *with* questions. 그는 질문을 퍼부어 나를 몰아 세웠다. **2** 〈일 · 난국 등에〉 과감히 부딪치다: ~ a task〔difficulty〕 과업〔곤란〕에 과감히 맞부딪치다. **3** 〈의혹 · 공포 등이 사람 · 마음을〉 엄습하다, 괴롭히다: He was ~*ed with* 〔*by*〕 doubts. 그는 의혹에 시달리었다.
◈ assáult *n., v.*: assáilant *n., a.*
as·sail·a·ble *a.* 공격할 수 있는.
∗**as·sail·ant**[əséilənt] *a.* 공격의〔하는〕.
— *n.* 공격자, 적. ◈ assáil *v.*
As·sam[æsǽm, ə-/ǽsæm] *n.* 아삼(인도 북동부의 주; 주의 수도 Shillong).
As·sam·ese[æ̀səmíːz, -s] *a.* 아삼 지방의, 아삼 사람〔말〕의. — *n.* (*pl.* ~) 아삼 사람: Ⓤ 아삼 말.

as·sart[əsáːrt/æs-] *n.* 개간(지). — *vt., vi.* 개간하다.

*__as·sas·sin__[əsǽsin] *n.* **1** 암살자, 자객(刺客). **2** (the A-s) 〔史〕 (이슬람 교도로 된) 암살 비밀 결사단《십자군 지도자 등을 암살》; (**A-**) 그 단원. ◈ assássinate *v.*

as·sas·si·nate[əsǽsənèit] *vt.* 〈저명한 정치가 등을〉 암살하다. **-na·tor** *n.* 암살자.

as·sas·si·na·tion[-ʃən] *n.* [U,C] 암살. ◈ assássinate *v.*

assássin bùg 〔昆〕 침노린재과의 흡혈충.

⁑**as·sault**[əsɔ́ːlt] [L] *n.* [C,U] **1** 갑작스런 습격, 급습, 강습(强襲)《*on*》; 〔軍〕 (백병전의) 돌격. **2** 〔法〕 폭행; (여성에 대한) 폭행, 강간. **assault and battery** 〔法〕 폭행 구타. **assault of**〔**at**〕 **arms** (1) (펜싱의) 상호 공격. (2) 백병전. **make an assault upon** … 을 강습하다. **take** a fortress **by assault** (요새를) 강습하여 공략하다. — *vt.* **1** 급습하다; 구타하다. **2** 〔法〕 폭행하다; 〈여성에게〉 폭행하다, 강간하다. **~·er** *n.*

assáult bòat〔**cràft**〕 〔軍〕 공격 주정《도강·상륙용》.

as·saul·tive[əsɔ́ːltiv] *a.* 공격적인. **~·ly** *ad.* **~·ness** *n.*

assáult rìfle 경기관총 식의 자동 소총《권총 식의 손잡이와 탄창이 분리되며 고성능 탄약을 사용》.

as·say[æséi] *vt.* **1** 〈광석을〉 시금(試金)하다; 분석(평가)하다. **2** 《文語》 〈어려운 일 등을〉 시도하다(attempt); …을 시험하다(test): ~ one's ability 자기 능력을 시험하다. **3** 평가하다(evaluate). — *vi.* 《미》 분석의 결과 〈얼마를〉 함유함을 나타내다: This ore ~*s* high in gold. 이 광석은 금 함유율이 높다. — [ǽsei, æséi] *n.* **1** 시금(試金); 분석 평가; 분석물, 시금물; (시금) 분석표. **2** 《古》 시험; 〈독의 유무를 분간하기 위한〉 시음, 시식. **do** one's **assay** 할 수 있는 데까지 해 보다. **~·a·ble** *a.* **~·er** *n.*

ássay bàlance 시금 저울.

ássay bàr (정부에서 만든) 표준 순금〔순은〕 막대.

as·say·ing[æséiiŋ] *n.* [U] 〔化〕 시금법, 분석 시험.

ássay màster 분석 시험관.

ássay tón 분석 톤(29.1667g).

as·se·gai[ǽsigài] *n., vt.* (남아프리카 원주민이 사용하는) 가느다란 창(으로 찌르다).

*__as·sem·blage__[əsémblidʒ] *n.* **1** (집합적) 회중, 집단; (사람의) 모임, 집합, 집회; (물건의) 집합, 수집. **2** (기계의 부품) 조립(*of*): an ~ plant 조립 공장. **3** [C,U] 아상블라주《물건의 단편(斷片)·폐품 등을 이용한 예술 작품 및 그 예술》. ◈ assémble *v.*

as·sem·blag·ist[əsémblədʒist, æ̀saːmblɑ́ːdʒist] *n.* 아상블라지스트《ASSEMBLAGE 예술가》.

⁑**as·sem·ble**[əsémbəl] [L] *vt.* **1** 〈사람을〉 모으다, 집합시키다, 소집하다; 〈물건을〉 모아 정리하다. **2** 〈기계 등을〉 조립하다; 〈부품을〉 조립하여 〈…으로〉 만들다《*into*》: ~ parts into a machine 부품을 조립하여 기계로 만들다. — *vi.* 집합하다, 회합하다(come together). ◈ assémblage, assémbly *n.*

as·sem·bled[əsémbld] *a.* **1** 집합된, 결집한. **2** 합성 보석의.

as·sem·bler[əsémblər] *n.* **1** 조립공. **2** 〔컴퓨터〕 어셈블러《기호 언어로 쓰여진 프로그램을 기계어 프로그램으로 변환시킴》.

assémbler lànguage =ASSEMBLY LANGUAGE.

⁑**as·sem·bly**[əsémbli] *n.* (*pl.* **-blies**) **1** (사교·종교 등의 특별한 목적의) 집회, 회합, 회의; [U] (초등학교 등의) 조회《등》; [U] 집합(하기), 모임; (집합적) 집회자, 회합자. **2** [C] (종종 **A-**) (입법) 의회; (the A-) (미국의 어느 주의회의) 하원: a legislative ~ 입법 의회; (영국 식민지 의회의) 하원/the National A- (한국 등의) 국회/the prefectural〔city, municipal〕 ~ 도〔시〕의회/the General A- (국제 연합의) 총회. **3** [U] (부품의)조립; [C] 조립품, 조립 부품. **4** 〔軍〕 집합 신호〔나팔〕. **5** 〔컴퓨터〕 어셈블리《기계어 프로그램으로의 변환》. ◈ assémble *v.*

assémbly dìstrict 《미》 주의회의 하원 의원 선거구.

assémbly háll **1** 회의장; 회관. **2** (대형 기계·항공기 등의) 조립 공장.

assémbly lànguage 〔컴퓨터〕 어셈블리 언어.

assémbly lìne (조립의) 흐름〔일관〕 작업(열), 조립 라인.

as·sem·bly·man[əsémblimən] *n.* (*pl.* **-men** [-mən]) 《미》 의원; (**A-**) (주의회의) 하원 의원.

as·sem·bly·per·son *n.* 《미》 주(州)의회 의원, 《특히》 주의회의 하원의원.

assémbly plànt =ASSEMBLY SHOP.

assémbly ròom (종종 *pl.*) 집회실, 회의실; 강당《학회의》; 회장《무도회 등의》; 조립 공장.

assémbly shòp 조립 공장.

as·sem·bly·wom·an[əsémbliwùmən] *n.* 《미》 여성 의원; (**A-**) (주의회의) 여성 하원 의원.

*__as·sent__[əsént] [L] *vi.* **1** (제안·의견 등에) 동의〔찬성〕하다(agree)《*to*》(⇨consent): She ~*ed to* the proposal. 그녀는 그 제안에 찬성했다. **2** 인정하다, 양보하다《*to*》. — *n.* [U] 동의, 찬성; 인정, 승인, 양보. **assent and consent** 《영》 의회의 협찬 **by common assent** 만장 일치로, 전원 이의 없이. **give** one's **assent to** (a plan) (계획에) 동의하다. **Imperial**〔**Royal**〕 **assent** 재가, 비준. **with one assent** 《文語》 만장 일치로. ◈ assentátion *n.*; asséntient *a.*

as·sen·ta·tion[æ̀sentéiʃən] *n.* [U] 동의, 《특히》 영합, 부화 뇌동.

as·sent·er *n.* =ASSENTOR 1.

as·sen·ti·ent[əsénʃiənt] *a.* 동의의, 찬성자의. — *n.* 동의자, 찬성자.

as·sen·tor[əséntər] *n.* **1** 찬동자, 찬성자(assenter). **2** 《영》 입후보자의 지지자《후원자 이외의》.

⁑**as·sert**[əsə́ːrt] [L] *vt.* **1** …을 단언하다, 역설하다, 강력히 주장하다: 《Ⅴ (목)+*to be*+[형]》((목)-*sth.*) I ~ his deposition *to be* true. 나는 그의 진술 조서가 사실이라고 단언한다(=《Ⅲ *that*(절)》I ~ *that* his deposition is true.)/《Ⅴ (목)+*to be*+[형]》((목)-one*self*/*sb.*) He ~*s* himself 〔him〕 *to be* innocent. 그는 자기 자신이〔그가〕 결백하다고 강력히 주장하고 있다(=《Ⅲ *that*(절)》 He ~*s that* he is innocent.). **2** 〈권리 등을〉 주장〔옹호〕하다: one's rights〔claims, liberties〕 자기의 권리〔요구, 자유〕를 주장하다. **3** (~ one*self* 로) 자기 설(說)〔권리〕을 주장하다; 고집하다, 주제넘게 나서다, 〈천성 등이〉 나타나다; 시위하다: Justice will ~ itself. 사필귀정/~ one's manhood 이제 어린아이가 아님을 남에게 시위하다. ◈ assértion *n.*; assértive *a.*

*__as·ser·tion__[əsə́ːrʃən] *n.* [C,U] 단언, 단정, 주장(함). **make an assertion** 주장하다. ◈ assért *v.*; assértive *a.*

as·ser·tive[əsə́ːrtiv] *a.* **1** 단정적인, 단언적인, 고집하는, 독단적인(dogmatic). **2** 〔文法〕 단정적인《긍정 평서문을 말함》: an ~ sentence 단정문. **~·ly** *ad.* 단호히. **~·ness** *n.*

assértiveness〔assértion〕 tràining 주장 훈련《소극적인 사람에게 자신감을 주는 훈련》.

as·ser·tor[-ər] *n.* 주장자; 고집자.

as·es[1] [ǽsiz] *n.* ass[1,2]의 복수.

as·ses[2] *n.* as[2]의 복수.

ásses' brídge 〔數〕 =PONS ASINORUM.

as·sess[əsés] [L] *vt.* **1** 〈세금·벌금 등을〉 사정하다《*at*》; 〈재산·수입 등을〉 평가하다, 사정하다《*at*》: ~ a house *at* 70,000,000 won 가옥을 7천만원으로 평가하다. **2** 《稀》 〈세금·기부금 등을〉 할당하다, 과하다(impose) 《*on, upon*》: ~ 90,000 won on land 토지에 9만원을 과세하다/~ a tax〔fine〕 *on*〔*upon*〕 a person …에게 세금〔벌금〕을 과하다. **3** 〈사람·사물 등의〉 성질〔가치〕을 평가하다: How do you ~ your students? 학생들(의 성적)을 어떻게 평가합니까.

as·sess·a·ble[-əbəl] *a.* **1** 과세〔평가, 산정〕 할 수 있는. **2** 〔證券〕 불입 추징을 할 수 있는, (미불금의) 불입 청구를 할 수 있는.

*****as·sess·ment**[əsésmənt] *n.* **1** Ⓤ (과세를 위한) 평가, 사정, Ⓒ 세액(稅額), 할당금, 사정액. **2** 〔證券〕 불입 추징; 〔保〕 부과. **3** Ⓤ,Ⓒ (사람·사물 등의) 평가, 판단《*of*》. **a standard of assessment** 과세 표준, 과표.

asséssment insùrance 〔保〕 부과식 보험.

as·ses·sor[əsésər] *n.* **1** 세액 사정자. **2** 〔法〕 배석 판사; 입회인; 보좌역. **~·shìp** *n.* Ⓤ assessor의 임무〔직〕.

*****as·set**[ǽset] [L] *n.* **1** 자산의 한 항목; (*pl.*) (개인·회사의) 재산, 자산. **2** (*pl.*)〔法〕(채무의 변제 또는 유증(遺贈)으로 충당되는) 유산; (파산자의 채무의 변제에 충당되는) 전자산. **3** 가치를 지닌 것; 유리〔유용, 귀중〕한 것, 이점, 강점, 장점《*to, for*》: Sociability is a great ~ *to* a salesman. 외판원에게 있어서 사교성은 커다란 강점이 된다. **4** 정보 제공자, (정보 활동에 이용할 수 있는) 인재, 기관. **assets and liabilities** 자산과 부채. **personal〔real〕 assets** 동산〔부동산〕.

ásset effèct 〔經〕 자산(資産) 효과.

ásset strìpping 〔商〕 자산 박탈.

as·sev·er·ate[əsévərèit] *vt.* 《文語》 맹세코 단언〔증언〕하다, 강력히 언명하다(assert).

as·sev·er·a·tion[-ʃən] *n.* Ⓤ,Ⓒ 《文語》 단언, 확언; 증언, 서언(誓言).

ass·head[ǽshèd] *n.* 바보.

ass·hole[ǽshòul] *n.* 《卑》 **1** =ANUS. **2** 가장 싫은 장소; 지겨운 녀석; 친구.

as·sib·i·late[əsíbəlèit] *vt.* 〔音聲〕 치찰음(齒擦音)(sibilant)으로 발음하다, 치찰음화하다.

as·si·du·i·ty[æ̀sidjúːəti] *n.* (*pl.* **-ties**) **1** Ⓤ 부지런함, 근면. **2** (보통 *pl.*) 여러 가지 배려, 진력, 정성. **with assiduity** 부지런히, 열심히.

as·sid·u·ous[əsídʒuəs] *a.* 〈사람이〉 부지런한, 근면한; 〈주의 등이〉 세세한 점까지 이르는, 빈틈없는, 주도 면밀한: 《Ⅱ 형+전+-*ing*》 She was ~ *in* attending to her duties. 그녀는 자기의 의무를 이행하는 데 정성을 들인다. **~·ly** *ad.* 부지런히. **~·ness** *n.*

*****as·sign**[əsáin] *vt.* **1** 〈일·사물·방 등을〉 할당하다, 배당하다(allot)《*to*》: ~ work *to* each man 각자에게 작업을 할당하다/《Ⅳ 대+(목)》 She ~*ed* us the best room of the hotel. 그녀는 우리들에게 그 호텔에서 가장 좋은 방을 할당해 주었다/《Ⅲ *be pp.* (목)+〈전+명〉》 He was ~*ed* a room in the attic. 그는 고미다락에 있는 방을 하나 배당받았다. **2** 〈임무일 따위를〉 부여하다, 주다; 〈남에게 …하도록〉 명하다; 〈남을 임무·직장 등에〉 선임하다(appoint), 선정하다, 임명하다《*for, to*》: 《Ⅳ 대+(목)》 Our teacher ~*s* us plenty of homework. 우리 선생님께서는 우리에게 많은 숙제를 내주신다/《Ⅱ *be pp.*+*to do*》 Who has been ~*ed to* clean the blackboard? 누구가 흑판을 닦도록 지정받았느냐/《Ⅴ (목)+*to* do》 The teacher ~*ed* two of us *to* clean the blackboard. 선생님께서 우리 두 사람에게 흑판을 닦도록 명하셨다/She ~*ed* me *to* watch the house. 그녀는 나에게 그 집을 지키도록 명하였다/~ a person *for* a guard …을 수위〔경호원〕로 임명하다. **3** 〈때·장소·한계 등을〉 지정하다〔정하다〕; …의 위치를 정하다《*for*》: ~ a day *for* a festival 축제의 날을 지정하다/~ a limit *to* something 어떤 것의 한계를 정하다. **4** 〈이유·원인 등을〉 …에 돌리다, …의 것〔탓〕으로 하다 (ascribe)《*to*》; 〈사건의 연월·장소 등을〉 …으로 하다《*to*》; 〈행동의 이유 등을〉 들다《*to, for*》: 《Ⅲ (목)+전+명》 He ~*ed* a worldly reason of his own *for* this singular proceeding. 이 기묘한 절차에 대하여 그는 자기 나름대로 세속적인 이유를 들었다/~ one's absence *to* one's ill health 결석의 이유를 건강이 나쁜 탓으로 하다. **5** 〔法〕 〈남에게 재산·권리 등을〉 양도하다《*to*》: 《Ⅲ (목)+전+명》 He ~*ed* all books *to* her. 그는 모든 책을 그녀에게 양도했다. **6** 〔軍〕 〈부대·인원을〉 배속하다. ── *vi.* 〔法〕 (채권자를 위해 타인에게) 재산을 양도〔위탁〕하다. ── *n.* (보통 *pl.*) 〔法〕 양수인, 수탁인(assignee).

◈ assignátion, assígnment *n.*

as·sign·a·ble *a.* **1** 할당할 수 있는, 지정〔지시〕할 수 있는. **2** (…에) 돌려야 할, 돌릴 수 있는. **3** 양도할 수 있는.

as·sig·na·tion[æ̀signéiʃən] *n.* Ⓤ,Ⓒ **1** 지정, 지시, 선정; 할당《시간·장소 등의》. **2** 만날 약속; 《특히》 밀회의 약속; 밀회. **3** 〔法〕 양도; 원인 등을 …에 돌림(ascription)《*to*》.

assígned rísk plàns 〔保〕 위험 할당 방식.

as·sign·ee[əsàiníː, æ̀siníː] *n.* 〔法〕 양수인; 수탁자(受託者); 《古》 관재인(管財人)《파산의》.

as·sign·er[əsáinər] *n.* =ASSIGNOR.

*****as·sign·ment**[əsáinmənt] *n.* Ⓤ,Ⓒ **1** 할당; 임명, 서임(敍任)(appointment); 할당된 일; (임명된) 직, 지위. **2** 《미》 (학생의) 숙제, 연구과제. **3** (시일 등의) 지시, 지정; 열거《이유 등의》, 지적《잘못 등의》; 〔컴퓨터〕 지정. **4** 〔法〕 (재산 등의) 양도; 양도 증서. **5** 〔오스史〕 죄수의 (무보수 하인) 할당 제도.

as·sign·or[əsáinər] *n.* 양도인《재산·권리의》; 위탁자.

as·sim·i·la·bil·i·ty[əsìmələbíləti] *n.* Ⓤ 동화성(同化性), 동화할 수 있음.

as·sim·i·la·ble[əsímələbl] *a.* 동화〔흡수〕할 수 있는.

*****as·sim·i·late**[əsímələ̀it] [L] *vt.* **1** 〈지식 등을〉 흡수하다, 이해하다; 〈언어·국민·소국(小國) 등을〉 동화〔융화〕시키다. **2** …을 동화〔일치, 순응〕시키다, 비슷하게 하다, 동질화하다 (make similar)《*to, into, with*》. **3** 〈갑을 을에〉 비유하다《*to, with*》. **4** 〔生理〕 동화하다; 〈음식 등을〉 소화하다, (소화한 후) 흡수하다. **5** 〔音聲〕 (인접음으로) 동화〔유화(類化)〕하다 (*opp.* dissimilate). ── *vi.* 〈이민 등이 문화적으로〉 동화〔융화〕하다; 동질이 되다《*with,*

to⟫: 〈음식물이〉 소화되다; 동화되다.
— [-lit, -lèit] n. 피(被)동화물. ⊕ assimilátion n.; assímilative, assímilatory a.

***as·sim·i·la·tion**[-ʃən] n. (opp. dissimilation) **1** 소화. **2** 동화, 동화 작용; 융합, 융화. **3** 〔音聲〕 동화. **~·ism** n. (인종적·문화적으로 상이한 소수 그룹에 대한) 동화 정책. **~·ist** n. 동화 정책주의자.

as·sim·i·la·tive[-lèitiv] a. 동화력이 있는; 동화(작용)의.

as·sim·i·la·tor[-tər] n. 동화하는 사람〔것〕.

as·sim·i·la·to·ry[-lətɔ̀:ri/-təri] a. =ASSIMILATIVE.

★as·sist[əsíst] [L] vt. **1** 거들다, 원조하다, 돕다(help); 조장하다(promote): ⟪Ⅲ (목)+전+명⟫ They ~ed the captain *in* the laborious business of stopping the ship's leak. 그들은 배의 누수(漏水)를 막는 힘든 일을 하는 데 선장을 도와주었다/⟪Ⅴ (목)+전+-*ing*⟫ The police will ~ you *in* find*ing* her address. 경찰관은 당신이 그녀의 주소를 찾는 데 도와줄 것이다/⟪Ⅱ *be pp.*+전+-*ing*⟫ The refugees were ~*ed in* finding their families. 피난민들은 그들의 가족들을 찾는 데 도움을 받았다. **2** (…의) 조수의 일을 맡아보다. — *vi.* **1** a 돕다, 조력하다: ~ *in* effect*ing* a peaceful settlement of a conflict 분쟁의 평화적 해결에 조력하다. **2** 참가하다(*in*): ~ *in* a campaign 운동에 참가하다. **3** 참석하다 (be present)⟪*at*⟫: ~ *at* a ceremony〔an entertainment〕 식〔연회〕에 참석하다.
— n. 원조, 조력; 〔野〕 보살(補殺). **~·er** n.
⊕ assistance n.; assistant n., a.

‡as·sis·tance[əsístəns] n. Ⓤ 거듦(help), 조력, 원조, 보조. **come to** a person's **assistance** …을 도우러 오다. **give**〔**render**〕 **assistance** 원조하다(*to*). ⊕ assist v.

‡as·sis·tant[əsístənt] a. 보조의, 보좌의; 부(副)…, 조(助)…: an ~ secretary 서기관보/an ~ engineer 기원(技員). — n. **1** 조수, 보조자, 보좌인; ⟪영⟫ 점원(=shop ~). **2** 보좌하는 것, 보조물. **~·shìp** n.
⊕ assistance n.; assist v.

assístant proféssor ⟪미⟫ 조교수(⇨professor).

as·sis·tor[əsístər] n. 〔法〕 방조자.

as·size[əsáiz] n. **1** (보통 *pl.*)⟪영⟫(England 의 각 주에서 행해지는 민사·형사의) 순회 재판; 순회 재판 개정기(開廷期)〔개정지〕. **2** (배심) 재판, 심리. **3** 〔舊法〕 가격·도량형의 규정⟪시장 판매품의⟫; (빵·맥주의) 법정 가격. **the great**〔**last**〕 **assize** 최후의 심판.

ass-kiss·er[ǽskìsər] n. ⟪俗⟫ 아첨쟁이, 굽실거리는 사람.

assn., assoc. association.

as·so·ci·a·bil·i·ty[-bíləti] n. Ⓤ 연상되기 쉬운 것〔성질〕; 〔醫〕 교감성(交感性).

as·so·ci·a·ble[əsóuʃiəbl] a. 연상되는, 연상할 수 있는(*with*); 〔醫〕 교감성의.

‡as·so·ci·ate[əsóuʃièit] [L] vt. **1** 연상하다, 관계시키다, 관련시켜 생각하다: be ~*d with* …을 연상시키다; …와 관련되다/⟪Ⅲ (목)+전+명⟫ I ~ her *with* my mother. 나는 그녀를 보면 내 어머니가 연상된다/I always ~ the smell of those flowers *with* my childhood. 나는 저 꽃들의 향기를 맡으면 언제나 내 어린 시절이 연상된다. **2** 연합시키다, 참가〔가입〕시키다(join, unite)(*with*); 결합〔관련〕시키다(*with*): ⟪Ⅴ (목)+*as*+명⟫ The French Academy ~*d* him *as* a member. 프랑스 학사원은 그를 회원으로 가입시켰다/⟪Ⅰ *be pp.*+전+명⟫ The presuppositions of ancient science were all ~*d with* a pagan theology. 고대 과학의 전제(前提)들은 한 이교적 신학 이론(異教的神學理論)과 관련되어 있었다/⟪Ⅰ *be pp.*+전+명⟫ They are ~*d* in business. 그들은 공동으로 사업을 경영하고 있다/⟪Ⅰ *be pp.*+전+명+전+명⟫ He is ~*d with* her in the maternity clinic. 그는 그녀와 공동으로 그 산부인과 병원을 차리고 있다/He is ~*d in* various companies. 그는 각종 회사와 관계하고 있다. **3** (~ *oneself* 로) (…와) 한패가 되다, 교제하다 (*with*); (제안·의견·희망 등에) 찬성〔찬동〕하다. 〈…을〉 지지하다(*with*). — *vi.* **1** 교제하다(*with*): ⟪Ⅲ *v* Ⅰ+전+(목)⟫(*no pass.*) He readily ~*d with* refined and cultivated people. 그는 세련되고 교양있는 사람들과 자진하여 교제했다〔어울렸다〕. **2** 제휴하다, 연합하다 (*with*); 협력〔협동〕하다(*in*): ~ *with* large enterprises 큰 회사들과 제휴하다/~ *in* a common cause 공통의 목적을 위해 협력하다.
— [-ʃiit, -èit] n. **1** (일 등에서의) 동무, 패, 친구(companion); 제휴자, 조합원; 동인(同人), 동료. **2** (단체·학회 등의) 준회원; ⟪미⟫ (전문 대학 또는 4년제 대학 단기 코스를 수료한) 준학사(準學士). **3** 연상되는 것; 연상 관념, 부수물. — [-ʃiit, -èit] a. **1** 연합한, 한패의(associated). **2** 준…: an ~ judge 배석 판사/an ~ member 준회원. **3** 〔心〕 연상의; 〔醫〕 교감(交感)의.
⊕ association n.; assóciative a.

as·so·ci·at·ed[əsóuʃièitid] a. 연합한, 조합의, 합동 …: an ~ bank 조합 은행.

assóciated gás 부수(附隨) 가스⟪천연 가스⟫.

Assóciated Préss (the ~)(미국의) AP 통신사, 연합 통신사⟪略: AP; *cf.* UNITED PRESS INTERNATIONAL⟫.

assóciated státehood 영국의 연합주로서의 지위, 준국가.

assóciate proféssor ⟪미⟫ 부교수(⇨professor).

‡as·so·ci·a·tion[əsòusiéiʃən, -ʃi-] n. **1** Ⓤ 연합, 합동, 공동; 관련(*with*). **2** 협회(society), 조합; 사단(社團), 회사. **3** Ⓤ 교제, 제휴, 연락(*with*). **4** Ⓤ,Ⓒ 〔心〕 연상, 관념 연합; 〔數〕 조합; 〔化〕 (분자의) 회합. **5** =ASSOCIATION FOOTBALL. **6** 〔生態〕 (생물) 군집. **association of ideas** 〔心〕 관념 연합, 연상. **in association with** …와 공동으로, 와 관련하여. ⊕ assóciate v.; assóciative a.

as·so·ci·a·tion·al a. 연상의; 협회〔단체〕의.

associátion bòok〔**còpy**〕 (명사(名士) 등이 적어 넣은 어구 등이 있는) 수택본(手澤本).

associátion fóotball 아식 축구(soccer)⟪영국의 the National Football Association 이라는 통제 단체의 이름에서⟫.

as·so·ci·a·tion·ism[əsòusiéiʃənìzəm, -ʃi-] n. Ⓤ 〔心〕 관념 연합설(觀念聯合說). **-ist** n. 〔心〕 관념 연합론자.

as·so·ci·a·tive[əsóuʃièitiv, -si-, -ʃətiv] a. 연합의; 조합의; 연상의.

as·so·ci·a·tor[əsóuʃièitər] n. 동료, 조합원.

as·soil[əsɔ́il] vt. ⟪古⟫ **1** 용서하다, 사면하다; …을 무죄로 하다. **2** 속죄하다, 보상하다.

as·so·nance[ǽsənəns] n. Ⓤ,Ⓒ **1** 음의 유사, 유음(類音). **2** 〔韻〕 유운(類韻)⟪모음만의 압운(押韻): *brave—vain*/ *love—shut*⟫.

as·so·nant[ǽsənənt] a. 유사음〔유음〕의;

유운의, 모운(母韻)의.

as·so·nate[ǽsənèit] *vi.* 음〔모음〕이 일치하다, 모음운을 밟다.

as·sort[əsɔ́:rt] *vt.* **1** 유별〔분류〕하다(classify). **2** (가게에) 구색을 갖추다, (같은 종류끼리) 짜맞추다(group). — *vi.* **1** 〔well, ill 등의 양태 부사와 함께〕 어울리다, 조화하다(match)《*with*》: It *well*〔*ill*〕 ~*s with* his character. 그것은 그의 성격과 잘 맞는다〔안 맞는다〕. **2** 《古》 교제하다, 사귀다(associate)《*with*》. **as·sor·ta·tive**[-tə-], **~·ive** *a.*

as·sór·ta·tive mát·ing 〔生〕 동계〔동류〕(同系〔同類〕) 교배; 선택 결혼(*cf.* DISASSORTIVE MATING).

*__as·sort·ed__[əsɔ́:rtid] *a.* **1** 분류된, 구분된. **2** (상자 등에) 구색을 갖추어 한데 넣은 〈비스킷〉: a box of ~ chocolates 구색을 갖춘 초콜릿 한 상자. **3** (well, ill 등의 부사와 복합어를 이루어) 어울리는, 조화된: a *well*-~ couple 잘 어울리는 부부.

*__as·sort·ment__[əsɔ́:rtmənt] *n.* **1** Ⓤ 구분, 분류, 유별. **2** 구색을 갖춘〔갖추어 한데 넣은〕 것《*of*》: Our store has a great ~ *of* candy. 저희 가게에는 캔디의 구색이 잘 갖추어져 있습니다. **3** 잡다한 것〔사람〕의 모임《*of*》.

ASSR, A.S.S.R. Autonomous Soviet Socialist Republic.

asst., Asst. assistant.

asstd. assented; assorted.

as·suage[əswéidʒ] *vt.* 《文語》 **1** 〈고통·노여움·불안 등을〉 완화하다, 덜다, 달래다, 진정시키다. **2** 〈식욕 등을〉 만족시키다. **~·ment** *n.* Ⓤ 완화, 경감, 진정; Ⓒ 완화하는 물건.

As·su·an[ɑ:swɑ́:n] *n.* =ASWAN.

as·sua·sive[əswéisiv] *a.* 덜하게 하는, 진정시키는.

as·sum·a·ble[əsjú:məbəl] *a.* 가정할 수 있는. **-bly** *ad.* 아마.

‡**as·sume**[əsjú:m] [L] *vt.* **1** (증거는 없으나) 사실이라고 보다〔생각하다〕; 당연한 일로 치다: 추정〔추측〕하다(presume): 《Ⅴ (목)+*to be*+명》 How could you ~ him *to be* a thief without proof? 너는 증거도 없이 어떻게 그가 도둑이라고 생각하니//《Ⅴ (목)+*to be*+명》 I ~ this *to be* the best possible translation. 나는 이것을 가장 적절한 번역이라고 여긴다(=I ~ *that* this is the best possible translation.《Ⅲ *that*(절)》/《Ⅱ *be pp.*+*to be*+명》 This is ~*d to be* the best possible translation. (이것이 가장 적절한 번역이라고 여겨진다)/It is ~*d that* this is the best possible translation. 《Ⅰ *It be pp.*+*that*(절)》)//《Ⅲ *that*(절)》 She ~*d that* he was able to do it. 그녀는 그가 그것을 할 수 있으리라고 생각했다/《Ⅴ (목)+*to be*+형》 She ~*d* him *to be* able to do it. 그녀는 그가 그것을 할 수 있으리라고 생각했다. **2** 〈역할·임무 등을〉 맡다, 〈책임 등을〉 지다: 〈권력 등을〉 쥐다: ~ the chair 의장석에 앉다, 의장이 되다. **3** 〈사람이 어떤 태도를〉 취하다; 〈사물이 어떤 성질·양상 등을〉 띠다, 나타내다: ~ the offensive 공세를 취하다/His face ~*d* a look of anger. 그의 얼굴은 노여움을 띠고 있었다. **4** …(인) 체하다, 꾸미다, 짐짓 가장하다: ~ ignorance 모르는 체하다/~ *to be* deaf 귀머거리인 체하다. **5** 제 것으로 삼다, 횡령하다(usurp); 〈남의 이름을〉 사칭하다. **assume**〔**assuming**〕 (**that**)… …이라고 가정하여, …이라고 한다면.
— *vi.* 주제넘게 굴다, 뻠내다, 거만한 태도를 취하다; …체하다.

◇ assúmption *n.*: assúmptive *a.*

*__as·sumed__[əsjú:md] *a.* **1** 가장한, 꾸민, …체하는, 거짓의: an ~ name 변명(變名), 가명/~ ignorance 모르는 체함, 시치미 뗌/an ~ voice 꾸민 목소리. **2** 가정한, 상정(想定)상의: an ~ cause 상정상의 원인. **3** 〔商〕 인수(引受)한: ~bonds 인수 회사채.

as·sum·ed·ly[-idli] *ad.* 아마.

as·sum·ing[əsjú:miŋ] *a.* 주제넘은, 거만한, 건방진(arrogant). **~·ly** *ad.*

as·sump·sit[əsʌ́mpsit] *n.* 〔法〕 **1** 인수 소송《계약 이행을 요구하는 소송》. **2** (구두·문서·묵시에 의한) 무인장(無印章) 계약.

*__as·sump·tion__[əsʌ́mpʃən] *n.* Ⓤ,Ⓒ **1** (증거도 없이) 사실이라고 생각함; 가정, 가설, 억설. **2** (임무·책임 등의) 인수, 취임. **3** 〈권리·권력 등을〉 장악함, 탈취, 독점. **4** 거만, 외람됨, 주제넘음. **5** (the A-) 〔가톨릭〕 성모 Maria의 승천; 성모 승천 대축일《8월 15일》. **on the assumption that** … …이라는 가정 아래.

◇ assúme *v.*: assúmptive *a.*

as·sump·tive[əsʌ́mptiv] *a.* 가정의, 추정적인; 주제넘은, 거만한(arrogant). **~·ly** *ad.*

as·sur·a·ble[əʃúərəbəl] *a.* 보증할 수 있는, 책임질 수 있는, 보험에 들 수 있는.

‡**as·sur·ance**[əʃúərəns] *n.* **1** 보증, 확언; 언질, 보장: I have an ~ *that* the goods shall be sent tomorrow morning. 물건을 내일 아침에 배달해 준다는 확언을 받고 있다. **2** Ⓤ 《영》(생명) 보험(《미》 insurance). **3** Ⓤ 확신(certainty), 확신성: Nothing can shake our ~ *that* our team will win the game. 우리 팀이 시합에 이긴다는 확신은 어떤 일이 있어도 흔들리지 않는다. **4** Ⓤ 침착, 자신(self-confidence); 철면피, 뻔뻔스러움(impudence): He had the ~ *to* claim *that* he was an expert in psychoanalysis. 그는 뻔뻔스럽게도 정신 분석의 전문가라고 자칭했다.
give an assurance 보증하다. **have full assurance that** … …을 전적으로 확신하다. **have the assurance to** do ⇨ *n.* 4. (**act**) **in the assurance of** …을 확신하여 (행동하다). **make assurance doubly**〔**double**〕 **sure** 틀림없도록 거듭거듭 다짐하다. **with assurance** 확신을 가지고.

‡**as·sure**[əʃúər] [L] *vt.* **1** 보증하다, 보장하다《*of*》; 책임지다, 확실히 …이라고 말하다(tell confidently); (보증하여) 안심〔납득〕시키다(convince), 확신시키다《*of*》: 《Ⅲ (목)+전+명》 I ~ you of his sincerity. 나는 당신에게 그의 성실함을 보증합니다(=I ~ you *that* he is sincere.《Ⅳ 대+*that*(절)》)/《Ⅰ *be pp.*+전+명》 A fixed income has been ~*d to* him. 그에게 고정 수입이 보장되어왔다(=He has been ~*d* a fixed income.《Ⅲ *be pp.*+(목)》). **2** (~ one*self*로) 납득하다, 확신하다, 확인하다, 보장되다《*of; that*》(⇨assured 3): 《Ⅲ (목)+전+명》 I must ~ myself of the conditions. (나에게) 그 지불조건이 보장되어야 한다. **3** 확실하게 하다(ensure): 《Ⅲ (목)》 Hard work will ~ success. 열심히 노력하면 틀림없이 성공할 것이다. **4** 《영》 〈생명에〉 보험을 걸다(《미》 insure). **I** (**can**) **assure you.** 정말입니다.

◇ assúrance *n.*

*__as·sured__[əʃúərd] *a.* **1** 보증된, 확실한. **2** 자신 있는; 뻔뻔스러운. **3** 〈…을〉 확신하여, 확인하여《*of*》; 〈…이라고〉 확신〔납득〕하여, 안심하여《*that*》: 《Ⅱ 형+전+명》 You may be ~ *of* my success. 너는 나의 성공을 확신하고 있겠지/《Ⅱ 형+*that*(절)》 I am ~

that his plan will succeed. 나는 그의 계획이 성공하리라고 확신한다. **4** 《영》 생명 보험을 건(《미》 insured). **be assured of**〔**that**〕… 을 확신하다. **feel**〔**rest**〕 **assured of**〔**that**〕 …에 안심하고 있다. — *n.* (*pl.* ~, 《稀》 ~s) (the ~) 《영》 피보험자(들).

∗**as·sur·ed·ly**[əʃúːəridli] *ad.* **1** (문장 전체를 수식하여) 확실히, 틀림없이(surely). **2** 자신〔확신〕을 가지고.

as·sur·ed·ness[əʃúːəridnis] *n.* Ⓤ 확실, 확실성; 자신이 강함, 뻔뻔스러움.

as·sur·er, -or[əʃúərər] *n.* 보증인; 〔保〕 (생명) 보험업자.

as·sur·gent[əsə́ːrdʒənt] *a.* 위로 오르는; 〔植〕 사상성(斜上性)의.

as·sur·ing[əʃúəriŋ] *a.* 보증하는 (듯한), 확신을 가진; 자신을 갖게 하는 (듯한). **~·ly** *ad.* 단단히; 확신을 가지고.

assy. assembly. **Assyr**. Assyrian.

As·syr·i·a[əsíriə] *n.* 아시리아(서남 아시아의 고대 제국; 수도 Nineveh).

As·syr·i·an[əsíriən] *a.* 아시리아의; 아시리아 말〔사람〕의. — *n.* Ⓤ 아시리아 말; Ⓒ 아시리아 사람.

As·syr·i·ol·o·gy[əsìriɑ́lədʒi/-ɔ́l-] *n.* Ⓤ 아시리아학(그 언어·역사·풍속·유물의 연구). **-gist** *n.* 아시리아 학자.

AST, A.S.T. Atlantic Standard Time.

-ast[æst, əst] *suf.* 「…에 관계가 있는 사람; …에 종사하는 사람」의 뜻: ecdysi*ast*.

ASTA American Society of Travel Agents.

a·sta·ble[eistéibəl] *a.* **1** 안정되지 않은. **2** 〔電〕 비안정의; 무정위(無定位)의.

a·star·board[əstɑ́ːrbɔːrd] *ad.* 〔海〕 우현으로.

As·tar·te[əstɑ́ːrti, æ-] *n.* 아스타르테(고대 셈족의 풍요와 생식의 여신).

a·stat·ic[eistǽtik, æs-] *a.* **1** 불안정한(unstable). **2** 〔物〕 무정위(無定位)의(*cf.* STATIC): an ~ galvanometer 무정위 전류〔검류〕계/an ~ governor 무정위 조속기(調速機).

a·stat·i·cism[-isìzəm] *n.* Ⓤ 〔物〕 무정위.

as·ta·tine[ǽstətìːn, -tin] *n.* Ⓤ 〔化〕 아스타틴(방사성 원소; 기호 At; 번호 85).

as·ter[ǽstər] *n.* 〔植〕 애스터(탱알, 해국 등); 〔生〕 성상체(星狀體)(세포 중의). **the China aster** 과꽃(국화과(科)).

as·ter-[ǽstər], **as·te·ro-**[ǽstərou] (연결형) 「별」의 뜻(모음 앞에서는 aster-).

-as·ter[1] [ǽstər] *suf.* 「덜된…, 삼류의, 엉터리…」의 뜻(경멸을 나타냄): poet*aster*.

-as·ter[2] [ǽstər] (연결형) 〔生〕 「별, 별 모양의 것」의 뜻.

as·te·ri·a[æstíəriə] *n.* 성채석(星彩石)(보석).

as·ter·isk[ǽstərìsk] *n., vt.* 별표(*)(를 붙이다).

as·ter·ism[ǽstərìzəm] *n.* **1** 세 별표(⁂) 또는(⁂). **2** 〔天〕 성군(星群), 성좌.

a·stern[əstə́ːrn] *ad.* 〔海〕 고물에, 고물로; 뒤로, 뒤에. **astern of** …보다 뒤쪽에(서) (*opp.* ahead of). **back astern** 배를 후진시키다. **drop**〔**fall**〕 **astern** (다른 배보다) 뒤떨어지다, 추월당하다. **Go astern!** 《命令》 뒤로 가! 후진!(*opp.* Go ahead!).

as·ter·oid[ǽstərɔ̀id] *n.* **1** 〔天〕 소행성(planetoid)(화성과 목성의 궤도 사이 및 그 부근에 산재함). **2** 〔動〕 불가사리(starfish). — *a.* 별 모양의.

as·ter·oi·dal[æ̀stərɔ́idl] *a.* 소행성(모양)의; 불가사리 (무리)의.

as·the·ni·a[æsθíːniə] *n.* Ⓤ 〔病理〕 무력(증); 무기력, 허약, 쇠약(debility).

as·then·ic[æsθénik] *a.* 무력증의; 허약한, 쇠약한; 〔心〕 무기력형의. — *n.* 무력증〔무력형〕의 사람(마른 체형).

as·the·no·pi·a[æ̀sθənóupiə] *n.* 〔眼科〕 안정(眼精) 피로.

as·then·o·sphere[æsθénəsfìər] *n.* (the ~) 〔地質〕 (지표에 가까운) 암류권(岩流圈), 취약권, 약대(弱帶).

asth·ma[ǽzmə, æs-] *n.* Ⓤ 〔病理〕 천식.

asth·mat·ic[æzmǽtik, æs-] *a.* 천식의. — *n.* 천식 환자. **-i·cal·ly** *ad.*

as·tig·mat·ic[æ̀stigmǽtik] *a.* **1** 난시(안)의. **2** 〔光〕 비점 수차의. **-i·cal·ly** *ad.* 난시같이.

as·tig·ma·tism[əstígmətìzəm] *n.* Ⓤ **1** 〔病理〕 난시(안). **2** 〔光〕 (렌즈의) 비점 수차(非點收差).

a·stir[əstə́ːr] *ad., a.* **1** 움직이어; 활기를 띠어, 웅성거려, 떠들썩하여(*with*): (Ⅱ 형+전+명) The street was ~ *with* new visitors. 그 거리는 새로 온 방문객들로 떠들썩하였다. **2** 일어나: be early ~ 일찍 일어나다.

A.S.T.M. American Society for Testing Materials 미국 재료 시험 협회.

as-told-to[əztóuldtə] *a.* 담화에 의거하여 전문 저작자가 쓴.

a·stom·a·tous[eistɑ́mətəs/-tɔ́m-] *a.* 〔動〕 입이 없는; 〔植〕 기공(氣孔)이 없는.

as·ton·ied[əstɑ́nid/-tɔ́n-] *a.* 《古》 얼마 동안 움직이는 힘을 잃고, 깜짝 놀라.

⁑**as·ton·ish**[əstɑ́niʃ/-tɔ́n-][L] *vt.* (깜짝) 놀라게 하다(*by, with*): The news ~*ed* him. 그 소식은 그를 깜짝 놀라게 했다/He ~*ed* us *with* his bizarre ideas. 그는 기묘한 발상을 해서 우리를 깜짝 놀라게 했다. **~·er** *n.* ◇ astónishment *n.*

∗**as·ton·ished**[əstɑ́niʃt/-tɔ́n-] *a.* (깜짝) 놀란(*at, by*): (Ⅱ 형+전+명) I was ~ *at*〔*by*〕 the news. 그 소식을 듣고 그녀는 깜짝 놀랐다/(Ⅱ 형+*to* do) I was ~ *to* see you here. 이곳에서 너를 만나게 되어서 깜짝 놀랐다/(Ⅱ 형+*that*(절)) I was ~ *that* he should propose such a thing. 그가 그러한 일을 제안해서 놀랐다.

∗**as·ton·ish·ing**[əstɑ́niʃiŋ/-tɔ́n-] *a.* 놀라운, 눈부신(amazing).

as·ton·ish·ing·ly *ad.* **1** (문장 전체를 수식하여) 놀랍게도. **2** 놀랄 만큼, 몹시.

⁑**as·ton·ish·ment**[əstɑ́niʃmənt/-tɔ́n-] *n.* **1** Ⓤ 놀람, 경악. **2** 놀랄 만한 일〔물건〕. **with**〔**in**〕 **astonishment** 깜짝 놀라서. **to one's astonishment** 놀랍게도.

∗**as·tound**[əstáund] *vt.* 몹시 놀라게 하다, 간담을 서늘케 하다.

as·tound·ed[əstáundid] *a.* 몹시 놀라(*at, by*): We were ~ *at* the news. 그 소식에 몹시 놀랐다/He was ~ *to* hear the news. 그 소식을 듣고 그는 몹시 놀랐다.

as·tound·ing[əstáundiŋ] *a.* 몹시 놀라게 하는, 어안이 벙벙하게 하는. **~·ly** *ad.* 깜짝 놀라서, 몹시 놀랍게도.

ASTP Army Specialized Training Program.

astr-[æstr], **as·tro-**[ǽstrou] (연결형) 「별, 하늘, 우주, 점성술」의 뜻(모음 앞에서는 astr-): *astro*id, *astro*logy.

as·tra·chan[ǽstrəkən, -kæ̀n] *n.* **1** =ASTRAKHAN. **2** (A-) 아스트라한 사과(홍색 또는 황색으로 맛이 심).

a·strad·dle[əstrǽdl] *ad., a., prep.*=ASTRIDE.

As·trae·a[æstríːə] *n.* 〔그神〕 아스트라이아

《정의의 여신》.

as·tra·gal[ǽstrəgəl] *n.* 〔建〕 구슬선; 〔機〕 (관(管)의) 권대(圈帶); 총뿌리의 불룩한 테; 〔解〕 복사뼈, 거골(距骨).

as·trag·a·lus[əstrǽgələs] *n.* (*pl.* **-li**[-lài]) 〔解〕 복사뼈, 거골(距骨)(anklebone); 〔植〕 자운영.

as·tra·khan[ǽstrəkən, -kæ̀n] *n.* **1** (**A-**) 아스트라한《러시아 Volga강 하구의 도시》. **2** Ⓤ 아스트라한《Astrakhan 지방산 새끼 양의 검은 가죽》. **3** 아스트라한 모직(=∠ **clòth**).

as·tral[ǽstrəl] *a.* 별의(starry); 별 모양의; 별나라의. **~·ly** *ad.*

ástral bódy 〔心靈〕 성기체(星氣體), 영체(靈體).

ástral hátch 〔空〕 천측창(天測窓)(astrodome)《비행기의 천체 관측용 유리창》.

ástral lámp 무영등(無影燈)《등 아래 그림자가 생기지 않는 석유 램프》.

ástral spírit 성령(星靈)《별세계의 정령》.

as·tra·tion[əstréiʃən] *n.* 〔天〕 신성(新星) 탄생.

*__a·stray__ [əstréi] *ad., a.* 길을 잃어; 못된 길에 빠져, 정도에서 벗어나, 타락하여. **go astray** 길을 잃다, 타락하다. **lead astray** 나쁜 길로 이끌다, 타락시키다.

a·strict[əstríkt] *vt.* 《古·稀》 **1** 제한〔속박〕하다(restrict); 도덕적〔법적〕으로 구속하다. **2** 〔醫〕 변비증을 일으키다(constipate).

a·stric·tion[-ʃən] *n.* Ⓤ,Ⓒ 제한, 속박; 변비; 수렴(收斂).

as·tric·tive[əstríktiv] *a.* 제한적인; 변비성의. ── *n.* 수렴제(astringent).

a·stride[əstráid] *ad., a.* 걸터앉아; 올라타고; 두 다리를 크게 벌려: sit ~ of a horse 말을 타다. ── *prep.* **1** …에 걸터앉아: sit ~ a horse 말을 타다. **2** 《稀》(하천·도로 등의) 양쪽에; (넓은 지역·긴 시간 등에) 걸쳐.

as·tringe[əstríndʒ] *vt.* 수축〔수렴〕시키다; 변비증을 일으키다.

as·trin·gen·cy[əstríndʒənsi] *n.* Ⓤ 수렴성; 엄함.

as·trin·gent[əstríndʒənt] *a.* 수렴성의; 엄한(severe). ── *n.* 수렴제, 아스트린젠트. **~·ly** *ad.*

as·tri·on·ics[æ̀striániks/-ɔ́n-] *n. pl.* (단수 취급) 〔宇宙〕(우주 항법을 위한) 응용 전자공학, 우주 전자 공학.

as·tro[ǽstrou] *a.* =ASTRONAUTICAL. ── *n.* (*pl.* **~s**) =ASTRONAUT.

as·tro-[ǽstrou] 《연결형》 =ASTR.

as·tro·ar·ch(a)e·ol·o·gy[æ̀strouɑ̀:rkiálədʒi/-ɔ́l-] *n.* Ⓤ 고천문학, 천문 고고학.

as·tro·bi·ol·o·gy[æ̀stroubaiálədʒi/-ɔ́l-] *n.* Ⓤ 우주 생물학.

as·tro·bleme[ǽstrəblì:m] *n.* (지표의) 운석공(隕石孔).

as·tro·bot·a·ny[æ̀stroubátəni/-bɔ́t-] *n.* Ⓤ 우주〔천체〕 식물학.

as·tro·chem·is·try[æ̀stroukémistri] *n.* Ⓤ 우주〔천체〕 화학.

as·tro·com·pass[ǽstrəkʌ̀mpəs] *n.* 천측 컴퍼스; 〔海〕 성측(星測) 나침반.

as·tro·cyte[ǽstrəsàit] *n.* 〔解〕 성상(星狀) 세포.

as·tro·dome[ǽstrədòum] *n.* **1** 〔空〕 천측창(天測窓)《비행기 상부에 있는 천체 관측용의 유리창》. **2** (the A-) 아스트로돔《Texas주 Houston시의 지붕 있는 야구장》.

as·tro·dy·nam·ics[æ̀stroudainǽmiks] *n. pl.* (단수 취급) 우주 역학, 천체 동역학.

as·tro·gate[ǽstrəgèit] [*astro*-+navi*gate*] *vt.* (우주선·로켓의) 우주 항행을 유도하다. ── *vi.* 우주를 항행하다.

as·tro·ga·tion[-ʃən] *n.* Ⓤ (특히 행성간의) 우주 항행.

as·tro·ge·ol·o·gy[æ̀stroudʒiálədʒi/-ɔ́l-] *n.* Ⓤ 천체 지질학.

as·trog·o·ny[æstrágəni/-trɔ́g-] *n.* 천체 진화론.

as·tro·graph[ǽstrəgræ̀f, -grɑ̀:f] *n.* 천체 항법도(航法圖).

astrol. astrologer; astrological; astrology.

as·tro·labe[ǽstrəlèib] *n.* 〔物〕 아스트롤라베《옛날의 천문 관측의(儀)》.

as·trol·o·ger[əstrálədʒər/-trɔ́l-] *n.* 점성가.

as·tro·log·ic, -i·cal[æ̀strəládʒik/-lɔ́dʒ-], [-əl] *a.* 점성술의. **-i·cal·ly** *ad.*

*__as·trol·o·gy__ [əstrálədʒi/-trɔ́l-] *n.* Ⓤ 점성학〔술〕(*cf.* ASTRONOMY).

as·tro·me·te·or·ol·o·gy[æ̀stroumì:tiərálədʒi/-rɔ́l-] *n.* Ⓤ 천체 기상학.

as·trom·e·ter[æstrámitər/-rɔ̀m-] *n.* 천체 광도(光度) 측정기.

as·trom·e·try[əstrámətri/-rɔ́m-] *n.* Ⓤ 천체 측정학, 측정 천문학.

astron. astronomer; astronomical; astronomy.

*__as·tro·naut__ [ǽstrənɔ̀:t] *n.* 《미》 우주 비행사.

às·tro·náu·tess[æ̀strənɔ́:tis] *n.* 《미》 여류 우주 비행사.

as·tro·nau·ti·cal, -tic[æ̀strənɔ́:tikəl], [-tik] *a.* 우주 비행〔항행〕의; 우주 비행사의. **-ti·cal·ly** *ad.*

as·tro·nau·tics[æ̀strənɔ́:tiks] *n. pl.* (단수 취급) 우주 항행학〔술〕.

as·tro·nav·i·ga·tion[æ̀strənæ̀vigéiʃən] *n.* Ⓤ 〔空〕 천측(天測)〔천문〕 항법.

as·tro·nette[ǽstrənet] *n.* 《미》 여류 우주 비행사, 여류 우주 항법 연구가.

⁑**as·tron·o·mer** [əstránəmər/-trɔ́n-] *n.* 천문학자; 《영》 천문대장.

*__as·tro·nom·i·cal, -ic__ [æ̀strənámikəl/-nɔ́m-], [-mik] *a.* **1** 천문(학상)의. **2** 〈숫자·거리 등이〉 천문학적인, 방대한(enormous): ~ figures 천문학적 숫자. **-i·cal·ly**[-ikəli] *ad.* 천문학상. ◇ astrónomy *n.*

astronómical clóck 천문 시계.

astronómical dáy 천문일《정오부터 정오까지》.

astronómical látitude 천문〔천문학적〕 위도.

astronómical observátion 천체 관측.

astronómical obsérvatory 천문대.

astronómical photógraphy 천체 사진술.

astronómical sátellite 천문 관측 위성.

astronómical télescope 천체 망원경.

astronómical tíme 천문시《하루가 정오에서 시작하여 정오에 끝나는》.

astronómical únit 〔天〕 천문 단위《태양과 지구의 평균 거리; 略: A.U.》.

astronómical yéar 〔天〕 천문년(tropical year).

⁑**as·tron·o·my** [əstránəmi/-trɔ́n-] [Gk] *n.* **1** Ⓤ 천문학. **2** 천문학 논문〔서적〕. **gravitational astronomy** 천체 역학. **nautical astronomy** 항해 천문학. **spherical astronomy** 구면(球面) 천문학. ◇ astronómical, astronómic *a.*

as·tro·pho·to·graph [æ̀strouféutəgræ̀f, -grɑ̀:f] *n.* 천체 사진.
as·tro·pho·tog·ra·phy [æ̀stroufətɑ́grəfi, -tɔ́g-] *n.* Ⓤ 천체 사진술.
as·tro·pho·tom·e·ter [æ̀stroufoutɑ́mitər, -tɔ́m-] *n.* 천체 광도계[측정기].
as·tro·phys·i·cal [æ̀stroufízikəl] *a.* 천체 물리학의.
as·tro·phys·i·cist [æ̀stroufízisist] *n.* 천체 물리학자.
as·tro·phys·ics [æ̀stroufíziks] *n. pl.* (단수 취급) 천체 물리학.
as·tro·sphere [ǽstrəsfìər] *n.* 〔生〕 중심구(球), (세포의 중심체를 뺀) 성상체(星狀體).
As·tro·turf [ǽstrətə̀:rf] *n.* 아스트로터프《인공 잔디: 상표명》.
a·strut [əstrʌ́t] *ad.* 뽐내며, 의기양양하게: 뽐내는[점잔빼는] 걸음걸이로.
as·tute [əstjú:t] *a.* 기민한, 눈치 빠른; 빈틈없는, 교활한. **~·ly** *ad.* **~·ness** *n.*
As·ty·a·nax [æstáiənæ̀ks] *n.* 〔그神〕 아스티아낙스.
a·sty·lar [eistáilər] *a.* 〔建〕 〈정면이〉 무주식(無柱式)의.
ASU Arab Socialist Union.
A-sub [éisʌ̀b] [*a*tomic+*sub*marine] *n.* 《口》 원자력 잠수함.
A·sun·ción [əsù:nsióun] *n.* 아순시온《남미 Paraguay의 수도》.
*__a·sun·der__ [əsʌ́ndər] *ad., a.* 《文語》 **1** (주로 break, cut, fall, rend, split, tear 등의 동사와 함께)(한 물건이) 두 동강으로 (되어), 조각조각으로: cut ~ 잘라버리다. **2** (둘 이상의 것이) 따로따로 떨어져(apart); 산산이 흩어져. **3** (두 개가) 떨어져: 〈성격·성질 등이〉 달라. **break asunder** (두 동강으로) 깨뜨리다[깨지다]. **come[fall] asunder** 산산이 흩어지다[허물어지다]. **drive asunder** 뿔뿔이 쫓아버리다. **put asunder** 잡아 떼다, 산산이 흩뜨리다. **tear asunder** 갈기갈기 찢다. **whole worlds asunder** 하늘과 땅만큼 떨어져. ◇ súnder *v.*
ASV, A.S.V. air-to-surface vessel (폭격기 등에 장비하는) 기상 대(對)해상 레이더.
A.S.V. American Standard Version (of the Bible). **A.S.W.** antisubmarine warfare.
As·wan [ɑ:swɑ́:n, æs-] *n.* 아스완《이집트 공화국 남동부의 도시; 그 부근에 the Aswan Dam과 the Aswan High Dam이 있음》.
a·swarm [əswɔ́:rm] *a.* 〈장소·건물 등이 …으로〉 충만하여, 득실거려, 우글우글하여, 혼잡하여.
a·swirl [əswə́:rl] *a.* 소용돌이 쳐서.
a·swoon [əswú:n] *a.* 졸도[기절]하여.
*__a·sy·lum__ [əsáiləm] [Gk] *n.* **1** (주로 정신 박약자 등의) 보호 시설[수용소]; 《稀》 정신병원 ◇ 현재는 mental home[hospital, institution]이 일반적임. **2** 〔國際法〕 정치범 임시 수용소 《특히 외국 대사관 등》. **3** 《일반적으로》 피신처(refuge), 피난처. **4** (옛날 죄인·빚진 사람 등의) 도피처, 보호소. **5** Ⓤ 피난, 망명, 보호: political ~ 정치적 망명. **foundling asylum** 육아원. **lunatic asylum** 정신병원. **orphan asylum** 고아원.
a·sym·met·ric, -ri·cal [èisimétrik, æ̀s-], [-əl] *a.* **1** 균형이 잡히지 않은, 어울리지 않는. **2** 〔植〕 비상칭(非相稱)의; 〔數〕 비대칭의. **-ri·cal·ly** *ad.*
asymmétric tíme 〔樂〕 비대칭 박자.
a·sym·me·try [eisímətri, æs-] *n.* Ⓤ **1** 어울리지 않음, 불균형. **2** 〔植〕 비상칭; 〔數〕 비대칭.
a·symp·to·mat·ic [eisìmptəmǽtik, æ-] *a.* 징조[조짐, 징후]가 없는; 〔醫〕 자각 증상이 없는, 무증후성의.
as·ymp·tote [ǽsimptòut] *n.* 〔數〕 점근선(漸近線).
a·syn·chro·nism [eisíŋkrənìzəm/æs-] *n.* Ⓤ 비동시성(非同時性).
a·syn·chro·nous [eisíŋkrənəs, æs-] *a.* 비동시성의; 〔電〕 비동기(非同期)의.
a·syn·chro·ny [eisíŋkrəni/æ-] *n.* =ASYNCHRONISM.
as·yn·det·ic [æ̀sindétik] *a.* 앞뒤의 맥락이 없는; 〔修〕 접속사를 생략한.
a·syn·de·ton [əsínditɑ̀n/-tɔn] *n.* (*pl.* **~s, -ta** [-tə]) 〔修〕 연결사[접속사] 생략《I came, I saw, I conquered. 왔노라, 보았노라, 이겼노라》.
a·syn·tac·tic [èisintǽktik/æ̀sin-] *a.* 〔文法〕 통사법에 의거하지 않은; 비문법적인(ungrammatical).
★**at** [æt, 弱 ət] *prep.* **1** (장소·위치) a (한 지점을 나타내어) …에, …에서, …에 있어서《◇ 원칙적으로 *at*은 「일점」이라고 (주관적으로) 생각할 때 쓰며, in은 넓은 장소에 씀; 나라·대도시는 in England, in London 등으로 말하며, in보다 좁은 장소인 소도시나 마을은 *at* Bath 등으로 말하는데, 같은 장소라도 지도상의 일점으로 생각하면 change *at* Chicago(시카고에서 갈아타다) 등으로 말함; 한편 자기가 살고 있는 도시·마을 등의 경우는 작더라도 꽤 넓은 느낌이 들므로 There are two stations *in* Chuncheon. 이라고도 할 수 있음》: *at* a point 1점에/*at* the center 중심에/*at* a [the] distance of 5 miles 5마일 떨어진 곳에[떨어져]/*at* the meeting 회의에서/*at* the foot[top] of a hill 언덕 밑[꼭대기]에/She bought it *at* the store over there. 그녀는 저기 저 가게에서 그것을 샀다/put up *at* an inn 여관에 투숙하다/Open your book *at* page 15. 책의 15페이지를 펴시오(《미》에서는 *at* 대신 to를 씀)/He was educated *at* Oxford. 그는 옥스퍼드에서 교육을 받았다《◇ 대학 이름에는 *at*를 쓰지만 대학 소재지의 고장 이름에는 in을 씀》/She lives *at* 27 Eastway. 그녀는 이스트웨이 27번지에 살고 있다《◇ 번지는 *at*로, 가(街)·로(路)는 in, on을 씀》. b (출입의 점, 바라보이는 곳) …에서, …으로: enter *at* the front door 현관으로 들어가다/look out *at* the window 창에서[으로] 바깥을 내다보다《◇ 그저 「창문으로」이면 *at* 대신 out of를 씀》/Let's begin *at* Chapter Two. 제 2장부터 시작합시다. c (출석·참석 등) …에 (출석하여 등): *at* a meeting 모임에 나가/*at* the theater 극장에서[에 가서]/*at* a wedding 결혼식에서/She was *at* university from 1999 to 2003. 그녀는 1999년부터 2003년까지 대학생이었다《◇ *at* university는 《영》에서, 《미》에서는 in college라 함》. d (도착지·도달점) …에: arrive *at* one's destination 목적지에 다다르다.
2 (시점·시기·연령) a (때의 1점·시각·시기 등) …에: *at* noon[dawn, dusk, sunrise, sunset] 정오[새벽, 황혼녘, 해돋이, 해거름]에/*at* dinner time 정찬 때에/*at* present 지금은, 현재/*at* that time 그때는/*at* the beginning[end] of the month 월 초[월말]에/*at* the same time 동시에/*at* Christmas 크리스마스에/*at* this time of (the) year 매년 지금쯤은, 이 계절에/*at* the weekend 《영》 주말에/School begins *at* eight and ends *at*

five. 학교는 8시에〔부터〕 시작하여 5시에 끝난다(◇ begin from nine은 잘못: School is from nine to four. (학교는 8시부터 5시까지이다)는 가능). **b** (나이) …(살 때)에: *at* (the age of) five 다섯 살 때에.
3 (동작·상태·상황) **a** (동작) …에, …(으)로: *at* a blow 일격에/*at* a stretch〔stroke〕 단숨에/*at* a time 한번에(*cf.* at one time 한때는). **b** (평화·불화) …하여, …한 상태로, …중으로: be *at* peace 평화롭다/be *at* war 전쟁중이다. **c** (상태·곤경·처지·입장) …하여: *at* a loss 곤란하여, 당황하여/a stag *at* bay 사냥개에 쫓겨 궁지에 몰린 수사슴/*at* large (범인 등이) 안 잡히어/*at* stake 위험에 직면하여/*at* a disadvantage 불리한 입장에. **d** (자유·임의 근거) …로, …으로: *at* will 마음대로, 뜻대로/*at* the mercy of 의 마음대로〔의지, 처분에 내맡겨져〕/*at* one's request 요구에 따라. **e** (정지·휴지) …하고: *at* a standstill 딱 멈추어/*at* anchor 정박하고/*at* rest 휴식하고. **f** (조건) …로, …에 있어서: *at* one's own risk 자기 책임으로. **g** (*at* one's+형용사의 최상급으로; 극점〔극한〕을 나타내어) …에: The storm was *at* its worst. 폭풍우는 더 없이 격렬했다.
4 (순위·빈도) **a** (순위) …에: *at* first 최초에/*at* last 마지막에; 마침내/*at* the second attempt 두번째 시도에. **b** (빈도) …에, …로: *at* all times 언제나, 늘/*at* times 때때로/*at* long〔short〕 intervals 가끔〔자주〕.
5 (종사·종사의 대상) **a** (종사중임) …에 종사중으로〔인〕, …하고(◇ 관용구는 보통 관사 없이): *at* breakfast 아침 식사중/*at* church (교회에 가서) 예배중/*at* school (학교에 가서) 수업중/be *at* work〔play〕 일하고〔놀고〕 있다/What are you *at* now? 지금 무엇을 하고있는가. **b** (종사의 대상) …에 (몰두하여), …을: work *at* math(s) 수학을 공부하다/knock *at* the door 문을 노크하다.
6 (능력·성질의 대상) …하는 점에서, …이, …을: He is good〔poor〕 *at* mathematics. 그는 수학을 잘〔못〕한다.
7 (방향·목표·목적) …을 향하여, …을 목표로, …을(노리어〔목적으로〕): look *at* her 그녀를 보다/aim *at* a target 과녁을 겨냥하다/What is he aiming *at*? 그는 무엇을 노리는가, 무엇이 목적인가.
8 (감정의 원인·사물의 본원) …에 (접하여), …을 보고〔듣고, 알고, 생각하고〕: tremble *at* the thought of …을 생각만 해도 떨다/wonder *at* the sight 그것을 보고 놀라다/She was pleased *at* Jack's present. 그녀는 잭의 선물을 받고 기뻐했다(◇ (영)에서는 *at* 대신 with를 씀).
9 (도수·비례·속도) …(의 비례〔비율〕)로, …하게: *at* 70° 70도(度)로〔에서〕/*at* (the〔a〕 rate of) 30 miles an hour 시속 30마일로/*at* full speed 전속력으로.
10 (값·비용·수량·정도) …으로, …에: *at* a good price 좋은 값에/be employed *at* a high salary 고봉으로 고용되다/buy〔sell, be sold〕 *at* 10 pounds 10파운드에 사다〔팔다, 팔리다〕/estimate the crowd *at* 4,000 군중을 4천 명 정도로 추산〔어림〕하다.
11 (대가(代價)·희생·조건·대상(代償)) …로써, …하고〔하여〕: *at* any cost =*at* all costs 어떤 대가를 치르더라도/*at* any price 어떤 희생을 치르더라도/*at* one's (own) risk 자기의 책임으로/*at* a heavy cost 큰 손실을〔손해를〕 보고.
12 (방식·양태) …(한 방식)으로: *at* a run 뛰어서, 구보로/*at*〔(영) *by*〕 whole sale 도매로.
13 (소속) …의: a teacher *at* a high school 고등학교의 교사/He is a student *at* Yale. 그는 예일 대학교 학생이다(◇ of Yale로 하는 예는 드묾; captain, head, manager, president 따위처럼 단체의 장을 뜻하는 말에는 of를 씀: He is president of a company. 그는 어떤 회사의 사장이다).
14 (무관사의 관용어구)(*cf.* **5**): *at* sea 항해중에/*at* home (마음) 편히, 마음 푹 놓고; …에 정통〔환〕하여(*in*, *with*)(‘자택에서, 국내에서’의 뜻 외에).
at about 쯤에, …께, 약 …. **at all** ⇨all. **at it** 몰두하여, 일하고. **at that** ⇨that *pron.* **be at** … (口) (1) (귀찮게) 〈남편 등에게〉 조르다. (2) …을 공격하다, …을 노리다. (3) 〈남의 것 등을〉 만지작거리다.

At 〔化〕 astatine.
at- *pref.* =AD-(t 앞에서의 변형): *at*tend.
at. atmosphere; atomic; attorney.
A.T., AT Air Transport(ation); 〔電〕 ampere-turn; antitank.
At·a·brine[ǽtəbrin, -brìːn] *n.* 〔藥〕 아타브린(말라리아 예방약의 상표명).
At·a·lan·ta[æ̀təlǽntə] *n.* 〔그神〕 아탈란타(걸음이 빠른 미녀).
at·a·man[ǽtəmǽn, ⌐-⌐/ǽtəmən] [Russ] *n.* (*pl.* ～**s**) =HETMAN.
at·a·más·co (líly) 〔植〕 (수선화과의) 달래꽃무릇속(屬)의 각종 다년초.
AT&T American Telephone and Telegraph Company.
at·a·rac·tic, -rax·ic[æ̀tərǽktik], [æ̀tərǽksik] *n.* 정신 안정제. ── *a.* 정신 안정(작용)의; 정신 안정제의.
at·a·rax·y, at·a·rax·i·a[ǽtəræ̀ksi], [æ̀tərǽksiə] *n.* Ⓤ 무감동, 냉정, 태연.
A.T.A.(S.) Air Transport Auxiliary(Service).
at·a·vism[ǽtəvìzəm] *n.* Ⓤ,Ⓒ **1** 〔生〕 격세유전, 귀선(歸先) 유전. **2** 격세 유전에 의한 형질(을 가진 개체).
at·a·vist[ǽtəvist] *n.* 〔生〕 격세 유전에 의한 형질을 가진 개체.
at·a·vis·tic[æ̀təvístik] *a.* 격세 유전적인. **-ti·cal·ly** *ad.*
a·tax·i·a, a·tax·y[ətǽksiə], [ətǽksi] *n.* Ⓤ 〔病理〕(수족의) 운동 실조(증); 보행 실조.
a·tax·ic[ətǽksik] *a.* 운동 실조의.
at bat 〔野〕 타수, 타석(略 a.b.).
ATC 〔空〕 Air Traffic Control; (영) Air Training Corps; (미) Air Transport Command; 〔鐵道〕 automatic train control. **ATD** advanced technology development.
★**ate**[eit/et] *v.* EAT의 과거.
A·te[éitiː, áːti] *n.* 〔그神〕 아테(신과 인간을 각종 나쁜 일로 인도하는 여신).
-ate[1] [èit] *suf.* 「…시키다〔하다〕, …이 되(게 하)다, …을 부여하다」의 뜻: loc*ate*, concentr*ate*, evapor*ate*.
-ate[2] [ət, èit] *suf.* **1** ate를 어미로 하는 동사의 과거분사에 상당하는 형용사를 만듦: anim*ate*(anim*ated*), situ*ate*(situ*ated*). **2** 「…의 특징을 갖는, (특징으로 하여) …을 갖는, …의」의 뜻: passion*ate*, collegi*ate*.
-ate[3] [ət, èit] *suf.* **1** 「직위, 지위」: consul*ate*. **2** 「어떤 행위의 산물」: leg*ate*, conden*sate*. **3** 〔化〕 「…산염(酸鹽)」: sulf*ate*.
a·te·lier[ǽtəljèi] [F] *n.* 아틀리에, 작업장, 제작실, 화실(studio).

a tem·po[ɑːtémpou] [It=in time] *ad.* 〔樂〕 본래의 속도로.
a·tem·po·ral[eitémpərəl] *a.* 시간에 영향받지 않는, 특정한 시간을 내세우지 않는.
A·te·ri·an[ətíəriən] *n., a.* (북아프리카 구석기시대 중기(中期)의) 아테리아 문화(기)(의).
A-test[éitèst] *n.* 원폭 실험.
ath·a·na·sia[æ̀θənéiʒiə] *n.* Ⓤ 불사, 불멸 (immortality).
Ath·a·na·sian[æ̀θənéiʒən, -ʃən] *a.* 아타나시우스의.
Athanásian Créed (the ~) 아타나시우스 신경(信經).
Ath·a·na·si·us[æ̀θənéiʃəs] *n.* (Saint ~) 아타나시우스《Constantinus 황제 시대의 Alexandria 대주교로 아리우스 교파(the Arians)를 반대한 사람》.
a·than·a·sy[əθǽnəsi] *n.* =ATHANASIA.
*__a·the·ism__[éiθiìzəm] *n.* Ⓤ **1** 무신론. **2** 무신앙(생활)(*cf.* DEISM). **-ist** *n.* 무신론자; 무신앙자. ⊕ atheístic *a.*
a·the·is·tic, -ti·cal[èiθiístik(-əl)] *a.* 무신론(자)의. **-ti·cal·ly**[-tikəli] *ad.*
ath·e·ling[ǽθəliŋ, ǽðə-] *n.* 〔영史〕 왕자, 귀족, 《특히》 황태자.
Ath·el·stan[ǽθəlstæ̀n] *n.* 남자 이름.
A·the·na[əθíːnə] *n.* =ATHENE.
Ath·e·n(a)e·um[æ̀θiníːəm] *n.* **1** (the ~) 아테나 신전《옛 그리스의 아테네에 있었으며 시인·학자들이 모여 시문(詩文)을 논했음》. **2** (**a-**) 학당; 문예〔학술〕 클럽; 도서실, 문고.
A·the·ne[əθíːni] *n.* **1** 여자 이름. **2** 〔그神〕 아테네《아테네의 수호신; 지혜·예술·전술의 여신; *cf.* MINERVA》.
*__A·the·ni·an__[əθíːniən] *a.* 아테네(Athens)의. — *n.* 아테네 사람.
*__Ath·ens__[ǽθinz] *n.* 아테네《그리스의 수도; 고대 그리스 문명의 중심지》.
a·the·o·ret·i·cal[eiθìːərétikəl, æ-] *a.* 비논리적인.
a·ther·man·cy[əθə́ːrmənsi] *n.* Ⓤ 〔物〕 불투열성(不透熱性).
a·ther·ma·nous[æθə́ːrmənəs] *a.* 〔物〕 불투열성의.
ath·er·o·gen·ic[æ̀θəroudʒénic] *a.* 〔醫〕 (동맥) 아테롬 발생성의 〈식사〉.
ath·er·o·ma[æ̀θəróumə] *n.* 〔醫〕 (피부에 생기는) 분류(粉瘤), 아테롬.
ath·er·o·scle·ro·sis[æ̀θərousklərόusis, æ̀ðə-] *n.* Ⓤ 〔病理〕 아테롬성 동맥 경화증.
a·thirst[əθə́ːrst] *a.* **1** 《古·詩》 목이 말라 (thirsty). **2** 갈망하여(eager)《*for*》.
*__ath·lete__[ǽθliːt] *n.* **1** 《일반적》 운동 선수, 스포츠맨, 경기자; 강건한 사람. **2** 《영》 (트랙과 필드 경기의) 육상 경기 선수. ⊕ athlétic *a.*
áthlete's fóot 〔病理〕 무좀.
áthlete's héart (운동 과도에 따른) 스포츠맨 심장, 심장 비대.
‡**ath·let·ic**[æθlétik] *a.* **1** (운동) 경기의; 체육의; 운동선수용의: an ~ meeting 경기대회, 운동회/~ sports 운동경기; 《영》 운동회. **2** 〈체격이〉 스포츠맨다운, 강건한; 발랄한. **-i·cal·ly**[-ikəli] *ad.*
ath·let·i·cism[-isìzəm] *n.* Ⓤ 운동 경기〔스포츠〕열; 집중적〔정열적〕인 활동성.
*__ath·let·ics__[æθlétiks] *n. pl.* **1** (보통 복수 취급)(각종의) 운동 경기, 스포츠; 《영》 트랙과 필드 종목, 육상 경기. **2** (보통 단수 취급) 체육 실기, 체육 이론. ⊕ athlétic *a.*
athlétic suppòrter *n.* =JOCKSTRAP.
ath·o·dyd[ǽθədìd] *n.* 〔空〕 =RAMJETENGINE.
at home[əthóum] (가정적인) 초대회(informal reception)《주인측에서 날짜와 시간을 정해서 초대》.
a·thrill[əθríl] *a.* 흥분하여《*with*》.
a·thwart[əθwɔ́ːrt] *ad.* 《稀》 어긋나게, 비스듬히, 가로질러서: Everything goes ~ (*with* me). 만사가 뜻대로 되지 않는다. — *prep.* …을 가로질러서(across); 〈목적〉에 어긋나서, 〈뜻〉에 반하여(against). ⊕ thwart *v., ad.*
a·thwart·ship[-ʃip] *a.* 〔海〕 선측(船側)에서 선측으로 선체를 가로지르는.
a·thwart·ships[-ʃips] *ad.* 〔海〕 선체를 가로질러서.
-at·ic[ǽtik] *suf.* 「…의, …성(性)의」의 뜻: aqu*atic*, Asi*atic*, dram*atic*.
a·tich·oo[ətítʃuː, ətʃúː] *int., n.* (*pl.* ~**s**) = ATISHOO.
a·tilt[ətílt] *ad., a.* 《古》 **1** (마상 시합에서) 창(槍)을 겨누고. **2** 기울어져(tilted). **run**〔**ride**〕 **atilt at**〔**against**〕 …을 향하여 창을 겨누고 돌격하다.
a·tin·gle[ətíŋgl] *a.* 얼얼하여, 쑤시어; 흥분하여.
-a·tion[éiʃən] *suf.* (동작·결과·상태를 나타냄): occup*ation*, civiliz*ation*.
a·tip·toe[ətíptòu] *ad., a.* **1** 발끝으로, 발돋움하여. **2** 이제나 저제나 하고 기다려: be waiting ~ for the mail 이제나 저제나 하고 편지를 기다리다. **3** 주의하여; 몰래.
a·tish·oo[ətʃú, ətíʃuː] *int., n.* (*pl.* ~**s**) 에취(ahchoo)《재채기 소리》.
-a·tive[èitiv, ətiv] *suf.* (경향·성질·관계 등을 나타냄) 「…적인」의 뜻: decor*ative*, talk*ative*.
At·kins[ǽtkinz] *n.* ⇨Tommy Atkins.
Atl Atlantic. **A.T.L.** Atlantic Transport Line 대서양 수송 기선(회사).
At·lan·te·an[æ̀tlæntíːən] *a.* **1** ATLAS 같은; 힘이 센(strong). **2** ATLANTIS 섬의.
at·lan·tes[ətlǽntiːz, æt-] *n.* ATLAS의 복수.
‡**At·lan·tic**[ətlǽntik] *n.* (the ~) 대서양. — *a.* **1** 대서양의, 대서양 연안(부근)의: the ~ islands 대서양 제도/the ~ states 미국의 대서양 연안의 여러 주, 동부 여러 주. **2** (아프리카 북서부의) 아틀라스 산맥의. **3** 거인 아틀라스(Atlas)의.
At·lan·ti·ca[ətlǽntikə] *n.* 대서양 세계.
Atlántic Chárter (the ~) 대서양 헌장《1941년 미국 대통령 Franklin D. Roosevelt와 영국 수상 Winston Churchill이 결정한 「미영 공동 선언」; 8원칙으로 되어 있음》.
Atlántic Cíty *n.* 미국 New Jersey주 동남부의 해수욕 도시.
At·lan·ti·cism[ætlǽntəsìzm, ət-] *a.* Ⓤ 범(汎)대서양주의《서유럽과 미국의 군사·정치·경제의 긴밀한 협력을 주장하는 정책》. **-cist**[-sist] *n.* 범(汎)대서양주의자.
‡**Atlántic Ócean** *n.* (the ~) 대서양.
Atlántic Páct (the ~) 북대서양 조약(North Atlantic Pact〔Treaty〕).
Atlántic (Stándard) Time (미국의) 대서양(표준)시《GMT보다 4시간 늦음》.
At·lan·tis[ətlǽntis] *n.* 아틀란티스 섬《지브롤터 해협 서쪽에 있었으나 신벌(神罰)을 받아 침몰했다고 하는 낙토(樂土)》.
at-large[ætlɑ́ːrdʒ] *a., ad.* 《미》 전주(全州) 대표의〔의원에 의해서〕.
‡**at·las**[ǽtləs] *n.* **1** 지도책; 도해서, 표해(表解). **2** 아틀라스판(判)《대판(大判) 양지》. **3**

(*pl.* **at·lan·tes**[ətlǽnti:z, æt-])〔建〕남상주(男像柱). **4**〔解〕환추.

At·las *n.* **1**〔그神〕아틀라스(지구를 양 어깨에 짊어지고 있는 신인(神人)). **2** 아틀라스(미국 공군의 대륙간 탄도탄).

Átlas Móuntains *n. pl.* (the ~) 아틀라스 산맥(아프리카 북서부에 있음).

at·latl[á:tlɑ:tl] *n.* (고대 멕시코의) 창〔화살〕 발사기.

atm-[ætm], **at·mo-**[ǽtmə, -mou] 《연결형》「증기; 공기」의 뜻.

ATM automated-teller machine〔金融〕자동 예금 인출 · 예입 장치.

atm. atmosphere; atmospheric.

at·man[á:tmən] [Skt=breath, self, soul] *n.* 생명의 근원; 자아, 대아(大我).

at·mol·o·gy[ætmálədʒi/-mɔ́l-] *n.*〔物〕증발학.

at·mom·e·ter[ætmámitər/-mɔ́m-] *n.* 증발계.

‡**at·mo·sphere**[ǽtməsfìər] [Gk] *n.* **1** (the ~) (지구를 둘러싸고 있는) 대기; (천체를 둘러싼) 가스체. **2** (*sing.*) (특정한 장소 등의) 공기: a moist ~ 축축한 공기. **3** (*sing.*) 환경, 주위의 상황, 분위기: a tense ~ 긴장된 공기. **4** (예술품이 풍기는) 분위기, 기분: a novel rich in ~ 분위기가 잘 나타나 있는 소설. **5**〔物〕기압(1cm²에 1,013,246다인의 압력).

***at·mo·spher·ic, -i·cal**[æ̀tməsférik], [-əl] *a.* **1** 대기(중)의, 공기의; 대기에 의한: an ~ depression 저기압/an ~ discharge 공중 방전/~ disturbances =ATMOSPHERICS. **2** 분위기의(를 내는): ~ music 무드 음악. **-i·cal·ly**[-əli] *ad.*

atmosphéric préssure〔氣〕기압.

at·mo·spher·ics[æ̀tməsfériks] *n. pl.*〔通信〕(공중 전기에 의한) 대기 잡음, 공전(*cf.* STATIC).

atmosphéric tíde〔物〕대기 조석(潮汐).

at·mo·sphe·ri·um[æ̀tməsfíəriəm] *n.* (*pl.* ~s, **-ri·a**) 기상 변화 투영 장치(를 설비한 방〔건물〕).

at. no. atomic number.

ATO Air Transportation Office; Automatic Train Operation.

at·oll[ǽtɔ:l, ətál, ǽtoul/ǽtɔl, ətɔ́l] *n.* 환초(環礁), 환상 산호섬.

‡**at·om**[ǽtəm] [Gk] *n.* **1**〔物·化〕원자: chemical ~*s* 원자/physical ~*s* 분자. **2** 미소 분자, 티끌, 미진(微塵)(particle); (부정문에서) 극소량, 조금: smash〔break〕to ~*s* 가루가 되게 산산이 부수다. **not an atom of** …은 티끌만큼도 없다.

at·om·ar·i·um[æ̀təméəriəm, -mǽər-] *n.* 전시용 소형 원자로, 원자로 전시관.

átom bómb 원자 폭탄(지금은 atomic bomb이 일반적).

at·om-bomb[ǽtəmbám/-bɔ́m] *vt.* 원자 폭탄으로 공격하다. ― *vi.* 원자 폭탄을 투하하다.

‡**a·tom·ic**[ətámik/ətɔ́m-] *a.* **1** 원자의: ~ value 원자가. **2** 원자력의(을 사용한); 원자 폭탄의(을 사용하는): an ~ reactor 원자로/~ warfare 핵전쟁. **3** 극소의(minute). **-i·cal·ly**[-kəli] *ad.*

atómic áge (the ~) 원자력 시대.

atómic bómb 원자 폭탄(A-bomb).

atómic cálendar 탄소 14법에 의한 연대 측정 장치.

atómic clóck 원자 시계.

atómic clóud (원자 폭탄에 의한) 원자운(雲).

atómic cócktail (암치료용) 방사성 내복액.

atómic contról 원자력 관리.

atómic disintegrátion〔物〕원자핵 붕괴.

atómic énergy 원자 에너지, 원자력.

Atómic Énergy Authòrity (the ~)《영》원자력 공사(公社).

Atómic Énergy Commìssion (the ~)《미》원자력 위원회(略 A.E.C.).

atómic físsion 원자핵 분열.

atómic fúrnace 원자로(爐).

atómic fúsion 원자핵 융합.

atómic héat〔物〕원자열.

atómic hypóthesis 원자론.

at·o·mic·i·ty[æ̀təmísəti] *n.* Ⓤ〔化〕원자수〔가〕.

atómic máss〔化〕원자 질량.

atómic máss ùnit〔物〕원자 질량 단위.

atómic númber〔化〕원자 번호.

atómic philósophy =ATOMISM.

atómic píle 원자로(爐)(지금은 nuclear reactor를 씀).

atómic pówer 원자력.

atómic (pówer) generátion 원자력 발전.

a·tom·ics[ətámiks/ətɔ́m-] *n. pl.* (단수 취급) 원자 물리학.

atómic shìp 원자력선(船).

atómic spéctrum〔物〕원자 스펙트럼.

atómic strúcture〔物〕원자 구조.

atómic théory〔物〕·〔化〕원자론.

atómic vólume〔化〕원자용(容).

atómic wéapon 원자〔핵〕무기.

atómic wéight〔化〕원자량.

at·om·ism[ǽtəmìzəm] *n.* Ⓤ〔哲〕원자론, 원자설. **-ist** *n.* 원자론자.

at·om·is·tic[æ̀təmístik] *a.* 원자(론)의; 원자론적인; 많은 구성 요소로 이루어진.

at·om·is·tics[æ̀təmístiks] *n. pl.* (단수 취급) 원자 과학(특히 원자력의 개발 · 이용을 취급; *cf.* ATOMICS).

at·om·i·za·tion[æ̀təmizéiʃən, -mai-] *n.* Ⓤ **1** 원자화(化). **2** 분무 작용, 안개 모양으로 뿌림. **3** 원자 폭탄〔병기〕에 의한 파괴.

at·om·ize[ǽtəmàiz] *vt.* **1** 원자로 하다. **2** 세분화하다, 가루로 만들다. **3** 〈물 · 소독액 등을〉 분무하다. **4** 원자 폭탄〔병기〕으로 파괴하다. ◇ átom *n.*: átomize *v.*

at·om·iz·er[-ər] *n.* 분무기; 향수 분무기.

átom smàsher 《口》원자핵 파괴 장치.

at·o·my¹ [ǽtəmi] *n.* (*pl.* **-mies**) 《古》**1** 원자(atom); 극소물. **2** 난쟁이(pygmy).

atomy² *n.* (*pl.* **-mies**) 《古》해골; 말라깽이.

a·ton·a·ble[ətóunəbl] *a.* 보상할 수 있는.

a·ton·al[eitóunl/æ-] *a.*〔樂〕무조(無調)의.

a·ton·al·ism[ətóunəlìzəm, æ-] *n.* Ⓤ〔樂〕(작곡상의) 무조주의; 무조 음악의 악곡〔이론〕.

a·to·nal·i·ty[èitounǽləti, æ̀t-] *n.* Ⓤ,Ⓒ〔樂〕**1** 무조성(性). **2** (작곡상의) 무조주의〔형식〕.

***a·tone**[ətóun] [ME] *vi.* 보상하다, 벌충하다, 속죄하다(make amends)《*for*》. ― *vt.* 보상하다; 《廢》화해시키다. ◇ atónement *n.*

***a·tone·ment**[ətóunmənt] *n.* **1** Ⓤ 보상, 죄값. **2** (the A-) 그리스도의 속죄.

make atonement for …을 보상하다.

a·ton·ic[ətánik, ei-/ætɔ́n-] *a.* **1**〔音聲〕악센트가 없는(unaccented). **2**〔病理〕이완증의, 아토니의, 무기력한, 활력 없는. ― *n.*〔音聲〕악센트 없는 말〔음절〕.

at·o·ny[ǽtəni] *n.* Ⓤ **1**〔病理〕(수축성 기관의) 아토니, 이완. **2**〔音聲〕무강세.

a·top[ətáp/ətɔ́p] 《文語》*ad., prep.* …의 꼭대기에(on〔at〕the top)《*of*》. ― *a.* …의 꼭대기

에 있는.

at·o·py[ǽtəpi] *n.* 〔病理〕 아토피성 (체질)《선천성 과민성》.

-a·tor[èitər] *suf.* 「…하는 사람〔것〕」의 뜻.

-a·to·ry[ətɔ̀:ri] *suf.* 「…의, 에 관계 있는, …같은, …에 도움이 되는, …에 의해 생기는」의 뜻: compens*atory*, exclam*atory*.

a·tox·ic[eitάksik, æ-] *a.* 독이 없는.

A-to-Z[éitəzí:] *a.* 모든; A부터 Z까지의 두문자로 시작하는 단어들을 쓴 〈광고·장비 등〉.

ATP adenosine triphosphate.

ATPase[éití:pí:eis, -eiz] *n.* 〔生化〕 ATP아제《ADP와 인산(燐酸)으로 분해하는 반응을 촉매하는 효소》.

at·ra·bil·iar[æ̀trəbíljər] *a.* =ATRABILIOUS.

at·ra·bil·ious[æ̀trəbíljəs] *a.* **1** 우울증에걸린; 침울한(melancholy). **2** 괴까다로운(splenetic). **~·ness** *n.*

at·ra·zine[ǽtrəzì:n] *n.* 아트라진《제초제》.

a·tre·sia[ətrí:ʒə] *n.* 〔醫〕 (관(管)·공(孔)·강(腔) 등의) 폐쇄(증).

A·tre·us[éitriəs, -trju:s] *n.* 〔그神〕 아트레우스《Mycenae의 왕; Pelops의 아들》.

a·tri·o·ven·tric·u·lar[èitriouventríkjələr] *a.* 〔解〕 심방〔심실〕의, 방실계(房室系)의.

atrioventrícular nòde 〔解〕 방실 결절(房室結節)《심장의 박동을 조절하는 특수한 근(筋)섬유의 속》.

a·trip[ətríp] *a., ad.* 〔海〕 〈닻이〉 막 해저를 떠나; 〈돛이〉 막 펴지게 되어.

a·tri·um[éitriəm] *n.* (*pl.* **a·tri·a**[-triə], **~s**) **1** 〔建〕 (로마 건축의) 중앙 홀; 안뜰. **2** 〔解〕 심방(心房), 심이(心耳); 고실(鼓室)《귀의》. **3** 〔動〕 강(腔)(cavity, chamber).

a·tri·al[éitriəl] *a.*

***a·tro·cious**[ətróuʃəs] *a.* **1** 극악한, 잔학한(brutal). **2** 《口》 심한, 지독한; 정도가 아주 낮은: an ~ pun 심한 말장난. **~·ly** *ad.* **~·ness** *n.* ◇ atrócity *n.*

***a·troc·i·ty**[ətrάsəti/ətrɔ́s-] *n.* (*pl.* **-ties**) **1** Ⓤ 포악, 무도, 잔학. **2** (보통 *pl.*) 잔학한 행위; 《俗》 큰 실수; 《口》 지독한 것〔일〕, 악취미의 것. ◇ atrócious *a.*

à trois[ɑ:trwά:] [F] *ad., a.* 셋이서 (하는), 3자 사이에서(의).

a·tro·phi·a[ətróufiə] *n.* Ⓤ 〔病理〕 위축증(atrophy).

a·tro·phic[ətrάfik/-trɔ́f-] *a.* 위축성의.

at·ro·phy[ǽtrəfi] *n.* Ⓤ **1** 〔病理〕 (영양 부족 등에서 오는) 위축(증); 쇠약. **2** 〔生〕 기능의 퇴화(degeneration). **3** (도덕심 등의) 감퇴. ── (**-phied**) *vt.* 위축시키다. ── *vi.* 위축하다; 쇠약해지다.

at·ro·pine [ǽtrəpì:n, -pin] *n.* Ⓤ 〔化〕 아트로핀《벨라도나에서 채취하는 유독성 알칼로이드; 경련 완화제》.

at·ro·pism[ǽtrəpìzəm] *n.* Ⓤ 아트로핀 중독.

At·ro·pos[ǽtrəpὰs/-pɔ̀s] *n.* 〔그神〕 아트로포스《운명의 세 여신(Fates)의 하나》.

ATS, A.T.S. American Temperance Society 미국 금주 협회; Army Transport Service 육군 수송부; Auxiliary Territorial Service 《영口》 여자 방위군. **a.t.s.** at the suit of.

att. attention; attorney.

at·ta·boy[ǽtəbɔ̀i] [That's the boy!] *int.* 《미口》 좋아!, 잘한다!, 굉장한데!《격려·칭찬》.

‡at·tach[ətǽtʃ] [OF] *vt.* **1** 붙이다, 달다, 바르다, 첨부하다, 접착하다(*opp.* detach) 《*to, on*》: ~ a label *to* a parcel 소포에 꼬리표를 붙이다. **2** (흔히 ~ one*self*로) 〈…을 단체 등에〉 소속시키다, 부속시키다, 가입시키다; 〔軍〕 〈군인·부대 등을〉 일시적으로 타부대에 배속시키다《*to*》: He first ~*ed* himself *to* the Liberals. 그는 처음에 자유당원이었다/a high school ~*ed to* the university 대학 부속 고등학교/~ an officer *to* a regiment 장교를 연대에 배속시키다. **3** (~ one*self*) (…에) 들러붙다, 부착하다: Shelfish usually ~ themselves *to* rocks. 조개는 보통 바위에 붙는다. **4** 〈책임 등을 …에〉 귀착시키다; …의 특성으로 생각하다; 〈중요성 등을〉 부여하다, …에 두다《*to*》: We ~ much importance *to* the event. 우리는 그 사건을 중대시하고 있다. **5** 〈서명·주석·조건 등을〉 덧붙이다, 첨부하다, 〈도장을〉 찍다《*to*》: ~ condition *to* a promise 약속에 조건을 붙이다. **6** …을 애정으로 묶다, …에게 애착을 갖게 하다, …을 사모하게 하다《*to*》: Hamlet had been deeply ~*ed to* his father. 햄릿은 부친에게 깊은 애정을 품고 있었다. **7** 〔法〕 구속하다(arrest); 〈재산을〉 압류하다(seize). ── *vi.* 《文語》 부착하다; 소속〔부속〕하다, 귀속하다《*to*》: A moral obligation ~*es to* this position. 이 지위에는 도의적인 책임이 따른다. ◇ attáchment *n.*

at·tach·a·ble[ətǽtʃəbl] *a.* 붙일 수 있는; 압류할 수 있는; 구속할 수 있는.

at·ta·ché[æ̀təʃéi, ətǽʃei] [F =attached] *n.* (대사·공사의) 수행원, 대사〔공사〕관원, 외교관 시보. **a commercial attaché** 상무관. **a military**〔**naval**〕 **attaché** 대사〔공사〕관부 육군〔해군〕 무관.

at·ta·ché case[ətǽʃeikèis] 네모난 소형 서류 가방.

at·tached[ətǽtʃt] *a.* **1** 붙여진; 덧붙여진, 첨부된. **2** 부속의. **3** 소속하여, 가입하고 《*to*》: He is ~ *to* the embassy. 그는 대사관 소속이다. **4** 사모하고 사랑하고《*to*》: She is deeply ~ *to* her mother. 그녀는 어머니를 깊이 사랑하고 있다. **5** 결혼한.

‡at·tach·ment[ətǽtʃmənt] *n.* Ⓤ **1** 부착. **2** Ⓒ 부착물, 부속물《*to*》; 연결 장치. **3** 애착, 사모, 애정《*to, for*》; (보통 *pl.*) 《口》 애착〔애정〕의 대상《처자(妻子) 등》. **4** 〔法〕 압류, 구속, 체포; Ⓒ 구속 영장, 압류 영장.

‡at·tack[ətǽk] *vt.* **1** 〈적군·논적·언행 등을〉 공격하다, 습격하다; 비난하다(*opp.* defend). **2** 〈병이 사람을〉 침범하다; (물건을) 침식〔부식〕하다: She was ~*ed by* fever. 그녀는 열병에 걸렸다/Acid ~*s* metal. 산은 금속을 부식한다. **3**〈일에 정력적으로〉 착수하다; 〈식사 등을 왕성하게〉 하기 시작하다. **4** 〈여자를〉 덮치다, 폭행〔강간〕하다. ── *vi.* 공격하다. ── *n.* **1** 공격, 습격; 비난《*against, on*》: *A*- is the best defense. 공격은 최선의 방어/deliver 〔make〕 an ~ 공격(을 가)하다《*against, on*》. **2** (일·식사 등의) 개시, 착수. **3** 발병; (병의) 발작《*of*》: have an ~ of fever 열병에 걸리다. **4** 〔樂〕 (기악·성악에서 최초의) 발음〔발성〕(법). ── *a.* 〔軍〕 공격용의. **~·er** *n.*

attáck dòg 《미》 공격견.

at·tack·man[ətǽkmən] *n.* 〔競〕 공격 위치의 선수.

at·ta·gal, -girl[ǽtəgæ̀l], [-gə̀:rl] *int.* 《미口》 좋아!, 잘한다!《That's the girl!》.

‡at·tain[ətéin] [L] *vt.* **1** 〈목적·소원 등을 끊임없는 노력으로〉 달성하다, 이루다, 성취하다: She ~*ed* full success. 그녀는 충분한 성공을 거두었다. **2** 〈고령·목적·장소 등에〉 도달하다, 이르다. ── *vi.* (운동·성장·노력

에 의해) 도달하다, 이르다((to)): ~ *to* man's estate 성년이 되다/~ *to* perfection 완벽의 경지에 이르다/((Ⅲ *v*Ⅰ+전+(목))) At last he ~*ed to* fame and prosperity. 드디어 그는 명성과 부(富)를 얻었다. ◈ attáinment *n.*

at·tain·a·ble[ətéinəbl] *a.* 이를 수 있는, 도달할 수 있는.

at·tain·a·bil·i·ty[ətèinəbíləti] *n.* Ⓤ 도달할 수 있음, 이룰 수 있음.

at·tain·der[ətéindər] *n.* Ⓤ ((古)) 〔영法〕 사권(私權) 상실, 권리 박탈.

∗**at·tain·ment**[ətéinmənt] *n.* **1** Ⓤ 달성, 도달. **2** (노력하여 얻은) 재예, 예능(accomplishment):(종종 *pl.*) 학식, 재능, 기능: a man of varied ~*s* 박식 다재한 사람.

at·taint[ətéint] *vt.* **1** 〔法〕 사권(私權)을 박탈하다. **2** ((古)) 〈명예·명성 등을〉 더럽히다. **3** ((廢)) 감염시키다, 부패시키다.

at·tar[ǽtər] *n.* Ⓤ 화향유(花香油) ((특히)) 장미 기름.

at·tem·per[ətémpər] *vt.* (섞어서) 완화〔가감〕하다: …의 온도를 조절하다: 맞추다, 알맞게하다((to)): 〈금속을〉 불리다((◇ 보통 TEMPER를 씀)).

⋆**at·tempt**[ətémpt] *vt.* **1** 시도하다, 기도하다, 기획하다: ((Ⅲ *to do*)) The gangsters ~*ed to* escape but failed. 그 불량배들은 도망치려 했으나 실패했다/((Ⅲ -*ing*+전+명)) We ~*ed* break*ing through* their lines. 우리는 그들의 일선을 무너뜨리려고 시도했다/((Ⅰ *It be pp.*+*to* do)) It has been ~*ed to* evade this law by various tricks. 갖은 기교로 이 법을 교묘하게 피하려 하고 있다. **2** 〈요새 등을〉 습격하다, 탈취하려고 하다: 〈목숨을〉 노리다: 〈위험한 산 등의〉 정복을 꾀하다, …에 도전하다: ~ a fort 요새를 탈취하려고 하다/~ a person's life …의 목숨을 노리다.

attempt one's **own life** 자살을 기도하다.

attempt the life of …을 죽이려고 하다((◇ 보통 〔法〕 미수의 경우에 씀)).

— *n.* **1** 시도, 기도((*to* do, *at*)): The first ~ *to* climb Mount Everest failed. 에베레스트산 등정(登頂)의 첫번째 시도는 실패했다/He made an ~ *at* jok*ing* himself. 그는 농담을 하려고 했다. **2** ((古)) 공격(attack)((*on*)). **3** 〔法〕 미수(행위): an ~ *at*〔*to*〕 murder 살인 미수. **make an attempt** 시도하다, 꾀하다((*to* do, *at, on*)). **~·a·ble** *a.*

at·tempt·ed[-id] *a.* 기도한, 미수의: ~ burglary 강도 미수.

⋆**at·tend**[əténd] *vt.* **1** …에 출석〔참석〕하다: We shall ~ the meeting at ten a.m. 우리는 오전 10시에 그 회의에 참석할 것이다. **2** ((文語)) (결과로서) …에 수반하다((*with, by*)): The enterprise was ~*ed* with much difficulty. 그 사업에는 많은 애로가 따랐다. **3** 시중들다, …을 따라가다, 수행하다. **4** 〈병자를〉 간호하다, 진료하다. **5** ((古)) …에 마음을 쓰다, 주의하다, 유의하다. — *vi.* **1** 출석〔참석〕하다: 〈학교에〉 다니다((*at*)): ~ *at* a ceremony 식에 참석하다((◇ attend a ceremony 보다 격식을 차린 말))/He ~*ed at* college for eight years. 그는 8년간이나 대학에 다녔다. **2** 〈하인 등이〉 시중들다, 섬기다((*upon, on*)): ((Ⅰ 전+명)) Two ladies-in-waiting ~*ed upon* the queen. 두 시녀가 여왕 곁에서 시중들고 있었다. **3** 보살피다, 돌보다: 응대(應待)하다((*to*)): 간호하다, 치료하다((*to, on, upon*)): ((Ⅱ 형+-*ing*(*g.*))) She had been busy ~*ing to* customers. 그녀는 고객들을 응대(應待)하느라 바빴다/The nurses ~*ed on* the sick day and night. 간호사들은 밤낮으로 환자를 간호했다. **4** 주의〔유의〕하다, 주의하여 듣다: …에 관심을 두다((*to*)): ((Ⅲ *v*Ⅰ+전+-*ing*)) I cannot ~ *to* listen*ing* to his speech tomorrow. 나는 내일 그의 강연을 청취하는 데 관심을 둘 수 없다. **5** 〈일 등에〉 전념하다, 정성을 들이다, 종사하다((*to*)): ~ *to* one's business 〔lesson〕 일〔학업〕에 정성을 들이다. **6** (결과로서) 수반하다, 따르다((*on, upon*)): Success ~*s on* hard work. 근면에는 성공이 따른다. ◈ atténdance, atténtion *n.*: atténdant *a., n.*: atténtive *a.*

⁂**at·ten·dance**[əténdəns] *n.* Ⓤ **1** 출석, 출근, 참석, 참가, 임석((*at*)). **2** Ⓒ (집합적) 출석〔참가, 참석〕자, 회중(會衆)((*at*)): (*sing.*) 출석자〔관객〕수: a large〔small〕 ~ 다수〔소수〕의 참석자. **3** 시중, 수행((*on*)). **4** 서비스(료): ~ included (호텔 등에서) 서비스료 포함. **in attendance on** …에게 봉사하는〔시중드는〕: be *in attendance on* a person …에게 봉사하고〔시중들고〕 있다/an officer *in attendance on* His Majesty 시종 무관. **dance attendance on** a person …의 비위를 맞추다. **give good attendance** 서비스를 잘해주다. **medical attendance** 의료.

atténdance allòwance ((영)) 간호 수당.

atténdance àrea ((미)) (공립 학교의) 학구(學區).

atténdance òfficer 장기 결석 학생 조사관.

atténdance tèacher ((미)) 학업 태만자 지도 교사.

⁂**at·ten·dant**[əténdənt] *a.* **1** 따라다니는, 시중드는, 수행하는, 따르는: 부수적인, 부대적인: Miseries are ~ (*up*) *on* vice. 악덕에는 불행이 따른다/~ circumstances 부대 상황. **2** 출석한, 참석〔동석〕한. — *n.* **1** 시중드는 사람, 수행원: (호텔·주차장 등의) 안내원, 접객 담당자: (미술관 등의) 안내원. **2** 참석자, 출석자((*at*)). ◈ atténd *v.*: atténdance *n.*

at·tend·ee[ətèndíː] *n.* 출석자.

at·tend·ing[əténdiŋ] *a.* (어떤 환자의) 주치의인: 대학 부속병원에 의사로서 근무하는.

⋆**at·ten·tion**[əténʃən] *n.* **1** Ⓤ 주의, 유의, 주목: 주의력: He was all ~. 그는 경청하고 있었다. **2** Ⓤ 처리, 대처, 배려: 돌봄, 간호. **3** (an ~) ((稀)) 친절: 정중: (*pl.*) (특히 여성의 환심을 사기 위한) 배려, 친절: 구애. **4** (분해) 수리. **5** Ⓤ 〔軍〕 차려 자세: (감탄사적으로): *Attention*! ((口令)) 차렷!((Shun[ʃʌn]!으로 줄임)). **6** 〔컴퓨터〕 어텐션((외부로부터의 처리 요구)). **arrest**〔**attract, draw**〕 **attention** …에 주의를 끌다((*to*)). **Attention, please!** (1) 여러분께 알려드립니다. (2) 잠깐 들어보세요. **call away the attention** 주의를 딴 데로 돌리게 하다. **call** a person's **attention** …의 주의를 환기시키다((*to*)). **come to attention** 차려 자세를 취하다. **devote** one's **attention to** …에 열중하다. **direct**〔**turn**〕 one's **attention to** …을 연구하다, 논하다. **give attention to** …에 주의하다: 〈직무에〉 정성을 쏟다. **May I have your attention?** 잠깐 실례합니다((용무중인 상대자에게)). **pay attention to** …에 유의하다: …의 비위를 맞추다. **pay** one's **attentions to** …의 비위를 맞추다, …에게 구애하다. **receive immediate attention** 응급 치료를 받다. **stand at attention** 차려 자세를 취하다. **~·al** *a.* ◈ atténd *v.*: atténtive *a.*

atténtion dèficit disòrder (어린이의) 주의력 결여 장애(略: ADD).
at·ten·tion-get·ter *n.* 주목을 끄는 것.
at·ten·tion-get·ting *a.* 주목〔관심〕을 끄는.
atténtion lìne 〔商〕 어텐션 라인(상용문 등에서 특정 수신인을 적는 행).
atténtion spàn 〔心〕 주의 지속 시간, 주의 범위.
‡**at·ten·tive** [əténtiv] *a.* **1** 주의 깊은, 세심한, 차근차근한; 경청하는(*to*). **2** 친절한; 정중한, 상냥한(polite). **~·ness** *n.*
at·ten·tive·ly *ad.* **1** 주의하여. **2** 친절하게.
at·ten·u·ant [əténjuənt] *a.* 희석하는.
— *n.* 〔醫〕 (혈액의) 희석제.
at·ten·u·ate [əténjuèit] 《文語》 *vt.* **1** 가늘게 하다, 여위게 하다. **2** 희박하게 하다, 희석하다. **3** 〈힘·가치 등을〉 감소하다, 약하게 하다. **4** 〔醫〕 〈바이러스·백신 등의〉 독소를 약화시키다, 감독(減毒)하다. — *vi.* **1** 가늘어지다. **2** 묽어지다, 엷아지다. **3** 감소하다, 약해지다. — [əténjuit, -èit] *a.* **1** 가는. **2** 묽은; 희박한.
at·ten·u·a·tion [-éiʃən] *n.* Ⓤ **1** 가늘게 됨, 쇠약, 수척. **2** 희석; 희석도. **3** 〔電〕 (전류·전압의) 감쇠(減衰).
at·ten·u·a·tor [-èitər] *n.* 〔電〕 감쇠기.
*****at·test** [ətést] *vt.* 《文語》 **1** 증명하다, 입증하다, 증언하다: (Ⅲ *-ing*) I ~ hav*ing* seen him twice last week. 나는 지난 주에 두 번 그를 만났음을 확언한다. **2** …의 증거가 되다; …의 진실성을 나타내다: The child's good health ~*s* his mother's care. 그 아이가 건강한 것은 어머니가 잘 돌보고 있는 증거이다. **3** 〔法〕 (선서 등에 의해) 증명하다; (법정 등에서) 선서시키다. — *vi.* **1** 증언〔증명〕하다 (*to*): She ~*ed to* the genuineness of the signature. 그녀는 그 서명이 진짜라고 증언했다. **2** 〈사물이〉 …의 증거가 되다, 입증하다 (*to*): These facts all ~ *to* his innocence. 이러한 사실들은 그의 결백을 입증한다.
at·tes·ta·tion [æ̀testéiʃən] *n.* Ⓤ,Ⓒ **1** 증명; 입증, 증거. **2** 증명서; 선서.
at·test·ed [ətéstid] *a.* 《영》 증명〔입증〕된; 〈소·우유가〉 무병〔무균〕 보증된; 공정 기준 합격의.
at·test·er, at·tes·tor [-ər] *n.* 〔法〕 (증서 작성의) 입회 증인.
Att. Gen. Attorney General.
‡**at·tic** [ǽtik] [F] *n.* **1** 더그매, 고미 다락(방), 지붕밑 층〔방〕. **2** 〔建〕 애틱(코니스(cornice) 위쪽의 중이층(中二層) 또는 장식벽).
At·tic [ǽtik] *a.* **1** 아티카(Attica)의; (아티카의 수도) 아테네(Athens)의. **2** 아테네식의; (때로 **a-**) 고전적인(classic), 우아한(elegant). **3** 〔建〕 아티카식의.
At·ti·ca [ǽtikə] *n.* 아티카(고대 그리스 남동부의 국가).
Áttic fáith 굳은 신의.
At·ti·cism, a- [ǽtəsìzəm] *n.* Ⓤ 아테네인 애호; 아테네 문학의 특질; 아테네 특유의 말; 간결하고 우아한 표현.
At·ti·cize, a- [ǽtəsàiz] *vt., vi.* 아테네식으로 하다; 아테네인을 좋아하다.
Áttic órder (the ~) 〔建〕 아티카식(각주(角柱)를 사용하는 주식(柱式)).
Áttic sált〔wít〕, a- s-〔w-〕 (the ~) 우아하고 예리한 재담〔기지〕.
At·ti·la [ǽtilə] *n.* 아틸라(5세기 전반에 동양에서 유럽에 침입한 흉노족의 왕).
‡**at·tire** [ətáiər] *n.* Ⓤ 옷차림새, 복장, 의복; 성장(盛裝): a girl in male ~ 남장 소녀.
— *vt.* (보통 수동형 또는 ~ one*self*) 〈…에게 …을〉 차려 입히다, 성장(盛裝)시키다(dress up)(*in*): be simply〔gorgeously〕 ~*d* 수수〔화려〕하게 차려 입고 있다/neatly ~*d* 단정한 복장으로/be ~*d in* white 흰색 옷으로 성장하고 있다/She ~*d* herself *in* green silk. 그녀는 녹색 비단 옷을 입고 있었다/He was ~*d as* a woman. 그는 여장을 하고 있었다.
‡**at·ti·tude** [ǽtitjù:d] *n.* **1** (사람·사물에 대한) 태도, 마음가짐. **2** 자세, 몸가짐. **3** 〔空〕 비행 자세. **4** (사물에 대한) 의견, 의향, 심정; 《俗》 (사람·집단에 대한) 강경한〔도전적인〕 태도. **5** 〔발레〕 애티튜드(한 다리를 뒤로 구부린 자세). **one's attitude of mind** 심적 태도, 마음가짐. **strike an attitude** 뽐내는〔꾸민〕 태도를 보이다, 허세를 부리다. **take〔assume〕 a strong〔cool, weak〕 attitude toward〔to, on〕** …에 대해 강경한〔냉정한, 약한〕 태도를 취하다.
áttitude contròl 〔로켓〕 자세 제어.
áttitude stùdy (시장 조사에서) 태도 측정 조사.
at·ti·tu·di·nal [æ̀titjú:dənl] *a.* 태도의〔에 관한〕; 개인적인 의견에 관한〔바탕을 둔〕.
at·ti·tu·di·nar·i·an [æ̀titjù:dənέəriən] *n.* 점잔빼는〔젠체하는〕 사람.
at·ti·tu·di·nize [æ̀titjú:dənàiz] *vi.* 짐짓 점잔빼다(pose for effect), 젠체하다.
-niz·er *n.*
attn. attention.
at·to- [ǽtou] 《연결형》 「(단위의) 아토(10^{-18})」의 뜻(기호 a).
at·torn [ətɔ́:rn] *vi.* 〔法〕 (양도의 결과) 새 지주를 승인하다. — *vt.* 《稀》 (새 지주에게) 양도하다.
*****at·tor·ney** [ətɔ́:rni] *n.* **1** (위임장으로 정식 위임받은) 대리인. **2** 《미》 (사무) 변호사(⇨ lawyer); 《미》 검사. **a district〔circuit〕 attorney** 《미》 지방 검사. **an attorney for government** 검사(government attorney). **a letter〔warrant〕 of attorney** 위임장. **by attorney** 대리인으로(*opp.* in person). **power(s) of attorney** 대리 위임권〔장〕.
at·tor·ney-at-law [-ətlɔ́:] *n.* 《미》 변호사 (《영》에서는 현재 solicitor라 함).
attórney géneral 《영》 법무 장관; 《미》 (연방정부의) 법무 장관; 《미》 (각 주의) 검찰 총장.
at·tor·ney·ship [ətɔ́:rniʃip] *n.* Ⓤ attorney의 직〔신분〕, 대리권.
at·torn·ment *n.* Ⓤ 〔法〕 양도; 새 지주 승인.
‡**at·tract** [ətrǽkt] [L] *vt.* **1** 〈주의·흥미 등을〉 끌다, 끌어당기다. **2** (매력 등으로) 유인하다, 매혹하다. **3** (자력 등으로) 끌어당기다. **attract one's attention〔notice〕** 주의를 끌다, 눈에 띄다. **be attracted by** …에 관심을 가지다. **~·a·ble** *a.* **~·er, at·trác·tor** *n.*
⊕ attráction *n.*; attráctive *a.*
at·trac·tant [ətrǽktənt] *n.* 〔動〕 곤충 등을 꾀는 물질, 유인제; 유인하는 것.
‡**at·trac·tion** [ətrǽkʃən] *n.* **1** Ⓤ 끌어 당김, 빨아 당김, 흡인; 유인; 〔物〕 인력(*opp.* repulsion): magnetic ~ 자력. **2** 〔文法〕 견인(牽引)(가까이 있는 말에 끌려 수·격이 변하는 것: (수·인칭) Each of us *have* done *our* best./(격) an old woman *whom* I guessed was his mother). **3** 사람의 마음을 끄는 것, 인기거리, 어트랙션; Ⓤ 끌어당기는 힘, 매력(charm): the chief ~ of the day 당일 제일의 인기거리/She possesses per-

sonal ~s. 그녀는 인간적 매력을 지니고 있다. **attraction of gravity** 중력. **chemical attraction** 〔化〕 친화력(affinity).

attráction sphère 〔生〕 (중심립(中心粒) 주위의) 중심구(中心球).

⁑at·trac·tive[ətrǽktiv] *a.* **1** 사람의 마음을 끄는, 눈에 뜨이는, 흥미를 돋우는; 매혹적인, 애교 있는; 《비유》 재미 있는, 즐거운. **2** 인력이 있는. **~·ly** *ad.* **~·ness** *n.*
⊕ attráct *v.*; attráction *n.*

attráctive núisance 〔法〕 유혹적 방해물.

attráctive(-type) máglev 〔鐵道〕 흡인식 자기 부상(磁氣浮上)(magnetic levitation).

attrib. attribute; attributive(ly).

at·trib·ut·a·ble[ətríbjutəbəl] *a.* 〈원인 등을〉 …에 돌릴 수 있는, …에 기인하는, …의 탓인《*to*》.

⁑at·trib·ute[ətríbju:t] *vt.* **1** (…에) 돌리다, (…에) 기인한다고 생각하다, (…의) 결과〔탓, 덕분〕라고 생각한다; (…의) 행위로〔소리로, 업적으로〕 하다《*to*》: 《Ⅲ (목)+전+명》 I ~ my success *to* her. 나는 나의 성공을 그녀의 덕분이라고 여긴다/I ~ her success *to* her energy. 나는 그녀의 성공을 그녀의 활기의 덕분으로 여긴다/《I *be pp.*+전+명》 Her death was ~*d* *to* breast cancer. 그녀의 죽음은 유(방)암에 기인한 것으로 되었다. **2** 〈성질 등이〉 있다고 생각하다《*to*》: We ~ prudence *to* Tom. 톰에게는 분별이 있다고 생각한다. **3** 〈작품 등을〉…의 것이라고 생각〔추정, 감정〕하다《*to*》: The work is traditionally ~*d* *to* Shakespeare. 그 작품은 전통적으로 셰익스피어 작으로 생각되고 있다.
── [ǽtribjù:t] *n.* **1** 속성, 특성, 특질. **2** 부속물, 소지물《소지자의 특성이나 지위를 상징하는 것》. **3** 〔論〕 속성; 〔文法〕 속성·성질 등을 나타내는 말(adjunct)《형용사 등》.
⊕ attribútion *n.*; attríbutive *a.*

at·tri·bu·tion[æ̀trəbjú:ʃən] *n.* **1** Ⓤ 귀착시킴, 귀속, 귀인(歸因)《*to*》. **2** (사람·사물의) 속성; (부속된) 권능, 직권.

at·trib·u·tive[ətríbjətiv] *a.* **1** 속성을 나타내는. **2** 〔文法〕 한정적인, 수식적인. ── *n.* 〔文法〕 명사 수식어, 한정어(*opp.* predicative). **~·ly** *ad.*

at·trit[ətrít, æ-] *vt.* 《美軍俗》 소모 전법을 쓰다.

at·trite, at·trit·ed[ətráit], [-id] *a.* 닳아진, 마멸한.

at·tri·tion[ətríʃən] *n.* Ⓤ **1** 마찰. **2** 마멸, 마손(磨損): a war of ~ 소모전, 지구전. **3** (수 등의) 감소, 축소. **~·al** *a.*

∗at·tune[ətjú:n] *vt.* **1** 〈악기 등을〉 조음〔조율〕하다(put in tune). **2** 〈마음 등을〉 맞추다, 조화시키다(accord). **3** 〔通信〕 파장을 맞추다, 동조(同調)하다. **~·ment** *n.*

Atty. Attorney.

Atty. Gen. Attorney General.

ATV Associated Television; allterrain vehicle. **at. vol.** atomic volume.

at·wit·ter[ətwítər] *a., ad.* 흥분하여, 들떠서.

at. wt. atomic weight.

a·typ·i·cal[eitípikəl] *a.* 전형적이 아닌, 부정형(不定型)의; 불규칙적인. **~·ly** *ad.*

au [F] *prep.* …에, 에까지, 에 따라서.

Au 〔化〕 *aurum*(L=gold). **A.U.** astronomical unit. **A.U., a.u., Au.** 〔物〕 angstrom unit.

au·bade[oubá:d, -bǽd] [F] *n.* 새벽의 노래; 새벽의 사랑 노래(*opp.* serenade).

au·berge[oubɛ́ərʒ] [F] *n.* (*pl.* **-berg·es**) 주막, 여인숙(inn).

au·ber·gine[óubərʒi:n, -be-, òubərdʒí:n] [F] *n.* 〔植〕 가지(열매); Ⓤ 가지색, 암자색.

au·brie·tia[ɔ:brí:ʃiə] *n.* 평지과의 관상 식물.

∗au·burn[ɔ́:bərn] *a.* 적갈색의, 다갈색의(golden brown). ── *n.* (머리털 등의) 적갈색, 다갈색.

A.U.C. *ab urbe condita*(L=from the building of the City) 로마 건설 이래.

au con·traire[oukɔ:ntrɛ́ər] [F] *ad.* 이에 반하여; 반대 쪽에.

au cou·rant[ouku:rá:ŋ] [F] *a.* 정세에 밝은; 〈사정 등에〉 밝은, 잘 아는.

∗auc·tion[ɔ́:kʃən] *n.* Ⓤ 경매, 공매(公賣): a public ~ 공매, 경매. **buy**〔**sell**〕 **a thing at**〔《영》 **by**〕 **auction** 경매로 (물건을) 사다〔팔다〕. **hold an auction of** …의 경매를 하다. **put up at**〔《영》 **to**〕 **auction** 경매에 부치다.
── *vt.* 경매에 부치다, 경매하다.

áuction blòck 경매대.

áuction brìdge 〔카드〕 브리지놀이의 일종.

auc·tion·eer[ɔ̀:kʃəníər] *n.* 경매인 *vt.* 경매하다.

áuction resèrve 《영》 최저 경매 가격.

auc·to·ri·al[ɔ:ktɔ́:riəl] *a.* 저자의, 저자에 의한.

aud. audit; auditor.

au·da·cious[ɔ:déiʃəs] *a.* **1** 대담한(bold). **2** 뻔뻔스러운, 넉살좋은, 무엄한. **~·ly** *ad.* **~·ness** *n.* ⊕ audácity.

∗au·dac·i·ty[ɔ:dǽsəti] *n.* (*pl.* **-ties**) **1** Ⓤ 대담, 용감, 호방(豪放); 무모; 뻔뻔스러움; 무례, 안하 무인: He had the ~ *to* question my honesty. 그는 무례하게도 나의 정직성을 했다. **2** (보통 *pl.*) 대담한 행위〔발언〕.

au·di·al[ɔ́:diəl] *a.* 청각의〔에 관한〕(aural).

au·di·bil·i·ty[ɔ̀:dəbíləti] *n.* Ⓤ 들을 수 있음; 가청도(可聽度).

∗au·di·ble[ɔ́:dəbl] *a.* 들리는, 들을 수 있는. **~·ness** *n.*

au·di·bly[ɔ́:dəbli] *ad.* 들리도록, 들을 수 있게.

⁑au·di·ence[ɔ́:diəns] [L] *n.* **1** (집합적) 청중; 관중, 관객; (라디오·텔레비전의) 청취자, 시청자; 독자(층): There was a large〔small〕 ~. 청중이 많았다〔적었다〕. **2** (예술(가)·주의 등의) 지지자, 애호자, 팬. **3** Ⓤ 〔法〕 (호소·의견 등의) 청취; Ⓒ 청취의 기회. **4** 공식 회견, 알현, 접견. **be received**〔**admitted**〕 **in audience** 알현이 허락되다. **give audience to** …을 청취하다; …을 접견하다. **grant a person an audience** …에게 알현을 허락하다. **have audience of**=**have an audience with** …을 알현하다. ⊕ áudient *a.*

áudience chàmber〔**ròom**〕 알현실.

áudience composìtion (도서·잡지의) 독자 구성《연령·학력·성별·수입 등에 의한 분석》.

áudience flòw 《放送俗》 프로그램의 편성을 부분적으로 결정하는 단골 청취자.

áudience ràting (라디오·텔레비전의) 시청률.

au·di·ent[ɔ́:diənt] *a.* 청취의, 경청하는.
── *n.* 듣는 사람.

au·dile[ɔ́:dil, -dail] *n.* 〔心〕 청각형의 사람 (*cf.* MOTILE, VISUALIZER).

aud·ing[ɔ́:diŋ] *n.* 청해(聽解)《말을 듣고 이해하는 작용》.

au·di·o[ɔ́:diòu] *a.* **1** 〔通信〕 가청 주파의. **2** 〔TV·映〕 음성(부분)의; 소리 재생의; 《특

히) 하이파이의. — *n.* (*pl.* ~**s**) **1** 〔TV·映〕 음성 부분. **2** 오디오.
au·di·o-[ɔ́:diòu] 《연결형》「청각; 음」의 뜻: *audio*meter.
au·di·o·cas·sette[ɔ̀:dioukəsét] *n.* 녹음 카세트, 카세트 녹음.
au·di·o·don·tics[ɔ̀:dioudɑ́ntiks/-dɔ́n-] *n.* 청치과학(聽齒科學)《청각과 치아와의 관계에 대한 연구》.
áudio frèquency 〔通信〕 가청 주파(수), 저(低)주파(略: A.F., a.f., a-f).
au·di·o·gen·ic[ɔ̀:dioudʒénik] *a.* 〔心〕 〈발작 등이〉 고주파음에 의한.
au·di·o·gram[ɔ́:diəgræ̀m] *n.* 〔醫〕 오디오그램, 청력도.
au·di·o-lin·gual[ɔ̀:diouliŋgwəl] *a.* (언어 학습에서) 듣는 법과 말하는 법을 포함하는.
au·di·ol·o·gy[ɔ̀:diɑ́lədʒi/-ɔ́lə-] *n.* 청각 과학, 청력〔청각〕학; 청능(聽能)학. **-gist** *n.*
au·di·om·e·ter[ɔ̀:diɑ́mitər/-ɔ́m-] *n.* 청력 측정기, 청력계.
au·di·o·me·try[ɔ̀:diɑ́mətri/-ɔ́m-] *n.* Ⓤ 청력 측정(법).
au·di·on[ɔ́:diən, -ɑ̀n] *n.* 〔通信〕 진공관 검파기.
au·di·o·phile[ɔ́:dioufàil] *n.* 하이파이 애호가.
áudio pollùtion 소음 공해.
au·di·o·spec·tro·graph[ɔ̀:diouspéktrougræ̀f/-grɑ̀:f] *n.* (사운드 패턴을 기록하는) 분음(分音) 기록 장치.
au·di·o·tac·tile[ɔ̀:dioutǽktil, -tail] *a.* 청각 및 촉각의.
au·di·o·tape[ɔ́:dioutèip] *n.* 음성 녹음 테이프(*cf.* VIDEOTAPE).
áudio telecònference 음성 회의《음성 회선에 의해 행해지는 통신 회의》.
au·di·o·typ·ist[ɔ́:dioutàipist] *n.* 녹음 테이프를 들으면서 직접 타자하는 타이피스트.
au·di·o·vis·u·al[ɔ̀:diouvíʒuəl, -vízjuəl] *a.* 시청각의; 시청각 교재의〔를 사용한〕(略: A.V.). — *n.* (*pl.*) =AUDIOVISUAL AIDS. **~·ly** *ad.*
audiovísual áid (보통 *pl.*) 시청각 교재〔교구〕《영화·라디오·텔레비전·레코드·테이프·사진·지도·그래프·모형 등》.
au·di·phone[ɔ́:difòun] *n.* 보청기.
au·dit[ɔ́:dit] [L] *n.* **1** 회계 감사, (회사 등의) 감사(監査); 결산. **2** (문제의) 심사. — *vt.* **1** 〈회계를〉 감사하다. **2** 《미》 〈대학의 강의를〉 청강하다.
áudit àle 〔영大學〕 독한 맥주.
au·dit·ing[ɔ́:ditiŋ] *n.* 회계 감사(학).
au·di·tion[ɔ:díʃən] *n.* **1** Ⓤ 청력, 청각. **2** (예능 지원자 등에 대하여 하는) 오디션, 시청(試聽) 테스트, 심사; (레코드의) 시청(試聽). — *vt.* 〈예능 지원자의〉 오디션을 하다. — *vi.* **1** 오디션을 하다. **2** 오디션을 받다(*for*).
au·di·tive[ɔ́:ditiv] *a.* 귀의; 청각의.
***au·di·tor**[ɔ́:ditər] *n.* **1** 회계 감사원; 감사역. **2** 《稀》 듣는 사람; 방청인(hearer); (라디오 등의) 청취자. **3** 《미》 (대학의) 청강생.
au·di·to·ri·al[-tɔ́:riəl] *a.* 회계 감사(원)의.
au·di·to·ri·ly[-rili] *ad.* 청각〔청력〕에 의하여.
****au·di·to·ri·um**[ɔ̀:ditɔ́:riəm] *n.* (*pl.* ~**s**, **-ri·a**[-riə]) **1** (극장 등의) 청중석, 관객석; 방청석. **2** 강당, 공연장, 대강의실; 회관, 공회당(hall): 《I 전+명》 She is in the ~. 그녀는 강당에 있다.
au·di·to·ry[ɔ́:ditɔ̀:ri, -ditòuri] *a.* 귀의, 청각의. — *n.* (*pl.* **-ries**) 《古》 청중; 청중석.
áuditory meátus〔canál〕 〔解〕 이도(耳道).
áuditory nèrve 〔解〕 청신경(聽神經).
au·di·tress[ɔ́:ditris] *n.* auditor의 여성형.
Au·drey[ɔ́:dri] *n.* 여자 이름.
au fait[oufèi] [F] *a.* 정통하여(*with*); 숙련하여(*in, at*). **put** a person **au fait of** …을 …에게 자세히 가르치다.
Auf·klä·rung[áufklɛ:ruŋ] [G] *n.* 계몽; (the ~) (18세기 독일의) 계몽 사조〔운동〕.
au fond[oufɔ́:] [F=at bottom] *ad.* 근본적으로, 실제로; 철저하게.
auf Wie·der·seh·en[àufví:dərzèiən] [G] *int.* 안녕히!, 또 만나요(until we meet again: 작별 인사)(*cf.* AU REVOIR).
aug. augmentative; augmented.
***Aug., Aug** August.
Au·ge·an[ɔ:dʒí:ən] *a.* 〔그神〕 아우게이아스(Augeas) 왕의; 지극히 불결한(filthy).
Augéan stábles (the ~) 〔그神〕 Augeas 왕의 외양간《30년간 청소하지 않은 것을 Hercules가 하루만에 다 치웠다고 함》: cleanse the ~ 적폐를 일소하다.
au·gend[ɔ́:dʒend, -ˊ] *n.* 〔數〕 피가산수(被加算數)(*opp.* addend).
au·ger[ɔ́:gər] *n.* 도래 송곳, 나사 송곳(*cf.* GIMLET).
Au·gér effèct[ouʒéi-, áugər-] 〔物〕 (원자의) 오제 효과.
***aught**[1]**, ought**[ɔ:t] *pron.* 《古》 어떤 일〔것〕, 무언가, 뭣이나(anything). (He may starve) **for aught I care.** 《古》 (그가 굶어 죽든 말든) 아무래도 상관없다. (He may be rich) **for aught I know.** (그가 부자일지) 잘은 모르지만 아마《무관심한 말투》. — *ad.* 무엇이든, 조금도; 하여튼. **if aught there be** 설사 있다손 치더라도.
aught[2] *n.* 《俗》 영(零)(naught, cipher).
au·gite[ɔ́:dʒait] *n.* Ⓤ 〔鑛〕 보통 휘석(輝石).
***aug·ment**[ɔ:gmént] [L] 《文語》 *vt.* **1** 증가시키다, 증대시키다. **2** 〔文法〕 접두 모음자(接頭母音字)를 붙이다; 〔樂〕 반음정 늘리다; 〈주제를〉 확대하다. — *vi.* 증대〔증가〕하다. — *n.* 〔文法〕 (그리스어 등의) 접두 모음자.
◈ augmentátion *n.*; augméntative *a., n.*
aug·men·ta·tion[ɔ̀:gmentéiʃən] *n.* Ⓤ **1** 증가, 증대; 증가율. **2** Ⓒ 증가물, 첨가물(addition). **3** 〔樂〕 (주제의) 확대.
aug·men·ta·tive[ɔ:gméntətiv] *a.* **1** 증가적인, 증대성의. **2** 〔文法〕 뜻을 확대하는. — *n.* 〔文法〕 증대사(增大辭)《뜻을 강조하거나 확대하는 접두사·접미사: ball*oon*(=large ball); *cf.* DIMINUTIVE》.
aug·ment·ed[ɔ:gméntid] *a.* 증가된; 〔樂〕 증음된: ~ interval 증음정(增音程).
aug·ment·er, -men·tor[ɔ:gméntər] *n.* 증대시키는 사람〔것〕; 오그멘터《로켓 엔진의 추진 보조 장치》; 위험한 일을 하는 로봇.
au go-go[ou-góugòu] *ad., a., n.* (*pl.* ~**s**) = A-GO-GO.
au gra·tin[ougrǽtin, ɔ:-, -grætǽ] [F] *a.* 그라탱식 요리의《치즈나 빵가루를 발라서 갈색으로 구운》.
Áugs·burg Conféssion[ɔ́:gzbə:rg-] (the ~) 아우크스부르크 신앙 고백《1530년 Luther가 Augsburg에서 발표한 신조(信條)》.
au·gur[ɔ́:gər] *n.* **1** 〔古로〕 복점관(卜占官). **2** 예언자, 점쟁이. — *vt.* **1** 점치다. **2** 징조를 나타내다. — *vi.* …의 징조가 되다(*for*). **augur well〔ill〕** 길조〔흉조〕를 보이다, 징조

가 좋다〔나쁘다〕.
au·gu·ral[ɔ́:gjərəl] *a.* 점복(占卜)의; 전조(前兆)의.
au·gu·ry[ɔ́:gjəri] *n.* (*pl.* **-ries**) **1** Ⓤ 점(占). **2** 전조.
*__au·gust__[ɔ:gʌ́st] *a.* 위엄있는, 존엄한(majestic); 당당한(imposing); 존귀한. **~·ly** *ad.* **~·ness** *n.*
★**Au·gust**[ɔ́:gəst] [<Augustus Caesar] *n.* 8월 (略: Aug.): *in* ~ 8월에/*on* ~ 3 = *on* 3 ~ = *on* the 3rd of ~ 8월 3일에.
Au·gus·ta[ɔ:gʌ́stə] *n.* 여자 이름.
Au·gus·tan[ɔ:gʌ́stən] *a.* 로마 황제 Augustus의; Augustus 시대의; 신고전주의 전성기의; 우아한, 품위있는. — *n.* Augustus 시대의 작가; 신고전주의 문학의 연구자.
Augústan áge (the ~) 아우구스투스 황제 시대《라틴 문학 융성기, 27 B.C.-14 A.D.》; (일국의) 문운(文運) 융성 시대《〔영史〕 Anne 여왕 시대(1690-1745)》.
Augústan Conféssion (the ~) =AUGSBURG CONFESSION.
Au·gus·tine[ɔ́:gəstì:n, əgʌ́stin, ɔ:gʌ́stin] *n.* **1** 남자 이름. **2** (St. ~) 성 아우구스티누스. **a** 초기 기독교의 지도자(354-430). **b** 영국에 포교한 로마 선교사(?-604), 초대 Canterbury 대주교.
Au·gus·tin·i·an[ɔ̀:gəstíniən] *a., n.* St. Augustine의 (교의(敎義) 신봉자).
Au·gus·tus[ɔ:gʌ́stəs] *n.* **1** 남자 이름. **2** 아우구스투스 Octavius ~ (63 B.C.-14 A.D.) 《초대 로마 황제》.
au jus[oudʒú:s] [F] *a.* 〈고기를〉 그 육즙(肉汁)과 함께 (식탁에) 내놓는.
auk[ɔ:k] *n.* 〔鳥〕 바다쇠오리.
auk·let[ɔ́:klit] *n.* 〔鳥〕 작은바다쇠오리.
au lait[ouléi] [F=with milk] *a.* 우유를 탄.
auld[ɔ:ld] *a.* 《스코》 =OLD.
auld lang syne[ɔ́:ldlæŋzáin, -sáin] [Sc= old long since(=ago). *n.* **1** 그리운 옛날 (good old times). **2** (**A- L- S-**) 올드 랭 자인 《Robert Burns의 시 제목》. **Let's drink to auld lang syne.** 그리운 지난 날을 생각하여 한 잔 하자.
au·lic[ɔ́:lik] *a.* 궁정의.
Áulic Cóuncil 〔史〕 궁정 재판소《신성 로마 제국의 최고 재판소》.
AUM air-to-underwater missile. **a.u.n.** *absque ulla nota*《L =free from marking》.
au na·tu·rel[ounæ̀tjərél] [F] *a.* 자연 그대로의; 벌거숭이의; 담백하게 요리한.
★**aunt**[ænt, ɑ:nt] *n.* **1** 아주머니《백모, 숙모, 이모, 고모; *cf.* UNCLE》. **2** (**A-**) 《口》 (이웃) 아주머니《《미》에서는 전에 나이 많은 흑인 하녀에게도 썼음》. **My** (**sainted**) **aunt!** 어머나!, 저런!
Áunt Édna 에드나 아줌마《평범한 시민의 대표로서의 관객·시청자》.
aunt·ie, aunt·y[ǽnti, ɑ́:nti] *n.* (*pl.* **aunt·ies**) **1** 《兒》 아줌마. **2** 《미俗》 미사일 요격 미사일. **3** (**A-**)《영俗》 영국 방송 협회(BBC).
áuntie mán 《카리브口》 여자 같은 남자.
Aunt Sally 《영》 **1** 축제일에 중년(中年) 여자의 목상(木像)의 입에 파이프를 물리고 막대기를 던져 떨어뜨리는 놀이; 그 목상. **2** (탐색하기 위해 세워두는) 공격〔조소〕의 대상《사람·논의 등》; 공격〔조소〕의 대상.
au pair[òupɛ́ər] [F] *n.* 오페어걸(=au páir girl: 그 나라 말을 배울 목적으로, 거저 숙식을 제공받는 대신 가사를 돕는 외국 여자).
— *a., ad. vi.* 교환 조건의〔에 의한; 으로 (일하다)〕.
au pied de la let·tre[oupjédəlɑ:létr] [F] *ad.* 문자 그대로(literally).
au·ra[ɔ́:rə] *n.* (*pl.* **~s, -rae**[-ri:]) **1** (물체에서 발산하는) 발기(發氣). **2** (보통 *sing.*) (주위를 감싸는) 특수 미묘한 분위기. **3** 〔心靈〕 영기(靈氣)《시술자로부터 피술자(被術者)에게 전달되는》. **4** 〔病理〕 전조(前兆)《히스테리·간질병 등의》. **5** (A-) 미풍의 상징《그리스 예술에서 하늘을 날며 춤을 추는 여자》.
au·ral[1][ɔ́:rəl] *a.* 귀의; 청각의: an ~ aid 보청기/an ~ surgeon 이과의(耳科醫). **~·ly** *ad.*
aural[2] *a.* 영기(靈氣)의.
au·ral·ize[ɔ́:rəlàiz] *vt.* …을 마음으로 듣다; …의 음을 상상하다, 청각화(化)하다.
au·ral-o·ral[-ɔ́:rəl] *a.* 〈외국어 교수법이〉 귀와 입에 의한.
au·ra·min(e)[ɔ́:rəmì:n, -min] *n.* Ⓤ 〔化〕 오러민《황색 물감》.
au·re·ate[ɔ́:riit, -èit] *a.* **1** 금빛의, 번쩍번쩍하는. **2** 〈문체·표현 등이〉 화려한, 미사여구를 쓴.
au·re·li·a[ɔ:rí:liə, -ljə] *n.* 《古》 (특히 나비의) 번데기; 〔動〕 무럼해파리속(屬).
Au·re·li·a *n.* 여자 이름.
au·re·li·an[-n] *a.* aurelia의. — *n.* 나비·나방 연구가, 곤충 채집가.
Au·re·li·us[ɔ:rí:liəs, -ljəs] *n.* 남자 이름.
au·re·o·la[ɔ:rí:ələ] *n.* =AUREOLE.
au·re·ole[ɔ́:riòul] *n.* **1** (성자·순교자에게 주어지는 천상(天上)의) 보관(寶冠), 영광; (성상(聖像)의 머리 또는 온몸을 감싸는) 후광(後光)(*cf.* HALO, NIMBUS); 광휘, 영광. **2** 〔天〕 = CORONA.
Au·re·o·my·cin[ɔ̀:riou*m*áisin] *n.* 〔藥〕 오레오마이신《항생 물질 약; 상표명》.
au reste[òurέst] [F] 그 밖에는; 게다가.
au·re·us[ɔ́:riəs] [L=golden] *n.* (*pl.* **-re·i**[-riài]) 아우레우스《옛 로마의 금화》.
au re·voir[òurəvwɑ́:*r*] [F] 안녕, 또 만나요 (until we meet again: 작별 인사).
au·ric[ɔ́:rik] *a.* 금의; 〔化〕 제 2금(第二金)의 (*cf.* AUROUS).
au·ri·cle[ɔ́:rikl] *n.* **1** 〔解〕 외이(外耳), 귓바퀴; (심장의) 심이(心耳). **2** 〔動·植〕 이상부(耳狀部), 이상물(耳狀物). **-cled** *a.* 귀가 있는, 이상부가 있는.
au·ric·u·la[ɔ:ríkjələ] *n.* (*pl.* **-lae**[-lì:], **~s**) 〔植〕 앵초의 일종《노란 꽃이 피는》; =AURICLE.
au·ric·u·lar[ɔ:ríkjələ*r*] *a.* **1** 귀의, 청각의, 청각에 의한; 귀 모양의. **2** 〔解〕 심이(心耳)의. **3** 귓속말의: an ~ confession 비밀 참회. **~·ly** *ad.*
au·rif·er·ous[ɔ:rífərəs] *a.* 금을 산출하는 〔함유한〕.
au·ri·form[ɔ́:rəfɔ̀:*r*m] *a.* 귀 모양의.
au·ri·fy[ɔ́:rəfài] *vt.* (**-fied**) 금으로 바꾸다; 금빛으로 물들이다.
Au·ri·ga[ɔ:ráigə] *n.* 〔天〕 마차꾼자리.
Au·ri·gna·cian[ɔ̀:rignéiʃən] *n., a.* 〔考古〕 오리냐 문화(기)(의).
au·ri·scope[ɔ́:rəskòup] *n.* 검이경(檢耳鏡).
au·rist[ɔ́:rist] *n.* 이과의(耳科醫)(earspecialist).
au·rochs[ɔ́:rɑks/-rɔks] *n.* (*pl.* ~) 오록스 《들소의 일종; 유럽산; *cf.* BISON》.
Au·ro·ra[ərɔ́:rə, ɔ:rɔ́:-] *n.* **1** 〔로神〕 오로라 《여명의 여신; 그리스 신화의 Eos에 해당》. **2** 여자 이름.

*__au·ro·ra__[ərɔ́:rə, ɔ:rɔ́:-] *n.* (*pl.* ~**s, -rae**[-ri:]) **1** 《詩》 서광, 여명(dawn). **2** 오로라, 극광(極光). ⊕ auróral *a.*
__auróra austrális__[-ɔ:stréilis] 남극광.
__auróra bo·re·ál·is__[-bɔ̀:riǽlis, -éilis] 북극광.
__au·ro·ral__[ɔ:rɔ́:rəl] *a.* 새벽의, 서광 같은, 장미빛의; 극광 같은.
__au·rous__[ɔ́:rəs] *a.* **1** 금의〔을 함유한〕. **2** 〔化〕 제1금의(*cf.* AURIC).
__au·rum__[ɔ́:rəm] *n.* Ⓤ 〔化〕 금; 금빛.
__AUS, A.U.S.__ Army of the United States 미 육군; Australia《자동차 국적 표시》. **Aus.** Austria(n). **Aus., Austl.** Australia(n).
__Au·schwitz__[áuʃvits] *n.* 아우슈비츠《폴란드의 도시; 2차 대전중 유대인을 대량 학살한 곳》.
__aus·cul·tate__[ɔ́:skəltèit] *vt.* 〔醫〕 청진하다.
__aus·cul·ta·tion__[-ʃən] *n.* Ⓤ 〔醫〕 청진(법).
__aus·cul·ta·tor__[-tər] *n.* 〔醫〕 청진자; 청진기(stethoscope).
__aus·cul·ta·to·ry__[ɔ:skʌ́ltətɔ̀:ri/-təri] *a.* 청진의.
Aus·gleich[áusglaiç] [G] *n.* (*pl.* **-glei·che**[-ə]) 협정; 타협.
__aus·lan·der__[áuslændər, ɔ́:s-] [G] *n.* 타국인, 외국인; 국외자.
__aus·pi·cate__[ɔ́:spəkèit] *vt.* 《古》 행운을 빈 다음〔택일하여〕 시작하다(inaugurate).
*__aus·pice__[ɔ́:spis] [L] *n.* **1** (보통 *pl.*) 보호, 원조, 찬조. **2** (종종 *pl.*) 전조(前兆), 길조(吉兆). **under favorable auspices** 좋은 징조 아래. **under the auspices of** the company = **under** the company's **auspices** (회사)의 찬조로〔후원으로〕. ⊕ auspícious *a.*
__aus·pi·cious__[ɔ:spíʃəs] *a.* 경사스러운, 길조의, 상서로운, 행운이 트인. **~·ly** *ad.* **~·ness** *n.*
__Aus·sie__[ɔ́:si/ɔ́(:)zi] *n.* 《俗》 오스트레일리아 사람.
__Aust.__ Australia(n); Austria(n).
__Aus·ten__[ɔ́:stən] *n.* 오스틴 Jane ~(1775-1817)《영국의 여류 소설가: *Pride and Prejudice*의 저자》.
__Aus·ter__[ɔ́:stər] *n.* 《詩》 남풍; 〔로神〕 남(서)풍의 신.
*__aus·tere__[ɔ:stíər] *a.* (**aus·ter·er; -est**) **1** 〈사람·성격 등이〉 엄한, 엄격한, 엄숙한; 금욕적인. **2** 〈생활 등이〉 내핍의, 간소한; 〈문체·건물 등이〉 꾸미지 않은, 간결한. **~·ly** *ad.* **~·ness** *n.* = AUSTERITY. ⊕ austérity *n.*
*__aus·ter·i·ty__[ɔ:stériti] *n.* (*pl.* **-ties**) **1** Ⓤ 엄격; 엄숙; 간소; 내핍, 긴축. **2** (보통 *pl.*) 내핍 생활; 금욕 행위; (국가적 규모의) 긴축 경제. **3** (형용사적으로) 내핍적인, 긴축의: live on an ~ diet 내핍 생활을 하다.
__Aus·tin__[ɔ́:stən] *n.* **1** 남자 이름《Augustine의 변형》. **2** 미국 Texas주의 주도. **3** 영국제 소형 자동차의 명칭.
__aus·tral__[ɔ́:strəl] *a.* **1** 남쪽(에서)의. **2** (**A-**) = AUSTRALIAN.
__Austral.__ Australasia(n); Australia(n).
__Aus·tral·a·sia__[ɔ̀:strəléiʒə, -ʃə] *n.* 오스트랄라시아《오스트레일리아·뉴질랜드와 그 부근의 남양 제도》.
__Aus·tral·a·sian__[-n] *a., n.* 오스트랄라시아의 (사람).
★__Aus·tra·lia__[ɔ:stréiljə] [L] *n.* 오스트레일리아, 호주《공식명 the Commonwealth of Australia; 수도 Canberra》.
__Austrália àntigen__ 〔醫〕 오스트레일리아 항원(抗原)《간염 관련 항원》.
__Austrália Dày__ (오스트레일리아의) 건국 기념일《1월 26일 이후의 첫 월요일》.
⁑__Aus·tra·lian__[ɔ:stréiljən] *a.* 오스트레일리아의, 호주(사람)의. — *n.* **1** 오스트레일리아 사람. **2** Ⓤ 오스트레일리아 영어.
__Austrálian Álps__ (the ~) 오스트레일리아 알프스《오스트레일리아 동남부의 산맥; 최고봉 Mt. Kosciusko(2234 m)》.
__Austrálian bállot__ 〔政〕 오스트레일리아식 투표 용지《전(全) 후보자 이름을 쓴 투표 용지에 표를 하는 투표 방식》.
__Austrálian béar__ 〔動〕 = KOALA.
__Austrálian Cápital Térritory__ (the ~) 오스트레일리아 수도 특별 지역《New South Wales주 내에 있으며, 수도 Canberra가 있음; 略: A.C.T.》.
__Aus·tra·lian·ism__[ɔ:stréiljənìzəm] *n.* Ⓤ,Ⓒ **1** 오스트레일리아 사람의 기질〔국민성, 국민정신〕. **2** 오스트레일리아 영어.
__Austrálian kélpie__ = KELPIE[2].
__Austrálian Rúles fóotball__ 호주식 축구《18명이 하는 럭비 비슷한 구기》.
__Aus·tra·loid__[ɔ́:strəlɔ̀id] *n., a.* 오스트랄로이드(의)《호주 원주민 및 그들과 인종적 특징이 같은 호주 주변의 여러 민족》.
__aus·tra·lo·pith·e·cine__[ɔ:strèiloupíθəsì:n] *a., n.* 오스트랄로피테쿠스계(系)의 (화석인)《가장 오래된 화석 인류》.
__Aus·tra·lo·pith·e·cus__[ɔ:strèiloupíθikəs, -pəθí-, ɔ̀:strə-] *n.* 오스트랄로피테쿠스류(類)《100만-400만년전 사이 아프리카에 살았던 뇌가 작고 이가 큰 영장류》.
__Aus·tral·orp__[ɔ́:strəlɔ̀:rp] *n.* 오스트랄로프종(닭)《호주에서 개량된 흑색 산란 닭》.
⁑__Aus·tri·a__[ɔ́:striə] [Gk] *n.* 오스트리아《유럽 중부의 공화국; 수도 Vienna》. ⊕ Áustrian *a.*
__Aus·tri·a-Hun·ga·ry__[ɔ́:striəhʌ́ŋgəri] *n.* 〔史〕 오스트리아-헝가리《중부 유럽의 옛 왕국(1867-1918)》.
⁑__Aus·tri·an__[ɔ́:striən] *a.* 오스트리아(사람)의. — *n.* 오스트리아 사람 ⊕ Áustria *n.*
__Áus·tro-__[ɔ́:strou] 《연결형》 「Austria, Austrian, Australian」의 뜻.
__Aus·tro·a·si·at·ic__[ɔ̀:strouèiʒiǽtik, -ʃi-] *a.* 오스트로아시아 어족의.
__Aus·tro·ne·sia__[ɔ̀:strouní:ʒə] *n.* 오스트로네시아《태평양 중남부의 여러 섬》.
__Aus·tro·ne·sian__[ɔ̀:strouní:ʒən, -ʃən] *a.* 오스트로네시아의. — *n.* Ⓤ 오스트로네시아 어족(語族).
__aut-__[ɔ:t] 《연결형》 = AUTO-.
__au·ta·coid__[ɔ́:təkɔ̀id] *n.* 〔生理〕 자능성(自能性) 약물, (국소) 호르몬(hormone).
__au·tarch__[ɔ́:tɑ:rk] *n.* 독재자.
__au·tar·chic, -chi·cal__[ɔ:tɑ́:rkik], [-əl] *a.* 독재의, 전제의.
__au·tar·chy__[ɔ́:tɑ:rki] *n.* (*pl.* **-chies**) **1** Ⓤ 독재권, 전제 정치; Ⓒ 전제국, 독재국. **2** = AUTARKY.
__au·tar·kist__[ɔ́:tɑ:rkist] *n.* 경제 자립주의자.
__au·tar·ky__[ɔ́:tɑ:rki] *n.* (*pl.* **-kies**) **1** Ⓤ 경제적 자급 자족(self-sufficiency); 경제 자립 정책. **2** 경제 자립 국가.
__au·tar·kic, -ki·cal__[ɔ:tɑ́:rkik], [-əl] *a.*
__aut·e·col·o·gy__[ɔ̀:təkɑ́lədʒi/-kɔ́l-] *n.* Ⓤ 개체〔종(種)〕 생태학.
__au·teur__[outə́:r] [F=author] *n.* (*pl.* ~**s**[-z]) (독창적·개성적) 영화 감독; 작자, 저작자.
__au·teur·ism__[outə́:rizm] *n.* = AUTEUR THEORY.

autéur thèory 감독 지상주의.
auth. authentic; author; authority; authorized.
∗**au·then·tic**[ɔːθéntik] *a.* **1** 믿을 만한, 확실한, 출처가 분명한, 근거 있는. **2** 진정한, 진짜의. **3** 〔法〕 인증(認證)된; 〔樂〕 〈교회 선법(旋法)이〉 정격(正格)의.
-ti·cal·ly[-kəli] *ad.* ⊕ authénticate *v.*: authenticátion, authentícity *n.*
au·then·ti·cate[ɔːθéntikèit] *vt.* **1** 〈언설(言說) 등이〉믿을 수 있음을 증명하다. **2** 〈필적·미술품 등이〉 진짜임을 증명하다. **3** 법적으로 인증하다.
au·then·ti·ca·tion[ɔːθèntikéiʃən] *n.* Ⓤ 입증; 인증.
au·then·ti·ca·tor[ɔːθéntikèitər] *n.* 입증자; 인증자.
au·then·tic·i·ty[ɔ̀ːθentísəti] *n.* **1** Ⓤ 확실성, 믿을 수 있음; 《口》 성실. **2** 출처가 확실함, 진정함.
⁑**au·thor**[ɔ́ːθər] [L] *n.* **1** 저자, 작가, 저술가 《◇ 보통 여성도 포함함》. **2** (한 작가의) 저작물, 작품. **3** 창조자, 창시자; 입안자; 기초자 《*of*》: the ~ of the mischief 나쁜 일의 장본인. **the author of evil** 마왕. **the Author of our being** 조물주. — *vt.* **1** 〈글을〉 쓰다, 저술하다(write). **2** 만들어 내다; 창시하다. ⊕ authórial *a.*
au·thor·ess[ɔ́ːθəris] *n.* 《稀》 여류〔규수〕 작가《다소 경멸적으로 쓰임》.
au·tho·ri·al[ɔːθɔ́ːriəl] *a.* 저자〔작자〕의.
au·thor·i·tar·i·an[əθɔ̀ːrətɛ́əriən, əθɑ̀r-] *a.* 권위〔독재〕주의의; 독재주의적인. — *n.* 권위〔독재〕주의자. **~·ìsm** *n.* Ⓤ 권위주의.
∗**au·thor·i·ta·tive**[əθɔ́ːritèitiv, əθɑ́rə-/ɔ(ː)-θɔ́ritətiv] *a.* **1** 〈정보 등이〉 권위 있는, 믿을 만한. **2** 관헌의, 당국(으로부터)의. **3** 〈사람·태도 등이〉 강권적인, 엄연한, 명령적인.
~·ness *n.* ⊕ authórity *n.*
au·thor·i·ta·tive·ly *ad.* 엄연하게, 명령적으로.
⁑**au·thor·i·ty**[əθɔ́ːriti, əθɑ́r-/əθɔ́r-] [L] *n.* (*pl.* **-ties**) **1** Ⓤ 권위, 권력, 위신, 위광(威光). **2** Ⓤ 교권(教權); 권능, 권한, 직권; (권력자에 의한) 허가, 인가, 자유 재량(권) 《*for*》: 《Ⅲ (목)+〈*to do*〉》 He has no ~ *to* make payments. 그는 지불할 권한이 없다. **3** (보통 *pl.*) 당국, 관헌, 관계자; 공공 사업 기관: the proper *authorities* = the *authorities* concerned 관계 당국, 관계자. **4** Ⓒ,Ⓤ (문제 해결의) 권위; 전거, 근거, 출전《*on*》. **5** (특정 문제에 관한) 권위자, 대가《*on*》, 권위 있는 문서, 전적(典籍)《*of*》. **6** 〔法〕 판결례, 선례. **by the authority of** …의 권위로; …의 허가를 얻어. **have no authority over** 〔**with**〕 …에 대하여 권위가 없다. **on good authority** 확실한 소식통으로부터(의). **on one's own authority** 자기 혼자 의견으로, 독단으로. **on the authority of** …을 근거로 해서. **the civil**〔**military**〕 **authorities** 행정〔군사〕 당국자. **under the authority of** …의 지배〔권력〕 하에. **with authority** 권위를 가지고. ⊕ áuthorize *v.*: authoritárian, authóritative *a.*
au·tho·ri·za·tion[ɔ̀ːθərizéiʃən] *n.* **1** Ⓤ,Ⓒ 권한 부여, 위임; 공인, 관허; 인증, 허가. **2** 수권서, 허가서.
∗**au·tho·rize**[ɔ́ːθəràiz] *vt.* **1** 권위를〔권한을〕 부여하다(empower), 위임하다: 《Ⅴ (목)+*to do*》 I ~*d* him *to* act for me. 나는 그에게 나를 대행할 권한을 부여했다/《Ⅱ *be pp.*+*to do*》 We are ~*d to* receive contributions for the Red Cross. 우리는 적십자사를 대신해 기증품들을 수취할 권한을 부여받고 있다. **2** 〈행동·계획·지출 등을〉 정식으로 허가하다. **3** 정당하다고 인정하다. **-riz·er** *n.*
∗**au·tho·rized**[ɔ́ːθəràizd] *a.* **1** 인정 받은, 검정필의; 공인된, 올바른. **2** 권한을 부여받은: an ~ translation 원저자의 허가를 받은 번역.
áuthorized cápital 수권 자본《회사 발행 주식의 총수 또는 자본 총액》.
Áuthorized Vérsion (the ~) 〔聖〕 흠정역 성경(欽定譯聖經)《1611년에 영국왕 James 1세의 재가를 받아 편집 발행한 영역(英譯) 성경; 《미》 에서는 보통 King James Version 이라고 함; 略 A.V.; *cf.* REVISED VERSION》.
au·thor·less[ɔ́ːθərlis] *a.* 저자 불명의.
au·thor·ling[ɔ́ːθərliŋ] *n.* 서투른 글장이.
au·thor-pub·lish·er[ɔ́ːθərpʌ́bliʃər] *n.* 〔出版〕 자저(自著) 발행자.
áuthor's alterátion 〔印〕 저자 교정《저자 자신이 하는 정정〔변경〕; 略 A.A.》.
áuthor's edítion 자비 출판(본).
au·thor·ship[ɔ́ːθərʃìp] *n.* Ⓤ **1** 저작자임, 저술업. **2** (저작물의) 원작자, 저자. **3** (소문 등의) 출처, 근원.
au·tism[ɔ́ːtizəm] *n.* Ⓤ 〔心〕 자폐성(自閉性) 《몽상·환상에 지배된 상태》.
au·tis·tic[ɔːtístik] *a.* 자폐성〔자폐증〕의.
⁑**au·to**[ɔ́ːtou] [*auto*mobile] *n.* (*pl.* **~s**) 《미口》 자동차, 차《◇ 지금은 car가 더 많이 쓰임》; 〔컴퓨터〕 자동. — *vi.* 자동차로 가다.
au·to-[ɔ́ːtou] 《연결형》 **1** 「자신의, 독자의, 자기의」의 뜻: *auto*cracy. **2** 「자동차」의 뜻: *auto*camp. **3** 「자동」의 뜻: *auto*loading.
auto. automatic; automobile; automotive.
au·to·ag·gres·sive[ɔ̀ːtouəgrésiv] *a.* = AUTOIMMUNE.
au·to·a·larm[ɔ̀ːtouəlɑ̀ːrm] *n.* (선박 등의) 자동 경보기〔장치〕.
au·to·a·nal·y·sis[ɔ̀ːtouənǽləsis] *n.* (*pl.* **-ses**[-sìːz]) (심리학적) 자기 분석, 자동 분석.
au·to·an·a·lyz·er[ɔ̀ːtouǽnəlàizər] *n.* (전자 공학적·기계적) (성분) 자동 분석기.
au·to·an·ti·bod·y[ɔ̀ːtouǽntibɑ̀di/-bɔ̀di] *n.* (*pl.* **-bod·ies**) 〔生理〕 자기 항체.
au·to·an·ti·gen[ɔ̀ːtouǽntidʒən, -dʒèn] *n.* 〔免疫〕 (체내의) 항원(抗原), 자기 항원(또는 self-antigen이라고도 함).
au·to·bahn[áutɔbɑ̀ːn, ɔ́ːtə-] [G] *n.* (*pl.* **~s**, **-bah·nen**[-bɑ̀ːnən]) (독일의) 고속차(高速車) 전용 도로.
au·to·ball[ɔ́ːtoubɔ̀ːl] *n.* 오토볼《자동차에 의한 축구 시합; 브라질에서 시작됨》.
au·to·bi·og·ra·pher[ɔ̀ːtəbaiɑ́grəfər, -ɔ́g-] *n.* 자서전 작가.
au·to·bi·o·graph·i·cal, -ic[ɔ̀ːtəbàiəgrǽfikəl], [-ik] *a.* 자서전(체)의. **-i·cal·ly** *ad.*
∗**au·to·bi·og·ra·phy**[ɔ̀ːtəbaiɑ́grəfi/-ɔ́g-] *n.* (*pl.* **-phies**) 자서전, 자전(自傳); Ⓤ 자전 문학.
au·to·boat[ɔ́ːtəbòut] *n.* 발동기선.
au·to·bus[ɔ́ːtəbʌ̀s] *n.* (*pl.* **~·es**, **~·ses**) 《미》 버스.
au·to·cade[ɔ́ːtəkèid] *n.* 《미》 자동차 행렬.
au·to·camp[ɔ́ːtəkæ̀mp] *n.* 자동차 여행자용 캠프장.
au·to·car[ɔ́ːtəkɑ̀ːr] *n.* 《古》 자동차.
au·to·ca·tal·y·sis[ɔ̀ːtoukətǽləsis] *n.* (*pl.* **-ses**[-sìːz]) 〔化〕 자촉매 작용.
au·to·ca·thar·sis[ɔ̀ːtoukəθɑ́ːrsis] *n.* Ⓤ 〔精醫〕 자기 정화(법)《자기의 경험을 글로

적음으로써 마음의 불안을 고침》.
au·to·ceph·a·lous[ɔ̀:təséfələs] *a.* 〔그리스 正敎〕 독립 자치의 〈교회 등〉.
au·to-chang·er[ɔ́:tətʃèindʒər] *n.* 자동 음반 교환 장치.
au·to·chrome[ɔ́:təkròum] *n.* 〔寫〕 초기 천연색 투명 사진용 건판.
au·toch·thon[ɔ:tɑ́kθən/-tɔ́k-] *n.* (*pl.* ~**s, -tho·nes**[-nì:z]) 원주민, 토착민; 토종 동식물.
au·toch·tho·nism[-tɑ́kθənìzəm/-tɔ́k-] *n.* Ⓤ 토착(土着); 토지 원산(原産).
au·toch·tho·nous[ɔ:tɑ́kθənəs/-tɔ́k-], **-nal**[-nəl], **au·toch·thon·ic**[ɔ̀:tɑkθɑ́nik/-tɔkθɔ́n-] *a.* 토착의, 원지성의, 자생적인.
au·to·cid·al[ɔ́:tousàidl] *a.* 〈해충을〉 자멸 유도하는.
au·to·cide[ɔ́:tousàid] *n.* (충돌을 일으켜서 하는) 자동차 자살.
au·to·clave[ɔ́:təklèiv] *n.* 압력솥, 고압솥.
au·to·code[ɔ́:təkòud] *n.* 〔컴퓨터〕 기본 언어.
áuto còurt =MOTEL.
∗**au·toc·ra·cy**[ɔ:tɑ́krəsi/-tɔ́k-] *n.* (*pl.* **-cies**) **1** Ⓤ 독재권; 독재 정치. **2** 독재주의 국가.
⊕ áutocrat *n.*; autocrátic *a.*
∗**au·to·crat**[ɔ́:təkræ̀t] *n.* **1** 독재〔전제〕 군주 (despot). **2** 독재자.
au·to·crat·ic, -i·cal[ɔ̀:təkrǽtik], [-əl] *a.* **1** 독재의; 독재적인(*opp.* constitutional). **2** 횡포한. **-i·cal·ly**[-ikəli] *ad.*
au·to·cross[ɔ́:təkrɔ̀:s] *n.* =GYMKHANA.
au·to·cue[ɔ́:toukjù:] *n.* 《영》 텔레비전용 프롬프터 기계(TelePrompTer)《상표명》.
au·to·cy·cle[ɔ́:tousàikl] *n.* 원동기 달린 자전거.
au·to-da-fé[ɔ̀:toudəféi] [Port] *n.* (*pl.* **au·tos-**[ɔ̀:touz-]) 〔基督教史〕 **1** 종교 재판소(Inquisition)의 사형 선고 및 사형 집행. **2** (일반적으로) 이교도(異教徒)의 화형(火刑).
au·to·de·struct *vi.* =SELF-DESTRUCT.
au·to·di·dact[ɔ̀:toudáidækt, -daidǽkt] *n.* 독학〔독습〕자.
au·to·drome[ɔ́:toudròum] *n.* 자동차 경주 트랙.
au·to·dyne[ɔ́:tədàin] *n., a.* 〔通信〕 오토다인 수신 방식(의)(*cf.* HETERODYNE).
au·to·e·rot·ic[ɔ̀:touirɑ́tik] *a.* 〔心〕 자기 발정〔색정〕적인.
au·to·e·rot·i·cism[ɔ̀:touirɑ́təsìzəm/-irɔ́t-] *n.* =AUTOEROTISM.
au·to·er·o·tism[ɔ̀:touérətìzəm] *n.* Ⓤ 〔心〕 자기 발정〔색정〕, 자체애《자위 등》.
au·to·fo·cus[ɔ́:toufòukəs] *a.* (카메라가) 자동 초점인〔장치의〕. ── *n.* (카메라의) 자동 초점 기능〔장치〕.
au·tog·a·mous[ɔ:tɑ́gəməs/-tɔ́g-] *a.* 〔動〕 자가 생식의; 〔植〕 자화 수정의.
au·tog·a·my[ɔ:tɑ́gəmi/-tɔ́g-] *n.* Ⓤ 〔動〕 자가 생식; 〔植〕 자화 수정.
au·to·gen·e·sis[ɔ̀:toudʒénəsis] *n.* Ⓤ 〔生〕 자연〔우연〕 발생(설)(abiogenesis).
au·to·gén·ic tráining[ɔ̀:toudʒénik-] 자율 훈련법.
au·tog·e·nous[ɔ:tɑ́dʒənəs/-tɔ́dʒ-] *a.* 자생(自生)의, 내생(內生)의; 〔生理〕 내인적인.
autógenous váccine 자생 백신.
au·tog·e·ny[ɔ:tɑ́dʒini/-tɔ́dʒ-] *n.* Ⓤ 〔生〕 자생, 자기 발생(self-generation).
au·to·ges·tion[ɔ̀:tədʒéstʃən] *n.* (근로자 대표 등에 의한 공장 등의) 자주적 관리.
au·to·gi·ro[ɔ̀:toudʒáirou/-dʒáiər-] *n.* (*pl.* ~**s**) 〔空〕 오토자이로《헬리콥터의 전신》.
au·to·graft[ɔ́:təgræ̀ft, -grɑ̀:ft] 〔外科〕 *n.* 자가 이식체(移植體). ── *vt.* 〈조직을〉 자가 이식하다.
∗**au·to·graph**[ɔ́:təgræ̀f, -grɑ̀:f] *n.* Ⓤ,Ⓒ **1** 자필, 육필(肉筆). **2** 자서(自署), 서명; 자필의 원고〔문서, 증서〕. **3** 육필 석판쇄(石版刷). ── *a.* 자필의, 자서의. ── *vt.* **1** 자필로 쓰다; 자서하다. **2** 석판〔등사판《등》〕으로 복사하다.
⊕ autográphic *a.*
áutograph álbum〔bóok〕 서명장, 사인북.
au·to·graph·ic, -i·cal[ɔ̀:təgrǽfik], [-əl] *a.* **1** 자필의, 친필의; 자서의. **2** 〈계기(計器)가〉 자기(自記)의(self-recording). **3** 〔印〕 육필 석판 인쇄의. **-i·cal·ly**[-ikəli] *ad.*
au·tog·ra·phy[ɔ:tɑ́grəfi/-tɔ́g-] *n.* (*pl.* **-phies**) Ⓤ,Ⓒ **1** 자서, 자필; 〔집합적〕 자필 문서. **2** 〔印〕 육필 인쇄술《석판·등사판 등》.
áuto gráveyard 《미俗》 폐차장.
au·to·gra·vure[ɔ̀:tougrəvjúər] *n.* 오토그라비어《사진판 조각법의 일종》.
au·to·gy·ro *n.* (*pl.* ~**s**) =AUTOGIRO.
au·to·hyp·no·sis[ɔ̀:touhipnóusis] *n.* Ⓤ 자기 최면.
au·to·ig·ni·tion[ɔ̀:touigníʃən] *n.* (내연 기관의) 자기 점화, 자기 착화; 자연 발화.
au·to·im·mune[ɔ̀:touimjú:n] *a.* 〔病理〕 자기〔자가〕 면역의.
autoimmúne disèase 〔病理〕 자기 면역 장애증(症)《면역 반응 부조로 인한 질병》.
au·to·in·fec·tion[ɔ̀:touinfékʃən] *n.* Ⓤ 〔病理〕 자기 감염.
au·to·in·jec·tor[ɔ̀:touindʒéktər] *n.* (신경가스 등에 대해 사용하는) 자기 (피하) 주사기.
au·to·in·oc·u·la·tion[ɔ̀:touinɑ̀kjuléiʃən/-inɔ̀k-] *n.* Ⓤ 〔醫〕 자기〔자가〕 접종.
au·to·in·tox·i·ca·tion[ɔ̀:touintɑ̀ksəkéiʃən] *n.* Ⓤ 〔病理〕 자가 중독.
au·to·ist[ɔ́:touist] *n.* 《미》 =AUTOMOBILIST.
au·to·ki·ne·sis[ɔ̀:toukiní:sis, -kai-] *n.* Ⓤ 자발 행동, 자동 운동.
au·to·ki·net·ic[-kinétik/-kai-] *a.* 자동적인.
autokinetic phenomenon 〔心〕 자동 운동 현상.
au·to·land[ɔ́:toulæ̀nd] *n.* 〔空〕 자동 착륙.
áuto lìft 오토 리프트《자동차를 들어올리는 유압 장치》.
au·to·load·ing[ɔ̀:toulóudiŋ] *a.* 〈총기가〉 자동 장전식(裝塡式)의.
au·tol·o·gous[ɔ:tɑ́ləgəs/-tɔ́l-] *a.* 〔生〕 자가 이식한, 자가 조직의.
au·to·ly·sin[ɔ̀:təláisin, ɔ:tɑ́lə-] *n.* 〔生化〕 (동식물 조직을 파괴하는) 자기 분해제.
au·tol·y·sis[ɔ:tɑ́ləsis/-tɔ́l-] *n.* Ⓤ 〔生化〕 자기 분해〔소화〕.
au·to·lyze[ɔ́:təlàiz] *vt., vi.* 〔生化〕 자기 분해〔소화〕시키다〔하다〕.
au·to·mak·er[ɔ́:toumèikər] *n.* 《미》 자동차 제조업자〔회사〕.
au·to·man[ɔ́:toumæ̀n] *n.* =AUTOMAKER.
au·to·ma·nip·u·la·tion[ɔ̀:toumənipjuléiʃən] *n.* 수음, 자위.
au·to·mat[ɔ́:təmæ̀t] *n.* **1** 자동 판매기. **2** 자동 판매식 식당.
au·tom·a·ta[ɔ:tɑ́mətə/-tɔ́m-] *n.* AUTOMATON의 복수.
au·to·mate[ɔ́:təmèit] *vt.* 자동화하다; …을 자동화로 제조하다: an ~*d* factory 자동 조작 공장. ── *vi.* 자동화하다.
áu·to·mat·ed-téll·er machìne 자동 현금

인출 · 예입 장치(略: ATM).

****au·to·mat·ic**[ɔ̀:təmǽtik] *a.* **1** 〈기계 · 장치 등〉자동의, 자동식의: 자동적인: ~ calling 〔電話〕 자동 호출/an ~ door 자동문/an ~ elevator 자동 엘리베이터/~ operation 오토메이션, 자동 조작/an ~ telephone 자동 전화. **2** 〈행위 · 동작 등이〉 무의식적인: 습관적인, 기계적인. **3** 자연 발생적인, 필연적인. — *n.* **1** 자동 조작 기계〔장치〕. **2** 자동 권총. **3** 오토매틱 자동차(자동 변속 장치가 달린).
⊕ autómatism *n.*: autómatize *v.*

au·to·mat·i·cal[-ikəl] *a.* 자동적인.

au·to·mat·i·cal·ly[-ikəli] *ad.* 자동적으로; 기계적으로.

automátic dáta pròcessing (컴퓨터에 의한) 자동 정보 처리(略: ADP).

automátic diréction finder (항공기의) 자동 방위 측정기(略: ADF).

automátic dríve =AUTOMATIC TRANSMISSION.

au·tom·a·tic·i·ty[ɔ̀:təmətísəti] *n.* Ⓤ 자동성(自動性).

automátic pílot 자동 조종 장치.

automátic pístol 자동 권총.

automátic tráin contròl 열차 자동 제어 장치.

automátic tráin stòp 열차 자동 정지 장치.

automátic transmíssion (자동차의) 자동 변속 장치.

automátic týpesetting 〔印〕 컴퓨터 식자.

automátic wríting 〔心〕 자동 기술(記述) 《자기가 글을 쓰고 있다는 것을 의식하지 않고 쓰는 일》.

****au·to·ma·tion**[ɔ̀:təméiʃən] [*automa*tic+opera*tion*] *n.* Ⓤ **1** (기계 · 공장 등의) 오토메이션, 자동 조작. **2** (육체 노동을 줄이기 위한) 기계 사용.

au·tom·a·tism[ɔ:támətìzəm/-tɔ́m-] *n.* Ⓤ **1** 자동성, 자동 작용, 자동적 활동; 기계적〔무의식적〕 행위. **2** 〔哲 · 心〕 자동 현상, 자동 기계설. **3** 〔生理〕 자동성(심장의 고동, 근육의 반사 운동 등). **4** 〔美〕 무의식적 자동 작용.

au·tom·a·ti·za·tion[ɔ:tàmətizéiʃən/-tɔ̀m-ətai-] *n.* Ⓤ 자동화, 오토메이션.

au·tom·a·tize[ɔ:támətàiz/-tɔ́m-] *vt.* 자동화하다; 오토메이션화하다(automate).

au·to·mat·o·graph[ɔ̀:təmǽtəgræ̀f, -grɑ̀:f] *n.* 자동 운동 기록기.

au·tom·a·ton[ɔ:támətàn/-tɔ́mətən] *n.* (*pl.* ~s, -ta[-tə]) **1** 자동 장치; 자동 인형, 로봇. **2** 기계적으로 행동하는 사람〔동물〕.

au·tom·a·tous[ɔ:támətəs/-tɔ́m-] *a.* =AUTOMATIC.

****au·to·mo·bile**[ɔ́:təməbì:l, ⌐—⌐, ɔ̀:təmóu-] *n.* **1** 《미》 자동차(《영》 motorcar), 《특히》 승용차(◇ 일상어로는 car를 씀). **2** 《俗》 일이 빠른 사람, 기민한 사람. — *vi.* 《稀》 자동차를 타다, 자동차로 가다. — *a.* =AUTOMOTIVE.

au·to·mo·bil·ism[ɔ̀:təməbí:lizəm, -móubilìzəm] *n.* 《미》 Ⓤ 자동차 사용〔운전, 여행〕.

au·to·mo·bil·ist[-ist] *n.* 《미》 자동차 운전자, 자동차 소유자〔상용자〕.

au·to·mor·phism[ɔ̀:təmɔ́:rfizəm] *n.* 〔數〕 자기 동형(同形), 자형.

au·to·mo·tive[ɔ̀:təmóutiv, ⌐—⌐—] *a.* **1** 자동 추진의. **2** 자동차의.

au·to·net·ics[ɔ̀:tənétiks] *n. pl.* (단수 취급) 〔電子〕 자동 유도 제어학, 자동 제어론.

au·to·nom·ic[ɔ̀:tənámik/-nɔ́m-] *a.* **1** 자치의. **2** 〔生理〕 〈신경이〉 자율적인, 자율 신경계의. **3** 〔植〕 자발적인.

autonómic nérvous sỳstem 자율 신경계(系).

au·ton·o·mist[ɔ:tánəmist/-tɔ́n-] *n.* 자치론자.

au·ton·o·mous[ɔ:tánəməs/-tɔ́n-] *a.* **1** 자치권이 있는; 자율의; 자주적인. **2** 〔植 · 生理〕 자발적인, 자율적인. **~·ly** *ad.*

***au·ton·o·my**[ɔ:tánəmi/-tɔ́n-] *n.* (*pl.* **-mies**) Ⓤ **1** 자치; 자치권. **2** Ⓒ 자치 단체. **3** 〔哲〕 자율. **4** 〔植〕 자발성.

au·to·nym[ɔ́:tənìm] *n.* **1** 본명, 실명(實名) (*opp.* pseudonym). **2** 본명으로 낸 저작.

au·to·pen[ɔ́:toupèn] *n.* 자동 서명기.

au·toph·a·gy[ɔ:táfədʒi/-tɔ́f-] *n.* 〔生〕 자기 소모, 자식(自食) 작용.

au·to·phone[ɔ́:toufòun] *n.* 자동 전화.

au·to·phyte[ɔ́:təfàit] *n.* 독립 영양 식물(무기물에서 영양분을 만들어내는 식물; 광합성(光合成) 식물 등; *cf.* HETEROPHYTE).

au·to·pi·lot[ɔ́:toupàilət] *n.* =AUTOMATIC PILOT.

au·to·pis·ta[àutoupí:stɑ:] [Sp] *n.* (스페인어권의) 고속 도로.

au·to·plas·ty[ɔ́:təplæ̀sti] *n.* Ⓤ 〔外科〕 자가 조직 형성(술)(자가 이식에 의한 형성).

au·to·po·lo[ɔ́:təpòulou] *n.* 자동차 폴로 경기(자동차를 타고 하는).

au·top·sy[ɔ́:tɑpsi, -təp-] *n.* (*pl.* **-sies**) **1** 검시(檢視), 실지 검증. **2** 검시(檢屍), 검시 해부, 부검.

au·to·psy·cho·sis[ɔ̀:təsaikóusis] *n.* 〔精醫〕 자의식 장애성 정신병.

au·top·tic, -ti·cal[ɔ:táptik/ɔ:tɔ́p-], [-əl] *a.* 실지 검증의; 검시(檢屍)의, 시체 해부의.

au·to·ra·di·o·graph[ɔ̀:təréidiəgræ̀f, -grɑ̀:f] *n.* 방사능 사진.

au·to·reg·u·la·tion[ɔ̀:touregjəléiʃən] *n.* (장기 · 생물 · 생태계 등의) 자기 조절.

au·to·re·verse[ɔ̀:tourivə́:rs] *n.* 〔電子〕 오토리버스(테이프 녹음〔재생〕 중, 한 면이 끝나면 자동 역전하여 녹음〔재생〕을 계속하는 기능).

au·to·route[ɔ́:tourù:t] [F] *n.* (프랑스 · 벨기에의) 고속 도로.

au·tos-da-fé[ɔ̀:touz-] [Port] *n.* AUTO-DA-FÉ의 복수.

au·to·sex·ing[ɔ́:tousèksiŋ] *a.* 태어날〔부화할〕 때 자웅 별로 각기 특징을 나타내는.

au·to·shape[ɔ́:touʃèip] *vi.* 〔心〕 (자극에 대하여) 자기 반응을 형성하다.

au·to·sled[ɔ́:touslèd] *n.* 자동 썰매.

au·to·some[ɔ́:təsòum] *n.* 〔生〕 상(常)염색체(성염색체 이외의 염색체).

au·to·sta·bil·i·ty[ɔ̀:toustəbíləti] *n.* Ⓤ 〔機〕 자율 안정; 자동 조종〔제어〕 안정.

au·to·stra·da[ɔ̀:toustrɑ́:də] [It] *n.* (*pl.* ~s, **-de**[-dei]) (이탈리아의) 고속 도로(expressway).

au·to·sug·ges·tion[ɔ̀:tousəgdʒéstʃən/-sədʒés-] *n.* Ⓤ 자기 암시.

au·to·tel·ic[ɔ̀:tətélik] *a.* 〔哲 · 文藝〕 자기 목적적인, 그 자체에 목적이 있는.

au·to·tim·er[ɔ́:toutàimər] *n.* (전기 조리기 등의) 자동 타이머.

au·tot·o·mize[ɔ:tátəmàiz, -tɔ́t-] *vi., vt.* 〔動〕 〈도마뱀 등이〉 자절(自切)하다.

au·tot·o·my[ɔ:tátəmi/-tɔ́t-] *n.* Ⓤ 〔動〕 (도마뱀 등의) 자기 절단, 자절(自切).

au·to·tox·ic[ɔ̀:tətáksik/-tɔ́ks-] *a.* 자가 중독(증)의.

au·to·tox·in[ɔ̀:tətáksin/-tɔ́ks-] *n.* 〔病理〕 자가 독소(自家毒素).
au·to·train[ɔ́:tou*t*rèin] *n.* 오토트레인《일정 구간을 승객과 자동차를 동시에 수송하는 열차》.
au·to·trans·form·er[ɔ̀:tou*t*rǽnsfɔ́:*r*mə*r*] *n.* 〔電〕 단권(單捲) 변압기.
au·to·trans·fu·sion[ɔ̀:tou*t*rænsfjú:ʒən] *n.* 자가〔자기〕 수혈법《환자의 자기 혈액 사용의》.
au·to·trans·plant[ɔ̀:tou*t*rǽnsplænt/-plɑ:nt] *n., vt.* =AUTOGRAFT.
au·to·tron·ic[ɔ̀:tou*t*ránik/-trɔ́n-] *a.* 〈엘리베이터가〉 자동 (전자) 장치인.
au·to·troph[ɔ́:tətràf/-trɔ̀f] *n.* 〔生〕 독립〔자주, 무기(無機)〕 영양 생물.
au·to·troph·ic[ɔ̀:tətróufic/-trɔ́f-] *a.* 〔生〕 자가(自家)〔독립, 자급(自給)〕 영양의.
au·to·truck[ɔ́:tou*t*rʌ̀k] *n.* 《미》 화물 자동차(《영》 motor-lorry).
au·to·type[ɔ́:tətàip] *n.* =FACSIMILE: 〔寫〕 오토타이프, 단색 사진판(법). ── *vt.* 오토타이프법으로 만들다〔전사하다〕.
au·to·ty·pog·ra·phy[ɔ̀:tətaipágrəfi/-pɔ́g-] *n.* Ⓤ 〔寫·印〕 단색 사진판법.
au·to·work·er[ɔ́:tou*w*ə̀:*r*kə*r*] *n.* 자동차 제조 노동자.
au·tox·i·da·tion[ɔ:tɑ̀ksədéiʃən/-tɔ̀ksi-] *n.* Ⓤ 〔化〕 자동 산화(酸化).
★**au·tumn** [ɔ́:təm] *n.* Ⓤ,Ⓒ **1** 가을, 가을철《통속적으로 영국에서는 8, 9, 10월, 북반구에서는 9, 10, 11월; ◇ 미국에서는 일상어로서 fall을 쓰는 경우가 많음》. **2** (the ~) 성숙기, 조락기(凋落期); (인생의) 초로기(初老期). ── *a.* 가을의. ♦ autúmnal *a.*
***au·tum·nal** [ɔ:tʌ́mnəl] *a.* **1** 가을의. **2** 〔植〕 가을에 피는, 가을에 열리는. **3** 초로기의, 중년의.
autúmnal équinox (the ~) 추분(점)(秋分(點))(=autúmnal póint).
autúmnal tínts 추색(秋色), 단풍.
au·tun·ite[ɔ́:tənàit, outʌnáit] *n.* Ⓤ 〔鑛〕 인회(燐灰) 우란광.
aux., auxil. auxiliary.
⁑**aux·il·ia·ry** [ɔ:gzíljəri, -zílə-] [L] *a.* **1** 보조의: an ~ engine 보조 기관/an ~ agent 〔染〕 조제(助劑)/~ coins 보조 화폐/an ~ note 〔樂〕 보조음. **2** 예비의. ── *n.* (*pl.* **-ries**) **1** 보조자, 조수; 보조물; 보조 단체, (클럽 등의) 여성 준회원단. **2** (*pl.*) (외국으로부터의) 원군, 외인 부대. **3** 〔海軍〕 보조함. **4** 〔文法〕 조동사(=∠ **vérb**).
auxíliary lànguage 〔言〕(국제적) 보조 언어.
auxíliary stórage〔**mémory**〕 〔컴퓨터〕 보조 기억 장치(secondary storage)(*cf.* MAIN STORAGE).
auxíliary tròops (외국으로부터의) 원군.
auxíliary vérb 〔文法〕 조동사.
aux·in[ɔ́:ksin] *n.* Ⓤ,Ⓒ 〔生化〕 옥신《식물 성장 물질의 총칭》.
aux·o-[ɔ́:ksou] 《연결형》「생장, 증대; 촉진, 자극」의 뜻.
aux·o·troph[ɔ́:ksətràf, -tròuf] *n.* 〔生〕 영양 요구체《영양 합성이 불가한 균주(菌株)》.
aux·o·troph·ic[ɔ̀:ksətráfik, -tróuf-] *a.* 〔生〕 보조적 영양의.
av. average; avoirdupois. **Av.** Avenue.
a.v., A/V *ad valorem* 〔商〕 가격에 따라.
A.V. audiovisual; Authorized Version.
⁑**a·vail** [əvéil] [OF] *vi.* (흔히 부정문)《文語》 소용에 닿다, 유용하다, 쓸모가 있다; 도움이 되다; 가치가 있다, 이익이 되다: 《 I *to do*》 No words ~*ed to* soften him. 그의 마음을 풀어 줄 수 있는 말은 없었다/Such arguments will not ~. 그런 논쟁은 소용이 없을 것이다/This medicine ~*s* little against pain. 이 약은 통증에 대해서 거의 효력이 없다/No advice ~*s with* him. 그에게는 어떤 충고도 소용이 없다. ── *vt.* (흔히 부정문) 《文語》 …의 소용에 닿다, …에 도움이 되다〔효력이 있다〕, …을 이롭게 하다: It will ~ you little or nothing. 그것은 네게 거의 아무 소용이 없을 것이다. **avail oneself of**=《미口》 **avail of** …을 이용하다, …을 틈타다〔편승하다〕. ── *n.* Ⓤ 이익, 보람, 효용, 효력《◇ 지금은 다음 숙어에서만 쓰임》. **be of avail** 도움〔소용〕이 되다, 효과가 있다(be available). **be of no**〔**little**〕 **avail** 전혀〔거의〕 쓸모가 없다. **to no avail** =**without avail** 무익하게, 보람도 없이. ♦ aváilable *a.*
a·vail·a·bil·i·ty[əvèiləbíləti] *n.* (*pl.* **-ties**) Ⓤ **1** 유효성, 유용성, 효용; 입수 가능. **2** 《미》 (선거 후보자의 인기도로 본) 당선 가능성. **3** Ⓒ 이용할 수 있는 사람〔것〕.
⁑**a·vail·a·ble** [əvéiləbəl] *a.* **1** 이용할 수 있는, 소용이 되는, 쓸모 있는. **2** 입수할 수 있는. **3** 〔法〕 유효한: ~ on (the) day of issue only 발행 당일에 한해서 유효. **4** 〈후보자가〉 당선 가능한. **5** (면회〔일〕에 응할 수 있는) 시간이 있는, 여가가 있는. **~·ness** *n.* **-bly** *ad.*
aváilable ássets 〔會計〕 이용 가능 자산.
aváilable énergy 〔物〕 유효 에너지.
aváilable líght 〔美·寫〕 (물체·피사체가 받는) 자연광.
***av·a·lanche** [ǽvəlæ̀ntʃ, -lɑ̀:nʃ] [F] *n.* 사태; 우박 쏟아지듯 하는 것《주먹질·돌팔매 등》; (우편물·불행·질문 등의) 쇄도. ── *vi.* 쇄도하다.
av·a·lan·chine[æ̀vəlǽ:ntʃi:n, -lɑ́:n-] *a.* 사태 같은.
a·vale·ment[əvǽlmənt] [F] *n.* 〔스키〕 아발망《활강·회전에서 허리를 낮추어 속도를 올리는 방법》.
a·vant-cou·ri·er[ɑ:vɑ̀:ntkúriə*r*, ævɑ̃:-] [F] *n.* 선구자; (*pl.*)《古》 전위(前衛), 선봉.
a·vant-garde[əvɑ̀:n*t*gɑ́:*r*d, əvæ̀n*t*-, ævɑ:nt-, ɑ̀:vɑ:n*t*-] [F =vanguard] *n.* (the ~; 집합적) 전위적〔첨단적〕 예술가들. ── *a.* 전위적인: ~ pictures 전위 영화.
***av·a·rice** [ǽvəris] *n.* Ⓤ (금전에 대한) 탐욕. ♦ avarícious *a.*
***av·a·ri·cious** [æ̀vəríʃəs] *a.* 욕심 많은, 탐욕스런(greedy). **~·ly** *ad.* **~·ness** *n.*
a·vast[əvǽst, əvɑ́:st] *int.* 〔海〕 멈춰! 그쳐!(Stop!)
av·a·tar[ǽvətɑ̀:*r*, ∸-∠] *n.* Ⓤ,Ⓒ **1** 〔인도神〕 화신(化身), 권화. **2** 구현, 구체화.
a·vaunt[əvɔ́:nt, əvɑ́:nt] *int.* 《古》 물러가!, 꺼져!(Begone!)
A.V.C. American Veterans' Committee 미국 재향 군인회. **avdp.** avoirdupois.
a·ve[éivi, ɑ́:vei] [L =hail] *int.* **1** 어서 오세요(Welcome!). **2** 안녕히 가세요(Farewell!). ── *n.* **1** (**A-**) 아베 마리아에게 드리는 기도. **2** 환영〔작별〕 인사.
Ave. 《미》 Avenue.
Ave Ma·ri·a[ɑ́:veimərí:ə, ɑ́:vi-] 아베 마리아(=Hail Mary)《성모 마리아에게 드리는 기도》.
Avéna tèst[əví:nə-] 〔生〕 아베나 테스트《메귀리(Avena)에 의한 식물 성장소의 함유량 테스트》.
***a·venge** [əvéndʒ] *vt.* **1** (사건에 대해) 원수

를 갚다, …의 복수를 하다, 앙갚음하다 《*on*》: 《Ⅲ (목)+〈전+명〉》 He ~*d* the death of his father. 그는 그의 아버지의 죽음에 대한 원수를 갚았다/《Ⅲ (목)+전+명》 He ~*d* his father's death *on*〔*upon*〕 the murderer. 그는 그 살인자에게 그의 아버지의 죽음에 대한 복수를 했다/《Ⅲ (목)+전+명》 He ~*d* her death *on* the town. 그는 그 도시에 대하여 그녀의 죽음에 대한 보복을 했다/《Ⅲ (목)+전+명》 He ~*d* her on〔upon〕 them. 그는 그들을 응징하여 그녀의 한을 풀었다. **2** (~ one*self* 또는 수동형으로) …에게 복수하다《*on*》: 《Ⅲ (목)+전+명(+전+명)》 He ~*d* himself *on* them (for their misdeeds). 그는 (그들의 악행에 대하여) 그들에게 복수를 했다(=《Ⅰ *be pp.*+전+명(+전+명)》 He was ~*d on* them (for their misdeeds).) 《◇ avenge는 '피해자' 또는 '피해'를 그 목적어로 취한다. 피해자가 주어인 경우에는 재귀대명사를 목적어로 또는 수동태를 쓴다》. — *vi.* 복수하다.
◈ véngeance *n.*: véngeful *a.*

a·veng·er[əvéndʒər] *n.* 복수자, 원수를 갚는 사람. **the avenger of blood** 피해자의 원수를 갚아야 할 의무가 있는 가장 가까운 혈족.

a·veng·ing[əvéndʒiŋ] *a.* 복수의, 보복의.

av·ens[ǽvinz] *n.* (*pl.* ~, ~·**es**) 〔植〕 뱀무속(屬)의 식물.

a·ven·tu·rine[əvéntʃəri:n, -rin] *n.* Ⓤ (구리 가루를 넣은) 갈색의 유리; 사금석(砂金石). — *a.* 반짝반짝 빛나는.

⁑**av·e·nue**[ǽvənjù:] [F] *n.* **1** 가로수 길. **2** 두 줄로 늘어선 가로수. **3** 《영》 (시골 저택의 나무를 심은) 현관에 이르는 통로. **4** 《미》 (도시의) 큰 가로, 주요가(mainstreet) 《◇ 미국의 대도시에서는 Avenue는 남북, Street는 동서의 도로에 쓰이는 경우가 있음》. **5** (어떤 목적에 이르는) 수단, 길, 방법《*to, of*》: an ~ to success 성공에의 길.

*__a·ver__[əvə́:r] *vt.* (~**red**; ~·**ring**) **1** 《文語》 (사실이라고) 단언하다, 확언하다; …을 언명〔주장〕하다. **2** 〔法〕 증언하다(verify): She ~*red that* he had done it. 그녀는 그가 그것을 했다고 증언했다.

⁑**av·er·age**[ǽvəridʒ] [Arab] *n.* Ⓒ,Ⓤ **1** 평균; 평균치: an arithmetical〔geometrical〕 ~ 산술〔기하〕 평균. **2** (일반) 표준, 보통 수준. **3** 〔海保〕 해손(海損): a general〔particular〕 ~ 공동〔단독〕 해손. **above**〔**below**〕 **the average** 보통〔평균〕 이상〔이하〕. **on an**〔**the**〕 **average** 평균하여, 대략. **strike**〔**take**〕 **an average** 평균을 내다, 평균하다. **up to the average** 평균에 달하여. — *a.* **1** 평균의: the ~ life span 평균 수명. **2** 보통 수준의, 보통의: of ~ quality 보통 품질의/the ~ man 보통 사람《◇「보통 사람들」은 ordinary people 이라고 함》. — *vt.* **1** 평균하다, 평균 내다. **2** 평균하여 …하다/I ~ 8 hours' work a day. 하루 평균 8시간 일한다. — *vi.* 평균하면 …이다; 평균선에 이르다. **average out** 《口》 결국 평균에 달하다.
~·**ly** *ad.* ~·**ness** *n.*

áverage lífe 〔物〕 (방사성 물질의) 평균 수명.

av·er·ag·er[ǽvəridʒər] *n.* 〔商〕 해손 청산인.

a·ver·ment[əvə́:rmənt] *n.* Ⓤ,Ⓒ **1** 언명, 단언. **2** 〔法〕 사실의 주장〔진술〕.

A·ver·nus[əvə́:rnəs] *n.* **1** 아베르누스호《이탈리아의 나폴리 부근의 작은 호수; 옛날 지옥의 입구라고 알려져 있었음》. **2** 〔로神〕 지옥. -**nal**[-nəl] *a.* Avernus 호의; 지옥의.

*__a·verse__[əvə́:rs] *a.* **1** 《文語·익살》 싫어하여; 반대하여《*to, from; to* do*ing, to* do》: 《Ⅱ 형+전+-*ing*》 He is ~ *to* tak*ing* his meals in a restaurant. 그는 식당에서 식사하는 것을 싫어한다/《Ⅱ 형+*to* do〔전+-*ing*〕》 He is ~ *to* come〔*to* com*ing*〕 here. 그는 여기에 오는 것을 싫어한다. **2** 〔植〕 〈잎이〉 원줄기에서 바깥쪽을 향한(*opp.* adverse). ~·**ness** *n.*

*__a·ver·sion__[əvə́:rʒən, -ʃən] *n.* **1** Ⓤ 싫음, 혐오《*to, from, for, to* do*ing*》: 《Ⅲ (목): 전+-*ing*》 I have an ~ *to* see*ing* boxing-matches. 나는 권투 시합을 보는것이 싫다. **2** 싫은 것〔사람〕《◇ 보통 다음 성구로: my pet ~ 내가 가장 싫은 것》.

avérsion thèrapy 〔心〕 혐오 요법.

a·ver·sive[əvə́:rsiv, -ziv] *a.* **1** 혐오의. **2** 〈불쾌·고통 등을〉 피하려고 하는, 회피적인.

*__a·vert__[əvə́:rt] [L] *vt.* **1** 〈눈·생각 등을〉 (…에서) 돌리다, 비키다, 돌이키다《*from*》: She ~*ed* her eyes *from* the terrible sight. 그녀는 그 무서운 광경으로부터 눈을 돌렸다. **2** 〈타격·위험을〉 피하다, 막다(prevent).

a·vert·i·ble, -a·ble[əvə́:rtəbl] *a.* 피할 수 있는, 막을 수 있는.

A·ver·y[éivəri] *n.* 남자 이름.

A·ves[éivi:z] [L =bird] *n. pl.* 〔動〕 조류.

A·ves·ta[əvéstə] *n.* (the ~) 아베스타《조로아스터교의 경전; ⇨Zend-Avesta》.

A·ves·tan, A·ves·tic[əvéstən], [əvéstik] *n.* 아베스타 말. — *a.* 아베스타 말〔경전〕의.

avg. average.

av·gas[ǽvgæ̀s] *n.* =AVIATION GASOLINE.

a·vi·an[éiviən] *a.* 새의, 조류의.

a·vi·a·rist[éiviərist] *n.* 애조가, 새 기르는 사람.

a·vi·ar·y[éivièri] *n.* (*pl.* -**ar·ies**) 새장; (대규모의) 새 사육장.

a·vi·ate[éivièit, ǽv-] *vi.* 비행하다, 《특히》 항공기를 조종하다.

*__a·vi·a·tion__[èiviéiʃən, æ̀v-] *n.* Ⓤ **1** 비행, 항공; 비행〔항공〕술(aeronautics): an ~ cap 비행모/~ sickness 항공병《고공 비행시에 일어나는 병》. **2** (집합적) (특히 군용) 비행기. **3** 항공기 산업. **civil aviation** 민간 항공.
◈ áviate *v.*

aviátion bàdge 공군〔항공〕 기장(記章).

aviátion cadèt 〔미空軍〕 사관 후보생.

aviátion gàsoline 항공 가솔린.

aviátion mèdicine 항공 의학.

aviátion spìrit =AVIATION GASOLINE.

*__a·vi·a·tor__[éivièitər, ǽv-] *n.* 《古》 비행가, 비행사: a civilian〔private〕 ~ 민간 비행가.

áviator glàsses 조종사 안경.

áviator's éar 〔病理〕 고공 비행성 중이염.

a·vi·a·tress[éivièitris, ǽv-] *n.*=AVIATRIX.

a·vi·a·trix[èiviéitriks, æ̀v-] *n.* (*pl.* ~·**es, -tri·ces**[-trəsì:z]) 여류 비행가《◇ 보통 aviator, 또는 woman〔lady〕 aviator 라고 함》.

a·vi·cul·ture[éivəkʌ̀ltʃər, ǽv-] *n.* Ⓤ 조류 사육(飼育).

av·id[ǽvid] *a.* **1** 욕심 많은, 탐욕스런; 열심인. **2** 탐내어, 갈망하여《*of, for*》. ~·**ly** *ad.*

a·vid·i·ty[əvídəti] *n.* Ⓤ (열렬한) 욕망, 갈망; 탐욕. **with avidity** 몹시 탐내어.

a·vi·fau·na[èivəfɔ́:nə, æ̀v-] *n.* (한 지방·시기·자연 조건에서의) 조류상(鳥類相).

a·vi·form[éivəfɔ̀:rm, ǽv-] *a.* 새 모양의.

av·i·ga·tion[æ̀vəgéiʃən] [*avi*ation+navi*gation*] *n.* Ⓤ 항공(학); 항법.

A·vi·gnon[æ̀vinjɔ̃́:, əvínjən] *n.* 아비뇽《남프랑스의 도시; 교황청 소재지(1309-77)》.

a·vion[avjɔ̃ː][F =airplane] *n.* (*pl.* ~**s**) 비행기: par ~ 항공우편으로(by airmail).
a·vi·on·ics[èiviániks/-ɔ́n-] [*avi*ation+elec*tronics*] *n. pl.* (단수 취급) 항공 전자 공학.
a·vir·u·lent[eivír*j*ələnt, ævíː-] *a.* 〈생물체가〉 독성이 없는, 악성이 아닌.
a·vi·so[əváizou] [Sp] *n.* (*pl.* ~**s**) 공문서 송달; 공문서 송달선.
a·vi·ta·min·o·sis[eivàitəmənóusis, èivitæ̀-] *n.* Ⓤ 비타민 결핍증.
A.V.M. Air Vice-Marshal. **avn.** aviation.
a·vo[áːvuː] *n.* (*pl.* **a·vos**) 아부《마카오의 화폐 단위: 1/100 파타카(pataca)》.
av·o·ca·do[æ̀vəkáːdou, ɑ̀ːvə-] *n.* (*pl.* ~**(e)s**) 〔植〕 (열대 아메리카산의) 아보카도나무; 아보카도, 악어배(alligator pear).
av·o·ca·tion[æ̀voukéiʃən] *n.* **1** 부업, 내직(內職). **2** 《口》 직업, 본업(vocation). **3** 《古》 여기(餘技), 도락, 취미.
a·voc·a·to·ry[əvákətɔ̀ːri/əvɔ́kətəri] *a.* 호출하는, 소환하는.
av·o·cet[ǽvəsèt] *n.* 〔鳥〕 뒷부리장다리물떼새.
A·vo·ga·dro[æ̀vəgáːdrou, ɑ̀ːv-] *n.* 아보가드로 Count Amedeo ~(1776-1856)《이탈리아의 화학자·물리학자》.
Avogádro númber 〔物·化〕 아보가드로 수.
Avogádro's láw 〔物·化〕 아보가드로의 법칙.
⁑**a·void**[əvɔ́id] [OF] *vt.* **1** (의식적·의도적으로) 피하다, 회피하다: 《Ⅲ-*ing*》 The kid barely ~*ed* be*ing* hit by a car. 그 어린아이는 차에 치이는 것을 간신히 면했다/《Ⅲ *pos.*+-*ing*》 She could ~ his shoot*ing*. 그녀는 그의 총격을 피할 수 있었다/《Ⅱ *be pp.*+*to* do》《(*to* do)-*v*Ⅲ+-*ing*+㊐》 She was obliged *to* ~ walk*ing* altogether. 그녀는 보행은 전혀 피해야만 했다. **2** 〔法〕 무효로 하다, 취소하다(annul). ◇ avóidance *n.*
***a·void·a·ble**[-əbəl] *a.* 피할 수 있는; 무효로 할 수 있는. **-bly** *ad.*
***a·void·ance**[əvɔ́idəns] *n.* Ⓤ **1** 도피, 기피. **2** 〔法〕 무효, 취소.
avoir. avoirdupois.
av·oir·du·pois[æ̀və*r*dəpɔ́iz] *n.* Ⓤ **1** 상형(常衡)《귀금속·보석·약품을 제외한 모든 것에 쓰이는 형량(衡量); 16온스를 1파운드로 정함》. **2** 《미口》 무게; (사람의) 체중; 비만.
A·von[éivən, ǽvən] *n.* **1** (the ~) 에이번강《영국 중부의 강; Shakespeare의 출생지 Stratford는 이 강가에 있음》. **2** 에이번주《1974년 신설된 잉글랜드 중부의 주》.
av·o·set[ǽvousèt] *n.* =AVOCET.
a·vouch[əváutʃ] *vt.* 《文語》 **1** 진실이라고 단언〔언명〕하다. **2** 자인하다, 승인하다. **3** 보증하다. — *vi.* 《古》 보증하다《*for*》: I can ~ *for* the quality. 품질을 보증할 수 있습니다. **~·ment** *n.*
a·vow[əváu] *vt.* 《文語》 **1** 〈과실 등을〉 솔직이 인정하다; 공공연히 인정하다; 고백〔자백〕하다: 《Ⅴ(목)+*to be*+㊒+〈㊜+㊒〉》 He ~*ed* himself *to be* the author of the libel. 그는 자신이 그 명예회손의 장본인임을 고백〔자백〕했다. **2** 공언하다, 언명하다: 《Ⅴ(목)+㊒+〈㊜+㊒〉》 He ~*ed* himself a believer *in* spiritualism. 그는 자신이 유심론(唯心論)을 믿는 사람이라고 공언했다. **3** 〔法〕 승인하다. **avow oneself** (**to be**)... 자기가 (…)이라고 고백〔공언〕하다. **~·a·ble** *a.*
a·vow·al[əváuəl] *n.* Ⓤ,Ⓒ 공언, 고백; 자인.
a·vowed[əváud] *a.* 스스로 인정한〔언명한〕; 공공연한(open).
a·vow·ed·ly[əváuidli] *ad.* 공공연히, 명백히.
a·vulse[əvʌ́ls] *vt.* 무리하게 떼어 놓다; 〔醫〕 〈조직을〉 벗겨내다.
a·vul·sion[əvʌ́lʃən] *n.* Ⓤ **1** 무리하게 떼어 냄(벗겨냄). **2** 〔法〕 (홍수 등에 의한) 토지의 전위(轉位)〔자연 분리〕. **3** Ⓒ 떼어 낸 부분; 〔法〕 분열지(分裂地).
a·vun·cu·lar[əvʌ́ŋkjulə*r*] *a.* 숙부〔백부〕의, 삼촌의; 숙부〔백부〕 같이 상냥〔친절〕한.
aw[ɔː] [의성음] *int.* 《미》 저런!, 아니!, 에이! 《항의·불쾌·동정 등을 나타냄》.
A.W. atomic weight. **A/W** actual weight 〔商〕 실량(實量); all water. **AWACS** airborne warning and control system 에이와스, 공중 경계 관제 장치〔비행기〕.
⁑**a·wait**[əwéit] *vt.* **1** 〈사람이〉 기다리다, 대기하다(wait for)(*cf.* WAIT): We are ~*ing* your answer. 우리는 당신의 회답을 기다리고 있습니다. **2** 〈사물이〉 …을 기다리고 있다; …에 준비되어 있다: Death ~*s* us all. 죽음이 우리 모두를 기다리고 있다《인간은 죽음을 면할 수 없다》/A heavy welcome ~*s* you. 충심으로 당신을 환영할 것입니다. — *vi.* (기대하고) 기다리다, 대망하다.
★**a·wake**[əwéik](**a·woke**[əwóuk], 《稀》 **a·waked** [əwéikt]; **a·waked,** 《稀》 **a·woke, a·wok·en** [əwóukən]) *vt.* **1** 〈자고 있는 사람을〉 깨우다: The distant rumbling of guns *awoke* us. 멀리서 울려오는 총소리에 우리는 잠을 깼다/A shrill cry *awoke* me *from*〔*out of*〕 my sleep. 날카로운 고함 소리에 잠이 깼다. **2** 각성시키다; 〈죄·책임 등을〉 깨닫게 하다, 자각시키다《*to*》: The clergyman *awoke* the culprit *to* a sense of sin. 그 목사는 그 미결수에게 죄의 의식을 깨우쳐 주었다/He *awoke* people *from* ignorance. 그는 사람들을 계몽했다/They were *awakened to* the danger. 그들은 위험이란 것을 깨닫게 되었다. **3** 〈기억·동정심 등을〉 일깨우다, 환기하다《*in*》.
— *vi.* **1** 잠에서 깨어나다, 눈뜨다: I *awoke with* a start. 깜짝 놀라 눈을 떴다/~ *from* 〔*out of*〕 sleep 잠에서 깨어나다/He *awoke to* find himself famous. 그는 자고 나니 하룻밤 사이에 자기가 유명하게 되어 있음을 알았다. **2** 자각하다, 깨닫다《*to*》; 깨어나다, 각성하다《*from*》: ~ *to* a danger 위험을 깨닫다/~ *from* a delusion〔an illusion〕 현혹〔환상〕에서 각성하다. — *a.* **1** 자지 않고, 눈을 뜨고(*opp.* asleep): 《Ⅱ ㊔》 She is ~. 그녀는 깨어있다. **2** 정신차리고(vigilant), 알아채고, 자각하고《*to*》. **awake or asleep** 자나 깨나. **be awake to** …을 알아채고 있다. **keep awake** 자지 않고 있다.
⁑**a·wak·en**[əwéikən] *vt.* **1** 〈…을 잠에서〉 깨우다: be ~*ed from* sleep 잠에서 깨다. **2** 〈…에게〉 자각시키다, 깨닫게 하다, 눈뜨게 하다: It has ~*ed* him *to* a sense of his position. 그것은 그에게 자기 지위의 중요성을 깨닫게 했다. **3** 〈기억·호기심 등을〉 불러 일으키다. — *vi.* **1** 깨다, 눈뜨다. **2** 자각하다, 깨닫다 《◇ 주로 비유적인 뜻으로 타동사로 쓰임》.
a·wak·en·ing[əwéikəniŋ] *n.* Ⓤ,Ⓒ 눈뜸, 각성; 자각: a rude ~ 불쾌한 일을 갑자기 깨달음. — *a.* 깨우치는, 각성의.
⁑**a·ward**[əwɔ́ːrd] *vt.* **1** 〈상품·장학금 등을〉 (심사하여) 수여하다, (상을) 주다: ~ a person a prize = ~ a prize *to* a person …에게 상을 주다/《Ⅰ *be pp.*+㊜+㊒》 A medal was ~*ed to* him. 메달이 그에게 수여되었다/《Ⅲ *be pp.*+(목)》 He was ~*ed* the first prize (for his excel-

lent performance). 그는 (훌륭한 연주로) 일등상을 받았다. **2** (중재 · 재판 등에서) 재정(裁定)하다, 사정(査定)하다: …에게 〈배상금 등을〉 인정하다, 주다, 지급하다《*to*》: 《Ⅲ (목)+[전]+[명]》 He ~*ed* the sum of three thousand dollars *to* the injured woman. 그는 그 부상당한 부인에게 3,000 달러를 주었다.
— *n.* **1** 심판, 판정; 재정. **2** 판정서: 재정액《손해 배상 등의》. **3** 시상; 상품, 상금, …상. **4** 《영》 (대학생에게 주는) 장학금.

a·ward·ee[əwɔ̀:rdí, əwɔ́:rdì:] *n.* 수상자, 판정〔장학금《등》〕을 받은 사람.

awárd wàge 《오스》 법정 최저 임금.

‡a·ware[əwέər] *a.* **1** 깨닫고, 알고, 의식하고《*of, that, wh.*》: 《Ⅱ [형]+*that*(절)》 I was ~ *that* he was in the crowd. 나는 그가 군중 속에 있음을 알고 있었다/《Ⅱ [전]+[명]+[형]+[전]+[명]: *that*(절)》 He was not at all ~ of the fact *that* he was rather like a small prince. 그는 자기가 어느 정도 소공자(小公子)와 같다는 사실을 전혀 모르고 있었다/《Ⅱ [형]+([전])+*wh.*(절)》 She was ~ (of) *how* dangerous it was. 그녀는 그것이 얼마나 위험한가를 알고 있었다/《Ⅱ [형]+*what*(절)》(*what*-의문대명사) I'm not ~ *what* brought him here? 나는 무엇 때문에 그가 여기에 왔는지 모른다/《Ⅱ [형]+[전]+*what*(절)》(*what*-관계대명사) I'm ~ *of what* he wants. 나는 그가 원하는 것을 알고 있다《◇ of는 의문사절인 경우에는 보통 생략하고, 관계사 *what*절일 때에는 생략하지 않는다》/《Ⅱ [형]+[전]+[명]》 Are you ~ *of* her triumph? 너는 그녀가 승리한 것을 알고 있는가?/《Ⅱ [형]+[전]+*-ing*》(《[전]+*-ing*》-[전]+*there*+*v* Ⅰ(*being*)+(주)) I was ~ *of* there *being* no hope of success. 나는 성공할 가망성이 없다는 것을 알고 있었다. **2** …한 의식〔인식〕이 있는. **3** 《口》 사정〔소식〕에 정통한; 빈틈없는. **be aware of** …을 알아채고 있다, …을 알고 있다(know). **become aware of** …을 알아채다.

***a·ware·ness**[əwέərnis] *n.* [U] (때로 an ~) 알아채고〔깨닫고〕 있음, 자각, 인식《*of, that*》: 의식: the ~ *of* one's ignorance〔~ *that* one is ignorant〕 자기가 무식하다는 인식.

a·wash[əwɔ́:ʃ, əwάʃ/əwɔ́ʃ] *a.* **1** 〔海〕 〈암초 · 침몰선 등이〉 수면과 거의 같은 높이로, 파도에 씻기어. **2** 파도에 시달려. **3** 〈장소가〉 …으로 가득하여.

★a·way[əwéi] *ad.* **1** (위치 · 이동 · 방향) 떨어져서, 떠나서, 멀리, 저쪽으로〔에〕, 딴 데로, 옆으로《*from*》: far (and) ~ 멀리 저쪽에/miles ~ 몇 마일이나 떨어져/go ~ 떠나다, 어딘가로 가버리다/go ~ *from* …을〔에서〕 떠나다; …에서 멀리 떨어지다/keep ~ (*from*) (…에) 가까이〔접근〕하지 않다/~ (*to* the) south 멀리 남쪽에. **2** 부재하여, 집에 없어《*from*》: ~ *from* school 결석하여/She is ~ *from* her office. 그녀는 사무실에 없다. **3** (소실 · 제거) 사라져, 없어져: fade ~ 사라져 버리다/cut ~ 베어내다/put ~ 치우다/wash ~ 씻어 버리다. **4** (연속 행동) 잇따라, 끊임없이, 연이어: (보통 명령법으로) 망설이지 않고, 우물쭈물하지 않고: work ~ 꾸준히 일하다〔공부하다〕/talk ~ 계속 지껄여 대다/Fire ~! 쏘아라!; 시작해라! **5** (보통 명령형) 즉시, 곧: right〔straight〕 ~곧/Speak ~ 빨리 말해라. **6** 《미》 (강의(強意)) 훨씬(far)《◇ 다른 부사 · 전치사 above, ahead, back, behind, below, down, off, out, over, up 등을 강조함; 종종 'way, way로 생략됨》: ~ behind 훨씬 뒤에. **7** 〔野〕 아웃이 되어: with one man ~ 원아웃으로. **away back** 《미口》 훨씬 전에 (as long ago as). **Away with him!** 그를 쫓아 버려라! **Away with it!** 치워 버려!, 그만둬! **Away with you!** 거기 비켜!, 꺼져! **be away** 부재중〔결석〕이다《*from*》: (어디에 가서) 없다《*in, on, for*》. **cannot away with** 《古》 …을 참을 수 없다. **do away with** ⇨do[1]. **far and away** 훨씬, 단연. **from away** 《미》 멀리서부터. **get away from it all** 《口》 번거로운 일상 생활에서 떠나다. **out and away** = far and AWAY. **Where away?** 〔海〕 어느 방향으로. — *a.* **1** 상대편의 홈그라운드에서의. **2** 〔野球〕 아웃이 되어. — *n.* 원정 시합(에서의 승리).

‡a·we[ɔ:] *n.* [U] 두려움, 경외(敬畏)(reverential fear). **be**〔**stand**〕 **in awe of** …을 두려워〔경외〕하다. **be struck with awe** 두려워 위압당하다. **keep** a person **in awe** 항상 …을 두려워하게 하다. **with awe** 두려운 마음으로. — *vt.* **1** 두렵게 하다, 경외하게 하다: be ~*d* 두려워하다. **2** …을 위압하여 …시키다: She ~*d* the girl *into* obedience〔do*ing* it〕. 그녀는 그 소녀를 위압하여 복종시켰다〔그것을 하게 했다〕. ⟡ áwful, áwesome *a.*

A-weap·on[éiwèpən] *n.* 원자 무기(atomic weapon).

a·wea·ry[əwíəri] *a.* 《詩》 =WEARY.

a·weath·er[əwéðər] *ad.* 〔海〕 바람 불어오는 쪽에〔으로〕(*opp.* alee).

awed[ɔ:d] *a.* 경외심을 나타낸〔가지고 있는〕.

a·weigh[əwéi] *ad., a.* 〔海〕 닻이 해저에서 떨어져: with anchor ~ 닻을 감아 올리고.

awe-in·spir·ing[ɔ́:inspàiriŋ] *a.* 경외심을 일으키는, 장엄한.

awe·less[ɔ́:lis] *a.* 두려워하지 않는, 대담한.

awe·some[ɔ́:səm] *a.* **1** 두려움을 일으키게 하는, 장엄한. **2** 경외심이 나타나 있는, 황공한.

awe·struck, -strick·en[ɔ́:strʌ̀k, -strìkən] *a.* 위엄에 눌린, 두려운 생각이 든, 위압당한.

‡aw·ful[ɔ́:fəl] *a.* **1** 무서운, 무시무시한 〈광경 · 폭풍우 등〉: 장엄한. **2** 《口》 대단한, 지독한 (very bad), 심한 〈예절 · 실패 · 감기 등〉. **3** 《文語》 경외심을 일으키게 하는. — *ad.* 《口》 몹시 (very): He is ~ mad. 그는 몹시 노하고 있다. ⟡ awe *n.*

‡aw·ful·ly[ɔ́:fəli] *ad.* **1** 《文語》 무섭게, 두렵게; 두려워서, 위엄에 눌려. **2** 《口》 대단히, 지독하게, 엄청나게(very): It is ~ good of you. 대단히 감사합니다.

aw·ful·ness[ɔ́:fəlnis] *n.* [U] **1** 두려운 일; 장엄. **2** 《口》 지독함, 굉장함.

AWG American Wire Gauge.

a·wheel[əhwí:l] *ad., a.* 자동차〔자전거〕를 타고.

***a·while**[əhwáil] *ad.* 잠깐, 잠시: ~ ago 조금 전에/rest ~ 잠깐 쉬다/stay ~ 잠시 머무르다《◇ for〔after〕 a while 같은 부사구에서는 a while로 씀》. ⟡ while *conj.*

a·whirl[əhwɔ́:rl] *ad., a.* 소용돌이쳐서, 빙빙 돌고.

‡awk·ward[ɔ́:kwərd] [ON] *a.* (~·er; ~·est) **1** 〈사람 · 동작 등이〉 어색한, 꼴사나운《*in*》; 서투른《*at*》: 《Ⅱ [부]+[형]+[전]+[명]》 She is rather ~ *at* spoken German. 그녀는 독일어 회화에 좀 서투르다. **2** 〈물건이〉 다루기 힘든, 거북한, 불편한. **3** 〈입장 · 문제 등이〉 힘든, 귀찮은, 곤란한; 《영》 〈시간 등이〉 계제가 좋지 않은; 〈침묵 등이〉 어색한. **4** 《영》 〈사람 등이〉 다루기 곤란한; 거북한. **feel awkward** 어색해 하다.

áwkward àge (the ～) 사춘기의 초기, 미숙한 사춘기.
áwkward cústomer 《口》 다루기 곤란한 녀석, 만만찮은 상대.
awk·ward·ly[ɔ́:kwərdli] *ad.* 서투르게, 어설프게; 꼴사납게, 어색하게.
awk·ward·ness[ɔ́:kwərdnis] *n.* Ⓤ 어색함; 다루기 어려움; 거북함.
áwkward squád 신병반(新兵班).
awl[ɔ:l] *n.* (구두 직공 등의) 송곳.
a.w.l., AWL absent〔absence〕 with leave.
aw·less[ɔ́:lis] *a.* =AWELESS.
awn[ɔ:n] *n.* (보리 등의) 까끄라기(beard).
awned[-d] *a.* 까끄라기가 있는.
****awn·ing**[ɔ́:niŋ] *n.* **1** 차일, 비가리개. **2** (갑판 위의) 천막: an ～ stanchion 〔海〕 천막 기둥.
áwning dèck 〔海〕 천막으로 덮은 갑판.
****a·woke**[əwóuk] *v.* AWAKE의 과거·《稀》 과거분사.
a.w.o.l., AWOL, A.W.O.L.[éiɔ̀:l, èidʌ̀blju-òuél] [*a*bsent *w*ith*o*ut *l*eave] *n.* 《미》 무단 외출〔결근〕(자). ── *a.* 《口》 〔軍〕 무단 외출〔결근〕의: go ～ 무단 외출하다.
a·wry[ərái] *ad.a.* **1** 구부러져, 비뚤어져, 뒤틀려져(distorted). **2** (사물 사람의 행동 등이) 틀려서, 잘못되어(wrong); (진로를) 벗어나. **go**〔**run, tread**〕 **awry** 실패하다(fail). **look awry** 흘겨보다.
****ax**[æks] *n.* (*pl.* **ax·es**[ǽksiz]) **1** 도끼. **2** (the ～) 참수, 처형; 면직, 감원, 대삭감《주로 공무원·공공 경비 등의》. **3** 《미俗》 재즈 악기《기타, 색소폰 등》. **get the ax** (1) 참수당하다. (2) 해고당하다. **hang up** one's **ax** 쓸데없는 계획을 중지하다. **have an ax to grind** 《口》 딴 속셈이 있다, 속 배포가 있다. **lay the ax to the root of** …의 근본에 대삭감을 가하다. **put the ax in the helve** 난문제를 해결하다, 수수께끼를 풀다. ── *vt.* **1** 도끼로 자르다. **2** 《口》 〈경비·인원 등을〉 대폭 삭감하다.
ax. axiom.
ax·al[ǽksəl] *a.* =AXIAL.
axe *n.* 《영》 =AX.
ax·el[ǽksəl] *n.* 〔피겨스케이팅〕 악셀 점프.
axe·man[ǽksmən] *n.* (*pl.* **-men**[-mən]) = AXMAN.
a·xen·ic[eizénik, -zí:n-] *a.* 〔生〕 무균의, 순배양(純培養)의, 무기생 생물(無寄生生物)의.
ax·es[1] [ǽksiz] *n.* AX의 복수형.
ax·es[2] [ǽksi:z] *n.* AXIS의 복수형.
ax-grind·er[ǽksgràindər] *n.* 《俗》 음모가, 속배포가 있는 사람.
ax·ham·mer[ǽkshæ̀mər] *n.* (돌 등을 깨거나 다듬는 데 쓰는) 도끼처럼 생긴 메.
ax·i·al[ǽksiəl] *a.* 〔植〕 굴대의, 축(軸)의; 굴대 모양의, 굴대 위의; 굴대 둘레의; 축성(軸性)의. **~·ly** *ad.*
áxial ròot 〔植〕 주근(主根), 직근(直根).
áxial skéleton 〔解〕 중축(中軸) 골격.
ax·il[ǽksil] *n.* 〔植〕 엽액(葉腋).
ax·ile[ǽksail] *a.* 〔植〕 굴대의, 축(軸)의; 굴대에 있는.
ax·il·la[æksílə] *n.* (*pl.* **-lae**[-li:]) **1** 〔植〕 엽액(axil). **2** 〔解〕 겨드랑이, 액와(腋窩).
ax·il·lar[ǽksələr] *n.* 겨드랑이 부분《혈관, 신경, 깃 등》.
ax·il·lar·y[ǽksəlèri] *a.* 〔植〕 엽액의; 〔解〕 겨드랑이의.
ax·i·nite[ǽksənàit] *n.* Ⓤ 〔鑛〕 부석(斧石).
ax·i·ol·o·gy[æ̀ksiɑ́lədʒi/-ɔ́l-] *n.* Ⓤ 〔哲〕 가치론.
ax·i·om[ǽksiəm] *n.* **1** 자명한 이치; 원리. **2** 〔論·數〕 공리(公理). **3** 격언(maxim).
ax·i·o·mat·ic, -i·cal[æ̀ksiəmǽtik, -əl] *a.* 공리의〔같은〕, 자명한(self-evident); 격언적인. **-i·cal·ly**[-kəli] *ad.*
****ax·is**[ǽksis] *n.* (*pl.* **ax·es**[-si:z]) **1** 굴대, 축선(軸線); 〔天〕 지축(地軸); 〔植〕 축. **2** 중심선. **3** (운동·발전 등의) 주축, 중추. **4** 〔政〕 추축(樞軸)《국가 간의 연합》; (the A-) (제2차 대전의) 독·이·일 추축국: the Rome-Berlin ～ (제 2차 대전 전 이탈리아와 독일이 맺은) 로마·베를린 추축. **the axis of the earth** 지축(地軸). **the major**〔**minor**〕 **axis** (타원의) 장축〔단축〕. ── *a.* (**A-**) 독·이·일 추축의.
áxis (dèer) 〔動〕 (인도산) 악시스사슴.
ax·i·sym·met·ric, -ri·cal[æ̀ksisimétrik], [-əl] *a.* 선대칭(線對稱)의.
****ax·le**[ǽksəl] *n.* 굴대, 축(軸), 차축(車軸).
áxle bòx 〔機〕 축함(軸函).
áxle jòurnal 〔機〕 차축 머리.
áxle pìn (짐 수레 등의) 차축(車軸) 볼트.
ax·le·tree[ǽksltrì:] *n.* (마차 등의) 굴대, 차축.
ax·man[ǽksmən] *n.* (*pl.* **-men**[-mən]) 도끼질하는 사람, 나무꾼(woodman).
Áx·min·ster (cárpet)[ǽksminstər] 액스민스터 카펫《영국의 원산지명에서》.
ax·o·lotl[ǽksəlɑ̀tl/-lɔ̀tl] *n.* 〔動〕 액솔로틀《멕시코산 도롱뇽의 유생(幼生)》.
ax·on, ax·one[ǽksɑn/-sɔn], [ǽksoun] *n.* 〔解·動〕 (신경 세포의) 축삭(軸索).
ax·o·nom·e·try[æ̀ksənɑ́mətri/-nɔ́m-] *n.* 〔製圖〕 축측 투상법(軸測投像法).
ax·o·plasm[ǽksəplæ̀zəm] *n.* 〔解·動〕 축삭(軸索) 원형질.
ax·stone[ǽksstòun] *n.* 〔鑛〕 도끼돌《남미에서 돌도끼를 만드는 재료》.
****ay**[1]**, aye**[1] [ai] *ad., int.* 옳소, 찬성!(yes)《표결할 때의 대답》. **Ay(e), ay(e), sir!** 〔海〕 예예《상관에 대한 대답》. ── *n.* (*pl.* **ayes**) **1** 긍정, 찬성(*opp.* no). **2** 찬성 투표자, 찬성하는 사람. **aye and no vote** 구두에 의한 찬부 투표. **the ayes and noes** 찬부 쌍방의 투표자. **The ayes have it.** 찬성자 다수《의회 용어》.
ay[2]**, aye**[2] [ei] *ad.* 《古》 영구히, 항상(always). **for (ever and) aye** 영구히, 언제까지나.
ay[3] [ei] *int.* 아아!《놀라움·후회 등을 나타냄》.
ay·ah[ɑ́:jə, áiə] *n.* 《인도》 (인도인) 하녀, 유모.
a·ya·tol·lah, -tul-[ɑ̀:jətóulɑ:, -tú:l-] *n.* 〔回敎〕 아야톨라《Shi'a파에서 신앙심·학식이 뛰어난 인물에게 주는 칭호》.
AYC American Youth Congress.
aye-aye[1] [áiài] *n.* 〔動〕 아이아이, 다람쥐원숭이《Madagascar 산》.
aye-aye[2] *ad.* 《영》 아무렴 그렇고 말고.
Ayles·bu·ry[éilzbəri] *n.* 에일즈베리《잉글랜드 Buckinghamshire 주의 주도》.
Ayl·mer[éilmər] *n.* 남자 이름.
Ay·ma·ra[ɑ̀imɑːrɑ́:] *n.* (*pl.* ～, ～**s**) (the ～(s)) 아이마라족《볼리비아와 페루의 인디오》.
Ayr[ɛ́ər] *n.* **1** =AYRSHIRE. **2** 에어《옛 Ayrshire의 주도로 항구 도시》.
Ayr·shire[ɛ́ərʃiər, -ʃər] *n.* **1** 에어셔주《스코틀랜드 남서부의 옛 주》. **2** 그 주 원산의 젖소.
AZ 〔미郵便〕 Arizona.
az-[1] [æz] 《연결형》 =AZO-.
az-[2] [eiz, æz] 《연결형》 =AZA-.
az. azure.

a·za-[éizə, ǽzə] 《연결형》「탄소 대신에 질소를 함유하는」의 뜻.
a·za·lea[əzéiljə] *n.* 〔植〕 진달래.
a·zan[ɑːzɑ́ːn] *n.* (회교 사원에서 하루 다섯 번 울리는) 기도의 종.
A·za·ni·a[əzéiniə, -njə] *n.* 아자니아《민족주의자의 용어로서 남아프리카 공화국의 호칭》. **-ni·an**[-ən] *a.* 아자니아의, 남아프리카의.
az·a·role[ǽzəròul] *n.* 아자롤《지중해 지방에 나는 산사나무류의 관목》; 그 열매.
a·zed·a·rach[əzédəræ̀k] *n.* 단향목(壇香木) (chinaberry tree).
a·ze·o·trope[əzíːətròup, éiz-] *n.* 〔物·化〕 공비(共沸) 혼합물.
A·zer·bai·jan[ɑ̀ːzərbaidʒɑ́ːn, æ̀zərbaidʒǽn] *n.* 아제르바이잔《Caucasia에 있는 독립국가 연합 가맹국의 하나; 수도 Baku》.
az·ide[éizaid, ǽz-, éizid] *n.* 〔化〕 아지드, 아지화물(化物)《폭발하기 쉬운 화합물》.
A·zil·ian[əzíːljən, -liən] *a.* 〔考古〕 아질 문화(기)의《서유럽 중석기 시대의》.
az·i·muth[ǽzəməθ] *n.* 〔天〕 방위각(角); 방위. **a magnetic azimuth** 자기(磁氣) 방위.
az·i·muth·al[æ̀zəmʌ́θəl] *a.* 방위각의. **~·ly** *ad.* 방위각에 의해, 방위각상.
azimúthal equidístant projéction 〔地圖〕 정거(正距) 방위도법.
ázimuth cìrcle 〔天〕 방위권(方位圈); (나침반 위의) 방위환(環).
ázimuth còmpass 〔海·空〕 방위 나침의(羅針儀), 방위 컴퍼스.
a·zo[éizou, ǽz-] *a.* 〔化〕 〈화합물이〉 질소를 함유하는, 아조의.
a·zo-[éizou, ǽz-] 《연결형》「질소(nitrogen)」의 뜻.
a·zo·ben·zene, -ben·zol[æ̀zoubénziːn, ←−−´], [-bénzɑl/-zɔl] *n.* Ⓤ 〔化〕 아조벤젠.
ázo dýe 〔染〕 아조 염료.
a·zo·ic[əzóuik, ei-] *a.* 〔地質〕 무생대의; 《稀》 생물이 없는.
a·zon·al[eizóunəl] *a.* 지대(地帶)·구역으로 나뉘지 않는.
ázon bòmb[ǽzɑn-/ǽzɔn-] 방향 가변 폭탄.
a·zon·ic[eizɑ́nik/eizɔ́nik] *a.* 특정 지대에 한정되지 않는, 지역적이 아닌.
A·zores[əzɔ́ːrz, éizɔːrz] *n. pl.* (the ~) 아조레스 제도《포르투갈 앞바다에 있는 동국 영토인 군도》.
a·zote[ǽzout, əzóut] *n.* 《古》 질소(nitrogen).
az·oth[ǽzɑθ/-zɔθ] *n.* (연금술에서 모든 금속의 원소로 생각되었던) 수은; 만능약.
a·zot·ic[əzɑ́tik/əzɔ́t-] *a.* 질소의.
a·zo·tize[ǽzətàiz, éi-] *vt.* …을 질소와 화합시키다.
A·zov[ǽzɔːf, éi-] *n.* (the Sèa of Ázov) 아조프해《흑해의 북쪽》.
Az·ra·el[ǽzriəl, -reiəl] *n.* 〔유대教·回教〕 아즈라엘《죽음의 순간에 영혼을 육체에서 분리시키는 천사》.
Az·tec[ǽztek] *n.* **1** (the ~s) 아즈텍족《멕시코 원주민; 1519년 Cortes에게 정복 당함》. **2** Ⓤ 아즈텍 말. — *a.* 아즈텍 사람〔말〕의.
Az·tec·an[ǽztekən] *a.* =AZTEC.
*__az·ure__[ǽʒər] *n.* Ⓤ **1** 하늘빛, 담청색(淡青色)(sky blue); 〔紋〕 감(紺)색, 남색(blue). **2** (the ~) 《詩》 푸른 하늘, 창천. — *a.* 하늘빛의, 푸른 하늘의.
ázure stòne 청금석(青金石)《속칭 유리》.
az·u·rine[ǽʒəràin] *a.* 청색의(blue); 엷은 청색의(pale blue).
az·ur·ite[ǽʒəràit] *n.* Ⓤ 〔鑛〕 남동광(藍銅鑛).
ázurite blúe 녹청색 안료의 일종; 그 빛깔.
a·zy·gous[ǽʒəgəs, eizái-] *a.* 〔動·植〕 쌍〔짝〕을 이루지 않는.
az·yme, az·ym[ǽzaim], [ǽzim] *n.* Ⓤ 무교병(無酵餅)《유대교도가 유월절에 씀》.

B b

b, B[biː] *n.* (*pl.* **b' s, bs, B' s, Bs**[-z]) **1** 비(영어 알파벳의 둘째 자). **2** B자형(의 것). **3** 가정(假定)의 제 2. **4** 2류〔두번째〕(의 것), 을(乙); 《미》 (학업 성적의) 우. **5** 〔樂〕 나 음(音), 나 조(調). **6** 〔數〕 제 2 기지수(旣知數). **7** (ABO식 혈액형의) B형. **8** 〔컴퓨터〕(16진수의) B(10진법에서는 11). ― *a.* 2류의, 2급품의. **B movie** B급〔2류〕 영화.

b 〔物〕 bel(s); breadth. **B** 〔체스〕 bishop; 〔鉛筆〕 black; 〔化〕 boron. **b., B.** bachelor; base(man); 〔樂〕 bass; basso; battery; bay; blend (of); bomber; book; born; bowled; breadth; brother(hood). **B.** Bible; British. **B/** balboa(s). **B/-** 〔商〕 bag; bale. **Ba** 〔化〕 barium. **BA** bank acceptance. **B.A.** Bachelor of Arts; British Academy; British Airways; British America.

baa[bæ, bɑː/bɑː] [의성어] *n.* 매(양의 울음소리; ⇨sheep). ― *vi.* (**baa'd, baaed**) 〈양이〉 울다.

B.A.A. British Airports Authority.

Báa·der-Méin·hof Gàng (the ~) 바더마인호프단(서독의 극좌파 테러 집단).

Ba·al[béiəl] *n.* (*pl.* **Ba·al·im**[béiəlim], **~s**) 바알(고대 페니키아의 태양신); (때로 **b-**) 사신(邪神), 우상. **~·ìsm** *n.* [U] 바알〔우상〕 숭배. **~·ìst** *n.* 바알〔우상〕 숭배자.

baa-lamb[bǽlæm, bɑ́ː-] *n.* 《兒》 매매(양).

baas[bɑːs] *n.* 《南아》 주인; 나리(호칭).

baas·skap[bɑ́ːskɑːp] *n.* [U] 《南아》 백인에 의한 유색 인종 지배.

Baath[bɑ́ːɑːθ] *n.* 바스당(黨)(아랍의 민족주의 정당). **Báa·thist** *n., a.*

Bab[bæb] *n.* 여자 이름(Barbara의 애칭).

ba·ba[bɑ́ːbɑː, -bə] *n.* 럼주로 맛낸 건포도 과자.

bab·bitt[1] *n.* 〔冶〕 =BABBITT METAL.

Bab·bitt, b-[2] [bǽbit] *n.* 《미口》 교양이 부족한 실업가. **~·ry**[-ri] *n.* [U,C] 저속한 실업가 기질, 전형적 중산계급 기질.

Bábbitt mètal 〔冶〕 배빗 합금(주석·안티몬·납·구리의 합금).

Bab·bitt·ry, Bab·bit·ry[bǽbitri] (때로 **b-**) *n.* 전형적 중산계급 기질의 행동〔언동〕, 저속한 실업가 기질의 태도.

⁎**bab·ble**[bǽbəl] [의성어] *vi.* **1** 〈어린애 등이〉 서투른 말로 종알거리다; 재잘거리다(*about*): (Ⅰ [전+명]) She's always *babbling about* trifles. 그녀는 사소한 일에 대하여 항상 종알거리고 있다. **2** 〈시냇물이〉 졸졸 소리내다(*on, away*). ― *vt.* **1** 실없이 지껄이다. **2** 〈비밀을〉 입 밖에 내다(*out*): (Ⅲ (목)+([부])+[전+명]) She has ~*d* the secret (*out*) *to* all. 그녀는 비밀을 입 밖에 냈다. ― *n.* [U] 서투른 말, 재잘거림; (군중의) 왁자지껄한 소리; 졸졸 흐르는 소리; (전화의) 잡음. **~·ment**[-mənt] *n.*

-babble (복합어를 이루어) …집단이나 주체의 특성을 나타내는: eco*babble* 환경보호 주의자들/Euro*babble* EC의 자료나 규칙들.

bab·bler[bǽblər] *n.* 서투르게 지껄이는 어린애; 수다쟁이; 높은 소리로 지저귀는 작은 새.

bab·bling[bǽbliŋ] *a.* 재잘거리는, 졸졸 흐르는. ― *n.* [U,C] 수다; 졸졸 흐르는 소리.

bábbling bròok 《미俗》 수다쟁이.

Báb·cock tèst[bǽbkɑk-/-kɔk-] 배브콕 측정법(우유·크림 속의 지방 함유량을 측정).

⁑**babe**[beib] *n.* 《詩》 아기(baby); 순진한 사람; 경험이 없는 사람; 《미俗》 계집애, 아가씨(girl). **a babe in Christ** 기독교로 갓 개종한 사람. **a babe in the wood(s)** 순진해서 속기 쉬운 사람. **babes and sucklings** 〔聖〕 풋내기들.

Ba·bel[béibəl, bǽb-] *n.* **1** 〔聖〕 바벨(Babylonia의 옛 도읍); 바벨탑(=the Tower of ~)(옛 Babylon에서 하늘까지 닿도록 쌓으려다가 실패함). **2** (보통 **b-**) 왁자지껄한 소리, 언어〔음성〕의 혼란, 떠들썩하고 혼란한 장소; 공상적인 계획; 마천루, 고층 건물.

Ba·bel·ize[-làiz] *vt.* 〈언어·습관·민족 등을〉 혼란에 빠뜨리다.

bá·bies' brèath 〔植〕 대나물.

bab·i·ru(s)·sa, -rous·sa[bæ̀bərúːsə, bɑ̀ː-] *n.* 〔動〕 멧돼지의 일종(동인도산).

ba·boo, ba·bu[bɑ́ːbuː] *n.* (*pl.* **~s**) 《인도》 군, 씨(Mr., sir에 해당); 인도 신사; 영어를 쓸 줄 아는 인도인 서기; 영국 물이 든 인도인.

⁎**ba·boon**[bæbúːn/bə-] *n.* 〔動〕 비비, 개코원숭이; 《俗》 추하고 야비한 사람. **~·ish**[-iʃ] *a.* 비비 같은.

ba·boon·er·y[-əri] *n.* [U,C] 비비같은 짓〔태도〕.

ba·bouche[bəbúːʃ] *n.* 슬리퍼, 실내화(터키 등에서 씀).

ba·bul[bəbúːl, bɑ́ːbuːl] *n.* **1** 〔植〕 아카시아속(屬)의 고무나무. **2** [U] 그 재목〔수지〕.

ba·bush·ka[bəbúː(ː)ʃkə] [Russ] *n.* 바부시카(여자의 머리 스카프의 일종).

★**ba·by**[béibi] *n.* (*pl.* **-bies**) **1** 갓난아이, 아기, 젖먹이(◇ (1) baby 또는 child는 성별(性別)을 특히 따지지 않을 때는 보통 it로 받는다; 그러나 성별을 분명하게 할 때는 he, she로 받는다. (2) 영어로 baby의 나이를 말할 때는 두 살 전후까지는 대개 달수로 세어 fifteen months old (15개월) 등과 같이 말한다). **2** (가족·단체 중의) 최연소자, 막내. **3** (the ~, one's ~) 《口》 관심사, 골치아픈 일, 책임. **4** 《경멸》 어린애 같은 사람, 소심한 사람. **5** 《미》 젊은 여자, 여자 친구, 아내, 애인. **6** 《俗》 사람, 물건; 멋있는 것〔사람〕, 자랑거리. **be one's baby** …의 소관이다, 의 일이다. **hold〔carry〕 the baby** =**be left holding the baby** 성가신 일〔책임〕을 맡다. **throw the baby out with the bathwater** 《口》 소중한 것을 필요없는 것과 함께 버리다. ― *a.* **1** 어린애 같은: a ~ wife 어린애 같은 아내. **2** 작은, 소형의: a ~ car 소형 자동차. **3** 어린이용의. ― *vt.* (**-bied**) 어린애처럼 다루다, 응석받다; 〈물건을〉 소중히 다루다; 〈공을〉 가볍게 치다. ⊕ **bábyish** *a.*

báby àct 어린애 같은 짓. **plead the baby act** 《미》 어리거나 경험 없음을 구실로 삼다.

ba·by-bat·ter·ing[-bæ̀təriŋ] *n.* 유아 징계〔학대〕.

báby blúe 부드럽고 밝은 청색(아기옷 등에 씀).

báby bòom 베이비붐, 출생률의 급상승.

báby bòomer, B- 《미》 베이비붐 시대에 태어난 사람(1946년~1965년 사이).

báby bùggy〔càrriage〕 《미》 유모차(《영》 perambulator, pram).

báby bùst 출생률의 급락.

ba·by·bust·er *n.* 《미》 저출생률 시기에 출생한 사람(baby boom 이후(1960년대 중반 이후)에 태어난 사람).
báby fàce 동안(童顔)(인 사람).
báby fàrm (유료) 탁아소, 보육원.
báby fàrmer 탁아소 경영자, 보육원장.
báby fàrming 탁아소 경영.
báby fòod 유아식.
báby gránd〔**grànd piáno**〕 소형 그랜드 피아노.
ba·by·hood[béibihùd] *n.* Ⓤ 유년기, 나이 어림; 유치함.
ba·by·ish[béibiiʃ] *a.* 어린애 같은; 유치한; 어리석은. **~·ly** *ad.* **~·ness** *n.*
báby jùmper 베이비 점퍼(아기의 손발 운동 기구).
báby kìsser 《미俗》 (선거 운동 등에서) 대중의 인기에 영합하는 정치가.
baby·like[béibilàik] *a.* 어린애 같은.
Bab·y·lon[bǽbələn, -lɑ̀n] *n.* 바빌론(고대 Babylonia의 수도); 화려하고 타락한 큰 도시; 《俗》 경찰; 백인 우위의 사회; 유수(幽囚)〔추방〕지; 《경멸》 로마, 교황권.
Bab·y·lo·nia[bæ̀bəlóuniə, -njə] *n.* 바빌로니아(메소포타미아 남부에 번영한 고대 왕국).
Bab·y·lo·nian[bæ̀bəlóuniən, -njən] *a.* 바빌로니아의; 죄 많은. — *n.* 바빌로니아 사람; Ⓤ 바빌로니아 말.
Babylónian captívity (the ~)〔聖〕 (기원전 6세기의 유대인의) 바빌론 포로.
ba·by-mind·er[béibimàindər] *n.* 《영》 = BABY-SITTER.
báby's brèath = BABIES' BREATH.
*__ba·by-sit__[béibisìt] (**-sat; ~·ting**) *vi.* (부모가 외출한 동안 고용되어) 애를 봐주다. — *vt.* …의 베이비시터를 하다.
**__ba·by-sit·ter__[-sìtər] *n.* (집 지키며) 애를 봐주는 사람.
ba·by-sit·ting *n.* Ⓤ baby-sitter의 일: do ~ 집 지키며 애보기를 하다.
báby snàtcher **1** 《口》 유아 유괴범. **2** 《영俗》 훨씬 연하인 사람과 결혼하는 사람.
báby spòt 《俗》 휴대용 소형 스포트라이트.
Báby Stàte (the ~) 미국 Arizona 주의 속칭.
báby tàlk 아기의 말(투).
báby tòoth 《미》 =MILK TOOTH.
báby-wàlker[-wɔ̀ːkər] 유아의 걸음마 연습기.
BAC blood-alcohol concentration 혈중 알코올 농도.
bac·ca·lau·re·ate[bæ̀kəlɔ́ːriit, -lɑ́r-] *n.* 학사 학위(báchelor's degrèe); 《미》 (대학) 졸업식 식사〔설교〕.
bac·ca·rat, -ra[bǽkərɑ̀ː, bɑ́ː-, ⌐–⌐] [F] *n.* Ⓤ 바카라(도박 카드놀이).
bac·cate[bǽkeit] *a.* 〔植〕 장과(berry)를 맺는, 장과 모양의.
Bac·chae[bǽkiː, 미+-kai] *n. pl.* 주신 바커스의 시녀〔무녀〕들; 바커스제(祭) 여성 참가자들.
bac·cha·nal[bǽkənl] *a.* BACCHUS의; 술 마시며 떠들어대는. — *n.* 주신 바커스의 신도; 취하여 떠드는 사람; 떠들썩한 술잔치.
Bac·cha·na·lia[bæ̀kənéiljə, -liə] *n.* (*pl.* ~, ~**s**) 바커스제(祭); (**b-**) 떠들썩한 술잔치.
Bac·cha·na·lian[-ljən] *a., n.* =BACCHANAL.
bac·chant[bǽkənt, bəkǽnt, -kɑ́ːnt] *n.* (*pl.* ~**s, -chan·tes**[bəkǽntiːz, -kɑ́ːn-]) 바커스 신의 사제(司祭)〔신도〕; 취하여 떠들어대는 사람. — *a.* =BACCHANTIC.
bac·chan·te[bəkǽnti, -kɑ́ːnti] *n.* 바커스 신의 여사제(女司祭)〔여신도〕; 여주객(酒客).
bac·chan·tic[bəkǽntik] *a.* 바커스를 숭배하는; 술마시며 떠들어대는; 술을 좋아하는.
Bac·chic[bǽkik] *a.* 바커스의; (**b-**) 술취한(drunken), 취하여 떠들어대는.
Bac·chus[bǽkəs] *n.* 〔그 · 로神〕 바커스(주신(酒神); *cf.* DIONYSUS): a son of ~ 대주가.
bac·cif·er·ous[bæksífərəs] *a.* 〔植〕 장과(漿果)를 맺는.
bac·ci·form[bǽksəfɔ̀ːrm] *a.* 〔植〕 장과 모양의.
bac·cy[bǽki], **bac·co**[bǽkou] [tobacco의 단축형] *n.* Ⓤ 《영口》 담배.
bach[bætʃ] [*bach*elor] *n.* 《미俗》 미혼 남자; 《뉴질》 (바닷가 등의) 작은 집〔별장〕. — *vt.* 〈남자가〉 독신 생활을 하다. **bach it** 독신 생활을 하다.
Bach [bɑːk, bɑːx] *n.* 바흐 Johann Sebastian ~(1685-1750)(독일의 작곡가).
__bach·e·lor__[bǽtʃələr] [OF] *n.* **1 미혼 남자, 독신 남자(*cf.* SPINSTER). **2** 학사(*cf.* MASTER). **3** 〔영史〕 =BACHELOR-AT-ARMS. **Bachelor of Arts** 문학사(略: B.A., A.B.). **keep bachelor('s) hall** 《미》 독신 생활을 하다. **~·dom** *n.* Ⓤ 독신(의 신분). **~·hood** *n.* Ⓤ 독신, 독신 생활〔시대〕. **~·ism** *n.* Ⓤ 독신 (생활). **~·ship** *n.* Ⓤ 독신; 학사의 자격〔신분〕.
bach·e·lor-at-arms[bǽtʃələrətɑ́ːrmz] *n.* (*pl.* **bach·e·lors-**) 〔영史〕 다른 기사를 섬기는 젊은 기사.
bach·e·lor·ette[bæ̀tʃələrét] *n.* (자립 생활하는) 독신 여성.
báchelor gìrl〔**wòman**〕 독신 생활을 하는 젊은 직업 여성.
báchelor mòther 《미俗》 미혼모; 혼자 힘으로 아이를 키우는 어머니.
báchelor's bùtton 단추 모양의 꽃이 피는 식물, 수레국화류; 《영》 일종의 비스킷; (꿰매지 않고 다는) 단추.
báchelor's degrèe 학사 학위.
ba·cil·lar·y, ba·cil·lar[bǽsəlèri, bəsíləri], [bəsílər, bǽsə-] *a.* 바칠루스〔간상균〕의.
ba·cil·li·form[bəsíləfɔ̀ːrm] *a.* 작은 막대기 모양의.
*__ba·cil·lus__[bəsíləs] *n.* (*pl.* **-li**[-lai]) **1** 바칠루스, 간상균(桿狀菌). **2** (*pl.*) 《口》 세균(bacteria). ⊕ bácillary *a.*
bac·i·tra·cin[bæ̀sətréisn] *n.* 〔生化〕 바시트라신(항생 물질).
★**back**[1][bæk] *n.* **1** 등, 잔등; 등뒤; 후부. **2** 후면, 배면(背面), 뒤(*opp.* front). **3** (보통 the ~) (손 · 발의) 등; (산의) 등성이; (칼 · 책 등의) 등; (배의) 용골(龍骨); (의자의) 등받이. **4** 등(골)뼈(backbone). **5** (마음) 속, (일의) 진상. **6** (짐을) 짊어지는 힘. **7** 안찝, 안감. **8** 뒤뜰(backyard). **9** (무대의) 배경. **10** (혀의) 뿌리. **11** 〔蹴 · 럭비 · 미蹴〕 후위, 백(forward를 제외한 full ~, half ~ 또는 three-quarter ~). **at the back of** =《미》 **back of** =**at one's back** …의 뒤에, 배후에; …을 후원하여; …을 추적하여: There is something *at the* ~ (*of* it). 이면에 무슨 속셈이 있다. **back and belly** 등과 배, 의식(衣食); 앞뒤에서. **back to back** 등을 맞대고(*with*). **back to front** 뒤가 앞에 오도록 〈셔츠를 입다 등〉. **be glad to see the back of** …이 없어지니까 시원하다. **be on** a person's **back** …을 비난하다, 괴롭게 굴다. **behind** a person's **back** 본인이 없는 데서,

몰래. **behind backs** 몰래, 살짝. **break** a person**'s back** …에게 감당못할 짐을 지우다; …을 실패〔좌절〕시키다. **break** one's **back** 등뼈를 삐다; 열심히 노력하다. **break the back of** 힘에 겨운 일을 맡기다, 죽이다; (일의) 어려운 고비를 넘기다. **Excuse my back.** 등을 돌려서〔보여서〕 미안합니다. **fall on** one**'s back** 뒤로 넘어지다. **flat on** one's **back** =on one's BACK. **get off** a person's **back** …에 대한 비난을 중지하다. **get**〔**put, set**〕 one's〔a person's〕 **back up** …을 골나게 하다, 노하다; 완고해지다. **get**〔**have**〕 one's **own back on** 《口》 …에게 복수하다, 보복하다. **give**〔**make**〕 a person **a back** (말타기 놀이에서) 말 노릇하다, …의 발판이 되어 주다. **give** a person **the back** …에게 등을 돌리다; 무시하다. **have a broad back** 관대하다. **have** … **on** one**'s back** 〈짐을〉 짊어지고 있다. **have** one's **back to the wall** 《口》 궁지에 몰리다. **have** … **to** one's **back** 옷을 입고 있다. **in** (**the**) **back of** 《미》 =at the BACK of. **know** … **like the back of** one's **hand** 《口》 〈장소 등을〉 내 집 같이 환히 알고 있다. **on** a person**'s back** …의 등에 업혀; (불평하여) …을 괴롭히고. **on** one**'s back** 반듯이 누워; 앓아 누워; 어찌할 바를 몰라, 완전히 손들어: lie *on one's back* 앓아 누워 있다. **on the back of** …의 뒤에; …의 뒤를 이어; …에 덧붙여. **put** one's **back into** … 에 힘쓰다, 에 노력하다. **see the back of** …을 좇아 버리다. **show the back to** …에 등을 보이다, …에서 달아나다. **slap** a person **on the back** ⇨slap. **the back of beyond** 《영口》 머나먼 곳. **the back of** one's **hand** 손등; 경멸의 표시. **the back of** one's **mind** 마음속; 속마음. **to the back** 골수까지. **turn** one**'s back to** …에게 등을 보이다. **turn the**〔**one's**〕 **back on** …에게 등을 돌리다; …에게서 달아나다. **with** one's **back to the wall** 막다른 골목에 몰려, 궁지에 빠져.

— *a.* **1** 안의, 속의; 배후의, 후방의; 이면의 (*opp.* front). **2** 먼, 떨어진; 궁벽한, 외딴; 오지(奧地)의, 미개한: a ~ district 《미》 벽지, 미개발 지역. **3** 이전의, 과거의; 시대에 뒤떨어진; 〈잡지 등〉 기간의, 지난. **4** 반대 방향의, 뒤로 물러나는; 되돌아가는, 거꾸로의. **5** 《미》 밀린, 미납의: a ~ rent 밀린 집세/~ taxes 체납 세금. **6** 〔골프〕 (18홀 중) 나머지 9홀의. **7** 〔音聲〕 후설(後舌)의. **give a back answer** 말대꾸하다. **take the back track** 《미》 돌아가다, 물러나다, 〈사업을〉 포기하다.

— *ad.* **1** 뒤로, 후방에, 배후에〔로〕. **2** 안으로; (나서지 않고) 들어 앉아; 떨어져서. **3** 거슬러 올라가, 옛날; 《口》 소급하여; 이전에; (지금부터) …전에(ago): three years ~ 3년 전에. **4** 본래 자리〔상태〕로; 되돌아가서〔와서〕, 되(…하다), 돌아와서, 돌려주어: come〔send〕 ~ 돌아오다〔돌려주다〕/get ~ 돌아오다《*from*》. **5** 답례로, 보답하여. **6** (뒤에) 감추어, 숨겨서: hold〔keep〕 ~ the money〔truth〕 돈〔진실〕을 내놓지 않다〔감추다〕. **7** 밀려서: ~ in payment 급료가 밀리어. **8** 《口》 되풀이하여, 한번 더: I'll call you ~. 이따가 다시 전화하겠습니다. **answer**〔**talk**〕 **back** 말대꾸하다. **Back!** =**Go back!** 돌아가라, 물러가라. **back and forth** 앞뒤로; 이리저리(to and fro). **back from the road** (한길〔도로〕)에서 떨어져. **back of** 《미俗》 …의 뒤에(behind); …보다 이전에(before); …의 이면에; …을 후원하여. **back to** 원래의〔도로〕 …에. **be back** (…시까지는) 돌아와 있다, (곧) 돌아오다. **follow a person back** (**to**) …을 따라 돌아가다. **for some time back** 얼마 전부터. **get back on**〔**at**〕 …에게 앙갚음하다. **help**〔**see**〕 a person **back** 바래다 주다〔전송하다〕. **keep**〔**hold**〕 **back** 덮어〔숨겨〕두다, 내놓〔말하〕지 않고 두다《*from*》. **keep**〔**stay, stop**〕 **back** 가지 않고 있다. **push**〔**send**〕 **back** 되밀다〔돌려보내다〕. **there and back** 거기까지의 왕복. **to** … **and back** …까지의 왕복: a fare *to* Andong *and back* 안동까지의 왕복 찻삯.

— *vt.* **1** 뒤로 물러나게 하다, 후진시키다, 후퇴시키다, 역행(逆行)시키다《*up, into*》: ~ a car (*up*) 차를 후진시키다/~ one's car *into* the garage 차를 후진시켜 차고에 넣다. **2** …의 뒤에 위치하다〔서다〕; …의 배경이 되다. **3** …에 뒤를 대다, 〈책에〉 등을 붙이다〔달다〕, 〈벽 등을〉 보강하다, 배접하다《*with*》. **4** 후원하다, 지지하다: They ~*ed* her *up* financially. 그들은 그녀를 경제적으로 원조했다. **5** (주장 등을) 뒷받침하다; 강화하다《*up*》: ~ *up* a theory *with* facts. 이론을 사실로써 뒷받침하다. **6** 〈등에〉 타다; (경마에서) 돈을 걸다. **7** 《俗》 짊어지다, 업다; 업어〔짊어져〕 나르다. **8** 〈수표에〉 배서하다(endorse). **9** 〔樂〕 …에 반주를 넣다. **back a sail** 돛을 돌려 배를 후퇴시키다. **back oars** 노를 뒤로 젓다. **back the field** (경마에서) 인기 말 이외의 말에 걸다. **back the wrong horse** 《俗》 방침을 잘못 잡다. **back water** 〔海〕 배를 후진시키다; 《미》 앞서 한 말을 취소하다.

— *vi.* **1** 후퇴하다, 뒤로 물러서다, 뒷걸음치다: The car ~*ed into* the garage. 차가 후진해서 차고에 들어갔다. **2** 등을 보이다; 〈장소·건물 등이〉 등을 맞대다, 인접하다《*onto, on to*》. **3** 〔海〕 (북반구에서 바람이) 왼쪽으로 방향을 바꾸다. **4** 계획〔예정〕의 실행을 그만두다; 앞서 한 말을 철회하다. **back and fill** (조류와 반대 쪽으로 바람이 불 때) 돛을 교묘히 조종하여 전진하다; 생각이 항상 흔들리다; 앞뒤로 움직이다. **back away** 서서히 후퇴하다; 꽁무니빼다《*from*》. **back down** 물러나다《*from*》; 〈주장 등을〉 굽히다, 철회하다, 취소하다. **back off** 뒤로 물러서다; 뒷걸음질치다; 《미》 〈주장 등을〉 굽히다. **back on to** …에 인접하다. **back out** (**of**) 《口》 〈약속·계획·싸움 등에서〉 손을 떼다; 식언하다. **back up** 후원하다; 〔球技〕 후위(後衛)를 맡다; 천천히 설명하다; 〈물이〉 거꾸로 흐르다, 범람하다; 《미》 〈차(車)나 물건이〉 밀리다, 정체하다.

back² [bæk] *n.* (양조·염색용의) 큰 통.

back·ache[⌐èik] *n.* Ⓤ,Ⓒ 등의 아픔, 요통.

báck álley 빈민가; 선정적이고 느린 재즈.

back·al·ley[⌐æ̀li] *a.* **1** (뒷골목 같이) 지저분한, 수상쩍은. **2** 〈흥계 등〉 숨긴, 은밀한.

back·band[⌐bæ̀nd] *n.* 등띠《말의 끌채를 붙들어 매는》.

back·beat[⌐bìːt] *n.* 백비트《록 음악 특유의 강한 비트》.

báck·bénch *n.* (the ~; 집합적) 《영》 (하원의) 뒤쪽 좌석의 의원들. **~·er**[⌐béntʃər, ⌐⌐—] *n.* 《영》 (하원의) 뒤쪽 좌석의 의원, 평(平)의원.

back·bite[⌐bàit] *vt., vi.* (**-bit; -bit·ten, -bit**) (뒤에서) 험담하다. **-bit·ing** *n.* Ⓤ 험담, 흠구덕.

back·bit·er[-ər] *n.* 험담하는 사람.

back·block[⌐blɑ̀ks/⌐blɔ̀ks] *n.* (종종 *pl.*) 《오스》 오지(奧地), 벽지의 목장.

back·board[⌐bɔ̀ːrd] *n.* (짐수레의) 후판(後

板); 등널, 배면판(背面板);(고물의) 등널;〔醫〕 척추 교정판;(농구의) 백보드.

báck bònd 〔法〕 금전 채무 증서《보증인에게 제출하는 손실 보상용》.

＊back·bone[∠bòun] *n.* **1** (the ~) 등뼈, 척추(spine). **2** (the ~) 분수령;(책의) 등. **3** 중심이 되는 지지력, 중견(中堅), 주력(主力), 중축, 중추. **4** Ⓤ 기골, 용기(firmness): have〔display〕~ 기골이 있다〔있음을 보이다〕. **to the backbone** 《口》 철저〔순수〕한; 철두 철미하게.

back·boned[-d] *a.* 등뼈가 있는; 기골이 있는(firm, resolute).

back·break·er[∠brèikər] *n.* 몹시 힘드는 일; 맹렬히 일하는 사람.

back·break·ing[∠brèikiŋ] *a.* 몹시 힘드는.

báck-búrner 1 (레인지의) 안쪽〔속〕 버너. **2** 〈순서 · 중요도가〉 약간 아래임; 잠정적 연기: on the ~ 뒤로 돌려져.

back·cast[∠kæ̀st, -kɑ̀ːst] *vt., vi.* (연구 · 자료에 의거)〈과거의 일을〉 재구성하다, 기술하다, 묘사하다. ── *n.* 뒤로 던지기;〔낚시〕 백캐스트《낚싯줄을 던지는 예비 동작》.

back chànnel 《미》(외교 등의) 이면〔비정규〕 경로.

báck·chat[∠tʃæ̀t] *n.* Ⓤ 《영》 응수, 말대꾸(《미》 back talk).

back·cloth[∠klɔ̀(ː)θ, ∠ɑ̀θ] *n.* (*pl.* **~s**[-ðz])《영》 =BACKDROP 1.

back·comb[∠kòum] *vt.* 《영》〈머리를〉 거꾸로 빗어 세우다(《미》 tease).

back·coun·try[∠kʌ̀ntri] *n.* Ⓤ,Ⓒ 《미》 시골, 벽지; 미개척지.

back·court[∠kɔ̀ːrt] *n.* (테니스 · 농구 등의) 백코트《테니스에서는 service line과 base line사이; *opp.* forecourt》.

báck cràwl 〔水泳〕 배영.

back·cross[∠krɔ̀(ː)s, ∠krɑ̀s] 〔生〕 *vt., vi.* 역교배(逆交配)를 시키다. ── *n.* 역교배.

back·date[∠dèit] *vt.* …의 날짜를 거슬러 올라가게 하다, …까지 소급시키다.

báck dòor 뒷문; 뒷구멍, 비밀〔부정〕 수단. **get in by〔through〕the back door** 뒷구멍으로 취직〔입사〕하다.

back·door[∠dɔ̀ːr] *a.* 뒷문의; 뒷구멍의; 비밀 (수단)의(secret); 간사한.

back·down[∠dàun] *n.* 퇴각, 후퇴, 항복.

back·drop[∠drɑ̀p/∠drɔ̀p] *n.* **1** 〔劇場〕 배경막. **2** 배경.

backed[bækt] *a.* **1** (보통 복합어를 이루어) 등이 있는, …의 등을 한: a straight-~ old-lady 곧은 등을 한 노부인. **2** 후원〔지지〕받은. **3** 〔商〕 배서가 있는.

báck énd 1 후부, 후미. **2** 《영口》 늦가을. **3** (핵연료 사이클의) 종말 재처리 과정.

back·er[bǽkər] *n.* 후원자;(경마에서) 돈을 건 사람; 받침, 지지물;(타자기의) 대지.

back·fall[bǽkfɔ̀ːl] *n.* 〔레슬링〕 백폴《상대방을 넘어뜨려 매트에 등이 닿게 함》.

back·fence[∠féns] *a.* 담 너머로의 〈대화 등〉, 이웃끼리의, 잡담〔험담〕식의.

back·field[∠fìːld] *n.* (집합적) 〔미蹴〕 후위.

back·fill[∠fìl] *vt.* 〈판 구멍을〉 도로 메우다.

back·fire[∠fàiər] *vi.* **1** 〈내연 기관이〉 역화(逆火)하다;〈총 · 포 등이〉 역발하다. **2** 《미》 맞불을 놓다《산불이 퍼지지 못하도록》. **3** 기대에 어긋난 결과가 되다, 실패하다. ── *n.* **1** 역화; 역발. **2** 《미》 맞불.

back·flip[∠flìp] *n., vi.* 뒤공중제비(를 하다).

back·flow[∠flòu] *n.* 역류, 환류.

back-for·ma·tion[∠fɔːrmèiʃən] *n.* Ⓤ 〔言〕 역성(법); Ⓒ 역성어: Typewrite〔Laze, Pea〕 is a ~ from typewriter〔lazy, pease〕.

back·gam·mon[-gæ̀mən, ∠∠-] *n.* Ⓤ 서양 주사위 놀이의 일종.

＊back·ground[∠gràund] *n.* **1** 배경, 원경(*opp.* foreground). **2** 〔劇〕 무대의 배경. **3** (직물 등의) 바탕. **4** 눈에 띄지 않는 곳, 이면. **5** (사건 발생의) 배경, 원인(遠因); 예비 지식;(사람의) 배경《교양 · 가문 · 교우 등》, 출신 성분, 경력, 경험, 학력: a man with a college〔good family〕~ 대학 출신의〔가문이 좋은〕 남자. **6** (연극 · 영화 · 방송 프로 등의) 배경 음악; 음악 효과. **7** 〔物〕 자연 방사선(=∠ **radiàtion**). **8** 〔通信〕 무선 수신 때 들리는 잡음. **9** 〔컴퓨터〕 뒷면, 배경《몇 개의 프로그램이 동시 진행시 우선도가 낮은 프로그램은 우선도가 높은 프로그램이 조작되지 않을 때만 조작되는 상태》. ── *a.* 배경의, 배경이 되는: ~ information 예비 지식, 참고 자료.
── *vt.* **1** 배경을 제공하다. **2** 배경 설명을 하다. **keep** (one**self**)〔**stay, be**〕 **in the background** 표면에 나서지 않다. **on background** 공표하지 않고, (정보 제공자 등의 이름을) 숨기고.

back·ground·er[∠gràundər] *n.* 《미》 (정부측의) 배경 설명(기자 회견); 배경 해설 기사.

báckground héating 적당한 온도보다 다소 낮게 온도를 유지하는 난방.

báckground mùsic 음악 효과, 배경 음악.

báckground projéction 〔TV · 映〕 배경 영사《미리 준비한 것을 투사하기》.

back·hand[∠hæ̀nd] *n.* **1** 〔庭球〕 백핸드, 역타(逆打); 〔野〕 백핸드캐치. **2** Ⓤ 왼쪽으로 기운 글씨체. ── *a.* =BACKHANDED. ── *ad.* 백핸드〔역타〕로; 왼쪽으로 기울여. ── *vt.* 〈공을〉 백핸드로 치다〔잡다〕. **~·er** *n.* 역타; 간접 공격; 덤으로 부어 주는 한잔 술《왼쪽에서 오른쪽 사람에게》;《영口》 팁, 뇌물.

back·hand·ed[∠hǽndid] *a.* **1** 백핸드의, 역타의. **2** 왼쪽으로 기운 〈필적〉. **3** 간접적인, 모호한, 빈정대는 〈칭찬〉. **~·ly** *ad.*

back·haul[∠hɔ̀ːl] *n.* (트럭, 화물선 등의) 귀로, 역송; 귀로 화물.

back·house[∠hàus] *n.* (*pl.* **-hous·es**[-hàuziz]) 《미》 옥외 변소.

back·ing[bǽkiŋ] *n.* Ⓤ,Ⓒ **1** 역행, 후퇴. **2** (책 등의) 등받침 (붙이기); 뒷받침, 이재(裏材), 이판(裏板). **3** 배서 보증; 후원(support);(집합적) 후원자 단체(supporters). **4** (팝 뮤직의) 반주. ── *a.* 역행의: a ~ signal 후퇴 신호.

back·ing-out[-àut] *n.* 《미口》 철회, 취소.

bácking stòrage〔**stòre**〕 〔컴퓨터〕 보조 기억 장치.

báck íssue (잡지의) 묵은 호(號).

báck jùdge 〔미蹴〕 후심《수비측 깊숙이 위치하여 계시(計時)도 담당하는 심판원》.

back·lands[bǽklæ̀ndz] *n. pl.* 오지, 벽지.

back·lane[∠lèin] *n.* 뒷골목(alley).

back·lash[∠læ̀ʃ] *n.* **1** 역회전. **2** 〔機〕 백래시《부품간의 헐거움으로 생기는 역행》;〔낚시〕(릴에) 얽힌 줄. **3** 반발, 반동. ── *vi.* 역회전하다; 반발하다.

back·less[bǽklis] *a.* 등이 없는 〈의자 등〉.

back·light[∠làit] *n.* 백라이트, 배경 조명《물체 · 인물 등의 후면에서 비추어 돋아보이게 하는》. ── *vt.* 등 뒤에서 빛을 비추다.

back·light·ing *n.* Ⓤ 역광 조명.

back·lin·ing[∠làiniŋ] *n.* Ⓤ,Ⓒ 〔建〕 (내리닫

이 문틀의 홈을 막은) 세로 판자; 〔製本〕 등반침 붙이기.

back·list[∠lìst] *n.* 재고 목록, 기간(旣刊) 도서 목록. ── *vt.* 재고 목록에 넣다.

back·log[∠lɔ̀(ː)g, ∠lɑ̀g] *n.* **1** 《미》 (오래 타게) 난로 안 쪽에 넣어 두는 큰 장작. **2** 주문 잔고, 체화(滯貨); 잔무(殘務); 예비 저장품, 비축. ── *v* (~**ged**; ~·**ging**) *vt.* 예비로 남겨두다; 후일 처리분으로 주문을 받다. ── *vi.* 〈주문상품 등이〉 (미처리인채) 쌓이다.

báck màtter 《미》(책의) 본문 뒤의 부속물 《발문·색인·판권 등》(*cf.* FRONT MATTER).

back·most[∠mòust] *a.* 맨 끝의.

báck mutàtion 〔生〕 복귀 돌연 변이(*opp.* forward mutation).

báck níne 〔골프〕 18홀 코스의 후반의 9홀.

báck númber 묵은 호(號)(의 잡지); 《口》 시대에 뒤진 사람〔것〕.

báck órder 〔商〕 (재고가 없어) 처리 못한 〔뒤로 미룬〕 주문, 이월 주문.

báck òut[∠àut] 《미口》 철회, 탈퇴, 취소.

back·pack[∠pæ̀k] *n.* 《미》 배낭《캠핑용·우주 비행사용 등》; 등짐. ── *vt., vi.* 《미》 배낭을 지고 걷다〔여행하다〕; 져 나르다. ~·**er** *n.*

báck páge 뒷 페이지《책을 폈을 때의 왼쪽》.

back-page[∠péidʒ] *a.* 뒷면의; 보도 가치가 적은(*opp.* front-page).

báck párlor 뒷방; 뒷거리; 빈민가(slum).

báck pássage 《완곡》 직장(rectum).

back-pat *vt., vi., n.* (…의) 등을 가볍게 두드리다〔두드림〕; (…에) 찬의(贊意)를 표시하다; 찬의(贊意)를 표시하는 몸짓이나 말.

back-pat·ting[∠pæ̀tiŋ] *n.* (등을 가볍게 두드려서 나타내는) 동의, 격려.

back·ped·al[∠pèdl] *vi.* (~**ed**; ~·**ing** | ~**led**; ~·**ling**) (자전거의) 페달을 거꾸로 밟다; 후퇴하다; 《口》 〈의견·약속 등을〉 철회하다; 행동을 역전하다.

back·plate[∠plèit] *n.* (갑옷의) 등갑(甲); 〔機·建〕 (부재(部材)의) 뒤판.

back·pro·ject[∠prədʒèkt] *vt.* 배경 영사(背景映寫)하다. ── *n.* 배경 영사상(像).

báck projèction =BACKGROUND PROJECTION.

back·rest[∠rèst] *n.* (의자 등의) 등받침.

báck róad 뒷길, 시골길(비포장의).

báck ròom[bǽkrù(ː)m] 안쪽 방; 비밀 연구소.

báck·room bóy 《영口》 비밀 연구 종사자〔과학자〕.

báck rów 〔럭비〕 스크럼의 제 3단째를 짜는 2-3명.

back·saw[∠sɔ̀ː] *n.* 등대기톱.

back·scat·ter[∠skæ̀tər] 〔物〕 *n.* Ⓤ (방사선 등의) 후방 산란. ── *vt.* 〈방사선 등을〉 후방 산란시키다. ~·**ing** *n.*

back·scratch·er *n.* 등긁개.

back·seat[∠síːt] *n.* 뒷자리, 눈에 띄지 않는 위치; 보잘것 없는 지위. **take a backseat** 나서지 않다; 하위에 있다(*to*).

báck·seat dríver 《口》 자동차 객석에서 운전을 지시하는 손님; 지위가 낮으면서 무책임한 말을 하는 사람; 참견 잘 하는 사람.

back·set *n.* 역행(逆行); 역류.

back·sheesh, -shish *n.* =BAKSHEESH.

back·side[bǽksàid] *n.* 후방, 후부, 이면; (종종 *pl.*) 《俗》 엉덩이, 둔부.

back·sight[∠sàit] *n.* **1** 〔測〕 후시(後視). **2** (총의) 가늠자.

báck slàng 거꾸로 읽는 은어《보기: *slop* 「경관」(police)》.

back·slap[∠slæ̀p] 《미口》 *n.* (친숙한 표시로) 등을 탁 치기; 몹시 친숙한 태도. ── *vt., vi.* (~**ped**; ~·**ping**) 등을 탁 치다, 과장해서 친밀감을 보이다. -**slàp·per** *n.* 친숙하게 구는 사람. -**slàp·ping** *n., a.*

back·slide[∠slàid] *vi.* (-**slid**[∠slìd]; -**slid, -slid·den**[∠slìdn]) (원래의 악습으로) 되돌아가다; 타락하다《*into*》. ── *n.* 퇴보; 타락. -**slid·er**[-ər] *n.* -**slid·ing** *n.*

báck slúm 빈민가.

back·space[∠spèis] *vi.* (타자기에서) 한 자 역행시키다. ── *n.* 백스페이스; 역행키. -**spac·er** *n.* 역행 키.

back·spin[∠spìn] *n.* (당구·탁구·골프 등의) 역회전.

back·stage[∠stéidʒ] *ad.* 무대 뒤에서〔로〕; 분장실〔막후〕에서. ── [∠∠] *a.* 분장실〔무대 뒤〕에 있는〔에서 하는〕, 막후의.

back·stair *a.* =BACKSTAIRS.

back·stairs *n. pl.* 뒷층계; 비밀〔음흉한〕 수단. ── *a.* **1** 뒷층계의; 간접적인; 비밀의. **2** 중상적(中傷的)인.

back·stay[∠stèi] *n.* **1** (기계 장치의) 뒷받침. **2** (종종 *pl.*) 〔海〕 후지삭(後支索), 뒷 버팀줄《돛대의》. **3** 《일반적으로》 지지(支持).

back·stitch[∠stìtʃ] *n., vt., vi.* 박음질(하다).

back·stop[∠stɑ̀p, ∠stɔ̀p] *n.* 〔野·庭球〕 백네트; 《野口》 포수; 《口》 보좌역. ── *vt., vi.* (~**ped**; ~·**ping**) …의 포수를 하다; 지원〔보좌〕하다.

báck stréet 《미》 뒷골목, 뒷길.

back·stretch[∠strétʃ] *n.* 〔競〕 백스트레치《결승점이 있는 코스와 반대쪽의 코스; *cf.* HOMESTRETCH》.

back·stroke[∠stròuk] *n.* 되치기, 반격; (피스톤 등의) 퇴충(退衝)(recoil); 〔庭球〕 역타(逆打); 〔水泳〕 배영(背泳).

back·swept[∠swèpt] *a.* 뒤쪽으로 기울어진; 〔空〕 〈날개가〉 후퇴각(後退角)이 있는.

báck swìmmer 〔昆〕 송장헤엄치개.

back·swing[∠swìŋ] *n.* 〔球技〕 백스윙.

back·sword[∠sɔ̀ːrd] *n.* 외날 검; 목검《펜싱 연습용》.

back·sword·man[∠sɔ̀ːrdmən] *n.* (*pl.* -**men**[-mən]) 외날 검을 쓰는 검객.

báck tàlk 《미口》 말대답(《영》 backchat).

back-talk[∠tɔ̀ːk] *vi.* 말대답하다.

báck tìme 《미俗》 가출옥 때의 남은 형기.

back-to-back[∠təbǽk] *a.* 등을 서로 맞댄; 연속적인. ── *n.* 등을 맞대고 선 연립 주택.

back-to-ba·sics[∠təbéisiks] *a.* 근본〔기본〕으로 돌아가는.

back·track[∠træ̀k] *vi.* 《미》 같은 코스를 따라 되돌아오다; 물러서다, 역행 정책을 쓰다.

back·up[∠ʌ̀p] *n.* 지원; 〈물이〉 굄, 〈차량의〉 정체; 보결, 대리(인), 대용(품); 〔볼링〕 백업; 〔컴퓨터〕 보완(補完), 백업. ── *a.* 지원하는; 대체의, 예비의; 〔컴퓨터〕 보완의.

báckup fìle 〔컴퓨터〕 보완 파일《원래 파일의 손실에 대비하여 백업해 놓은 파일》.

báckup lìght 《미》 (차의) 후진등(後進燈).

báckup sérvicing 아프터 서비스.

báckup sỳstem 〔컴퓨터〕 보완 시스템《작동중인 시스템에 고장이 났을 경우를 대비하여 미리 마련하는 대체용의 시스템》.

báck vówel 〔音聲〕 후설(後舌) 모음.

****back·ward**[bǽkwərd] *ad.* **1** 뒤에〔로〕, 후방에〔으로〕, 뒤를 향하여(*opp.* forward(s)): walk ~ 뒷걸음질치다. **2** 역행하여, 퇴보〔악화〕하여, 타락하여: flow ~ 역류하여. **3** 거꾸로, 끝에서부터, 뒤로부터: say the alphabet ~ 알파

벳을 거꾸로 말하다. **4** 소급하여, (옛날로) 되돌아가서. ((◇ ((영))에서는 backwards가 일반적임)). **backward and forward** 앞뒤로, 이리저리; ((미口)) 자동적 또는 기계적인 숙련으로. **bend[lean, fall] over backward** 먼저와는 딴판으로 …하다(*to* do); 필사적으로 …하려고 애쓰다(*to* do). **go backward** 되돌아가다; 퇴보[타락]하다. **know … backward (and forward)** ((口)) …을 잘 알고 있다. **ring the bells backward** 한 벌의 종을 거꾸로[낮은 소리부터] 치다, 화급을 알리다.
— *a.* **1** 뒤로의, 뒤를 향한; 거꾸로의, 퇴보적인(retrogressive) (*opp.* forward): 거꾸로의: a ~ blessing 저주. **2** 진보가 늦은; 뒤떨어진, 머리가 둔한((*in*)): a ~ child 지진아/a ~ country 후진국((◇ a developing country가 바람직함)). **3** …하기를 꺼리는, 주저하는, 수줍어하는(shy)((*in*)): She is ~ *in* giv*ing* people her views. 그녀는 남에게 자기 의견을 말하기를 꺼려한다. **4** 때늦은, 철 지난. **backward in coming forward** ((口)) 수줍은. **be backward** 뒤지다; 수줍어하다; 게을리하다((*in*)). — *n.* 후방, 뒤, 후부; 과거, 옛날. **~·ly** *ad.* 머뭇머뭇, 주춤거리며, 마지못하여; 뒤떨어져서. **~·ness** *n.* Ⓤ 후진성, 지진(遲進); 주춤거림.

back·ward·a·tion[bækwərdéiʃən] *n.* Ⓤ ((영)) (증권 거래소에서의) 역일변(逆日邊).

back·ward-look·ing[bǽkwərdlùkiŋ], **-gaz·ing**[-gèiziŋ] *a.* 회고적인, 퇴영적인.

⁑**back·wards**[ˊwərdz] *ad.* =BACKWARD.

back·wash[ˊwɔ̀(:)ʃ, ˊwɑ̀ʃ] *n.* (*sing.*; 종종 the ~) 밀려 나가는 파도((해변에 한번 밀려왔다가)); 역류, 후류((배나 비행기의 추진기 등에 의하여 생기는)); ((口)) (사건의) 여파.
— *vt.* …에 영향을 주다.

back·wa·ter[ˊwɔ̀:tər, ˊwɑ̀t-] *n.* **1** Ⓤ 밀려 나가는 물, 역류; 배수(背水). **2** 지적 부진(知的不振); 침체. **live in a backwater** 침체한 환경[사회]에서 살다. — *vi.* 거꾸로 젓다; 배를 후진시키다; ((미)) 앞서 한 말을 철회하다.

back·wind[ˊwìnd] *n.* [海] 역풍.

back·woods[ˊwúdz] *n. pl.* (the ~) (벽지의 개척되지 않은) 삼림지; 벽지. — *a.* 벽지의; 소박한.

back·woods·man[ˊwúdzmən] *n.* (*pl.* **-men**[-mən]) 벽지의 주민; 시골 사람; ((영·경멸)) (시골에 살면서) 좀처럼 등원하지 않는 상원 의원.

back·yard[ˊjɑ́:rd] *n.* 뒤뜰(*opp.* frontyard); (친근감에서) 이웃, 바로 가까운[늘 다니는] 장소.

⁑**ba·con**[béikən] *n.* Ⓤ 베이컨((돼지의 배나 등의 살을 소금에 절여 훈제한 것)); ((미口)) 이익. **bacon and eggs** 베이컨 조각에다 계란 반숙을 얹은 요리((영국에서 아침 식사에 많음)). **bring home the bacon** ((口)) 성공[입상(入賞)]하다; ((口)) 생활비를 벌다. **save one's bacon** ((영口)) 위험[손해]을 면하다.

***Ba·con**[béikən] *n.* 베이컨 Francis ~((영국의 수필가·철학자; 경험학파의 시조(1561-1626)). ⊕ Bacónian *a., n.*

Ba·co·ni·an[beikóuniən] *a.* 베이컨(학파)의: ~ method 귀납법. — *n.* 베이컨의 철학설을 신봉하는 사람; 베이컨설의 주장자.

Bacónian théory (the ~) 베이컨 설((셰익스피어의 희곡을 Bacon의 작품이라고 하는)).

ba·con·y[béikəni] *a.* ((영)) 지방질의, 뚱뚱한.

bact. bacteriology.

bac·te·re·mi·a[bæ̀ktərí:miə] *n.* Ⓤ [病理] 균혈증(菌血症)((혈액에 세균이 있는 상태)).

bac·te·ri-, bac·te·ri·o-[bæktíərə], [bæktíəriou] ((연결형)) 「세균, 박테리아」의 뜻: *bactericide*.

⁑**bac·te·ri·a**[bæktíəriə] [L] *n. pl.* (*sing.* **-ri·um**[-riəm]) 박테리아, 세균((◇ 단수형은 ((稀)))). ⊕ bactérial *a.*; bácterize *v.*

bac·te·ri·al[bæktíəriəl] *a.* 박테리아[세균]의.

bac·te·ri·cid·al[-dl] *a.* 살균의.

bac·te·ri·cide[bæktíərəsàid] *n.* 살균제.

bac·ter·id[bǽktərid] *n.* [病理] 세균성 피진(皮疹)((매독진 등)).

bac·te·rin[bǽktərin] *n.* Ⓤ 세균 백신(bacterial vaccine).

bac·te·ri·o·log·i·cal[bæktìəriəlɑ́dʒikəl/-lɔ́dʒ-], **-logic**[-ik] *a.* 세균학(상)의.

bacteriológical wárfare 세균전(戰).

bac·te·ri·ol·o·gy[bæktìəriɑ́lədʒi/-ɔ́l-] *n.* Ⓤ 세균학. **-gist** *n.* 세균학자.

bac·te·ri·ol·y·sis[bæktìəriɑ́ləsis/-ɔ́l-] *n.* Ⓤ 세균 분해 (처리); 용균(溶菌)[살균] 현상.

bac·te·ri·o·lyt·ic[-riəlítik] *a.* 용균(溶菌)성의.

bac·te·ri·o·phage[bæktíəriəfèidʒ] *n.* [細菌] 살균 바이러스 박테리오파지.

bac·te·ri·os·co·py[bæktìəriɑ́skəpi/-ɔ́s-] *n.* Ⓤ 세균 검사((현미경에 의한)).

bac·te·ri·o·sta·sis[bæktìəriəstéisis] *n.* Ⓤ [細菌] 세균 발육 저지.

bac·te·ri·o·stat[bæktíəriəstæ̀t] *n.* [細菌] 세균 발육 저지제(劑).

***bac·te·ri·um**[bæktíəriəm] *n.* (*pl.* **-ri·a**[-riə]) BACTERIA의 단수.

bac·ter·ize[bǽktəràiz] *vt.* …에 세균을 작용시키다. **bàc·te·ri·zá·tion**[-rizéiʃən] *n.*

bac·te·roid[bǽktərɔ̀id] *n.* 박테로이드((콩과(科) 식물의 근류(根瘤)속의)), 가세균(假細菌).
— *a.* 세균 모양의, 세균 비슷한.

bac·ter·oi·dal[bæ̀ktərɔ́idl] *a.* =BACTEROID.

Bác·tri·an cámel[bǽktriən-] [動] 쌍봉낙타(*cf.* ARABIAN CAMEL).

bac·u·line[bǽkjəlin] *a.* 회초리의, 태형(笞刑)의.

★**bad¹**[bæd] *a.* (**worse**[wə:rs]; **worst**[wə:rst]) (*opp.* good) **1** 나쁜, 불량한; 부정(不正)한; 악성의: ((Ⅱ *It* v Ⅱ+형+*to* do)) It's ~ *to* scribble. 낙서하는 것은 좋지 못하다. **2** 기분이 나쁜; 마음이 언짢은, 미안한, 유감스러운: ((Ⅱ 부+형)) That's too ~. 그것 참 안됐군요/((Ⅱ *It* v Ⅱ+형+*of*+대+*to do*)) It's ~ *of* her *to* live alone. 그녀가 독신으로 생활한다니 참 안된 일이다. **3** 〈본래 나쁜 것이 더〉 심한, 〈병·죄 등이〉 무거운: a ~ cold 독감/a ~ crime 중죄. **4** 불길한, 좋지 못한. **5** 해로운: ((Ⅱ 형+전+명)) Smoking is ~ *for* the health. 담배 피우는것은 건강에 나쁘다. **6** 부적당한, 불완전한, 불충분한; 바람직하지[탐탁지] 않은, 형편이 나쁜: ~ luck 불운. **7** 불쾌한, 고약한: a ~ smell[taste] 고약한 냄새[맛]. **8** 서투른, 익숙하지 못한(poor): ~ *at* writing 글씨가 서투른. **9** 건강 상태가 좋지 않은; 아픈. **10** 소용 없는; 틀린, 부당한: ~ grammar 옳지 못한 어법. **11** 부패한; 영양분이 없는: a ~ tooth 충치. **12** 후회하는: feel ~ *about* an error 잘못을 후회하다. **13** 무효인(void). **14** ((미口)) 적의가 있는; 위험한. **15** (…을) 앓고 있는. **16** ((俗)) 멋있는, 굉장한. **act in bad faith** 불성실한 짓을 하다. **be bad at** …에 서투르다: ((Ⅱ 형+전+명)) She is a bit ~ *at* writing. 그녀는 글씨 쓰는 데에 좀 서투르다. **be bad with gout** (통풍)을 앓고 있다. **be[be taken] bad** 앓다

〔병들다〕. **feel bad** 기분이 나쁘다; 유감스럽게 여기다 (*about*). **get**〔**have**〕 **a bad name** 평판이 나빠지다〔나쁘다〕. **get into bad ways** 미치다. **go bad** 썩다, 나빠지다. **have a bad time** (**of it**) 혼이 나다, 불쾌한 시간을 보내다. **in a bad way** 〈건강이〉 염려되는 상태에; 경기가 좋지 않아; 곤경에. **just too bad** 《口》 유감이지만 만부득이한. **not** (**so**〔**half, too**〕) **bad** 《口》 그렇게 나쁘지 않은, 꽤 좋은(rather good) (◇ 완곡한 영국식 표현법의 하나). **That's too bad** (= That's a pity). 그거 안됐구나. — *ad.* 《미口》 =BADLY. **be bad off** =be BADLY off.
— *n.* **1** Ⓤ 나쁜 것, 악; 나쁜 상태, 악운. **2** (the ~) 악인들. **be** ($40) **to the bad** (40달러) 빚을 지고 있다(be in debt). **go from bad to worse** 점점 더 악화하다. **go to the bad** 파멸〔타락〕하다. **in bad** 《口》 난처하여; 《미》 〈…의〉 미움을 받고 (*with*). **take the bad with the good** 행운도 불운도 다 겪다.
⊕ bádness *n.*; bádly *ad.*

bad² [bæd] *v.* 《古》 BID의 과거.

bád áctor 《미俗》 말썽꾼; 부리기 힘든 동물.

bád ápple 《俗》 =BAD EGG.

bád blóod 불화, 악감정, 미움, 적의; 원한: make ~ between two persons 두 사람 사이를 이간질하다.

bád bréak 《미口》 불운(bad luck).

bád bréath 입내, 구취(口臭).

bád chécks 《미俗》 불량 수표(예금 잔고 이상으로 발행된 수표).

bád cónduct dischàrge 〔미軍〕 불명예 제대.

bád débt 불량 대부, 대손(貸損), 대손금.

bad·die, bad·dy [bǽdi] *n.* (*pl.* **-dies**) 《口》 (영화 등의) 악역, 악인; 《俗》 범죄자, 부랑자; 《口》 못된 아이.

bad·dish [bǽdiʃ] *a.* 약간〔좀〕 나쁜.

⁑**bade** [bæd/bæd, beid] *v.* BID의 과거.

bád égg 《口》 악당, 불량배; 헛된 계획.

Ba·den-Ba·den *n.* 바덴바덴(서독 남서부의 도시; 온천 휴양지).

Ba·den-Pow·ell [béidnpóuəl, -páu-] *n.* 베이든포엘 Robert S.S. ~(1857-1941) (보이 스카우트와 걸 가이드를 창설한 영국의 장군).

bád fórm 《영》 버릇없음.

⁑**badge** [bædʒ] *n.* 휘장, 기장(記章), 견장(肩章); 상징(symbol): a ~ of rank (군인의) 계급장/a good conduct ~ 선행장(善行章)/a school ~ 학교의 배지. — *vt.* …에 휘장〔기장, 견장〕을 달다, 표지를 하다.

BADGE Basic Air Defense Ground Environment 《미》 기지 방공 지상 경계 조직.

bádge bàndit 《미俗》 (흰 오토바이를 탄) 교통 경찰관.

***badg·er¹** [bǽdʒər] *n.* (*pl.* **~s,** ~) **1** 〔動〕 오소리. **2** Ⓤ 그 가죽; 《영俗》 (오소리털로 만든) 화필. **3** 《오스》 유대(有袋) 동물. — *vt.* (질문 등으로) 괴롭히다 (*with*), (장난 삼아) 집적대다, 조르다 (*for*); 졸라서 (…)하게 하다 (*into doing*): 《Ⅲ (목)+전+명》 You are ~*ing* me *with* silly questions. 너는 그 어리석은 질문을 귀찮게 묻는구나/《Ⅲ (목)+전+명》 ~ his mother *for* a sports car 스포츠카를 사달라고 그의 어머니에게 조르다/《Ⅴ (목)+*to* do》 She ~*ed* him *to* take her to the theater. 그녀는 극장에 데리고 가달라고 그에게 (귀찮게) 졸랐다/《Ⅴ (목)+전+-*ing*》 She ~*ed* him *into* do*ing* what she wanted. 그녀는 그녀가 바라는 것을 해달라고 그에게 졸랐다 (=《Ⅱ *be pp.*+전+-*ing*》 He was ~*ed into* do*ing* what she wanted.).

badger² *n.* 《方》 (특히 식료품의) 행상인.

bádger gàme 《俗》 미인계; 사기.

Bádger Státe (the ~) 미국 Wisconsin 주의 속칭.

bád hát 《영俗》 악당, 불량배.

bad·i·nage [bæ̀dɪnɑ́:ʒ, bǽdinidʒ] [F] *n.* Ⓤ 농담, 야유. — *vt.* 놀리다.

bad·lands [bǽdlæ̀ndz] *n. pl.* 《미》 (침식에 의한) 황무지, 메마른 땅.

Bád Lànds *n.* 미국의 South Dakota 주 남서부 및 Nebraska 주 북서부의 황무지.

bád lót 《俗》 =BAD EGG.

⁑**bad·ly** [bǽdli] *ad.* (**worse** [wə:rs]; **worst** [wə:rst]) **1** 나쁘게, 호되게: speak ~ *of* a person 아무를 나쁘게 말하다. **2** 서투르게 (*opp.* well), 졸렬하게. **3** (want, need 등을 수식하여) 대단히(greatly); 몹시, 심히: ~ wounded 중상을 입어/~ want 몹시 탐내다/She needs your help ~. 그녀는 너의 도움이 꼭 필요하다. **be badly off** 생활이 쪼들리다 (*opp.* be well off). **be badly off for** …이 없어서〔모자라서〕 곤란하다. **speak badly of** …을 나쁘게 말하다. — *a.* 《口》 슬퍼하는, 후회하는 (*about*); 기분이 나쁜; 건강치 못한.

bad·man [bǽdmæ̀n] *n.* (*pl.* **-men** [-mèn]) 《미》 (서부 개척 시대의) 악당; (영화·연극 등의) 악역.

***bad·min·ton** [bǽdmintən] *n.* Ⓤ **1** 〔競〕 배드민턴. **2** 적포도주에 소다수 등을 탄 청량 음료.

bád móuth 《미俗》 욕, 중상, 비방, 혹평.

bad-mouth [bǽdmàuθ, -màuð] *vt., vi.* 《미俗》 혹평하다, 깎아 내리다, 헐뜯다. **~·er** *n.*

bad·ness *n.* Ⓤ 나쁜 상태〔모양〕; 나쁨, 악, 불량, 부정; 해로움; 불길, 흉(凶).

bád néws 나쁜 소식; 《口》 골치 아픈 문제, 난처한 일; 《미俗》 골치 아픈 녀석.

bad-tem·pered [bǽdtèmpərd] *a.* 기분이 상한, 심술궂은(cross); 성미가 까다로운.

bád tíme 곤경, 고경(苦境).

bád tríp 《俗》 (LSD 등에 의한) 무서운 환각 체험; 《口》 불쾌한 체험.

Bae·de·ker [béidikər] *n.* 베데커 여행 안내서; 《일반적》 여행 안내서.

baff [bæf] 〔골프〕 *vi.* 골프채로 땅을 쳐 공을 높이 올리다. — *n.* 그러한 타구.

báff·ing spòon [bǽfiŋ-] 〔골프〕 =BAFFY.

***baf·fle** [bǽfəl] *vt.* **1** 〈계획·노력 등을〉 좌절시키다, 실패로 끝나게 하다, …의 의표를 찌르다: ~ a person's plan 아무의 계획을 좌절시키다/This ~*d* him *out of* his design. 이것으로 그의 계획은 실패로 돌아갔다. **2** 당황하게 하다, 곤란케 하다. **3** …을 차단하다. **be baffled in** …에 실패하다. — *vi.* 헛수고하다, 허우적거리다; 고투하다: The ship was seen *baffling with* a gale from the NW. 그 배가 강한 북서풍에 시달리고 있는 것이 보였다.
— *n.* 좌절, 당황; 방해(물); 격벽(隔壁); 배플(=∠ **bòard**〔**plàte**〕) (기류·수류·음향·전자선·유체 등의 조절〔정류, 차폐〕 장치).

báf·fler *n.*

baf·fle·gab [bǽfəlgæ̀b] *n.* (관리가 쓰는) 어려운 말투.

baf·fle·ment [bǽfəlmənt] *n.* Ⓤ 방해, 훼방; 곤혹, 당혹.

baf·fling [bǽfəliŋ] *a.* 저해하는; 당황하게 하는; 이해할 수 없는: a ~ wind 방향이 일정하지 않은 바람. **~·ly** *ad.*

baff·y[bǽfi] *n.* (*pl.* **baff·ies**) 〔골프〕 배피(공을 높이 쳐 올리는 짧은 목제 클럽: spoon, No. 4 wood).

⋆**bag**[1] [bæg] *n.* **1** 자루; 부대; 한 자루분(량). **2** (손)가방, (핸드)백. **3** 지갑; (*pl.*) 부(富). **4** 사냥 부대(game bag); 사냥하여 잡은 것; (법정) 포획량. **5** 자루같이 생긴 것; (*pl.*) 《俗》 바지; 위(胃); (암소의) 젖통이(udder); 눈 밑 등의 처진 살; 《미俗》 음낭(陰囊). **6** 〔野〕 베이스. **7** 《口》 (어떤 사람의) 좋아하는 것, 장기. **8** 《俗》 추녀; 갈보. **9** (*pl.*) 《口》 다량, 다수 (*of*). **10** 《俗》 취미, 전문. **a bag of bones** 몹시 여윈 사람〔동물〕. **a bag of nerves** 신경과민인 사람. **a bag of wind** 허풍선이. **bag and baggage** 《口》 소지품〔세간〕을 모두 챙기고; 모조리; 완전히. **bags of** 《口》 많은. **bear the bag** 돈주머니를 쥐고 있다, 돈을 맘대로 쓰다. **be left holding the bag** 《口》 (혼자) 책임지게 되다. **empty the bag** 남김없이 이야기하다. **get**〔**give** a person〕 **the bag** 해고되다〔시키다〕. **give**〔**leave**〕 a person **the bag to hold** …을 궁지에 빠뜨리다, …에게 책임을 지우다. **have**〔**get, tie**〕 **a bag on** 술 마시며 떠들다, 취하다. **hold the bag** 《미口》 아무 소득도 없게 되다; 혼자 책임을 덮어 쓰게 되다. **in the bag** 《口》 확실히; 성공이 확실하고. **in the bottom of the bag** 최후 수단으로서. **let the cat out of the bag** 무심코 비밀을 누설하다. **make**〔**secure**〕 **a good**〔**poor**〕 **bag** (사냥에서) 많이〔적게〕 잡다. **pack one's bags** 《口》 짐을 챙기다, (불쾌한 일로) 나가다. **pull … out of the bag** 뒤늦게나마 방도를 발견하다. **set one's bag for** 《미》 …에 야심을 품다. **the green**〔**blue**〕 **bag** 변호사용의 가방. **the** (**whole**) **bag of tricks** 《口》 온갖 수단〔술책〕.
— (~**ged**; ~**·ging**) *vt.* 자루에 넣다; (자루처럼) 부풀리다; 〈사냥감을〉 잡다; 《口》 〈남의 물건을〉 악의 없이 슬쩍 가져가다(steal); 〈자리 등을〉 차지하다; 《兒·學俗》 요구하다(보통 Bags (I) … 로 씀): *Bags I* this seat! 이 자리는 내거야. — *vi.* 부풀다(*out*); (빈 자루 같이) 축 처지다. **Bag it!** 《미俗》 그만 해, 시끄러워. **bag school** 학교를 빼먹다. **Bag your face!** 《미俗》 꼴도 보기 싫다, 꺼져.

bag[2] [bæg] *vt.* (~**ged**; ~**·ging**) 〈풀 등을〉 낫으로 베다.

B.Ag. Bachelor of Agriculture.

ba·gasse[bəgǽs] *n.* Ⓤ (사탕수수의) 당분을 짜고 남은 깍지(연료용).

bag·a·telle[bæ̀gətél] *n.* **1** 하찮은 것; 사소한 일. **2** Ⓤ 바가텔(일종의 당구 놀이). **3** 〔樂〕 (피아노를 위한) 소곡(小曲).

Bag·dad *n.* =BAGHDAD.

ba·gel[béigəl] *n.* 도넛형의 딱딱한 빵.

bágel bénder 《俗·경멸》 유대인.

bág fòx 부대에 넣은 여우(사냥터에서 풀어주고, 사냥개로 하여금 쫓게 함).

bag·ful[bǽgfùl] *n.* (*pl.* ~**s, bags·ful**) 한 자루(분).

⁑**bag·gage**[bǽgidʒ] [OF] *n.* **1** Ⓤ 《미》 수하물(◇《영》에서는 보통 luggage를 쓰지만, 배·비행기 여행의 짐은 baggage를 씀); 《영》 군용 행낭; 《口》 낡은 인습. **2** 《古·익살》 바람난 여자; 말괄량이; 《경멸》 (짐이 되는) 추한 노파. **heavy**〔**light**〕 **baggage** 〔軍〕 큰〔작은〕 행낭.

bággage allòwance 《미》 수하물 중량 제한.

bággage càr 《미》 (객차에 연결한) 수하물차 (《영》 luggage van).

bággage chèck 《미》 수하물 물표.

bággage clàim (공항의) 수하물 찾는 곳.

bag·gage·man[bǽgidʒmæ̀n, -mən] *n.* (*pl.* **-men**[-mèn, -mən]) 《미》 수하물 계원.

bag·gage·mas·ter[-mæ̀stər, -mɑ̀ːs-] *n.* 《미》 수하물 계장; 〔軍〕 수송 대장.

bággage òffice 《미》 수하물 취급소.

bággage ràck 《미》 (기차의) 선반.

bággage ròom 《미》 (역의) 수하물 임시 보관소(《영》 left luggage office).

bag·gage-smash·er[-smæ̀ʃər] *n.* =BAGGAGEMAN.

bággage tàg 《미》 수하물 꼬리표.

bagged[bægd] *a.* 《미俗》 (몹시) 술 취한.

bag·ger[bǽgər] *n.* 자루에 담는 사람〔기계〕; 《野球俗》 …루타(壘打): a two-〔three-〕~ 2〔3〕 루타.

bag·ging[bǽgiŋ] *n.* Ⓤ 자루에 넣음; 자루 만드는 천(삼베·황마 등).

bag·gy[bǽgi] *a.* (**-gi·er; -gi·est**) 헐렁헐렁한; 불룩한. **bág·gi·ly** *ad.* **bág·gi·ness** *n.*

Bagh·dad[bǽgdæd, bəgdǽd] *n.* 바그다드 (Iraq의 수도).

bág hólder 하물 운반용 대차(臺車)(공항 등의).

bág jòb 《俗》 증거를 잡기 위한 비합법적 (가택) 수색.

bág làdy, bág·làdy 플라스틱 백에 소지품을 넣고 길에서 생활하는 집 없는 여자.

bag·man[bǽgmən] *n.* (*pl.* **-men**[-mən]) **1** 《영》 외판원, 출장 판매인. **2** 《미俗》 (공갈꾼의) 상납금 수금원. **3** =BAG FOX.

ba·gnio[bǽnjou, bɑ́ːn-] *n.* (*pl.* ~**s**) (동양식의) 목욕탕; 감옥; (동양의) 창루(娼樓).

⁎**bag·pipe**[bǽgpàip] *n.* (종종 *pl.*) 풍적(風笛), 백파이프(스코틀랜드 고지인의).

bág pèople 집 없는 사람들(거리에서 살며 bag에 소지품을 넣고 다님).

bag·pip·er *n.* 풍적을 부는 사람.

bag-play[∠plèi] *n.* 《俗》 비위맞추기, 아첨.

B. Agr. Bachelor of Agriculture.

bag·stuf·fer *n.* 상점의 계산대에서 행인, 손님에게 주는 선전 삐라.

ba·guette, -guet[bægét] *n.* 가느다란 장방형으로 깎은 보석.

bag·wig[bǽgwìg] *n.* 가발의 일종(18세기에 유행; 뒷머리를 싸는 주머니가 달림).

bag·wom·an[∠wùmən] *n.* (*pl.* **-wom·en** [∠wìmin]) 《미俗》 =BAG LADY.

bag·worm[∠wə̀ːrm] *n.* 〔昆〕 도롱이벌레.

bah[bɑː, bæ(ː)] *int.* 《경멸》 흥!

ba·ha·dur[bəhɔ́ːduər, -hɑ́ː-] *n.* 《인도》 각하 (공문서 등에서); 《인도俗》 나리.

Ba·ha'·i, -ha·i[bəhɑ́i, -hɑ́ːi] *n., a.* 바하이교(도)(의).

Ba·ha·ism[bəhɑ́ːizəm, -hɑ́i-] *n.* 바하이교(教)(Iraq의 근대 종교).

Ba·há·ma Íslands[bəhɑ́ːmə-, -héi-] *n. pl.* (the ~) 바하마 제도(Florida와 Cuba 사이의 섬들).

Ba·ha·mas[bəhɑ́ːməz, -héi-] *n.* **1** (단수 취급) 바하마(Bahama Islands로 이루어진 공화국; 수도 Nassau). **2** (the ~; 복수 취급) =BAHAMA ISLANDS.

Ba·ha·mi·an[bəhéimiən, -hɑ́ː-] *a.* 바하마(제도)의; 바하마 사람의. — *n.* 바하마 사람.

Ba·há·sa Indonésia[bəhɑ́ːsə-, bɑː-] 인도네시아 공화국의 공용어(정식명).

Bah·rain, -rein[bɑːréin] *n.* 바레인(페르시아만 내에 있는 독립국; 수도 Manama).

baht[bɑːt] *n.* (*pl.* ~**s**, ~) 바트(타이의 화폐

단위: 기호 B: =100 satangs).

bai·gnoire [beinwɑ́:r, ⌐—] [F] *n.* (극장의) 아래층 특별석(stage box).

Bai·kal [baikɑ́:l, -kɔ́:l] *n.* (Lake ~) 바이칼 호(시베리아의 호수).

*⁎***bail**[1] [beil] *n.* 〔法〕 **1** Ⓤ 보석(保釋): 보석금(=~ money). **2** 보석 보증인(*cf.* SURETY). **accept**〔**allow**〕 **bail** 보석을 허가하다. **admit**〔**hold**〕 a person **to bail** …에게 보석을 허가하다. **be bail** (**for**) (…의 보석) 보증인이 되다. **be out on bail** 보석 출옥중이다. **give**〔**offer**〕 **bail** 〈피고가〉 보석금을 내다. **go**〔**put up**〕 **bail for** …의 보석 보증인이 되다; …을 보증하다. **jump**〔**skip**〕 one's **bail** 보석중에 달아나다. **on bail** 보석금을 내고. **save**〔**forfeit**〕 one's **bail** 〈보석중의 피고가〉 출정하다〔하지 않다〕. **take**〔**give**〕 **leg bail** 《익살》 탈주하다. — *vt.* **1** (법원이) 보석하다; 〈보증인 등이 …에게〉 보석을 받게 하다《*out*》: Her lawyer offered to ~ her son *out.* 그녀의 변호사는 그녀의 아들이 보석을 받게 했다. **2** 〈회사·사람을 재정적 지원으로〉 구하다《*out of*》: ~ a person *out of* (financial) trouble 아무를 (재정적) 곤경에서 구하다. **3** 〈화물·물건을〉 위탁하다.

bail[2] *n.* **1** (주전자·양동이 등의) 반원형 손잡이. **2** (타자기의) 종이 누르개 (막대). — *vt.* (주전자 등에) 손잡이를 달다.

bail[3] *n.* (뱃바닥에 괸 물을 퍼내는) 파래박. — *vt.* (배에서 물을) 퍼내다《*out of*》; (배의) 바닥에 괸 물을 퍼내다《*out*》: ~ water *out of* a boat 배에서 물을 퍼내다/~ water *out* (=~ *out* a boat) 배에 괸 물을 퍼내다. — *vi.* (배에〔안의〕) 괸 물을 퍼내다《*out*》: ~ *out* a boat 배에 괸 물을 퍼내다(=~ water *out*).

bail out 낙하산으로 탈출하다; 《俗》 책임을 회피하다; 위험을 벗어나다.

bail[4] *n.* **1** 〔크리켓〕 삼주문(三柱門)에 얹는 가로장. **2** 《영》 (마구간의) 칸막이 가로장.

bail·a·ble [béiləbəl] *a.* 보석시킬 수 있는 〈죄·사람 등〉.

báil bònd 〔法〕 보석 보증서.

bail·ee [beilí:] *n.* 〔法〕 수탁자(*opp.* bailor).

bail·er [béilər] *n.* **1** 〔크리켓〕 삼주문(三柱門)의 가로장에 맞는 공. **2** 뱃바닥에 괸 물을 퍼내는 사람; 파래박.

bai·ley [béili] *n.* (*pl.* **~s**) (성의) 외벽; 성벽으로 둘러싸인 안뜰. **the Old Bailey** (런던의) 중앙 형사 법원(속칭).

Báiley brìdge 〔軍〕 베일리식 비상용 조립교.

bai·lie [béili] *n.* 《스코》 =ALDERMAN; 《方》 =BAILIFF.

bai·liff [béilif] *n.* 《영》(법의) 집행관(sheriff 의 밑에서 범인의 체포·영장·형 등의 집행을 맡아 봄); 《미》 정리(廷吏); 《영》 토지〔농장〕 관리인; 〔영史〕 수령(守令).

bai·li·wick [béiləwìk] *n.* BAILIE 또는 BAILIFF 의 관할구; 《미》 전문 분야.

bail·ment [béilmənt] *n.* Ⓤ,Ⓒ 〔法〕 위탁; 보석(保釋).

bail·or [béilər, beilɔ́:r] *n.* 〔法〕 위탁자(*opp.* bailee).

bail·out [béilàut] *n.* 낙하산 탈출; 비상 구제, 긴급 융자. — *a.* 탈출의〔을 위한〕; 비상사태를 구하기 위한.

bails·man [béilzmən] *n.* (*pl.* **-men** [-mən]) 보석 보증인.

Báily's béads [béiliz-] 〔天〕 베일리의 목걸이(개기 일식 때 달 가장자리에 보이는 구슬 모양의 광점(光點)).

bain-ma·rie [bǽnmərí:, béin-] [F] *n.* (*pl.* **bains-** [bǽn-]) 이중 냄비; =STEAM TABLE.

bairn [bɛərn] *n.* 《스코》 유아, 어린이.

⁑**bait** [beit] [ON] *vt.* **1** 〈낚시·덫에〉 미끼를 달다, 미끼로 꾀어 들이다, 유혹하다(tempt): ~ the hook (미끼로) 사람을 유혹하다. **2** 〈여행 중 말에게〉 마초를 주다. **3** 〈매어 둔 짐승을〉 개를 시켜서 곯리다; 〈사람을〉 곯리다, 괴롭히다(worry). — *vi.* 〈동물이〉 먹이를 먹다; 《古》 (여행 도중에) 주막에서 휴식하다.
— *n.* **1** 미끼; Ⓒ,Ⓤ 유혹물, 유혹. **2** 《古》 (여행 도중의) 휴식. **an artificial bait** 제물〔모조〕낚시. **jump at the bait** 미끼에 쉽게 덤비다, 쉽게 속다. **put a bait** 미끼를 달다. **rise to the bait** 〈물고기가〉 미끼를 물다; 〈사람이〉 유혹에 넘어가다. **swallow the bait** 〈물고기가〉 미끼를 물다; 〈사람이〉 덫에 걸리다.

báit and swích 《미》 유인 상술(싼 광고 상품으로 손님을 끌어 비싼 것을 팔려는 수).

báit-and-swítch [béitənswítʃ] *a.* 유인 상술의.

baize [beiz] *n.* Ⓤ (보통 초록색의) 올이 거친 나사(책상보·커튼용). — *vt.* 베이즈를 씌우다〔대다〕.

⁑**bake** [beik] *vt.* **1** 〈빵·과자 등을〉 굽다(*cf.* cook): a ~*d* apple 구운 사과/《Ⅲ (목)+(부구)》 She ~*d* the cake too hard. 그녀는 과자를 너무 딱딱하게 구웠다. **2** 〈기와 등을〉 구워 굳히다; 〈태양이〉 그을게 하다. **3** 〈햇볕이 과실을〉 익게 하다; 〈태양이〉 피부를 태우다. — *vi.* 구워지다; (햇볕에) 타다: 《Ⅰ 전+명》 Bread ~*s* in an oven. 빵이 오븐 속에서 구워진다.
— *n.* 빵굽기; 《미》 구운 요리의 회식; 《스코》 비스킷. ◇ bákery *n.*

báked béans 삶은 콩을 베이컨 등과 함께 구운 요리.

bake·house [béikhàus] *n.* (*pl.* **-hous·es**) = BAKERY.

Ba·ke·lite [béikəlàit] *n.* 베이클라이트(합성 수지; 발명자 Baekeland(1863-1944)의 이름을 딴 상표명).

bake-off [béikɔ̀(:)f, -ɑ̀f] *n.* 빵굽기 콘테스트.

⁑**bak·er** [béikər] *n.* **1** 빵굽는 사람; 《미》 휴대용 빵 오븐. **2** (연어 낚시용) 제물낚시.

Báker dày 《영口》 교사 연수 기간(학기중 5-6일의 법정 일수 만큼의).

bak·er-kneed, -leg·ged [-nì:d], [-lègd, -lègid] *a.* 무릎이 안쪽으로 굽은, 앙가발이의.

Bá·ker-Núnn càmera [béikərnʌ́n-] 인공위성 추적용 대형 카메라(설계자인 미국인 Baker 와 Nunn의 이름에서).

báker's dózen (a ~) 13개, 빵 장수의 1 다스.

*⁎***bak·er·y** [béikəri] *n.* (*pl.* **-er·ies**) 빵집, 제빵소; 《미》 빵과자 판매점, 제과점.

bake·shop [béikʃɑ̀p/-ʃɔ̀p] *n.* 《미》 =BAKERY.

*⁎***bak·ing** [béikiŋ] *n.* Ⓤ 빵 굽기; Ⓒ 한 번 구운 빵의 양(batch). — *a., ad.* 탈 것 같은〔같이〕; 제빵용의: ~ hot 타는 듯이 더운.

báking pòwder 베이킹 파우더.

báking sòda 중조(중탄산나트륨의 속칭).

bak·ra [bǽkrə] 《카리브》 *n.* (*pl.* ~, ~**s**) 백인, 영국계 백인. — *a.* 백인의, 영국계의.

bak·sheesh, bak·shish [bǽkʃi:ʃ, —⌐] *n.* Ⓤ (터키·이란 등에서) 팁(tip).

Ba·ku [bɑ:kú:, bʌ-] *n.* 바쿠(카스피 해에 면한 Azerbaijan의 수도; 채유(採油)의 대 중심지).

BAL[1] [bì:èiél] [*B*ritish *A*nti-*L*ewisite] *n.* 〔化〕 밸(해독제의 일종).

BAL[2] [bæl] [*b*asic *a*ssembly *l*anguage] *n.* 〔컴퓨터〕 기본 어셈블리 언어.
BAL[3] blood alcohol level 〔生理〕 혈중 알코올 농도. **bal.** balance; balancing.
Ba·laam[béiləm] *n.* **1** 〔聖〕 발람《헤브루의 예언자》. **2** 믿을 수 없는 예언자〔동지〕. **3** (**b-**) (신문 잡지의) 여백 기사: a ~ box 여백 기사 투서함.
bal·a·cla·va[bæ̀ləklɑ́:və] *n.* 발라클라바 모자(=∠ **hèlmet**〔**hòod**〕)《어깨까지 덮는 큰 털모자》.
bal·a·lai·ka[bæ̀ləláikə] [Russ] *n.* 발랄라이카《기타 비슷한 러시아의 악기》.
‡bal·ance[bǽləns] [L] *n.* **1** 천칭(天秤), 저울(=~ of scales); 〔天〕 (the B-) 저울자리(Libra). **2** Ⓤ 균형, 평균, 평형, 조화. **3** (정서의) 안정, 평정. **4** (보통 *sing.*) 〔會計〕 밸런스, 차액, 차감 잔액: The ~ of the account is against〔for〕 me. 계정 잔액의 결과로 나에게 손실〔이익〕이 있다. **5** (the ~) 《口》 나머지, 잔여, 거스름돈: You may keep *the* ~. 나머지〔거스름돈〕는 네가 가져라. **6** 〔體操·舞〕 평균 운동. **7** =BALANCE WHEEL. **balance at a bank** 은행 예금의 잔고. **balance brought forward** (전부터의) 이월 잔액. **balance carried forward** (다음으로의) 이월 잔액. **balance due**〔**in hand**〕 차감 부족〔잔여〕액. **balance of accounts** 계정 잔액. **balance of clearing** 거래 쌍방이 장부상으로 계정을 청산한 후의 잔액. **balance of exchange** 어음 잔액. **balance of** (**international**) **payments** 〔經〕 국제 수지. **balance of nature** (생태적) 자연의 평형. **balance of power** (강대국 간의) 세력 균형. **balance of terror** 공포의 균형《핵무기의 상호 보유가 전쟁 억제력이 된 상태》. **balance of trade** 무역 수지: a favorable〔an unfavorable〕 *balance of trade* 수출〔수입〕 초과. **hang**〔**tremble**〕 **in the balance** 어느 쪽으로 기울지 모르는 불안정한 상태에 있다. **hold in the balance** 미결인 채로 두다. **hold the balance of power** 결정권을 쥐다. **in the balance** 어느 쪽으로도 결정되지 않고. **keep**〔**lose**〕 **one's balance** 균형〔중심〕을 유지 하다〔잃다〕. **off**〔**out of**〕 **balance** 평형을 잃고, 불안정하여. **on** (**the**) **balance** 모든 것을 고려하여, 결국. **strike a balance** 대차를 결산하다; 균형적〔공평한〕 해결〔조정〕을 찾다; 타협하다, 중용을 채택하다. **throw** a person **off his balance** 균형을 잃게 하다, 넘어뜨리다; 평정을 잃게 하다. **tip the balance** 사태를 좌우하다, 결과에 결정적인 영향을 주다.
— *vt.* **1** …의 균형〔평형〕을 잡다〔맞추다〕: ~ oneself 몸의 균형을 잡다/~ a pail *on* one's head 균형을 잡아 물통을 머리에 이다. **2** 비교〔대조〕하다, …의 이해 득실을 견주어 보다: ~ probabilities 여러 가능성을 가늠해 보다/~ onething *with*〔*by*, *against*〕 another 어떤 것을 딴 것과 비교하여 헤아리다. **3** 상계(相計)하다. **4** 〔會計〕 청산하다; (대차·수지 따위를) 차감하다. **5** 〔댄스〕 (상대에게) 다가섰다 떨어졌다 하다. **6** 저울로 달다. **balance one's accounts**〔**the book**〕 결산하다. — *vi.* **1** 〈무게·액수·값 등이〉 맞다, 균형〔평형〕이 잡히다, 평균을 이루다《*with*》; 몸의 균형을 잡다《*on*》: ~ *on* one leg 한쪽 다리로 균형을 잡다. **2** 〔會計〕 〈대차 계정이〉 일치하다: The account doesn't ~. 대차 잔액 계정이 맞지 않는다. **3** 망설이다, 주저하다《*in*, *with*》: ~ *in* one's choice 선택을 망설이다. **4** 〔댄스〕 (상대의 스텝에 따라) 다가섰다 떨어졌다 하다. **balance out** 필적하다《*to*》.
bal·ance·a·ble[-əbəl] *a.* 균형 잡을 수 있는.
bálance bèam 저울대; (체조의) 평균대.
bal·anced[bǽlənst] *a.* 균형 잡힌; 안정된: ~ diet〔ration〕 균형〔조정〕식, 완전 영양식.
bálanced díet 균형〔조정〕식, 완전 영양식.
bálance pòint (the ~) 균형점.
bal·anc·er[bǽlənsər] *n.* 균형을 유지하는 사람〔것〕; 평형기; 청산인; 곡예사(acrobat).
bálance shèet 〔會計〕 대차 대조표.
bálance wèight 평형추(錘), 분동.
bálance whèel (시계의) 평형 바퀴; 안정시키는 힘.
bal·a·ni·tis[bæ̀lənáitis] *n.* 〔醫〕 귀두염.
bal·as[bǽləs, béi-] *n.* 〔鑛〕 귀첨정석(貴尖晶石)의 일종.
ba·la·ta[bəlɑ́:tə, bǽlətə] *n.* **1** 〔植〕 발라타《서인도 제도산》. **2** Ⓤ 발라타 고무《전선 피복·추잉검의 원료》.
bal·bo·a[bælbóuə] *n.* 발보아《파나마의 화폐 단위; 기호 B/; =100 centesimos》.
Bal·bo·a[bælbóuə] *n.* 발보아 Vasco de ~ (1475-1517)《태평양을 발견한 스페인 탐험가》.
bal·brig·gan[bælbrígən] *n.* Ⓤ 발브리간 메리야스《긴양말·내의용》; (*pl.*) 메리야스로 만든 긴양말〔파자마〕.
bal·co·nied[bǽlkənid] *a.* 발코니가 있는.
‡bal·co·ny[bǽlkəni] [It] *n.* (*pl.* **-nies**) **1** 발코니, 노대(露臺). **2** 〔劇場〕 2층 특별석《dress circle 의 위》; 《미》 =DRESS CIRCLE. **3** 〔海〕 (고물의) 전망대.
‡bald[bɔ:ld] [OE] *a.* **1** 〈머리 등이〉 벗어진, 대머리의; 〈산 등이〉 민둥민둥한: a ~ mountain 민둥산. **2** 〈문체가〉 운치가 없는, 단조로운; 노골적인; 장식이 없는(unadorned). **3** 〔動〕 머리에 털이 없는; 머리에 흰 반점이 있는. (**as**) **bald as an egg**〔**a coot, a billiard ball**〕 홀랑 벗어진. **get**〔**go**〕 **bald** 머리가 벗어지다. — *vi.* 머리가 벗어지다.
báld·ness *n.* Ⓤ 대머리짐; 노골적임; 무미건조함.
bal·da·chin, -da·quin[bǽldəkin, bɔ́:l-] *n.* 금란(金欄); 닫집(canopy).
báld cóot 1 〔鳥〕 대머리물닭《유럽산》. **2** 대머리《사람》.
báld cýpress 〔植〕 낙엽송《미국 남부 소택지산(産)》.
báld éagle 흰머리독수리 미국의 국장(國章).
bal·der·dash[bɔ́:ldərdæ̀ʃ] *n.* Ⓤ 《口》 허튼소리.
bald-faced[bɔ́:ldfèist] *a.* 얼굴에 흰 점이 있는 〈동물〉; 뻔뻔한, 노골적인: a ~ lie 뻔뻔스런 거짓말.
bald·head[∠hèd] *n.* **1** 대머리(인 사람). **2** 〔鳥〕 흰관비둘기. **3** 〔鳥〕 =BALDPATE 2.
bald-head·ed[∠hèdid] *a.* 대머리의. — *ad.* 무모하게. **go bald-headed** 《口》 마구 달려들다, 저돌하다《*for*, *at*, *into*》.
bald·ie[bɔ́:ldi] *n.* =BALDY.
bald·ing[bɔ́:ldiŋ] *a.* 벗겨지기 시작한〈머리〉.
bald·ish[bɔ́:ldiʃ] *a.* 조금 벗어진.
bald·ly[bɔ́:ldli] *ad.* 노골적으로(plainly): put it ~ 노골적으로 쓰다〔말하다〕.
bald·pate[∠pèit] *n.* **1** 대머리(진 사람). **2** 〔鳥〕 홍머리오리(baldhead)《북미산》. **-pated** *a.* =BALD-HEADED.
bal·dric[bɔ́:ldrik] *n.* 수대(綬帶)《어깨에서 옆구리에 걸치어 칼·나팔을 다는》.

báld whéat 쌀보리.
Bald·winb[bɔ́:ldwin] *n.* 볼드윈 Stanley ~(1867-1947)《영국의 정치가 · 수상》.
bald·y[bɔ́:ldi] *n.* (*pl.* **bald·ies**)《俗》대머리; 접지면이 마모된 타이어.
*__bale__[1][beil] *n.* (배에 실은 상품의) 곤포(梱包), 짐짝; (*pl.*) 화물(goods); 많음, 다량: a ~ of trouble 많은 골칫거리. — *vt.* 짐짝으로 만들다, 곤포로 포장하다. **bál·er** *n.*
bale[2] *n.* Ⓤ《詩》재앙, 불행; 고통; 슬픔.
bale[3] *n., v.* =BAIL[3].
ba·leen[bəlí:n] *n.* 고래 수염.
bale·fire[béilfàiər] *n.* (노천(露天)의) 큰 화톳불, 봉화; 《古》화장(火葬) 불.
bale·ful[béilfəl] *a.* 해로운; 악의 있는(evil, harmful); 불길한. **~·ly** *ad.* **~·ness** *n.*
Ba·li[bá:li] *n.* 발리 섬《인도네시아령》.
Ba·li·nese[bà:liní:z, -s, bæ̀l-] *a.* 발리 섬 (사람)의; 발리 말의. — *n.* (*pl.* ~) 발리 사람; Ⓤ 발리 말.
*__balk, baulk__[bɔ:k] *n.* **1** 장애, 방해물. **2** 〔競〕도약하는 사람이 보크라인을 지난 후의 도약 중지; 〔野〕보크《투수의 반칙적인 견제 행위》. **3** 갈다가 남은 이랑. **4** 〔建〕죽각재, 들보. **5** =BALKLINE. **in balk** 〔撞球〕공이 보크라인 안에; 《口》저지되어. — *vt.* **1** 방해하다, 좌절시키다: ~ a person *in* his plan …의 계획을 방해하다/~ a person *of* his hopes …을 실망시키다. **2** 〈기회를〉 놓치다; 〈의무 · 화제를〉 피하다. — *vi.* **1** 〈말이〉 갑자기 서다, 멈춰 서다(stop), 뒷걸음질치다: 《Ⅲ *v*Ⅰ+전+-*ing*》 The horse ~*ed* at crossing the river. 말이 강을 건너다 멈춰 섰다. **2** 망설이다《*at*》: 《Ⅲ *v*Ⅰ+전+-*ing*》 ~ *at* mak*ing* a speech 연설하기를 망설이다. **3** 〔野〕보크하다. **be balked of** 〈목적 등을〉 이루지 못하다, …이 꺾이다. **bálk·er** *n.* ⊕ bálky *a.*
*__Bal·kan__[bɔ́:lkən] *a.* 발칸 반도〔제국, 산맥〕의. — *n.* (the ~s) =BALKAN STATES.
Bal·kan·ize[bɔ́:lkənàiz] *vt.* (서로 적대시하는) 소국으로 분열시키다.
Bálkan Móuntains *n. pl.* (the ~) 발칸 산맥.
Bálkan Península *n.* (the ~) 발칸 반도.
Bálkan Státes *n. pl.* (the ~) 발칸 제국.
balk·line[bɔ́:klàin] *n.* (트랙 경기의) 스타트 라인; 〔競〕(도약에서) 발구름 선; 〔撞球〕스리 쿠션에 있어 당구대 위에 그은 정(井)자꼴의 줄; 영국식 당구대 위의 각부(脚部) 제 2 성간(第二星間)을 맺는 선.
balk·y[bɔ́:ki] *a.* (**balk·i·er; -i·est**) 〈말 등이〉 갑자기 멈추는 버릇이 있는; 고집센(*opp.* submissive); 〔野〕보크할 듯한.
★**ball**[1][bɔ:l] *n.* **1** 공, 구(球), (구기용) 공, 볼; 공 같이 둥근 것. **2** Ⓤ 공놀이; 《미》야구. **3** 〔天〕천체, 지구(the earth). **4 a** (던지거나 친) 공: a fast ~ 속구/a curve ~ 커브 볼. **b** 〔野〕볼(*opp.* strike). **c** 〔크리켓〕정구(正球)(*opp.* noball). **5** 탄환, 포환(*cf.* SHELL); 〔獸醫〕큰 환약. **6** (*pl.*)《卑》불알; 어리석은 일(nonsense); 《俗》용기, 만용. **7** 《俗》남자, 놈(fellow). **8** 책임 있는 지위. **ball and chain** 《미》사슬에 금속구(球)가 달린 족쇄; 〈행동을〉 속박하는 것. **ball of fire** 《俗》활동가, 민완가. **ball of fortune** 운명에 시달린 사람. **ball of the eye** 눈알. **ball of the thumb**〔**big toe**〕엄지손가락〔발가락〕뿌리의 둥그스름한 살. **be on the ball** 《미俗》주의 깊다, 빈틈없이 경계하고 있다, 바쁘다. **behind the eight ball** ⇨eight ball. **break one's balls** 《卑》굉장히 애쓰다. **carry the ball** 《미口》책임을 맡다; 솔선해서 하다. **catch**〔**take**〕**the ball before the bound** 선수를 치다, 기선을 제하다. **get on the ball** 잘 살피다, 기민〔민완〕해지다. **get**〔**start**〕**the ball rolling** 문제를 꺼내다. **have something**〔**a lot**〕**on the ball** 유능하다, 수완이 있다. **have plenty**〔**nothing**〕**on the ball** 《口》아주 유능〔무능〕하다. **have the ball at** one's **feet**〔**before one**〕성공의 기회가 눈앞에 오다. **keep** one's **eye on the ball** 방심하지 않다. **keep the ball in the air** 〈토론 등을〉 잘 진행시키다. **keep the ball rolling**=**keep up the ball** 이야기 등을 끊어지지 않게 잘 지속시키다. **make balls**〔**a ball**〕**of** 《卑》…을 망쳐놓다. **no ball** 〔크리켓〕규칙 위반의 투구. **on the ball** 《口》빈틈없이, 잘 아는, 유능하여. **play** (**at**) **ball** 공놀이를 하다. **play ball** 구기〔특히 야구〕를 시작하다; 플레이 볼!, 시합 시작!; 활동을 시작하다; 《口》협력하다. **take up the ball** 다른 사람 이야기를 받아 계속하다. **That's the way the ball bounces.** 《미口》인생〔세상〕이란 그런 거야. **The ball is with you.** =**The ball is in your court.** 자, 자네 차례야. **the three** (**golden**) **balls** 세 개의 금빛 공《전당포 간판》.
— *vi., vt.* 공같이 둥글게 되다〔만들다〕, 뭉치다; 《卑》…와 성교하다. **ball the jack** 《俗》기민하게 서둘다; 죽기 아니면 살기로 하다. **ball up** 둥글게 뭉치다; 《미俗》혼란케 하다, 당황케 하다; 망치다: be (all) ~*ed up* (완전히) 혼란되다.
⁑**ball**[2][L] *n.* 무도회; 《俗》아주 즐거운 한때. **give a ball** 무도회를 열다. **have** (**oneself**) **a ball** 《俗》즐거운 한때를 보내다. **lead the ball** 춤의 선두가 되다. **open the ball** 무도회에서 맨 먼저 춤추다; 〈행동을〉 개시하다. — *vi.* 《미俗》신나게 놀다, 홍청망청 떠들다.
*__bal·lad__[bǽləd] *n.* 민요, 발라드; 감상적인 곡의 유행가.
bal·lade[bəlá:d, bæ-] *n.* 〔韻〕발라드《8행의 구 3절과 4행의 envoy로 된 프랑스 시형(詩形); 각 절과 envoy는 모두 같은 후렴으로 끝남》; 〔樂〕서사가〔곡〕, 담시곡(譚詩曲).
bal·lad·eer[bæ̀lədíər] *n.* 민요 시인〔작가〕.
bállad mèter 〔韻〕발라드격《약강 4보격과 3보격이 4행으로 된 stanza 형》.
bal·lad·mon·ger[bǽlədmʌ̀ŋgər, -mɑ̀ŋ-] *n.* 발라드를 짓는〔파는〕사람; 서투른 시인.
bal·lad·ry[bǽlədri] *n.* Ⓤ (집합적) 민요.
bállad stànza 발라드 시절(詩節)《발라드의 시에서 흔히쓰이는 절(節)》.
báll-and-cláw fòot (하부가) 공을 움켜쥔 새의 갈고리발톱 모양을 한 가구의 발《claw-and-ball foot 라고도 함》.
báll-and-sóck·et jòint 〔機〕볼 소켓 연결; 〔解〕구상(球狀) 관절.
*__bal·last__[bǽləst] *n.* Ⓤ **1** 〔海〕밸러스트, 바닥짐《배에 실은 짐이 적을 때 배의 안전을 위하여 바닥에 싣는 돌 · 모래》. **2** (기구의) 모래주머니; (철도 · 도로에 까는) 자갈. **3** (마음의) 안정; 견실함: have〔lack〕~ 마음이 안정되어 있다〔있지 않다〕. **4** 《電》안정기, 안정 저항. **in ballast** 〈배가〉 바닥짐만 싣고; 짐을 싣지 않고. — *vt.* 바닥짐을 싣다; 자갈을 깔다; 〈사람의〉 마음을 안정시키다. **~·ing**[-iŋ] *n.* Ⓤ 바닥짐 재료; 까는 자갈.
báll béaring 〔機〕볼베어링; (볼베어링의) 알.

ball-bear·ing[bɔ́:lbɛ̀əriŋ] *a.* 볼베어링의, 쇠알이 든.
báll bòy 〔庭球〕 공 줍는 소년.
ball·carrier, ball-carrier[´kæ̀riər] *n.* 〔미蹴〕 볼을 가지고 있는 공격측 선수.
báll càrtridge 실탄(*opp.* blank cartridge).
báll clùb 《미》(야구·축구·농구 등의) 구단.
báll còck (수조·탱크 등의 물의 유출을 자동적으로 조절하는) 부구판(浮球瓣).
báll contròl 〔蹴·籠〕 볼콘트롤 (1) 공을 오래 보유하려는 작전. (2) 드리블 등 공을 다루는 능력.
bal·le·ri·na[bæ̀lərí:nə] [It] *n.*(*pl.* **~s, -ne**[-ne]) 발레댄서(여자), 발레리나.
*__bal·let__[bǽlei, bæléi] [F] *n.* **1** Ⓤ 발레, 무용극. **2** 발레곡: 발레단: ~ suite 발레조곡.
bállet dàncer 발레댄서.
bal·let·ic[bælétik] *a.* 발레의, 발레 같은. **-i·cal·ly** *ad.* 발레적으로.
bal·let·o·mane[bælétəmèin], **-ma·ni·a** [bælètəméiniə] *n.* 발레광(狂).
bállet slìpper〔**shòe**〕 발레화: 발레화 비슷한 숙녀화.
ball-flow·er[bɔ́:lflàuər] *n.* 〔建〕 꽃송이 장식, 꽃방망이.
báll gàme 1 구기:《특히》 야구, 소프트볼. **2** 《미口》 경쟁, 활동의 중심:《미口》 상황, 사태.
Bal·liol[béiljəl, -liəl] *n.* Oxford 대학교의 college의 하나.
bal·lis·ta[bəlístə] [L] *n.* (*pl.* **-tae**[-ti:]) 노포(弩砲)《돌을 발사하는 옛 무기》.
bal·lis·tic[bəlístik] *a.* 탄도(학)의: 비행 물체의.
bal·lis·ti·cian[bæ̀listíʃən] *n.* 탄도학자.
ballístic míssile 탄도탄, 탄도 미사일(*cf.* I.C.B.M.).
bal·lis·tics[bəlístiks] *n. pl.* (단수 취급) 탄도학, 사격학, 발사학.
ballístic trajéctory 탄도(궤도)《중력장에서 물체가 관성으로 운동하고 있는 경로》.
bal·lis·to·car·di·o·gram[bəlìstoukɑ́:rdiəgræ̀m] *n.* 〔醫〕 심전도(心電圖).
bal·lis·to·car·di·o·graph[bəlìstoukɑ́:rdiəgræ̀f, -grɑ̀:f] *n.* 〔醫〕 심전도계.
báll jòint =BALL-AND-SOCKET JOINT.
báll lìghtning 〔氣〕 구전(球電)《공 모양의 번개》.
bal·locks[bɑ́ləks/bɔ́l-] *n. pl.* 《卑》 불알.
bal·lon d'es·sai [*F.* balɔ̃desɛ] [F] *n.* = TRIAL BALLOON.
bal·lo·net[bæ̀lənét, -néi] [F] *n.* 〔空〕 보조기낭(氣囊)《부력 조절용》.
⁑**bal·loon**[bəlú:n] [It] *n.* **1** 기구, 풍선: 고무풍선. **2** 〔建〕 구슬 장식;〔化〕 풍선형 플라스크. **3** 《口》(만화 중의 인물의 대화를 표시하는) 풍선꼴 윤곽. **a captive**〔**free**〕 **balloon** 계류〔자유〕 기구. **like a lead balloon** 아무런 효과 없이. **rigid**〔**nonrigid**〕 **dirigible balloon** 경식〔연식〕 비행선. **when the balloon goes up** 《口》(위기·전쟁 등) 일이 벌어질 때, 사태 발생시. ― *vi.* 기구를 타고 올라가다: 부풀다(*out, up*): 급증〔급상승〕하다: 《俗》〔劇〕 대사를 잊다. ― *vt.* 부풀게 하다. ― *a.* (풍선 같이) 부푼. **~·er, ~·ist** *n.* 기구 타는 사람, 기구 조종사.
ballóon astrónomy 기구 천문학.
ballóon barràge 방공 기구망.
bal·loon·er[-ər] *n.* 〔海〕 =BALLOON SAIL.
bal·loon·fish[bəlú:nfìʃ] *n.* (*pl.* **~, ~·es**) 《魚》 복어.
bal·loon·flow·er[-flàuər] *n.* 〔植〕 길경, 도라지.
bal·loon-head [-hèd] *n.* 《俗》 멍텅구리. **~·ed**[-id] *a.*
bal·loon·ing[bəlú:niŋ] *n.* Ⓤ 기구(氣球) 비행 경기.
ballóon lòan 〔金融〕 벌룬론《분할 불입을 하다가 해제시 잔고를 일괄 지불》.
ballóon pàyment 〔金融〕 차입 잔고의 일괄 지불(*cf.* BALLOON LOAN).
ballóon pùmp 〔醫〕(인공 심폐와 대동맥 사이에 삽입하는) 풍선식 정맥(整脈) 장치.
ballóon sàil 〔海〕 벌룬 세일《요트에 쓰는, 부풀기 쉬운 각종 돛의 총칭》.
ballóon sàtellite 《미》 기구 위성.
ballóon slèeves 부푼 소매.
ballóon tìre (폭넓은) 저압(低壓) 타이어.
ballóon vìne 〔植〕 풍선덩굴《열대 아메리카산》.
*__bal·lot__[bǽlət] [It] *n.* **1** Ⓤ 무기명〔비밀〕 투표: 《일반적》 투표: 제비뽑기. **2** 무기명 투표 용지〔표, 구(球)〕: 투표 총수. **3** (the ~) 투표권: 투표 제도. **4** 《미》 대통령 후보자 지명 투표. **cast a ballot** 투표하다. **elect**〔**vote**〕 **by ballot** 투표로 선거하다〔결정하다〕. **take a ballot** 투표를 하다. ― *vi.* **1** (비밀) 투표를 하다(*for, against*): ~ *for*〔*against*〕 a candidate 후보자에게 지지〔반대〕 투표를 하다. **2** 제비를 뽑다, 제비로 정하다(*for*): ~ *for* places 장소를 제비로 정하다. ― *vt.* **1** 투표하다: 투표로 정하다, 추첨하다. **2** …에게 표결을 요구하다(*on, about*).
bal·lot·age[-idʒ, -tɑ̀:ʒ] *n.* 결선 투표.
bállot bòx 투표함: 무기명 투표. **stuff the ballot box** (부정 투표로) 득표수를 늘리다.
bállot pàper 투표 용지.
bal·lotte·ment[bəlɑ́tmənt/-lɔ́t-] *n.* 〔醫〕 부구감(浮球感)《태아 등 체내 부유체의 촉진법》.
ball park[bɔ́:l pɑ̀:rk] *n.* 구기장(球技場); 《미》(야)구장. **in**〔**within**〕 **the ballpark** 《미俗》 (질·양·정도가) 허용 범위인, 대체로 타당한: 예상 범위 내에.
ball-park *a.* 《미俗》 〈수량 등〉 거의 정확하여: 〈견적·추정 등이〉 대강의: 거의 타당한: a ~ estimate 거의 근접한 견적.
báll·pén =BALL-POINT (PEN).
ball·play·er[bɔ́:lplèiər] *n.* 야구〔공놀이〕를 하는 사람:《미》 직업 야구 선수.
báll·point (pén)[´pɔ̀int (-)] 볼펜.
ball·proof[´prú:f] *a.* 방탄의: a ~ jacket 방탄 재킷.
ball·room[´rù(:)m] *n.* 무도실〔장〕: ~ dancing 사교 댄스.
balls *vt.* 《영俗》 혼란케 하다: 엉망으로 만들다.
balls-up[bɔ́:lzʌ̀p] *n.* 《영俗》 =BALLUP.
ball·sy[bɔ́:lzi] *a.* (**-si·er; -si·est**)《미俗》 간이 큰, 강심장의, 용감한.
báll tùrret (폭격기 등의) 반구형 포탑.
ball·up[bɔ́:lʌ̀p] *n.* 《미俗》 혼란, 당황.
bal·lute[bəlú:t] *n.* 기구 낙하산《우주선 귀환용》.
báll vàlve 〔機〕 볼 밸브, 볼판(瓣): =BALL COCK.
bal·ly[bǽli] *a., ad.* 《영俗》 지긋지긋한〔하게〕: 대단한〔하게〕: 도대체: be too ~ tired 지독하게 피곤하다. ― *vi.*《미俗》 손님을 끌어들이다.
bal·ly·hack[bǽlihæ̀k] *n.* Ⓤ 《미俗》 파멸, 지옥(hell): go to ~ 지옥에 가다.
bal·ly·hoo[bǽlihù:] *n.* Ⓤ 《口》 떠들썩하고 저속한 선전, 과대〔엉터리〕광고. ― *vt., vi.* [´−`, `−´] 과대 선전을 하다.

B

bal·ly·rag[bǽliræ̀g] *vt.* (**~ged; ~·ging**) = BULLYRAG.

*__balm__[bɑ:m] [L] *n.* **1** Ⓤ 향유, 향고(香膏); 방향(芳香). **2** 밤제(劑), 진통제; 위안. **3** 〔植〕 멜리사, 서양산 박하. ◈ bálmy *a.*: embálm *v.*

bal·ma·caan[bæ̀lməkɑ́:n, -kǽn] *n.* 거친 모직 천으로 만든 라글란 소매의 짧은 망토.

B

bálm crícket 〔昆〕 매미(cicada).

bálm of Gíl·e·ad 〔植〕 길레아드발삼나무(감람과(科)의 상록수); 그 방향성 수지; 상처를 아물게 하는 것, 위안.

Bal·mor·al[bælmɔ́(:)rəl, -mɑ́r-] *n.* **1** 스코틀랜드에 있는 영국 왕실 저택(=∠ **Cástle**). **2** (**b-**) 일종의 모직 페티코트; 일종의 편상화(編上靴); 둥글납작한 챙 없는 모자.

*__balm·y__[bɑ́:mi] *a.* (**balm·i·er; -i·est**) 향유의〔같은〕; 향기로운; 상쾌한; 위안이 되는 (soothing); 《미俗》 멍청한, 정신이 이상한 (《영》 barmy). **bálm·i·ly** *ad.* 향기롭게; 상쾌하게. **bálm·i·ness** *n.* ◈ balm *n.*

bal·ne·al, -ne·ar·y[bǽlniəl], [-nièri/-əri] *a.* 욕탕의, 목욕의; 탕치(湯治)의.

bal·ne·ol·o·gy[bæ̀lniɑ́lədʒi/-ɔ́l-] *n.* Ⓤ 〔醫〕 온천 치료(법); 온천학.

bal·ne·o·ther·a·py[bæ̀lniouθérəpi] *n.* Ⓤ 〔醫〕 광천〔온천〕 요법.

ba·lo·ney[bəlóuni] *n.* Ⓤ 《俗》 실없는 소리, 어리석은 짓; 《口》 =BOLOGNA.

bal·sa[bɔ́:lsə, bɑ́:l-] *n.* **1** a 〔植〕 발사(열대 아메리카산). b Ⓤ 발사 재목(가볍고 단단한 나무). **2** 발사 재목으로 만든 뗏목〔부표(浮標)〕.

bal·sam[bɔ́:lsəm] *n.* **1** Ⓤ 발삼 수지(樹脂), 향유(香油). **2** 위안물; 진통제. **3** 〔植〕 봉숭 (=garden ~); =BALSAM FIR.

bálsam ápple 〔植〕 여주(박과(科)).

bálsam fír 발삼 전나무(북미산; 펄프재(材)·크리스마스 트리로 사용).

bal·sam·ic[bɔ:lsǽmik, bæl-] *a.* 발삼 같은; 방향성의; 진통 효과가 있는. ― *n.* 진통제.

bal·sam·if·er·ous[bɔ̀:lsəmífərəs, bæ̀l-] *a.* 발삼(수지)를 산출하는.

bal·sa·mine[bɔ́:lsəmì:n] *n.* 〔植〕 봉숭아.

bálsam péar 〔植〕 =BALSAM APPLE.

bálsam póplar 〔植〕 미국포플라(북미산).

Balt[bɔ:lt] *n.* 발트 사람(발트 제국의).

*__Bal·tic__[bɔ́:ltik] *a.* 발트 해의; 발트 해 연안 제국의; 발트어파(語派)의. ― *n.* Ⓤ 발트어(語); (the ~) =BALTIC SEA.

Báltic Exchánge 발트 상업 해운 거래소(런던에 있는 수송·용선에 관한 세계적 시장).

Báltic Séa *n.* (the ~) 발트 해.

Báltic Státes (the ~) 발트 제국(전에는 Estonia, Latvia, Lithuania; 때로는 Finland 도 포함).

Bal·ti·more[bɔ́:ltəmɔ̀:r] *n.* **1** 볼티모어(미국 Maryland 주의 도시). **2** (**b-**) 〔鳥〕 =BALTIMORE ORIOLE.

Báltimore chóp 〔野〕 홈베이스 근처에서 높이 튀어 내야 안타가 되는 타구.

Báltimore óriole 〔鳥〕 미국꾀꼬리(북미산).

Balto-Sla·vic *n.* 발토·슬라브 어파(語派)(인도 유럽어족 구분의 하나: Baltic 및 Slavic 어군으로 이루어짐).

Ba·lu·chi·stan[bəlù:tʃistǽn/bəlú:tʃistɑ̀:n] *n.* 발루치스탄(파키스탄 서부의 주).

bal·us·ter[bǽləstər] *n.* 〔建〕 난간동자; (*pl.*) =BALUSTRADE.

bal·us·trade[bǽləstrèid, ∸–∸] *n.* (계단의) 난간. **-trad·ed**[-id] *a.* 난간이 달린.

Bal·zac[bǽlzæk, bɔ́:l-] *n.* 발자크 Honoré de ~(1799-1850)(프랑스의 사실주의 작가).

bam[1] [bæm] 《俗·古》 *vt.* (**~med; ~·ming**) 속이다, 감쪽같이 속여 넘기다. ― *n.* Ⓤ 속이기.

bam[2] *n., vt.* (**~med; ~·ming**) 둔한 소리(를 내다).

Ba·ma·ko[bǽməkòu, bɑ̀:məkóu] *n.* 바마코 (Mali 공화국의 수도).

Bam·bi[bǽmbi] *n.* 밤비(오스트리아 작가 Felix Salten 의 동물 소설; 그 주인공인 아기 사슴).

bam·bi·no[bæmbí:nou, bɑm-] [It =baby] *n.* (*pl.* **~s, -ni**[-ni:]) 어린 그리스도의 상(像)〔그림〕; 어린아이.

‡__bam·boo__[bæmbú:] *n.* (*pl.* **~s**) Ⓤ,Ⓒ 대(나무); 대나무 장대; 죽재(竹材). ― *a.* 대(나무)의; 대로 만든.

bámboo cúrtain (the ~) 죽의 장막(중공과 다른 나라와의 사이에 있던 정치·군사·정치적 장벽; *cf.* IRON CURTAIN).

bambóo shòot 죽순.

bambóo wàres 대나무 빛깔의 웨지우드 도자기.

bam·boo·zle[bæmbú:zəl] 《口》 *vt.* **1** 교묘한 말로 꾀다, 속이다: ~ a person *into* do*ing* 〔*out of*〕 something …을 속여서 …하게 하다 〔물건을 빼앗다〕. **2** 어리둥절하게 하다. ― *vi.* 속이다. **~·ment** *n.*

*__ban__[1] [bæn] [OE] *n.* **1** 금지령, 금제(禁制), 금지(*on*): a total ~ *on* nuclear arms 핵무기 전면 금지. **2** (여론 등의) 무언의 압력, 반대 (*on*). **3** 공고, 포고; (*pl.*) 《古》 결혼 예고 (banns). **4** 《古》 파문; 추방. **5** (봉건 시대의) 가신의 소집; 소집된 가신들.

lift〔**remove**〕 **a ban** 해금하다. **place**〔**put**〕 **under a ban** 금지하다. **under** (**the**) **ban** 엄금되어; 파문되어.

― *vt.* (**~ned; ~·ning**) **1** 금지하다: ~ a person *from* driv*ing* a car …에게 자동차 운전을 금지하다. **2** 《古》 저주하다; 파문하다.

ban[2] [bɑ:n, bæn] *n.* (*pl.* **ba·ni**[bɑ́:ni:]) 반 (루마니아의 화폐단위: $^1/_{100}$ leu).

ba·nal[bənǽl, bənɑ́:l, béinl] *a.* 진부한, 평범한(commonplace). **~·ly** *ad.*

ba·nal·i·ty[bənǽləti, bei-] *n.* 진부(함); 진부한 것〔말〕.

ba·nal·ize[bənǽlaiz, -nɑ́:laiz, béinəlàiz] *vt.* 진부〔평범〕하게 만들다, …의 신선미를 빼앗다.

‡__ba·nan·a__[bənǽnə] *n.* 바나나 (열매); 바나나 나무; Ⓤ 바나나색(grayish yellow): a hand〔bunch〕 of ~*s* 바나나 한 송이.

banána bèlt 《미口·캐나다口》 온난 지방.

banána hèad 《미俗》 바보, 멍텅구리.

banána òil 〔化〕 바나나 기름, 초산 아밀; 《俗》 허튼소리.

banána repùblic 《경멸》 바나나 공화국(과일 수출·차관으로 유지되는 중남미의 소국).

ba·nan·as[bənǽnəz] *a.* 《俗》 머리가 돈; 열광한, 흥분한. **go bananas** 열광〔흥분〕하다; 머리가 돌다.

banána séat (자전거의) 바나나형 안장.

banána skìn 《영口》 어려움을 야기시킬 듯한 사건〔사태〕.

ba·nau·sic[bənɔ́:sik, -zik] *a.* 실용적인; 실리적인; 단조로운, 기계적인; 독창성 없는.

Bán·bu·ry càke〔**bún**〕 다진 고기를 넣은 과자(영국 Banbury 산).

Bánbury tárt 밴베리 타트(건포도를 넣고 레몬 맛을 낸 (삼각형) 파이).

banc, ban·co[bæŋk], [bǽŋkou] *n.* 판사

석. **in banc** 재판관 전원이 배석하여.

*band[1] [bænd] [OF] *n.* **1** (사람의) 일단(一團), 일대(一隊), 한 무리의 사람들(party); 《미》 (짐승의) 떼: a ~ of thieves 도적단(團). **2** (취주) 악대, 악단, 밴드: a military ~ 군악대/a jazz ~ 재즈 밴드. **beat the band** 《口》 남을 압도하다, 출중하다. **the Band of Hope** 《영》 절대 금주단. **then the band played** 《口》 그리고 나서 야단이 났다〔난리가 났다〕. **to beat the band** 《미口》 남을 압도하여, 맹렬히. **when the band begins to play** 사태가 중대해지면. ── *vt.* 단결시키다《*together*》. **band oneself together** 단결하다《*against*》. ── *vi.* 단결하다, 동맹하다《*together*》.

*band[2] [bænd] [ON] *n.* **1** 밴드, (띠 모양의) 끈, 띠; (나무통·모자 등의) 테; (새 다리의) 표지 밴드; 〔機〕 피대(belt); 《古》 굴레. **2** (*pl.*) (예복의) 가슴에 드리우는 폭이 넓은 흰 칼라; 〔製本〕(책 등을) 꿰매는 실. **3** (빛깔) 줄무늬(stripe); 〔建〕 띠 무늬; 〔通信〕 주파수대(帶), 대역(帶域). ── *vt.* **1** 끈〔띠〕으로 묶다; 〈새(다리)에〉 표지 밴드를 달다. **2** 줄무늬〔띠 모양 무늬〕를 넣다.

*ban·dage [bǽndidʒ] [F] *n.* **1** 붕대; 눈가리개, 안대: apply〔wear〕 a ~ 붕대로 감다《*to*》. **2** 쇠테〔띠〕. ── *vt.* 붕대를 감다《*up*》: ~ (*up*) a person's leg …의 다리에 붕대를 감다/a ~*d* hand 붕대를 감은 손. **bán·dag·er** *n.*

Band-Aid [bǽndèid] *n.* **1** 반창고《상표명》. **2** (**band-aid**) 임시 수단, 미봉책. ── *a.* (**band-aid**) 응급의.

ban·dan·na, -dan·a [bændǽnə] *n.* 홀치기 염색의 대형 손수건; 네커치프.

ban·dar [bʌ́ndər] *n.* 〔動〕 인도원숭이.

b and〔&〕b, B and〔&〕B [*b*ed *and b*reakfast] 《영口》 조반 딸린 간이 숙박〔민박〕.

band·box [bǽn*d*bɑ̀ks/-bɔ̀ks] *n.* (모자 등을 넣는) 판지 상자. **look as if one had come out of a band box** 말쑥한 옷〔몸〕차림을 하고 있다.

ban·deau [bændóu, ⌐-] [F =band] *n.* (*pl.* ~**x**) 여자의 머리·이마에 감는 가느다란 리본; 폭이 좁은 브래지어.

band·ed[1] [bǽndid] *a.* 줄무늬 모양의; 〔建〕 대상(帶狀) 장식이 있는.

banded[2] *a.* 단결한.

ban·de·ri·lla [bæ̀ndəríːə, -ríːljə] [Sp] *n.* (투우에서 소의 목을 찌르는) 창.

ban·de·ri·lle·ro [bæ̀ndəriː*l*jέərou] [Sp] *n.* (*pl.* ~**s**) (banderilla를 쓰는) 투우사(*cf.* MATADOR).

ban·de·role, -rol [bǽndəròul] *n.* **1** (창·돛대의) 작은 기, 기드림. **2** 조기(弔旗)(bannerol).

bandh, bundh [bʌnd] *n.* (인도의) 전면 항의 스트라이크, 총동맹 파업.

ban·di·coot [bǽndikùːt] *n.* 〔動〕 큰쥐《인도산》, 캥거루쥐《오스트레일리아산》.

*ban·dit [bǽndit] *n.* (*pl.* ~**s**, ~**ti** [bændíti]) **1** 산적, 강도; 악당, 악한(outlaw). **2** 〔軍〕 적기(敵機). **mounted bandits** 마적. **a set〔gang〕 of bandits** 산적단.

ban·dit·ry [-ri] *n.* Ⓤ 산적 행위; 〔집합적〕 산적단, 강도 떼.

band·mas·ter [bǽn*d*mæ̀stər, -mɑ̀ːs-] *n.* 악장(樂長), 밴드마스터.

band·moll [bǽn*d*mɑ̀l/-mɔ̀l] *n.* 《미俗》 록밴드를 따라다니는 여자(*cf.* GROUPIE).

ban·dog [bǽndɔ̀(ː)g, -dɑ̀g] *n.* 《영》 사슬에 매어 놓은 사나운 개《mastiff, bloodhound 등》.

ban·do·lier, -leer [bæ̀ndəlíər] *n.* 〔軍〕 탄약대(彈藥帶), 탄띠.

ban·do·line [bǽndəlìːn, -lin] *n.* Ⓤ 밴덜린《포마드의 일종》.

ban·do·ni·on, -ne- [bændóuniɑ̀n/-ɔ̀n] *n.* 반도니온《아코디언 비슷한 악기》.

ban·dore, -do·ra *n.* =PANDORA.

bánd-pass filter [bǽn*d*pæ̀s-, -pɑ̀ːs-] 〔電〕 대역 여파기(帶域濾波器)〔필터〕.

bánd ràzor 카트리지식 안전 면도기.

B. & S. 《俗》 brandy and soda.

bánd sàw (동력용) 띠톱.

bánd shèll (뒤쪽이 반원형으로 된) 음악당.

bands·man [bǽn*d*zmən] *n.* (*pl.* **-men** [-mən]) 악사, 악대원.

band·stand [bǽn*d*stæ̀nd] *n.* (야외 연주용) 음악당, (홀·레스토랑의) 연주단(壇).

Ban·dung [bɑ́ːndu(ː)ŋ, bǽn-] *n.* 반둥《인도네시아 Java섬의 도시》.

B. & W. black and white.

band·wag·on [bǽndwæ̀gən] *n.* 《미》 악대차(車)《행렬 선두의》; (선거 운동·경쟁 등에서) 우세한 쪽. **climb〔get, hop, jump〕 on〔aboard〕 the bandwagon** 《口》 시류에 편승하다; 우세한 쪽에 붙다. **on the bandwagon** 《口》 (선거 등에서) 인기가 있는, 우세하여.

bánd whèel 〔機〕 피대〔벨트〕 바퀴; 띠톱 바퀴.

band·width [bǽndwìdθ] *n.* 〔電子〕 대역폭(帶域幅)《통신에 사용되는 주파수의 범위》.

ban·dy [bǽndi] *vt.* (**-died**) **1** 〈공 등을〉 마주 던지다, 서로 치다; 〈타격·말 등을〉 주고 받다《*with*》: ~ blows〔words, compliments〕 *with* a person …와 치고 받고 하다〔언쟁하다, 인사를 주고 받다〕. **2** 〈소문 등을〉 퍼뜨리다, 토론하다《*about*》: ~ a rumor *about* 소문을 퍼뜨리다. **have one's name bandied about** 이름이 뭇사람의 입에 오르내리다. ── *n.* (*pl.* **-dies**) Ⓤ (옛날의) 하키; Ⓒ 하키용 타봉. ── *a.* (**-di·er; -di·est**) 〈다리가〉 굽은: =BANDY-LEGGED.

ban·dy-ball [-bɔ̀ːl] *n.* (옛) 하키; 하키공.

ban·dy-leg·ged [-lègid] *a.* 다리가 O형으로 굽은, 안짱다리의.

bane [bein] *n.* **1** Ⓤ 독: rats*bane* 쥐약. **2** (the ~) 파멸(의 원인); 해독, 재난, 재화.

bane·ber·ry [béinbèri, -bəri] *n.* (*pl.* **-ries**) **1** 〔植〕 (북미산) 노루삼속(屬)의 식물. **2** 그 유독 열매.

bane·ful [béinfəl] *a.* 유독〔유해〕한. **~·ly** *ad.* **~·ness** *n.*

*bang[1] [bæŋ] [의성어] *n.* **1** 강타하는 소리《딱, 탕, 쾅, 쿵》; 충격: the ~ of a gun 쾅하는 대포 소리. **2** 강타, 타격: get〔give a person〕 a ~ on the head 머리를 쾅 얻어맞다〔때리다〕. **3** 《口》 원기, 활력, 기력. **4** 《미口》 자극, 흥분; 즐거움. **5** 급격한 동작. **6** 마약 주사. **7** 《卑》 성교. **get a bang on the head** 머리를 쾅 얻어맞다. **go over〔《영》 off〕 with a bang** 〈공연 등이〉 대성공하다. **with a bang** 쿵〔탕〕 하고; 정력적으로, 기세 좋게; 《口》 불쑥, 털썩. ── *int.* 쿵, 탕, 쾅. ── *ad.* **1** 쿵〔탕, 쾅〕 하고. **2** 《口》 갑자기; 꼭(exactly); 완전히; 바로: ~ in the middle 바로 한가운데에, 한복판에. **bang off** 《영口》 당장에, 즉시. **bang on** 《영口》 딱 들어맞는〔게〕; 굉장한〔히〕. **bang up** 《미口》 = BANG on. **bang to rights** 현행범으로 잡혀, 증거가 드러나서; 틀림없이. **come bang**

up against …에 세게 부딪치다. **go bang** 탕 소리나다, 파열하다; 탕 하고 닫히다.
— *vi.* **1** 탕 치다(*at, on*); 쿵 소리나다, 둥둥 울리다(*away, about*). **2** 〈문 등이〉 쾅 하고 닫히다(*to*). **3** 탕 하고 발포하다(*away*); 쾅 부딪치다(*against*): A car ~*ed against* the wall. 차가 벽에 쾅 부딪쳤다. — *vt.* **1** 세게 치다〔두드리다〕, 세게 부딪치다; 쾅 닫다, 거칠게 다루다: ~ a door 문을 쾅 닫다/Don't ~ the musical instrument *about.* 악기를 거칠게 다루지 마라/He ~*ed* his fist *on* the table in anger. 그는 화가 나서 주먹으로 탁자를 쾅 쳤다. **2** 쳐서 소리를 내다(*out*); 〈총포를〉 쾅 하고 쏘다(*off*): The clock ~*ed out* ten. 시계가 10시를 쳤다/He ~*ed off* a gun at the tiger. 그는 호랑이를 향하여 총을 탕 쏘았다. **3** 〈지식을〉 무리하게 주입하다(*into*): The teacher ~*ed* the formula *into* his pupils' head. 선생님은 학생들에게 그 공식을 무리하게 주입시켰다. **4** 《俗》 보다 뛰어나다, 능가하다. **5** 《俗》 마약을 놓다. **6** 《卑》 〈여자와〉 성교하다. **bang about** ⇨*vi.* 1, *vt.* 1. **bang away** (1) ⇨*vi.* 1, 3. (2) 《口》 〈공부 등을〉 열심히 하다, 끈질기게 공격하다(*at*). **bang into** …와 (우연히) 마주치다. **bang off** 탕 치다, 쾅 울리다. **bang out** 《口》 〈곡을〉 큰 소리로 연주하다; 〈기사 등을〉 타자기로 쳐내다, 〈원고 등을〉 급히 작성하다. **bang the market** 주식을 팔아 시세를 떨어뜨리다. **bang up** 〈물건을〉 부수다; 〈자기 몸 등을〉 다치다. **bang up against** …에 부딪치다.

bang² *n.* (보통 *pl.*) 단발의 앞머리. — *vt.* 〈앞머리 등을〉 가지런히 자르다: wear one's hair ~*ed* 앞머리를 가지런히 하고 있다.

bang³ *n.* =BHANG.

bán·ga·lore torpédo[bǽŋgəlɔ̀ːr-] (TNT를 채운) 폭약통.

bang·er[bǽŋər] *n.* 《영俗》 소음이 나는 고물차; 소시지.

Bang·kok[bǽŋkɑk, ⌐⌐/bæŋkɔ́k, ⌐⌐] *n.* 방콕(Thailand의 수도).

Ban·gla·desh[bɑ̀ːŋglədéʃ, bæ̀ŋ-] *n.* 방글라데시(1971년 파키스탄으로부터 분리·독립; 수도 Dacca).

ban·gle[bǽŋgəl] *n.* 장식 고리, 팔찌, 발목 고리(금·은·유리 등으로 만든 여성용의).

ban·gled[-d] *a.* 장식 고리〔팔찌〕를 낀.

bang-on[bǽŋán, -ɔ́(ː)n] 《영口》 *a.* 굉장한, 멋진; 딱 들어맞는. — *ad.* 딱 (들어맞게), 꼭.

Báng's disèase[bǽŋz-] 〔獸醫〕 뱅 병(소의 전염병으로 종종 유산의 원인이 됨).

bang·tail[bǽŋtèil] *n.* 꼬리 자른 말(의 꼬리); 짧은 꼬리의 야생마; 《俗》 경주마(race horse).

Ban·gui *n.* 방기(중앙 아프리카공화국의 수도).

bang-up[bǽŋʌ̀p] *a.* 《미俗》 일류〔최고급〕의, 훌륭한.

báng zòne =BOOM CARPET.

bán·ian (trèe) =BANYAN.

***ban·ish**[bǽniʃ] [OE] *vt.* **1** (벌로서 국외로) 추방하다, 유형에 처하다; 내쫓다: ~ a person *from*〔*out of*〕 the country …을 국외로 추방하다/~ a person *for* treason …을 반역죄로 추방하다. **2** 〈근심 등을〉 떨쳐버리다: *Banish* all troubles *from* your mind. 모든 근심 걱정을 죄다 떨쳐버리시오. **~·er** *n.*
◈ bánishment *n.*

ban·ish·ment[bǽniʃmənt] *n.* ⓤⓒ 추방, 유형. **go into banishment** 추방 당하다.

ban·is·ter[bǽnəstər] *n.* 〔建〕 난간동자(baluster); (*pl.*) 계단의 난간.

ban·jax[bǽndʒæ̀ks] *vt.* 《俗》 때리다, 패다; 이겨내다(overcome).

ban·jo[bǽndʒou] *n.* (*pl.* ~(e)s) 밴조(현악기). **~·ist** *n.* 밴조 연주자.

bánjo hìtter 《野球俗》 애송이 타자.

Ban·jul[bɑ́ːndʒuːl, bændʒúːl] *n.* 반줄(Gambia의 수도).

ban·ju·le·le, -jo-[bæ̀ndʒuléili], [-dʒə-] *n.* 밴줄렐레(banjo와 ukulele의 중간 악기).

***bank¹**[bæŋk] [ON] *n.* **1** 둑, 제방. **2** (둑처럼) 퇴적한 것: a ~ of clouds 층운(層雲), 구름의 층. **3** 모래톱, 물이 얕은 곳: a sand ~ 사주(砂洲). **4** 강 언덕; (*pl.*) 강의 양 언덕, 강변: the ~*s* of the Thames 템스강의 강둑(◇한 쪽 언덕 만이라도 ~s라고 할 때가 있음; 강의 right ~, left ~는 하류를 기준으로 함). **5** (도로 등의) 횡경사(橫傾斜); 〔空〕 뱅크, 횡경사: the angle of ~ 뱅크각(비행중의 좌우 경사각). **6** (피아노·오르간 등의) 건반. **7** (당구대의) 쿠션. **8** 〔鑛山〕 갱구(坑口). **give** a person **down the banks** 《미口》 …을 꾸짖다.
— *vt.* **1** 제방을 쌓다, 둑으로 에워싸다(*up*): ~ *up* a house 집을 둑으로 에워싸다. **2** 쌓아 올리다(*up*): ~ the snow *up* 눈을 쌓아 올리다. **3** (흐름을) 막다(*up*)(둑을 쌓아서): ~ *up* stream 흐름을 막다. **4** 〈재 등을 덮어〉 불을 묻다: ~ *up* a fire 불을 (재로) 묻다. **5** 〈도로 등을〉 경사지게 하다; 〈차체·기체를〉 경사시키다. **6** 당구공을 쿠션에 맞히다.
— *vi.* **1** 〈눈·구름 등이〉 겹겹이 쌓이다, 층을 이루다(*up*): The snow ~*ed up.* 눈이 쌓였다. **2** (우〔좌〕회전할 때 등) 〈자동차·비행기가〉 기웃하게 주행〔비행〕하다.
◈ embánk *v.*

★**bank²**[It] *n.* **1** 은행: a national ~ 국립 은행/a savings ~ 저축 은행. **2** (the B-) 《영》 잉글랜드 은행(Bank of England)(1694년 창립). **3** 저금통; 저장소: a blood ~ 혈액 은행. **4** (the ~) (노름판에서) 물주의 돈, 판돈. **5** 〔카드〕 물주(banker). **bank of deposit** 〔**issue**〕 예금〔발권〕 은행. **break the bank** (노름판에서) 물주의 돈을 휩쓸다. **in the bank** 은행에 예금하여; 《영》 빚을 지고(in debt). **the Bank of England** ⇨2.
— *vt.* **1** 은행에 예금하다. **2** 현금으로 바꾸다.
— *vi.* **1** 은행과 거래하다(*with*): Whom 〔Who〕 do you ~ *with*? 당신은 어느 은행과 거래하고 있습니까. **2** 은행을 경영하다. **3** (노름판의) 물주가 되다. **bank on**〔**upon**〕 《口》 …을 믿다, …에 의지하다, …을 확신하다: (Ⅲ *v*I +전+*pos.*+-*ing*) I don't *bank on* his keeping his promise. 나는 그가 자기의 약속을 지킨다는 것을 기대하지 않는다(=(Ⅴ *v*I +전+(목)+-*ing*) I don't *bank on* him keep*ing* his promise./(Ⅴ *v*I +전+(목)+*to* do) I don't *bank on* him *to* keep his promise.).

bank³ [F] *n.* **1** (옛 갤리선의) 노젓는 사람의 자리. **2** 한줄로 늘어선 노; 열, 층; 〔樂〕 건반의 한 줄. **3** (신문의) 부표제어. — *vt.* 줄지어 늘어놓다.

bank·a·ble¹ [bǽŋkəbəl] *a.* 은행에 담보할 수 있는; 할인할 수 있는.

bankable² *a.* (영화 음악회 등이) 수익이 확실한.

bánk accèptance 은행 인수 어음(금융의).

bánk accòunt 은행 예금 구좌, 은행 계정.

bánk bàlance 은행 (예금) 잔고.
bánk bìll 은행 어음; ((미)) 지폐.
bank·book[ˊbùk] *n.* 은행 통장.
bánk càrd 은행 (발행의) 크레디트카드.
bánk clèrk 은행원; ((영)) 은행 출납 계원 (teller).
bánk crèdit 은행 신용(장), 보증 대부.
bánk depòsit 은행 예금.
bánk dìscount 은행의 어음 할인(료).
bánk dràft 은행 어음((略: B/D)).
banker¹ [bǽŋkər] *n.* 은행가; (도박의) 물주; Ⓤ 〔카드〕 은행 놀이.
bank·er² *n.* ((方)) 시궁창 파는 인부(ditcher); 대구 잡이 배〔어부〕((뉴펀들랜드 어장의)); 둑을 뛰어 넘을 수 있는 사냥말.
banker³ *n.* (조각가·석공 등의) 작업대.
bánker's accèptance =BANK ACCEPTANCE.
bánker's bìll 은행 어음.
bánker's càrd =BANK CARD.
bánker's órder =STANDING ORDER 3.
bánk exàminer 은행 감독관.
bánk hòliday ((미)) 은행 휴일((일요일 이외에 연 4회)); ((영)) 일반 공휴일(((미)) legal holiday) ((England에서는 일요일 이외에 연 8회의 법정 공휴일)).
bank·ing¹ [bǽŋkiŋ] *n.* Ⓤ,Ⓒ **1** 제방 쌓기, 제방 공사. **2** 〔空〕 횡경사(橫傾斜). **3** (뉴펀들랜드의) 근해 어업.
bank·ing² *n.* Ⓤ 은행업; 은행 업무. — *a.* 은행(업)의: ~ capital 은행 경영 자금/a ~ center 금융 중심지/~ facilities 금융 기관/~ power (은행의) 대출 능력.
bánking accòunt ((영))=BANK ACCOUNT.
bánking dòctrine〔**prìnciple**〕 은행주의(*cf.* CURRENCY DOCTRINE).
bánk lòan 은행 융자(금).
bánk nìght ((미口)) (영화관의) 복권 추첨식 야간 흥행.
bánk nòte ((영)) 은행권, 지폐(((미)) bank bill).
bánk pàper (집합적) 은행 지폐; 어음.
bánk pàssbook =BANKBOOK.
bánk ràte (중앙 은행의) 할인〔이자〕율.
bank·roll[bǽŋkròul] *n.* 돈다발, 자금, 재원(財源), 가지고 있는 돈. — *vt.* ((口)) 자금을 공급하다. **~·er** *n.* 자금주.
bank·rupt[bǽŋkrʌpt, -rəpt] *n.* 〔法〕 파산자, 지불 불능자((略: bkpt.)); 성격 파탄자. — *a.* **1** 파산한, 지불 능력이 없는, 파탄한, 결딴난: ~ laws 파산법. **2** 상실한, 잃은(*of*), 결여된, 없는 (*in*). **go**〔**become**〕 **bankrupt** 파산하다. — *vt.* 파산시키다. ⊕ bánkruptcy *n.*
bank·rupt·cy[bǽŋkrʌptsi, -rəpsi] *n.* (*pl.* **-cies**) Ⓤ,Ⓒ 파산, 도산; 파탄; (명성 등의) 실추(*of*): a trustee in ~〔法〕 파산 관재인. **go into bankruptcy** 도산하다.
bánk shòt *n.* 〔撞球〕 치거나 맞힐 공을 쿠션에 닿게 하는 타법.
banks·i·a[bǽŋksiə] *n.* 〔植〕 뱅크셔((오스트레일리아산 상록 관목의 일종)).
bánksia róse 〔植〕 목향화((중국산 장미)).
Bank·side[bǽŋksàid] *n.* (the ~) 뱅크사이드((Thames강 남안의 극장가)).
banks·man[bǽŋksmən] *n.* (*pl.* **-men**[-mən]) (탄광의) 갱외(坑外) 감독.
ban·lieue [F] *n.* (*pl.* **~s**[-z], **lieux**) 교외 주택 지구.
ban·ner[bǽnər] *n.* **1** ((文語)) 기(旗)((국기·군기·교기 등)). **2** 표상(表象); (종교적·정치적 슬로건을 적은) 기치; (광고용) 현수막. **3** ((미)) 신문의 톱 전단에 걸친 제목. **carry the banner for** ((口)) …을 편들다, 지지하다, …의 선두에 서다. **follow**〔**join**〕 **the banner of** …의 부하로서 가담하다. **under the banner of** …의 기치 아래. **unfurl one's banner** 태도를 명백히 하다. — *a.* 두드러진; ((미)) 우수한, 주요한, 일류의(first-rate): a ~ crop 풍작. — *vt.* **1** 기(旗)를 갖추다. **2** 〔미新聞〕 제목을 크게 붙이다, 대대적으로 보도하다.
bánner bèarer 기수; 창도자.
ban·ner·et¹ [bǽnərit, -rèt] *n.* 〔史〕 휘하를 거느리고 출진할 수 있는 기사.
ban·ner·et², -ette[bæ̀nərét] *n.* 작은 기(旗).
bánner hèad(line) =BANNER *n.* 2.
ban·ner·line[bǽnərlàin] *n.*, *vt.* 신문의 톱 전단에 걸친 제목(을 붙이다).
ban·ne·rol(l)[bǽnəròul] *n.* =BANDEROLE.
bánner scrèen (난로 앞에 드리운) 방화용 스크린.
ban·nis·ter[bǽnəstər] *n.* =BANISTER.
ban·nock[bǽnək] *n.* ((스코)) 빵의 일종.
banns[bænz] *n. pl.* 결혼 예고((교회에서 식을 올리기 전에 연속 세 번 일요일에 예고하여 이의의 유무를 물음)). **ask**〔**call, publish, put up**〕 **the banns** 교회에서 결혼을 예고하다. **forbid the banns** 결혼에 이의를 제기하다. **have one's banns called**〔**asked**〕 결혼 예고를 해달라고 하다.
banque d'affaires[F. bɑ̃:kdafɛ:r] [F] *n.* (프랑스의) 상공 은행(merchant bank).
ban·quet[bǽŋkwit] [It] *n.* (정식) 연회: give〔hold〕 a ~ 연회를 베풀다/a regular ~ 진수성찬. — *vt.* 연회를 베풀어 대접하다. — *vi.* 연회 대접을 받다; 맛있는 음식을 먹다. **~·er** *n.* 연회 손님〔참석자〕.
bánquet làmp 연회용 램프((높고 정교한)).
bánquet ròom (호텔·식당의) 연회장.
ban·quette[bæŋkét] *n.* **1** (식당 등의) 벽 가의 긴 의자. **2** 흉벽 안의 사격용 발판; ((미南部)) (차도보다 높은) 인도(sidewalk).
Ban·quo[bǽŋkwou] *n.* 뱅쿼((*Macbeth* 중의 인물; 유령이 되어 맥베스를 괴롭힘)).
bans *n. pl.* =BANNS.
ban·shee, -shie[bǽnʃi:, ˉˊ] *n.* **1** ((아일·스코)) 여자 요정((죽을 사람이 있음을 통곡으로 예고한다 함)). **2** ((영口)) 공습 경보.
bant[bænt] *vi.* BANTING¹을 하다.
ban·tam[bǽntəm] *n.* **1** (종종 **B-**) 밴텀닭, 당닭. **2** 싸움을 좋아하는 작은 남자; (*pl.*) 밴텀 대대의 병사((제1차 대전 때 표준 키 이하의 용사로 편성)); 지프. **3** =BANTAMWEIGHT. — *a.* 몸집이 작은; 암팡진, 건방진; 소형의.
ban·tam·weight[-wèit] *n.* 〔拳鬪〕 밴텀급(의 선수)((체중 53kg 이하)).
ban·ter[bǽntər] *n.* Ⓤ (악의 없는) 농담; 희롱. — *vt., vi.* 농담을 하다; 놀리다, 희롱하다; ((미中南部)) 도전하다. **~·er**[-rər] *n.*
bán·ter·ing *a.* 농담조의, 희롱하는. **~·ly** *ad.*
ban-the-bomb[bǽnðəbàm/-bɔ̀m] *a.* 핵무기 폐지를 주장하는.
Ban·thine[bǽnθi:n] *n.* 〔藥〕 밴신((위궤양 치료제; 상표명)).
ban·ting¹, ban·ting·ism[bǽntiŋ], [-ìzəm] *n.* Ⓤ (종종 **B-**) 밴팅 요법((식사 제한에 의한 체중 줄이기; 영국의 의사 W. Banting에 유래)).
banting² *n.* (*pl.* **~s**, ~) 들소((동남아산)).
bant·ling[bǽntliŋ] *n.* 〔古〕 애송이.
Ban·tu[bǽntu:] *n.* (*pl.* ~, **~s**) (남·중부 아프리카의) 반투족; Ⓤ 반투 말. — *a.* 반투

족〔말〕의.

Ban·tu·stan[bǽntu:stæ̀n] *n.* 반투스탄《남아공화국의 반자치 흑인 구역》.

ban·yan[bǽnjən] *n.* 〔植〕 반얀나무, 벵골보리수(=∠ **trèe**)《인도산 교목》.

ba·o·bab[béiə*u*bæ̀b, báubæb] *n.* 〔植〕 바오바브나무(=∠ **trèe**)《아프리카산의 거대한 나무》.

B

bap[bæp] *n.* 《스코》 부드러운 롤빵.

bap., bapt. baptism; baptized. **Bap., Bapt.** Baptist.

*__bap·tism__[bǽptizəm] [Gk] *n.* U,C 〔基督敎〕 세례(식), 침례; 명명(식). **baptism by immersion**〔**effusion**〕 침수(浸水)〔관수(灌水)〕 세례. **baptism of blood** 피의 세례; 순교. **baptism of fire** 포화의 세례; 첫 출전〔시련〕. ◇ baptísmal *a.*: baptíze *v.*

bap·tis·mal[bæptízməl] *a.* 세례의. **~·ly** *ad.*

baptísmal nàme 세례명(Christian name).

*__Bap·tist__[bǽptist] *n.* **1** a (**b-**) 세례 주는 사람. b 뱁티스트《침례교인》. **2** (the ~) 세례 요한. **3** (the ~s) 침례파. ── *a.* 침례 교회〔파〕의. ◇ Baptístic *a.*

Báptist Chúrch 침례 교회.

bap·tis·ter·y, -try[bǽptistəri], [-tri] *n.* (*pl.* **-ter·ies; -tries**) 세례장〔당(堂)〕; 세례용 물통.

Bap·tis·tic, -ti·cal[bæptístik], [-kəl] *a.* 세례의; 침례 교회(파)의.

*__bap·tize__[bæptáiz, ∠―] *vt.* **1** (…에게) 세례를 베풀다: She was ~*d into* the church. 그녀는 세례를 받고 교인이 되었다. **2** …에게 세례명을 지어주다; 명명하다; 별명을 붙이다:《Ⅴ(목)+명》He ~*d* her Catharine. 그는 그녀를 캐서린이라고 명명했다(=《Ⅱ *be pp.*+명》She was ~*d* Catharine.). **3** (정신적으로) 정(淨)하게 하다. ── *vi.* 세례를 베풀다.

bap·tíz·er *n.* ◇ báptism *n.*: baptísmal *a.*

‡**bar**[1] [bɑːr] *n.* **1** 막대기; 막대기 모양의 덩어리; 막대 지금(地金): a ~ gold 막대금, 금괴(金塊). **2** 빗장, 가로장; (문 · 창문의) 창살. **3** 방책(防柵), 장벽, 관문; 장애《*to*》: a ~ *to* happiness 행복을 가로막는 장애. **4** 줄, 줄무늬(stripe); 〔紋〕 방패면의 가로줄 무늬; 〔樂〕(악보의 소절을 나누는) 선; 소절(measure); (군인의) 선장(線章)《공을 세울 때마다 한 줄씩 느는》. **5** 모래톱(sandbar). **6** (술집 · 여관의) 카운터; 목로, 술집, 바, 간이 식당. **7** (법정의) 난간; 법정; 심판, 제재: the ~ of conscience〔public opinion〕 양심〔여론〕의 제재. **8** (보통 the B-; 집합적) 법조계, (법원 소속의) 변호사단: a ~ association 법조 협회. **9** 《미》 재갈을 연결하는 가로 막대. **10** 〔物〕 바《압력의 단위》. **11** 《해커俗》 바《프로그램 따위에 쓰이는 관용 기호의 하나》. **at bar** 공개 법정에서. **be a bar to** …에 장애가 되다. **be admitted to the bar** 《미》 변호사 자격을 얻다. **be called to**〔**before**〕 **the bar** 《영》 법정 변호사(barrister) 자격을 얻다. **be called within the bar** 《영》 왕실 변호사로 임명되다. **behind** (**the**) **bars** 옥중에(서). **cross the bar** 죽다. **go to the bar** 법정 변호사(barrister)가 되다. **in bar of** 〔法〕 …을 방지〔예방〕하기 위하여. **practice at the bar** 변호사를 개업하다. **prisoner at the bar** 형사 피고인. **prop up the bar** 《口》 술집에서 살다시피하다. **put a person behind bar** 《口》 …을 투옥하다. **read**〔**study**〕 **for the bar** (법정) 변호사의 공부를 하다. **the bar of the House** (영국 하원의) 징벌 제재소(制裁所). **trial at** (**the**) **bar** 전 판사 배석 심리.

── *vt.* (**~red; ~·ring**) **1** 빗장을 지르다, 잠그다: ~ a prisoner *in* his cell 죄수를 독방에 가두다. **2** 〈통행을〉 방해하다, 〈길을〉 막다 (block):《Ⅲ(목)+전+*-ing*》They have *barred* him *from* enter*ing* the club. 그들은 그가 클럽에 들어가는 것을 가로막았다. **3** 금하다; 반대하다, 싫어하다: ~ a person *from* action …의 행동을 금하다/They were strictly ~*red against* exterior intercourse. 그들은 외부와의 접촉이 엄금되어 있었다/She ~*s* smoking in the bedroom. 《口》 그녀는 침실에서 담배를 못 피우게 한다. **4** 추방하다, 제외하다:《Ⅲ(목)+전+명》They have *barred* him *from* the club. 그들은 그를 클럽에서 추방했다/He was ~*red from* membership of the society. 그는 그 협회의 회원에서 제명되었다. **5** …에 줄(무늬)를 치다. **bar in**〔**out**〕 가두다〔내쫓다〕. **bar up** (빗장을 지르고) 완전히 폐쇄하다.

── *prep.* …을 제외하고, …외에: ~ a few names 몇 사람 외에는. **bar none** 예외 없이, 단연. **be all over bar the shouting** 승부는 사실상 끝나다, 대세는 결정나다.

bar[2] *n.* 《미》 모기장(mosquito net).

BAR Browning automaticrifle. **bar.** barometer; barometric; barrel; barrister. **Bar.** Barrister. **B. Ar(ch).** Bachelor of Architecture.

Ba·rab·bas[bərǽbəs] *n.* 〔聖〕 바라바《그리스도 대신 석방된 도둑의 이름》.

bar-and-grill[bɑ́ːrəngríl] *n.* 술도 파는 식당.

bar·a·the·a[bæ̀rəθíːə] *n.* 배라시아《양모 또는 견〔면〕을 섞어짠 고급 옷감》.

barb[1] [bɑːrb] [L] *n.* **1** (화살촉 · 낚시 등의) 미늘; (철조망 등의) 가시; 가시 돋친 말. **2** 〔動 · 植〕 수염 모양의 것. **3** (새의) 깃. **4** (수녀의) 목에 두르는 흰 리넨천. ── *vt.* 미늘〔가시〕을 달다.

barb[2] *n.* 바르바리 말《馬》《아프리카 북부 Barbary 지방산》.

Bar·ba·di·an[bɑːrbéidiən] *a.* 바르바도스(사람)의. ── *n.* 바르바도스 사람.

Bar·ba·dos[bɑːrbéidouz, -s, -dəs] *n.* 바르바도스《서인도 제도 카리브해 동쪽의 섬으로 영연방 내의 독립국; 수도 Bridgetown》.

Bar·ba·ra[bɑ́ːrbərə] *n.* 여자 이름《애칭 Babs, Bab》.

*__bar·bar·i·an__[bɑːrbέəriən] *n.* **1** 야만인, 미개인; 야만스러운〔야비한〕 사람; 교양 없는 사람, 속물. **2** 이방인. ── *a.* 미개인의, 야만스러운; 교양 없는; 이방의. **~·ism** *n.*

bar·bar·ic[bɑːrbǽrik] *a.* 야만인의〔같은〕, 야만적인, 〈문체 · 표현 등〉 세련되지 않은; 잔인한. **-i·cal·ly**[-ikəli] *ad.*

*__bar·ba·rism__[bɑ́ːrbərìzəm] *n.* U 야만, 미개(상태); 포학; C 막된 거동〔말씨〕, 파격적인 말〔구문〕, 상말.

bar·bar·i·ty[bɑːrbǽrəti] *n.* (*pl.* **-ties**) 야만, 잔인, 만행, 잔학(행위); 야비.

bar·ba·ri·za·tion[bɑ̀ːrbərizéiʃən] *n.* U 야만화; (문체의) 불순화.

bar·ba·rize[bɑ́ːrbəràiz] *vt., vi.* 야만화하다〔되다〕; 불순〔조잡〕하게 하다〔해지다〕.

*__bar·ba·rous__[bɑ́ːrbərəs] [Gk] *a.* 야만스러운(savage), 미개한; 잔인한; 〈말이〉(라틴 · 그리스 이외의) 이국어의; 야비한; 귀에 거슬리는. **~·ly** *ad.* **~·ness** *n.*

◈ barbárian *n., a.*: bárbarism, barbárity *n.*: barbáric *a.*: bárbarize *v.*

Bar·ba·ry [bá:rbəri] *n.* 바르바리(이집트를 제외한 북아프리카의 옛 이름).

Bárbary ápe (북아프리카산) 꼬리없는 원숭이.

Bárbary Cóast **1** 바바리 해안(옛 Barbary States의 지중해 연안 지방). **2** (19세기의) 샌프란시스코 부두(술집, 노름, 사창가로 유명).

Bárbary shéep =AOUDAD.

Bárbary Státes (the ~) 바르바리 제국(16-19세기 터키 지배하의 Morocco, Algeria, Tunis, Tripoli).

bar·bate [bá:rbeit] *a.* 〔動〕 수염이 있는:〔植〕 까끄라기가 있는.

***bar·be·cue** [bá:rbikjù:] *n.* **1** (돼지·소 등의) 통구이, 바비큐; 야외 파티(돼지 통구이가 나오는). **2** (돼지·소 등의)통구이용 틀. **3** (미) 커피 열매를 말리는 판. — *vt.* 〈돼지·소 등을〉 통째로 굽다(broil); 〈생선·고기 등을〉 바비큐 소스로 맵게 요리하다.

bárbecue pìt (벽돌 등으로 만든) 바비큐화덕.

bárbecue sàuce 바비큐 소스(식초·야채·조미료·향신료로 만드는 매운 소스).

barbed [ba:rbd] *a.* 미늘〔가시〕이 있는; 신랄한: ~ words 가시 돋친 말.

bárbed-wíre 가시 철사, 유자 철선(有刺鐵線): ~ entanglements 철조망.

bar·bel [bá:rbəl] *n.* 〔魚〕 (물고기의) 수염; 돌잉어 무리.

bar·bell [bá:rbèl] *n.* 바벨, 역기(力器)(역도용 기구)(*cf.* DUMBBELL).

bar·bel·late [bá:rbəlèit, ba:rbélit] *a.* 〔動·植〕 짧은 센 털이 있는:〔魚〕 수염 있는.

****bar·ber** [bá:rbər] [L] *n.* 이발사((영) hairdresser): at the ~'s 이발소에서. **do a barber** (미俗) 잘 지껄이다. — *vt.* 이발하다, 면도질하다. — *vi.* 이발업을 하다.

bárber chàir 이발소의 의자; (미俗) 우주선의 좌석.

bárber còllege (미) 이발 학교.

bar·ber·ry [bá:rbèri, -bəri] *n.* (*pl.* **-ries**) 〔植〕 매자나무(의 열매).

bárber's blóck 가발대(臺)〔골〕.

bar·ber·shop [bá:rbərʃɑ̀p, -ʃɔ̀p] *n.* (미) 이발소((영) barber's shop). — *a.* (미口)(무반주) 남성(男聲) 4부 합창의: a ~ quartet 남성 4부 합창.

bárber's ítch〔**rásh**〕 모창(毛瘡).

bar·ber-sur·geon [bá:rbərsə́:rdʒən] *n.* **1** (옛날의) 이발사 겸 외과 의사. **2** 돌팔이 의사.

bar·bet [bá:rbit] *n.* 〔鳥〕 오색조(열대산).

bar·bette [ba:rbét] *n.* 〔築城〕(성벽 안의) 포좌(砲座):〔海軍〕(군함의) 고정 포탑.

bar·bi·can [bá:rbikən] *n.* 〔築城〕 외보(外堡)(누문·교루(橋樓) 등); 망루.

Bárbie Dóll [bá:rbi-] 바비 인형(금발의 플라스틱 인형; 상표명);(미俗) 전형적 미국인(특히 WASP); 평범한 사람.

bar·bi·tal [bá:rbətɔ̀:l, -tæ̀l] *n.* Ⓤ 〔藥〕 바르비탈(진정·수면제).

bar·bi·tone [bá:rbətòun] *n.* (영) =BARBITAL.

bar·bi·tu·rate [ba:rbítʃərèit, -rit, bà:rbətjúər-] *n.* 〔化〕 바르비투르산염〔유도체〕.

bar·bi·tu·ric ácid [bà:rbətjúərik-/bà:bitjúə-] 〔化〕 바르비투르산.

Bár·bi·zon Schòol [bá:rbizɑ̀n-/bá:bizɔ̀n-] 바르비종파(파리 근교 Barbizon에서 그림을 그린 19세기의 화가 Millet, Corot 등).

bar·bo·la [ba:rbóulə] *n.* 날염(捺染) 그림, 날염 그림 세공(=∠ **wòrk**).

Bár·bour (Jàcket) *n.* (anorak식의) 방수포로 된 외투(상표명).

bar-B-Q [bá:rbikjù:] *n.* (口) BARBECUE의 상업용 변형 철자.

bar·bule [bá:rbju:l] *n.* 작은 가시〔수염〕; 〔鳥〕 작은 깃가지.

barb·wire [bá:rbwàiər] *n.*=BARBED WIRE.

bár càr 〔鐵道〕 바 설비가 있는 객차.

bar·ca·rol(l)e [bá:rkəròul] *n.* 곤돌라(gondola)의 뱃노래; 뱃노래조의 곡조.

Bar·ce·lo·na [bà:rsəlóunə] *n.* 바르셀로나(스페인 북동부의 항구; 1992년 제 25회 세계 올림픽 개최지).

bar·chan [ba:rkɑ́:n] *n.* 바르한(초승달꼴 사구(砂丘)).

bár chàrt 막대 그래프(bar graph).

bár còde 〔컴퓨터〕 줄무늬 기호군(群)(광학 판독용; 상품 식별 등에 씀).

bar-code [bá:rkòud] *vt., vi.* 〈상품 등에〉 바코드를 붙이다.

bár-code rèader 〔컴퓨터〕 바코드 판독기.

***bard**[1] [ba:rd] *n.* (켈트족의) 음유 시인, 방랑시인(minstrel): (文語·詩)시인. **the Bard of Avon** Shakespeare의 속칭.

bard[2] [ba:rd] *n., vt.* (중세의) 마갑(馬甲)(을 입히다).

bard·ic [bá:rdik] *a.* 음영 시인(bard)의: ~ poetry 음영 시가.

bard·ol·a·try [ba:rdɑ́lətri/-dɔ́l-] *n.* Ⓤ 세익스피어(Bard of Avon) 숭배.

Bar·do·li·no [bà:rdəlí:nou] *n.* Ⓤ 바르돌리노주(양질의 순한 이탈리아산 적포도주).

****bare**[1] [bɛər] *a.* **1** 발가벗은, 알몸의; 노출 된; (칼집에서) 뺀〈칼〉; 세간 없는〈방〉: ~ feet 맨발/with ~ head 모자를 쓰지 않고/a ~ sword 칼집에서 빼든 칼. **2** 꾸밈없는; 〈사실이〉 있는 그대로의: the ~ facts 분명한 사실. **3** 속이 빈, 텅 빈; …이 없는(*of*): (Ⅱ 형+전+명) The street was unusually ~ *of* passengers. 길에는 이상하게도 (통)행인이 없었다. **4** 겨우 …한, 다만 …뿐인(mere): 얼마 안 되는: a ~ majority 가까스로 된 과반수/~ necessities of life 겨우 연명이나 할 만한 필수품. **5** 닳아빠진. **at the bare thought** 생각만 하여도. **be bare of** …이 없다. **believe something on** a person's **bare word** …의 말만으로 그냥 믿다. **go bare** (미口) 〈의사·기업이〉 배상 책임 보험 없이 영업하다. **have** one' **head bare** 모자를 쓰지 않고있다. **in** one's **bare skin** 알몸으로. **lay something bare** 드러내다; 폭로하다. **pick a bone bare** 뼈에 붙은 고기를 말끔히 뜯다. **with bare hands** 맨손으로. **with bare life** 겨우 목숨만 건지어, 간신히 살아. — *vt.* **1** 발가벗기다; 노출시키다: ~ one's head 모자를 벗다/~ one's teeth 〈동물·사람이〉 이를 드러내다/~ a person *of* his clothing …의 옷을 벗기어 알몸이 되게 하다. **2** 〈칼을〉 빼다. **3** 떼어내다, 뜯어내다(*of*): ~ a tree *of* its leaves〔fruit〕 나무에서 잎〔열매〕을 따 버리다. **4** (비밀마음 등을) 털어놓다, 폭로하다: ~ a secret 비밀을 폭로하다/~ one's heart〔soul〕 *to* a friend 친구에게 속을 털어놓다. **bare** one's **heart**〔**thoughts, soul**〕 심중을 토로하다. ◈ bárely *ad.*

bare[2] *v.* 〔古〕 BEAR[2]의 과거.

bare·back(ed) [∠bæ̀k(t)] *a., ad.* 안장 없는〔없이〕: ride ~ 안장 없는 말을 타다.

B

bare·boat[∠bòut] *a.* 선체 용선(傭船)의: a ~ charter 선체 용선 계약.

báre bónes (the ~) 골자, 요점. **cut〔strip〕 … (down) to the bare bones** 〈정보 등을〉 골자만을 추려내다.

bare-bones[∠bòunz] *n.* (*pl.* ~) 바싹 마른 사람, 피골이 상접한 사람. — *a.* 말라빠진; 골자〔요점〕만의, 내용이 빈약한.

B

báre cóntract 〔法〕 무약인(無約因) 계약.

bare·faced[∠fèist] *a.* **1** 얼굴을 가리지 않은; 수염 없는. **2** 공공연한; 뻔뻔스러운: ~ impudence 철면피, 몰염치, 뻔뻔함/a ~ lie 뻔뻔스러운 거짓말. **-fac·ed·ly**[-sidli, -stli] *ad.* **-fac·ed·ness** *n.*

bare·fist·ed[∠fístid] *a., ad.* 맨주먹의〔으로〕.

*__barefoot__[∠fùt], **barefooted** *a., ad.* 맨발의〔로〕.

ba·rege [bəréʒ] [F] *n.* Ⓤ 명주실과 무명실 등으로 짠 얇은 직물《베일 · 옷감용》.

bare-hand·ed *a., ad.* 맨손의〔으로〕; 혼자 힘으로.

bare·head·ed[bέərhǽndid], **bare·head** [∠hèd] *a., ad.* 모자를 쓰지 않은〔않고〕.

báre infínitive 〔文法〕 원형 부정사(root infinitive)《to 없는 부정사》.

bare·knuck·le(d) [∠nʌ́kəl(d)] *a., ad.* (권투에서) 글러브를 끼지 않은〔않고〕; 마구잡이의〔로〕; 맹렬한〔히〕; 가차없는〔이〕.

bare·leg·ged[∠lègid, -lègd] *a., ad.* 다리를 드러낸〔내고〕, 양말을 신지 않은〔않고〕.

__bare·ly__[bέərli] *ad.* **1 간신히, 겨우, 가까스로: He is ~ of age. 그는 이제 막 성년이 되었다/~ escape death 간신히 목숨을 건지다. **2** 거의 …않다: She can ~ read and write. 그녀는 거의 읽고 쓰지도 못한다. **3** 노골적으로, 드러내놓고; 숨김없이, 사실대로; 빈약하게.

bare·sark[bέərsɑːrk] *n.* =BERSERKER. — *ad.* 갑옷 없이, 무장하지 않고.

barf[bɑːrf] 《미俗》 *vi.* 토하다. — *n.* 구토: a ~ bag 구토용 봉지《비행기 내 등의》.

bar·fly[bɑ́ːrflài] *n.* (*pl.* **-flies**) 《미口》 바의 단골 술꾼.

__bar·gain__[bɑ́ːrgən] [OF] *n.* **1 매매, 계약, 협정; 거래: A ~ was made between the two. 양자 사이에 (매매) 계약이 성립되었다/The two camps made a ~ *to* cease fire. 양 진영은 정전 협정을 맺었다. **2** 싼 물건, 특가품, 특매품: ~s in furniture 가구의 염가 판매. **a bargain** 싸게: I got this *a* ~. 싸게 샀다. **A bargain's a bargain.** 약속은 약속이다《지키지 않으면 안 된다》. **a Dutch〔wet〕 bargain** ⇨Dutch〔wet〕 bargain. **bad〔losing〕 bargain** 비싸게 산 물건. **beat a bargain** 값을 깎다. **buy at a (good) bargain** 싸게 사다. **drive a bargain** (애써서) 흥정을 하다. **drive a hard bargain** 값을 마구 깎다, 흥정〔교섭〕을 유리하게 추진하다《*for*》. **good〔advantageous〕 bargain** 싸게 산 물건. **into〔in〕 the bargain** 게다가, 덤으로. **make the best of a bad bargain** 역경에 잘 대처하다. **no bargain** 《미俗》 (결혼 적령기인데도) 매력 없는 사람, 탐탁하지 않은 사람〔것〕. **sell** a person **a bargain** 우롱하다. **strike〔make〕 a bargain** 매매 계약을 맺다, 흥정이 성립되다. **That's a bargain.** 이것으로 결정이 났다. — *a.* 헐값의, 값싼 물건의: a ~ day 특매일/a ~ sale 염가 판매, 특매, 바겐세일. — *vi.* **1** (매매의) 약속을 하다, 계약하다: We ~*ed with* him *for* the use of the property. 우리는 그와 그 땅의 사용에 대해 계약했다. **2** 흥정하다, 매매 교섭을 하다, 값을 깎다《*for, over, about*》; (남과) 거래하다; 교섭하다《*with*》: ~ *with* the manufacturer *over* the price of the product 제조회사와 제품의 가격에 대해서 흥정하다/《Ⅴ *v*ɪ +전+(목)+*to do*》(*no pass.*) We ~*ed with* him *to* receive it. 우리는 그가 그것을 받아들이도록 교섭을 했다. — *vt.* **1** (…의) 조건을 붙이다, (…하도록) 교섭하다: He ~*ed that* he should not pay for the car till the next month. 그는 자동차 값을 다음 달까지 지불하지 않아도 괜찮도록 교섭했다. **2** 기대하다, 보증하다: I ~ *that* he will be there on time. 그가 제 시간에 그 곳에 꼭 온다고 보증한다. **3** 《일반적》 바꾸다: She ~*ed* her ring *for* a meal. 그녀는 자기 반지를 한 끼의 식사와 맞바꾸었다. **bargain away** 〈토지 등을〉 헐값에 팔아버리다; 〈권리 등을〉 안이하게 포기하다. **bargain for** (부정어 또는 more than과 함께) …을 기대〔예상〕하다: That's *more than* I ~*ed for.* 그것은 생각지도 못한 일이다. **bargain on** 《口》 …을 기대하다, 예상하다.

bárgain and sále 〔法〕 토지 매매 계약 및 대금 지불.

bárgain básement 백화점의 지하 특매장.

bar·gain-base·ment[bɑ́ːrgən-bèismənt], **bar·gain-count·er**[-kàuntər] *a.* 값싼, 헐값의.

bar·gain·ee[bɑ̀ːrgəníː] *n.* 〔法〕 매수자.

bar·gain·er[bɑ́ːrgənər] *n.* 매도자.

bárgain hùnter 염가품을 찾아다니는 사람.

bar·gain·ing[bɑ́ːrgəniŋ] *n.* Ⓤ 거래, 교섭: collective ~ 단체 교섭.

bárgaining chìp (협상에서의) 양보; 유도(誘導), 설득.

bárgaining tàriff 〔經〕 호혜 협정 관세.

bar·gain·or[bɑ́ːrgənər] *n.* 〔法〕 매도인.

*__barge__[bɑːrdʒ] *n.* **1** (바닥이 편편한) 짐배, 부선(艀船), 거룻배; (2층이 달린) 유람 객선; 집배(houseboat); 〔海軍〕 (장관(將官) 전용의) 함재 보트. **2** (Oxford 대학교의) 보트 창고. — *vt.* 거룻배로 나르다. — *vi.* **1** 느릿느릿 움직이다. **2** 《口》 난폭하게 부딪치다《*into*》. **3** 난입하다, 침입하다(intrude); 참견하다《*in, into*》: She ~*d into* our conversation. 그녀는 우리 이야기에 억지로 끼어들었다. **barge about** 《俗》 난폭하게 뛰어 다니다. **barge in〔into〕** 난입하다; 참견하다. **barge in on** …에 쓸데없이 참견하다. **barge into〔against〕** …에 부딪치다. **barge one's way** (through the crowd) (군중을) 밀어제치고 나아가다.

barge·board[∠bɔ̀ːrd] *n.* 〔建〕 박공널.

bárge còurse 〔建〕 박공 처마.

bar·gee[bɑːrdʒíː] *n.* 《영》 =BARGEMAN. **swear like a bargee** 입정 사납게 욕질을 하다.

bar·gel·lo[bɑːrdʒélou] straight stitch의 감침법; 그 디자인.

barge·man[bɑ́ːrdʒmən] *n.* (*pl.* **-men**[-mən]) 《미》 거룻배〔유람선〕의 사공.

bárge pòle (거룻배의) 삿대. **I wouldn't〔won't〕 touch … with a barge pole.** 《口》 〈그런 것〔사람〕은〉 피하려 한다.

bar·ghest, -guest[bɑ́ːrgest] *n.* 《영北部 · 스코》 귀신《큰 개가 되어 흉사를 예고한다 함》.

bár gìrl 바의 호스테스; 여자 바텐더; 바에 드나드는 창녀.

bár gràph 막대 그래프(bar chart).

bar·hop[bá:rhàp/-hɔ̀p] *vi.*(~**ped**; ~·**ping**) 여러 술집을 돌아다니며 마시다.
bar·i·a·tri·cian[bæ̀riətríʃən] *n.* 비만 치료 전문가, 비만학자.
bar·i·at·rics[bæ̀riǽtriks] *n. pl.* (단수 취급) 체중 조절 의학, 비만 치료 의학.
bar·ic[1] [bǽrik] *a.* 바륨의, 바륨을 함유한.
baric[2] *a.* =BAROMETRIC.
ba·ril·la[bərí:ljə, bərílə] *n.* Ⓤ **1** 〔植〕 수송나물(명아주과(科)). **2** 소다회(灰).
bár ìron 가락쇠, 봉철(棒鐵).
barit. baritone.
bar·ite[bέərait, bǽər-] *n.* Ⓤ 〔鑛〕 중정석(重晶石).
bar·i·tone[bǽrətòun] 〔樂〕 *n.* **1** Ⓤ,Ⓒ 바리톤(⇨bass[1]); 바리톤 목소리. **2** 바리톤 가수; 바리톤 악기. — *a.* 바리톤의.
bar·i·um[bέəriəm, bǽər-] *n.* Ⓤ 〔化〕 바륨(금속 원소의 하나; 기호 Ba, 번호 56).
bárium méal 〔醫〕 바륨 용액.
bárium peróxide[dióxide] 〔化〕 과산화바륨(산화·표백제).
bárium súlfate 〔化〕 황산바륨.
⁑**bark**[1] [bɑ:rk] *vi.* **1** 〈개·여우 등이〉 짖다; 짖는 듯한 소리를 내다; 〈총·대포가〉 쾅 울리다; 크게 호통치다(*at*): The dog ~*ed at* the beggar. 개가 거지에게 짖어 댔다. **2** 《俗》(흥행장 입구 등에서) 호객하다. **3** 《미口》 기침하다(cough); 고함치다. — *vt.* 소리지르며 말하다; (상품을) 선전하다; …을 혹평하다: He ~*ed* orders *into* the telephone for food. 그는 전화통에 대고 소리를 질러 먹을 것을 주문했다/He ~*ed out* his orders. 그는 고함을 지르며 주문했다. **bark at**〔**against**〕 **the moon** 달 보고 짖다; 쓸데없이 떠들어대다. **bark up the wrong tree** 《口》 헛다리짚다, 엉뚱한 사람을 추적〔공격〕하다. — *n.* 짖는 소리; 기침 소리; 총성. **give a bark** 짖다. **His bark is worse than his bite.** 그의 본성은 주둥이 만큼 고약하지는 않다.
⁎**bark**[2] *n.* Ⓤ 나무 껍질; 기나피(皮)(cinchona); 탠 수피(tanbark); 《俗》 피부. **a man with the bark on** 《미》 거칠고 촌스러운 사람. **between the bark and the wood** 피차 손해 없이. **stick in**〔**to**〕 **the bark** 《미口》 깊이 개입하지 않다. **talk the bark off a tree** 《미口》 심한 욕을 하다〔하여 분풀이하다〕. **tighter than the bark on a tree** 《미口》 지독히 인색한. — *vt.* 나무 껍질을 벗기다; 나무 껍질로 덮다; 무두질하다; 살갗을 까다. ⊕ **bárky** *a.*
bark[3], **barque**[bɑ:rk] [L] *n.* 〔海〕 돛대가 셋 있는 범선; 《詩》 범선(ship).
bárk bèetle 나무좀과(科)의 곤충.
bar·keep(·er)[bá:rkì:p(ər)] *n.* 《미》 바〔술집〕의 주인; 바텐더(bartender).
bark·en·tine[bá:rkəntì:n] *n.* =BARQUENTINE.
bark·er[1] [bá:rkər] *n.* 짖는 동물; 고함치는 사람; (상점·흥행장 등에서) 손님 끄는 사람; 《俗》 권총, 대포.
barker[2] *n.* 나무 껍질을 벗기는 기계〔사람, 동물〕.
Bárk·hau·sen effèct 〔物〕 바크하우젠 효과.
bark·ing[bá:rkiŋ] *a.* (잘) 짖는: the ~ iron 《俗》 권총. — *n.* Ⓤ 짖는 소리; 심한 기침; 《口》 호통(치는 소리).
bárk trèe 기나나무(cinchona).
bark·y[bá:rki] *a.* (**bark·i·er**; **-i·est**) 나무 껍질로 덮은, 나무 껍질 비슷한.
⁑**bar·ley**[bá:rli] *n.* Ⓤ 보리, 대맥(wheat).
bar·ley·break, -brake[-brèik] *n.* Ⓤ 술래잡기의 일종(영국의 옛날 놀이).
bar·ley·corn[-kɔ̀:rn] *n.* 보리알; 보리 한 알의 길이(1/3인치). **John Barleycorn** 보리로 만든 술의 별명(맥주·위스키의 의인화).
bárley mòw 보리 낟가리.
bárley sùgar 보리엿(보리를 달인 물에 설탕을 넣어 졸인 엿).
bárley wàter 보리 미음(환자용).
bárley wìne 발리와인(도수 높은 맥주).
bár lìft (스키장의) 바리프트.
bar·low[bá:rlou] *n.* 《미》 큰 포켓 나이프.
barm[bɑ:rm] *n.* Ⓤ 효모(yeast); 맥아 발효주의 거품.
bár màgnet 막대 자석.
bar·maid[bá:rméid] *n.* 술집 여급, 접대부.
bar·man[bá:rmən] *n.* (*pl.* **-men**[-mən]) 《영》 =BARTENDER.
Bar·me·ci·dal [bà:rməsàidəl] *a.* 허울뿐인, 가공의.
Barmecídal〔**Bármecide**〕 **féast** 겉치레만의 향응〔친절〕.
Bar·me·cide[bá:rməsàid] *n.* 허울좋은 향연〔친절〕을 베푸는 사람. — *a.*=BARMECIDAL.
bar mi(t)z·vah[bɑ:rmítsvə] [Heb] *n.* 바르미츠버(유대교의 13세 남자 성인식); 그 식을 하는 소년. — *vt.* 〈소년에게〉 성인식을 베풀다.
barm·y[bá:rmi] *a.* (**barm·i·er**; **-i·est**) 효모질의, 발효중인; 거품이 인; 《영俗》 머리가 돈: go ~ 머리가 돌다.
⁑**barn**[1] [bɑ:rn] [OE] *n.* **1** (농가의) 헛간, 광; 《미》 외양간: a ~ of a house 헛간 같은 집. **2** 《미》 전차〔버스〕 차고(carbarn). **3** 휑뎅그렁한 건물. **between you and I and the barn** 비밀 이야기인데. **go around Robin Hood's barn** 《미俗》 굉장히 멀리 돌아가다. — *vt.* 헛간에 넣다〔저장하다〕.
barn[2] *n.* 〔物〕 반(소립자 등의 충돌 과정의 단면적의 단위; $=10^{-24}cm^2$; 기호 b).
Bar·na·bas[bá:rnəbəs], **-by**[-bi] *n.* 남자 이름; 〔聖〕 바나바.
Bárnaby brìght[dày] 성(聖) 바나바 축일(6월 11일, 낮이 가장 긴 날).
bar·na·cle[1] [bá:rnəkəl] *n.* **1** 〔動〕 조개삿갓, 따개비(만각류(蔓脚類)의 갑각 동물). **2** (지위 등에) 집착하는 사람. **3** 〔鳥〕 검은 기러기(=∠ góose) **-cled** *a.*
barnacle[2] *n.* (보통 *pl.*) **1** 코집게(편자를 박을 때 말이 날뛰지 못하게 하는 기구). **2** 《口》 안경.
Bar·nard[bá:rnərd] *n.* 남자 이름.
barn·burn·er[bá:rnbə̀:rnər] *n.* 《미俗》 과격파; 굉장한 것; 백열적인 시합.
bárn dànce 《미》 square dance식의 사교춤(원래 광에서 추었음); 시골 댄스 파티.
bárn dóor 광문(수확물을 싣고 마차가 들어갈 정도로 큼); 대문짝만한 과녁. **(as) big as a barn door** 〈과녁 등이〉 매우 큰. **cannot hit a barn door** 사격이 서투르다.
bárn-dóor fòwl[-dɔ̀:r-] 닭.
bar·ney[bá:rni] *n.* (*pl.* ~**s**) 《口》 짜고 하는 권투 시합; 사기; 실수; 격론, 언쟁; 〔鑛山〕 소형 기관차.
Bar·ney[bá:rni] *n.* 남자이름(Barnabas, Bernard의 애칭).
bárn òwl 〔鳥〕 외양간올빼미.
Barns·ley[bá:rnzli] *n.* 반즐리(잉글랜드 South Yorkshire 주의 주도).
barn·storm[bá:rnstɔ̀:rm] *vi.* 지방 유세〔순회 공연〕하다; (지방에서) 곡예 비행을 하다.

B

~·er *n.* 지방 유세자, 지방 순회 극단; 엉터리 배우; 곡예 비행가.

bárn swàllow 《미》 제비.

*__barn·yard__[⌐jɑ̀ːrd] *n.* 헛간 마당; 농가의 안마당. ── *a.* 뒤뜰의; 시골의, 촌스러운, 천한.

bárnyard fówl 닭.

bárnyard gòlf 《미口》 편자 던지기 놀이.

bar-[bær], **baro-**[bǽrou] 《연결형》「기압, 중량」의 뜻《모음 앞에서는 bar-》.

ba·ro·co·co[bæ̀rəkóukou] *a.* 바로크와 로코코 절충 양식의, 더없이 정교한〔장식적인〕.

bar·o·cy·clon·om·e·ter[bæ̀rəsàiklənάmitər/-nɔ́m-] *n.* 〔氣〕 열대 저기압계, 구풍계(颶風計).

bar·o·dy·nam·ics[bæ̀roudainǽmiks] *n. pl.* (단수 취급) 중량 역학.

bar·o·gram[bǽrəgræ̀m] *n.* 〔氣〕 (barograph로 측정한) 기압 기록.

bar·o·graph[bǽrəgræ̀f, -grɑ̀ːf] *n.* 자기(自記) 기압계.

ba·rol·o·gy[bərάlədʒi/-rɔ́l-] *n.* Ⓤ 중력학, 중량학.

⁂ba·rom·e·ter[bərάmitər/-rɔ́m-] *n.* 기압계, 청우계, 바로미터; (여론 등의) 지표; 변화의 징후: a ~ stock 〔證券〕 표준주.

bar·o·met·ric, -ri·cal[bæ̀rəmétrik], [-əl] *a.* 기압(계)의: *barometric* maximum〔minimum〕 고〔저〕기압. **-ri·cal·ly**[-əli] *ad.* 기압상, 기압계로. ⊕ barómeter *n.*

barométric depréssion 〔氣〕 저기압.

barométric grádient 기압 경도(傾度).

barométric préssure 기압.

ba·rom·e·try[bərάmitri/-rɔ́m-] *n.* Ⓤ 기압 측정법.

*__bar·on__[bǽrən] *n.* **1** 남작《NOBILITY의 제5계급》《◇ 성과 함께 쓸 때 영국인의 경우에는 *Lord* A, 외국인의 경우에는 *Baron* A라고 함》. **2** 〔史〕 (왕으로부터 영지를 받은) 봉신(封臣), 호족. **3** 외국 귀족. **4** (보통 복합어를 이루어) 《미口》 호상(豪商), …왕: a mine〔coal〕 ~ 광산왕〔석탄왕〕. **baron and feme** 〔法〕 부부. **baron of beef**〔**lamb**〕 소〔양〕의 양쪽 허리의 살코기.

bar·on·age[-idʒ] *n.* **1** Ⓤ (집합적) 남작; 귀족 (계급). **2** Ⓤ 남작의 지위〔칭호, 영지(領地)〕 **3** 남작 명부.

bar·on·ess[bǽrənis] *n.* 남작 부인; 여남작 《◇ 성과 같이 쓸 때 영국인은 *Lady* A, 외국인은 *Baroness* A》.

bar·on·et[bǽrənit, -nèt] *n.* 준남작(*cf.* GENTRY)《◇ 영국의 최하급 세습 위계; baron의 아래이며 knight의 위이나 귀족은 아님; 쓸 때는 *Sir* George Smith, *Bart.*와 같이 (KNIGHT와 구별하기 위하여) *Bart.*를 덧붙임; 부를 때는 *Sir* George; 그 부인은 *Dame* Nancy Smith, 부를 때는 *Lady* Smith》. ── *vt.* 준남작의 지위를 주다.

bar·on·et·age[-idʒ] *n.* **1** (집합적) 준남작. **2** Ⓤ,Ⓒ 준남작의 지위. **3** 준남작 명부.

bar·on·et·cy[-si] *n.* (*pl.* **-cies**) Ⓒ,Ⓤ 준남작의 지위.

ba·rong[bərɔ́(ː)ŋ, -rάŋ, bɑː-] *n.* (필리핀 Moro족이 쓰는) 폭이 넓은 칼.

ba·ro·ni·al[bəróuniəl] *a.* 남작 (영지(領地))의; 귀족풍의, 당당한.

bar·on·y[bǽrəni] *n.* (*pl.* **-on·ies**) **1** 남작의 영지. **2** Ⓤ,Ⓒ 남작의 지위. **3** 재벌, …왕국. **4** 《아일》 군(郡); 《스코》 대장원(大莊園).

*__ba·roque__[bəróuk] [Barocci] *a.* **1** 〔建·美·樂〕 바로크 양식의. **2** 괴상한, 괴이한. **3** 〈취미 등이〉 이상야릇하고 거친, 〈문체가〉 지나치게 장식적인. ── *n.* (the ~) 〔建·美·樂〕 바로크 양식; 괴기 취미. **~·ly** *ad.*

bar·o·re·cep·tor[bæ̀rouriséptər] *n.* 〔解〕 압수용기(壓受容器)《혈관벽 등에 있으며 압력 변화를 감지하는 지각 신경 종말》.

bar·o·scope[bǽrəskòup] *n.* 기압계.

bar·o·tol·er·ance[bæ̀routάlərəns/-tɔ́l-] *n.* 〔工學〕 압력 내성(壓力耐性).

ba·rouche[bərúːʃ] *n.* 4인승 4륜 포장 마차 《보통 두 마리가 끄는》.

bár pàrlor 《영》 술집의 특별실.

bár pìn (가느다란) 장식 핀《브로치의 일종》.

barque *n.* =BARK[3].

bar·quen·tine[bάːrkəntìːn] *n.* 〔海〕 바컨틴《세 돛대의 범선》.

barr. barrels. **Barr.** Barrister.

*__bar·rack__[1] [bǽrək] [It] *n.* **1** (보통 *pl.*; 단수·복수 취급) 막사, 병영. **2** (보통 *pl.*; 단수·복수 취급) 바라크(식 건물); 크고 엉성한 건물. **3** 《미北東部》 (네 기둥으로 지붕을 괸) 건초막(乾草幕). ── *vt.* 막사에 수용하다. ── *vi.* 막사 생활을 하다.

barrack[2] 《오스·영》 *vt.* 〈선수·연설자를〉 야유하다; 성원하다. ── *vi.* 야유하다(*at*); 성원하다(*for*). **~·er** *n.*

bárracks bàg (군인의) 잡낭.

bar·ra·coon[bæ̀rəkúːn] *n.* 노예〔죄수〕 수용소.

bar·ra·cou·ta, -cu·da[bæ̀rəkúːdə] *n.* (*pl.* ~, ~**s**) 〔魚〕 창꼬치.

bar·rage[bərάːdʒ/bǽrɑːʒ] *n.* **1** 연발 사격; 〔軍〕 탄막(彈幕); 〔野〕 연속 안타; 압도적 다량: a ~ of questions 질문 공세/a ~ of words 격렬한 말의 응수, 말을 퍼부음. **2** 〔土木〕 둑 막기; 둑, 댐. **lift the barrage** 탄막의 사정 거리를 늘이다. ── *vt.* …에 탄막 포화를 퍼붓다; 질문 등을〉 연달아 퍼붓다.

barráge ballòon 방공(防空)〔조색(阻塞)〕 기구.

bar·ran·ca[bərǽŋkə] [Sp] *n.* (*pl.* ~**s**) 《미》 협곡.

bar·ra·tor, -ter[bǽrətər] *n.* 〔法〕 소송 교사자(敎唆者); 수회 판사; 부정 선장〔선원〕.

bar·ra·trous, -re-[bǽrətrəs] *a.* 소송 교사의; 부정한; 태만한. **~·ly** *ad.*

bar·ra·try, -re-[bǽrətri] *n.* (*pl.* **-tries**) Ⓤ,Ⓒ 〔法〕 (판사의) 수회죄; (선주 또는 하주에 대한) 선장〔선원〕의 불법 행위.

Bárr bòdy 〔生〕 바소체(小體)(sex chromatin)《암컷에 있는 성염색질》.

barre[bɑ́ːr] *n.* 〔발레〕 바《엉덩이 높이로 벽에 붙여 연습시에 균형을 유지하기 위해 설치한 난간》.

barred[bɑːrd] *a.* **1** 빗장을 지른. **2** 가로 줄(무늬)가 있는: The sky was ~ *with* black clouds. 하늘에는 검은 구름이 길게 뻗쳐 있었다. **3** 모래톱이 있는.

⁂bar·rel[bǽrəl] *n.* **1** (중배가 불룩한) 통. **2** 한 통, 한 배럴(의 양)(略: bbl., bl.)《◇ 영국에서는 36gallons 들이, 미국에서는 31.5gallons; 석유의 경우는 42 미국 gallons, 35 영국 gallons》. **3** (종종 *pl.*)《미口》 다량(lot)(*of*): ~*s of* money 많은 돈/have *a*~ *of* fun 굉장히 재미있다. **4** 총신, 포신. **5** (기계의) 원통, 동부(胴部); (시계의) 태엽통; (펌프의) 통(筒); (만년필의) 잉크집; (귀의) 고실(鼓室). **6** (소와 말의) 몸통; (깃의) 깃촉. **7** 〔海〕 CAPSTAN의 동부. **8** 《미俗》 선거 비용. **be in the barrel** 《俗》 빈털터리이다. **have a person over a barrel**〔**the barrel (head)**〕 《口》 …을 좌지우지하다.

on the barrel 현금으로. **over a**〔**the**〕 **barrel** 《口》 궁지에 빠져, 꼼짝 못하여. **scrape** (**the bottom of**) **the barrel** 《口》 수가 막히다; 남은 것을 쓰다〔그러모으다〕. ── *v.*(~**ed**; ~·**ing**|~**led**; ~·**ling**) *vt.* **1** 통에 넣다〔채우다〕. **2** 《미俗》 〈자동차를〉 질주시키다. ── *vi.* 《미俗》 무서운 속도로 달리다: The truck ~*ed down*〔*along*〕 the highway. 트럭이 고속도로를 질주하였다.

bar·rel·age[bǽrəlidʒ] *n.* 통의 용량.

bar·rel-bulk *n.* 5입방 피트의 용적(1/8톤).

bárrel chàir (등받이가 통 모양의) 안락 의자.

bar·rel-chest·ed[-tʃèstid] *a.* 가슴통이 두툼한〔튼튼한〕.

bar·reled|**-relled**[bǽrəld] *a.* **1** 통에 넣은〔채운〕; 원통형의. **2** (보통 복합어를 이루어) 총신이 …인: a double-~ gun 쌍발총. **3** (보통 복합어를 이루어) 몸통이 …인: a well-~ horse 동체가 잘 발달한 말.

bar·rel·ful[-fùl] *n.* (*pl.* ~**s**, **bar·relsful**) 한통(의 양); 다수, 대량.

bar·rel·head[bǽrəlhèd] *n.* 통 뚜껑〔바닥〕. **on the barrelhead** 현찰로.

bar·rel·house[bǽrəlhàus] *n.*(*pl.*-**hous·es** [-hàuziz]) **1** 《미俗》 하급 술집. **2** 초기의 소란한 재즈(=∠ **jàzz**).

bárrel órgan (풍각쟁이의) 손잡이를 돌리는 휴대용 풍금(hand organ).

bárrel ròll 〔空〕 연속 횡전(橫轉), 통돌이.

bárrel vàult 원통형 둥근 천장.

⁑**bar·ren**[bǽrən] *a.* **1** 불모의, 농작물이 나지 않는〈토지〉. **2** 새끼를 못 낳는; 임신 못하는; 열매를 맺지 않는: a ~ flower 수술〔자방〕이 없는 꽃/a ~ stamen 화분이 생기지 않는 수술. **3** 내용이 보잘것없는, 재미없는, 시시한; 초라한; 무력한, 어리석은. **4** 빈약한, …이 없는(*of*). ── *n.* 메마른 땅, 불모지; (*pl.*) (특히 북미의) 황야. ~·**ness** *n.*

Bárren Gróunds〔**Lánds**〕 캐나다 북부의 툰드라 지대.

ba·rret[bǽrət] *n.*(베레모 비슷한) 납작한 모자.

bar·rette[bərét] [F] *n.* 《미》 여자용 머리핀.

bar·ret·ter[bərétər, bǽret-] *n.* 〔電〕 버레터 《고주파 전류 검파기의 일종》.

bar·ri·a·da[bàriáːdə] [Sp] *n.* (도시의) 지구, (특히 지방 출신자가 살고 있는) 슬럼가.

***bar·ri·cade**[bǽrəkèid, ∸−∠] [F] *n.* **1** U,C 바리케이드, 방색(防塞); 장애(물). **2** (*pl.*) 논쟁〔투쟁〕의 장(場). ── *vt.* 바리케이드를 쌓다〔치다〕, 방책으로 막다: The radicals ~*d* the road *with* desks and chairs. 과격파들은 책상과 의자로 길에 바리케이드를 쳤다.

Bar·rie[bǽri] *n.* 배리 Sir James Matthew ~(1860-1937)《영국의 소설가·극작가; 대표작 *Peter Pan*》.

⁑**bar·ri·er**[bǽriər] [OF] *n.* **1** 울타리, 방책, 국경의 요새, 관문; (역의) 개찰구; (경마의) 출발구; (*pl.*) 〔史〕(시합장의) 말뚝 울타리. **2** 장벽; 장애(물), 방해: tariff ~*s* 관세 장벽/a ~ *to* progress 진보를 가로막는 것. **put a barrier between** …의 사이를 갈라놓다. ── *a.* 불투과성의《gas-barrier (차기성(遮氣性)의)처럼 쓰임》. ── *vt.* 울타리로 둘러싸다(*off, in*).

bárrier bèach 방파주(防波洲), 연해 사주(砂洲)《해안선에 평행한 긴 사주》.

bárrier crèam 보호 크림, 스킨 크림.

bárrier rèef 보초(堡礁)《해안의》.

bar·ring[báːriŋ] *prep.* …이 없으면; …을 제외하고는: ~ accidents 사고만 없으면.

bar·ring-out[-áut] *n.* (*pl.* **bar·rings-**) 교사 배척《학생들이 교실문을 걸고 배척하기》.

bar·ri·o[báːriòu, bǽr-] *n.* (*pl.* ~**s**) (미국의) 스페인어 통용 지역.

bar·ris·ter[bǽrəstər] *n.* 《영》 법정 변호사(=∠ **-at-láw**); 《미口》 (일반적으로) 변호사(lawyer).

bar·room[báːrrù(ː)m] *n.* (호텔 등의) 바.

bar·row[1] [bǽrou] *n.* =HANDBARROW; =WHEELBARROW; 《영》 행상인의 2륜 손수레; =BARROWFUL.

barrow[2] *n.* **1** 〔考古〕 무덤; 고분. **2** 짐승의 굴(burrow). **3** 《영》(지명에서) …언덕.

barrow[3] *n.* 거세한 수퇘지.

Bar·row *n.* Point ~ 배로 곶《알래스카의 최북단》.

bárrow bòy 《영》(과일·야채 등의) 손수레 행상인〔소년〕.

bar·row·ful[bǽroufùl] *n.* 손수레 한 대(의 짐).

bar·row·man[bǽroumən, -mæ̀n] *n.*=COSTERMONGER.

bárrow pìt 《미서부》 도로변의 배수구.

bár sínister 《誤用》 =BEND SINISTER; (the ~)《文語》 서출(庶出)(임).

bar·stool[báːrstùːl] *n.* (술집의) 높고 둥근 의자.

BART Bay Area Rapid Transit《미국 San Francisco시의 고속 통근 철도》. **Bart.** Baronet.

bar·tend·er[báːrténdər] *n.* 《미》(술집의) 바텐더(《영》 barman).

***bar·ter**[báːrtər] *vi.* 물물 교환하다, 교역하다(*with*): We ~*ed with* the islanders. 우리들은 그 섬 주민들과 물물 교환을 했다. ── *vt.* **1** 교환하다, 교역하다(*for*): ~ furs *for* powder 모피를 화약과 교환하다. **2** 헐하게 팔아버리다: (이익을 탐하여) 〈명예·지위 등을〉 팔다(*away*): He ~*ed away* his position〔freedom〕. 욕심에 눈이 어두워 그는 지위〔자유〕를 팔았다. ── *n.* U 물물 교환; 교역품. **exchange and barter** 물물 교환. ~·**er** *n.* 물물교환자.

bárter sỳstem (the ~) 〔經〕 바터제.

Bar·thol·di[baːrθáldi/-θɔ́l-] *n.* 바르톨디 Frédéric Auguste ~(1834-1904)《프랑스의 조각가; 뉴욕의 자유의 여신상 제작자》.

Bar·thol·o·mew[baːrθáləmjùː/-θɔ́l-] *n.* 남자 이름; 성(聖) 바돌로매《그리스도의 12사도 중의 한 사람》: ~Fair 성 바돌로매 축일에 열리는 장. **St. Bartholomew's Day** 성 바돌로매의 축일. **the Massacre of St. Bartholomew** 성 바돌로매의 학살《1572년 성 바돌로매 축일에 시작한 파리의 신교도 대학살》.

bar·ti·zan[báːrtəzən, bàːrtəzǽn] *n.* 〔建〕(성벽·탑 등의) 망대, 망루.

Bart·lett[báːrtlit] *n.* 바틀렛종의 배(=∠ **péar**).

bar·ton[báːrtn] *n.* 농가의 안마당; 헛간.

Bart's[baːrts] *n.* 《미口》(런던의) 성 바돌로매병원(St. Bartholomew's Hospital).

Ba·ruch[béərək] *n.* 〔聖〕 바루크《예언자 예레미야의 제자》; 바루크서(書)《구약 외경(外經)의 한 책》.

bar·y-[bǽri] 《연결형》「무거운, 중(重)(heavy)」의 뜻.

bar·y·cen·ter[bǽrəsèntər] *n.* 〔物·數〕 중심(重心).

bar·y·on[bǽriàn/-ɔ̀n] *n.* 〔物〕 바리온, 중(重)입자《소입자의 한 족(族)》.

bar·y·sphere[bǽrəsfìər] *n.* 〔地學〕 중권

(重圈).
ba·ry·ta[bəráitə] *n.* Ⓤ 〔化〕 중토(重土), 바리타 《산화 바륨》.
barýta pàper 〔寫〕 바리타지(인화지 등에 씀).
ba·ryte, ba·ry·tes[béərait], [bəráiti:z] *n.* Ⓤ 〔鑛〕 중정석(重晶石).
ba·ryt·ic[bərítik] *a.* 중토(重土)(질)의.
bar·y·tone[bǽrətòun] *n.* =BARITONE.
bas·al[béisəl, -zəl] *a.* 바닥〔기초, 근본〕의. **~·ly** *ad.* 기부(基部)에. ⊕ base¹ *n.*
básal metábolism 〔生理〕 기초 대사 《略: BM》.
ba·salt[bəsɔ́:lt, bǽsɔ:lt, béi-] *n.* Ⓤ 현무암; 흑색 석기(=∠ **wàre**).
ba·sal·tic[bəsɔ́:ltik] *a.* 현무암의.
ba·sal·ti·form[bəsɔ́:ltəfɔ̀:rm] *a.* 현무암 모양의.
bas·a·nite[bǽsənàit, bǽz-] *n.* Ⓤ 〔岩石〕 (주로 사장석·감람석·휘석으로 된) 현무암.
bas bleu[bɑ:blə́:, -blú:] [F] *n.* (*pl.* ~**s**[-z]) 여류 문인〔학자〕(bluestocking), 인텔리 여성.
B.A. Sc. Bachelor of Agricultural Science; Bachelor of Applied Science.
báscule brìdge[bǽskju:l-] 도개교(跳開橋).
★**base**¹ [beis] [L] *n.* (*pl.* **bas·es**[béisiz]) **1** 기초, 기부(基部), 바닥, 기슭(foot); 기반. **2** 근거; 근본 원리. **3** 〔軍〕 기지: a ~ of operation 작전 기지. **4** 〔競〕 출발점〔선〕; 〔野〕 베이스, 누(壘): third ~ 3루/a three ~ hit 3루타(打). **5** 〔化〕 염기; 〔醫〕 주약(主藥); 〔染〕 색이 날지 않게 하는 약; 〔數〕 기선(基線), 기수; 밑변, 밑면; 〔動·植〕 기부; 〔言〕 어간. **at the base of** …의 근저〔밑바닥〕에. **base on balls** 〔野〕 4구. **get to**〔**make, reach, take**〕 **first base** first base. **load**〔**fill**〕 **the bases** 〔野〕 만루로 만들다. **off base** 〔野〕 누를 떠나; 《口》 전혀 엉뚱하게; 불시에: be caught *off* ~ 기습을 당하다. **on base** 〔野〕 출루하여: get *on* ~ 출루하다. **touch all the bases** 《미》 만사에 빈틈없게 하다. **touch base** …와 연락을 취하다, 접촉을 계속하다 《*with*》. ── *a.* 기초가 되는; 기본적인: a ~ camp (등산의) 베이스 캠프/a ~ angle 밑각/a ~ line 밑변. ── *vt.* **1** 기초를 두다; 기초로 하다 《*on*》. **2** 〈경험·사실 등을〉 …에 바탕을 두다, (…에) …의 근거〔논거〕를 두다 《*on, upon*》: This is ~*d on* the same principle. 이것은 같은 원리에 바탕을 두고 있다. **3** (…에) …의 기지〔본거지〕를 두다 《*in, at*》. **base** one**self on** …을 근거로 하다, 에 입각하다. ── *vi.* …에 의거하다; 기지를 두다. ⊕ básal, básic *a.*
⁑**base**² [F] *a.* **1** 《文語》 천한, 비열한, 치사한. **2** 저질의 〈화폐〉, 열위(劣位)의, 열등한 〈금속〉. **3** 〔言〕 순수하지 못한, 속된: ~ Latin 통속 라틴어. **4** 〔古〕 (태생이) 비천한, 서출의.
báse àddress 〔컴퓨터〕 기준 번지 《이것에 상대 번지를 가하면 절대 번지를 얻을 수 있음》.
★**base·ball**[béisbɔ̀:l] *n.* Ⓤ 야구; Ⓒ 야구 공: a ~ game〔park〕 야구 시합〔야구장〕. **~·er, ~·ist** *n.* 《미》 야구 선수. **~·ism** *n.* 《미》 야구 용어.
báseball Ánnie 《미俗》 젊은 여성 야구팬.
base·board[∠bɔ̀:rd] *n.* 《미》〔建〕 굽도리 널 (《영》 skirting board).
base·born[∠bɔ́:rn] *a.* 〔古〕 태생이 천한; 서출의; 품위 없는, 천한(mean).
base-bred[∠bréd] *a.* 천하게 자란, 비천한.
básebúrner[∠bə̀:rnər] 연료 자동 공급 난로.
base·coat[∠kòut] *n.* (페인트 등의) 밑칠.
báse cóin 악화(惡貨), 위조 화폐.
báse còurse 〔建〕 (돌·벽돌의) 기초 쌓기; (도로의) 노반(路盤); 〔海〕 직선 코스.
base-court[∠kɔ̀:rt] *n.* 성의 바깥 마당; 농가의 뒤뜰; 〔法〕 하급 법원.
based[beist] *a.* 근거가 있는; …에 기지〔기반〕를 둔.
Básedow's disèase 바제도 병 《갑상선 질환》.
báse exchànge **1** 〔土壤〕 염기 교환. **2** 〔미空軍〕 물품 판매소 《略: BX》.
base·heart·ed[∠hɑ́:rtid] *a.* 마음이 비열한, 품성이 비천한.
báse hít 〔野〕 히트, 안타.
báse hóspital 〔軍〕 기지 병원 (*cf.* FIELD HOSPITAL).
Ba·sel[bɑ́:zəl] *n.* 바젤 《Rhine 강에 면한 스위스 북부의 도시》.
base·less[béislis] *a.* 기초〔근거, 이유〕가 없는(groundless). **~·ly** *ad.* **~·ness** *n.*
base·level *n.* 〔地〕 기준면.
báse lìne[∠làin] 기(준)선; 〔野〕 베이스 라인, 누선; 〔庭球〕 코트의 한계선.
báse lòad **1** 〔電·機·鐵道〕 (일정 시간 내의) 베이스 부하(負荷), 기초 하중. **2** (기업 존속을 위한 수주 등의) 기초량.
base·ly *ad.* 천하게, 비열하게; 서출(庶出)로서.
base·man[béismən] *n.* (*pl.*-**men**[-mən]) 〔野〕 내야수, 누수.
báse màp 백지도, 베이스맵.
⁑**base·ment**[béismənt] *n.* (구조물의) 최하부; 기부(基部); 〔建〕 지계(地階), 지하실.
básement còmplex 〔地質〕 기반.
báse métal 비(卑) 금속; (용접·도금·합금의) 바탕 금속, 모재(母材).
base·ness *n.* Ⓤ 천함; 비열; (품질의) 조악; 서출(庶出).
ba·sen·ji[bəséndʒi] *n.* (*pl.* ~**s**) (콩고산의) 작은 사냥개.
báse pàir 〔遺傳〕 (이중사슬 DNA, RNA중의) 염기쌍.
báse páy (수당을 제외한) 기본 급료.
báse périod (가격·세금·소득 등의 변동 비교의) 기준 기간.
base·plate[béisplèit] *n.* 〔機〕 바닥판, 기초판; 〔齒科〕 의치상(義齒床).
báse príce 〔經〕 기준 단가.
báse (rádio) stàtion 〔通信〕 기지국(局).
báse ráte (임금 구성상의) 기본 급여율; 기본 요금.
báse rùnner 〔野〕 러너, 주자.
base·run·ning *n.* Ⓤ 〔野〕 주루.
bas·es¹ [béisi:z] *n.* BASE¹의 복수.
ba·ses² [béisiz] *n.* BASIS의 복수.
báse sèquence 〔生化·遺傳〕 염기 배열.
bas·es-load·ed[béisizlòudid] *a.* 〔野〕 만루의: a ~ homer 만루 호머.
bash[bæʃ] *vt.* 《口》 세게 때리다; 쳐부수다; 〔野〕 (볼을) 치다, 강타하다 《*up*》. ── *vi.* 충돌하다. **bash on**〔**ahead**〕 《영俗》 …을 완고히 계속하다 《*with*》. **bash up** 《영俗》 때려눕히다. ── *n.* 《口》 강타; 《미俗》 떠들석한 파티; 《영俗》 시도. **have**〔**take**〕 **a bash** (**at**) 《영俗》 (…을) 해보다. **on the bash** 《口》 들떠서, (마시고) 떠들며.
ba·shaw[bəʃɔ́:] *n.* 《口》 벼슬아치, 고관; 세도 부리는 관리.
*__bash·ful__[bǽʃfəl] *a.* 수줍어하는, 부끄럽타는 (shy). **~·ly** *ad.* **~·ness** *n.*
bash·i·ba·zouk[bæ̀ʃibəzú:k] *n.* (오스만

제국시대의) 터키 비정규병(약탈·잔인으로 유명).
bash·ing[bǽʃiŋ] *n.* 《口》 강타; 심한 패배(비난); take a ~ 완전히 패배하다, 혹평을 받다.
-bash·ing[bǽʃiŋ] 《연결형》 「공격, 학대」의 뜻: union-*bashing*.
ba·si-[béisi] 《연결형》 「기부(基部), 기저(基底)」의 뜻: *basi*cranial 두개기 부의.
ba·sic[béisik] *a.* **1** 기초의, 근본적인. **2** 〔化〕 염기〔알칼리〕성의: ~ colors 염기성 색소. **3** 〔地質〕 기성(基性)의. — *n.* **1** (보통 *pl.*) 기본, 기초, 원리; 기본적인 것, 필수품. **2** 〔軍〕 기초 훈련; 〔미軍〕 기초 훈련을 받은 병사. ◇ base, básis *n.*; básically *ad.*
BASIC, Basic[béisik] [*B*eginners *A*ll-purpose *S*ymbolic *I*nstruction *C*ode] *n.* 〔컴퓨터〕 베이식(간단한 언어를 사용한 컴퓨터 용어).
básic áirman 〔空軍〕 신병.
ba·si·cal·ly[béisikəli] *ad.* 근본적으로, 원래.
básic cróp〔**commódity**〕 기본 작물, 기본 농산물.
básic dréss 〔服〕 기본 드레스(극히 간단한 무지(無地) 드레스).
Basic English [*B*ritish, *A*merican, *S*cientific, *I*nternational, *C*ommercial] 기본 영어(영국인 C.K. Ogden이 1930년에 발표한, 850어를 기본으로 하는 간이 영어).
ba·sic·i·ty[beisísəti] *n.* Ⓤ 〔化〕 염기(성)도.
básic personàlity 〔社〕 기초 인격(한 사회 사람들의 공통적이며 특유한 인격).
básic prócess 〔冶〕 염기성법(鹽基性法), 염기성 제강법.
básic ràte 〔出版〕 기본 예약 구독 요금(*cf.* CUT-RATE); 〔廣告〕 표준 매체 요금; =BASE RATE.
básic scíence 기초 과학.
básic slág 〔化〕 염기성 슬래그(비료·시멘트의 혼합재용).
básic tráining 〔미軍〕 (초년병의) 기초〔초보〕 훈련.
básic wáge〔**sálary**〕 기본 급료.
ba·sid·i·o·my·cete[bəsìdi*ou*maisí:t, -máisi:t] *n.* 〔植〕 담자균(擔子菌).
ba·sid·i·o·spore[bəsídi*ou*spɔ̀:*r*] *n.* 〔植〕 담자포자.
ba·si·fi·ca·tion[bèisəfikéiʃən] *n.* Ⓤ 〔化〕 염기화 (작용).
bas·i·fy[béisəfài] *vt.* (**-fied**) 〔化〕 염기화하다.
bas·il[bǽzəl, bǽs-, béiz-, béis-] *n.* **1** 〔植〕 나륵풀(약용·향미료). **2** (무두질한) 양가죽(제본용).
Bas·il *n.* 남자 이름.
bas·i·lar, -lar·y[bǽsələ*r*], [-lèri] *a.* 기초의; 〔解〕 두개 기부(頭蓋基部)의.
ba·si·lect[béizəlèkt, bǽzə-] *n.* (한 사회의) 가장 격식이 낮은 사투리, 하층 사투리.
ba·sil·ic, -i·cal[bəsílik, -zíl-], [-kəl] *a.* **1** 왕의, 왕다운(royal); 중요한. **2** 〔解〕 척측(尺側) 피정맥(皮靜脈)의.
ba·sil·i·ca[bəsílikə, -zíl-] *n.* 〔古로〕 공회당(법정·교회당으로 사용된); 초기 기독교 교회당; 〔가톨릭〕 (전례상의 특권이 부여된) (대)성당. **-can**[-kən] *a.*
ba·sil·i·con[bəsílikən] *n.* 바질리 연고(송진으로 만듦).
basílic véin 〔解〕 척측 피정맥.
bas·i·lisk[bǽsəlìsk, bǽz-] *n.* **1** 바실리스크(아프리카 사막에 살며 사람을 입김·시선으로 죽인다는 전설상의 파충 동물). **2** 〔動〕 등지느러미 도마뱀. **3** 사포(蛇砲)(옛날 대포).
— *a.* 바실리스크 같은.
básilisk glánce basilisk와 같은 눈초리(노려보면 화가 미치는), 흉악한 눈초리.
ba·sin[béisən] [L] *n.* **1** 대야, 수반(水盤), 세면기. **2** 한 대야 가득. **3** 웅덩이, 괸 물(pond); 풀; 항구의 깊숙한 곳; 육지에 에워싸인 항구, 내만. **4** (선박의) 독. **5** 분지; (하천의) 유역: the Thames ~ 템스강 유역. **6** 〔地質〕 반층; 해분; 〔解〕 골반. **collecting**〔**setting**〕 **basin** 집수〔침전(沈澱)〕지(池). **tidal basin** 조수 독(dock). **yacht basin** 요트 정박소. **bá·sined** *a.* **~·lìke** *a.*
bas·i·net[bǽsənit, -nèt] *n.* 철모.
ba·sin·ful[-fùl] *n.* 대야 가득(한 분량).
bás·ing mòde 〔軍〕 배치 방식.
básing pòint 〔商〕 기지점(출하·운송 등의 기점이 되는 생산〔출하〕 센터).
ba·sis[béisis] [L] *n.* (*pl.* **-ses**) **1** 기초, 근거, 논거; 원리, 원칙: ~ rate 〔保〕 기본 요금률. **2** (조제 등의) 주성분. **3** 〔軍〕 기지, 근거지. **on a national basis** 전국적으로 보면. **on an equal basis** 대등하게. **on the basis of** …을 기초로 하여. **on the war basis** 전시 체제로. ◇ básic *a.*
básis pòint 〔證券〕 (이율을 나타낼 때의) 1/100퍼센트.
bask[bæsk, bɑ:sk] *vi.* **1** 햇볕을 쬐다, 불을 쬐다(*in*): ~ *in* the sun 햇볕을 쬐다. **2** 〈은혜 등을〉 입다(*in*): He ~*ed in* royal favor. 그는 임금의 총애를 받았다.
bas·ket[bǽskit, bɑ́:s-] *n.* **1** 바구니, 광주리. **2** 바구니 모양의 것; 조롱(弔籠)(경기구·삭도용). **3** 〔籠〕 바스켓, 득점, 골(goal). **basket of clips** 유쾌한 일. **be left in the basket** 팔리지 않고 남다, 살 사람이 없다. **have**〔**put**〕 **all one's eggs in one basket** ⇨ egg. **shoot a basket** 《口》 득점하다. **the pick of the basket** 골라서 뽑은 것, 정선품. — *vt.* 바구니에 넣다. **~·lìke** *a.*
bas·ket·ball[-bɔ̀:l] *n.* Ⓤ 농구, 바스켓볼; Ⓒ 농구공.
básket càrriage (버들가지로 결은 차체(車體)의) 마차.
básket càse[-kéis] 양쪽 손발을 절단한 환자; 무능력자.
básket chàir 버들가지로 엮어 결은 의자.
bas·ke·teer[bæ̀skətíə*r*, bɑ̀:s-] *n.* 농구선수.
bas·ket·ful[bǽskitfùl, bɑ́:s-] *n.* 한 바구니 가득, 한 바구니 (분량).
básket hìlt (칼의) 바구니 모양의 손잡이.
básket lùnch 소풍 도시락.
Básket Màker 〔考古〕 바구니 문화(미국 남서부에서 1-7세기에 일어난); 그 문화에 속하는 북미 인디언.
básket mèeting 《미》 종교적 회합(각자가 바구니에 저녁밥을 넣어 가지고 모이는).
básket ósier 〔植〕 고리버들.
bas·ket·ry[bǽskitri, bɑ́:s-] *n.* Ⓤ 바구니 세공법; (집합적) 바구니 세공품.
básket stìtch 바구니 결는 식 자수.
básket wèave 바구니 결는 식의 직조법.
bas·ket·work[-wə̀:*r*k] *n.* Ⓤ 바구니 세공(품); 바구니 세공법〔업〕.
bas·ket·worm[-wə̀:*r*m] *n.* 〔昆〕 도롱이 벌레.
básk·ing shàrk[bǽskiŋ-, bɑ́:s-] 〔魚〕 돌묵상어.
bas mi(t)z·vah[bɑ́:s-mítsvə] 〔유대敎〕 13세가 된 소녀 종교적으로 성인으로 간주됨; 여자 성인식(成人式).
bas·net[bǽsnit, -net] *n.* =BASINET.

ba·son[béisən] *n.* =BASIN.
ba·so·phil, -phile[béisəfil], [-fàil, -fil] *n.* 〔生〕 호염기성 세포(특히 백혈구).
ba·so·phil·ic[bèisəfílik] *a.*
Basque[bæsk] *n.* **1** 바스크 사람(스페인의 서부 Pyrenees 산맥 지방에 사는): Ⓤ 바스크 말. **2** (**b-**) 여자용 짧은 웃옷. — *a.* 바스크 사람〔말〕의.
bas-re·lief[bɑ̀:rilí:f, bæ̀s-, ⌐⌐⌐] [F] *n.* Ⓤ,Ⓒ 〔美〕 얕은 돋을 새김.
*__bass__[1] [beis] [L] 〔樂〕 *n.* **1** Ⓤ 베이스, 바스, 저음. **2** 남성 저음역: 저음 가수〔악기〕(◇ 다음과 같은 순서로 높아짐: bass, baritone, tenor, alto(여성 contralto), treble(여성 soprano). — *a.* 저음의.
bass[2] [bæs] *n.* (*pl.* ~, ~·**es**) 〔魚〕 바스(농어의 일종).
bass[3] [bæs] *n.* **1** =BASSWOOD; =BAST. **2** (*pl.*) 인피(靭皮)로 만든 제품.
Bass[bæs] *n.* Ⓤ 배스맥주: Ⓒ 그 맥주 한 병.
báss bròom[bǽs-] 종려로 만든 비.
báss clèf[béis-] 〔樂〕 낮은음자리표.
báss drúm[béis-] (오케스트라용) 큰 북.
basse cou·ture[bɑ́:s-] [F] *n.* (여성복의) 이류〔저급한〕 패션.
bas·set[1] [bǽsit] 〔地質〕 *n.* (광맥·암층(岩層)의) 노두(露頭). — *vi.* 〈암층이〉 노출하다.
basset[2] *n.* 〔카드〕 바셋(18세기에 유럽에서 유행한 도박).
basset[3] *n.*=BASSET HOUND.
básset hòrn 〔樂〕 바셋호른(테너 클라리넷).
básset hòund 바셋 하운드(다리가 짧은 사냥개).
báss fíddle *n.* =CONTRABASS.
bássguitár[béis-] 베이스 기타.
báss hórn[béis-] 베이스 호른: =TUBA.
bas·si·net[bæ̀sənét, ⌐⌐⌐] *n.* 한쪽에 포장이 달린 요람〔유모차〕: 《俗》 철모.
bass·ist[béisist] *n.* **1** 콘트라베이스 주자, 베이스 기타 주자. **2** 저음 가수, 베이스 가수.
bas·so[bǽsou, bɑ́:s-] [It] *n.* (*pl.* ~**s**, **-si**[-si:]) 저음(가수): 저음부(低音部)(略: **b.**).
bas·soon[bəsú:n, bæs-] *n.* 바순, 파고토(저음 목관 악기). ~·**ist**[-ist] *n.* 바순〔파고토〕 연주자.
bas·so pro·fun·do[-prouf ʌ́ndou, -fún-] [It] *n.* (*pl.* ~**s**, **bas·si pro·fun·di**[-di]) 최저음 (가수).
bas·so-re·lie·vo[bǽsourilí:vou] [It] *n.* (*pl.* ~**s**) =BAS-RELIEF.
báss víol [béis-] = CONTRABASS.
bass·wood[bǽswùd] *n.* Ⓤ 〔植〕 참피나무(의 재목).
bast[bæst] *n.* Ⓤ 〔植〕 인피부(靭皮部): 인피섬유.
*__bas·tard__[bǽstərd] *n.* **1** 서자, 사생아: (동식물의) 잡종. **2** 《미俗·蔑》 새끼, 녀석, 개자식(son of a bitch). **3** 가짜: 열등품: 질이 나쁜 물건. — *a.* 서출(庶出)의: 잡종의: 거짓의, 가짜의: 이상한: 유사한: 의사(擬似)의: a ~ acacia 개아카시아/~ charity 위선. ~·**ly**[-li] *a.* ⊕ bástardize *v.*
bástard file 굵은 줄.
bas·tard·i·za·tion[bæ̀stərdizéiʃən] *n.* 서자임의 인정: 조악화(粗惡化).
bas·tard·ize[bǽstərdàiz] *vt.* 서출임을 인정하다: 질을 떨어뜨리다. — *vi.* 질이 떨어지다.
bástard slíp 〔植〕 흡지(吸枝).
bástard títle 약(略)표제(지)(half title)(표제지 앞에 있는 페이지 또는 표제).
bástard wìng 〔鳥〕 작은 날개(alula).
bas·tard·y[bǽstərdi] *n.* Ⓤ 서출.
bástardy órder 〔영法〕 비적출자(非嫡出子) 부양 명령.
baste[1] [beist] *vt., vi.* 가봉(假縫)하다, 시침질하다. **bást·er** *n.*
baste[2] *vt.* 호되게 때리다, 치다, 야단치다.
baste[3] *vt.* (고기를 구울 때) 버터·양념장 등을 치다.
Bas·tille[bæstí:l] *n.* (the ~) (파리의) 바스티유 감옥(프랑스 혁명 때 파괴됨).
Bastílle Dày (the ~) 프랑스 혁명 기념일(7월 14일).
bas·ti·na·do, -nade[bæ̀stənéidou, -nɑ́:dou], [-néid, -nɑ́:d] *n.* (*pl.* ~**es**, ~**s**; ~**s**) 발바닥을 때리는 벌: 곤장: 장형(杖刑), 태형. — *vt.* 발바닥을 때리는 벌에 처하다, 매질하다.
bast·ing[1] [béistiŋ] *n.* **1** Ⓤ 가봉, 시침질. **2** (*pl.*) 시침질 솔기〔실〕.
basting[2] *n.* Ⓤ (고기를 구우면서) 양념장·버터 등을 축축하게 침: 그 양념장이나 버터.
bas·tion[bǽstʃən, -tiən] *n.* 〔築城〕 **1** 능보(稜堡): 요새. **2** 성채, 보루(堡壘).
bas·tioned[-d] *a.* 능보를 갖춘.
★**bat**[1] [bæt] *n.* **1** (야구·크리켓의) 배트, 타봉: 타구, 타번(打番): 곤봉. **2** 타자(batsman): a ~ breaker 강타자. **3** 《俗》 강타. **4** 기와의 파편: (진흙) 덩어리: (보통 *pl.*) 이불 안솜(batt). **5** 《미俗》 홍청거림, 법석댐: on a ~ 술마시고 법석거리며. **at bat** 타석에 서서. **carry one's bat** 〔크리켓〕 1회 끝까지 아웃이 되지 않고 남다: 끝까지 버티다. **come to bat** 타자가 되다: (일·시련에) 직면하다. **cross bats with** …와 시합하다. **go to bat** 〔野〕 타석에 서다: 《俗》 구류 판결을 받다. **go to bat for** …을 적극 원조하다. **off one's own bat** 자기의 노력으로: 제 힘으로. (**right**) **off the bat** 즉시. **take out one's bat** 〔크리켓〕 2번 이후 타자가 아웃되지 않고 남다. — (~·**ted**; ~·**ting**) *vt.* **1** 배트로 치다: 쳐서 러너를 나아가게 하다: …의 타율로 치다: ~ .320 3할 2푼을 치다(.320은 three hundred twenty 또는 three twenty 라고 읽음). **2** 상세하게 논의〔검토〕하다. **bat around**〔**back and forth**〕 《俗》 어슬렁거리고 다니다. **bat a runner home** 공을 쳐서 주자를 생환시키다. **bat in** 〔野〕 공을 쳐서 득점하다, 주자를 보내다. **bat out** 《미俗》 〈이야기·기사 등을 타자기로〉 빨리 쓰다: 급조하다. **bat the breeze** 이런 얘기 저런 얘기를 하다(talkidly). — *vi.* 치다: 타석에 서다: 연타하다: 돌진하다.
⁑**bat**[2] *n.* **1** 〔動〕 박쥐. **2** 박쥐 폭탄(목표물에 자동 유도되는 유익(有翼) 폭탄). **3** 《俗》 창녀. (**as**) **blind as a bat** 소경이나 다름없는, 눈이 먼. **be**〔**go**〕 **bats** 머리가 돌다. **have bats in the belfry** 머리가 돌다, 실성하다. **like a bat out of hell** 《俗》 맹속력으로.
bat[3] *vt.* (~·**ted**; ~·**ting**)(미方) 〈눈을〉 깜박이다: never ~ an eyelid 한잠도 자지 않다. **not bat an eye**〔**eyelash, eyelid**〕 《口》 놀라지 않다: 겁내지 않다.
bat[4] *n.* Ⓒ,Ⓤ 《영俗》 (빠른) 걸음, 속력. (**at**) **full bat** 《영俗》 전속력으로. **go full bat** 전속력으로 가다. **go off at a rare bat** 잰 걸음으로 가다.
bat[5] [bæt, bɑ:t] *n.* Ⓤ (the ~) 구어, 속어: 《영俗》 외국어(의 구어·속어)(◇ 주로 다음 성구로: **sling**〔**spin**〕 **the bat** 외국어로 말하다).
bat., batt. battalion; battery; battle.

Ba·ta·vi·a[bətéiviə] *n.* 바타비아((1) Jakarta의 옛 이름. (2) 라인강 하구에 있던 옛 지역. (3) 네덜란드의 옛 이름). **-vi·an**[-viən] *a.*
bat-blind[bǽtblàind] *a.* (박쥐처럼) 까막눈이〔청맹과니〕의; 어리석은.
bát bòx 《口》 북소리·타악기 소리를 내는 전자 악기.
bat·boy[bǽtbɔ̀i] *n.* 〔野〕 배트 보이(배트 등 야구팀의 잡일을 보는 소년).
batch[bætʃ] *n.* **1** 한 솥, 한 차례 굽는 양(빵·질그릇 등의); 1회분; 한 묶음(*of*). **2** 《口》 일군(一群), 일단(一團)(*of*). **3** 〔컴퓨터〕 일괄(一括)(컴퓨터로 일괄 처리되는 잡(job)의 묶음; *cf.* REMOTE BATCH). — *vt.* 1회분으로 정리〔처리〕하다.
batch-process[bǽtʃpràses/-pròuses] *vt.* 〔컴퓨터〕 일괄 처리하다.
bátch pròcessing 〔컴퓨터〕 (데이터의) 일괄 처리.
bátch prodùction 간헐 생산(연속 생산에 대하여).
batch·y[bǽtʃi] *a.* (**batch·i·er; -i·est**) 《俗》 미치광이 같은, 정신이 돈(crazy).
bate[1] [beit] *vt.* 덜다; 줄이다, 약화하다; 할인하다. — *vi.* 《廢·方》 감소되다, 줄다. **with bated breath** 숨을 죽이고.
bate[2] *n.* 《영俗》 노여움, 화. **in a bate** 성내어.
bate[3] *n.* Ⓤ, *vt.* 탈회액(脫灰液)(에 잠그다).
bát èar (개의) 박쥐처럼 크고 곧은 귀.
ba·teau[bætóu][F] *n.* (*pl.* ~**x**[-z]) (캐나다 지방의) 바닥이 평평한 강배.
batéau brídge 배다리, 주교(舟橋).
batéau nèckline 〔服〕 바토넥(boatneck).
bat·fish[bǽtfìʃ] *n.* (*pl.* ~, ~**·es**) 〔魚〕 날개 모양의 돌기가 있는 물고기.
bat·fowl[bǽtfàul] *vi.* (횃불 등을 켜들고) 보금자리를 습격하여 새를 잡다
★**bath**[bæθ, bɑːθ] *n.* (*pl.* ~**s**[bæðz, -θs, bɑː-]) **1** 목욕. **2** 흠뻑 젖음. **3** Ⓤ 목욕물. **4** 욕조, 목욕통; 목욕실, 목욕탕; (종종 *pl.*) 목욕장, 풀, 탕치장(湯治場); (*pl.*) 온천. **5** Ⓤ 용액; Ⓒ 용액기(溶液器), 전해조(電解槽); 〔寫〕 현상액. **a bath of blood** 피투성이; 대살육. **have**〔**take**〕 **a bath** 목욕하다. **a private bath** 전용 목욕실. **a public bath** 공중 목욕탕. **a steam**〔**vapor**〕 **bath** 증기 목욕. **a succession bath** 냉온(冷溫) 교대 목욕. **sun bath** 일광욕. **take the baths** 목욕 치료를 하다. **a Turkish bath** 터키 목욕. — *vt., vi.* 《영》 〈어린이·환자를〉 목욕시키다; 목욕하다.
Bath[bæθ, bɑːθ] *n.* **1** 바스(영국 Somersetshire의 온천 도시). **2** 바스 훈위(勳位)(Bath King-of-Arms의 생략). ◇ 다음 3계급이 있음: Knight Grand Cross of the Bath(略: G.C.B.), Knight Commander of the Bath(略: K.C.B.), Companion of the Bath(略: C.B.). **Go to Bath!** 물러가라! **the Order of the Bath** 바스 훈위〔훈장〕.
Bath. & Well. *Bathoniensis et Wellsoniensisque* (L =of Bath and Wells; Bishop of Bath & Wells가 서명에 씀; ⇨Cantuar).
Báth brìck 바스 숫돌.
Báth bùn 바스 과자(둥근 과자빵의 일종).
Báth chàir 《영》 바퀴 달린 의자(환자용).
⁑**bathe**[beið] *vt.* **1** 목욕시키다; (물에) 담그다, 적시다, 씻다: ~ oneself *in* water 목용하다, 물로 몸을 씻다/~ one's feet *in* water 발을 물에 담그다. **2** (환부 따위를) 씻다(*with*). **3** 〈파도 등이 기슭을〉 씻다. **4** 〈빛·열·온기 등을〉 가득 채우다, (온몸을) 감싸다(*in*): The valley was ~*d in* sunlight. 계곡은 햇빛을 담뿍 받고 있었다. **bathe one's hands in blood** 손을 피로 물들이다(살인하다). **be bathed in tears** 눈물에 젖다. — *vi.* **1** 목욕하다; 헤엄치다; 일광욕을 하다: We ~*d in* the sea yesterday. 우리는 어제 해수욕을 했다/They ~*d in* the fresh sunbeam. 그들은 아침 햇살을 온몸에 받았다. **2** (물 따위로) 덮이다; 둘러싸이다. — *n.* 《영》 미역감기, (해)수욕, 수영. **have**〔**take**〕 **a bathe** 멱감다, 해수욕을 하다. ◇ bath *n.*
bathe·a·ble[-əbəl] *a.* 멱감을〔목욕할〕 수 있는.
bath·er[béiðər] *n.* 멱감는 사람; 탕치객.
ba·thet·ic[bəθétik] *a.* 진부한; 〔修〕 점강적(漸降的)(bathos)인, 용두사미의.
bath·house[bǽθhàus, bɑ́ːθ-] *n.* (*pl.* **-hous·es** [-hàuziz]) 목욕탕〔장〕; 탈의장.
Bath·i·nette[bæ̀θənét, bɑ̀ːθə-] *n.* 바시넷(유아용의 휴대식 욕조; 상표명).
⁑**bath·ing**[béiðiŋ] *n.* Ⓤ 수영, 미역; 목욕: a ~ place 해수욕장, 수영장.
báthing bèach 해수욕장.
báthing bèauty 《俗》 수영복 차림의 미인(미인 선발 대회에 출전하는).
báthing càp 수영 모자.
báthing còstume〔**drèss**〕 수영복(여성용).
báthing dràwers 《廢》 =BATHING-TRUNKS.
báthing hòuse =BATHHOUSE.
báthing-machìne[béiðiŋməʃìːn] (옛날의) 이동 탈의차(脫衣車)(해수욕장의).
báthing sùit 수영복.
bath·ing trunks *n. pl.* 《영》 (남자용) 수영팬츠.
báth màt 목욕탕용 매트.
bath mit(z)·vah[bɑːsmítsvə, bɑːθ-] =BAS MI(T)ZVAH.
bath·o·lith[bǽθəliθ], **-lite** *n.* 〔地質〕 저반(底盤)(화성암이 불규칙하게 형성된 큰 덩어리).
bath·o·lithic, -litic *a.*
Báth Óliver 단맛이 없는 비스킷.
ba·thom·e·ter[bəθámitər/-θɔ́m-] *n.* =BATHYMETER.
ba·thoph·i·lous *a.* 〔動〕 깊은 바다 속에 살기에 적합한.
bat·horse[bǽthɔ̀ːrs] *n.* 짐말(군용).
ba·thos[béiθɑs/-θɔs] *n.* Ⓤ **1** 〔修〕 점강법(漸降法)(장중한 어조에서 갑자기 익살조로 바꿈). **2** 우스꽝스런 용두사미; 평범, 진부함. **3** 부실한 감상(感傷).
bath·robe[bǽθròub, bɑ́ːθ-] *n.* (미) 화장옷(목욕용)(《영》 dressing gown).
⁑**bath·room**[bǽθrù(ː)m, bɑ́ːθ-] *n.* 목욕실, 화장실; (완곡) 변소.
báth sàlts 목욕물을 부드럽게 하고 향기를 더하는 결정 화합물.
Bath·she·ba[bæθʃíːbə, bǽθʃəbə] *n.* **1** 여자 이름. **2** 〔聖〕 밧세바(전 남편이 죽은 뒤 다윗 왕에게 재가하여 솔로몬을 낳음).
báth spònge 목욕용 해면〔스펀지〕.
Báth stòne 바스석(石)(건축 용재).
báth tòwel 목욕 수건.
bath·tub[bǽθtʌ̀b, bɑ́ːθ-] *n.* 목욕통; 《미》 (오토바이의) 사이드카.
báthtub gín 《미俗》 (금주법 시대의) 밀조 진.
bath·wa·ter[⌐wɔ̀ːtər, ⌐wɑ̀t-] *n.* Ⓤ 목욕물; 욕조의 물.
bath·y-[bǽθi] 《연결형》 「깊은, 깊이, 심해(深海), 체내」의 뜻.
bath·y·al[bǽθiəl] *a.* 심해의.
ba·thym·e·ter[bəθímitər] *n.* 수심 측량기.

ba·thym·e·try[bəθímitri] *n.* Ⓤ 수심 측량술, 측심학(測深學).
bath·y·pe·lag·ic[bæ̀θipilǽdʒik] *a.* 〔海洋〕 반심해(半深海)(수역)의; 반심해에 서식하는 《반심해: 수심 약 1,800m 부근》.
bath·y·scaphe[bǽθəskèif, -skæ̀f] *n.* 바시스카프《심해용 잠수정의 일종》.
bath·y·sphere[bǽθəsfìər] *n.* 구형 잠수기(球形潛水器)《깊은 바다의 생물 조사용》.
bath·y·ther·mo·graph[bæ̀θəθə́ːrməgræ̀f, -grɑ̀ːf] *n.* 심해 자기(自記) 온도계.
ba·tik[bətíːk, bǽtik] *n.* Ⓤ 납결(蠟)(법); 납결포(布).
bat·ing[béitiŋ] *prep.* 《古》 …을 제외하고, 이외에.
ba·tiste[bətíːst, bæ-] *n.* Ⓤ 얇은 평직의 삼베〔무명〕.
bat·man[bǽtmən] *n.* (*pl.* **-men**[-mən]) 〔軍〕 말 당번《짐말의》; 《영》 (장교의) 당번병.
Bat·man *n.* 배트맨《망토를 이용하여 하늘을 나는 만화의 초인》.
bát mòney 《영》(장교의) 전지(戰地) 수당.
*__ba·ton__ [bətɑ́n, bæ-, bǽtən] *n.* **1** 관장(官杖)《관직·권능을 나타냄》, 사령봉. **2** 《영》 경찰봉: ~ charge 경찰의 수사〔수색〕. **3** 〔樂〕 지휘봉. **4** 배턴《릴레이용》.
batón gùn (폭동 진압용) 고무탄총.
Bat·on Rouge[bǽtən-rúːʒ] *n.* 배튼루즈 《미국 Lou-isiana 주의 주도》.
batón ròund (BATON GUN용) 고무총탄.
batón sínister 〔紋〕 서자(庶子)의 표지.
batón twìrler 악대 지휘자, 바통 걸(*cf.* DRUM MAJORETTE).
bat-pay[bǽtpèi] *n.* =BAT MONEY.
Ba·tra·chi·a[bətréikiə] *n. pl.* 〔動〕 양서류(Amphibia). **-chi·an** *n., a.* 양서류(의).
ba·trach·o·tox·in[bətrèikətɑ́ksin, bèitrək-ou-] *n.* 〔藥〕 바트라코톡신《신경 중독 독액(毒液); 남미의 개구리 피부 분비물에서 추출》.
bats[bæts] *a.* 《俗》 정신 이상의, 미친.
bats·man[bǽtsmən] *n.* (*pl.* **-men**[-mən]) =BATTER[3].
batt[bæt] *n.* Ⓤ (이불 등의) 속솜(bat).
batt. bttalion; battery.
bat·ta[bǽtə] *n.* 인도 (군인의) 전시 수당.
*__bat·tal·ion__ [bətǽljən] [It] *n.* 〔軍〕 대대; 대부대; (종종 *pl.*) 많은 사람들.
bat·teau[bætóu] [F] *n.* (*pl.* **~x**[-z]) = BATEAU.
bat·tels[bǽtlz] *n. pl.* (Oxford 대학교의) 기숙사 제(諸)비용, 식비.
bat·te·ment[bǽtmənt, bætəmɑ́ːŋ] [F] *n.* 〔발레〕 바트망《제 5포지션에서 한쪽 발을 앞〔뒤, 옆〕으로 들었다가 내리는 동작》.
bat·ten[1] [bǽtn] *vi.* 〈맛있는 것을〉 잔뜩 먹다 《*on*》; 살찌다; (남의 돈으로) 호강하다, 잘 살다. ── *vt.* 〈맛있는 것을〉 먹이다; 살찌게 하다.
batten[2] *n.* Ⓤ 좁은 널; 작은 각목(角木); 〔海〕 누름대. ── *vt.* 좁은 널을 붙이다; 누름대를 대다. **batten down (the hatches)** 〔海〕 승강구 입구를 누름대로 밀폐하다《폭풍우·화재 등이 일어났을 때》; 난국 등에 대비하다.
batten[3] *n.* 바디《견직기의》.
*__bat·ter__[1] [bǽtər] *vt.* **1** 연타〔난타〕하다, 강타하다: ~ a person *about* the head …의 머리를 난타하다. **2** 쳐〔때려〕부수다: He ~*ed* the door *down.* 그는 그 문을 때려 부수었다. **3** 〈모자 등을〉 쳐서 쭈그러뜨리다《*in*》. **4** 난폭하게 다루어 상하게 하다; 〈활자를〉 써서 뭉그러뜨리다; 마멸시키다. **5** 포격하다: They ~*ed* *down* the castle with cannon. 그들은 대포로 그 성을 포격했다. **6** 혹평하다, 학대하다. **7** 《미俗》 구걸하다. ── *vi.* 세게 두드리다: ~ *at* the door 문을 쾅쾅 노크하다. **batter about** a person …을 때려 눕히다, …에게 폭행하다. ── *n.* Ⓤ **1** 〔料理〕 반죽《우유·달걀·밀가루의》. **2** 〔印〕 (활자의) 마손, 망가짐.
batter[2] *n.* 〔建〕(탑·벽 등의) 완만한 경사(도).
bat·ter[3] *n.* 〔크리켓·野〕 타자(batsman): the ~'s box 타석.
bat·tered *a.* 박살난, 오래 써서 낡은; (생활에) 지쳐서 초라해진.
báttered báby 어른에게 학대당한 유아.
báttered chíld〔báby〕 sỳndrome 〔醫〕 피학대아 증후군《어른에 의한 유아 학대 상해》.
báttered wìfe 매 맞은 아내.
báttering ràm (옛날의) 파성퇴(破城槌); (호(戶)·벽 등을) 부수는 도구.
báttering tràin 공성(攻城) 포열.
Bat·ter·sea *n.* 배터시《런던의 자치구의 하나》.
*__bat·ter·y__[bǽtəri] *n.* (*pl.* **-ter·ies**) **1** 〔電〕 배터리, 전지. **2** 한 벌의 기구〔장치〕: a cooking ~ 요리 도구 한 벌. **3** 〔軍〕 포병 중대; 포열; 포대; 비포(備砲)《군함의》, 포곽(砲郭). **4** Ⓤ 때림; 〔法〕 구타(*cf.* ASSAULT). **5** 종합 테스트《지능·적성·능력 등의》. **6** 〔畜産〕 일련(一連)의 닭장《달걀 증산 등의 목적을 위한 다단식의》. **7** 타출(打出) 세공품《주로 부엌용품》. **8** 〔野〕 배터리《투수와 포수》. **9** 〔樂〕(오케스트라의) 타악기군(群). **change one's battery** 공격의 방향을 바꾸다; 수단을 바꾸다. **in battery** 〈대포가〉 발사 준비가 되어. **storage〔secondary〕 battery** 축전지. **turn** a person**'s battery against** himself 상대편의 논법을 역이용하다.
Báttery (Párk) *n.* (the ~) 배터리 공원《미국 뉴욕시의 Manhattan섬의 남단》.
báttery méthod〔sýstem〕 〔畜産〕(병아리 등의)배터리식 사육법《촉성 사육법의 하나》.
bat·tik[bǽtik] *n.*=BATIK.
*__bat·ting__[bǽtiŋ] *n.* Ⓤ **1** 탄 솜《이불 등에 넣는》. **2** 〔野〕 타격, 배팅, 타구.
bátting àverage 〔野〕 타율; 《미口》 성공률.
bátting èye 〔野〕(타자의)선구안(選球眼).
bátting òrder 〔野·크리켓〕 타순.
*__bat·tle__[bǽtl] [L] *n.* **1** Ⓒ,Ⓤ 전투, 싸움, 교전; 일반적으로 전쟁. **2** 투쟁《*against, for*》: the ~ of life 생존의 투쟁. **3** (the ~) 승리, 성공: Youth is half *the battle.* 젊음이란 것이 성공의 반을 차지한다. **accept battle** 응전하다. **a close〔decisive〕 battle** 접전〔결전〕. **a general's〔soldier's〕 battle** 전략〔무력〕전. **be half the battle** 《口》〈사물이〉 승리〔성공〕로 이어지다. **do battle** 싸움을 시작하다. **fall〔be killed〕 in battle** 전사하다. **fight a battle** 한바탕 싸우다. **fight one's battles over again** 옛날의 전공(戰功)〔경력담《등》〕을 얘기하다. **gain〔have, win〕 the battle** 싸움에 이기다. **give〔offer〕 battle** 공격하다. **give〔lose〕 the battle** 패전하다. **join battle** 응전〔교전〕하다. **The battle is not always to** the strong. (강자가) 반드시 이긴다고는 할 수 없다. **the line of battle** 전선(battle line). **the order of battle** 전투서열. **trial by battle** 결투로 시비를 가리는 옛날의 재판.
── *vi.* **1** 싸우다《*against, with*》: ~ *against* the invaders *for* independence 독립을 위하여 침략자와 싸우다. **2** 투쟁〔고투, 분투〕하다《*for*》: ~ *for* freedom 자유를 위하여 싸우다.

— *vt.* …와 싸우다: ~ the invaders 침입자와 싸우다. **battle it out** 《口》 최후까지 싸우다. **battle** one's **way** 《口》 싸우며 전진하다, 노력해 나아가다.
báttle arrày 전투 대형, 진용.
bat·tle-ax, (영) **-axe**[bǽtlæ̀ks] *n.* **1** 전부(戰斧)《옛무기》. **2** 《口》(중년의) 잔소리 많은 여자《특히 아내》.
báttle crùiser 순양 전함.
báttle crỳ 함성, 승리의 고함소리; 슬로건.
bat·tled[bǽtld] *a.* 흉벽(胸壁)이 있는; 총안(銃眼)이 있는(*cf.* BATTLEMENT).
bat·tle·dore[bǽtldɔ̀ːr] *n.* (배드민턴 비슷한) 배틀도어 채; 빨래 방망이. **play battle dore and shuttlecock** 배틀도어(놀이)를 하다. — *vt., vi.* 서로 던지다.
báttle drèss 〔영軍〕 전투복.
báttle fatìgue 〔精醫〕 전쟁 신경증.
*__bat·tle·field__[bǽtlfìːld] *n.* **1** 싸움터, 전장. **2** 투쟁의 장, 논쟁점.
bat·tle·front[-frʌ̀nt] *n.* 전선; 제일선.
bat·tle·ground[-gràund] *n.* =BATTLEFIELD.
báttle gròup 〔미軍〕 전투 집단《5개 중대로 구성됨》.
báttle jàcket 전투복 상의 (비슷한 재킷).
báttle lìne 전선.
bat·tle·ment[bǽtlmənt] *n.* (보통 *pl.*) 총안(銃眼)이 있는 흉벽(*cf.* PARAPET).
báttle pìece 전쟁화(畵), 전쟁 기사〔시, 음악〕.
bat·tle·plane[-plèin] *n.* 〔空〕 전투기.
bat·tler[bǽtlər] *n.* 《오스口》 악전 고투하는 사람, 낮은 생활 수준의 근로자; 《口》 매춘부.
bat·tle-read·y[-rèdi] *a.* 전투 태세를 갖춘.
báttle róyal 대혼전; 큰 싸움, 사투; 격렬한 논쟁.
bat·tle-scarred[-skɑ̀ːrd] *a.* 전상(戰傷)을 입은; 〈전함 등이〉 역전(歷戰)의 흔적이 보이는; 낡고 헌.
*__bat·tle·ship__[bǽtlʃìp] *n.* 전함; 《俗》 큰 기관차.
bat·tle·some[bǽtlsəm] *a.* 싸움〔논쟁〕을 좋아하는.
báttle stàr 〔미軍〕 종군 기념 청동 성장(星章)〔은성장〕.
báttle stàtion 〔軍〕 전투 부서, 전투 배치; 〔空軍〕 즉시 대기; 전투 기지《각종 병기·관제 유도 시스템을 탑재한 우주 공간의 위성》.
bat·tle·wag·on *n.* 《미口》 전함; 《영》 고급 자동차.
Battn. Battalion.
bat·tue[bætjúː][F] *n.* 사냥몰이; 몰이해 낸 것; 대량 학살.
bat·ty[bǽti] *a.* (**-ti·er; -ti·est**) **1** 박쥐의, 박쥐 같은. **2** 《미俗》 머리가 돈.
bat·wing *a.* **1** 박쥐 날개 모양의. **2** (의복이) 박쥐 날개 모양을 한.
bátwing sléeve[bǽtwiŋ-] 박쥐 날개처럼 진동은 넓고 소맷부리는 좁은 소매.
bat·wom·an[⌐wùmən] *n.* (*pl.* **-wom·en**[-wìmin]) 〔軍〕 BATMAN의 여성형.
bau·ble[bɔ́ːbəl] *n.* 값싼 물건(trinket); 〔史〕 (어릿광대가 쓴) 지팡이.
baud[bɔːd] *n.* (*pl.* ~, ~**s**) 〔컴퓨터〕 보드《데이터 처리 속도의 단위》.
Bau·de·laire[boudəlέər] *n.* 보들레르 Charles Pierre ~ (1821-67)《프랑스의 시인》.
Baudót còde[bɔːdóu-] 〔컴퓨터〕 보도 코드《5 또는 6 비트로 된 같은 길이의 코드로 한 문자를 나타냄》.
Bau·haus[báuhàus][G] *n.* Walter Gropius가 1919년 독일 Weimar에 창립한 건축·조형 학교.
baulk[bɔːk] *n.* =BALK.
Bau·mé[boumé i] *a.* 보메 비중계의.
Bau·mé scale[⌐⌐] 보메 비중계.
baux·ite[bɔ́ːksait, bóuzait] *n.* Ⓤ 〔鑛〕 보크사이트《알루미늄 원광》.
Bav. Bavaria(n).
Ba·var·i·a[bəvέəriə] *n.* 바이에른, 바바리아《서독 남부의 주》.
Ba·var·i·an[bəvέəriən] *a.* 바이에른(산(産))의; 바이에른 사람〔사투리〕의. — *n.* 바이에른 사람; Ⓤ 바이에른 사투리.
bav·in[bǽvin] *n.* 《영》 섶나뭇단.
baw·bee[bɔːbíː, ⌐⌐] *n.* 《스코》 반(半) 페니.
baw·cock[bɔ́ːkɑk/-kɔk] *n.* 《古》 좋은 녀석.
bawd[bɔːd] *n.* 〔文語〕 뚜쟁이, 포주; 매춘부.
bawd·ry[bɔ́ːdri] *n.* (*pl.* **-ries**) Ⓤ,Ⓒ 음담(foul talk).
bawd·y[bɔ̀ːdi] *a.* (**bawd·i·er; -i·est**) 음탕한, 외설한(obscene). — *n.* =BAWDRY.
báwd·i·ly *ad.* **-i·ness** *n.*
bawd·y·house *n.* (*pl.* **-hous·es**[-hàuziz]) 매음굴.
*__bawl__[bɔːl] *vt.* 고함치다, 외치다, 울부짖다; 소리쳐 팔다; 《미俗》 호통치다《*out*》: She ~*ed* him *out* for his mistake. 그녀는 그의 잘못에 대하여 호통쳤다. — *vi.* 소리치다; 엉엉 울다: "Shut up!" ~*ed out* Mr. White. 「입 닥쳐!」하고 화이트씨는 소리쳤다/ ~ *at* a person …을 닦아세우다. **bawl and squall** 마구 떠들어대다. **bawl out** 마구 소리지르다; 《미》 몹시 꾸짖다. — *n.* 외침, 아우성, 울음.
⁑**bay**[1][bei] *n.* **1** (작은) 만(灣), 후미, 내포《◇ 보통 gulf보다 작음》: the *Bay* of Yeongil = Yeongil *Bay* 영일만. **2** 3면이 산으로 둘러싸인 평지. ◇ embáy *v.*
bay[2] *n.* **1** 〔建〕 기둥과 기둥 사이의 한 구획; =BAY WINDOW; 〔空〕 (비행기 동체 내부의) 격실(隔室); 방죽; 교각(橋脚)의 사이; 〔海〕 중갑판 앞 부분의 구획《병실용》: a sick ~ (군함의) 병실. **2** (헛간의) 건초(乾草) 두는 곳: a horse ~ 마구간. **3** 측선 종점《정거장의》.
*__bay__[3] *n.* Ⓤ 궁지, 몰린 상태; (사냥개가 짐승·새 등을 몰 때 여러 마리가 같이) 짖는 소리; 굵고 길게 짖는 소리. **be〔stand〕 at bay** 궁지에 빠지다. **bring〔drive〕 to bay** 궁지에 몰아넣다. **hold〔have〕 at bay** 몰아넣고 놓치지 않다. **keep〔hold〕 an enemy at bay** (적을) 다가오지 못하게 하다. **turn〔come〕 to bay** 몰리다 못해 반항하다. — *vi.* 〈사냥개 등이〉 짖다, 짖어대다《*at*》. — *vt.* …에 짖어대다, 짖으며 …에 덤비다; 짖으며 둘러싸다〔가리키다〕; …을 몰아넣다. **bay (at) the moon** 달을 보고 짖다; 무익한 짓을 기도하다.
bay[4] *n.* 월계수; (*pl.*) 월계관, 명성(fame).
bay[5] *a.* 적갈색〔밤색〕(reddish brown)의. — *n.* 구렁말; Ⓤ 적갈색.
ba·ya·dere[báiədìər][F] *n.* **1** Ⓤ 가로줄 무늬 직물. **2** (힌두교의) 무희.
Bay·ard[1][béiərd] *n.* **1** (중세 기사 이야기에 나오는) 마력을 가진 말. **2** 《익살》(보통의) 말. **3** (**b-**) 《古》 구렁말.
Ba·yard[2] *n.* **1** 남자 이름. **2** 무용(武勇)이 뛰어난 믿음직한 신사. **3** 바야르《중세 기사의 귀감으로 일컬어진 프랑스인》.
bay·ber·ry[béibèri, -bəri] *n.* (*pl.* **-ries**) 월계수 열매; 속나무 무리의 나무《북미산》; 베이베리나무《서인도 제도산》.
Bay·ern[báiərn] *n.* Bavaria의 독일명.
Bayes·i·an[béiziən, -ʒən] *a.* 〔統計〕 베이스

(의 정리)의《영국의 수학자 Thomas Bayes의 이름에서》.
báy làurel 월계수(bay tree).
báy léaf 월계수의 말린 잎《향미료》.
bay line *n.* 〔鐵道〕 대피선, 측선.
Báy of Pìgs *n.* (the ~) 피그스 만《쿠바 남서안의 만》.
báy òil 베이유(油)《bay rum의 원료》.
***bay·o·net** [béiənit, -nèt, bèiənét] *n.* 총검; (the ~) 무력; (*pl.*) 총검무장병(*cf.* SABER): 1,000 ~*s* 보병 1천. **at the point of the bayonet** 총검을 들이대고, 무력으로. **by the bayonet** 무력으로. **Fix**〔**Unfix**〕 **bayonets!** 《口令》 꽂아〔빼어〕 칼!
— *vt.* (~·(t)**ed**; ~·(t)**ing**) 총검으로 찌르다〔죽이다〕, 무력으로 강요하다: ~ people *into* submission 사람들을 무력으로 복종시키다.
bay·ou [báiuː, -ou] *n.* 《미남부》 (늪 모양의) 호수의 물목, 강 어귀.
báyou blúe 《미俗》 값싼 위스키, 밀조주.
Báyou Státe (the ~) 미국 Mississippi주의 속칭.
báy rúm 베이럼《머리용 향수》.
báy sàlt 천일염(天日鹽).
Báy Státe (the ~) 미국 Massachusetts주의 속칭.
Báy Strèet 베이스트리트《캐나다 최대의 증권 거래소가 있는 Toronto시의 금융 중심지》; 캐나다 금융계.
báy trèe =BAY LAUREL.
báy wíndow 〔建〕 퇴창, 내민창;《俗》 올챙이배.
bay·wood [béiwùd] *n.* (멕시코산의) 마호가니의 일종《가구용》.
bay·wreath [béiriːθ] *n.* 월계관.
***ba·zaar, -zar** [bəzáːr] [Pers] *n.* (중동의) 시장, (동양의) 상점가(街), 백화점; 특매장; 바자, 자선시(市): a charity ~ 자선시.
ba·zaa·ri [bəzáːriː] *n.* 이란인 상인〔상점주〕.
ba·zoo [bəzúː, bæ-] *n.* (*pl.* ~**s**) 《俗》 (지껄이기 위한) 입; 코; 허풍; 야유.
ba·zoo·ka [bəzúːkə] *n.* 〔軍〕 바주카포《휴대용 대전차 로켓포》.
ba·zoo·ka·man [-mən] *n.* (*pl.*-**men** [-mən]) 바주카 포병.
ba·zoom [bəzúːm] *n.* 《미俗》 젖퉁이, 유방.
BB double black(연필의 2B). **bb.** books.
b.b. ball bearing; 〔野〕 base(s) on balls.
B.B. bail bond; Blue Book; Bureau of the Budget. **B.B.A.** Bachelor of Business Administration.
B́ bàttery [bíː-] 〔電子〕 B전지《진공관의 플레이트 회로에 쓰는 고압 전지》.
BBB Better Business Bureau; treble black (연필의 3B).
B.B.C. Baseball Club; British Broadcasting Corporation.
B́B́ gùn [bíːbìː-] 《미》 BB총《공기총의 일종》.
bbl barrel(s). **bbls.** barrels.
B-bop [bíːbɑ̀p/-bɔ̀p] *n.* 《미俗》 =BEBOP.
B-boy *n.* 《俗》 RAP 음악 광(狂).
b.c., B.C. [*b*efore *C*hrist] 기원전(*cf.* A.D.)《◇숫자 뒤에 오며 보통 small capital로 씀》.
⁑**B.C.** Bachelor of Chemistry〔Commerce〕; Bicycle Club; Boat Club; British Columbia. **B/C** bills for collection. **B.C.A.** Bureau of Current Affairs. **BCD** binary-coded decimal 〔컴퓨터〕 2진화 10진법.
B.C.E. Bachelor of Chemical Engineering; Bachelor of Civil Engineering.
B́ cèll [bíː-] 〔醫〕 B세포《흉선 의존성이 아닌, 항체를 생산하는 형(形)의 임파구》.
B́CG vaccine Bacillus Calmette Guerin 〔醫〕 BCG 백신.
B.Ch. *Baccalaureus Chirurgiae*《L=Bachelor of Surgery》. **B.Ch.E.** Bachelor of Chemical Engineering. **B.C.L.** Bachelor of Civil Law. **bcn.** beacon. **B.Com.** Bachelor of Commerce. **B.C.S.** Bachelor of Commercial〔Chemical〕 Science. **bd.** band; board; bond; bound; bundle. **B.D.** Bachelor of Divinity; bills discounted. **B/D** bank draft; bills discounted; brought down 〔簿〕 차기 이월(移越). **Bde.** Brigade.
bdel·li·um [déliəm, -ljəm] *n.* **1** 〔聖〕 베델리엄《수지(樹脂)·보석 또는 진주일 것이라고 함: 창세기 2:12》. **2** 방향(芳香)수지(를 내는 나무).
bd.ft. board foot〔feet〕. **bdg.** binding 제본.
bdl. bundle. **Bdr.** Bombardier. **B.D.R.** Bearer Depository Receipt 《영》 무기명예탁증서. **bdrm.** bedroom. **bds.** (bound in) boards 〔製本〕 보드지(紙) 제본의; bundles.
B.D.S. Bachelor of Dental Surgery.
B.D.S.T. British double summer time.
★**be** [biː, 弱 bi] *v.* 《어형 변화 및 간약형》 (1) 직설법 단수 현재형: (I) am〔I'm〕; (you) are〔you're/aren't〕, 《古》 (thou) art; (he, she, it) is〔he's/she's/it's/isn't〕; 복수 현재형(we, you, they) are〔we're/you're/they're/aren't〕; 단수 과거형: (I) was〔wasn't〕; (you) were〔weren't〕, 《古》 (thou) wast, wert; (he, she, it) was〔wasn't〕; 복수 과거형(we, you, they) were〔weren't〕; 현재분사: being; 과거분사: been. (2) 가정법 현재형: be; 과거형: were; 《古》 (thou) wert. (3) 명령법: be. (4) 부정사: (to) be.
《특이성》 (1) be형은 a 조동사 뒤, b 부정사, c 명령법·기원법, d 가정법에 사용된다. (2) 의문문을 만들 때는 주어와 도치를 하며 조동사 do를 쓰지 않는다. (3) 부정형을 만드는 데도 조동사 do를 쓰지 않는다. 그러나 명령형에서는 보통 do를 쓰며 do를 쓰지 않는 것은 옛용법이다: *Don't be* idle. 태만하지 마라《古》 *Be not* idle. 태만하지 마라. (4) 강조할 때도 do를 쓰지 않고 be 동사를 세게 발음한다: He *is*[-íz-] generous, indeed. 그는 정말 관대하다. 그러나, 긍정명령형을 강조할 때는 do를 쓴다: *Do be* kind to old people. 부디 노인들에게 친절하게 하시오.
— *vi.* **A** 《연결 동사》 **1 a** (…)이다: 《Ⅱ 명》 She *is* a good wife. 그녀는 착한 아내이다/Twice four *is* eight. 2×4는 8이다/《Ⅱ 대》 It *is* me. 나요/Today *is* Friday. 오늘은 금요일이다/That man *is* Mr. Brown. 저 분은 브라운 씨이다/She *is* Carmen. 그녀는 카르멘 역을 맡아 한다/The room temperature *is* 20℃. 그 방 온도는 섭씨 25도이다. **b** (…하는 것)이다: 《Ⅱ *to* do(*n.*)》 To live *is to* fight. 인생은 투쟁이다/《Ⅱ *-ing*(*g.*)》 Seeing *is* believ*ing*. 《속담》 백문이 불여 일견. **c** (…이라는 것)이다: 《Ⅱ *that*(절)》 The trouble *is that* she does not like him. 난처한 일은 그녀가 그를 좋아하지 않는다는 것이다. **d** (…하느냐는 것)이다: 《Ⅱ *how*(절)》 What matters *is how* they live. 문제는 그들이 어떻게 생활하느냐는 것이다/《Ⅱ *what to* do》 The question *is* not *what to* do but *how to* do it. 문제는 무엇을 하느냐가 아니라 어떻게 하느냐는 것이다.
2 〈성질·상태〉 (…)이다: 《Ⅱ 형》 She *is* graceful. 그녀는 우아하다/He *is* short. 그는 키가 작다/That may *be* true. 그건 사실일지도

모르겠다/《Ⅱ 부》School *is* over. 수업이 끝났다/《Ⅱ 전+명》She *is like* her mother. 그녀는 어머니를 닮았다.

3 (…으로; …이) 되다, …하게 되다(become): 《Ⅱ 명》He will *be* a lawyer. 그는 변호사가 될 것이다/He wants *to be* a lawyer. 그는 변호사가 되고 싶어한다/《Ⅱ It *v* Ⅱ+형+부》It will *be* dark before long. 머지 않아 어두워질 것이다/She returned *before* it *was* dark. 그녀는 어두워지기 전에 돌아갔다/I'll go *if* it *is* fine tomorrow. 내일 날씨가 좋으면 가겠다(◇ 부사절에서는 미래형을 쓰지 않고 현재형으로 대신함).

4 〈사람이〉(시간이) 걸리다, 꾸물거리다: 《Ⅰ(부목)》I'll not *be* a minute. 나는 1분도 걸리지 않을거다/He *was* a long time reaching the station. 그는 정거장에 도착하는 데 오랜 시간이 걸렸다/《Ⅰ 부》Don't *be* long. 꾸물거리지 말아.

B 《존재를 나타내는 동사》 **1** (독립적으로 쓰며, 주로 강세형) 있다, 존재하다(exist), 생존〔잔존〕하다, 살아 있다(live): 《Ⅰ *v* Ⅰ》God *is.* 신은 존재한다/I think, therefore I *am.* 나는 생각한다. 그러므로 나는 존재한다 (Descartes)/Can such things *be*? 이런 일이 있을 수 있겠는가?/To *be* or not to *be*; that is the question. 사느냐 죽느냐 그것이 문제로다 (Shakespeare 작 Hamlet 3:1).

2 (장소·때를 나타내는 부사(구)와 함께) (어디에) 있다; (언제) 있다: 《Ⅰ 부》Where *is* Paris?—《Ⅰ 전+명》It *is* in France. 파리는 어디에 있느냐—프랑스에 있다/When *is* your birthday?—It *is* on the 3rd of October. 생일은 언제냐—10월 3일이야.

3 (there is〔are〕… 구문으로) 〈…이〉 있다: 《Ⅰ *There v* Ⅰ+(주)+전+명》There *is* a pen〔are two pens〕 *on* the desk. 책상 위에 펜이 한〔두〕 개 있다(◇ 본문에서는 뜻의 중점이 펜의 존재에 있는데: The pen *is on* the desk. 《Ⅰ 전+명》에서는 뜻의 중점이 위치(책상 위)에 있음).

4 〈사람이〉 (…의 장소에) 있다; 체재하다; 가다, 오다: 《Ⅰ 부》She'll *be* here this evening. 그녀는 오늘 밤에 여기에 있을 것이다/He has *been* here for a month. 그는 한 달 동안 여기에 머물러 있다/She *was off*〔*away*〕. 그녀는 가 버렸다/You must *be at* the hotel *by* three. 3시까지는 호텔에 도착해야 한다/I'll not *be* long. 곧 돌아오겠습니다.

5 (독립적으로 쓰며, 강세형) 존속하다; 그대로 있다: Let it〔him〕 *be.* 그것을〔그를〕 그대로 내버려두어라/Leave it as it *is.* 그대로 두어라.

C 《발생을 나타내는 동사》 **1** 〈사건·행위 등이〉 (…월, 일, 시 등에) 있다, 행해지다, 일어나다, 생기다(happen, occur): 《Ⅰ 부》The party *was* last week. 파티는 지난 주에 있었다.

2 〈행운 등이〉 (…에게) 생기다, 일어나다 (befall)《*to, with*》: 《Ⅰ 전+명》May peace *be with* you. 당신에게 평화가 함께 하기를.

D 《be의 특수 용법》 **1** (가정법 현재) **a** (조건절·양보절 등에서) 《文語·古》: If it *be* fine … 날씨가 좋다면(◇ 지금은 보통 직설법을 사용함: If it *is* fine …)/if need *be* ⇨ NEED/*Be* it ever so humble, there's no place like home. 아무리 초라해도 자기 집 같은 곳은 없다/*Be* that as it may, … 그것이야 어쨌든…, 아무튼…/Be the matter what it may, … 그 문제야 어떻든…. **b** 《미文語》 (요구·주장·제안 등을 나타내는 동사 뒤의 *that* 절 안에서): I demanded *that* he *be* present. 그가 출석하도록 요구했다(◇ 영국에서는 *be*를 쓰지 않고 *should be*를 씀).

2 (명령법·기원법에서) (…)이어라: *Be* kind to old people. 노인에게 친절히 하여라/So *be* it! =*Be* it so! 그렇다면 그래도 좋다; 그럴지어다/Do *be* quiet! 조용히 해주시오(do는 강조하기 위한 것)/Don't *be* silly! 바보짓〔소리〕 작작 해/May the day *be* remembered forever! 그날이 영원히 기억될지어다.

3 (의문문을 유도): Is she happy? 그녀는 행복합니까.

4 (**be to do**《Ⅱ *to* do(*a.*)》) **a** (가능) …할 수 있다(보통 부정문에 쓰임; *to* do가 see, find 등의 수동태 부정사인 경우가 종종 있다): He *was* not *to be* a Gold Medalist this time. 그는 이번에 금메달 수상자가 될 가능성이 없었다/The book *was* not *to be found* anywhere. 그 책은 아무 데서도 찾을 수 없었다. **b** (예정·의도·약속) …할 예정〔작정〕이다; …하기로 되어 있다: We *are to meet* here at five. 우리는 5시에 여기서 만나기로 되어 있다/She *was to have seen* me today. 그녀는 오늘 나와 만나기로 되어 있었는데(◇ 완료부정사는 실현되지 못한 것을 뜻함). **c** (의무·명령) …해야 한다(must, should보다 부드러운 표현; 주로 제 3자의 명령을 전할 때 쓰임; 부정문에서는 금지를 나타냄): The athletes *are to go* to the stadium right away. 선수들은 곧바로 경기장으로 가야 한다/You *are* not *to speak* in this room. 이 방에서 이야기를 해서는 안 된다. **d** (필요) …하고 싶다면(가정-조건절): Hurry up if you *are* not *to be* late for the game. 경기에 늦지 않으려면 서둘러라. **e** (운명) …할 운명에 있다 (보통 과거형): She *was* never *to see* her son again. 그녀는 두 번 다시 아들을 만날 수 없는 운명이었다/But he *was to win* a Silver Medal at least. 그러나 그는 적어도 은메달을 수상할 운명이었다. **f** (목적) …하기 위하여 있다, …하기 위한 것이다: The letter *was to announce* their marriage. 이 편지는 그들의 결혼을 알리기 위한 것이었다/This is to certify that … 이는 …임을 증명하기 위한 것이다, 이에 …임을 증명함 증명서의 문구. (◇ **be to**를 조동사에 준하는 것으로 볼 수도 있다).

— *aux. v.* **1** (be+타동사〔수동이 가능한 동사구 중의 자동사의 과거분사〕로 수동을 만들어) …되다(동작), …되어 있다(상태): 《Ⅰ *be pp.*+부》This magazine *is published* twice a month. 이 잡지는 한 달에 두번 발행된다/《Ⅰ *be pp.*+전+전+명》I *was laughed at* by her. 나는 그녀에게 비웃음을 당했다/《Ⅱ *be pp.*+*as*+명》He *is known as* a leading poet. 그는 일류 시인으로서 알려져 있다.

2 (be+*-ing*(*p.*)로 진행형을 만들어) **a** …하고 있다, …하고 있는 중이다: It *is raining* outside now. 지금 밖에는 비가 오고 있다.
b (always, all day, constantly, continually, forever, repeatedly 등과 함께; 종종 비난의 감정이 함축됨) 끊임없이 …하다, 늘 …만 하고 있다: She *is always asking* questions. 그녀는 늘 계속해서 질문을 해댄다. **c** (가까운 미래를 나타내어) …하려고 하고 있다, …할 것이다〔참이다〕: What *are* you *doing* this evening? 오늘 저녁에 무엇을 할 겁니까(◇ 왕래·발착의 동사 따위와 함께 예정을 나타내는 데 잘 쓰이며, go, come 외의 동사에는 미래를 나타내는 부사구가 필요함)(◇ 진행형으로 가까운 미래를 나타내는 동사: (1) 왕래·발착의 동사--arrive, come, go, depart, start, leave; (2) dine, do, drink, eat, get, issue, lunch, play, publish, ride, send, see, speak,

spend, *etc.*).
3 (be+being+보어) 《口》 **a** 지금〔현재〕 …하다, …하고 있다: 《Ⅱ명》He *is being* a fool. 그는 바보 같은 짓을 하고 있다/《Ⅱ형》She *is being* very amiable today. 그녀는 오늘 매우 상냥하다/She *is being* kind to him. 그녀는 그에게 친절을 베풀려 애쓰고 있다《일부러 그렇게 한다는 뜻이 있음》. **b** …처럼 행동하다〔굴다〕: 《Ⅱ *as*+형》She *is being as* kind as she can. 그녀는 최선을 다해 상냥하게 굴고 있다. 《◇ be는 정적(靜的) 상태의 동사이므로 진행형으로는 쓰이지 않으나, 예외적으로 일시적인 상태를 나타낼 경우에는 사용됨》.
4 (be+being+과거분사) …되고 있는 중이다 (수동태 진행형): The house *is being built.* 그 집은 건축되고 있는 중이다.《◇ The house *is building.* 보다는 지금은 이 수동태 진행형쪽이 흔히 쓰임》.
5 (were+*to* do)) 만일 …한다면: If I *were to* die〔*Were* I *to* die〕 tomorrow, what would my children do? 내가 내일 죽는다면 내 자식들은 어떻게 할까《◇ 실현성이 희박한 가정을 나타낸다; should보다 불확실함을 나타내는 의미가 강함》.
6 (be+자동사의 과거분사) …하였다, …해 있다《운동이나 변화를 나타내는 자동사 come, go, arrive, rise, set, fall, grow 등의 자동사의 과거분사로 완료형을 만드는 경우》: Winter *is gone.* 겨울은 지나갔다《*cf.* He *has gone out.* 그는 (막) 외출했다》《◇ 지금은 완료형이 'have+과거분사'로 통일되어 'be+과거분사'는 동작의 결과로서의 상태를 나타내는데, 예문과 같은 go의 경우를 제외하고는 《古·詩》에서나 쓰임》.
as it were 말하자면. **be about to** do 이제 막〔바야흐로〕 하려 하고 있다《가까운 미래》: 《Ⅱ부+*to* do(*a.*)》I *am about to* start. 나는 이제 막 출발하려고 한다《about을 전치사로 보고 부정사구 to start를 전치사의 목적어로 보는 견해도 있다》. **be against** …에 반대〔적대〕하다. **be at** …을 노리다: What are you *at*? 무엇을 하려고 하는 거야. **be for** (1) …에 찬성이다. (2) …을 향해서 가다. **be from** …에서 왔다; … 출신이다. **be going to** do (막, 바야흐로) …하려고 하(고 있)다, …하려고 생각하다, …하기로 되어 있다: 《Ⅲ 조+*v*Ⅲ+(목)|(부절)》I *was going to* open the door, when there was a knock on it. 내가 막 문을 열려고 했을 때 노크 소리가 났다《◇ (1) *be going to*를 준조동사, 다음에 오는 동사(원형)를 본동사로 본다. 그러나 (2) *be*를 조동사, *going*을 본동사(진행형--불완전 자동사), *to* 동사원형을 형용사구(보어)로 보는 견해도 있다》《◇ *be going to* go〔come〕는 특히 《영》에서는 be going〔coming〕으로 대용할 경우가 많음》(⇨GO). **Be gone!** 가거라, 물러가, 가버려, 꺼져. **be it ever so** … 비록 아무리 …라도. **Be it so!**=**So be it!** 그렇다면 좋다: 그러할지이다(Amen!). **be it that**… 이라 할지라도: …하다면. **Be off with you.** 빨리 물러가〔꺼져〕. **Be seated.** 앉으시오. **be that as it may**=**be the matter what it may** 그건 어떻든〔어쨌든〕, 하여간. **Be your age!** 나이에 부끄럽지 않게 해라. **Be yourself.** 자기답게 해라, 나이값을 해라; (자기답게) 자연스럽게 처신해라. **Don't be long.** 시간을 끌지 마라, 꾸물대지 마라; 오래 기다리게 하지 마라. **far be it from me** (to do) 나는 …따위는 결코 않는다(⇨far). **have been** 왔다, 찾아 왔다. **have been (and gone) and**+done (it) 《항의·놀람 따위를 나타내는 어투》 …해 버렸다(니 정말 야단났군), …하다니. **have been there** 《俗》 (남자에 대하여) 경험이 있다, 그 일에 환하다; (여자에 대하여) 남자를 알고 있다. **have been to** (1) …에 가 본 일이 있다: *Have* you ever *been to* Chicago? 시카고에 가 본 적이 있는가《*cf. Have* you ever *been in* Chicago? 시카고에 있은 적이 있는가 〈'체재'를 뜻하지만, 종종 *have been to*에 대용됨〉》. (2) …에〔를〕 갔다 오는 길이다: I *have* just *been to* the station. 지금 역에 갔다 오는 길이다/I *have been to* see Jane. 제인을 만나고 오는 길이다. **If so be** 과연 그렇다면. **Let it be.** 그대로 (두어) 두시오. **Let me be.** 내버려 두시오: 관계하지 마시오. **that is**〔**that was, that is to be**〕 현재의〔본래의, 장래의〕. **the powers that be** 당국자《be는 are의 옛 형태》(⇨power).

be-[bi, bə] *pref.* **1** (강조적으로 타동사에 붙여) 전면적으로, 완전히, 아주, 지나치게: *be*drench, *be*spatter. **2** (자동사에 붙여 타동사를 만듦): *be*moan, *be*speak. **3** (형용사·명사에 붙여 타동사를 만듦) …으로 만들다, …이라고 부르다, …으로 대우하다: *be*fool, *be*foul, *be*friend. **4** (명사에 붙여 타동사를 만듦) …으로 둘러싸다, 덮다: *be*cloud. **5** (명사에 붙여 어미 '-ed'를 더하여 형용사를 만듦) …이 있는, …으로 장식한, 전면에 …이 있는: *be*wigged, *be*jeweled, *be*grimed.

Be 〔化〕 beryllium. **Bé** 〔物〕 Baumé.

b.e., B.E., B/E bill of entry; bill of exchange. **B.E.** Bachelor of Education; Bachelor of Engineering; Bank of England; Board of Education; (Order of the) British Empire. **B.E.A.** British East Africa; British European Airways.

★**beach**[bi:tʃ] *n.* **1** (모래·자갈이 있는) 물가, 바닷가, 해변(shore[1]). **2** Ⓤ (집합적) (해변의) 모래, 자갈. **3** 해수욕장, (호숫가 등의) 수영장. **on the beach** 영락하여; 실직하여; 육상 근무로. ── *vt.* 〈배를〉 뭍에 밀어올리다〔끌어올리다〕. ── *vi.* 〈배가〉 뭍에 얹히다.
⊕ béachy *a.*

béach bàll 큰 고무공《해변·풀 등에서의 놀이용》.

béach bùggy 모래밭용 자동차.

béach bùnny 《미俗》 비치버니(surf bunny)《서핑하는 남자와 어울리는 여자》.

béach chàir 《미》 =DECK CHAIR.

beach·comb·er[´kòumər] *n.* **1** (해변에 밀려 오는) 큰 파도, 놀. **2** 해변에서 (난파선 등의) 물건을 줍는 사람. **3** 백인 부두 부랑자 《특히 남태평양 제도의》.

béach flèa 〔昆〕 갯벼룩.

beach·front[´frʌ̀nt] *n.* 해변, 해안 지대. ── *a.* 해변에 위치한, 해변에 이웃한.

béach gràss 해변의 모래땅에 많이 나는 벼과(科) 잡초의 총칭.

beach·head[´hèd] *n.* 〔軍〕 상륙 거점, 교두보(*cf.* BRIDGEHEAD); 거점, 출발점, 발판.

beach·ie[bí:tʃi] *n.* 《오스口》 바닷가 낚시꾼; 젊은 해변 부랑자.

beach-la-mar[bì:tʃləmɑ́:r] *n.* 《영》 =BECHE-DE-MER 2.

beach·mas·ter[´mæ̀stər, ´mɑ̀:s-] *n.* 〔軍〕 상륙 지휘관.

beach·scape[´skèip] *n.* 해변 풍경.

béach umbrèlla 《미》 비치 파라솔, 해변용 큰 양산.

béach wàgon =STATION WAGON.

beach·wear[⌐wὲər] *n.* Ⓤ 비치웨어, 해변복.
beach·y[bíːtʃi] *a.* (**beach·i·er; -i·est**) 모래〔자갈〕로 덮인.
*__bea·con__[bíːkən] [OE] *n.* **1** 봉홧불, 봉화. **2** 신호소, 등대(lighthouse); 수로〔항공, 교통〕 표지; 무선 표지(=radio ~); =BELISHA BEACON: an aerial ~ 항공 등대. **3** 경계, 지침(指針). **4** 《영》 고지; …봉(峰), …산.
— *vi., vt.* (표지로) 인도하다; 표지를 설치하다; (표지처럼) 빛나다, 지침〔경고〕이 되다.
~·less *a.*
béacon fire〔**light**〕 신호〔표지〕의 불, 봉화.
*__bead__[biːd] [OE] *n.* **1** 구슬, 유리알, 비즈, 염주알; (*pl.*) 염주, 로사리오(rosary), 목걸이. **2** (물·이슬·땀·피의) 방울; (청량 음료 등의) 거품. **3** 〔建〕 구슬선(*cf.* ASTRAGAL). **4** 가늠쇠《총의》, 겨냥(aim). **draw**〔**get**〕 **a bead on**〔**upon**〕 《미》 …을 잘 겨누다, 겨냥하다. **pray without** one's **beads** 계산 착오를 하다, 기대에 어긋나다. **tell**〔**count, say, bid**〕 one's **beads** (염주를 세며) 염불을 하다, 기도하다. — *vt.* 구슬로 장식하다, 구슬을 달다〔꿰다〕, 구슬 모양으로 하다.
— *vi.* 구슬이 되다. ◇ béady *a.*
béad and réel 〔建〕 구슬 장식《쇠시리의 일종; 한 개의 타원 구형(球形)과 두 개의 주판알 모양이 교대로 이어진 형상의 장식》.
béad cúrtain 주렴.
bead·ed[bíːdid] *a.* 구슬이 된, 구슬 같은 〈거품·땀 등〉; 구슬로 장식한.
bead·house[bíːdhàus] *n.* (*pl.* **-hous·es** [-hàuziz]) 구빈원; 양로원.
bead·ing[bíːdiŋ] *n.* Ⓤ 비즈, 비즈 세공〔장식〕; 〔建〕 구슬선 (장식).
bea·dle[bíːdl] *n.* 《영》 교구(教區) 직원; 대학 총장의 직권 표지를 받드는 속관. **~·dom** [-dəm] *n.* Ⓤ 하급 관리 근성.
bead·roll[bíːdròul] *n.* 〔가톨릭〕 명복(을 받는 자의) 명부, 《일반적으로》 명부, 목록; 염주(rosary).
beads·man[bíːdzmən] *n.* (*pl.* **-men**[-mən]) 양육원(beadhouse) 수용자.
beads·wom·an[-wùmən] *n.* (*pl.* **-wom·en** [-wìmin]) beadsman의 여성형.
bead·work[bíːdwə̀ːrk] *n.* Ⓤ 비즈 세공〔장식〕; 〔建〕 구슬 세공, 염주알 장식.
bead·y[bíːdi] *a.* (**bead·i·er; -i·est**) 비즈 같은; 비즈로 장식한; 거품이 이는 〈술 등〉: ~ eyes (흥미·욕심으로) 말똥말똥 빛나는 작은 눈.
bea·gle[bíːgəl] *n.* 비글《토끼 사냥에 쓰이는 작은 사냥개》; 스파이, 탐정; 집달리.
bea·gling[-gliŋ] *n.* Ⓤ비글을 쓰는 토끼 사냥.
⁑**beak**[1][biːk] *n.* **1** 부리(bill). **2** 부리 같이 생긴 물건; 《口》 코, 매부리코; 피리의 혀; (그릇의) 귀때, 주둥이; 〔建〕 (홈통의 부리 모양의) 돌출부. **dip the beak** 《俗》 건배하다.
beaked[-t] *a.* 부리가 있는, 부리 모양의; 돌출한. ◇ béaky *a.*
beak[2] *n.* 《영俗》 치안 판사; 《영學俗》 교장, 교사.
bea·ker[bíːkər] *n.* 굽 달린 큰 컵; 컵〔비커〕 한 잔 분(分); 비커《화학 실험용》.
beak·y[bíːki] *a.* (**beak·i·er; -i·est**) 부리 모양의.
be-all[bíːɔ̀ːl] *n.* (다음 성구로). **be-all and end-all** 전체; 요체(要諦); 가장 중요한 것.
⁑**beam**[biːm] *n.* **1** (대)들보, 도리. **2** (배의) 갑판보, 빔; 선폭(船幅); 《口》(사람의) 엉덩이 폭. **3** 저울(대); 쟁기(plow)의 성에; 도투마리《베틀의》; 줄기《사슴뿔의》. **4** 광선(ray), 빛살; 광속(光束)(bundle of rays): a ~ of hope 희망의 빛. **5** 유효 가청(可聽) 범위《확성기·마이크로폰 등의》. **6** 〔空〕 신호 전파, 방향 지시 전파(radio beam). **7** 《비유》 (얼굴·표정 등의) 빛남, 밝음. **abaft**〔**before**〕 **the beam** 바로 옆에서 뒤로〔앞으로〕. **a beam in** one's (**own**) **eye**(**s**) 제 눈 속에 있는 들보《스스로 깨닫지 못하는 자신의 큰 결점; *cf.* 마태복음 7:3》. **broad in the beam** 《口》 (허리가 굵고) 엉덩이가 큰. **fly**〔**ride**〕 **the beam** 〔空〕 지시 전파에 유도되어 비행하다. **get**〔**go**〕 **on the beam** 《俗》 라디오 마이크의 소리가 가장 똑똑히 들리는 쪽에 서다; 방송되다. **kick**〔**strike**〕 **the beam** 압도되다, 지다. **off the beam** 〈비행기가〉 방향 지시 전파에서 벗어나; 《俗》 잘못하여; 머리가 돌아. **on the beam** 〈비행기가〉 방향지시 전파에 따라; 《俗》 궤도에 올라, 바르게. **on the port**〔**larboard**〕 **beam** 〔海〕 좌현 바로 옆 앞에. **on the starboard beam** 〔海〕 우현 바로 옆 앞에. — *vi.* **1** 빛나다; 빛을 발하다. **2** 기쁨으로 빛나다, 밝게 미소짓다: He ~*ed with* joy. 그는 희색이 만면했다. **beam upon**〔**at**〕 a person …을 보고 싱글싱글 웃다.
— *vt.* **1** 〈빛을〉 발하다, 비추다. **2** 〔라디오〕 〈전파를〉 향하게 하다(direct); 〈뉴스 등을〉 방송하다; 레이더로 탐지하다: ~ programs *at* 〔*to*〕 Korea 한국을 향해 방송하다.
◇ béamish, béamy *a.*
BEAM[biːm] [*B*rain *E*lectrical *A*ctivity *M*apping] *n.* 빔《뇌파의 파형을 실제의 뇌의 활동을 나타내는 컬러 지도로 바꾸는 장치》.
béam antènna 지향성 안테나.
beam·cast[bíːmkæ̀st, ⌐kὰːst] *vt.* (**beam-cast**) 지향 전송하다.
béam còmpass 빔 컴퍼스.
beamed[biːmd] *a.* **1** 들보가 있는. **2** 빛나는; 〔라디오〕 방송되는〔된〕.
beam-ends[bíːmèndz] *n. pl.* 〔海〕 가로 들보의 끝. **on her**〔**one's**〕 **beam-ends** 〈배가〉 거의 전복되려고; 《口》 〈사람이〉 진퇴양난이 되어.
béam hòuse (피혁 공장의) 빔 하우스《무두질의 준비 공정 작업장》.
*__beam·ing__[bíːmiŋ] *a.* 빛나는; 기쁨에 넘친, 희색이 만면한, 밝은. **~·ly** *ad.*
beam·ish[bíːmiʃ] *a.* =BEAMING.
beam·less[bíːmlis] *a.* **1** 들보가 없는. **2** 빛을 내지 않는, 빛나지 않는.
béam-pów·er tùbe[⌐páuər-] 〔電子〕 빔 출력관.
béam rìder 전자 유도 미사일.
béam séa 뱃전에 직각으로 부딪치는 파도.
béam sỳstem 〔通信〕 빔식《일정한 방향으로 강한 전파를 방사하는 안테나 방식》.
béam wèapon (대핵(對核) 미사일용의) 빔 무기, 광선 무기.
beam·width[⌐wìdθ, ⌐wìtθ] *n.* 신호〔레이더〕 전파의 방사(放射) 각도.
béam wínd 〔海·空〕 옆바람.
beam·y[bíːmi] *a.* (**beam·i·er; -i·est**) 〈배가〉 폭이 넓은; 광선을 방사하는, 빛나는; 환한, 즐거운; 〔動〕 〈수사슴이〉 가지뿔이 있는.
⁑**bean**[biːn] *n.* **1** 콩(*cf.* PEA); 잠두; 강낭콩. **2** (콩 비슷한) 열매: coffee ~*s* 커피콩. **3** 콩꼬투리. **4** 《미俗》 음식. **5** (보통 부정문으로) 적은 돈. **6** (*pl.*) (보통 부정문으로) 《俗》 조금, 소량; (*pl.*) 하찮은 것: He doesn't know ~*s about* it. 그는 그것에 관해서 그다지 많이 알지 못한다. **7** 《俗》 머리. **Every bean has its black.** 사람에겐 누구나 결점이 있다. **French beans** 강낭콩. **full of beans**

《口》〈말·사람이〉 원기 왕성하여. **get beans** 《口》 꾸지람 듣다; 얻어 맞다. **give** a person **beans** 《口》 …을 꾸짖다, 벌주다. **haricot** 〔**kidney**〕 **bean** 강낭콩. **have too much beans** 원기가 넘치다. **know beans** 정통하다. **know how many beans make five** 지혜가 있다, 빈틈없다. **not care a bean** (《미》 **beans**) 조금도 상관하지 않다. **not worth a bean** 한푼어치 가치도 없는. **old bean** 《영俗》 야 이 사람아! **small beans** 팥. **spill the beans** 《口》 비밀을 털어놓다, 자백하다. — *vt.* 《口》 (머리를) 치다; 〔野〕(투수가) 공을 던져 (타자)의 머리를 맞히다.

bean·bag[ˊbæ̀g] *n.* (헝겊 주머니에 콩·팥 등을 넣은) 공기(장난감).

béan bàll 〔野〕 빈볼(타자의 머리를 향한 투구).

béan càke 콩깻묵.

béan cóunter 《口》 (관청기업의) 재무통, 회계통; 회계사, 통계학자, 재무 분석가.

béan cóunting *a.*

béan cùrd〔**chèese**〕 두부.

bean·er·y[bíːnəri] *n.* (*pl.* **-er·ies**) 《미口》 싸구려 음식점; 《미俗》 유치장.

bean·feast[bíːnfìːst] *n.* 《영》(1년에 한 번) 고용인에게 베푸는 잔치; 《俗》 즐거운 잔치.

bean-fed[ˊfèd] *a.* 《口》 혈기 왕성한.

bean-head[ˊhèd] *n.* 《俗》 바보, 멍텅구리.

bean·ie[bíːni] *n.* 두건 같은 (둥글고 작은) 학생〔여성〕 모자.

bean·o[bíːnou] *n.* (*pl.* ~**s**) 《俗》=BEANFEAST.

bean·pod[bíːnpɑ̀d/ˊpɔ̀d] *n.* 콩 꼬투리.

béan pòle[ˊpòul] 콩의 줄기·덩굴을 받치는 긴 막대기; 키다리.

bean·shoot·er[ˊʃùːtər] *n.*=PEASHOOTER 1.

béan spròut 콩나물; 갓 발아한 콩의 싹 (특히 mung bean의 싹).

bean·stalk[ˊstɔ̀ːk] *n.* 콩줄기.

Bean·town·er *n.* 보스턴 시민, 보스턴 사람.

béan trèe 콩깍지 비슷한 열매를 맺는 각종 나무; (오스트레일리아산의) 콩과(科)의 나무 (가구용).

bean·y[1] [bíːni] *a.* (**bean·i·er; -i·est**) 《俗》 혈기찬, 활발한; 기분이 좋은; 정신이 이상한.

beany[2] *n.* =BEANIE.

★**bear**[1] [bɛər] *n.* (*pl.* ~**s**, ~) **1** 〔動〕 곰; 곰 비슷한 동물(koala 등): a black〔brown〕~ 검은〔불〕곰/a polar ~ 흰〔북극〕곰. **2** 난폭한 사람. **3** (어떤 일을) 잘 하는〔견디는〕 사람: a ~ at mathematics 수학을 잘 하는 사람/a ~ for punishment 학대를 잘 견디는 사람, 악조건에도 굴하지 않는 사람. **4** (the B-) 〔天〕 곰자리: the Great〔Little〕 *B*- 큰〔작은〕곰자리. **5** 〔證券〕(하락 시세를 예기한) 매도측(賣渡側)(*opp.* bull[1]). **6** 구멍 뚫는 기계. **7** (the B-) 러시아. **8** 봉제 곰인형. (**as**) **cross as a bear** =**like a bear with a sore head** ⇨ sore. **be a bear for** 《미口》 …에 대하여 매우 열심이다. **be loaded for a bear** 《미俗》 싸울 준비가 되어 있다. **play the bear with** 《俗》 …을 망치다. **sell the skin before** one **has killed the bear** 너구리 굴 보고 피물(皮物) 돈 내어 쓰다. — *vt., vi.* 〔證券〕 (내림 시세를 예기하고) 팔다(대량 방매하다). — *a.* 〔證券〕 내림 시세의. ◇ bearish *a.*

★**bear**[2] [bɛər] *v.* (**bore**[bɔːr], 《古》 **bare**[bɛər]; **borne, born**[bɔːrn]) *vt.* **1** 운반하다, 가지고〔데리고〕 가다(carry가 일반적): ~ a heavy load 무거운 짐을 나르다〔짊어지다〕/A voice was *borne upon* the wind. 목소리가 바람에 실려 왔다/The torrent ~*s along* silt and gravel. 격류가 토사를 나른다. **2** 〈소문·소식을〉 전하다, 가져오다, 퍼뜨리다; (증언을) 해주다; 제공하다(*to*): ~ tales 소문을 퍼뜨리다. **3** 〈몸을 어떤 자세로〉 유지하다; …자세를 취하다; (~ one*self*) 처신하다, 행동하다: ~ one's head high 머리를 높이 쳐들다; 의기양양하다/~ one*self* well〔with dignity〕 훌륭히〔당당히〕 행동하다. **4** 〈표정·모습·자취 따위를〉 몸에 지니다: ~ an evil look 인상이 험악하다. **5** 〈문장(紋章)·무기 등을〉 몸에 지니다, 차다. **6** 〈애정·원한·악의를〉 마음에 지니다, 품다(*against, for, toward*): ~ a person love 아무에게 애정을 갖다/(《Ⅲ (목)+전+명》) She mustn't ~ a grudge *against* him. 그녀는 그에게 원한을 품어서는 안 된다(=《Ⅳ 대+(목)》 She mustn't ~ him a grudge.)/~ a person's advice *in* mind …의 충고를 명심하다. **7** 〈관계·칭호·명성 등을〉 가지다; 〈날짜·서명의〉 기재가 있다; (광석이 …을) 함유하다: The document *bore* her signature. 그 문서에는 그녀의 서명이 있었다/This ore ~*s* copper. 이 광석은 구리를 함유하고 있다. **8** 〈무게를〉 지탱하다: The board is too thin *to* ~ (*up*) the weight. 판자는 너무 얇아 무게를 지탱하지 못한다. **9** 〈비용을〉 부담하다; 〈의무·책임 등을〉 지다, 분담하다; (손실 따위에) 견디다, (손실을) 입다; (비난·벌을) 받다; 경험하다. **10** (보통 can, could와 함께 부정문 또는 의문문에서) 〈고통·불행 등을〉 견디다, 참다: 《Ⅲ *to* do》 She cannot ~ *to* be laughed at. 그녀는 비웃음 받는 것을 견디지 못한다/《Ⅲ *-ing*》 She could not ~ see*ing* the children hungry. 그녀는 어린애들이 굶주리는 것을 보고 견딜 수 없었다. **11** 〈검사·시험 등에〉 견디다; …을 가능하게 하다; …할 수 있다(be capable of), …하기에 알맞다(be fit for), …할 만하다; …의 가치가 있다; …할 필요가 있다(need); 〈…되는 것이〉 가능하다: ~ the test 검사에 합격하다/This cloth will ~ wash*ing*. 이 천은 빨아도 괜찮다/His language does not ~ repeat*ing*. 그의 말은 되풀이할 가치가 없다/《Ⅲ (목)+전+명+〈*that*(절)〉》 (*that*(절)-Ⅲ *-ing*) It had left a sore spot in his mind *that* wouldn't ~ touch*ing*. 그것은 어루만져질 수 없는 마음 속에 아픈 일점(一點)을 남겼다(◇ mind는 touching이라는 동작의 대상인데, 수동적 의미에 주의). **12** 〈아이를〉 낳다, 출산하다(◇ '태어나다'란 뜻으로 be born을 쓴다. 그러나 수동형 다음에 by …가 올 때나, have 다음에는 borne을 쓴다): She *bore* three children. 그녀는 세 아이를 낳았다(She had three children.이 일반적)/She was *born* in Korea. 그녀는 한국에서 태어났다/Cain was *borne* by Eve. 카인은 이브가 낳은 아들이다/《Ⅳ 대+(목)》 She has *borne* him three children. 그녀는 그와의 사이에서 아이 셋을 낳았다. **13** 〈꽃을〉 피우다, 〈열매를〉 맺다, 〈열매가〉 열리다; 〈이자를〉 낳다: This tree ~*s* fine apples. 이 나무에는 좋은 사과가 열린다/Honest labor ~*s* a lovely face. 성실한 노동은 미모를 낳는다. **14** 〈남의 의견을〉 지지하다; 확인하다; 증명〔입증〕하다. **15** 밀다; 몰아〔밀어〕내다, 쫓(아내)다(*back*(*ward*)).

— *vi.* **1** 지탱하다, 버티다: The ice ~*s.* 이 얼음은 올라타도 꺼지지 않는다. **2** 견디다, 참다: I can't ~ *with* him. 그에겐 참지 못하겠다. **3** 〈…위에〉 덮치다, 걸리다, 기대다, 내리누르다(*on, upon, against*): The whole building ~*s on* four columns. 건물 전체가 기둥

네 개에 떠받쳐져 있다/~ *on* a lever 지렛대를 누르다. **4** 〈…을〉 누르다, 압박하다: The famine *bore* heavily *on* the villagers. 기근은 마을 사람들을 몹시 괴롭혔다. **5** 〈어떤 방향을〉 취하다, 향하다, 기울다《*to*》: The road ~*s to* the east. 길은 동쪽으로 나 있다. **6** 〈어떤 방향에〉 위치하다: 《Ⅰ(부구)》 The land ~*s* due north of the ship. 육지는 배의 정북에 위치하고 있다. **7** 관계가 있다; 영향을 주다; 효과가 있다《*on*》. **8** (well 따위의 양태 부사와 함께) 열매를 맺다; 아이를 낳다: The tree ~*s* well. 이 나무는 열매를 잘 맺는다.
be borne away by (anger) (노여움)에 사로 잡히다. **bear a hand** 거들다. **bear a part** 협력하다《*in*》. **bear a rein upon a horse** 고삐로 말을 어거하다. **bear and forbear** 꾹 참다. **bear arms** 무기를 휴대하다; 무기를 들다《*for*》; 배반하다《*against*》; 문장(紋章)을 달다. **bear away** (*vt.*) 가지고〔빼앗아〕 가버리다, 쟁취하다; (*vi.*) 〔海〕 (바람 부는 쪽으로) 진로를 바꾸다, 출항하다. **bear back** 물러 서다, 물리치다. **bear** a person **company** …의 상대〔말벗〕가 되어 주다, …와 동행〔동석〕하다. **bear date** 날짜가 적혀 있다. **bear down** 〈반대를〉 압도〔제압〕하다; 격파하다; 〈배가〉 서로 다가가다. **bear down on**〔**upon**〕 〈적을〉 급습하다, …을 밀고 나아가다; …을 억누르다, 압박하다; 역설하다. **bear fruit** 열매를 맺다. **bear hard**〔**heavy, heavily**〕 압박을 가하다《*on*》. **bear in hand** 억제하다(control); 주장하다, 약속하다. **bear in mind** 명심하다. **bear in with** …의 방향으로 항행하다. **bear off** (*vt.*) 견디다; 차지하다, 탈취하다, 떼다; (*vi.*) 〔海〕 (육지·만 배로부터) 떨어져 가다. **bear on**〔**upon**〕 …을 압박하다; …으로 향하다; 효과가 있다; 관계〔영향〕가 있다. **bear out** (*vt.*) 지탱하다; 지원하다, 확증하다, 증거가 되다; (*vi.*) 〈빛깔이〉 나타나다. **bear** some〔no〕 **relation to** …에 관계를 가지다〔가지지 않다〕. **bear rule**〔**sway**〕 지배권을 장악하다, 통치하다. **bear testimony**〔**witness**〕**to**〔**against**〕 …을 증언하다, …의 증거를 내세우다〔반대 증언하다, 반대 증거를 내세우다〕: 《Ⅲ *v*Ⅲ+명+전+(목)》 The costume did not *bear testimony to* deep research. 그 복장에는 깊은 연구를 한 증거는 없었다. **bear up** 지탱하다; 버티어 나가다, 굴하지 않다; 〔海〕 진로를 바람 불어 가는 쪽으로 돌리다. **bear up for**〔**to**〕 〔海〕 …의 방향으로 (배의) 진로를 바꾸다. **bear with** 〈사람을〉 참아 주다. **bear witness**〔**testimony**〕 (**to**〔**against**〕) …의 증언〔반대 증언〕을 하다: *bear* false *witness* 위증하다. **bring to bear on** …에 〈포화 등을〉 돌리다, 집중하다; …에 〈압력 등을〉 가하다. **grin and bear it** 〈불쾌한 일을〉 고소(苦笑)하고 참아 버리다. **It is borne in upon me that** … 나는 …이라고 확신한다.

bear·a·ble[bέərəbəl] *a.* 견딜 수 있는, 〈추위·더위 등이〉 견딜 만한. **-bly** *ad.*

bear·bait·ing[bέərbèitiŋ] *n.* Ⓤ 곰 곯리기.

bear·ber·ry[bέərbèri, -bəri] *n.* (*pl.* **-ries**) 〔植〕 애기월귤.

béar càt[bέərkæt] *n.* 〔動〕 작은 팬더(lesser panda); 〔動〕 빈투롱(binturong); 《미口》 강한〔용맹한〕 사람; 중기(重機).

⁑**beard**[biərd] *n.* **1** 턱수염. **2** 《俗》 수염을 기른 사람《특히 학생·지식인 등》. **3** 〔植〕 까락, 까끄라기. **4** (화살·낚시 바늘 등의) 미늘. **5** (염소 등의) 수염; (굴·조개의) 아가미; (새의) 수염 모양의 깃털. **6** (활자의) 경사면. **in spite of a person's beard** …의 의사에 반하여. **laugh in one's beard** 비웃다. **speak in one's beard** 중얼대다. **to a person's beard** …의 앞에서 거리낌 없이, 맞대 놓고.
— *vt.* 수염을 잡아 당기다〔뽑다〕; 공공연히 반항하다. **beard the lion**〔**a man**〕 **in his den** (논쟁에서) 벅찬 상대에게 대담하게 덤비다.

beard·ed[bíərdid] *a.* 수염〔까락, 미늘〕이 있는.

beard·ie[bíərdi] *n.* 《口》 (턱)수염을 기른 사람, 털보《등》.

beard·less[bíərdlis] *a.* 까락이 없는; 수염이 없는〔나지 않는〕; 풋내기의.

*__bear·er__[bέərər] *n.* **1** 운반인, 짐꾼; 교군(轎軍)꾼; 상여꾼; (인도의) 하인. **2** (수표·어음의) 지참인, (편지의) 심부름꾼〔지참인〕. **3** 지위〔관직〕를 가진 사람. **4** 열매 맺는 초목. **payable to bearer** 지참인불(拂).

béarer bònd 무기명 채권.

béarer chèck 지참인불 수표.

béarer còmpany 〔軍〕 위생 중대.

béarer secùrities 지참인불〔무기명〕증권.

béar gàrden 곰 사육장; 곰 곯리기를 구경시키던 곳; 몹시 떠들썩한 장소.

béar gràss 〔植〕 실유카.

béar hùg 힘찬 포옹; 레슬링 베어허그.

*__bear·ing__[bέəriŋ] *n.* **1** Ⓤ,Ⓒ 태도; 행동, 거동. **2** Ⓤ,Ⓒ (남에 대한) 관계(relation)《*on, upon*》; (문맥 중에서의 말 등의) 의미; 취지. **3** 방위각(方位角); (종종 *pl.*) 방위; (자기의) 위치〔입장〕의 인식; 정세의 파악. **4** Ⓤ 인내. **5** (*pl.*) 〔機〕 축받이, 베어링. **6** (보통 *pl.*) (방패의) 문장(紋章). **7** Ⓤ 〈아이를〉 낳음, 출산; 결실(기간); Ⓤ,Ⓒ 수확(물). **beyond**〔**past**〕 **all bearing** 참을 수 없는. **bring** a person **to his bearings** …에게 제 분수를 알게 하다; 반성시키다. **consider**〔**take**〕 **it in all its bearings** 모든 방면에서 고찰하다. **get one's bearings** 《미口》 환경에 익숙해지다; 향방을 알다. **have no bearing on** the question (그 문제)와는 아무 관계도 없다. **lose**〔**be out of**〕 one's **bearings** 방향〔처지〕을 모르게 되다, 어찌할 바를 모르다. **take the**〔**one's**〕 **bearings** 자기의 위치를 확인하다; 형세를 파악하다.

bearing rein 제지 고삐(checkrein).

bear·ish[bέəriʃ] *a.* 곰 같은; 난폭한(rough); 〔證券〕 약세의, 내림 시세의(*opp.* bullish). **~·ly** *ad.* **~·ness** *n.*

béar lèader (곡마단의) 곰 부리는 사람; (부자집 아들·귀공자의) 가정 교사.

béar màrket 〔證券〕 하향 시세의 시장.

bear·skin[bέərskìn] *n.* 곰가죽; 곰가죽 제품〔옷〕; 《영》 검은 모피로 만든 모자《주로 근위병이 씀》; Ⓤ 굵은 모직물《외투용》.

Béar Stàte (the ~) 미국 Arkansas주의 속칭.

béar tràp 《미俗》 속도 위반 차 단속(용 레이더 장치).

⁑**beast**[bi:st] *n.* **1** 〔文語〕 짐승, 《특히》 큰 네발 짐승《◇ 이 뜻으로는 animal이 일반적》. **2** (인간에 대하여) 짐승, 축생; (the B-) 〔聖〕 그리스도의 적(Antichrist). **3** (the ~) 수성, 육욕. **4** 가축, 마소; (*pl.* ~) 《영》 육우(肉牛). **5** 짐승 같은 사람; 《俗》 완고한 사람(*opp.* angel); 《學俗》 엄한 선생, 잔소리꾼.
a beast of burden〔**draft**〕 짐 나르는 짐승《마소·낙타 등》. **a beast of prey** 맹수. **a beast of the chase** 사냥 짐승《사슴·여우 등》. **a** (**perfect**) **beast of a day** 날씨가 아

주 고약한 날. **a wild beast** 야수. **Don't be a beast.** 심술 부리지 마라《내 청을 좀 들어 다오 등》. **make a beast of oneself** 야수성을 발휘하다. **the beast in man** 인간의 야수성. ◇ béastly *a., ad.*

béast fàble 동물 우화.

beast·ings *n. pl.* (암소의 산후의) 초유(初乳).

beast·li·ness [bíːstlinis] *n.* Ⓤ 짐승 같은 짓, 불결, 부정(不淨), 추악; 더러움; 음탕; 구역질나는 것《음식물 등》.

∗**beast·ly** [bíːstli] *a.* (**-li·er; -li·est**) **1** 짐승 같은, 더러운, 추잡한; 잔인한: ~ pleasures 수욕(獸慾). **2** 지겨운, 불쾌한; 지독한, 심한: a ~ headache 심한 두통. ── *ad.* 《영口》 몹시, 지독히: ~ drunk 몹시 취하여. ◇ beast, béastliness *n.*

⋆**beat** [biːt] *v.* (~; **beat·en** [bíːtn], ~) *vt.* **1** (계속해서) 치다, 두드리다: ~ a drum 북을 두드리다/~ a person *on* the head …의 머리를 치다. **2** 부딪치다: rain ~*ing* the trees 나무를 때리는 빗발/~ one's head *against* the wall 머리를 벽에 부딪치다. **3** (박자를 맞춰) 〈손뼉 등을〉 치다, 〈박자를〉 맞추다: ~ time 장단을 맞추다/The clock ~*s* the minutes *away.* 시간은 재깍재깍 흘러갔다. **4** 〈새가〉 날개치다: ~ the wings 날개치다, 푸드덕거리다. **5** 때려 부수다, 빻다, 후려치다《*against*》; (금속 따위를) 두드려서 펴다, 두드려 만들다《*into, out*》: ~ rocks *to* pieces 바위를 산산조각 내다/gold into leaf 금을 두드려 금박으로 만들다. **6** 〈달걀 등을〉 휘저어 섞다, 거품일게 하다《*up*》; 섞어서 (…으로) 만들다: ~ flour and eggs *to* paste 밀가루와 달걀을 섞어 반죽하다. **7** 때려 주다, 벌로 때리다; 〈상대·적을〉 지우다《*at, in*》, 이기다; 《口》 손들게 하다, 쩔쩔매게 하다; 《미口》 속이다, 사취하다: ~ a snake *to* death 뱀을 때려 죽이다/You can't ~ me *at* tennis. 정구에서 너는 나를 이길 수 없다/He ~ her *out of* a dollar. 그는 그녀를 속여 1달러를 가로챘다. **8** 〈길을〉 밟아서 다지다, 밟아 〈길을〉 내다; 애써 전진하다: ~ a path *through* the snow 눈을 밟아 길을 트다. **9** 〈수풀 등을〉 헤쳐 뒤지다; 찾아다니다: The men ~ the wood in search of the lost child. 사람들은 길 잃은 아이를 찾으려고 숲을 헤치고 다녔다. **10** 때려 박다; 주입시키다, 버릇을 단단히 들이다: ~ a stake *into* the ground 말뚝을 땅에 때려박다/~ a fact *into* a person's head 사실을 …의 머리에 주입시키다. **11** 앞질러 …하다: He ~ his brother home *from* school. 그는 형을 앞질러 학교에서 집에 돌아왔다/Another man ~ me *to* the seat. 다른 사람이 나보다 먼저 그 좌석을 잡아버렸다. **12** (북으로) 신호하다. **13** 《미俗》 〈죄 등을〉 면하다; 공짜로 타다〔입장하다〕.

── *vi.* **1** 계속해서 치다, 두드리다《*at, on*》: ~ *at* the door 문을 두드리다. **2** (심장·맥박 따위가) 뛰다(throb). **3** 〈비·바람·파도 등이〉 치다, 부딪치다, 심히 부딪치다; 〈해가〉 내리쬐다《*on*》: rain ~*ing on* the roof 지붕에 내리치는 비. **4** 〈북 등이〉 둥둥 울리다. **5** 〈날개가〉 파닥거리다. **6** 《口》 이기다. **7** 〈달걀 등이〉 거품이 일다, 섞이다. **8** 〔海〕 바람을 거슬러 나가다, 지그재그로 나아가다: The ship ~ *against* the wind〔*along* the coast〕. 배는 바람을 거슬러〔연안을 따라〕 나아갔다. **9** 〔物〕 맥놀이를 일으키다, 〔무선〕 울림 소리를 내다. **10** 〈사냥감을 찾아〉 덤불을 뒤지다. **11** 《미俗》 달아나다, 내빼다.

beat a (**hasty**) **retreat** 황급히 퇴각하다; (급히) 물러가〔나〕다, 도망치다, 시도를 포기하다: 《Ⅲ (목)+전+명》 The enemy *beat a* (*hasty*) *retreat* in no time. 적군은 곧 (급히) 후퇴했다. **beat about** 이리저리 찾다《*for*》. **beat about**〔《미》 **around**〕 **the bush** (덤불 주위를 툭툭 쳐서) 짐승을 몰아 내다; 슬며시 염탐하다, 에둘러 말하다. **beat all**〔**anything, everything**〕 《미俗》 단연 뛰어나다. **beat** a person (**all**) **hollow**〔**all to sticks**〕 《미俗》 완전히 지우다, 완패시키다. **beat** a person **to it** 《미口》 …을 앞지르다. **beat around** 《미俗》 어슬렁거리고 다니다. **beat away** 연거푸 치다; 쫓아 버리다; 〔鑛山〕 파내다. **beat back** 격퇴하다. **beat** a person **black and blue** 아무를 멍들게 때리다: 《Ⅴ (목)+형》 They *beat* him *black and blue.* 그들은 그를 멍이 들도록 때렸다. **beat down** 때려 넘어뜨리다〔눕히다〕, 압도하다(suppress); 《口》 〈값을〉 깎다. **beat goose**〔**the booby**〕 겨드랑이 밑에 손을 넣어 녹이다. **beat in** 때려 넣다; 쳐부수다. **beat something into** a person**'s head** 둔한 사람에게 억지로 무엇을 가르치다. **beat it** 《미俗》 급히 물러가다, 도망치다, 〔명령〕 꺼져라; 달려가다(rush). **beats me**〔**my time**〕 《미口》 알 수가 없다. **beat off** 격퇴하다. **beat** one**'s brains** (**out**) 머리를 짜내다. **beat** one**'s breast**〔**chest**〕 가슴을 치며 슬퍼하다. **beat** one**'s gums**〔**chops**〕 《俗》 되지도 않는 말을 지껄여대다. **beat** one**'s way** 곤란을 헤치고 나아가다; 《미》 무임 승차하다. **beat out** 〈금속을〉 두들겨 펴다; 부연하다, 〈진상을〉 규명하다; 〈사람을〉 기진 맥진케 하다; 타이프를 치다; 〔野〕 번트하여 1루에 나아가다; 〈불을〉 두들겨 끄다. **beat** a person **out of** …으로 하여금 …을 단념시키다; …에게서 …을 속여 빼앗다. **beat** a thing **out of** a person**'s head** 잘못을 깨우치게 하다. **beat** a person**'s quarters** …을 방문하다. **beat the air**〔**wind**〕 ⇨air. **beat the bounds** 행정 구역의 경계를 조사하다. **beat the bushes** 샅샅이 조사하다. **beat the**〔**a**〕 **drum** 야단스럽게 선전하다. **beat the rap** 《미俗》 형벌을 면하다. **beat the woods** 숲에서 사냥감을 몰이하다. **beat time to** …에 박자를 맞추다. **beat to a jelly**〔**mummy**〕 녹초가 되도록 때려 주다. **beat** a person **to it** 《미》 선손 쓰다, 앞지르다. **beat to the draw** ⇨draw[2]. **beat to the punch** ⇨punch[1] *n.* **beat up** 기습하다; 놀라게 하다; (북을 쳐서) 모으다; 〈달걀 등을〉 세게 휘젓다; 《미》 때리다; (경매 등에서) 값을 치올리다; 〔海〕 바람을 안고 〈배를〉 부리다; 찾아 다니다. **beat up and down** 여기저기 쫓아다니다. **beat up for** …을 모집하다, …을 찾아다니다. **Can you beat it**〔**that**〕**?**〔**!**〕 《俗》 그런 일〔말〕을 본〔들은〕 적이 있어《놀람의 표현》. **to beat the band**〔**hell, the devil**〕 《俗》 맹렬한 기세로.

── *n.* **1** (계속해서) 치기; (북·시계를) 치는 소리; (심장의) 고동; (새의) 날개침. **2** 〔樂〕 박자, 장단; 지휘봉의 한 번 휘두름; 〔韻〕 강음. **3** (순경·파수꾼 등의) 순찰〔담당〕 구역. **4** (짐승의) 몰이. **5** 〔物〕 (진동의) 울림, 맥놀이, 비트. **6** 〔미新聞〕 (특종으로 다른 신문을) 앞지르기(scoop), 특종. **7** 《미俗》 (은혜를 모르는) 식객. **8** 단연 우수한 사람〔물건〕; (…을) 이기는〔능가하는〕 것《*of*》. **9** 〔海〕 배가 바람을 엇거슬러 나아가기. **10** 《미口》 =BEATNIK. **be in**〔**out of, off**〕 one**'s beat** 《口》 자기 분

야다〔분야가 아니다〕, 전문〔전문밖〕이다. **get a beat on** (《미方》) …보다 우위에 서다, 을 앞지르다. **in〔out of〕 beat** 시계의 추가 규칙적으로〔불규칙하게〕 움직이고. **off (the) beat** 템포가 고르지 않게, 불규칙하게. **on the〔one's〕 beat** 담당 구역을 순회중.
— *a.* **1** 《미俗》 녹초가 되어. **2** 《미口》 비트족의. **3** (서술적) 놀라서.

be·a·ta[beiɑ́:tə, bi:éitə] *n.* (*pl.* **-tae**[-ɑ́:tei], **~s**)〔가톨릭〕 복자(福者)(여성)(*cf.* BEATUS).

⁑**beat·en**[bí:tn] *v.* BEAT의 과거분사.
— *a.* **1** 두들겨 맞은. **2** 진, 패배한. **3** 두들겨 편: ~ work 망치질하여 만든 세공/~ silver 은박. **4** 밟아 다진. **5** 되게 휘저은 〈크림 등〉. **6** 지쳐 빠진. **beaten down to the ankles** 《俗》 완전히〔몹시〕 지친.

béaten tráck〔páth〕 (the ~) 밟아 다져진 길; 보통의 방법, 상도(常道). **follow〔keep to〕 the beaten track〔path〕** 정상 궤도를 따르다〔벗어나지 않다〕. **off the beaten track〔path〕** 상도를 벗어난, 익숙하지 않은; 〈장소 등이〉 잘 알려지지 않은, 사람이 잘 안가는.

beat·er[bí:tər] *n.* **1** 때리는 사람; 몰이꾼(사냥의). **2** 두들기는〔휘젓는〕 기구.

béat fréquency 〔通信〕 진동 주파수.

béat generátion (the ~) 비트족(*cf.* BEATNIK); 비트 세대.

be·a·tif·ic, -i·cal[bi:ətífik], [-əl] *a.* 지복(至福)을 주는 힘이 있는; 행복에 빛나는, 기쁨에 넘친. **-i·cal·ly** *ad.* 기쁜 듯이.

be·at·i·fi·ca·tion[bi:æ̀təfikéiʃən] *n.* Ⓤ,Ⓒ 지복을 받음; 〔가톨릭〕 시복(식).

beatífic vísion 〔神學〕 지복직관(至福直觀) (천사나 성인이 천국에서 하느님을 직접 봄); 하느님의 영광〔나라〕의 시현.

be·at·i·fy[bi:ǽtəfài] *vt.* (**-fied**) 행복하게 하다; 〔가톨릭〕 시복(諡福)하다(죽은 사람을 천복을 받은 사람의 축에 끼게 함).

∗**beat·ing**[bí:tiŋ] *n.* Ⓤ **1** 때림; Ⓒ 채찍질(하여 벌줌). **2** 패배, 큰 타격. **3** 《미口》 박정한 대우. **4** 〈날개를〉 퍼덕거림. **5** 맥박, 고동. **6** 〈금속 등을〉 두들겨 폄; 〔海〕 바람을 비껴 받으며 항행함; 〔水泳〕 물장구질. **get a good beating** 호되게 매를 맞다. **give** a person **a good beating** 호되게 때리다. **take a beating** 지다. **take some〔a lot of〕 beating** 〈사람이〉 이기기가 어렵다; 〈물건이〉 질기다.

be·at·i·tude[bi:ǽtətjù:d] *n.* **1** Ⓤ 더할 나위 없는 행복, 지복(至福)(supreme happiness). **2** (the B-s) 〔聖〕 (그리스도가 산상 수훈에서 가르친) 여덟 가지 참 행복, 팔복, 진복 팔단(眞福八端).

Bea·tles[bí:tlz] *n.* (the ~) 비틀즈(영국의 4인조 록 그룹(1962-70)).

beat·nik[bí:tnik] *n.* 비트족(beat generation)의 사람.

beat·out[⌐àut] *n.* 〔野〕 내야 안타.

Be·a·trice[bí:ətris] *n.* **1** 여자 이름. **2** 베아트리체(Dante가 사랑하여 이상화한 여성).

beat-up[bí:tʌ́p] *a.* 《口》 오래 써서 낡은, 닳은; 지쳐 빠진.

be·a·tus[beiɑ́:təs] *n.* (*pl.* **-ti**[-ti])〔가톨릭〕 복자(남성의)(*cf.* BEATA).

beau[bou] [F] *n.* (*pl.* **~s, ~x**[-z]) 멋쟁이 (남자); 여자 상대〔호위〕를 하는 사나이; 애인, 미남. — *vt.* 〈여자의〉 비위를 맞추다, 호위하다, 동행하다. — *a.* 아름다운, 좋은.

Beau Brum·mel[-brʌ́məl] 멋쟁이 남자.

beau·coup[boukú:] [F] *ad.* 매우, 크게.

Béau·fort scále[bóufərt-] (the ~) 〔氣〕 보퍼트 풍력 계급(0에서 12까지의 13계급).

beau geste[bouʒést] [F] *n.* (*pl.* **beaux gestes**[-], **beau gestes**[-]) 미행(美行), 아량.

béau idéal 〔文藝〕 이상〔미〕의 극치; 최고의 이상; 전형.

Beau·jo·lais[bòuʒəléi] *n.* (*pl.* **~es**[-z]) 보졸레(와인)(프랑스산 적포도주).

beau monde[bóumɑ̀nd/-mɔ̀nd] [F=beautiful world] *n.* 상류 사회.

Beaune[boun] *n.* (Burgundy산) 적포도주.

beaut[bju:t] [*beauty*] *n.* 《미俗》 몹시 아름다운 것; 굉장히 훌륭한 것; 미인.

∗**beau·te·ous**[bjú:tiəs] *a.* 《詩》 =BEAUTIFUL. **~·ly** *ad.* **~·ness** *n.*

beau·ti·cian[bju:tíʃən] *n.* 《미》 미용사; 미용원 경영자.

beau·ti·fi·ca·tion[bjù:təfikéiʃən] *n.* Ⓤ 미화(美化), 장식.

beau·ti·fi·er[bjú:təfàiər] *n.* 미화하는 것; 화장품.

⋆**beau·ti·ful**[bjú:təfəl] *a.* **1** 아름다운, 예쁜: (Ⅱ 형+*for*+대+*to do*) ((주)-명+〈*for*+대+*to do*〉) This flower is ~ *for* me *to* look at. 이 꽃은 내가 보기에 아름답다(=(Ⅱ 형+*wh.*(절))((주)-명+〈*wh.*(절)〉) This flower is ~ *at which* I look.). **2** 훌륭한; 《口》 빼어나게 돋보이는, 멋진: (Ⅱ 형) That's ~. 멋지군요.
— *n.* (the ~) **1** Ⓤ 미(美), 아름다움. **2** (집합적) 아름다운 것, 미인들. **~·ness** *n.*
◈ béautify *v.*; béauty *n.*

béautiful létters 《미》 =BELLES LETTRES.

⁑**beau·ti·ful·ly** *ad.* **1** 아름답게. **2** 훌륭히, 솜씨있게.

béautiful péople (종종 **B- P-**) 국제 사교계의 사람들(미와 우아함의 유행을 창조하는 상류 사회인·예술가; 略: B.P., BP).

∗**beau·ti·fy**[bjú:təfài] *vt., vi.* (**-fied**) 아름답게 하다, 미화하다, 아름다워지다.
◈ béautiful *a.*; béauty, beautificátion *n.*

beau·til·i·ty[bju:tíləti] [*beau*ty+u*tility*] *n.* 미와 실용성(의 겸비), 기능미.

⁑**beau·ty**[bjú:ti] *n.* (*pl.* **-ties**) **1** Ⓤ 아름다움, 미; 미모: ~ art 미용술/*B*- is but skin-deep. (속담) 미모도 따지고 보면 가죽 한 꺼풀(얼굴이 예쁘다고 마음마저 예쁘다는 법은 없다)/*B*- is in the eye of the beholder. (속담) 제 눈에 안경/manly〔womanly〕~ 남성〔여성〕미. **2** (a ~) 미인, 가인; (종종 반어적) 아름다운 것; (같은 종류의 것 가운데서) 특히 좋은 것: She's a regular ~, isn't she? (반어) 어, 이만저만 미인이 아닌데. **3** (the ~; 집합적) 미인들: *the* wit and ~ of the town 장안의 재사 가인들. **4** (종종 *pl.*) 흥미 진진한 대목(문학 서적의), 미점, 아름다운 특징, 매력: That's the ~ of it. 그것이 좋은〔취할〕 점이다.
◈ béautiful, béauteous *a.*; béautify *v.*

béauty cóntest 미인 선발 대회.

béauty quèen 미인 대회에서 뽑힌 여왕.

béauty shòp〔salòn, pàrlor〕 미장원.

béauty slèep 자정 전의 단잠.

béauty spòt 만들어 붙인 점(patch); 사마귀, 점(mole); 《俗》 명승지, 절경.

béauty trèatment 미용술, 미안술.

Beau·voir[bouvwɑ́:r] *n.* 보부아르 Simone de ~(프랑스의 소설가·평론가(1908-86)).

beaux[bouz] *n.* BEAU의 복수.

beaux-arts[bouzɑ́:r] [F] *n.* 미술.

beaux-es·prits[bouzesprí:] [F] *n.* BEL ESPRIT의 복수.

beaux gestes[bouʒést] [F] *n.* BEAU GESTE

의 복수.

beaux yeux[bouzjə́:][F] *n.* 아름다운 눈; 미모. **for the beaux yeux of** …을 기쁘게 해주기 위하여.

⁑**bea·ver¹**[bí:vər] *n.* (*pl.* ~**s,** ~) **1** 〔動〕 비버, 해리(海狸). **2** Ⓤ 해리의 모피,〔織〕두꺼운 모직물; Ⓒ 실크해트. **3** 《俗》 턱수염(을 기른 사람); 《미卑》 여성의 성기. **4** 《미口》 부지런한〔근면한〕 사람, 일꾼. **eager beaver** 《미俗》 지나치게 양심적인 일꾼. **work like a beaver** 부지런히 일하다.

beaver² *n.* (투구의) 턱받이; (얼굴·머리를 보호하는) 무구(武具).

bea·ver·board[bí:vərbɔ̀:rd] *n.* 천장·칸막이용의 건축 재료《상표명》.

Béaver Státe (the ~) 미국 Oregon 주의 속칭.

bea·ver·teen[bì:vərtí:n] *n.* Ⓤ 비버 모피 비슷한 면(綿)빌로드.

B.E.B. British Education Broadcast.

be·bop[bí:bɑ̀p/-bɔ̀p] [의성어] *n.* Ⓤ 비밥 《재즈의 일종》. **~·per**[-ər] *n.* 비밥 가수.

be·bug·ging[bəbʌ́giŋ] *n.* 〔컴퓨터〕 프로그래머의 debugging 능력을 보기 위해 프로그램 속에 일부러 틀린 것을 넣기.

be·calm[biká:m] *vt.* (보통 수동형) 바람이 자서 〈돛배를〉 멈추게 하다; 진정시키다: The ship was ~*ed for* ten days. 배는 10일간 꼼짝 못했다.

★**be·came**[bikéim] *v.* BECOME의 과거.

★**be·cause**[bikɔ́:z, -kʌ́z, -kʌ́z] *conj.* 《부사절을 인도》 **1** (왜냐하면) …이므로〔하므로〕, …한 이유로, …때문에: "Why were you absent?"–"*Because* I was sick in bed." 왜 결석했지-아파서 누워 있었기 때문입니다/I can't go, ~ I'm busy. 나는 갈 수가 없다, (왜냐하면) 바쁘기 때문이다/He succeeded ~ he did his very best in everything.(=*Because* he did his very best in everything, he succeeded.) 그는 매사에 최선을 다했기 때문에 성공했던 것이다/He gave up the plan chiefly ~ it was not supported by all of them. 그가 그 계획을 포기한 것은 주로 그것이 그들 모두의 지지를 얻지 못했기 때문이었다(◇ because 앞에 partly, chiefly, only, merely, simply, just 등과 같은 정도를 나타내는 부사가 놓이기도 함). **2** (주절 뒤에서) …로 판단하면, …로 보아〔보니〕: The woman was drunk, ~ she staggered. 그 여자는 취했어요, 비틀거리고 있었으니까. **3** (부정문의 주절과 함께 써서) …하다고 해서 (…않다)《이 의미의 경우 콤마는 사용하지 않음》: You should *not* despise a man simply ~ he is poor. 가난하다는 것만으로 사람을 경멸해서는 안 된다/He did*n't* marry her ~ he loved her. 그는 그녀를 사랑했기 때문에 결혼한 것은 아니었다(◇「그는 그녀를 사랑했기 때문에 결혼하지 않았다」라는 의미도 되겠으나, 이 경우에는 회화에서는 because 앞에서 잠깐 쉬고, 문장에서는 콤마를 두는 일이 많음). **4** (명사절을 이끌어) …하다는 것《that을 쓰는 편이 일반적임》: The reason (why) I can't go is ~ I'm busy. 내가 못 가는 까닭은 바쁘기 때문이다. **all the more because** … …하기 때문에 더욱〔오히려〕. **because of** … (전치사 용법; 이 경우에 because는 부사이다) …한〔의〕 이유로, …때문에(owing to): I didn't go out *because of* the rain. 비 때문에 외출하지 않았다(I didn't go out *because* it was raining.으로 바꾸어 쓸 수 있음). **Because why?** 《주로 方》 왜, 어째서. **none the less because** … …임에도 불구하고(역시): I like him *none the less because* he is too simple. 그는 지나치게 단순하지만 나는 그를 좋아한다.

bec·ca·fi·co[bèkəfí:kou] *n.* (*pl.* ~(**e**)**s**)〔鳥〕 꾀꼬리의 일종《이탈리아에서는 식용》.

bé·cha·mel (sauce)[béiʃəmèl] 베샤멜 소스《희고 진한 소스》.

be·chance[bitʃǽns, -tʃá:ns] *vi.* 《古》 발생하다, 생기다(happen). ── *vt.* …에게 일어나다.

be·charm[bitʃá:rm] *vt.* 매혹하다(charm).

bêche-de-mer[bèiʃdəmέər] [F] *n.*(*pl.* ~, **bêches-**[~]) **1** (중국 요리의) 해삼. **2** (보통 **Bêche-de-Mer**) Ⓤ 뉴기니 주변의 여러 섬에서 쓰는 혼성 영어.

beck¹ [bek] *n.* 끄덕임(nod); 손짓; 《스코》 절(bow); (보통 다음 성구로) **be at** a person's **beck (and call)** 늘 …가 시키는 대로 하다. **have** a person **at one's beck (and call)** …을 마음대로 부리다.

beck² *n.* 《영北部》 시내(brook), 계류.

beck·et[békit] *n.* 〔海〕 다림줄, 밧줄.

Beck·et *n.* 베케트 Thomas a ~(1118-70) 《영국 Canterbury의 대주교》.

Beck·ett[békit] *n.* 베케트 Samuel ~ 《프랑스에 사는 아일랜드의 소설가·극작가(1906-); Nobel 문학상 수상(1969)》.

***beck·on**[békən] [OE] *vt.* **1** 손짓〔고개짓, 몸짓《등》〕으로 부르다, 신호하다: She ~*ed* us *in.* 그녀는 우리를 불러들였다/《V (목)+*to* do》 She ~*ed* me *to* enter. 그녀는 나에게 들어오라고 손짓했다. **2** 유인〔유혹〕하다. ── *vi.* 손짓해 부르다; 신호하다《*to*》: I ran to the side and ~*ed to* her. 나는 옆으로 달려가서 그녀에게 신호했다. **~·er** *n.*

Beck·y[béki] *n.* 여자 이름《Rebecca의 애칭》.

be·clasp[biklǽsp, -klá:sp] *vt.* (주위에서) 꼭 죄다.

be·cloud[bikláud] *vt.* 흐리게 하다; 〈눈·마음 등을〉 어둡게 하다; 혼란시키다.

★**be·come**[bikʌ́m] *v.*(**-came**[-kéim]; **-come**) *vi.* …이〔가, 으로〕 되다: 《Ⅱ 명》 He *became* a lawyer. 그는 변호사가 되었다/《Ⅱ 형》 She *became* rich. 그녀는 부자가 되었다/《Ⅱ 형+명》 He *became* like a prince. 그는 왕자와 같이 되었다/《Ⅱ *done*+전+명》 He *became* accustomed to the new job. 그는 그 미경험의 일에 익숙해졌다(◇ (1) 보어로는 명사·형용사·과거분사가 오는데 전명구(句)는 쓰지 않는다. (2) 미래를 나타내는 「…이 되다」는 보통 become을 쓰지 않고 be를 쓴다: He will be a lawyer. 그는 변호사가 될 것이다/He wants 〔intends〕 *to* be a lawyer. 그는 변호사가 되고 싶어한다. (3) become 다음에는 부정사를 쓰지 않는다). **become of** (의문사 what(ever)를 주어로) …이 어찌되는가: What has *become of*(=happened to) him? 무슨 일이 그에게 일어났을까, 그는 어떻게 되었을까; 《口》 어디 갔을까.

── *vt.* …에 알맞다, 어울리다, 적당하다: This coat ~*s* him very well. 이 코트는 그에게 썩 잘 어울린다/It doesn't ~ you to complain. 불평을 하다니 너답지 않다.

***be·com·ing**[bikʌ́miŋ] *a.* 어울리는, 알맞은, 적당한: The necklace is very ~ *to* her. 그 목걸이는 그녀에게 썩 잘 어울린다. ── *n.* 〔哲·心〕 생성(生成). **~·ly** *ad.* **~·ness** *n.*

bec·que·rel[bèkərél] *n.* 〔物〕 베크렐《방사능의 SI 단위; 기호 Bq.》.

Becquerél ràys 〔物〕 베크렐선《*α*, *β*, *γ*의 3

방사선).

★**bed**[bed] [L] *n.* **1** 침대, 침상, 잠자리, 침실: a feather ~ 깃털 이불. **2** C,U 취침 (시간); 숙박; 부부관계; (口) 성교. **3** (文語) 무덤. **4** (가축의) 잠자리(litter). **5** 토대; 포상(砲床). **6** 모판, 화단, 모판에서 나는 식물. **7** 하상(河床), (굴 등의) 양식장. **8** 지층; 층(stratum); 노반(路盤). **be brought to bed (of a child)** 아이를 낳다, 해산하다. **be con-fined to one's bed**=keep one's BED. **bed and board** 숙박과 식사, 침식을 함께 함, 결혼 생활. **bed and breakfast** 조반만 주는 간이 숙박(B&B). **be in bed** 자고 있다. **bed of down〔flowers, roses〕** 안락한 처지〔생활〕. **bed of dust**=**narrow bed** 무덤. **before bed** 자기 전에. **bed of honor** 전몰 장병의 무덤. **bed of thorns** 가시 방석, 견디기 힘든 처지. **die in one's bed** 제명대로 (살고 잠자리에서) 죽다 (*cf.* die in a DITCH). **early to bed and early to rise** ⇨early. **get out of bed** 잠자리에서 일어나다. **get out of bed on the right〔wrong〕 side** 기분이 좋다〔나쁘다〕. **go to bed** 잠자리에 들다, 자다; (명령법) (俗) 시끄럽다, 잠자코 있어라!; 〈기사가〉 인쇄에 돌려지다. **go to bed with** a person (俗) …와 동침하다. **keep〔be confined to〕 one's bed** 병으로 누워 있다. **leave one's bed** 병이 다 낫다. **lie in〔on〕 bed** 잠자리에 눕다. **lie in〔on〕 the bed** one **has made** 자업 자득하다. **make the〔one's〕 bed** (자고 나서) 잠자리를 정돈하다, 이불을 개다; 잠자리를 깔다: As you *make your bed*, so you must lie upon it.=One must lie in〔on〕 *the bed* one has *made*. (속담) 자업 자득, 제가 뿌린 씨는 제가 거두기 마련. **make up a bed** (손님용으로) 침상을 준비하다(*for*). **put to bed** 〈어린 아이를〉 잠재우다. **separate from bed and board** 부부가 별거하다. **sit up in bed** 잠자리에 일어나 앉다. **take to one's bed** 앓아 눕다. **wet the〔one's, its〕 bed** 〈아이 등이 잠결에〉 오줌을 싸다. — (~·**ded**; ~·**ding**) *vt.* **1** 잠자리를 주다, 재워주다(*down*); 재우다; (口) 〈이성과〉 자다. **2** 〈소·말 등에게〉 깃을 깔아 주다(*down*): He ~*ded down* his horse with straw. 그는 말에게 짚으로 잠자리를 깔아 주었다. **3** 꽃밭〔묘판〕에 심다(*out*); 을 심다(*in*). **4** 〈돌·벽돌 등을〉 눕혀 놓다, 쌓아 올리다: ~ bricks *in* mortar 벽돌을 모르타르로 쌓아 올리다. **5** 묻다, 박다: A bullet is ~*ded in* the wall. 탄환이 벽에 박혔다. — *vi.* **1** 자다(*down*), 숙박하다(*in*): be accustomed *to* ~ *early* 일찍 자는 것이 버릇이 돼 있다. **2** (口) 〈이성과〉 함께 자다(*down*); 동거하다(*with*). **3** 〈…위에〉 놓이다〔자리잡다〕, 앉다; 안정되다(*on*). **4** 〔地質〕 지층을 형성하다. **bed down** (미) 〈가축에〉 잠자리를 깔아주다; (야외의) 임시 처소에서 자다; ⇨*vi.* 2. ◈ abéd *ad.*; embéd *v.*

B.Ed. Bachelor of Education.

be·dab·ble[bidǽbəl] *vt.* 〈물 등을〉 튀기다, 끼얹다, 끼얹어 더럽히다(*with*).

be·dad[bidǽd] *int.* (아일) =BEGAD.

béd-and-bréakfast[bédənbrékfəst] *n.* 아침밥 제공 숙박(소)(略 B and B, B&B).

be·dash[bidǽʃ] *vt.* …에 온통 뿌리다〔치다〕 (*with*); 〈비가〉 세차게 때리다; 산산이 부수다.

be·daub[bidɔ́:b] *vt.* 더덕더덕 칠하다, 얼룩덜룩 꾸미다.

be·daze[bidéiz] *vt.* 현혹시키다; 어찌할 바를 모르게 하다.

be·daz·zle[bidǽzəl] *vt.* 현혹하다, 매혹하다. **~·ment** *n.*

béd bòard 베드보드(침대 스프링과 매트리스 사이에 넣는 얇고 딱딱한 판).

bed·bug[bédbʌ̀g] *n.* (미) 빈대.

bed·cham·ber[ˊtʃèimbər] *n.* (古) =BEDROOM.

béd chèck 〔미軍〕 (병영 등의) 취침 점호.

bed·clothes[ˊklòuz, ˊklòuðz] *n. pl.* 침구, 금침(시트·담요·베개 등).

bed·cov·er[ˊkʌ̀vər] *n.* 침대 커버.

bed-cur·tain[ˊkə̀:rtən] *n.* 침대 커튼.

bed·da·ble[bédəbəl] *a.* 침대가 되는, 침대로 알맞은; 성적 매력이 있는.

bed·ded[bédid] *a.* 〔地質〕 층상(層狀)의.

bed·der[bédər] *n.* 자리 까는 사람; 꽃밭에 심는 화초; (영大學俗) 침실.

bed·ding[bédiŋ] *n.* U =BEDCLOTHES; (가축의) 깔깃; 〔建〕 토대; 〔地質〕 성층(成層)(stratification). — *a.* 화단용의.

bédding plàne 〔地質〕 (퇴적암 내부의) 층리면(層理面), 성층면.

bédding plànt 화단용 화초.

bed·dy-bye[bédibài] *n.* (어린이에게 익살로) 침대; 취침 시간; 자장(sleep): Come, ~! 아가, 이젠 잘 시간이지.

be·deck[bidék] *vt.* 장식하다, 꾸미다(*with*).

bed·e·guar[bédəgɑ̀:r] *n.* 장미의 충영(오배자 벌레 등에 의해 생기는).

be·del(l)[bí:dl, bidél] *n.* (명예) 총장의 권표(權標)를 받드는 속관(beadle)(Oxford 및 Cambridge 대학교의).

bedes·man *n.* (*pl.* **-men**[-mən]) =BEADSMAN.

be·dev·il[bidévəl] *vt.* (~**ed**; ~·**ing** | ~**led**; ~·**ling**) 귀신이 붙게 하다; 〈마음 등을〉 혹하게 하다, 미치게 하다. **~·ment** *n.* U 귀신들림; 광란.

be·dew[bidjú:] *vt.* 이슬〔눈물〕로 적시다: eyes ~*ed with* tears 눈물에 젖은 눈.

bed·fast[bédfæ̀st, ˊfɑ̀:st] *a.* (미·영方) 자리에서 일어나지 못하는, 몸져누운.

bed·fel·low[ˊfèlou] *n.* 잠자리를 같이 하는 사람, 아내; 동료, 친구(associate): an awkward ~ 사귀기 힘드는 사람.

Bed·ford[bédfərd] *n.* **1** 남자 이름. **2** 잉글랜드 Bedfordshire 주의 주도.

Bédford córd 코르덴 비슷한 톡톡한 천.

Bed·ford·shire[bédfərdʃìər, -ʃər] *n.* 베드퍼드셔(영국 잉글랜드의 주 이름; 略: Beds.). **go to Bedfordshire** (兒) 잠자다.

bed·gown[bédgàun] *n.* 잠옷(여성용).

bed·house[ˊhàus] *n.* (*pl.* **-hous·es**[-hàuziz]) (미俗) 사창굴.

be·dight[bidáit] *vt.* (~, ~·**ed**) (詩) 꾸미다, 차려 입다. — *a.* 꾸민, 장식된.

be·dim[bidím] *vt.* (~**med**; ~·**ming**) (눈·마음을) 흐리게 하다. **be·dimmed** *a.*

bed-in[bédìn] *n.* 취침 항의(침대에 누워서 하는 항의). **~·ner** *n.* 취침 항의자.

be·di·zen[bidáizən, -dízən] *vt.* 야하게 치장하다.

béd jàcket (여성들이 잠옷 위에 입는) 짧고 낙낙한 겉옷.

bed·key[ˊkì:] *n.* 침대용 렌치.

bed·lam[bédləm] *n.* 미친 짓, 발광; 소란한 곳; (**B-**) 런던의 베들럼 병원(St. Mary of Bethlehem의 속칭); 정신 병원(madhouse).

bed·lam·ite[-ləmàit] *n.* 미친 사람.

bed·lamp[ˊlæ̀mp] *n.* 베드램프.

béd lìnen 홑이불과 베갯잇.
Béd·ling·ton terrier[bédliŋtən-] 베들링턴 테리어(영국종 개).
Béd·loe's Island[bédlouz-] *n.* 베들로섬 (1965년 Liberty Island로 개칭).
béd·màk·er *n.* (영) 침실 담당 사환(Oxford, Cambridge 대학교의): 침대 제작자.
bed·mate[ˊmèit] *n.* 동침하는 사람: 아내, 남편.
béd mòlding 〔建〕 장식 쇠시리받이.
Bed·ou·in[béduin, bédwin] *n.* (*pl.* **~, ~s**) 베두인(사막에서 유목 생활을 하는 아라비아인): 방랑인. — *a.* 베두인의: 유랑(인)의.
bed·pan[ˊpæ̀n] *n.* 탕파(湯婆): 요강, 변기
béd pìece 목재 더미 밑에 까는 침목.
bed·plate[ˊplèit] *n.* 〔機〕(기계의) 대판(臺板).
bed·post[ˊpòust] *n.* 침대 기둥.
between you and me and bedpost ⇨ between. **in the twinkling of a bedpost** 곧, 즉시, 순식간에.
be·drag·gle[bidrǽgəl] *vt.* 〈옷 등을〉 질질 끌어 (흠뻑) 젖게 하다: 더럽히다, 지저분하게 하다. **-gled** *a.*
bed·rail[bédrèil] *n.* 침대의 가로널.
be·drench[bidréntʃ] *vt.* 흠뻑 젖게 하다.
béd rèst (침대에서의) 장기 요양.
bed·rid·den[bédrìdn] *a.* 누워만 있는, 일어나지 못하는.
bed·rock[ˊrɑ̀k/ˊrɔ̀k] *n.* Ⓤ,Ⓒ 〔地質〕 반암(盤岩)(최하층의 바위): 근저(foundation), 근본, 기초적인 사실, 근본 원리. **be at bedrock** 〈재고량 등이〉 바닥이 나다. **come**〔**get**〕 **down to the bedrock** 진상을 밝히다: 빈털터리가 되다. — *a.* **1** 근저의, 바닥의: the ~ price 최저 가격. **2** 근본적인(basic): ~ facts 근본적인 사실.
bed·roll[ˊròul] *n.* 휴대용 침구.
*__bed·room__[ˊrù:m, ˊrùm] *n.* 침실. — *a.* **1** 침실용의: 베드신의, 정사의, 성적인. **2** (미) 통근자가 사는: a ~ town〔community〕 통근하는 사람들의 거주지(대도시 변두리의).
bédroom slìpper 침실용 실내화.
bédroom sùburb (미) 교외〔변두리〕 주택지 (bedroom town, (영) dormitory suburb).
Beds, Beds.[bedz] Bedfordshire.
béd shèet 시트, 홑이불.
*__bed·side__[ˊsàid] *n.* 침대 곁: (병자의) 머리맡: be at〔by〕 a person's ~ …의 머리맡에서 시중들다. — *a.* **1** 〈시계·전화 등〉 침대 곁의〔에 있는〕: 〈책 등〉 침대에서 읽기에 알맞은: 〈이야기 등〉 딱딱하지 않은. **2** (환자의) 머리맡의: 임상의.
bédside mánner 1 (의사의) 환자 다루는 솜씨. **2** 재치 있는 태도: have a good ~ 〈의사가〉 환자를 잘 다루다: (비꼼) 사람을 다루는 수단이 능란하다.
bed-sit[bédsìt] *vi.* (영口) BED-SITTER에 살다. — *n.* =BED-SITTING ROOM.
béd-sít·ting ròom[bédsítiŋ-], **bed-sit·ter** [ˊsìtər] *n.* (영) 침실겸 살림방, 단칸 아파트 ((미) studio apartment)(가구·식기 등도 비치되어 있는 경우가 많음).
béd sòcks[ˊsɑ̀k/ˊsɔ̀k] *n.* 침대용 긴 양말.
bed·so·ni·a[bedsóuniə] *n.* (*pl.* **-ni·ae**[-niài], **~s**) 〔細菌〕 베드소니아(앵무병·트라코마 등의 병원(病原)이 되는 바이러스).
bed·sore[ˊsɔ̀:r] *n.* 욕창(褥瘡)(환자의).
bed·space[ˊspèis] *n.* (병원·호텔의) 침대수.
bed·spread[ˊsprèd] *n.* 침대 덮개(장식용).
bed·spring[ˊsprìŋ] *n.* 침대 스프링.
bed·stead[ˊstèd] *n.* 침대의 뼈대.
bed·straw[ˊstrɔ̀:] *n.* Ⓤ 침대의 속짚: 〔植〕 갈퀴덩굴속(屬)의 풀.
béd tàble 침대 곁에 두는 작은 탁자.
béd tèa 침대 손님이 일어나자마자 제공하는 아침 차.
bed·tick[ˊtìk] *n.* 잇(베갯잇, 요잇 등).
*__bed·time__[ˊtàim] *n.* Ⓤ 취침 시간.
bédtime stòry (어린이에게 들려주는) 잠잘 때의 동화: 재미있지만 믿기 어려운 이야기〔설명〕.
bed·ward(s)[ˊwərd(z)] *ad.* 침대 쪽으로: 잠잘 무렵에.
bed·warm·er *n.* =WARMING PAN.
bed·wet·ting[ˊwètiŋ] *n.* Ⓤ 잠결에 싸는 오줌.
bed·wor·thy[bédwə̀:rði] *a.* (영俗) 성적 매력이 있는.
★**bee**[bi:] *n.* **1** 꿀벌(honeybee라고도 함: *cf.* APIARIAN): (일반적) 벌: the queen〔working〕 ~ 여왕〔일〕벌 **2** 부지런한 사람. **3** (미) (일·오락을 위한) 모임. **(as) busy as a bee** 몹시 바쁜. **a spelling bee** 철자 경기회. **have a bee in one's bonnet**〔**head**〕 (口) 무엇을 골똘히 생각하다: 약간 머리가 돌다. **put the bee on** …에게 돈〔기부금〕을 조르다.
B.E.E. Bachelor of Electrical Engineering.
Beeb[bi:b] *n.* (the ~) (영口) BBC 방송.
bée bàlm 〔植〕 멜리사, 향수박하.
bee·bee[bí:bì:] *n.* 공기총, BB총(= ˊ **gùn**).
bée bèetle 벌집에 꾀는 유럽산 딱정벌레.
bée bìrd 〔鳥〕 딱새류.
bee·bread[bí:brèd] *n.* Ⓤ 꿀벌의 식량(꿀벌이 꽃가루로 만든).
*__beech__[bi:tʃ] *n.* **1** 〔植〕 너도밤나무. **2** Ⓤ 너도밤나무 목재. **béech·en**[-ən] *a.*
béech màrten 〔動〕 담비의 일종.
béech màst 너도밤나무 열매(특히 땅에 떨어진 것).
beech·nut[ˊnʌ̀t] *n.* 너도밤나무 열매.
bée cùlture 양봉.
bee-eat·er[bí:ì:tər] *n.* =BEE BIRD.
⁑**beef**[bi:f] [L] *n.* **1** Ⓤ 쇠고기: 고기(⇨cow[1]): roast ~ 불고기/corned ~ 소금 절임 쇠고기/horse ~ 말고기. **2** (*pl.* **beeves**[bi:vz]) 육우(肉牛), 식용우: (도살하여 내장을 뺀 육우의) 몸뚱이. **3** Ⓤ (口) 근육: 힘: 근력: 살거리, 체중: ~ to the heels 너무 살쪄. **4** (*pl.* **~s**) (俗) 불평: a ~ session 불평 토론회. **Put some beef into it!** (俗) 힘내라! — *vi.* (俗) 불평하다(*about*). **beef up** (미) 강화〔증강〕하다: 도살하다. ◇ béefy *a.*
beef·a·lo[bí:fəlòu] *n.* (*pl.* **~(e)s**) 〔動〕 비팔로(들소와 축우의 잡종: 육우).
béef Bour·gui·gnón[-bùərginjɑ́n] =BOEUF BOURGUIGNON.
beef·burg·er[-bə̀:rgər] *n.* 쇠고기 햄버거.
beef·cake[ˊkèik] *n.* Ⓤ (俗) 나체의 남성, 남성적 육체미: 남성미를 강조한 누드 사진(*cf.* CHEESECAKE).
beef·cak·e·ry[ˊkèikəri] *n.* (미俗) BEEFCAKE 사진술.
béef càttle (집합적: 복수취급) 육우, 식용우.
beef·eat·er[ˊì:tər] *n.* **1** 쇠고기를 먹는 사람: 영양이 좋은 사람. **2** (종종 **B-**): 영국 왕의 호위병: 런던탑의 수위: (俗) 영국인.
béef éxtract 쇠고기 엑스(즙).
beef·ish[1] [bí:fiʃ] *a.* 〈사람이〉 억센, 늠름한: 〈영국인이〉 쇠고기를 먹는.
bee·fish[2] [bí:fìʃ] [*beef*+*fish*] *n.* 저민 쇠고기와 다진 어육을 섞은 것(햄버거용 등).

beefless *a.* 쇠고기가 없는, 쇠고기를 먹지 않는 〈날〉.
bée flỳ 〔昆〕 등에의 일종(꿀벌 비슷함).
beef-squad[⊿skwɑ̀d/⊿skwɔ̀d] *n.* 《미俗》 (고용된) 폭력단.
Béef Státe (the ~) 미국 Nebraska주의 속칭.
⁑**beef·steak**[⊿stèik] *n.* ⓊⒸ 두껍게 썬 쇠고기 점, 비프스테이크.
béef téa (환자용의) 진한 쇠고기 수프.
béef trùst 《미俗》 거인만 모인 합창단(야구팀, 축구팀).
beef-wit·ted[⊿wìtid] *a.* 어리석은, 우둔한.
beef·y[bíːfi] *a.* (**beef·i·er**; **-i·est**) 살찐: 근육이 발달한(muscular): 견고한: 둔한, 굼뜬. **béef·i·ness** *n.*
bee·hive[bíːhàiv] *n.* (꿀벌의) 벌집(벌통): 사람들이 붐비는 장소(crowded place).
béehive hòuse 〔考古〕 (유럽의 선사시대의) 벌집꼴 집(주로 석조).
Béehive Státe (the ~) 미국 Utah주의 속칭.
bee·house[⊿hàus] *n.* (*pl.* **-hous·es**[-hàuziz]) 양봉장(apiary).
bee·keep·er[⊿kìːpər] *n.* 양봉가.
bee·keep·ing[⊿kìːpiŋ] *n.* Ⓤ 양봉(apiculture).
bee·line[bíːlàin] *n.* 직선; 최단 코스. **in a beeline** 일직선으로. **take〔make, strike〕 a beeline for** 《口》 …에 일직선으로 가다. — *vi.* 《미口》 일직선으로 나가다(=~ it).
bee-lin·er[⊿làinər] *n.* 자동 추진식 디젤 철도차량; 〔野〕 좀 낮은 직구.
Be·el·ze·bub[biːélzəbʌ̀b, bíːlzə-] *n.* 〔聖〕 바알세 불; 악마, 마왕(the Devil).
bée màrtin 〔鳥〕 =KINGBIRD.
bee·mas·ter[bíːmæ̀stər, -mɑ̀ːs-] *n.* 양봉가.
★**been**[bin/biːn, bin] *v.* BE의 과거분사.
been·to[⊿tu] *n., a.* 《西아口》 영국에서 산〔교육받은〕 적이 있는 사람(의).
beep¹ [biːp] [의성어] *n.* 삑 하는 소리〔신호, 경적, 시보〕; (인공 위성의) 발신음. — *vi., vt.* 삑 하고 경적을 울리다, 삑 소리가 나다.
beep² *n.* 《미》 소형 지프(차).
beep·er[bíːpər] *n.* BEEP¹를 내는 장치〔사람〕.
béeper bòx (긴급) 무선 호출 장치(beep소리가 남).
bée plànt (꿀벌에 꽃꿀을 공급하는) 양봉 식물(honey plant).
⁑**beer**[biər] [OE] *n.* **1** Ⓤ (종류를 말할 때에는 Ⓒ 취급) 맥주, 비어(*cf.* ALE, PORTER, STOUT); Ⓒ 맥주 한 잔〔병〕: fond of ~ 맥주를 좋아하는/a dark ~ 흑(黑)맥주/order a ~ 맥주를 한 잔〔병〕 주문하다. **2** Ⓤ 발포성 음료: ginger ~ 생강을 가미한 발포성 음료. **be in beer** 맥주에 취해 있다. **beer on draught** = **draught beer** 생맥주. **black beer** 흑맥주. **bock〔duck〕 beer**=**double beer** 독한 맥주. **Life is not all beer and skittles.** (속담) 인생은 즐거운 일만 있는 것이 아니다. **Munich beer** 뮌헨 맥주. **on the beer** 술을 계속 마시어. **small beer** 약한 맥주; 《口》 하찮은 것: think *small beer* of …을 깔보다/think no *small beer of* oneself 자신 만만하다. ⊕ béery *a.*
beer·age[bíəridʒ] *n.* (the ~) 《俗》 (귀족이 된) 양조업자; 맥주업계; 《경멸》 영국 귀족(계급).
béer bàrrel 맥주 통.
béer bùst 《미俗》 맥주 파티.
béer èngine =BEER PUMP.
béer gàrden 비어가든, 노천 맥주집.
béer hàll 비어홀.
beer·house[⊿hàus] *n.* (*pl.* **-hous·es**[-hàuziz]) 비어홀.
béer jòint 《俗》 선술집(tavern).
beer-mat *n.* 비어매트(맥주잔 받침).
béer mòney 팁, 행하(고용인에게 주는).
beer·o·hol·ic[bìərəhɔ́(ː)lik, -hɑ́lik] *a., n.* 맥주 중독의 (사람).
beer·pull[⊿pùl] *n.* beer pump의 레버.
béer pùmp 맥주를 빨아 올리는 기계(지하실의 통에서).
Beer·she·ba[biərʃíːbə, bíərʃə-] *n.* 브엘세바(Israel의 도시).
beer·shop[bíərʃɑ̀p/⊿ʃɔ̀p] *n.* 〔法〕 (가게 안에서는 마시지 못하는) 맥주 판매점.
beer-up[bíərʌ̀p] *n.* 《오스俗》 술잔치, 주연.
beer·y[bíəri] *a.* (**beer·i·er**; **-i·est**) 맥주의〔같은〕, 맥주에 취한. **béer·i·ness** *n.*
bée's knées (the ~; 단수 취급) 《口》 최상급의〔월등한〕 것〔일〕.
beest·ings[bíːstiŋz] *n. pl.* =BEASTINGS.
bees·wax[bíːzwæ̀ks] *n.* Ⓤ, *vt.* 밀랍(을 바르다).
bees·wing[⊿wìŋ] *n.* 얇은 더껑이(오래된 포도주의 표면에 생기는).
beet[biːt] *n.* 〔植〕 사탕무, 첨채; =BEETROOT: red ~ 근대(샐러드용)/white〔sugar〕 ~ 사탕무. **go to beet red** 새빨개지다.
Bee·tho·ven[béitouvən] *n.* 베토벤 Ludwig van ~(1770-1827)(독일의 작곡가).
⁑**bee·tle**¹ [bíːtl] *n.* 갑충, 딱정벌레; (**B-**) 《俗》 독일제 소형차(Volkswagen); 근시인 사람. (**as**) **blind as a beetle** =**beetle blind** 심한 근시의. **black beetle** 〔昆〕 바퀴. — *vi.* 《영俗》 급히 가다, 허둥지둥 달리다(*along, off*). **beetle off** 《영俗》 뺑소니치다.
beetle² *n.* 큰 망치, 메, 공이, 방망이. — *vt.* (메·공이로) 치다.
beetle³ *a.* 돌출한; 상을 찌푸린, 뚱한: ~ brows 찌푸린〔검고 짙은〕 눈썹. — *vi.* 돌출하다.
bee·tle·brain[⊿brèin] *n.* =BEETLEHEAD.
bee·tle-browed[⊿bràud] *a.* 눈썹이 검고 짙은; 상을 찌푸린, 뚱한(sullen).
bee·tle-crush·er[⊿krʌ̀ʃər] *n.* 큰 발〔구두〕.
bee·tle·head[⊿hèd] *n.* 미련퉁이.
bee·tle·head·ed *a.* 미련한.
bee·tling[bíːtliŋ] *a.* 《文語》 불쑥 나온 〈벼랑·눈썹〉.
beet·rad·ish[bíːtræ̀diʃ] *n.* =RED BEET.
beet·root[⊿rùː(ː)t] *n.* 《영》 근대의 뿌리(샐러드용).
béet sùgar 사탕무로 만든 설탕(*cf.* SUGAR BEET).
beeves[biːvz] *n.* BEEF 2의 복수.
beez·er[bíːzər] *n.* 《俗》 코; 사람, 녀석.
bef. before.
B.E.F. British Expeditionary Force.
*__be·fall__[bifɔ́ːl] *v.* (**-fell**[-fél]; **-fall·en**[-fɔ́ːlən]) 《文語》 *vi.* 〈좋지 않은 일이〉 일어나다, 생기다(*to*) A misfortune *befell to* her. 불행한 일이 그녀에게 들이닥쳤다. — *vt.* 〈좋지 않은 일이〉 …에게 일어나다(happen to), 생기다, 들이닥치다: Be careful that no harm may ~ you. 해를 입지 않도록 조심해라.
be·fall·en *v.* BEFALL의 과거분사.
be·fell *v.* BEFALL의 과거.
be·fit[bifít] *vt.* (**~·ted**; **~·ting**) (종종 it를 주어로) 적합하다; 알맞다; 어울리다: It ill ~*s*〔It does not ~〕 a person *to* do … …하는 것은 아무렇지 않다〔아무에게 어울리지 않는다〕. **as befits** …에게 어울리게. ⊕ fit *a.*

be·fit·ting[bifítiŋ] *a.* 적당한: 어울리는, 알맞은(proper)(*to*). **~·ly** *ad.*
be·flag[biflǽg] *vt.* 많은 기로 장식하다.
be·flow·er[bifláuər] *vt.* 꽃으로 뒤덮다, …에 꽃을 흩뿌리다.
be·fog[bifág, -fɔ́(:)g] *vt.* (**~ged; ~·ging**) 짙은 안개로 뒤덮다: 〈사람의 정신을〉 몽롱하게 하다, 어리벙벙하게 하다, …의 설명을 어물어물하다.
be·fool[bifú:l] *vt.* 우롱하다: 속이다.
★**be·fore**[bifɔ́:r] *ad.* **1** (위치·방향) 앞에, 앞쪽〔전방〕에: 앞(장)서(《◇ ahead가 보통》): ~ and behind 앞뒤에/look ~ and after 앞뒤를 보다/go ~ 앞(장)서서 가다.
2 (때) 〈지금보다, 그 때보다〉 이전에, 그 때까지, 좀 더 일찍, 앞서: I met〔have met〕 him ~. 나는 그를 이전에 만나본 일이 있다.
《◇ (1) before가 단독으로 쓰이는 경우에는 ① 지금보다 이전에(befor now): 과거나 현재완료, ② 그 때보다 전에(before then): 과거완료와 쓰인다. (2) the day before, three days before 등과 같은 부사구를 수반하는 경우에는 '그 때보다 …전에'란 뜻으로 과거완료와 쓰인다. (3) ① ago: 현재로부터 '전에'란 뜻인데, 단독으로는 쓰이지 않는다: three days ago. ② before: 과거의 어느 때부터 '전에'란 뜻인데, 단독으로 또는 다른 어구를 수반해서 쓰인다. ③ since: ago, before 양쪽의 뜻이 있지만, 아주 오랜 과거에는 쓸 수 없음》.
3 (정해진 때보다) 전에, 일찍(ealier): I'll be there a few days ~. 2,3일 전에 그곳에 가 있겠습니다. **long before** 훨씬 전에. **(the) day〔night〕 before** 전날〔전날 밤〕.
— *prep.* **1** (위치·장소) …의 앞에; …의 면전〔눈앞〕에 (*opp.* behind)(《◇ 건물에는 in front of를 씀》): stand ~ the King 왕 앞에 서다/problems ~ the meeting 회의에 상정된 문제들. **2** …의 앞길〔앞날〕에, …을 기다려: Her whole life is ~ her. 그녀의 생애는 지금부터이다. **3** (힘)에 밀리어, …의 힘으로: bow ~ authority 권력 앞에 굴복하다. **4** (때) a …보다 전에〔먼저, 일찍〕: Come ~ four o'clook. 4시 전에 오시오/the day ~ yesterday 그저께(《◇ 명사구로도 쓰이고 부사구로도 쓰이는데, 부사 용법의 경우 《미》에서는 종종 the를 생략함》). b 《미》 (…분) 전(to): It's four minutes ~ nine. 9시 4분 전이다. **5** (순서·계급·우선·선택 등) a …보다 먼저, …에 앞서서: be ~ others in class 반에서 수석이다/put freedom ~ fame 명성보다 자유를 중히 여기다. b (would와 함께 써서) …보다는 차라리: I would die ~ yielding. 굴복하느니 차라리 죽을테다.
before Christ 서력 기원 전(《略: B.C.》). **before dark** 어두워지기 전에. **before long** 머지 않아, 오래지 않아, 이윽고. **before now** 지금까지에: 더 일찍. **put the cart before the horse**⇨cart. **(the) day before yesterday** 그저께 ⇨*prep.* 4 a. **(the) night before last** ⇨night.
— *conj.* **1** …보다 전에, (…하기)에 앞서서, (아직) … 하기 전에: I got up ~ the sun rose. 해뜨기 전에 일어났다/You must sow ~ you can reap. 《속담》 씨를 뿌려야 거둔다(《◇ before가 이끄는 절(때를 나타내는 부사절)이 의미상으로는 미래에 관한 내용이라 할지라도 술어 동사는 현재형을 씀: It will not be long ~ we meet again. 머지 않아 우리는 다시 만나게 될 것이다. **2** (would〔will〕와 함께 써서) (…하느니) 차라리(*cf. prep.* 5 b): I will die ~ I give in. 굴복하느니 차라리 죽겠다, 죽어도 항복하지 않겠다. **before I forget,** …잊기 전에 말하겠는데…. **before** one **knows** 모르는 사이에, 어느새. **before** one **knows (where** one **is)** 《口》 알지 못하는 사이에, 어느 틈(새)엔가. **before you can say knife〔Jack Robinson, Jimini Cricket〕** 눈 깜짝할 사이에, 아차하는 사이에, 순식간에.
‡**be·fore·hand**[bifɔ́:rhæ̀nd] *ad., a.* (형용사로는 서술적) 이전에(의): 미리, 벌써(부터): 앞질러: Let me know ~. 미리 알려주시오. **be beforehand with〔in〕** 미리 대비하다: 준비를 잘 하다: 선수 쓰다. **be beforehand with the world** 《古》 현금을 소지하다, 수중에 여유가 있다. ⊕ befóre *ad., prep., conj.*
be·fore-men·tioned[-mènʃənd] *a.* 전술한, 전기의.
be·fore-tax[-tæks] *a.* 세금을 포함한〔공제하기 전의〕(*cf.* AFTERTAX).
be·fore·time[-tàim] *ad.* 《古》 이전에는, 옛날에.
be·foul[bifául] *vt.* 더럽히다: 헐뜯다.
be·friend[bifrénd] *vt.* …의 편을 들다, …을 돕다. ⊕ friend *n.*
be·fud·dle[bifʌ́dl] *vt.* 정신을 잃게 하다(*with*): 어리둥절하게 하다. **~·ment** *n.*
be·furred[bifə́:rd] *a.* 모피 장식을 단.
‡**beg**[beg] (**~ged; ~·ging**) *vt.* **1** 〈돈·옷·밥 등을〉 구걸하다, 빌다: ~ forgiveness 용서를 빌다/~ money *of* charitable people 자선가에게 금전을 빌다/(Ⅲ *to* do) He ~*ged to* be excused. 그는 용서해 달라고 빌었다/(Ⅲ (목)+전+명) I ~ you *for* pardon. 용서해 주십시오/She ~*ged* me *for* money. 그녀는 나에게 돈을 구걸했다. **2** 부탁하다, 간청하다: (Ⅲ (목)) I ~ your pardon.(=Please say that again.) 미안하지만 다시 말씀해 주세요/(Ⅴ (목)+*to* do) She ~*ged* him *to* stay with them for two more days. 그녀는 그에게 그들과 함께 이틀만 더 머물러 달라고 간청했다/(Ⅲ (목)+전+명) I ~ a favor *of* you. 한 가지 부탁이 있습니다(=(Ⅲ (목)+〈*to* do〉) I have a favor *to* ~ of you.). **3** 〈문제·요점을〉 회피하다, 답하지 않다. **beg off** 〈의무·약속을〉 핑계를 붙여 거절하다. **beg the question** 논점(論點)을 옳은 것으로 가정해 놓고 논하다: 논점을 교묘히 회피하다. **I beg your pardon.** *vt.* 2.
— *vi.* **1** 구걸하다, 청하다(*for*): ~ *from* door *to* door 가가호호 구걸하고 다니다/~ *for* food 〔money〕 음식〔돈〕을 구걸〔청〕하다. **2** 부탁하다, 간청하다(*of*): (Ⅴ *v*ɪ+전+(목)+*to do*) I ~ *of* you *to* listen carefully. 제발 잘 들어 주세요 (《◇ (Ⅴ (목)+*to* do) I ~ you *to* listen carefully. 보다 격식 차린 말》)/I ~ *of* you not *to* say it again. 제발 두번 다시 그 말을 하지 말아 주시오. **3** 〈개가〉 앞발을 들고 서서 재롱부리다: *Beg*! (개를 보고) 뒷발로 섯! **beg for** one**'s bread** 걸식하다. **beg leave to** do = **beg to** do …하는 데 허가를 청하다, 실례를 무릅쓰고 …하다. **beg of** a person **to** do ⇨*vi.* 2. **go begging** 구걸하고 다니다, 〈물건이〉 살 사람이 없다, 안 팔리다. ⊕ béggar *n.*
be·gad[bigǽd] [by God] *int.* 저런!, 천만에!, 아차!, 빌어 먹을!
★**be·gan**[bigǽn] *v.* BEGIN의 과거.
be·gat[bigǽt] *v.* 《古》 BEGET의 과거.
be·gats[bigǽts] *n. pl.* 《미俗》 (구약 성서 중의) 가계도: 자식, 자손.
*****be·get**[bigét] *vt.* (**-got,** 《古》 **-gat; -got·ten,**

-got; ~·ting) **1** 〈아버지가 자식을〉 보다, 낳다 《어머니의 경우에는 BEAR²를 씀》. **2** 생기게 하다 : 《Ⅲ (목)》 Confidence ~*s* confidence. 자신(自信)이 자신(自信)을 낳는다/Money ~*s* money. 돈이 돈을 낳는다.

be·get·ter[-ər] *n.* 낳는 사람《특히 아버지》.

⁑**beg·gar**[bégər] *n.* **1** 거지; 가난뱅이. **2** 기부금을 모으는 사람. **3** 《경멸·익살》 놈(fellow) : a saucy ~ 건방진 놈, 까부는 녀석/nice little ~*s* 귀여운 놈들. **a beggar for work** 《口》 일에 미친 사람. **a good beggar** 얻어내는 재주가 좋은 사람. **Beggars must not be choosers.** 《속담》 궁한 사람이 무엇을 가리랴. **die a beggar** 거지 죽음을 하다. **beggar** 가엾어라! **You little beggar!** 이놈 봐라! ── *vt.* **1** 가난뱅게 하다. **2** 빈약하게 하다, 무력화하다 : 〈표현·비교를〉 불가능케 하다. **beggar comparison** 《미口》 비할 데 없이 훌륭하다. **beggar**〔**be beyond**〕(**all**) **description** ⇨description. **beggar oneself** 알거지가 되다, 가난해지다. **I'll be beg-gared if ...** 《俗》 맹세코 …하는 일은 없다, 결코 …않을 것이다.
⊕ beg *v.*; béggarly *a.*

beg·gar·dom[-dəm] *n.* Ⓤ **1** (집합적) 거지패거리〔사회〕. **2** 거지 생활〔상태〕.

beg·gar·ly[bégərli] *a.* **1** 거지 같은, 빈털터리의. **2** 인색한. **3** (사상 등이) 빈약한.
── *ad.* 《古》 비열한 태도로. **-li·ness** *n.*

beg·gar-my-neigh·bor[bégərmainéibər] *n.* Ⓤ 《카드》 상대편의 패를 전부 빼앗을 때까지 둘이서 하는 놀이. ── *a.* 남의 손실로 이익을 얻는, 자기 중심적인, 보호주의적인〈정책〉.

beg·gar('s)-lice[bégər(z)lài̇s] *n. pl.* 옷에 달라붙는 열매(가 여는 식물)《우엉 등》.

beg·gar('s)-ticks[-tìks] *n. pl.* 〔植〕 **1** 서양도깨비바늘《미국 원산》; 국화과(科). **2** =BEGGAR('S)-LICE.

beg·gar-thy-neigh·bor *n., a.* =BEGGAR-MY-NEIGHBOR《◇**beggar-your-neighbor**로도 씀》.

beg·gar·y[bégəri] *n.* (*pl.* **-gar·ies**) Ⓤ,Ⓒ **1** 거지 신세, 빈궁. **2** (집합적) 거지. **3** 거지 생활〔사회〕.

beg·ging[bégiŋ] *n.* Ⓤ 구걸, 거지 생활. **go** (**a**) **begging** 구걸하며 다니다 : 〈물건이〉 사려는 사람이 없다. ── *a.* 구걸하는 : a ~ letter 구걸 편지. **~·ly** *ad.*

★**be·gin**[bigín] *v.* (**be·gan**[-gǽn], **be·gun**; **~·ning**) *vt.* **1** 시작〔착수〕하다; …하기 시작하다; 차츰 …하다 : 《Ⅲ (목)》 We *began* our class already. 우리는 벌써 수업을 시작했다/《Ⅲ It *v*Ⅲ+*to* do》 It *began to* snow. 눈이 오기 시작했다/It is *beginning to* rain. 비가 오기 시작하고 있다/《Ⅲ *to* do》 I ~〔am *beginning*〕 *to* understand. 차츰 이해가 간다/《Ⅲ *to* do》 He *began to* read the book. 그는 그 책을 읽기 시작했다/《Ⅲ *-ing*》 When did you ~ learn*ing* French? 프랑스 말을 언제 배우기 시작했느냐. **2** 일으키다, 창설〔개설〕하다 : ~ a dynasty 왕조를 세우다. **3** 《미口》 (부정어와 함께) 전혀 …(할 것 같지) 않다 : 《Ⅲ *to* do》 This hat does*n't* ~ *to* fit you. 이 모자는 네게 전혀 맞지 않는다. **begin life** 인생 출발을 하다. **begin the world** 실사회로 나가다.
── *vi.* **1** 시작되다 : 시작하다 ; 착수하다 《*at, by, on, with*》 : ~ *at* 9 o'clock 9시에 시작하다/~ *at* the wrong end 시초부터 틀리다/《Ⅰ 전+*-ing*》 The Greek thinkers could ~ *by* discover*ing* the ideal pattern in nature. 그리스 사색가들은 우선 자연계의 이상적인 전형을 발견할 수 있었다/《Ⅰ 전+명》 He *began on* a new job. 그는 새 일에 착수했다/《Ⅰ 전+명》 Modern thought ~*s with* the repudiation of the Aristotelian doctrine. 근대 사상은 아리스토텔레스 학설의 가르침과의 절연으로 시작된다. **2** 일어나다, 나타나다 : 생겨나다 : When did life on this earth ~? 지구상의 생물은 언제 발생했느냐. **begin again** 다시 시작하다. **begin by** (do*ing* something) (…하는 것)부터 시작하다. **begin on**〔**upon**〕 …에 착수하다. **Begin with No. 1.** 먼저 자기부터 시작해라. **to begin with** (독립구) 맨 먼저, 우선 첫째로. **Well begun is half done.** 《속담》 시작이 반이다.

⁑**be·gin·ner**[bigínər] *n.* **1** 초학자 : 초심자. **2** 창시자, 개시자《*of*》.

begìnner's lúck (the ~) (내기·사냥 등에서) 초심자에게 따른다는 재수.

★**be·gin·ning**[bigíniŋ] *n.* **1** 처음, 시작, 개시(start) : *at* the ~ *of* July〔the term〕 7월〔학기〕 초에. **2** 시초, 발단 ; 기원 : Everything has a ~. 《속담》 만사가 다 시작이 있는 법이다. **3** (종종 *pl.* ; 단수 취급) 초기, 어린 시절. **at the** (**very**) **beginning** 처음에, 맨 먼저. **from beginning to end** 처음부터 끝까지 ; 시종. **from the beginning** 애초부터. **in the beginning** 시초에, 우선 처음에는. **make a beginning** 개시하다《*for*》 ; 착수하다. **rise from humble**〔**modest**〕 **beginnings** 비천한 처지로부터 입신하다. **since the beginning of things** 천지 개벽 이래. **the beginning of the end** 최후에 나타날 결과를 미리 알리는 첫 징조(「낙엽 한 잎에 다가올 가을을 알다」 등과 같은 경우).
── *a.* 초기의, 최초의 ; 기초의 ; 초심의.

begínning rhýme 〔詩學〕 행두운(行頭韻) 《각 행의 첫머리 압운》.

be·gird[bigə́ːrd] *vt.* (**-girt**[-gə́ːrt], **~·ed**) 《文語》 띠로 둘러 감다 ; 두르다, 둘러 싸다 《*by, with*》.

be·girt[bigə́ːrt] 《文語》 *vt.* BEGIRD의 과거·과거분사. ── *a.* 둘러 막힌, 둘러 싸인.

be·gone[bigɔ́(ː)n, -gán] *vi.* (명령법 또는 부정사로) 《詩·文語》 썩 물러가라!(go away).

be·go·nia[bigóunjə, -niə] *n.* 〔植〕 베고니아.

be·gor·ra(h)[bigɔ́(ː)rə, -gárə] *int.* 《아일》 어렵쇼!, 이런! ; 맹세코, 반드시《by God의 변형》.

∗**be·got**[bigát/-gɔ́t] *v.* BEGET의 과거·과거분사.

∗**be·got·ten**[bigátn/-gɔ́tn] *v.* BEGET의 과거분사.

be·grime[bigráim] *vt.* (연기·그을음으로) 더럽히다《*with*》.

be·grudge[bigrʌ́dʒ] *vt.* **1** 시기하다, 시새우다 : 《Ⅳ 대+(목)》 ~ him his good fortune 그의 행운을 질시하다. **2** 〈…에게 …을〉 주기를 꺼리다, 내놓기 아까워하다 ; 〈…하기를〉 싫어하다 : 《Ⅱ 부+형+*that*(절)》(*that*(절)-《Ⅳ 명+(목)》) She is so stingy *that* she ~*s* her dog a bone. 그녀는 기르는 개에게 뼈다귀 주는 것을 아까워할 만큼 노랭이이다/《Ⅲ *-ing*》 We don't ~ your go*ing* to Italy. 너의 이탈리아행을 반대하지는 않는다/《Ⅲ *to* do》 They ~*d to* help me. 그들은 나를 돕기를 꺼렸다.

be·grudg·ing·ly[bigrʌ́dʒiŋli] *ad.* 마지못해, 아까운 듯이, 인색하게.

∗**be·guile**[bigáil] *vt.* **1** 속이다, 기만하다 ; 현혹시키다, 미혹시키다 ; …을 속여서 …하게 하다《*into*》 : 《Ⅴ (목)+전+*-ing*》 He ~*d* her *into* consent*ing* his scheme. 그는 그녀를 속여서

자기의 계획에 동의하도록 했다. **2** 속여 빼앗다《*of, out of*》: 《Ⅲ (목)+전+명》 He ~*d* the old lady *of*〔*out of*〕 her land〔money, property〕. 그는 그 노부인을 속여서 그녀의 땅〔돈, 재산〕을 빼앗었다. **3** 〈어린이 등을〉 기쁘게 하다, 위로하다: 〈지루함·배고픔 등을〉 잊게 하다, 〈시간을〉 즐겁게 보내다《*with*》: She ~*d* her child *with* tales. 그녀는 이야기로 아이를 즐겁게 했다/They ~*d* their long journey *with* talk. 그들은 이야기로 긴 여행의 지루함을 달랬다.

be·guile·ment[-mənt] *n.* **1** Ⓤ 기만, 속임. **2** 기분 전환 거리, 심심풀이가 되는 것.

be·guil·er[-ər] *n.* 속이는 사람; 심심풀이.

be·guil·ing[-iŋ] *a.* 속이는; 심심풀이가 되는.

be·guine[bégiːn, béigiːn, bəgíːn] *n.* **1** Ⓤ 비긴《서인도 제도의 볼레로조(調)의 춤》. **2** 그 곡.

Be·guine[bigíːn] *n.* 〔가톨릭〕 베긴회 여자 신자《12세기 벨기에에서 창설》.

be·gum[bəːgəm, béi-] *n.* 《인도》 (이슬람교의) 왕비, 귀부인.

★**be·gun**[bigʌ́n] *v.* BEGIN의 과거분사.

⁑**be·half**[bihǽf, -hɑ́ːf] *n.* Ⓤ 이익; 지지; 《古》 점, 면. (다음 성구로) **in this**〔**that**〕 **behalf** 이것〔그것〕에 관하여, 이〔그〕 점에서. **in behalf of** =**in** a person's **behalf** …을 위하여; 대신하여. **on behalf of** =**on** a person's **behalf** …을 대신하여, 대표하여; …을 위하여.

⁑**be·have**[bihéiv] *vi.* **1** (예절 바르게) 행동하다, 처신하다《*to, toward*》: The little ones didn't ~. 그 어린이들은 예절이 바르지 않았다/~ *well*〔*badly*〕 예절 바르게〔예절 바르지 않게〕 행동하다/《Ⅰ 전+명》 He ~*s as* a well-bred man. 그는 품위있는 사람처럼 처신한다/He ~*d* arrogantly *to*〔*toward*〕 his teacher. 그는 선생님께 대하여 불손하게 행동했다/He doesn't know *how to* ~. 그는 예의 범절을 모른다. **2** 〈동물·기계가〉 움직이다, 가동하다; 〈약·물건 등이〉 작용하다, 반응을 나타내다: The airplane ~*d well.* 비행기의 상태는 양호했다/The matter ~*d in* a strange way when heated. 가열되었을 때 그 물질은 이상한 반응을 나타냈다.
— *vt.* (~ one*self* 로) 행동하다: *Behave* yourself! 얌전하게 굴어요!/He ~*d himself like* a gentleman. 그는 신사답게 처신했다.

be·haved[bihéivd] *a.* (보통 복합어를 이루어) …한 태도의, 행동거지가 …한: well-~ 행동거지가 얌전한.

⁑**be·hav·ior**|**-iour**[bihéivjər] *n.* Ⓤ **1** 거동, 행동, 행실, 행동거지, 태도. **2** 〔心〕 행동; 습성. **3** 가동(기계 등의), 움직임; 작용, 반응. **be of good behavior** 〔法〕 〈복역자가〉 착한 일을 하다. **be on** one's **good**〔**best**〕 **behavior** 근신〔행실을 고치는〕중이다. **during good behavior** 충실히 근무하는 동안은, 불성실한 행동이 없는 한. **put** a person **on his good**〔**best**〕 **behavior** (…에게) 행실을 바르게 가지라고 충고하다, 근신을 명하다. **~·ìsm** *n.* Ⓤ 〔心〕 행동주의《객관적으로 관찰할 수 있는 인간이나 동물의 행동만을 연구 대상으로 함》. **~·ist** *n.* 행동주의자.
⊕ beháve *v.*; behávioral *a.*

be·hav·ior·al[bihéivjərəl] *a.* 행동의, 행동에 관한. **~·ìsm** *n.* (BEHAVIORAL SCIENCE에 입각한) (인간) 행동 연구(의 방법). **~·ly** *ad.*

behávioral scíence 행동 과학《인간 행동의 관찰에 바탕을 둔 심리학·사회학 등》.

be·hav·ior·is·tic *a.* 행동주의적인.

behávior pàttern 〔社〕 행동 양식《개인·집단이 보여주는 습관적·반복적 행동 형태》.

behávior thèrapy〔**modificàtion**〕 〔精醫〕 행동 요법〔변이〕.

Béhçet's disèase〔**sỳndrome**〕 [béiʃets-] 〔醫〕 베체트 병《눈·입의 점막, 음부에 병이 생김》.

be·head[bihéd] *vt.* 〈사람을〉 목 베다.

⁑**be·held**[bihéld] *vt.* BEHOLD의 과거·과거분사.

be·he·moth[bihíːməθ, bíːəmɑ̀θ/bihíːmɔθ] *n.* **1** 〔聖〕 거대한 짐승《하마로 추측됨; *cf.* 욥기 40:15-24》. **2** 거인, 거물; (기계 등의) 강력한 물건.

be·hest[bihést] *n.* (보통 *sing.*)《文語》 명령; 요망, 요청.

★**be·hind**[biháind] *ad.* **1** (장소) 뒤에, 후방에: follow ~ 뒤를 따르다. **2** 배후에 (숨어서), (보이지 않는) 이면에서: There is more ~. 이면에 뭔가 더 있다. **3** (때·시간) 늦어. **4** 〈일·발달 등〉 뒤져서. **5** 과거에, 지나서. **be behind in**〔**with**〕 **one's work** (일이) 처져 있다. **fall**〔**drop**〕 **behind** 남에게 뒤지다. **leave** (a thing, a person) **behind** 뒤에 남기다, 남겨 두고 오다, (잊고) 놓고 가다. **look behind** 뒤돌아 보다; 회고하다.
— *prep.* **1** (장소) …의 뒤에, …의 후방에: ~ the house 집 뒤에. **2** …의 배후에; …의 이면에 (숨어서): He is ~ the movement. 그 운동의 배후엔 그가 있다. **3** (때) …에 뒤늦어: ~ time 시간에 늦어, 지각하여. **4** …보다 뒤떨어져: I am ~ her in Mathematics. 나는 수학에서 그녀에게 뒤진다. **5** …에 편들어; …을 지지〔후원〕하여: She has many friends ~ her. 그녀는 많은 친구들의 후원을 받고 있다. **6** 뒤에 남기고, 사후에: She stayed ~ us for three days. 그녀는 우리보다 사흘이나 더 머물렀다/He left his only son ~ him. 그는 외동 아들을 남기고 죽었다. **be behind** a person (1) (…을) 지지하다, 원조하다. (2) (…에게) 뒤지다. (3) 지나간 일이다. **be behind time** 지각하다. **behind** one's **back** 없는 데서, 이면에서. **behind schedule** 정각〔예정〕보다 늦게. **behind the eight ball** 《미口》 매우 불리한 입장에. **behind the scenes** ⇨scene. **behind the times** 시대에 뒤떨어져. **go behind** …의 이면〔진상〕을 살피다: I *went* ~ her words. 나는 그녀의 말의 숨은〔참〕 뜻을 찾았다. **put** a thing **behind** one 〈사물을〉 물리치다, 받아들이지 않다.
— *a.* (명사 뒤에서) 뒤의, 뒤쪽의: pass the paper to the man ~ 종이를 뒷사람에게 돌리다.
— *n.* 뒤, 등; 《口》 궁둥이(buttocks).
⊕ behíndhand *ad., a.*

be·hind·hand[-hæ̀nd] *ad., a.* **1** 뒤떨어져 (있는)《*in*》. **2** 〈일·방세 등이〉 밀려 (있는)《*with*》. **be behindhand in** one's **circumstances** 살림 형편이 어렵다.

be·hind-the-scenes[-ðəsíːnz] *a.* 비밀의, 은밀한, 막후의: a ~ conference 비밀 회의/a ~ negotiation 막후 협상.

⁑**be·hold**[bihóuld] 《文語·古》 *vt.* (**-held**[-héld]) 〈이상한 것 등을〉 보다, 바라보다(look at).
— *int.* (주의를 촉구하기 위해) 보라! **Lo and behold!** 보라!, 저런!, 이건 어찌된 영문인가!

be·hold·en[bihóuldən] *a.* 은혜를 입고 있는《서술적》: I am ~ *to* you *for* your kindness. 신세 많이 졌습니다, 친절하게 해주셔서 감사합니다.

be·hold·er[bihóuldər] *n.* 보는 사람, 구경꾼(spectator).

be·hoof[bihúːf] *n.* (*pl.* **-hooves**[-húːvz])

《文語》이익. (주로 다음 성구로) **in**〔**for, to, on**〕 a person**'s behoof** =**in**〔**for, to, on**〕 (**the**) **behoof of** a person …을 위하여.
be·hoove, be·hove[bihú:v], [-hóuv] *vt.* 《文語》《비인칭 구문을 취함》 **1** (…하는 것이) 의무이다, …할 필요가 있다: 《Ⅴ It *v*Ⅴ+(목)+*to* do》It ~*s* public officials *to* dedicate themselves to their duty. 공무원들은 그들의 직무에 전념해야 할 의무가 있다(=《Ⅲ (목)+㉠+㉡》 Public officials must dedicate themselves to their duty.). **2** …할 가치가 있다, 이익이 있다. — *vi.* 《稀》 필요〔당연〕하다; 적당하다, …에 걸맞다.
Beh·ring[béiriŋ; *G.* bé:riŋ] *n.* 베링 Emil (Adolf) von ~(1854-1917)《독일의 세균학자; Nobel 의학상 수상(1901)》.
beige[beiʒ] [F] *n.* **1** (염색이나 표백하지 않고) 원모(原毛)로 짠 모직물. **2** 낙타색, 베이지 색. — *a.* 베이지 색의.
Bei·jing *n.* =PEKING.
be-in[bí:ìn] *n.* 《俗》 (공원 등에서의) 히피족의 모임; 우연히 모이는 일.
⁑**be·ing**[bí:iŋ] *v.* BE현재분사 · 동명사.
— *a.* 존재하고 있는, 현재의. (다음 성구로) **for the time being** 당분간, 우선은.
— *n.* **1** Ⓤ 존재, 실존, 실재. **2** Ⓤ 생존, 생명, 인생(life). **3** 본질, 본성, 천성. **4** (유형·무형의) 것, 존재물; 생물(living thing); 인간(human being). **5** (**B-**) 신(神) : the Supreme *Being* 하느님(God). **6** Ⓤ 〔哲〕 존재. **call**〔**bring**〕 a thing **into being** 생기게 하다, 낳다, 성립시키다. **come into being** (태어)나다, 생기다. **in being** 현존하는, 생존하고 있는.
— *conj.* 《方·口》 …이므로〔하므로〕(since, because)《◇ 종종 as that을 수반함: **being as**〔**that**〕…》.
be·ing-for-it·self[bí:iŋfəritsélf] *n.* 〔哲〕 (Hegel의) 향자존성(向自存性).
Bei·rut[beirú:t, ⌐-] *n.* 베이루트 Lebanon 공화국의 수도.
Be·ja[béidʒə] *n.* (*pl.* ~, ~**s**) **1** (the ~(s)) 베자족《Nile강과 홍해 사이에서 사는 유목 민족》; 베자족의 사람. **2** Ⓤ 베자 말.
be·jab·bers[bidʒǽbərz] *int.* 이런!, 어머나!; 제기랄!, 맙소사!《놀람·두려움·기쁨·노여움 등》; 반드시, 꼭. — *n.* 《俗》 (다음 성구로) **beat**〔**hit, kick, knock**〕 **the being out of** …을 두들겨 패다, 때려눕히다.
be·jan[bí:dʒən] [F] *n.* (스코틀랜드의 대학의) 1학년생.
be·jau·na[bidʒɔ́:nə] *n.* BEJAN의 여성형.
be·jeaned[bidʒí:nd] *a.* 청바지를 입은.
bej·el[bédʒəl] *n.* 〔病理〕 베젤《남아프리카나 동남아시아의 아열대 지방에서 주로 어린이에 발병하는 스피로헤타에 의한 트레포네마 매독》.
be·je·sus[bidʒí:zəs] *int., n.* =BEJABBERS.
be·jew·el[bidʒú:əl] *vt.* (~**ed**; ~·**ing**|~**led**; ~·**ling**) 보석으로 장식하다, 보석을 박아 넣다: the sky ~*ed with* stars 별들이 보석처럼 박혀 반짝이는 하늘.
bé·ké[béikei] *n.* 백인 이민 생활자《보통 상류 계급; 프랑스계 크레올(Creole) 말》.
bel[bel] *n.* 〔電·物〕 벨《전압·전류나 소리의 강도 단위; =10 decibels; 기호 b》.
Bel *n.* 여자 이름《Arabel Arabella, Isabel, Isabella의 애칭》.
Bel. Belgian; Belgium.
be·la·bor|**-bour**[biléibər] *vt.* **1** 〈문제 등을〉 오래 검토하다〔논하다〕. **2** 세게 치다, 때리다. **3** (말로) 공격하다, 욕하다(abuse).
Be·la·rus[bjèlɑrú:s] *n.* 벨로루시《러시아 연방 서쪽의 CIS 구성 공화국; 수도 Minsk》.
*__be·lat·ed__[biléitid] *a.* **1** 늦어진 〈편지 등〉. **2** 구식의, 시대에 뒤떨어진. **3** 《古》 길이 저문 〈나그네 등〉. ~·**ly** *ad.* 뒤늦게(too late).
be·laud[bilɔ́:d] *vt.* 《文語》(비꼬는 뜻으로) 격찬하다.
be·lay[biléi] *vt.* **1** 〔海〕 〈밧줄을〉 밧줄걸이 등에 S〔8〕자 꼴로 감아 매다. **2** 〔登山〕 〈등산자를〉 자일로 고정시키다. **3** 〔海〕 〈명령 등을〉 취소하다. — *vi.* **1** 밧줄을 꼭 죄다. **2** (명령문) 중지하다. **3** 밧줄걸이에 밧줄을 감다. **Belay** (**there**)! 〔海〕 그만 둬라!
— *n.* 〔登山〕 자일의 확보; 자일을 안정시키는 곳《돌출한 바위 따위》.
be·láy·ing pìn[biléiiŋ-] 〔海〕 밧줄걸이《밧줄을 S자 꼴로 감아 매는 길이 30 cm 가량의 나무 또는 쇠막대》.
bel can·to[bèlkɑ́:ntou, -kǽn-] [It] *n.* 〔樂〕 벨칸토 창법, 아름다운〔매끄러운〕 창법.
*__belch__[beltʃ] *vi.* **1** 트림을 하다. **2** 〈화산·대포 등이〉 불꽃·연기 등을 내뿜다《*out, forth*》. **3** 〈악담 등이〉 터져 나오다. — *vt.* **1** 〈화산·대포 등이 불꽃·연기 등을〉 내뿜다, 분출하다《*out, up, forth*》. **2** 〈폭언 등을〉 내뱉다《*forth*》.
— *n.* **1** 트림(소리). **2** 분출하는 불길, 분화; 폭(발)음. **3** 《俗》 불평.
bel·cher[béltʃər] *n.* 청백으로 얼룩지게 물들인 목도리.
bel·dam(e)[béldəm] *n.* 노파, 할멈, 버커리; 《廢》 조모, 할머니.
be·lea·guer[bilí:gər] *vt.* **1** 포위(공격)하다; 둘러 싸다. **2** 달라붙다; 괴롭히다.
bel·em·nite[béləmnàit] *n.* 〔古生〕 전석(箭石)《오징어류의 화석》.
bel es·prit [belesprí:] [F] *n.* (*pl.* ***beaux es·prits***) 재사(才士).
Bel·fast[bélfæst, -⌐, belfɑ́:st, ⌐-] *n.* 벨파스트《북아일랜드의 수도·항구》.
bel·fried[bélfrid] *a.* 종루가 있는.
bel·fry[bélfri] *n.* (*pl.* **-fries**) 종각, 종루(bell tower); (종루 안의) 종실(鍾室). **have bats in one's belfry** 《俗》 머리가 이상해져 있다.
Belg. Belgian; Belgic; Belgium.
bel·ga[bélgə] *n.* 벨가《벨기에의 화폐 단위; 약 5벨기에 프랑에 상당; 2차 대전 후 폐지》.
*__Bel·gian__[béldʒən] *a.* 벨기에 (사람)의.
— *n.* 벨기에 사람. ◇ Bélgium *n.*
Bélgian háre 〔動〕 벨전헤어《벨기에 원산의 몸집이 큰 적갈색 사육 토끼; 식육용》.
Bel·gic[béldʒik] *a.* 벨기에 (사람)의; 고대 벨가에족(Belgae)의.
*__Bel·gium__[béldʒəm] *n.* 벨기에《수도 Brussels》. ◇ Bélgian, Bélgic *a.*
Bel·go-[bélgou] 《연결형》 「벨기에」의 뜻.
Bel·grade[bélgreid, -grɑ:d, -græd, -⌐] *n.* 베오그라드《유고슬라비아의 수도》.
Bel·gra·vi·a[belgréiviə] *n.* **1** 벨그레이비어《런던의 Hyde Park 남쪽에 있는 고급 주택 지구》. **2** 신흥 상류 사회. **-an**[-n] *a.* Belgravia의; 상류 사회의.
Be·li·al[bí:liəl, -ljəl] *n.* **1** 〔聖〕 사악, 파괴; 악마, 사탄. **2** (밀턴 작 「실락원」의) 타락한 천사의 하나. **a man**〔**son**〕 **of Belial** 〔聖〕 타락한 사람.
be·lie[bilái] *vt.* (**-lied; -ly·ing**) 거짓〔잘못〕 전하다, 잘못〔틀리게〕 나타내다; 속이다; 〈약속·기대 등을〉 어기다, 실망시키다; 그릇된 것임을 나타내 보이다; 〈…와〉 모순되다: His acts ~ his words. 그는 언행이 다르다.

be·lí·er *n.* ◇ lie[1] *n., v.*

‡be·lief[bilíːf, bə-] *n.* **1** Ⓤ 믿음, 확신, 신념, 소신: My ~ is that ... 내 생각에는…(I believe that ...). **2** Ⓤ,Ⓒ 신앙(*in*). **3** Ⓤ 신뢰, 신용(*in*). **4** 신조; (the B-) 사도 신경. **beyond belief** 믿기 어려운. **in the belief that** …이라고 믿고, 이라고 생각하여. **light of belief** 쉽사리 믿는. **past all belief** 도저히 믿기 어려운. **to the best of one's belief** …이 믿는 한에서는, 진정 …이 믿기로는.

be·liev·a·ble[bilíːvəbəl, bə-] *a.* 믿을 수 있는, 신용할 수 있는. **~·bly** *v.*

★be·lieve[bilíːv, bə-] *vt.* **1** 믿다; 신용[신뢰]하다: (Ⅲ (목)) We ~ each other[one another]. 우리는 서로 믿는다/(Ⅲ (*that*) (절)) Columbus ~*d that* the earth is round. 콜럼버스는 지구가 둥글다고 믿었다/(Ⅴ (목)+(*to be*)+명) ((목)-*what*(절)) He ~*s what* she says (*to be*) a total lie. 그는 그녀가 한 말이 전부 거짓말이라고 믿는다/(Ⅱ *be pp.*+(*to be*)+형) He is ~*d* (*to be*) honest. 그는 정직하다고 신뢰받고 있다. **2** (…이라고) 생각하다, 여기다(suppose, think): (Ⅲ (*that*)(절)) He ~*d* (*that*) she was innocent. 그는 그녀가 무죄라고 생각했다 (=(Ⅴ (목)+(*to be*)+형) He ~*d* her (to be) innocent.)/(Ⅲ (*that*) (절))((주)+*v*Ⅲ-*par.*) She has, I ~, no children. 그녀는 틀림없이 어린애가 없을 것이다/(Ⅲ *wh.*(절)) ((주)+*v*Ⅲ-*par.*) Who do you ~ loves him most? 누구가 그를 가장 사랑한다고 생각합니까/(Ⅴ *it*+형+*pos.*+-*ing*(*g.*)) We ~ it unwise her be*ing* blinded by jealousy. 그녀가 질투로 판단력을 잃은 것은 무분별한 일이라고 생각한다/(Ⅴ *it*+형+*that*(절)) I ~ it right *that* he should say so. 그가 그렇게 말하는 것은 옳다고 생각한다/(Ⅴ (목)+형) In old days, people ~*d* some diseases incurable. 옛날에 사람들은 어떤병은 고칠 수 없다고 생각했다/(Ⅴ (목)+*to be*+명) He ~*s* himself *to be* a great artist. 그는 그 자신을 위대한 예술가라고 여기고 있다/(Ⅴ (목)+*to* do) I ~ this plant *to* grow in Brazil. 나는 이 식물은 브라질에서 성장한다고 생각한다. **3** 〈신·종교를〉 믿다. **believe it or not** (口) 믿지 않겠지만, 믿거나 말거나 간에. **Believe me.** (삽입적)(口) 정말로; 정말이야. **I believe not.** 그렇지 않다고 생각한다. **I believe so.** 그렇다고 생각한다. **make believe to do** …하는 체하다, 속이다(*cf.* MAKE-BELIEVE). **You'd better believe (it).** (미口) 그래, 틀림없어. — *vi.* **1** (사람을) 믿다, 신뢰[신용, 신임]하다; …의 존재[가치]를 믿다; …을 좋다고 생각하다: (Ⅲ *v*Ⅰ+전+(목)) He did not ~ *in* the Eternal. 그는 신의 존재를 믿지 않았다/~ *in* a person …의 인격[역량]을 믿다. **2** 생각하다(think): I ~ so. 그렇다고 생각합니다/I ~ not. 그렇지 않다고 생각합니다. ◇ belief *n.*

∗be·liev·er *n.* 믿는 사람, 신자; 신봉자(*in*).

be·liev·ing[bilíːviŋ, bə-] *n.* 믿음. **Seeing is believing.** (속담) 보는[직접 경험하는] 것보다 확실한 것은 없다, 백문이 불여 일견. — *a.* 믿음이 있는. **~·ly** *ad.* 확신하는 태도로.

be·like[biláik] *ad.* (古) 아마, 추측컨대.

Be·lin·da[bəlíndə] *n.* 여자 이름(애칭 Linda).

Be·lí·sha béacon[bilíːʃə-] (영) 횡단 보도 표지등.

be·lit·tle[bilítl] *vt.* **1** 얕보다, 흠잡다. **2** 작게 보이게 하다. **~ oneself** 자기를 낮추다. **~·ment** *n.*

Be·lize[bəlíːz] *n.* 벨리즈 **1** 중미 카리브해에 면한 나라(옛이름 British Honduras; 수도 Belmopan). **2** 1의 옛 수도, 항구 도시.

Be·líz·e·an, -i·an[-ziən] *a., n.*

★bell[1] [bel] *n.* **1** 종, 벨; 방울, 초인종; 종소리: electric ~*s* 전령(電鈴). **2** 종 모양의 것 [꽃]; (해파리의) 갓. **3** (보통 *pl.*) [海] 시종(時鐘)(1점에서 8점까지 30분마다 1점을 더하여 치는 당직의 종). **4** (*pl.*) (口) =BELL-BOTTOMS. **a chime[peal] of bells** (교회의) 차임[종들] 소리. **answer the bell** 초인종 소리를 듣고 (손님을) 맞으러 가다. **(as) clear as a bell** (1) 〈소리·물·술 등이〉 맑은. (2) 〈사물이〉 명백한. **bear[carry] away the bell** 상품[승리]을 얻다. **bear the bell** 수위[첫째]를 차지하다. **curse with bell, book, and candle** [가톨릭] 종·책·촛불로 파문하다(천주교의 파문식). **marriage bells** 교회의 결혼식의 종. **ring[hit] a bell** (口) 생각나게 하다. **ring the bell** (口) (1) 바라는 것을 주다. (2) 생각대로 되어가다, 잘 되어가다, 히트하다(*with*). **ring the bells backward** (화재 등으로) 경보를 내다. **saved by the bell** (口) 운좋게 곤란을 면하여(권투선수가 공이 울려 knockout을 면한다고 해서). **sound as a bell** 매우 건강한; 〈기계 등의〉 상태가 매우 좋은. **There's the bell.** 벨이 울리고 있다(손님이 오셨다). **with bells on** (미口) 기꺼이; 열심히. — *vt.* 방울을 달다; 종 모양으로 부풀게 하다(*out*). **bell the cat** 자진하여 어려운 일을 떠맡다(이솝 우화에서). — *vi.* 종 모양이 되다[을 하고 있다].

bell[2] *n.* (발정기의) 수사슴 우는 소리. — *vi.* 〈(발정기의) 수사슴이〉 울다.

Bell[bel] *n.* 벨 Alexander Graham ~(전화를 발명한 미국 사람(1847-1922)).

Bel·la[bélə] *n.* 여자 이름(Isabella의 애칭).

bel·la·don·na[bèlədɑ́nə/-dɔ́nə] *n.* **1** [植] 벨라도나(가지과(科)의 유독 식물). **2** Ⓤ 벨라도나제(劑).

bélladonna líly =AMARYLLIS.

bel·la fi·gu·ra[bélɑfigúːrɑː] [It] *n.* 좋은 인상, 훌륭한 모습[풍채].

Bel·la·trix[bəléitriks, bélətriks] *n.* [天] 벨라트릭스(Orion 자리의 γ성).

bell·bird [∸bə̀ːrd] *n.* [鳥] 방울새(종소리 비슷하게 우는 새의 총칭; 특히 중·남미산).

bell-bot·tom[∸bɑ̀təm] *a.* 바지 자락이 넓은, 나팔 바지의.

bell-bot·toms[∸bɑ̀təmz] *n. pl.* (단수 취급) 나팔 바지, 판탈롱: a pair of ~ 판탈롱 한 벌.

bell·boy[∸bɔ̀i] *n.* =BELLHOP.

béll brònze =BELL METAL.

béll bùoy [海] 종이 달린 부낭(浮囊)(물이 얕은 곳을 알림).

béll bùtton 초인종 단추.

béll càptain (미) (호텔 등의) 급사장.

béll còt[còte] 작은 종탑.

∗belle[bel] [F] *n.* **1** 미인, 미녀. **2** (the ~) (어떤 장소에서) 가장 아름다운 여성[소녀]. **the belle of society** 사교계의 꽃.

Belle[bel] *n.* 여자 이름(Isabella의 애칭).

belle am·ie[belæmíː] [F] *n.* 미모의 친구(여자), 여자 친구.

belle é·poque[beleipɔ́ːk] [F] *n.* (19세기 말부터 제1차 세계 대전 전까지의) 좋은 시대.

belle laide[belléid] [F] *n.* (*pl.* ***belles laides***[-]) 미인은 아니지만 매력 있는 여자(jolie laide).

belles-let·tres[bellétər, bellétr] [F] *n.* 미

문(美文), 미문학, 순문학.
bel·let·rist[bellétrist] *n.* 순문학 (연구)가.
bel·le·tris·tic[béllitrístik] *a.* 순문학적인.
bell·flow·er[bélflàuər] *n.* 〔植〕 초롱꽃과의 각종 식물: a Chinese〔Japanese〕 ~ 도라지.
béll fòunder 주종사(鑄鐘師).
béll fòunding 주종술〔법〕.
béll fòundry 주종소.
béll gàble (교회당의) 뾰족 종탑.
béll glàss 〔化〕 =BELL JAR.
bell·hop[ㅅhàp/ㅅhɔ̀p] *n.* 《미俗》 (호텔·클럽의) 사환.
bel·li·cism[béləsìzm] *n.* Ⓤ 호전적 경향.
bel·li·cose[bélikòus] *a.* 호전적인, 싸우기 좋아하는(warlike). **~·ly** *ad.*
bel·li·cos·i·ty[bèlikásəti/-kɔ́s-] *n.* Ⓤ 호전성, 전투적 기질; 싸움을 즐김.
bel·lied[bélid] *a.* **1** (복합어를 이루어) 배〔복부〕가 …한: empty-~ 배가 허기진. **2** 팽창한, 부푼; 배가 큰, 비만한.
bel·lig·er·ence[bəlídʒərəns] *n.* Ⓤ **1** 교전, 전쟁 (행위). **2** 호전성, 투쟁성.
bel·lig·er·en·cy[-rənsi] *n.* Ⓤ **1** 교전 상태. **2** =BELLIGERENCE 2.
***bel·lig·er·ent**[bəlídʒərənt] *a.* **1** 교전중인; 교전국의: the ~ powers 교전국. **2** 호전적인. — *n.* 교전국〔자〕. **~·ly** *ad.*
◇ bellígerence, bellígerency *n.*
béll jàr 〔化〕 종 모양의 유리 그릇.
béll làp (자전거·트랙 경기의) 마지막 한 바퀴《선두 주자에게 종으로 알림》.
bell-like[béllàik] *a.* 종모양의; 종소리를 닮은.
bell·man[bélmən] *n.* (*pl.* **-men**[ㅅmən]) **1** 종을 치는〔울리는〕 사람. **2** (읍·도시의) 거리를 외치고 다니는 포고원(布告員)(town crier). **3** =BELLHOP. **4** 잠수부의 조수.
béll mètal 종청동(鍾靑銅), 종동(鐘銅)《구리와 주석의 합금》.
bell-mouthed[bélmàuðd, ㅅmàuθt] *a.* 〈그릇 등이〉 종 모양의 아가리를 가진.
Bel·lo·na[bəlóunə] *n.* **1** 〔로神〕 벨로나《전쟁의 여신; *cf.* MARS》. **2** (벨로나 같이) 키가 큰 미인.
***bel·low**[bélou] *vi.* **1** 〈소가〉 큰 소리로 울다. **2** 노호하다, 고함지르다: He ~*ed at* his servant. 그는 하인에게 호통쳤다. **3** 〈대포 등이〉 크게 울리다; 〈바람이〉 윙윙 불다. — *vt.* 큰소리로 말하다, 고함지르다, 으르렁거리다: ~ *out*〔*forth*〕 below blasphemies〔a song〕 욕설을 퍼붓다〔고함지르듯 노래하다〕. **bellow off** 야단쳐서 쫓아버리다〔침묵시키다〕. — *n.* 소 우는〔울부짖는〕 소리; 굉음; 으르렁거리는 소리.
***bel·lows**[bélouz, -ləz] [OE] *n. pl.* (단수·복수 취급) **1** 풀무《손풀무는 a pair of ~, 골풀무는 (the) ~》. **2** 주름상자《사진기 등의》; (오르간의) 바람 통; 《俗》 폐. **blow the bellows** 불을 지피다; 〈화 등을〉 부채질하다. **have bellows to mend** 〈말이〉 숨이 차서 헐떡이다.
bell·pull[bélpùl] *n.* 종〔벨〕을 당기는 줄.
béll pùsh 벨〔초인종〕의 누름 단추.
béll rìnger **1** 종을 치는 사람. **2** 《미俗》 외판원, 호별 방문 판매원.
béll rìnging 타종법.
bells *n. pl.* =BELL-BOTTOMS.
béllls and whístles 《미口》 〔컴퓨터〕 편리한 부가 프로그램《보조 장치》.
bell-shaped[ㅅʃèipt] *a.* 종〔벨〕 모양의.
béll tòwer 종루, 종탑.
bell·weth·er[bélwèðər] *n.* **1** 방울 단 길잡이 숫양. **2** (반란·음모 등의) 주모자; 선도자.
béllwether índustry 경기 주도형 산업.
bell·wort[bélwə̀ːrt] *n.* 〔植〕 초롱꽃(bellflower); 《미》 은방울꽃 무리.
***bel·ly**[béli] [OE] *n.* (*pl.* **-lies**) **1** 배, 복부: an empty ~ 공복/a pot ~ 불룩배(◇ 구어 표현은 stomach, 전문어는 abdomen). **2** 위; 내부; 자궁 **3** 불룩한 부분, 동부(胴部). **4** 식욕, 대식; 탐욕. **go belly up** (1) 〈물고기가〉 죽다. (2) 실패하다; 도산하다. **have fire in one's belly** 영감을 받고 있다. **lie on the belly** 엎드려 자다. **The belly has no ears.** 《속담》 배가 고프면 바른 말도 들리지 않는다, 수염이 석자라도 먹어야 양반.
— *vi., vt.* (**-lied**) 부풀다, 부풀게 하다.
belly in 〈비행기가〉 동체 착륙하다. **belly up to** 《미口》 …으로 곧장 가다.
bel·ly·ache[-èik] *n.* **1** Ⓤ,Ⓒ 복통. **2** 《俗》 불평. — *vi.* 《俗》 투덜거리다, 불평하다(*about*).
bélly-bàg, bélt-bàg =BUM-BAG; FANNY PACK.
bel·ly·band[-bæ̀nd] *n.* (말의) 뱃대끈.
bélly bùtton 《口》 배꼽(navel).
bélly dànce 배꼽춤. **bélly dáncer** *n.*
bélly flòp 《口》 배로 수면을 치며 뛰어들기〔뛰어들다〕.
bel·ly·ful[bélifùl] *n.* 배 가득, 만복; 《俗》 충분(*of*).
bel·ly-god[béligàd/-gɔ̀d] *n.* 《古》 대식가.
bel·ly·hold[-hòuld] *n.* (비행기의) 객실 아래의 화물실.
bel·ly-land[-læ̀nd] *vi., vt.* 〔空〕 (고장으로) 동체 착륙하다〔시키다〕. **~·ing** *n.*
bélly làugh 《口》 포복 절도, 폭소(거리).
bèl·ly-úp *a.* 죽은; 도산한; (자동차가) 뒤집힌.
bel·ly-wash[-wɑ̀ʃ, -wɔ̀(ː)ʃ] *n.* 《미俗》 음료《맥주·커피 등》.
bélly wòrship 대식(gluttony); 식충이.
★**be·long**[bilɔ́(ː)ŋ, -láŋ] *vi.* **1** (…에) 속하다, (…의) 소유물이다(*to*): (Ⅲ *It v* I +전+(목)+*to* do) (*no pass.*) It does not ~ *to* me *to* dictate to my colleagues. 내 동료들에게 지시하는 일은 나의 권한이 아니다/(Ⅲ *v* I +전+(목)) (*no pass.*) The mascot ~*s to* Nancy. 그 마스코트는 낸시의 것이다. **2** (…의) 일부를 이루다; (분류상 …에) 속하다: The spoon ~*s to* that set. 그 스푼은 저 세트의 일부이다/Man ~*s to* the mammalian class of animals. 인간은 동물의 포유강(綱)에 속한다. **3** (…에) 소속하다: He ~*s to* the Boy Scouts. 그는 소년단원이다. **4** (본래) …에 있어야 하다(*on, in, to*): The dictionary ~*s on* this shelf. 그 사전을 두는 자리는 이 선반이다. **5** 사교성이 있다, 주위 사람과 어울리다; 〈둘 이상의 것〔사람〕이〉 같은 부류이다(◇ (1) belong은 진행형·명령형이 없다. (2) belong to의 수동형은 없다 ⇒*vi.* 1). **belong here** 이곳 사람이다; 이 곳〔항목〕에 속하다. **belong in** 《미俗》 …의 부류에 들다; …에 살다. **belong under** …의 항목〔부류〕에 들다. **belong with** 《미》 …의 부류에 들다; …에 관계가 있다; 어울리다, 조화되다.
***be·long·ing**[bilɔ́(ː)ŋiŋ, -láŋ-] *n.* **1** (*pl.*) 소유물, 재산; 소지품, 부속물; 성질. **2** (*pl.*) 《口》 가족, 친척. **3** Ⓤ 친밀한 관계: a sense of ~ 소속 의식, 일체감.
be·long·ing·ness *n.* 〔心〕 (개인의 집단에 대한) 소속성.
Be·lo·rus·sia[bjèlərʌ́ʃə] *n.* =BYELORUSSIA.
⁑**be·lov·ed**[bilʌ́vid, -lʌ́vd] *a.* **1** 사랑하는, 귀

여운, 소중한; 애용하는. **one's beloved homeland** 사랑하는 조국. **2** (수동적; *by*, 《文語》 *of*) 사랑을 받는: She is ~ *by*〔*of*〕 all. 그녀는 모든 사람의 사랑을 받고 있다.
— *n.* **1** (보통 one's ~) 가장 사랑하는 사람: my ~ 당신, 여보《애인·부부간의 호칭》. **2** (신자 상호간의 호칭) 친애하는 여러분.

be·low[bilóu] *prep.* (*opp.* above; *cf.* UNDER) **1** (장소) …보다 아래〔밑〕에: ~ one's eyes 눈 아래에/~ the table 테이블 밑에. **2** (방향) …의 하류에; …의 아래쪽에: ~ the bridge 다리 아래쪽에. **3** (수량·정도) …미만의, …이하의; …보다 떨어져; 가치 없는: ~ theaverage 평균 이하의〔로〕/~ contempt 경멸할 가치도 없는.
— *ad.* (*opp.* above). **1** 아래로〔에〕; 지상에, 하계(下界)에; 지하에, 지옥에; 아래층에; 아래 선실에: Is it above or ~? 위냐 아래냐. **2** 하위에 (있는), 하급의: in the court ~ 하급 법원에서. **3** (페이지의) 하부에, (책의) 하단에; 하류에: See ~. 하기 참조. **4** 영하(=~ zero): 10 ~ 영하 10도. **Below there!** 떨어진다《물건을 떨어뜨릴 때 등의 주의》. **down below** 저 아래쪽에; 지하〔무덤, 지옥〕에; 물 밑에; 〔海〕 선창(船艙)에. **from below** 아래로부터. **go below** 〔海〕 선실로 내려가다; 비번이 되다. **here below** 이 세상에서(*opp.* in heaven). **the place below** 지옥.

be·low·decks[bilóudèks] *ad.* 선실로, 배 안에.

be·low·stairs[-stέərz] *ad., a.* 아래층에〔의〕.

be·low-the-line[-ðəlàin] *n.* 〔經〕 (영국 예산 제도에서) 특별 회계.

Bel·shaz·zar[belʃǽzər] *n.* 벨사살《고대 바빌로니아 제국 마지막 왕; *cf.* 다니엘 5》.

belt[belt] [L] *n.* **1** 띠, 밴드, 혁대, 허리띠; 예대(禮帶)《백작 또는 기사의》, 챔피언 벨트. **2** 〔機〕 벨트, 피대; 좌석〔안전〕 벨트. **3** 환상〔순환〕 도로, 환상선. **4** 지대: the Cotton *B*- 목화 산출 지대/the black ~ 흑인 지대. **5** 줄(무늬); 〔天〕 운상대(雲狀帶). **6** 해협, 수로. **7** (군함의) 장갑대(帶). **8** 《영俗》 자동차의 질주; 《미俗》 음주. **9** 《俗》 강한 일격; 구타: give a ~ 때리다. **belt and braces** 혁대와 멜빵; 이중의 안전 대책. **hit**〔**strike**〕 **below the belt** 〔拳〕 허리 아래를 치다《반칙 행위》; 비겁한 짓을 하다. **the marine** (three-mile) **belt** (해상 3해리까지의) 영해. **tighten**〔**pull in**〕 **one's belt** 허리띠를 졸라매어 배고픈 것을 참다; 내핍 생활을 하다. **under one's belt** 《口》 (1) 〈음식 등을〉 배에 채우고. (2) 〈자랑거리가 될 만한 것을〉 소유〔경험〕하여. — *vt.* **1** 띠를 매다; 벨트를 걸다. **2** 띠로 붙들어 매다, 허리에 띠다: The knight ~*ed* his sword *on*. 기사는 허리에 칼을 차고 있었다. **3** (폭이 넓은) 줄무늬를 치다; 《미》 나무 껍질을 고리 모양으로 벗기다. **4** 《口》 힘차게〔큰 소리로〕 노래하다(*out*): ~ (*out*) a song 노래를 큰 소리로 부르다. **5** (가죽 끈으로) 치다; 《俗》 호되게 때리다; 《미俗》 〔野〕 히트를 치다. **6** 둘러싸다, 에워싸다(*with*).
— *vi.* 《口》 질주하다. **belt out** 《미俗》 때려 눕히다; 힘차게 노래하다. **belt up** 《영俗》 조용히 하다, 얌전해지다. **~·less** *a.*

Bel·tane[béltein, -tin] *n.* 벨테인 축제《고대 켈트족의 May Day 축제》.

bélt convéyor 벨트 컨베이어.

bélt còurse 〔建〕 (기둥·벽 위쪽의) 띠 모양의 장식〔조각〕.

belt·ed[béltid] *a.* 벨트를 단, 띠〔예대〕를 두른; 장갑(裝甲)한; 줄무늬가 있는.

bélt·ed-bi·as tíre[béltidbàiəs-] 벨티드 바이어스 타이어《코드나 금속 벨트로 보강한 타이어》.

belt·er[béltər] *n.* 《俗》 뛰어난 것〔사람〕.

bélt hìghway 《미》(도시 주변의) 환상〔순환〕 도로.

belt·ing[béltiŋ] *n.* Ⓤ **1** 벨트 재료. **2** (집합적) 벨트류. **3** 〔機〕 벨트 (장치). **4** 《俗》 (가죽 끈 등으로) 때리기.

bélt lìne 《미》 환상선, 순환선《교통 기관의》.

belt·line[béltlàin] *n.* 허릿매, 허리통.

bélt sàw =BAND SAW.

belt·tight·en[ˊtàitn] *vi.* 긴축 정책을 펴다.

bélt tìghtening 내핍(생활), 절약, 긴축(정책).

belt·way[béltwèi] *n.* 《미》 =BELT HIGHWAY.

be·lu·ga[bəlúːgə] *n.* **1** 〔動〕 흰돌고래. **2** 〔魚〕 흰철갑상어.

bel·ve·dere[bélvədìər, ˎ-ˊ] [It] *n.* **1** (고층 건물의) 전망대; 망루. **2** (정원 등의 높은 곳에 설치한) 정자. **3** (**B-**) Vatican 궁전의 미술관.

be·ly·ing[biláiiŋ] *v.* BELIE의 현재분사.

B.E.M. British Empire Medal《1941년 제정》; Bug-Eyed Monster《왕방울 눈의 괴물; 과학 소설에 나오는 공상적인 생물》.

be·ma[bíːmə] *n.* (*pl.* **~·ta**[-tə], **~s**) **1** (고대 그리스·로마의) 연단. **2** (동방 교회의) 성단소(聖壇所)《성직자·성가대석이 있음》.

be·maul[bimɔ́ːl] *vt.* 혼을 내다, 경치게 하다.

be·mazed[biméizd] *a.* 《古》 망연한, 어리둥절한.

Bem·ba[bémbə] *n.* (*pl.* **-bas -ba**(집합적)) **1** 벰바족(族)《Zambia 북동부, Zaire와 Malawi의 인접 지역의 아프리카인》. **2** (벰바족의) 반투(Bantu) 말.

Bem·berg[bémbəːrg] *n.* 벰베르크《인조견; 상표명》.

be·mean[bimíːn] *vt.* 저하시키다; (보통 ~ one*self* 로) 인격·품성 등을 떨어뜨리다.

be·med·aled[bimédld] *a.* 훈장〔메달〕을 단〔받은〕.

be·me·gride[bémәgràid, bíːm-] *n.* 〔藥〕 베메그리드《바르비투르산염 중독자용 흥분제》.

be·mire[bimáiər] *vt.* 흙투성이로 만들다.

be·moan[bimóun] *vt., vi.* 슬퍼하다, 탄식하다.

be·mock[bimák/-mɔ́k] *vt.* 비웃다.

be·muse[bimjúːz] *vt.* 멍하게 만들다, 어리벙벙하게 하다; 생각에 잠기게 하다.

be·mused[bimjúːzd] *a.* 멍한, 어리벙벙한.

ben[1] [ben] 《스코》 *n.* (두 칸 집의) 안방, 거실. — *ad., a., prep.* (집의) 내부에〔의〕.

ben[2] *n.* 《스코》(종종 **B-**) 산봉우리, 산꼭대기《◇주로 Ben Nevis처럼 산 이름과 함께 사용》.

Ben *n.* 남자 이름(Benjamin의 애칭).

be·nab[bənǽb] *n.* 가이아나 원주민의 오두막.

Ben·a·dryl[bénədril] *n.* 베나드릴《항(抗)히스타민제의 일종; 상표명》.

Be·na·res, Be·na·res[bənáːriz, -rəs] *n.* 베나레스《동부 인도에 있는 힌두교의 옛 성도(聖都); **Varanasi**[vərάːnəsìː]의 통칭》.

bench[bentʃ] *n.* **1** 벤치, 긴 의자. **2** 노젓는 자리. **3** 작업〔세공〕대; 진열대; 축견 품평회. **4** (the ~; 종종 the B-) 판사석; 법정(law court); (집합적) Ⓤ 재판관; 재판관직; 〔영議會〕 의석; 〔野〕 벤치, 선수석; (집합적) 보결 선수. **5** 〔鑛山〕 (노천굴 등의) 계단; 단구(段丘)(terrace). **6** (온실의) 모판 상자. **be**〔**sit**〕 **on the bench** 재판관석에 앉아 있다, 심리중이다; =warm the BENCH. **be raised**〔**elevated**〕 **to the**

bench 판사((영) 주교)로 승진하다. **front bench** 〔영議會〕 정당 당수석. **ministerial benches** 〔영議會〕 각료석. **the King's** 〔**Queen's**〕 **Bench** 〔영法〕 고등 법원. **warm the bench** (미) 〔스포츠〕 보결 선수로 있다. — *vt.* **1** 벤치를 놓다. **2** 〈품평회에서 개를〉 진열대에 진열하다. **3** 착석시키다; 판사〔명예직(등)〕 자리에 앉히다. **4** 〈선수를〉 출전시키지 않고 보결로 돌리다. **5** 〈탄층(炭層)을〉 계단 모양으로 파다. **6** 〈식물을〉 온실 안의 모판 상자에 심다.

bénch dòg (품평회에) 출품된 개.

bench·er[béntʃər] *n.* **1** 벤치에 앉는 사람; 노젓는 사람(보트의). **2** (영) 법학원(Inns of Court)의 간부; (영) 국회의원. **3** (俗) 밤낮 바〔술집〕에 들어박힌 사람.

bénch jòckey (미俗) 〔野〕 벤치에서 상대 팀을 야유하는 선수.

bénch làthe 〔機〕 탁상 선반.

bench-made[⌐méid] *a.* 〈목공품·구두가〉 손으로 만든, 맞춤의.

bench man[⌐mən] 작업대에서 일하는 사람, (특히) 라디오·텔레비전의 수리 기술자.

bench·mark[⌐mà:rk] *n.* **1** 〔測〕 수준 기표(基標)(고저 측량의 표고의 기준이 됨; (略: B.M.)). **2** 기준. **3** (또는 bench mark) (측정을 위한) 기준점; 〔컴퓨터〕 벤치 마크(여러 가지 컴퓨터의 성능을 비교·평가하기 위해 쓰이는 표준 문제). — *vt.* 〈컴퓨터 시스템 등을〉 벤치마크 문제로 테스트하다.

bénchmark príce (석유 등의) 표준〔기준〕 가격.

bénch scìentist (연구실·실험실의) 과학 연구원.

bénch sèat (자동차의) 벤치 시트(좌우로 갈라져 있지 않은 긴 좌석).

bénch shòw (미) 개〔고양이〕 품평회.

bénch wàrmer (미) 〔스포츠〕 보결 선수.

bénch wàrrant 판사〔법원〕의 영장.

bench·work[⌐wə̀:rk] *n.* (기계 작업에 대하여) 앉아서 하는 작업, 마무리 손질.

‡**bend**[1] [bend] [OE] (**bent**[bent]) *vt.* **1** 구부리다; 〈무릎을〉 꿇다(stoop); 〈고개를〉 숙이다; 〈눈쌀을〉 찌푸리다; 〈활을〉 당기다: ~ a wire up 〔down〕 철사를 구부려 올리다〔내리다〕/~ a piece of wire *into* a ring 철사를 구부려 고리로 만들다. **2** 굴복시키다, 〈의지를〉 굽히다: ~ a person *to* one's will …을 자기 뜻에 따르게 하다. **3** (口) 〈규칙 등을〉 알맞게 바꾸다; (俗) …을 악용하다. **4** 〈눈길·발길을〉 딴데로 돌리다(*to, toward(s)*); 〈마음·노력을〉 기울이다, 쏟다(*to, toward(s), on, upon*): We *bent* our steps *to* 〔*towards*〕 the inn. 우리들은 여인숙으로 발길을 돌렸다/Every eye was *bent on* him. 모든 사람의 시선이 그에게 쏠렸다. **5** 〔海〕 〈돛을〉 잡아매다: ~ the sail *to* a yard 활대에 돛을 동여매다. **be bent on** ⇨bent[1] *a.* 2. **be bent with age** 나이를 먹어 허리가 굽다. **bend an ear** 귀를 기울여 듣다(*toward(s)*). **bend** a person**'s ear** 지리하도록 오래 붙들고 이야기하다, 오랫동안 이야기를 걸다. **bend** one**'s brows** 이맛살을 찌푸리다. **bend** one**self** 열중하다(*to*). **bend** one**'s mind to**〔**on**〕 …에 전렴하다. **bend** one**'s steps** (homeward) (집으로) 발길을 돌리다. **bend the neck** 굴복하다.

— *vi.* **1** 구부러지다, 휘다(*to*): The branch *bent.* 가지가 휘었다. **2** 상반신〔허리〕을 구부리다 (*down, over*): *Bend down,* I'll jump over you. 몸을 굽혀라, 내가 뛰어넘을 것이다. **3** 굴복하다(submit), 굴종하다(*to, before*): ~ *to* fate 운명에 굴하다〔을 따르다〕/~ *before* a person. 아무에게 굴복하다. **4** 힘을 쏟다〔기울이다〕 (*to*): We *bent to* our work. 우리는 일에 정력을 쏟았다〔열중했다〕. **5** 〈…쪽으로〉 향하다: The road ~s *to* the right. 길은 오른쪽으로 구부러져 있다. **bend back** 몸을 잦히다. **bend over** (1) 몸을 …위로 굽히다. (2) (벌을 받기 위하여) 몸을 앞으로 숙이다. (3) 부지런히 …하다. **bend over backward** 전과는 전혀 다르게 …하다; 최선을 다해 …하려고 하다. **bend to the oars** 열심히 노를 젓다. **catch** a person **bending** 허를 찌르다.

— *n.* **1** 굽음, 굴곡〔만곡〕(부); 굽이. **2** 몸을 굽힘; 인사. **3** (마음의) 경향. **4** 〔海〕 밧줄의 매듭. **5** (the ~s) (口) =CAISSON DISEASE; 항공 색전증(塞栓症). **6** (口) 홍청망청 놀기. **above** one**'s bend** (미) 힘에 겨운. **Get a bend on you!** (俗) 우물쭈물 하지 마라, 정신 차려라. **go on the bend** 홍청망청 마시며 떠들다. **on the bend** (口) 부정 수단으로. **round**〔**around**〕 **the bend** (口·익살) 미친.

◇ bent[1] *a., n.*

bend[2] *n.* **1** 〔紋〕 우경선(右傾線)〔병행 사선, 사대(斜帶)〕(=⌐ **déxter**)(방패의 왼쪽 위에서 오른쪽 아래로 비스듬히 내리그은 띠 줄)(*opp.* bend sinister). **2** 짐승의 등 가죽을 등줄기에서 반으로 자른 한 쪽. **bend leather** 2의 가죽을 무두질 한 것(구두창 등에 씀).

bend·a·ble[béndəbl] *a.* 구부릴 수 있는.

ben·day[béndéi] 〔印〕 *a.* (종종 **B-**) 벤데이법의. — *vt.* 벤데이법으로 제판하다.

Bén Dáy〔**Béndáy, béndáy**〕 **pròcess** 〔印〕 벤데이(제판)법(젤라틴막 등을 사용하여 인쇄판에 음영·농담 등을 나타냄).

bend·ed[béndid] *a.* (다음 성구로) **on bended knee(s)** (文語) 무릎을 꿇고, 애원하며. **with bend bow** 활을 힘껏 당겨서.

bend·er[béndər] *n.* **1** 구부리는 사람〔도구〕, 펜치; 〔野〕 커브. **2** (영俗) 옛 6펜스 은화. **3** (미俗) 다리(leg), 무릎. **4** (미俗) 홍청거림: go on a ~ 술먹고 홍청거리다.

bénd·ing mòment[béndiŋ-] 〔物〕 휨모멘트.

bend-leath·er *n.* 벤드 가죽(구두 밑창용 단단한 가죽).

bénd sínister 〔紋〕 (방패의) 좌하향 사대(斜帶)〔좌경선(左傾線)〕(=bar sinister)(방패의 오른쪽 위에서 왼쪽 아래로 비스듬히 내리그은 띠 줄; bend[2](사대(斜帶))와 반대되는 사대; 서자(庶子)의 표시로도 쓰임)(*opp.* bend[2]).

bend·wise, -ways[béndwàiz], [⌐wèiz] *a.* 〔紋〕 (왼쪽 위에서 오른쪽 아래로 비스듬히 향한) 우경선 모양으로 표시한.

bend·y[béndi] *a.* (**bend·i·er; -i·est**) **1** 마음대로 구부릴 수 있는, 유연한. **2** 〈길 등이〉 꼬불꼬불한.

ben·e-[bénə] (연결형) 「선(善)·양(良)」의 뜻 (*opp.* male-).

‡**be·neath**[biní:θ, -ní:ð] *ad.* (바로) 밑〔아래〕에; 아래쪽에; 지하에: the heaven above and the earth ~ 위의 하늘과 밑의 땅/the town ~ 아랫 동네. — *prep.* **1** (위치·장소) …의 아래〔밑〕에(서); (무게·지배·압박 등의) 아래서: ~ a window 창 밑에/bend ~ a burden 무거운 짐을 지고 몸을 못 가누다. **2** …의 아래쪽〔기슭〕에. **3** (신분·지위·도덕적 가치) …보다 낮은, 손아래의. **4** …할 가치가 없는, …답지 않은, …의 품위를떨어뜨리는. **be beneath** a person〔a person**'s dignity**〕 (미口) …의 위신에 관계되다. **beneath notice**〔**contempt**〕

주의〔경멸〕할 가치도 없는. **marry beneath** one 신분이 낮은 사람과 결혼하다.

Ben·e·di·ci·te[bènədísəti/-dái-] *n.* **1** 〔基督教〕 (the ~) 만물의 송가. **2** (**b-**) 축복의 기도, (식사 전의) 기도. — *int.* (**b-**) 그대에게 행복이 있으라! (Bless you!).

Ben·e·dick, b-[bénədik] *n.* **1** (독신주의를 버리고) 결혼한 사나이《Shakespeare의 희극 가운데의 인물에서》. **2** (b-) =BENEDICT.

ben·e·dict[bénədikt] *n.* **1** (특히 독신으로 오래 있었던) 신혼 남자. **2** 기혼 남자.

Ben·e·dict[bénədikt] *n.* **1** 남자 이름. **2** 베네딕토 Saint ~(480~546?)《베네딕토회를 창설한 이탈리아의 수도사》.

Ben·e·dic·tine[bènədíktin, -tain, -ti:n] 〔가톨릭〕 *n.* 베네딕토회 회원《Black Monk라고도 함》. — *a.* 베네딕토회의.

Benedíctine rúle 베네딕토회의 규칙《침묵과 근로를 중히 여김》.

ben·e·dic·tion[bènədíkʃən] *n.* **1** Ⓤ 축복 (blessing); 감사 기도《식전·식후의》. **2** (B-) 〔가톨릭〕 (성체) 강복식(降福式); 축성식(祝聖式). **3** 천복(天福).

ben·e·dic·tive[bènədíktiv] *a.* 〔文法〕 <동사가> 소원의, 원망(願望)의.

ben·e·dic·to·ry[bènədíktəri], **-dic·tion·al**[-ʃənəl] *a.* 축복의.

Ben·e·dic·tus[bènədíktəs] *n.* 〔聖〕 **1** 베네딕투스(Benedictus qui venit로 시작되는 짧은 라틴말 찬송가). **2** 사가랴〔즈가리야〕의 노래 《누가복음 1:68》.

ben·e·fac·tion[bènəfǽkʃən, ←—] *n.* **1** Ⓤ,Ⓒ 자비, 은혜, 선행, 자선. **2** 보시물; 기부금.

ben·e·fac·tive[bènəfǽktiv] *n.* 〔言〕 수익자격(受益者格)《It's for you에서 for you 부분》.

*__ben·e·fac·tor__[bénəfæ̀ktər, ←—] *n.* 은혜를 베푸는 사람, 은인, 보호자; 기부자, 후원자 《학교 등의》. **-tress**[-tris] *n.* benefactor의 여성형.

be·nef·ic[bənéfik] *a.* 선행을 하는.

ben·e·fice[bénəfis] *n.* 〔가톨릭·영國教〕 **1** 성직록(聖職祿)《성직자 특히 vicar 또는 rector의 수입》. **2** 성직록을 지급받는 성직.

ben·e·ficed[-t] *a.* 성직록을 지급받는.

*__be·nef·i·cence__[bənéfəsəns] *n.* **1** Ⓤ 선행, 은혜, 자선. **2** 자선 행위; 보시물(gift).

*__be·nef·i·cent__[bənéfəsənt] *a.* 자선심이 많은, 기특한, 인정 많은. **~·ly** *ad.*

*__ben·e·fi·cial__[bènəfíʃəl] *a.* **1** 유익한, 이로운 (*to*). **2** 〔法〕 수익권(受益權)이 있는 <신탁 재산 등>. **~·ly** *ad.* **~·ness** *n.*

ben·e·fi·ci·ar·y[bènəfíʃièri, -fíʃəri] *n.* (*pl.* **-ar·ies**) **1** 수익자(受益者); 〔法〕 신탁 수익자; 수취인《연금·보험 등의》. **2** 〔가톨릭〕 성직록을 받는 사제. **3** 《미》 급비생.

ben·e·fi·ci·ate[bènəfíʃièit] *vt.* <원료·광석 등을> 선별하다, 선광하다.

ben·e·fi·ci·a·tion[bènəfièiʃən] *n.* 선광(처리).

‡**ben·e·fit**[bénəfit] *n.* **1** Ⓤ 이익; 〔商〕 이득. **2** Ⓤ,Ⓒ 은혜, 은전. **3** 자선 공연; 구제. **4** 《영》 국민 보험의 급부《금전·현물·서비스》; 《미》 (세금의) 면제. **5** 《俗》 돈벌이가 되는 일. **be of benefit to** …에 이롭다. **benefit of clergy** 〔스코法〕 교회의 승인〔의식〕; 〔史〕 성직의 특전《법정 대신 교회에서 재판받는》. **benefit of inventory** 〔스코法〕 상속 재산 목록 작성의 특권. **for the benefit of** …을 위하여; (반어) …을 골려주려고, 잡치려고. **give** a person **the benefit of the doubt** 의심되는 점을 (상대에게) 유리하게 해석해 주다. — *vt.* …의 이익이 되다; …에게 이롭다, …에(게) 이익을 주다: 《Ⅲ (절)》((절)-Ⅲ(목)+전+명) I dont think his uncle will ~ him with his money. 나는 그의 아저씨가 돈으로 그에게 이롭게 해주리라고는 생각지 않는다. — *vi.* 이익을 얻다, 덕을 보다《*by, from*》: ~ *by* the medicine 그 약에서 효험을 보다/~ *from* the new method 새로운 방법으로 이익을 얻다. **~·er** *n.* ◈ benefícial *a.*

bénefit nìght 〔劇〕 기부 홍행《어떤 특정 배우에게 그날 밤의 홍행에서 얻은 이익금을 주기 위한 특별 홍행》.

bénefit perfòrmance 〔劇〕 =BENEFIT NIGHT.

bénefit socìety〔**associàtion**〕 《미》 공제조합(《영》 friendly society).

Ben·e·lux[bénəlʌ̀ks] [*Be*lgium, the *Ne*therlands, *Lux*emburg] *n.* **1** 베네룩스《벨기에·네덜란드·룩셈부르크의 총칭》. **2** 베네룩스 3국간의 관세 협정《1948년 발효》.

*__be·nev·o·lence__[bənévələns] *n.* Ⓤ **1** 자비심, 박애. **2** 자선, 선행. **3** 〔영史〕 덕세(德稅) 《강제 헌금》. ◈ benévolent *a.*

*__be·nev·o·lent__[bənévələnt] [L] *a.* **1** 인자한, 인정 많은. **2** 자선적인, 박애의. **3** 호의적인, 선의의: ~ neutrality 호의적 중립. **~·ly** *ad.* ◈ benévolence *n.*

benévolent fùnd 공제 기금.

benévolent socìety 공제회.

Beng. Bengal; Bengali. **B.Eng.** Bachelor of Engineering.

Ben·gal[beŋgɔ́:l, ben-, béngəl, béŋ-] *n.* 벵골 《원래 인도 북동부의 한 주(州)였으나, 현재 일부는 Bangladesh 영토로 됨; 略: Beng.》.

Ben·ga·lese[bèŋgəlí:z, -lí:s, bèn-] *a.* 벵골의; 벵골 사람의; 벵골 말의. — *n.* (*pl.* ~) 벵골 사람; Ⓤ 벵골 말.

Ben·gal·i, Ben·gal·ee[beŋgɔ́:li, ben-] *a.* Bengal의; 벵골 말의. — *n.* (*pl.* **~, ~s**) 벵골 사람; 방글라데시 사람; Ⓤ (근대) 벵골 말.

ben·ga·line[béŋgəli:n, ←—] *n.* 벵갈린《견사·레이온 등과 양모 또는 무명과의 교직》.

Béngal líght〔**fíre**〕 벵골 불꽃《선명한 청백색의 지속성 불꽃; 해난 신호, 무대 조명용》.

Béngal mónkey =RHESUS MONKEY.

Béngal strípes (견사와 면사로 된) 벵골식 줄무늬 직물.

Béngal tíger 벵골 호랑이《벵골, 네팔, 인도 등지에 사는 털이 짧은 호랑이》.

Ben Hur[bénhə́:r] *n.* 벤허《Lew Wallace의 역사 소설(1880); 그 주인공》.

be·night·ed[bináitid] *a.* **1** 《古》 밤길로 접어든, 갈 길이 저문 <나그네>. **2** 《文語》 미개한, 문화가 뒤떨어진. **~·ly** *ad.* **~·ness** *n.*

be·nign[bináin] *a.* **1** 인자한, 친절한, 상냥한: a ~ smile 상냥한 미소. **2** <기후 등이> 양호한, 온화한. **3** 〔病理〕 양성(良性)의 (*opp.* malignant). **~·ly** *ad.* **~·ness** *n.*

be·nig·nan·cy[binígnənsi] *n.* Ⓤ **1** 인자, 온정. **2** (기후 등의) 온화(mildness). **3** 〔病理〕 양성.

be·nig·nant[binígnənt] *a.* **1** 인자한, 상냥한, 온화한, 유순한. **2** 유익한. **3** 〔病理〕 양성의(*opp.* malignant). **~·ly** *ad.*

be·nig·ni·ty[binígnəti] *n.* (*pl.* **-ties**) Ⓤ **1** 인자, 상냥스러움; 은혜, 자비. **2** (기후 등의) 온화. **3** Ⓒ 《古》 은혜, 선행, 친절.

Be·nin[bení:n, bénən] *n.* 베닌《아프리카 서부의 공화국: 1975년 Dahomey를 개칭;

수도 Porto Novo).
Bén·i·off zòne[béniɑ̀f-, -ɔ̀(:)f-] 〔地質〕 진원면(震源面), 베니오프대(帶).
ben·i·son[bénəzən, -sən] *n.* 《古》 축복의 기도; 축복.
Ben·ja·min[béndʒəmən] *n.* **1** 남자 이름(애칭 Ben, Benny). **2** 〔聖〕 베냐민(Jacob이 사랑했던 막내 아들). **3** 막내둥이, 귀염둥이.
Bénjamin's méss 큰 몫.
Ben·jy, -jie[béndʒi] *n.* 남자 이름(Benjamin의 애칭).
Ben·late[bénleit] *n.* 벤레이트(살균용 농약; 상표명).
ben·ne, ben·ni, ben·e[béni] *n.* 〔植〕 참깨(sesame).
ben·net[bénit] *n.* 〔植〕 **1** =BENT GRASS. **2** 《영》 데이지. **3** 《미》 뱀무.
Ben·net[bénit] *n.* 남자 이름.
Ben·nett[bénit] *n.* **1** 남자 이름. **2** 베넷 Enoch Arnold∼(1867-1931)(영국의 소설가).
Ben Nev·is[benní:vis, -névis] *n.* 벤네비스산(스코틀랜드 중서부의 산; 브리튼 섬에서 가장 높음:1,343m).
ben·ny[1] [béni] *n.* (*pl.* **-nies**) **1** 《俗》 중추신경 자극제, 《특히》 벤제드린(Benzedrine). **2** benny에 취함〔취해 있음〕.
benny[2] *n.* (*pl.* **-nies**) **1** 《俗》 남자 외투. **2** 《미俗》 중산 모자(Derby hat).
Ben·ny, Ben·nie[béni] *n.* 남자 이름(Benjamin의 애칭).
bén òil 벤유(고추냉이나무 기름; 향수·화장품·요리·윤활유용).
ben·o·myl[bénəmil] *n.* 〔農藥〕 베노밀(살균제).
*__bent__[1] [bent] *v.* BEND의 과거·과거분사.
── *a.* **1** 굽은. **2** 마음이 쏠린, 열중한; …하려고 결심한(*on, upon*): ∼ *on* mischief 장난만 하여/(Ⅱ 형+전+-*ing*) He is ∼ *on* becom*ing* a doctor. 그는 의사가 되려고 결심하고 있다. **3** 《영俗》 정직하지 못한; 변태의; 미친. **4** 《미俗》 술취한; 화가 난. **5** 《俗》 도둑 맞은; 도벽이 있는: ∼ goods 장물. ── *n.* **1** 만곡(부). **2** 〔土木〕 교각. **3** 좋아함, 기호; 성미, 성향, 성벽; 소질, 재능. **4** 인내력. **follow one's bent** 제 성미대로 하다. **have a bent for** study (학문)을 좋아하다. **to the top of one's bent** 마음껏, 힘껏, 하고 싶은 대로.
bent[2] *n.* U,C **1** =BENT GRASS. **2** bent grass의 마른 줄기. **3** 《스코》 초원(heath).
bént éight 《미俗》 8기통(의 차).
bént gràss 〔植〕 겨이삭띠(벼과(科) 식물).
Ben·tham[bénθəm, -təm] *n.* 벤담 Jeremy ∼(1748-1832)(영국의 철학자). **∼·ìsm** *n.* (벤담이 주창한) 공리설(최대 다수의 최대 행복설). **∼·ite** *n.* 공리주의자.
ben·thic[bénθik], **ben·thon·ic**[benθɑ́nik/-θɔ́n-] *a.* 물 밑(에서)의, 해저(에서)의: ∼ animals 저생(底生) 동물.
ben·thos[bénθɑs/-θɔs] *n.* 〔生〕 저생 생물(물밑에 군생(群生)함).
ben·tho·scope[bénθəskòup] *n.* 해저 조사용 강구(鋼球).
ben·ton·ite[béntənàit] *n.* U 〔鑛〕 벤토나이트(화산재의 풍화로 된 점토의 일종).
ben tro·va·to[bèntrouvá:tou] [It] *a.* 잘 생각해 낸, 그럴 듯한 <이야기 등>.
bent·wood[béntwùd] *n.* U, *a.* 굽힌 나무(로 만든).
be·numb[binʌ́m] *vt.* **1** 무감각하게 하다, 얼게 하다(*by, with*). **2** <마음 등을> 마비시키다(paralyze), 멍하게 하다.
be·numbed[binʌ́md] *a.* 감각을 잃은.
Benz[bents] *n.* 벤츠(독일제 자동차명).
benz-[benz], **ben·zo-**[bénzou] 《연결형》 〔化〕 「벤젠(환(環))의」의 뜻(모음 앞에서는 benz-).
Ben·ze·drine[bénzədrì:n, -drin] *n.* 〔藥〕 벤제드린(암페타민(amphetamine)의 상표명; 각성제).
ben·zene[bénzi:n, ─́] *n.* U 〔化〕 벤젠(콜타르에서 빼내는 무색 액체): a ∼ nucleus 〔ring〕 〔化〕 벤젠핵(核)〔환〕.
ben·zine[bénzi:n, ─́] *n.* U 〔化〕 벤진; 《오스稀》 가솔린(benzene과 구별하기 위하여 benzoline이라고도 함): petroleum ∼ 석유 벤진.
benzo-[bénzou] 《연결형》 =BENZ-.
ben·zo·ate[bénzouèit, -it] *n.* 〔化〕 안식향산염(安息香酸鹽).
ben·zo·caine[bénzoukèin] *n.* 〔藥〕 벤조카인(결정성 분말; 국부 마취제).
ben·zo·di·az·e·pine[bènzoudaiǽzəpì:n, -éizə-] *n.* 〔化·藥〕 벤조디아제핀(정신 안정제용 화합물).
ben·zo·ic[benzóuik] *a.* 〔化〕 안식향성의.
benzóic ácid 안식향산.
ben·zo·in[bénzouin, ─́─] *n.* U 〔化〕 안식향(安息香), 벤조인 수지(방향성 수지; 약제·식품 방부용).
ben·zol, -zole[bénzɑl, -zɔ(:)l], [-zoul, -zɑl] *n.* U 〔化〕 벤졸.
ben·zo·line[bénzəlì:n] *n.*=BENZINE.
ben·zo·py·rene[bénzoupáiəri:n, -paiərí:n] *n.* 〔化〕 벤조피렌(콜타르에 함유된 발암 물질).
ben·zyl[bénzil, -zi:l] *n.* U 〔化〕 벤질.
Be·o·grad *n.* 베오그라드(BELGRADE의 세르보크로아티아(Serbo-croatian) 말).
Be·o·wulf[béiəwùlf] *n.* 베어울프(8세기 초의 고대 영어로 된 서사시; 그 주인공).
be·paint[bipéint] *vt.* 《古》 …에 칠하다, 색칠하다.
be·plas·ter[biplǽstər, -plá:s-] *vt.* 회반죽을 바르다; …에 두껍게〔남김 없이〕 바르다.
be·pow·der[bipáudər] *vt.* 가루를 뿌리다; 분을 진하게 바르다.
be·praise[bipréiz] *vt.* 극구 칭찬하다.
*__be·queath__[bikwí:ð, -kwí:θ] [OE] *vt.* **1** <동산을> 유언으로 증여하다(*to*): (Ⅳ 대+(목)) Her mother ∼*ed* her a gold watch. 그녀의 어머니께서 그녀에게 금시계를 유증하였다(=(Ⅲ (목)+전+명) Her mother ∼*ed* a gold watch *to* her.). **2** <작품·문명 등을> 후세에 남기다, 전하다(to): One age ∼*s* its civilization *to* the next. 한 시대는 다음 시대에 그 문명을 전한다. **∼·al**[-əl], **∼·ment** *n.* =BEQUEST.
be·quest[bikwést] *n.* **1** U 유증(遺贈); 유산. **2** 유물, 유증물.
be·rate[biréit] *vt.* 《미》 몹시 꾸짖다.
Ber·ber[bə́:rbər] *n.* **1** 베르베르 사람(북아프리카 산지의 한 종족). **2** U 베르베르 말. ── *a.* 베르베르 사람〔말〕의.
ber·ber·ry[bə́:rbəri] *n.* (*pl.* **-ries**) =BARBERRY.
ber·ceuse[bɛərsə́:z] [F] *n.* (*pl.* ∼**s**[-ziz]) 〔樂〕 자장가.
*__be·reave__[birí:v] *vt.* (∼**d**[-d], **-reft**) **1** <희망·기쁨·이성 등을> 앗아가다, 빼앗다; 잃게 하다(*of*): His death ∼*d* her *of* all her hope. 그의 죽음은 그녀의 모든 희망을 앗아갔다/She was *bereft of* hearing. 그녀는 청력을 잃었다. **2** (과거분사는 보통 **bereaved**) <사고 등이 가족·근친을> 앗아가다(*of*): be ∼*d* 〔*bereft*〕 *of* a son 자식을 잃다/The accident ∼*d* her *of*

her husband. 그녀는 그 사고로 남편을 잃었다 (=She was ~*d of* husband by the accident.) 《◇ 보통 사람과 사별했을 때에는 bereaved, 그 밖의 것을 잃었을 때에는 bereft를 사용》. **be utterly bereft** (생활의) 희망을 완전히 잃고 있다.

be·reaved[-d] *a.* **1** (가족·근친과) 사별한; 뒤에 남겨진: the ~ family 유족/the ~ husband 상처한 남편. **2** (the ~; 명사적: 단·복수 취급) 사별한 사람(들), 유족.
~·ment *n.* [U,C] 사별: We sympathize with you in your ~. 삼가 조의를 표합니다.

*__be·reft__[biréft] *v.* BEREAVE의 과거·과거분사. — *a.* 빼앗긴, 잃은(*of*).

Ber·e·ni·ce[bèrənáisi] *n.* 베레니케《고대 이집트의 왕비; 그 머리털은 성좌가 되었음》: the ~'s Hair 〔天〕 머리털자리.

be·ret[bəréi, bérei] [F] *n.* 베레모; 〔영軍〕 군대모.

berg¹[bəːrg] *n.* 빙산(iceberg).

berg² *n.* 《南아》 산(mountain).

ber·ga·mot[bə́ːrgəmɑ̀t/-mɔ̀t] *n.* **1** 〔植〕 불수감나무《배의 일종》. **2** [U] 베르가못 향유.

berg·schrund[beərkʃrùnt] [G] *n.* 〔地〕 베르크 슈룬트《빙하 상단의 갈라진 틈〔균열〕》.

Berg·son[bə́ːrgsən, béərg-] *n.* 베르그송 Henri ~ (1859-1941)《프랑스의 철학자》.

Berg·so·ni·an[bəːrgsóuniən, bɛərg-] *a.* 베르그송 (철학)의. — *n.* 베르그송 철학도.

Berg·son·ism[-sənìzəm] *n.* 베르그송철학.

berg·y[bə́ːrgi] *a.* 빙산이 많은.

be·rhyme, be·rime[biráim] *vt.* 시로 읊다; 시가(詩歌)로 풍자하다.

be·rib·boned[biríbənd] *a.* 리본으로 장식한.

ber·i·ber·i[béribéri] *n.* [U] 〔病理〕 각기(脚氣).

Be·ring[bíəriŋ, béər-] *n.* 베링 Vitus ~《덴마크의 항해가(1680-1741); 베링 해협 발견자》.

Béring Séa *n.* (the ~) 베링해《시베리아와 알래스카 사이》.

Béring Stráit *n.* (the ~) 베링 해협.

Béring Tìme 베링 표준시《Greenwich Mean Time보다 11시간 늦음》.

berk[bəːrk] *n.* 《영俗》 얼간이, 지겨운 놈.

Berke·le·ian[bə́ːrkliən, bəːrklíːən/bɑ́ːrkliən, bɑːrklíː-] *a.* 바클리(철학)의. — *n.* 바클리 철학도.

Berke·ley¹[bə́ːrkli/bɑ́ːrk-] *n.* 버클리《미국 캘리포니아주의 도시》.

Berke·ley² *n.* 바클리 George ~《아일랜드의 철학자·성직자(1685-1753)》.

berke·li·um[bərkíːliəm, bə́ːrkliəm] *n.* [U] 〔化〕 버클륨《방사성 원소; 기호 Bk, 번호 97》.

Berk·shire[bə́ːrkʃiər/bɑ́ːrk-] *n.* **1** 바크셔주《잉글랜드 남부의 주; 略: Berks(.)》. **2** 바크셔 원산의 검은 돼지.

Ber·lin[bəːrlín] *n.* **1** 베를린《독일의 수도》. **2** (**b-**) 일종의 4륜 마차. **3** (**b-**) [U] 뜨개질용 털실.

Ber·lin·er[bəːrlínər] *n.* 베를린 사람.

Berlín Wáll *n.* (the ~) **1** (옛 동·서독 사이의) 베를린 장벽. **2** (파벌간 등의) 의사 소통의 장벽.

Berlín wóol 베를린 소모사(梳毛絲)《편물·자수용》.

Ber·li·oz[bérliòuz, béər-] *n.* (Louis) Hector ~ 베를리오즈(1803-69)《프랑스의 작곡가》.

berm(e)[bəːrm] *n.* **1** 〔築城〕 벼랑길. **2** 〔土木〕 둑의 물매턱. **3** 《미》 갓길.

Ber·mu·da[bə(ː)rmjúːdə] *n.* **1** 버뮤다《대서양 서부의 군도로 된 영국 식민지》; (the ~s) 버뮤다 제도. **2** (*pl.*) =BERMUDA SHORTS.

Bermúda gráss 〔植〕 버뮤다 그래스《잔디·목초용 풀》.

Bermúda ónion 〔植〕 미국산 양파의 일종.

Bermúda shórts (작업·약식 복장의) 버뮤다 반바지(walking shorts).

Bermúda Tríangle *n.* (the ~) 버뮤다 삼각 수역(Devil's Triangle)《Florida, 버뮤다 제도 및 푸에르토리코를 잇는 삼각형의 수역으로, 항공기·선박의 사고가 잦음》.

Bern, Berne *n.* 베른《스위스의 수도》.

Ber·nard[bə́ːrnərd, bəːrnɑ́ːrd] *n.* 남자 이름《애칭 Bernie》.

Ber·nard·ine[bə́ːrnərdin, -dìːn] *a.* 성(聖) 베르나르도(St. Bernard)의; 베르나르도〔시토〕 교단의. — *n.* 시토회 수도사.

Ber·nese[bəːrníːz, -s, ⌐–] *a.* 베른(사람)의. — *n.* (*pl.* ~) 베른 사람.

Bérnese móuntain dòg 베른(산) 개《털이 길고 힘이 센 스위스 종(種)의 큰 개》.

Ber·nice[bəːrníːs/⌐–] *n.* 여자 이름.

Ber·nie[bə́ːrni] *n.* 《俗》 =COCAINE.

Ber·nóul·li effèct[bərnúːli-] 〔物〕 베르누이 효과《스위스의 물리학자 이름에서》.

Bernóulli's príncìple〔láw〕 〔物〕 베르누이의 원리《유체의 속도와 압력의 관계》.

Bernóulli's théorem *n.* **1** 〔數〕 대수(大數)의 법칙; 확률론의 정리(=law of average). **2** 〔流體力學〕 베루누이의 정리(定理)《유체에 있어서의 에너지 보존의 법칙》.

Bern·stein[bə́ːrnstain, -stiːn] *n.* 번스타인 Leonard ~ ((1918~90) 미국의 작곡·지휘자).

ber·ret·ta[bərétə] *n.* =BIRETTA.

ber·ried[bérid] *a.* **1** 장과(漿果)를 맺는. **2** 장과 모양의. **3** 〈새우 등이〉 알을 밴.

⁑**ber·ry**[béri] *n.* (*pl.* **-ries**) **1** 〔植〕 장과(漿果). **2** 딸기류의 열매. **3** 말린 씨앗. **4** 알《물고기·새우의》: a lobster *in* ~ 알을 밴 새우. — *vi.* (**-ried**) 장과가 열리다; 장과를 따다.
~·less *a.* **~·lìke** *a.*

ber·sa·glie·re[bèərsəljéəri] [It] *n.* (*pl.* **-glie·ri**) 저격대원.

ber·serk[bəːrsə́ːrk, -zə́ːrk, ⌐–] *a.* 광포한. **go〔run〕 berserk** 신들린 듯이 광포해지다. — *n.* =BERSERKER.

ber·serk·er[bəːrsə́ːrkər, -zə́ːrk-, ⌐––] *n.* **1** 〔北歐傳說〕 용맹한 전사. **2** 폭한(暴漢). — *a.* 맹렬한: ~ rage〔fury〕 격노, 광포.

Bert *n.* 남자 이름《Albert, Bertram, Gilbert, Herbert의 애칭》.

*__berth__[bəːrθ] *n.* **1** 침대《배·기차의》, 층계식 침대. **2** 〔海〕 정박〔계류(繫留)〕 위치〔거리, 간격〕: a foul ~ 나쁜 위치《충돌의 위험성이 있는》/a ship on the ~ 정박해 있는 배. **3** 숙소(lodging); 〔海〕 고급 선원실. **4** 적당한 장소; 《口》 직장; 지위. **give** a person **a wide berth** = **give a wide berth to** a person =**keep a wide berth of** a person …을 피하다, 경원하다. **take up a berth** 정박 위치에 대다. — *vt.* 정박시키다; 침대를 주다; 지위를 주다. — *vi.* 정박하다.

ber·tha[bə́ːrθə] *n.* 여성복의 장식 깃《어깨까지 드리워진 흰 레이스의 넓은 깃》.

Ber·tha[bə́ːrθə] *n.* **1** 여자 이름《애칭 Bertie》. **2** =BIG BERTHA.

berth·age[bə́ːrθidʒ] *n.* [U,C] **1** 정박 구역; 정박 설비. **2** 정박세.

berth·ing[bə́ːrθiŋ] *n.* [U] **1** (배의) 정박; 계선(繫船) 위치. **2** 침대 설비. **3** 현장(舷牆).

Ber·tie[bə́ːrti] *n.* **1** 여자 이름《Bertha의 애칭》. **2** 남자 이름《Herbert 등의 애칭》.

Bér·til·lon sỳstem 베르티용식 인체 측정법《프랑스의 범죄학자 A. Bertillon(1853-1914)의 범인 식별법》.
Ber·tram [bə́:rtrəm] *n.* 남자 이름.
Ber·trand [bə́:rtrənd] *n.* 남자 이름.
Ber·ty [bə́:rti] *n.* =BERTIE.
Berw. Berwick(shire).
Ber·wick(·shire) [bérik(ʃìər), -(ʃər)] *n.* 베릭《스코틀랜드 남동부의 주: 略: Berw.》.
ber·yl [bérəl] *n.* Ⓤ **1** 〔鑛〕 녹주석(綠柱石)《에메랄드 등》. **2** 연한 청록색.
ber·yl·ine [-in, -àin] *a.* 녹주석의; 연한 청록색의.
be·ryl·li·um [bəríliəm] *n.* Ⓤ 〔化〕 베릴륨《금속 원소; 기호 Be, 번호 4》.
be·screen [biskrí:n] *vt.* 덮어서 숨기다.
*__be·seech__ [bisí:tʃ] (**-sought** [-sɔ́:t]) *vt.* 《文語》 **1** 간청〔탄원〕하다(*for*): ~ a person *for* mercy. 아무게 자비를 간청하다/《Ⅴ(목)+*to* do》I ~ you *to* forgive him. 제발 그를 용서해 주시기 바랍니다/《Ⅳ대+*that*(절)》I ~ you *that* I may be allowed to return to my country. 제가 조국으로 돌아오도록 허용해 주실 것을 당신에게 탄원합니다. **2** 청하다, 구하다(solicit). ── *vi.* 탄원하다. **~·er** *n.*
be·seech·ing *a.* 간청〔탄원〕하는. **~·ness** *n.* **be·seech·ing·ly** *ad.* 간청하듯이, 애원〔읍소(泣訴)〕하다시피.
be·seem [bisí:m] *vt.* 《古》 (it를 주어로 하여) 어울리다(befit): It ~*s* you *to* say such things. 그렇게 말한 것은 자네다운 일이다. **~·ing** *a.* 어울리는. **~·ing·ly** *ad.*
*__be·set__ [bisét] *vt.* (~; **~·ting**) **1** 포위하다, 에워싸다(surround); 막다. **2** 몰려들다, 습격하다; 〈곤란·유혹 등이〉 붙어 다니다, 괴롭히다: be ~ *by* enemies 적에게 포위당하다/a man ~ *with*〔*by*〕 entreaties 탄원 공세에 골치 앓는 사람. **3** 장식하다, 꾸미다(*with*): Her necklace was ~ *with* gems. 그녀의 목걸이에는 보석이 박혀 있었다. **~·ment** *n.*
be·set·ting [-iŋ] *a.* 에워싸는; 끊임없이 괴롭히는: a ~ idea 머리에서 떠나지 않는 생각.
be·shawled [biʃɔ́:ld] *a.* 숄을 두른.
be·shrew [biʃrú:] *vt.* 《古》 저주하다.
Beshrew me〔him, it〕! 《古·익살》 젠장!, 빌어먹을!
★**be·side** [bisáid] [OE] *prep.* **1** …의 곁에(서): He sat ~ me. 그는 내 곁에 앉았다. **2** …에 비해서. **3** …와 떨어져서(apart from). **beside** oneself 제정신을 잃고(*with*). **beside the mark〔point〕** 과녁을 빗나가서, 대중이 틀려서. **beside the question** 문제 외로. ── *ad.* 《古》 =BESIDES. ⊕ side *n.*
⁑**be·sides** [bisáidz] *prep.* …외에〔밖에〕(도); (부정 구문) …을 제외하고(except). ── *ad.* **1** 그 위에, 게다가(또). **2** 그 밖에는, 따로. **and besides** 게다가(또).
*__be·siege__ [bisí:dʒ] *vt.* **1** 〔軍〕 〈도시·요새를〉 포위(공격)하다. **2** 〈군중이〉 몰려들다, 쇄도하다; 〈요구·문제 등으로〉 공격하다, 괴롭히다: ~ a person *with* requests …에게 여러 가지 부탁 공세를 하다/be ~*d with* questions 질문 공세를 받다. **the besieged** 농성군(軍). **~·ment** *n.* Ⓤ 포위(공격).
be·síeg·er *n.* **1** 포위자. **2** (*pl.*) 포위군.
be·slav·er [bislǽvər] *vt.* 《영》 군침투성이로 만들다; …에게 지나치게 아첨하다.
be beslavered with compliments 민망할 정도로 마구 칭찬을 받다.
be·slob·ber [bislábər/-slɔ́b-] *vt.*=BE-SLAVER; 짓궂게 키스하다.
be·smear [bismíər] *vt.* **1** 〈기름·풀 등을 …에〉 온통 칠하다, 더럽히다(*with*). **2** 〈명성 등을〉 더럽히다.
be·smirch [bismə́:rtʃ] *vt.* **1** 더럽히다, 오손하다. **2** 〈명예·인격을〉 손상시키다. **~·er** *n.* **~·ment** *n.*
be·som [bí:zəm] *n.* 마당〔대나무〕비; 《스코》 부실한 여자. ── *vt.* 마당비로 쓸다.
be·sot [bisát/-sɔ́t] *vt.* (**~·ted; ~·ting**) **1** 곤드레만드레로 취하게 하다. **2** 멍〔열중〕하게 만들다.
be·sot·ted [bisátid/-sɔ́t-] *a.* **1** 술취한. **2** (술 등으로) 머리가 흐려진; (권력 등에) 열중한(*with*). **3** 어리석은, 얼빠진.
*__be·sought__ [bisɔ́:t] *v.* BESEECH의 과거·과거 분사.
be·spake [bispéik] *v.* 《古》 BESPEAK의 과거.
be·span·gle [bispǽŋgəl] *vt.* 번쩍거리는 것을 흩뿌리다, 번쩍거리게 하다(*with*): be ~*d with* stars 별이 총총 빛나고 있다.
be·spat·ter [bispǽtər] *vt.* **1** 〈흙탕물 등을〉 튀기다(*with*). **2** 욕설을 퍼붓다, 중상하다.
be·speak [bispí:k] *vt.* (**-spoke** [-spóuk]; **-spo·ken** [-spóukən], **-spoke**) **1** 《영》 미리 구하다, 예약하다, 맞추다, 주문하다. **2** 〈행동 등이 어떤 일을〉 나타내다, …이라는 증거이다. **3** 《詩》 …에게 말을 걸다.
be·spec·ta·cled [bispéktəkəld] *a.* 안경을 쓴.
be·spoke [bispóuk] *v.* BESPEAK의 과거·과거분사. ── *a.* 《영》 주문한, 맞춘(*opp.* ready-made); 맞춤 전문의.
be·spot [bispát/-spɔ́t] *vt.* (**~·ted; ~·ting**) …에 반점을 찍다, 오점을 찍다.
be·spread [bispréd] *vt.* (**be·spread**) 전면에 퍼지게 하다, 펼치다, 덮다.
be·sprent [bisprént] *a.* 《詩·古》 흩뿌려진(*with*).
be·sprin·kle [bispríŋkəl] *vt.* =SPRINKLE.
Bess [bes] *n.* 여자 이름(Elizabeth의 애칭).
Bes·se·mer [bésəmər] *n.* 베세머 Sir Henry ~(1813-98)《영국의 기술자; 베세머 제강법 발명자》.
Béssemer convérter 〔冶〕 베세머 전로(轉爐).
Béssemer pròcess 〔冶〕 베세머(제강)법.
Béssemer stéel 베세머강(鋼)(Bessemer process로 제련한 강철).
Bes·sie, Bes·sy [bési] *n.* 여자 이름(Elizabeth의 애칭).
★**best** [best] *a.* (*opp.* worst) (GOOD의 최상급) **1** 가장 좋은, 최량의, 더할 나위 없는, 최선의, 지상의(◇ 《口》에서는 둘인 경우에도 잘 쓰임): 《Ⅱ *It v*Ⅱ+형+*for*+대+*to do*》It is ~ *for* you to go at once. 너는 곧 가는 것이 가장 좋다(=《Ⅱ *It v*Ⅱ+형+*that*(절)》It is ~ *that* you go at once.). **2** 최대의; 가장 많은: the ~ part of a day 하루의 태반, 거의 하루 종일. **3** 아주 지독한, 철저한: the ~ liar 아주 지독한 거짓말쟁이. **one's best days** 전성 시대. **one's best fellow〔girl〕** 《口》 애인. **put** one's **best leg〔foot〕 foremost** 《俗》 힘껏 빨리 가다. **the best abilities〔talents〕** 재능〔재간〕이 가장 뛰어난 사람들. **the best families〔people〕** (지방의) 유력자들. **the best heart** 가장 아름다운 심정. **the best part of** …의 대부분, 태반.
── *ad.* (WELL[1]의 최상급) **1** 가장; 가장 좋게; 가장 잘; 《口》 가장 심하게. **2** 더없이, 몹시:

the ~ abused book 가장 평판이 나쁜 책. **as best** one **can**〔**may**〕 되도록 잘, 힘껏. **best of all** 우선 무엇보다도, 첫째로. **had best** do …하는 것이 가장 좋다; 해야 한다(◇(1) had better의 강조형인데, had better만큼 쓰이지 않는다. (2) 부정형은 *had best not* do; 의문형은 *Had*〔*Hadn't*〕+주어+*best* do…? (3) 구어에서는 I〔You, etc.〕('d) *best* do… 로 종종 생략함).
— *vt.* 《口》 …에게 이기다; …을 앞지르다.
— *n.* Ⓤ **1** (the ~, one's ~) 최선, 최상, 전력; 최선의 상태: 《Ⅲ (목)+*to* do》 Do your ~ *to* do it. 최선을 다하여 그것을 해라. **2** (the ~) 최선의 것〔부분〕; 일류급 사람(들): get the ~ 최선의 것을 손에 넣다. **3** (흔히 one's ~) 제일 좋은 옷. **4** 《미口》 호의(好意). **All** (**is**) **for the best.** 모두가 다 하느님의 뜻이다, 하늘이 무심치 않다. **All the best!** 그럼 안녕!, 행운이 있기를!(건배 · 작별할 때의 말). **at its**〔**one's**〕 **best** 가장 좋은 상태에; 한창(이다); 전성기에. **at** (**the**) **best** 잘 해야, 기껏해야. **at the very best** =(강의적) at (the) BEST. **best of all** 무엇보다도 좋게. **do** one's **best** 전력을 다하다. **do** one's **level best** 능력껏 최선을 다하다. (**even**) **at the best of times** 가장 순조로운 때라도. **for the best** 제일 좋으리라는 심산에서, 되도록 잘하느라고. **get the best of** a person …을 이기다. **get**〔**have**〕 **the best of it** 토론〔경기〕에 이기다〔우월하다〕; 흥정 등에서 수단을 써서 득을 보다, 거래에서 가장 잘하다(손해 등을 제일 적게 받다). **get the best out of** a person …에게 최선〔전력〕을 다하게 하다. **give** a person〔a thing〕 **best** 《영口》 〈상대방의〉 승리를 인정하다, 〈일을〉 단념하다. **give it best** 《口》 단념하다, 패배를 인정하다. **Hope for the best!** 또 좋을 때가 있겠지!, 비관하지 마라! **in** one's (**Sunday**) **best** 나들이옷을 입고. (It's) **all for the best** 결국은 호전될 것이다. **look** one's **best** 가장 아름답게 보이다. **make the best of** …을 최대한으로〔되도록 잘〕 이용하다; 체념하다, …으로 만족하다. **make the best of a bad business**〔**bargain, job**〕 참다, 굴복되지 않다. **make the best of** one's **way** 되도록 빨리 가다, 서둘러 가다. **One must make the best of things.** (속담) 무릇 사람이란 만족할 줄 알아야 한다. **to the best of** one's **ability**〔**power**〕 힘 자라는 데까지. **to the best of** one's **belief**〔**knowledge, recollection**〕 믿는〔아는, 기억하는〕 한에서는. **with the best** 누구 못지 않게.

bést-báll fòursome 〔골프〕 네 사람이 두 사람씩 짝이 되어 좋은 쪽 점수를 그 조의 득점으로 정하는 방식.

bèst befóre dàte (식품 등의 포장에 기입하는) 유효 기간.

bést bóy (영화 등의) 조명 감독의 제 1조수.

bést búy 가장 싸게 잘 산 물건.

best-case[béstkèis] *a.* 최고 조건〔상태〕의.

be·stead[bistéd] 《古》 *vt.* (~·**ed**; ~·**ed**, ~) …에 도움이 되다; 원조하다. — *a.* (어떤) 처지에 있는: hard〔ill〕 ~ 곤경에 빠진.

best-ef·forts[béstéfərts] *a.* 〔證券〕 최선의 노력을 한다는 조건의 〈발행 인수〉.

bes·tial[béstʃəl, bíːs-/béstiəl] *a.* **1** 짐승의〔같은〕, 수성(獸性)의, 수욕적(獸慾的)인. **2** 흉포한; 야만적인, 추잡한. ~·**ly** *ad.*

bes·ti·al·i·ty[bèstʃiǽləti, bìːs-/bèsti-] *n.* **1** Ⓤ 수성; 수욕; 〔法〕 수간(獸姦). **2** 잔인한 짓.

bes·tial·ize[béstʃəlàiz, bíːs-/béstiəl-] *vt.* 짐승 같이 되게 하다, 금수화하다(brutalize).

bes·ti·ar·y[béstʃièri, bíːs-/béstiəri] *n.* (*pl.* -**ar·ies**) 동물 우화집(중세의).

be·stir[bistə́ːr] *vt.* (~**red**; ~·**ring**) (~ one-*self*로) 분발하다, 노력하다.

⁑**best-known**[béstnóun] *a.* (well-known의 최상급) 가장 잘 알려진.

bést mán 최적임자; (결혼식에서의) 신랑 들러리(⇨GROOMSMAN; *cf.* BRIDESMAN, BRIDESMAID).

best-of-five[béstəvfáiv] *a.* 〔스포츠〕 (야구 등에서) 5판 3승 승부의.

best-of-sev·en[´-əvsévən] *a.* 〔스포츠〕 (야구 등에서) 7판 4승 승부의.

⁑**be·stow**[bistóu] *vt.* **1** 주다, 수여하다, 증여하다(*on, upon*): 《Ⅲ (목)+전+명》 ~ a title *on*〔*upon*〕 a person …에게 칭호를 주다/He ~*ed* millions *on* this charity. 그는 이 자선단체에 많은 돈을 증여했다. **2** 〈시간 · 생각 등을〉 이용하다, 쓰다, 바치다. **3** 《古》 놓다, (간수해) 두다. **4** 《古》 숙박시키다. ~·**ment** *n.*

be·stow·al[-əl] *n.* Ⓤ 증여, 수여; 처치; 저장.

bést píece (미俗) 걸프렌드; 마누라(wife).

be·strad·dle[bistrǽdl] *vt.* =BESTRIDE.

be·strew[bistrúː] *vt.* (~**ed**; ~**ed**, -**strewn**[-strúːn]) 〈표면에〉 살포하다(*with*); 뒤덮다, …에 산재하다.

be·stride[bistráid] *vt.* (-**strode**[-stróud], -**strid**[-stríd]; -**strid·den**[-strídn], -**strid**) **1** 〈말 · 의자 등에〉 걸터 앉다, 걸터 타다; 건너 넘다. **2** 〈무지개 등이 벌판에〉 걸리다.

bést séller 1 베스트 셀러(어떤 기간에 가장 많이 팔린 책 · 음반 등). **2** 베스트셀러 작가.

best·sell·er[béstsélər] *a.* 〈책 · 작가 등〉 베스트셀러의. ~·**dom**[-dəm] *n.* 베스트셀러급(작가들).

best-sell·ing[béstséliŋ] *a.* 〈책 · 레코드 · 작가 등〉 베스트셀러의.

⁑**bet**[bet] *n.* **1** 내기, 걸기(*on*): an even ~ 승패의 전망이 반반인 내기/a heavy〔paltry〕 ~ 큰〔작은〕 내기. **2** 건 돈〔물건〕. **3** 내기의 대상. **4** 《口》 취해야 할 방책: Your best ~ is *to* do …하는 것이 최선의 방책이다. **5** 《口》 생각, 의견. **accept a bet** 내기에 응하다. **a good bet** 유망한 사람〔물건〕. **make**〔**lay**〕 **a bet** 내기를 하다(*on*). **My bet is** (**that**)… 《口》 내 생각으로는 (반드시) …이다. **the**〔**one's**〕 **best bet** 가장 유망한 사람〔물건〕. **win**〔**lose**〕 **a bet** 내기에 이기다〔지다〕.
— (~, ~·**ted**[bétid]; ~·**ting**) *vt.* **1** 〈돈 등을〉 걸다(*on, upon*): 《Ⅲ (목)+전+명》 He ~ two pounds on the horse. 그는 그 말에 2파운드를 걸었다/《Ⅳ (목)+(목)+{*that*(절)}》 He ~ me $200 that Mets would defeat Cups. 그는 메츠팀이 컵스팀을 이길 것이라고 내게 200달러를 걸었다. **2** 내기하다(*on, upon*): ~ a person *on* a thing 무엇에 대하여 아무와 내기하다. **3** (돈을) 걸고 (…임을) 주장하다, 단언〔보증〕하다: 《Ⅳ 대+*that*(절)》: 《Ⅲ *that*(절)》 I ~ (you) *that* she will be late. 그녀는 늦을 것임을 나는 장담한다. — *vi.* 내기를 걸다, 내기하다(*on, against*): I never ~. 나는 내기를 절대 안한다/He ~ *on* a favorite. 그는 인기 있는 말에 걸었다. **bet against the field** 아무도 돈을 걸지 않는 말에 걸다. **bet** (**money**) **on**〔**against**〕 …에 (돈)을 걸다. **bet** one's **bottom dollar**〔**boots, shirt, life**〕 《口》 가진 것을 몽땅 걸다(*on*); 확신하다(*that*…). **I bet you.** 《口》 확실히, 틀림 없다. **I bet you**

a shilling he has forgotten. 틀림 없이 (그는 잊어 버렸단) 말이야. **You bet!** ⦅口⦆ 꼭이다, 틀림 없어; 그렇다니까. **You bet?** 틀림없단 말이냐(Are you sure?).

bet., betw. between.

be·ta[béitə/bí:-] *n.* 베타⦅그리스 자모의 둘째 자(그리스 자모 b, β)⦆(*cf.* ALPHA); 제 2위의 사물.

béta blòcker, be·ta-block·er *n.* 〔藥〕 아드레날린(adrenaline)작용 억제제(劑).

béta cèll 〔解〕 랑게르한스섬(Islet of Langerhans) 내의 세포⦅췌장내에서 인슐린을 분비함⦆.

béta decày 〔物〕 베타 붕괴.

Béta hí-fí 베타하이파이⦅VTR의 새로운 음성 기록 방식⦆.

be·ta·ine[bí:təì:n, bitéii(:)n] *n.* 〔化〕 베타인.

be·take[bitéik] *v.* (**-took**[-túk]; **-taken**[-téikən]) (~ one*self*로) —— *vt.* **1** 가다, 왕림하다⦅*to*⦆: ⦅Ⅲ (목)+전+명⦆ He *betook* himself *to* the house. 그는 그 집으로 갔다. **2** 몸을 바치다, 전렴하다⦅*to*⦆: ⦅Ⅲ (목)+전+-*ing*⦆ I *betook* myself *to* teach*ing*. 가르치는 데 전렴했다. **betake oneself to flight**〔**one's heels, one's legs**〕 냅다 달아나다, 쏜살같이 도망치다, 줄행랑치다.

béta pàrticle 〔物〕 베타 입자(粒子)⦅고속도 전자 또는 양전자⦆.

béta ràу 〔物〕 베타선⦅베타 입자 방사선⦆.

béta rhythm (뇌파의) 베타 리듬.

béta tèst 〔컴퓨터〕 베타 테스트⦅신기종 혹은 최신 컴퓨터의 소프트웨어나 하드웨어의 성능을 제품 출하전에 선택된 사용자에 의해 미리 검사하는 것⦆. —— *vt.* (제품에) beta test를 하다(*cf.* ALPHA TEST).

be·ta·tron[béitətràn/bí:tətrɔ̀n] *n.* 베타트론, 자기(磁氣) 유도 전자 가속기.

béta wàves *n. pl.* = BETA RHYTHM.

bête blanche[bèitblɑ́:ʃ][F] *n.* 좀 싫은 것, 초조의 원인.

be·tel[bí:təl] *n.* 〔植〕 구장(의 잎)⦅인도산 후추과(科)의 상록 관목⦆.

Be·tel·geuse[bí:təldʒù:z] *n.* 〔天〕 베텔게우스⦅오리온자리 중의 1등 별⦆.

bétel nùt 빈랑나무의 열매.

bétel pàlm 〔植〕 빈랑(檳郎)나무.

bête noire[bèitnwɑ́:r] [F] *n.* (*pl.* ***bêtes noires***[-z]) 징그러운 것〔사람〕, 혐오의 대상.

beth[beiθ] *n.* 베트⦅헤브라이 말 알파벳의 둘째 자⦆.

Beth[beθ] *n.* 여자 이름⦅Elizabeth의 애칭⦆.

Beth·a·ny[béθəni] *n.* 베다니⦅Palestine의 마을; 예수가 나사로를 죽음에서 소생시킨 곳⦆.

beth·el[béθəl] *n.* **1** 〔聖〕 벧엘, 거룩한 곳⦅창세기 28:19⦆. **2** (Little B-) ⦅영⦆ 비(非)국교도의 예배당. **3** ⦅미⦆ 수상〔해안〕 예배당⦅선원들을 위한⦆. **4** (**B-**) 여자 이름.

***be·think**[biθíŋk] (**-thought**[-θɔ́:t]) *vt.* **1** (~ one*self*로) 잘 생각하다, 숙고하다; 생각해 내다; 생각이 들다⦅*of, how, that*⦆: I *bethought* myself *of* a promise. 나는 약속이 있음이 생각났다/I *bethought* myself *how* foolish I had been. =I *bethought* myself *that* I had been foolish. 내 자신이 얼마나 어리석었던가를 생각해 냈다. **2** 〈…하려고〉 결심하다⦅*of*⦆: ⦅Ⅲ *to* do⦆ He *bethought to* regain it. 그는 그것을 되찾기로 결심했다.

Beth·le·hem[béθliəm, -lihèm] *n.* 베들레헴⦅Palestine의 옛 도시; 그리스도 탄생지⦆.

be·tide[bitáid] *vt.* …의 신상에 일어나다, …생기다(happen to): Woe ~ him! (그에게) 재앙이 있어라!, (그런 짓을 하면) (그 녀석) 그냥 두지 않을 테다. —— *vi.* 일어나다⦅*to*⦆; 몸에 닥치다: whate'er (may) ~ 어떤 일이 일어나더라도.

be·times[bitáimz] *ad.* **1** ⦅文語⦆ 때마침, 늦기 전에, 일찍이(early). **2** ⦅古⦆ 이윽고(soon).

bê·tise[beití:z] [F] *n.* **1** Ⓤ 우둔, 어리석음. **2** 어리석은 짓〔말〕. **3** 사소한 일.

be·to·ken[bitóukən] *vt.* **1** …의 전조가 되다, …의 조짐이다(portend). **2** 나타내다, 보이다(show).

be·to·ny[bétəni] *n.* (*pl.* **-nies**) 〔植〕 석잠풀속(屬)의 일종.

be·took[bitúk] *v.* BETAKE의 과거.

‡**be·tray**[bitréi] *vt.* **1** 배신〔배반〕하다; 〈조국·친구 등을 적에게〉 팔다: ~ one's country *to* the enemy 적에게 조국을 팔다. **2** 속이다: I was ~*ed into* folly. 속아서 바보짓을 했다. **3** 저버리다, 어기다: ~ a person's trust 아무의 신뢰를 저버리다. **4** 〈비밀을〉 누설하다, 밀고하다: ⦅Ⅲ (목)+전+명⦆ ~ a secret *to* a person …에게 비밀을 누설하다/I won't ~ his hiding-place *to* the police. 나는 그가 숨어있는 곳을 경찰에 밀고하지 않겠다. **5** a 〈무지·약점 등을〉 무심코 나타내다; 드러내다: Confusion ~*ed* his guilt. 당황하였기 때문에 그의 죄가 탄로났다. b (~ one*self*로) 무심중에 본성〔비밀〕을 나타내다. ◇ betráyal *n.*

be·tray·al[-əl] *n.* Ⓤ 배반, 배신; 밀고; 내통.

be·tray·er[-ər] *n.* 매국노(traitor); 배신자; 배반자, 밀고〔내통〕자; 유혹자.

***be·troth**[bitrɔ́:θ, -tróuð] *vt.* 약혼시키다(engage)⦅*to*⦆: ~ oneself *to* …와 약혼하다/He ~*ed* his daughter *to* Ben. 그는 딸을 벤과 약혼시켰다. **be**〔**become**〕 **betrothed to** …와 약혼중이다〔하다〕. **~·ment** *n.* = BETROTHAL.

be·troth·al[-əl] *n.* Ⓒ,Ⓤ ⦅文語⦆ 약혼(식).

be·trothed[bitrɔ́:θt, -tróuðd] *a.* 약혼자의, 약혼한(engaged). —— *n.* **1** (one's ~) 약혼자⦅◇ 보통 남성에게는 fiance, 여성에게는 fiancee를 씀⦆. **2** (the ~; 복수 취급) 약혼자들⦅두 사람⦆.

Bet·sy, -sey[bétsi] *n.* 여자 이름⦅Elizabeth의 애칭⦆.

★**bet·ter¹**[bétər] *a.* (GOOD, WELL의 비교급) (*opp.* *worse*) **1** (good의 비교급) …보다 나은, (둘 가운데) 더 좋은: ⦅Ⅱ *Itv*Ⅱ+형+*to* do⦆ It's ~ *to* work for others. 남을 위해 봉사하는 것은 더욱 좋은 일이다/⦅Ⅱ *Itv*Ⅱ+형+*that*(절)⦆ It is ~ *that* you should ask her to come. 그녀를 오도록 요청하는 편이 좋다. **2** (well의 비교급) (병세가) 나아져 가는, 차도가 있는, 기분이 보다 좋은: She is getting ~. 그녀는 (병세가) 좋아지고 있다. **3** (good의 비교급) 보다 많은: the ~ part of the month 한 달의 대부분. **4** (막연히) 보다 나은: the ~ land 저승, 저 세상. **be**〔**feel**〕 **better** 기분이 전보다 낫다. **be better than one's word** 약속 이상의 것을 하다. **be no better than one should be** 〈특히 여성이〉 점잖지 못하다, 행실이 좋지 못하다. **be the better for** it〔you〕 (그것〔너〕) 때문에 더 유리하다, 도리어 낫다. **Better late than never.** ⦅속담⦆ 늦어도 안하느니보다는 낫다. **Feel better soon!** 빨리 회복되시기를 빕니다⦅환자에게 하는 말⦆. **get better** 병이 낫다. He **has seen better days**. (그는) 한 때 잘 산 적도 있다. He is **no better than** a beggar. (그는) (거지나) 다름 없다, 영락없는 (거지다). **one's better feelings** 사람의 본심, 양심. **one's better half** ⦅口⦆

아내:《稀》 남편. **So much the better!** 그러면 더욱 좋다! **the better part of** …의 태반. **The better the day, the better the deed.** 좋은 날이라면 하는 일도 더욱 좋을터《안식일을 지키지 않음을 책망받을 때 하는 대꾸》.
— *ad.* (WELL의 비교급) **1** 보다 낫게〔좋게〕; 보다 잘: write 보다 잘 쓰다. **2** 더욱, 한층, 더욱 많이(more): I like this ~. 이쪽을 더 좋아한다. **3** 보다 이상: ~ than a mile to town 읍내까지 1마일 남짓. **(all) the better for** … 때문에 그만큼 더. **be better off** 한결 더 잘 살다, 더욱 형편이 좋다. **better and better** 점점〔더욱〕 더. **go one better** (1) 한층 더 좋은 일을 하다. (2) …보다 더 뛰어나다, 이기다. **had〔'd〕 better** do …하는 것이 낫다〔좋다〕. **know better (than to** do**)** …하는 것이 좋지 않음〔어리석음〕을 알고 있다, 한층 분별이 있다: I *know better.* 그런 어리석은 짓은 안해, 그 따위 수에는 안 넘어가/You ought to *know better.* 너는 철이 없다, 나이 값을 해야지 /I should have *known better than to* call her. 그녀에게 전화를 해봤자 소용없다는 것쯤은 알고 있어야 했다. **know no better** 그 정도의 머리〔지혜〕밖에 없다. **think better of** something 고쳐 생각하다, 마음을 돌리다; 달리 보다. — *n.* Ⓤ 더 좋은 것〔사람〕: a change for the ~ (병사태 등의) 호전, 개선; 영전/one's (elders and) ~*s* 손윗 사람들, 선배들(superiors). **one's better** 자기보다 훌륭한 사람. **a change for the better** 호전, 개선; 영전. **for better (or) for worse** 좋건 궂건, 어떠한 운명이 닥쳐올지라도, 길이길이《결혼 선서식의 문구》. **for the better** 좋은 쪽으로. **for want of a better** 그 이상의 것이 없기 때문에. **get〔have〕 the better of** …에 이기다. — *vt.* **1** 개량〔개선〕하다; …을 능가하다. **2** (~one*self*) 더 좋은 지위를 얻다〔급료를 받다〕, 출세하다; 유복해지다. — *vi.* 나아지다; 향상하다.

better² *n.* =BETTOR.

Bétter Búsiness Bùreau 《미·캐나다》 거래 개선 협회《공정 거래를 위한 생산자 단체; 略: BBB》.

bet·ter·ment [bétərmənt] *n.* Ⓤ,Ⓒ **1** 개량, 개선(improvement); (지위의) 향상, 출세. **2** (보통 *pl.*) 〔法〕 (부동산의) 개량, 개선 행위; (개량으로 생기는 땅의) 값 오름; 개량비.

bet·ter·most [bétərmòust] *a.* 《口》 가장 좋은; 태반의.

bet·ter-off [bétərɔ́(:)f, -ɑ́f] *a.* 부유한.

bet·ting [bétiŋ] *n.* Ⓤ 내기.

bétting bòok 도박금 장부.

bet·tor *n.* 내기〔걸기〕 하는 사람.

Bet·ty [béti] *n.* 여자 이름《Elizabeth의 애칭》.

bet(w). between.

★**be·tween** [bitwíːn] [OE] *prep.* **1** (공간·시간·수량·위치 등을 나타내어) …의 사이에〔의, 를, 에서〕《◇ between은 보통 둘 사이에 쓰고, among은 셋 이상 사이에 씀: ~ New York *and* Chicago 뉴욕·시카고간(間)/the air service ~ Seoul *and* Tokyo 서울과 동경간의 항공 업무/~ the acts 막간마다(=~ each act). **2** (성질·종류) …의 중간인〔의〕, …의 양쪽 성질을 겸비한: a color ~ blue *and* green 청색과 녹색의 중간색/something ~ a chair *and* a sofa 의자도 되고 소파도 되는 것. **3** (구별·차별·분리·선택) …사이〔중, 가운데〕에서, …중의 (어느) 하나를《셋 이상의 경우에도 씀》: the difference ~ good *and* evil 선과 악(사이)의 차이/choose ~ A and B A와 B중 어느 하나를 고르다《*between A or B는 잘못》. **4** (관계·분배·공유(共有)·공동·협력) …사이에서〔의〕, …사이에서 서로 힘을 모아, 공동으로《◇ 3자 이상의 경우에도 그 사이에서의 양자 상호간의 관계를 나타낼 때에는 between을 씀》: a treaty ~ three powers 3국간 조약/We completed the job ~ the two of us. 우리 둘이 협력해서 일을 마쳤다. **5** (원인·이유)(~ … and …) …이다 …이다 해서《셋 이상의 경우에도 씀》: *Between* astonishment *and* delight, he could not speak a word. 놀랍기도 하고 기쁘기도 하여 그는 한 마디도 할 수 없었다. **between ourselves** = **between you and me** =**between you and me and the gatepost〔bedpost〕** 《口》 우리끼리의 이야기이지만, 이것은 비밀이지만《◇ between you and I 도 있으나 me가 옳음》. **come〔be, stand〕 between** …(양자)의 사이에 들다, …의 방해가 되다, …을 방해하다〔이간하다〕. **from between** …의 사이에서부터. — *ad.* (양자) 사이〔간〕에; 사이를 두고: I can see nothing ~. 그 사이에는 아무것도 보이는 것이 없다. **(few and) far between** 극히 드물게(⇨far *ad.*) **in between** 중간에; 사이에 끼여〔끼인〕; 짬짬이, 틈틈이.

be·twéen·bràin [-brèin] *n.* 간뇌(間腦)(= diencephalon).

betwéen dècks 〔海〕 갑판과 갑판 사이(에(서)).

be·twéen·màid [-mèid] *n.* 《영》 부엌일과 허드렛일을 하는 하녀(tweeny).

be·tween·ness [bitwíːnnis] *n.* Ⓤ 중간(에 있음); 〔數〕 (순서의) 사이.

be·twéen·tìmes [-tàimz] *ad.*=BETWEENWHILES.

be·twéen·whìles [-*h*wàilz] *ad.* 틈틈이, 이따금씩.

be·twixt [bitwíkst] *prep., ad.* 《古·詩·方》 = BETWEEN. **betwixt and between** 《俗》 이도 저도 아닌, 얼치기로.

Bev, BeV, bev [bev] *n.* 〔物〕 10억 전자 볼트 《*b*illion *e*lectron *v*olts》.

bev·a·tron [bévətrɑ̀n/-trɔ̀n] *n.* 〔物〕 베바트론《양자 가속 장치의 일종》.

bev·el [bévəl] *n.* **1** 사각(斜角); 경사, 사면, 사선. **2** 각도자(=∠ **square**). — *vt.* (**~ed; ~·ing**|**~led; ~·ling**) 빗각을 이루다; 엇베다.

bével gèar 〔機〕 베벨 기어《삿갓 모양의 톱니바퀴》.

bével jòint 〔建〕 빗이음《직각 모서리의 모를 비스듬히 깎아서 맞붙게 한 것》.

bével protràctor 회전자가 달린 각도기.

bével síding 〔木工〕 미늘 판자벽《집 외벽에 가로로 판자를 대는 방식의 일종》.

bével whèel =BEVEL GEAR.

⁂**bev·er·age** [bévəridʒ] [L] *n.* 마실 것, 음료 (drink): alcoholic〔cooling〕 ~*s* 알코올성〔청량〕 음료.

Bév·er·ly Híl̀ls [bévərli-] *n.* 비벌리 힐스《미국 Los Angeles시의 Hollywood 서쪽에 있는 도시로 영화인의 주택이 많음》.

bev·vy [bévi] *n.* 《리버풀方》 **1** 음료, 《특히》 술. **2** 술을 즐기는 하룻밤.

bev·y [bévi] *n.* (*pl.* **bév·ies**) **1** (작은 새·작은 동물 등의) 떼(*of*). **2** 《口》 (소녀·부인의) 무리(*of*); 집합《각종 물건의》.

***be·wail** [biwéil] *vt., vi.* 비탄하다, 애통하다 (*over, for*). **~·ment** *n.*

⁂**be·ware** [biwέər] *vi., vt.* 조심하다, 경계하다 (*of*): *Beware what* you say. 말조심 하시오/

Beware of the dog. 소매치기 조심!/You must ~ *of* strangers. 낯선 사람에게는 조심하여야 한다(◇ 어미 변화가 없으며, 명령법과 부정사로만 씀).
be·whisk·ered[bi*h*wískərd] *a.* **1** 구레나룻을 기른. **2** 〈익살 등이〉 케케묵은, 진부한.
be·wigged[biwígd] *a.* 가발을 쓴.
⁑**be·wil·der**[biwíldər] *vt.* 당황케〔어리둥절케〕 하다(perplex, confuse).
-dered·ly, ~·ing·ly *ad.* 당황하여.
⁎**be·wil·der·ment**[-mənt] *n.* Ⓤ 당황, 얼떨떨함.
⁎**be·witch**[biwítʃ] *vt.* 요술을 걸다; 호리다, 매혹시키다(charm). **~·ing** *a.* 호리는, 황홀하게 하는. **~·ment** *n.* Ⓤ 매혹; 매력; Ⓒ 주문(呪文). ⊕witch, bewítchery *n.*
be·witch·er·y[-əri] *n.* Ⓤ,Ⓒ 매혹, 매력.
be·witch·ing·ly[biwítʃiŋli] *ad.* 매혹시키듯, 황홀케 할 만큼.
be·wray[biréi] *vt.* ((古)) **1** 나타내다, 제시하다. **2** 〈비밀을〉 누설하다, 폭로하다.
bey[bei] *n.* 지사, 지방 장관((터키의)).
bey·lic[béilik] *n.* (터키의) 지사 관구(管區).
★**be·yond**[bijάnd/-jɔ́nd] *prep.* **1** (장소) …의 저쪽에(서), …을 넘어서〔건너서〕: ~ the river 강 건너에. **2** (시각·시기) …을 지나서: ~ the usual hour (=~ the appointed time) 정시를 지나서. **3** (정도·범위·한도·한계) …의 범위를 넘어서, 이 미치지 않는 곳에: It's ~ me. 나로선 알〔할〕 수 없다/~ number 무수한. **4** …보다 이상으로, …에 넘치는; …보다 뛰어나서: live ~ one's income 수입 이상의 생활을 하다. **5** (주로 부정·의문문) …외에; 그 밖에(더): I know nothing ~ this. 이 외에는 아무 것도 모른다. **beyond all praise** 아무리 칭찬해도 이루 다 할 수 없을 만큼. **beyond all question** 문제될 것 없이, 물론. **beyond all things** 무엇보다도 먼저. **beyond dispute** 논의의 여지가 없는. **beyond doubt** 물론. **beyond expression**〔**words**〕 형용할 수 없는. **beyond measure** 굉장히. **beyond** one's **power** 힘이 미치지 않는, 도저히 …할 수 없는. **beyond reason** 이치에 맞지 않는. **beyond seas** 해외에〔로〕. **beyond the grave**〔**tomb**〕 저승에. **beyond the mark** 빗맞아서, 적중하지 않고. **from beyond the sea** 멀리 바다 저편으로부터. **go beyond** one**self** 도가 지나치다, 제 분수를 넘다; 평시 이상의 힘을 내다, 여느 때보다 월등하다.
— *ad.* **1** (멀리) 저쪽에; 이상으로: the life ~ 저승, 저 세상. **2** 그 밖에: There's nothing left ~. 그 밖엔 아무 것도 남지 않았다.
— *n.* 저쪽(의 것): (the ~) 저승, 내세.
the back of beyond 머나먼 곳, 세상 끝. **the great beyond** 내세.
beyónd ríght (두 나라의 항공 노선에 따른) 이원권(以遠權).
Bey·routh[béiru:t, –⌐] *n.*=BEIRUT.
bez·ant[bézənt, bizǽnt] *n.* **1** 〔古로〕 베잔트 금화〔은화〕. **2** 〔紋〕 금빛의 작은 원.
be·zel[bézəl] *n.* **1** (끌 등의) 날귀; (보석 윗면의) 사면(斜面). **2** (보석·시계 유리 끼우는) 홈.
be·zique[bəzí:k] *n.* Ⓤ 베지크((둘 또는 네 사람이 64장의 패를 가지고 하는 카드놀이)).
be·zoar[bí:zɔ:r] *n.* 베조아르, 위석(胃石)((소·양 등의 위·장내 결석(結石))).
b.f., bf. 〔印〕 bold-faced(type). **B.F.** Bachelor of Forestry. **B/F** brought forward 〔簿〕 앞면에서의 이월. **B.F.A.** Bachelor of Fine Arts.
B.F.B.S. British and Foreign Bible Society.
B flát[bí:-] **1** 〔樂〕 내림 나음(기호 B♭). **2** ((영·익살)) 빈대.
BFO beat-frequency oscillator 〔電子〕 맥놀이 주파수 발진기(發振器). **B.F.O.** British Foreign Office. **BFT** 〔醫〕 bio feedback training. **bg** background; bag. **bg.** bag(s).
B-girl[bí:gə̀:rl] [*bar girl*] *n.* ((미俗)) 바〔술집〕의 여급, 접대부.
B.G.(M.) background (music) 〔樂〕 반주〔배경〕 음악. **B/H** bill of health 건강 증명서.
BHA Butylated Hydroxyanisole 산화 방지제((유제품의 악취제거용)).
B'ham. Birmingham.
bhang, bang[bæŋ] *n.* Ⓤ **1** 〔植〕 삼, 인도 대마. **2** 그 잎과 줄기를 말린 것((흡연용·약용)).
bhángra, B- (bèat)[bǽŋgrə-] 〔樂〕 방그라((영국의 인도인 사이에서 생겨난 팝 뮤직; Punjab 지방의 민속 음악과 Western rock과 disco 음악의 특징을 융합한 춤곡)).
Bha·rat[bΛ́rΛt] *n.* 바라트((India의 힌디(Hindi)어 명칭)).
B.H.C. benzene hexachloride((살충제)). **bhd.** bulkhead. **B.H.N.** 〔冶〕 Brinell hardness number.
bhees·ty[bí:sti] *n.* (인도의) 식수(食水) 운반인.
bhong[bɑŋ, bɔ(:)ŋ] *n.* ((俗)) 마리화나 흡연용 파이프.
B-ho·ri·zon[bí:hərὰizən] *n.* 〔地質〕 B층((토양 층위(層位)의 하나; A층 바로 아래)).
b'hoy[bhɔi] *n.* ((俗)) 난폭자, 무법자, 망나니.
bhp, b.h.p. brake horsepower. **Bht** baht(s).
BHT Butylated Hydroxytoluene.
Bhu·tan[bu:tάn, -tǽn] *n.* 부탄((히말라야 산맥 속의 작은 왕국; 수도 Thimbu)).
Bhu·tan·ese[-təní:z, -s] *a.* 부탄(사람, 말)의. — *n.* (*pl.* ~) **1** 부탄 사람. **2** Ⓤ 부탄 말.
bi[bai] *a., n.* ((俗)) =BISEXUAL.
Bi 〔化〕 bismuth. **B.I.** British India.
bi-[1] *pref.* 「둘, 쌍, 복(複), 중(重)」의 뜻: *bi*-plane, *bi*cycle, *bi*ped.
bi-[2][bai] ((연결형)) =BIO-.
Bi·a·fra[biά:frə] *n.* 비아프라((Nigeria의 동부 지방; 1967년 독립 선언했으나 1970년 붕괴)).
Bi·a·fran[biά:frən] *a.* 비아프라 (사람)의.
— *n.* 비아프라 사람.
bi·al·y[biά:li] *n.* (*pl.* ~, ~**s**) 비알리((납작하고 가운데가 움푹한 롤빵; 썬 양파를 얹음)).
bi·an·gu·lar[baiǽŋgjələr] *a.* 2각(角)의.
bi·an·nu·al[baiǽnjuəl] *a.* 1년에 두 번의, 반년 마다의. **~·ly** *ad.* 반년 마다.
⁎**bi·as**[báiəs] [OF] *n.* **1** 성향, 마음의 경향, 성벽(性癖); 편향(偏向); 선입견(*to, toward*), 편견(*for, against*). **2** 〔服〕 (복지 재단의) 사선(斜線), 바이어스. **3** 〔볼링〕 (공의) 치우침, (무게에 의한 공의) 사행(斜行). **4** 〔電〕 바이어스, 편의(偏倚). **5** 〔統〕 치우침. **be under**〔**have**〕 **a bias toward**(**s**) …의 경향이 있다, …에 기울어져〔치우쳐〕 있다. **cut on the bias** 비스듬히 자르다. **without bias and without favor** 공평 무사하게.
— *a.* 엇갈린, 비스듬한; 〔電〕 편의의.
— *vt.* (~**ed**; ~·**ing**|~**sed**; ~·**sing**) 편견을 품게 하다, 편벽되게 하다; 한쪽으로 치우치게 하다, 휘게 하다.
bí·as-belt·ed tíre[-bèltid-] =BELTED-BIAS TIRE.

bías bìnding =BIAS TAPE.
bí·as-ply tíre[-plài-], **bías tìre** 바이어스(플라이) 타이어《접지면의 중심선에 비스듬한 섬유층으로 강화한 타이어》.
bi·as(s)ed[-t] *a.* 치우친: a ~ view 편견/be ~ *against*〔*in favor of*〕 a person …에게 편견〔호감〕을 가지고 있다.
bías tàpe 바이어스 테이프《폭 2cm로 비스듬히 오린 테이프 천; 스커트 단 등에 쓰임》.
bi·ath·lete[baiǽθli:t] *n.* BIATHLON 선수.
bi·ath·lon[baiǽθlɑn/-lɔn] *n.* Ⓤ 〔스포츠〕 바이애슬론《스키의 장거리 레이스에 사격을 겸한 복합 경기》.
bi·ax·i·al[baiǽksiəl] *a.* 〔物〕 2축(軸)의. **~·ly** *ad.*
bib[bib] [L] *n.* 턱받이; 가슴 부분《앞치마 등의》. **in one's best bib and tucker** 《俗》 나들이옷을 입고. ― *vi., vt.*(~**bed;** ~·**bing**) 《古》 짤끔짤끔 계속해서 마시다.
Bib. Bible; Biblical.
bi·bas·ic[baibéisik] *a.* 〔化〕 2염기성의.
bib·ber[bíbər] *n.* 술꾼, 음주가.
bib·bing[bíbiŋ] *n.* Ⓤ 음주(의 버릇).
Bíbb léttuce 비브레티스《레티스의 변종》.
bib·cock[bíbkɑ̀k/-kɔ̀k] *n.* (아래로 굽은) (수도) 꼭지, 콕(*cf.* STOPCOCK).
bi·be·lot[bíblou] [F] *n.* (*pl.* ~**s**[-z])(장식용) 소형 골동품.
bi·bi·va·lent[bàibaivéilənt, baibívə-] *a.* 〔化〕 쌍이가(雙二價)의《2가의 양·음 이온에 해리(解離)하는 전해질에 대하여 말함》.
bibl., Bibl. biblical; bibliographical.
****Bi·ble**[báibəl] *n.* **1** (the ~)(기독교의) 성서, 성경《the Old Testament 및 the New Testament; 유대교에서는 구약만을 가리킴; *cf.* SCRIPTURE 1》. **2** (종종 **b-**) 《일반적으로》 성전(聖典). **3** (a ~) 성경 한 권〔한 판(版)〕. **4** (**b-**) 권위 있는 서적. **kiss the Bible** 성서에 키스하고 맹세하다. **on the Bible** 성서에 맹세하여, 굳게. **swallow**〔**eat**〕 **the Bible** 《미俗》 거짓말하다. **the King James Bible** 흠정역(欽定譯) 성서(Authorized Version).
⊕ Bíblical *a.*
Bi·ble-bash·er[báibəlbæ̀ʃər], **-bang·er**[-bæ̀ŋər] *n.* 《俗》 =BIBLE-THUMPER.
Bíble Bèlt (the ~) 성서 지대《미국 남부의 fundamentalism의 신자가 많은 지방》.
Bíble clàss 성경 연구회.
Bíble clèrk (Oxford 대학교 교회에서) 성서 낭독을 맡은 학생.
Bíble òath (성경을 두고 하는) 엄숙한 맹세.
Bíble pàper =INDIA PAPER.
Bi·ble-pound·ing[-pàundiŋ] *a.* 《俗》 =BIBLE-PUNCHING.
Bíble pùncher[-pʌ̀ntʃər] 《俗》 열렬한 복음 전도자.
Bi·ble-punch·ing[-pʌ̀ntʃiŋ] *a.* 《俗》 열광적으로 전도하는.
Bíble rèader 《영》 성서 낭독자《고용되어 집집마다 순회함》.
Bíble schòol 성서(연구) 학교《성서〔종교〕 교육을 목적으로 하는 주일 학교 등》.
Bíble Society 성서 공회《성서 보급을 위한》.
Bi·ble-thump·er[-θʌ̀mpər] *n.* 《俗》 철저한 성서 신봉자〔프로테스탄트〕.
Bi·ble-thump·ing[-θʌ̀mpiŋ] *a.* 《俗》 =BIBLE-PUNCHING.
***bib·li·cal**[bíblikəl] *a.* (종종 **B-**) 성서의, 성서에서 나온 〈구절 등〉. **~·ly** *ad.*
Bíblical Látin 성서 라틴말《성서의 번역에 사용된》.
bib·li·cism[bíbləsìzəm] *n.* (종종 **B-**) Ⓤ 성서(엄수)주의.
bib·li·cist[bíbləsist] *n.* (종종 **B-**) 성서(엄수)주의자; 성서학자.
bib·li·o-[bíbliə] 《연결형》 「서적; 성서」의 뜻.
bib·li·o·film[bíbliəfìlm] *n.* 도서 복사 필름 (*cf.* MICROFILM).
bibliog. bibliographer; bibliographic(al); bibliography.
bib·lio·graph[bíbliəgræ̀f, -grɑ̀:f] *vt.* 〈책 등에〉 서지(書誌)를 달다; 서지를 작성하다.
bib·li·og·ra·pher[bìbliɑ́grəfər/-ɔ́g-] *n.* 서적 해제자(解題者), 서지학자〔편찬가〕.
bib·li·o·graph·ic, -i·cal[bìbliəgrǽfik], [-əl] *a.* 서지(학)의, 서적 해제의; 도서 목록의. **-i·cal·ly**[-ikəli] *ad.*
bib·li·og·ra·phy[bìbliɑ́grəfi/-ɔ́g-] *n.* (*pl.* **-phies**) **1** Ⓤ 서지학. **2** 서적 해제(解題). **3** 관계 서적 목록; 저서 목록, 출판〔참고서〕 목록: a Tennyson ~ 테니슨의 저작 목록.
bib·li·o·klept[bíbliəklèpt] *n.* 책 도둑.
bib·li·o·klep·to·ma·ni·a[bìbliəklèptəméiniə, -njə] *n.* Ⓤ 도서벽(盜書癖).
bib·li·ol·a·ter[bìbliɑ́lətər/-ɔ́l-] *n.* 성서〔서적〕 숭배자.
bib·li·ol·a·trous[bìbliɑ́lətrəs/-ɔ́l-] *a.* 성서〔서적〕 숭배의.
bib·li·ol·a·try[bìbliɑ́lətri/-ɔ́l-] *n.* Ⓤ 서적(특히 성서) 숭배, 성서 광신.
bib·li·ol·o·gy[bìbliɑ́lədʒi/-ɔ́l-] *n.* (*pl.* **-gies**) Ⓤ,Ⓒ 서적학; 서지학(bibliography); (**B-**) 성서학. **bìb·li·o·lóg·i·cal** *a.*
bib·li·o·man·cy[bíbliouмæ̀nsi] *n.* Ⓤ 성서점《성서를 펼쳐서 나오는 곳의 글귀로 점치는》.
bib·li·o·ma·ni·a[bìblioumέiniə, -njə] *n.* Ⓤ 장서벽, 서적광. **-ni·ac**[-niæ̀k] *a., n.* 장서광의 (사람). **-mani·a·cal**[-mənáiəkəl] *a.*
bib·li·op·e·gy[bìbliɑ́pədʒi/-ɔ́p-] *n.* 제본술.
bib·li·o·phile[bíbliəfàil] *n.* 애서가, 장서도락가, 진서(珍書) 수집가.
bib·li·oph·i·lism[bìbliɑ́fəlìzəm/ɔ́f-] *n.* Ⓤ 장서벽〔취미〕. **-list** *n.* =BIBLIOPHILE.
bib·li·oph·i·lis·tic[bìbliɑfəlístik/-ɔf-] *a.* 애서가의.
bib·li·o·phobe[bíbliəfòub] *n.* 서적 증오자〔기피자, 불신자〕.
bib·li·o·pole[bíbliəpòul] *n.* 책 상인; 《특히》 진서(珍書) 상인; 서점.
bìb·li·o·pól·ic [bìbliəpóulik, -pɑ́l-] *a.*
bib·li·op·o·ly[bìbliɑ́pəli/-ɔ́p-] *n.* Ⓤ 진서 매매. **-list** *n.* =BIBLIOPOLE.
bib·li·o·the·ca[bìbliəθí:kə] *n.* (*pl.* ~**s, -cae**[-si:, -ki:]) **1** 장서, (개인의) 문고(文庫). **2** 서점의 (재고) 카탈로그.
bib·li·o·ther·a·peu·tic[bìbliouθèrəpjú:tik] *a.* 독서 요법의.
bib·li·o·ther·a·py[bìbliouθérəpi] *n.* Ⓤ 〔精醫〕 독서 요법《신경증에 대한 심리 요법》.
bib·li·ot·ics[bìbliɑ́tiks/-ɔ́t-] *n. pl.* (단수·복수 취급)(특히 저작권을 입증하기 위한) 필적 감정학. **-ot·ic**[-tik] *a.*
Bi·blist[bíblist, báiblist] *n.* **1** 성서 신앙자. **2** =BIBLICIST.
bib·u·lous[bíbjələs] *a.* **1** 술을 좋아하는. **2** 물을 빨아들이는, 흡수성의. **~·ly** *ad.*
bi·cam·er·al[baikǽmərəl] *a.* 〔政〕 상하 양원제의. **~·ist** *n.* 양원제론자.
bi·carb[baikɑ́:rb] *n.* Ⓤ 《口》 중조(重曹), 중탄산나트륨.

bi·car·bon·ate[baikɑ́ːrbənit, -nèit] *n.* Ⓤ 〔化〕 중탄산염; 중탄산소다; 중조(重曹): ~ of soda 중탄산소다〔중탄산나트륨〕.

bice[bais] *n.* Ⓤ 남청색의 물감〔안료〕.

bi·cen·te·nar·y[bàisenténəri, baisént∂nèri/bàisentíːnəri] *a., n.* =BICENTENNIAL.

bi·cen·ten·ni·al[bàisenténiəl] *a.* 200년간 계속되는, 200년 마다의. ── *n.* 200년 기념제〔일〕.

bi·cen·tric[baiséntrik] *a.* 〔生〕 〈분류 단위가〉 두 기원성(起源性)의; 〈동식물의 분포 등이〉 두 (분포) 중심의.

bi·ceph·a·lous[baiséfələs] *a.* 〔生〕 머리가 둘 있는, 쌍두의.

bi·ceps[báiseps] *n.* (*pl.* ~, ~·**es**[-iz]) **1** 〔解〕 이두근(二頭筋): ~ of the arm 이두박근(膊筋). **2** Ⓤ 《口》 근력.

bi·chlo·ride[baiklɔ́ːraid] *n.* Ⓤ 〔化〕 **1** 2염화물(dichloride). **2** 염화 제2 수은, 승홍(昇汞).

bi·chro·mate[baikróumeit] *n.* Ⓤ 〔化〕 중(重)크롬산염〔칼륨〕.

bi·chrome[báikròum] *a.* 2색(色)의.

bi·cip·i·tal[baisípətəl] *a.* **1** 쌍두(雙頭)의. **2** 〔解〕 이두근의.

bick·er[bíkər] *vi.* **1** 말다툼하다(quarrel). **2** 졸졸거리다(babble); 〈비가〉 후두두 떨어지다(patter). **3** 〈빛이〉 번쩍이다, 〈등불 등이〉 깜박이다(flicker). ── *n.* **1** 말다툼. **2** 졸졸(흐르는 소리); 후두두(떨어지는 소리). **3** 번쩍임, 깜박임. **~·er**[-rər] *n.*

bi·coast·al[baikóustəl] *a.* 《미》 서해안과 동해안에 같이 발생하는.

bi·col·or[báikʌ̀lər] *a., n.* 이색(二色)의 (것).

bi·col·ored[-d] *a.* =BICOLOR.

bi·con·cave[baikɑ́nkeiv, ⌐─⌐/-kɔ́n-] *a.* 양면이 오목한.

bi·con·cav·i·ty[bàikənkǽvəti] *n.*

bi·con·di·tion·al[bàikəndíʃənəl] *n., a.* 〔論〕 상호 조건(적인), 쌍조건(의).

bi·con·vex[baikɑ́nveks, ⌐─⌐/-kɔ́n-] *a.* 양면이 볼록한, 양볼록의(convexo-convex).

bi·corn[báikɔːrn] *a.* **1** 〔動·植〕 두 개의 뿔(모양)을 가진. **2** 초승달 모양의.

bi·cor·po·ral[baikɔ́ːrpərəl] *a.* 두 몸체를 가진, 양체(兩體)의.

bi·cron[báikrɑn/-krɔn] *n.* 비크론(1m의 10억분의 1).

bi·cul·tur·al[baikʌ́ltʃərəl] *a.* 두 문화(병용)의.

bi·cul·tur·al·ism[baikʌ́ltʃərəlìzəm] *n.* (동일 국가·지역내의) 이문화(異文化) 공존.

bi·cus·pid[baikʌ́spid] *a.* 뾰족한 끝이 둘 있는. ── *n.* 〔醫〕 쌍두치(雙頭齒)(어금니 등).

bi·cus·pi·date[-èit] *a.* =BICUSPID.

bicúspid válve 〔解〕 (심장의) 이첨판(二尖瓣)(mitral valve).

★**bi·cy·cle**[báisikəl, -sàikəl][bi-(두 개의)+cycle(바퀴)] *n.* 자전거. ── *vi.* 자전거를 타다, 자전거를 타고 가다. ── *vt.* 자전거 등으로 직송(直送)하다(◇ 동사로서는 cycle 쪽이 일반적임).

bi·cy·cle clip *n.* (자전거 탈 때) 바지 자락을 고정시키는 집게.

bícycle kìck 〔蹴〕 공중에서 자전거를 젓듯이 다리를 움직이며 하는 오버헤드킥.

bícycle móto-cross =BMX.

bi·cy·cler[báisiklər] *n.* =BICYCLIST.

bícycle ràce〔**ràcing**〕 자전거 경주.

bi·cy·clic[baisáiklik, -sík-] *a.* **1** 두 원으로 된. **2** 〔植〕 두 윤생체(輪生體)를 이룬; 〔化〕 〈화합물이〉 두 고리식의.

bi·cy·clist[báisiklist, -sàik-] *n.* 자전거 타는 사람.

‡**bid**[bid] (**bade**[bæd/beid], 《古》 **bad**, ~; **bid·den**[bídn], ~; ~·**ding**) *vt.* **1** 《古·文語》 명령하다, 분부를 내리다: 《Ⅴ (목)+*do*》 He *bade* her *wait* a second. 그는 그녀에게 잠깐만 기다리라고 일렀다/*Bid* him *come in.* 그분에게 들어오시라고 해라/《Ⅱ *be pp.*+*to* do》 I was *bidden to* enter. 나는 들어가라는 명을 받았다/Do as I ~ you.(=Do as you are *bidden*〔*bid*〕). 시키는 대로 해라. **2** 〈인사 등을〉 말하다: 《Ⅳ 대+(목)》 She *bade* them good-bye. 그녀는 그들에게 작별을 고했다(=《Ⅲ (목)+전+명》 She *bade* good-bye *to* them.). **3** 《미口》 〈조직 등에〉 입회시키다; 《古》 초대하다(invite). **4** (과거·과거분사는 bid) 〈값을〉 매기다, (경매에서) 〈값을〉 (올려) 부르다: He ~ seventy dollars *for* the table. 그는 그 테이블에 70달러를 불렀다. **5** 〔카드〕 〈비드를〉 선언하다: ~ one heart 원 하트를 선언하다.
── *vi.* **1** 값을 매기다, 입찰하다(*against, for, on*): ~ *for*〔*on*〕 (the construction of) the school 학교 건축 공사에 입찰하다. **2** 명령하다. **3** (지지·권력 등을 얻으려) 노력하다.
bid against a person …와 맞서서 입찰하다.
bid fair to succeed (성공할) 가망이 많다, (성공할) 것 같다. **bid in** 〈경매에서 원소유자가〉 자기에게 낙찰되도록 하다. **bid up** (경매에서) 값을 올려 부르다. ── *n.* **1** 입찰, 입찰가격, 입찰의 기회〔차례〕: call for ~*s for* …의 입찰을 실시하다. **2** 〔카드〕 으뜸패·끗수의 선언; 선언하는 차례: a two-spade ~ 투스페이드의 선언. **3** 《미口》 초대, (입회 등의) 권유. **4** 시도, 노력(*for, to* do). **in a bid to** do …하려고 하여, …할 목적으로. **make a bid for** …에 입찰하다; 〈인기 등〉을 얻으려고 노력하다.

b.i.d. 〔處方〕 *bis in die*(L =twice a day).

bid·da·ble[bídəbəl] *a.* 유순한(obedient); 〔카드〕 끗수가 겨룰 만한.

∗**bid·den**[bídn] *v.* BID의 과거분사.

bid·der[bídər] *n.* **1** (경매에서) 값을 붙이는 사람, 입찰자: the highest〔best〕 ~ 최고 입찰자; 자기를 가장 높이 평가해 주는 사람. **2** 명령자; 초대자.

∗**bid·ding**[bídiŋ] *n.* Ⓤ **1** 입찰, 값을 부름〔매김〕. **2** 명령. **3** 〔카드〕 비드하기. **4** 초대. **at the bidding of** …의 분부〔뜻〕대로. **do a person's bidding** …의 분부대로 하다.

bídding pràyer 《영》 설교 전의 기도.

bid·dy[bídi] *n.* (*pl.* **-dies**) **1** 암탉(hen); 병아리. **2** 《俗》 (특히 나이 지긋한 수다스런) 여자.

∗**bide**[baid] *vt., vi.* (**bíd·ed, bode**[-boud]; **bid·ed,** 《古》 **bid**[bid]) 《古》 =ABIDE. **bide one's time** 때를 기다리다.

bi·den·tate[baidénteit] *a.* 이가 둘 있는.

bi·det[bidéi, bidét/bíːdei] [F] *n.* **1** 비데(여성용 국부 세척기). **2** 승마용 조랑말.

bi·di·a·lec·tal[bàidaiəléktəl] *a., n.* 〔言〕 두 방언을 사용하는 (사람).

bi·di·rec·tion·al[bàidirékʃənəl, -dai-] *a.* 〈안테나 등이〉 양지향성(兩指向性)의; 〈반도체 소자 등이〉 두 방향으로 도통(導通) 가능한.

bi·don·ville[*F.* bidɔ̃vil] [F] *n.* (도시 교외의) 날림집〔판잣집〕 지구.

bíd prìce 〔證券〕 사는 쪽의 호가(呼價).

bíd rìgging 담합(談合) 입찰.

B.I.E. Bachelor of Industrial Engineering.

Bie·der·mei·er[bíːdərmàiər] [G] *a.* **1** 비더마이어 양식의(19세기의 가구 양식). **2** 《경멸》

인습적인, 판에 박힌, 독창성이 없는.

bi·en·na·le[biennɑ́:le] [It] *n.* **1** 격년 행사. **2** (the **B-**) 비엔날레(짝수 해에 Rome에서 개최되는 현대 회화·조각의 전람회).

bi·en·ni·al[baiéniəl] *a.* **1** 2년에 한번의, 2년마다의(*cf.* BIANNUAL). **2** 2년간 계속하는. **3** 〔植〕 2년생의. — *n.* **1** 〔植〕 2년생 식물(*cf.* ANNUAL, PERENNIAL). **2** 2년마다 있는 행사〔시험, 전람회〕. **~·ly**[-i] *ad.*

bi·en·ni·um[baiéniəm] [L] *n.* (*pl.* **~s, -ni·a**[-niə]) 2년간.

bien·ve·nue[*F.* bjɛ̃vəny] [F] *a.* 환영받는 (welcome). — *n.* 환영.

bien vu[*F.* bjɛ̃vy] [F] *a.* 높이 평가되는.

bier[biər] *n.* **1** 관대(棺臺), 관가(棺架). **2** 《古》 묘(grave).

bier·kel·ler[bíərkèlər] [G] *n.* 《영》 (독일식으로 장식한) 맥주홀.

biest·ings[bí:stiŋz] *n. pl.* =BEESTINGS.

B.I.F. British Industries Fair.

bi·face[báifèis] *n.* 양면이 있는 연장.

bi·fa·cial[baiféiʃəl] *a.* **1** 두 면이 있는. **2** (유사한) 양면이 있는. **3** 〔植〕 (잎 등이 서로 다른) 양면이 있는.

bi·far·i·ous[baifέəriəs] *a.* **1** 이중의, 2열의. **2** 〔植〕 2종렬(縱列)의. **~·ly** *ad.*

biff[bif] 《俗》 *n.* 일격, 타격, 강타. — *vt.* 세게 치다, 강타하다.

bif·fin[bífin] *n.* (검붉은 빛의) 요리용 사과(영국 Norfolk 산).

bi·fid[báifid] *a.* 〔植〕 2열(裂)의; 두 갈래의.

bi·flex[báifleks] *a.* 두 곳에서 구부러져 있는, 곡면(曲面)이 둘 있는.

bi·flo·rate[baiflɔ́:reit] *a.* 꽃을 두 개 가진.

bi·fo·cal[baifóukəl] *a.* 초점이 둘인(원시·근시 양용의). — *n.* **1** 두 초점 렌즈. **2** (*pl.*) 두 초점 안경.

bi·fold[báifòuld] *a.* 둘로 접게 된, 두 겹의.

bi·fo·li·ate[baifóuliit, -èit] *a.* 〔植〕 쌍엽의.

bi·fo·li·o·late[baifóuliəlèit] *a.* 〔植〕 〈복엽이〉 두 소엽(leaflet)을 가진.

bi·forked[báifɔ̀:rkt] *a.* 두 갈래의.

bi·form[báifɔ̀:rm] *a.* 두 모양을 가진.

Bi·frost[bívrɑst, bí:f-/-rɔst] *n.* 〔北歐神〕 하늘과 땅에 걸친 신들의 무지개 다리.

bi·fu·el[baifjú(:)əl] *a.* 2중 연료의.

bi·func·tion·al[baifʌ́ŋ*k*ʃənəl] *a.* 두 기능〔작용〕의, 두 기능을 가진.

bi·fur·cate[báifərkèit, baifə́:rkeit] *vt., vi.* 두 갈래로 나누다〔나누어지다〕. — [-kit] *a.* 두 갈래의.

bi·fur·cat·ed *a.* =BIFURCATE.

bi·fur·ca·tion *n.* **1** Ⓤ 분기(分岐). **2** 분기점; (갈라진) 한 가지.

★**big** [big] *a.* (**~·ger; ~·gest**) **1** 큰; 성장한; (소리·수량이) 큰: a ~ man (덩치가) 큰 남자/ a ~ voice 큰 소리/ ~ money 큰돈, 대금. **2** 《서술적》 임신한(*with*)(◇ 지금은 pregnant를 씀). **3** 《口》 위대한, 중요한, 유명한; 인기 있는. **4** 점잔빼는; 거만한; 뽐내는: ~ words 호언 장담. **5** 관대한, 너그러운. **6** (…으로) 가득찬(*with*): eyes ~ with tears 눈물이 가득찬 눈. **7** (사건·문제가) 중대한. **8** 《口》 대단한, 굉장한: a ~ eater 대식가. **9** 〈바람 등〉 세찬, 강한, 격심한. **10** 《口》 아주 좋아하는, 사족을 못쓰는; 열심인(*on*). **11** 연상(年上)의, …형, …누나. **(as) big as life** (1) 실물 크기의. (2) 《익살》 몸소 〈오다 등〉. (3) 틀림없이. **get**〔**grow**〕 **too big for one's boots**〔**pants, breeches**〕 뽐내다, 자만하다. **in a big way** 《口》 열광적으로, 거창하게. **in the big time** 요직에 있는, 일류의.

— *ad.* **1** 《口》 크게, 잘난 체하여; 관대하게. **2** 《口》 잔뜩, 많이 〈먹다〉. **3** 성공적으로. **go**〔**come**〕 **over big** 매우 잘 되어가다. **make it big** 《俗》 (선택한 길에서) 성공하다. **look big** 잘난 체하다. **talk big** 호언 장담하다, 허풍치다. — *n.* 《口》 중요 인물, 거물, (막후의) 실력자; 대기업. **bíg·ness** *n.*

big·a·man *n.* 《미俗》 중요 인물; 두목.

big·a·mist[bígəmist] *n.* 중혼자.

big·a·mous[bígəməs] *a.* **1** 중혼(重婚)을 한. **2** 중혼 생활의. **~·ly** *ad.*

big·a·my[bígəmi] *n.* (*pl.* **-mies**) Ⓤ 〔法〕 중혼(죄).

Bíg Ápple *n.* (the ~) 《미俗》 뉴욕시.

big·a·roon[bìgərú:n] *n.* =BIGARREAU.

big·ar·reau, B-[bígəròu] *n.* 〔園藝〕 비가로종〔경육종(硬肉種)〕 버찌; 그 나무.

bíg banána 《俗》 =BIG BUG.

bíg bànd 빅 밴드(오케스트라의 편성을 가진 재즈(댄스) 밴드).

bìg báng, B- B- 〔經〕 (1986년 8월 27일의) 런던 주식 시장의 철폐.

bíg báng thèory (the ~) 〔天〕 우주 폭발 기원론(수소의 폭발로 우주가 생성되었다는 설; *cf.* STEADY STATE THEORY).

bíg béat (the ~) 록 음악.

Bíg Bén 영국 국회 의사당 탑 위의 시계와 그 탑.

Bíg Bértha[-bə́:rθə] **1** (제1차 대전 때의) 독일군의 거대한 대포; 고성능 대포. **2** 《미俗》 뚱뚱한 여자.

bíg blóke 《미俗》 코카인.

Bíg Blúe 《俗》 IBM의 별명(제품들이 청색이 기조로 되어 있음).

Bíg Bóard(the ~)《미口》 뉴욕 증권 거래소.

bíg bóy **1** 《口》 (특히 실업계의) 거물, 대기업. **2** 《미俗》 (지폐·햄버거 등의) 큰 것, 대짜. **3** 《미俗》 음경.

bíg bróther **1** 큰 형; (고아 등의) 후견인. **2** [G. Orwell의 소설 「1984」에서] (**B- B-**) 독재 정권의 수령, 독재자; 독재 국가〔조직〕.

bíg brówn·eyes 《미俗》 유방.

bíg búcks *n.* 《俗》 많은 돈, 거액.

bíg búg 《俗》 중요 인물, 거물, 보스.

bíg búsiness 재벌(財閥), 대기업.

Bíg C **1** 《완곡》 암(cancer). **2** 《미俗》 코카인(cocaine).

bíg chéese 《俗》 **1** =BIG BUG. **2** 《미》 얼빠진 사나이.

bíg chíef 《俗》 =BIG BUG.

Bíg D 《미俗》 **1** =LSD. **2** =DALLAS.

bíg dáddy 《俗》 **1** (the ~) 가장 중요한〔큰〕 것〔사람, 동물〕. **2** 《미》 (자기의) 아버지.

bíg déal 큰 거래; 《미俗·비꼼》 대단한 것, 큰 인물, 거물; 큰 일.

Bíg Dípper *n.* (the ~) 《미》 〔天〕 북두칠성(《영》 Charles's Wain).

bi·gem·i·nal[baidʒémənəl] *a.* 〔醫〕 쌍생의, 이란성의; 쌍의; 이단맥(二段脈)의.

bi·gem·i·ny[baidʒéməni] *n.* 〔醫〕 이단현상(二段現象)(쌍을 이루어 일어나는 현상으로 특히 이단맥(二段脈)을 말함).

bíg enchiláda 《미俗》 중요 인물, 거물, 두목.

bíg ènd 〔機〕 대단(大端)(엔진 연접봉의 큰쪽 끝).

bi·gen·er[báidʒənər] *n.* 〔生〕 (두) 속간(屬間) 잡종.

bi·ge·ner·ic[bàidʒənérik] *a.* 두 속(屬)에

관한, 속간의.

Bíg Fíve (the ~) 5대국(1차 대전 후의 미국·영국·일본·이탈리아·프랑스; 2차 대전 후의 미국·영국·프랑스·옛 소련·중국).

Big·foot[bígfùt] *n.* (때로 **b-**) SASQUATCH의 별칭.

bigg[big] *n.* Ⓤ 《스코》 보리의 일종.

bíg gáme 1 큰 시합. **2** (집합적) 큰 사냥감(사자·코끼리 등). **3** (위험이 따르는) 큰 목표.

big·gie, -gy[bígi] *n.* 《미俗》 거물; 뚱뚱보.

big·gish[bígiʃ] *a.* 약간 큰, 큰 편인.

bíg gún 1 대포. **2** 《口》 유력자, 중요 인물, 거물, 고급 장교; 중요한 사물. **bring up** 〔**out**〕 **one's big guns** 비장의 수를 쓰다.

bíg H, Bíg Hárry 《미俗》 헤로인(heroin).

big·head[bíghèd] *n.* **1** Ⓤ,Ⓒ 〔獸醫〕 (양의) 두부(頭部) 팽창증. **2** Ⓤ 《미》 자만 심; Ⓒ 자만하는 사람. **~·ed** *a.*

bíg héart 관대(함).

big·heart·ed[bíghá:rtid] *a.* 관대한, 친절한, 대범한. **~·ly** *ad.*

big·horn[bíghɔ̀:rn] *n.* (*pl.* **~, ~s**) 〔動〕 큰뿔양(로키산지에 야생하는 양).

Bíg Hòrn Móuntains *n. pl.* (the ~) 빅혼 산계(山系)(Rocky 산맥 중 Wyoming주 북부에 있는 산계).

bíg hóuse 1 (마을에서) 가장 큰 집, 호가(豪家), 대저택. **2** (the ~) 《俗》 교도소, 감화원.

bight[bait] *n.* **1** 해안〔하천〕의 만곡부. **2** 늘어진 밧줄의 중간 부분; 밧줄 고리.

bíg idéa 1 《俗》 어리석은 생각〔계획〕. **2** 의도, 목적.

bíg Jóhn 《미俗》 순경, 경관(policeman).

Bíg Lábor (때로 **b- l-**; 집합적) 큰〔대규모〕 노동조합.

bíg léague 1 =MAJOR LEAGUE. **2** 톱 레벨.

big-league[bíglí:g] *a.* 《口》 (직업 분야에서) 톱 클라스의.

bíg líe (the ~) **1** 새빨간〔터무니없는〕 거짓말. **2** (정책 등의) 허위 선전.

Bíg Lóok (종종 **b- l-**) 빅룩(터크나 개더의 양을 많게 하여 큰 인상을 나타낸 패션).

big·ly[bígli] *ad.* **1** 대규모로. **2** 《古》 거드럭대며, 오만하게.

Bíg Mác 1 자치체 원조 공사(公社). **2** 빅맥(미국 맥도날드 체인의 햄버거; 상표명).

bíg mán 《俗》 중요 인물.

big·mouth[bígmàuθ] *n.* (*pl.* **~s**[-màuðz]) 《俗》 수다〔허풍〕쟁이; 입 큰 물고기류.

big·mouthed[-ðd, -θt] *a.* **1** 입이 큰. **2** 큰 목소리의. **3** 큰소리치는, 자랑하는. **4** 《俗》 재잘재잘〔일방적으로〕 잘 지껄이는.

bíg náme 《口》 명사; 일류 연기자.

big-name[bígnèim] *a.* 《口》 유명한, 일류의, 인기 있는.

bíg níckel 《미俗》 (건 돈) 5000달러.

bíg nóise 《口》 명사, 거물; 우두머리.

big·no·ni·a[bignóuniə] *n.* 〔植〕 빅노니어 속(屬)의 식물(능소화나무류).

Bíg Óil (미국의) 거대 석유업계.

bíg òne 《미俗》 **1** (내기에 건 돈 등의) 1000달러. **2** 대변(大便).

big·ot[bígət] *n.* 완고한 편견자(偏見者); 고집쟁이, 고집통이. **~·ed**[-id] *a.* 고집 불통의. **~·ed·ly** *ad.*

bi·got·ry[bígətri] *n.* (*pl.* **-ries**) Ⓤ,Ⓒ 편협한 신앙; 완고, 고집 불통.

bíg pòt 《口》 중요 인물, 거물.

Bíg Scíence 거대 과학(우주 개발 등 대규모의 과학 연구).

bíg shòt 《口》 중요 인물, 거물.

bíg síster 1 누님. **2** (여학생 클럽의) 상급생.

bíg smóke 1 《오스》 대도시. **2** (the **B-S-**) 《俗》 =LONDON.

bíg sólar 대규모 태양열 이용 계획.

bíg stìck (the ~) (정치적·군사적) 압력, 위압; (소방용) 긴 사닥다리.

bíg tálk 《口》 **1** 허풍, 호언 장담. **2** 중요 회담.

Bíg Thrée (the ~) 3대국(미국·옛 소련·중국(애초에는 영국)).

big-tick·et[bígtíkit] *a.* 비싼 가격표가 붙은.

bíg tíme 1 《俗》 유쾌한 때. **2** (the ~) 《미俗》 하루 2회 흥행만으로 수지맞는 연예. **3** (the ~) 《俗》 최고 수준, 1류.

big-time[bígtàim] *a.* 《俗》 대(大)…; 일류의.

big-tim·er[-tàimər] *n.* 《俗》 최고의 인물; =BIGWIG.

bíg-tíme óperator 《미俗》 굉장한 인물; 학업이나 사교 활동에서 뛰어난 학생.

bíg tóe 엄지발가락(great toe).

bíg tóp 《口》 (서커스의) 큰 천막; (the ~) 서커스(업, 생활).

bíg trée =SEQUOIA.

bíg whéel 《俗》 **1** 나리, 두목. **2** (대학의) 인기가 좋은 사람.

bíg wíenie 《미俗》 =TOP DOG.

big·wig[bígwìg] *n.* 《口》 중요 인물, 높은 사람.

bi·hour·ly[baiáuərli] *a.* 두 시간마다의〔일어나는〕.

bi·jou[bí:ʒu:, -ˊ] [F] *n.* (*pl.* **~x**[-z]) **1** 보석, 주옥. **2** 장식품; 작고 예쁜 것.
— *a.* 작고 예쁘장한.

bi·jou·te·rie[bi:ʒú:təri] [F] *n.* (집합적) **1** 보석류; 장식품. **2** =BON MOT.

bi·ju·gate, -gous[báidʒugèit, baidʒú:geit, -git], [-gəs] *a.* 〔植〕 잎이 두 쌍 있는.

bike[1] [baik] [bicycle의 단축형] 《口》 *n.* **1** 자전거. **2** 오토바이(motorbike) 《영俗》. **get on one's bike** 꺼지다, 사라지다; 다시 (열심히) 노력하다. — *vi.* 자전거〔오토바이〕를 타고 가다.

bike[2] *n.* 《스코》 (야생의) 벌집, 큰 떼; (사람의) 무리.

bik·er[báikər] *n.* 《미》 **1** =BICYCLIST. **2** =MOTORCYCLIST.

bike·way[báikwèi] *n.* 자전거 도로.

bik·ie[báiki] *n.* 《오스俗》 오토바이 폭주족의 한 사람.

bik·ing[báikiŋ] *n.* =CYCLING.

Bi·ki·ni[bikí:ni] *n.* **1** Marshall 군도에 있는 환초. **2** (**b-**) 《미俗》 (투피스의) 여자용 수영복, 비키니.

bi·ki·nied[bikí:nid] *a.* 비키니를 입은: a ~ girl 비키니 스타일의 여자.

bi·la·bi·al[bailéibiəl] 〔音聲〕 *a.* 두 입술의.
— *n.* 양순음(兩脣音)([p], [b], [m] 등).

bi·la·bi·ate[bailéibièit, -biit] *a.* 〔植〕 두 입술 모양의.

bi·lat·er·al[bailǽtərəl] *a.* **1** 양쪽(면)이 있는; 〔生〕 좌우 양측의. **2** 〔法〕 쌍무적(雙務的)인 (*opp.* unilateral): a ~ contract 쌍무 계약. **~·ly** *ad.* **~·ness** *n.*

bi·lat·er·al·ism[bailǽtərəlìzəm] *n.* **1** 〔生〕 좌우 대칭. **2** 〔法〕 쌍무 계약제.

biláteral núclear disármament 쌍무적 핵군축.

bil·ber·ry[bílbèri, -bəri] *n.* (*pl.* **-ries**) 〔植〕 월귤나무속(屬); 그 열매.

bil·bo[1] [bílbou] (*pl.* **~(e)s**) *n.* 《古》 검 (특히

스페인의 명검).
bilbo² *n.* (*pl.* ~**es**) (보통 *pl.*) 쇠차꼬.
Bil·dungs·ro·man[bílduŋzroumà:n] [G] *n.* (*pl.* **-ma·ne**[-nə], ~**s**) 교양 소설《주인공의 정신적·정서적 성장을 다룬 것》.
bile[bail] *n.* Ⓤ **1** 〔生理〕 담즙. **2** 역정, 분통, 노여움. **black bile** 우울. **stir**〔**rouse**〕 **a person's bile** …의 분통이 터지게 하다.
bíle dùct 〔解·動〕 담관(膽管).
bile·stone[báilstòun] *n.* Ⓤ,Ⓒ 담석(gallstone).
bi-lev·el[bailévəl] *a.* 〈화물실이나 객실이〉 2단식의, 2층의. — *n.* **1** 2층 구조로 된 탈것. **2** (1층이 반지하로 된) 준(準)2층집.
bilge[bildʒ] *n.* **1** 배 밑바닥의 만곡된 부분. **2** Ⓤ 배 밑에 괸 더러운 물(=~ water). **3** (통의) 중배. **4** Ⓤ 《口》 시시한 이야기, 허튼소리(nonsense). — *vt., vi.* 〈배 밑바닥에〉 구멍을 내다, 구멍이 나다; 불룩하게 하다〔되다〕. **bilge out** 《미俗》 퇴학시키다〔하다〕.
bilge pump *n.* 배 밑에 괸 물을 퍼올리는 펌프.
bílge wàter 1 〔海〕 뱃바닥에 괸 (더러운) 물. **2** 《영俗》 맛없는 맥주. **3** 《口》 부질없는〔시시한〕 이야기, 허튼소리.
bilg·y[bíldʒi] *a.* (**bilg·i·er; -i·est**) (배 밑바닥의) 물비린내가 나는.
bil·har·zi·a[bilhá:*r*ziə] *n.* **1** 〔動〕 빌하르츠 주혈흡충(住血吸蟲)《이집트에 많음》. **2** Ⓤ 〔病理〕 주혈흡충병.
bil·har·zi·a·sis[bìlhɑ:*r*záiəsis] *n.* Ⓤ 〔病理〕 주혈흡충병.
bil·i·ar·y[bílièri, bíljəri] *a.* 담즙(bile)의.
bíliary cálculus 〔醫〕 담석.
bi·lin·e·ar[bailíniə*r*] *a.* 〔數〕 쌍일차(雙一次)의.
*__bi·lin·gual__[bailíŋgwəl] *a.* 두 나라 말을 하는, 두 나라 말로 쓴. — *n.* 두 나라 말을 하는 사람. **~·ly** *ad.*
bilíngual educátion 두 언어 병용 교육《영어가 서투른 소수 민족 학생에게 그 모국어로 교육을 하는 제도》.
bi·lin·gual·ism[∸ìzəm] *n.* Ⓤ **1** 2개 국어 상용(常用). **2** 2개 국어를 말하는 능력.
bi·lin·guist[bailíŋgwist] *n.* 두 나라 말을 할 줄 아는 사람.
bil·ious[bíljəs] *a.* **1** 〔生理·病理〕 담즙의, 담즙 분비 과다의. **2** 〈사람이〉 담즙질의; 성미 까다로운, 성 잘 내는. **~·ly** *ad.* **~·ness** *n.*
bil·i·ru·bin[bílərù:bin, ∸–∸] *n.* 〔生化〕 빌리루빈《담즙 속의 적황색 색소》.
bi·lit·er·al[bailítərəl] *a.* 두 글자의.
-bil·i·ty[bíləti] *suf.* '-able', '-ible', '-uble'로 끝나는 형용사에서 명사를 만듦: a*bility,* capa*bility,* no*bility,* possi*bility,* visi*bility,* solu*bility.*
bilk[bilk] *vt.* **1** 〈채권자를〉 속이다. **2** 〈외상값·빚 등을〉 떼어먹다. **3** 〈기대 등을〉 저버리다. **4** 벗어나다. — *n.* 사기, 떼어먹음, (식비 등을) 잘라먹고 달아남. **bílk·er** *n.* 사기꾼.
★**bill¹**[bil] [L] *n.* **1** 계산서(account), 청구서. **2** 목록, 표. **3** 삐라, 벽보, 광고용 포스터: a concert ~ 음악회의 포스터〔삐라〕/paste up a ~ (광고용) 벽보를 붙이다/Post〔Stick〕 no ~*s.* 《게시》 이곳에 벽보를 붙이지 마시오. **4** (연극 등의) 프로(그램). **5** 〔商〕 증서, 증권; 《영》 환어음. **6** 〔法〕 기소장, 조서. **7** 《미》 지폐. **8** (세관의) 신고서. **9** 〔議會〕 법안, 의안. **a bill in sets**=**a set of bills** 복수〔복본〕 어음. **a long**〔**short**〕(**-dated**) **bill** 장기〔단기〕 어음. **bill at sight** 일람〔요구〕불 (환)어음. **bill discounted** 할인 어음. **bill for acceptance** 인수 청구 어음. **bill of clearance** 〔稅關〕 출항 신고서. **bill of credit** 신용장; 지불 증권. **bill of date** 확정 일부 어음. **bill of debt** 약속 어음. **bill of dishonor** 부도 어음. **bill of entry** 〔稅關〕 통관 신고서; (배의) 입항 신고서. **bill of exceptions** 〔法〕 항고서. **bill of exchange** 환어음. **bill of fare** 차림표(menu); 《口》 예정표, 일람표. **bill of goods** 인도〔출하〕 상품(의 리스트); 《미俗》 가짜(상품). **bill of health** (선원·선객) 건강 증명서《略: B.H.》(*cf.* CLEAN bill; FOUL bill). **bill of lading** 《영》 선하 증권《略: B/L》; 《미》 화물 인환증(《영》 consignment note). **bill of parcels** 소하물 매도증; 매도품 목록. **bill of quantities** 《영》 건축 견적서. **bill of rights** 국민의 기본적 인권에 관한 선언; (B- of R-) 《영》 권리 선언《1689년에 제정된 법률》; 《미》 권리 장전(章典)《미국 헌법에 부가된 최초의 10개조의 수정(amendments)》. **bill of sale** 매도증. **bill of sight** 〔稅關〕 가(假)양륙 신고서. **bill on demand** (외국어음의) 요구불어음. **bill payable**〔**receivable**〕 지불〔받을〕 어음. **bill payable to bearer**〔**order**〕 지참인〔지정인〕 지불 어음. **clean**〔**conditional**〕 **bill of lading** 무하자(無瑕疵)〔하자부〕 선하 증권. **draw a bill on** (a person) (…앞으로) 어음을 발행하다. **fill the bill** 요구를 만족시키다. **find a true bill** 〔法〕 기소장을 수리하다. **foot a**〔**the**〕 **bill** 《미口》 비용을 부담하다, 돈을 치르다. **ignore the bill** 〔法〕 기소장을 부인하다. **lay a bill before the Congress**〔**Parliament**〕 의회에 의안을 상정하다. **sell** a person **a bill of goods** 《미口》 감언이설로 속여 승낙케 하다. **take up a bill** 어음을 인수하다〔지불하다〕. **top**〔**head**〕 **the bill** 〈배우 등이〉 톱으로 크게 광고되다. — *vt.* …에게 계산서를 보내다; 계산서에 기입하다; 표로 만들다; 삐라〔벽보〕로 광고하다; 프로에 넣다; 발표하다.
⁑**bill²**[bil] *n.* **1** 부리《특히 길쭉하고 편평한 부리》(*cf.* BEAK¹). **2** 부리 모양의 것. **3** 《미口》 (사람의) 코. — *vi.* 〈한쌍의 비둘기가〉 부리를 맞부비다; 애무하다. **dip the bill** 《俗》 한잔 하다. **bill and coo** 〈남녀가〉 키스나 애무를 하며 정답게 소곤거리다.
bill³ *n.* **1** 미늘창《중세의 무기》. **2** =BILLHOOK.
Bill *n.* 남자 이름《William의 애칭》.
bil·la·bong[bíləbɔ̀(:)ŋ, -bɑ̀ŋ] *n.* 《오스》 **1** (강의) 분류(分流). **2** (괸) 역수(逆水).
bill·board[bílbɔ̀:*r*d] *n.* **1** 《미》 광고 게시판. **2** 〔TV〕 (방송 전후의) 프로의 배역〔스폰서〕 소개. — *vt.* 빌보드로 광고하다.
bíll bòok 어음 명세장; 《미》 =BILLFOLD.
bíll bròker 어음〔증권〕 중매인.
bill·bug *n.* 〔動〕 바구미.
bíll collèctor 수금원.
bíll discòunter (환)어음 할인업자.
billd(s). billiards.
billed[bild] *a.* (보통 복합어를 이루어)〈어떤〉 부리를 가진: a broad-~ bird 부리가 넓은 새.
bil·let¹[bílit] *n.* **1** 〔軍〕 (군인의) 숙사; (민가에 대한) 숙박 명령서. **2** 《俗》 지위, 자리. **Every bullet has its billet.** 《속담》 총알에 맞고 안 맞고는 모두 제 팔자 소관이다.
— *vt.* 〔軍〕 숙사를 배정하다, 숙박시키다 (*on, in*): ~ the soldiers *on* the villagers

마을의 민가에 군인들의 숙사를 배정하다.
billet[2] *n.* **1** 굵은 막대기, 장작개비, 짧은 통나무. **2** (마구(馬具)의) 가죽끈. **3** (기둥의 기초가 되는) 철판. **4** 〔冶〕 강편(鋼片).
bil·let-doux[bílidúː, -lei-] [F=sweet note] *n.* (*pl.* **bil·lets-doux**[-z]) 《文語》 연애 편지.
bill·fold[bílfòuld] *n.* 《미》 지갑.
bill·head[ˊhèd] *n.* 계산〔청구〕서의 서두(書頭)《점포명·소재지명 등》; 그 용지.
bill·hook[ˊhùk] *n.* 전지 등에 쓰이는 낫의 일종.
bil·liard[bíljərd] *a.* 당구(용)의: a ~ cue 당구 큐. — *n.* 《미》 〔撞球〕 =CAROM.
bil·liard·ist[bíljərdist] *n.* 당구가, 당구 치는 사람.
bílliard màrker 당구의 계수인.
bílliard ròom 당구장.
∗**bil·liards**[bíljərdz] *n. pl.* (단수 취급) 당구: play (at) ~ 당구를 치다.
bílliard tàble 당구대.
bil·li-bi[bìːlíbíː] *n.* 빌리비 수프《조개 수프에 백포도주와 크림을 섞은 것》.
Bil·lie *n.* 남자 이름(*cf.* BILL).
Bil·li·ken[bílikən] *n.* 빌리켄《앉아서 미소짓는 복신(福神)의 상(像)》.
bill·ing[bíliŋ] *n.* Ⓤ,Ⓒ **1** (삐라 등에 의한) 광고, 선전. **2** (출연자의) 프로그램 상의 서열.
bílling machìne (청구서 등의) 자동 경리 계산기.
bil·lings·gate[bíliŋzgèit/-git] *n.* Ⓤ 거친〔상스러운〕 말, 악담, 욕설.
∗**bil·lion**[bíljən] *n.* **1** 《영·독일》 만억(萬億), 조(兆)《million의 100만배》; 《미·프랑스》 10억《million의 1000배》《◇ 《영》에서도 지금은 종종 10억으로 씀》. **2** (*pl.*) 막대한 수(*of*) — *a.* 《미》 10억의; 《영》 1조의.
bil·lion·aire[bìljənέər, ˊ-ˋ] [*billion*+mil-lion*aire*] *n.* 《미》 억만 장자.
bil·lionth[bíljənθ] *a.* **1** 1조〔10억〕 번째의. **2** 1조〔10억〕분의 1의. — *n.* **1** 1조〔10억〕 번째. **2** 1조〔10억〕분의 1《◇ *a., n.*에서 《영》에서도 지금은 종종 《미》 용법의 10억을 씀》.
bíll of góods 1 (주문품·적하(積荷) 따위의) 상품량, 상품 탁송량. **2** 《미俗》 《특히》 불필요한〔미심쩍은, 가짜의〕 상품; 거래, 토론, 상담.
bil·lon[bílən] *n.* 화폐용 은동(銀銅)〔금동(金銅)〕; 그것으로 만든 화폐.
∗**bil·low**[bílou] *n.* **1** 《文語》 큰 물결, 놀(⇨ wave); 《詩》 물결, 파도(wave); (the ~(s)) 바다. **2** 소용돌이치는 것: ~*s of* smoke 소용돌이치는 연기. — *vi.* **1** 크게 굽이치다, 놀지다; 소용돌이치다. **2** 〈돛 등이〉 부풀다(*out*). — *vt.* 부풀게 하다.
bil·low·y[-i] *a.* (**-low·i·er; -i·est**) 놀지는, 크게 굽이치는, 물결이 높은, 소용돌이치는.
bill·post·er, bill·stick·er[bílpòustər], [-stìkər] *n.* 삐라 붙이는 사람.
bil·ly[1] [bíli] *n.* (*pl.* **-lies**) 《영·오스》 (캠프 등 야외 취사용의) 양철로 만든 주전자.
billy[2] *n.* (*pl.* **-lies**) **1** 곤봉. **2** 《미口》 경찰봉.
Bil·ly *n.* 남자 이름《William의 애칭》.
bil·ly·boy[-bɔ̀i] *n.* 《영口》 (하천·연안용의) 바닥이 평평한 짐배, 거룻배.
bil·ly·can[-kæ̀n] *n.* =BILLY[1].
bílly clùb 곤봉, 《특히》 경찰봉.
bil·ly-club *vt.* 폭력으로 강요하다.
bil·ly·cock[-kɑ̀k/-kɔ̀k] *n.* 《영稀》 **1** 중절모. **2** 중산 모자(Derby hat).
bílly gòat 《口·兒》 숫염소(*opp.* nanny goat).
bil·ly-o(h)[-òu] *n.* 《영俗》 (다음 성구로) **like billy-o(h)** 몹시, 맹렬히(fiercely).
bi·lo·bate[bailóubeit] *a.* 〔植〕 이열편(二裂片)의.
bil·tong[bíltɑ̀ŋ, -tɔ̀(ː)ŋ] *n.* Ⓤ 육포(肉脯).
B.I.M. British Institute of Management 영국 경영 연구소.
bi·mane[báimein] *a., n.* 이수류(二手類)의 (동물).
bim·a·nous[bímənəs, baiméi-] *a.* 〔動〕 손이 둘 있는, 이수(류)의.
bi·man·u·al[baimǽnjuəl] *a.* 두 손을 쓰는. **~·ly** *ad.*
bim·ba·shi *n.* (터키의) 육군 소령, 해군 지휘관.
bim·bo[bímbou] *n.* (*pl.* ~(e)s) 《俗》 **1** (평판이 나쁜) 사나이, 녀석. **2** 몸가짐〔행실〕이 나쁜 여자, 매춘부.
bim·boy *n.* 《俗》(매력적이나) 머리가 텅빈 남자.
bi·men·sal[baiménsəl] *a.* 격월의(bimonthly).
bi·mes·ter[baiméstər] *n.* 2개월간.
bi·mes·tri·al[baiméstriəl] *a.* 2개월마다의, 격월의; 2개월 계속의.
bi·met·al[baimétl] *n.* 바이메탈《온도 조절 장치 등에 쓰임》.
bi·me·tal·lic[bàimətǽlik] *a.* **1** 〔經〕 복본위제(複本位制)의. **2** 두 가지 금속으로 된.
bi·met·al·lism[baimétəlìzəm] *n.* Ⓤ 〔經〕 (금은) 복본위제. **-list** *n.* 복본위제론자.
bi·mil·le·nar·y, bi·millen·i·al[baimílənèri], [bàimiléniəl] *n., a.* 2천년(간)(의); 2천년 기념일〔제〕(의).
bi·mod·al *a.* **1** 〔統〕 도수(度數) 분포 곡선에 두개의 최빈치(最頻値)가 있는. **2** 두가지 시스템〔방법·양식〕이 있는.
bi·mo·lec·u·lar[bàiməlékjələr] *a.* 〔化〕 2 분자의〔로 된〕. **~·ly** *ad.*
bi·month·ly[baimʌ́nθli] *a., ad.* **1** 한달씩 거른〔걸러〕, 격월의〔로〕. **2** 월 2회(의)《1과 혼동하기 쉬우므로 보통 semimonthly를 씀》. — *n.* (*pl.* **-lies**) 격월 간행물.
bi·mor·phe·mic[bàimɔːrfíːmik] *a.* 〔言〕 두 형태소에 관한〔로 이루어진〕.
bi·mo·tored[baimóutərd] *a.* 〈비행기가〉 쌍발식의.
∗**bin**[bin] *n.* **1** (뚜껑 달린) 큰 상자; (석탄·곡물·빵 등의) 저장용 광. **2** 포도주 저장소《지하실의》; 《영》 즈크 부대《홉을 따 넣는》. **3** (the ~) 《俗》 정신병원(loony bin). — *vt.* (~**ned;** ~**·ning**) bin에 넣다.
bin-[bin] *pref.* =BI-[1] 《모음 앞에서》.
bi·nal[báinəl] *a.* 2배〔중〕 의; 〔音聲〕 2개의 고음부를 가진.
bi·na·ry[báinəri] *a.* **1** 둘(쌍, 복)의. **2** 〔化〕 2 성분의, 2원(元)의. **3** 〔數〕 2진(법)의. **4** 〔天〕 연성(連星)의 〔컴퓨터〕 2진(법)의, 2진수의. — *n.* (*pl.* **-ries**) **1** 2원체, 2연체. **2** 〔數〕 2 진수. **3** 〔天〕 =BINARY STAR.
bínary céll 〔컴퓨터〕 2진 소자(素子).
bínary chóp =binary search.
bínary códe 〔컴퓨터〕 2진 부호.
bínary-coded décimal[báinərikòudid-] 〔컴퓨터〕 2진화 10진수《10진수의 각 자리를 각기 4비트의 2진수로 나타낸 것; 略: BCD》.
bínary dígit 〔컴퓨터〕 2진숫자《0과 1의 2종》.
bínary físsion 〔植〕 2분열《개체가 거의 같은 두 개로 분열하는》.
bínary méasure 〔樂〕 2박자.
bínary notátion (the ~) 〔數〕 2진(기수)법.
bínary scále 〔數〕 2 진법.

bínary séarch 〔컴퓨터〕 2진 검색(dichotomizing search)《1군의 항목을 두 부분으로 나누어 한쪽을 골라내는 절차를 반복하여 목적하는 항목을 찾아내는 검색 방식》.

bínary stár 〔天〕 연성(連星)《공통된 중심(重心) 둘레를 공전함》.

bínary sỳstem 〔天〕 연성계: 〔物·化〕 2성분계(成分系).

bi·nate[báineit] *a.* 〔植〕 〈잎이〉 한쌍〔대생(對生), 쌍생(雙生)〕의.

bin·au·ral[bainɔ́:rəl] *a.* **1** 양 귀(용)의. **2** 〈레코드·라디오 등이〉 바이노럴 방식의, 스테레오의(stereophonic) (*opp.* monaural).

bin-bust·ing *a.* 창고가 터질 듯한.

⁑**bind**[baind] [OE] (**bound**[baund]) *vt.* **1** 묶다, 동이다, 매다《*with, in, to*》; 결박하다; 포박하다: ~ a package *with* a ribbon 리본으로 꾸러미를 묶다/~ the prisoner *to* a pillar 죄수를 기둥에 매다/~ a person's legs *together* …의 두 다리를 묶다. **2** 속박하다, 의무를 지우다; 계약하다, 약속하다《*to, to do*》; 맹세하다, 책임지다:《Ⅴ(목)+*to* do》I ~ myself *to* deliver the goods by the end of May. 5월 말까지 그 물건을 송달하기로 약속한다/Settlement of mortgage will ~ him *to* pay his debt. 저당권 설정으로 그는 자기의 부채를 갚지 않으면 안된다. **3** 둘러 감다; (붕대로) 감다《*about, round, on*》: ~ *up* a wound 상처를 붕대로 감다/~ a bandage *about* the head 머리에 붕대를 감다. **4** 〈동맹·계약 등을〉 맺다; 〈…에게 도제로서의〉 계약을 맺게 하다; 〈…에게〉 도제 생활을 시키다, 견습 근무하도록 보내다:《Ⅴ(목)+명+{전+명}》He *bound* his son apprentice *to* a baker. 그는 자기 아들을 빵굽는 사람에게 견습공으로 근무하도록 보냈다. **5** 〈직물·모자 등에〉 가를 두르다: ~ a skirt *with* leather 스커트에 가죽으로 선을 두르다. **6** 〈얼음·눈 등이 …을〉 가두다, 꽁꽁 얼어 붙게 하다. **7** 〈음식물·약이〉 변비를 일으키게 하다. **8** 〈원고·책을〉 제본〔장정〕하다《*in*》: ~ a book *in* leather 책을 가죽으로 장정하다. **9** 굳히다《시멘트 등으로》: ~ gravel *with* cement 시멘트로 자갈을 굳히다. **10** 〔經〕 〈세금 등을 절대로 늘이지 못하게〉 묶어놓다. **11** 《영俗》 지리하게 하다. **be bound apprentice to** …의 계시〔도제(徒弟)〕로 들어가다. **bind down** (보통 수동형) 〈사람을〉 묶다, 구속하다. **bind** a person **hand and foot** …의 손발을 묶다. **bind oneself** 계약〔보증〕하다, 맹세하다; 속박되다, 구속되다. **bind** a person **over** (보통 수동형) 〔영法〕 〈…에게〉 근신을 서약시키다, 법적 의무를 지우다. **bind up** 붕대로 매다; 동이다; 엮어 매다. **I'll be bound.** 꼭 그럴 거야, 틀림없어. — *vi.* **1** 〈흙·모래·눈이〉 굳어지다. **2** 〈약속 등이〉 구속력이 있다. **3** 〈수레 바퀴가〉 들러 붙어 움직이지 않게 되다; 〈공구 등이 걸려서〉 움직이지 않게 되다. **4** 〈옷 등이〉 갑갑하다, 거북하다. **5** (진행형으로) 제본되다. — *n.* **1** 묶는〔동이는〕 것, 끈, 실, 밧줄. **2** 〔樂〕 연결선, 이음줄. **3** 경화 점토《탄층 사이의》. **4** (보통 a bit of a ~로) 《俗》 지리한 것〔사람, 일〕, 싫은〔지겨운〕 것〔일〕. **in a bind** 《미口》 속박되어, 딱하게 되어, 곤경에 처하여.

*__bind·er__[báindər] *n.* **1** 묶는〔동이는〕 사람; 제본공. **2** 묶는 것; 실, 끈; 붕대; 띠; 매어 철한 표지; 산후 복대(腹帶); 묶음 부분《짚단의》; 단 묶는 기계, 바인더; 휘갑치는 기구《재봉틀 등의》. **3** 〔木工〕 접합재, 작은 보. **4** 〔石工〕 이음돌〔벽돌〕. **5** 〔冶〕 맴질 약, 교결제(膠結劑). **6** 〔法〕 가(假)계약. **7** (요리에서) 차지게〔질기게〕 하는 것《밀가루·달걀 등》.

bínder twíne (밀 등을 동이는) 매끼.

bind·er·y[-əri] *n.* (*pl.* **-er·ies**) 제본소.

*__bind·ing__[báindiŋ] *a.* **1** 구속력이 있는, 의무적인《*on*》. **2** 동여 묶는; 접합〔결합〕하는, 잇는. **3** 〈음식 등이〉 변비를 일으키는. — *n.* U,C **1** 꼭 졸라 맴. **2** 제본, 장정, 철. **3** 묶는〔동이는〕 것; 붕대; 휘갑치는 기구《재봉틀의》. **4** 〈옷 등의〉 선 두르는 재료; (구두를 스키에) 고정시키는〔죄는〕 기구, 바인딩. **~·ly** *ad.* 구속적으로, 속박하여. **~·ness** *n.*

bínding ènergy 결합 에너지《분자·원자(핵) 등의 분할에 필요한 에너지》.

bin·dle[bíndəl] *n.* 《미俗》 (떠돌이의) 침구 꾸러미; 모르핀·코카인 등의 한 봉지.

bíndle stìff 《미俗》 계절 노동자, 떠돌이 노동자; 방랑자, 걸인.

bind·weed[báindwì:d] *n.* 〔植〕 메꽃무리.

bine[bain] *n.* **1** (식물의) 덩굴 《특히 홉의》. **2** =WOODBINE; BINDWEED.

Bi·nét-Si·món tèst 비네시몽식 지능 검사(법).

binge[bindʒ] *n.* 《俗》 **1** 진탕 떠들기, 흥청망청하는 판, 주연. **2** 과도한 열중. **3** 파티(party).

bínge-purge sỳndrome[∠pə́:rdʒ-] (the ~) 식욕 이상 항진증, 대식증.

bin·gle[1] [bíŋgəl] *n., vi.* 《野俗》 안타(를 치다).

bingle[2] *n., vt.* 치켜 깎은 머리(로 하다)《bob과 shingle의 중간》.

bin·go[bíŋgou] *n.* U **1** 빙고《숫자를 적은 카드를 써서 하는 복권식의 재수대로 가는 놀이》. **2** 흥청거리는 판, 야단 법석. — *int.* (뜻하지 않던 기쁨을 나타내어) 이겼다!, 맞혔다!, 신난다!

bíngo càrd =READER'S SERVICE CARD.

bín-líner *n.* (쓰레기를 모아 처리하기 쉽도록) 쓰레기통에 넣어 놓은 플래스틱 백.

bin·na·cle[bínəkəl] *n.* 〔海〕 나침함(函).

bin·o·cle[bínəkəl] *n.* 쌍안경(binocular).

bi·nocs[bənáks/-ɔ́ks] *n. pl.* 《口》 쌍안경(binoculars).

bi·noc·u·lar[bənákjələr, bai-/-nɔ́k-] *a.* 쌍안(용)의; 쌍안경(용)의. — *n.* (보통 *pl.*; 단수·복수 취급) 쌍안경; 쌍안 망원〔현미〕경.

bi·nòc·u·lár·i·ty[-lǽrəti] *n.* **~·ly** *ad.*

binòcular vísion 쌍안 시(視).

bi·no·mi·al[bainóumiəl] *n., a.* 〔數〕 2항식(의); 〔生〕 2명법(二名法)(의). **~·ly** *ad.*

binómial coeffícient 〔數〕 2항 계수.

binómial distribútion 〔統〕 2항 분포.

binómial nómenclature 〔生〕 2명법.

binómial théorem 〔數〕 2항 정리.

bi·nom·i·nal[bainámənəl/-nɔ́m-] *a.* =BINOMIAL.

bint[bint] *n.* 《영口》 여자.

bi·nu·cle·ar[bàinjú:kliər/-njú:-], **-ate**[-ət] *a.* 〈세포 등이〉 핵을 2개 가진, 2핵의.

binúclear fàmily 이중〔복합〕 핵가족.

bi·o[báiou] [*bio*graphy] *n.* (*pl.* ~**s**) 《口》 (짧은) 전기; (예능인의) 경력; (연감·선전기사 등에서의) 인물 소개, 약력.

bi·o-[báiou] 《연결형》 「생(生)…, 생물…, 생물학의」의 뜻《모음 앞에서는 bi-》.

bi·o·a·cous·tics[bàiouəkú:stiks] *n. pl.* (단수 취급) 생체 음향학《생체가 내는 음향과 생체와의 관계를 다룸》.

bi·o·ac·tiv·i·ty[bàiouæktívəti] *n.* (약품 등의) 대(對)생물 작용〔활성〕.

bi·o·as·say[bàiouəséi] *n.* 〔生〕 생물학적 정량(定量).
bi·o·as·tro·nau·tics[bàiouæ̀strənɔ́:tiks] *n. pl.* (단수 취급) 우주 생물학; 우주 생리학.
bi·o·a·vail·a·bil·i·ty[bàiouəvèiləbíləti] *n.* (약물의) 생체 이용률.
bi·o·blast[báioublæ̀st, -blɑ̀:st] *n.* 〔生〕 부정형(不定形) 원형질의 작은 집단.
bi·o·ce·nol·o·gy[bàiousənɑ́lədʒi/-nɔ́l-] *n.* Ⓤ 생물군집(群集)학《생물군집 생태학》.
bi·o·ce·no·sis, -coe-[bàiousənóusis], **-ce nose**[-si:nóus] *n.* (*pl.* **-no·ses**[-nóusi:z]) 〔生〕 생물 군집(群集). **-not·ic**[-nɑ́tik/-nɔ́t-] *a.*
bi·o·cen·tric[bàiouséntrik] *a.* 생명을 중심으로 하는, 생명을 중심적 사실로 하는.
biochem. biochemistry.
bi·o·chem·ic, -i·cal[bàioukémik], [-əl] *a.* 생화학의, 생화학적인. **-i·cal·ly** *ad.*
biochémical óxygen demànd 〔生態〕 생화학적 산소 요구량(biological oxygen demand)《물의 오염도를 나타내는 수치; 略: BOD》.
bi·o·chem·ist[bàioukémist] *n.* 생화학자.
bi·o·chem·is·try[bàioukéməstri] *n.* Ⓤ 생화학.
bi·o·chip[báioutʃìp] *n.* 바이오칩《생체 주입용의 실리콘 집적 회로 소자》.
bi·o·ci·dal[báiousàidl] *a.* 생명파괴〔살균〕성의.
bi·o·cide[báiousàid] *n.* **1** 생물체에 유독한 물질; 생명 파괴제, 살생물제. **2** 생명의 파괴.
bi·o·clean[báiouklì:n] *a.* 유해 (미)생물이 없는.
bíoclean ròom 무균실(略: BCR).
bi·o·cli·ma·tol·o·gy[bàiouklàimətɑ́lədʒi/-tɔ́l-] *n.* Ⓤ 생물 기후〔풍토〕학.
bi·o·com·pat·i·bil·i·ty[bàioukəmpæ̀təbíləti] *n.* (인조 신체 기관 등이) 생체조직이나 기관과 잘 교합하는 것.
bio·com·put·er[bàioukəmpjú:tər] *n.* 〔컴퓨터·生〕 바이오 컴퓨터《인간의 뇌·신경에 가까운 분자 전자 장치(molecular electronic device)를 사용하는 미래의 컴퓨터》.
bi·o·con·ver·sion[bàioukənvə́:rʒən, -ʃən] *n.* 생물량(biomass)의 유용한 에너지로의 변환(變換)《유기 폐기물을 박테리아가 분해해서 메탄이 말들어 지는 것 등》.
bi·o·crat[báioukræ̀t] *n.* 생물 과학자〔전문가, 기사〕.
bi·o·crit·i·cal[bàioukrítikəl] *a.* (작가 등의) 생활(과 작품) 연구의.
bi·o·cy·ber·net·ics[bàiousàibərnétiks] *n.* 바이오사이버네틱스《사이버네틱스를 생물학에 응용시킨 연구》.
bi·o·da·ta[bàioudéitə] *n.* (미) =CURRICULUM VITAE.
bi·o·de·grad·a·ble[bàioudigréidəbəl] *a.* 미생물에 의해 무해 물질로 분해되는, 생물 분해성이 있는.
bì·o·de·gràd·a·bíl·i·ty *n.* 생물 분해성.
bi·o·deg·ra·da·tion[bàioudègrədéiʃən] *n.* 미생물에 의한 생물분해.
bi·o·de·grade[bàioudigréid] *vi.* (세균 작용으로) 생물 분해를 일으키다.
bi·o·de·te·ri·o·ra·tion[bàiouditìəriəréiʃən] *n.* 생물 열화(劣化)《세균 등에 의해 재료가 열화·변질되는 일》.
bi·o·dy·nam·ic, -i·cal[bàioudainǽmik], [-əl] *a.* 생활 기능학의.
bi·o·dy·nam·ics[bàioudainǽmiks] *n. pl.* (단수·복수 취급) 생활 기능학, 생체(동)역학.
bi·o·e·col·o·gy[bàiouikɑ́lədʒi/-kɔ́l-] *n.* Ⓤ 생물 생태학. **bì·o·e·co·lóg·i·cal** *a.*
bi·o·e·lec·tric, -tric·al[bàiouiléktrik], [-kəl] *a.* 생체 전기의, 동식물에 발생하는 전기적 현상에 관한.
bi·o·e·lec·tric·i·ty[bàiouilèktrísəti] *n.* 생물 전기.
bi·o·e·lec·tro·mag·net·ics[bàiouilèktroumæ̀gnétiks] *n.* 생체 전자기학(電磁氣學)《생체에 대한 전자기 현상을 대상으로 한 의학》.
bi·o·e·lec·tron·ics[bàiouilektrɑ́niks/-trɔ́n-] *n. pl.* (단수 취급) 생물 전자공학.
bi·o·en·er·get·ics[bàiouènərdʒétiks] *n.* (단수 취급) 〔生化〕 생물 에너지학.
bi·o·en·er·gy[bàiouénərdʒi] *n.* 생물 에너지《동식물성 폐기물에서 얻을 수 있는 에너지》.
bi·o·en·gi·neer·ing[bàiouèndʒəníəriŋ] *n.* Ⓤ 생물〔생체〕 공학, 생의학(生醫學) 공학.
bi·o·en·vi·ron·men·tal[bàiouenvàiərənméntəl] *a.* 생물 환경의《생물의 환경과 특히 그 속의 유해 요소에 관한》.
bi·o·eth·ics[bàiouéθiks] *n. pl.* (단수 취급) 생명윤리(학)《생물학·의학의 발달에 따른 윤리 문제를 다룸》.
bi·o·feed·back[bàioufí:dbæ̀k] *n.* 생체 자기제어, 바이오피드백《뇌파형(腦波形) 등을 이용하는 정신 안정법》.
bioféedback tràining 바이오피드백 훈련(略: BFT).
bi·o·fla·vo·noid[bàioufléivənɔ̀id] *n.* 〔生化〕 비타민 P《모세혈관의 투과성을 조절》.
bi·o·fu·el[báioufjù(:)əl] *n.* 생물〔화석〕 연료(석탄 등).
biog. biographer; biographical; biography.
bi·o·gas[báiougæ̀s] *n.* 생물 가스《유기 폐기물이 생물 분해하여 생기는 메탄과 이산화탄소의 혼합 기체》.
bi·o·gen·e·sis[bàioudʒénəsis] *n.* Ⓤ 〔生〕 속생설(續生說), 생물 발생설. **bì·o·ge·nétic** [bàioudʒənétik] *a.*
bi·o·gen·ic[bàioudʒénik] *a.* 유기물에 의해 생긴, 생물 기원의; 생명 유지에 꼭 필요한.
bi·og·e·nous[baiɑ́dʒənəs/-ɔ́dʒə-] *a.* 생물에 기원하는; 생명을 만드는.
bi·o·ge·o·ce·nol·o·gy, -coe-[bàioudʒí:ousənɑ́lədʒi] *n.* 생태계 연구.
bio·ge·o·ce·nose, -coe-[bàioudʒì:ousənóuz, -s] *n.* =BIOGEOCENOSIS.
bio·ge·o·ce·no·sis, -coe-[bàioudʒì:ousənóusis] *n.* (*pl.* **-ses**[si:z]) 생태계.
bi·o·ge·o·chem·is·try[bàioudʒìoukéməstri] *n.* 생물 지구과학.
bi·o·ge·og·ra·phy[bàioudʒiɑ́grəfi/-ɔ́g-/-ɔ́g-] *n.* Ⓤ 생물 지리학. **bì·o·gè·o·gráph·ic, -gráph·i·cal** *a.*
bi·o·graph[bàiougræ̀f, -grɑ̀:f] *vt.* …의 전기를 쓰다.
bi·og·ra·phee[baiɑ̀grəfí:, bi-/-ɔ̀g-] *n.* 전기의 주인공.
***bi·og·ra·pher**[baiɑ́grəfər, bi-/-ɔ́g-] *n.* 전기 작가.
***bi·o·graph·i·cal, -ic**[bàiougrǽfikəl], [-ik] *a.* 전기(체)의: a ~ dictionary 인명 사전/a ~ sketch 약전(略傳).
bi·o·graph·i·cal·ly *ad.* 전기식으로, 전기체로.
⁑**bi·og·ra·phy**[baiɑ́grəfi, bi-/-ɔ́g-] *n.* (*pl.* **-phies**) **1** 전기, 일대기. **2** Ⓤ 전기 문학. ◇biográphic, biográphical *a.*; bíograph *v.*

bi·o·haz·ard[báiouhæzərd] *n.* 생물학적 위험(사람과 그 환경에 대해 위험이 되는 생물학적 물질·상황).
bi·o·in·stru·men·ta·tion[bàiouìnstrəmentéiʃən] *n.* 생물 측정기(의 개발과 사용).
biol. biological; biologist; biology.
*__bi·o·log·i·cal, -ic__[bàiəlɑ́dʒikəl/-lɔ́dʒ-], [-ik] *a.* 생물학(상)의. — *n.* 〔藥·生〕 생물제제(製劑)(예방·진단·치료용의 백신·혈청 등). **-i·cal·ly** *ad.* ⇔ biólogy *n.*
biológical chémistry 생(물)화학.
biológical clóck 생물〔체내〕 시계.
biológical contról 〔生態〕 생물학적 방제.
biológical engineéring 생물공학(bionics).
biológical óxygen demànd 〔生態〕 생물학적 산소 요구량.
biológical wárfare 생물〔세균〕전.
biológic hálf-life (생리적 배출 등에 의한 방사능의) 생물학적 반감기(半減期).
*__bi·ol·o·gist__[baiɑ́lədʒist/-ɔ́l-] *n.* 생물학자.
‡**bi·ol·o·gy**[baiɑ́lədʒi/-ɔ́l-] *n.* **1** Ⓤ 생물학; 생태학(ecology); Ⓒ 생물학책. **2** (the ~) (한 지역 등의) 식물〔동물〕상(相); 생태. ⇔ biológical, biológic *a.*
bi·o·lu·mi·nes·cence[bàioulù:mənésəns] *n.* Ⓤ 생물 발광. **-cent** *a.*
bi·ol·y·sis[baiɑ́ləsis/-ɔ́l-] *n.* Ⓤ (생물체의) 미생물에 의한 분해, 생물 분해.
bi·o·mag·ni·fi·ca·tion[bàioumæ̀gnəfikéiʃən] *n.* (생태계의 식물(食物) 연쇄에 있어서의) 생물학적 (독물) 농축.
bi·o·mass[bàioumæ̀s] *n.* Ⓤ 〔生〕 생물량(어떤 생태 환경내의 생물의 총수); 생물 자원.
bíomass fùel 바이오매스 연료(생물체에서 얻어지는 합성 연료).
bi·o·ma·te·ri·al[bàioumətíəriəl, báioumətìə-] *n.*〔醫·歯科〕 생체 적합 물질〔재료〕(생체 조직에 닿는 부위의 보철에 사용하는 물질·재료).
bi·o·math·e·mat·ics[bàioumæ̀θəmǽtiks] *n. pl.* (단수 취급) 생물 수학(생물 현상에의 수학 응용). **bì·o·màth·e·ma·tí·cian**[-mətíʃən] *n.*
bi·ome[báioum] *n.* 〔生態〕 생물 군계(群系) (biotic formation).
bi·o·me·chan·ics[bàioumikǽniks] *n. pl.* (단수·복수 취급) 생물 역학. **-i·cal**[-kəl] *a.*
bi·o·med·i·cal[bàioumédikəl] *a.* 생물 의학의.
biomédical engineéring 생물 의학 공학 (bioengineering).
bi·o·med·i·cine[bàioumédəsin] *n.* Ⓤ 생물 의학(생물 화학과 기능의 관계를 다루는 임상 의학).
bi·o·me·te·o·rol·o·gy[bàioumì:tiərɑ́lədʒi/-rɔ́l-] *n.* Ⓤ 생물 환경학.
bi·o·met·ric, -ri·cal[bàioumétrik], [-kəl] *a.* 생물 측정(학)의; 수명 측정(법)의.
bi·o·me·tri·cian[baioumitríʃən, baiɑ̀mi-] *n.* 생물 측정학자, 생체 통계학자(biometricist).
bi·o·met·rics[bàioumétriks] *n. pl.* (단수·복수 취급) 생물 측정〔통계〕학; 수명 측정(법).
bi·om·e·try[baiɑ́mətri/-ɔ́m-] *n.* =BIOMETRICS.
bi·o·mo·lec·u·lar[bàioumәlékjələr] *a.* (생물체내의) 생체 (고(高)) 분자의.
bi·o·mol·e·cule[bàioumɑ́ləkjù:l/-mɔ́l-] *n.* 유생(有生) 분자(바이러스처럼 생명있는).
bi·o·mor·phic[bàioumɔ́:rfik] *a.* 〔美〕 생물형태적인(원시 조각·근대 추상 예술에서).
bi·o·mor·phism[-fizəm] *n.* (미술에 있어서의) 생체 표현〔묘사〕.
bi·on·ic[baiɑ́nik/-ɔ́n-] *a.* **1** 생체〔생물〕공학의. **2** (口) 초인적인, 사이보그(cyborg) 같은.
bi·on·i·cist[baiɑ́nəsist/-ɔ́n-] *n.* 생체 공학자〔전문가〕.
bi·on·ics[baiɑ́niks/-ɔ́n-] [*bio*logy+elec*tronics*] *n. pl.* (단수 취급) 생체〔생물〕 공학, 바이오닉스(생체 조직의 기능을 전자 공학적으로 개발·활용하려는 전자 공학).
bi·o·nom·ics[bàiounɑ́miks/-nɔ́m-] *n. pl.* (단수·복수 취급) 생활 사학, 생태학.
bi·on·o·my[baiɑ́nəmi/-ɔ́n-] *n.* Ⓤ 생리학, 생활 기능학; 생태학.
bi·ont[báiɑnt/-ɔnt] *n.* 〔生〕 생리적 개체, 비온트.
bi·o·or·gan·ic[bàiouɔ:rgǽnik] *a.* 생물 유기화학의.
bi·o·pharm·a·ceu·tics[bàioufɑ̀:rməsú:tiks] *n. pl.* (단수·복수 취급) 〔藥〕 생물 약제학.
bi·o·phore[báiəfɔ̀:r] *n.* 생물 구조의 기본적 입자.
bi·o·phys·i·cist[bàioufízəsist] *n.* 생물 물리학자.
bi·o·phys·ics[bàioufíziks] *n. pl.* (단수·복수 취급) 생물 물리학. **-i·cal** *a.*
bi·o·pic[báioupìk] *n.* (口) 전기(傳記)영화.
bi·o·plasm[báiouplæ̀zəm] *n.* Ⓤ 〔生〕 원생질(原生質).
bi·o·plast[-plæ̀st] *n.* 〔生〕 원생체.
bi·o·pol·y·mer[bàioupɑ́ləmər/-pɔ́l-] *n.* 〔生化〕 생물 고분자 물질, 생물 폴리머.
bi·op·sy[báiɑpsi/-ɔp-] *n.* (*pl.* **-sies**) 〔醫〕 생체검사(법)(실험·진단을 위해 생체조직을 떼어 내어 하는).
bi·o·re·search[bàiourisə́:rtʃ] *n.* 생물과학 연구.
bi·o·rhe·ol·o·gy[bàiouri:ɑ́lədʒi/-ɔ́lə-] *n.* 생체 유동학.
bi·o·rhythm[báiourìðəm] *n.* 〔生理〕 생체〔생물〕 리듬(주기적인 생체내의 현상).
bi·o·sat·el·lite[bàiousǽtəlàit] *n.* 생물 위성(인간·동식물을 실은).
bi·o·sci·ence[báiousàiəns] *n.* Ⓤ 생물 과학; 우주 생물학. **bì·o·scì·en·tíf·ic**[-tífik] *a.* **bì·oscí·en·tist** *n.*
bi·o·scope[báiəskòup] *n.* (초기의) 영화 영사기.
bi·os·co·py[baiɑ́skəpi/-ɔ́s-] *n.* (*pl.*-**pies**) 〔醫〕 생활 반응 검사; 생사 감정.
bi·o·sen·sor[bàiousénsər] *n.* 바이오센서(우주 비행사 등의 생리학적 데이터를 계측·전달하는 장치).
bi·o·shield[báiouʃì:ld] *n.* 바이오실드(무균화 처리 후 발사까지의 우주선 차폐 케이스).
-bi·o·sis[baióusis] (연결형) (*pl.* **-ses**) 「(특정한) 사는 방식, 생활 양식」의 뜻.
bi·o·spe·le·ol·o·gy[bàiouspì:liɑ́lədʒi/-ɔ́l-] *n.* 동굴 생물학.
bi·o·sphere[báiəsfìər] *n.* (the ~) 〔宇宙〕 생물권: outside *the* ~ of the earth 지구의 생물권 밖에.
bi·o·stat·ics[bàioustǽtiks] *n. pl.* (단수 취급) 생물 정역학(静力學).
bi·o·sta·tis·tics[bàioustətístiks] *n. pl.* (단수 취급) 생물 통계학.
bi·o·syn·the·sis[bàiousínθəsis] *n.* Ⓤ 〔生化〕 생합성(생체에 의한 합성적인 화학 변화). **bi·o·syn·thet·ic** *a.*
B.I.O.T. British Indian Ocean Territory.
bi·o·ta[baióutə] *n.*〔生態〕생물군, 생물상(相).

bi·o·tech·nol·o·gy[bàiouteknálədʒi/-nɔ́l-] *n.* Ⓤ 생물 공학, 인간 공학.
bi·o·te·lem·e·try[bàioutəlémitri] *n.* Ⓤ 〔宇宙〕 생물 원격 측정법. **bì·o·tèl·e·mét·ric** *a.*
bi·o·ther·a·py[bàiouθérəpi] *n.* 〔醫〕 생물(학적) 요법.
bi·ot·ic, -i·cal[baiátik/-ɔ́tik], [-əl] *a.* 생명의〔에 관한〕; 생물의; 생체의 활동에 기인하는.
-bi·ot·ic[baiátik/-ɔ́t-] 《연결형》「생명과 관계 있는, (특정한) 생활 방식의」의 뜻.
biótic formátion 〔生態〕 생물군계(群系)(biome)《동식물을 종합한 생물 군집(biocenosis)의 단위의 하나》.
bi·o·tin[báiətin] *n.* Ⓤ 〔生化〕 비오틴《비타민 B복합체의 결정성 비타민》.
bi·o·tite[báiətàit] *n.* Ⓤ 〔鑛〕 흑(黑) 운모.
bi·o·tope[báiətòup] *n.* 〔生〕 소(小)생활권.
bi·o·tox·ic[bàioutáksik/-tɔ́k-] *a.* 생물독의, 생체 독소의.
bi·o·tron[báiətràn/-trɔ̀n] *n.* 바이오트론《환경 조건을 인위적으로 제어하여, 그 속에서 생물을 기르는 장치》.
bi·o·type[báiətàip] *n.* 〔生〕 생물형《동일 유전자형을 가진 개체군; 그 유전자형》.
bi·ov·u·lar[baiávjələr/-ɔ́v-] *a.* 이란성(二卵性)의; 이란성 쌍둥이에 특유한(*cf.* MONOVULAR).
bi·o·war·fare[bàiouwɔ́:rfɛ̀ər] *n.* 생물 전쟁, 세균전.
bi·pa·ren·tal[bàipəréntl] *a.* 양친의〔에 관한, 으로부터 얻은〕.
bip·a·rous[bípərəs] *a.* 〔動〕 쌍둥이를 낳는; 〔植〕 이생(二生)의, 축(軸)이 둘인.
bi·par·ti·san, -zan[baipá:rtəzən] *a.* 2당(파)의; 2대 정당 제휴의: a ~ foreign policy 초당 외교 정책. **~·shìp**[-ʃìp] *n.*
bi·par·tite[baipá:rtait] *a.* **1** 양자가 나누어 가지는, 상호(간)의: a ~ agreement 상호 협정. **2** 〔植〕 〈잎이〉 이심렬(二深裂)의. **3** 두 부분으로 된; 2통으로 된. **~·ly** *ad.*
bi·par·ti·tion[bàipɑ:rtíʃən] *n.* Ⓤ **1** 2통 작성. **2** 〔植〕 이심렬.
bi·par·ty[báipà:rti] *a.* 두 당으로 된, 2대 정당의.
bi·ped[báiped] *a.* 양족(兩足)의. — *n.* 양족 동물《인간·새 등》.
bi·pe·dal[báipèdl, -pi-] *a.* 양족 동물의.
bi·pet·al·ous *a.* 〔植〕 꽃잎이 둘 있는.
bi·phen·yl[baifénl, -fí:nl] *n.* 〔化〕 비페닐《2개의 페닐기로 된 무색의 결정 화합물》.
bi·pin·nate[baipíneit] *a.* 〔植〕 〈잎이〉 이회우상(二回羽狀)의. **~·ly** *ad.*
bi·plane[báiplèin] *n.* 복엽 비행기.
B.I.P.O. British Institute of Public Opinion.
bi·pod[báipàd/-pɔ̀d] *n.* (자동 소총 등을 얹는) 두 다리의 받침대.
bi·po·lar[baipóulər] *a.* **1** (음양(陰陽), 정부(正負)) 2극(極)(식)의; (북·남)양 극지의〔에 있는〕. **2** 〈두 가지 것이〉 상반하는, 양 극단의.
bi·po·lar·i·ty[bàipoulǽrəti] *n.* Ⓤ 2극성.
bi·pro·pel·lant[bàiprəpélənt] *n.* 〔宇宙〕 이액성(二液性) 추진약.
bi·quad·rat·ic[bàikwɑdrǽtik/-kwɔd-] 〔數〕 *a.* 4차의. — *n.* 4차 방정식.
bi·qui·na·ry[baikwáinəri] *n.* 이오진법《2진법과 5진법의 병용》.
bi·ra·cial[bairéiʃəl] *a.* 두 인종의〔으로 이루어진〕. **~·ìsm** *n.*
*__birch__[bə:rtʃ] *n.* **1** Ⓒ 〔植〕 자작나무. **2** Ⓤ 자작나무 재목. **3** Ⓒ (아동을 벌하는) 자작나무 회초리(=∠**ròd**). **white**〔**silver**〕 **birch** 흰자작나무. — *a.* 자작나무(가지〔재목〕)의. — *vt.* (자작나무) 회초리로 때리다.
bírch·en[-ən] *a.* 자작나무의〔로 만든〕; (자작나무) 회초리의.
Birch·er[bə́:rtʃər] *n.* 버치 당원《미국 극우 정치 조직 John Birch Society 회원〔동조자〕》.
Birch·ism[bə́:rtʃizəm] *n.* Ⓤ (미국의) 버치주의, 초보수주의, 극우 반공주의.
Birch·ite[bə́:rtʃait] *n.* =BIRCHER.
★**bird**[bə:rd] *n.* **1** 새. **2** 엽조(獵鳥)(자고·꿩 등). **3** (보통 수식어와 함께) 《口》 사람, 놈; 《영俗》 아가씨, 《특히》 매력적인 여자〔소녀〕: my ~ 내 사랑, 내 아기. **4** 《미俗》 괴벽한 놈; 열광자. **5** (the ~) 《俗》 (관객·청중의) 빈정거리는〔조롱하는〕 소리, 야유. **6** 《영俗》 형기(刑期): do ~ 복역하다. **7** 《口》 미사일, 유도탄《총칭》; 인공위성, (유인) 우주선; 헬리콥터; 비행기. **A bird in the hand is worth two in the bush.** 《속담》 숲 속의 두 마리 새보다 수중의 새 한 마리가 실속이 있다, 남의 돈 천냥보다 제 돈 한 냥. **a bird of one's own brain** 자기 자신의 생각. **A little bird told me.** =**I heard a little bird sing so.** 《口》 어떤 사람으로부터 들었다. **bird of paradise** 극락조《뉴기니산의 아름다운 새》. **bird of passage** 철새; 《口》 뜨내기, 방랑자. **bird of peace** 비둘기. **bird of prey** 맹금. **birds of a feather** 같은 종류의 사람들: *Birds of a feather* flock together. 유유상종. **early bird** (아침에) 일찍 일어나는 사람: The *early bird* catches the worm. 《속담》 새도 일찍 일어나야 벌레를 잡는다, 부지런해야 수가 난다. **eat like a bird** 아주 소식(小食)이다. **get the bird** 《俗》 피피 하고 야유 당하다; 해고되다. **give** a person **the bird** …을 야유하다; …을 해고하다. **kill two birds with one stone** 《口》 일석 이조의 효과를 올리다, 일거 양득하다. **like a bird** 즐겁게, 명랑하게 〈노래하다〉; 부지런히, 기세좋게, 수월하게 〈일하다〉. **old bird** 노련한 사람, 조심성 있는 사람; 아저씨. **rare bird** 비상한 사람; 기지가 뛰어난 사람. **rare bird file** 특수 정보 파일. (**strictly**) **for the birds** 《미口》 시시한, 하찮은, 한푼어치 가치도 없는. **The bird has**〔**is**〕 **flown.** 상대가〔봉이, 죄수가〕 달아나 버렸다, 상대를〔봉을, 죄수를〕 놓쳐 버렸다. **the bird of freedom** 자유의 새《미국 국장(國章)의 독수리》. **the bird of ill omen** 불길한 새; 항상 불길한 말을 하는 사람, 기우가. **the bird of Jove**〔**Juno, Minerva**〕 독수리〔공작, 부엉이〕. **the bird of night** 부엉이. **the bird of Washington** 아메리카 독수리. **the bird of wonder** = PHOENIX. **the birds and** (**the**) **bees** 《口》 (어린아이에게 이야기하는) 성에 관한 초보적 지식, 성교육의 기초 지식. — *vi.* 들새를 관찰하다; 새를 잡다〔쏘다〕. ⇨ bírdy *a.*
bird·band·ing[∠bæ̀ndiŋ] *n.* Ⓤ 조류 표지법《이동 상황의 조사를 위해 다리에 띠를 묶어 놓아 줌》.
bird·bath[∠bæ̀θ, ∠bɑ̀:θ] *n.* (*pl.* **~s**[-ðz]) 수반(水盤)《새들의 미역감는 그릇》.
bird·brain[∠brèin] *n.* 《口》 바보, 멍청이; 차분하지 못한 사람. **-brained** *a.* 바보의, 멍청한(stupid).
bird·cage[∠kèidʒ] *n.* 새장.
bird·call *n.* 새가 짝을 부르는 소리; 새소리 흉내; 새를 부르는 피리.
bird·catch·er *n.* 새 잡는 사람〔덫〕.

bird-claw[ˊklɔ̀ː] *a.* 새의 발톱처럼 여윈.
bírd dòg 《미》 **1** 새사냥개 ; 수색하는 사람. **2** 《口》 (신인을 찾는) 스카우트 ; 정보를 수집하는 사람. **3** 데이트 상대를 가로채는 학생.
bird-dog[ˊdɔ̀ːg] 《미口》 (**～ged**; **～·ging**) *vt.* bird dog 노릇을 하다. ── *vi.* 열심히 찾아내다 ; 끈질기게 뒤밟아 탐정하다 ; 자세히 조사하다.
bird-dog·ging[ˊdɔ̀ːgiŋ] *n.* 《미口》 좇아다님, 줄곧 괴롭힘 ; 데이트 상대를 가로챔.
bird·dom[ˊdəm] *n.* 《俗》 미녀의 세계.
bird·er[ˊər] *n.* 들새를 기르는〔관찰하는〕 사람 ; 로켓〔유도탄〕 관측자.
bird-eyed[ˊàid] *a.* 새눈 같은 ; 〈말이〉 잘 놀라는.
bird-fan·ci·er *n.* 새장수 ; 애조가.
bird·farm[ˊfɑ̀ːrm] *n.* 《미軍俗》 항공모함.
bird-foot[ˊfùt] *n.* (*pl.* **～s**) =BIRD'S-FOOT.
bird·house[ˊhàus] *n.* (*pl.* **-hous·es**[-hàuziz]) 새장 ; 새 기르는 집.
∗**bird·ie**[bə́ːrdi] *n.* **1** 《兒》 새, 작은 새. **2** 〔골프〕 버디《표준 타수(par)보다 한번 덜 치고 구멍에 넣기》(⇨par). **hear the birdies sing** 《俗》 녹아웃 당하다, 기절하다. **Watch the birdie.** 새를 보세요, 이쪽을 보세요《사진을 찍을 때의 신호 말》. ── *vt.* 〔골프〕 〈홀을〉 버디로 나다.
bird-like[ˊlàik] *a.* **1** 〈얼굴·목소리 등이〉 새 같은. **2** 〈몸집이〉 가냘픈, 날씬한. **3** 민첩한, 경쾌한.
bird·lime[ˊlàim] *n.* Ⓤ (새 잡는) 끈끈이 ; 올가미, 감언(이설). ── *vt.* 끈끈이로 잡다 ; …에 끈끈이를 바르다.
bird·man[ˊmæ̀n, ˊmən] *n.* (*pl.* **-men**[-mèn]) **1** 조류 연구가, 새 박제사 ; 새 잡는 사람. **2** 《口》 조인(鳥人), 비행가.
bírd sánctuary 조류 보호구.
bird·seed[ˊsìːd] *n.* Ⓤ,Ⓒ 새 모이.
bird's-eye[bə́ːrdzài] *a.* **1** 조감적인. **2** 새눈 무늬의. ── *n.* **1** 〔植〕 설앵초, 복수초. **2** (새눈 같은 반점이 있는) 살담배. **3** 새눈 무늬 ; 새눈 무늬의 직물.
bírd's-eye víew 1 조감도《*of*》; (보통 *sing.*) (높은 데서 바라보는) 전경(全景)《*of*》. **2** 《口》 개관, 대요《*of*》.
bird's-foot[ˊfùt] *n.* (*pl.* **～s**) 〔植〕 콩과 식물의 목초《잎·꽃이 새의 다리 모양임》.
bírd shòt 새 사냥용 산탄.
bírd's nèst 새집 ; 제비집《요리에 쓰는》; 야생당근 ; =CROW'S NEST.
bird's-nest[ˊnèst] *vi.* 새집의 알을 찾다.
bird's-nest·ing *n.* 새집 뒤지기.
bírd strìke 버드 스트라이크《항공기와 새떼의 충돌》.
bird-watch[-wɑ̀tʃ, -wɔ̀ːtʃ] *vi.* 들새의 생태를 관찰하다, 탐조(探鳥)하다.
bírd wàtcher =BIRDER.
bírd wàtching 야조 관찰, 탐조.
bird·wom·an[ˊwùmən] *n.* (*pl.* **-wom·en**[ˊwìmin]) 《口》 여류 비행가.
bird·y[bə́ːrdi] *a.* (**bird·i·er**; **-i·est**) **1** 새같은 ; 엽조가 많은 ; 〈사냥개가〉 새를 잘 찾는. **2** 《미俗》 괴상한, 기묘한.
bi·re·frin·gence *n.* 〔光〕 복(複)굴절.
bi·reme[báiriːm] *n.* (고대 그리스·로마의) 2단식 노의 갤리선.
bi·ret·ta[birétə] *n.* 비레타《천주교의 성직자가 쓰는 네모난 모자》.
birk[1][bəːrk] *n.* **1** =BIRCH. **2** 《미俗》 바보, 멍청이.
birk[2] *n.* =BERK.
birl[bəːrl] 《미》 *vt.* 〈떠 있는 통나무를〉 발로 돌리다〔굴리다〕 ; 〈경화를〉 팽이처럼 빙빙 돌리다(spin). ── *vi.* 빙빙 돌면서 나아가다 ; (특히 경주에서) 통나무 굴리기를 하다. **bírl·er** *n.*
birl·ing[bə́ːrliŋ] *n.* (벌목꾼들이 하는) 통나무 굴리기 시합《오래하는 쪽이 이김》.
∗**Bir·ming·ham**[bə́ːrmiŋəm] *n.* 버밍엄《잉글랜드 중부에 있는 공업 도시 ; 略 : Birm.》.
birr[1][bəːr] *n.* Ⓤ 《주로 스코》 힘, 《특히》 바람의 힘 ; 공격의 기세 ; 강타, 공격 ; 윙하는 회전음. ── *vi.* 윙하고 소리내다〔내며 움직이다〕.
birr[2][bəːr, biər] *n.* (*pl.* **～, ～s**) 비르《에티오피아의 화폐 단위 ; =100 cents》.
⁑**birth**[bəːrθ] *n.* **1** Ⓤ,Ⓒ 탄생, 출생 ; 신생, 갱생 : the date of one's ～ 생년월일. **2** 《古》 태어난 것. **3** Ⓤ 태생, 출신, 혈통 ; (좋은) 가문. **4** Ⓤ,Ⓒ 출산, 분만 : She had two at a ～. 쌍둥이를 낳았다. **5** Ⓤ 기원, 발생, 출현《*of*》. **at birth** 태어났을 때에(는). **Birth is much, but breeding is more.** 《속담》 가문보다는 훈육이 더 중요하다. **by birth** 태생은 ; 타고난. **give birth to** …을 낳다 ; 의 원인이 되다. **in birth** 태생은 ; 태어났을 때에. **of high**〔**low**〕 **birth** 가문이 좋은〔비천한〕. ── *vt.* 일으키다, 시작하다 ; 《方》 낳다. ── *vi.* 《方》 출산하다. ◇ bear *v.* ; born *a.*
bírth canàl 산도(産道).
bírth certìficate 출생 증명서《우리 나라의 호적초본에 해당》.
bírth contròl 산아 제한, 임신 조절.
bírth-contròl pìll *n.* 경구 피임약.
birth·date[ˊdèit] *n.* 생년월일.
★**birth·day**[ˊdèi] *n.* 생일, 탄생 기념일.
bírthday càke 생일 축하 케이크.
bírthday hònours 《영》 국왕〔여왕〕 탄생일에 행하는 서작(敍爵)·서훈(敍勳).
bírth dèfect 〔醫〕 선천적 기형《언청이 등》.
birth·ing *n.* 자연 분만, 출산.
birth·mark[ˊmɑ̀ːrk] *n.* 점, 모반(母斑). ── *vt.* (보통 수동태) …에 반점을 찍다.
birth·night[ˊnàit] *n.* 생일 밤 ; 국왕 탄생 축하(연).
bírth pàng[ˊpæ̀ŋ] **1** (보통 *pl.*) (출산의) 진통. **2** (*pl.*) (큰 사회적 변화에 따르는) 혼란과 고통.
bírth pàrent 친부모, 생부모.
bírth pìll 경구(經口) 피임약.
∗**birth·place**[ˊplèis] *n.* 출생지, 고향 ; 발상지.
birth·rate[ˊrèit] *n.* 출생률.
birth·right[ˊràit] *n.* 생득권 ; 장자 상속권. **sell** one's **birthright for a mess of pottage**〔**a pottage of lentils**〕 〔聖〕 (팥)죽 한 그릇에 장자의 권리를 팔다《창세기 25장 29-34》.
birth·stone[ˊstòun] *n.* 탄생석《난 달을 상징하는 보석》.
birth·weight *n.* (유아의) 출생시 체중.
bis[bis] [F =twice, again] *ad.* 두번, 2회 ; 〔樂〕 되풀이하여.
bis. bissextile. **B.I.S.** Bank for International Settlement 국제 결제 은행 ; British Information Services 영국 정보부.
bis-[bis] *pref.* =BI-《c, s 앞에 올 때의 변형》.
Bi·sa·yan[bəsáiən] *n.* (*pl.* **～, ～s**) 비사야족《필리핀의 원주민》; Ⓤ 비사야 말. ── *a.* 비사야족〔말〕의.
Bis·cay[bískei, -ki] *n.* (the Bay of ～) 비스케 만《프랑스 서해안의 만》.
⁑**bis·cuit**[bískit] [F] *n.* (*pl.* **～s, ～**) **1** 《영》 비스킷(《미》 cracker) ; 《미》 과자 모양의 빵. **2**

Ⓤ 비스킷 색, 담갈색. **3** 질그릇(bisque). **ship's biscuit** 건빵. **take the biscuit** 《영口》=take the cake(⇨cake). **~·lìke** *a.*

bíscuit wàre =BISQUE².

bise[bi:z] *n.* (스위스·남프랑스·이탈리아의) 찬 북동풍.

bi·sect[baisékt] *vt.* 양분하다, 2등분하다. ── *vi.* 〈길 등이〉 두 갈래로 갈라지다.

bi·sec·tion[-sékʃən] *n.* Ⓤ 양분, 2등분.

bi·sec·tion·al *a.* 2등분한. **~·ly** *ad.*

bi·sec·tor[baiséktər, báisek-] *n.* 〖數〗 2등분.

bi·sex·u·al[baisékʃuəl] *a.* **1** 〖生〗 양성(兩性)의; 양성 기관을 가진. **2** 〖心〗 〈사람이〉 (남녀) 양성에 마음이 끌리는. ── *n.* 〖生〗 양성동물, 자웅 동체〔동주〕; 양성애자. **~·ly** *ad.*

bi·sex·u·al·i·ty[bàisekʃuǽləti/-sju-] *n.* 〖心〗 양성 소질.

bish[biʃ] *n.* 《俗》 실수, 잘못.

⁑bish·op[bíʃəp] [Gk] *n.* **1** 〖개신교〗 감독; 〖가톨릭·그리스正教·영國教〗 주교. **2** 〖체스〗 비숍(주교의 모자꼴로서 비스듬히 사방으로 움직일 수 있음). **3** Ⓤ 비숍(레몬〔오렌지〕과 설탕을 가미한 따뜻한 포도주).

bish·op·ric[-rik] *n.* BISHOP의 직〔교구〕; 〖모르몬教〗 감독회.

bíshop sléeve 비숍 슬리브(아래쪽이 넓고, 손목 부분을 개더로 죈 소매).

bíshops léngth 58×94인치 크기(캔버스 크기).

Bíshop's ríng **1** (**b- r-**) 주교의 반지(오른손 중지에 끼며, 교구와의 결혼을 뜻함). **2** 〖氣〗 비숍 고리(화산 폭발·원폭 실험으로 인해 태양 주위에 생기는 암적색의 둥근 테).

bisk[bisk] *n.* =BISQUE³.

Bis·marck[bízmɑːrk] *n.* 비스마르크 Otto von ~(1815-98)(독일의 정치가).

bis·mil·lah[bismílə] *int.* 신에 맹세코!(회교도의 맹세말).

bis·muth[bízməθ] *n.* Ⓤ 〖化〗 창연(蒼鉛)(금속 원소; 기호 Bi, 번호 83). **~·al** *a.*

***bi·son**[báisən, -zən] *n.* (*pl.* ~) 바이슨, (아메리카) 들소.

bisque¹[bisk] *n.* 비스크(경기 등에서 약한 편에게 주어지는 1점; 1스트로크의 핸디캡 등).

bisque² *n.* Ⓤ 비스크 도자기(설구이); 붉은색이 도는 황색.

bisque³ *n.* Ⓤ **1** 비스크(주로 새우나 게·닭고기·야채 등을 사용한 진한 크림 수프). **2** 비스크(호도 가루를 넣은 아이스크림).

Bis·sau[bisáu] *n.* 비사우(Guinea-Bissau의 수도).

bis·sex·tile[baisékstəl, bi-/-tail] *n., a.* 윤년(의)(略: bis.): the ~ day 윤일(2월 29일).

bis·sex·tus[baisékstəs, bi-] *n.* 윤일, 2월 29일(윤년의).

bi·sta·bil·i·ty[bàistəbíləti] *n.* 〖電子〗 (회로의) 쌍안정(雙安定).

bi·sta·ble[baistéibəl] *a.* 〖電子〗 쌍안정의(깜박이처럼 스위치로 두 가지 상태가 되는 장치나 회로에서).

bi·state[báistèit] *a.* 2국〔2주〕(간)의.

bi·stát·ic rádar[baistǽtik-] 바이스태틱 레이더(송신기와 수신기 사이에 거리를 둔 레이더 시스템).

bis·ter | bis·tre[bístər] *n.* Ⓤ 비스터(진한 갈색 그림물감; 그 색).

bis·tort[bístɔːrt] *n.* 〖植〗 범꼬리.

bis·tou·ry[bístəri] *n.* (*pl.* **-ries**) 외과용 접는 메스.

bis·tro[bístrou] [F] *n.* (*pl.* ~**s**) 작은 바〔레스토랑, 나이트 클럽〕, 비스트로.

bi·sul·fate, -phate[baisʌ́lfeit] *n.* 〖化〗 중황산염(重黃酸鹽).

bi·sul·fide, -phide[baisʌ́lfaid, -fid] *n.* 〖化〗 이황화물(二黃化物).

bi·sul·fite, -phite[baisʌ́lfait] *n.* 〖化〗 중아황산염(重亞黃酸鹽).

bi-swing[bàiswìŋ] *a., n.* 〖服〗 (팔을 움직이기 쉽게) 등판 양쪽 가에 주름을 잡은 (재킷 따위).

★bit¹[bit] *n.* **1** 작은 조각, 작은 부분. **2** 소량, 조금, 약간(*of*); 잠시(동안). **3** (음식의) 한 입(의 분량), 소량의 음식. **4** 《영口》 잔돈(전의 3펜스, 6펜스 주화); 《미口》 (2의 배수와 함께) 12센트 반: a sixpenny ~ 6페니 은화/ two ~*s* 25센트(a quarter). **5** 《口》 (풍경화의) 소품; (연극의) 한 장면; (연극·영화의) 단역. **6** (the, that 등과 함께) 《미口》 예(例)의〔판에 박은〕 방식〔문구, 짓거리, 일, 사건〕: the bribery ~ 예의 (증)수회 사건. **7** 《俗》 징역형; 형기. **8** 《俗》 젊은 여자. **a bit** (부사적으로) 《口》 조금, 다소, 약간; 잠깐, 잠시. **a bit and a sup** 소량의 음식. **a bit at a time** =BIT by bit. **a bit of** 한 조각의, 소량의. **a bit of a ...** 《口》 좀; 어느 편이냐 하면; 작은. **a bit of all right** 《주로 영》 썩 좋은 것〔사람〕. **a bit of blood** 순혈종(의 말). **a bit (too) much** 《口》 너무 심하여. **a good bit** 《口》 꽤 오랫동안; 훨씬 〈나이가 많은 등〉. **a little bit** 조금(별 뜻 없이 쓰일 때도 있음). **a nice bit (of)** 《口》 꽤 많이〔많은〕. **a (nice) bit of goods**〔**stuff, fluff**〕 《영俗》 (귀여운) 여자애. **bit by bit** =**by bits** 《口》 조금씩; 점차로. **bits and pieces**〔**bobs**〕 《口》 지스러기, 잡동사니. **bits of** 《口》 빈약한, 보잘것없는, 초라한. **do one's bit** 제 의무〔본분〕를 다하다; 응분의 기부〔봉사〕를 하다. **every bit** 《口》 어느 모로 보나; 전적으로. **give** a person **a bit of one's mind** 털어 놓고〔솔직이〕 말해 주다; 잔소리를 하다, 나무라다. **not a**〔**one little**〕 **bit (of it)** 《口》 조금도 …하지 않다; 천만에. **quite a bit** 《미口》 =quite a LITTLE. **take a bit of doing** 《口》 꽤 힘이 들다. **to bits** 산산이, 조각조각으로.

bit² *n.* **1** 재갈; 구속(물). **2** 대패의 날; 송곳의 끝, 끝날; (집게 등의) 맞물리는 부분; (열쇠 끝의) 돌출부; 〖機〗 비트(드릴용의 날). **a brace and bit** 굽은 손잡이가 달린 송곳. **chafe at a**〔**the**〕 **bit** 출발〔전진, 개시〕하고 싶어 안달하다〔애태우다〕, 빨리 나아가려고 하다. **champ (at) the bit** (1) 〈말이 자꾸만〉 재갈을 물다. (2) 안절부절 못하다, 안달하다. **draw bit** 고삐를 당겨 말을 멈추다; 속력을 늦추다; 지나치지 않다, 삼가다. **off the bit** 고삐를 늦추고, 말을 천천히 가게 하고. **on the bit** 고삐를 당기고〔재고〕, 말을 급히 몰고. **take the bits** 〈말이〉 재갈을 물다. **take**〔**have, get**〕 **the bit between**〔**in**〕 **its**〔**one's**〕 **teeth** 〈말이〉 사납게 날뛰다; 〈사람이〉 반항하여 어거할 수 없게 되다, 제 마음대로 행동하다; 감연히 사태에 대처하다. **take the bit into one's mouth** 《미》 주제넘게 나서다. ── *vt.* (~·**ted**; ~·**ting**) 재갈을 물리다; 억제〔구속〕하다. **bít·less** *a.*

bit³ [*bi*nary digi*t*] *n.* 〖컴퓨터〗 비트(정보 전달의 최소 단위; 2진법의 0과 1); (*pl.*) 정보.

bit⁴ *v.* BITE의 과거·과거분사.

bitch[bitʃ] *n.* **1** (개과 동물의) 암컷: a ~ fox 암여우. **2** 《俗》 계집, 음탕한 계집; 심술궂은 여자; 불유쾌한 것; 불평. **a son of a bitch**

《俗》 새끼, 개자식《심히 모욕적인 언사; 略: S.O.B.》. — *vi.* 《俗》 불평하다, 투덜거리다 (*about*). — *vt.* 《俗》 〈남이 한 것을〉 망쳐놓다(*up*); 속이다. **bítch·er** *n.* 《俗》 불평가.

bitch·er·y[bítʃəri] *n.* 《俗》 **1** 암캐같은 행동, 심술궂은〔음탕한〕 여자같은 행위. **2** 심술, 악의; 보복, 복수.

bítch gòddess 세속적인 성공; 파멸이 뻔한 일시적 성공.

bitch·ing[bítʃiŋ] *a.* 《俗》 굉장한, 아주 좋은.

bitch·y[bítʃi] *a.* (**bitch·i·er; -i·est**) **1** 〈특히 여자가〉 성질이 고약한, 심술궂은, 성마른. **2** 육감적인, 성적 매력이 있는.

bít dènsity 〔컴퓨터〕 비트 밀도《보조 기억장치의 단위 면적당 저장되는 비트의 수》.

‡**bite**[bait] (**bit**[bit]; **bit·ten**[bítn], **bit**) *vt.* **1** 물다; 물어 뜯다, 물어 끊다(*off, away, out*). **2** 〈모기·벼룩 등이〉 물다, 쏘다(sting), 먹다; 〈게가〉 물다. **3** 〈추위가〉 살을 에다; 〈후추 등이〉 쏘다. **4** 〈서리가〉 상하게 하다; 〈산(酸) 등이〉 부식시키다. **5** 〈톱니바퀴가〉 맞물다, 〈닻이 바닥에〉 걸리다. **6** 속이다; 《口》 괴롭히다, 애먹이다. **7** 《미俗·오스俗》 돈을 빌다. **8** 〈사람을〉 열중시키다, 사로잡히게 하다(*by, with*). **9** 《미俗》 남의 아이디어를 도용하다, (남을) 모방하다. — *vi.* **1** 물다(*at*): My dog never ~*s*, even *at* a stranger. 낯선 사람이라도, 우리 개는 절대로 물지 않는다. **2** 〈톱니바퀴가〉 맞물다. **3** 자극하다; 알알하다. **4** 〈산이〉 부식하다. **5** 〈풍자가〉 먹히다, 감정을 상하다; 〈정책 등이〉 효과를 나타내다(*into*). **6** 〈칼이〉 잘 들다; 〈톱·줄 등이〉 잘 들다. **7** 〈물고기가〉 미끼를 물다; 속다. **8** 〈유혹 등에〉 걸려들다 (*at*): ~ *at* a proposal 제의에 넘어가다. **9** (I'll ~로) 《미》 〈수수께끼·질문 등에서〉 모름을 자인하다: I'll ~, who is it? 모르겠는데, 대체 누구야. **be** (**much**) **bitten with** …에 걸려 들다, 정신이 빠지다, 열중하다. **bite at** …에 덤벼들다, 마구 싸움 걸다. **bite back** 《미》 〈하품을〉 참다; 〈입술을 깨물고 말·눈물 등을〉 참다, 억누르다. **bite in**(**to**) …에 먹어 들어가다; 썩어 들어가다. **bite off** 물어 떼다, 떼어 먹다; 〈방송 프로를〉 방송 도중에 끊어 버리다. **bite off more than one can chew** 힘에 겨운 일을 계획하다. **bite off one's own head** 남을 해치려다가 도리어 제가 해를 입다. **bite a person's head off** 남에게 쌀쌀하게 인사〔대답〕하다. **bite on** 《口》 …을 곰곰이〔골똘히〕 생각하다; …에 진지하게 착수하다. **bite on granite** 헛수고하다. **bite one's lip**(**s**)〔**tongue**〕 입술을 깨물다, 노여움을 꾹 참다, 하고 싶은 말을 꾹 참다. **bite one's nails** (손톱을 물어 뜯으며) 분개하다. **bite one's thumb at** 도발적으로 멸시하다, 싸움을 걸다. **bite** (**on**) **the bullet** 고통을 꾹 참다, 싫은 일을 감연히 하다. **bite the dust**〔**ground**〕 쓰러지다; 패배하다; 죽다, 전사하다; 낙마하다; 실패하다; 굴욕을〔수모를〕 당하다. **bite the hand that feeds one** 은혜를 원수로 갚다. — *n.* **1** 묾. **2** 한번 깨묾, 한 입; 소량; 음식. **3** 물린〔쏘인〕 상처, 찔린 상처; 동상; 부식. **4** 〈물고기가〉 미끼를 묾; 유혹에 넘어감. **5** 에는 듯한 아픔. **6** 자극성; 신랄한 맛; (음식의) 매운〔얼얼한〕 맛. **7** Ⓤ 〔機〕 맞물림《선반(旋盤) 등》. **8** 《미口》 (총액에서 1회의) 차감액(cut); 《미俗》 출비, 비용, 분담금. **bite and sup** 간단한〔가벼운〕 식사. **make**〔**take**〕 **two bites at**〔**of**〕 **a cherry** 한 번에 할 수 있는 일을 두 번으로 나눠 하다; 꾸물거리다. **put the bite on** 《미俗》 …에게서 돈을 빌리려고〔공갈하여 뺏으려고〕 하다.

BITE built-in test equipment 〔空〕 내장 방식의 자기 진단 장치.

bite-by-bite[báitbaibáit] *a.* 야금야금〔조금씩 먹어〕 들어가는, 한 발짝 한 발짝씩 다가 가는.

bíte plàte 〔齒科〕 (플라스틱과 와이어로 만든) 치열 교정기.

bit·er[báitər] *n.* 무는 사람〔것〕; 물어 뜯는 짐승; 미끼를 잘 무는 물고기; 《俗》 속이는 사람. **Great barkers are no biters.** 《속담》 짖는 개는 물지 않는다. **The biter** (**is**) **bit**〔**bitten**〕. 속이려던 놈이 도리어 속는다, 혹 떼러 갔다가 혹 붙여 온다.

*__bit·ing__[báitiŋ] *a.* **1** 물어 뜯는, 무는. **2** 날카로운, 통렬〔신랄〕한, 쏘는 듯한, 찌르는 듯한; 알알한. **3** 부식성의. **4** (부사적) 살을 에는 듯이. **have a biting tongue** 말씨가 몹시 매섭다, 신랄하다. **~·ly** *ad.* **~·ness** *n.*

bít màp 〔컴퓨터〕 비트 맵《디스플레이의 1도트(dot)가 정보의 최소 단위인 1비트에 대응시키는 것》; 또는 그 화상 표현 방식.

bit-map·ped[bítmæ̀pt] 〔컴퓨터〕 비트맵 방식의《컴퓨터 그래픽스에서 메모리의 1비트를 화면의 1도트(dot)에 대응시키는 방식》.

BITNET 〔컴퓨터〕 *B*ecause *I*t's *T*ime *Net*work《미국 대학교간에서 널리 쓰이고 있는 광역 네트워크의 하나》.

bít pàrt 단역(bit).

bít plàyer 이류〔단역〕 배우.

bít ràte 〔컴퓨터〕 비트 전송률.

bitt[bit] *n., vt.* 〔海〕 계주(繫柱)(에 매다).

*__bit·ten__[bítn] *v.* BITE의 과거분사.

‡**bit·ter**[bítər] [OE] *a.* (~·**er**; ~·**est**) **1** 쓴 (*opp.* sweet); (맥주가) 씁쓰레한(*opp.* mild): 《Ⅱ 형》 The roots of education are ~ but the fruit is sweet. 교육의 뿌리는 쓰나 그 열매는 달다. **2** 〈바람·추위 등이〉 모진, 살을 에는 (듯한). **3** 〈말 등이〉 신랄한, 통렬한, 냉혹한. **4** 쓰라린, 고통스러운, 견디기 어려운. **5** 증오〔적의〕에 찬, 원한을 품은, 몹시 분한. — *ad.* =BITTERLY: ~ cold 살을 에는 듯이 추운. — *n.* (the ~; 종종 *pl.*) **1** 쓺, 쓴맛; 쓰라림. **2** 《영》 쓴 맥주, 비터(=~ **béer**). **3** (*pl.*) 비터즈《칵테일에 섞는 쓴 술》; 괴로움. **taste the sweets and bitters of life** 인생의 단맛 쓴맛을 다 맛보다. ⊕ embitter *v.*

bítter ápple =COLOCYNTH.

bítter cúp 쓴 잔《quassia의 나무로 만든 잔; 이것으로 마시면 음료에서 쓴 맛이 남》.

bítter ènd[1] 〔海〕 닻줄의(배 안쪽의) 끝.

bítter ènd[2] 최후의 최후, 궁극; 막바지, 막판. **to**〔**till, until**〕 **the bitter end** 끝까지, 죽을 때까지 〈싸우다〉.

bit·ter-end·er[bítəréndər] *n.* 《口》 끝까지 굽히지〔주장을 바꾸지〕 않는 사람.

bit·ter·ish[bítəriʃ] *a.* 씁쓸한, 씁쓰레한.

‡**bit·ter·ly**[bítərli] *ad.* **1** 쓰게. **2** 몹시, 심하게, 따끔하게; 통렬히, 잔혹하게; 지독하게; 가혹하게. **3** 살을 에듯이.

bit·tern[bítə(:)rn] *n.* **1** Ⓤ 〔化〕 간수, 고염(苦鹽), 고미제. **2** 〔鳥〕 알락해오라기.

*__bit·ter·ness__[bítərnis] *n.* Ⓤ **1** 쓺, 쓴 맛. **2** 신랄; 쓰라림, 비통; 비꼼.

bítter prìnciple 고미질(苦味質)《식물체 안의 쓴 성분》.

bítter rìval 숙원의 적〔적수〕.

bit·ter·root[bítərrù:t] *n.* 쇠비름과(科)의 화초.

bit·ter·sweet[bítərswì:t] *a.* **1** 씁쓸하면서 달콤한; 괴로우면서도 즐거운. **2** 《미》 〈초콜릿

등이〉 설탕을 거의 넣지 않은. — *n.* **1** Ⓤ 쓴 맛 섞인 단 맛. **2** 〔植〕노방덩굴, 배풍등 무리.

bit·ty[bíti] *a.* **1** 《영》 단편적인, 토막난. **2** 《미》 조그만.

bit·u·men[baitjú:mən, bi-] *n.* Ⓤ **1** 역청(瀝青). **2** 암갈색.

bi·tu·mi·nize[baitjú:mənàiz, bi-] *vt.* 역청화하다; 역청을 섞다.

bi·tu·mi·nous[baitjú:mənəs, bi-] *a.* 역청(질)의.

bitúminous cóal 역청탄, 연탄(軟炭).

bi·u·nique[bàiju(:)ní(:)k] *a.* 〔言〕 2방향 유일성의《음소 표시와 음성 표시가 1대 1의 대응 관계에 있음》.

bi·va·lence, -lency[baivéiləns, bívə-], [-lənsi] *n.* Ⓤ 〔化·生〕 이가(二價).

bi·va·lent[baivéilənt, bívə-] *a.* 〔化·生〕 이가(二價)의.

bi·valve[báivæ̀lv] *n., a.* 쌍각(雙殼)조개(의).

bi·valved, bi·val·vu·lar[baivǽlvd], [baivǽlvjələr] *a.* 양판(兩瓣)의; 쌍각 조개의.

*__biv·ou·ac__[bívuæ̀k, -vəwæ̀k] *n.* (군대의 천막 없는) 야영(지). — *vi.* (**-acked; -ack·ing**) (천막 없이) 야영하다.

bívouac shèet 간이 천막《등산용》.

biv·vy[bívi] *n.* (*pl.* **-vies**) 《俗》 작은 천막〔피난처〕.

bi·week·ly[baiwí:kli] *a., ad.* **1** 격주의〔로〕(fortnightly)《◇ 간행물에는 대개 이 뜻으로 쓰임》. **2** 한 주일에 2회의〔씩〕(semiweekly)《◇ 수송 예정표 등에는 대개 이 뜻으로 쓰임》. — *n.* (*pl.* **-lies**) 격주 간행물《신문·잡지 등》.

bi·year·ly[bàijíərli] *ad., a.* **1** 2년에 한 번(의)(biennial(ly)). **2** 1년에 두 번(의)(biannual(ly)).

biz[biz] *n.* 《口》 =BUSINESS. **Good biz!** 《영》 잘했다!, 잘한다!, 멋지다!

bi·zarre[bizá:r] *a.* 기괴한(grotesque); 이상 야릇한. **~·ly** *ad.* **~·ness** *n.*

bi·zar·re·rie[bizɑ̀:rərí:] [F] *n.* Ⓤ 괴기(한 것); 그로테스크.

Bi·zet[bizéi] *n.* 비제 Georges ~(1838-75)《프랑스의 작곡가》.

bi·zon·al[baizóunəl] *a.* 2국 공동 통치 지구의; (**B-**) (제 2차 대전 후의 서독의) 미영 양국 점령 지구의.

Bi·zo·ni·a[baizóuniə] *n.* 서독의 미영 점령 지구의.

bi(z)·zazz[bəzǽz] *n.* 《미俗》 =PIZZAZZ.

bizz-bazz[bízbæ̀z] *n.* 《俗》 부질없는 수다.

B.J. Bachelor of Journalism. **Bk** 〔化〕 berkelium. **bk.** bank; block; book. **BK.** 〔野〕 balk(s). **bkcy.** 〔法〕 bankruptcy. **bkg.** banking. **bkgd.** background. **bklr.** black letter. **bkpt.** bankrupt. **bks.** banks; barracks; books. **bkt.** basket(s). **bkts.** baskets. **bl.** bale(s); barrel(s); black; block; blue. **b.l., B/L** bill of lading. **B.L.** Bachelor of Laws; British Legion.

blab[blæb] *vi., vt.* (~**bed**; ~**·bing**) 〈비밀을〉 주책없이 지껄여 대다《*off*》. — *n.* Ⓤ,Ⓒ 수다(쟁이).

blab·ber[-ər] *vt., vi.* =BLAB. — *n.* 입이 가벼운 사람, 수다쟁이.

blab·ber·mouth[blǽbərmàuθ] *n.* 《口》 수다쟁이, 비밀을 지껄여 대는 사람.

★**black**[blæk] *a.* **1** 검은, 흑색의; 〈손·옷감 등이〉 더러운; 〈하늘·깊은 물 등이〉 어둠침침한, 거무튀튀한, 암흑의: (as) ~ as coal〔ebony〕 새까만. **2** 밀크를〔크림을, 우유를〕 타지 않은, 브랙의《커피》. **3** 피부가 검은, 흑인의: the ~ races 흑색 인종. **4** 검정 옷의〔옷을 입은〕. **5** 광명이 없는, 암담한(gloomy); 불길한: ~ despair 암담한 절망. **6** 화난, 험상궂은, 험악한: ~ in the face(노동·흥분으로) 얼굴이 검붉게 되어, 안색이 변하여/look ~ 뚱하다, 노려보다《*at, on*》; 〈사태가〉 험악하다. **7** 마음이 검은, 흉악한; 사악한: He is not so ~ as he is painted. 그는 소문난 만큼 나쁜 사람은 아니다. **8** (농담·문학 작품이) 병적인, 불유쾌한. **9** 암시세의; 《영》 비(非)조합원에 의하여 취급되는, 암거래의. **10** 《미口》 진짜의, 순전한, 철저한. **11** 〔會計〕 흑자의: a ~ balance sheet 흑자 대차대조표. **black and blue** 검푸른 멍이 들 정도로 〈때리다〉. **go black** (기절하여 주위가) 캄캄해지다.

— *n.* **1** Ⓤ 검정, 흑색; 검정 물감, 검정 잉크; 먹; 어둠, 암흑. **2** Ⓤ,Ⓒ 검정 반점〔얼룩〕; 깜부기. **3** Ⓤ 검정 옷; 상복. **4** (보통 *pl.*; 종종 **B-**) 흑인(Negro): *Black* Law 흑인에 관한 법률. **5** (the ~) 〔會計〕 흑자. **be in the black** 《미》 〈장사가〉 흑자이다 (《영》 show a profit; *cf.* RED). **into the black** 흑자를 향하여. **prove that black is white**=**swear black is white**=**talk black into white** 검은 것을 희다고 우겨대다〔궤변을 부리다〕.

— *vt.* **1** 검게 하다; 더럽히다; 때려서 눈에 검은 멍이 들게 하다. **2** 〈구두 등을〉 닦다; 〈난로 등을〉 검은 약을 발라 빛이 나게 닦다. **3** 《영》 〈노동조합이 일·상품 등을〉 보이콧하다. — *vi.* 검어지다; 어두워지다. **black a person's eye** 눈에 멍이 생길 정도로 …을 때리다. **black out** (1) 먹칠을 해서 지워버리다; (등화관제 등으로) 캄캄하게 하다〔해지다〕; 등화 관제하다; 〔劇〕 무대를 캄캄하게 하다. (2) (급강하 등으로) 잠시 시각〔의식, 기억〕을 잃다〔게 하다〕; 〈라디오 송신을〉 방해하다, 〈전화·송신이〉 불통이 되다. (3) (전쟁중에 뉴스의) 보도 관제를 하다; …의 텔레비전 방송을 중지하다. ⊕ **blácken** *v.*; **bláckly** *ad.*; **bláckness, blácky** *n.*

bláck advánce (유세를 따라다니며 하는) 선거 연설 방해.

bláck África 흑인 아프리카《아프리카 대륙 중 흑인이 지배하고 있는 부분》, 아프리카의 흑인《전체》.

black·a·moor[⌐əmùər] *n.* 《文語·익살》 **1** 흑인, 《특히》 아프리카의 흑인(Negro). **2** 피부가 검은 사람.

black-and-blue[⌐ən*d*blú:] *a.* (얻어 맞아서) 시퍼렇게 멍이 든.

black-and-tan[⌐ən*d*tǽn] *a.* **1** 〈개가〉 검은 바탕에 갈색이 섞인. **2** (종종 **B--and-T-**) 《미》 백인과 흑인의 비례 대표제를 주창하는; 백인과 흑인 양편이 빈번히 출입하는. — *n.* **1** 테리어 개의 일종. **2** 백인·흑인이 모두 잘 출입하는 나이트클럽.

Bláck and Tán 〔영史〕 1921년 아일랜드 반란 진압에 파견되었던 영국 정부군(의 일원).

bláck and whíte **1** 펜화(畵), 묵화, 흑백 그림〔사진, 영화, 텔레비전〕. **2** (흑색의) 인쇄(물), 필사(筆寫)(물): in ~ 인쇄〔필사〕하여.

black-and-white[⌐ən*d*hwáit] *a.* **1** 흑백의; 펜화의; 단색의(*cf.* COLOR): ~ television〔photograph〕 흑백 텔레비전〔사진〕. **2** 흑백 얼룩의. **3** 흑백이 뚜렷한 〈논리 등〉.
— *n.* 《미俗》 초콜릿 크림.

bláck árt 마법, 마술.

bláck-bág jòb 《미口》 (연방 수사관 등의)

정보 입수를 위한 불법 침입.
black·ball[ˊbɔ̀:l] *vt.* (검은 공을 던져서) 반대 투표하다(vote against); (사회에서) 배척하다. — *n.* 반대 투표; (반대 투표용의) 검은 공.
black·ball·er *n.* 반대 투표자.
bláck báss 〔魚〕 농어류의 담수어《미국산》.
bláck bèar 흑곰《미국산》.
black·bee·tle[ˊbì:tl] *n.* 〔昆〕 바퀴. 《俗》 진딧물.
bláck bèlt¹ 1 (the ~; 종종 **B- B-**)(미국 남부의) 흑인 지대. **2** (the ~)(미국 Alabama, Mississippi 양주의) 옥토 지대.
bláck bèlt² (태권도·유도의) 흑띠; 유단자.
*__black·ber·ry__[ˊbèri/ˊbəri] *n.* (*pl.* **-ries**) 검은딸기(의 열매). — *vi.* (**-ried**) 검은 딸기를 따다.
bláck bíle 1 〔生理〕 우울. **2** 흑담즙(黑膽汁).
*__black·bird__[ˊbə̀:rd] *n.* **1** 《영》 검은새《지빠귀 무리》; 《미》 찌르레기과(科)의 새. **2** 흑인; 노예선에 유괴된 카나카(Kanaka) 사람.
black·bird·ing *n.* Ⓤ 흑인 노예 유괴〔매매〕.
★**black·board**[ˊbɔ̀:rd] *n.* 칠판, 흑판.
bláckboard júngle 《미》 폭력 교실〔학원〕.
black·bod·y[ˊbɑ̀di/ˊbɔ̀di] *n.* 〔物〕 흑체(黑體)《모든 파장의 복사를 흡수하는 가상 물체》.
bláck bòok =BLACKLIST. **be in** a **person's black books** …의 미움〔주목〕을 받고 있다.
bláck bóx 블랙박스《(1) 비행 기록 장치. (2) (지하 핵폭발 탐지를 위한) 봉인 자동 지진계. (3) 내용을 전혀 알 수 없는 장치》.
bláck bréad 흑빵《호밀로 만듦》.
bláck cámp 《미俗》 (죄수의 태반이 흑인인) 흑인 교도소.
bláck cáp 《영》 검정 우단 모자《전에 사형 선고를 내릴 때 판사가 쓰던》.
black·cap[ˊkæ̀p] *n.* **1** 〔鳥〕 머리가 검은 명금의 무리. **2** 《미》 〔植〕 검은딸기 무리.
bláck cápitalism 흑인 자본주의《미국 정부가 흑인에게 기업 경영을 권장하는 정책》.
black-capped[ˊkæ̀pt] *a.* 〈새가〉 머리가 검은, 검은머리의.
bláck cáttle 검은소《스코틀랜드 및 웨일스종의 식용우》.
Bláck Chámber 암흑실《정부 첩보 기관》.
black·coat[ˊkòut] *n.* **1** 《경멸》 목사. **2** 《미俗》 장의사. **3** 《영》 월급쟁이(=ˊ **wórker**).
black·cock[ˊkɑ̀k/ˊkɔ̀k] *n.* 〔鳥〕 수멧닭.
bláck códe 〔미史〕 흑인 단속법《남북 전쟁 직후의 남부 여러 주에 있어서의》.
bláck cóffee 크림〔우유, (때로는) 설탕〕을 넣지 않은 커피(cafe noir).
bláck cómedy BLACK HUMOR가 있는 희극.
bláck cónsciousness 흑인 의식, 흑인으로서의 (정치적) 자각《남아프리카 공화국의 흑인 차별 정책 반대 투쟁에서》.
Bláck Còuntry (the ~) (잉글랜드 중부의 Birmingham을 중심으로 하는) 대공업지대.
bláck cúrrant 〔植〕 까막까치밥나무.
Bláck Cúrrent (the ~) =BLACK STREAM.
black·damp[ˊdæ̀mp] *n.* (탄갱 안의) 질식 가스.
Bláck Déath, b- d- (the ~) (14세기 아시아·유럽에 유행했던) 페스트, 흑사병.
bláck díamond 1 흑금강석. **2** (*pl.*) 《익살》석탄.
bláck dóg 《口》 우울증, 낙담: under the ~ 뚱하여, 뿌루퉁하여.
bláck dráft 센나(senna)와 사리염(瀉利鹽)의 혼합물《하제(下劑)》.
bláck éarth 흑(색)토(chernozem).
bláck ecónomy (정부 묵인의) 불법〔부정〕 고용(상태)《세금·최저 임금·사회 보장이 무시된 고용》.
*__black·en__[blǽkən] *vt.* 검게 하다, 어둡게 하다; 누명을 씌우다, 나쁘게 말하다. — *vi.* 어둡게〔검게〕 되다. **~·er** *n.*
Bláck Énglish (미국의) 흑인 영어.
black·er[blǽkər] *n.* 검게 하는 사람; 비방하는 사람.
black·et·eer *n.* 암거래 상인.
bláck éye 1 검은 눈. **2** (얻어맞아 생긴) 눈언저리의 검은 멍. **3** (보통 a ~) 《口》 수치, 불명예.
black-eyed[ˊàid] *a.* 눈이 까만; 눈언저리가 퍼런, 멍이 든.
bláck-èyed Súsan 노랑데이지《꽃 가운데가 검은 국화의 일종; 미국 Maryland주의 주화(州花)》.
black·face[ˊfèis] *n.* **1** 검은 얼굴의 면양. **2** 흑인으로로 분장한 배우; Ⓤ 흑인의 분장. **3** Ⓤ 〔印〕 굵은 활자(boldface).
black-faced[-fèist] *a.* **1** 얼굴이 검은; 침울한 표정을 한. **2** 굵은〔흑체〕 글자의.
black·fel·low[ˊfèlou] *n.* 오스트레일리아 원주민.
black·fish[ˊfìʃ] *n.* (*pl.* ~, ~**·es**) **1** 〔動〕 돌고래의 일종《온몸이 검은》. **2** 〔魚〕 검은 물고기.
bláck flág 1 (the ~) 해적기《검은 바탕에 흰 두개골과 교차하는 두 개의 뼈가 그려진 기》. **2** 흑기《사형 집행이 끝난 신호로 쓰임》; 《일반적으로》 흑(색)기.
black-flag[blǽkflæ̀g] *vt.* (~**ged**; ~**·ging**) (자동차 경기에서 흑색기를 흔들어) 〈운전자에게〉 바로 피트(pit)로 갈 것을 신호하다.
bláck flỳ 〔昆〕 진디등엣과(科)의 곤충.
Black·foot[ˊfùt] *n.* (*pl.* **-feet**[-fì:t], ~) **1** 북미 인디언의 한 종족. **2** Ⓤ 그 언어.
Bláck Fórest (the ~) 독일 남서부의 삼림 지대《독일명 Schwarzwald》.
Bláck Fríar 〔가톨릭〕 도미니코회의 수도사.
Bláck Fríday 불길한 금요일《그리스도가 처형 당한 요일》.
bláck fróst 된서리《식물의 잎·싹을 검게 함》.
bláck gáme〔**gróuse**〕 〔鳥〕 검은멧닭.
bláck ghétto 흑인 거주구, 흑인 빈민가.
bláck góld 《미口》 석유; 고무.
black·guard[blǽgɑ:rd, -gərd, blǽk-] *n.* 불량배, 깡패, 악한. — *vt.* 악담하다, 욕지거리하다. — *vi.* 불량배처럼 행동하다.
~·ism[-ìzəm] *n.* Ⓤ 망나니의 언행.
black·guard·ly *a., ad.* 불량배의〔와 같이〕, 말버릇 더러운〔더럽게〕.
Bláck Hánd (the ~) **1** 흑수단(黑手團): a 20세기 초 New York에서 활약한 이탈리아인의 비밀 범죄 결사. b 19세기 스페인의 무정부주의자 조직. **2** (보통 **b- h-**) 비밀 폭력단.
Bláck hànd·er[ˊhæ̀ndər] *n.*
black·head[blǽkhèd] *n.* **1** 〔鳥〕 머리가 검은 각종의 새; 검은머리흰쭉지. **2** 〔獸醫〕 흑두병(黑頭病). **3** (꼭지가 검어진) 여드름.
black·heart[ˊhɑ̀:rt] *n.* 〔植〕 (야채·감자 등) 속썩음병; 검은 버찌.
black·heart·ed[ˊhɑ́:rtid] *a.* 마음이 검은, 간악한, 음흉한(evil).
Bláck Hílls (the ~) 블랙힐즈《미국 South Dakota주와 Wyoming주에 걸쳐 있는 산악군(群)》.
bláck hóle 1 〔天〕 블랙홀《중력이 붕괴된 결

과로 생기는 강력한 중력장(重力場)을 가진 천체). **2** 옥사, 감금소; 《특히》 군형무소, 영창.
bláck húmor 블랙 유머《풍자적 · 냉소적인 무시무시한 유머》.
bláck íce 검은 얼음《도로 위의 검게 보이는 빙판; 자동차 운전에 위험함》.
black·ing[blǽkiŋ] *n.* Ⓤ **1** 검게 함〔닦음〕. **2** 흑색 도료(塗料); 검은 구두약《◇ 지금은 shoe polish가 일반적임》.
bláck ínk 《미》 금전적 이익, 흑자(黑字); 대변(貸邊)(*opp.* red ink).
black·ish[blǽkiʃ] *a.* 거무스름한.
bláck ívory 1 (집합적) 〔史〕 아프리카의 흑인 노예. **2** 상아를 탄화하여 만든 흑색 안료 (ivory black).
black·jack[ˊdʒæ̀k] *n.* **1** (옛날의) 큰 잔(검은 가죽으로 만든 큰 맥주 잔). **2** 해적기. **3** 《미口》(가죽으로 싼) 곤봉. **4** 〔植〕 (검은 껍질의) 참나무《북미산》. **5** Ⓤ 〔鑛〕 섬아연광(閃亞鉛鑛). — *vt.* 곤봉으로 때리다; 협박하다.
bláck knót 〔植〕 검은 옹이 병; 죽은 옹이.
bláck lánd[ˊlæ̀nd] (Texas주 등의) 흑토; (*pl.*) 흑토 지대.
bláck léad 〔鑛〕 흑연, 석묵(石墨).
black·lead[ˊlèd] *vt.* 흑연을 칠하다〔으로 닦다〕.
black·leg[ˊlèg] *n.* **1** 사기꾼. **2** 《영 · 경멸》 파업 이탈〔방해〕자. — *vt., vi.* (**~ged; ~·ging**) 파업 방해를 하다.
bláck léopard 〔動〕 흑표범.
bláck létter 〔印〕 흑체〔고딕체〕 활자.
black-let·ter[ˊlétər] *a.* **1** 흑체 문자의, 블랙〔고딕〕 활자의(*cf.* RED-LETTER). **2** 불길한, 불행한.
bláck-let·ter dáy 재수없는 날; 비극의 날.
bláck líe 악의 있는 거짓말(*opp.* white lie).
bláck líght 불가시 광선《자외선과 적외선》.
black·list[ˊlìst] *n.* 블랙리스트《요주의 인물 일람표》. — *vt.* 블랙리스트에 올리다.
bláck lúng 〔病理〕 (탄광 광부가 걸리는) 탄진폐(炭塵肺).
black·ly[blǽkli] *ad.* **1** 검게, 어둡게, 암흑으로. **2** 음울하게(gloomily); 화가 나서. **3** 《文語》 간악하게(wickedly).
bláck mágic =BLACK ART.
black·mail[ˊmèil] *n.* Ⓤ **1** 약탈, 공갈, 갈취; 갈취한 돈. **2** 《古》 약탈을 면하려는 자에게 산적이 부과한 공납물(貢納物). — *vt.* 공갈하다, 약탈〔갈취〕하다; 공갈하여 …시키다 (*into*). **~·er** *n.* 약탈〔갈취〕자.
bláck majórity rùle 흑인 다수 지배《남아 제국에서의 다수 흑인 에 대한 권력 이행》.
bláck mán 흑인; (the B- M-) 악마.
Bláck Ma·rí·a 《口》 죄수 호송차; 《미俗》 영구차.
bláck márk 흑점, 벌점(罰點).
bláck márket 암시장; 암거래.
black-mar·ket[ˊmɑ́ːrkit] *vi., vt.* 암시장에서 사다〔팔다〕, 암거래하다.
bláck marketéer〔**márketer**〕 암상인, 암거래인.
black-mar·ke·teer[ˊmɑ̀ːrkətíər] *vi.* 암거래하다.
bláck máss 1 흑미사, 장례 미사《사제가 검은 옷을 입는 망자를 위한 미사》. **2** (**B- M-**) 악마의 미사《특히 19세기 말의 악마 숭배자가 했다고 하는》.
bláck méasles 〔病理〕 출혈성 마진(痲疹), 흑진(黑疹).
Blàck Mónday[1] 《口》 암흑의 월요일《1987년 10월 19일 월요일 뉴욕 주식 시장의 주가 폭락이 전세계 주식 시장에 연쇄 파급되었던 것에서》.
Bláck Mónday[2] 《영學生俗》 방학 뒤의 최초의 수업일.
Bláck Mónk =BENEDICTINE.
Bláck Móuntains (the ~) 블랙 마운틴스 《애팔래치아 산맥 최고의 산계(山系)》.
Bláck Múslim 이슬람교를 믿는 미국 흑인.
bláck nátionalism (종종 **B- N-**) 흑인 국가주의《미국 흑인의 급진 운동》.
bláck nátionalist (종종 **B- N-**) 흑인 국가주의자《미국 안에 흑인만의 정부 수립을 주장하는 급진파》.
*__black·ness__[blǽknis] *n.* Ⓤ 검음, 암흑; 흉악; 음흉함, 음산함.
bláck óak 큰떡갈나무《북미산》.
bláck óre 흑광(黑鑛)《금 · 은 · 동 · 아연 등의 함유량이 매우 높은 광석》.
black·out[ˊàut] *n.* **1** 정전; 소등; 등화 관제. **2** 〔劇〕 무대 암전(暗轉). **3** 일시적 시각〔의식, 기억〕 상실. **4** 보도 관제; (전시) 뉴스의 발표 금지; 텔레비전 방송 금지. **5** (법률 등의) (일시적) 기능 정지.
Bláck Pánther 흑표범단(원)《미국의 극좌익 흑인 과격파》.
Bláck Páper 《영》 흑서(黑書)《현행 정책 · 제도를 비판한 문서; 백서에 대응되는 말》.
bláck pépper (검은) 후춧가루《덜익은 것을 껍질째 빻은 것》(*cf.* WHITE pepper).
black·plate[ˊplèit] *n.* 흑판(黑板)《부식 방지의 도금이나 마무리 칠을 하지 않은 철판》.
bláck pòint (보리의) 흑수병, 깜부기병.
black·poll *n.* 〔鳥〕 검은머리솔새《미국산》.
Bláck Pópe 검은 교황《예수회 총회장의 속칭》.
bláck pówder 〔미軍〕 흑색 화약(gunpowder).
bláck pówer (종종 **B- P-**) 《미》 블랙 파워, 흑인 지위 향상 운동.
Bláck Prínce (the ~) 흑태자《영국 Edward 3세의 왕자 Edward (1330-76)》.
bláck púdding 《영》 검은 푸딩(blood sausage)《돼지의 피나 지방으로 만든 순대》.
bláck ráce 흑인종; 그로.
bláck rádio (종종 **B- R-**) 위장 모략 방송 《적측의 후방 교란을 위한 라디오 방송》.
Bláck Ród 《영》 흑장관(黑杖官)《내대신부(內大臣府) · 상원에 속하는 궁내관》.
bláck rót 〔植〕 흑균병, 부패병.
Bláck Rússian 《俗》 암갈색의 강력한 효능의 마약.
Bláck Sásh (the ~) (남아프리카의) 반(反)인종 분리 여성 단체.
Bláck Séa *n.* (the ~) 흑해《동유럽 남부의 바다》.
Bláck Septémber 검은 구월단《아랍 게릴라의 하나인 Al Fatah의 폭력 별동대》.
bláck shéep 1 (백색종 양에 생기는) 흑양(黑羊). **2** 악한, 망나니; (한 집안의) 말썽꾼.
Black·shirt *n.* 흑셔츠 당원《이탈리아의 국수(國粹) 당원; *cf.* FASCIST》.
black·shoe[ˊʃùː] *n.* 《미俗》 항공 모함의 승무원〔수병〕.
**__black·smith__[ˊsmìθ] [검은 쇠를 다루는 데서] *n.* 대장장이; 제철공(蹄鐵工).
bláck snáke 검정뱀, 흑사(黑蛇).
black·snake[ˊsnèik] *n.* Ⓤ 《미》 큰 채찍 《가죽으로 엮어 만든 끝이 가는》.
blacks·ploi·ta·tion *n.* 《미》 =BLAXPLOITATION.

bláck spót (도로의) 위험 지역, 사고많은 곳.
bláck sprúce 가문비나무 무리(북미산).
Bláck Stréam (the ~) 흑조(黑潮), 일본 해류.
bláck stúdies (미) 흑인 연구(강좌).
bláck stúff (미俗) 아편(opium).
bláck swán 1 흑(黑)고니, 검은 고니(호주산). **2** 아주 진귀한 것.
bláck téa 홍차(*cf.* GREEN TEA).
bláck théater (미) 흑인극(흑인 사회를 주제로 흑인에 의해 감독·제작된 연극).
black·thorn[´θɔ̀:rn] *n.* 〔植〕 인목(鱗木) 무리(유럽산); 산사나무(북미산).
bláckthorn wìnter (영) 인목 꽃이 피는 겨울(북서풍이 부는 이른 봄의 추운 계절).
bláck tíe 검정 나비 넥타이; 남자용 약식 예장〔야회복〕(tuxedo에 검은 나비 넥타이).
black-tie[´tái] *a.* 약식 예장을 요하는: a ~ party 약식 예장을 착용하는 파티.
black·top[´tὰp/´tɔ̀p] *n.* (미) **1** Ⓤ (포장에 쓰이는) 아스팔트. **2** 아스팔트 도로. — *vt.* (~**ped**; ~**·ping**) 〈도로를〉 아스팔트로 포장하다.
bláck tràcker (오스) 원주민 수색자(범인·미아의 추적에 경찰이 고용하는 원주민).
bláck vélvet 1 스타우트와 샴페인의 칵테일. **2** (오스俗) (성교 상대로서의) 원주민〔검은 피부의〕 여자.
bláck vómit 〔病理〕 (황열병(黃熱病) 환자 등의) 피가 섞인 거무칙칙한 구토물; 흑토병(黑吐病)(황열병 등).
bláck wálnut 1 검은 호두나무(북미산). **2** 그 열매(식용); 그 재목(단단하고 암갈색).
bláck·wa·ter féver[´wɔ̀:tər-] 흑수열(黑水熱)(열대 지방의 열병; 오줌이 검어짐).
bláck wídow 〔動〕 검정거미(미국산으로 유독).
black·y[blǽki] *n.* (*pl.* **black·ies**) 검둥이; 검은 동물(새 등).
blad·der[blǽdər] *n.* **1** (the ~) 〔解〕 방광; 낭(囊). **2** (해초 등의) 기포(氣胞); (물고기의) 부레. **3** 수포(水疱), 물집. **4** (축구공 안의 고무로 된) 바람 주머니. **5** 부푼 것; 뚱뚱보; 허풍선이, 거짓말쟁이. **6** (미俗) 신문.
blad·der·wort[-wə̀:rt] *n.* 〔植〕 통발.
blad·der·y[blǽdəri] *a.* 방광 모양의; 기포가 있는; 부푼.
*__blade__[bleid] [OE] *n.* **1** 칼날, 칼몸; (one's ~, the ~) 칼; 안전 면도기의 날; (아이스 스케이트의) 날. **2** (벼과 식물의) 잎, 잎사귀. **3** 노깃(노의 밑동); 날개(추진기 등의); 평평한 부분; 어깨뼈, 견갑골. **4** 위세가 당당한〔호탕한〕 사내; 멋쟁이. **5** (the ~) 〔音聲〕 혀끝. **a knowing blade** 빈틈없는 사람. **in the blade** (이삭이 나기 전의) 잎사귀 때에. — *vt., vi.* (BLADE를 가진 불도저 등으로) 땅을 고르다.
blade·bone[´bòun] *n.* 견갑골, 어깨뼈.
blad·ed[bléidid] *a.* (보통 복합어를 이루어) (…의) 잎사귀가 있는; (…의) 칼날이 있는.
blade·lette, -let[´lèt] *n.* 〔考古〕 세석인(細石刃)(박편(剝片) 석기의 하나).
blade·smith[´smìθ] *n.* 칼 대장장이.
blae·ber·ry[bléibèri, -bəri] *n.* (*pl.* **-ries**) (영) =BILBERRY.
blague[blɑ:g] [F] *n.* 속임수, 엉터리, 허풍.
blah[blɑ:] (俗) *int.* 바보같이!, 시시해! — *n.* Ⓤ,Ⓒ 바보스런 일, 허튼소리(흔히 반복하여 씀). — *a.* **1** 바보스런, 시시한. **2** 맛없는.
blain[blein] *n.* 〔獸醫〕 농포(膿疱); (말의) 설저(舌疽).
Bláir Hòuse 블레어하우스(미국 대통령의 영빈관(迎賓館)).
Blake[bleik] *n.* 블레이크 William ~(영국의 시인·화가(1757-1827)).
blam·a·ble[bléiməbl] *a.* 흠잡힐 만한, 비난받을 만한. **~·ness** *n.* **~·bly** *ad.*
*__blame__[bleim] [L] *vt.* **1** 나무라다, 비난하다 (*for*): (Ⅴ (목)+전+-*ing*) He ~*d* himself *for* not go*ing* to Chicago. 그는 시카고에 가지 않은 것을 자책했다/He ~*d* her *for* neglect*ing* her duty. 그는 그녀가 의무를 태만히 했다고 그녀를 꾸짖었다(=(Ⅲ (목)+전+명) He ~*d* her *for* neglect of duty.). **2** 〈죄과를 …에게〉 지우다, …의 탓으로 돌리다(*on, upon; for*): ~ something *upon* a person 책임을 …에게 지우다/He ~*d* me *for* the accident. 그는 사고의 책임이 내게 있다고 비난했다. **3** (명령법으로) (미俗) 저주하다(damn의 대용으로 가벼운 저주를 나타냄): *Blame* this rain! 이놈의 비 지긋지긋해! **be to blame** 책임이 있다; …이 나쁘다. **Blame it!** (미俗) 제기랄!, 빌어먹을!. **Blame me if** I do 〔don't〕. =(**I'm**) **blamed if** I do 〔don't〕. 하면〔안하면〕 사람이 아니다. **have only oneself to blame** = **have nobody to blame but** oneself 자기만이 나쁘다, 자기말고는 탓할 사람이 없다. — *n.* Ⓤ **1** 비난, 책망(censure). **2** (보통 the ~) 책임, 죄. **bear**〔**take**〕 **the blame for** … 의 책임을 지다. **incur blame for** …때문에 비난을 받다. **lay**〔**put, place**〕 **the blame on** a person (**for** …) …에게 (…의) 죄를 씌우다. **share the blame for** …에 대해 공동 책임을 지다. ◇ blámeful *a.*
blame·a·ble[bléiməbl] *a.* =BLAMABLE.
blamed[bleimd] *a.* (DAMNED의 대용) (미俗) 지긋지긋한, 빌어먹을. — *ad.* 몹시, 지겹게.
blame·ful[bléimfəl] *a.* 비난할 만한, 나무랄 만한. **~·ly** *ad.*
*__blame·less__[bléimlis] *a.* 비난할 점이 없는, 죄〔결점〕가 없는, 결백한. **~·ly** *ad.* **~·ness** *n.*
blame·wor·thy[bléimwə̀:rði] *a.* 나무랄 만한, 비난할 만한. **-wor·thi·ness** *n.*
*__blanch__[blæntʃ, blɑ:ntʃ] [OF] *vt.* **1** 희게 하다, 바래다, 표백하다(bleach); 〈햇빛을 가려 식물을〉 희게 하다. **2** (더운 물에 담가 과일의) 단껍질을 벗기다. **3** 〈공포·질병 등이 얼굴 등을〉 창백하게 하다. **blanch over** 겉을 꾸미다, 속이다. — *vi.* 희어지다; 창백해지다(*with*).
Blanche *n.* 여자 이름.
blanc·mange[bləmɑ́:ndʒ/-mɔ́ndʒ] [F] *n.* Ⓤ,Ⓒ 젤리의 일종(우유를 갈분·한천으로 개서 굳힌 디저트).
blan·co[blǽŋkou] 〔영軍〕 *n.* 블랭코(벨트·군화 등에 칠하는 백색 도료). — *vt.* 〈가죽 제품에〉 백색 도료를 칠하다.
*__bland__[blænd] *a.* **1** 〈기후 등이〉 온화한(mild). **2** 〈담배 등이〉 자극성이 적은, 독하지 않은. **3** 〈말이나 태도가〉 부드러운, 온화한, 차분한, 침착한; 상쾌한(pleasant) **4** 김빠진, 재미없는. **blánd·ly** *ad.* **blánd·ness** *n.*
blan·dish[blǽndiʃ] *vt.* 아첨하다, 아양부리다. **blandish** a person **into doing** …에게 아양부려 …하게 하다. **~·er** *n.* 추종자, 아첨꾼.
blan·dish·ment *n.* (보통 *pl.*) 추종, 감언(甘言), (사람을 호리는) 수단.
*__blank__[blæŋk] [OF] *n.* **1** 공백, 공란, 여백. **2** 〔商〕 백지식의; (미) 기입식(式) 서식 용지; 백지 투표; 허탕; 빈 제비, 꽝. **3** 〔영議會〕 의안 중 이탤릭체로 표시한 곳(미결 부분). **4** 공백

표시의 대시(◇ 대시 읽는 법: Mr. — of — place =Mr. *Blank* of *Blank* place 아무데의 아무개). **5** (마음의) 공허(emptiness); 공백 시간(기간, 시대). **6** =BLANK CARTRIDGE. **7** (표적의) 중심부(백색); 목표, 대상(물).
draw a blank 허탕짚다; 《口》 실패하다, 헛수고하다. **fill in**(**out**) **a blank** 용지에 기입하다. **fire blanks** 《미俗》 〈남자가〉 성교해도 임신시킬 힘이 없다. **in blank** 공백으로, 백지식으로. — *a.* **1** 공백의, 백지의(⇨empty): a ~ sheet of paper 백지 한 장. **2** 〔商〕 백지식의, 무기명의: ⇨blank check. **3** 〈공간 등〉 빈(empty); 〈벽 등〉 창이나 출입구가 없는. **4** 〈생활 등〉 공허한, 내용이 빈, 무미건조한; 허무한. **5** 멍한, 얼빠진, 표정이 없는: look ~ 멍하니(우두커니) 있다. **6** 순전한, 완전한: ~ terror 말할 수 없는 공포. **7** (명시하는 것을 피하여) 모(某)…, ○○: the ~ regiment ○○ 연대. **8** 《俗》 (저주하는 말(damn, damned, bloody)의 대용; 임시로 동사로서도 씀): a ~ idiot 바보, 천치/*Blank* him(it, etc.)! 제기랄!, 빌어먹을!(◇ '—'로 쓰고 blank, blanky, blanked, blankety 또는 something 등으로 읽음). — *vt.* **1** 희게 하다; 지우다, 무효로 하다, 비우다. **2** 《미》 득점을 주지 않다, 영패(零敗)시키다.
— *vi.* 차차 희미해지다(*out*); 〈기억·인상 등이〉 흐릿해지다(*out*); 의식을 잃다(*out*).

blánk bíll 〔商〕 백지 어음; 수취인 기재가 없는 어음.

blank·book[ˊbùk] *n.* 《미》 백지(미기입) 장(帳), 기입하지 않은 장부.

blánk cártridge 공포(空包)(*opp.* ball cartridge).

blánk chéck 1 백지(무기명) 수표. **2** 마음대로 할 수 있는 권리, 자유 행동권; 백지 위임: give a person a ~ …을 마음대로 행동하게 하다.

blank·ed *a.* 《俗》 무시하는, 냉대의; 극히 위험한(불리한) 처지의.

blánk endórsement 〔商〕 백지(무기명) 배서(背書).

⁑**blan·ket**[blǽŋkit] [OF] *n.* **1** 담요. **2** (a ~ of …로) 전면을 덮는 것: *a* ~ *of* snow 온 누리를 덮은 눈. **be born on the wrong side of the blanket** 사생아(서자)로 태어나다. **toss** a person **in a blanket** (벌로서) 담요로 헹가래 치다. — *a.* 총괄적인, 전체에 통하는: a ~ bill(clause) 총괄적 의안(조항)/~ authority 총괄적 권능/~ clearance 포괄적 입·출항 허가제/a ~ policy 〔保〕 포괄(包括) 보험 계약. — *vt.* **1** 담요로 덮다; (담요처럼) 전면을 뒤덮다. **2** 펼친 담요 위에 놓고 헹가래치다(벌로서). **3** 〔海〕 〈돛배가〉 다른 배를 가려 바람을 막다. **4** 〈사건 등을〉 쉬쉬 덮어 버리다; 방해하다. **5** 〈법 등을〉 포괄적으로 적용하다.

blánket àrea (라디오·텔레비전의) 난시청 지대(방송국의 주변 지대).

blánket chèst 이불장.

blan·ket·ing[blǽŋkitiŋ] *n.* Ⓤ 담요감; 〔通信〕 전파 방해(강력 전파로 수신 불가능하게 하기).

blánket ròll 〔軍〕 둘둘 만 담요.

blánket stítch 블랭킷 스티치(buttonhole stitch보다 코가 넓은 기본적 시침 방법).

blánket vísa 일괄 사증(査證)(세관이 선객 전원에게 일괄하여 주는 비자).

blan·ke·ty(-blank)[blǽŋkiti(blǽŋk)] 《俗》 *a., ad.* 괘씸한; 당치도 않게(damned, bloody 같은 저주하는 어구의 대용어).
— *n.* 바보, 멍청이; 망할 놈(wretch).

blank·ly[blǽŋkli] *ad.* 멍하니, 우두커니; 딱 잘라서; 완전히.

blank·ness *n.* Ⓤ 공백; 단조.

blánk tést 〔化〕 블랭크 테스트, 공(空)시험, 대조(對照) 시험.

blánk vérse 〔韻〕 (보통 5각(脚) 약강격(弱强格)의) 무운시(無韻詩).

blank·y[blǽŋki] *a.* 《口》 공백이 많은; 《영俗》 =DAMN(ED).

blan·quette[blɑːŋkét] *n.* Ⓤ,Ⓒ 〔料理〕 블랑켓(화이트 소스로 조리한 송아지 고기 스튜).

blare[blɛər] *vi.* **1** 〈나팔·경적 등〉 울려 퍼지다(*out*). **2** 〈텔레비전·라디오 등〉 쾅쾅 울리다(*out*). — *vt.* **1** 〈경적 등이〉 크게(요란하게) 울리다; 큰 소리로 외치다(*out*). **2** 〈표제 등을〉 크게 다루다. — *n.* **1** 울리는 소리; 외치는 소리, 고함. **2** 눈부신 광채.

blar·ney[blɑ́ːrni] *n.* Ⓤ 아양, 감언.
— *vt., vi.* 아양떨다; 감언으로 꾀다.

Blárney stòne (the ~) 블라니 돌(아일랜드 Cork 부근의 Blarney Castle 안에 있는 돌; 여기에 키스하면 아첨을 잘하게 된다고 함). **have kissed the Blarney stone** 아첨을 잘 하게 되다.

bla·sé[blɑːzéi, ˊ-] [F] *a.* 환락(인생) 등에 지친; (기쁜 일에도) 감동하지 않게 되어.

*__blas·pheme__[blæsfíːm, ˊ-] [Gk] *vt., vi.* 〈신이나 신성한 것에 대하여〉 불경스러운 말을 지껄이다, 모독하다(*against*). ◈ blásphemy *n.*

blas·phem·er[-ər] *n.* 불경스러운 말을 하는 사람; 모독자, 욕설하는 사람.

blas·phe·mous[blǽsfəməs] *a.* 〈사람이〉 불경스러운; 〈말·내용 등이〉 모독적인.
~·ly *ad.* **~·ness** *n.*

*__blas·phe·my__[blǽsfəmi] *n.* (*pl.* **-mies**) **1** Ⓤ 신에 대한 불경, 모독, 독신(瀆神). **2** 죄받을 언동. ◈ blasphéme *v.*; blásphemous *a.*

⁑**blast**[blæst, blɑːst] *n.* **1** 한 줄기 강한 바람, 일진 광풍(一陣狂風); 폭풍; 돌풍, 질풍. **2** (화로·난로에의) 송풍(送風). **3** 강하게 부는 소리; 피리 소리; (자동차 등의) 경적 소리. **4** 폭발; 폭파; (1회분의) 폭발약. **5** (감정의) 폭발; 격렬한 비난(공격). **6** 《俗》 아주 즐거운 한때; 대만족. **7** 〔野〕 강타, 맹타; 홈런. **8** 《俗》 대실패. **9** 《미俗》 전화를 걸기. **10** (식물을 시들게 하는) 고사병; 독기; (역병(疫病)으로 인한) 재해, 피해, 해독. **at a blast** 한번 불어, 단숨에. (**at**) **full blast** = (**in**) **full blast** 전력을 다하여; 전속력으로; 대활약 중이고. **be in**(**out of**) **blast** 〈송풍로(送風爐)가〉 가동하고(쉬고) 있다. **give** a person **a blast** 《口》 …을 호되게 꾸짖다, 비난하다; …에게 전화를 걸다. **put** (**lay**) **the blast on** a person 《미俗》 …을 호되게 비난하다, 후려 갈기다.
— *vt.* **1** 폭파(발파)하다, 폭발시키다. **2** 〈나팔 등을〉 불다; 〈큰 소리를〉 내다(*out*). **3** 《俗》 쏘다; 사살하다(*down, off*). **4** 〔文語〕 〈더위·추위 등이〉 시들게 하다, 마르게 하다; 〈명예·희망 등을〉 망쳐 버리다, 헛되게 하다. **5** (앞에 (May) God를 생략하여 저주의 글에서) 《완곡》 〈…을〉 저주하다, 악담하다. **6** 《俗》 호되게 꾸짖다(비난하다); 상대방(팀)을 대패시키다. **7** 〔野〕 강타(장타)하다. — *vi.* **1** 큰 소리를 내다. **2** 폭파(발파)하다; 《俗》 (총 등으로) 쏘다. **3** 시들다. **blast away** 《口》 심하게 꾸짖다, 호통치다; 심하게 비난하다; …에 총을 계속해서 쏘다. **Blast it**(**him, etc.**)!

《俗》 망할 것!, 제기랄!, 뒈져라! **blast off** 〈로켓 등이〉 발사되다, 발사하다;〈폭풍 등이〉 불어 날리다; 사살하다.

blast- [blæst], **blas·to-** [blǽstou] 《연결형》 〔生〕「배(胚), 아(芽)」의 뜻《모음 앞에서는 blast-》.

-blast [blæst] 《연결형》 〔生〕「배(胚), 아(芽)」 등의 뜻; 〔解〕「아세포(芽細胞), 아구(芽球)」의 뜻.

blast-down [ˊ-dàun] *n.* (로켓의) 착륙(*cf.* BLAST-OFF).

blast·ed [blǽstid, blɑ́:st-] *a.* **1** 시든, 마른, 서리 맞은. **2** 폭파된; 뇌격(雷擊)을 받은;〈희망 등이〉 꺾인; 《俗》 빈털터리인. **3** 《완곡》 저주 받은(cursed), 지독한.

blas·te·ma *n.* (*pl.* **~s, ~·ta** [-tə]) 〔生〕 아체(芽體), 아주(芽株); 유배(幼胚)의 세포 집단.

blast·er [blǽstər] *n.* **1** 발파공. **2** 〔골프〕 블래스터《벙커용의 타면이 넓은 클럽》. **3** (SF 소설에서) 우주 총; 《미俗》 건, 건맨.

blast-freeze [blǽstfrì:z, blɑ́:st-] *vt.* (냉각 공기를 순환시켜) 급속 냉동하다.

blást fùrnace 〔冶〕 용광로, 고로(高爐).

blast·ing [blǽstiŋ, blɑ́:st-] *n.* Ⓤ 폭파, 발파; (서리 등이 초목을) 말림; (나팔 등의) 소리, 울림; 《俗》 호된 꾸지람, 야단.

blásting pàrty 《미俗》 떠들썩한 파티《마약을 피우면서 행하는 파티 등》.

blásting pòwder 흑색 폭약, 발파〔발포〕용 화약.

blas·to- [blǽstou] 《연결형》 =BLAST-.

blas·to·cyst [blǽstousìst] *n.* 〔生〕 배반포(胚盤胞); 낭포(囊胞).

blas·to·derm [blǽstoudə̀:rm] *n.* 〔生〕 배반엽(胚盤葉); 포배엽(胞胚葉).

blast-off [blǽstɔ̀:f/blɑ́:stɔ̀f] *n.* (로켓의) 발사, 이륙(take-off).

blas·to·mere [blǽstəmìər] *n.* 〔生〕 할구(割球), 난할구(卵割球).

blas·to·pore [blǽstəpɔ̀:r] *n.* 〔生〕 원구(原口).

blást pipe 송풍관; 배기관.

blas·tu·la [blǽstʃələ] *n.* (*pl.* **~s, -lae** [-lì:]) 〔生〕 포배(胞胚). **-lar** [-lər] *a.*

blást wàve 폭풍파.

blat [blæt] *vi., vt.* (**~·ted; ~·ting**) 〈(새끼) 양·송아지가〉 울다; 《口》 떠들썩하게 지껄여대다.

bla·tan·cy [bléitənsi] *n.* Ⓤ 떠들썩함; 야함; 노골적임, 주제넘음, 능청맞음.

bla·tant [bléitənt] *a.* **1** 떠들썩한, 시끄러운. **2** 뻔뻔스러운, 주제넘은. **3** 난한, 야한, 야단스러운. **4** 속이 들여다보이는, 노골적인; 심한. **~·ly** *ad.*

blath·er [blǽðər] *n.* Ⓤ 실없는 소리, 허튼소리. ─ *vi.* 대중없이 지껄여대다, 재잘〔지절〕거리다. **~·er** *n.*

blath·er·skite [-skàit] *n.* Ⓤ 《口》 실없는 소리(를 지껄임); Ⓒ 수다쟁이, 허풍선이.

blat·ter [blǽtər] *vi., vt.* 《미》 귀찮게 빨리 지껄여대다, 마구 수다떨다.

blax·ploi·ta·tion [blæ̀ksplɔitéiʃən] *n.* 《미》 (영화·연극 등에서의) 흑인 개발《흑인에 대한 관심을 개발시키기》; 흑인 고객 유치 방안.

‡**blaze¹** [bleiz] [OE] *n.* **1** (보통 *sing.*) (비교적 크고 밝은) 불꽃, 화염; 화재, 불. **2** (보통 *sing.*) 섬광(glare), 번쩍거림, 광휘(光輝)《*of*》. **3** 확 타오름, 타오르는 듯한 광채; (명성의) 발양(發揚); (감정 등의) 격발《*of*》: the ~ of noon 대낮의 강렬한 빛/attract a ~ *of* publicity 폭발적인 인기를 끌다. **4** (*pl.*) 《俗》 지옥; (the ~s; 의문사의 강조) 도대체, 대관절(*cf.* DICKENS, DEVIL, HELL): What〔Who〕 *the blazes* do you mean? 대관절 무엇〔누구〕 말이냐. **Go to blazes!** 빌어먹을!, 뒈져라! **in a blaze** 확확 타올라. **in a blaze of passion** 노발대발하여. **like blazes** 《俗》 맹렬히. **Old Blazes** 《古》 악마(Satan). ─ *vi.* **1** 타오르다. **2** 빛나다; 번쩍이다. **3** 발끈하다, 격노하다. ─ *vt.* **1** 타오르게 하다, 태우다; 빛나게 하다. **2** 〈감정 등을〉 뚜렷이 나타내다. **blaze away**〔**off**〕 (1) 연이어 발사하다. (2) 〈일을〉 열심히 척척 하다《*at*》. (3) 빠른 어조로 〔흥분하여〕 이야기하다; 《口》 열렬히 논의하다《*about*》. (4) 〈탄약을〉 다 쏴버리다. **blaze out**〔**up**〕 확 타오르다; 노발대발하다《*at*》.
⊕ abláze *ad., a.*

blaze² *vt.* (큰 소리로) 포고(布告)하다, 〈뉴스 등을〉 퍼뜨리다. **blaze about**〔**abroad**〕 퍼뜨리고 다니다, 유포시키다.

blaze³ *n.* (소·말의 얼굴에 있는) 흰 점; (나무 껍질을 벗겨서 새긴) 흰 표적. ─ *vt.* 〈나무 껍질에〉 흰 표적을 새기다〔새겨 〈길을〉 가리키다〕. **blaze a**〔**the**〕 **trail**〔**path, way**〕 (숲속 등에서) 나무에 흰 표적을 새기다; 나중에 올 사람을 위하여 길을 내다.

blaz·er¹ [bléizər] *n.* 선전하는 사람; 퍼뜨리는 사람, 선양(宣揚)하는 사람.

blazer² *n.* **1** 블레이저(코트)《고운 빛깔의 플란넬로 만든 운동 선수용 상의》. **2** 보온(保溫) 접시《음식이 식지 않게 하는》; 《口》 몹시 더운 날; 《俗》 새빨간 거짓말.

blaz·ing [bléiziŋ] *a.* **1** 타오르는 (듯한), 타는 듯한; 빛나는; (부사적) 타듯이. **2** 《口》 뻔한, 명백한; 강렬한, 심한, 지독한: a ~ indiscretion 엄청난 추태/a ~ lie 빤한 거짓말/a ~ scent (사냥감의) 강한 냄새.

blázing stár **1** 《古》 혜성; 세상의 이목을 끄는 사람. **2** 〔植〕 엉겅퀴《미국산》.

bla·zon [bléizən] *n.* **1** 문장(紋章)(coat of arms); 문장 해설. **2** (미덕 등의) 과시. ─ *vt.* **1** 〈방패에〉 문장을 그리다; 문장으로 꾸미다, 〈문장을〉 해설하다. **2** 빛을 더하다, 발양(發揚)하다; 과시하다. **3** 〈사건 등을 대대적으로〉 공표하다, 떠벌려 퍼뜨리다《*forth, out, abroad*》. **4** 〈…을 …으로〉 장식하다. **~·er** *n.* **~·ment** [-mənt] *n.*

bla·zon·ry [bléizənri] *n.* Ⓤ **1** 문장 (묘사법). **2** 장관, 미관.

bldg., blg. building. **Bldg.E.** Building Engineer. **bldr.** builder.

***bleach** [bli:tʃ] *vt., vi.* 표백하다〔되다〕, 희게 하다〔되다〕. ─ *n.* 표백; 표백도(度); 표백제.

bleached [-t] *a.* 표백한: ~ cotton 표백 무명.

bleach·er [blí:tʃər] *n.* **1** 표백하는 사람, 표백업자; 표백기〔제〕. **2** (보통 *pl.*) 《미》 지붕 없는 관람석《대중석》; 외야석.
~·ite [-tʃəràit] *n.* 《미》 외야석의 구경꾼.
~·y [-tʃəri] *n.* (*pl.* **-er·ies**) 표백 공장.

bleach·ing [blí:tʃiŋ] *n.* Ⓤ 표백; 표백법. ─ *a.* 표백하는, 표백성의.

bléaching pòwder 표백분.

***bleak¹** [bli:k] *a.* **1** 〈날씨·바람 등이〉 차가운. **2** 〈장소 등이〉 바람받이의; 찬바람이 휘몰아치는, 한랭한; 황량한, 처량한, 삭막한. **3** 〈생활 등이〉 찬바람 나는, 궁색한, 처절한; 〈환경 등이〉 쓸쓸한, 구슬픈; 〈장래 등이〉 어두운. **bléak·ly** *ad.* **bléak·ness** *n.*

bleak² *n.* (*pl.* **~, ~s**) 잉어과(科)의 물고기.

blear [bliər] *a.* 〈눈이 눈물이나 염증으로〉 흐린, 침침한, 헌; 《詩》 희미한. ─ *vt.* **1** 〈눈을〉 흐리게〔침침하게〕 하다, 헐게 하다. **2** 〈윤곽을〉 흐릿하게 하다; 〈거울을〉 흐리게 하다.

— *vi.* 멍하니 바라보다.
blear-eyed[blíərὰid] *a.* **1** 눈이 흐린〔헌〕. **2** 앞을 잘 못 보는, 둔한.
blear·y[blíəri] *a.* (**blear·i·er; -i·est**) **1** 〈눈이 피로·졸림 등으로〉 흐린. **2** 〈윤곽 등이〉 흐릿한. **bléar·i·ly** *ad.* **bléar·i·ness** *n.*
blear·y-eyed[blíəriὰid] *a.* =BLEAR-EYED.
*__bleat__[bli:t] *vi.* **1** 〈염소 등이〉 매애하고 울다. **2** 재잘재잘 말하다; 우는 소리를 하다, 푸념하다. — *vt.* 재잘재잘 지껄이다; 투덜거리다(*out*). — *n.* (염소 등의) 우는 소리. **bléat·er** *n.*
bleb[bleb] *n.* **1** (피부의 작은) 물집, 수포(水疱). **2** (물·유리 속의) 거품, 기포(氣泡).
bled *v.* BLEED의 과거·과거분사.
bleed[bli:d] *v.* (**bled**[bled]) *vi.* **1** 출혈하다: ~ *at* the nose 코피가 나다. **2** (…을 위하여) 피를 흘리다, 죽다(*for*); (남을 위하여) 슬퍼하다, 애통해 하다(*for*); 〈마음이 …으로〉 몹시 아프다(*for, at*): ~ *for* freedom〔one's country〕 자유〔조국〕를 위해 싸워 피를 흘리다/My heart ~*s for* the poor children. 그 불쌍한 어린이들을 생각하면 가슴이 아프다. **3** 〈나무가〉 수액을 내다, 〈액체가〉 흘러나오다; 〈칠한 도료가〉 번지다. **4** 돈을 착취 당하다(*for*). **bleed to death** 출혈 과다로 죽다. **make** a person**'s heart bleed** 몹시 가슴 아프게 하다, 연민을 느끼게 하다. — *vt.* **1** 출혈시키다; 〔醫〕 방혈하다; (액체·가스 등을) 빼다. **2** 피눈물나게 하다; 돈을 착취하다. **3** 〔印〕 〈페이지를〉 화상물림 재단을 하다. **bleed** a person **white** ⇨white. — *n.* 〔印〕 화상물림 재단을 한 도판〔페이지〕. ⊕ blood *n.*
bleed·er[blí:dər] *n.* **1** 출혈성의 사람, 혈우병자. **2** 방혈의(放血醫). **3** 《미口》 돈을 착취하는 사람; 《영》 (한정사와 함께) 녀석, 놈; 싫은 놈: a little ~ 귀여운 녀석/You poor ~! 이 불쌍한 놈아. **4** (*a* ~ *of a* …로 형용사적으로) 《영俗》 심한, 지겨운: *a* ~ *of a* rainfall 지독한 비. **5** 〔電子〕 블리더 저항기(=∠ **resìstor**); 〔機〕 블리더 밸브(=∠ **vàlve**).
bléeder's disèase 혈우병(血友病).
bleed·ing[blí:diŋ] *n.* Ⓤ **1** 출혈: internal ~ 내출혈. **2** 방혈(放血). — *a.* **1** 출혈하는. **2** 피나는 느낌의, 괴로운, 쓰라린. **3** 《영俗》 엄청난, 끔찍한: a ~ fool 형편 없는 바보.
bléeding héart 1 〔植〕 금낭화. **2** 《口》 (사회 문제 등에서) 약자를 과장되게 동정하는 사람.
bleep[bli:p] *n.* **1** (무선 등의) 삐이 하는 소리. **2** (의사 등을 불러내는) 호출 장치, 포켓벨. — *vi., vt.* 〈의사 등을〉 포켓벨로 불러내다(*for*). **bleep·er** *n.* 삐삐 무전기.
*__blem·ish__[blémiʃ] *n.* 흠, 결점; 오점. **without blemish** 완전한〔히〕. — *vt.* 아름다움〔완전함〕을 손상하다; 해치다, 흠내다; 더럽히다.
blench[1][blentʃ] *vi.* **1** 움찔하다, 뒷걸음치다. **2** 못 본 체하다, 외면하다; 피하다(avoid).
blench[2] *vi., vt.* 희게 되다〔하다〕, 파랗게 질리다〔질리게 하다〕.
blend[blend] (~·**ed**, 《詩》 **blent**[blent]) *vt.* 섞다, 혼화(混和)하다, 〈뒤섞어 차·술·담배 등을〉 혼합하다: *Blend* mayonnaise *with* other ingredients. 마요네즈를 다른 재료와 섞어라. — *vi.* **1** 섞이다, 혼합되다(*with*); 뒤섞이다, 〈색 등이〉 한데 융합하다(*with, into*): The colors of the rainbow ~ *into* one another. 무지개의 색은 서로 어우러진다. **2** 잘 되다, 조화되다: The new curtains do not ~ *with* the white wall. 새 커튼은 흰 벽과 조화되지 않는다. **blend in** (1) 〈…와〉 조화되다〔섞이다〕(*with*). (2) 〈…을 …와〉 섞다; 조화시키다(*with*). — *n.* **1** 혼합(물); 혼색; (2종 이상의 커피·담배 등의) 블렌드; 혼방(混紡). **2** 〔言〕 혼성어.
blende[blend] *n.* Ⓤ 〔鑛〕 섬아연광(閃亞鉛鑛).
blend·ed[bléndid] *a.* **1** 〈차·담배·술 등이〉 혼합된, 블렌드된. **2** 〈직물이〉 혼방의.
blénded fábric 혼방 (직물).
bléndeded whískey 블렌드 위스키(malt whiskey와 grain whiskey를 혼합한 것).
blend·er[bléndər] *n.* 혼합하는 것〔사람〕; 《미》 (부엌용) 믹서(《영》 liquidizer).
blend·ing[bléndiŋ] *n.* Ⓤ,Ⓒ **1** 혼합, 융합, 조합(調合)(법). **2** 〔言〕 혼성(混成)(contamination)(breakfast와 lunch에서 *brunch*, motorists' hotel에서 *motel*과 같은 혼성어를 만들기); 혼성어〔구, 문〕.
blénding inhéritance 〔生〕 융합(融合) 유전.
Blen·heim[blénəm] *n.* 황금빛 사과(=∠ **Òrange**); 삽살개의 일종(=∠ **spàniel**).
blen·ny[bléni] *n.* (*pl.* **-nies,** ~) 〔魚〕 베도라치.
blent[blent] *v.* 《詩》 BLEND의 과거·과거분사.
ble·o·my·cin[blìːəmáisin] *n.* 〔藥〕 블레오마이신(항생 물질; 폐암·피부암 치료용).
bleph·a·ri·tis[blèfəráitis] *n.* Ⓤ 〔病理〕 안검염(眼瞼炎).
bleph·a·ro·plas·ty[bléfərəplæ̀sti] *n.* 〔外科〕 안검 형성(眼瞼形成)(술).
bles·bok, -buck[blésbὰk/-bɔ̀k], [-bʌ̀k] *n.* (*pl.* ~, ~**s**) 〔動〕 블레스복(얼굴에 크고 흰 반점이 있는 남아프리카산 영양).
bless[bles] [OE] *vt.* (~**ed**[-t], **blest**[blest]) **1** (종종 수동태) 〈신이〉 …에게 은총을 내리다, 은혜를 베풀다(*with*); 축복하다, 수호하다: I am ~*ed in* my children. 나는 자식복이 있다/God ~*ed* her *with* good children. 신은 그녀에게 착한 자식들을 주셨다/*Bless* me *from* all evils. 모든 악으로부터 지켜 주소서. **2** (~ one*self*) 신의 축복을 기원하다, 자신을 축복하다. **3** (남을 위해) 신의 은혜를 빌다, (십자를 그어 남을) 축복하다: ~ one's child 자식의 행복을 빌다. **4** 신성케 하다; 〈음식 등을〉 정하게 하다, 정하게 하여 신에게 바치다. **5** 〈신을〉 찬미〔찬양〕하다; 〈행복·행운 등을〉 감사하다. **6** (반어적; If절의 강한 부정·단정) …을 저주하다(curse): I'm ~*ed if* I know. 그런 거 알게 뭐야. **be blessed** 행운을 누리다; (반어적) 곤란하다. **bless oneself** (십자를 그어) 스스로 축복하다; 신의 축복을 빌다(God bless me!라고 함); 다행으로 여기다. **bless one's stars** (좋은 별 아래 태어났다고) 행운을 감사하다. (**God**) **bless me!** =(**Lord**) **bless my soul!** =**Bless my heart!** =**Bless your heart alive!** =**I'm blessed!** 이런!, 아차!, 아이구 깜짝이야!, 원 저런!(놀람·노여움·기쁨·곤혹 등의 소리). (**God**) **bless you!** 그대에게 신의 가호가 있기를; 대단히 감사합니다; 저런! 아 가엾어라!(등). **have not a penny to bless oneself with** 한 푼도 가지고 있지 않다. **I bless the day** I met him. (그를 만난) 그날은 정말 얼마나 복된 날이었던가!. ⊕ bliss *n.*
*__bless·ed__[blest, blésid] *a.* **1** 축성(祝聖)된, 신성한, 정하게 된: my father of ~ memory 돌아가신 아버지. **2** 축복받은, 행복한: ~ ignorance 「모르는 것이 약」. **3** 기쁜, 다행한. **4** (반어적) 《俗》 저주 받은, 벼락맞을: (강의를 나타내어) 마지막까지의: every ~ cent 한 푼 남기지 않고. **Blessed are the pure in heart.**

〔聖〕 마음이 청결한 자는 복이 있나니(마태복음 5:8). **the blessed (ones)** 천국의 성인들. **the Islands〔Isles〕 of the Blessed** ⇨ island.

bléssed evént 《口》 아기의 출생; 태어난 아이.

bless·ed·ly *ad.* 다행히도(happily).

bless·ed·ness *n.* Ⓤ 행운, 행복: (live in) single ~ 독신 생활(을 하다).

Bléssed Sácrament (the ~) 〔영國教 · 가톨릭〕 성찬식용의 축성(祝聖)된 빵, 성체(host).

Bléssed Trínity (the ~) 성삼위(聖三位), 성삼위 일체.

Bléssed Vírgin (the ~) 동정녀 마리아, 성모 마리아.

****bless·ing** [blésiŋ] *n.* **1** (하느님의) 은총, 은혜; 축복(의 말); (식전〔식후〕의) 기도. **2** 고마운 것, 행운. **3** Ⓤ 《口》 찬성, 찬의: with my father's ~ 아버지의 찬성을 얻어. **a blessing in disguise** 불행처럼 보이나 실은 행복이 되는 것. **ask〔say〕 a blessing** 식전〔식후〕의 기도를 올리다. **give** one's **blessing** 정식으로 인정하다(*to*).

***blest** [blest] *vt.* BLESS의 과거 · 과거분사. ── *a.* 《詩》 =BLESSED.

bleth·er [bléðər] *v., n.* =BLATHER.

****blew** [blu:] *v.* BLOW의 과거.

***blight** [blait] *n.* **1** Ⓤ (〔植〕 마름병, 동고병(胴枯病), 충해(蟲害); 동고병〔충해〕을 일으키는 해충〔세균〕; (식물에 크게 해롭다고 생각되는) 안개가 자욱하고 흐릿한 대기(大氣). **2** Ⓒ (사기 · 희망 등을) 꺾는 것, 장애(가 되는 것), 어두운 그림자. **3** (도시 환경의) 황폐 (상태); 황폐 지역. ── *vt.* **1** 〈식물을〉 마르게 하다, 시들게 하다(wither up). **2** 〈희망 등을〉 꺾다, 망치다(ruin).

blight·er [bláitər] *n.* **1** 해를 주는 것〔사람〕. **2** 《영俗》 지긋지긋한〔지겨운〕 놈; 지독한 놈, 악당; 녀석, 놈(fellow).

bligh·ty [bláiti] *n.* (*pl.* **-ties**) 《영軍俗》 **1** (종종 **B-**) 영국 본국. **2** (제1차 대전 때) 본국에 송환될 정도의 큰 부상; 귀국 휴가.

bli·mey, -my [bláimi] [(God) blind me! 에서] *int.* 《영俗》 아차!, 아뿔싸!, 제기랄!, 깜짝이야!

blimp [blimp] *n.* **1** 소형 연식 비행선(현재는 광고용). **2** (**B-**) 《영口》 =COLONEL BLIMP.

blimp·sh *a.* (때로 **B-**) 상대하기 벅찬; 완고한. **~·ly** *ad.* **~·ness** *n.*

★blind [blaind] *a.* **1** 눈 먼, 장님인; 〈…이〉 잘 안 보이는(*in,* 《文語》 *of*); 맹인(용) 의; (the ~; 명사적; 복수 취급) 눈먼 사람들, 맹인들: (Ⅱ 형+전+명) ~ *of* an eye = ~ *in*〔*of*〕 one eye 한쪽 눈이 안 보이는, 애꾸인/ ~ *in* the right eye 오른쪽 눈이 보이지 않는/ *the* ~ leading *the* ~ 〔聖〕 장님을 인도하는 장님(위험 천만). **2** (…으로) 눈이 어두워진; 맹목적인, 무계획적인, 닥치는 대로의; 앞뒤를 분간 못하는: Love is ~. (속담) 사랑은 맹목. **3** 〈결점 · 미점 · 이해 등을〉 알아보는 눈이 없는, 안목이 없는 (*to*): ~ *to* all arguments 논리가 전혀 통하지 않는. **4** 의식이 없는; 《俗》 정신 없이 취한. **5** 목적이 없는, 기계적인: ~ forces 목적 없이 움직이는 힘. **6** 눈에 보이지 않는, 숨은; 〈도로 등이〉 앞이 보이지 않는; 맹점이 되는; 막다른; 출구〔창문〕가 없는: a ~ hedge 출입구가 없는 울타리/a ~ door 덧문. **7** 〔空〕 계기만을 의지하는: ~ flight〔flying〕 계기 비행, 맹목 비행. **8** 꽃〔열매〕이 되지 않는: a ~ bud 꽃도 열매도 맺지 않는 싹. **(as) blind as a bat〔beetle, mole〕** 전혀 눈이 보이지 않는, 장님이나 다름없는. **blind to the world** 곤드레만드레 취하여. **go blind** 장님이 되다. **go blind on it** =go it BLIND(⇨*ad.*). **not a blind bit of ...** 《영俗》 조금도 …않다. **turn a**〔one's〕 **blind eye to** …을 못 본〔모르는〕 체하다. ── *ad.* **1** 맹목적으로; 무계획적으로. **2** 눈이 보이지 않을 정도로, 몹시. **3** 무시계(無視界)로, 계기만으로. **blind drunk** 곤드레만드레 취하여. **fly blind** 계기〔맹목〕 비행을 하다. **go it blind** 앞뒤 헤아리지 않고 하다, 무턱대고 덤벼들다. ── *vt.* **1** 눈멀게 하다: (Ⅲ(목)) Gold dust ~*s* all eyes. 황금 가루는 모든 눈을 멀게 한다. **2** …의 눈을 가리게 하다, 눈가림을 하다. **3** 〈빛 등을〉 덮어 가리우다, 어둡게 하다: ~ the room *with* heavy curtains 두꺼운 커튼으로 방을 가리우다. **4** …의 판단력을 잃게 하다, 맹목적으로 하다: Love ~*s* us *to* all imperfections. 제 눈에 안경. **5** 광채를 잃게 하다, 무색케 하다. **6** (~ one*self* 로) (…에 대해) 눈을 감다, 못 본 체하다(*to*). **7** 〈새 포장 도로에〉 모래 · 자갈을 깔아 틈새기를 메우다. ── *vi.* **1** 《영俗》 무턱대고 차를 달리다(go blindly). **2** 《미俗》 완벽하게 하다〔알다〕. ── *n.* **1** (종종 *pl.*) 블라인드, 차일(《미》 shade) **2** (보통 *sing.*) 눈을 속이는 것, 눈가림; 구실; 미끼. **3** 《미》 (사냥꾼의) 잠복처. **draw〔pull down〕 the blind(s)** 창문의 블라인드를 닫다〔내리다〕.

◇ blíndly *ad.*; blíndness *n.*

blind·age [-idʒ] *n.* 〔軍〕 방탄벽(참호 내의).

blínd álley **1** 막다른 골목. **2** (일 등의) 정돈(停頓), 막힘(deadlock). **3** 가망이 없는 국면〔직업, 연구 《등》〕.

blínd bággage (càr) 《미》 〔鐵道〕 수하물〔우편물〕차(앞쪽으로 빠지는 문이 없음); 《俗》 수하물차의 연결부.

blínd cóal 무연탄.

blínd cópy (편지 · 서류 등) 발송된 증거가 없는 복사본.

blínd dáte 《口》 **1** (제3자의 주선에 의한 모르는 남녀간의) 초대면 데이트. **2** 초대면 데이트를 하는 남자〔여자〕.

blind·er [bláindər] *n.* **1** 눈을 속이는 사람〔것〕. **2** (보통 *pl.*) 《미》 (말의) 곁눈가리개 (blinkers). **3** (*pl.*) 판단〔이해〕을 방해하는 것. **4** 《영俗》 (크리켓 · 축구 등에서의) 절묘한 미기(美技). **go〔be〕 on a blinder** 《영俗》 술 마시고 떠들다, 흥청망청 술마시다.

blind·fish [⌐fiʃ] *n.* (*pl.* **~, ~·es**) 〔魚〕 맹어(盲魚)(눈이 없는 물고기, 눈이 퇴화된 심해어).

blind·fold [bláindfòuld] *vt.* 눈을 가리다; 눈을 속이다, 속이다. ── *n.* 눈 가리는 천, 눈을 속이는 것. ── *a., ad.* 눈을 가리운〔가리고〕; 무작정한〔하게〕, 경솔한〔하게〕.

Blínd Fréd·die〔Fréddy〕 《오스口》 매우 무능한 사람(가장 무능한 상상의 인물): ~ could see that! 그 따위는 천치라도 알 수 있다!

blínd gód (the ~) 사랑의 신(Cupid, Eros).

blínd gút 맹장(cecum); 한 끝이 폐쇄된 장관(腸管).

blind·ing [bláindiŋ] *a.* 눈을 멀게〔부시게〕 하는, 현혹시키는. ── *n.* Ⓤ 새 포장 도로의 틈새기를 메우기 위한 모래 · 자갈; 〔土木〕 침상(沈床)(mattress). **~·ly** *ad.*

blínd létter 수취인 불명의 편지.

***blind·ly** [⌐li] *ad.* 맹목적으로, 무턱대고.

blind·man [bláindmən] *n.* (*pl.* **-men** [-mən]) 《영》 =BLIND-READER.

blínd·man's búff 까막잡기.

blíndman's hóliday 《古》 해거름, 황혼.

blind·ness[bláindnis] *n.* Ⓤ 맹목; 무분별(無分別); 문맹; 무지.
blínd píg ((미俗)) 주류 밀매소.
blínd póol 위임 기업(委任企業) 동맹.
blind-read·er[∸rìːdər] *n.* 주소 판독 계원((우체국의)).
blínd róad 풀이 무성한〔풀로 덮인〕 길.
blínd shéll 불발탄.
blínd síde **1** (애꾸눈의) 못 보는 쪽; 보고 있지〔주의하지〕 않은 쪽. **2** 약점, 방비가 없는 곳. **3** (the ~) (럭비의) 블라인드 사이드.
blind·side[∸sàid] *vt.* 〈상대의〉 무방비한 곳〔약점〕을 공격하다; 기습 공격을 감행하다.
blínd spòt **1** 〔解〕 (눈의 망막의) 맹점. **2** 당사자가 깨닫지 못하는 약점, 자기가 모르는 분야. **3** (텔레비전·라디오의) 난시청 지역. **4** (자동차 운전자의) 사각(死角).
blind-stamp[∸stæ̀mp] *vt.* 〈표지에〉 민누름하다.
blínd stàmping 〔製本〕 (표지의) 민누름((박(箔)을 사용하지 않고 오목하게 누르는 일)).
blínd stìtch 공그르기.
blind·stitch[∸stìtʃ] *vt., vi.* 공그르다.
blind·sto·ry[∸stɔ̀ːri] *n.* (*pl.* **-ries**) 창문이 없는 층(層)((교회당의 광선을 들어오게 하는 창 밑의 복도)).
blínd tíger ((미俗)) 무허가 주점, 주류 밀매소; 싸구려 위스키.
blínd trúst 백지 위임.
blind·worm[∸wɔ̀ːrm] *n.* 〔動〕 발없는 도마뱀((유럽산)).
bling·er[blíŋgər] *n.* ((미俗)) 극단적인 것〔사례〕.
***blink**[bliŋk] *vi.* **1** 깜작이다(wink), 〈눈을〉 깜박거리다; 눈을 가늘게 뜨고〔깜박이며〕 보다((*at*)). **2** 〈등불·별 등이〉 명멸하다. **3** 못 본 체하다((*at*)). **4** 놀라서 보다, 깜짝 놀라다((*at*)). — *vt.* **1** 〈눈을〉 깜작거리다; 〈눈물·졸음 등을〉 눈을 깜작거리며 털어버리다((*away, back*)). **2** 〈빛을〉 명멸시키다, 깜박이게 하다. **3** (종종 부정문에 써서) 못 본 체하다, 무시하다. **blink the fact** ((口)) 사실〔현실〕에 눈을 감다. — *n.* **1** 깜박거림; 일순간; 힐끔 봄. **2** 반짝임, 번쩍임. **on the blink** ((俗)) 〈사람·기계 등이〉 상태가 나빠서, 못쓰게 되어.
blink·ard[blíŋkərd] *n.* 눈깜작이; 아둔패기.
blink·er[blíŋkər] *n.* **1** 눈깜작이; 추파를 던지는 여자. **2** (보통 *pl.*) (말의) 눈가리개 가죽(((미)) blinders); 먼지 막는 안경(goggles). **3** ((俗)) 눈. **4** ((미)) 명멸광〔신호등〕((경계표)); (보통 *pl.*) (자동차의) 방향 지시기(((영)) winkers). **be〔run〕 in blinkers** 주위의 형세를 모르고 있다〔행동하다〕.
blink·ered[blíŋkərd] *a.* **1** (말이) 가리개로 눈을 가린. **2** (눈을 가린 말처럼) 시야가 좁은.
blink·ing[blíŋkiŋ] *a.* **1** 깜박거리는; 명멸하는. **2** ((영口)) 어처구니 없는, 지독한(bloody). — *ad.* ((영口)) 지독하게, 굉장히.
blin·tze, blintz[blíntsə], [blints] *n.* 블린츠((치즈·잼 등을 채워서 구운 팬케이크)).
blip[blip] *n.* **1** 블립((레이더 스크린에 나타나는 영상)). **2** 〔라디오·TV〕(부적당한 말을 비디오 테이프 등에서 지운 자리의) 삑소리. **3** ((미俗)) 5센트 백동전. **4** 기록, 메모. **5** 수입 소득 등의 일시적 변동; 주식시세의 일시적 하락. — (**~ped; ~·ping**) *vt.* **1** 가볍게 치다〔때리다〕. **2** 〈비디오 테이프 등의 부적당한 말을〉 삑소리로 지우다. — *vi.* 삑하는 소리를 내다.
blip off ((미俗)) 죽이다, 사살하다.
blíp cúlture 영상(映像) 문화, 블립 컬처.
***bliss**[blis] *n.* Ⓤ 다시 없는 기쁨, 지복(至福), 행복; 천국, 천국에 있음. — *v.* (다음 성구로) **bliss out** ((미俗)) 더없는 행복을 맛보다; 황홀해지다, 황홀케 하다.
◇ bless *v.*; blissful *a.*
***bliss·ful**[blísfəl] *a.* 더없이 행복한, 즐거운; 지복의. **~·ly** *ad.* **~·ness** *n.*
blíssful ígnorance (현실의 부조리·불평등·부정 등을 알지 못하는) 행복한 무지(無知).
***blis·ter**[blístər] *n.* **1** (신발에 쓸리거나 불에 데어 생기는) 물집; 〔醫〕 발포제(發疱劑). **2** ((口)) 불쾌한〔싫은〕 놈; ((미俗)) 여자, 매춘부, 여자 거지. — *vt.* **1** 물집이 생기게 하다. **2** 〈비꼬는 말 등으로 남을〉 꼬집다; 따분하게 하다. — *vi.* 물집이 생기다. ◇ blistery *a.*
blíster bèetle〔flỳ〕 〔昆〕 홍가뢰(과의 곤충).
blíster còpper 〔冶〕 조동(粗銅).
blíster gàs 〔軍〕 수포성 가스.
blis·ter·ing[blístəriŋ] *a.* **1** 물집이 생기게 하는 (듯한); 타는 듯한. **2** 〈비평이〉 신랄한, 통렬한; 격렬한. **3** ((俗)) 비난하는, 창피를 주는. **~·ly** *ad.*
blíster pàck =BUBBLE PACK.
blíster rùst 〔植〕 (소나무의) 발진 녹병.
blis·ter·y[blístəri] *a.* 물집 있는〔투성이의〕.
***blithe**[blaið] *a.* **1** 즐거운, 쾌활한, 명랑한, 기쁜(joyous). **2** 태평스런; 경솔한.
blíthe·ly *ad.* **blíthe·ness** *n.*
blith·er·ing[-riŋ] *a.* ((俗)) **1** 허튼소리를 지껄이는. **2** 철저한; 형편 없는, 경멸할.
blithe·some[bláiðsəm] *a.* ((文語)) =BLITHE. **~·ly** *ad.*
B. Lit(t). Bachelor of Literature.
blitz[blits] [G] *n.* **1** 전격적 공격; 맹공, 급습. **2** ((俗)) 전격적 대 캠페인. — *a.* 전격적인: ~ tactics 전격 작전. — *vt.* 〈…을〉 전격적으로 공격하다; 맹공하다.
blitzed[blitst] *a.* ((미俗)) 술에 취한(drunk).
blitz·krieg[blítskrìːg] [G] *n.* 전격전.
bliv·it[blívət] *n.* ((미俗)) 불필요한〔귀찮은, 헷갈리기 쉬운〕 것.
bliz·zard[blízərd] *n.* **1** 심한 눈보라, 폭풍설(雪). **2** 돌발; 쇄도((*of*)). **3** ((古)) 일제 사격.
blízzard hèad ((미俗)) (텔레비전 방송에서 조명을 낮추지 않으면 안 될 정도로) 눈부신 금발의 여배우.
blk. black; block. **B.LL.** Bachelor of Laws.
bloat¹ [blout] *vt.* 〈청어를〉 훈제하다.
bloat² *vt.* **1** 부풀게 하다; 붓게 하다; 팽창시키다((*with*))(⇨bloated 1). **2** 자만심을 일으키게 하다, 만심(慢心)시키다((*with*)). — *vi.* 부풀다; 만심하다. — *n.* **1** Ⓤ 〔獸醫〕 (소·양 등의) 고창증(鼓脹症). **2** ((미口))(인원·비용의) 공연한 팽창. **3** 부푸는〔부풀게 하는〕 것〔사람〕. **4** ((미俗)) 술고래, 주정뱅이. **5** 오만한〔자긍심이 강한〕 사람; 비겁한 놈.
bloat·ed[-id] *a.* **1** 부푼, 너무 살찐; 부은((*with, from*)): a ~ face 부은 얼굴/be ~ *with*〔*from*〕 overeating 과식으로 비대해져 있다. **2** 만심한, 거만한((*with*)): a ~ politician 거만한 정치가/She is ~ *with* pride. 그녀는 오만해져 있다.
bloat·er *n.* 훈제 청어〔비웃〕(*cf.* KIPPER).
blob[blɑb/blɔb] *n.* **1** (잉크 등의) 얼룩; 물방울; 둥그스름한 작은 덩이. **2** ((영俗)) (크리켓 타자의) 영점. **3** (물고기의) 물을 치는 소리. **4** 윤곽이 흐릿한 것.
blob·ber-lipped[blɑ́bərlìpt/blɔ́b-] *a.* ((영)) 입술을 두껍게 내민 〈사람 등〉.
***bloc**[blɑk/blɔk] [F =block] *n.* **1** 블록, 권(圈): ~ economy 블록 경제/the dollar ~ 달

러 블록. **2** 《미》 (특수 문제에 관한 초당파적) 의원 연합.

block[blɑk/blɔk] *n.* **1** 덩어리, 토막(*of*): 나무 토막; 《미》 (건축용) 블록(building ~, 《영》 brick); (건축용) 석재. **2** 받침나무, 받침(도마·모탕·승마대·단두대·조선대·경매대·구두닦이의 발판 등); 모자골; 〔印〕 판목, 인재(印材); 〔製本〕 판(版), 판목; 〔建〕 (채석장에서 캐낸 그대로의) 거친 석재. **3** 도르래. **4** (증권 등의) 거래 단위; 한 장씩 떼어 쓰는 용지철(綴); (여러 가지 것의) 한 벌, 한 조, 한 묶음. **5** 《영》 한 채의 큰 건축물; 《미》 한 구획; 그 길이의 거리(약 1/20 km); 《오스》 번화가; =BLOC. **6** (길 등을) 막는 것(혼잡하여 꼼짝 못하는 자동차들 등); 〔鐵道〕 폐색구(閉塞區); 〔영議會〕 (의안(議案)에 대한) 반대 성명. **7** 〔크리켓〕 배터가 배트를 놓고 있는〔공을 막는〕 장소. **8** 대량(의 증권 등). **9** 장애(물), 방해물; (수도관 등에) 막힌 것; 폐색(상태); 〔醫〕 (신경·몸·사고 등의) 블록, 차단, 두절, 저해; 〔스포츠〕 (상대편 행동의) 방해. **10** 《俗》 (사람의) 머리; 바보, 아둔패기. **11** 〔컴퓨터〕 블록(플로 차트(flow chart)에서 사용되는 장치 또는 프로그램 안의 명령 따위를 나타내는 기호; 하나의 단위로 취급되는 연속된 언어 집단; 일정한 기능을 지니는 기억 장치의 구성 부분). **block and tackle** (1) 활차 장치, 고패와 고팻줄. (2) 《俗》 행동을 구속하는 것(웃사람, 마누라). **cut blocks with a razor** 아까운 짓을 하다, 가치를 모르는 짓을 하다, 천재를 썩이다. **go**〔**come, be sent**〕 **to the block** 참형(斬刑)당하다; 경매에 붙여지다. **in the block** 일괄하여, 총괄적으로. **knock** a person**'s block off** 《俗》 …의 머리를 후려갈기다; …을 호되게 처박다. **lose**〔**do**〕 one**'s block** 《오스俗》 흥분하다, 성나다. **off** one**'s block** 《俗》 노발대발하여; 머리가 이상해져. **on the block** 《미》 팔 것〔경매물〕으로 내놓여.

— *a.* **1** 총괄한, 포괄적인. **2** 덩어리(모양)의; 블록체의. **3** (상용문(商用文) 등에서) 각 행의 첫머리를 가지런하게 한.

— *vt.* **1** 〈길 등을〉 막다, 폐색〔봉쇄〕하다, 방해하다: (Road) *Blocked*! 《게시》 통행 금지/ The street is ~*ed to* traffic. 거리는 통행이 막혔다. **2** (주로 *pp.*로) 〔經〕 봉쇄하다: ~*ed* currency 봉쇄 통화. **3** 〔醫〕 〈마취로 신경을〉 차단하다. **4** 〈진행·행동 등을〉 방해하다; 〔영議會〕 〈의안의〉 통과를 방해하다. **5** 〔스포츠〕 〈상대방을〉 방해〔블록〕하다; 〔크리켓〕 〈공을〉 (wicket 바로 앞에서) 배트로 막다; 〔미蹴〕 상대편에 몸을 부딪쳐 방해하다. **6** (모자 골로) 본을 뜨다. **7** 〈표지를〉 돋아나게 찍다.

— *vi.* **1** 〔스포츠〕 상대방을 방해하다. **2** 신경 쇠약에 걸리다. **block in** 막다, 봉쇄하다, 폐색하다; (그림 등에서) 대충 윤곽을 잡다. **block off** 〈…을〉 막다, 차단하다. **block out** 지우다; 윤곽을 그리다; 대충 계획을 세우다. **block up** 막다, 봉쇄하다; 방해하다.

◇ blockáde, blóckage *n.*; blóckish, blócky *a.*

block·ade[blɑkéid/blɔk-] [*block*+barri*cade*] *n.* 봉쇄, 폐색; (교통 등의) 방해. **break**〔**lift, raise**〕 **a blockade** 봉쇄를 돌파하다〔해제하다〕. **run the block** (몰래) 봉쇄망을 뚫고 출입하다. — *vt.* 봉쇄하다; 차단하다; 방해하다.

block·ad·er[-ər] *n.* 봉쇄하는 사람〔것〕, 폐색선(閉塞船).

block·ade-run·ner[-rʌ̀nər] *n.* 봉쇄 돌파자〔선〕, 밀항자〔선〕.

block·age[blɑ́kidʒ/blɔ́k-] *n.* **1** Ⓤ,Ⓒ 봉쇄; 방해, 저해. **2** 방해물, (파이프 등에) 막혀 있는 것, 차단물.

blóck assoc iàtion 《미》 가구(街區) 주민 협의회.

block·board[⌐bɔ̀ːrd] *n.* 합판, 베니어판.

blóck bòok 목판 인쇄본, 목판본.

blóck bóoking (영화의 회사 계통별) 일괄 판매 방식.

block·bust[⌐bʌ̀st] *vt.* 〈백인 부동산 소유주에게〉 blockbusting을 하다.

block·bust·er[⌐bʌ̀stər] *n.* **1** 초대형 폭탄. **2** 《口》 압도적〔위협적〕인 것, 유력자, 큰 영향〔감명〕을 주는 사람〔사물〕; 쇼크를 주는 것. **3** (신문 등의) 큰 광고; (영화의) 초(超)대작; 대히트작; 초베스트셀러. **4** 《미口》 blockbusting을 하는 부동산 투기꾼.

block·bust·ing[⌐bʌ̀stiŋ] *n.* Ⓤ 《미口》 블록버스팅(흑인·소수 민족 등을 전입시켜 백인 거주자에게 불안감을 주어 부동산을 싸게 팔게 하는 투기꾼 수법).

blóck càpital (보통 *pl.*) 〔印〕 블록체(block letter)의 대문자.

blóck chàin 블록 체인(자전거 체인 등).

blóck clùb 《미》 반상회, 지역 야경대.

blóck dìagram **1** 〔地質〕 지형을 입체적으로 묘사한 도표. **2** (라디오 수신기 등의) 회로 구성도. **3** (컴퓨터의) 블록선도(線圖).

blocked[blɑkt/blɔkt] *a.* **1** 막힌, 폐색된, 봉쇄된. **2** 《俗》 마약에 취한.

block·front[blɑ́kfrʌ̀nt/blɔ́k-] *n.* **1** (책상·장롱 등의) 중앙이 양끝보다 쑥 들어간 정면. **2** 가구〔블록〕의 정면.

blóck grànt 《미》 (연방 정부에서 주에 지급하는) 정액 교부금〔보조금〕(*opp.* categorical grant).

block·head[⌐hèd] *n.* 멍청이, 얼간이, 아둔패기.

blóck hèater 축열 히터〔난방기〕.

block·house[⌐hàus] *n.* (*pl.* **-hous·es**[-hàuziz]) **1** 작은 요새(要塞), 토치카. **2** (옛날의) 통나무 방책. **3** (로켓 기지 등의) 철근 콘크리트 건물(열·돌풍·방사능 등을 막는).

block·ing[blɑ́kiŋ/blɔ́k-] *n.* **1** 〔木工〕 오리대(틈을 메우는 나뭇조각). **2** 〔心〕 블로킹, 저지 현상(바람직하지 않은 상념에 의한 연상 중단). **3** Ⓤ 〔劇〕 (배우의) 연출. **4** 〔미蹴〕 블로킹하기.

blócking fàctor 〔컴퓨터〕 블록화(化) 계수(係數)(하나의 블록에 들어가는 논리적 레코드의 수).

block·ish[blɑ́kiʃ/blɔ́k-] *a.* **1** 나무토막 같은. **2** 우둔〔완고〕한. **3** 다듬지 않은, 솜씨가 서투른, 무딘.

blóck lèngth 〔컴퓨터〕 블록 길이(블록 크기의 척도).

blóck lètter (보통 *pl.*) 〔印〕 목판 글자, 블록체(굵기가 일정하고 세리프 없는 글씨체; **T** 등).

blóck plàne (판자 가장자리를 옆으로 밀어 깎는) 작은 대패.

blóck prìnt 목판 인쇄에 의한 문자〔무늬〕, 목판화(木版畵).

blóck prìnting 목판 인쇄(술); 판목 날염(법).

blóck prògramming 〔라디오·TV〕 블록 프로그래밍(같은 종류의 프로를 같은 시간대(帶)로 묶기).

blóck relèase (영국·유럽의) 직무의 일부 면제 제도(보다 고도의 연구를 직원에게 맡기기 위한 조치).

blóck sèction 〔鐵道〕 폐색 구간(1시각 1구

간에 1열차만 통행하게 함).

block·ship[blάkʃip/blɔ́k-] *n.* (항구·항로를 사용 불능케 하려고 침몰시키는) 폐색선.

blóck sìgnal 1 〔鐵道〕 폐색 신호기. **2** 〔野〕 블록사인.

blóck sỳstem 〔鐵道〕 폐색 방식(*cf.* BLOCK SECTION).

blóck tỳpe 〔印〕 블록체(block letter).

blóck vòte 1 블록 투표(대의원에게 그가 대표하는 인원수에 비례하는 표수치를 주는 투표 방법). **2** 그 한 표.

block·y[blάki/blɔ́ki] *a.* (**block·i·er; -i·est**) **1** 〈몸 등이〉 땅딸막한; 뭉툭한. **2** 덩어리로 된. **3** 농담(濃淡)이 고르지 않은:(사진 등).

bloke[blouk] *n.* 《영口》 놈, 녀석(fellow).

⁑**blond(e)**[blɑnd/blɔnd] [L] *a.* 〈사람이〉 블론드의(금발에 종종 피부가 희고, 눈이 파란 〔회색인〕); 〈머리털이〉 금발의; 〈피부가〉 희고 혈색이 좋은(fair)(*cf.* BRUNET(TE), DARK 2): 《Ⅱ 명》 She is a *blonde*-haired lady. 그녀는 금발의 여인이다. — *n.* **1**. (살결이 흰) 금발의 사람(여자는 blonde): a blue-eyed *blonde* 푸른 눈의 금발 여인. **2**. 블론드인 사람. **3**. 비단 레이스. — *vt.* 〈머리를〉 금발로 염색하다. 《◇ blonde는 여성형; 현재는 남녀 모두 blond를 쓰는 경우가 많음》. **blónd·ness** *n.*

blónde láce (프랑스제의) 블론드 레이스(손으로 짠 비단 레이스).

blon·die[blάndi/blɔ́n-] *n.* **1** 《口》 금발〔블론드〕의 여자. **2** (**B-**) 블론디(신문 만화의 여주인공; 남편은 Dagwood).

blond·ish[blάndiʃ/blɔ́n-] *a.* 블론드 빛깔을 띤.

★**blood**[blʌd] *n.* Ⓤ **1** 피, 혈액; 생혈(生血), 생명. **2** (하등 동물의) 체액; 붉은 수액(樹液), 과일즙. **3** 유혈; 살인(죄); 희생. **4** 순혈(純血); 혈통; 혈연; 가문, 태생, 명문, 문벌; (the ~) 왕족: ⇨ half blood, full blood, blue blood/ *Blood* is thicker than water. 《속담》 피는 물보다 진하다/*Blood* will tell. 핏줄은 속일 수 없다. **5** 혈기, 격정; 기질: My ~ was up. 몹시 화가 났다. **6** Ⓒ 멋있는 젊은이; 혈기 왕성한 사람: a young ~ 혈기 왕성한 젊은이. **7** (말의) 순종. **blood and thunder** 유혈과 폭력; 폭력극(*cf.* BLOOD-AND-THUNDER). **cannot get blood from**〔**out of**〕 **a stone** 돌에서 피를 구할 수는 없다, 냉혹한 사람에게서 동정을 얻을 수는 없다. **curdle**〔**chill, freeze**〕 a person**'s**〔**the**〕 **blood** 오싹 소름이 끼치게 하다, 등골이 오싹해지게 하다. **draw blood** 상처를 입히다, 고통을 주다. **draw first blood** 공격의 선봉이 되다. **for the blood of me** 아무래도. **fresh**〔**new**〕 **blood** 새 가족; (집합적) 신진(新進)들. **get**〔**have**〕 a person**'s blood up** …을 화나게 하다. **give** one**'s blood for** one**'s country** 나라에 목숨을 바치다. **have** a person**'s blood on** one**'s head**〔**hands**〕 …의 죽음〔불행〕에 책임이 있다. **in cold blood** 냉혹하게, 냉정하게, 예사로(*cf.* COLD-BLOODED): commit murder *in cold* ~ 예사로 사람을 죽이다. **in hot**〔**warm**〕 **blood** 잔뜩 화를 내고, 발끈하여. **let blood** 방혈(放血)하다(*cf.* BLOODLETTING). **make** a person**'s blood boil**〔**run cold**〕 격분시키다〔소름끼치게 하다〕. **man of blood** 냉혹한 사람; 살인자. **prince**〔**princess**〕 **of the blood** 왕자〔공주〕. **run**〔**be**〕 **in** one**'s blood** 혈통을 이어 받다. **stir the**〔**a** person**'s**〕 **blood** 흥분〔발분〕 시키다. **sweat blood** 《口》 피땀 흘리며 일하다; 몹시 걱정하다, 안달 복달하다. **taste blood** 〈사냥개·들짐승 등이〉 피맛을 보다; 처음으로 (성공하여) 그 맛을 알다. **the blood and iron policy** (비스마르크의) 철혈정책(鐵血政策). **to the last drop of** one**'s blood** 숨이 남아 있는 한, 생명이 다하도록. (**with**) **blood in** one**'s eyes** 살기가 등등하여.
— *vt.* **1** 〈사냥개에게〉 처음으로 피 맛을 알게 하다; 〈군인을〉 유혈 행위에 익숙하게 하다. **2** (종종 수동태) …에게 새로운 경험을 시키다. **3** 〔醫〕 (환자에게서) 피를 뽑다; 방혈하다.
◇ bleed *v.*; blóody *a.*

blood-and-guts[blʌ́dəndgʌ́ts] *a.* 《口》 끔찍한, 지독한 〈적개심〉; 피비린내나는 〈이야기〉.

blood-and-thunder[blʌ́dəndθʌ́ndər] *a.* 폭력과 유혈의, 살벌한, 저속한 〈소설·영화 등〉.

blóod bànk 혈액 은행; (혈액 은행 등의) 저장 혈액.

blóod bàth[blʌ́dbæθ] 피의 숙청, 대량 살인, 대량 학살(massacre).

blóod bòx 《미俗》 구급차(ambulance).

blóod bróther 친형제; 혈맹자, 의형제.

blóod cèll〔**còrpuscle**〕 혈구(血球): red 〔white〕 ~*s* 적〔백〕혈구.

blóod còunt (적혈구와 백혈구의) 혈구수 (측정).

blood·cur·dler[ˊkə̀:rdlər] *n.* 전율적〔선정적〕인 이야기〔기사, 책(등)〕.

blood·cur·dling[ˊkə̀:rdliŋ] *a.* 소름이 끼치는; 등골이 오싹해지는.

blóod dònor 헌혈자, 급혈자.

blood·ed[blʌ́did] *a.* **1** (보통 복합어를 이루어) …혈(血)의; …기질의. **2** 《미》 순혈(純血)의. **3** 전투를 경험한 〈군대〉; 새로운 경험을 쌓은.

blóod fèud 양족(兩族)간의 원수.

blood·giv·en[blʌ́dgivən] *a.* 혈연에 의한, 동족의.

blóod gròup 혈액형(blood type).

blood·guilt[blʌ́dgìlt] *n.* 유혈의 죄, 살인죄.

blood·guilt·y[ˊgìlti] *a.* 사람을 죽인, 살인죄를 범한. **-guilt·i·ness**[-gìltinis] *n.*

blóod hèat 혈온(血溫)(평균 37℃).

blóod hòrse 순혈종의 말, 서러브레드.

blood·hound[ˊhàund] *n.* **1** 블러드하운드(영국산 경찰견). **2** 집요한 추적자, 탐정, 형사.

blood·i·ly[blʌ́dili] *ad.* 피투성이가 되어; 참혹하게, 무참하게.

blood·i·ness[blʌ́dinis] *n.* Ⓤ 피투성이; 잔인.

blood·less[blʌ́dlis] *a.* **1** 핏기 없는, 빈혈의; 창백한(pale). **2** 피를 흘리지 않는, 무혈의; 유혈의 참사가 없는. **3** 냉혈의, 무정한; 〈통계 등이〉 냉혹한. **4** 열정〔원기, 혈기〕이 없는. **~·ly** *ad.* **~·ness** *n.*

Blóodless Revolútion (the ~) (영국의) 무혈 혁명(⇨English Revolution).

blood·let·ting[blʌ́dlètiŋ] *n.* Ⓤ **1** 〔外科〕 방혈(放血). **2** (전쟁·권투 등에서의) 유혈(bloodshed).

blood·line[ˊlàin] *n.* 혈통; 혈족.

blood·lust[ˊlʌ̀st] *n.* Ⓤ,Ⓒ 유혈에의 욕망.

blood·mo·bile[ˊmoubì:l] *n.* 《미》 (이동) 채혈차; 혈액차.

blóod mòney 1 사죄범(死罪犯)을 (당국에) 넘겨준 보상금; 근친이 살해됐을 때 받는 위자료; 살인 사례금. **2** 《空軍俗》 적기 격추 상금. **3** 《미俗》 피땀 흘려 번 돈.

blóod òrange 과즙(果汁)이 붉은 오렌지.

blóod plàsma 혈장(血漿).

blóod plàtelet 〔解〕 혈소판(血小板)(throm-

bocyte).
blóod pòisoning 〔病理〕 패혈증(敗血症)(septicemia).
blóod póor 적빈(赤貧)의, 찢어지게 가난한(poverty-stricken).
blóod prèssure 〔醫〕 혈압: high〔low〕 ~ 고〔저〕혈압.
blóod pùdding =BLOOD SAUSAGE.
blóod pùrge 피의 숙청《정당 또는 정부에 의한 불순 분자의 말살》.
blood-rags[⌐ræ̀gz] *n. pl.* 《俗》 월경.
blóod réd 혈적색(血赤色).
blood·red[⌐réd] *a.* 피처럼 새빨간; 피로 물들인.
blóod relátion〔**rélative**〕 혈족(血族), 육친(肉親).
blóod revènge 혈족에 의한 복수.
blood·root[⌐rù:t, ⌐rùt] *n.* 뿌리가 붉은 양귀비과(科)의 식물《북미산》.
blóod róyal (the ~; 집합적) 왕족(royal family).
blóod sàusage 《미》 블러드 소시지(《영》 black pudding)《돼지의 살·피 등으로 만든 거무스름한 소시지》.
blóod sèrum 〔生理〕 혈청(血清).
*****blood·shed**(**·ding**)[⌐ʃèd, (⌐ʃèdiŋ)] *n.* U,C 유혈; 유혈의 참사, 살해, 학살: revenge for ~ 복수.
blood·shot[⌐ʃɑ̀t/⌐ʃɔ̀t] *a.* 〈눈이〉 충혈된, 핏발이 선; 혈안이 된.
blóod spòrt 피를 보는 스포츠《수렵·투우 등》.
blóod spòt (계란 속에 생기는) 핏덩어리.
blood·stain[⌐stèin] *n.* 핏자국, 혈흔.
blood·stained[⌐stèind] *a.* **1** 핏자국이 있는; 피투성이의, 피로 물들인. **2** 살인의, 살인죄〔범〕의.
blood·stock[⌐stɑ̀k/⌐stɔ̀k] *n.* (집합적) 순혈종(의 경마말).
blood·stone[⌐stòun] *n.* C,U 〔鑛〕 혈석(血石), 혈옥수(血玉髓)《특히 heliotrope》.
blood·stream *n.* (보통 the ~, one's ~) (인체 내의) 피의 흐름, 혈류(血流).
blood·suck·er[⌐sʌ̀kər] *n.* **1** 흡혈 동물, 거머리(leech). **2** 흡혈귀, 남의 고혈을 빨아먹는 사람, 탐욕 무도한 사람; 고리 대금업자. **-suck·ing** *a.*
blóod sùgar 혈당(血糖); 혈당량〔농도〕; 혈당량 측정.
blóod tèst 혈액 검사.
blood-test *vt.* 혈액 검사를 하다.
blood·thirst·y[⌐θə̀:rsti] *a.* **1** 피에 굶주린, 살벌한, 잔인한. **2** 〈구경꾼 등이〉 유혈 장면을 좋아하는; 〈영화 등이〉 살상 장면이 많은. **-thirst·i·ly** *ad.* **-i·ness** *n.*
blóod transfùsion 수혈(輸血)(법).
blóod tỳpe =BLOOD GROUP.
blood-type *vt.* (개인의) 혈액형을 결정하다.
blóod tỳping (개인의) 혈액형 결정, 혈액형 분류(법); 혈액형.
blóod vèngeance 유혈 처사에 대한 유혈 복수.
blóod vèssel 혈관. **burst a blood vessel** (격분하여) 혈관을 파열시키다; 《미口》 몹시 흥분하다〔화내다〕.
blóod wàgon 《영俗》 구급차(ambulance).
blood-warm[⌐wɔ̀:rm] *a.* 혈온(血溫)의, 뜨듯한.
blood·worm[⌐wə̀:rm] *n.* (낚싯밥용의) 붉은 지렁이; 붉은 장구벌레.
*****blood·y**[blʌ́di] *a.* (**blood·i·er; -i·est**) **1** 피의, 피에 관한, 피 같은, 피빛(깔)의. **2** 피가 나는, 피 묻은, 피로 더럽혀진, 피투성이의. **3** 피비린내 나는, 살벌한, 잔인한, 처참한: ~ work 학살. **4** 《口》 〈사람이〉 다루기 어려운, 비협조적인; 완고한; 빙퉁그러진; 〈일이〉 부당한; 결점투성이의. **5** 《영卑》 지독한, 엄청난, 지겨운《◇종종 b-(d)y라고 씀》: a ~ fool 큰 바보/a ~ genius 대단한 천재. **get a bloody nose** 자존심에 손상을 입다. **not a bloody one** (부정을 강조하여) 《영俗》 단 하나도 …없다〔않다〕. — *ad.* 《영》 지독하게(very): ~ cold 아주 추운/All is ~ fine. 다들 무척 원기 왕성하다. **Not bloody likely!** 《영俗》 (종종 분노를 나타내어) 말도 안 돼!, 그걸 누가 해! — *vt.* (**blood·ied**) 피투성이가 되게 하다; 피로 더럽히다〔물들이다〕. ◇ blood *n.*; bleed *v.*
blóody fíngers (단수·복수 취급) 《俗》 〔植〕 디기탈리스(foxglove).
blóody flúx 《古》 적리(赤痢)(dysentery).
Blóody Máry 블러디 메리《보드카와 토마토 주스를 섞어 만든 칵테일》; =MARY 3.
blood·y-mind·ed[⌐máindid] *a.* **1** 냉혹한, 살벌한, 잔인한. **2** 《영口》 심술궂은, 비뚤어진, 괴팍한. **~·ness** *n.*
blóody múrder 《미俗》 **1** 완패, 괴멸. **2** 살인적인〔고통스런〕 일. **3** (다음 성구로) **cry**〔**scream, yell**〕 **bloody murder** 노여움〔공포〕의 소리를 지르다.
blóody shìrt (the ~) 《미》 피로 물든 셔츠《복수의 상징》; 적의를 돋우는 수단: wave *the* ~ 〔미政〕 당파적 적개심을 부추기다.
bloo·ey, -ie[blú:i] *a.* 《미俗》 고장난(out of order). **go blooey** 고장 나다, 못쓰게 되다.
*****bloom**¹[blu:m] [ON] *n.* U **1** C (특히 관상용 식물의) 꽃(flower). **2** (the ~, its ~, a ~; 집합적)(특정 식물·장소·시즌의) 꽃. **3** 개화(기), 활짝 필 때; (the ~) 한창(때)(*of*). **4** 과분(果粉), (과실·잎 등의 표면에 생기는) 흰 가루. **5** (뺨의) 앵두빛, 홍조; 건강색〔미〕; 신선미; 청순함. **6** 〔鑛〕 화(華): cobalt ~ 코발트 화. **7** (포도주의) 향기, 부케(bouquet). **in**〔**out of**〕 **bloom** 꽃이 피어〔져〕; 한창(때)이고〔한창 때를 지나〕. **in full bloom** 활짝 피어. **take the bloom off** 《口》 …의 아름다움을〔신선미를〕 없애다; …을 케케묵은 것으로 만들다. — *vi., vt.* **1** 꽃이 피(게 하)다, 개화하다. **2** 번영하다; 한창(때)이다. **3** 〈여성이〉 건강미가 넘치다(*with*). **bloom into** 꽃핀 것처럼 …이 되다. **blóom·less** *a.* ◇ ablóom *ad., a.*; blóomy *a.*
bloom²*n., vt.* 〔冶〕 괴철(塊鐵)(로 불리다).
bloom·a·ry[blú:məri] *n.* (*pl.* **-ries**) =BLOOMERY.
bloomed[blu:md] *a.* 《영》〔寫·光〕 〈렌즈가〉 코팅된(coated).
bloom·er¹[blú:mər] *n.* 《영俗·익살》 큰 실수(《미俗》 boner).
bloomer² *n.* (*pl.*) 블루머《여성·아동용 반바지식 속옷》; 《미》 골프 바지(*cf.* PLUS FOURS).
bloomer³ *n.* (보통 수식어와 함께) **1** 꽃이 피는 식물. **2** (능력적·육체적으로) 성숙한 여자.
bloom·er·y[blú:məri] *n.* (*pl.* **-er·ies**) 괴철로(塊鐵爐), 괴철 공장.
Bloom·field *n.* 블룸필드 Leonard ~《미국의 언어학자(1887-1949)》.
*****blóom·ing**[blú:miŋ] *a.* **1** 활짝 꽃핀(in bloom), 만발한. **2** 꽃같은, 꽃다운, 한창인; 번성〔융성〕한. **3** (BLOODY의 대용어)《영俗》 지독한, 굉장한: a ~ fool 큰 바보. — *ad.* 《영俗》 지독하게, 터무니없이. **~·ly** *ad.*
blóoming mìll 분괴 압연기(分塊壓延機),

분괴 공장.

Blóoms·bu·ry Gròup (the ~) 블룸즈버리 그룹(Virginia Woolf를 중심으로 런던의 블룸즈버리에 모인 문학가·예술가의 집단).

bloom·y [blú:mi] *a.* (**bloom·i·er; -i·est**) **1** 꽃이 만발한. **2** 〈과실 등이〉 흰 가루가 생긴. **3** 청춘의, 젊고 아름다움과 힘에 넘치는.

bloop [blu:p] *n.* (삐익삐익하는) 불쾌한 잡음; 잡음 방지용 마스크(필름의 이은 곳에 댐). — *vi.* 삐익삐익 소리나다. — *vt.* …의 잡음을 없애다.

bloop·er [blú:pər] *n.* 《口》 **1** 부근에 있는 라디오에 잡음을 나게 하는 라디오. **2** 《미》 큰 실수: make〔pull〕 a ~ 큰 실수를 저지르다. **3** 〔野〕 역회전시킨 높은 공; 내야를 살짝 넘어가는 플라이(looper).

⁑**blos·som** [blásəm/blɔ́s-] *n.* **1** a (특히 과수의) 꽃(⇨flower): Ⓤ (또는 a ~; 집합적) (한 그루의 나무에 핀) 꽃: apple ~*s* 사과꽃. **2** Ⓤ 개화 (상태), 꽃철; 청춘. **3** (the ~) (성장·발전의) 초기(*of*). **come into blossom** 꽃피기 시작하다. **in blossom** 꽃이 피어. **in full blossom** 만발하여. **(my) little blossom** 귀여운 애, 애인.
— *vi.* **1** 〈나무에〉 꽃이 피다(*out, forth*). **2** 발전하다, 번영하다; 발달하여 (…이) 되다: ~ (*out*) *into* a statesman 마침내 정치가가 되다. **3** 쾌활해지다, 활기띠다(*forth, out*).
~·less *a.* **~·y** [-i] *a.* 꽃이 한창인.

⁑**blot**[1] [blat/blɔt] *n.* **1** (잉크 등의) 얼룩, 더러움, 때. **2** (인격·명성의) 흠, 오점, 오명(*on*): a ~ *on* one's record〔character〕 경력〔인격〕의 오점. **a blot on the**〔**one's**〕 **escutcheon** ⇨escutcheon. — (**~·ted; ~·ting**) *vt.* **1** 더럽히다, 오점을 남기다. **2** 지우다; 〈압지(壓紙)로〉 빨아들이다. **3** 잉크를 배게 하다, 얼룩지게 하다. **4** 〈쓸데없는 것을〉 써대다.
— *vi.* 〈잉크가〉 번지다. **blot one's copybook** 《口》 (경력에 흠이 갈 만한) 실수〔실패〕를 저지르다, 경솔한 짓을 하다. **blot out** (1) 〈문자·행(行)·글을〉 지우다. (2) 〈경치 등을〉 감춰 보이지 않게 하다. (3) 〈도시 등을 완전히〉 파괴하다. (4) 〈적 등을〉 몰살하다, 섬멸하다.

blot[2] *n.* (backgammon에서) 잡히기 쉬운 말; (논쟁 등에서의) 약점, 결함.

blotch [blatʃ/blɔtʃ] *n.* **1** (잉크 등의) 큰 얼룩; 반점. **2** (피부의) 검버섯; 부스럼, 종기(腫氣). — *vt.* 더럽히다, 얼룩지게 하다.

blotched [-t] *a.* 얼룩진.

blotch·y [blátʃi/blɔ́tʃi] *a.* (**blotch·i·er; -i·est**) 부스럼〔얼룩〕투성이의.

blot·ter [blátər/blɔ́t-] *n.* **1** 압지; (나무로 된) 압지대(臺). **2** 《미》 (거래) 예비 장부: a police ~ (경찰의) 사건 기록부.

blot·tesque [blatésk/blɔ-] *a.* 〔畵〕 마구 그린, 조잡하게 만든 〈예술품 등〉.

blótting pàd [blátiŋ-/blɔ́t-] 압지철.

⁑**blótting pàper** 압지.

blot·to [blátou/blɔ́t-] *a.* 《영俗》 곤드레만드레 취한.

*__blouse__ [blaus, blauz] *n.* **1** (여성·아동용) 블라우스. **2** (헐렁한) 작업복(겉옷). **3** (보통 군장(軍裝)의) 웃옷.

blous·on [bláusàn, blú:zan/blú:zɔn] *n.* 여성용 재킷. — *a.* 블루존(스타일)의.

blo·vi·ate *vi.* 거침없이 장황하게 말하다.

★**blow**[1] [blou] (**blew** [blu:]; **blown** [bloun], *vt.* 17에서는 **~ed**) *vi.* **1** (종종 It을 주어로 하여) 〈바람이〉 불다: It is ~*ing* hard. 바람이 세게 불고 있다. **2** 바람에 날리다, 흩날리다. **3** 입김을 내뿜다, 숨을 내쉬다, 헐떡이다. **4** 〈송풍기로〉 바람을 보내다; 〈고래가〉 물을 내뿜다; 《미俗》 담배를〔마약을〕 피우다. **5** 〈풍금·피리 등이〉 소리 내다; 휘파람을 불다: The train *blew for* the crossing. 기차는 건널목 앞에서 경적을 울렸다. **6** 《口》 자랑하다, 허풍떨다: He *blew about* his family. 그는 가족 자랑을 하였다. **7** 폭발하다; 〈퓨즈가〉 끊어지다; 〈타이어 등이〉 빵꾸나다, 파열하다: The fuse has *blown* (*out*). 퓨즈가 끊어졌다. **8** 《口》 불쑥 찾아오다〔나타나다〕; 《俗》 갑자기 가버리다〔떠나다〕, 허둥지둥 달아나다. **9** 《俗》 헛돈을 쓰다; 실수하다, 허사가 되다.
— *vt.* **1** …을 불다, 불어대다; 불어 보내다: Don't ~ your breath *on* my face. 내 얼굴에 입김을 내뿜지 마라/She let the breeze ~ her hair dry. 그녀는 머리를 미풍으로 말렸다/The wind *blew* my hat *off*. 바람에 모자가 날아갔다. **2** (동족 목적어를 취하여) 불다: It is ~*ing* a gale. 폭풍이 심하게 불고 있다. **3** 불어 넣어 부풀게 하다, 〈유리 등을〉 불어서 만들다. **4** 〈피리·나팔 등을〉 불다, 취주하다. **5** 〈불을〉 불다; 〈풀무에〉 바람을 보내다. **6** 〈달걀에 구멍을 뚫어〉 알맹이를 불어내다; 〈코를〉 풀다; (입술에 댄 손가락 끝을 훅 불어) …에게 키스를 보내다: ~ one's nose 코를 풀다. **7** (보통 수동형) 숨차게 하다; 〈말 등을〉 헐떡이게 하다. **8** 거드름피우게 하다. **9** 폭파하다(*up*); 〈탄환 등을〉 쏘다, 관통하다; 〈타이어를〉 빵꾸나게 하다; 〈퓨즈를〉 끊어지게 하다. **10** 〈사진을〉 확대하다(*up*). **11** 〈소식을〉 전하다, 발표하다; 〈소문을〉 퍼뜨리다; 《俗》 〈비밀을〉 누설하다: They have *blown* all sorts of silly rumors *about*. 그들은 온갖 터무니없는 소문을 퍼뜨렸다. **12** 〈파리따위가〉 …에 쉬를 슬다. **13** 《俗》 〈돈 등을〉 낭비하다; 〈좋은 기회를〉 놓치다: ~ a fortune *on* …에 재산을 낭비하다. **14** 《미俗》 실수〔실패〕하다. **15** 《미俗》 급히〔몰래〕 떠나가다. **16** 《미俗》 마약을〔마리화나를〕 피우다. **17** (*pp.* ~**ed**) (명령법 또는 수동형) 《俗》 저주하다.
blow about 〈잎이〉 불려 흩날리다; 불어 헝클다. **blow away** 날려버리다, 날리다; 휩쓸어 버리다; 가버리다. **blow down** 불어 넘어〔떨어〕뜨리다; 〈보일러 속의 뜨거운 물을〉 배출하다. **blow great guns** (**and small arms**) 바람이 세차게 불어대다. **blow high, blow low** 《미》 바람이 불든 안 불든, 무슨일이 일어나든. **blow hot and cold** (칭찬했다 비난했다 하여) 주책이 없다, 주견이 없다, 변덕스럽다. **blow in** 〈용광로에〉 바람을 보내다; 〈바람이〉 불어들다; 〈석유 등을〉 내뿜기 시작하다; 《미俗》 낭비하다; 갑자기 나타나다. **blow into** …에 불시에 찾아오다. **Blow it!** 제기랄! **blow itself out** 〈바람이〉 자다. **blow off** 불어 흩날리다, 불어 깨끗이 하다; 〈증기를〉 내뿜다; 불평을 늘어놓다; 마구 떠들어대어 울분을 풀다; 〈유전이〉 뿜어 나오다. **blow off steam** 《미口》 화를 발산시키다. **blow on** …을 지게 하다, 평판을 나쁘게 하다, …의 험담을 하다; 《口》 (심판이 선수에게) 페널티를 선언하다. **blow one's cool** 《俗》 (1) 침착성을 잃다(lose one's composure); 울적한 감정을 겉으로 나타내다. (2) (사람들 앞에서) 허둥대다; 흥분하다; 노하다. **blow one's cover** 《俗》 자신의 정체를 드러내다. **blow a person's mind** 《俗》 마약으로 …에게 환각을 일으키게 하다; …을 좋은 기분이 되게 하다; …을 당황케〔놀라게〕 하다.

blow one's **own horn**〔**trumpet**〕《미口》 자화자찬하다. **blow** one's **top**〔**lid, stack**〕《미俗》 노발대발하다; 미치다; (특히 권총으로) 자살하다; 기력을 잃다. **blow out** *vt.* 불어 끄다; 〈용광로에〉 송풍을 멈추다; 부풀리다; 폭파하다; 《미俗》 죽이다(kill); (폭풍이) 자다. ── *vi.* 〈등불이〉 꺼지다; (전기 기구가) 멈추다; (타이어가) 펑크나다; (퓨즈가) 끊어지다; (커튼 따위가 바람으로) 부풀다; (가스·유정 따위가) 분출하다; 낭비하다. **blow over** *vt.* 불어 쓰러뜨리다. ── *vi.* 〈폭풍이〉 지나가다, 바람이 자다, 가라앉다; 〈위기·풍문이〉 무사히 지나가다; 잊혀지다. **blow short** 〈말이〉 헐떡이다. **blow taps** 《미口》 밤의 최종 나팔을 불다. **blow the coal**〔**fire**〕 선동하다. (남의 노여움 등에) 부채질하다. **blow through** 《口》 서둘러〔급히〕 떠나다. **blow** … **to pieces** …을 불어서 산산이 날려 버리다; 〈새 등을〉 쏘아서 박살내다. **blow town** 《미俗》 (허겁지겁) 도시 등을 떠나다. **blow up** *vt.* 불어 일으키다; 부풀리다; 폭파하다; 못 쓰게 하다; 《口》 노하다; 《영口》 꾸짖다, 호통치다; 《口》 〈소문 등을〉 과장하여 말하다; 〈사진·지도 등을〉 확대하다. ── *vi.* 〈타이어·풍선 등이〉 부풀다; 폭파〔파열〕하다, 돌발하다; 〈폭풍이〉 점점 세차게 불다, 〈나쁜 날씨가〉 엄습하다; 〈토론 등이〉 뒤끓다; 《口》 화내다. **blow up in** one's **face** 크게 실패하여 망신을 톡톡히 당하다. **blow upon** 명성·신용을 잃게 하다; 못쓰게 하다; 신선한 맛을 잃게 하다. **blow** (**wide**) **open** 《口》 *vt.* 〈비밀 등을〉 폭로하다, 널리 알리다. ── *vi.* 〈일이〉 알려지다, 폭로되다. **I'm**〔**I'll be**〕 **blowed if** it is so. (정말 그렇다면) 내 목을 걸겠다, 절대로 그렇지 않다.

── *n.* **1** 한 번 불기; 《口》 일진(一陣)의 바람; 강풍, 폭풍. **2** 취주(吹奏), 부는 소리. **3** (용광로에) 바람을 한 차례 보내는 시간〔양〕. **4** (고래의) 물 뿜기. **5** 《口》 허풍, 장담. **6** 산란(産卵), 파리알. **7** 코를 풀기. **have**〔**go for**〕 **a blow** 《口》 바람 쐬러 가다. ⊕ blówy *a.*

⁑**blow²** *n.* **1** 강타, 구타. **2** (정신적인) 타격, 쇼크, 불행. **at blows** 서로 치고 받고〔격투〕하여. **at one**〔**a**〕 **blow** =**with one blow** =**at**〔**with**〕 **a** (**single**) **blow** 한 대 쳐서; 일거에; 갑자기. **blow below the belt** 비열한 짓. **blow upon blow** 연타(하여). **come**〔**fall**〕 **to blows** 주먹질〔싸움〕을 시작하다. **deal a blow** between the eyes (양미간에) 일격을 가하다. **get a blow in** 《口》 일격을 가하다; (토론 등에서) 아픈 데를 찌르다. **strike a blow at** a person =**strike** a person **a blow** …을 한 대 치다. **strike a blow for**〔**against**〕 …에 편들다〔반항하다〕. **without** (**striking**) **a blow** 싸우지〔힘들이지〕 않고.

blow³ *vi., vt.* (**blew**[blu:]; **blown** [bloun]) 꽃이 피다, 꽃피우다. ── *n.* [C,U] 개화(開花). **in** (**full**) **blow** 만발하여.

blow·ball[blóubɔ̀:l] *n.* 관모구(冠毛球)《민들레 등의 솜털이 붙은 열매》.

blow·by[blóubài] *n.* 〔自動車〕 블로바이《피스톤과 실린더 사이의 가스 누출》.

blow-by *a.* 블로바이식의《배기 가스를 태워 오염을 더는 방식》.

blow-by-blow[blóubàiblóu] *a.* (권투 시합 중계 방송 모양으로) 하나하나 차례대로 보고하는, 매우 상세한.

blow-dry[blóudrài] *vt.* 〈머리를〉 드라이어로 매만지다. ── *n.* 블로 드라이《드라이어로 머리를 매만지기》.

blow·er[blóuər] *n.* **1** 부는 사람; (유리 그릇 등을) 불어 만드는 직공. **2** 송풍기〔장치〕; 《口》 전성관(傳聲管); 《영口》 전화. **3** 고래〔복어〕 무리. **4** 《미口》 떠버리, 허풍선이.

blow·fish[blóufiʃ] *n.* (*pl.* ~, ~**·es**) 몸을 부풀리는 고기《복어 등》.

blow·fly[⌐flài] *n.* (*pl.* **-flies**) 〔昆〕 검정파리.

blow·gun[⌐gʌ̀n] *n.* (불어서 화살을 쏘아 보내는 남미 인디언 등의) 취관(吹管); 분무기.

blow·hard[⌐hɑ̀:rd] *n.* 《口》 떠버리, 허풍선이.

blow·hole[⌐hòul] *n.* **1** (고래의) 물뿜는 구멍. **2** (지하실의) 통풍구, 바람 구멍. **3** (고래·바다표범 등이 호흡하러 오는) 얼음에 난 구멍. **4** (주물(鑄物)의) 기포.

blow-in[blóuìn] *n.* 《오스口》 환영받지 못하는 신참자, 타관 사람.

blow·ing[blóuiŋ] *n.* **1** (공기나 증기의) 분출하는 소리. **2** 취입 성형(吹入成形). **3** 《미俗》 재즈 연주.

blow·lamp[⌐læ̀mp] *n.* =BLOWTORCH.

blow·mo·bile[⌐moubi:l] *n.* (북극에서 쓰는) 스키 자동차《프로펠러를 사용함》.

⁑**blown¹** [bloun] *v.* BLOW¹의 과거분사.
── *a.* **1** 부푼. **2** 숨을 헐떡이는, 피로한. **3** 파리가 알을 슨. **4** 불어서 만든.

blown² *v.* BLOW³의 과거분사. ── *a.* 《文語》 〈꽃이〉 핀.

blown-in-the-bot·tle[blóuninðəbɑ́tl/-bɔ́tl], **blown-in-the-glass**[-glǽs/-glɑ́:s] *a.* 진짜의, 진정한.

blown-up[blóunʌ́p] *a.* 〈사진을〉 확대한; 파괴된; 과장된: a ~ estimate 과대 평가.

blow·off[blóuɔ̀(:)f, ⌐ɑ̀f] *n.* **1** 분출 (장치): a ~ pipe 분출 파이프. **2** 《俗》 허풍선이. **3** 끝(end). **4** 흥미를 끄는 것, 인기 있는 것.

blow·out[⌐àut] *n.* **1** 파열; 빵꾸; 파열 구멍. **2** 〔電〕 (퓨즈가) 녹아 끊어짐, 나감. **3** (증기·유정 등의) 분출. **4** 《俗》 (먹고 마시고 흥청거리는) 큰 파티〔잔치〕.

blow·pipe[⌐pàip] *n.* **1** 취관(吹管); 불어서 불을 일으키는 대통; 불어서 화살을 쏘는 통. **2** 《空俗》 제트기.

blows·y[bláuzi] *a.* (**blows·i·er**; **-i·est**) = BLOWZY.

blow·top *n.* 《미俗》 불뚱이, 뻿성쟁이.

blow·torch[blóutɔ̀:rtʃ] *n.* **1** (배관공이 쓰는) 소형 발염(發炎) 장치, 토치 램프. **2** 《미俗》 제트기〔엔진〕; 제트 전투기.

blow·tube[⌐tjù:b] *n.* **1** =BLOWPIPE. **2** = BLOWGUN.

blow·up[⌐ʌ̀p] *n.* **1** 파열, 폭발. **2** (사진의) 확대; 확대 사진. **3** 《口》 발끈 화냄; 《미》 파산.

blow-wave[⌐wèiv] *n.* 블로 웨이브《머리를 드라이어로 매만지기》. ── *vt.* 〈머리를〉 드라이어와 브러시로 매만지다.

blow·y[blóui] *a.* (**blow·i·er**; **-i·est**) 《口》 바람이 센(windy). **blów·i·ness** *n.*

blowzed[blauzd] *a.* =BLOWZY.

blowz·y[bláuzi] *a.* (**blowz·i·er**; **-i·est**) **1** 〈여자가〉 품위가 없는, 〈여자 얼굴이〉 천하고 불그레한. **2** 흘게늦은, 단정치 못한, 지저분한. **3** 〈머리칼이〉 더벅머리의, 헝클어진.

BLS, B.L.S. Bureau of Labor Statistics.

bls. bales; barrels. **B.L.S.** Bachelor of Library Science. **BLT** bacon, lettuce, and tomato sandwich.

blub[blʌb] 《口》 *vi.* (~**bed**; ~**·bing**) 엉엉 울다. ── *n.* 엉엉 울기.

blub·ber¹[blʌ́bər] *n.* [U] **1** 고래의 기름. **2** (사람의) 여분의 지방.

blubber² *n.* Ⓤ (또는 a ~) 엉엉 울기. — *vi.* 엉엉 울다. — *vt.* 울면서 말하다(*out*); 〈눈 · 얼굴을〉 울어서 붓게 하다.

blubber³ *a.* 두툼한, 불거진 〈입술〉.

blub·ber·y[-ri] *a.* **1** 비계가 많은; 뚱뚱한. **2** 눈물로 일그러진.

blu·cher[blúːtʃər] *n.* 혀와 앞닫이가 한 가죽으로 된 단화; 반장화의 일종.

bludge[blʌdʒ] 《오스俗》 *n.* 간단한〔쉬운, 편한〕 일; (일자리가 없어 놀고 있는) 시기, 때. — *vi., vt.* 〈일을〉 꾀부리다, 농땡이 부리다.

bludg·eon[blʌ́dʒən] *n.* (앞 끝을 무겁게 한) 몽둥이. — *vt.* **1** 몽둥이로 치다. **2** 괴롭히다, 들볶다, 으르다(threaten). **3** 〈어떤 행동을〉 강제로 시키다. **bludgeon** a person **into doing** …을 협박하여 …시키다.

★**blue**[bluː] *a.* **1** 푸른; 하늘색〔청색〕의; 남빛의. **2** 푸른 옷을 입은. **3** (추위 · 공포 등으로) 창백한; (맞거나 하여) 검푸른, 푸르죽죽한. **4** 우울한, 비관적인; 〈사태가〉 여의치 않은. **5** 〈바람 등이〉 찬. **6** 엄격한, 딱딱한. **7** 음란한; 외설한. **8** 학식이 있는, 인텔리의〈여자〉. **9** 〔樂〕 블루스조(調)의. **blue in the face** 노하여〔지쳐서〕 얼굴이 파랗게 질려. **cry**〔**scream, shout**〕 **blue murder** ⇨murder. **drink till all's blue** 녹초가 되도록 마시다. **feel blue** 우울하다. **look blue** 우울해 보이다; 기분이 나빠 보이다; 〈형세가〉 좋지 않다. **turn blue** 《俗》 쓰러져 죽다. **turn**〔**make**〕 **the air blue** 《미口》 (분위기를) 긴장케 하다; (악담하여) 흥이 깨지게 하다.

— *n.* Ⓤ **1** 청색, 청(남)색; 파랑 물감, 남색 염료(등): dark ~ 짙은 남빛(Oxford 대학교 및 그 선수의 빛깔 표시)/light ~ 담청색(Cambridge 대학교 및 그 선수의 빛깔 표시)/pale ~ 엷은 파랑. **2** 짙은 남빛 나사〔옷〕; 《미》 남북 전쟁 당시의 북군의 남색 옷; Yale 대학교의 빛깔 표시. **3** (the ~) 푸른 바다; 푸른 하늘, 창공; 머나먼 곳. **4** (영국) 보수당원(a Tory); =BLUESTOCKING. **5** Ⓒ 《영》 (Oxford · Cambridge 대학교의) 선수의 푸른 표지; 선수: an Oxford ~ 옥스퍼드 대학교의 선수. **6** (*pl.*) ⇨blues. **be in**〔**have a fit of**〕 **the blues** 기운이 없다, 풀이 죽어 있다. **into the blue** 머나먼 곳으로, 미지의 땅으로. **out of the blue** 《口》 뜻밖에, 돌연; 불쑥, 느닷없이. **the blue and the gray** (미국 남북 전쟁 때의) 북군과 남군. **the men**〔**boys**〕 **in blue** 순경; 수병; (미국 남북 전쟁 때의) 북군 병사. **win**〔**get**〕 **one's blue for** Cambridge (케임브리지)의 대표 선수로 뽑히다. — *vt.* 파랗게 하다〔물들이다〕, 푸른 빛을 띠게 하다; 《영俗》 〈돈을〉 낭비하다. — *vi.* 파래지다.

blúe alért 청색 경보, 제2 경계 경보(yellow alert의 다음 단계; *cf.* RED ALERT).

blúe bàby 〔醫〕 청색아(青色兒)(선천성 심장 기형, 폐 확장 부전(不全)의 유아).

blúe bág 《영》 법정 변호사가 법복〔서류〕을 넣는 자루〔봉투〕.

Blue·beard[⌐bìərd] *n.* **1** 푸른 수염(프랑스 전설; 무정하고 잔인하여 차례로 아내를 여섯이나 죽임). **2** 푸른 수염 같은 남자, 냉혹하고 변태적인 남편.

***blue·bell**[⌐bèl] *n.* 블루벨(종 모양의 남빛 꽃이 피는 풀; 야생의 히아신스 등). **bluebell of Scotland** =HAREBELL.

***blue·ber·ry**[⌐bèri/⌐bəri] *n.* (*pl.* **-ries**) 〔植〕 월귤나무.

blue·bill [⌐bìl] *n.* 물오리(미국산).

***blue·bird**[⌐bəːrd] *n.* **1** 〔鳥〕 (날개가) 푸른 울새(북미산 유리울새속(屬)). **2** 《미黑人俗》 순경.

Blúe Bírd (the ~) 파랑새(행복의 상징).

blue-black[⌐blǽk] *a.* 짙은 남빛의.

blúe blóod 1 귀족의 혈통. **2** [⌐⌐] **a** 귀족〔명문〕 출신의 사람. **b** (the ~) 귀족 계급, 명문.

blue-blood·ed[⌐blʌ́did] *a.* 귀족 출신의, 명문의.

blue·bon·net[⌐bɑ̀nit/⌐bɔ̀n-] *n.* **1** 청색 모자; 스코틀랜드 사람. **2** 〔植〕 수레국화.

blúe bòok 1 (종종 **B- B-**) 청서(青書)(국회 또는 정부의 보고서; *cf.* WHITE BOOK). **2** 《미口》 신사록; 《미》 국가 공무원 명부. **3** 《미》 **a** (대학의 기술식 시험 답안용의) 청색 표지의 백지철. **b** 대학의 기술식 시험. **4** (**B- B-**) 《미》 자동차 도로 안내도.

blue·bot·tle[⌐bɑ̀tl/⌐bɔ̀tl] *n.* 〔植〕 수레국화; 〔昆〕 청파리(=⌐ **flý**).

blúe bóx 《미俗》 블루박스(장거리 전화를 공짜로 걸기 위한 불법 소형 전자 장치).

blúe chéer 《미俗》 〔藥〕 LSD(환각제).

blúe chèese 블루치즈(우유로 만든 푸른곰팡이 치즈).

blúe chíp 1 〔카드〕 (포커에서) 블루칩(높은 점수용). **2** 일류주(株), 우량주. **3** (영업 성적 등이) 우수한 기업; 흑자 기업.

blue-chip[⌐tʃíp] *a.* **1** 〔證券〕 확실한, 우량한 〈증권〉 (*cf.* GILT-EDGED). **2** 《口》 (특정 분야에서) 일류의, 탁월한.

blue·coat[⌐kòut] *n.* **1** 청색 제복을 입은 사람. **2** 《미俗》 경관.

blúecoat bóy〔**gírl**〕 《영》 자선학교(=BLUECOAT SCHOOL)의 남〔여〕학생.

blúecoat schóol 1 (영국의 각종) 자선 학교. **2** (**B- S-**) 《영》 =CHRIST'S HOSPITAL.

blue-col·lar[⌐kɑ́lər/⌐kɔ́l-] *a.* 블루칼라의, 작업복의, (작업복을 입는) 육체 노동(자)의(*cf.* WHITE-COLLAR).

blúe-collar wórker 육체 노동자(*cf.* WHITE-COLLAR WORKER).

Blúe Cróss (미국의) 블루크로스(비영리적인 단체 건강 · 입원 보험 조합).

blúe dévils 우울; 진전 섬망증(震顫 妄症).

blúe énsign 〔영海軍〕 예비함기(旗)(*cf.* ENSIGN).

blue-eyed[⌐àid] *a.* **1** 눈알이 푸른, 푸른 눈을 가진. **2** 《미俗》 백인의, 백색 인종의 (특히 흑인 영어에서). **3** 《미俗》 순진한.

blúe-eyed bóy 《영》 (상사의) 귀여움〔주목〕을 받는 사람(《미》 fair-haired boy).

blúe-eyed dévil 《黑人俗 · 경멸》 백인, 흰둥이.

blúe fílm 도색〔포르노〕 영화.

blue·fish[⌐fìʃ] *n.* (*pl.* **~, ~·es**) 〔魚〕 **1** 게르치 무리의 식용어(미국 대서양 연안산). **2** (일반적으로) 푸른 빛깔의 물고기.

blúe flàg 〔植〕 붓꽃(북미산).

blúe fúnk 1 《영俗》 겁, 심한 공포심. **2** 《미俗》 실망, 우울.

blue·gill[⌐gìl] *n.* 〔魚〕 송어의 일종(미시시피강 유역산의 식용어).

blue·grass[⌐græ̀s, ⌐grɑ̀ːs] *n.* **1** 〔植〕 새포아풀속(屬)의 풀(목초 · 건초용). **2** 〔樂〕 블루그래스(미국 남부의 백인 민속음악에서 생긴 컨트리 음악).

Blúegrass Règion〔**Cóuntry**〕 *n.* (the ~) 미국 Kentucky 주의 중부 지방.

Blúegrass Státe (the ~) 《미》 Kentucky 주의 속칭.

blue-green[´grí:n] *n.* Ⓤ 청록색.
blúe-gréen álga 〔植〕 남조(藍藻)식물.
Blúe Guíde 블루가이드《1918년 창간된 영국의 여행 안내 총서》.
blúe gùm 〔植〕 유칼립투스(eucalyptus)의 일종.
blúe héaven 《미俗》 아모바르비탈제《중추신경계 억제제》.
blúe hélmet (국제 연합의) 국제 휴전 감시 부대원.
Blúe Hèn Stàte (the ~) 《미》 Delaware주의 속칭.
Blúe Hòuse (the ~) 청와대《한국 대통령 관저》.
blue·ing[blú:iŋ] *n.* =BLUING.
*__blue·ish__[blú:iʃ] *a.* =BLUISH.
blue·jack·et[´dʒæ̀kit] *n.* 《口》 (해병대와 구별하여) 수병(水兵).
blúe jày 〔鳥〕 큰어치《북미산》.
blúe jèans 청바지, 블루진《청색 denim으로 만든》.
blúe jòhn 자형석(紫螢石).
blúe làw 《미口》 청교도적 금법《일요일에 일이나 오락을 금했던 18세기의 법》.
blúe líght(s) (신호용) 푸른 불꽃.
blúe mán 《미俗》 정복 경관.
blúe métal 도로용으로 부순 점토질 사암(粘土質砂岩)(bluestone).
blúe móld 1 (빵 · 치즈의) 푸른곰팡이. **2** 〔植〕 푸른곰팡이병.
blúe Mónday 《口》 (또 일이 시작되는) 우울한 월요일.
blúe móon 1 《口》 매우 오랜 기간. **2** 《미俗》 유곽, 홍등가. **once in a blue moon** 아주 드물게, 좀처럼 …않다.
Blúe Móuntains *n. pl.* (the ~) 블루 산맥 《미국 Oregon주와 Washington주에 걸쳐 있는 산맥》.
blúe-móvie[´mú:vi] 포르노〔핑크, 도색〕 영화(blue film).
blue·ness[blú:nis] *n.* Ⓤ 푸른 상태, 푸름.
Blúe Níle *n.* (the ~) 청(青) 나일강《나일강의 지류로 Khartoum에서 본류와 합침》.
blue·nose[blú:nòuz] *n.* 《미口》 **1** (극단적으로) 청교도적인 사람. **2** (**B-**) (캐나다의) Nova Scotia 주의 주민.
blúe nóte 〔樂〕 블루노트《블루스에 특징적으로 나타나는 음 ; 반음 내린 3도 또는 7도》.
blue-pen·cil[´pénsəl] *vt.* (~ed; ~·ing | ~led; ~·ling) 《口》 **1** 〈편집자가 원고 등을〉 푸른 연필로 수정〔삭제〕하다. **2** 〈검열관이 원고 등을〉 삭제〔수정〕하다, 검열하다(censor).
Blúe Péter (the ~ ; 때로 **b- p-**) 〔海〕 출범기(出帆旗)《푸른 바탕에 흰색의 정사각형》.
blúe phóne lìne 〔로켓〕 지령 전화 시스템 《초읽기 때 모든 중요 인물을 연결하고 있는 전화 시스템》.
blúe píll 1 푸른〔수은〕 환약《하제(下劑) 등》. **2** 《미俗》 탄환, 총알(bullet).
blúe pláte (음식을 한군데 담게 된) 배식판; 거기에 담은 요리 ; 정식(定食).
blúe-plate spécial[blú:plèit-] 《미》 큰 접시에 담은 싸구려 정식.
blue·point[´pɔ̀int] *n.* (날로 먹는) 작은 굴 (oyster).
blue·print[´prìnt] *n., vt.* 청사진(을 찍다), 상세한 계획(을 세우다).
blue·print·ing[´prìntiŋ] *n.* 청사진(법).
blúe rácer 〔動〕 (미국산) 검푸른 뱀.
blúe ríbbon 1 (가터 훈장의) 푸른 리본. **2** 최고의 명예〔상〕. **3** (금주(禁酒) 회원의) 푸른 리본 기장. **4** 〔海〕 블루리본《북대서양을 가장 빠른 평균 시속으로 횡단한 배의 마스트에 거는 푸른색의 길고 큰 리본》. **5** 명예의 표시.
blue-rib·bon[´ríbən] *a.* 정선된, 품질이 우수한 ; 최고급의, 가장 뛰어난.
blúe-ribbon júry〔**pánel**〕 특별 배심원 《특히 학식자(學識者) 중에서 뽑음》.
blúe rúin 1 《미俗》 완전한 파멸. **2** 《口》 질이 나쁜 진(gin)술.
blues[blu:z] *n. pl.* **1** (the ~ ; 때로 단수 취급) 《口》 우울한 기분, 우울증. **2** (단수 · 복수 취급) (재즈 음악의) 블루스《노래 · 곡 · 춤》. **3** 미국 해군〔육군, 공군〕 제복. **be in the blues** =**have the blues** 마음이 울적하다, 우울하다. **sing the blues** 《미俗》 기운이 없다, 우울하다. — *a.* 블루스의 : a ~ singer 블루스 가수.
Blues *n.* (the ~) (영국의) 근위(近衛)기병 제3연대 ; 보수당원.
blúe scréen 블루 스크린《합성 사진 제작 기술의 하나》.
Blúe Shíeld 《미》 블루 실드《영리를 목적으로 하지 않는 의료(醫療) 보험 조합의 호칭》.
blúe ský 1 푸른 하늘, 창공. **2** 《口》 거의 무가치한 증권, 엉터리 증권.
blue-sky[´skái] *a.* **1** 창공의. **2** 《口》 거의 무가치한 〈증권〉 ; 재정적으로 불건전한. **3** 《미》 막연한 구체성이 없는.
blúe-ský làw 《미口》 〔法〕 창공법(蒼空法) 《부정 증권 거래 금지법》.
blues·man[blú:zmən] *n.* (*pl.* **-men**[-mən]) 블루스 가수〔연주자〕.
blúe spót 〔醫〕 청반(青斑), 몽고반(Mongolian spot).
blúes-róck[blú:zrɑ́k/-rɔ́k] 〔樂〕 블루스 록 《록 리듬으로 부르는 블루스》.
blue·stock·ing[´stɑ̀kiŋ/´stɔ̀k-] *n.* 《경멸》 여류 문학자, 학식을 뽐내는 여자, 학자인 체하는 여자, 문학병에 걸린 여자.
blue·stone[´stòun] *n.* Ⓤ **1** 황산구리. **2** 〔岩石〕 청석(青石)《청회색 사암(砂岩) ; 건축용》.
blúe stréak 《口》 번갯불(같이 빠른 것) ; 길게 이어지는 것.
bluúet *n.* 〔植〕 파란 꽃이 피는 식물《수레국화 등》; 삼백초.
blúe tít 〔鳥〕 푸른박새《아시아 · 유럽산》.
blúe vítriol 〔化〕 담반(膽礬), 황산구리.
blúe wáter 대양, 공해(open sea).
blúe whàle 〔動〕 흰긴수염고래.
blue·y[blú:i] *n.* 《오스》 **1** 부랑자의 보따리 (swag), 여행용 옷가방. **2** 빨강 머리털의 사람. **3** 《口》 (푸른 색의) 소환장. **4** (푸른) 목축견. — *a.* 푸르스름한.
*__bluff__[1] [blʌf] *a.* **1** a 〈해안 등이〉 절벽의, 험한, 깎아지른 듯한. b 〈뱃머리가〉 넓고 뭉툭한. **2** 퉁명스러운, 솔직한. — *n.* (강 · 호수 · 바다에 면한 폭이 넓은) 절벽, 깎아지른 듯한 갑각(岬角). **blúff·ly** *ad.* **blúff·ness** *n.* ◇ blúffy *a.*
bluff[2] *vt.* **1** …에게 허세부리다 ; …으르다 ; (허세부려) 속이다, 얻다. **2** (허세부려 · 을러) …하게 하다 : He could ~ nobody *into* believing that he was rich. 허세를 부려도 아무도 그가 부자라고는 생각지 않았다. **3** 〔카드〕 (패가 센 것처럼 꾸며 상대를) 속이다.
— *vi.* 허세부리다, 엄포놓다. **bluff it out** 《口》 잘 속여 궁지를 벗어나다. **bluff** one's **way** 속여서 (…)하다. — *n.* **1** Ⓤ,Ⓒ 허세, 엄포 ; Ⓤ 속임수, 발뺌 ; 허세부리는 사람.

call the〔a person's〕 **bluff** (1) 〔카드〕 (포커에서 엄포놓는 상대방과 동액의 돈을 걸어) 패를 공개시키다. (2) (상대방의 짓을 엄포로 보고) 해볼 테면 해보라고 대들다〔도전하다〕. **make a bluff** =**play a game of bluff** (허세를 부리며) 으르다, 을러메다. **blúff·er** *n.*

bluff·y[blʌ́fi] *a.* (**bluff·i·er; -i·est**) 벼랑의〔이 있는〕.

blu·ing[blú:iŋ] *n.* Ⓤ **1** 청분(靑粉)《흰천 세탁용 표백제》. **2** 〔冶〕 청소법(靑燒法).

*__blu·ish__[blú:iʃ] *a.* 푸르스름한, 푸른〔남〕빛을 띤.

*__blun·der__[blʌ́ndər] [ON] *n.* 큰 실수, 대실책. ── *vi.* **1** (부주의·정신적 혼란 등으로) 큰 실수를 하다(*in*). **2** 우물쭈물하다, 머뭇거리다, 머뭇머뭇 걷다(*about, along*); 걸려서 넘어질 뻔하다(*against, into*): ~ *about* 어슬렁어슬렁 돌아다니다/~ *against* each other 서로 부딪치며 휘청휘청 걸어가다. **3** (…에) 실수로〔깜박하여〕 들어가다(*into, in*); 〈…을〉 우연히 발견하다(*on, upon*). ── *vt.* **1** 〈비밀 등을〉 무심코 입밖에 내다(*out*): ~ *out* a secret 얼떨결에 비밀을 누설하다. **2** 〈일 등을〉 그르치다; 〈기회 등을〉 잘못하여 놓치다〔잃다〕(*away*): ~ *away* one's fortune 잘못하여 재산을 잃다/~ *away* one's chances 깜빡하여 좋은 기회를 놓치다.

blun·der·buss[blʌ́ndərbʌ̀s] *n.* **1** 나팔총《17-18세기의 총부리가 굵은 단총》. **2** 얼간이.

blun·der·er[blʌ́ndərər] *n.* 큰 실수를 저지르는 사람; 얼간이: You ~! 이 얼간아!

blun·der·ing[blʌ́ndəriŋ] *a.* 실수하는, 서투른, 투미한. **~·ly** *ad.*

blunge[blʌndʒ] *vt.* 〈도토(陶土) 등을〉 물과 섞어 반죽하다. **blúng·er** *n.* 반죽하는 사람〔그릇〕.

⁑**blunt**[blʌnt] *a.* **1** 무딘(*opp.* sharp), 둔한. **2** 퉁명스러운, 무뚝뚝한; 둔감한. ── *n.* **1** 굵은 바늘, 돗바늘. **2** Ⓤ 《俗》 현금. ── *vt., vi.* 둔하게 하다〔되다〕, 무디게 하다.

blúnt·ly *ad.* **blúnt·ness** *n.*

*__blur__[blə:r] *n.* **1** 더러움, 때, 얼룩, 번진 자국. **2** (도덕적인) 결점, 오점, 오명. **3** 흐림, 침침함. **4** 〔寫〕 흐림, 불선명. **5** (a ~) 흐려 보이는 것; 〈추억 등〉 흐릿한 것. **6** 윙윙거리는 소리. ── (**~red; ~·ring**) *vt.* **1** 〈광경·의식 등을〉 흐리게 하다, 눈을 흐리게 하다; 〈글 쓴 것에〉 잉크를 번지게 하다. **2** 〈명성·명예 등을〉 더럽히다. ── *vi.* (…으로) 흐릿해지다; 〈눈이 …으로〉 침침하다〔해지다〕.

be blurred 〈인쇄물 등이〉 흐릿하다. **blur out** 지우다. ⊕ blúrry *a.*

blurb[blə:rb] *n.* 《口》 (책 커버 따위의) 자화자찬적 광고; Ⓤ (추천) 광고; 과대 선전. ── *vt.* 과대 선전〔광고〕하다. ── *vi.* 추천 광고를 내다.

blur·ry[blə́:ri] *a.* 더러워진; 흐릿한.

blurt[blə:rt] *vt.* 〈…을〉 불쑥 말하다; 무심결에 누설하다(*out*). ── *n.* 불쑥 말을 꺼냄; 엉겁결에 말함.

⁑**blush**[blʌʃ] [OE] *vi.* **1** 얼굴을 붉히다, 〈얼굴이〉 빨개지다; 부끄러워하다:(Ⅱ 형) She ~*ed* scarlet. 그녀는 (부끄러워) 몹시 얼굴을 붉혔다〔홍당무가 되었다〕/(Ⅱ *to do*) I ~ *to* think of such conduct. 그런 행위는 생각만 해도 부끄럽다. **2** 〈꽃봉오리 등이〉 발그레해지다, 장미색이 되다. ── *vt.* …을 붉게 하다, 얼굴을 붉혀 …을 알리다〔나타내다〕. ── *n.* **1** 얼굴을 붉힘; 홍조. **2** 언뜻 봄, 일견(一見). **at**〔**on**〕 (**the**) **first blush** 《文語》 일견하여; 언뜻 보기에는. **put** a person **to the blush** 《古》 얼굴을 붉히게 하다; 무안을 주다. **spare** a person's **blushes** 부끄러워지게〔창피해지게〕 하지 않다. ⊕ blúshful *a.*

blush·er *n.* 볼연지.

blush·ful[blʌ́ʃfəl] *a.* 얼굴을 붉히는, 수줍어하는; 불그레한. **~·ly** *ad.* **~·ness** *n.*

blush·ing[blʌ́ʃiŋ] *a.* 얼굴이 빨개진, 부끄럼을 잘 타는; 조심성 있는. ── *n.* Ⓤ 얼굴을 붉힘, 부끄러워함.

blush·ing·ly[blʌ́ʃiŋli] *ad.* 얼굴을 붉혀서, 부끄러운 듯이.

blush·less[blʌ́ʃlis] *a.* 염치없는, 철면피한.

*__blus·ter__[blʌ́stər] *vi.* **1** 〈바람·파도가〉 거세게 몰아치다; 〈사람이〉 미친 듯이 날뛰다. **2** 고함치다(*at*), 호령하다(*out, forth*); 허세 부리다〔부리며 말하다〕. ── *vt.* 〈…을〉 고함치며 말하다(*out*); 〈남을〉 고함쳐〔을러서〕 …하게 하다(*into*). **bluster oneself into anger** 발끈 화를 내다. ── *n.* **1** 사납게 불어댐, (파도의) 휘몰아침. **2** Ⓤ 고함, 노호(怒號); 허세. ⊕ blústerous *a.*

blus·ter·er[-rər] *n.* 호통치는 사람, 난폭한 사람; 뽐내는〔거드름 피우는〕 사람.

blus·ter·ing[blʌ́stəriŋ] *a.* 세차게 몰아치는; 호통치는, 뽐내는. **~·ly** *ad.*

blus·ter·ous, -ter·y[blʌ́stərəs], [-təri] *a.* =BLUSTERING.

Blu·to *n.* 블루토《포파이(Popeye)의 적수역》.

blvd., Blvd. boulevard; Boulevard. **bm.** beam; board measure. **b.m., bm, B.M., BM** board master; 《口》 bowel movement. **B.M.** Bachelor of Medicine; Bachelor of Music; ballistic missile; Brigade Major; British Museum; 〔測〕 bench mark. **B/M** 〔會計〕 bill of material. **B.M.A.** British Medical Association. **BMD** ballistic missile defense 탄도 미사일 방어《ICBM 요격》. **B.M.E.** Bachelor of Mechanical Engineering; Bachelor of Mining Engineering; Bachelor of Music Education. **BMEP** brake mean effective pressure. **BMEWS** Ballistic Missile Early Warning System 《미》 미사일 조기 경계망(*cf.* DEW). **B.M.J.** British Medical Journal. **B.M.O.C.** big man on campus. **BMR** 〔生理〕 basal metabolic rate. **BMT** Brooklyn-Manhattan Transit《뉴욕의 지하철선》. **B.Mus.** Bachelor of Music. **B.M.V.** Blessed Mary the Virgin 동정녀 마리아. **bn.** battalion. **Bn.** Baron. **B.N.A.** *Basle Nomina Anatomica* (L=Basle anatomical nomenclature) 바젤 해부학회 명명법; British North America.

B-movie *n.* (별로 좋지 않은)싸구려 영화(B picture).

BMX [bicycle moto-cross] 험한 코스를 도는 자전거 경기.

B'nai B'rith [Heb] *n.* 브네이 브리스《유대인 문화 교육 촉진 협회; 略: B.B.》.

B.N.C. 〔Oxford 大學〕 Brasenose College.

bo[1] [bou] [의성어] *int.* 악! 《어린애 등을 놀래 주는 소리》 ⇨boo.

bo[2] *n.* (*pl.* **~s**) 《미俗》 여보게, 친구, 동생, 형님《부르는 말》.

bo[3] *n.* (*pl.* **~es**) 《미俗》 떠돌이, 부랑자(boho).

b.o. back order 〔商〕 미 처리〔후적(後積)〕 주문; bad order 《鐵道俗》 파손차; broker's order 〔海運〕 선박 중개인 지시서; brought over 〔會計〕 이월; buyer's option (주식 거래에서) 매수측의 선택. **B.O.** Board of Ordnance; body odor; box office; branch office.

bo·a[bóuə] *n.* (*pl.* **~s**) **1** =BOA CONSTRIC-

TOR. **2** 보아(여성용의 모피 또는 깃털로 만든 목도리). **3** (보통 the ~)(snake 보다 변동폭이 큰) 확대 공동 변동 환시세제.

B.O.A.C. British Overseas Airways Corporation 영국 해외 항공 회사.

bóa constríctor 〔動〕 왕뱀, 보아(먹이를 졸라 죽이는 큰 뱀), 보아 구렁이.

BOADICEA British Overseas Airways Digital Information Computer for Electronic Automation.

Bo·a·ner·ges[bòuənə́:rdʒi:z] *n. pl.* **1** 보아너게(우레의 아들: 예수가 제자 야고보(James) 및 요한(John)에게 붙인 이름: 마가복음 3:17). **2** (단수 취급) 목소리가 큰〔열변의〕 연설가〔설교사〕.

*__boar__[bɔ:r] *n.* (*pl.* **~s, ~**) **1** (거세하지 않은) 수퇘지(*cf.* HOG; ⇨pig). **2** a 멧돼지(= wild ~). b Ⓤ 멧돼지 고기: a ~'s head 멧돼지 대가리(경사 때의 요리). ◇ bóarish *a.*

★**board**[bɔ:rd] *n.* **1** 널, 판자. **2** (종종 복합어를 이루어) 칠판, 흑판; 게시판; 장기판; 받침판, 선반; 〔컴퓨터〕 기판; 〔라디오·TV〕 제어반(制御盤). **3** 마분지, 대지(臺紙), 판지(板紙); (*pl.*) 〔製本〕 판지 표지. **4** (식사가 마련된) 식탁; Ⓤ 식사. **5** 회의의 탁자; 회의; (종종 **B-**; 집합적) 평의원, 평의회, 중역(회); 위원(회). **6** (종종 **B-**) (관청의) 부(部), 원(院), 국(局), 청(廳). **7** (the ~s) (古) 무대. **8** ⒸⓊ 〔海〕 뱃전; 선내. **above board** 공명정대한〔하게〕. **across the board** 전면적으로, 일률적으로. **board and lodging** 식사가 딸린 하숙. **board and〔on〕 board**=**board by board** 〔海〕 〈두 배가〉 서로 나란히. **board of education** 《미》 (주·군·시·읍의 공립 학교를 감독하는) 교육 위원회(선거 또는 임명에 의함). **board of elections** 《미》 선거 관리 위원회. **board of estimate** (뉴욕시 등의) 예산 위원회. **board of health** 《미》 (지방 자치체의) (공중) 위생국, 보건국. **come on board** 귀선(歸船)〔귀함(歸艦)〕하다. **fall〔run〕 on board of** …와 충돌하다; …을 공격하다. **full board** 세끼가 나오는 하숙. **go by the board** 〈돛대 등이〉 부러져 배 밖으로 떨어지다; 〈계획이〉 아주 실패하다; 〈풍습 등이〉 쇠퇴하다, 무시되다. **go on〔tread〕 the boards** 무대를 밟다, 배우가 되다. **on board** (1) 배 위에, 배〔비행기, 차〕 안에〔의〕: go *on board* 승선〔승차〕 하다/have *on board* 싣고 있다/take *on board* 싣다, 승선시키다. (2) (전치사적으로) *On board* the ship were several planes. 배에는 비행기가 몇대 탑재되어 있었다. **on even board with** …와 뱃전을 나란히 하여; …와 동등한 조건으로. **sweep the board** (이겨서) 탁상의 판돈을 쓸다; 대승하다, 전승(全勝)하다. **the board of directors** 중역회; 임원회, 이사회. **the Board of Inland Revenue** 《영》 내국세 수입국(收入局). **the Board of Trade** 《영》 상무성; 《미》 상공 회의소.

— *vt.* **1** (…에) 판자를 치다, 〈…을〉 널빤지로 에워싸다〔둘러막다〕(*over, up*): ~ *up* a door 문에 판자를 치다. **2** 식사시키다, 하숙시키다: How much will you ~ me *for*? 얼마이면 식사를 제공해 주겠습니까. **3** 〈배·기차·버스·비행기 등에〉 타다; 〈적선을〉 쳐들어가다.

— *vi.* (…에서) 식사를 하다; (…에) 하숙〔기숙〕하다(*at, with*): ~ *at* a hotel 호텔에서 식사하다/She ~*s with* us. 그녀는 우리 집에 하숙하고 있다. **board out** 외식하다〔시키다〕; 〈가난하여 아이를〉 다른 집〔기숙사〕에 맡기다; (군대 등에서 환자에게) 외식을 허가하다. **board up** 〔over〕 판자로 두르다〔막다〕.

*__board·er__[bɔ́:rdər] *n.* **1** (식사를 제공받는) 하숙인; 기숙생(*cf.* DAY BOY). **2** (적선에 옮겨타는) 공격병. **3** 말긴 말.

bóarder bàby 《미》 보더 베이비(부모의 양육 능력〔자격〕 결여로 병원에 무기한으로 맡겨진 어린애).

bóard fòot 《미》 보드풋(두께 1인치에 1피트 평방인 널빤지의 부피; 각재(角材)의 측정 단위; 略: bd. ft.).

bóard gàme 보드 게임(체스처럼 판 위에서 말을 움직여 노는 게임).

*__board·ing__[bɔ́:rdiŋ] *n.* Ⓤ **1** 판장, 판자 울. **2** (집합적) 널빤지, 판자(boards). **3** (식사 딸린) 하숙. **4** 승선, 승차, (비행기에의) 탑승.

bóarding brìdge (여객기의) 보딩〔탑승〕 브리지.

bóarding càrd (여객기의) 탑승권(embarkation card); (배의) 승선권.

board·ing·house[-hàus] *n.* (*pl.* **-hous·es** [-hàuziz]) (식사 딸린) 하숙집, 기숙사.

bóarding lìst (여객기의) 탑승객 명부, (객선의) 승선〔승객〕 명부.

bóarding òfficer 선내 검열 사관〔세관원〕; 방문 사관(입항한 군함을 의례적으로 방문하는 장교).

board·ing-out[-àut] *n.* Ⓤ **1** 외식(하기). **2** 《영》 (고아나 기아를 고아원에 수용하지 않고) 다른 집에 맡겨 양육하기: the ~ system 양육 위탁 제도.

bóarding pàss (여객기의) 탑승패스〔권〕.

bóarding ràmp (항공기의) 승강대, 램프.

bóarding schòol 기숙학교(*cf.* DAY SCHOOL).

bóarding shìp 임검선(중립국 등의 배에서 금제품의 유무를 조사하는).

bóarding stàble 《미》 임대 마구간(livery stable).

bóarding vìsit (선박의) 임검, 현장 검사〔검증〕.

board·man[ˊmən] *n.* (*pl.* **-men**[-mən]) **1** 판(板)〔반(盤)〕을 사용하여 일하는 사람. **2** 평의원(評議員), 위원. **bóard(s)·manshìp** [-mæ̀n] *n.*

bóard méasure 보드 메저〔계량법〕(board foot를 단위로 하는 목재의 체적 측정법; 略: b.m.).

board·room[ˊrù:m] *n.* **1** (중역·이사의) 회의실. **2** 《미》 (증권 거래소의) 입회장, 매매 거래장.

bóard rúle 보드 자(판자의 용적 측정용).

board·sail·ing[ˊsèiliŋ] *n.* 보드 세일링(서핑과 세일링을 합친 수상 스포츠).

bóard schòol 《미》 공립 국민학교(1902년 폐지).

bóard wáges **1** (입주 고용인에게 제공하는) 식사와 방(보수의 일부). **2** (통근 고용인에게 지급하는) 식사·숙박 수당.

board·walk[ˊwɔ̀:k] *n.* 《미》 **1** 판자를 깐 길. **2** (바닷가 등의) 판자 산책로. **3** (공사장의) 비계.

board·y[bɔ́:rdi] *a.* 《口》 단단한, 딱딱한(stiff).

boar·hound[bɔ́:rhàund] *n.* 멧돼지 사냥용의 큰 개(그레이트 데인 등).

boar·ish[bɔ́:riʃ] *a.* **1** 수퇘지〔멧돼지〕 같은. **2** 잔인한(cruel); 육욕적인(sensual). **~·ly** *ad.* **~·ness** *n.*

boart *n.* =BORT.

*__boast__[1][boust] *vi.* 자랑하다, 떠벌리다(*of, about, that* …): (Ⅲ *v*Ⅰ+전+명+전+(목)) He never ~*ed to* me *of* his success. 그는 자기

의 성공을 나에게 결코 자랑하지 않았다/He ~*s of* be*ing* rich. 그는 부자라고 자랑하고 있다(=He ~*s that* he is rich.)/(《Ⅲ *v*Ⅰ+(전+명)+전+*-ing*》 He ~*ed* (to us) *of* hav*ing* won the first prize. 그는 일등상을 탄 것을 (우리에게) 자랑했다(=He ~*ed* (to us) *that* he had won the first prize.(《Ⅲ (전+명)+*that*(절)》). **not much to boast of** 별로 자랑할 만한 것이 못되는. ― *vt.* **1** …을 자랑하다; 큰소리치다; (~ oneself로) 〈자기가 …이라고〉 자랑하다: He ~*s that* he can swim well. 그는 수영 잘함을 자랑하고 있다/John ~*ed himself* (*to be*) an artist. 존은 예술가임을 자랑하였다. **2** 〈장소·사물이 …을 자랑거리로서〉 가지다, 자랑으로 삼다. **boast it** 자랑하다. ― *n.* 자랑(거리); 자랑 이야기, 허풍. **make a boast of** …을 자랑하다.

boast[2] *vt.* 〔石工·彫〕〈돌 등을 정·끌로〉 대강 다듬다.

boast·er *n.* 자랑꾼, 허풍선이.

*__boast·ful__[bóustfəl] *a.* 자랑하는, 자랑하고 싶어하는; 허풍을 떠는(*of*); 과장된; 〈이야기 등이〉 자화자찬의. **~·ly**[-i] *ad.* **~·ness** *n.*

boast·ing[bóustiŋ] *n.* Ⓤ 자랑, 오만. ― *a.* 자랑하는. **~·ly** *ad.* 자랑스럽게.

★**boat**[bout] *n.* Ⓒ **1** 보트, 작은 배, 모터보트, 돛단배, 어선; (보통 작은) 기선, 선박. **2** (보통 복합어를 이루어) 배, 선(船): ferry*boat*, life*boat*, steam*boat*. **3** 《미口》 자동차; 배 모양의 탈것: a flying ~ 비행정. **4** 배 모양의 그릇. **be** (**all**) **in the same boat** 처지〔운명, 위험〕을 같이하다. **burn one's boats** (**behind** one) 배수의 진(陣)을 치다. **by a boat's length** 1정신(艇身)의 차로. **get out a boat** 배를 내다. **go by boat** 배로 가다. **have an oar in everyone's boat** 아무의 일에나 참견하다〔간섭하다〕. **miss the boat** =miss the BUS. **push the boat out** (1) 출발하다. (2) 《영口》 (큰 마음 먹고) 성대히 축하하다, 활수하게 돈을 쓰며 즐기다. **rock the boat** 《口》 (1) 〈불평 분자 등이〉 평온한 상태를 어지럽히다, 평지 풍파를 일으키다. (2) (중대한 시기 에) 풍파를 일으키다. **take** (**a**) **boat for**… …행의 배를 타다. **take to the boats** (1) (난파 때) 구명 보트로 옮겨타다. (2) 착수한 일에서 갑자기 손을 떼다. ― *vi.* (뱃놀이에서) 보트를 타다, 배를 젓다, 배로 가다; 뱃놀이하다: ~ *down*〔*up*〕 a river 강을 보트로 내려〔거슬러 올라〕 가다/~ *on* a river 강에서 뱃놀이를 하다. ― *vt.* 〈…을〉 배에 태우다; 배로 나르다; 배 안에 두다〔놓다〕; 배로 건너다. **boat it** 배로 가다. **Boat the oars!** 《口令》 노(를) 걸어!

boat·a·ble[´-əbəl] *a.* 〈강 등이〉 거슬러 올라갈 수 있는, 항행할 수 있는; 배로 나를 수 있는.

boat·age[bóutidʒ] *n.* Ⓤ **1** 뱃삯. **2** 작은 배의 운반력〔적재량〕.

boat·bill[bóutbìl] *n.* 〔鳥〕 넓은 부리해오라기(열대 아메리카산).

boat·build·er[´-bìldər] *n.* 보트〔배〕 건조인, 선장(船匠).

bóat dèck 단정(短艇) 갑판, 보트덱(구명 보트 설치 갑판).

bóat drìll 〔海〕 구명 보트 훈련.

boa·tel[boutél][*boat*+ho*tel*] *n.* 보텔 **1** 부두에 정박하여 물가의 호텔로 사용되는 배. **2** 보트 여행자를 위한 부두나 해안에 위치하여 선착장을 구비한 호텔.

bóat·er *n.* 보트 타는 사람; 맥고 모자.

boat·ful[bóutfùl] *n.* 한 배 가득한 수〔양〕.

boat·hook *n.* 갈고리 장대.

bóat·hòuse *n.* 정고(艇庫), 보트 창고(사교장으로서도 쓰임).

boat·ing[bóutiŋ] *n.* **1** Ⓤ 배젓기, 뱃놀이; 작은 배로 하는 운송업. **2** (형용사적으로) 보트 젓기(용)의, 뱃놀이의. **go boating** 뱃놀이 가다.

bóating pàrty 뱃놀이의 일행.

boat·lift *n.* (선박에 의한) 사람〔물자〕의 긴급 수송. ― *vt.* 선박으로〔보트로〕 수송하다.

boat·load[bóutlòud] *n.* **1** 한 배 분의 화물〔선객〕. **2** 배의 적재량.

*__boat·man__[bóutmən] *n.* (*pl.* **-men**[-mən]) **1** 전세 보트 업자. **2** 배젓는 사람; 뱃사공. **~·shìp** *n.* Ⓤ 배 젓는 방법, 조정술(漕艇術).

bóat nèck〔**neckline**〕 〔服〕 보트 넥〔네크라인〕(옷의 목둘레가 뱃바닥 모양으로 파인 선〔모양〕).

bóat pèople (집합적; 복수 취급) 보트 피플; 표류 난민(주로 작은 배로 탈출한 월남 피난민).

bóat ràce **1** 보트 레이스. **2** (the **B- R-**) 《영》 Oxford 대 Cambridge 대학교 대항 보트 레이스(매년 Thames강에서 부활절 전에 함).

boat·swain[bóusən, bóutswèin] *n.* **1** 〔海〕 (상선의) 갑판장(◇ bo's'n, bo'sun, bosun으로도 씀). **2** 물오리의 일종.

bóatswain's chàir 보슨 체어(밧줄에 판자를 매단 고소(高所) 작업용 의자; 선박·건물의 외면 도장 작업용).

bóat tràin 임항(臨港) 열차(기선과 연락함).

boat·yard[bóutjɑ̀ːrd] *n.* 소형선 조선〔수리〕소(보트·요트 등의 수리·보관·제조).

*__bob__[1][bɑb/bɔb] *n.* **1** 갑자기 움직임〔잡아당김〕. **2** 꾸뻑하는 인사. ― (**~bed; ~·bing**) *vi.* **1** (상하 좌우로) 홱홱〔깐닥깐닥, 까불까불〕 움직이다. **2** (머리를 꾸뻑 숙여) 인사하다, 〈여성이 무릎을 굽히며〉 인사하다(*at, to*): ~ *at*〔*to*〕 a person …에게 꾸뻑 인사하다. ― *vt.* **1** 홱 (상하 좌우로) 움직이다〔당기다〕; (…을) 갑자기 아래 위로 움직이다(*down, up*). **2** (홱 움직여, 머리를 꾸뻑하여) …을 나타내다: ~ a greeting 머리를 꾸벅하여 인사하다. **bob around** 여기저기 쏘다니다. **bob at**〔**for**〕 〈매달거나 물에 띄운 버찌 등을〉 입에 물려고 하다(놀이). **bob up** 발딱 일어나다; 불쑥 나타나다; 떠오르다, 부상하다. **bob up again** (**like a cork**) 벌떡 다시 일어서다. ◇ bóbbish *a.*

bob[2][ME] *n.* **1** 단발(斷髮)(bobbed hair); 결발(結髮), 고수머리(curl). **2** =BOB WIG. **3** 《口·영方》 송이, 다발, 묶음(bunch). **4** (시절(詩節) 등의) 짧은 행(후렴(refrain) 등). **5** (개·말의) 자른 꼬리. **6** 낚시찌; 연꼬리. ― *vt.* (**~bed; ~·bing**) 〈머리를〉 쇼트 헤어〔단발〕로 하다; 〈동물의 꼬리 등을〉 자르다. ― *vi.* 뭉친 갯지네로 고기를 낚다.

bob[3] *n.* (*pl.* ~) **1** 《영俗》 (종전의) 실링(shilling)(현재의 5펜스). **2** 《미俗》 1달러.

bob[4] *n.* 경타(輕打). ― *vt.* (**~bed; ~·bing**) 가볍게 치다.

Bob[bɑb/bɔb] *n.* 남자 이름(Bobby, Bobbie 라고도 함; Robert의 애칭). (**and**) **Bob's**〔**bob's**〕 **your uncle!** 《영口》 (…해도〔한다면〕) 괜찮다; 만사 OK!

bobbed[bɑbd/bɔbd] *a.* 꼬리를 자른; 단발의〔을 한〕: ~ hair 단발(bob).

bob·ber[1][bɑ́bər/bɔ́bər] *n.* **1** 홱〔깐닥〕 움직이는 사람〔물건〕. **2** 낚시찌(float).

bobber[2] *n.* 봅슬레이(bobsleigh) 팀의 일원.

bob·ber·y[bɑ́bəri/bɔ́b-] *n.* (*pl.* **-ber·ies**) **1** 그러모은 사냥개(=pack). **2** 대소동, 야단법

석. — *a.* 모아 놓아 와글와글 시끄러운 〈사냥개〉; 《口》 떠들썩한.

Bob·bie[bάbi/bɔ́bi] *n.* **1** 남자 이름(*cf.* BOB). **2** 여자 이름(Barbara, Roberta의 애칭).

bob·bin[bάbin/bɔ́b-] *n.* **1** (통 모양의) 실패, 얼레, 보빈; 가느다란 끈; 손잡이. **2** 〔電〕 (코일 감는) 통.

bob·bi·net[bὰbənét/bɔ̀bənét] *n.* 망사직(網紗織).

bob·bing[bάbiŋ/bɔ́b-] *n.* Ⓤ **1** 단발(법). **2** 보빙(레이더의 반사파(波)가 불규칙적으로 수신되는).

bóbbin làce bobbin에 감은 실로 짜는 수직(手織) 레이스.

bob·bish[bάbiʃ/bɔ́b-] *a.* 《俗》 기분 좋은, 기운찬, 활발한(lively).

bob·ble[bάbəl/bɔ́bəl] *vi.* **1** (깐닥깐닥) 위아래로 움직이다. **2** 《미口》 잘못〔실수〕하다. **3** 〔野〕 공을 펌블(fumble)하다. — *n.* **1** (깐닥깐닥) 위아래로 움직이기. **2** 《미口》 실수, 실책. **3** 〔野〕 펌블. **4** 〔服〕 (장식용의) 작은 털실 방울.

bóbble hàt 작은 방울이 달린 꼭 끼는 털실 모자.

Bob·by[bάbi/bɔ́bi] *n.* **1** 남자 이름(*cf.* BOB). **2** 여자 이름(Barbara, Roberta의 애칭).

bob·by *n.* (*pl.* **-bies**) 《영口》 순경.

bóbby càlf 생후 바로 도살되는 송아지.

bob·by-daz·zler[bάbidæ̀zələr/bɔ́b-] *n.* 《영方》 번쩍번쩍 하는 것, 멋있는〔굉장한〕 것; 《특히》 매력적인 아가씨.

bóbby pìn 《미》 (단발 머리를 고정시키는) 헤어핀(《영》 hairgrip).

bóbby sòcks〔**sòx**〕[bάbisὰks/bɔ́bisɔ̀ks] 《口》(소녀용) 짧은 양말, 보비 속스(발목까지의).

bob·by-sox·er[bάbisὰksər/bɔ́bisɔ̀ksər] *n.* 《口》(bobby socks를 신으며, 영화 스타나 가수를 동경하는) 10대 소녀, 사춘기의 소녀.

bob·cat[bάbkæ̀t/bɔ́b-] *n.* (*pl.* **~s, ~**) 살쾡이(북미산).

bob·let[bάblit/bɔ́b-] *n.* 2인승 BOBSLED.

bob·o·link[bάbəlìŋk/bɔ́b-] *n.* 〔鳥〕 쌀먹이새(북미산 연작(燕雀)류의 새).

bób skàte 봅스케이트(날이 나란히 2개 붙은 스케이트).

bob·sled, -sleigh[bάbslèd/bɔ́b-], [-slèi] *n.* **1** 봅슬레이(앞뒤에 2쌍의 활주부(runner)와 조타 장치를 갖춘 2-4인승의 경기용 썰매; 시속 130km 이상). **2** (옛날의 두 썰매를 이은) 연승(連乘) 썰매; 그 한쪽. — *vi.* (**~·ded; ~·ding**) 봅슬레이를 타다.

bób·sled·der *n.*

bob·sled·ding[bάbslèdiŋ/bɔ́b-] *n.* Ⓤ 봅슬레이 경기.

bób·stày *n.* 〔海〕 제1사장(斜檣) 지삭(支索).

bob·sy-die[bάbzidài/bɔ́b-] *n.* 《뉴질口》 큰소동, 대혼란.

bob·tail[⌐tèil] *n.* **1** 꼬리 자른 말〔개〕; 자른〔짧은〕 꼬리. **2** 《미俗》 트레일러가 없는 트럭. **3** 《軍俗》 불명예 제대; (the ~) 사회의 쓰레기. (**the**) **ragtag**〔**tagrag**〕 **and bobtail** (집합적) 사회의 쓰레기; 하층 계급. — *a.* **1** 꼬리를 자른; 끝을 잘라 버린. **2** 불충분한, 불완전한. — *vt.* …의 꼬리를 짧게 자르다.

-tailed[-tèild] *a.* 꼬리를 자른.

bób vèal 송아지 고기.

bób·whíte *n.* 〔鳥〕 메추라기(북미산).

bób wíg (뒤에 결발(結髮)이 있는) 머리털이 짧은 가발.

bo·cage[boukάːʒ] *n.* **1** (프랑스 북부 등의) 들과 숲 등이 혼재하는 전원 풍경. **2** (도자기 류의 장식에 쓰이는) 삼림〔전원〕 풍경화.

Boc·cac·ci·o[boukάːtʃiòu/bɔk-] *n.* 보카치오 Giovanni ~(1313-75)(이탈리아의 작가).

boc·cie, -ci, -ce[bάtʃi/bɔ́-] [It] *n. pl.* (보통 단수 취급) 보치(이탈리아의 잔디 볼링).

Boche[bɑʃ/bɔʃ] *n.* 《俗》 독일 사람, 독일 병사(원래 프랑스 군대가 쓰던 경멸어).

bóck (béer)[bɑk-/bɔk-] **1** (독일산의 독한) 흑맥주. **2** (a ~) 흑맥주 한 잔.

bo·cor[boukɔ́ːr] *n.* 《아이티》 부두(voodoo)의 마술사, 주의(呪醫).

bod[bɑd/bɔd] *n.* **1** 《俗》 몸(body). **2** 《영口·미學生俗》 사람, 놈, 녀석.

BOD biochemical oxygen demand 생물 화학적 산소 요구량.

bo·da·cious [boudéiʃəs] *a.* **1** 《미南部·中部》 틀림없는; 완전한; 주목할 만한. **2** 《俗》 대담무쌍한.

bode[1] [boud] *vt.* 《文語》 징조가 되다, 조짐이다: The crow's cry ~*s* rain. 까마 귀가 우는 것은 비가 올 징조다. — *vi.* (well, ill 등과 같은 부사와 함께) (좋은 〔나쁜〕) 징조이다 (*for*): ~ *well*〔*ill*〕 길조〔흉조〕이다, 좋은〔나쁜〕 징조이다.

bode[2] *v.* BIDE의 과거·과거분사.

bode·ful[bóudfəl] *a.* 징조가 되는; 불길한.

bo·de·ga[boudíːgə] [Sp] *n.* (*pl.* **~s**[-z]) **1** 포도주 파는 술집, 포도주 저장 창고. **2** 식품 잡화점.

bode·ment[bóudmənt] *n.* 징조, 전조, 조짐; 예언.

bodge[bɑdʒ/bɔ-] *n., vt., vi.* =BOTCH.

bodg·er, bodg·ie[bάdʒər/bɔ́-], [bάdʒi/bɔ́-] 《오스口》 *a.* **1** 하등(下等)의, 무가치한. **2** 가명의. — *n.* **1** 하찮은 사람; 가명을 쓰고 있는 사람. **2** 별명, 가명.

bo·dhi·satt·va, bod·dhi-[bòudisǽtvə, -wə] *n.* 〔佛敎〕 보살(菩薩), 보리살타.

bod·ice[bάdis/bɔ́d-] *n.* **1** 코르셋 위에 입는 여성복, 보디스. **2** (여성복의) 몸통 부분(어깨에서 웨이스트까지).

bod·ied[bάdid/bɔ́d-] *a.* (보통 복합어를 이루어) **1** 동체〔육체〕가 있는, 몸이 …한. **2** 실체(實體)가 있는; 〈음료 등이〉 감칠맛이 있는.

bod·i·less[bάdilis/bɔ́d-] *a.* 몸〔동체〕이 없는; 실체(實體)가 없는, 무형의.

:bod·i·ly[bάdəli/bɔ́d-] *a.* **1** 신체〔육체〕상의, 몸의; (정신적에 대해) 육체적인. **2** 구체의, 형체가 있는, 유형의. — *ad.* **1** 육체대로; 유형〔구체〕적으로. **2** 자기자신이, 스스로, 몸소. **3** 모두, 온통, 송두리째, 전체로.

bod·ing[bóudiŋ] *a.* 징조(徵兆)의, 징조가 되는; 불길한. — *n.* 징조(omen), 《특히》 흉조(凶兆). **~·ly** *ad.*

bod·kin[bάdkin/bɔ́d-] *n.* **1** 큰 바늘, 돗바늘, 뜨개 바늘; (긴) 속발(束髮) 핀; 송곳 바늘; (활자를 집는) 핀셋. **2** 《영》 두 사람 사이에 꼭 낀 사람. **sit**〔**ride, travel**〕 **bodkin** 두 사람 사이에 끼어 앉다〔타고 가다〕.

Bod·léi·an (Líbrary) *n.* (the ~) (Oxford 대학교의) 보들리(Bodley) 도서관.

★bod·y[bάdi/bɔ́di] [OE] *n.* (*pl.* **bod·ies**) **1** (사람·동물의) 몸, 신체; 육체(*opp.* mind, soul, spirit); 시체. **2** 《口》 사람; 《특히》 여성: a good sort of ~ 좋은 사람, 호인. **3** (머리·사지를 제외한) 동체, 몸통(*opp.* head, limb); (의류의) 몸통 부분, 동부(胴部); 나무의 줄기. **4** (사물의) 주요부: **a** (차·배·비행기의) 본체, 동체, 보디. **b** (건물의) 본채. **c** (편지나

연설의) 본문, 주체; (법률의) 주문(主文). d (악기의) 공명부(共鳴部). **5 a** (군대 등의) 주력, 본대(本隊). b (집합적) 통일체, 조직체, 법인. **6** (작품·음색 등의) 실질, 알맹이: a play with little ~ 내용이 없는 희곡. **7** 떼, 무리, 일단; 다수. **8** (the ~)(단체 등의) 대부분(*of*). **9** (보통 a ~ of ...로) 덩어리, 모임: a ~ *of* water 수역(水域)《바다·호수 등》. **10** U,C (또는 a ~) (물체의) 밀도, 농도: a wine of full ~ 감칠맛이 나는 포도주. **11** (기름의) 점성(粘性). **12** 〔幾〕 입체(立體); 〔物〕 물체, …체(體): a solid ~ 고체/a heavenly ~ 천체. **13** (도자기의) 생바탕. **body and breeches** 《미口》 죄다, 전적으로, 아주, 완전히. **body and soul** (1) 육체와 정신. (2) (동격 어구 또는 부사적으로) 심신으로, 완전히. **heirs of one's body** 직계 상속자. **Here〔There〕 in body, but not in spirit.** 몸은 여기 있어도, 마음은 다른 곳에 있다. **in a body** 한 덩어리가 되어. **in body** 몸소, 친히. **in body and mind** 심신으로. **keep body and soul together** 겨우 살아 나가다. **over one's dead body** 《口》 내 눈에 흙이 들어가기 전에는〔누가 뭐라 해도, 절대로〕(…시키지 않다). **spiritual body** 〔宗〕 정령체(精靈體). **the body of Christ** 성찬의 빵《그리스도의 살을 대표하는》, 성체(聖體); 교회.
— *vt.* (**bod·ied**) 〈관념을〉 체현〔구현〕하다, 구체화하다(embody). **body forth** 〈…을〉 마음에 그리다; 〈…을〉 구체적으로 나타내다; 〈…을〉 상징하다, 표상하다. **body out** 부연(敷衍)하다.

bod·y-ar·mor[bádiɑ̀:rmər/bɔ́di-] *n.* 방탄복.

bódy àrt 보디 아트《인체 자체를 미술의 재료로 삼는 예술의 한 양식; 사진 등으로 기록》.

bódy àrtist 보디 아티스트.

bódy bàg (지퍼가 달린 고무 제품의) 시체 운반용 부대.

bódy blòw 1 〔拳鬪〕 보디 블로, 복부 타격. **2** 대패배; 큰 타격〔좌절〕.

bod·y-build[-bìld] *n.* (특징 있는) 체격, 체질.

bod·y-build·er[-bìldər] *n.***1** BODY-BUILDING을 하는 사람. **2** 영양이 있는 음식물; 차체(車體) 제작공.

bod·y-build·ing *n.* U 보디 빌딩《신체를 튼튼하게 만드는 법》.

bódy bùrden (방사능 물질 등의) 체내 축적물〔유해 물질〕.

bódy càvity 〔解·動〕 체강(體腔).

bódy chèck 1 〔아이스하키〕 (상대편에게) 몸으로 부딪치기. **2** 〔레슬링〕 (상대방의 움직임을) 몸 전체로 막기.

bod·y·check[báditʃèk/bɔ́di-] *vt., vi.* 〔아이스하키〕 몸으로 부딪치다, 보디체크하다.

bódy clòck 〔生理〕 체내 시계《생물 시계(biological clock)의 하나; 몸 컨디션을 규칙있게 유지하는 기능》.

bódy còlor 1 (보석 등의) 실체(實體)색. **2** (그림물감·페인트의) 농후 색소.

bódy córporate 〔法〕 법인(corporate body).

bódy còunt 1 (적의) 전사자 수, 사망자 수. **2** 《일반적으로》 총인원수, 총원.

bódy Ènglish 《미口》 **1** 〔스포츠〕 던진 공의 움직임을 몸짓으로 바꾸어 보려고 하는 경기자〔관중〕의 몸의 비틂. **2** 몸짓, 제스처.

bod·y·guard[-gɑ̀:rd] *n.* **1** (집합적) 호위대, (경찰대 등의) 호위; 수행원(들). **2** 호위병, 호위자, 보디 가드.

bódy hèat 〔生理〕 체열, 동물열(animal heat).

bódy ìmage 〔心〕 신체상(身體像), 신체 심상(心像).

bódy lánguage 보디 랭귀지, 신체 언어《몸짓·표정 따위 의사 소통의 수단》.

bódy-line (bòwling)[-làin(-)] 〔크리켓〕 타자에게 닿을 듯한 겁주기 위한 속구.

bódy mìke 《미》 보디 마이크《가수의 목에 거는 소형 마이크 등》.

bódy mòusse =MOUSSE[1].

bódy òdor 체취; 암내《略: B.O.》.

bódy pàck 《미俗》 보디팩《마약을 체내에 숨겨 밀수하는 방법》.

bódy pàint 보디페인트《여러 모양이나 무늬 등을 몸에 그리기 위한 페인트·화장품》.

bódy pàinting 〔美〕 보디 페인팅, 피부 예술《나체에 그림을 그리는 미술의 일종》.

bódy plàn 〔造船〕 정면 선도(線圖)《정면에서 본 대선체(大船體) 각부의 횡단면》.

bódy pólitic (the ~) (정치 통일체로서의) 국가.

bod·y-pop·ping *n.* 바디팝핑《디스코 음악에 맞춰 로봇의 동작과 같이 추는 춤》.

bódy protèctor 〔野〕 (포수나 주심용의) 가슴받이, 프로텍터.

bódy scànner 〔醫〕 보디 스캐너《단층 X선 투시 장치; 신체의 이상 부위 진단용》.

bódy sérvant 몸종(valet).

bod·y·shell[-ʃèl] *n.* (자동차의) 차체 외각(外殼).

bódy shìrt 1 셔츠와 팬티가 붙은 내의. **2** 몸에 꼭 맞는 셔츠〔블라우스〕.

bódy shòp 1 《미》 (자동차의) 차체 제조〔수리〕 공장. **2** 《미俗》 매춘굴, 유곽.

bódy slàm 〔레슬링〕 보디 슬램, 들어 메치기.

bódy snàtcher 1 〔史〕 (무덤에서 시체를 파내어 해부용으로 파는) 시체 도둑. **2** 《俗》 장의사; 《미俗》 유괴범. **3** 《俗》 들것으로 나르는 사람; 《軍俗》 담가병(擔架兵).

body-snatch·ing =HEADHUNT.

bódy stòcking 보디 스타킹《몸에 달라붙는 스타킹식 내의》.

bod·y-suit[-sù:t] *n.* 보디수트《브래지어와 거들이 붙은 여성용 속옷》.

bod·y-surf[-sə̀:rf] *vi.* 서프보드 없이 파도를 타다.

bódy tỳpe 〔印〕 본문(本文) 활자(*cf.* DISPLAY TYPE).

bódy wàve[-wèiv] (컬을 거의 하지 않은) 생머리 퍼머.

bod·y·work[-wə̀:rk] *n.* U **1** 차체(車體). **2** 차체의 제작〔수리〕.

boehm·ite[béimait, bóu-] *n.* 〔鑛〕 뵘석(石)《알루미늄 원광 보크사이트의 주요 성분의 하나》.

Boe·ing[bóuiŋ] *n.* 보잉《미국 항공기 회사; 그 항공기》.

Boe·o·ti·a[bióuʃiə] *n.* 보이오티아《옛 그리스의 지방; 현재는 Voiotia》.

Boe·o·ti·an[bióuʃən] *a.* **1** 〔옛그리스〕 보이오티아(Boeotia)(사람)의. **2** 어리석은, 우둔한, 따분한. — *n.* **1** 보이오티아 사람; 보이오티아 방언. **2** 둔감한 사람; 교양없는〔무식한〕 사람; 문학·예술에 몰이해한 사람.

Boer[bɔ:r, bouər] *n.* 보어 사람《남아프리카의 네덜란드계 백인; 지금은 보통 Afrikaner를 씀》. — *a.* 보어 사람의.

Bóer Wàr (the ~) 보어 전쟁《1899-1902》.

boeuf bour·gui·gnon[bə́:fbùərgi:njɔ́:ŋ] [F] *n.* 뵈프 부르기뇽(beef of Burgundy)《쇠고기·양파·버섯 등을 적포도주로 조리한

음식).

B. of E. Bank of England; Board of Education.

boff[1] [bɑf/bɔf] 《미俗》 *n.* **1** 폭소〔홍소(哄笑)〕(를 일으키는 재치있는 말). **2** 주먹의 일격. **3** 대성공한 연극〔영화, 노래 《등》〕. — *vt.* **1** 폭소하다. **2** 주먹으로 치다.

boff[2] =BONK.

bof·fin [bɑ́fin/bɔ́f-] *n.* 《영口》 (특히 과학 기술·군사 산업 연구에 종사하는) 과학자, 전문 기술자.

bof·fo [bɑ́fou/bɔ́f-] 《미俗》 *a.* **1** 크게 히트〔성공〕한, 세상을 깜짝 놀라게 하는. **2** 호의적인 〈비평〉. **3** 높은 소리의 〈웃음〉. — *n.* (*pl.* ~(**e**)**s**) **1** =BOFF. **2** 1달러. **3** 1년(의 형기).

B. of H. Board of Health; Band of Hope 금주단. **B. of T., B.O.T.** Board of Trade (영국) 상무성(商務省).

Bó·fors gùn [bóufɔːrz-, -fɔːrs-] *n.* (대공용) 40밀리 자동 소총.

***bog** [bɑg, bɔ(:)g] *n.* **1** 습지, 습원(濕原); 소택지, 늪, 소(沼), 수렁. **2** (보통 *pl.*) 《영俗》 (옥외) 변소. — *vt., vi.* (~**ged**; ~·**ging**) 수렁에 빠뜨리다〔빠지다〕, 꼼짝 못하게 하다〔되다〕; 난항하다. **be**〔**get**〕 **bogged** 수렁에 빠지다. **bog down** 수렁에 빠지다; 꼼짝 못하다. **bog in** 《오스口》 기세 좋게 〈일을〉 시작하다; 먹기 시작하다. ⊕ **bóggy** *a.*

bo·gan *n.* 《캐나다》 흐름이 고요한 강의 지류, 강의 깊은 웅덩이.

bo·gey [bóugi] *n.* **1** =BOGY 1. 〔골프〕 **2** 《영》 기준 타수(打數)(par). **3** 보기(par보다 한번 더 쳐서 홀에 넣기)(⇨par). — *vt.* 〈홀을〉 보기로 마치다.

bo·gey·man [bóugimæ̀n] *n.* (*pl.* **-men** [-mèn]) **1** (못된 어린이를 잡아간다는) 악귀〔요괴〕. **2** 무서운 것〔사람〕; 고민 거리.

bog·gle[1] [bɑ́gəl/bɔ́gəl] *vi.* **1** (무서워서·놀라서) 펄쩍 뛰다, 움찔하다, 주춤거리다(*at*). **2** 실수하다, 실패하다. **3** 핑계대다. **The mind**〔**imagination**〕 **boggles.** 《口》 상상도 할 수〔믿을 수〕 없는 일이다. — *n.* (놀라서) 펄쩍 뜀, 주춤거림, 움찔함; 실수.

boggle[2] *n.* =BOGLE.

bog·gling *a.* 《口》 아연케 하는, 놀랄만한.

bog·gy [bɑ́gi, bɔ́ːgi/bɔ́gi] *a.* (**-gi·er**; **-gi·est**) 습지〔늪, 수렁〕의; 소택지〔늪, 수렁〕가 많은.

bo·gie [bóugi] *n.* **1** 낮고 견고한 짐수레〔트럭〕. **2** (6륜 트럭의) 구동 후륜(後輪). **3** 《영》 〔鐵道〕 전향 대차(臺車)(차축이 자유롭게 움직이는 차량).

bóg ìron (**óre**) 〔鑛〕 소철(沼鐵), 소철광.

bo·gle [bɑ́gəl/bɔ́gəl] *n.* 유령, 도깨비, 요귀.

bóg mòss 〔植〕 물이끼.

Bog·ners [bɑ́gnərz/bɔ́g-] *n. pl.* 《미俗》 스키 바지(ski pants).

Bo·go·tá [bòugətɑ́ː] *n.* 보고타(남아메리카 콜롬비아 공화국의 수도).

bog-pock·et [bɑ́gpɑ̀kit/bɔ́gpɔ̀k-] *n.* 《미俗》 구두쇠, 절약가.

bog·trot·ter [bɑ́gtrɑ̀tər/bɔ́gtrɔ̀tər] *n.* 소택지 주민〔방랑자〕; 《경멸》 아일랜드 사람.

bogue [bóug] *a.* 《미俗》 마약이 떨어진, 마약을 필요로 하는; 금단 증상으로 괴로워 하는.

bo·gus [bóugəs] *a.* 위조〔가짜〕의, 사이비(似而非)의: a ~ company 사이비〔유령〕회사. — *n.* 위조 우표; 《俗》 (신문·잡지 등의) 메움 기사.

bog·wood [bɑ́gwùd/bɔ́g-] *n.* Ⓤ 이탄지(泥炭地)의 매목(埋木)(장식용으로 씀).

bo·gy [bóugi] *n.* (*pl.* **-gies**) **1** 《兒》 악귀, 도깨비, 유령(ghost); 사람에 붙어 다니며 괴롭히는 것. **2** 무서운 것, 고민(거리). **3** 《軍俗》 국적 불명의 비행기; 적기. **4** 〔골프〕 기준 타수(打數). **5** 《兒》 코딱지.

boh [bou] *int.* =BOO[1].

Boh., Bohem. Bohemia(n).

Bo hai, Po Hai [bóuhài], [póu-] *n.* 보하이, 발해(渤海)(만)(별칭: Gulf of Zhili〔Chihli〕).

Bo·hea, b- [bouhíː] *n.* 무이차(武夷茶)(중국산의 질이 나쁜 홍차).

Bo·he·mi·a [bouhíːmiə] *n.* **1** 보헤미아(체코 서부 지역; 본래 왕국). **2** (종종 **b-**) 자유 분방한 사회〔지구〕.

Bohe·mia-Mora·via *n.* 보헤미아 모라비아 (Bohemia 및 Moravia를 포함하는 옛 독일 보호령(1939~45)).

***Bo·he·mi·an** [bouhíːmiən] *a.* **1** 보헤미아의; 보헤미아 사람〔말〕의. **2** (종종 **b-**) 방랑적인; 전통에 얽매이지 않는; 자유 분방한, 호방(豪放)한. — *n.* **1** 보헤미아 사람; Ⓤ 보헤미아 말. **2** (종종 **b-**) 자유 방종한 생활을 하는 사람 (특히 문예인); 집시. **~·ism** *n.* Ⓤ 자유 방종한 기질〔생활, 주의〕.

Bohr [bɔːr] *n.* 보어 Niels H.D. ~(덴마크의 물리학자(1885-1962); 1922년 노벨상 수상).

Bóhr effèct 〔生理〕 보어 효과(혈액 산소 해리 곡선에 나타나는 이산화탄소의 영향).

Bóhr mágneton 〔物〕 보어 자자(磁子) (자기 모멘트를 나타내는 단위).

Bóhr thèory 보어 이론(N. Bohr의 원자 구조론).

bo·hunk [bóuhʌ̀ŋk] *n.* 《미俗》 **1** 중부〔동부〕 유럽 출신의 미숙한 이민 노동자. **2** 폭한(暴漢), 거친 사람; 손재주가 없는 사람, 얼간이.

****boil**[1] [bɔil] [L] *vi.* **1** 끓다, 비등하다; (…하도록) 끓다: The water is ~*ing.* 물이 끓고 있다. **2** 《口》 〈피가〉 끓어 오르다; 격분하다: ~ *with* rage 격앙하다. **3** 〈바다가 뒤끓듯이〉 파도치다, 물결이 일다. **4** 삶아〔데쳐〕지다, 익다. **5** 〈군중 등이〉 돌진하다(rush). **boil forth** 입에 거품을 내며 지껄이다. **boil over** 끓어 넘치다; 펄펄 뛰며 노하다, 노발대발하다; 〈사태가〉 위기에 이르다, 폭발하다. — *vt.* **1** 끓이다, 비등시키다. **2** 삶다, 데치다: (Ⅴ (목)+형) She never ~*s* the eggs hard. 그녀는 달걀을 결코 완숙으로 하지〔푹 삶지〕 않는다/~ an egg soft 달걀을 반숙으로 하다/(Ⅳ 대+(목)) She ~*ed* me two eggs. 그녀는 나에게 달걀 두 개를 삶아주었다(=(Ⅲ (목)+전+명) She ~*ed* two eggs for me.). **3** 〈설탕·소금 등을〉 졸여서 만들다. **boil away** (1) 끓어서 증발하다, 끓여서 증발시키다. (2) 〈용기가 빌 때까지〉 계속 비등하다. (3) 〈흥분 등이〉 가라앉다. **boil down** 졸이다, 졸다; 요약하다〔되다〕. **boil down to ...** 결국〔요컨대〕 …으로 되다. **boil dry** 〈액체가〉 끓어서 없어지다. **boil off** 끓여〔삶아〕 제거하다. **boil over** 끓어 넘치다; 〈사태가〉 폭발하여 (…에) 이르다(*in, into*). **boil the pot** =**make the pot boil** ⇨pot. **boil up** 끓어오르다; 삶다; 끓여 소독하다; 〈수프 등을〉 끓이다, 데우다; 《口》 〈분쟁 등이〉 일어나다, 일어나려고 하다. **keep the pot boiling** (이럭저럭) 생계를 꾸려 나가다; 〈일을〉 기세 좋게〔활기차게〕 계속해 나가다. — *n.* 끓임, 삶음, 비등(점). **be on**〔**at**〕 **the boil** 끓고 있다. **bring**〔**come**〕 **to the boil** 끓게 하다〔끓기 시작하다〕. **give a boil** 끓이다, 삶다.

boil[2] *n.* 종기(腫氣), 부스럼(furuncle).

boiled[bɔild] *a.* **1** 끓은, 삶은. **2** 《俗》 취한.

bóiled cóllar (풀이) 빳빳한 칼라.

bóiled dínner 《미》 고기 · 채소를 한데 삶은 음식.

bóiled óil 보일유(건성유의 건성(乾性)을 높인 것; 도료의 원료유).

bóiled shírt 1 《미口》 (가슴 부분을 빳빳하게 풀먹인) 예장용 흰 와이셔츠. **2** 《미俗》 딱딱한 사람〔태도〕, 젠체하는〔점잔빼는〕 바보. **(as) stiff as a boiled shirt** 딱딱하게, 뻣뻣하게.

bóiled swéets 《영》 눈깔사탕(hard candy).

*__boil·er__[bɔ́ilər] *n.* **1** 끓이는 사람. **2** 끓이는 그릇(솥 · 냄비 등); 보일러, 기관(汽罐). **3** 끓여 먹는 음식(야채 등).

boil·er·mak·er[-mèikər] *n.* **1** 보일러 제조자. **2** Ⓤ 《미口》 맥주를 탄 위스키.

bóiler plàte 1 보일러판(板)(압연 강판(壓延鋼板)). **2** 〔宇宙〕 모형 우주 캡슐.

bóiler ròom 1 보일러실. **2** 《미俗》 무허가 증권 브로커 영업소(bucketshop).

bóiler scàle 관석(罐石), 더껑이(보일러 속에 생기는 때).

bóiler sùit 《영》 (위아래가 붙은) 작업복.

*__boil·ing__[bɔ́iliŋ] *n.* **1** Ⓤ 끓음, 삶음, 비등. **2** 1회분의 삶을 거리. **the whole boiling** 《俗》 전부, 전체. ── *a.* **1** 끓어 오르는; 뒤끓는 듯한. **2** (바다가 뒤끓듯이) 사나운. **3** (정열 등이) 격렬한. **4** 푹푹 찌는 듯한, 몹시 더운; (부사적으로) 찌듯이; 맹렬하게. **boiling hot** 끓어 오르는; 찌는 듯이 더운, 굉장히 더운.

bóiling pòint 1 비등점. **2** (the ~) 울화가 터질 때, 격노할 때; 흥분의 절정. **3** 결단을 내릴 때, 중대한 전기(轉機).

bóiling wàter reáctor 비등수형 원자로 (略: BWR).

boil·off[´-ɔ̀(:)f, ´-ɑ̀f] *n.* 〔宇宙〕 연료의 증발(로켓의 countdown 중의).

boil·o·ver[´-òuvər] *n.* 《오스俗》 (경마 등에서의) 예상 밖의 결과.

boil-up[´-ʌ̀p] *n.* 《오스》 차 끓이기.

*__bois·ter·ous__[bɔ́istərəs] *a.* **1** 〈사람 · 행위 등이〉 거친, 사나운, 난폭한; 떠들썩한; (큰소리를 내며) 명랑한: a ~ party 떠들썩하고 명랑한 파티. **2** 〈바람 · 파도 등이〉 거친, 사나운, 휘몰아치는. **~·ly** *ad.* **~·ness** *n.*

BOK Bank of Korea.

boke[bouk] *n.* 《미俗》 코(nose).

bo·ko[bóukou] *n.* (*pl.* **~s**) 《영俗》 **1** 코. **2** (사람의) 머리.

Bol. Bolivia(n).

bo·la(s)[bóulə(s)] *n.* (*pl.* **-las(·es)**) 볼라(끝에 돌이나 쇳덩어리가 달린 투척용 밧줄; 짐승 발에 던져 휘감기게 해서 잡음).

bóla tìe =BOLO TIE.

‡**bold**[bould] *a.* **1** 대담한(daring), 용감한, 과감한(courageous): (Ⅱ *It v*Ⅱ+형+*of*+대+*to* do) It was ~ *of* you *to* go there all alone. 네가 거기에 혼자서 가다니 대담한 일이었다. **2** 《특히》 〈여성 · 여성의 태도가〉 뻔뻔스러운, 되바라진, 철면피한, 뻔뻔스런, 지나친: (Ⅱ 형+*to* do) You were〔make〕 (so) ~ (as) *to* do it. 너는 대담하게도〔감히〕 그것을 했다. **3** 두드러진, 뚜렷한(striking); 〈선 등이〉 굵은: ~ lines 굵은 선/in ~ relief 뚜렷하게 돋보이는. **4** 〈낭떠러지 등이〉 가파른, 험한(steep). **5** 〈묘사 · 상상력 등이〉 힘 있는, 분방한. **6** 〔印〕 =BOLDFACED 2. **(as) bold as brass** 아주 뻔뻔스러운. **be〔make〕 (so) bold (as) to do** 실례지만 …하다, 대담하게도〔감히〕 …하다. **make bold with** …을 제마음대로 쓰다(make free with 쪽이 일반적). **put a bold face on** …을 시치미 떼고〔대담하게〕 강행〔감행〕하다, …에 대해 대담한〔태연한〕 체하다.

bold·face[´-fèis] *n.* Ⓤ 〔印〕 볼드체 활자 (*opp.* lightface).

bold·faced[´-fèist] *a.* **1** 뻔뻔한. **2** 〔印〕 볼드체의.

*__bold·ly__[bóuldli] *ad.* 대담하게, 뻔뻔스럽게; 뚜렷이.

*__bold·ness__[bóuldnis] *n.* Ⓤ **1** 대담, 뱃심, 배짱: (Ⅴ(목)+*to* do) He had the ~ *to* fight against injustice. 그는 대담하게 불의와 싸웠다(=He boldly fought against injustice. (Ⅲ *v*Ⅰ+전+(목))). **2** 분방 자재(奔放自在). **3** 두드러짐, 눈에뜨임.

bole[1] [boul] *n.* 나무의 줄기(trunk).

bole[2] *n.* Ⓤ 〔地質〕 교회 점토(膠灰粘土).

bo·lec·tion[boulékʃən] *n.* 〔建〕 볼록 몰딩.

bo·le·ro[bəlέərou] *n.* (*pl.* **~s**) **1** 볼레로(경쾌한 3/4박자의 스페인 무용); 그 무용곡. **2** (여성용) 짧은 웃옷, 볼레로.

bo·lide[bóulaid, -lid] *n.* 〔天〕 불덩이〔폭발〕 유성, 폭발 화구(火球).

bol·i·var[bálivər/bɔ́li-] *n.* (*pl.* **bo·li·va·res, ~s**) **1** 볼리바(베네수엘라의 화폐 단위; 기호 B; =100 centimos). **2** 1볼리바 은화.

*__Bo·liv·i·a__[bəlíviə] *n.* **1** 볼리비아(남미 중서부의 공화국; 수도 La Paz, 법률상은 Sucre). **2** (**b-**) Ⓤ 부드러운 모직 천.

Bo·liv·i·an *a., n.* 볼리비아의(사람).

bo·li·vi·a·no[boulìviá:nou] *n.* (*pl.* **~s**) **1** 볼리비아노(볼리비아의 화폐 단위; 기호 B; =100centavos). **2** 1볼리비아노화(貨)〔지폐〕.

boll[boul] *n.* 둥근 꼬투리(목화 · 아마 등의).

bol·lard[bálərd/bɔ́l-] *n.* **1** 〔海〕 배 매는 기둥, 계선주(繫船柱), 볼라드. **2** 《영》 (도로 한가운데에 있는 안전 지대(traffic island)의) 보호 기둥.

bol·lix[báliks/bɔ́l-] *vt.* 《영俗》 **1** 혼란시키다, 못쓰게 만들다(*up*). **2** (시험 등에) 실패하다(*up*). ── *n.* 혼란; 뒤죽박죽.

bol·locks[báləks/bɔ́l-] 《영卑》 *n. pl.* **1** 시시한〔얼빠진〕 짓, 허튼소리(nonsense). **2** 고환, 불알. ── *vt.* 〈…을〉 엉망으로 만들다, 망쳐놓다.

bóll wéevil 1 〔昆〕 면화씨바구미. **2** 《미政俗》 보수적 민주당 의원. **3** 《미俗》 조합 미가입 노동자〔신참자〕.

boll·worm[bóulwə̀:rm] *n.* 〔昆〕 면화씨벌레.

bo·lo[bóulou] *n.* (*pl.* **~s**) (외날의) 대형 나이프(필리핀 제도와 미육군에서 사용).

bo·ló·gna (sàusage)[bəlóunjə-] [이탈리아 북부의 도시 이름에서] 볼로냐(소시지)(쇠고기 · 돼지고기로 만든 큰 소시지).

bo·lo·graph[bóuləgræ̀f, -grɑ̀:f] *n.* 〔物〕 자기(自記) 저항 복사계.

bo·lom·e·ter[boulámitər/-lɔ́m-] *n.* 〔物〕 볼로미터, 저항 방사열계(抵抗放射熱計).

bo·lo·ney[bəlóuni] *n.* =BALONEY.

bólo tìe, bóla tìe 《미》 볼로타이(금속 고리로 고정시키는), 끈 넥타이.

*__Bol·she·vik__[bálʃəvìk, bóul-, bɔ́(:)l-] [Russ] *n.* (*pl.* **~s, -vik·i**[-vìki:]) **1 a** (the Bolsheviki) 볼셰비키(러시아 사회 민주 노동당의 다수파 · 과격파; *cf.* MENSHEVIK). **b** 볼셰비키의 한 사람. **2** 공산당원. **3** (때로 **b-**) 과격주의자. ── *a.* **1** 볼셰비키의. **2** (때로 **b-**) 과격파의.

Bol·she·vism[bálʃəvìzəm, bɔ́(:)l-] *n.* Ⓤ

1 볼셰비키의 정책〔사상〕. 2 (때로 b-) 과격주의.

Bol·she·vist[bálʃəvist, bɔ́(:)l-] *n.* 1 볼셰비키의 일원. 2 (때로 b-) 과격론〔사상〕. — *a.* 볼셰비키의.

Bol·she·vize, b-[bálʃəvàiz, bɔ́(:)l-] *vt.* 볼셰비키화(化)하다, 적화(赤化)하다.

Bol·shie, -shy[bóulʃiː, bál-, bɔ́(:)l-] 《俗》 *n.* (*pl.* **-shies**) 《口》 과격주의자. — *a.* 1 과격파의, 체제에 반항하는. 2 좌익의.

bol·ster[bóulstər] *n.* 1 덧베개(pillow를 얹는). 2 받침《서까래·받침대 등》. — *vt.* 1 〈환자 등을〉 덧베개로 받쳐주다(*up*). 2 〈학설·운동 등을〉 지지하다; 보강하다; 기운내게 하다, 튼튼하게 하다. 3 베개로 치다〔싸우다〕.

⁑**bolt**[1] [boult] [OE] *n.* 1 (crossbow로 쏘는) 큰 화살. 2 전광, 번개; 벼락; 분출(噴出). 3 빗장, 걸쇠; (자물쇠의) 청; (총의) 놀이쇠. 4 볼트, 나사〔쇰〕못. 5 탈주, 도망. 6 결석, (회합에서) 빠져 나감; 탈당; 《미》 자당의 정책〔공천 후보자〕 거부. 7 한 통《피륙·벽지 등의》, 한 필, 한 묶음. **do a bolt** = **make a bolt for it** 《口》 도망치다. (**like**) **a bolt from**〔**out of**〕 **the blue** (**sky**) 청천벽력(과 같이). **shoot one's** (**last**) **bolt** 큰 화살을 쏘다; 최선을 다하다: *My bolt* is *shot.*(=I have *shot my bolt.*) 화살은 이미 시위를 떠났다, 이제는 어쩔 수 없다/A fool's *bolt* is soon *shot.* 《속담》 어리석은 자는 금방 제 밑천을 드러낸다. — *vi.* 1 뛰어〔튀어〕 나가다; 도망하다; 〈말이〉 날뛰며 달아나다: They *~ed out* with all their money. 그들은 있는 돈을 전부 갖고 도망쳤다. 2 《미》 탈퇴하다, 탈당하다. 3 〈음식을〉 삼키다, 급히 먹다. 4 볼트로 죄어지다, 빗장으로 잠가지다. — *vt.* 1 쏘다. 2 〈음식을〉 씹지 않고 통째로〔급히〕 삼키다. 3 빗장 질러 잠그다, 볼트로 죄다. 4 《미》 탈퇴하다, 탈당하다. 5 불쑥〔무심코〕 말하다. **bolt in**〔**out**〕 몰아 넣다〔내다〕. **bolt up** 〈문 등을〉 걸어 잠그다, 닫아 버리다.
— *ad.* (~ upright로) 똑바로, 꼿꼿하게.

bolt[2] *vt.* 체질하여 가르다; 세밀히 조사하다.

bólt bòat 거친 바다를 견딜 수 있는 외양(外洋) 보트.

bolt·er[1] [bóultər] *n.* 1 질주하는 말; 탈주자. 2 《미》 탈당자.

bolter[2] *n.* 1 체질하는 사람〔것〕. 2 체.

bólt hèad [´hèd] 볼트 머리.

bolt-hole *n.* 피난 장소, 도피소.

bolt·ing[´iŋ] *n.* 1 볼트(로) 조이기. 2 음식물을 통째로 삼킴. 3 도망. 4 〔植〕 추대(抽薹).

bolt-on[´ɔ̀(:)n] *a.* 〔機〕 〈차의 부품 등이〉 볼트로 죄는.

bolt·rope[´ròup] *n.* 1 〔海〕 볼트로프《돛 주변의 보강 밧줄》. 2 질 좋은〔튼튼한〕 밧줄.

bo·lus[bóuləs] *n.* (*pl.* **~·es**) 둥근 덩어리, 큰 환약《동물용》. 싫은 것《고언(苦言) 등》.

bo·ma[bóumə] *n.* 《중앙·동아프리카》 방벽; (경찰·군대의) 초소; 치안 판사 사무소.

⁑**bomb**[bam/bɔm] *n.* 1 폭탄; (the ~) (최고 병기로서의) 원자〔수소〕 폭탄, 핵무기: an A-~ 원자폭탄(atomic bomb). 2 〔地質〕 화산탄(火山彈). 3 《미俗》 폭탄 발언〔성명〕. 4 (고압 가스를 넣은) 봄베; (살충제·도료 등의) 분무기, 스프레이. 5 (방사성 물질의 저장·운반에 쓰이는) 납 용기. 6 《미口》 (흥행 등의) 대실패. 7 (보통 *sing.*) 깜짝 놀라게 하는 일〔사람〕, 돌발사건; 《영》 대성공. 8 (보통 *sing.*) 큰 돈, 거금, 큰 재산. **go down a bomb** 《口》 크게 성공하다, 큰 인기를 얻다. **go down like a bomb** 《口》 커다란 충격〔놀라움〕이다; 실망〔실패〕으로 끝나다. **go** (**like**) **a bomb** 《영口》 대성공하다; 크게 히트치다; 〈상품이〉 잘 팔리다, 호평을 받다; 〈차의〉 성능이 좋다, 속력이 잘 나다, 맹렬한 속도로 달리다; 〈사람이〉 일을 잘 진행하다. **put a bomb under** a person 《口》 …에게 빨리 해주도록 재촉하다. — *vt.* 1 폭격하다; …에 폭탄을 투하하다; 폭파하다. 2 〔野〕 〈공을〉 장타하다; 〔스포츠〕 〈남을〉 완패시키다. — *vi.* 1 폭탄을 투하하다, 폭탄이 터지다. 2 《미口》 대실패하다; 〈쇼 등이〉 전혀 인기가 없다. **bomb out** 공습으로 (집·직장 등에서) 쫓아내다; 대실패하다. **bomb up** (비행기에) 폭탄을 싣다.

∗**bom·bard**[bambáːrd/bɔm-] *vt.* 1 포격〔폭격〕하다. 2 〈꽃다발 등을〉 집어 던지다, 〈질문·탄원 등을〉 퍼붓다: ~ a person *with* questions 질문 공세를 퍼붓다. 3 〔物〕 〈원자 등에〉 입자로 충격을 가하다.

bom·bar·dier[bàmbərdíər/bɔ̀m-] *n.* 1 (폭격기의) 폭격수(手). 2 《영》 포병 하사관.

∗**bom·bard·ment**[bambáːrdmənt/bɔm-] *n.* U,C 1 포격, 폭격. 2 〔物〕 충격.

bom·bar·don[bámbərdən, bambáːr-/bɔm-báːr-] *n.* 〔樂〕 1 (tuba 비슷한) 저음 금관 악기. 2 (풍금의) 저음 음전(音栓).

bom·ba·sine[bàmbəzíːn, ⌐–´, [bɔ́m-bəsíːn] *n.* = BOMBAZINE.

bom·bast[bámbæst/bɔ́m-] *n.* U 과장된 말, 호언 장담, 허풍.

bom·bas·tic[bambǽstik/bɔm-] *a.* 과장한, 허풍 떠는. **-ti·cal·ly**[-tikəli] *ad.*

Bom·bay[bambéi/bɔm-] *n.* 봄베이《인도의 항구 도시; Maharashtra 주의 주도》.

Bómbay dúck 〔魚〕 물천구《인도산 바다 물고기, 말려서 카레 요리에 씀》.

bom·ba·zine[bàmbəzíːn, ⌐–´/bɔ́mbəzìːn] *n.* U 봄버진《날실은 명주실, 씨실은 털실 능직(綾織); 주로 여성 상복(喪服)감》.

bómb bày (비행기의) 폭탄 투하실(室).

bómb dispósal 불발탄 등의 처리〔제거〕.

bombe[bam(b)/bɔm(b)] [F] *n.* (*pl.* **~s**[-z]) 봄브《멜론 모양의 용기에 수종의 아이스크림을 넣은 얼음 과자》.

bombed[bamd/bɔmd] *a.* 《미俗》 술〔마약〕에 취한.

bombed-out[´àut] *a.* 공습으로 집이 타버린: ~ people 공습으로 집을 잃은 이재민/~ houses 공습으로 불탄 집들.

bomb·er[bámər/bɔ́m-] *n.* 1 폭격기〔수〕; 폭파범. 2 《미俗》 마리화나 담배.

bomb-hap·py[bámhæ̀pi/bɔ́m-] *a.* 《口》 포탄〔전투〕 노이로제의, 폭격으로 신경 쇠약에 걸린(shell-shocked).

bomb·ing[bámiŋ/bɔ́m-] *n.* U 폭격; 〈상대방 등을〉 무찌르기: a ~ plane 폭격기.

bom·bi·ta[bɔːmbíːtaː] [Sp] *n.* 《미俗》 (마약 상용자가 쓰는) 암페타민의 정제(錠劑)〔캡슐〕.

bomb·let[bámlit/bɔ́m-] *n.* 소형 폭탄.

bómb lòad[bámlòud/bɔ́m-] 〔軍〕 (한 대의) 폭탄 적재량.

bomb·proof[bámprùːf/bɔ́m-] *a.* 방탄의: a ~ shelter 방공호. — *n.* 방공 구조물, 방공호. — *vt.* 방탄으로 하다.

bómb ràck 〈군용기의〉 폭탄 현가(懸架)〔부착〕 장치.

bómb rùn 〔軍〕 (목표 확인부터 폭격까지의) 폭격 항정(航程).

bomb·shell[´ʃèl] *n.* 1 폭탄(bomb); 포탄(shell). 2 (보통 *sing.*) 《口》 깜짝 놀라게 하

는 일〔사람〕, 돌발 사건; 이목을 끄는 사람, 굉장히 매력적인 미인; 《미俗》 염문이 떠도는 여자〔쇼걸〕. **drop a bombshell** 《口》 충격적인 언동을 하다, 폭탄 선언을 하다. **explode a bombshell** 깜짝 놀랄 말을 하다, 깜짝 놀라게 하다. **like a bombshell** 돌발적으로; 기막히게 〈잘되어〉.

bómb shèlter 공습 대피소, 방공호.

bomb·sight[ˊsàit] *n.* 〔空〕 폭격 조준기.

bomb·site[ˊsàit] *n.* (공습 받아) 폭파된 터〔잔해〕, 피폭지(被爆地).

bómb snìffer 취각성(臭覺性) 폭탄 탐지기.

bómb squàd 〔미蹴〕 폭격부대《위험이 따르는 플레이에 동원되는 예비 팀》.

bom·by·cid[bámbəsid/bɔ́m-] *n.* 〔昆〕 누에나방의 일종.

bon[bɔ(:)n, bɔ̃] [F =good] *a.* 좋은.

bo·na fi·de[bóunə-fáidi, -fàid] [L =in good faith] *a., ad.* 진실한〔하게〕, 성실한〔히〕, 선의의〔를 가지고〕.

bo·na fi·des[bóunə-fáidi:z] [L=good faith] *n.* 〔法〕 진실; 선의(善意), 성의.

bon a·mi[bɔ́nɑmí:] [F] *n.* (*pl.* **bons a·mis**) **1** 남자 친구. **2** 애인.

bo·nan·za[bounǽnzə] [Sp =good luck] *n.* **1** (함유량이) 풍부한 광맥. **2** 대성공, 행운, 노다지, 운수 대통; (농장의) 대풍년; 보고(寶庫). **in bonanza** 노다지를 캐어.

bonánza fàrm 수확이 잘 되는 대농장.

Bonánza Stàte 《미》 Montana주의 속칭.

Bo·na·parte[bóunəpà:rt] *n.* 보나파르트 Napoleon ~《프랑스 황제; 1769-1821》.

Bo·na·part·ism *n.* Ⓤ 나폴레옹 지지; 나폴레옹식 독재정치, 보나파르트주의.

Bo·na·part·ist *n., a.* 나폴레옹 1세 지지자(의).

bon ap·pé·tit [bɔnapeti] [F =(I wish you) a good appetite] *int.* 많이 드십시오.

bon·bon[bánbɑn/bɔ́nbɔn][F=good] *n.* 봉봉, 사탕 과자(piece of candy).

bon·bon·nière[bànbɑníər/bɔ̀nbɔnjέər] [F=candy holder] *n.* **1** 봉봉 그릇. **2** 과자점.

bonce[bɑns/bɔns] *n.* **1** 《영》 큰 공기돌; 그것으로 하는 공기놀이. **2** 《영俗》 머리(head).

⁑**bond**¹ [bɑnd/bɔnd] *n.* **1** 묶는〔매는, 잇는〕 것《새끼·끈·띠 등》. **2** 접합제, 접착제, 본드; (돌·벽돌 등의) 이어 쌓기〔쌓는 법〕; (a ~) 접착(상태). **3** (보통 *pl.*) 속박, 구속; 굴레. **4** (종종 *pl.*) 결속; 인연, 연분. **5** 약정, 계약, 맹약; 동맹, 연맹: enter into a ~ with …와 계약을 맺다. **6** (차용) 증서; 공채(公債) 증서, 채권, 회사채: a public ~ 공채/a treasury ~ (미국의) 재무성 발행의 장기 채권, 국채/His word is as good as his ~. 그의 약속은 보증 수표나 같다. **7** 보증인; Ⓤ 보증; Ⓤ 보증금, 보석금. **8** Ⓤ 〔稅關〕 보세 창고 유치(留置). **9** 〔化〕 원자의 손, (한 원자의) 결합, 원자 가표(價標). **give bond for**〔**to do**〕 《미俗》 …의 (…하겠다는) 보증을 하다. **go a person's bond** …의 보증인이 되다. **in bond** 보세 창고 유치의. **in bonds** 금고(禁錮) 당하여. **out of bond** 보세 창고에서 (내놓아). **call a bond** 공채 상환을 통고하다. ── *vt.* **1** 〈수입품을〉 보세 창고에 맡기다. **2** 담보를 넣다, 저당 잡히다; 〈차입(借入)금을〉 채권으로 대체(對替)하다; (…을 위해) 손해를 보증하다. **3** 〈돌·벽돌 등을〉 이어 쌓다, 잇다. **4** 접착시키다, 접합하다. ── *vi.* 접착〔접합〕하다.

bond² 《古》 *n.* 노예, 농노(農奴). ── *a.* 사로잡힌, 노예의.

***bond·age**[bándidʒ/bɔ́nd-] *n.* Ⓤ **1** 농노의 신세, 천역(賤役). **2** (행동 자유의) 속박, 굴종. **3** 노예의 신분; (정욕 등의) 노예가 됨. **in bondage** 감금되어, 노예가 되어.

bond·ed[bándid/bɔ́nd-] *a.* **1** 접착제로 붙인. **2** 공채〔채권〕로 보증된; 담보가 붙은. **3** 보세 창고에 유치된; 보세품의.

bónded débt 사채 발행 차입금, 장기 차입금.

bónded fàctory〔**mill**〕 보세 공장.

bónded góods〔**mérchandise**〕 보세화물.

bónded wárehouse〔**stóre**〕 보세 창고.

bond·er[bándər/bɔ́ndər] *n.* **1** 보세 화물의 소유주. **2** =BONDSTONE.

bond·hold·er[bándhòuldər/bɔ́nd-] *n.* 공채 증서〔회사 채권〕 소유자.

bond·ing[bándiŋ/bɔ́nd-] *n.* **1** 〔建·石工〕 조적(組積)식 쌓기; 접합. **2** 〔電〕 결합, 접속. **3** 〔人類〕 (공동 생활로 인한) 긴밀한 유대.

bond·maid[ˊmèid] *n.* 여자 노예.

bond·man[ˊmən] *n.* (*pl.* **-men**[ˊmən]) 남자 노예; 농노(serf).

bónd pàper 증권 용지; 특별 고급 용지.

bónd sèrvant 종, 노복, 노예.

bónd sèrvice 종〔농노〕 노릇.

bond·slave[ˊslèiv] *n.* 노예(bondman).

bonds·man[bándzmən/bɔ́ndz-] *n.* (*pl.* **-men** [-mən]) **1** =BONDMAN. **2** 〔法〕 보증인.

bond·stone[bándstòun/bɔ́nd-] *n.* 〔石工〕 받침돌, 이음돌.

Bónd Strèet *n.* 런던의 고급 상가.

bonds·wom·an *n.* (*pl.* **-wom·en**[-wìmin]) **1** =BONDWOMAN. **2** 《미》 〔法〕 여성 보증인.

bond·wom·an[bándwùmən/bɔ́nd-] *n.* (*pl.* **-wom·en**[-wìmin]) 여자 노예.

★**bone**[boun] *n.* **1** 뼈; Ⓤ 골질(骨質); (*pl.*) 골격; 신체: a horse withplenty of ~ 골격이 좋은 말/old ~*s* 노구(老軀), 노골(老骨). **2** (*pl.*) 시체, 유골. **3** (보통 *pl.*) (이야기 등의) 골자, (문학 작품의) 뼈대. **4** 뼈처럼 생긴 것《상아·고래 수염 등》. **5** Ⓤ 살이 조금 붙어 있는 뼈《수프 등의 재료》. **6** 뼈·상아 등으로 만든 물건; 뼈의 구실을 하는 것《우산·코르셋 등의 뼈대》. **7** (*pl.*) 본즈《흑인의 타악기》; (B-s; 단수 취급) 본즈 주자(Mr. Bones 라고도 함). **8** (*pl.*) 《口》 주사위; 캐스터네츠(casternets). **9** 《미俗》 달러. **10** 《미俗》 열심히 공부하는 사람〔학생〕. **11** =END MAN. **a bone of contention** 불화의 원인. **bred in the bone** 〈생각·성질을〉 타고난, 뿌리 깊은. **cast** (**in**) **a bone between** …사이에 불화를 일으키다. **close to**〔**near**〕 **the bone** 몹시 인색한; 빈궁한; 〈이야기 등이〉 외설한, 아슬아슬한, 추잡한. **dry as a bone**=BONE-DRY. **feel in one's bones** 직감(直覺)하다, 확신하다. **Hard words break no bones.** 《속담》 심한 말만으로는 해(害)가 되지 않는다. **have a bone in one's leg**〔**throat**〕 다리〔목구멍〕에 뼈가 돋치다《가지〔말하지〕 못할 때의 핑계》. **have a bone to pick with** someone 《口》 …에게 불평〔불만〕을 말할 것이 있다, …에게 할 말이 있다. **make no bones of**〔**about, to** do〕 …에 개의치 않다, …을 예사로 하다; …을 솔직히 인정하다, 숨기지 않다. **make old bones** 오래 살다. **my old bones** 나의 이 노구(老軀). **No bones broken!** 대단찮아! **skin and bones** 뼈와 가죽(만 남은 사람). **spare bones** 수고를 아끼다. **the ten bones** 《古》 열손가락. **throw a bone to** 〈파업자 등〉에게 변변찮은 임금 인상 등을 내걸어 달래려고 하다. **to the bare bones**=to the

BONE(2). **to the bone** (1) 뼛속까지, 뼈저리게. (2) 최대한으로; 철저히.
— *vt.* **1** 〈닭·생선 등의〉 뼈를 빼내다. **2** 〈코르셋·우산 등에〉 뼈대를 넣다. **3** …에 골분비료를 주다. **4** 《俗》 훔치다. — *vi.* 《口》 맹렬히 공부하다(*up*). — *ad.* 《口》 철저히, 몹시: be ~ tired〔hungry〕 몹시 피곤하다〔배고프다〕. ◇ bóny *a.*

bóne àsh〔**èarth**〕 골회(骨灰).

bóne bèd 〔地質〕 골층(뼈·비늘 등이 많은).

bóne blàck[ˊblæ̀k] 골탄(骨炭)《탈색제·안료》.

bóne chína 본차이나《골회(骨灰) 등을 넣어 만든 반투명(半透明) 연질 자기》.

boned[bound] *a.* **1** (보통 복합어를 이루어) 뼈가 …한: big-~ 뼈대가 굵은. **2** 고래 수염을 넣은 〈코르셋 등〉. **3** 뼈를 추려낸 〈생선 등〉.

bone-dry[ˊdrái] *a.* 메마른, 〈샘이〉 물이 마른; 〈목이〉 바싹 마른; 《미口》 절대 금주의.

bóne dùst 뼛가루(bone meal).

bone-eat·er[ˊì:tər] *n.* 《미俗》 개.

bone·head[ˊhèd] 《미俗》 *n.* 바보, 얼간이. **~·ed**[-id] *a.* 얼빠진, 얼간이의.

bone·i·dle, bone·la·zy[ˊáidl], [ˊléizi] *a.* 매우 게으른.

bone·less[bóunlis] *a.* 뼈가 없는; 무기력한; 알맹이 빠진.

bóne màrrow 골수: to the ~ 골수에까지.

bóne mèal 골분(骨粉)《비료·사료용》.

bóne òil 골유(骨油).

bon·er[bóunər] *n.* **1** 《미俗》 (학생의) 얼빠진 실책(blunder): pull a ~ 실수하다. **2** (옷에) 고래뼈를 넣는 공인(工人).

bone·set[bóunsèt] *n.* 〔植〕 등골나물의 일종《발한제(發汗劑)》.

bone·set·ter[ˊsétər] *n.* (무면허의) 접골(接骨) 의사.

bone·set·ting[ˊsètiŋ] *n.* Ⓤ 접골(술(術)).

bone·shak·er[ˊʃèikər] *n.* **1** 구식 자전거《고무 타이어가 없는》. **2** 《口》 털털이 자동차(rattletrap).

bone-tired[ˊtáiərd] *a.* 지칠 대로 지친.

bone-wea·ry[ˊwìəri] *a.* 매우 지친.

bone·yard[ˊjà:rd] *n.* 《俗》 폐차장; 묘지.

***bon·fire**[bánfàiər/bɔ́n-] *n.* **1** (축하의) 큰 횃불. **2** (노천의) 화톳불: make a ~ of rubbish 쓰레기를 불태워 버리다.

bong[bɔ:ŋ, baŋ] *n.* 뎅하는 소리. — *vi.* 뎅 소리를 내다. — *a.* 《미俗》 멋진, 훌륭한.

bon·go[1][báŋgou/bɔ́ŋ-] *n.* (*pl.* ~, ~**s**) 큰 영양(羚羊)《아프리카산》.

bongo[2] *n.* (*pl.* ~(**e**)**s**) 봉고(=ˊ **drùm**)《라틴 음악에쓰는 작은 드럼; 2개 1조》.

bon·goed[báŋgòud/bɔ́ŋ-] *a.* 《미俗》 술취한.

bon·ho·mie[bànəmí:, ˊ-ˋ/bɔ́nɔmi:] [F = good nature] *n.* Ⓤ 온후(溫厚), 쾌활.

bon·ho·mous[bánəməs/bɔ́n-] *a.* 온후한, 쾌활한.

bon·i·face[bánəfèis/bɔ́n-] *n.* (때로 **B-**) (호인이며 쾌활한) 여관〔나이트클럽, 식당〕 주인.

bon·ing[bóuniŋ] *n.* Ⓤ 뼈를 추려 냄; 골분비료를 줌.

Bó·nin Íslands[bóunin-] *n. pl.* (the ~) 오가사와라 제도(諸島).

bon·ism[bánizəm/bɔ́n-] *n.* 낙관설, 선세(善世)설《현세를 선(善)으로 보는》.

bo·ni·to[bəní:tou] *n.* (*pl.* ~**s**, ~) 〔魚〕 가다랭이: a dried ~ 가다랭이포.

bon jour[bɔ̃:ʒú:r] [F =good day] *int.* 안녕하십니까.

bonk[baŋk/-ɔ-] *n.* 퉁, 통《부드러운 것이 부딪치는 소리》; 일격, 1발; 성교. — *vt., vi.* 《俗》 …와 성교하다.

bon·kers[báŋkərz/bɔ́ŋ-] *a.* 《영俗》 머리가 돌아, 정신이 이상하여; 열중하여.

bon mot[bánmóu/bɔ́n-] [F=good word] *n.* (*pl.* **bons mots**) 재치 있는 농담, 명언(名言), 명문구(名文句).

***Bonn**[ban/bɔn] *n.* 본《옛 서독의 수도》.

bonne[bɔn] [F] *n.* (*pl.* ~**s**[-z]) 아이 보는 여자, 하녀.

bonne a·mie[bɔ́nəmí:] [F] *n.* (*pl.* **bonnes a·mies**) 좋은 여자 친구(good girl friend); 애인《여성》.

bonne bouche[bɔ́nbú:ʃ] [F] *n.* (*pl.* **bonnes bouches**[-]) (식사 후에 먹는) 한 조각의 진미(珍味), 입가심(tidbit).

bonne for·tune[bɔ́nfɔ:rtú:n] [F] *n.* (*pl.* **bonnes for·tunes**[-]) 여자에게서 받은 호의〔선물〕《남자의 자랑거리》.

⁑**bon·net**[bánit/bɔ́n-] *n.* **1** 보닛《여자·아이들이 쓰는 모자; 끈으로 턱 밑에서 맴》. **2** 《스코》 (남자용) 테 없는 모자(Scotch cap). **3** 덮개, 뚜껑《굴뚝 위의, 또는 불티를 막기 위한 것 등》. **4** 《영》(자동차의) 보닛(《미》 hood). **5** 《영俗》 공모자, 한패, 일당. **have a bee in one's bonnet** ⇨bee. **keep … under one's bonnet** …을 비밀로 하여 두다. — *vt.* 모자를 눌러 씌우다; 〈불 등을〉 덮어 끄다; 모자〔덮개〕를 씌우다.

bon·net rouge[bɔnéirú:ʒ] [F] *n.* (*pl.* **bon-nets rouges**[-]) (1793년 프랑스 혁명파가 쓴) 붉은 모자; 혁명당원, 과격주의자.

bon·ny, -nie[báni/bɔ́ni] *a.* (**-ni·er; -ni·est**) **1** 《스코》 예쁘장한, 사랑스러운. **2** 《영》 토실토실한, 건강해 보이는.
bón·ni·ly *ad.* **-ni·ness** *n.*

bon soir[bɔ̃swá:r] [F=good evening] *int.* 안녕하십니까《저녁 인사》.

bon ton[bántɔ́:n/bɔ́n-] [F] *n.* (*pl.* ~**s**[-]) **1** 기품 있음, 우미(優美); 맵맵이가 좋음; 바람직함. **2** 상류 사회.

***bo·nus**[bóunəs] [L=good] *n.* **1** 보너스, 상여금, 특별 수당; (주식의) 특별 배당금; 《영》 이익 배당금. **2** 장려금, 보상 물자; 할려금(割戾金); 예기치 않았던 것〔선물〕, 덤.

bónus dívidend 특별 배당.

bónus gòods 보상 물자.

bónus íssue 《영》〔證券〕 무상 신주(新株).

bónus sỳstem〔**plàn**〕 보너스 제도《일정량 이상의 일을 한 근로자에게 주는 장려금 제도》.

bon vi·vant[bɔ́:vi:vá:] [F =good liver] *n.* (*pl.* **bons vi·vants**[-], ~**s**[-]) 미식가, 식도락가; 유쾌한 친구.

bon vi·veur[bán-vi:vɔ́:r/bɔ́n-] [F] *n.* =BON VIVANT.

bon voy·age[bànvwa:já:ʒ/bɔ̀n-] [F=good journey] *int.* 즐거운 여행을 하시기를!, 잘 다녀오십시오!(Good luck!).

***bon·y**[bóuni] *a.* (**bon·i·er; -i·est**) **1** 골질(骨質)의; 뼈 같은. **2** 〈생선이〉 뼈가 많은. **3** 뼈대가 굵은; 여윈. **bón·i·ness** *n.*

bonze[banz/bɔnz] *n.* (불교의) 중, 승려.

bon·zer[bánzər/bɔ́n-] *a.* 《오스俗》 참 좋은, 근사한.

boo[1][bu:] [의성어] *int.* 피이!, 우우!《경멸·위협·불찬성을 나타냄》. — *n.* (*pl.* ~**s**) 피이〔우우〕하는 소리. **can**〔**will**〕 **not say boo to a goose** 《口》 마음이 약해서 불평 한마디도 못하다. — *vt.* **1** 피이〔우우〕하

다. **2** 피이〔우우〕하여 퇴장시키다《*off*》.
— *vi.* 피이〔우우〕하다; 야유하다.

boo² *a.* 《미俗》 근사한, 훌륭한.

boo³ *n.* Ⓤ 《미俗》 마리화나.

boob¹[bu:b] *n.* **1** 《俗》 얼간이. **2** 《口》 실패, 실수. — *vi.* 《口》 큰 실수를 저지르다.

boob² *n.* 《俗》 =BOOBY².

boob·oi·sie[bu:bwɑ:zí:] *n.* 무교육자 집단, 비문화적 집단.

boo-boo[bú:bù:] *n.* (*pl.* ~**s**) **1** 《미俗》 실수, 실책. **2** 《미兒》 가벼운 찰과상. **pull a boo-boo** 실수하다. **What's the boo-boo?** 어디가 틀렸단 말인가.

bóob tùbe (the ~) 《미俗》 텔레비전.

boo·by¹[bú:bi] *n.* (*pl.* **-bies**) **1** 얼간이, 멍청이. **2** 꼴찌. **3** 〔鳥〕 가마우지의 일종.

booby² *n.* (*pl.* **-bies**) 《俗》 (여자의) 유방.

bóoby hàtch 《미俗》 정신 병원; 유치장.

bóoby prìze 꼴찌상(賞), 최하위상.

bóoby tràp 1 〔軍〕 위장 폭탄, 은폐된 폭발물 장치《주로 인명 살상용》. **2** 반쯤 열린 문 위에 물건을 얹어 놓았다가 열고 들어 오는 사람 머리 위에 떨어지게 하는 장난.

boo·by-trap[bú:bitræ̀p] *vt.* (~**ped**; ~**·ping**) …에 부비트랩〔은폐된 폭발물〕을 장치하다.

boo·dle[bú:dl] 《미俗》 *n.* **1** (the ~) 단체, 패거리, 일당. **2** 뇌물, 매수금(買收金); (정치적) 부정 이득〔헌금〕. **3** 큰돈; 가짜돈. **the whole** (**kit and**) **boodle** 전부, 모두.
— *vi.* 수회하다. **bóo·dler**[-ər] *n.* 수회자(收賄者).

boo·ga·loo[bù:gəlú:] *n.* (the ~) 부걸루《2박자로 발을 끌 듯이 어깨·허리를 놀리는 춤》.

boo·gie¹[bú:gi] *n.* 《미俗·경멸》 흑인; 《卑》 매독; 《俗》 코딱지.

boogie² *n.* =BOOGIE-WOOGIE.

boo·gie-woo·gie[bú(:)giwú(:)gi] *n.* Ⓤ,Ⓒ 부기우기《템포가 빠른 재즈》.

boo·hoo[bù:hú:] *vi.* 울고불고하다, 엉엉 울어대다. — *n.* (*pl.* ~**s**) 울고불고함, 엉엉 울기〔우는 소리〕.

★**book**[buk] *n.* [OE] **1** 책, 서적; 저술, 저작. **2** (the (Good) B-) 성경(the Bible). **3** 지식〔교훈〕의 원천. **4** 권(卷), 편(篇): *B*- I 제1권〔편〕. **5** 장부; 수표철(綴), 회수권〔우표〕철《등》. **6** (*pl.*) 회계 장부; (*pl.*) 명부. **7** (오페라의) 가사; (연극의) 대본(臺本). **8** 〔競馬〕 도박금 대장(臺帳). **9** 〔카드〕 6장 맞추기(six tricks). **10** (the ~) 《口》 규칙, 기준, 규범; (사용) 설명서. **11** (the ~) 《영》 전화 번호부. **a book of the hour** 시기에 맞추어 낸 책. **at one's books** 공부하고 있는 중. **bring**〔**call**〕 **a person to book** (1) 해명을 요구하다, 책망하다《*for*》. (2) 벌주다《*for, over, about*》. **by the book** (1) 규칙대로. (2) 일정한 형식대로, 정식으로. **close**〔**shut**〕 **the books** (1) (결산용으로) 장부를 마감하다; 결산하다. (2) 〈모집을〉 마감하다《*on*》. **hit the**〔**one's**〕 **books** 맹렬히 공부하다. **in one's book** …의 의견으로는. **in a person's good**〔**bad, black**〕 **books** …의 마음에 들어〔미움을 받아〕. **in the book**(**s**) (1) 명부에 올라. (2) 《口》 기록되어, 존재하여. **keep books** 치부하다, 기장하다. **like a book** (1) 정확하게; 딱딱하게. (2) 충분히, 모두. **make** (**a**) **book** (1) (경마에서) 물주가 되다, 판돈을 모으다. (2) …에 걸다《*on*》; 《미》 …을 보증하다《*on*》. **off the books** 제명되어. **on the books** 기록되어, 명부에 올라, 등록되어. **one for the book**(**s**) 《미口》 특기할 만한 연기〔행위, 사건〕. **speak by the book** 확실한 전거를 들어〔인용하여〕 말하다. **speak**〔**talk**〕 **like a book** (1) 정확하게 말하다. (2) 제법 분별있는 말을 하다. **suit one's book** (종종 부정문에서) 목적에 적합하다. **take a leaf from**〔**out of**〕 **a person's book** …의 행동을 본받다. **take kindly to a person's books** 학문을 좋아하다. **take**〔**strike**〕 **a person's name off the books** 제명하다. **the Book of Books** 성경. **the Book of Common Prayer** 일반 기도서《보통 the Prayer Book이라 함》. **the book of life** 〔聖〕 생명의 책《영생(永生)을 얻을 사람의 이름을 적은》. **the Book of the Dead** 사자(死者)의 서(書)《고대 이집트에서 부장품으로 한 사후 세계의 안내서》. **throw the book at** …을 투옥하다; 엄벌에 처하다. **without** (**one's**) **book** (1) 전거(典據) 없이. (2) 암기하여.
— *vt.* **1** 〈이름·주문 등을〉 기입〔기장〕하다; 〈예약자〉의 이름을 기입하다; …에게 표를 팔다. **2** 〈좌석을〉 예약하다, 〈차표·비행기표 등을〉 사다: She ~*ed* a ticket *for* London. 그녀는 런던행 차표를 샀다. **3** …에게 약속시키다: (Ⅱ *be pp.+to do*) I am ~*ed to* dine with her tomorrow. 나는 내일 그녀와 식사하기로 약속되어 있다. **4** (…죄로) 경찰의 기록에 올리다《*for*》. **5** 계약하여 고용하다, 출연 등을 계약하다. **6** 《영》 〈화물을〉 탁송(託送)하다.
— *vi.* **1** 이름을 등록하다. **2** 좌석〔방〕을 예약하다《*in*》. **3** 표를 사다: Can I ~ *through to* Chicago? 시카고까지의 전구간표를 주실까요. **be booked** (**for it**) 《俗》 붙들려서 빠져 나오지 못하다. **be booked for a thing** 〔**to do**〕 …의 약속이 있다〔…하기로 되어 있다〕. **be booked up** (1) 〈호텔·좌석이〉 예매가 매진되다. (2) 《俗》 〈사람이〉 (예약으로) 틈이 없다, 바쁘다. **book in** 《영》 (1) (호텔에) …의 숙박 예약을 해주다. (2) (호텔에) 예약하다. (3) (호텔 등에서) 기장하다. (4) 출근하여 서명하다. **book out** (1) 퇴출기장(退出記帳)하다. (2) 《영》 호텔의 퇴거 수속을 하다〔해주다〕. (3) 퇴사〔퇴근〕하다.

book·a·ble[búkəbəl] *a.* (좌석 등을) 예약할 수 있는.

bóok accòunt 장부상의 대차 계정.

bóok àgent 서적 판매인.

book·a·hol·ic[bùkəhɔ́:lik, -hɑ́l-] *n.* 독서 중독환자.

book·bind·er[´bàindər] *n.* **1** 제본업자, 제본소 직공. **2** (서류) 바인더.

bookbinder's cloth 제본용 클로스.

book·bind·er·y[´bàindəri] *n.* (*pl.*-**er·ies**) 제본소.

book·bind·ing[´bàindiŋ] *n.* Ⓤ 제본; 제본술〔업〕.

bóok bùrning 분서(焚書), 금서; 사상 통제.

bóok càrd (도서관의) 도서 대출 카드.

book·case[´kèis] *n.* 책장, 서가, 책꽂이.

bóok clòth 제본·장정용 클로스.

bóok clùb 독서 클럽, 서적 반포회; 서적 공동 구독회(購讀會).

bóok dèaler 서적상.

bóok dèbt 장부상의 부채.

book·end[´ènd] *n.* (보통 *pl.*) 북엔드, 책버팀《책이 쓰러지지 않게 양끝에 세우는 것》.

bóok fàir 도서전.

book·hold·er[´hòuldər] *n.* 서안(書案).

bóok hùnter 엽서가(獵書家).

book·ie[búki] *n.* 《口》 =BOOKMAKER 2.

*__book·ing__[búkiŋ] *n.* **1** Ⓤ 장부 기입, 기장. **2** Ⓤ,Ⓒ 좌석의 예약; 출찰(出札); (배우의) 출연 계약.
bóoking clèrk 출찰 계원; (호텔 등의) 예약 담당원.
bóoking òffice 《영》 매표소, 표 파는 곳(《미》 ticket office).
book·ish[búkiʃ] *a.* 서적상(上)의, 독서의, 문학적인(literary); 학구적인; 딱딱한, 학자연하는. **~·ness** *n.*
bóok jàcket 책 커버.
*__book·keep·er__[ˊkìːpər] *n.* 부기 계원, 장부 계원.
*__book·keep·ing__[ˊkìːpiŋ] *n.* Ⓤ 부기. **bookkeeping by single〔double〕entry** 단식〔복식〕부기.
book·land[ˊlæ̀nd] *n.* Ⓤ 특허 자유 보유지(지대(地代)만 물면 됨).
book-learn·ed[ˊlə̀ːrnd] *a.* 책으로만 배운, 탁상 학문의, 실지 경험이 없는.
bóok lèarning 1 책상 물림의 학문; 학문. **2** 학교 교육.
*__book·let__[ˊlit] *n.* (보통 종이 표지의) 작은 책자(pamphlet).
book·lore[búklɔ̀ːr] *n.* =BOOK LEARNING.
bóok lòuse 책 좀(고서·표본 등의 해충).
book·lov·er[ˊlʌ̀vər] *n.* 애서가(愛書家).
book·mak·er[ˊmèikər] *n.* **1** 저술가(특히 돈만을 목적으로 난작(亂作)하는); 책을 만드는 사람(제본·인쇄업자 등). **2** 〔競馬〕 (사설) 마권(馬券)업자(bookie).
book·mak·ing[ˊmèikiŋ] *n.* Ⓤ **1** 서적 제조(업). **2** 〔競馬〕 (사설) 마권업.
book·man[ˊmən] *n.* (*pl.* **-men**[ˊmən]) **1** 독서인, 문인; 학자. **2** 《口》 서적상, 출판업자.
book·mark(·er)[ˊmɑ̀ːrk(ər)] *n.* 서표(書標); 장서표(藏書票)(bookplate).
bóok màtch 《미》 종이 성냥, 성냥첩.
book·mo·bile[ˊmoubìːl] *n.* 《미》 자동차 이동 도서관, 순회 도서관(traveling library).
bóok mùslin (제본용) 모슬린; (여자용의) 엷은 흰 모슬린.
bóok nòtice (신간) 서적 소개〔비평〕.
bóok pàrty 저자의 기념 서명 판매 기간(저자가 서점에 나와 팔린 책에 직접 서명해 주는).
book·plate[ˊplèit] *n.* 장서표(ex libris).
bóok pòst 《영》 서적 우편(특별 할인 요금 우편 제도; 지금은 printed paper post에 의함).
book·rack[ˊræ̀k] *n.* **1** 서가(書架), 책꽂이. **2** 서안(書案).
bóok ràte 《미》 서적 우편〔소포〕 요금.
book·rest[ˊrèst] *n.* 서안, 서견대(書見臺).
bóok revìew (특히 신간 서적의) 서평; 〈신문·잡지 등의〉 서평란.
bóok revìewer 서평가.
bóok revìewing (특히 신간) 서평.
*__book·sell·er__[ˊsèlər] *n.* 서적상, 책장수.
book·sell·ing[ˊsèliŋ] *n.* Ⓤ 서적 판매(업).
*__book·shelf__[ˊʃèlf] *n.* (*pl.* **-shelves**) 서가, 책꽂이.
⁑**book·shop**[ˊʃɑ̀p/ˊʃɔ̀p] *n.* 《영》 책방, 서점 (《미》 bookstore).
book·slide[ˊslàid] *n.* 《영》 이동식 서가.
bóok socìety 《영》 독서회(book club).
book·stack[ˊstæ̀k] *n.* (도서관 등의) 서가.
*__book·stall__[ˊstɔ̀ːl] *n.* **1** (노점의) 헌책방. **2** 《영》 (정거장의) 신문 잡지 매점(newsstand).
book·stand[ˊstæ̀nd] *n.* **1** 서가, 서안. **2** 서적 진열대〔매점〕.
⁑**book·store**[ˊstɔ̀ːr] *n.* 《미》 책방, 서점 (《영》 bookshop).
book·store café[ˊˊ] 서점내 음료 매점.
bóok stràp 책을 십자로 묶는 가죽끈.
book·sy[búksi] *a.* 《口》 학자연하는, 거북스레 딱딱한.
book·tell·er[búktèlər] *n.* 《미》 (녹음하기 위해 책을 읽는) 낭독자.
bóok-to-bíll ràtio[-təbíl-] 〔經〕 수주(受注); 출하비(出荷比)(출하액에 대한 수주액의 비율).
bóok tòken 《영》 도서 구입권.
bóok tràde 출판업(출판·인쇄·판매 포함).
bóok tràveler 〔出版〕 (서적) 판매 사원.
book-trough[ˊtrɔ̀(ː)f, ˊtrɑ̀f] *n.* V 자형 서적 전시용 선반.
bóok vàlue 〔會計〕 장부 가격(略: b. *v.*)(*opp.* market value).
bóok wòrd[ˊwə̀ːrd] 독서로 배운 말(때로는 발음 따위를 잘 모르는 것).
book·work[ˊwə̀ːrk] *n.* Ⓤ 책〔교과서〕에 의한 연구〔학습〕(실습·실험에 대하여); 학업.
*__book·worm__[ˊwə̀ːrm] *n.* **1** 〔昆〕 반대좀. **2** 독서광(狂), 책벌레.
Bóol·e·an operátion 불 논리 연산(피연산자(被演算子)가 "가(可), 불(不)" 등으로 결과가 나오는).
⁑**boom**[1] [buːm] *n.* **1** (대포·천둥·파도 등의) 울리는 소리; 우루루〔쾅, 쿵〕 하는 소리. **2** (벌 따위의) 윙윙거리는 소리. **3** 벼락 경기, (갑작스러운) 인기, 붐; (가격의) 폭등; (도시 따위의) 급속한 발전; 급격한 증가(*cf.* SLUMP): a war ~ 군수 경기/create〔stir〕a ~ 붐을 일으키다. — *a.* 《口》 급등한, 벼락 경기의: ~ prices 급등한 물가. — *vi.* **1** 쿵하고 울리다; 철렁 울리다; 붕하고 울다. **2** 〈벌이〉 윙윙거리다. **3** 《미俗》 갑자기 경기가 좋아지다, 인기가 좋아지다; 폭등하다. — *vt.* **1** 울리는〔우렁찬〕 소리로 알리다(*out*); …을 낭송(朗誦)하다: ~ *out* the verses 시구를 큰소리로 낭송하다/The clock ~*ed* (*out*) five. 시계가 5시를 쳤다. **2** 붐을 일으키다, 활기 띠우다; (광고 등으로) …의 인기를 올리다, 맹렬히 선전하다. 〈후보자를〉 …에 추대하다(*for*): His friends are ~*ing* him *for* senator. 그의 친구들은 그를 상원의원 후보로 추대하고 있다.
boom[2] *n.* **1** 〔機〕 (데릭 기중기의) 팔(물건을 달아 올리는 부분). **2** 〔海〕 돛의 아래 활대. **3** (항구의) 방재(防材) (구역). **4** 마이크로폰〔텔레비전, 카메라〕용 걸침대. **lower〔drop〕 the boom on** 《口》 …을 호되게 비난하다〔단속하다, 벌주다〕. — *vt.* **1** 아래 활대에 돛을 달다: ~ *out* a sail 돛을 달다. **2** 방재를 설치하다. **3** 기중기로 끌어올리다〔운반하다〕.
boom-and-bust[búːmənbʌ́st] *n.* 《口》 벼락 경기와 불경기의 교체, 일시적인 비정상적 호경기.
bóom bàby (보통 *pl.*)《미》 베이비 붐 시기에 태어난 사람.
bóom box, bóombòx *n.* 《口》 (라디오와 카셋트 플레이어가 있는) 대형 휴대용 카세트.
bóom càrpet 초음속 비행기의 충격파에 의한 굉음의 피해 지역.
bóom còrridor 초음속 비행대(帶)〔로(路)〕.
boom·er[1] [búːmər] *n.* **1** 《미口》 경기를 부채질하는 사람. **2** 《미口》 신흥지 등에 몰려드는 사람. **3** (오스트레일리아산) 큰 수캥거루.
boom·er[2] *n.* 《미俗》 baby boom 으로 태어난 사람(2차 대전후 부터 60년대 중반까지 급격히 증가한 출생률).
*__boo·mer·ang__[búːməræ̀ŋ] *n.* **1** 부메랑(오스

트레일리아 원주민의 무기; 곡선을 그리고 던진 사람에게 되돌아옴》. **2** 긁어부스럼의 논쟁, 공격《등》. ── *vi.* **1** 던진 사람에게 되돌아오다《*on*》. **2** 긁어부스럼이 되다.

Bóomer Státe (the ~) 미국 Oklahoma주의 속칭.

boom·ing[búːmiŋ] *a.* 벼락 경기의, 급등하는: ~ prices 급등하는 물가.

boom·let[búːmlit] *n.* 《미》 소(小)경기(景氣), 소형 붐.

boom·ster[búːmstər] *n.* 《미口》 경기(景氣)를 부채질하는 사람(boomer).

bóom tòwn[búːmtàun] (호경기로 급격히 발전하는) 신흥 도시.

boom·y[búːmi] *a.* 경제적 붐의; 활황(活況)의; 〔音響〕 〈재생음이〉 저음이 많은.

∗**boon**¹ [buːn] *n.* **1** 혜택, 은혜, 이익. **2** 《古》 부탁. **ask a boon of** a person …에게 청탁하다. **be**〔**prove**〕 **a great boon to** …에게 큰 혜택이 되다.

boon² *a.* 재미있는, 유쾌한. (다음 성구로) **a boon companion** 술친구, 재미있는 친구.

boon·dag·ger[∠dæ̀gər] *n.* 《俗》 거친 성품의 힘센 여자(tough woman); 남자역의 여성 동성애자.

boon·docks[búːndɑ̀ks/-dɔ̀ks] *n. pl.* (보통 the ~) 《미口》 삼림지대, 오지; 벽지.

boon·dog·gle[búːndɑ̀gəl/-dɔ̀gəl] 《미口》 *n.* **1** (보이 스카우트가 목에 거는) 가죽으로 엮은 끈; 수세공품(手細工品). **2** (시간과 돈이 드는) 쓸데없는 일, 헛일. ── *vi.* 쓸데 없는 일을 하다.

boong[buːŋ] *n.* 《오스(俗)》 오스트레일리아〔뉴질랜드〕의 원주민, 흑인, 유색인.

boon·ies[búːniːz] *n. pl.* (the ~) 《미口》 = BOONDOCKS.

boor[buər] *n.* 촌뜨기(rustic), 농군; 소박한 사나이; (**B-**) = BOER.

boor·ish[búəriʃ] *a.* **1** 촌사람의. **2** 촌티 나는, 상스러운, 본데없는. **~·ly** *ad.* **~·ness** *n.*

∗**boost**[buːst] 《口》 *n.* **1** 밀어올림. **2** 후원, 격려. **3** 경기 부양(浮揚). **4** (가격 등의) 상승, 등귀; (생산량 등의) 증대. **5** 《미俗》 (가게에서) 슬쩍 훔치기. **give** a person **a boost** …을 뒤에서 밀어주다〔후원하다〕. ── *vt.* **1** 밀어 올리다. **2** 후원하다. **3** 경기를 부양하다. **4** 〈가격을〉 인상하다; 〈생산량을〉 증가하다: ~ prices 시세를 올리다. **5** 〈사기·기력 등을〉 돋우다; 선전하다《*up*》. **6** 〔電〕 전압(電壓)을 올리다. **7** 《미俗》 (가게에서) …을 슬쩍 훔치다.

boost·er[búːstər] *n.* **1** 후원자. **2** 시세를 조작해 올리려고 사들이는 사람. **3** 〔電〕 승압기(昇壓機); 〔電子〕 증폭기(增幅器)(amplifier), 부스터. **4** 〔宇宙〕 부스터《보조 추진 로켓》; 〔軍〕 보조 장약(裝藥). **5** 〔醫〕 (약의) 효능 촉진제; (면역제의) 두번째 예방 주사(= shot〔injection〕).

boost·er·ism[búːstərìzəm] *n.* 열렬한 지지, 격찬; 《미》 도시·관광지의 선전 광고.

bóoster ròcket 증속(增速) 로켓《다단식 추진 로켓의 발사용 로켓》.

‡**boot**¹ [buːt] *n.* **1** (보통 *pl.*) 《미》 장화, 부츠; 《영》 목이 긴 구두, 반장화(*cf.* SHOE 1): a pair of ~*s* 부츠 한 켤레. **2** 《영》 (옛 역마차 앞·뒤의) 짐 넣는 곳; (자동차의) 트렁크(《미》 trunk). **3** (마부석의) 보호용 덮개; (자동차 타이어 안쪽의 보강용) 덧댐. **4** (구둣발로) 차기(kick). **5** 《口》 자극, 스릴, 유쾌. **6** (the ~)《俗》 해고(dismissal). **7** 《미口》(해군·해병대의) 신병(新兵). **8** 〔野〕 실책, 펌블. **9** 〔史〕 발죄는 형구(刑具). **bet one's boots** 《미》 ⇨bet. **boots and all** 《오스口》 총력을 다하여, 전력 투구로. **boot**(**s**) **and saddle**(**s**) 승마 준비의 나팔. **die in** one's **boots** = **die with** one's **boots on** ⇨die¹. **give** a person〔**get**〕 **the boot** 《俗》 해고하다〔당하다〕. **hang up** one's **boots** = **hang** one's **boots up** 《口》 일〔활동〕을 그만두다, 은퇴하다. **have** one's **heart in** one's **boots** 겁을 내고 있다. **high boots** 《영》 장화. **in** a person's **boot** (… 와) 똑같은 입장에. **laced boots** 편상화(編上靴) **lick the boots of** = **lick** a person's **boots** ⇨lick. **like old boots** 《俗》 맹렬히, 철저히. **Over shoes, over boots.** 《속담》 이왕 할 바에는 철저히. **pull on**〔**off**〕 one's **boots** 구두를 신다〔벗다〕. **put the boot in** = **put**〔**sink**〕 **in the boot** 《영口》 (1) 쓰러진 사람을 다시 차다. (2) 궁지에 몰린 사람을 더욱 괴롭히다. **The boot is on the other**〔**wrong**〕 **leg**〔**foot**〕**.** 《口》 입장이 거꾸로 되었다; 책임은 딴 데 있다, 「번지수가 다르다」. **wipe** one's **boots on** …을 몹시 모욕하다. ── *vt.* **1** 부츠〔장화〕를 신기다. **2** 《口》 발길로 차다《*out, about*》; 〔미蹴〕 킥하다(kick). **3** 《口》 해고하다, 내쫓다《*out of*》. **4** 〔野〕 〈땅볼을〉 펌블하다. **5** 〔컴퓨터〕 (컴퓨터를) 기억장치로 스타트하다.

boot² [OE] 《古·詩》 *n.* Ⓤ 이익(profit)(다음 성구로) **to boot** 게다가, 덤으로. ── *vi., vt.* (보통 It을 주어로 하여) 이롭다, 도움이 되다. **It boots** (me) **not**〔**nothing**〕**.** (내게는) 아무 쓸모없다. **What boots it to weep?** 운다고 무슨 소용이 있나.

boot·black[∠blæ̀k] *n.* 《稀》 (길거리의) 구두닦이(shoeblack).

bóot càmp 《미口》 신병 훈련소.

boot·ed[búːtid] *a.* 부츠〔장화〕를 신은; 《俗》 해고 당한; 〔鳥〕 경골(脛骨)에 깃털이 난.

boo·tee[búːtiː, ─∠] *n.* (보통 *pl.*) **1** 부티《여자·어린이용 부츠》. **2** 털실로 짠 아이들 신.

boot·er[búːtər] *n.* 《俗》 축구 선수.

Bo·ö·tes[bouóutiːz] *n.* 〔天〕 목동자리(the Herdsman)《Arcturus가 주성(主星)》.

boot-faced[búːtfèist] *a.* 엄한〔무뚝뚝한〕 표정의; 무표정한.

‡**booth**[buːθ] [ON] *n.* (*pl.* ~**s**[buːðz]) **1** 매점, 노점; 모의점(模擬店). **2** 가설 오두막. **3** (공중) 전화 박스; 영사실; 칸막이한 좌석; (어학 실습실의) 부스; (레코드) 시청실; 투표 용지 기입소: a polling ~ (투표장의) 투표 용지 기입소.

Booth[buːθ/buːð] *n.* 부드 William ~《구세군을 창시한 영국 목사(1829-1912)》.

bóot híll *n.* 《미·西部》 (개척 시대의) 총잡이들이 묻힌 묘지.

boo·tie[búːtiː, -∠] *n.* = BOOTEE.

boot·jack[búːtdʒæ̀k] *n.* V자형의 장화 벗는 기구.

boot·lace[∠lèis] *n.* (보통 *pl.*) **1** 장화용 구두끈. **2** 《영》 구두끈(shoelace).

boot·leg[∠lèg] 《俗》 (**~ged; ~·ging**) *vt.* 〈술 등을〉 밀매〔밀수, 밀조〕하다. ── *vi.* 술을 밀수하다. ── *n.* Ⓤ 밀수〔밀매, 밀조〕주. ── *a.* 밀매〔밀수, 밀조〕된.

boot·leg·ger[-ər] *n.* (특히 미국의 금주법 시대의) 주류 밀매〔밀수, 밀조〕자.

boot·leg·ging *n.* Ⓤ 주류(酒類) 밀매〔밀수, 밀조〕.

bóotleg tùrn 〔自動車〕 부틀레그 턴《사이드 브레이크로 뒷바퀴를 고정시키고 급선회 하기》.

boot·less[búːtlis] *a.* 《文語》 무익한(useless).

~·ly *ad.* **~·ness** *n.*
boot·lick[⁄lìk] *vi., vt.* 《口》 아첨하다. — *n.* 《미》 =BOOTLICKER.
boot·lick·er *n.* 아첨하는 사람(toady).
boot·load·er[⁄lòudər] *n.* 〔컴퓨터〕 부트스트랩(bootstrap) 로더《프로그램을 읽기 위한 프로그램을 넣는 장치》.
boot·mak·er[⁄mèikər] *n.* 구두 만드는 사람, 구두 직공.
bóot pòlish 《영》 구두약; 구두닦이(《미》 shoe shine).
boots[bu:ts] *n.* (*pl.* ~) (호칭으로도 쓰임) 《영》(호텔의) 구두닦이《짐을 나르기도 함》.
boot·strap[bú:tstræ̀p] *n.* **1** (보통 *pl.*) (편상화의) 손잡이 가죽. **2** 《비유》 혼자 힘. **3** 〔컴퓨터〕 부트스트랩《예비 명령에 의해 프로그램을 로드하는 방법》. **pull oneself up by one's (own) bootstraps** =**lift**〔**raise**〕 **oneself by the**〔**one's (own)**〕 **bootstraps** 《口》 자력으로 성공〔향상〕하다. — *a.* 자기 스스로 하는, 독력(獨力)의; 〔컴퓨터〕 부트스트랩적인. — *vt.* (~ *oneself* 로) 자신의 노력으로 …에 달하다《*into*》; 혼자 힘으로 …에서 빠져나오다《*out of*》; 〔컴퓨터〕 부트스트랩으로 (프로그램을) 입력하다.
boot·strap·per *n.* 《俗》 입지전적인 사람, 자수 성가한 사람.
bóot tàg[⁄tæ̀g] =BOOTSTRAP *n.* 1.
bóot tràining 《미口》 (해군 · 해병대 등의) 신병 훈련 (기간).
bóot trèe (보통 *pl.*) (나무로 만든) 구두골.
*__boo·ty__[bú:ti] *n.* Ⓤ (집합적) 전리품, 노획물; 벌이, 이득. **play booty** 짜고 상대방을 속이다.
booze[bu:z] 《口》 *vi.* 술을 많이 마시다. — *n.* **1** Ⓤ 술. **2** 주연(酒宴). **hit the booze** 술을 마시다(hit the bottle). **on the booze** 몹시 취하여.
booze·hound[⁄hàund] *n.* 《口》 대주가(大酒家).
booz·er[bú:zər] *n.* **1** 《口》 술꾼. **2** 《영俗》 술집(pub).
booz·er·oo[bù:zərú:] *n.* 《뉴질俗》 떠들썩한 술잔치; 싸구려 술집.
booze-up[bú:zʌ̀p] *n.* 《영俗 · 오스俗》 주연(酒宴), 술 잔치.
booz·y[bú:zi] *a.* (**booz·i·er**; **-i·est**) 《口》 **1** 술 취한. **2** 술을 많이 마시는. **-i·ly** *ad.* **-i·ness** *n.*
bop[1][bɑp/bɔp] *n.* =BEBOP. — *vi.* (~**ped**; ~**·ping**) 《口》 비밥(bebop)을 추다.
bop[2] 《미俗》 *n.* 구타. — *vt.* (~**ped**; ~**·ping**) …을 때리다, 구타하다.
bo·peep[boupí:p] *n.* Ⓤ 아웅〔깍꿍〕놀이《숨어 있다가 아이를 놀래주는》. **play bopeep** 아웅〔깍꿍〕놀이를 하다; 〈정치가 등이〉 정체를 잡히지 않다.
bop·per *n.* =TEENYBOPPER.
bop·ster[bɑ́pstər/bɔ́p-] *n.* 《俗》 밥(BOP[1])광(狂).
BOQ Bachelor Officers' Quarters 독신 장교 숙사. **bor.** boron; borough.
bo·ra[bɔ́:rə] *n.* 건조한 찬 바람《아드리아 해의 북쪽 또는 북동쪽에서 불어 오는》.
bo·rac·ic[bəræ̃sik] *a.* =BORIC.
bo·ra·cite[bɔ́:rəsàit] *n.* Ⓤ 〔鑛〕 방붕석(方硼石).
bor·age[bə́:ridʒ, bɔ́(:)-, bɑ́-] *n.* 〔植〕 유리지치《유럽산 밀원(蜜源) 식물; 향미료 · 샐러드용》.
bo·rate[bóureit, bɔ́:-] *n., vt.* 〔化〕 붕산염(으로 처리하다).
bo·rax[bóurəks, bɔ́:-] *n.* Ⓤ 〔化〕 붕사(硼砂); 《미俗》 싸구려 물건; 거짓말.
Bo·ra·zon[bɔ́:rəzɑ̀n/-zɔ̀n] *n.* Ⓤ 보라존《다이아몬드 같은 경도(硬度)의 질화(窒化) 붕소》.
Bor·deaux[bɔ:rdóu] *n.* 보르도《남프랑스의 포도주 산지의 중심지인 항구》; Ⓤ 보르도 포도주(*cf.* CLARET).
Bordéaux mìxture 〔園藝〕 보르도액(液)《농약; 살균제》.
bor·del·lo[bɔ́:rdélou] *n.* (*pl.* ~**s**) 매음굴(brothel).
★**bor·der**[bɔ́:rdər] *n.* **1** 가장자리, 변두리, 테(두리). **2** 경계, 접경, 국경 (지방); 《미》 변경(邊境); (the B-(s)) 《영》 잉글랜드와 스코틀랜드의 경계 (지대); (the ~) 《미》 멕시코〔캐나다〕와 미국과의 국경. **3** (종종 *pl.*) 영토, 영역; 국경 지대. **4** (의복 · 가구 등의) 가장자리 장식, 선장식; (화단 · 정원 등의) 테두리 (꽃밭). **on the border of** (1) …의 가〔접경〕에. (2) 이제 막 …하려고 하여. — *a.* 국경(부근)의. — *vt.* **1** 접경하다, 접하다, 면하다. **2** 단을 대다, 테를 두르다《*with*》. — *vi.* **1** 인접하다《*on, upon*》. **2** 근사하다, 가깝다, 마치 …같다《*on, upon*》. **bór·dered**[-d] *a.* 단을 댄, 테를 두른.
Bórder Éagle Stàte 《미》 Mississippi 주의 속칭.
bor·de·reau[bɔ̀:rdəróu] *n.* (*pl.* **-reaux**) (특히 문헌이 상세히 기록된) 비망록〔각서〕.
bor·der·er[bɔ́:rdərər] *n.* **1** 국경〔변경〕의 주민; 《영》 잉글랜드와 스코틀랜드 경계 지방의 주민. **2** 테를 두르는 사람.
bor·der·ing[bɔ́:rdəriŋ] *n.* Ⓤ 경계선 설치; 단 대기, 테 두르기.
bor·der·land[-læ̀nd] *n.* **1** 국경(지대); 분쟁지. **2** (the ~) 소속이 불확실한 경계점; 어중간한 상태《*between*》.
*__bórder lìne__ 국경선, 경계선.
*__bor·der·line__[-làin] *a.* **1** 국경(근처)의. **2** 경계선상의, 어느 편이라고 결정하기 어려운: a ~ case 이도저도 아닌 경우〔사건〕; 〔心〕 경계례(例)《신경증과 정신병의 경계 상태 등》. **3** 〈말 등〉 외설스러운: a ~ joke 외설스러운 농담.
bórder prìnt 〔織物〕 보더 프린트《천의 가장자리에 단과 평행되게 프린트한 무늬》.
bórder sèrvice 국경 수비대 근무.
Bórder Stàtes (the ~) **1** 〔미史〕 노예 제도를 채용한 남부 제(諸)주 중에서 탈퇴보다 타협에 기울어졌던 주들《Delaware, Maryland, Virginia, Kentucky, Missouri》. **2** 《미》 캐나다에 접경한 여러 주《Montana, North Dakota 등》.
⁑**bore**[1][bɔ:r] [OE] *vt.* **1** 〈구멍 · 터널을〉 뚫다, 꿰뚫다, 둘러 파다: ~ a hole *through*〔*in, into*〕 the board 판자에 구멍을 뚫다. **2** 〔競馬〕 〈말이 머리를 내밀어〉 다른 말을 제치고 나아가다. **bore one's way through** the crowd (인파 속)을 밀치고 나아가다. — *vi.* **1** 구멍을 내다; 시굴(試掘)하다: ~ *for* oil 석유를 시굴하다. **2** 구멍이 나다. **3** 밀치고 나아가다《*on, to*》; 〈말이〉 다른 말을 제치다. — *n.* **1** (총의) 구경(口徑), (구멍의) 내경(內徑). **2** 드릴 등으로 판 구멍, 시굴공(試掘孔), 시추공. **3** 천공기.
⁑**bore**[2] *vt.* 지루하게 하다, 따분하게 하다《*with*》: be ~*d to* death 아주 싫증이 나다, 지루해지다/We were ~*d with* listen*ing to* his story. 그의 이야기를 듣느라고 몹시 지루했다/She ~*s* me *with* her endless tales. 그녀의 끝없이 긴 얘기에 진절머리가 난다.

— *n.* **1** 따분한〔지루한〕 것, 따분한〔귀찮은, 하기 싫은〕 일. **2** 따분한 사람, 지루하게 하는 사람.
bore[3] *n.* 고조(高潮), 해일(海溢).
‡**bore**[4] *v.* BEAR[2]의 과거.
bo·re·al[bɔ́:riəl] *a.* **1** 북풍의. **2** 북녘의. **3** 〈동식물이〉 아한대의.
Bo·re·as[bɔ́:riəs] *n.* **1** 〔그神〕 보레아스《북풍의 신》. **2** 《詩》 북풍, 삭풍.
bored[bɔ:rd] *a.* 지루한, 따분한.
∗**bore·dom**[bɔ́:rdəm] *n.* Ⓤ 지루함, 권태; Ⓒ 지루한 일.
bore·hole[bɔ́:rhòul] *n.* (석유·수맥 탐사용) 시추공, 시굴공, 보링 구멍.
bor·er[bɔ́:rər] *n.* **1** 구멍 뚫는 사람〔기구〕, 송곳, 끌. **2** 〔昆〕 천공충, 나무좀. **3** 〔貝〕 좀조개.
bore·some[bɔ́:rsəm] *a.* 지루한, 진절머리 나는.
bo·ric[bɔ́:rik] *a.* 붕소의; 붕소를 함유한: ~ ointment 붕산 연고.
bóric ácid 〔化〕 붕산(硼酸).
bo·ride[bɔ́:raid] *n.* 〔化〕 붕화물(硼化物).
bor·ing[1] *a.* 지루한, 따분한.
∗**bor·ing**[2][bɔ́:riŋ] *n.* **1** a Ⓤ 천공(穿孔), 우비어 팜; 천공 작업; 〔鑛山〕 보링. b (뚫은) 구멍. **2** (*pl.*) 송곳밥. **boring from within** (노동 조합 등의) 내부 와해 공작. **~·ly** *ad.* **~·ness** *n.*
bóring bìt 송곳끝.
bóring machìne 보링 기계, 천공기(穿孔機); 속 후비는 공구.
bóring tòol 〔機〕 구멍 후비는 바이트.
★**born**[bɔ:rn] *v.* BEAR[2] 「낳다」의 과거 분사. **be born** 태어나다: 《Ⅱ *be pp.*+형〔명〕》 *be born* rich〔a poet〕 부자로〔시인으로〕 태어나다/《Ⅰ *be pp.*+전+명》 He *was born in* a Nevada village. 그는 네바다주(州)의 어떤 마을에서 태어났다/《Ⅱ *be pp.*+{전+명}+명》 He *was born in* a Nevada village, a farmer's son. 그는 네바다주(州)의 어떤 마을에서 농부의 아들로 태어났다. **be born again** 다시 태어나다, 재생하다. **be born before**〔**ahead of**〕 **one's time** 시대에 앞서 태어나다. **be born of** …에(게)서 태어나다: 《Ⅰ *be pp.*+전+명》 A great book *is born of* the brain and heart of its author. 대저(大著)라는 것은 저자의 지력과 심정에서 태어난다. **be born to**〔**into**〕 …하게 태어나다, …의 상태로 태어나다; …의 가정에 태어나다: She *was born to* sorrows. 그녀는 불우하게 태어났다. — *a.* **1** 타고난, 천성의. **2** (보통 복합어를 이루어) …으로 태어난, 태생의 a Parisian **born and bred** (파리) 본토박이. **in all one's born days** (의문문·부정문에서) 《口》 나서부터 지금까지, 평생.
born-a·gain[bɔ́:rnəgèn] *a.* 《미》 (강한 종교적 경험에 의해) 새로 태어난, 거듭난, 신앙을 새롭게 한; 개종〔전향, 변경〕한; 〈신념·관심 등을〉 되살린.
‡**borne**[1][bɔ:rn] *v.* BEAR[2]의 과거분사.
borne[2] *n.* 원형 소파.
bor·né[bɔ:rnéi] [F] *a.* (마음·시야가) 좁은, 편협한.
Bor·ne·an[bɔ́:rniən] *a.* 보르네오의. — *n.* 보르네오 사람; Ⓤ 보르네오 말.
Bor·ne·o[bɔ́:rniòu] *n.* 보르네오(섬).
bor·ne·ol[bɔ́:rniɔ̀(:)l, bɔ́:rniɑ̀l] *n.* Ⓤ 〔化〕 보르네올, 용뇌(龍腦).
born·ite[bɔ́:rnait] *n.* Ⓤ 〔鑛〕 반동광(斑銅鑛).
bo·ron[bɔ́:rɑn/-rɔn] *n.* Ⓤ 〔化〕 붕소《비금속 원소; 기호 B; 번호 5》.

borosílicate glàss 붕규산(硼硅酸) 유리 《내열 요리용·화학 용기로쓰임》.
∗**bor·ough**[bɔ́:rou/bʌ́rə] [OE] *n.* **1** 《영》 (국왕의 칙허(勅許)에 의하여 특권을 가진 옛) 자치도시(=municipal ~); (국회 의원 선거구로서의) 도시(=parliamentary ~); (Greater London 의) 자치구. **2** 《미》 (몇몇 주에서의) 자치 시〔구, 읍〕; (New York 의) 독립구《Manhattan, the Bronx, Brooklyn, Queens, Staten Island 의 5구》; (Alaska 주의) 군《다른 주의 county 에 상당》. **3** 〔史〕 (중세의) 성읍(城邑), 도시. **buy**〔**own**〕 **a borough** 선거구를 매수〔소유〕하다. **pocket**〔**close**〕 **bor·ough** 〔영史〕 대의원 선출 실권이 한 사람 또는 한 가문에 있던 선거구.
bórough cóuncil 《영》 (버로의 이름을 가진 지방의) 버로 의회.
bor·ough-Eng·lish[-íŋgliʃ] *n.* Ⓤ 〔영法〕 (1924년까지의) 말자(末子) 상속제.
★**bor·row**[bɔ́(:)rou, bɑ́r-] [OE] *vt.* **1** 빌다 《*from,* 《稀》 *of*》: 《Ⅲ (목)+전+명+{*to* do}》 She ~*ed* some books *from* me never to return them. 그녀는 내게서 책 몇 권을 빌려 갔는데 영 돌려주지 않았다. **2** 〔數〕 (뺄셈할 때 윗자리에서) 꾸어오다. **3** 〈사상·풍습 등을〉 무단 차용하다, 도입하다《*from*》. **4** 〔言〕 〈말을〉 (다른 언어에서) 차입〔차용〕하다《*from*》.
— *vi.* **1** …에서 빌다, 꾸다, 차용하다《*from*》. **2** 〔골프〕 바람〔언덕〕을 참작하여 치다.
borrow trouble 쓸데없는 걱정을 하다.
borrow money on …을 잡히고〔질권(質權)을 설정하고〕 돈을 꾸다: She *borrowed money on* her ring. 그녀는 그녀의 반지를 잡히고 돈을 꾸었다.
bor·rowed *a.* 빈, 차용한; 다른 데서 따 온: words ~ *from* French 프랑스 말에서 온 차용어. **in borrowed plumes** 옷을 빌어 입고; 남의 신망을 빌어; 주워 들은 지식으로. **live on borrowed time** 〈노인·병자 등이〉 기적적으로 살아남다.
bórrowed tíme (목숨을 건진 후의) 유예된 시간, 여분의 시간, 덤으로 사는 시간.
∗**bor·row·er** *n.* 빌어 쓰는 사람, 차용자.
bor·row·ing *n.* **1** Ⓤ 차용. **2** 차용어; 빈 것.
borscht, borsch[bɔ:rʃt], [bɔ́:rʃ] [Russ] *n.* Ⓤ (당근즙을 넣은) 러시아식 수프의 일종.
bórscht bèlt =BORSCHT CIRCUIT.
bórscht cìrcuit, bórsch cìrcuit (종종 the B- C-) 유대인 피서지의 극장과 나이트클럽《미국 뉴욕주의 Catskill 산맥 속에 있음》.
bor·stal[bɔ́:rstl] *n.* (때로 **B-**) 《영》 (비행(非行) 소년들을 위한) 감화원, 소년원.
Bórstal sỳstem (the ~) (영국의) 보스털식 비행 소년 재교육 제도.
bort, bortz[bɔ:rt], [bɔ:rts] *n.* Ⓤ 하급 다이아몬드; 강석 조각《연마용》.
bor·zoi[bɔ́:rzɔi] *n.* 보르조이《러시아사냥개》.
bos·cage, bos·kage[bɑ́skidʒ/bɔ́s-] *n.* 《文語》 수풀, 숲.
bosh[bɑʃ/bɔʃ] *n.* Ⓤ 《口》 허튼소리, 시시한 소리. — *int.* 《口》 허튼소리 마라! — *vt.* 《學生俗》 놀리다, 조롱하다.
bosk[bɑsk/bɔsk] *n.* 《文語》 작은 (관목) 수풀.
bos·ket, bos·quet[bɑ́skit/bɔ́s-] *n.* 수풀, 총림(叢林).
bosk·y[bɑ́ski/bɔ́ski] *a.* (**bosk·i·er; -i·est**) 《文語》 숲이 우거진; 나무 그늘이 있는(shady).
bo's'n[bóusn] *n.* =BOATSWAIN.
Bos·ni·a[bɑ́zniə/bɔ́z-] *n.* 보스니아《발칸반도 서부의 옛 왕국》.

Bos·ni·an[-n] *a.* 보스니아의. ── *n.* 보스니아 사람; Ⓤ 보스니아 말.
Bos·ny·wash[básnəwɑ̀ʃ] [*Bos*ton+*N*ew *Y*ork City+*Wash*ington, D.C.] *n.* 보스니워시 《미국 동부의 인구 조밀 지대》.
⁑**bos·om**[búzəm, bú:-] *n.* **1** 《文語》 가슴, 흉부(⇨chest). **2** (의복의) 흉부, 품; 《미》 셔츠의 가슴. **3** (여자의) 유방(⇨breast). **4** 가슴속, 친애의 정, 애정. **5** 《文語》 속, 내부(*of*). **6** (바다·호수 등의) 한복판(*of*): on the ~ *of* the ocean 대양의 한복판에. **in one's bosom** 포옹하여. **in the bosom of** one's **family** 한 가족이 단란하게. **keep in one's bosom** 가슴 속에 간직해 두다. **of one's bosom** 마음속으로 믿는, 가장 사랑하는: a friend *of my bosom* 나의 친구/the wife *of his bosom* 그의 애처(愛妻). **take ... to one's bosom** …을 아내로 삼다; …을 막역한 친구로 삼다.
── *a.* 친한, 사랑하는, 심복의. ── *vt.* 가슴에 껴안다; 가슴에 감추다.
bos·om·y[-i] *a.* 《口》 〈여자가〉 가슴이 풍만한.
bos·on[bóusɑn/-ɔn] *n.* 〔物〕 보손《스핀이 정수(整數)인 소립자·복합 입자》.
Bos·po·rus, -pho-[báspərəs/bɔ́s-], [-fə-] *n.* (the ~) 보스포러스 해협《흑해와 Marmara 해를 연결함》.
bos·quet *n.* =BOSKET.
⁑**boss**[1] [bɔ(:)s, bɑs] [Du] 《口》 *n.* (호칭으로도 쓰여) **1** 두목, 우두머리; 사장, 소장, 주임(등); 실력자, 지배자. **2** 《미》 (정계 등의) 영수, 거물. **3** 주인, 고용주, 경영주. ── *vt.* …의 두목이 되다; 지배〔감독〕하다, 부려먹다. ── *vi.* 두목이 되다. **boss** a person **about** 〔**around**〕 《口》 …을 부려먹다. **boss it** 《口》 좌지우지하다. **boss the show** 《口》 휘두르다, 좌지우지하다. ── *a.* **1** 두목의, 주임의. **2** 주요한, 지배하는. **3** 일류의; 뛰어난.
boss[2] [OF] *n.* **1** (장식적인) 돌기; 사마귀 (모양의 징). **2** 〔建〕 양각(陽刻) (장식), 부조(浮彫). ── *vt.* (보통 수동형) 돋을새김으로 장식하다.
boss[3] 《영俗》 *n.* 틀린 짐작, 실수. ── *vt.* 잘못 짐작하다, 실수하다.
BOSS Bureau of State Security (남아프리카 공화국의) 국가 비밀 정보국.
bos·sa no·va[básənóuvə/bɔ́s-] [Port] *n.* 보사노바 음악〔춤〕.
boss·dom[bɔ́(:)sdəm, bás-] *n.* 정계 보스로서의 지위; 정계 보스의 영향력 범위; 보스 정치.
bossed[bɔ(:)st, bɑst] *a.* 양각 장식한, 돋을새김(장식)이 붙은; 돌기물이 붙은.
boss-eyed[bɔ́(:)sàid, bás-] *a.* 《영俗》 애꾸눈의; 사팔뜨기의; 편파적인.
boss·head[⌐hèd] *n.* 《俗》 우두머리(boss), 반장(foreman), 주임(head).
boss·ism[bɔ́(:)sizəm, bás-] *n.* Ⓤ 《미》 보스 제도, 보스 정치.
boss·man·ship[bɔ́(:)smənʃip, bás-] *n.* 경영자 정신(corporate leadership).
bóss shòt[⌐ʃàt/⌐ʃɔ̀t] 《영俗》 헛방; 실패.
boss·y[1] [bɔ́(:)si, bási] *a.* (**boss·i·er; -i·est**) 《口》 두목 행세하는, 으스대는(domineering).
bóss·i·ness *n.*
boss·y[2] *a.* (**boss·i·er; -i·est**) =BOSSED.
boss·y[3] *n.* (*pl.* **boss·ies**) 《미口》 송아지; 암소.
⁑**Bos·ton**[bɔ́(:)stən, bás-] *n.* **1** 보스턴《미국 Massachusetts 주의 주도》. **2** (보통 **b-**) 보스턴 왈츠《사교 댄스의 일종》.
Bóston árm 〔醫〕 보스턴 의수(義手)《전자 장치로 조작》.
Bóston bàg 보스턴 백.
Bóston brówn brèad 찐빵의 일종《달콤한 갈색 빵》.
Bóston búll =BOSTON TERRIER.
Bóston créam píe 보스턴 크림 파이《당의를 입히고, 크림을 넣은 스펀지 케이크》.
Bos·to·ni·an[bɔ(:)stóuniən, bas-] *a., n.* 보스턴의 (시민).
Bóston ívy 담쟁이 덩굴《동양 원산의 포도과(科) 덩굴 식물》.
Bóston Mássacre (the ~) 〔미史〕 보스턴 학살 사건《1770년 3월 5일에 일어난 영국군과 보스턴 시민의 충돌 사건》.
Bóston Téa Pàrty (the ~) 〔미史〕 보스턴 차 사건《1773년 발생》.
Bóston térrier 영국종 bulldog과 terrier의 교배종.
bo·sun, bo'sun[bóusən] *n.* =BOATSWAIN.
Bos·well[bázwel, -wəl/bɔ́z-] *n.* **1** 보즈웰 James ~(1740-95)《*Life of Samuel Johnson*의 저자》. **2** 충실한 전기(傳記) 작가.
Bos·well·i·an[bazwéliən/bɔz-] *a.* 보즈웰다운, 보즈웰류의. ── *n.* 보즈웰 연구〔숭배〕자.
bot[1] [bat/bɔt] *n.* **1** 〔昆〕 말파리(botfly)의 유충. **2** (the ~s) 보트증(症)《말파리의 유충이 말의 위에 기생하여 생기는 병》.
bot[2] 《오스口》 *vt., vi.* 등치다, 조르다, 강청하다《*on*》. ── *n.* 조르는〔등치는〕 사람.
bot. botanical; botanist; botany; bottle; bottom. **bot.** bought. **B.O.T.** balance of time 《미俗》 남은 형기(刑期); 《영》 Board of Trade. **botan.** botanical.
*__bo·tan·i·cal, -ic__[bətǽnikəl], [-ik] *a.* **1** 식물의; 식물학(상)의: the ~ garden(s) 식물원. **2** 식물에서 채취한. **-i·cal·ly**[-ikəli] *ad.*
*__bot·a·nist__[bátənist/bɔ́t-] *n.* 식물학자.
bot·a·nize[bátənàiz/bɔ́t-] *vi.* 식물을 채집하다, 식물을 실지 연구하다. ── *vt.* 〈토지를〉 식물학적으로 답사하다.
⁑**bot·a·ny**[bátəni/bɔ́t-] *n.* (*pl.* **-nies**) Ⓤ **1** 식물학. **2** (한 지방의) 식물 (전체); 식물의 생태. **3** Ⓒ 식물학 서적. **geographical botany** 식물 지리학.
Bótany Báy **1** 오스트레일리아 Sydney에 있는 만(灣). **2** 《古》 범죄인 격리〔수용〕소.
Bótany wóol 오스트레일리아산 고급 메리노 양모.
bo·tar·go[bətá:rgou] *n.* (*pl.* ~(**e**)**s**) 다랑어·숭어 등의 알을 소금에 절여 말린 것.
botch[bɑtʃ/bɔtʃ] *n.* **1** 보기 흉하게 기운 것. **2** 서투른 일〔솜씨〕. **make a botch of** …을 실패하다. ── *vt.* **1** 서투르게 깁다. **2** …을 실패하다. ── *vi.* 서투른 말〔짓〕을 하다.
botch·er[bátʃər/bɔ́tʃə] *n.* 서투른 직공.
botch·er·y[bátʃəri/bɔ́tʃ-] *n.* Ⓤ 보기 흉한 기움새, 서투른 수선; 서투른 솜씨, 실수.
botch-up *n.* 《口》 서툴게 고침.
botch·work[⌐wə̀:rk] *n.* 서투른〔조잡한〕 일〔작품〕.
botch·y[bátʃi/bɔ́tʃi] *a.* (**botch·i·er; -i·est**) 누덕누덕 기운; 보기 흉한; 솜씨가 서투른.
bo·tel[boutél] *n.* =BOATEL.
bot·fly[bátflài/bɔ́t-] *n.* (*pl.* **-flies**) 〔昆〕 말파리.
★**both**[bouθ] *a.* **1** (긍정문) 양자의, 양쪽의, 쌍방의, 둘 다의: ~ parents 양친/*Both* (the) sisters are dead. 두 자매는 다 죽었다(◇ both 뒤의 정관사는 보통 생략된다)/*Both* these flowers smell sweet. 이 꽃은 둘 다 향기가

좋다(◇ both는 지시형용사·소유격 대명사 등의 앞에 둔다). **2** (not과 함께 부분부정을 나타냄) I don't want ~ (the) dictionaries. 이 사전이 둘 다 필요한 것은 아니다(하나만 있으면 된다). **have it both ways** 두 가지 논법을 쓰다, 양다리 걸치다(논쟁 따위에서).
— *pron.* **1** (긍정문)(복수 취급) 양자, 양쪽, 쌍방, 둘 다[모두]: *Both* are good. 양쪽 다 좋다/*Both of* the sisters are dead. 그 자매는 둘 다 죽었다. **2** (not과 함께 부분 부정을 나타냄): I do *not* know ~ *of* them. 두 사람을 다 아는 것은 아니다(한쪽만 안다). **3** (동격으로 씀) 양자 모두, 양쪽 다(◇ as well as, equal, equally, alike, together 등과 함께 쓰면 의미상으로 중복되기 때문에, 이럴 때에는 both를 안 씀): The sisters are ~ dead. 그 자매는 둘 다 죽었다/I love them ~. 두 사람을 다 사랑한다. — *ad.* (both ... and ... 로 상관접속부사로서) …도 —도, 둘 다[양쪽 다]: …뿐(만) 아니라 —도: *Both* Ben *and* Jane are dead. 벤도 제인도 다 죽었다(◇ 복수 취급).

⁑both·er[báðər/bɔ́ð-] *vt.* **1** …을 괴롭히다, 귀찮게 하다, 성 가시게 하다[귀찮게 조르다]: ~ her husband 남편을 성가시게 하다/~ a person *with* questions …에게 귀찮게 질문하여 괴롭히다/(Ⅴ(목)+*to* do) He ~*s* me *to* lend him money. 그는 내게 돈을 꾸어 달라고 조른다. **2** (정중한 표현) …에게 폐를 끼치다. **3** (가벼운 욕)(영口) …을 저주하다: *B*- the flies! 요놈의 파리 새끼! **bother one's head** [one's brains, oneself] 근심하다(*about*). **Bother you!** 귀찮다! **Oh, bother it!** 아 귀찮다! 지긋지긋하다!
— *vi.* **1** (심히) 걱정하다, 근심[고민]하다, 괴로워하다, 마음졸이다(*about, with*): Don't ~ *about* the expenses. 비용 걱정은 하지 마라. **2** (부정문에서) 일부러 …하다, …하도록 애쓰다(*about* do*ing*): (Ⅰ(전)+-*ing*) I don't ~ (*about*) carry*ing* an umbrella. 나는 일부러 우산을 가지고 가지 않는다(=(Ⅱ *to* do) I don't ~ *to* carry an umbrella.)/(Ⅱ *to do*) Don't ~ *to* answer his letter. 그의 편지에 일부러 회답할 것 없다. **cannot be bothered** (to do) =**not bother** (to do) (口) …조차 하지 않다. — *n.* **1** Ⓤ 귀찮음. **2** 성가신 일: 소란, 옥신각신: 귀찮은 사람. **3** Ⓤ (영俗) 조무래기 싸움. — *int.* (영口) 귀찮다!

both·er·a·tion[bàðəréiʃən/bɔ̀ð-] (口) *n.* Ⓤ 성가심, 속상함(vexation). — *int.* 귀찮다!, 제기랄!: Oh, ~! 빌어먹을!

both·er·some[báðərsəm/bɔ́ð-] *a.* 귀찮은, 성가신, 주체스러운.

both-hand·ed[bóuθhǽndid] *a.* 양손을 쓰는; 양손잡이의.

bóth hànds (미俗) 양손(ten): 10달러.

both-sid·ed[bóuθsàidid] *a.* 양면이 있는, 양쪽에 듣는.

both-way *a.* 왕복의.

both·y, both·ie[báθi/bɔ́θi] *n.* (*pl.* **both·ies**) (스코) 오두막집(농장 노동자의).

bó trèe[bóu-] 인도보리수나무.

bot·ry·oi·dal, -oid[bàtriɔ́idl/bɔ̀t-], [bátriɔ̀id/bɔ́t-] *a.* 포도송이 모양의.

Bot·swa·na[bɑtswɑ́:nə/bɔts-] *n.* 보츠와나(아프리카 남부의 독립국; 수도 Gaborone).

bott[bɑt/bɔt] *n.* =BOT[1].

★bot·tle[1] [bátl/bɔ́tl] *n.* **1** 병, 술병; (술·기름 등을 넣는) 가죽 주머니: a ~ opener 마개뽑이. **2** 한 병의 분량(*of*). **3** (the ~) 술, 음주. **4** 젖병; (the ~) (젖병에 넣은) 우유: bring up[raise] a child on *the* ~ 어린애를 우유로 기르다. **5** (영俗) 용기, 기백(spirit), 결단력: have (got) a lot of ~ 용기가 있다, 결단력이 있다. **fight a bottle** (미俗) 병째로 술을 마시다. **hit the bottle** (미俗) (1) 술을 많이 마시다. (2) 곤드레만드레 취하다. **like one's bottle** 술을 좋아하다. **on the bottle** (口) 술에 빠져, 술을 잔뜩 마셔. **over a** [**the**] **bottle** 술을 마시면서. **take to the bottle** 술을 즐기다, 술에 빠지다. — *vt.* **1** 병에 담다; (영)<과일 등을> 병조림으로 하다. **2** (俗) 붙들다. **Bottle it!** (미) 입 닥쳐!, 조용히! **bottle off** (통에서) 병으로 옮겨 담다. **bottle up** (1) 병에 밀봉(密封)하다. (2) <노여움 등을> 억누르다, 감추다. (3) <적 등을> 봉쇄하다.

bottle[2] *n.* (영方) (건초·짚 등의) 단(bundle).

bóttle bàby 우유로 기른 아이.

bóttle bànk (영) (거리에 설치한) 빈 병 넣는 용기(재활용할 수 있도록 한 것).

bóttle blònd (미俗) 머리를 물들여 금발로 만든 사람.

bot·tle·brush[-brʌ̀ʃ] *n.* 병 닦는 솔; [植] 쇠뜨기(오스트레일리아 원산).

bóttle càp (뒤에 코르크가 달린) 병마개.

bóttle clùb (각자 자기 몫의 술을 사두는) 회원제 술집[클럽].

bot·tled[bátld/bɔ́t-] *a.* **1** 병에 담은, 병에 든. **2** (俗) 술에 취한.

bóttled gás **1** 휴대용 실린더에 담긴 압축가스. **2** =LIQUEFIED PETROLEUM GAS.

bot·tle-fed[-fèd] *a.* 우유로 자란, 인공 영양의(*cf.* BREAST-FED).

bot·tle-feed[-fì:d] *vt.* (**-fed**[-fèd]) <아이를> 우유[인공 영양]로 기르다(*cf.* BREAST-FEED).

bot·tle·ful[-fùl] *n.* 한 병(의 분량)(*of*).

bóttle glàss 병 유리(암록색의 조제품).

bóttle gòurd [植] 호리병박.

bóttle grèen 암록색(deep green).

bot·tle·hold·er[-hòuldər] *n.* **1** 병 받침대. **2** 권투 선수의 보조자, 세컨드. **3** 후원자.

bot·tle·man[-mæ̀n] *n.* (*pl.* **-men**[-mèn]) (미俗) 술꾼, 주정꾼.

bot·tle·neck[-nèk] *n.* **1** 병목. **2** 좁은 통로[가로]: 교통 체증이 일어나는 곳. **3** (사물의) 진행[활동]이 방해된 상태; 애로.

bóttleneck inflàtion [經] 보틀넥 인플레이션(일부 산업의 생산 요소 부족이 파급시키는 물가 상승).

bót·tle nòse (俗) (빨간) 주먹코.

bót·tle-nosed dólphin *n.* [動] 청백돌고래.

bóttle pàrty 각자 술병을 지참하는 파티.

bot·tler[bátlər/bɔ́t-] *n.* **1** 병에 담는 사람[장치]. **2** 탄산 음료 제조업자. **3** (오스口) 멋진[근사한] 사람[것].

bot·tle-wash·er[-wɑ̀ʃər/-wɔ̀ʃ-] *n.* **1** 병 씻는 사람[기구]. **2** (口) 허드렛일꾼.

bot·tling[bátliŋ/bɔ́t-] *n.* Ⓤ 병에 채워넣기; 병에 든 음료, (특히) 포도주.

★bot·tom[bátəm/bɔ́t-] *n.* **1** 밑(바닥), 기부(基部). **2** 기초(basis), 토대; 근본, 근저(根底); 진상; 마음속. **3** 밑바닥 부분, 하부; (나무의) 밑둥; (the ~) (언덕·산의) 기슭; (바다 등의) 바닥; (계단의) 아래; (페이지의) 하부; 아래[최하] 부분; 말석, 꼴찌. **4** (보통 *pl.*) 강변의 낮은 땅(bottomland). **5** [海] 선저(船底), 선복(船腹); 선박, (특히) 화물선. **6** (의자의) 앉을 자리; (口) 궁둥이, 둔부(臀部); (양복 바지 등의) 궁둥이 부분. **7** (the ~) (영) (길·후미 등의) 안쪽; (가로의) 막다

른 곳. **8** 저력(底力), 뚝심, 끈기, 인내력. **9** (*pl.*) (파자마의) 바지. **10** 〔野〕 한회의 말(末)(*opp.* top). **11** 〔證券〕 (가장 낮은) 바닥 시세. **12** (*pl.*) 《미흑인俗》 (인구 밀집 지역의) 가장 빈곤한 지구. **13** (보통 *pl.*) 찌꺼기, 앙금(dregs, lees). **at (the) bottom** (1) 본심은; 사실은. (2) 근본적으로(는). **at the bottom of** (1) …의 원인으로. (2) …의 흑막으로. (3) 기슭에, 각부(脚部)에. (4) 밑에. **bottom up**〔**upward**〕 거꾸로. **Bottoms up!** 《口》 건배!, 쭉 들이켜요! **from the bottom of the**〔**one's**〕 **heart** 충심으로, 진심으로. **get to the bottom of** …의 진상을 규명하다; 해결하다. **go to the bottom** (1) 가라앉다. (2) 탐구하다, 규명하다. **hit**〔**touch**〕 **bottom** (1) 물밑에 닿다. (2) 좌초하다. (3) 〈값 등이〉 최저가 되다. (4) 최악의 사태에 빠지다. **knock the bottom out of** 《口》 〈이론·증거·계획·자신 등을〉 송두리째 뒤엎다. **reach the bottom** 〔商〕 최저 가격이 되다. **send to the bottom** 가라앉히다. **sift ... to the bottom** 철저하게 조사하다. **stand on** one's **own bottom** 독립〔자영(自營)〕하다. **start at the bottom of the ladder** 비천한 환경에서 입신 출세하다. **The bottom drops**〔**falls**〕 **out of** ... (1) 〈사물이〉 무너지다, 붕괴하다. (2) 〈값이〉 최저로 떨어지다. **to the bottom** 밑바닥까지; 철저하게.

— *a.* **1** 밑바닥의, 최하의, 최저의; 최후의: the ~ price 최저 가격/the ~ rung (사회 계급 등의) 최하층. **2** 근본적인. — *vt.* **1** 밑을 대다; 〈의자에〉 앉을 자리를 대다. **2** …의 진상을 규명하다. **3** (보통 수동형) …을 근거로 하다(*on, upon*). **4** 기인케 하다(*on*). **5** (잠수함을) 해저에 대다. — *vi.* **1** …에 기초를 두다(*on, upon*). **2** (물가 따위가) 최저 가격이 되다. **3** (배 따위가) 바닥에 닿다. **bottom out** (1) 해저에 닿다. (2) 〈가격 등이〉 최저 시세가 되다; 〈경제 등이〉 바닥을 벗어나다.

bóttom bòards (보트의) 바닥널.

bóttom dóllar (one's ~) 《口》 가진〔남은〕 돈 전부. **bet one's bottom dollar** ⇨bet.

bóttom dráwer 《영》 **1** (미혼 여성이 결혼 준비물을 넣어두는) 장롱 맨 아랫 서랍(《미》 hope chest). **2** 결혼 준비물.

bot·tom-end *n.* 《미俗》 보텀엔드(엔진의 크랭크샤프트·메인베어링·연접봉 베어링).

bóttom gèar 《영》 (자동차의) 최저속 기어(《미》 low gear).

bot·tom·ing[bátəmiŋ/bɔ́t-] *n.* 지염(地染), 애벌염색.

bot·tom·land *n.* 《미》 강변의 낮은 지대.

***bot·tom·less**[bátəmlis/bɔ́t-] *a.* **1** 밑바닥 없는, 헤아릴 수 없는, 매우 깊은: the ~ pit 지옥. **2** (의자의) 앉는 부분이 없는. **3** 전라(全裸)의. **~·ly** *ad.*

bóttom líne (the ~) 《미》 **1** (결산서의) 맨 밑줄; (계상된) 순익〔손실〕, 경비. **2** 최종 결과, 결말, 총결산; 최종 결정, 결론. **3** 가장 중요한 사항, 핵심; 결정적 계기〔전기, 순간〕.

bot·tom-line[bátəmlàin/bɔ́t-] *a.* **1** 손익 계산만을 문제 삼는. **2** 실리적인, 현실주의의.

bot·tom·most[bátəmmòust/bɔ́təmməst] *a.* **1** 맨 아래〔밑바닥〕의; 최저의. **2** 가장 기본적인.

bóttom quárk 〔物〕 보텀쿼크(쿼크의 하나; r입자의 구성요소; 기호 b).

bóttom róund 소의 허벅다리의 바깥살.

bot·tom·ry[bátəmri/bɔ́t-] *n.* (*pl.* **-ries**), *vt.* (**-ried**) 〔海〕 선박 저당 계약(을 하다).

bot·tom-up[bátəmʌ́p/bɔ́t-] *a.* 일반인〔하급자, 비전문가〕의, 하급자에서 비롯된.

bóttom wòman 《미俗》 (포주가) 가장 아끼는〔신뢰하는〕 매춘부.

bot·u·lin[bátʃəlin/bɔ́tju-] *n.* Ⓤ 보툴리누스 독소(보툴리누스 중독을 일으키는 독소).

bot·u·li·nus[bàtʃəláinəs/bɔ̀tju-] *n.* 〔細菌〕 보툴리누스균(botulin을 만들어 냄).

bot·u·lism[bátʃəlìzəm/bɔ́tju-] *n.* Ⓤ 〔病理〕 보툴리누스 중독(썩은 소시지 등에서 생김).

bou·bou[bú:bu:] *n.* 부부(아프리카의 소매 없는 긴 옷).

bou·chée[bu:ʃéi] [F] *n.* 〔料理〕 부셰(쇠고기·생선 등을 넣은 작은 파이).

bou·clé, -cle [F] *n.* Ⓤ 매듭실, 부클레 털실; 부클레 직물.

bou·doir[bú:dwɑ:r] [F] *n.* 여성의 내실.

bouf·fant[bu:fɑ́:nt] [F] *a.* 〈소매나 치마 등이〉 불룩한 — *n.* 불룩한 머리 모양.

bouffe[bu:f] [F] *n.* 희가극(喜歌劇)

bou·gain·vil·le·a, -lae·a[bù:gənvíliə] *n.* 〔植〕 부겐빌레아(분꽃과의 관상용 열대식물).

⁑**bough**[bau] [OE] *n.* 큰 가지, 《특히》 주지(主枝)(⇨branch, twig). **boughed**[-d] *a.*

bough·pot[báupàt/-pɔ̀t] *n.* 큰 꽃병; 《영》 꽃다발.

★**bought**[bɔ:t] *v.* BUY의 과거·과거분사.

bòught déal 〔株式〕 보험 회사가 채권·주식을 모두 인수한 후 협정 가격에 되파는 것.

bought·en[bɔ́:tn] *a.* 《方》 가게에서 산, 가게에서 파는 물건인(*cf.* HOMEMADE).

bou·gie[bú:dʒi:, –⌐] [F] *n.* 〔醫〕 소식자(消息子); 좌약(坐藥); 양초.

bouil·la·baisse[bù:ljəbéis/bú:jəbè(i)s] [F] *n.* Ⓤ,Ⓒ 부여베이스(생선·조개류에 향료를 넣어 찐 요리; 마르세유의 명물).

bouil·li[bu:jí:] [F] *n.* Ⓤ 삶은 고기, 찐 고기.

bouil·lon[búljɑn/bú:jɔn] [F] *n.* Ⓤ 부용(쇠고기·닭고기 등의 묽은 수프); 〔生化〕 (세균 배양용) 수프: a ~ cube 고형(固形) 부용.

bóuilon cùbe (쇠고기·닭·채식 가축 등을) 압축하여 건조시켜 토막고기 식으로 만든 것.

Boul., boul. boulevard.

boul·der[bóuldər] *n.* 둥근 돌, 옥석(玉石); 〔地質〕 표석(漂石): ~ clay 표석 (점)토.

boul·der·ing[bóuldəriŋ] *n.* **1** 옥석을 깐 보도. **2** 〔登山〕 볼더링(큰바위 오르기).

boule[1][bu:l] *n.* **1** (*pl.*) 론 볼링 비슷한 프랑스의 경기. **2** 룰렛(roulette) 비슷한 도박 게임.

boule[2][bju:l/bu:l] *n.* =BOULLE.

Bou·le[bú:li:, bu:léi] *n.* (근대 그리스의) 의회, 하원; (종종 **b-**) (옛 그리스의) 입법 회의.

bou·le·vard[bú(:)ləvɑ̀:rd] [F] *n.* **1** 넓은 가로수길; (종종 **B-**) 《미》 큰 길, 대로(略: Blvd.).

bou·le·var·dier[bù(:)ləvɑ:rdíər] [F] *n.* (*pl.* **~s**[-z]) (파리의) 큰 거리의 건달.

boulle, boule[bu:l] *n.* Ⓤ 불〔상감(象嵌)〕 세공.

boult[boult] *vt.* =BOLT[2].

boul·ter[bóultər] *n.* 주낙.

***bounce**[bauns] [OF] *vi.* **1** 〈공 등이〉 되튀다(*back*); 튀다(*off*); 〈사람이〉 펄쩍 뛰다(*up*): ~ *up* 펄쩍 뛰다/The ball ~*d back from* the wall. 공이 벽에 맞고 되튀어왔다/A car is *bouncing along* the rough road. 차가 울퉁불퉁한 길을 상하로 흔들리며 달리고 있다. **2** 급히 가다〔오다〕; 뛰어들다(*in, into*), 뛰어나오다(*out*); 뛰어다니다(*about*): ~ *out of*〔*into*〕 the room 방에서 뛰어나오다〔방으로 뛰어 들어가다〕. **3** 《口》 〈어음·수표 등이〉 부

도가 나 되돌아 오다. **4** 《영》 허풍치다.
— *vt.* **1** 〈공 등을〉 되튀게 하다, 바운드시키다: ~ a boy *up* and *down* 소년을 들어 올렸다 내렸다 하다. **2** (문 따위를) 탕 닫다. **3** 《미俗》 내쫓다, 해고하다; 내던지다: He was ~*d from* his job. 그는 해고 당했다. **4** 《영口》 크게 꾸짖다(scold). **5** 《영口》 을러대어〔부추기어〕 …하게 하다(*into*); 을러대어 …을 빼앗다(*out of*): ~ a person *into*〔*out of*〕 do*ing* …을 을러대어 …하게〔하지 못하게〕 하다. **6** (어음 수표 등을) 부도 처리하다: The bank ~*d* his check. 은행은 그의 수표를 부도 처리했다. **7** 〈통신 등을〉 통신 위성으로 중계하다.
bounce back (1) *vi.* 1. (2) (패배·병·타격 등에서) 금방 회복하다(*from*); 〈경기·주가 등이〉 되살아나다. — *n.* **1** 되튐, 튐, 바운드; 튀어오름; Ⓤ 탄력(성). **2** Ⓤ 《口》 활기, 활력; 《영》 허풍, 허세. **3** (the ~) 《미俗》 해고, 추방. **get the** (**grand**) **bounce** 《미俗》 해고당하다; 버림받다. — *ad.* 갑자기, 불쑥; 급히 뛰어.

bóunce·a·ble [báunsəbəl] *a.* 으스대는; 싸우기 좋아하는. ⊕ bóuncy *a.*

bounc·er [báunsər] *n.* **1** 거대한 사람〔것〕. **2** 튀는 사람〔것〕. **3** 《영口》 허풍선이. **4** 《口》 경비원(극장·식당 등의). **5** 《영俗》 건방진 놈.

bounc·ing [báunsiŋ] *a.* **1** 잘 튀는. **2** 〈갓난아이 등이〉 기운 좋은. **3** 씩씩한. **4** 거대한; 거액의. **5** 허풍떠는.

bounc·y [báunsi] *a.* (**bounc·i·er; -i·est**) **1** 생기〔활기〕 있는, 쾌활한. **2** 탄력 있는. **-i·ness** *n.* **bóunc·i·ly** *ad.*

***bound**[1] [baund] [OF] *n.* (*pl.*) **1** (안쪽에서 본) 경계(선). **2** 경계 부근의 영토, 경역(境域). **3** 영역내, 관내, 영내; 출입 허가 구역. **4** 범위; 한계. **go beyond**〔**outside**〕 **the bounds of** …의 범위를 넘다. **keep within bounds** 제한 내에 머무르다; 도를 넘지 않다. **know no bounds** 끝〔한〕이 없다. **out of all bounds** 터무니없는〔없이〕, 지나친〔치게〕. **out of bounds** (1) (구기에서) 〈공·사람이〉 (정해진) 구역을 넘어. (2) 《영》 출입 금지(구역)의 (*to*)(《미》 off limits). **put**〔**set**〕 **bounds to** …을 제한하다. — *vt.* **1** (보통 수동태) (…와) 경계를 이루다(*on, in; by*); …의 경계〔영역, 범위〕를 정하다: England is ~*ed on*〔*in*〕 the north *by* Scotland. 잉글랜드는 북쪽으로 스코틀랜드와 경계를 이룬다. **2** 제한하다, 한정하다. — *vi.* 인접하다, 접경하다(*on*): Canada ~*s on* the United States. 캐나다는 미국과 접경하고 있다.

⁑**bound**[2] *vi.* **1** 뛰다, 뛰어 오르다; 뛰어 가다, 기운차게 걷다; 〈파도가〉 넘실거리다; 〈가슴이〉 뛰다: ~ *away* 뛰어 가버리다/~ *forward* 약진하다/He ~*ed into* fame. 그는 일약 유명해졌다. **2** 튀다, 퉁기다, 〈공 등이〉 되튀다, 뛰어 오르다. — *vt.* 〈공 등을〉 튀어 오르게 하다. **bound upon** …에 덤벼들다. — *n.* **1** (공 등의) 튐, 되튐, 반동. **2** 뛰(어 오르)기, 도약; 《詩》 약동. **at a** (**single**) **bound** 대번에 뛰어올라, 일약(一躍). **by leaps and bounds** ⇒leap. **on the bound** 〈공이〉 튀는, 튀고 있는. **with one bound** 일약, 한번 뛰어.

⁑**bound**[3] *v.* BIND의 과거·과거분사. — *a.* **1** 묶인; 〔化〕 결합된: ~ hand and foot 손발이 묶여. **2** 속박〔구속〕된(*by*): ~ one's word 약속에 얽매어 있는/(합성어로) duty-~ 의무에 얽매인. **3** 의무가 있는, 꼭 …하게 되어 있는(*to* do); 《口》결심을 하고: (《Ⅱ 형+*to* do》) I am in duty ~ *to* do something for her. 나는 그녀를 위해 의리상 무엇인가를 해주지 않을 수 없다/ (《Ⅱ 형+*to* do》) Our team is ~ *to* win. 우리 팀은 꼭 이긴다/(《Ⅱ 형+전+-*ing*》) He is ~ *on* do*ing* it. 그는 그것을 하기로 결심하고 있다. **4** 연기(年期) 고용살이 계약을 한(*to*). **5** 〈책이〉 장정(裝幀)한; 표지를 단: ~ *in* cloth 천으로 장정한/half-〔whole-〕~ 등만〔전체를〕 가죽을 입힌. **6** 〔文法〕 구속형의. **bound up in** …에 열중하여, 깊이 들어가 있어. **bound up with** …와 이해를 같이 하여; …와 밀접한 관계에. **I'll be bound.** 《口》 내가 책임지겠다, 틀림없다.

⁑**bound**[4] [ON] *a.* **1** 〈배·열차·비행기 등이〉 …행(行)의; 〈사람이〉 …에 가는 길인, …로 가는 도중에(*for, to*): a train ~ *for* Detroit 디트로이트행 열차〔기차〕/(《Ⅱ 형+전+명》) This train is ~ *for* Chicago. 이 열차는 시카고행 열차다. **2** (보통 복합어를 이루어) …행의: north~ 북행의/outward-~ 외항의, 외국행의/homeward-~ 귀항 중인.

⁑**bound·a·ry** [báundəri] *n.* (*pl.* **-ries**) **1** 경계(선): a ~ line 경계선. **2** 한계, 한도. **3** 〔크리켓〕 경계선 타(打)(에 의한 득점).

bóundary làyer 〔物〕 경계〔한계〕층(유체 내 물체의 표면에 가까운 액체층).

bound·en [báundən] *a.* 의무적인, 필수의 (required); 《古》 은혜를 입은(obliged)(*to; for*). one's **bounden duty** 의무, 본분.

bound·er [báundər] *n.* **1** 《영口》 (도덕적으로) 천한 사람, 버릇없는 사람; 졸부가 된 사람. **2** 〔野〕 바운드가 큰 땅볼.

bóund fórm 〔文法〕 구속(拘束) 형식(work*er*의 *-er*, work*ed*의 *-ed* 등).

***bound·less** [báundlis] *a.* 무한한, 한이 없는, 끝없는. **~·ly** *ad.* **~·ness** *n.*

***boun·te·ous** [báuntiəs] *a.* 《詩》 =BOUNTIFUL. **~·ly** *ad.* **~·ness** *n.* ⊕ bóunty *n.*

boun·tied [báuntid] *a.* 장려금을 받은; 장려금이 나오는.

boun·ti·ful [báuntifəl] *a.* **1** 〈사람이〉 아낌없이 주는, 관대한, 활수한. **2** 〈물건이〉 풍부한, 윤택한. **~·ly** [-i] *ad.* **~·ness** *n.*

***boun·ty** [báunti] [L] *n.* (*pl.* **-ties**) **1** Ⓤ 활수함, 박애, 관대. **2** 아낌없이 주어진 것, 하사품; 상여금; (정부의) 장려〔보조〕금(subsidy)(*on, for*); (맹수 퇴치 등의) 보상금, 상금(*for*). **King's**〔**Queen's**〕 **bounty** 《영》 (세 쌍둥이를 낳은 어머니에게 주는) 하사금. ⊕ bóunteous, bóuntiful *a.*

bóunty hùnter 현상금 사냥꾼(현상금을 목적으로 범인이나 맹수를 쫓는 사람).

bóunty jùmper (남북 전쟁 당시의) 돈만 받고 탈주하는 응모병.

bou·quet [boukéi, bu:-] [F] *n.* **1** 꽃다발. **2** (포도주 등의 특수한) 향기. **3** 듣기 좋은 말, 아첨하는 말: throw ~*s at* …을 칭찬하다, …에게 아첨하다.

bou·quet gar·ni [-gɑ:rní:] [F] *n.* (*pl.* **bou·quets gar·nis** [-z gɑ:rní:]) (수프 등에 맛·향기를 가미하는) 약초 다발.

bouque·tière [bùkətjέər, -tiέər] [F] *a.* 〔料理〕 야채를 곁들인.

bou·qui·niste [*F.* bukinist] [F] *n.* (*pl.* ~**s** [-]) 고(古)서적상, 헌책방.

bour·bon [búərbən, bə́:r-] *n.* Ⓤ 버번 위스키(=∠ **whìskey**)(옥수수와 호밀로 만듦).

Bour·bon [búərbən, bə́:r-] *n.* **1** **a** (the ~s) (프랑스의) 부르봉 왕가. **b** 부르봉 왕가의 사람. **2** 《미》 (특히 남부 출신 민주당 내의) 완

고한 보수주의자. **~·ism**[-ìzəm] *n.* Ⓤ 부르봉 왕가 지지;《미》완고한 보수주의. **~·ist** *n.*

bour·don[búərdn, bɔ́:r-] *n.*〖樂〗(파이프 오르간의) 최저음 음전(音栓); bagpipe의 저음 음전의 하나; (편종(偏鐘)의) 최저음의 종.

bourg[buərg] *n.* 고을, 마을; 성시(城市).

*__bour·geois__[1] [buərʒwá:, ∠—] [F] *n.* (*pl.* ~) **1** 중산 계급의 시민(middle-class citizen); 상공업자(지주나 농가 · 봉급 생활자에 대하여). **2** 자본주의 사회의 지배 계급의 구성원, 유산자, 자본가, 부르주아(*cf.* PROLETARIAN). — *a.* **1** 중산계급의, 부르주아의. **2** 자본주의의;부르주아 근성의, 속물의.

bour·geois[2] [bə(:)rdʒɔ́is] *n.* Ⓤ〖印〗버조이스활자(9포인트 활자).

bour·geoise[buərʒwá:z, ∠—] *n., a.* BOURGEOIS[1]의 여성형.

bour·geoi·sie[bùərʒwa:zí:] *n.* (*pl.* ~) (the ~) **1** 부르주아〔중산, 상공업〕계급. **2** 자본가〔유산〕계급.

bour·geoi·si·fy[buərʒwá:zəfài] *vt., vi.* 부르주아화(化)하다. **bour·geoi·si·fi·ca·tion**[buərʒwà:zəfikéiʃən] *n.*

bour·geon[bə́:rdʒən] *n., vi.* =BURGEON.

bourn(e)[1] [buərn, bɔ:rn] *n.*《古》시내, 개울.

bourn(e)[2] *n.* **1**《古 · 詩》한계, 경계. **2** 목적지, 도달점(goal). **3** 영역.

bourse[buərs] [F] *n.* 증권 거래소《유럽 대륙, 특히 파리의》.

bou·stro·phe·don[bù:strəfí:dən, bàu-] *n.* Ⓤ, *a., ad.* (고대의) 좌우 교대 서법(의〔으로〕)《왼편에서 오른편으로 그 다음 줄은 오른편에서 왼편으로 쓰는 방식》.

bous·y[bú:zi, báuzi] *a.*《古》술취한.

*__bout__[baut] *n.* **1** (권투 등의) 한판 승부. **2** 일시적인 기간; (병의) 발병 기간; 발작. **3** 한 바탕 …하는 동안, 한 차례의 일: a ~ of work 한 차례의 일/a drinking ~ 주연(酒宴).

have a bout with …와 한판 승부를 겨루다. **in this〔that〕bout** 이〔그〕때에.

bou·tique[bu:tí:k] [F] *n.* 부티크《여자용 유행복이나 액세서리를 팖》.

bou·ti·quier[bù:ti:kjéi] [F] *n.* 부티크 소유자, 가게 주인.

bóu·ton·neuse féver[bú:tənù:z-, -nə̀:z-]〖醫〗부톤누즈열(熱)《진드기가 옮기는 발진열》.

bou·ton·niere[bù:təníər, bù:tənjɛ́ər] [F] *n.* 단추 구멍에 꽂는 꽃.

bouts-ri·més[bù:ri:méiz] [F] *n. pl.*〖韻〗화운(和韻)《주어진 운에 맞추어서 만든 시》.

bou·zou·ki, -sou-[bu:zú:ki] *n.* (*pl.*-**ki·a** [-kiə], ~**s**)〖樂〗부주키《만돌린 비슷한 그리스의 민속 현악기》.

bo·va·rism[bóuvərìzəm] *n.* 제 자랑, 자기의 과대 평가.

bo·vi-[bóuvə]《연결형》「소」의 뜻.

bo·vid[bóuvid] *a., n.* 소과(科)의 (동물).

bo·vine[bóuvain] *a.* **1** 소과(科)의; 소 같은. **2** 둔중한(dull). — *n.* 소과(科)의 동물.

bóvine éxtract《미俗》우유.

bo·vin·i·ty[bouvínəti] *n.* 둔중(鈍重)함.

Bov·ril[bávril/bɔ́v-] *n.* 쇠고기엑스《상표명》.

bov·ver[bávər/bɔ́v-] *n.*《영俗》(불량 소년 그룹에 의한) 소란, 싸움, 난투.

bóvver bòots《영俗》싸움용 부츠《바닥에 징을 박고 끝에 쇠를 댄》.

bóvver bòy《영俗》(특이한 복장의) 불량 소년, 깡패(boot boy).

*__bow__[1] [bou] *n.* [OE] **1** 활; 활의 사수. **2** (악기의) 활(=fiddle ~); 활로 한 번 켜기. **3** 활 모양(의 것); (말 안장의) 앞테; (안경)테; 스프링 제도용 컴퍼스(=~ compass(es)); 무지개(rainbow). **4** (리본 등의) 나비 매듭; 나비 매듭 리본, 나비 넥타이. **5** =BOW WINDOW.

draw a bow at a venture 어림짐작으로 말해보다; 마구잡이로 활을 쏘다, 되는대로 하다(*cf.*〖聖〗열왕기상 22:34). **draw〔bend〕the〔a〕long bow** 허풍 치다. **have two strings to** one's **bow** 만일의 경우에 대비가 되어있다. — *vt.* **1** 활처럼 구부리다. **2**〈바이올린 등을〉활로 켜다. — *vi.* **1** 활처럼 구부러지다. **2** 현악기를 활로 켜다.

⁑**bow**[2] [bau] [OF] *n.* 절, 경례; 몸을 굽힘.

make a bow 절하다(*to*). **make** one's **bow** (1) 사교계〔무대〕에 데뷔하다. (2)〈정치가 · 배우 등이〉퇴장〔은퇴〕하다. **take a bow** (극장 등에서) 갈채에 대하여 인사하다.

— *vi.* **1** (인사 · 복종 · 예배 등으로) 허리를 굽히다, 절하다.〈남자가〉모자를 벗고 인사하다(*to, before, with*):(Ⅰ 전+명) The boy ~*ed to* me. 그 소년은 나에게 절을 했다/The girl ~*ed with* a smile. 그 소녀는 미소지으며 고개숙여 인사했다. **2** 굴종하다(yield), 굴복하다(*to*):(Ⅲ *v*Ⅰ+전+(목))(*no pass.*) She ~*ed to*〔*before*〕the inevitable. 그녀는 필연의 운명에 굴복했다/~ *to* authority 권위에 복종하다.

bow and scrape (1) 오른 발을 뒤로 빼며 절하다. (2) 굽실거리다. **bow down** (1) 절하다(*to*). (2) 굴복하다(*to*). **bow down to the ground** 머리를 조아려 절하다. — *vt.* **1**〈무릎 · 허리를〉구부리다,〈머리 · 목을〉숙이다, 굽히다(*to, before*). **2**〈사의 · 동의를〉절하여 표시하다: ~ one's thanks 인사하여 사의를 표하다. **3** 인사하여 안내하다(*into*), 인사하여 배웅하다(*out of*): ~ a person *in*〔*out*〕인사하여 …을 맞아들이다〔배웅하다〕. **4**〈…의 몸 · 뜻을〉굽히다(*down*), 굴복시키다; …의 기력을 꺾다. **bow out** (1) 공손히 배웅하다〔물러나다〕. (2) 퇴장하다. (3) 사퇴〔사임〕하다. **bow out of** …을 사퇴〔사임〕하다. **be bowed down with** care (근심)으로 풀이 죽다. **bow the knees to** …에게 경의를 표하다, 을 숭배하다, 에게 굴복하다. **bow the neck to** …에 굴복하다.

⁑**bow**[3] [bau] *n.* **1** (종종 *pl.*) 이물, 뱃머리(*opp.* stern[2]); 기수(機首): a lean〔bold, bluff〕~ 뾰족한〔편편한〕이물. **2** =BOW OAR.

a shot across the〔a person's〕**bows**《口》경고. **bows on** 곧장, 일직선으로. **bows under** (1) (이물에 파도를 받아) 뜻대로 나아가지 않는. (2) 당황하여. **on the bow** 이물 쪽에(정면에서 좌우 45도 이내에).

bow-arm[bóuà:rm] *n.* 활을 잡는 손《왼손〔팔〕》; 악기의 활을 잡는 손《오른손〔팔〕》.

bow-back(ed)[bóubæ̀k(t)] *a.* 곱사등이의, 꼽추의.

Bów béllS[bóu-]《영》런던의 Bow Church의 종《이 종소리가 들리는 범위내에서 태어난 사람을 런던 토박이라 했음》. **within the sound of Bow bells** 런던 구(舊)시내(the City)에(서).

bów chàser[báu-] 함수포(艦首砲).

bów còmpass(es)[bóu-] 스프링 컴퍼스.

bowd·ler·ism[bóudlərìzəm, báud-] *n.* Ⓤ,Ⓒ (저작물의) 무단 삭제 (정정).

bowd·ler·ize[bóudləràiz, báud-] *vt.* (저작물의) 불온〔외설〕한 부분을 삭제하다. — *vi.* (책에서) 불온한 부분을 삭제하다.

bòwd·ler·i·zá·tion[-rizéiʃən/-rai-] *n.*

bów drìll[bóu-] 활비비.

bowed[1] [baud] *a.* 굽은, 머리를 숙인.

bowed[2] [boud] *a.* 활을 가진; 활 모양의.

bow·el [báuəl] [L] *n.* **1 창자(의 일부); (보통 *pl.*) 내장, 장 전체. **2** (*pl.*) (대지(大地)의) 내부. **3** (*pl.*) 《文語》 동정심 · 인정(이 깃드는 곳). **bind**〔**loosen, move**〕 **the bowels** 설사를 멈추게〔변을 보게〕 하다. **bowels of mercy**〔**compassion**〕 동정, 연민. **One's bowels are open.** 변이 나오다. **have loose bowels** 설사하다. **the bowels of the earth** 땅속. — *vt.* (~**ed**; ~·**ing**|~**led**; ~·**ling**) …의 창자를 꺼내다. **~·less** *a.*

bówel mòvement〔**mòtion**〕 **1** 변통(便通), 배변. **2** 배설물, 똥(feces).

bow·er[1] [báuər] *n.* **1** 나무 그늘(의 휴식 장소); 정자. **2** 《文語》 여성의 내실; 《詩》 시골집, 은둔처; 《古》 침실.

bower[2] *n.* 〔海〕 이물의 큰 닻(줄).

bower[3] *n.* 〔카드〕 으뜸패(EUCHRE의 으뜸패인 잭(jack)). **left bower** 으뜸패의 잭과 같은 색의 다른 잭. **right bower** 으뜸패의 잭.

bow·er[4] [bóuər] *n.* (현악기) 연주자.

bow·er[5] [báuər] *n.* 허리를 굽히는 사람, 머리를 숙이는 사람; 굴복자.

bow·er·bird [báuərbə̀ːrd] *n.* 〔鳥〕 풍조과(科) 새의 일종(오스트레일리아산).

bow·er·y[1] [báuəri] *a.* 정자가 있는; 나무 그늘이 많은(shady), 나뭇잎이 우거진.

bowery[2] *n.* (*pl.* **-er·ies**) **1** (식민지 시대 New York 부근의) 네덜란드 이민의 농장. **2** (the B-) 바워리가(街)(New York시의 큰 가로의 하나; 싸구려 술집 · 여관이 모여 있음). **3** 술집이 많고 부랑자가 들끓는 구역.

bow·fin [bóufìn] *n.* 〔魚〕 북미산 민물고기의 일종.

bow·front [bóufrʌ̀nt] *a.* 〔家具〕 (수평 방향으로) 달아낸 〈찬장 등〉; 〔建〕 활 모양으로 달아낸 〈창문〉.

bów hànd [bóu-] =BOW-ARM.

bow·head [bóuhèd] *n.* 〔動〕 북극고래(Gréenland whále).

bow·hunt [bóuhʌ̀nt] *vi., vt.* 활로 사냥하다.

bów·ie (knìfe) [bóui(-), búːi(-)] (원래 미국 개척 시대의) 칼집 달린 사냥칼.

Bówie Stàte (the ~) 미국 Arkansas주의 속칭.

bow·ing[1] [báuiŋ] *a.* 절을 하는; 휘는. **have a bowing acquaintance with** …와 만나면 눈인사나 할 사이이다.

bow·ing[2] [bóuiŋ] *n.* Ⓤ 〔樂〕 (현악기의) 운궁법(運弓法), 보잉.

bów instrument [bóu-] 〔樂〕 활을 쓰는 현악기.

bow·knot [bóunɑ̀t/-nɔ̀t] *n.* 나비 매듭.

bowl[1] [boul] *n.* **1** 사발; 탕기, 주발, 공기; 한 사발의 분량(*of*); 《미俗》 수프 한 사발. **2** 《文語》 큰 (술)잔; (the ~) 주연(酒宴); 술: over *the* ~ 술을 마시면서, 술자리에서. **3** (파이프의) 대통, (저울의) 접시, (숟가락의) 바닥; 반(盤); 수세식 변기; (사발처럼) 우묵한 땅. **4** 《미》 (보시기처럼 우묵한) 야외 원형 경기장, 스타디움; 원형극장(음악당).

bowl[2] *n.* **1** (구기용의) 나무공; (구기의) 투구(投球). **2** (*pl.*; 단수 취급) **a** 론 볼링(lawn bowling)(잔디에서 나무공을 굴리는 놀이). **b** 구주희(九柱戱)(ninepins). **c** 스키틀(skittles). **d** 십주희(十柱戱)(tenpins).
— *vi.* **1** 공굴리기〔볼링〕를 하다; 〔크리켓〕 투구하다. **2** 술술〔거침없이〕 나아가다(*along*).
— *vt.* **1** 〈공을〉 굴리다; 볼링에서 …을 득점하다. **2** 〔크리켓〕 〈공을〉 던지다; 타자를 아웃시키다. **bowl along** 미끄러지듯 달리다. **bowl down** (1) 〔크리켓〕 공으로 〈wicket를〉 넘어뜨리다. (2) 《영俗》 〈사람을〉 때려 눕히다. **bowl off** 〔크리켓〕 〈wicket의 횡목(横木)을〉 쳐 떨어뜨리다. **bowl out** 〔크리켓〕 타자를 아웃시키다; =BOWL down. **bowl over** (1) (구주희(ninepins) 등에서) 〈핀을〉 넘어뜨리다. (2) 〈사람을〉 넘어뜨리다. (3) 《口》 〈좋은〔나쁜〕 소식 등이〉 …을 깜짝 놀라게 하다.

bowl·der [bóuldər] *n.* =BOULDER.

bow·leg [bóulèg] *n.* (보통 *pl.*) 내반슬(內反膝), 앙가발이, O형 다리. **bow·leg·ged** [-lègid] *a.* 내반슬의, 앙가발이의.

*__bowl·er__[1] [bóulər] *n.* **1** 볼링하는 사람, 볼링 선수. **2** 〔크리켓〕 투수.

bów·ler[2] **(hát)** *n.* 《영》 중산모(帽)(《미》 derby (hat)).

bówl·er-hátted *vt.* 《영》 중산모를 쓴; 《영俗》 제대한.

bowl·ful [bóulfùl] *n.* 한 사발〔잔, 공기〕(의 분량).

bow·line [bóulin, -làin] *n.* 〔海〕 **1** 가로돛의 양끝 밧줄. **2** 옭매듭(=~ **knòt**)

*__bowl·ing__ [bóuliŋ] *n.* Ⓤ **1** 공굴리기 **a** 볼링, 십주희(tenpins). **b** 목구희(木球戱). **c** 구주희(九柱戱)(ninepins). **d** 스키틀(skittles). **2** 〔크리켓〕 투구(投球)(법).

bówling àlley **1** 볼링레인. **2** 볼링장.

bówling crèase 〔크리켓〕 투수선(線).

bówling grèen 잔디 볼링장.

bowl·like [bóullàik] *a.* 사발〔공기〕 모양의.

bow·man[1] [báumən] *n.* (*pl.* **-men** [-mən]) 앞〔이물〕 노 젓는 사람.

bow·man[2] [bóumən] *n.* (*pl.* **-men** [-mən]) 궁수(弓手), 활잡이, 궁술가(archer).

bów òar [báu-] **1** (보트의) 앞 노. **2** 앞 노 젓는 사람.

bów pèn [bóu-] 가막부리〔오구(烏口)〕 달린 제도용 스프링 컴퍼스.

bów sàw [bóu-] 활톱.

bow·ser [báuzər] *n.* **1** 《영》 (항공기 등의) 급유차. **2** 《오스 · 뉴질》 (주유소의) 급유 펌프. **3** 《俗》 분뇨 탱크차.

bów shòck [báu-] 〔天〕 바우쇼크(태양풍과 행성자장(磁場)의 상호 작용으로 행성 사이 공간에 일어나는 충격파).

bow·shot [bóuʃɑ̀t/-ʃɔ̀t] *n.* 《文語》 화살이 닿는 거리, 활쏘기에 알맞은 거리(약 300 미터).

bow·sprit [báusprit, bóu-] *n.* 〔海〕 (이물에서 앞으로 뻗은) 기움돛대, 제1사장(斜檣).

Bów Strèet [bóu-] 보가(街)(London의 중앙; 즉결 법원이 있음).

Bów Strèet rúnner〔**ófficer**〕 〔史〕 런던 경찰의 경관〔형사〕(1749-1829).

bow·string [bóustrìŋ] *n.* 활시위; (현악기 등의) 줄; 가볍고 튼튼한 줄. — *vt.* (~**ed**, -**strung** [-strʌ̀ŋ]) 활시위로 목졸라 죽이다.

bów tíe [bóu-] 보타이, 나비 넥타이.

bów wàve [báu-] **1** 〔宇宙 · 天〕 두부파(頭部波)(bow shock). **2** 〔物〕 충격파(shock wave). **3** 〔海〕 선수파(船首波)(배의 전진에 의해 생기는).

bów wèight [bóu-] (파운드 중량으로 나타낸) 활의 강도.

bów wíndow [bóu-] **1** (활 모양으로 내민) 내달이창. **2** 《俗》 불룩배, 올챙이배(임신부에게도 씀).

bow-win·dowed [bóuwíndoud] *a.* **1** (활 모양의) 내달이창이 달린. **2** 《俗》 불룩배의.

bow·wow [báuwáu] [의성어] *int.* **1** 멍멍(개

짖는 소리). **2** 와아와《야유하는 소리》.
— *n.* **1** 개 짖는 소리 **2** [∠∸] 《兒》 멍멍이 (dog). **3** 《미俗》 소시지. **4** (*pl.*) 파멸, 영락. **go to the bowwows** 《俗》 망하다, 영락하다. — *a.* 《俗》 위압적〔고압적〕인; 《미俗》 멋있는; 굉장한. — *vi.* 〈개가〉 짖다.

bow·yer[bóujər] *n.* **1** 활 만드는 사람, 조궁장이, 활장수. **2** 《詩》 궁수, 궁술가(archer).

★**box**[1] [bɑks/bɔks] *n.* **1** 상자. **2** 《口》 금고; (the ~) 돈궤(=money-~; *cf.* STRONG-BOX); 관(棺). **3** 한 상자(의 분량)(boxful). **4** 《영》 선물: a Christmas ~ 크리스마스 선물. **5** (극장 등의) 칸막이한 좌석, 특등석; (법정의) 배심석, 증인석; 마부석; 고해실(告解室); (마구간·화물차의) 한 칸; 〔野〕 투수〔타자〕석. **6** 파출소; 경비 초소; (철도의) 신호소; 공중 전화 박스; 《영》 사냥을 위한 오두막집. **7** 《미》 (우편) 사서함. **8** (신문·잡지 등의) 박스 기사. **9** (기계 등의) 상자 모양의 부분; (창의) 두껍닫이; 활자판의 한 칸; 《口》 (the ~) 텔레비전 (수상기). **10** (수액(樹液)을 받기 위하여 줄기에 낸) 구멍. **11** =BOX CAMERA. **12** 《口》= ICEBOX. **a box and needle** 〔海〕 나침반. **a box of birds** 《오스口》 훌륭한, 아주 좋은; 건강한. **in a** (**tight**) **box** 어찌할 바를 몰라. **in the same box** 같은 상태〔처지〕에 있어. **in the wrong box** (1) 장소를 잘못 알고. (2) 난처한 입장에 처하여.
— *vt.* **1** 〈물건을〉 상자에 넣다(*up*). **2** (좁은 곳에) 〈사람을〉 가두다(*in, up*). **3** …에 통〔함〕을 달다. **box about** 자주 방향을 바꾸어 항해하다. **box in** (1) 좁은 곳에 가두다. (2) 〈다른 주자의〉 진로를 막다. **box off** (1) 칸막이하다. (2) 이물을 돌리다. **box the compass** (1) 〔海〕 나침반의 방위를 차례로 읽어가다. (2) 〈의견·의론이〉 원점으로 되돌아오다. **box up** (1) 상자에 넣다〔포장하다〕. (2) 좁은 곳에 밀어 넣다. ◇ bóxy *a.*

box[2] *n.* 손바닥〔주먹〕으로 침, 따귀 때림(*on*).
— *vt.* **1** 〈따귀를〉 손바닥〔주먹〕으로 때리다. **2** …와 권투하다. — *vi.* …와 권투하다 (*with, against*). **box it out** 승부가 날 때까지 서로 치고받다. **give** a person **a box on the ear**(**s**) …의 따귀를 갈기다.

box[3] *n.* (*pl.* **~, ~es**) **1** 〔植〕 회양목. **2** Ⓤ 회양목재.

Bóx and Cóx *vi., n.* 동시에 같은 장소〔직장〕에 있는 일이 없다, 그런 두 사람. — *ad., a.* 번갈아(드는); 엇갈려서〔엇갈리는〕(Morton의 단막 희극(1847) 중의 인물에서).

bóx barràge 〔軍〕 대공 십자 포화.

bóx bèd (접을 수 있는) 상자 모양 침대.

box·board[∠bɔ̀:rd] *n.* 종이 상자용 판지, 보드지(紙).

bóx càlf 박스 가죽(송아지 가죽의 일종).

bóx cámera 상자형 사진기.

bóx cànyon 《미西部》 양쪽이 높은 절벽인 협곡.

box·car[∠kɑ̀:r] *n.* 《미》 유개(有蓋) 화차(《영》 box waggon).

bóx clòth 엷은 갈색의 두꺼운 멜턴 나사.

bóx còat (마부의) 두꺼운 나사 외투.

bóx dràin 상자 모양의 하수구(下水溝).

boxed[bɑ́kst/bɔ́kst] *a.* 《俗》 술취한; 교도소에 수감된.

bóx èlder 〔植〕 네군도단풍나무(북미 원산).

box·en[bɑ́ksən] *a.* 《古》 회양목의.

*__box·er__[bɑ́ksər/bɔ́ks-] *n.* **1** 권투 선수. **2** 복서(bulldog 비슷한 꼬리 짧은 개). **3** 《俗》 실크 해트. **4** (**B-**) 의화단원, (the B-s) 의화단(義和團), 권비(拳匪). **the Boxer Rebellion**〔**rising**〕 의화단 사건(1900년).

bóxer shòrts (남자용) 통이 넓은 팬티.

bóx fràme 상자테; 〔建〕 (내력(耐力)) 벽식(壁式) 구조.

box·ful[bɑ́ksfùl/bɔ́ks-] *n.* 한 상자(의 분량)(*of*): a ~ *of* books 책 한 상자.

box·haul[bɑ́kshɔ̀:l/bɔ́ks-] *vt.* 〔海〕 이물을 바람 불어오는 쪽으로 하여 침로를 바꾸다.

box·hold·er[∠hòuldər] *n.* (극장·경마장 등의) 칸막이 좌석의 관람객; (우체국의) 사서함을 가진 사람.

⁑**box·ing**[1] [bɑ́ksiŋ/bɔ́ks-] *n.* Ⓤ 권투: a ~ ring 권투 시합장/~ match 권투 시합.

box·ing[2] *n.* Ⓤ **1** 포장, 상자 꾸리기(작업); 상자 재료. **2** 창문틀, (창문의) 두껍닫이.

Bóxing Dày 《영》 크리스마스 선물의 날(12월 26일; 공휴일, 일요일일 때는 그 다음 날; 우편 집배인·하인 등에게 Christmas box를 선물함).

bóxing glòve 권투 장갑, 글러브.

bóxing wèights 권투 선수의 체중에 따른 등급.

bóx ìron 상자형 다리미.

bóx jùnction 《영》 (황색 줄무늬가 쳐진) 정차 금지의 교차점.

box·keep·er *n.* (극장의) 좌석 담당자.

bóx kìte 상자꼴 종이 연(기상 관측에도 쓰였음).

bóx lùnch 《미》 (샌드위치 등의) 곽 도시락.

box·man[∠mən] *n.* (*pl.* **-men**[-mən]) 《미俗》 (전문) 금고털이; (블랙잭에서) 프로의 카드 딜러; 도박장 직원.

bóx nùmber 1 (우편의) 사서함 번호. **2** (신문의) 광고 번호.

bóx òffice 1 (극장의) 매표소. **2** 매표액(賣票額), (흥행) 수익(receipts). **3** 《口》 (연극 등의) 인기 (프로).

box-of·fice[∠ɔ̀:fis/∠ɔ̀fis] *a.* 〈연극·영화 등〉 인기를 끄는; 흥행적으로 돈벌이〔히트〕가 되는: a ~ hit〔success〕 흥행의 대성공〔대히트〕.

bóx plèat〔**plàit**〕 (스커트 등의) 상자꼴 겹주름.

box·room[∠rù:m] *n.* (상자·트렁크 등을 넣어 두는) 골방, 작은 방.

bóx scòre 1 〔野〕 박스 스코어(선수의 수비·타격 등 성적을 약기한 것). **2** 개요(概要).

bóx sèat 1 (마차의) 마부석. **2** (극장·경기장 등의) 칸막이 좌석, 박스석.

bóx sèt 〔劇〕 (한 방의) 3면의 벽과 천장을 나타내는 무대 장치(《영》 box scene).

bóx sòcial (모금을 위한) BOX LUNCH 경매회.

bóx spànner 〔機〕 상자형 스패너.

bóx sprìng (침대의) 박스 스프링.

bóx stàll 《미》 (외양간·마구간의) 칸막이 (《영》 loosebox).

bóx sùpper 《미》 BOX LUNCH를 팔아 기금을 모으는 자선 단체·교회 주최의 파티.

box·tree[∠trì:] *n.* 〔植〕 회양목.

box-up[∠ʌ̀p] *n.* 《오스》 갖가지 양떼의 뒤섞임; 혼란.

bóx wàggon 《영》 =BOXCAR.

box·wood[∠wùd] *n.* 〔植〕 회양목; Ⓤ 회양목재.

bóx wrènch (움푹 꺼진 곳의 볼트 등을 죄는) 상자 스패너.

box·y[bɑ́ksi/bɔ́ksi] *a.* (**box·i·er; -i·est**) 상자 모양의, 네모진, 모난.

★**boy**[bɔi] [ME] *n.* **1** 소년, 남자 아이(17, 18세까지); (어른에 대하여 미성년의) 젊은이, 청년. **2** (종종 형용사적) 소년 같은 사람, 미숙한 사

람. **3** (종종 one's ~)(나이에 관계 없이) 아들; (the ~s) 한 집안의 아들들: He has two ~*s* and one girl. 아들 둘에 딸 하나가 있다. **4** 사환, 보이. **5** (종종 one's ~) (남자) 애인. **6** 남학생, 사동. **7** (*pl.*) (특히 전투 부대의) 병사들. **8** (주로 *pl.*) 《俗》 …들: the science ~*s* 과학자들/the big business ~*s* 대기업가들. **9** 녀석(fellow): a nice ~ 좋은 녀석/quite a ~ 훌륭한 녀석. **10** (수식어와 함께)《미口》(어느 지방 태생의) 남자. **boy's play** 어린애 장난(처럼 수월한 일). **Boys will be boys.** 《속담》(1) 사내 아이들 장난은 어쩔 수가 없다. (2) 남자는 나이를 먹어도 어린애와 같다. **my boy** (호칭) 얘야(아들에게): 여보게!(친구에게). **old boy** 동창의 남학생: (호칭) 여보게! **one of the boys** 《口》 친구와 어울리기 좋아하는 남자. **the boy next door** 상식적이며, 여러 사람에게 호감을 사는 평범한 젊은 남자. **That's my boy!** = **That's the boy!** 《口》 잘했다!, 훌륭하다! **the boy** 《古·俗》 샴페인. **the boys uptown** 《미俗》 두목들. **the old boy** = the DEVIL. **yellow boys** 《俗》 금화(金貨). ── *int.* 《口》 야!, 이런!, 참!, 물론! 《유쾌·놀라움 또는 실망·지루함을 나타내는 소리: Oh, ~!라고도 함》. ── *a.* 사내 아이의, 소년의〔같은〕: a ~ student 남학생.

boy-and-girl [bɔ́iəndgə́:rl] *a.* 소년 소녀의, 어린: (천진한) 연애의.

bo·yar(d) [boujɑ́:r(d), bɔ́iər(d)] *n.*(옛 러시아) 귀족; (옛 루마니아) 특권 귀족.

*__boy·cott__ [bɔ́ikɑt/-kɔt] *vt.* **1** 〈개인·회사·국가·상품 등을〉 보이콧하다, 불매〔매〕(不買〔賣〕) 동맹을 맺다, 배척하다. **2** 〈회 등에〉 참가를 거부하다. ── *n.* U,C 보이콧, 불매 동맹, 배화(排貨); 배척.

__bóy frìend, boy·friend__ [bɔ́ifrènd] *n.* **1 보이 프렌드, 남자 친구; 애인(*cf.* GIRL FRIEND). **2** (남자의) 남자 친구.

__boy·hood__ [bɔ́ihud] *n.* U **1 소년기, 소년 시대. **2** (집합적) 소년들, 소년 사회.

boy-hus·band *n.* 나이 어린 남편.

*__boy·ish__ [bɔ́iiʃ] *a.* **1** 소년의, 소년 시대의. **2** 소년 같은, 소년다운; 순진한, 천진난만한. **3** 〈여자 아이가〉 사내아이 같은.
~·ly *ad.* **~·ness** *n.*

Bóyle's láw 〔物〕 보일의 법칙《일정 온도에서 기체의 압력과 부피는 반비례》.

boy-meets-girl [bɔ́imì:tsgə́:rl] *a.* 판에 박은 듯한 로맨스의, 정석대로의 〈이야기 등〉.

*__bóy scòut__ **1** 보이 스카우트 단원, 소년 단원; (the B- S-s) 보이 스카우트《영국에서는 1908년, 미국에서는 1910년 창설》(*cf.* GIRL GUIDE, GIRL SCOUT). **2** 11세-13세까지의 보이 스카우트(*cf.* CUB SCOUT, EXPLORER).

boy·sen·ber·ry [bɔ́izənbèri, -sən-] *n.* (*pl.* **-ries**) 나무딸기의 일종《반포복성(半匍匐性)》.

bóy tòy 연장자의 연인이 되는 젊은 남자.

bóy wònder 천재 소년, 신동.

bo·zo [bóuzou] *n.* (*pl.* ~) 《미俗》 놈, 녀석 (fellow, guy), 크고〔힘세고〕 촌스런〔멋없는〕 남자.

Bp, Bp. Bishop. **BP** beautiful people 상류 인사; Black Panther 흑표범당(원); British Petroleum 영국 석유 회사. **bp.** baptised; birthplace; bishop. **b.p.** below proof; bills payable; birthplace; boiling point. **B.P.** Bachelor of Pharmacy〔Philosophy〕; British Pharmacopoeia. **BPD, bpd, b.p.d.** barrels per day. **B.Pd., B.Pe.** Bachelor of Pedagogy. **B.Ph.** Bachelor of Philosophy. **B.Pharm.** Bachelor of Pharmacy. **B.Phil.** *Baccalaureus Philosophiae*《L=Bachelor of Philosophy》. **bpi, b.p.i.** bits〔bytes〕 per inch. **bpl.** birthplace. **B.P.O.E.** Benevolent and Protective Order of Elks 엘크스 자선 보호회. **bps, b.p.s.** bits〔bytes〕 per second. **B.P.W.** Board of Public Works; Business and Professional Women's Clubs. **B.Q.M.S.** Battery Quartermaster Sergeant. **Br** 〔化〕 bromine. **br.** branch; brig; bronze; brother; brown. **b.r.** bank rate; bills receivable. **Br.** Breton; Britain; British. **B.R.** bedroom; bills receivable; British Railways. **B/R** bills receivable 수취 어음.

bra [brɑ:] *n.* 《미口》 브래지어(brassiere).

Bra·ban·çonne [brabɑ̃sɔn] [F] *n.* (La ~) 벨기에 국가(國歌).

brab·ble [brǽbəl] *n.* 《古》 말다툼, 언쟁. ── *vi.* 말다툼하다《*with*》.

brá bùrner 《俗》 전투적인 여성 해방 운동가.

*__brace__[1] [breis] [Gk] *n.* **1** 버팀대, 지주(支柱). **2** 꺾쇠, 거멀못; (돌이송곳의) 굽은 자루: ~ and bit 굽은 손잡이가 달린 송곳. **3** 〔醫〕 부목(副木); 〔齒科〕 치열(齒列) 교정기. **4** 《영》 (마차의 차체를 스프링에 매다는) 가죽띠; (북의 가죽을 죄는) 브레이스, 가죽끈; 〔海〕 아딧줄. **5** (*pl.*) 《영》 바지 멜빵(《미》 suspenders). **6** 중괄호 ({ }). **7** 홍분제. **8** 《영口·미軍俗》 차려 자세. take a brace 《미口》 분발하다.
── *vt.* **1** 버티다, 떠받치다; …을 보강하다. **2** 죄다, 바싹 죄다; 〈활에 시위를〉 팽팽히 매다 《*up*》; 발을 버티다《*up*》. **3** 〈신경 등을〉 긴장시키다《*up*》; (곤란 등에) 대비하다《*for, against*》. **4** (종종 ~ *up*) 바지에 멜빵을 달다. **5** 〔海〕 〈돛의 활대를〉 아딧줄로 돌리다 《*about, around*》. **6** 《미俗》 …에게 돈을 달라고 하다. **7** 《미軍俗》 차려 자세를 취하게 하다. **8** 중괄호로 묶다. **brace oneself up** 분발하다, 마음을 다잡다. **brace one's energies** 기운내다, 분발하다.

brace[2] *n.* (*pl.* ~) 한 쌍(pair)《*of*》: a ~ *of* dogs 암수 한 쌍의 개.

*__brace·let__ [bréislit] *n.* **1** 팔찌. **2** (*pl.*) 《口》 수갑(handcuffs). **3** (활 쏠 때의) 팔찌우개; (갑옷의) 팔받이. **~·ed** [-id] *a.* 팔찌를 낀.

brácelet wàtch (여자용) 소형 손목시계.

brac·er[1] [bréisər] *n.* **1** 받치는〔긴장시키는〕 것〔사람〕; 죄는 것, 죄는 끈, 밧줄, 띠. **2** 《口》 자극성 음료, 술(pick-me-up); 원기를 돋우는 것.

bracer[2] *n.* (펜싱·궁술용) 팔 보호구.

bra·ce·ro [brɑ:sέərou] [Sp] *n.* (*pl.* ~**s**) (미국의) 멕시코인 계절 농장 노동자.

brach [brætʃ] *n.* 《古》 암 사냥개.

brach·i·al [bréikiəl], [brǽk-] *a.* 팔의; 팔 비슷한, 팔 모양의.

brach·i·ate [bréikiit, -èit, brǽkièit] *a.* 〔植〕 십자 대생(十字對生)의; 〔動〕 팔이 있는.
── *vi.* 〔動〕 〈긴팔원숭이 등이〉 양손으로 매달리며 건너가다.

brach·i·o·pod [brǽkiəpɑ̀d/-pɔ̀d] *n., a.* 〔動〕 완족류(腕足類)(의)《꽈리조개 등》.

bra·chi·o·saur 용각아목(龍脚亞目)인 초식 공룡의 총칭.

brach·i·um [bréikiəm, brǽ-] *n.* (*pl.* **-i·a** [-kiə]) 〔解〕 상박(上膊); 〔動〕 앞다리.

brach·y·ce·phal·ic [brækisəfǽlik] *a.* 〔人

類〕 단두(短頭)의.

brach·y·ceph·a·ly[brӕkiséfəli] *n.*〔人類〕 단두(短頭);〔病理〕 단두증(症).

bra·chyl·o·gy[brəkílədʒi] *n.* (*pl.* **-gies**) Ⓤ,Ⓒ〔文法〕 요어(要語) 생략, 간결 표현〔어구〕.

brac·ing[bréisiŋ] *a.* 긴장시키는; 기운을 돋우는, 상쾌한. ── *n.*〔建〕 버팀 대, 지주(支柱); 원기 돋움, 자극.

brácing càble〔**wìre**〕〔空〕 버팀줄.

bra·ci·o·la [It] *n.* (*pl.* **-las, le**[-lei]) 브라치올라(소스에 넣고 구운 송아지 고기〔쇠고기〕); 이탈리아 요리의 일종.

brack·en[brӕkən] *n.* (*pl.* ~, ~**s**)〔植〕 고사리(숲).

∗**brack·et**[brӕkit] *n.* **1**〔建〕 까치발; (벽 등에 내단 선반〔전등〕의) 받침대, 브래킷. **2** (까치발로 받쳐진) 내어단 선반〔가스관(管), 램프 받침〕. **3** (종종 *pl.*) **a** 각(角)괄호, 꺾쇠묶음(〔 〕, [ ]). **b** 둥근 괄호. **c** 꺾음 괄호(〈 〉). ◇ 둥근 괄호는 보통 parentheses, 수학·음악에서는 중괄호({ })도 bracket. **4** (동류(同類)로 구분되는) 그룹; (수입에 따른 납세자의) 계층: high〔low〕 income ~*s* 고〔저〕소득자층. ── *vt.* **1** …에 까치발〔선반 받침대 등〕을 달다. **2** …을 괄호로 묶다. **3** …을 일괄하여 다루다: The pupils were ~*ed into* five groups. 학생들은 다섯 그룹으로 나뉘었다. **4** …을 고려의 대상에서 제외하다(*off*). **~·ed**[-id] *a.*

bráchet clòck 소형 탁상 시계.

brácket crèep (인플레이션에 의한 납세자의) 높은 세금 부담.

brack·et·ing[brӕkitiŋ] *n.* (집합적)〔建〕 까치발, 브래킷.

brack·ish[brӕkiʃ] *a.* **1** 소금기 있는: ~ water (반)염수(鹽水). **2** 맛 없는; 불쾌한. **~·ness** *n.*

bract[brӕkt] *n.*〔植〕 포(苞), 포엽(苞葉).

brac·te·ate[-tiit, -èit] *a.*〔植〕 포엽이 있는.

bract·let[brӕktlit] *n.*〔植〕 소포(小苞).

bract-scale *n.*〔植〕 포린(苞鱗).

brad[brӕd] *n.* 무두정(無頭釘); 곡정(曲釘)(대가리가 구부러진 못). ── *vt.* (~**·ded**; ~**·ding**) 무두정〔곡정〕을 박다.

brad·awl[brӕdɔ̀:l] *n.* 작은 송곳.

Brad·bur·y[brӕdbèri/-bəri] *n.* (영口) 파운드 지폐, 10실링 지폐(둘 다 구지폐).

Brad·shaw[brӕdʃɔ:] [Bradshaw's Railway Guide의 약칭] *n.* (영) 철도 여행 시간표.

bra·dy-[brӕdi-] (연결형) 「늦은; 둔한; 짧은」의 뜻.

brad·y·car·di·a[brӕdikɑ́:rdiə] *n.* Ⓤ〔醫〕 서맥(徐脈), 서박(徐搏)(보통 매분 60 이하의 맥박).

brad·y·ki·nin[brӕdikáinin, brèid-] *n.*〔生化〕 브래디키닌(혈관 확장 작용을 함).

brad·y·seism[brӕdisàizəm] *n.*〔地球物理〕 완만 지동(地動)(지각의 완만한 상승·하강).

brae[brei] *n.* (스코) **1** 구릉; 산허리, 산 중턱; 언덕의 사면(斜面). **2** (*pl.*) 구릉지대.

∗**brag**[brӕg] (~**ged**; ~**·ging**) *vi.* 자랑하다(*of, about, that* ...): He ~*s of* his rich father. 그는 부자인 아버지를 자랑한다. ── *vt.* …을 자랑하다. **be nothing to brag about** (口) 자랑할 것이 못되다, 대단한 일이 아니다. ── *n.* **1** Ⓤ 허풍, 자랑. **2** 자랑거리. **3** 자랑꾼, 허풍선이. **4** Ⓤ (포커 비슷한 옛날) 카드놀이의 일종. **make brag of** …을 자랑하다. ── *a.* 자랑할 만한, 훌륭한, 일류의.

brag·ga·do·ci·o[brӕgədóuʃiòu] *n.* (*pl.* ~**s**) **1** 큰 허풍선이(boaster). **2** Ⓤ 큰 허풍.

brag·gart[brӕgərt] *n.* 허풍선이. ── *a.* 자랑하는, 허풍떠는. **~·ìsm** *n.* 큰 자랑〔허풍〕, 호언.

brag·ger[brӕgər] *n.* 허풍선이.

brag-rags[ˊ-rӕgz] *n. pl.* (미俗) 훈장.

Brah·ma[1] [brɑ́:mə] [Skr] *n.*〔힌두敎〕 범천(梵天)(모든 중생의 아버지, 힌두교 최고의 신).

Brahma[2] *n.* (종종 **b-**) 브라마 닭(인도 브라마푸트라(Brahmaputra)강 유역 원산).

Brahma[3] *n.* (*pl.* **-mas**) 브라만 황소〔수송아지〕, 브라만 암소.

Brah·man[brɑ́:mən] *n.* (*pl.* ~**s**) **1** 브라만(인도의 사성(四姓) 중 최고 계급인 승려 계급의 사람). **2** 범(梵)(우주의 근본 원리). **3** 브라마(인도소를 품종 개량한 미국 남부산).

Brah·ma·ni, -nee[brɑ́:məni], [-nì:] *n.* 브라만 계급의 여자.

Brah·man·ic, -i·cal[brɑ:mӕnik], [-əl] *n.* 브라만(교)의.

Brah·man·ism[brɑ́:mənìzəm] *n.* 브라만교(敎). **-ist** *a.* 브라만교도.

Brah·ma·pu·tra, -poo-[brɑ̀:məpú:trə] *n.* (the ~) 브라마푸트라 강; =BRAHMA[2].

Brah·min[brɑ́:min] *n.* (*pl.* ~, ~**s**) 브라만; (미) (보통 경멸적) 교양이 높은 사람, 인텔리(특히 New England의 명문출신).

Brah·min·ic, -i·cal *a.*

Brah·min·ism[brɑ́:minìzəm] *n.* **1** =BRAHMANISM. **2** (미) (보통 경멸적) 인텔리적 정신〔태도, 습관 (등)〕.

Brahms[brɑ:mz] *n.* 브람스 Johannes ~ (독일의 작곡가(1833-97)).

∗**braid**[breid] *n.* Ⓒ,Ⓤ **1** 노끈, 끈 끈. **2** 몰. **3** (보통 *pl.*) 땋은 머리. **gold braid** 금몰. **straw braid** 밀짚으로 꼰 납작한 끈. ── *vt.* **1** (미) 〈머리·끈 등을〉 짜다, 땋다; 머리를 늘어뜨리다. **2** …을 몰로 꾸미다.

braid·ed[bréidid] *a.* 짠, 꼰; 몰로 장식한; (머리를) 땋은: a ~ wire〔電〕 편복선(編覆線).

braid·er[bréidər] *n.* 끈을 땋는〔꼬는〕 사람; 노끈 꼬는 기계; 합사 박는 기계.

braid·ing[bréidiŋ] *n.* Ⓤ **1** (집합적) 짠〔꼰〕 끈, 합사. **2** 몰 자수(刺繡).

brail[breil] *n.*〔海〕 돛을 죄는 줄. ── *vt.* **1**〔海〕 〈돛을〉 죄다. **2** 가죽끈으로 묶다.

Braille, b-[breil, *F.* brɑ:j] *n.* Ⓤ (브라이유) 점자(법)(點字(法)). ── *vt.* 점자로 쓰다〔인쇄하다〕.

★**brain**[brein] *n.* **1** 뇌, 뇌수. **2** (보통 *pl.*) 두뇌, 지력(知力): have (good) ~*s* 머리가 좋다/ have no ~ 머리가 나쁘다/He hasn't much ~*s.* 그는 머리가 그다지 좋지 않다. **3** (口) 지적인 사람, 학자; 전자 두뇌. **4** (the ~s) 지적 지도자, 브레인, 최고 입안자(立案者). **5** (미사일 등의) 두뇌부, 중추부(내장된 전산기 등). **beat** a person**'s brain out** …의 머리를 때리다〔때려 죽이다〕. **beat**〔**cudgel, rack**〕 one**'s brains** 머리를 짜다, 궁리하다(*for*). **blow** a person**'s brain out** (口) 머리를 쏘아 꿰뚫다. **blow** one**'s brains out** =**blow out** one**'s brains** (미) (머리를 쏘아) 자살하다; (미俗) 열심히 일하다. **call in the best brains** 널리 인재를 모으다. **get** one**'s brains fried** (미俗) (지나친 일광욕으로) 일사병에 걸리다; (마약으로) 도취 상태가 되다. **have** ... **on the brain** (口) …에 열중하다, …이 머리에서 떠나지 않다. **make** a person**'s brain reel** 〈…을〉 깜짝 놀라게 하다. **pick**〔**suck**〕 a person**'s brains** …의 지혜를 빌다. **read** a person**'s brain** …의 생각

을 알아채다. **turn a person's brain** (1) …의 머리가 돌게 하다. (2) 만심하게 하다, 우쭐하게 하다. — *vt.* **1** …의 골통을 쳐부수다. **2** 《口》 …의 머리를 때리다.
bráin bòx 《口》 전자계산기, 컴퓨터.
bráin cèll 〔解〕 뇌 세포.
brain·child[ˊtʃàild] *n.* (*pl.* **-chil·dren**[-tʃìldrən]) 《口》 두뇌의 소산, (독자적인) 생각, 계획; 창작물, 발명품.
bráin còral 뇌산호(腦珊瑚), 뇌석(腦石).
bráin dèath 〔病理〕 뇌사(腦死).
bráin dràin 두뇌 유출, 인재의 국외 이주.
bráin dràiner 《口》 유출 두뇌《외국에 유출된 학자 등》.
-brained[breind] 《연결형》「…한 머리를〔지능을〕 가진」의 뜻: mad-∼ 성을 잘 내는.
brain·ery [bréinəri] *n.* 《미俗》 대학.
bráin fàg 뇌신경 쇠약, 정신 피로.
bráin fèver 〔病理〕 뇌(척수)염.
bráin gàin 두뇌 유입.
brain·less[bréinlis] *a.* 머리가 나쁜, 어리석은. **∼·ly** *ad.* **∼·ness** *n.*
brain·pan[ˊpæ̀n] *n.* 두개(頭蓋); 《미》 머리.
brain-pick·er[ˊpìkər] *n.* 남의 지혜를 이용하는 사람, 두뇌 착취자.
brain-picking[ˊpìkiŋ] *n.* 《口》 남에게서 정보나 아이디어를 얻어내는 행위.
brain·pow·er[ˊpàuər] *n.* Ⓤ 지력(知力); (집합적) 두뇌 집단, 지식인들, 참모단.
bráin scàn 〔醫〕 뇌주사(腦走査) 사진〔도(圖)〕《brain scanner에 의한 X선도》.
bráin scànner 〔醫〕 뇌주사 장치《뇌종양 등을 진단하는 CAT scanner》.
brain·sick[ˊsìk] *a.* 미친; 정신에 이상이 있는. **∼·ly** *ad.* **∼·ness** *n.*
bráin stèaler 《미》 (남의 문장 등의) 표절자.
bráin stèm 〔解〕 뇌간(腦幹).
brain·storm[ˊstɔ̀ːrm] *n.* **1** (발작적) 정신 착란. **2** 《미口》 영감, 인스피레이션. **3** 엉뚱한 생각. — *vi.* BRAINSTORMING 하다.
brain·storm·ing[ˊstɔ̀ːrmiŋ] *n.* Ⓤ 《미》 브레인스토밍《각자가 아이디어를 내놓아 최선책을 결정하는 창조 능력 개발법》.
Bráins Trùst **1** 《영》 라디오 청취자의 질문에 즉석에서 대답해 주는 전문가의 일단. **2** (b- t-) =BRAIN TRUST.
bráin tàblet 《미俗》 궐련(cigarette).
brain·teas·er[ˊtìːzər] *n.* 난문제(難問題), 난제(難題), 퍼즐(puzzle).
bráin tìckler 《미俗》 알약으로 된 마약.
bráin trùst 《미》 브레인 트러스트, 두뇌 위원회; 전문 위원회〔고문단〕.
bráin trùster 《미》 BRAIN TRUST의 한 사람.
bráin twìster =BRAINTEASER.
brain·wash[ˊwɑ̀ʃ, ˊwɔ̀(ː)ʃ] *n., vt.* 세뇌(洗腦)(하다).
brain·wash·ing *n.* Ⓤ 세뇌, 강제적 사상 개조 공작.
bráin wàve **1** (*pl.*) 〔醫〕 뇌파(腦波). **2** 《영口》 영감, 묘안(《미》 brainstorm).
bráin wòrk[ˊwə̀ːrk] 정신〔두뇌〕 노동.
brain·work·er *n.* 정신〔두뇌〕 노동자.
brain·y[bréini] *a.* (**brain·i·er; -i·est**) 《口》 머리가 좋은, 총명한. **bráin·i·ness** *n.*
braird[brɛərd] 《영》 *n.* 새싹. — *vi.* 새싹이 트다〔나다〕.
braise[breiz] *vt.* 〈고기를〉 베이컨·야채와 함께 기름으로 살짝 튀긴 후 오래 끓이다.
‡**brake**[1] [breik] *n.* **1** (종종 *pl.*) 브레이크, 제동기, 제동 장치: apply〔put on〕 the ∼ 브레이크를 걸다. **2** 방지〔방해〕(하는 것), 억제(*on*). **3** 펌프의 긴 자루; (기계 작동의) 손잡이. **4** 옛 고문 도구의 일종. **5** 《영》 대형 4륜 마차.
put the〔**a**〕 **brake on** …에 브레이크를 걸다. **slam**〔**jam**〕 **the brakes on** 《口》 급브레이크를 밟다. — *vt.* 브레이크를 걸다; 브레이크를 조작하다. — *vi.* **1** 〈사람이〉 브레이크를 걸다. **2** 〈차에〉 브레이크가 걸리다.
brake[2] *n.* **1** 숲, 풀숲. **2** (집합적) 〔植〕 큰 양치류의 총칭; 《특히》 고사리.
brake[3] *n.* **1** 대형 써레, 쇄토기(碎土機). **2** 빵가루 반죽기. **3** 타마기(打麻器). **4** 브레이크《판금(板金)을 가공하는 기계》. — *vt.* 〈아마·삼을〉 두들겨 섬유를 뽑다.
brake[4] 《古》 BREAK의 과거.
brake·age[bréikidʒ] *n.* Ⓤ 제동 작용〔능력, 장치〕.
bráke bànd 브레이크 띠.
bráke drùm 〔機〕 브레이크 드럼, 제동통(制動筒).
bráke fàilure (자동차 등의) 브레이크 고장.
bráke flùid(유압 브레이크의)브레이크액(液).
bráke hórsepower 〔機〕 브레이크〔제동〕 마력; 실〔축〕마력 《略 b.h.p., bhp》.
brake·light[ˊlàit] *n.* 브레이크 등(stoplight).
bráke lìning 〔機〕 브레이크 라이닝.
brake·man[bréikmən] *n.* (*pl.* **-men**[-mən]) **1** 제동수(制動手)(《영》 brakesman). **2** 《미》 (대륙 횡단 철도의) 보조 차장.
bráke pàrachute 〔空〕 브레이크 파라슈트《감속용》.
bráke pèdal 〔機〕 브레이크 페달.
bráke shòe (자동차 등의) 제동자(制動子).
brakes·man[bréiksmən] *n.* (*pl.* **-men**[-mən]) 《영》 =BRAKEMAN.
bráke vàn 〔영鐵道〕 완급차(緩急車), 제동 장치 달린 차.
bra·kie *n.* 《口》 =BRAKEMAN.
brak·y[bréiki] *a.* (**brak·i·er; -i·est**) 덤불〔풀숲〕이 우거진.
bra·less[brɑ́ːlis] *a.* 브래지어를 착용하지 않은, 노브라의.
Br. Am. British America.
Bra·ma, Bram *n.* =BRAHMA[1].
bram·ble[brǽmbəl] *n.* 〔植〕 **1** 가시나무, 들장미. **2** 나무딸기속(屬)의 식물《나무딸기·검은딸기 등》. — *vi.* 《영》 나무딸기를 따다.
bram·bling[brǽmbliŋ] *n.* 〔鳥〕 되새
bram·bly[brǽmbli] *a.* (**-bli·er; -bli·est**) 가시가 많은, 가시덤불의, 가시덤불 같은.
Bra·min[brɑ́ːmin] *n.* =BRAHMIN.
bran[bræn] *n.* Ⓤ 밀기울, 겨. ⊕ **bránny** *a.*
★**branch**[bræntʃ, brɑːntʃ] [L] *n.* **1** 가지, 가지로 갈라진 것. **2** 가지 모양의 물건. **3** 파생물, 분파. **4** (산의) 지맥; 지류; (철도·도로 등의) 지선; 작은 시내, 세류(細流)《river와 creek의 중간》. **5** 분가(分家); 분관, 지점(=ˊ òffice); 지부, 지국, 출장소. **6** 부문, 분과(分課), 분과(分科): a ∼ of study 한 학과. **7** 〔컴퓨터〕 (프로그램의) 분기(分岐). **root and branch** 철저하게, 근본적으로.
— *vi.* **1** 〈나무가〉 가지를 내다〔뻗다〕(*forth, out*). **2** 갈라지다; 분기(分岐)하다(*off, away, out*): ∼ *off* in all directions 사방으로 갈라지다. **3** …에서 파생하다(*from*); 〔컴퓨터〕 분기 명령을 실행하다. — *vt.* **1** 가지를 갈라지게 하다. **2** …에 꽃무늬를 수놓다.
branch off (1) 갈라지다, 분기하다. (2) 옆으로 빗나가다, 옆길로 새다. **branch out**

(1) 가지를 내다. (2) 분기하다. 사업을 확장하다. 새 분야에 진출하다. (3) 〈이야기 등이〉 지엽(枝葉)으로 흐르다. ⊕ bránchy *a.*
branched[-t] *a.* 가지가 있는.
bran·chi·a[brǽŋkiə] *n.* (*pl.*-**chi·ae**[-kiìː]) 〔動〕 아가미(gill).
bran·chi·al[brǽŋkiəl] *a.* 아가미의; 아가미 같은.
bran·chi·ate[brǽŋkiit, -kièit] *a.* 아가미가 달린; 아가미에 관한.
branch·ing[brǽntʃiŋ, bráːntʃ-] *n.* Ⓤ 갈래, 분기, 옆가지. — *a.* 가지를 내뻗은.
branch·i·(o)-[brǽŋki(ou)-] 《연결형》 「아가미」의 뜻.
branch·let[brǽntʃlit, bráːntʃ-] *n.* 말단의 작은 가지.
bránch lìne 〔鐵道〕 분기 선로, 지선(支線)(*cf.* MAIN LINE).
bránch wàter (미) **1** 시내·개울 등의 물. **2** (위스키 등에 타는) 맹물(plain water).
branch·y[brǽntʃi, bráːntʃi] *a.* (**branch·i·er; -i·est**) 가지가 많은, 가지가 우거진.
⁑**brand**[brænd] [OE] *n.* **1** 상표(trademark), 브랜드; 품질; (특별한) 종류. **2** (상품·가축 등에 찍는) 소인(燒印). **3** (옛날 죄인에게 찍은) 소인; 낙인(烙印); 오명(汚名), 누명. **4** 불이 붙은 나무 조각, 타다 남은 나무 조각. **5** 《詩》 횃불; 검(劍). **brand blotter** 가축 도둑. **brand from the burning**〔**fire**〕 위난에서 구원받은 사람〔물건〕; 개종자. **the brand of Cain** 카인의 낙인, 살인죄.
— *vt.* **1** 〈죄인·가축에〉 소인을 찍다. **2** …에게 누명을 씌우다; …의 낙인을 찍다《*with*》: 《Ⅴ(목)+(*as*)+명》 They ~*ed* him (as) a liar. 그들은 그를 거짓말쟁이로 낙인찍었다(=《Ⅱ *be pp.*+*as*+명》 He was ~*ed* (as) a liar.). **3** 〈좋지 않은 경험이 사람·마음에〉 흔적을 남기다, 강한 인상을 주다《*on, in*》: The scene is ~*ed on*〔*in*〕 my memory. 그 광경은 나의 기억에 생생하게 새겨져 있다.
bran·dade[*F*, brɑ̃dad] [F] *n.* 〔料理〕 브랑다드《건(乾)대구·올리브유·향료 등을 넣고 죽처럼 끓인 것》.
brand·er[brǽndər] *n.* 낙인 찍는 사람〔기구〕.
bran·died[brǽndid] *a.* 브랜디에 담근, 브랜디로 맛을 낸.
bránd·ing ìron (낙인 찍는) 쇠도장, 낙철(烙鐵).
bránd ìron (난로 속의) 장작 받침쇠.
bran·dish[brǽndiʃ] *vt.* 〈칼·창 등을〉 휘두르다. — *n.* (무기 등을) 휘두름.
brand·ling[brǽndliŋ] *n.* 〔動〕 붉은줄 지렁이; 연어 새끼(parr).
bránd nàme 상표명(trade name); 유명 상품.
bránd-nàme *a.* (유명) 상표가 붙은.
brand-new[brǽnd*n*júː] *a.* 아주 새로운, 신품의; 갓 만들어진〔들여온〕.
bran·dreth, -drith[brǽndrəθ] *n.* **1** 나무틀; (건초 등을 걸쳐 놓는) 삼각가(三脚架). **2** 우물 둘레의 울짱. **3** 삼발이.
Bránd X[-éks] 상표 X 《어떤 상품을 돋보이게 하기 위한 익명의 경합품》.
*＊***bran·dy**[brǽndi] [Du] *n.* Ⓤ 브랜디: ~ and water 물 탄 브랜디. — *vt.* (-**died**) **1** 〈과일 등을〉 브랜디에 담그다. **2** 브랜디로 맛을 내다.
bran·dy-and-so·da[-əndsóudə] *n.* 소다를 탄 브랜디(略: B.&S.).
bran·dy·ball[-bɔ̀ːl] *n.* 《영》 브랜디를 넣은 캔디.
bran·dy-paw·nee *n.* 《인도》 =BRANDY and water.
brándy snàp 브랜디를 넣은 생강 쿠키.
branks[bræŋks] *n. pl.* (철제) 재갈《옛날 영국에서 말많은 여자에게 이것을 씌웠음》.
bran-new[brǽnnjúː] *a.* =BRAND-NEW.
bran·ni·gan[brǽnigən] *n.* 《俗》 야단 법석, 헛된 입씨름.
bran·ny[brǽni] *a.* (**-ni·er; -ni·est**) 겨의, 밀기울의, 밀기울이 든.
brán píe〔**túb**〕 《영》 보물 찾기 밀기울 통《밀기울 아래에 선물을 감추어 두고 어린이들에게 찾게 하는 놀이》.
bránt (góose)[brænt-] 흑기러기《북미·북유럽산》.
Braque[bæk, brɑːk] *n.* 브라크 Georges ~(1881-1963)《프랑스의 화가》.
bras[bræs] *n.* BRA의 복수.
brash[1] [bræʃ] *a.* **1** 《口》 성급한, 경솔한, 무모한; 뻔뻔스러운, 건방진(saucy). **2** 《미》 〈목재가〉 부러지기 쉬운, 무른. **3** 귀에 거슬리는. **~·ly** *ad.* **~·ness** *n.*
brash[2] *n.* **1** 가슴앓이. **2** 《스코》 소나기. **3** 발진. **4** (암석의) 파편(破片); 유빙(流氷) 조각; (쳐낸 나무의) 가지 부스러기.
brásh·y *a.* 〈목재가〉 잘 부러지는, 무른.
bra·sier[bréiʒər] *n.* =BRAZIER[1,2].
Bra·si·lia[brɑːzíːljə] *n.* 브라질리아《브라질의 수도; 1960년 이후》.
⁑**brass**[bræs, brɑːs] (*pl.* **brass·es**) *n.* **1** Ⓤ 놋쇠, 황동(黃銅). **2** (보통 *pl.*) 놋그릇, 놋제품; 놋쇠 장식; (교회의 마루·벽에 박는) 사자(死者)의 놋쇠 기념패(牌). **3** 〔樂〕 금관악기; (the ~; 집합적) (악단의) 금관악기(부). **4** Ⓤ 놋쇠빛. **5** 《영俗》 돈. **6** Ⓤ (the ~) 《口》 뻔뻔스러움, 철면피. **7** Ⓤ (the ~; 집합적) 《口》 고급 장교(=~ hat); 고급 관리; (재계의) 거물. **8** 〔機〕 축받이, 베어링. **9** 《俗》 매춘부. **(as) bold as brass** 아주 뻔뻔스러운. **have the brass to** do 뻔뻔스럽게도 …하다.
— *a.* **1** 놋쇠로 만든, 놋쇠빛의. **2** 금관악기의: ~ band (금관악기) 취주 악단. — *vt.* **1** …에 놋쇠를 입히다. **2** 《俗》 지불하다, 치르다《*up*》. — *vi.* 《俗》 지불하다《*up*》.
brassed off 《俗》 싫증이 나서, 진저리나서《*with*》. ⊕ brássy, brázen *a.*; braze *v.*
bras·sage[brǽsidʒ] *n.* Ⓤ 화폐 주조료(鑄造料), 주화세(鑄貨稅).
bras·sard[brǽsɑːrd, brəsɑ́ːrd] *n.* 완장(腕章); (갑옷의) 팔받이.
bráss bánd (금관 악기 중심의) 취주 악단, 브라스 밴드.
brass·bound[⌐báund] *a.* **1** 놋쇠로 보강한〔테를 장식한〕. **2** 인습적인, 완고한; 《口》 〈사람·규칙 등이〉 융통성이 없는.
brass-collar *a.* 《口》 확고한 지지를 보내는 정당을 보고 투표하는.
bras·se·rie[bræ̀səríː] [F] *n.* 맥주 등 알코올류도 내놓는 레스토랑.
bráss fàrthing 《口》 조금. **not care a brass farthing** 조금도 개의치 않다.
bráss hát 《俗》 **1** 고급 장교. **2** 고관; (재계 등의) 거물.
brass·ie[brǽsi, brɑ́ːsi] *n.* 〔골프〕 2번 우드(wood)《끝에 놋쇠를 씌운 골프 채》.
bras·sière[brəzíər] [F] *n.* 브래지어.
bráss knúckles (격투할 때 손가락 관절에 끼우는) 쇳조각.
bráss rágs (수병·선원의) 놋쇠 닦는 천. **part brass rags** 《영俗》 절교하다《*with*》.

bráss ríng 《미俗》 큰 돈벌이〔성공〕의 기회.
bráss tácks 놋쇠 못; 《口》 요점, 중대한 일. **get〔come〕 down to brass tacks** 《口》 현실〔당면〕 문제를 다루다, 실정에 접하다, 사실〔요점〕을 말하다.
brass·ware[´-wὲər] *n.* Ⓤ (집합적) 놋쇠 제품, 유기.
brass-wind[´-wìnd] *a.* 금관 악기의.
bráss wínds 금관 악기부(金管樂器部); 금관 악기류.
brass·y[brǽsi, brɑ́:si] *a.* (**brass·i·er; -i·est**) **1** 놋쇠질(質)의; 놋쇠로 만든. **2** 놋쇠 빛깔〔소리〕의. **3** 겉만 번지르르한. **4** 《口》 뻔뻔스러운. ── *n.* (*pl.* **brass·ies**) =BRASSIE. **bráss·i·ly** *ad.* **-i·ness** *n.*
brat[bræt] *n.* 《경멸》 개구쟁이, 선머슴. **brát·tish** *a.* **brát·ty** *a.*
brát pàck 《俗》 1980년대 중반의 자유분방하고 사회적으로 떠들썩한 사생활을 한 헐리웃의 젊은 배우들.
brat·tice[brǽtis] *n.* (광갱(鑛坑)의) 통풍 칸막이; 판자 울타리《기계류를 둘러싼》. ── *vt.* 칸막이를 만들다.
brat·tish·ing *n.* 〔建〕 투각(透刻), 섭새김; 〔鑛〕 통풍용 칸막이.
brat·tle[brǽtl] 《주로 스코》 *n.* 덜컹덜컹〔둥둥, 쿵쿵〕; 쿵쾅거림. ── *vi.* 덜컹 덜컹〔둥둥, 쿵쿵〕 울리다; 쿵쾅거리며 뛰다.
brat·wurst[brǽtwə̀:rst, -wùərst, -vùʃt] *n.* (돼지고기에 식물류와 향료를 가미한) 소시지.
braun·ite[bráunait] *n.* Ⓤ 브라운광(鑛), 갈(褐)망간광(鑛).
Braun·schwei·ger[bráunʃwàigər/ʃvài-] *n.* (종종 **b-**) (훈제의) 간 소시지.
Bráun tùbe 《稀》 브라운관(管).
bra·va[brɑ́:vɑ:, ─´] [It] *n.* =BRAVO¹ 《여성에 대해 사용》.
bra·va·do[brəvɑ́:dou] [Sp =brave] *n.* (*pl.* ~(**e**)**s**) Ⓤ,Ⓒ 허세, 허장 성세(虛張聲勢). ── *vi.* 허세부리다.
★**brave**[breiv] *a.* **1** 용감한: 《Ⅱ *It v* Ⅱ+⊞+*of*+⊞+*to* do》 It was very ~ *of* you *to* go into the burning house. 네가 불타고 있는 집에 들어갔다니 참으로 용감한 일이었다. **2** 《文語》 화려한, 차려 입은, 화사한(showy); 훌륭한(splendid). **a brave new world** 훌륭한 신세계《Shak.》. ── *n.* **1** 용사. **2** (북아메리카 인디언의) 전사(戰士). ── *vt.* 〈위험·죽음에〉 용감히 맞서다; 무시하다, 문제삼지 않다(defy). **brave it out** (반대·비난에) 꺾이지 않고 맞서다. ⊕ brávery *n.*
⁑**brave·ly**[bréivli] *ad.* 용감하게; 훌륭하게.
⁑**brav·er·y**[bréivəri] *n.* Ⓤ **1** 용감(*cf.* COURAGE). **2** 《文語》 화미, 화려; 화려한 빛깔; 옷치장; 화려한 옷.
bra·vo¹ [brɑ́:vou, ─´] [It] *n.* (*pl.* ~**s**[-z]) 브라보《갈채할 때의 외침》. ── *int.* 잘한다!, 좋아! ── *vt.* 갈채하다.
bravo² [brɑ́:vou] *n.* (*pl.* ~(**e**)**s**[-z]) 장사(壯士); 자객, 폭한(暴漢).
bra·vu·ra[brəvjúərə] [It] *n.* (음악·연극에서) 대담하고 화려한 연주〔연기, 연출〕. ── *a.* 화려한, 대담한, 발랄한.
braw[brɔ:] 《스코》 *a.* 옷차림이 화려한; 훌륭한. ── *ad.* 매우. **bráw·ly** *ad.*
brawl[brɔ:l] *n.* (종종 거리에서 치고 받는) 말다툼, 싸움. ── *vi.* **1** 싸움하다, 악다구니치다. **2** 〈냇물이〉 요란하게 흐르다.
bráwl·er *n.* 싸움〔말다툼〕하는 사람.
brawl·ing *a.* 시끄러운, 떠들썩한, 요란한. **~·ly** *ad.*
brawn[brɔ:n] *n.* **1** Ⓤ 근육; 근력(筋力), 완력. **2** 《영》 헤드치즈(《미》 headcheese). **brain before brawn** 힘보다는 머리.
bráwn dràin (육체 노동자·운동 선수 등의) 근육 유출(*cf.* BRAIN DRAIN).
brawn·y[brɔ́:ni] *a.* (**brawn·i·er; -i·est**) 근골이 억센; 강건한. **bráwn·i·ness** *n.*
brax·y[brǽksi] *n.* 〔獸醫〕 (양의) 비탈저(脾脫疽).
bray¹ [brei] *n.* **1** 나귀의 울음 소리. **2** 나팔 소리. **3** 떠들썩한 잡담〔항의〕. ── *vi.* **1** 〈나귀 등이〉 울다. **2** 〈나팔 소리가〉 울리다. **3** 시끄러운 소리를 내다, 시끄럽게 고함치다. ── *vt.* 고함지르다《*out*》.
bray² *vt.* 갈아 바수다, (절구 등에) 빻다.
bray·er[bréiər] *n.* **1** 나귀 소리를 내는 것, 나귀. **2** 절굿공이; 〔印〕 손으로 미는 롤러.
Braz. Brazil(ian).
braze¹ [breiz] *vt.* 놋쇠로 만들다, …에 놋쇠를 입히다; 놋쇠 빛깔로 하다.
braze² *vt.* 납땜하다. ── *n.* 납땜, 땜질.
*__bra·zen__[bréizən] *a.* **1** 《文語》 놋쇠로 만든. **2** (놋쇠같이) 단단한; 놋쇠빛의; 귀에 거슬리는, 요란한. **3** 뻔뻔스러운. ── *vt.* 〈사태·비난 등에〉 뻔뻔스럽게 맞서다. **brazen it**〔**the affair, the business, the matter,** etc.〕 **out**〔**through**〕 뻔뻔스럽게 대처하다〔밀고 나가다〕. **brazen one's way out** 배짱으로 곤란을 타개하다. **~·ly** *ad.* **~·ness** *n.* ⊕ brass *n.*; braze *v.*
brázen áge (the ~) 〔그神〕 청동(靑銅)시대.
bra·zen·face[-fèis] *n.* 뻔뻔스러운 사람, 철면피.
bra·zen-faced[-fèist] *a.* 철면피한, 뻔뻔스러운(shameless). **~·ly**[-fèisidli] *ad.*
bra·zier¹**, bra·sier**[bréiʒər] *n.* 놋갓장이.
brazier² *n.* **1** (금속제의 석탄용) 화로. **2** (옥외에서 쓰는 간단한) 불고기 굽는 기구.
bra·zier·y[bréiʒəri] *n.* (*pl.* **-zier·ies**) Ⓤ 놋쇠 세공; Ⓒ 놋쇠 세공장.
⁑**Bra·zil**[brəzíl] *n.* **1** 브라질《공식명 the Federative Republic of ~; 수도 Brasilia》. **2** (**b-**) =BRAZILWOOD.
Bra·zil·ian[-jən] *a.*, *n.* 브라질의 (사람).
Brazíl nùt 브라질 호두《식용》.
bra·zil·wood[brəzílwùd] *n.* Ⓤ 브라질 소방목(蘇坊木)《빨간 물감을 채취하는 나무》.
Braz·za·ville *n.* 브라자빌《콩고 공화국의 수도》.
Br. Col. British Columbia. **B.R.C.S.** British Red Cross Society.
*__breach__[bri:tʃ] *n.* **1** (성벽·제방 등의) 갈라진 틈, 트인 구멍(rent). **2** (법률·도덕·약속 등의) 위반, 불이행, 침해《*of*》. **3** 절교, 불화. **4** 〔海〕 부서지는 파도(surge). **5** 〈고래가〉 물 위로 뛰어 오름. **breach of close** 〔法〕 불법 토지 침입. **breach of duty** 배임(背任), 직무 태만. **breach of etiquette**〔**law**〕 결례〔위법〕. **breach of faith** 배신. **breach of promise** 약혼 불이행; 파약. **breach of the peace** 치안 방해. **breach of trust** 〔法〕 신탁(信託) 위반, 배임. **fill the breach** = step into the BREACH. **heal the breach** 화해시키다. **stand in**〔**throw oneself into**〕 **the breach** 공격에 맞서다; 난국에 대처하다. **step**〔**throw oneself**〕 **into the breach** 위급할 때 구원해 주다, 대신하다, 대역을 맡다. ── *vt.* **1** 〈성벽·방어선 등을〉 돌파하다. **2** 〈법률·약속·협정 등을〉 위반하다. ── *vi.*

〈고래가〉 물위로 뛰어 오르다. ◈ break *v.*

★**bread**[bred] *n.* Ⓤ **1** 빵(*cf.* ROLL, LOAF[1]). **2** 생계, 식량: daily ～ 일용할 양식/earn〔gain〕 one's ～ 생활비를 벌다. **3** 《俗》 돈, 현금; 고용주, 주인. **beg one's bread** 빌어먹다. **bread and butter** (1) 버터 바른 빵(buttered bread)《◇ 이 뜻으로는 단수 취급》. (2) 필요한 양식; 생계; 본업. **bread and cheese** (1) 치즈를 곁들인 빵. (2) 간단한 식사; 생계. **bread and milk** 밀크 빵《우유에 빵을 찢어 넣은 것》. **bread and salt** 빵과 소금《환대의 표시》. **bread and scrape** 버터를 살짝 바른 빵. **bread and water** 빵과 물만의 식사. **bread and wine** 성찬(식). **bread buttered on both sides** 안락한 생활. **break bread** (1) …와 식사를 (함께) 하다《*with*》. (2) 성찬례를 받다. **cast**〔**throw**〕 **one's bread upon the waters** 음덕(陰德)을 쌓다, 적선하다. **eat the bread of affliction**〔**idleness**〕 비참한〔게으른〕 생활을 하다. **in good**〔**bad**〕 **bread** 행복〔불행〕하게 살고. **know on which side one's bread is buttered** 자기의 이해 타산에 밝다. **out of bread** 《俗》 실직하여. **quarrel with one's bread and butter** 밥줄을 잃기 쉬운 짓을 하다. **take the bread out of** a person's **mouth** (1) …의 생계의 길을 빼앗다. (2) …이 즐기려는 것을 빼앗다. **the bread of life** 〔聖〕 생명의 양식. ── *vt.* …에 빵가루를 묻히다; …에게 빵을 주다.

bread-and-butter[brédnbʌ́tər] *a.* **1** 생계를 위한; 수입을 위한, 실리적인; 믿을 수 있는, 의지할 수 있는. **2** 평범한, 일상의. **3** 후대에 감사하는: a ～ letter 후대에 대한 감사 편지. **4** 《영》 한창 먹을〔자랄〕 나이의.

bread·bas·ket[ˊbæ̀skit, ˊbɑ̀ːs-] *n.* **1** 빵 바구니. **2** 《俗》 밥통, 위(stomach). **3** (the ～)《미》 중요 농업 지대, 곡창 지대.

bread-bin[ˊbìn] *n.* 빵 상자.

bread·board[ˊbɔ̀ːrd] *n.* 빵 반죽하는〔자르는〕 도마.

bread·board·ing[ˊbɔ̀ːrdiŋ] *n.* Ⓤ 평평한 실험대 위의 회로 조립(回路組立).

bréad crùmb **1** 빵의 말랑한 부분(*cf.* CRUST). **2** (보통 *pl.*) 빵 부스러기, 빵가루.

bread·fruit[brédfrùːt] *n.* 빵나무(의 열매) 《남양산》.

bread·less[ˊlis] *a.* 빵〔식량〕이 없는.

bread·line *n.* 식료품의 무료 배급을 받는 실업자·빈민들의 줄. **on the breadline** 매우 가난한.

bréad mòld 〔植〕 (빵에 생기는) 검은 곰팡이.

bread·nut[ˊnʌ̀t] *n.* 뽕나무과의 식물《이 열매로 빵을 만듦; 서인도산》.

bréad sàuce (빵가루를 넣은) 진한 소스.

bread·stick[ˊstìk] *n.* 가는 막대 모양의 딱딱한 빵.

bread·stuff[ˊstʌ̀f] *n.* (보통 *pl.*) 빵의 원료 《밀가루 등》; (각종) 빵.

‡**breadth**[bredθ, bretθ] *n.* Ⓤ **1** 폭, 나비. **2** (피륙의) 일정한 폭. **3** (토지·수면의) 넓이, 퍼짐. **4** Ⓤ,Ⓒ (마음·식견의) 넓음, 관용: ～ of mind 마음의 여유. **5** 〔美〕 (그림의) 전체 효과, 웅대함. **6** 〔論〕 외연(外延). **by a hair's breadth** 아슬아슬하게. four feet **in breadth** 폭이 (4피트). **over the length and breadth of** …의 전반에 걸쳐. **the breadth extreme** (선박의) 최대 폭원(幅圓). **to a hair's breadth** 한 치도 안 틀리게, 꼭 들어맞게. ◈ broad *a.*; bróaden *v.*

breadth·ways, -wise[ˊwèiz], [ˊwàiz] *ad.* 가로.

bread·win·ner[brédwìnər] *n.* **1** 집안의 벌이하는 사람. **2** 생업; 생계 수단〔기술, 도구〕.

★**break**[breik] (**broke**[brouk]; **bro·ken**[bróukən]) *vt.* **1** 깨뜨리다; 부수다, 쪼개다, 찢다; 둘로 꺾다; 〈가지 등을〉 꺾다:《Ⅰ *be pp.*+전+명》 The window is *broken by* Tom. 그 유리창이 톰에 의하여 깨어져 있다(상태)(=《Ⅲ (목)》 Tom has *broken* the window. 톰이 그 유리창을 깨뜨렸다(동작))《◇ 상태를 나타내는 수동태 현재 시제는 동작을 나타내는 능동태로 쓸 때는 현재 완료 시제로 바꾸어 쓴다》/《Ⅲ (목)+전+명》 ～ a cup *in* two〔*in*〔*into*〕 pieces〕 잔을 두 조각으로〔산산 조각으로〕 깨뜨리다. **2** …의 뼈를 부러뜨리다; …의 관절을 삐게 하다, 탈구(脫臼)시키다; 〈살갗을〉 벗어지게 하다, 까지게 하다. **3** 〈기계 등을〉 고장내다, 부수다. **4** 〈적을〉 쳐부수다, 흐트러뜨리다; 〈보조(步調) 등을〉 흐트러지게 하다: ～ a strike 파업 파괴 행위를 하다. **5** 〈문 따위를〉 부수다, 부수고 열다; 부수고 들어가다〔나오다〕: ～ a house 집을 부수다, 가택에 침입하다/《Ⅴ (목)+형》 I had to ～ the door open. 문을 부수고 열어야 했다. **6** 〈평화·침묵·단조로움·기분 등을〉 깨뜨리다, 혼란시키다: ～ one's sleep 수면을 방해하다. **7** 〈계속되고 있는 것을〉 중단〔차단〕하다: ～ an electric current 전류를 끊다/～ one's journey 도중 하차하다. **8** 〈갖추어진 것·한 벌로 된 것을〉 나누다, 헐다: ～ a set 한 벌의 것을 나누다, 헐어서 팔다/～ a ten-dollar bill 10 달러 지폐를 헐다. **9** 〈법률·규칙·약속·습관 등을〉 어기다, 위반하다:《Ⅲ (목)》 He has never *broken* his promise〔appointment, word〕. 그는 결코 약속을 어긴 적이 없다. **10** 〈기록을〉 깨다, 갱신하다. **11** 〈나쁜 버릇 등을〉 벌; 다, 그만두다, 끊다; …의 나쁜 버릇을 고치다: ～ (*off*) the habit of smoking 흡연하는 버릇을 버리다. **12** 〈속박 등을〉 박차고 나오다, 탈출하다: ～ prison 탈옥하다. **13** 〈물고기 등이 물 위로〉 뛰어 오르다; (돛·기 따위를) 올리다. **14** …을 파멸시키다; 〈사람·은행을〉 파산시키다; 면직시키다《◇ 이 뜻의 과거분사는 BROKE》. **15** 〈기력·자부심·건강 등을〉 꺾다, 해치다: ～ a person's heart 비탄에 빠뜨리다, 실연시키다. **16** 〔野〕 커브시키다; 〔拳鬪〕 브레이크를 명하다. **17** 밝히다, 알리다; 누설하다, 귀띔하다: ～ a secret 비밀을 누설하다. **18** 〈풍력(風力)·타격 등의 힘을〉 약화시키다. **19** 〈말 등을〉 길들이다; (센물을) 연화시키다: ～ wild colts *to* the saddle 야생의 망아지를 안장에 길들게 하다. **20** 〈천막을〉 해체하다, 접다. **21** 〈암호 등을〉 해독하다, 풀다; 〈사건·문제를〉 해결하다. **22** 〈길을〉 열다, 트다; 〈땅을〉(처음으로) 갈다; 〈새 분야를〉 개척하다: ～ a way〔path〕 길을 트다. **23** 〈장교를〉 강등하다, …에게서 임무〔특전〕를 박탈하다. **24** 〈활동·운동 등을〉 시작〔착수〕하다. **25** 〈기사를〉 딴 페이지에 계속하다.

── *vi.* **1** 부서지다, 깨지다, 쪼개지다; 부러지다; 〈끈·밧줄 등이〉 끊어지다; 〈파도가〉 부서지다: The cup *broke into* pieces. 컵은 산산 조각이 났다/Crackers ～ *easily.* 크래커는 부서지기 쉽다/The surf ～ *against*〔*on, over*〕 the rocks. 밀려오는 파도가 바위에 부딪쳐 산산이 부서졌다. **2** 꺾이다, 으스러지다, 약해지다. **3** 〈거품이〉 꺼지다, 〈종기가〉 터져서 가라앉다. **4** 〈신체·건강·기력이〉 쇠약해지다; 〈군대·전선(戰線) 등이〉 흩어지다, 패주(敗走)하다; 〈군중 등이〉 흩어지다. **5** 중단되다; 휴식하다.

6 〈안개·어둠 등이〉 걷히다: 〈구름이〉 걷히다: 〈서리가〉 녹다: 〈날씨가〉(갑자기) 변하다: Day ~*s.* 날이 샌다. **7** 싹트다, 움트다, 〈꽃봉오리가〉 벌어지다. **8** 갑자기 시작하다, 별안간 일어나다. **9** 헤치고 나아가다: 돌진하다: 침입하다: **10** 〈속박 등을〉 깨고 나오다: 탈출하다. **11** 〈폭풍우·고함 등이〉 돌발하다, 일어나다, 나타나다: 〈갑자기〉 변하다: ~ *into a* gallop 〈말이 느린 걸음에서〉 구보로 달리다. **12** 관계를 끊다, 단교하다, 절교하다(*with*): ~ *with* a friend 친구와 절교하다. **13** 〈대화·여가 등을〉 방해하다(*into*): ~ *into* the conversation 대화에 끼어들다. **14** 파산하다, 도산하다. **15** 《미》 시세가 폭락하다. **16** 《口》 〈뉴스 등이〉 전해지다, 알려지다. **17** 〈공이〉 커브하다. **18** 〔拳鬪〕 브레이크하다, 서로 떨어지다.

break away (1) 부수어버리다:〈습관 등을〉 갑자기 중단하다. (2) 도망하다:(주제·패거리 등에서) 이탈하다, 탈퇴하다. (3) …에서 급변하다(*from*) : 〈날씨가〉 개다, 〈구름 등이〉 걷히다. **break back** 〔크리켓〕 (공이) 타자의 바깥 쪽에서 굽어 날아들다. **break down** (1) 파괴하다. (2) 〈반대·적 등을〉 압도하다, 진압하다. (3) …로 분류〔분석〕하다(*into*). (4) …에 화학 변화를 일으키다. (5) 〈기계·엔진·차 등이〉 부서지다, 고장나다. (6) 〈반항·교섭·계획 등이〉 실패하다. (7) 〈풍기·도의 등이〉 쇠퇴하다, 땅에 떨어지다. (8) 〈사람이〉 울며 주저앉다. **break even** (장사·노름 등에서) 득실(得失)이 없게 되다, 비기다. **break forth** 일시에 쏟아져 나오다(*from*): 돌발하다: 별안간 소리지르다: 지껄이기 시작하다. **break free** 도망치다(*from*). **break in** (1) 〈구두·자동차 등을〉 길들이다. (2) 〈말 등을〉 길들이다. (3) 〈사람을〉 새로운 일에 길들이다, 익숙해지게 하다(*to*). (4) 〈도둑이〉 침입하다. (5) 말참견하다. **break in** (**up**)**on** (1) …을 습격하다: 훼방놓다 (2) 말참견하다. **break into** (1) 침입〔난입〕하다. (2) 방해하다. (3) 갑자기 …하기 시작하다. (4) 〈시간을〉 먹어들어가다. (5) 〈큰 돈을〉 헐다, 헐어 쓰다. (6) 〈비상용 비축 등에〉 손대다. **break loose**〔**free**〕 탈출하다. 떨어져 달아나다 (*from*). **break** a person **of a habit** …의 버릇을 고치다. **break off** (1) 꺾어버리다. (2) 〈나쁜 버릇 등을〉 끊다. (3) 〈이야기 등을〉 (갑자기) 중지하다: 〈관계를〉 끊다. (4) 꺾이다, 끊어지다, 찢어지다. (5) 갑자기 말〔일〕을 중지하다. (6) …와 절교하다(*with*). **break off from** …와 절교하다. **break** (**off**) **with** …와 절교하다:(습관 등을) 중지하다, 끊다. **break on the scene** 갑자기 나타나다. **break** one's **mind to** …에게 속마음을 털어놓다. **break open** 강제로 열다, 부수어 열다. **break out** (1) 탈출하다. (2) 별안간 …하기 시작하다(*into*): 화를 내기 시작하다 (*with*). (3) 〈전쟁·유행병·화재가〉 돌발하다: 《I 早》A fire *broke out* yesterday. 어제 화재가 한 건 돌발했다. (4) 〈여드름 등이〉 나다. (5) 〈게양한 기를〉 펼치다. (6) 《口》 (축하하여) 〈샴페인·포도주·엽궐련 등을〉 따다, 꺼내다. **break over** (1) 부딪쳐 …을 씻다. (2) …에 (파도처럼) 퍼부어지다. **break short** 뚝 부러지다: 중단하다. **break through** (1) 강행돌파하다, …을 헤치고 나아가다. (2) 〈햇빛 등이〉 …사이에서 나타나다〔새어들다〕. (3) (새 발견 등에 의해) 〈장애 등을〉 극복하다: 〈어려워하는 태도 등을〉 편하게 하다. (4) 〈법률 등을〉 위반하다. **break up** (1) …을 분쇄하다: 해체하다. (2) …을 분해하다(*into*). (3) …을 분배하다(*among*). (4) …을 흩뜨리다, 해산하다. (5) 〈모임 등을〉 끝내다. (6) 《口》 〈남녀의〉 사이를 갈라 놓다: 〈결혼·우정 등을〉 해소(解消)하다. (7) 《口》 …의 마음을 뒤흔들어 놓다. (8) 《미口》 …을 배꼽 빼게 하다. (9) 흩어지다: 해산하다, 끝나다. (10) 〈학교 등이〉 방학이 되다. (11) 〈날씨가〉 변하다, 나빠지다. (12) 《口》 〈부부가〉 이혼하다. (13) …이 쇠약해지다, 꺾이다. (14) 《미口》 배꼽빼다. **break upon** …에 갑자기 나타나다, …이 분명해지다.

—— *n.* **1** 갈라진 틈: 깨짐, 파괴, 파손: 골절(骨折): 분열: 〔政〕 당의 분열. **2** 새벽: at (the) ~ of day 새벽녘에(*cf.* DAYBREAK). **3** 단절, 절교, 중단: 끊임: 단락: 〔電〕 단선(斷線), (회로(回路)의) 차단(기). **4** [U,C] (일·수업 등의) 잠깐의 휴식:(짧은) 휴가: during the coffee ~ 커피 마시는 시간에. **5** 탈출, 탈주: 《특히》 탈옥. **6** 꺾이는 점: 변경점, 분기점: 〔樂〕 (성역(聲域)의) 변환점. **7** 《口》 (사교상의) 실책, 실태(失態), 실수, 실언. **8** 《口》 기회, 운: 《특히》 행운: 호의적 대우: a lucky ~ 행운. **9** 〔撞球〕 초구(初球), 연속 득점: 〔野〕 커브, 곡구: 〔拳鬪〕 브레이크의 명령: 〔庭球〕 서비스 브레이크. **10** (시세의) 폭락:(진로(進路)의) 급전(急轉). **11** 어린 말의 훈련용 마차: 대형 4륜마차. **an even break** 《口》(승부 등의) 비김, 동점: 공평한 기회. **give** a person **a break** (1) …에게 휴식을 주다. (2) 《口》 …에게 (출세·활약의) 기회를 주다. **make a break** (1) 중단하다. (2)〔撞球〕 연속으로 …점을 얻다. (3) (사교상) 실수하다. (4) 돌진하다. **make a break for it** 《口》 탈출을 기도하다, 도망치려고 하다. **without a break** 끊임없이, 계속해서.

break·a·ble[bréikəbəl] *a.* 부술〔깨뜨릴〕 수 있는: 깨지기〔부서지기〕 쉬운, 무른.
—— *n.* (*pl.*) 깨지기 쉬운 것.

break·age[bréikidʒ] *n.* [U] **1** 파손. **2** (보통 *pl.*) 파손물: 파손 부분: 파손 예상액, 파손 배상액.

break·a·way[bréikəwèi] *n.* **1** 분리, 절단. **2** 탈주. **3** 《오스》 무리에서 이탈한 동물. **4** 일탈(逸脫), 탈퇴(*from*). **5** 〔競〕 출발 신호 전에 뛰어 나감. **6** 〔럭비〕 공을 갖고 골로 돌진하기.

bréak·bone fèver[bréikbòun-] 〔病理〕 뎅그열(dengue)

break·danc·ing *n.* 브레이크 댄싱《동작이 격렬한 춤: 디스코의 주류를 이룸》.

*__break·down__[bréikdàun] *n.* **1** (기계·열차 등의) 파손, 고장. **2** 붕괴, 몰락, 와해. **3** (교섭 등의) 결렬: 좌절:(정신·육체 등의) 쇠약. **4** 《미》 활발한 흑인의 재즈 댄스. **5** (자료 등의) 분석: 분류: 내역, 명세(明細)(서):(알기 쉽게 한) 설명: 분업. **6** 〔電〕 방전.

bréakdown gáng 구난〔구급〕 작업대.

bréakdown tést 내구〔내력, 파괴〕 시험.

bréakdown ván 구난(작업)차, 레커차.

bréakdown vòltage 〔電〕 (절연) 파괴 전압: 〔半導體〕 항복 전압.

*__break·er__[1] [bréikər] *n.* **1** 파쇄자. **2** 파쇄기: 쇄탄기(碎炭機): 〔電〕 (회로) 차 단기. **3** 부서지는 파도: 넘나드는 흰 파도. **4** (동물의) 조련사.

break·er[2] *n.* (구명 보트 등에 싣는) 물통.

break-e·ven[bréikíːvən] *a.* 수입액이 지출액과 맞먹는: 이익도 손해도 없는.

bréak-éven pòint 손익 분기점.

★**break·fast**[brékfəst] [ME] *n.* [U,C] 조반, 아침 식사: have a good ~ 충분한 아침 식사를 하다. —— *vi.* 조반을 먹다(*on*). —— *vt.* 조반을

차려내다. **~·er** *n.*
bréakfast fòod 조반용 가공 곡류 식품.
bréakfast ròom 거실(morning room).
break·front[bréikfrʌ̀nt] *a., n.* 양쪽 끝 선보다도 중앙 부분이 나온 (책장·찬장).
break-in[bréikìn] *n.* **1** 침입;(도둑질하려는) 주거 침입. **2** 시연(試演), 시운전, 길들이기 운전. — *a.* 길들이는, 시운전의.
break·ing[bréikiŋ] *n.* Ⓤ **1** 파괴. **2** 〔電〕 단선. **3** 〔音聲〕 음의 분열《단모음의 이중 모음화》. **4** 〔馬術〕 조교(調敎).
bréaking and éntering〔**éntry**〕〔法〕 가택 침입(죄)(housebreaking);(경찰에 의한) 불법 침입.
bréaking pòint (the ~) **1** (재질(材質)의) 파괴점;(장력(張力) 등의) 극한, 한계점. **2** (체력·인내 등의) 한계점, 극한.
bréak lìne 〔印〕 패러그래프에서 짧은 마지막 행.
break·neck[bréiknèk] *a.* 위험 천만의.
break·off[´ɔ̀(:)f, ´ɑ̀f] *n.* 갑작스런 중단; 결렬.
break·out[´àut] *n.* **1** 탈옥. **2** 〔軍〕 포위 돌파. **3** 발진(發疹), 뾰루지 《등》.
break·point[´pɔ̀int] *n.* (어느 과정에서의) 중지점, 구분점;〔컴퓨터〕 브레이크 포인트.
break·through[´θrùː] *n.* **1** 〔軍〕 돌파 (작전). **2** (과학 등의) 큰 발전, 약진, (귀중한) 새 발견《*in*》. **3** (방해·난관의) 돌파(구), 타개(책), (난문제의) 해명.
break·up[´ʌ̀p] *n.* **1** 분산. **2** 붕괴, 파괴; (부부 등의) 불화, 이별. **3** 해산, 산회(散會) (dispersal); (학기말의) 종업.
break·wa·ter[´wɔ̀ːtər] *n.* (항구 등의) 방파제.
break·wind[´wìnd] *n.* 《영》 방풍림.
bream[1][briːm] *n.* (*pl.* ~, ~s) 〔魚〕 **1** 브림 《잉어과의 민물고기》. **2** 도미과의 바닷물고기; 검은 송어과의 민물고기.
bream[2] *vt.* 〈배 밑을〉 태워서 청소하다.
⁑**breast**[brest] *n.* **1** 가슴; 옷가슴;(송아지·닭 등의) 가슴살. **2** 가슴 속; 심정. **3** 젖통이, 유방. **4** (산언덕 따위의) 허리;(기물 따위의) 옆면; 벽의 불룩한 부분. **give** (a child) **the breast** (아이에게) 젖을 먹이다. **make a clean breast of** …을 죄다 털어놓다, 모든 것을 고백하다. **past the breast** 젖 떨어져서. **suck the breast** 젖을 빨다. — *vt.* **1** 《文語》 〈곤란 등에〉 대담하게 맞서다, 무릅쓰고 나아가다: ~ oneself *to* danger 위험에 정면으로 맞서다. **2** 〔競走〕 〈주자가〉 (결승점의 테이프에) 가슴을 대다. **3** 〈산·고갯길을〉 오르다. **4** …와 나란히 서다. **5** 젖을 주다. — *vi.* 헤치며 나아가다〔다가가다〕;(말을 걸려고) 가까이 가다. **breast it out** 끝까지 대항하다. **breast the yarn** 《미》 (경주에서) 결승점에 들어오다.
breast-beat·ing[´bìːtiŋ] *n.* (과장하여 큰 소리로) 슬픔〔후회〕을 나타내는 것. **-beat·er** *n.*
breast·bone[bréstbòun] *n.* 흉골, 가슴뼈.
bréast càncer 유방암.
breast-deep[bréstdíːp] *ad., a.* 가슴까지 (차는).
breast·ed[bréstid] *a.* (보통 복합어를 이루어) 가슴이 있는; 가슴 부분을 단《갑옷 등》: a single-〔double-〕~ coat 싱글〔더블〕 상의.
breast-fed[bréstfèd] *v.* BREAST-FEED의 과거·과거분사. — *a.* 모유로 키운: ~ babies 모유로 자란 아이들.
breast-feed[´fìːd] *vt.* (**-fed**[-fèd]) 모유로 키우다(*cf.* BOTTLE-FEED).
bréast hàrness (목걸이 없이) 가슴걸이 (breastband)로 멘 마구(馬具).
breast-high[´hái] *a., ad.* 가슴 높이의〔로〕.
bréast-not-bóttle pòlicy 《미》 모유(母乳) 양육 복귀 정책.
breast·pin[bréstpìn] *n.* 《미》 가슴 장식핀, 브로치.
breast·plate[bréstplèit] *n.* **1** (갑옷의) 가슴받이, 흉갑(胸甲). **2** (유대교 제사장의) 흉패(胸牌). **3** (거북의) 복갑(腹甲). **4** = BREAST HARNESS.
bréast pòcket (상의의) 가슴 주머니.
bréast pùmp 젖 빨아내는 기구, 착유기.
breast·rail [´rèil] *n.* (뱃전·창가의) 손잡이, 난간.
breast·stroke[bréststròuk] *n.* (보통 the ~) 〔水泳〕 평영, 개구리 헤엄(*cf.* BACKSTROKE).
bréast wàll (자연 제방의) 흉벽(胸壁), 요벽(腰壁).
bréast whèel 브레스트휠《회전축이 수평일 때 물이 들어오는 수차》.
breast·work[bréstwə̀ːrk] *n.* 〔軍〕 흉장(胸墻), 흉벽;〔海〕 =BREASTRAIL.
⁑**breath**[breθ] [OE] *n.* **1** a Ⓤ 숨, 호흡. b (*sing.*) 한번의 호흡; 한번 호흡할 동안, 순간; Ⓤ 휴식. **2** (a ~) 바람의 산들거림; 미풍; 속삭임; 기미, 징조〔암시〕; 조금: *a* ~ of fresh air 한 줄기 상쾌한 바람/not *a* ~ of suspicion 추호도 의심할 여지가 없는. **3** 〔音聲〕 무성(음)(*opp.* voice). **4** Ⓤ 생기(生氣), 활기; 생명. **above** one's **breath** 소리를 내어. **at a breath** 단숨에. **breath of life** =**breath of** one's **nostrils** (the ~) 《文語》 생명(력), 활력; 꼭 필요〔매우 귀중〕한 것. **below** one's **breath** 작은 목소리로, 소근소근. **be short of breath** 숨이 차다. **catch** one's **breath** 헐떡이다; 한숨 쉬다; 숨을 죽이다, 움찔하다. **draw** one's **breath** 숨쉬다, 살아 있다. **draw** one's **first**〔**last**〕 **breath** 세상에 태어나다〔숨을 거두다〕. **first draw breath** 《文語》이 세상에 태어나다. **get** one's **breath** (again) 숨을 돌리다. **give up**〔**yield**〕 one's **breath** 죽다. **have no breath left** 숨이 차다, 헐떡이다. **hold**〔**keep**〕 one's **breath** 숨을 죽이다. **in one**〔**a**〕 **breath** 단숨에, 한꺼번에, 일제히; 동시에. **in the same breath** 동시에; 한편으로, (상반되는 두 가지 내용이) 잇따라. **keep**〔**save**〕 one's **breath to cool** one's **porridge** ⇨porridge. **knock the breath out of** a person …을 깜짝 놀라게 하다. **lose** one's **breath** 숨이 차다. **not a breath of** …이 전혀 없는. **out of breath** 숨을 헐떡이며. **run** one**self out of breath** 뛰어서 숨이차다. **save** one's **breath** 입을 다물고 있다, 잠자코 있다. **speak**〔**talk**〕 **below**〔**under**〕 one's **breath** 소근소근 말하다, 속살거리다. **spend**〔**waste**〕 one's **breath** 함부로 지껄이다, 한 말이 헛수고가 되다. **stop** a person's **breath** 질식사시키다. **take breath** 쉬다, 한숨 돌리다. **take** a person's **breath** (**away**) …을놀래주다, 혼내주다. **to the last breath** 죽을 때까지. **under** one's **breath** =below one's BREATH. **with bated breath** 숨을 죽이고, 걱정을 하며. **with the**〔one's〕 **last breath** 임종 때에〔까지〕, 죽을 때까지.
◈ breathe *v.*; bréathy *a.*
breath·a·lyse[bréθəlàiz] 《영》 *vt.* 주기(酒氣)〔음주〕 탐지를 하다. — *vi.* 주기 탐지

〔검사〕를 받다.

Breath·a·lyz·er, -lys·er[bréθəlàizər] *n.* 《영》 음주 탐지기, 취도 측정기《상표명》.

breathe[bri:ð] *vi.* **1** 숨쉬다, 호흡하다; 살아 있다: 《Ⅰ *There v* Ⅰ+(주)+전+명》 There is no *breathing* in that thick room. 그렇게 공기가 탁한 방 안에서는 도저히 숨을 쉴 수가 없다. **2** 한숨 쉬다, 휴식하다. **3** 〈바람이〉 산들거리다. **4** 〈향기, 냄새를〔가〕〉 풍기다: 《Ⅰ 부》 The flowers ~ fragrantly. 그 꽃들에서 향기가 풍기고 있다/《Ⅰ 전+명》 The room ~*d of* her. 그 방에서 그녀의 냄새가 풍기고 있었다.
— *vt.* **1** 호흡하다; 〈향기 등을〉 풍기다, 〈공기를〉 내뿜다: 《Ⅲ (목)》 She had quietly ~*d* her last. 그녀는 조용히 숨을 거두었다. **2** 숨을 돌리게 하다, 쉬게 하다. **3** 〈생기 등을〉 불어넣다《*into*》: ~ new life *into* …에 새 생명을 불어 넣다. **4** 운동시키다, 지치게 하다, 숨차게 하다. **5** 속삭이다, 속삭이듯이 말하다〔기도하다〕; 격렬한 어조로 말하다. **6** 〈태도 등이 기분 등을〉 나타내다. **7** 〔音聲〕 무성음으로 발음하다. **As I live and breathe!** 《口》 이거 놀랍군! **as long as one breathes** 살아 있는 한. **breathe a word against** …에게 한마디 불평을 하다. **breathe down** (**on**) **a person's neck** 궁지로 몰다. **breathe easily**〔**easy, again, freely**〕 (긴장·걱정·위험 등이 사라져서) 마음을 놓다. **breathe hard** 씨근거리다. **breathe in** 숨을 들이쉬다; (상대의 말에) 열심히 귀를 기울이다. **breathe one's last** (**breath**) 숨을 거두다, 죽다. **breathe out** 숨을 내쉬다. **breathe** (**up**)**on** …에 입김을 뿜다, 흐려지게 하다; …을 더럽히다; …을 비난하다. **not breathe a word** 한 마디도 누설하지 않다, 비밀을 지키다.

bréath·a·ble *a.* ⇨ breath *n.*

breathed [breθt, bri:ðd] *a.* 〔音聲〕 무성음의(voiceless).

breath·er[brí:ðər] *n.* **1** 호흡하는 자, 생물. **2** 격한 운동〔일〕. **3** 《口》 잠깐의 휴식, 산책. **4** 《미》 헐떡이는 권투 선수. **have**〔**take**〕 **a breather** 잠깐 쉬다.

bréath gròup 〔音聲〕 기식군(氣息群)《단숨에 발성하는 음군(音群)》; 기식의 단계.

bréath·hold dìving[bréθhòuld-] (바다표범·돌고래 등의) 호흡정지 잠수.

breath·ing[brí:ðiŋ] *n.* Ⓤ **1** 호흡(법); 숨쉬기: deep ~ 심호흡. **2** (공기·향기 등의) 부동(浮動), 산들바람. **3** (a ~) 숨쉬는 동안, 잠시 동안; 휴식. **4** 소원, 열망; 영감(靈感). **5** 〔音聲〕 기음(氣音); 기음 기호《그리스 문자의 모음 위에 붙는(ʽ), (ʼ)》. **get a minute's breathing** 한숨 돌리다, 잠깐 쉬다. — *a.* 호흡의〔하는〕; 숨쉬는 듯한; 살아 있는 듯한.

bréathing capàcity 폐활량.

bréathing hòle (통 등의) 공기 구멍; (동물의) 숨구멍.

bréathing plàce 휴식 장소; (시(詩)의) 중간 휴지(休止); 보양지(保養地).

bréathing spàce〔**spèll, tìme**〕 숨 돌리는 사이, 휴식할 여유〔기회〕, 생각할 기회.

breath·less[bréθlis] *a.* **1** 숨찬. **2** 숨을 거둔, 《詩》 죽은; 숨을 죽인: with ~ anxiety 조마조마하여/with ~interest 숨을 죽이고. **3** 숨도 못쉴 정도의: a ~ speed 숨막힐 듯한 속력, 굉장한 속력. **4** 바람 한 점 없는. **hold a person breathless** …을 마음 조이게 하다. **~·ly** *ad.* 숨을 헐떡이며; 숨을 죽이고. **~·ness** *n.*

breath·tak·ing[bréθtèikiŋ] *a.* 아슬아슬한, 깜짝 놀라게 하는, 굉장한, 감동적인. **~·ly** *ad.*

bréath tèst 《영》 주기(酒氣) 검사.

breath·y[bréθi] *a.* (**breath·i·er; -i·est**) 〔音聲〕 기식음(질)의; 기식음이 섞이는, 성량이 적은. **-i·ly** *ad.* **-i·ness** *n.*

b. rec. bills receivable.

brec·ci·a[brétʃi:ə, bréʃiə] *n.* Ⓤ 〔地質〕 각력암(角礫岩).

Breck. Brecknockshire. **Brecon.** Breconshire.

bred[bred] *v.* BREED의 과거·과거분사.
— *a.* (보통 복합어를 이루어) …하게 자란: ill-〔well-〕~ 본데없이〔범절있게〕 자란.

bred-in-the-bone[brédənðəbóun] *a.* 타고난, 떨쳐버릴 수 없는.

breech[bri:tʃ] *n.* **1** 볼기. **2** 총의 개머리, 총미(銃尾), 포미(砲尾). **3** 도르래의 밑 부분. **4** (*pl.*)) =BREECHES. — *vt.* **1** 〈포·총에〉 포미〔총미〕를 달다. **2** 〈사내애에게〉 짧은 바지를 입히다.

bréech bìrth 〔醫〕 아이를 거꾸로 낳음(breech delivery).

breech·block[ˊblɑ̀k/ˊblɔ̀k] *n.* (포의) 미전(尾栓), (총의) 놀이쇠.

breech·clout, -cloth[ˊklàut], [ˊklɔ̀(:)θ, ˊklɑ̀θ] *n.* 기저귀(diaper).

bréech delìvery =BREECH BIRTH.

breeched[bri:tʃt] *a.* **1** 포미(砲尾)〔총미(銃尾)〕가 달린. **2** 반바지를 입은.

breech·es[brítʃiz] *n. pl.* 승마바지; 《口》 바지, 반바지. **too big for one's breeches** 분수를 모르는, 건방진. **wear the breeches** 《口》 내주장하다.

Bréeches Bíble (the ~) 반바지 성서《the Geneva Bible(1560)을 가리킴; 창세기 3:7에서 aprons를 breeches로 한 데서》.

bréeches bùoy 바지 모양의 즈크제 구명부대.

breech·ing[brítʃiŋ, brí:tʃ-] *n.* **1** (말의) 엉덩이띠. **2** 포삭(砲索)《포를 고정시키는 줄》.

breech·less[brí:tʃlis] *a.* **1** 포미〔총미〕가 없는. **2** 반바지를 입지 않은.

breech·load·er[brí:tʃlòudər] *n.* 후장총〔포〕.

breech-load·ing[ˊlòudiŋ] *a.* 후장식의.

breed[bri:d] [OE] (**bred**[bred]) *vt.* **1** 〈동물이 새끼를〉 낳다, 〈새가 알을〉 까다. **2** 양육하다, 기르다, 가르치다: 《Ⅴ (목)+명》 He *bred* his son a doctor. 그는 자기 아들을 의사가 되도록 교육시켰다(=His son was *bred* a doctor (by him).《Ⅱ *be pp.*+명》)/《Ⅲ (목)+전+명》 He *bred* his son *to* the law〔*for* the church〕. 그는 자기 아들을 법률가〔목사〕가 되도록 교육시켰다. **3** 번식시키다, 사육하다; 〈새 품종을〉 만들어내다, 〈품종을〉 개량하다, …을 교배시키다. **4** …을 일으키다, 만들어내다, 낳다, 생기게 하다; …의 원인이 되다; 〈불화 등을〉 일으키다: Ignorance ~*s* prejudice. 무지는 편견을 낳는다/Filth ~*s* disease. 불결은 병을 생기게 한다. — *vi.* **1** 새끼를 낳다; 〈동물이〉 번식하다, 자라다. **2** 가르치다, 기르다. **3** 씨를 받다: ~ *from* a mare of good stock 혈통이 좋은 암말에게서 새끼를 받다. **4** 임신하고 있다. **5** 〈좋지 않은 일이〉 발생하다, 생기다. **be bred to the law =be bred as a lawyer** (법률가가) 되도록 교육을 받다. **bred out** 퇴화(退化)하여. **breed in and in**〔**out and out**〕 동종〔이종〕번식을 하다; 근친〔근친외〕 결혼을 하다. **breed true to type** 〈잡종이〉 유형으로 고정하다. **what is bred in the bone** 타고난 성미〔특질〕. — *n.* (동식물의) 품종; 종족, 인종; 종류; 계통: a new ~ of cattle 소의 신품종/a different ~ of man 다른 유형의 사람.

*__breed·er__[bríːdər] *n.* **1** 종축(種畜); 번식하는 동식물. **2** 양육〔사육〕자. **3** 장본인, 주모자; 원인. **4** =BREEDER REACTOR.

bréeder reàctor〔**pìle**〕 증식(형 원자)로.

*__breed·ing__[bríːdiŋ] *n.* Ⓤ **1** 번식, 부화; 사육; 사양(飼養); 품종 개량, 육종(育種). **2** 가계, 혈통; 양육, 훈육. **3** 가정교육, 교양; 예의 범절. **4** 〔物〕 증식(작용). **breeding in the line** 동종 이계(同種異系)의 번식.

bréeding gròund〔**plàce**〕 (동물의) 사육장, 사육소, 번식지; 〈악 등의〉 온상.

bréeding pònd 양어장.

bréeding sèason 번식기.

breen[briːn] *n., a.* 갈색을 띤 녹색(의).

‡**breeze**[1] [briːz] [Port] *n.* **1** 산들바람, 미풍, 연풍(軟風): a fresh ~ 시원한 바람/a land ~ 육지의 산들바람. **2** 《영口》 풍파, 싸움, 소동. **3** 《口》 소문. **4** 《미口》 용이함. **in a breeze** 《미口》 쉽게, 간단히, 거뜬히. **kick up a breeze** 소동을 일으키다. **shoot**〔**bat, fan**〕 **the breeze** 《미俗》 호언장담하다; 잡담하다. ── *vi.* 산들산들 불다; 《口》 재빨리 행동하다; 세차게 밀고 들어가다, 난입하다《*in, into*》; 속아 넘어가다; 수월하게 진행하다: ~ *into* a room 재빨리 방으로 들어가다. **breeze in** 《口》 모습을 나타내다; 남의 이야기에 참견하다; 〔스포츠〕 쉽게 이기다. **breeze through** 쓱 지나가다; 대강 훑어 보다. **breeze up** 바람이 거세어지다.

◈ bréezy *a.*

breeze[2] *n.* Ⓤ 분탄(粉炭); 탄 재(cinders).

breeze[3] *n.* =BREEZE-FLY.

breeze-block *n.* 《영》〔建〕 =CINDER BLOCK.

breeze-fly *n.* 〔昆〕 등에, 쇠파리(gadfly).

breeze·less *a.* 바람기 없는.

breeze·way[bríːzwèi] *n.* (집과 차고 사이의) 지붕 있는 통로.

breez·i·ly *ad.* 산들바람이 일어; 기운 차게, 쾌활하게.

breez·y[bríːzi] *a.* (**breez·i·er; -i·est**) 미풍(성)의; 산들바람이 부는, 바람이 잘 통하는; 상쾌한, 쾌활한. **bréez·i·ness** *n.*

breg·ma[brégmə] *n.* (*pl.* **~·ta**[-tə]) 〔人類〕 시상(矢狀) 봉합과 관상(冠狀) 봉합의 접합점《두개골 계측점의 하나》.

breg·oil[brégɔil] *n.* 브레고일《유출 석유를 흡수시켜 회수하는 데 쓰는 제지 폐기물》.

brek·ker[brékər] *n.* 《學俗》 아침 식사.

brek·ky[bréki] *n.* 《오스俗》 조반.

Bre·men[bréimən] *n.* 브레멘《독일의 하항(河港)》.

brems·strah·lung[brémʃtràːləŋ] [G] *n.* Ⓤ,Ⓒ 〔物〕 제동 복사(制動輻射).

Brén càrrier[brén-] 《영》 소형 장갑차.

Bren·da[bréndə] *n.* 여자 이름.

Brén gùn[brén-] 《영》 경기관총.

brént (góose)[brént(-)] =BRANT (GOOSE).

br'er[brəːr] *n.* =BROTHER《미국 남부의 흑인 사투리》.

Bret. Breton.

Bre·tagne[brətaɲ] [F] *n.* 브르타뉴《Brittany의 프랑스 이름》.

‡**breth·ren** [bréðrən] [BROTHER의 특수형] *n.* *pl.* 동포; 형제《지금은 혈연의 형제에는 쓰지 않음》; 같은 신도들; 동업자《◇ brothers를 사용할 때도 있음》.

Bret·on[brétən] *a.* (프랑스의) BRITTANY의. ── *n.* 브르타뉴 사람; Ⓤ 브르타뉴 말.

Brétton Wóods Cònference 브레턴우즈 회의《1944년 미국 New Hampshire주의 Bretton Woods에서 개최된 국제 통화 금융 정책 회의; IMF와 IBRD를 설립》.

brev. brevet(ted); brevier.

breve[briːv] *n.* 〔音聲〕 단음기호(◡); 〔樂〕 2 온음표(‖∘‖); 〔法〕 영장(令狀).

bre·vet[brəvét, brévit] 〔軍〕 *n.* Ⓤ,Ⓒ 명예 진급. **by brevet** 명예 진급에 의하여. ── *vt.* (**~·(t)ed; ~·(t)ing**) 명예 진급시키다.

bre·vet·cy[-si] *n.* 명예 계급.

brev·i-[brévi] 《연결형》 「짧은」의 뜻.

bre·via·ry[bríːvièri, brév-] *n.* (*pl.* **-ries**) 〔가톨릭〕 성무 일과서(聖務日課書).

bre·vier[brəvíər] *n.* Ⓤ 〔印〕 브레비어 활자 《8포인트 활자》.

brev·i·pen·nate[brèvipéneit] *a.* 〔鳥〕 날개가 짧은.

*__brev·i·ty__[brévəti] *n.* Ⓤ (때의) 짧음; 간결: *B-* is the soul of wit. 간결은 재치의생명이다 《Shakespeare작 Hamlet에서 Polonius의 말》.

*__brew__[bruː] *vt.* **1** 양조하다; 〈음료를〉 조합(調合)하다, 〈차를〉 끓이다: Beer is ~*ed from* malt. 맥주는 맥아(麥芽)로 양조된다. **2** 〈음모를〉 꾸미다; 〈파란을〉 일으키다. ── *vi.* **1** 양조하다; 〈차 등이〉 우러나다. **2** 〈음모 등이〉 꾸며지다. **3** 〈폭풍우 등이〉 일어나려고 하다. ── *n.* Ⓤ,Ⓒ 양조주〔음료〕; (1회의) 양조량; (주류의) 품질. ◈ bréwage, bréwery *n.*

brew·age[ˊidʒ] *n.* Ⓤ,Ⓒ 양조주〔음료〕, 맥주; 양조(법); 음모.

brew·er[brúːər] *n.* 양조자; 음모가: ~'s grains 맥주 찌꺼기《돼지 사료》.

brew·er·y[brúːəri] *n.* (*pl.* **-er·ies**) (맥주) 양조장(brewhouse). ◈ brew *v.*

brew·ing[brúːiŋ] *n.* Ⓤ **1** 양조(업). **2** Ⓒ (1회)양조량. **3** 〔海〕 폭풍우의 전조, 검은 구름.

brew·is [brúːis] *n.* 《方》 고깃국, 수프; 고깃국〔뜨거운 우유〕에 적신 빵.

brew·ster [brúːstər] *n.* 《古》 양조자.

bréwster sèssions 《영》 주류 판매 면허 인가 회의.

Brezh·nev[bréʒnef] *n.* 브레즈네프 Leonid Ilich ~(1906-82)《옛 소련의 공산당 제1서기(1964-82)》.

Brézhnev Dóctrine (the ~) 1968년 옛 소련의 체코슬로바키아 군사 개입 정당화안(案).

Bri·an[bráiən] *n.* 남자 이름.

*__bri·ar__[bráiər] *n.* =BRIER[1, 2].

Bri·ard *n.* 브리아르《프랑스산의 양치기 개》.

Bri·ar·e·us[braiέəriəs] *n.* 〔그神〕 손이 100개 있는 거인.

bri·ar·root[bráiərrùːt] *n.* =BRIERROOT.

bri·ar·wood[bráiərwùd] *n.* =BRIERWOOD.

brib·a·ble[bráibəbl] *a.* (뇌물로) 매수할 수 있는. **brìb·a·bíl·i·ty**[-bíləti] *n.*

‡**bribe**[braib] [OF] *n.* Ⓒ 뇌물. **offer**〔**give**〕 **a bribe** 뇌물을 주다. **accept**〔**take**〕 **a bribe** 뇌물을 받다. ── *vt.* **1** …에게 뇌물을 쓰다; 〈남에게〉 뇌물을 주어 (…)시키다《*into*…; *into* do*ing*》, 뇌물로 유혹하다; 〈남을〉(…으로)매수하다《*with*》: 《Ⅴ(목)+*to* do》 She ~*d* him *to* do something. 그녀는 그에게 뇌물을 주어 어떤 일을 시켰다. **2** 《~oneself 또는 ~ one's way로》 뇌물을 써서 (지위 따위를) 얻다. ── *vi.* 뇌물을 주다〔쓰다〕, 증회하다: a person *with* money …를 돈으로 매수하다. **bribe** a person **into silence** 뇌물로 …의 입을 막다. **bribe** oneself〔**one's way**〕 **into** … 뇌물을 써서 지위 등을 손에 넣다.

bríb·er *n.* 뇌물을 주는 사람, 증회자.

brib·ee[braibíː] *n.* 수회자, 뇌물을 받는 사람.

bribe·giv·er [bráibgìvər] *n.* 뇌물을 주는 사람(briber).

brib·er[bráibər] *n.* 증회자.

***brib·er·y**[bráibəri] *n.* Ⓤ 증회, 수회, 증수회: commit ~ 증회〔수회〕하다.

bribe·tak·er [bráibtèikər] *n.* 뇌물을 받는 사람(bribee).

bric-a-brac[bríkəbræ̀k] [F] *n.* Ⓤ (집합적) 골동품, 고물.

‡**brick**[brik] *n.* **1** Ⓤ (집합적) 벽돌; Ⓒ 벽돌 모양의 물건. **2** 《영》 (장난감의) 쌓기 놀이의 토막나무(《미》 block). **3** 《口》 믿음직한 남자, 호남아, 쾌남. **(as) dry**〔**hard**〕 **as a brick** 바싹 마른, 몹시 단단한. **beat**〔**run**〕 one's **head against a brick wall** 《口》 불가능한 일을 하려고 애쓰다. **bricks and mortar** 《俗》 (학교의) 노트와 책. **drop a brick** 《俗》 실수하다. **fire**〔**Flemish**〕 **brick** 내화(耐火)〔포장(鋪裝)〕 벽돌. **have a brick in** one's **hat** 《俗》 술 취해 있다. **hit the bricks** 《미俗》 밖에 나가 돌아다니다, 스트라이크를 하다. **like a brick** =**like** (**a ton of**) **bricks** =**like a load**〔**ton**〕 **of bricks** 《口》 무서운 기세로, 맹렬히, 활발히. **make bricks without straw** 〔聖〕 헛수고하다. ── *vt.* 벽돌을 깔다《*over*》, 벽돌로 둘러 싸다《*in*》, 벽돌 건축으로 하다, 벽돌을 쌓다, 벽돌로 막다《*up*》: ~ *over* a garden path 정원의 작은 길에 벽돌을 깔다/ ~ *up* a window 창문을 벽돌로 막다. ⊕ bricky *a.*

brick·bat [bríkbæ̀t] *n.* 벽돌 조각; 벽돌 부스러기; 《口》 모욕(insult), 비난.

bríck chéese 《미》 벽돌 모양의 미국산 치즈.

bríck dùst 벽돌 가루.

brick·field[bríkfìːld] *n.* 《영》 벽돌 공장.

brick·field·er[⌐fìːldər] *n.* (오스트레일리아에서 부는) 뜨겁고 건조한 북풍.

brick·ie 《영口》 *n.* =BRICKLAYER.

brick·kiln[⌐kìln] *n.* 벽돌가마.

brick·lay·er[⌐lèiər] *n.* 벽돌 (쌓는) 직공.

brick·lay·ing[⌐lèiiŋ] *n.* Ⓤ 벽돌 쌓기.

brick·le[bríkəl] *a.* 《方》 약한, 깨어지기 쉬운.

brick·mak·er[bríkmèikər] *n.* 벽돌 제조인.

brick·mak·ing[⌐mèikiŋ] *n.* Ⓤ 벽돌 제조.

brick·ma·son[⌐mèisn] *n.* =BRICKLAYER.

bríck nòg〔**nògging**〕 나무 골조 벽돌 쌓기.

bríck réd 붉은 벽돌색.

brick-red[⌐réd] *a.* 벽돌색의.

bríck tèa 전차.

brick·work[⌐wəːrk] *n.* Ⓤ 벽돌 쌓기(공사).

brick·y[bríki] *a.* (**brick·i·er; -i·est**) 벽돌의, 벽돌 같은, 벽돌로 만든. ⊕ brick *n.*

brick·yard[bríkjɑ̀ːrd] *n.* 《미》 벽돌 공장.

bri·co·lage[brì(ː)kouláːʒ] [F] *n.* 〔美〕 브리콜라즈《도구를 닥치는 대로 써서 만든 것〔만들기〕》.

bri·cole[brikóul, bríkəl] *n.* 〔撞球〕 쿠션 먼저 치기; 〔庭球〕 땅에 일단 떨어진 공 치기; 간접 공격, 기습.

bri·co·leur[brikəlǝ́ːr] [F] *n.* bricolage를 하는 사람.

***brid·al**[bráidl] [OE] *n.* 결혼식, 혼례. ── *a.* 신부의; 혼례의: a ~ march 결혼 행진곡.

brídal wrèath 〔植〕 조팝나무.

‡**bride**[braid] *n.* 신부, 새색시(*opp.* bridegroom). ⊕ bridal *a.*

bride·cake[⌐kèik] *n.* =WEDDING CAKE.

‡**bride·groom**[⌐grù(ː)m] [OE] *n.* 신랑.

bríde prìce 신부(를 사는) 값.

brides·maid[bráidzmèid] *n.* 신부 들러리(*cf.* BEST MAN).

brides·man[⌐mən] *n.* (*pl.* **-men**[-mən]) 신랑 들러리(*cf.* BEST MAN).

bride-to-be[⌐tə⌐] *n.* (*pl.* **brides-**) 신부가 될 사람.

bride·well[bráidwel, -wəl] *n.* 《古》 유치장(lockup), 교도소.

★**bridge**[1][bridʒ] *n.* **1** 다리, 교량: throw a ~ across〔over〕 a river 강에 다리를 놓다. **2** 브리지, 함교(艦橋), 선교. **3** 연결, 연락. **4** 다리 모양의 것; 콧날; 안경의 코걸이; (현악기의) 줄받침; 〔레슬링〕 브리지; 〔撞球〕 브리지, 큐 받침《긴 채 끝에 달린》; 〔齒科〕 치교(齒橋), 가공(架工) 의치. **5** 〔電〕 전교(電橋), 교락(橋絡). **6** 〔컴퓨터〕 브리지《복수의 네트워크를 접속할 때에 이용하는 가장 기본적인 장치》. **7** 〔樂〕 경과부, =BRIDGE PASSAGE. **a bridge of boats** 주교(舟橋). **a bridge of gold** =**a golden bridge** (패군이 쉽게 빠져 나갈) 퇴각로; 난국 타개책. **burn** one's **bridges** (**behind** one) =burn one's BOATS (behind one) 배수의 진을 치다(⇨boat). **Don't cross the bridge until you come to it.** 공연히 지레 걱정하지 말라. **the Bridge of Sighs** (1) Venice에서 죄인이 교도소에 끌려 갈 때 건넌 다리. (2) New York에서 Tombs 교도소로 통하는 다리. ── *vt.* 〈강에〉 다리를 놓다; …의 중개역을 하다, (간격을) 메우다; 〔電〕 교락(橋絡)하다. **bridge over difficulties** (난관)을 돌파하다. **bridge** a person **over** … 으로 하여금 난관을 극복하게 하다.

bridge[2] *n.* Ⓤ 브리지《카드놀이의 일종》.

bridge·a·ble[brídʒəbəl] *a.* 교량을 가설할 수 있는.

bridge·board[brídʒbɔ̀ːrd] *n.* 〔建〕 층계의 발판을 걸치는 널판.

bridge·build·er[⌐bìldər] *n.* 다리를 놓는 사람; (양자간의) 조정역.

bridge·head[⌐hèd] *n.* 〔軍〕 교두보; 전진에의 발판(*cf.* BEACHHEAD).

brídge hòuse 〔海〕 선교루(船橋樓).

brídge pàssage 〔樂〕 두 주제를 잇는 간주악절(間奏樂節).

brídge ròll 소형의 롤빵.

Bridg·es[brídʒiz] *n.* 브리지스 Robert ~ 《영국의 계관 시인(1844-1930)》.

Bridg·et[brídʒət] *n.* 여자 이름.

brídge tòwer 교탑(橋塔).

Bridge·town[brídʒtàun] *n.* 브리지타운 (Barbados의 수도).

brídge tràin 〔軍〕 가교 종대(架橋縱隊).

bridge-tun·nel[⌐tʌ̀nəl] *n.* 다리와 터널이 이어지는 도로.

brídge wàrd[brídʒwɔ̀ːrd] 교량 감시인, 다리지기.

bridge·work[⌐wəːrk] *n.* Ⓤ 교량 공사; 〔齒科〕 브리지 기공(技工).

bridg·ing[brídʒiŋ] *n.* Ⓤ,Ⓒ 교량 가설; 〔建〕 받침목〔대〕(strut); 〔電〕 교락(橋絡).

brídging lòan (긴급시의) 일시적 단기 융자.

‡**bri·dle**[bráidl] *n.* **1** 말 굴레《재갈·고삐의 총칭》. **2** 구속(물), 억류, 속박, 제어. **3** 〔海〕 배를 매어 놓는 체인〔밧줄〕, 계류삭(繫留索); 〔電〕 연계(緣繫). **give** a horse **the bridle** =**lay the bridle on** a horse's **neck** 고삐를 늦추다; 자유롭게 활동시키다. a horse **going well up to** his **bridle** 길들어 잘 달리는 (말). ── *vt.* 〈말에〉 굴레를 씌우다; 고삐를 달다; 제어하다, 구속하다. ── *vi.* (종종 ~ up) 〈말이〉 턱을 숙인 채 머리를 치켜 올리다; 〈사람, 특히 여자가〉 머리를 쳐들고 새치름한 태

를 부리다, (턱 버티고) 얕잡아 보다(*at*): ~ *at* a person's advice …의 충고에 코방귀 뀌다/ She ~*d up*. 그녀는 고개를 쳐들고 새치름해졌다.
brídle brìdge 말만 건널 수 있는 다리(수레는 갈 수 없는 좁은 다리).
brídle hànd 왼손.
brídle pàth〔**ròad, tràil, wày**〕 승마길 (수레는 갈 수 없는 좁은 길).
brídle rèin 고삐.
bri·dle·wise[-wàiz] *a.* (미) (고삐에) 길든, 훈련된.
bri·doon[bridúːn] *n.* 작은 재갈과 고삐.
Bríe (chéese)[briː-] 브리 치즈(프랑스의 원산지명에서).
‡**brief**[briːf] [L] *a.* **1** 잠시의, 잠깐의, 단명한: a ~ life 짧은 생애. **2** 간결한, 간단한: a ~ note 짧은 편지/(Ⅱ 형+*to* do) It's better *to* be ~ than tedious. 장황한 것보다는 간결한 것이 더 낫다. **3** 무뚝뚝한: a ~ welcome 쌀쌀맞은 환영. **to be brief** 간단히 말해서, 요컨대.
— *n.* (*pl.* ~**s**) **1** 적요, 개요, 짧은 보고〔발표〕; (신문 등의) 짧은 기사. **2** 〔法〕 소송 사건 적요서(摘要書); 소송 사건. **3** 소송 의뢰인. **4** 〔空軍〕 (출격 전에 조종사에게 내리는) 간결한 지시. **5** 〔劇〕 우대권. **6** (로마 교황의) 교서 (*cf.* BULL[2]). **7** (*pl.*) 브리프(짧은 팬츠).
have plenty of briefs 〈변호사가〉 사건의 의뢰가 많다, 인기가 있다. **hold a brief for** …을 변호하다. **in brief** 요컨대, 간단히 말해서. **make brief of** …을 재빨리 처리하다. **take a brief** 〈변호사가〉 사건을 맡다.
— *vt.* **1** 〔영法〕 소송 사건의 적요(摘要)를 작성하다; 변호를 의뢰하다; 사정을 충분히 알리다(*on*). **2** 〔空軍〕 〈조종사에게 출격 전에〉 간결한 지시를 하다. **3** (미) 간단히 알리다, 말하다, 요약하다: ~ a person *on* something 어떤 일을 …에게 간단히 말하다. ◈ brévity *n.*
bríef bàg (영) 서류 가방; 여행 가방.
brief·case[bríːfkèis] *n.* **1** 서류 가방(⇨ trunk). **2** =GHETTO BLASTER.
brief·ie[bríːfi] *n.* (미俗) 단편 영화(*cf.* FEATURE).
brief·ing[bríːfiŋ] *n.* Ⓤ,Ⓒ 요약 보고; (조종사에게 내리는 출격 전의) 간결한 명령.
brief·less[bríːflis] *a.* 소송 의뢰인이 없는; 인기가 없는.
*__brief·ly__[bríːfli] *ad.* 간단히; (문장 전체를 수식하여) 간단히 말해서. **to put it briefly** 간단히 말하면.
brief·ness[bríːfnis] *n.* Ⓤ 간단, 간결; (시간의) 짧음, 덧없음.
*__bri·er__[1], **bri·ar**[bráiər] *n.* 찔레, 들장미(의 가지): ~*s* and brambles 찔레의 덤불.
*__brier__[2] *n.* Ⓤ **1** 〔植〕 브라이어(남유럽산; 히스(heath)의 일종). **2** 브라이어의 뿌리 부분; Ⓒ 브라이어 파이프.
bri·er-hop·per[-hàpər] *n.* (미俗) 농민.
bri·er·root[-rùː(ː)t] *n.* 브라이어의 뿌리(로 만든 파이프).
bríer ròse 〔植〕 유럽들장미.
bri·er·wood[-wùd] *n.* =BRIERROOT.
bri·er·y, bri·ar·y[bráiəri] *a.* **1** 가시 덤불의, 가시가 있는. **2** 곤란한. ◈ brier[1] *n.*
brig[1] [brig] *n.* 〔海〕 **1** 쌍돛대의 범선. **2** (미) (군함내의) 영창; 교도소.
brig[2] *n., v.* (~**ged**; ~·**ging**) =BRIDGE[1].
Brig. Brigade; Brigadier.
*__bri·gade__[brigéid] *n.* 〔軍〕 여단; (군대식 편성의) 단체, 대, 단(團): a ~ major (영) 여단 부관/a mixed ~ 혼성 여단/a fire ~ 소방대.
— *vt.* 여단 편성을 하다; 분류하다.
brig·a·dier[brìgədíər] *n.* **1** (영) 육군 준장 (해군의 commodore에 해당). **2** =BRIGADIER GENERAL.
brígadier géneral (미) (육군·공군·해병대) 준장.
brig·and[brígənd] *n.* 산적(bandit), 약탈자.
brig·and·age[-idʒ], **-and·ism** *n.* Ⓤ 산적 행위, 약탈.
brig·an·dine[brígəndìːn] *n.* (중세의) 미늘〔사슬〕 갑옷의 일종.
brig·and·ish[brígəndiʃ] *a.* 산적 같은.
brig·an·tine[brígəntìːn] *n.* 쌍돛 범선.
bri·ga·tis·ti[brìgɑːtíːsti] [It] *n. pl.* (이탈리아의) 「붉은 여단」의 단원.
Brig. Gen. Brigadier General.
★**bright**[brait] *a.* **1** 빛나는; 밝은, 화창한, 청명한, 쾌청한: (Ⅱ It *v*Ⅱ+형+전+명) It's ~ *in* that room. 그 방은 밝다. **2** 〈소리가〉 맑은, 〈빛깔이〉 선명한, 산뜻한: ~ red 선홍색. **3** 투명한; 명백한 〈증거 등〉. **4** 〈표정 등이〉 밝은, 명랑한, 생기 있는. **5** 영리한, 똑똑한, 〔종종 반어적〕 재치 있는; 훌륭한 〈생각〉. **6** 〈장래 등이〉 유망한, 영광스러운, 빛나는. **7** 〔海〕 경계를 소홀히 하지 않는. **bright and clear** 맑게 갠. **bright and clever** 똑똑한. **bright and early** 아침 일찍이. **bright in the eye** (口) 취기가 있는. **bright prospects**〔**hope**〕 빛나는 전도(前途)〔희망〕. **look on the bright side of things** 사물의 밝은 면을 보다, 사물을 낙관하다. — *ad.*(보통 shine과 함께) 밝게: The sun *shines* ~. 해가 밝게 빛난다. — *n.* **1** (*pl.*) (미) (자동차의) 헤드라이트; =HIGH BEAM. **2** 옅은 색깔의 파이프 담배. ◈ bríghten *v.*; bríghtness *n.*
‡**bright·en**[bráitn] *vt.* **1** 반짝이게 하다, 빛내다, 밝게 하다. **2** 〈은 등을〉 닦다; 〈기분을〉 명랑하게 하다; 환하게 하다, 유망하게 하다: His presence ~*ed up* the party. 그의 참석으로 파티가 즐거워졌다. — *vi.* **1** 반짝이다, 빛나다, 밝아지다. **2** 〈기분이〉 명랑해지다, 행복해지다: His face ~*ed*(*up*) *at* the news. 그 소식을 듣고 그의 표정이 밝아졌다.
bright-eyed[∸àid] *a.* 눈이 맑은; 눈매가 시원한; 순진한.
bríght-eyed and búsh·y-tailed (口) 일을 빨리 잘 하고 착실한.
bright-faced[∸fèist] *a.* 영리하게 생긴.
bright·ish[bráitiʃ] *a.* 조금 밝은.
bríght líghts (the ~) 도회지의 환락가(의 휘황 찬란함).
bríght-line spéctrum[∸làin-] 〔物〕 휘선(輝線) 스펙트럼.
‡**bright·ly**[bráitli] *ad.* 밝게; 빛나게, 환히.
‡**bright·ness**[bráitnis] *n.* Ⓤ 빛남, 밝음; 광명, 광휘; 휘도, 광도; 선명함; 총명; 쾌활.
Brigh·ton[bráitən] *n.* 브라이튼(영국 해협에 면한 해변 행락 도시).
Bríght's disèase 〔病理〕 브라이트병(가장 위험한 심장염).
bríght spárk (영口) (특히 해학 또는 경멸적) 영리하거나 또는 쾌활한 사람.
bright·work[bráitwəːrk] *n.* (기계나 배의) 닦아서 반짝반짝하는 쇠붙이.
brill[bril] *n.* (*pl.* ~, ~**s**) 〔魚〕 가자미, 넙치.
*__bril·liance, -lian·cy__[bríljəns], [-i] *n.* Ⓤ 광휘; 광명, 광택; 밝음, 뛰어난 재기(才氣); 〔物〕 휘도. ◈ brílliant *a.*
‡**bril·liant**[bríljənt] [F] *a.* **1** 빛나는, 찬란한,

눈부신. **2** 훌륭한, 화려한, 멋진. **3** 재기가 뛰어난. — *n.* **1** 브릴리언트형(의 다이아몬드·보석). **2** Ⓤ 〔印〕 최소형 활자(약 3 1/2포인트). ◇ brílliance, brílliancy *n.*
brílliant cùt 브릴리언트컷(다이아몬드 등을 가장 효과적으로 빛나게 깎는 법).
brílliant-cùt *a.*
bril·lian·tine[bríljəntìːn] *n.* Ⓤ 브릴리언틴(윤 내는 머릿 기름); 광택이 나는 면모(綿毛) 직물.
*__bril·liant·ly__[bríljəntli] *ad.* 찬란히, 번들번들하게, 찬연히, 훌륭히. ◇ brílliance *n.*
brílliant pébbles, B-P- 컴퓨터 조종의 열추적 미사일의 코드명(미 SDI 전략의 하나).
Bríll's disèase[brílz-] 브릴병(가벼운 발진 티푸스).
__brim__[brim] *n.* **1 (그릇의) 가장자리, 언저리 (edge): fill a glass *to* the ~ 컵에 찰랑찰랑하게 따르다. **2** (시내·못 등의) 물가. **3** 테두리; (모자의) 테, 챙. **full to the brim** 넘쳐흐르게, 가득 찬. — (**~med; ~·ming**) *vi.* 가장자리까지 차다, 넘칠 정도로 차다, 넘치다(*over, with*). — *vt.* …에 가득 붓다, 넘치도록 붓다〔채우다〕(*with*). **brim over with** …으로 차 넘치다: *brim over with* health and spirits 원기왕성하다. ◇ brímfùl *a.*
brim·ful[brímfùl/ㅡㅡ] *a.* 넘치도록 가득한 (*of, with*): ~ *of* ideas 재기가 넘치는. **~·ly** *ad.* 넘칠 듯이, 철철. **~·ness** *n.*
brim·less[brímlis] *a.* 테두리〔둘레〕가 없는.
brimmed[brimd] *a.* **1** (보통 복합어를 이루어) 테두리가 있는: a broad-~ hat 테가 넓은 모자. **2** 가득 찬.
brim·mer[brímər] *n.* 가득 찬 잔〔그릇〕.
*__brim·ming__[brímiŋ] *a.* 넘쳐흐르는, 가득 차게 부은. **~·ly** *ad.*
brim·stone [brímstòun] *n.* Ⓤ (古) 유황 (sulfur); 〔昆〕 흰나비과의 나비, (특히) 멧노랑나비(=∠ **bùtterfly**). **brimstone and treacle** 유황 당수(糖水)(옛날의 소아용 해독제). **fire and brimstone** 불과 유황, 천벌.
brim·ston·y[brímstòuni] *a.* 유황질〔색〕의, 유황내가 나는; 악마적인, 지옥 같은.
brin·dle[bríndl] *n.* 얼룩, 얼룩무늬; 얼룩개. — *a.* =BRINDLED.
brin·dled *a.* (소·고양이 등) 얼룩진, 얼룩무늬의.
brine[brain] *n.* Ⓤ 소금물, 함수(salt water); (the ~) (詩) 바닷물, 바다; (詩) 눈물. **the foaming brine** 거친 바다. — *vt.* 소금물에 절이다.
Bri·néll hárdness[brinél-] 〔冶〕 브리넬 경도(硬度).
Brinéll hárdness nùmber 〔冶〕 브리넬 경도 지수(Brinell number).
Brinell machine 〔冶〕 브리넬 경도 측정기.
Brinell number 〔冶〕 브리넬 (경도)수.
Brinéll tést 〔冶〕 브리넬 (경도) 시험.
bríne pàn 소금 가마〔구덩이〕(염전의).
bríne pìt 소금 구덩이, 염정(鹽井).
★**bring**[briŋ] *vt.* (**brought**[brɔːt]) **1** 가져오다; 데려오다: (Ⅳ 대+(목)) *Bring* me the book. =(Ⅲ (목)+전+명) *Bring* the book *to* me. 그 책을 가져다 주시오/(Ⅲ (목)+전+명) Would you ~ a carton of cigarettes *for* me? 담배 한 상자 좀 갖다 주시겠습니까/(Ⅲ *it*+전+명+*to* do) We can take it upon ourselves *to* ~ as much edibles and beverages as nescessary. 우리는 필요한 양의 음식과 음료수를 가지고 가는 것을 우리 마음대로 할 수 있다/*Bring* her *here with* you. 그녀를 여기에 데려오너라. **2** 오게하다: What ~*s* you here today? 무슨 일로 오늘 여기에 왔느냐. **3** 초래하다, 일으키다; 〈상태 등에〉 이르게 하다(*to, into, under*): (Ⅲ (목)) Care and diligence ~*s* luck. 책임감과 근면은 행운을 가져온다/(Ⅴ (목)+-*ing*) What has *brought* her gett*ing* excited like that. 무엇 때문에 그녀는 그렇게 흥분해 있는가. **4** 〈사람을 …으로〉 이끌다; (설득하여) …할 마음이 나게 하다; (~ one*self* 로) …할 마음이 나다: (Ⅴ (목)+*to* do) I will ~ him *to* see the situation from my point of view. 나는 그에게 그 사태를 나의 관점에서 보도록 하겠다/(Ⅴ (목)+*to* do) I can not ~ myself *to* understand it. 나는 도저히 그것을 이해할 수 없다. **5** 〈소송 등을〉 제기하다, 일으키다(*against*); 〈문제 등을〉 끄집어내다; 〈증거·논거 등을〉 대다, 제시하다: ~ an action〔*a charge*〕 *against* a person …을 상대로 소송을 제기하다. **6** 〈물건이 수입·이익을〉 가져오다; (얼마에) 팔리다, (얼마라고) 호가하다: (Ⅳ (목)+(목)+부) Her performance ~*s* her $1,000,000 a year. 그녀는 연기로 일년에 100만 달러의 수입을 올린다/~ a good price 좋은 값에 팔리다. **bring about** 야기하다; 해내다; 〔海〕 〈배의〉 방향을 돌리다. **bring along** …을 지니고 가다, 데려가다; 〈날씨 등이 작물 등을〉 자라게 하다; 〈학생·선수를〉 향상시키다. **bring around** 〈자기 당 등에〉 끌어넣다; 설복시켜 찬동시키다; 정신 차리게 하다, 회복시키다; 〈사람의〉 기분을 풀어 주다; 〈사람을〉 데리고 방문하다. **bring back** 되돌리다; 가지고〔데리고〕 돌아오다; 건강을 회복시키다; 되부르다; 상기시키다. **bring down** 〈짐 등을〉 부리다; 쏘아 떨어뜨리다; 〈사람을〉 파멸시키다; 〈물가를〉 떨어뜨리다; 〈자부심을〉 꺾다; 〈역사적 기록을 후대까지〉 계속하다; 〈재앙·죄를〉 가져오다(*on*). **bring down the house** 만장을 떠들썩하게 하다, (집이 떠나갈 정도로) 대갈채를 받다. **bring down to earth** (미口) 현실적인 생각을 하게 하다. **bring forth** 생기게 하다; 낳다; 〈싹이〉 돋다, 〈열매를〉 맺다; 발표하다: (Ⅲ 부+(목)) She *brought forth* four children. 그녀는 어린애 넷을 낳았다. **bring forward** 〈의견을〉 제출하다; 공표하다; 〈날짜·시간을〉 앞당기다; 〔簿〕 다음 페이지로 이월하다. **bring** something **home to** a person 절실히 느끼게 하다; 〈죄를〉 깨닫고 복죄(服罪)케 하다. **bring in** 들여오다; 〈…의 이익을〉 생기게 하다; 〈풍습을 〉 수입하다; 〈배심원이 평결(評決)을〉 답신(答申)하다; 〔野〕 생환시키다; 경찰에 연행하다. **bring into being** …을 만들어내다, …을 낳다. **bring into line** 기정 방침·기준을 따르게 하다; 우로 나란히를 시키다. **bring into play** 활동시키다, 이용하다. **bring … into the world** (아이를) 낳다, (조산사로서 아이를) 받다; …을 생기게 하다, 만들어 내다. **bring off** 옮겨 가다; 구출하다; 완성하다, 성취하다. **bring on** 가져 오다, 〈질병 등이〉 나게 하다, 초래하다; 〈논쟁 등을〉 일으키다; 성장을 촉진 시키다; 진보〔향상〕 시키다. **bring out** 발표하다; 〈배우·가수를〉 세상에 내놓다; 출판하다; 〈딸을〉 사교계에 내보내다; 상연하다; 〈빛깔·성질을〉 나타내다, 보여주다; 〈의미를〉 분명히 하다; 〈천분을〉 발휘하다; 회항(回航)하다; 〈꽃을〉 피게 하다; 〈노동자에게〉 파업을 시키다: (Ⅳ 부+대+(목)+*as*(절)) Night *brings out* us stars *as* sorrow shows us truths. 슬픔이 우리에게 진실을 보여주듯

이 밤은 우리에게 별을 보여준다. **bring over** 자기 편에 끌어들이다; 개종시키다; 데리고 오다; 넘겨 주다(*to*); 〔海〕〈돛의〉 방향을 바꾸다. **bring round** =BRING around. **bring through** 〈곤란·시험·병 등을〉 이겨내게 하다. 〈병자를〉 구하다. **bring to** 정신 차리게 하다; 〈배를〉 세우다; 〈배가〉 서다. **bring ... to bear** 〈총·포화를〉 향하게 하다, 집중하다; 〈영향 등을〉 효과적으로 주다(*on*). **bring together** 불러〔긁어〕 모으다; 〈남녀를〉 맺어주다. **bring to oneself** 제정신이 들게 하다; 본심으로 돌아오게 하다. **bring to pass** 생기게 하다; 해내다, 성립시키다. **bring under** 진압〔억제〕하다; 〈소속·권력·지배 등의〉 아래에 넣다. **bring up** 기르다; 가르치다, 훈련시키다(*to*); 〈논거 등을〉 내놓다; 〈문제 등을〉 꺼내다; 《영》 토하다; 딱 멈추다〔멎다〕; 〈의원에게〉 발언을 허락하다; 〈계산을〉 되풀이하다; 〈군대 등을〉 출동시키다; 〈법정에〉 출두시키다; 〔海〕 닻을 내리(게 하)다: 《I *be pp.*+㊞+㊥+-*ing*》 You were not *brought up to* shopkeep*ing*. 너는 소매업에 길들여져 있지 않았다. **bring up against** 〈…을 불리한 사태에〉 직면하게 하다《보통 수동형》; 〈불리한 증거 등을〉 …에게 내놓다.

bríng-and-búy sàle[bríŋən*d*bái-] 각자의 지참물을 서로 팔고 사는 자선 바자.

bring·down[bríŋdàun] *n.* 《俗》 신랄한 비꼼. ── *a.* 불만족한; 무능한; 우울한.

bring·ing-up[bríŋiŋʌ́p] *n.* Ⓤ 양육, 훈육.

***brink**[briŋk] *n.* (낭떠러지·벼랑의) 가장자리; 물가; (the ~) 아슬아슬한 순간(verge). **on the brink of** 금방 …할 것 같은, …하기 직전에. **stand shivering on the brink** 결정적인 고비에서 망설이고 있다.

brink·man·ship[ㅿmənʃìp] *n.* Ⓤ 《口》 (위험한 고비까지 밀고 나아가는) 극단 정책.

brink(s)·man *n.* (*pl.* **-men**[-mən]) 극단 정책(brinkmanship)을 잘 밀고 나가는 사람.

brin·y[brâini] *a.* (**brin·i·er; -i·est**) 소금물의, 바닷물의; 짠(salty). ── *n.* (the ~)《口》 바다, 대양.

bri·o[brí:ou] [It] *n.* 생기; 〔樂〕 활발.

bri·oche[brí:ouʃ, -ɑʃ/brí:ɔʃ] [F] *n.* 브리오시《빵의 일종》.

bri·o·lette[brì:əlét] [F] *n.* (*pl.* **~s**) 브리올레트 커트를 한 보석〔다이아몬드〕.

bri·o·ny[bráiəni] *n.* (*pl.* **-nies**) =BRYONY.

bri·quet(te)[brikét] *n.* 연탄; 조개탄.

bri·sance[brizɑ́:ns] [F] *n.* (폭약의) 파괴력.

brise-bise[brí:zbì:z] *n.* (창의 아래쪽 반을 가리는) 반커튼.

⁑**brisk**[brísk] *a.* **1** 〈동작 등이〉 활발한, 활기 있는, 팔팔〔민첩〕한; 〈장사 등이〉 번창하는. **2** 〈공기·날씨 등이〉 상쾌한, 기분 좋은. **3** 〈음료가〉 거품이 잘 이는. ── *vt., vi.* 활기를 띠게 하다〔띠다〕, 활발해지다(*up*). **brisk about** 활발히 돌아다니다. **brísk·ness** *n.*

bris·ket[brískət] *n.* (소 등의) 가슴고기, 양지머리.

⁑**brisk·ly**[brískli] *ad.* 활발하게, 씩씩하게, 힘차게, 기분 좋게.

bris·ling[brísliŋ] *n.* 〔魚〕 작은 청어《북유럽산》.

***bris·tle**[brísəl] *n.* 빳빳한 털, 강모(剛毛); (솔 등의) 털. **set up** one's〔**another's**〕 **bristles** 격분하(게 하)다. ── *vi.* 〈머리칼 등이〉 곤두서다(*up*); (털 등을) 곤두세우다(*up*); 빽빽하게 나다; …으로 꽉 차다(*with*), 가득하다: Our path *~s with* difficulties. 우리의 갈 길은 험난하다. ── *vt.* 〈털 등을〉 곤두세우다; 〈화·용기 등을〉 불러 일으키다(*up*); 빳빳한 털을 심다. ⇨ bristly *a.*

bris·tled[-d] *a.* 억센 털이 있는〔많은〕; 〈털이〉 곤두선.

bris·tle·tail[-tèil] *n.* 〔昆〕 좀《총칭》.

bris·tling *n.* =BRISLING.

bris·tly[brísəli] *a.* (**-tli·er; -tli·est**) 털이 억센; 억센 털이 많은; 빽빽이〔꼿꼿이〕 들어선; 〈털이〉 곤두선; 화낸.

Bris·tol[brístl] *n.* 브리스틀《영국 서부의 항구》.

Brístol bòard 브리스틀지《질이 좋은 두꺼운 종이; 명함·카드·도화용》.

Brístol Chánnel (the ~) 브리스틀 해협.

Brístol Créam〔**Mílk**〕 독한 셰리주(酒).

Brístol fàshion 〔海〕 잘 정돈된.

brit[brit] *n.* 작은 청어《고래의 먹이》.

Brit[brit] *n.* [*Brit*ish] 《口》 영국인.

Brit. Britain; Britannia; British; Briton.

⁑**Brit·ain**[brítən] *n.* **1** 영국《잉글랜드·웨일스 및 스코틀랜드; Great Britain 이라고도 함; *cf.* UNITED KINGDOM》. **2** =BRITISH EMPIRE. **Greater Britain** 대영 제국《영본국 및 자치령·식민지의 속칭》. **North Britain** 북영(北英)《스코틀랜드의 별칭; 略: N.B.》.

Bri·tan·nia[britǽnjə, -niə] *n.* 브리타니아 《Great Britain을 여성으로 의인화(擬人化)한 이름》; 브리타니아상(像).

Británnia mètal 브리타니아 합금《주석·안티몬·동의 합금》.

Bri·tan·nic[britǽnik] *a.* 영국의(British). **His**〔**Her**〕 **Britainnic Majesty** 영국 국왕〔여왕〕 폐하《略: H.B.M.》.

Bri·tan·ni·ca[britǽnikə] *a.* 영국의《*The Encyclopaedia Britannica* 「대영 백과 사전」과 같이 책의 이름 등에 쓰임》. ── *n.* 영국에 관한 문헌.

britch·es[brítʃiz] *n. pl.* 《口》 =BREECHES.

Brit·i·cism[brítəsìzəm] *n.* Ⓤ,Ⓒ 영국 영어 특유의 말〔어법〕, 영국 어법(*cf.* AMERICANISM).

★**Brit·ish**[brítiʃ] *a.* 영국(Britain)의; 영국 사람의; 브리튼족의. ── *n.* **1** (the ~; 집합적) 영국 사람〔군인〕. **2** Ⓤ 영국 영어. **3** Ⓤ (고대의) 브리튼말. **~·er** *n.* 《미》 영본국 사람. **~·ìsm** *n.* =BRITICISM. ⇨ Brítain, Bríton *n.*

Brítish Acádemy (the ~) 영국 학사원.

Brítish Áirways 영국 항공.

Brítish América =BRITISH NORTH AMERICA.

Brítish Associátion (the ~) 대영 학술 협회.

Brítish Bróadcasting Corporátion (the ~) 영국 방송 협회《略: B.B.C.》.

Brítish Colúmbia *n.* 캐나다 서남부의 주《略: B.C.》.

Brítish Cómmonwealth (of Nátions) *n.* (the ~) 영연방《1949년 이후 the Commonwealth of Nations로 개칭》.

Brítish Cóuncil (the ~) 영국 문화 협회《영국 문화의 해외 소개를 목적으로 함》.

Brítish dóllar 영국 달러《전에 영국이 연방 내에서 통용시키려고 발행했던 각종 은화》.

Brítish Èast África *n.* 영령 동아프리카 《Kenya, Uganda, Tanzania 등의 구칭》.

Brítish Èmpire *n.* (the ~) 대영 제국《영본국 및 그 식민지와 자치령의 속칭》.

Brítish Ènglish 영국 영어《American English에 대하여》.

Brítish Expedítionary Fórce (the ~) 영국 해외 파견군.

Brítish Guiána *n.* 영령 기아나《Guyana의 구칭》.

Brítish Hondúras *n.* 영령 온두라스《현 Be-

lize).
Brítish Índia *n.* 영령 인도(1947년까지의 영국령 17주; 인도·파키스탄 독립으로 해소).
Brítish Ísles *n.* (the ~) 영국 제도(Great Britain, Ireland 및 주변의 섬들로 구성).
Brítish Ísraelite 영국인이 이스라엘의 잃어버린 10지파(lost tribes of Israel)의 자손이라고 믿는 사람.
Brítish Légion (the ~) 영국 재향 군인회.
Brítish Líbrary (the ~) 영국 국립 도서관(미국의 the Library of Congress와 맞먹음).
Brítish Muséum (the ~) 대영 박물관.
Brítish Nòrth América *n.* 영령(英領) 북아메리카(캐나다 및 Newfoundland의 구칭).
Brítish Ópen (the ~) 〔골프〕 전영국 오픈(세계 4대 토너먼트의 하나; 매년 7월에 열림).
Brítish Ráil 영국 국유 철도.
Brítish thérmal ùnit 영국 열량 단위(1파운드의 물을 화씨 1도 올리는데 필요한 열량; 略: B.T.U.).
Brítish wárm (군용의) 짧은 털외투.
Brítish Wèst Índies *n.* (the ~) 영령 서인도 제도.
Brit. Mus. British Museum.
*__Brit·on__ [brítn] *n.* **1** (고대의) 브리튼족; 브리튼 사람. **2** 《文語》 영국 사람, 《특히》 잉글랜드 사람. **North Briton** 스코틀랜드 사람.
brits·ka, britz- [brítskə] [Pol] *n.* 4륜 포장마차.
Britt. *Brit(t)an(n)iarum* [L=of the Britains].
Brit·ta·ny *n.* 브르타뉴(프랑스 북서부의 반도).
Brít·ta·ny spániel 브리타니 스패니엘(프랑스 원산의 몸집이 큰 스패니얼 개).
*__brit·tle__ [brítl] *a.* **1** 부서지기 쉬운(fragile), 깨지기 쉬운; 무상한, 《詩》 덧없는. **2** 과민한, (태도가) 차가운. **3** (소리가) 날카로운.
— *n.* 파삭파삭한 당과. **~·ness** *n.*
Bríx scále [bríks-] 브릭스 눈금(녹은 설탕의 농도를 나타내는 척도).
brl. barrel. **bro.** [brou] brother.
broach [broutʃ] [L] *n.* **1** (고기 굽는) 꼬챙이. **2** 큰 끌; 송곳; (촛대의) 초꽂이 못. **3** (교회의) 첨탑. — *vt.* **1** 〈술통 등에〉 구멍을 뚫다. **2** 〈이야기를〉 끄집어내다; 발의하다: (Ⅲ (목)+전+명) I will ~ the matter *to* him. 나는 그 문제를 그에게 끄집어 내놓겠다. **3** 〔海〕 뱃전을 바람녘으로 돌리다. — *vi.* **1** 〈고래·잠수함 등이〉 수면으로 나오다, 부상(浮上)하다. **2** 〔海〕 뱃전이 바람녘으로 돌려지다(*to*).
broach·er [bróutʃər] *n.* 발의자, 제창자.
bróach spire 8각 첨탑.
★**broad** [brɔːd] *a.* **1** 폭이 넓은, 널따란. **2** 대강의, 총괄적인, 주요한; 너그러운 〈마음〉, 도량이 넓은; 〈지식·경험이〉 넓은, 광범위한: in a ~ sense 넓은 의미에서/~ demand 광범한 수요. **3** 대담한, 자유분방한. **4** 환히 밝은; 명백한; 노골적인: a ~ dialect 순사투리. **5** 천한, 야비한, 음탕한. **6** 〔音聲〕 개구음(開口音)의(half, laugh 따위의 [ɑː] 음). **as broad as it's long** 어쨌든 결국은 마찬가지로, 오십보 백보로. **in a broad way** 대체로 말하면.
— *ad.* **1** 충분히, 완전히. **2** 순사투리로. **broad awake** 완전히 잠이 깨어. **speak broad** 순사투리로 말하다.
— *n.* **1** (물건의) 넓은 부분, 손바닥. **2** (the B-s) 《영》 (Norfolk 또는 Suffolk의) 호소(湖沼) 지방. **3** 《미俗》 여자, 매춘부.
◇ breadth *n.*; bróaden *v.*; bróadly *ad.*
bróad árrow **1** 굵은 화살촉이 달린 화살. **2** 굵은 화살촉 모양의 도장(영국에서 관유물에 찍음; *cf.* ARROWHEAD).
broad·ax(e) [⌐æ̀ks] *n.* (벌목·전쟁용) 도끼.
broad·band [⌐bæ̀nd] *a.* 〔通信〕 광대역(廣帶域)의.
broad·band·ing [⌐bæ̀ndiŋ] *n.* 〔經營〕 (생산성 향상을 위한 각 노동자의) 작업 분담 영역의 확대.
bróad bèan 〔植〕 잠두(蠶豆).
broad·bill [⌐bìl] *n.* 〔鳥〕 부리가 넓은 새(오리·넓적부리 등); 〔魚〕 황새치(swordfish).
broad-blown [⌐blòun] *a.* 만발한, 활짝 핀.
broad·brim [⌐brìm] *n.* 테가 넓은 모자; (B-) 《미口》 퀘이커 교도(Quaker).
broad-rimmed [⌐brìmd] *a.* 테가 넓은.
broad·brow [⌐bràu] *n.* 《口》 취미나 관심이 광범위한 사람.
broad·brush [⌐brʌ̀ʃ] *a.* 대체적인, 대강의.
⁑**broad·cast** [⌐kæ̀st, ⌐kɑ̀ːst] *vt.* (~, ~·**ed**) **1** 방송〔방영〕하다; (프로그램을) 제공하다. **2** 〈소문 등을〉 퍼뜨리다. **3** 〈씨 등을〉 뿌리다.
— *vi.* 방송하다; 〈소문 등을〉 터뜨리다, 선전하다; 스폰서가 되다. — *n.* C,U 방송, 방영; 방송 프로; 씨 뿌리기. — *a.* 방송의, 방송된〔될〕; 뿌린, 살포한; 널리 퍼진 〈소문 등〉.
— *ad.* 흩뿌려, 널리: scatter〔sow〕 ~ 〈씨 등을〉 흩뿌리다, 살포하다. **~·er** *n.* 방송자, 방송국〔회사〕; 방송 장치; 파종기, 살포기.
broad·cast·ing *n.* U (라디오·텔레비전의) 방송, 방영: radio ~ 라디오 방송/~ frequency 방송 주파수/a ~ station 방송국.
bróadcast mèdia 전파 매체.
bróadcast sàtellite (중계용) 방송 위성.
Bróad Chúrch (the ~) 광교회파(영국 국교회의 일파).
broad·cloth [⌐klɔ̀ːθ/⌐klɔ̀θ] *n.* U 《영》 폭이 넓고 질이 좋은 나사; 《미》 =POPLIN.
⁑**broad·en** [brɔ́ːdn] *vt., vi.* 넓히다, 넓게 하다; 넓어지다, 벌어지다(*out*).
bróad gàuge 〔鐵道〕 광궤(廣軌).
broad-gauge(d) [⌐gèidʒ(d)] *a.* 광궤(廣軌)의; 도량이 넓은(broad-minded).
bróad hátchet 날이 넓은 손도끼.
broad·ish [brɔ́ːdiʃ] *a.* 약간 넓은.
bróad jùmp (the ~) 《미》 멀리뛰기(《영》 long jump): the running ~ 도움닫기 멀리뛰기.
broad·leaf [⌐lìːf] *n.* (*pl.* **-leaves** [-lìːvz]) 잎이 넓은 담배(엽궐련용).
broad-leaved, -leafed [-líːvd], [-líːft] *a.* 잎이 넓은.
broad·loom [⌐lùːm] *a.* 폭 넓게 짠. — *n.* 광폭 융단.
*__broad·ly__ [brɔ́ːdli] *ad.* **1** 널리. **2** 노골적으로, 버릇없이; 대범하게. **3** 사투리로. **4** 대체로. **5** 야비하게. **broadly speaking** 대체로 말하면.
*__broad-mind·ed__ [⌐máindid] *a.* 마음이 넓은, 관대한, 편견이 없는. **~·ly** *ad.* **~·ness** *n.*
Broad·moor [brɔ́ːdmuər] *n.* 브로드무어 수용소(영국 Berkshire에 있는 정신 장애 범죄자의 수용·치료 시설).
broad·ness [brɔ́ːdnis] *n.* U **1** 넓음, 넓이 (이 뜻으로는 BREADTH가 보통); 광대(함) **2** 노골(적임), 상가지〔사양하지〕 않음; 야비(함).
bróad pénnant〔**péndant**〕 〔海軍〕 준장기, 사령관기.
bróad séal (the ~) 영국 국새(國璽).
broad·sheet [⌐ʃìːt] *n.* 한쪽만 인쇄한 대판지(大版紙); 한쪽 면만 인쇄한 인쇄물(속요(俗謠) 등의).
broad·side [⌐sàid] *n.* **1** (집 따위의) 넓은 면. **2** 뱃전; 〔海軍〕 한쪽 현측에 있는 대포 전

부(로부터의 일제 사격). **3** 일제히 욕을 퍼붓기, (신문의) 맹렬한 공격. **4** =BROADSHEET. **5** (형용사적) 일제히 행하는.
broadside on〔**to**〕 …으로 뱃전을 돌리고. — *ad.* 뱃전을 돌려대고; 일제히.
bróad sílk 광폭 비단.
broad-spec·trum[-spéktrəm] *a.*〔藥〕(항생 물질이) 광역 항균 스펙트럼의.
broad·sword[-sɔ̀ːrd] *n.* 날이 넓은 칼.
broad·tail[-tèil] *n.*〔動〕(아시아산의) 꼬리가 굵은 양; Ⓤ 그 새끼 양의 모피.
bróad transcríption〔音聲〕간략 표기법.
*__Broad·way__[-wèi] *n.* 브로드웨이《뉴욕의 극장·오락가》; 미국 연극 산업, 연극계.
broad·wife[-wàif] *n.* (남편이 다른 주인의 소유가 돼 있는) 여자 노예.
broad·wise, -ways[-wàiz], [-wèiz] *ad.* 가로로, 옆으로.
Brob·ding·nag[brábdiŋnæ̀g/brɔ́b-] *n.* (Swift작 걸리버 여행기의) 거인국(巨人國).
Brob·ding·nag·i·an[bràbdiŋnǽgiən/brɔ̀b-] (때로 **b-**) *a.* 거대한(gigantic), 거인국의. — *n.* 거인국의 주민, 거인.
bro·cade[broukéid] *n.* Ⓤ 무늬를 넣어 짠 옷감, 능라. — *vt.* 무늬를 넣어 짜다.
bro·cad·ed[-id] *a.* 능라의.
Brócas àrea *n.*〔解〕브로카령(領)《대뇌(大腦)의 좌전 하부에 있으며 운동성 언어 중추가 있음》.
broc·a·telle, -tel[bràkətél/brɔ̀k-] *n.* 무늬를 도드라지게 짠 비단.
broc·(c)o·li[brákəli/brɔ́k-] [It=sprouts] *n.* Ⓤ,Ⓒ 브로콜리《cauliflower의 일종》.
bro·ché[brouʃéi] [F] *n.* Ⓤ, *a.* 능라(의).
bro·chette[brouʃét] [F] *n.* (*pl.* ~**s**) (요리용) 꼬치.
bro·chure[brouʃúər, -ʃə́ːr] [F] *n.* 가제본한 책, 소책자, (업무 안내 등의) 팜플렛.
brock[brak/brɔk] *n.*〔動〕오소리(badger).
brock·age[brákidʒ/brɔ́k-] *n.* 잘못 주조된 경화.
Bróck·en spécter[brákən-/brɔ́k-] 브로켄의 요괴《태양을 등지고 섰을 때 산꼭대기의 구름에 크게 비치는 자기의 그림자》.
brock·et[brákit/brɔ́kit] *n.* 두 살 난 붉은 수사슴; 작은 사슴《남미산》.
bro·die[bróudi] *n.*《미俗》**1** 대실패, 큰 실수. **2** (다리에서의) 투신 자살.
bro·gan[bróugən, -gæn] *n.* 질기고 투박한 단화.
brogue[1] [broug] *n.* 생가죽 신, 투박한 신; (구멍을 뚫어 장식한) 일상화; 골프화; (낚시용) 방수화.
brogue[2] *n.* 아일랜드 사투리; 지방 사투리.
bro·guish *a.*
broi·der[brɔ́idər] *vt.*《詩·古》=EMBROIDER.
broi·der·y[-dəri] *n.*《詩·古》=EMBROIDERY.
*__broil__[1] [brɔil] [MF] *vt.* **1** 굽다, 〈고기를〉 불에 쬐어 굽다. **2** 〈뙤약볕이〉 내리쬐다. — *vi.* **1** 〈고기가〉 구워지다. **2** 내리쬐듯이 덥다. — *n.* 굽기, 쬐기; 불고기, 구운 고기; 혹서.
broil[2] *n., vi.* 싸움(하다), 말다툼(하다), 소동(을 일으키다).
broil·er[1] [brɔ́ilər] *n.* **1** 굽는 사람〔기구〕; 《미口》불고기용 영계, 브로일러. **2** 《口》몹시 더운 날(scorcher).
broil·er[2] *n.* 싸움꾼, 대소동을 일으키는 사람.
broil·ing[brɔ́iliŋ] *a.* 타는 듯이 뜨거운〔더운〕, 혹서의; 구워지는. ~**·ly** *ad.*
★**broke**[brouk] *v.* BREAK의 과거, 《古》과거분사. — *a.* 《口》무일푼으로; 파산하여.
dead〔**stone, stony**〕**broke** 완전히 파산하여, 무일푼이 되어. **go broke** 무일푼이 되다, 파산하다. **go for broke**《俗》(투기·사업 등에) 전정력·전재산을 바치다, 끝장을 볼 때까지 하다.
★**bro·ken**[bróukən] *v.* BREAK의 과거분사.
— *a.* **1** 부서진, 깨진, 터진, 찢어진, 부러진, 꺾인, 다친, 상한, 삔, 더럽혀진. **2** 단속(斷續)적인; 울퉁불퉁한, 파상(波狀)의, 띄엄띄엄하는〈말〉, 선〈잠〉, 〈날씨가〉 불안정한, 불순한. **3** 낙담한, 쇠약한, 시달리어 풀이 죽은. **4** 짓밟힌, 파괴된, 파탄된, 〈약속·맹세 등이〉 깨진, 어긴. **5** 파산한, 망한: a ~ man 몰락한 사람. **6** 지리멸렬의, 변칙적인, 불완전한〈말〉: ~ English 엉터리 영어. **7** 〈말이〉 길든. **8** 우수리의, 단수(端數)의: ~ money 우수리/~ numbers 단수, 분수. ~**·ness** *n.*
bróken chórd〔樂〕분산 화음.
bróken cólor〔畫〕점묘 (화법).
bro·ken-down[-dáun] *a.* **1** 부서 진, 괴멸한(ruined). **2** 건강을 해친; 쇠약한. **3** 〈말이〉 지쳐 빠진; 〈기계 등이〉 망그러진.
bróken héart 실의, 낙담; 실연.
*__bro·ken·heart·ed__[-háːrtid] *a.* 단장(斷腸)의, 비탄에 잠긴, 실연한, 상심한. ~**·ly** *ad.*
bróken hóme 결손 가정《사망·별거·이혼 등으로 양친 또는 한 어버이가 없는 가정》.
bróken líne 파선(破線), 절선(折線)《---》; (도로의) 점선《차선 표시》(*cf.* DOTTED LINE).
bróken lót〔證券〕단주(端株)(odd lot).
bro·ken·ly *ad.* 띄엄띄엄, 더듬거리며.
bróken rècord《口》같은 말을 자꾸 되풀이하는 사람.
bróken réed〔聖〕상한 갈대; 믿을 수 없는 사람〔것〕.
bróken téa 가루차.
bróken wínd〔獸醫〕(말의) 천식, 폐기종.
bro·ken-wind·ed[-wíndid] *a.* 숨가빠하는; 천식〔폐기종〕에 걸린 〈말〉.
*__bro·ker__[bróukər] *n.* **1** 브로커, 중개인, 《특히》 주식 중개인; 거간꾼: a ~ house 증권 회사. **2**《영》고물상; 전당포. **3**《영》(차압된 물건의) 평가(評價) 판매인. **a street**〔**curbstone**〕**broker**《미》장외(場外) 거래 중개인.
bro·ker·age[-ridʒ] *n.* Ⓤ 중개(업), 거간; 중개 수수료, 구전.
brok·ing[bróukiŋ] *n.* Ⓤ 중개업, 거간업. — *a.* 중개의, 중개하는.
brol·ly[bráli/brɔ́li] [unbrella의 단축형] *n.* (*pl.* **-lies**)《영俗》우산; 낙하산.
brom-[broum], **bro·mo-**[bróumou]《연결형》「브롬, 취소(臭素)」의 뜻《모음 앞에서는 brom-》.
bro·mal[bróumæl] *n.* Ⓤ〔化〕브로말《진통제·수면제》.
bro·mate[bróumeit]〔化〕*n.* 브롬산염(酸鹽). — *vt.* 브롬과 화합시키다.
bro·mic[bróumik] *a.*〔化〕브롬을 함유하는, 브롬성의: ~ acid 브롬산.
bro·mid[bróumid] *n.*〔化〕브롬화물(bromide).
bro·mide[bróumaid] *n.* **1**〔化〕브롬화물; 《특히》 브롬화 칼리; 브롬 칼리 진정·최면제. **2** 진부한 생각, 흔해빠진 일; 평범한 사람〔글귀〕. **3** 브로마이드 사진〔감광지〕.
brómide pàper〔寫〕브로마이드(인화)지.
bro·mid·ic[broumídik] *a.* 흔해 빠진, 평범한, 진부한.
bro·min·ate[bróumənèit] *vt.*〔化〕브롬으로

처리하다, 브롬과 화합시키다.

bro·mine, -min [bróumi(:)n] *n.* Ⓤ 〔化〕 브롬, 취소(臭素)《화학 기호 Br, 번호 35》.

bro·mism [bróumizəm] *n.* Ⓤ〔病理〕브롬중독.

bro·mo [bróumou] *n.* (*pl.* ~**s**) 〔藥〕 브로모《두통약》.

bro·mo·crip·tine [ˋ--krípti(:)n] *n.* 〔藥〕 브로모크립틴《프로락틴 분비 과잉 억제제》.

Brómp·ton còcktail〔**mìxture**〕[brámptn-/brɔ́mptn-] 〔藥〕 브롬프톤 합제《암환자 진통제》.

bro·my·rite [bróumərài t] *n.* Ⓤ 〔鑛〕 취은광(臭銀鑛).

bronc [braŋk/brɔŋk] *n.* 《口》 =BRONCO.

bronch- [braŋk/brɔŋk], **bron·cho-** [bráŋkou/brɔ́ŋ-] 《연결형》「기관지」의 뜻《모음 앞에서는 bronch-》.

bron·chi [bráŋkai/brɔ́ŋ-] *n.* BRONCHUS의 복수.

bron·chi·a [bráŋkiə/brɔ́ŋ-] *n.* BRONCHIUM의 복수.

bron·chi·al [bráŋkiəl/brɔ́ŋ-] *a.* 기관지의.

brónchial ásthma 기관지 천식.

brónchial catárrh 기관지 카타르.

brónchial tùbe 기관지(氣管支).

bron·chi·ec·ta·sis [bràŋkiéktəsis/brɔ̀ŋ-] *n.* 〔病理〕 기관지 확장증.

bron·chi·ole [bráŋkiòul/brɔ́ŋ-] *n.* 〔解〕 세(細)기관지.

bron·chit·ic [braŋkítik, bran-/brɔŋ-, brɔn-] *a.* 기관지염성(性)의.

bron·chi·tis [braŋkàitis, bran-/brɔŋ-, brɔn-] *n.* Ⓤ 〔病理〕 기관지염.

bron·chi·um [bráŋkiəm/brɔ́ŋ-] *n.* (*pl.* **-chi·a** [-kiə]) 〔解〕 기관지《bronchus의 갈라진 부분》.

bron·cho [bráŋkou/brɔ́ŋ-] *n.* (*pl.* ~**s**) = BRONCO.

bron·cho- ⇨ **bronch-**.

bron·cho·di·la·tor [bràŋkədiléitər/brɔ̀ŋ-] *n.* 〔藥〕 기관지 확장 제제(製劑).

bron·cho·pneu·mo·nia [bràŋkounju:móunjə, -niə/brɔ̀ŋkounju:-] *n.* Ⓤ 기관지 폐렴.

bron·cho·scope [bráŋkəskòup/brɔ́ŋ-] *n., vt.* 기관지경(鏡)(으로 검사하다).

bron·cho·spasm *n.* 〔病理〕 기관지 경련.

bron·chot·o·my [braŋkátəmi/brɔŋkɔ́t-] *n.* (*pl.* **-mies**) 〔醫〕 기관지 절개술.

bron·chus [bráŋkəs/brɔ́ŋ-] *n.* (*pl.* **-chi** [-kai, -ki:]) 〔解〕 기관지.

bron·co [bráŋkou/brɔ́ŋ-] [Sp] *n.* (*pl.* ~**s**) 야생마《북미 서부 평원산》.

bron·co·bust·er [-bʌ̀stər] *n.* 《미口》 야생마를 길들이는 카우보이.

bronk [braŋk/brɔŋk] *n.* =BRONCO.

Bron·të [bránti/brɔ́n-] *n.* 브론테 Charlotte ~(1816-55), Emily ~(1818-49), Anne ~(1820-49)《영국의 세 자매 소설가》.

bron·to·sau·rus [brántəsɔ̀:rəs] *n.* 브론토사우루스, 뇌룡(雷龍)《공룡의 일종》.

Bronx [braŋks/brɔŋks] *n.* **1** (the ~) 브롱크스《New York시 북부의 행정구(區)》. **2** 브롱크스(=ˊ~ **còcktail**)《칵테일의 일종》.

Brónx chéer 《미俗》 야유(raspberry).

⁑**bronze** [branz/brɔnz] *n.* **1** Ⓤ 청동, 브론즈. **2** 청동 제품. **3** Ⓤ 청동색(물감). ── *a.* 청동제〔색〕의: a ~ statue 동상(銅像). ── *vt., vi.* 청동빛으로 만들다〔되다〕, 표면이 청동빛이 나게 처리하다; 무정〔철면피〕하게 만들다〔되다〕; 햇볕에 타다.

Brónze Àge (the ~) **1** (때로 **b- a-**) 〔그·로神〕 청동(青銅) 시대《전쟁과 폭력의 시대》. **2** 〔考古〕 청동기 시대.

brónze médal 동메달《경기 등의 3등상》.

bronz·er [bránzər/brɔ́n-] *n.* 피부를 햇볕에 그을린 것처럼 보이게 하는 화장품.

bronze·smith [ˊ-smìθ] *n.* 청동 세공사.

Brónze Stár Médal 〔미軍〕 청동 성장(星章)《공중전 이외의 용감한 행위를 한 사람에게 수여함》.

bronz·ing [bránziŋ/brɔ́n-] *n.* (나뭇잎 등의) 갈색화, 퇴색, 변색; 〔染色〕 흐림; 청동 장식.

bronz·y [bránzi/brɔ́nzi] *a.* (**bronz·i·er; -i·est**) 청동의〔과 같은〕, 청동 색의.

*__brooch__ [broutʃ, bru:tʃ] [broach의 변형] *n.* 브로치.

⁑**brood** [bru:d] *n.* **1** (집합적) 한배 병아리, 한배 새끼; 《익살》(한 집안의) 아이들《집합체로 생각할 때는 단수, 구성 요소를 생각할 때는 복수 취급》. **2** 종족, 종류, 품종. **sit on brood** 알을 품다; 심사 숙고하다. ── *a.* 새끼를 치기 위해 기르는, 알을 안기는. ── *vi.* **1** 알을 품다, 알을 안다. **2** 〈구름·밤·어둠 등이〉 내려 덮이다, 가만히 덮다《*over, above*》: Clouds ~*ed over* the mountain. 구름이 산을 낮게 덮고 있었다. **3** 곰곰 생각하다; 수심에 잠기다, 걱정하다《*on, over*》. ── *vt.* **1** 〈알을〉 품다. **2** 곰곰 생각하다. **brood over**〔**about, on**〕… 을 곰곰 생각하다: 《Ⅲ *v*Ⅰ+전+(목)》 His elaborate fancy ~*ed over* the paintings on the walls. 그는 면밀한 심미안으로 벽에 걸린 그림들을 음미했다.

brood·er *n.* 인공 부화기; 생각에 잠기는 사람.

bróod hèn 알을 품는 암탉.

brood·ing·ly *ad.* 생각에 잠겨, 시무룩해서.

brood·mare [brú:dmὲər] *n.* 번식용 암말.

brood·y [brú:di] *a.* (**brood·i·er; -i·est**) **1** 알을 품고 싶어하는; 새끼를 많이 낳는; 《口》 〈여성이〉 아이를 많이 낳고 싶어하는. **2** 생각에 잠기는, 수심에 잠기는, 시무룩한. **-i·ly** *ad.* **-i·ness** *n.*

⁑**brook**[1] [bruk] *n.* 시내, 개천(small stream) (⇨river).

brook[2] *vt.* 《文語》 (보통 부정 구문) 견디다; 〈일의 지연을〉 참다.

Bróok·ha·ven Nátional Láboratory [brúkheivən-] (the ~) 국립 브룩헤이븐 연구소《미국 원자핵 물리학 연구소》.

brook·ite [brúkait] *n.* 〔鑛〕 브루카이트, 판(板)티탄석(石).

brook·let [brúklit] *n.* 실개천, 가는 물줄기.

brook·lime [brúklàim] *n.* 〔植〕 개불알꽃속(屬)의 식물.

*__Brook·lyn__ [brúklin] *n.* 브루클린《뉴욕시의 한 행정구(區)》.

bróok tròut 〔魚〕 민물송어《북미 동부산》.

⁑**broom** [bru(:)m] *n.* 비; 〔植〕 양골담초. ── *vt.* …을 비로 쓸다, 쓸어 내다.

broom·ball [brú(:)mbɔ̀:l] *n.* 빗자루와 배구〔축구〕공을 쓰는 일종의 아이스하키.

broom·corn [ˊ-kɔ̀:rn] *n.* 〔植〕 비수수.

bróom cỳpress 〔植〕 댑싸리.

broom·rape [ˊ-rèip] *n.* Ⓤ 〔植〕 금작화 등의 뿌리에 기생하는 식물의 총칭.

broom·stick [ˊ-stìk] *n.* 빗자루. **marry over**〔**jump**〕 **the broomstick** 간단히 결혼하다, 내연 관계를 맺다.

broom·y [brú(:)mi] *a.* (**broom·i·er; -i·est**) 비 같은; 양골담초의〔가 많은〕.

bros. [brʌ́ðərz] brothers: Smith *B-* & Co.

스미스 형제 상회.

brose[brouz] *n.* Ⓤ 《주로 스코》 오트밀에 더운 물〔우유〕을 탄 음식. **bros·y** *a.*

⁎**broth**[brɔ(:)θ, brɑθ] *n.* Ⓤ,Ⓒ (*pl.* ~**s**) 묽은 수프; 육즙(肉汁). **broth of a boy** 《아일俗》 쾌남아. **bróth·y** *a.*

broth·el[brɔ́(:)θəl, brɑ́θ-, brɔ́(:)ð, brɑ́ð-] *n.* 매음굴.

⁑**broth·er**[brʌ́ðər] *n.* (*pl.* ~**s**, 4에서는 종종 **breth·ren**[bréðrən]) **1** 형제(*opp.* sister); 형(elder〔big〕 brother), 동생(younger〔little〕 brother). **2** 동료, 동기생. **3** 동포. **4** (종교상의) 형제, 남자 신도; 같은 조합의 조합원, 동업자, 같은 클럽 회원; 수도사(*cf.* BRETHREN). **5** (군주·재판관끼리의 호칭) 우방 군주, 경(卿). **6** 《미俗》 여보게. **brother in arms** 전우. **brother of the brush**〔**quill**〕 (동료) 화가; 페인트 칠장이〔저술가〕. — *vt.* 형제로 삼다. — *int.* 《미俗》 (보통 Oh, ~!로 놀람·혐오·실망 등을 나타내어) 어렵쇼, 이 녀석.

broth·er·ger·man[-dʒə́ːrmən] *n.* (*pl.* **brothers-**) 같은 부모의 형제.

⁎**broth·er·hood**[brʌ́ðərhùd] *n.* **1** Ⓤ 형제간; 형제의 연분(緣分)〔정의〕; 의형제간. **2** (보통 함께 생활하는) 성직자〔수사〕단. **3** 조합, 협회; 패; (the ~; 집합적) 동업자; the legal ~ 법조단. **4** 《미口》 (철도) 노동조합, 노조.

⁎**broth·er-in-law**[brʌ́ðərinlɔ̀ː] *n.* (*pl.* **brothers-**) 자형, 매부, 처남, 시숙 등.

Bróther Jónathan 《영古》 미국 정부; (전형적) 미국 사람(현재는 UNCLE SAM이 일반적).

⁎**broth·er·ly**[brʌ́ðərli] *a.* 형제의, 형제다운 (fraternal); 친밀한. **-li·ness**[-linis] *n.* Ⓤ 형제의 사랑, 우애.

brough·am[brúːəm, bróuəm] *n.* 말 한 필이 끄는 4륜 마차; 브룸형 자동차.

★**brought**[brɔːt] *v.* BRING의 과거·과거분사.

brou·ha·ha[bruːhɑ́ːhɑː, ⌐-⌐] *n.* 《口》 소음, 소동; 센세이셔널한 여론, 열광.

⁑**brow**[brau] *n.* **1** 이마; 《口》 지능 정도(*cf.* HIGHBROW, MIDDLEBROW, LOWBROW). **2** (보통 *pl.*) 눈썹(eyebrows). **3** 벼랑; (험한 산의) 정상. **4** 얼굴, 표정. **knit**〔**bend**〕 **the brows** 눈살을 찌푸리다, 얼굴을 찌푸리다.

brów àgue 편두통(migraine).

brów àntler 사슴뿔의 맨 밑 가지.

brow·beat[⌐bìːt] *vt.* (~; **-beat·en**) 위협하다, 을러대다, 호통치다; 위압하여 …하게 하다.

-browed[braud] 《연결형》 「눈썹이 …한」의 뜻.

★**brown**[braun] *a.* 갈색의, 고동색의; 〈살갗이〉 볕에 탄. **do brown** 〈빵을〉 노랗게〔노르께하게〕 굽다; 《영俗》 감쪽같이 속이다. **do up brown** 《미俗》 철저히 하다, 완전히 해내다. — *n.* **1** Ⓤ 갈색, 고동색; Ⓒ 갈색의 것(옷·나비 등). **2** Ⓤ 갈색 물감〔염료〕. **3** 《영俗》 동전. **4** (the ~) 나는 새떼. **fire into the brown** 새떼〔군중〕를 향하여 무턱대고 총을 쏘다. — *vt., vi.* 갈색으로 만들다〔되다〕; 거무스름하게 만들다〔되다〕. **browned off** 《영俗》 싫증나서, 화가 나서. **brown out** 《미》 등화 관제를 하다; 〈전등을〉 어둠침침하게 하다, 절전하다.

Brown[braun] *n.* 남자 이름.

brówn álga 〔植〕 갈조류(의 해조).

brown-bag[⌐bæ̀g] *vt., vi.* (~**ged**; ~**·ging**) 《미口》 (술 등을 누런 봉투에 넣어) 식당에 갖고 들어가다; 시락을 지참하다. ~**·ger** *n.*

brówn béar 〔動〕 불곰.

brówn bélt (유도 등의) 갈색 띠(의 사람).

brówn Bétty, b- b- 푸딩(사과·설탕·빵가루 등으로 만듦).

Brówn Bòok 《영》 브라운북(영국 에너지부 발행의 연차 보고서).

brówn bréad 흑(黑)빵

brówn cóal 갈탄(褐炭)(lignite).

brówn dràin 미숙련 노동자〔스포츠맨〕의 해외 유출.

brown·ed-off *a.* 《영口》 짜증난, 싫증난; 낙담한(*with*)(bucolical).

brówn fát 〔生理〕 갈색 지방(체).

brówn góods 가정용 집기(텔레비전·주전자 등).

Brówn·i·an móvement〔**mótion**〕[bráuniən-] (the ~)〔物〕(유체속 미립자의) 브라운 운동.

brown·ie[bráuni] *n.* **1** 〔스코傳說〕 브라우니(밤에 나타나서 몰래 농가의 일을 도와 준다는 작은 요정). **2** 《미》 땅콩이 든 초콜릿. **3** (보통 **B-**) **a** 《영》 Girl Guide의 유년 단원(7.5-11세). **b** 《미》 Girl Scout의 유년 단원(7-9세).

Brównie Guìde 《영》 Girl Guide의 유년 단원(7.5-11세); 《미》 Girl Scout의 유년 단원(7-9세).

Brównie pòint Brownie Guide가 포상으로서 받는 점수; (때로 **b- p-**)《미口》(상사에 대한) 아첨으로 얻은 신용〔총애〕.

brown·ing *n.* Ⓤ 갈색 착색제(음식에 치는); 〔植〕 갈변(褐變)(증).

Brow·ning[1][bráuniŋ] *n.* 브라우닝 Robert ~ 《영국의 시인(1812-89)》.

Browning[2] *n.* 브라우닝식 자동 권총〔소총, 기관총 (등)〕.

Brówning áutomatic rífle 브라우닝 자동 소총(공랭식·완전 자동식; 발사 속도는 매분 200~350발(略: BAR)).

⁎**brown·ish**[bráuniʃ] *a.* 갈색을 띤.

Brown·ism[bráunizəm] *n.* 브라운주의(영국의 청교도 Robert Browne이 제창한 주의).

brówn jób 《영俗》 군인, 병사.

brówn lúng (disèase) =BYSSINOSIS.

brown·ness *n.* Ⓤ 갈색(임).

brown·nose [bráunnòuz] *vi.* 《미俗》 …에게 아첨하다.

brown·out[bráunàut] *n.* Ⓤ 경계 등화 관제 (*cf.* BLACKOUT); 절전.

brówn páper 고동색 포장지.

brówn pówder 갈색 화약(총포용).

Brówn Pòwer 브라운 파워(멕시코계 미국사람의 정치 운동).

brówn ráce 말레이 인종.

brówn rát 〔動〕 시궁쥐.

brówn récluse spìder 〔昆〕 북미산(産) 독거미의 일종.

brówn ríce 현미.

brów·rìdge, brów rìdge *n.* 눈위의 뼈가 돌출한 부분.

Brown·shirt, b-[bráunʃə̀ːrt] *n.* (독일의) 나치돌격대(*cf.* BLACKSHIRT); 《일반적으로》 나치; the ~*s* 나치스당.

brówn sóil 갈색토(온대 건조지의 토양).

brown-state[⌐stèit] *a.* 〈리넨 등이〉 염색되어 있지 않은.

brown·stone[⌐stòun] 《미》 *n.* Ⓤ 갈색의 사암(砂岩)(건축 재료); Ⓒ 그것을 사용한 건물. — *a.* 부유 계급의〔에 속하는〕.

brówn stúdy 생각에 잠김, 공상(reverie).

brówn súgar 누런 설탕.

Brówn Swíss 브라운 스위스 젖소 (스위스 원산).

brówn-tail móth 〔昆〕 독나방의 일종.
brówn thrásher 〔鳥〕 명금의 일종《북미 동부산》.
brówn thúmb 식물 재배의 재능이 없음〔없는 사람〕.
brówn wáre (보통의) 도기(陶器).
brown·y[bráuni] *a.* (**brown·i·er; -i·est**) = BROWNISH.
brows·a·bil·i·ty[bràuzəbíləti] *n.* 〔컴퓨터〕 일람 가능성.
*__browse__[brauz] *n.* **1** C,U 연한 잎, 새싹; 새싹을 뜯어먹기. **2** 〈책 등을〉 띄엄띄엄 읽기; 〈상품을〉 구경만 하고 다니기. **be at browse** 연한 풀〔잎〕을 먹고 있다. ── *vi.* **1** 〈가축이〉 연한 잎〔새싹〕을 먹다《*on*》. **2** 〈책·잡지·신문 등을〉 띄엄띄엄 읽다, 대강 훑어보다, 산만하게 읽다; (가게·매장 등에서) 상품을 천천히 구경하다《*in, about, around*》: *Browsing* continued *for* twenty minutes. 상점에서 상품을 구경하는 것은 20분 동안 계속되었다. ── *vt.* **1** 〈연한 잎 등을〉 먹다; 방목하여 (마음대로) 먹게 하다: ~ leaves *away*〔*off*〕 나뭇잎을 먹다. **2** (책 등을) 띄엄띄엄 읽다.
brows·er[-ər] *n.* 연한 잎〔새싹〕을 먹는 소〔사슴〕; 띄엄띄엄 읽는 사람; 상품을 살 의향도 없이 만지작거리는 사람.
B.R.S., BRS British Road Services.
brt. for. brought forward 이월(移越).
Bruce[bru:s] *n.* **1** 브루스 Robert (the) ~ (1274-1329)《스코틀랜드왕(1306-29); 영국군 격파, 스코틀랜드 독립 확보》. **2** 남자 이름.
bru·cel·lo·sis[brù:səlóusis] *n.* U 〔病理〕 브루셀라증《열병의 일종》.
bruc·ine[brú:si(:)n] *n.* U 〔化〕 브루신《유독 알칼로이드》.
Brü·cke[brúkə, bríkə][G] *n.* 〔美〕 다리(橋)파《1905년 창립된 독일 표현주의 화가 일파》.
Bru·in[brú:in] [Du] *n.* (특히 갈색의) 곰, 곰 서방《동화 등에서》.
‡**bruise**[bru:z] *n.* **1** 타박상, 멍; 상처. **2** (식물·과일 등의) 흠. **3** (마음의) 상처. ── *vt.* **1** 타박상을 주다, 멍들게 하다; 상처〔흠〕 나게 하다. **2** 〈감정 등에〉 상처를 주다. **3** 찧다, 빻다. ── *vi.* 멍이 들다, 상처가 생기다.
bruis·er[-ər] *n.* (프로) 권투 선수; 난폭한 사람; 난폭한 승마자.
bruit[bru:t] *n.* 《古》 소문. ── *vt.* 〈풍설·소문을〉 퍼뜨리다《*about, abroad*》.
bru·mal[brú:məl] *a.* 《古》 겨울의, 겨울 같은; 황량한.
brum·by[brʌ́mbi] *n.* (*pl.* **-bies**) 《오스》 사나운 말, 야생마.
brume[bru:m] *n.* U,C 안개(fog, mist).
brum·ma·gem[brʌ́mədʒəm] *n., a.* **1** 《口》 가짜(의), 싸구려(의). **2** Birmingham(의).
Brum·mie, -my[brʌ́mi] 《영口》 *n.* 버밍엄 사람. ── *a.* 버밍엄의.
bru·mous[brú:məs] *a.* 안개짙은; 겨울의.
brunch[brʌntʃ] [*breakfast*+*lunch*] *n.* 《口》 늦은 아침밥《아침 겸 점심》.
brúnch còat 여성의 하우스코트.
Bru·nei[brú:nai, -nei] *n.* 브루나이《보르네오섬 북서부의 영연방내의 독립국; 수도 Bandar Seri Begawan》.
bru·net(te)[bru:nét] [F] *a., n.* 브루넷의 (사람)《거무스름한 피부·머리칼·눈을 가진》.
brung *v.* 《미俗》 BRING의 과거(=BROUGHT).
Bru·no[brú:nou] *n.* 남자 이름.
Bruns·wick[brʌ́nzwik] *n.* 브라운 슈바이크《독일 중부의 지방 이름》.
Brúnswick blàck 검정 니스의 일종.
Brúnswick lìne (the ~) 영국의 HANOVER 왕가.
Brúnswick stèw 두 가지 고기와 야채를 넣은 스튜.
*__brunt__[brʌnt] *n.* (the ~) (공격 등의) 주력(主力), 예봉(銳鋒). **bear the brunt of** (공격에) 정면으로 맞서다.
‡**brush**[1] [brʌʃ] *n.* **1** 솔, 브러시; 솔질: Give it another ~. 한 번 더 솔질을 해라. **2** 붓, 모필, 화필(畵筆); (the ~, one's ~) 화법(畵法), 화풍(畵風); (the ~) 화가들: *the* ~ *of* Turner 터너의 화풍. **3** 〔電〕 브러시 (방전(放電)); 〔컴퓨터〕 브러시《컴퓨터 그래픽에서 붓 모양의 아이콘》. **4** 긁힌 상처; 작은 충돌: have a ~ *with* …와 약간 옥신각신하다. **5** 여우 꼬리《여우 사냥의 기념》; (*pl.*) 끝이 솔 모양인 북채. **6** 《미俗》 매정한 거절(=BRUSH-OFF). **at a brush** 단번에. **at the first brush** 최초의 작은 충돌에서; 최초에, 단번에.
── *vt.* **1** 솔질하다, 털다, 닦다; 털어 없애다《*from*》: *Brush* the dust *from* your shoes. 구두의 먼지를 털어라/~ one's teeth clean 이를 깨끗이 닦다. **2** 〈페인트 등을〉 칠하다《*aside, away*》. **3** 스치고 지나다. ── *vi.* **1** 이를 닦다; 머리를 빗다. **2** 〈먼지 따위가〉 (솔질로) 떨어지다《*off*》. **3** (…을) 스치다. **4** 스치고 지나가다; 질주하다《*by, past, off, over*》. **brush against** …에 스치듯 부딪치다. **brush aside** 털어버리다; 무시하다. **brush away** 눈물을 닦다; =BRUSH aside. **brush back** 머리를 뒤로 빗어 넘기다; 〔野〕 아슬아슬한 속구를 던져 타자가 몸을 뒤로 젖히게 하다. **brush by** 〔**through**〕 서로 스치고 지나가다. **brush down** 털어버리다, 털어 없애다. **brush off** 솔질하여 없애다; 《口》 무시하다, 거절하다; 해고하다. **brush over** 연하게 칠하다; 솔질하다. **brush up** 솔로 닦다, 다듬다, 몸단장하다; 〈공부를〉 다시 하다, 복습하다, 〈기술·지식을〉 더욱 연마하다: ~ *up* (*on*) one's English (잊혀 가는) 영어를 복습하다. ◇ brúshy *a.*
brush[2] *n.* **1** 덤불, 잡목림(雜木林). **2** 《미》 = BRUSHWOOD. **3** (the ~) 《미》 미개척지(backwoods).
brush·back[brʌ́ʃbæk] *n.* 〔野〕 빈볼《타자의 머리를 노린 볼》.
brúsh bùrn 스친 상처, 찰과상.
brúsh cùt 짧게 깎는 머리형.
brúsh dìscharge 〔電〕 브러시 방전(放電), 코로나 방전.
brúsh fire 소규모의 전투.
brush·fire *a.* 〈전투가〉 소규모의, 국지적인: ~ wars 국지전.
brúsh hòok =BUSH HOOK.
brush·ing[brʌ́ʃiŋ] *a.* 획 스쳐 가는; 민활한, 빠른: ~ gallop 질주. ── *n.* U 솔질; 솔로 칠함; (*pl.*) 쓸어 모은 것.
brush·land[brʌ́ʃlæ̀nd] *n.* 관목림 지역.
brush·less[brʌ́ʃlis] *a.* 붓을 쓸 필요가 없는.
brush-off[´ɔ̀:f/´ɔ̀f] *n.* (the ~) 《口》 매정한 거절; 해고. **give**〔**get**〕 **the brush-off** 딱잘라 거절하다〔당하다〕.
brush·pen·cil[´pènsl] *n.* 화필, 그림붓.
brush·stroke[´stròuk] *n.* 솔질, 붓놀림.
*__brush·up__[´ʌ̀p] *n.* **1** 닦음, 〈더러워진곳·파손된 곳의〉 수리, 손질; 화장(化粧) 고치기, 몸치장. **2** 〈전에 배운 것, 잊혀져 가고 있는 것 등을〉 다시 해보기, 복습: give one's English a ~ 영어 공부를 다시 시작하다.
brúsh whèel 〔機〕 브러시 휠《청소·연마용》.

brush·wood[ˊwùd] *n.* Ⓤ 잘라 낸 곁가지; Ⓒ 관목숲〔덤불〕.
brush·work[ˊwə̀ːrk] *n.* Ⓤ그림; 화법; 화풍.
brush·y[brʌ́ʃi] *a.* (**brush·i·er; -i·est**) 솔 같은; 덤불진.
brusque, brusk[brʌsk/brusk] *a.* 퉁명스러운, 무뚝뚝한. **~·ly** *ad.* **~·ness** *n.*
brus·que·rie[brʌ̀skəríː/brúskəriː] *n.* Ⓤ 무뚝뚝함, 매정함.
*__Brus·sels__[brʌ́səlz] *n.* 브뤼셀《벨기에의 수도》.
Brússels cárpet 모직 양탄자의 일종.
Brússels gríffon 브뤼셀그리폰(벨기에 원산의 애완견의 일종).
Brússels láce 브뤼셀 레이스《손으로 뜬》.
Brússels spróuts 〔植〕 양배추의 일종.
brut[bruːt] *a.* 〈포도주가〉 단맛이 없는.
bru·tal[brúːtl] *a.* 잔인한; 난폭한; 무지막지한; 〈날씨가〉 혹독한, 사나운; 짐승의, 야수적인; 〈사실이〉 냉엄한, 틀림없는. **~·ism** *n.* Ⓤ 잔인성, 야수성. **~·ly** *ad.*
⊕ brute, brutálity *n.*; brútalize *v.*
bru·tal·ism[-təlìzəm] *n.* Ⓤ 야수성, 잔인무도한 마음; (종종 **B-**) 〔建〕 브르탈리즘.
bru·tal·i·ty[bruːtǽləti] *n.* (*pl.* **-ties**) Ⓤ 야만성, 잔인성, 무자비; Ⓒ 잔인한 행위, 만행.
bru·tal·ize[brúːtəlàiz] *vt., vi.* 야수성을 띠게 하다〔되다〕, 〈사람을〉 잔인〔무정〕하게 만들다; 잔인한 짓을 하다. **brù·tal·i·zá·tion**[-lizéiʃən] *n.* Ⓤ 야수〔잔인〕성을 띠게 함.
brute[bruːt] [L] *n.* 짐승; 짐승 같은 사람; (the ~)(마음 속의) 수성(獸性), 《특히》 수욕(獸慾); (the ~s) 짐승. — *a.* 이성이 없는, 맹목적인; 무감각한; 야만적인, 난폭한: ~ courage 만용/~ force 폭력. ⊕ brútal, brútish *a.*; brútify, embrúte *v.*
bru·ti·fy[brúːtəfài] *vt., vi.* (**-fied**) =BRUTALIZE.
brut·ish[brúːtiʃ] *a.* 짐승 같은; 야비한, 잔인한, 우둔한; 육욕적인. **~·ly** *ad.* **~·ness** *n.* Ⓤ 야수성.
bru·tum ful·men[brúːtəm-fúlmən] [L] *n.* 허세, 호언 장담.
brux·ism[brʌ́ksizəm] *n.* 〔醫〕 (잠잘 때) 이 갈기.
Bry·an *n.* 남자 이름.
Bryn·hild[brínhild] *n.* 〔北歐神〕 브린힐트《Sigurd가 요술의 잠에서 깨게 한 Valkyri》.
bry·ol·o·gy[braiάlədʒi/-ɔ́l-] *n.* Ⓤ 선태학(蘚苔學).
bry·o·ny[bráiəni] *n.* (*pl.* **-nies**) 〔植〕 브리오니아《박과(科)의 덩굴풀》; (종종 *pl.*) 브리오니아의 뿌리《토제 · 하제》.
bry·o·phyte[bráiəfàit] *n.* 선태류의 식물. **brỳ·o·phý·tic** *a.*
bry·o·zo·an[bràiəzóuən] *a., n.* 이끼벌레류의 (동물).
Bry·thon·ic *a.* 브리손 사람〔말〕의. — *n.* Ⓤ 브리손 말《켈트어의 일파로 Welsh, Cornish, Breton을 포함》.
BS British Standard(s). **B/s** bags; bales. **B/S, b.s.** 〔會計〕 balance sheet; 〔商〕 bill of sale. **B.S.** Bachelor of Surgery〔《미》 Science〕. **B.S.A.** British South Africa; Boy Scouts of America; Bachelor of Science in Agriculture. **B.S.A.A.C.** British South American Airways Corporation. **B.Sc.** Bachelor of Science.
B-school[bíːskùːl] *n.* 경영 대학원(business school).
B scòpe[bíː-] 〔電子〕 비 스코프《방위각과 거리를 동시에 나타내는 음극선 스코프》.
B.S.E(d). Bachelor of Science in Education. **B.S.F.S.** Bachelor of Science in Foreign Service. **b.s.g.d.g.** 〔商〕 *brevete sans garantie du gouvernement*《F=patented without government guarantee》.
B.S.I. British Standards Institution.
B sìde (레코드 · 카세트의) B면(의 곡).
BSB.S. in C.E. Bachelor of Science in Chemical Engineering; Bachelor of Science in Civil Engineering. **B.S. in Ch.E.** Bachelor of Science in Chemical Engineering. **B.S. in Ed.** Bachelor of Science in Education. **B.S. in L.S.** Bachelor of Science in Library Science; Bachelor of Science in Library Service. **bskt.** basket. **B.S.L.** Bachelor of Sacred Literature; Botanical Society of London. **B.S.M.** Battery Sergeant Major. **BSO** blue stellar object. **B.S.S.** British Staff Section 영국 참모부. **B.S.T.** British Summer Time. **BT** berth terms. **bt.** bolt; bought. **Bt.** Baronet. **B.T.C.** British Transport Commission.
B-test[bíːtèst] *n.* (Breathalyzer에 의한) 주기(酒氣) 검사.
B.Th. Bachelor of Theology. **B.Th.U.** British thermal unit(s). **BTN** Brussels Tariff Nomenclature. **B.T.O.** big-time operator. **Btry, btry** battery. **B.T.U., b.t.u.** British thermal unit(s). **B.T.U.C.** British Trade Union Congress 영국 노동 조합 회의. **bty.** battery. **bu.** bureau; bushel(s). **B.U.A.** British United Airways.
bub[1] [bʌb] *n.* 《미口》 (주로 호칭) 소년, 젊은 친구.
bub[2] *n.* 〔보통 *pl.*〕 =BUBBY[2].
bu·bal, bu·ba·lis[bjúːbəl], [-lis] *n.* 영양(羚羊)《북아프리카산》.
bu·ba·line[bjúːbəlàin, -lin] *a.* BUBAL 같은.
bub·ble[bʌ́bəl] [의성어] *n.* **1** (종종 *pl.*) 거품, 기포(氣泡). **2** 거품 이는 소리, 부글부글 끓음. **3** 허무 맹랑한 계획〔야심〕; 사기: a ~ company 엉터리 회사. **4** (조종석 위의 투명한) 둥근 덮개〔지붕〕(=~ canopy). **blow bubbles** 비누 방울을 불다. **bubble and squeak** 《俗》 고기와 캐비지를 섞은 프라이; 터무니없는 거짓말. **prick a bubble** 비누 방울을 터뜨리다; 거짓을 폭로하다; 환멸을 주다. — *vi.* 거품이 일다, 부글부글 끓다《*up*》; 〈샘 등이〉 솟다, 거품을 내며 흐르다: ~ *out* 부글거리며 넘치다. — *vt.* 거품이 일게 하다; 《古》 속이다: ~ a person *into*〔*out of*〕…을 속여서 …하게 하다〔을 빼앗다〕. **bubble over** 거품이 일며 넘치다; 〈특히 여자가 기뻐서, 화가 나서〉 흥분하다. **bubble with laughter** 웃으며 떠들어대다. ⊕ búbbly *a.*
búbble bàth 목욕용 발포제; 거품 목욕(물).
búbble cànopy 〔空〕 조종석 상부의 유선형 덮개.
búbble càr 《영》 (투명 돔이 있는) 소형 자동차.
búbble chàmber 〔物〕 거품 상자《방사선의 궤적(軌跡) 관측용 원자핵 실험 장치》.
búbble cúshioning matèrial (손상 방지용) 기포 완충재(材)《포장재(材)》.
búbble dànce 풍선춤《풍선을 달고 추는》.
búbble gùm 《미》 풍선껌; 10대 취향의 록 음악.
bub·ble·gum[-gʌ̀m] *a.* 〈록 음악 등이〉 아이들 취향의.
bub·ble·gum·mer[-gʌ̀mər] *n.* (10대 전반

정도의) 아이; 아이들 취향의 록 음악 연주자.
bub·ble·head[-hèd] *n.* **1** 바보. **2** =AIRHEAD.
bub·ble-head·ed *a.* 어리석은.
búbble mèmory 〔컴퓨터〕 버블 메모리.
búbble pàck (속이 보이는) 투명한 포장.
bub·bler[bʌ́blər] *n.* 분수식 물 마시는 꼭지.
bub·ble·top[-tàp, -tɔ̀p] *n.* 자동차의 방탄용 플라스틱 덮개; 투명한 비닐 우산.
búbble umbrèlla 돔식 투명 우산.
bub·bly[bʌ́bli] *a.* (**-bli·er; -bli·est**) 거품이 많은; 거품이 이는. ── *n.* 《영俗》 샴페인.
bub·bly-jock[-dʒàk/-dʒɔ̀k] *n.* 《영》 칠면조의 수컷(turkey cock).
bub·by[1] [bʌ́bi, búbi] *n.* 《미口》 =BUB[1].
bubby[2] *n.* (*pl.* **-bies**) 《俗》 (여자의) 유방.
bu·bo[bjú:bou] *n.* (*pl.* **~es**) 〔病理〕 서혜(鼠蹊) 임파선종.
bu·bon·ic[bju:bánik/-bɔ́n-] *a.* 서혜 임파선종의.
bubónic plágue 〔病理〕 선(腺)페스트.
bu·bon·o·cele[bju:bánəsì:l/-bɔ́n-] *n.* 〔病理〕 서혜 헤르니아.
bu·bu[bú:bu:] *n.* =BOU-BOU.
buc·cal[bʌ́kəl] *a.* 볼의; 입의, 구강의: ~ cavity 구강(口腔).
buc·ca·neer, -nier[bʌ̀kəníər] *n.* 해적; 악덕 정치〔실업〕가. ── *vi.* 해적질을 하다.
~·ing[-riŋ] *n.* Ⓤ 해적질, 약탈.
buc·ci·na·tor[bʌ́ksənèitər] *n.* 〔解〕 협근(頰筋).
bu·cen·taur[bju:séntɔ:r] *n.* 〔그神〕 반우반인(半牛半人)의 괴물.
Bu·ceph·a·lus[bju:séfələs] *n.* Alexander 대왕의 애마(愛馬); 《익살》 승용마.
Bu·chan·an[bju:kǽnən, bə-] *n.* 뷰캐넌 James ~(1791-1868)《미국 15대 대통령(1857-61)》.
Bu·cha·rest[bjú:kərèst] *n.* 부카레스트《루마니아의 수도》.
Buch·man·ism[búkmənìzəm] *n.* 〔宗〕 1921년에 미국인 Frank Buchman이 영국 Oxford에서 일으킨 신교 운동(Oxford group movement); 종교 재무장 운동.
*__buck__[1] [bʌk] *n.* (*pl.* **~s, ~**) **1** 수사슴(stag); (순록·영양·토끼 등의) 수컷(*opp.* doe). **2** 영양(羚羊)《남아프리카산》. **3** 《미口》 남자, 멋쟁이. **4** 《경멸》 흑인〔인디언〕 남자; 《미俗》 원기 왕성한 젊은이. **5** 사슴 사냥에 쓰는 총알. **6** 《미俗》 달러. **Old buck!** 여보게! ── *a.* 수컷의; 《미口》 남자의; 《미軍俗》 최하급의: a ~ party 남자들만의 파티.
buck[2] *vi.* **1** (말이 갑자기 등을 구부리고) 껑충 뛰다. **2** 반항하다: ~ *against* fate 운명에 거역하다. **3** 《미口》 (차가 덜커덕하고) 갑자기 움직이다. ── *vt.* **1** 〈말이 탄 사람·짐을〉 껑충 뛰어 떨어뜨리다(*off*): ~ a person *off* 말이 껑충 뛰어 사람을 떨어뜨리다. **2** 《미俗》 머리〔뿔〕로 받다; 발길로 차다; 반항하다. **3** 격려하다. **4** 〔미蹴〕 공을 가지고 적진으로 돌입하다. **buck for** …을 간절히 바라다; 〈승진·이익을〉 노리다. **buck up** 기운을 내다; 격려하다; 《명령》 정신차려; 멋부리다.
── *n.* 〈말이〉 갑자기 등을 구부리고 뛰어 오름.
give ... a buck=**have a buck at** 시험 삼아 해보다.
buck[3] *n.* **1** (포커에서) 다음에 카드를 돌릴 사람 앞에 놓는 패. **2** (the ~) 《口》 책임. **pass the buck to** a person …에게 책임을 전가하다. **The buck stops here.** 모든 책임은 내가 진다. ── *vt.* 《미口》 〈책임 등을〉 전가하다.
buck[4] *n.* 회화; 제자랑. ── *vi., vt.* 잡담하다; 뻐기다, 제자랑하다.
buck[5] *ad.* 《미中部·南部》 아주, 완전히.
buck[6] *n.* (톱질) 모탕; (체조용의) 뜀틀. ── *vt.* 〈나무를〉 톱질하다.
Buck[bʌk] *n.* 펄 벅 Pearl (Sydenstricker) ~(1892-1973)《미국의 여류 소설가; 노벨 문학상 수상(1938)》.
buck. buckram.
buck-and-wing[bʌ́kəndwíŋ] *n.* 흑인의 댄스와 아일랜드계의 클로그댄스가 섞인 로큰롤의 빠른 탭댄스.
buck·a·roo[bʌ́kərù:, ╧━╱] *n.* (*pl.* **~s**) (미국 서부의) 카우보이, 목동(cowboy).
búck bàsket 빨래 광주리.
buck·bean *n.* 〔植〕 조름나물.
buck·board[bʌ́kbɔ̀:rd] *n.* 《미》 (차체가 판자로 된) 4륜 짐마차; 운반부.
búck càrt[bʌ́kkà:rt] 2륜 짐마차.
bucked[bʌkt] *a.* 《영俗》 용기를 얻은, 기뻐하는.
buck·een [bʌkí:n] *n.* 《아일》 지체만 높고 교양이 없는 가난한 청년 귀족.
buck·er [bʌ́kər] *n.* **1** (탄 사람을 떨어뜨리는 버릇이 있는) 사나운 말. **2** 《미俗》 운반부.
⁑buck·et[bʌ́kit] *n.* **1** 버킷; 물통; 양동이; 두레박. **2** 버킷 하나 가득(의 양); (*pl.*) 《口》 대량(*of*). **3** (펌프의) 피스톤; 준설기의 버킷. **4** 〔컴퓨터〕 버킷《직접 접근 기억장치에서의 기억 단위》. **a drop in the bucket** 큰 바다의 물 한 방울, 창해 일속(滄海一粟). **give the bucket** 《俗》 해고하다. **kick the bucket** 《俗》 죽다. ── *vt.* **1** 《미》 버킷으로 〈물을〉 긷다〔나르다, 붓다〕. **2** 《영口》 〈말·자동차를〉 난폭하게 몰다. **3** 《미俗》 속이다; 〔經〕 〈고객의 주문을〉 부정 거래 결제하다. ── *vi.* **1** 버킷을 사용하다. **2** 《영口》 비가 마구 퍼붓다(*down*). **3** 말을 난폭하게 몰다; 보트를 급히 젓다.
búcket brigàde (소화(消化)를 위한) 버킷 릴레이의 줄.
búcket convèyor〔**càrrier**〕 〔機〕 버킷 컨베이어.
búcket èlevator (광산 등의) 승강식 운반기.
buck·et·er[bʌ́kətər], **buck·et·eer**[bʌ̀kətíər] *n.* 불법 비밀 브로커.
buck·et·ful[bʌ́kitfùl] *n.* 버킷 하나 가득(의 양).
búcket sèat (자동차·비행기의) 1인용 접좌석.
búcket shòp 《俗》 무허가 중개소, 엉터리 거래점; 도박장.
buck·eye[bʌ́kài] *n.* 《미》 =HORSE CHESTNUT; (**B-**) Ohio 주 사람.
Búckeye Státe (the ~) 미국 Ohio 주의 속칭.
búck fèver 《미口》 (사냥감이 가까이 왔을 때에) 사냥의 초심자가 느끼는 흥분.
buck·horn[╱hɔ̀:rn] *n.* 사슴뿔.
buck·hound[╱hàund] *n.* 사슴 사냥에 쓰는 작은 사냥개.
Búck Hóuse (the ~) 《영俗》 =BUCKINGHAM PALACE.
Buck·ing·ham *n.* =BUCKINGHAMSHIRE.
Búckingham Pálace[bʌ́kiŋəm-] (London의) 버킹엄 궁전, 영국 왕실 궁전.
Buck·ing·ham·shire[-ʃìər, -ʃər] *n.* 버킹엄셔《잉글랜드 남부의 주; 주도 Aylesbury; 略: Bucks.》.
buck·ish[bʌ́kiʃ] *a.* 멋부리는, 맵시 내는.
buck·jump[bʌ́kdʒʌ̀mp] *n.* 말이 (탄 사람을 떨어뜨리려고) 등을 굽히고 껑충 뛰어 오름.

buck·jump·er *n.* =BUCKER 1.
búck knèe 〔獸醫〕 (말 등의) 안쪽으로 구부러진 다리(calf knee).
*__buck·le__ [bʌ́kəl] [OF] *n.* 죔쇠: 혁대의 고리, 버클: 차꼬: 비틀림. ── *vt.* **1** 죔쇠로 죄다, 고리를 채우다: ~ the belt 혁대 고리를 채우다. **2** (열·압력을 가하여) 구부리다. ── *vi.* **1** (열·압력으로) 구부러지다, 휘어지다. **2** 격투하다, 드잡이하다. **3** 굴복〔양보〕하다: 응하다 (*to*). **buckle (down) to** …에 전력을 기울이다. **buckle on** 〈무기·갑옷 등을〉 죔쇠로 몸에 달다. **buckle oneself to** …에 전력을 다하여 부딪다. **buckle to** 진지하게 일에 착수하다. **buckle up** 버클로 잠그다:(자동차에서) 안전 벨트를 매다.
buck·led [-d] *a.* 죔쇠가 달린.
buck·ler [bʌ́klər] *n.* (왼 손에 드는) 둥근 방패: 방어물〔자〕:(배의) 닻줄 구멍의 뚜껑. ── *vt.* 방어하다.
búck nìgger 《미俗》 흑인 남자.
buck·o [bʌ́kou] *n.* (*pl.* **~es**) 《영俗》 뻐기는 사람: 《아일》 젊은이(lad).
búck pàsser 《미口》 사사건건 책임을 회피하는 사람.
buck-pass·ing [bʌ́kpæ̀siŋ, -pɑ̀:s-] *n.* Ⓤ 《미口》 책임 전가.
búck prìvate 《俗》 이등병, 신병(新兵).
buck·ra [bʌ́krə] *n.* 《미南部》 백인: 주인.
buck·ram [bʌ́krəm] *n.* Ⓤ 버크럼(아마포): 〈태도 등이〉 딱딱함: 허세. **men in buckram** =**buckram men** 가공적인〔공상의〕 인물 (Shak., *Henry IV* 중에서). ── *a.* **1** 버크럼의. **2** 딱딱하고 어색한: 허울만의.
Bucks. Buckinghamshire
buck·saw [bʌ́ksɔ̀:] *n.* 《미》 틀톱(H자 모양의 틀에 맞춘 것).
buck·shee [bʌ́kʃi:] *a., ad.* 《영軍俗》 무료의〔로〕: 특별한〔히〕. ── *n.* 특별 수당: 횡재.
buck·shot [bʌ́kʃɑ̀t/-ʃɔ̀t] *n.* (*pl.* ~, ~**s**) 사슴 사냥용 총알(알이 굵은 산탄).
buck·skin [∠skìn] *n.* **1** Ⓤ 녹비(무두질한 양의 황색 가죽을 말할 때도 있음): Ⓒ 녹비옷을 입은 사람:(*pl.*) 녹비 반바지: 녹비 구두. **2** (**B-**) (독립 전쟁 당시의) 미국 군인.
búck slìp 간이 문서〔메모〕, (연락용) 쪽지.
buck·tail [∠tèil] *n.* 〔낚시〕 사슴 꼬리 등의 털로 만든 제물 미끼.
buck·thorn [∠θɔ̀:rn] *n.* 〔植〕 갈매나무속(屬).
buck·tooth [∠tú:θ] *n.* (*pl.* **-teeth** [-tí:θ]) 뻐드렁니. **-toothed** *a.* [-θt]
buck·wag·on [∠wæ̀gən] *n.* =BUCKBOARD.
buck·wheat [∠*h*wì:t] *n.* Ⓤ 〔植〕 메밀, 메밀가루.
búckwheat bràid (리본을 맨) 짧게 땋은 머리.
búckwheat càke 메밀 팬케이크.
buck·wheat·er [∠*h*wì:tər] *n.* 《미俗》 초심자, 신출내기.
búckwheat flòur 메밀 가루.
bu·col·ic [bju:kɑ́lik/-kɔ́l-] [Gk] *a.* 목자(牧者)의: 목가적인: 시골풍의, 전원 생활의: 농경(農耕)의. ── *n.* (보통 *pl.*) 목가, 전원시: 전원 시인: 촌사람, 농부.
bu·col·i·cal [-kəl] *a.* =BUCOLIC.
‡**bud**¹ [bʌd] *n.* **1** 싹: 꽃봉오리, 발아(기). **2** 〔動·解〕 아체(芽體), 아상(芽狀) 돌기. **3** 어린이, 소녀: 미숙물: 《미》 사교계에 갓 나온 처녀. **a bud of promise** 《口》 사교계에 나가려고 하는 젊은 여성. **in bud** 싹터서, 봉오리져. **in the bud** 싹틀 때에, 초기에. **nip in the bud** 싹을 잘라버리다, 미연에 방지하다. **put forth**〔**send out, shoot out**〕 **the bud** 싹이 나다. ── *vi., vt.* (~·**ded**; ~·**ding**) **1** 봉오리를 맺다: 싹트다(*out*): 싹〔봉오리〕이 나게 하다. **2** 자라기〔발달하기〕 시작하다. **3** 〔園藝〕 아접(芽接)하다. **bud off from** 싹터서 분리하다, 분리하여 새 조직을 만들다.
búd·der *n.*
bud² *n.* 《口》 =BUDDY.
Bu·da·pest [bú:dəpèst, bù:dəpést] *n.* 부다페스트(헝가리의 수도).
bud·ded [bʌ́did] *a.* 싹튼, 꽃봉오리를 맺은: 아접(芽接)한.
*__Bud·dha__ [bú:də] [Sans 「깨달은」의 뜻에서] *n.* Ⓤ 불타(佛陀), 부처(석가모니의 존칭, 석존): Ⓒ 불상.
Bud·dha·hood [-hùd] *n.* 불교의 깨달음의 경지, 보리.
*__Bud·dhism__ [bú:dizəm] *n.* Ⓤ 불교.
*__Bud·dhist__ [bú:dist] *n.* 불교도. ── *a.* 불교〔불타〕의: a ~ priest 불교의 스님/a ~ temple 절.
Bud·dhis·tic, -ti·cal [bu:dístik], [-kəl] *a.* 부처의: 불교(도)의. **-ti·cal·ly** *ad.*
bud·ding [bʌ́diŋ] *a.* 싹트기 시작한: 나타나기 시작한, 신진의, 꽃봉오리 같은 소녀/a ~ poet 알려지기 시작한 시인. ── *n.* Ⓤ 발아(發芽), 움틈, 싹틈: 아접(법).
bud·dle [bʌ́dl] *n., vt.* 〔鑛山〕 세광조(洗鑛槽)(에서 씻다).
bud·dle·ia [bʌdlí:ə, bʌ́dliə] *n.* 〔植〕 취어초속(屬).
bud·dy¹ [bʌ́di] *n.* (*pl.* **-dies**) 《口》 동료, 형제, 친구, 동지: 《미口》 여보게, 자네(호칭). ── *vi.* 친해지다(*up, with*).
bud·dy² *n.* Aids 환자를 자진해서 돕는 사람 (미국 영화 *Buddies*(1985)에서 나온 말).
bud·dy-bud·dy [bʌ́dibʌ́di] *a.* 《미口》 아주 친한, 막역한. ── *n.* 친구: 《미俗》 적, 미운 녀석.
búddy sèat 《미俗》 오토바이의 사이드카: 권력이 있는 지위.
búddy stòre 《軍俗》 급유선, 급유기, 급유 기지.
búddy sỳstem (수영·캠프 등에서 사고를 막기 위해) 둘씩 짝을 짓는 방식.
budge¹ [bʌdʒ] *vi., vt.* (보통 부정구문) (조금) 움직이다〔움직이게 하다〕, 몸을 움직이다: 태도·견해를 바꾸다.
budge² *n.* Ⓤ,Ⓒ 어린 양의 모피. ── *a.* 모피로 만든〔장식한〕.
budg·er·i·gar, budg·eree·gah [bʌ́dʒəri-gɑ̀:r] *n.* 〔鳥〕 잉꼬(호주산).
‡**bud·get** [bʌ́dʒit] [OF] *n.* **1** 예산, 예산안. **2** 경비, 운영비, 가계, 생활비. **3** (물건의) 모은 것, (편지·서류 등의) 한 묶음. **balance the budget** 수지 균형을 맞추다. **on a budget** 예산을 세워. **open**〔**introduce**〕 **the budget** 예산안을 의회에 제출하다. ── *vt., vi.* 예산에 계상(計上)하다, 예산을 세우다(*for*). **~·er** *n.* =BUDGETEER.
búdget accòunt 할부 방식:(은행의) 자동 불입 구좌.
bud·get·ar·y [bʌ́dʒitèri/-təri] *a.* 예산상의.
bud·ge·teer [bʌ̀dʒitíər] *n.* 예산을 짜는 사람, 예산 위원.
Búdget Mèssage (미국 대통령의) 예산교서.
búdget plàn 분할불제, 할부제.
búdget stòre 《미》 백화점의 특매장.
bud·gie [bʌ́dʒi] *n.* 《口》 =BUDGERIGAR.
bud·let [bʌ́dlit] *n.* 유아(幼芽), 꽃봉오리.

búd scàle 〔植〕 아린(芽鱗).
bud·worm[ˊwə̀:rm] *n.* 새순을 갉아 먹는 모충.
bue·nas no·ches[bwénɑ:snɔ́:tʃəs] [Sp=good night] *int.* 안녕히 주무세요〔가세요〕.
Bue·nos Ai·res[bwéinəsáiriz, bóunəs-] *n.* 부에노스아이레스《아르헨티나 수도》.
bue·nos di·as[bwénɔ:sdí:ɑ:s] [Sp=good morning〔day〕] *int.* 안녕하십니까.
Búer·ger's disèase[bə́:rgərz-] 〔醫〕 버거병《폐색성 혈전 혈관염》.
buf[bʌf] *n.* 《미俗》 늠름한 남자, 좋은 사내.
*__buff__[1][bʌf] *n.* **1** Ⓤ (소·물소의) 무두질한 담황색 가죽; Ⓒ 그 가죽으로 만든 군복〔옷〕. **2** Ⓤ 담황색, 황갈색. **3** (the ~) 《口》 (사람의) 맨살. **4** 버프《렌즈를 닦는 부드러운 천》. **5** 《미》 …팬, …광. (**all**) **in the buff** 알몸으로, 벌거벗고. **strip to the buff** 벌거벗다. ── *a.* 담황색의, 황갈색의; 무두질한 가죽으로 만든. ── *vt.* 가죽으로 닦다; 〈가죽을〉 부드럽게 하다.
buff[2] *vi.* 완충기 역할을 하다. ── *vt.* …의 힘을 약하게 하다. ── *n.* 《方》 타격, 손바닥으로 때리기.
__buf·fa·lo__[bʌ́fəlòu] *n.* (*pl.* ~(e**)**s;**(집합적) ~) 물소; 들소(American bison). ── *vt.* 《미口》 위협하다; 난처하게 만들다; 어리둥절하게 하다.
buf·fa·lo·fish[bʌ́fəloufìʃ] *n.* (*pl.* ~, ~·**es**) (북미산의) 잉어 비슷한 민물고기.
búffalo gràss 목초의 일종《미국 중부·서부 평원에 많음》.
Búffalo Índian (미국 평원지방의) 인디언.
búffalo pláid 버펄로 플레이드《무늬가 큰 격자무늬 모직물》.
búffalo ròbe 《미》 들소 가죽으로 만든 무릎 덮개.
buff·coat *n.* 유피(皮) 코트.
buff·er[1][bʌ́fər] *n.* 완충기〔장치〕(《미》 bumper); 완충물; 완충국; 〔化〕 완충제; 〔컴퓨터〕 완충역(域). ── *vt.* 〈충격 등을〉 완화하다; …의 완충물이 되다.
buffer[2] *n.* 닦는 도구〔사람〕.
buffer[3] *n.* 《俗》 놈, 녀석: an old ~ 늙은이.
búffer mèmory 〔컴퓨터〕 버퍼 메모리, 완충 기억장치.
búffer règister 〔컴퓨터〕 버퍼 레지스터《주기억 장치에 넣기 전에 1차적으로 데이터를 모아 전송하는 컴퓨터의 한 부분》.
búffer solùtion 〔化〕 완충액.
búffer stàte 완충국.
búffer stòck 〔經〕 완충 재고.
búffer zòne 완충 지대.
*__buf·fet__[1][bʌ́fit] [OF] *n.* 타격; (풍파·운명 등에) 시달림, 학대; 〔空〕 과속에 의한 비행기의 진동. ── *vt.* 치다; 때려눕히다; 〈파도·운명 등이 사람을〉 괴롭히다, 번롱(飜弄)하다(*about*); 〈사람이 세파(世波) 등과〉 싸우다: He ~*ed* his way *to* riches and fame. 그는 악전 고투하여 부와 명성을 얻었다. ── *vi.* 고투(苦鬪)하다(*with*); 싸우며 나아가다(*along*); 〈비행기가〉 진동하다.
buf·fet[2][bəféi, buféi/bʌ́fit] [F] *n.* **1** 간이식당; (열차 역내의) 식당; 뷔페(식 식당): ~ lunch 뷔페식 점심식사. **2** (서랍 달린) 찬장.
búffet càr 《영》 (열차의) 식당차.
buf·fet·ing[bʌ́fitiŋ] *n.* 난타; 〔空〕 난기류에 의한 항공기의 큰 진동.
búff lèather 무두질한 부드럽고 튼튼한 쇠가죽.
buf·fle·head[bʌ́fəlhèd] *n.* 〔鳥〕 쇠오리《북미산》.
buf·fo[bu:fou] [It] *n.* (*pl.* -**fi**[-fi:], ~**s**) (가극의) 어릿광대. ── *a.* 익살스러운, 희극적인.
buf·foon[bəfú:n] *n.* 익살광대, 익살꾼. **play the buffoon** 익살부리다. ── *vi.* 익살부리다.
buf·foon·er·y[-əri] *n.* Ⓤ,Ⓒ 익살; 저속한 익살〔농담〕.
buff·y[bʌ́fi] *a.* (**buff·i·er; -i·est**) 들소 가죽 같은; 담황갈색의; 《미俗》 술 취한.
bu·fo·ten·ine[bjù:fəténi:n, -nin] *n.* 〔化〕 뷰포테닌《유독성 환각제》.
*__bug__[bʌg] *n.* **1** 《미》 반시류의 곤충; 《일반적》 곤충, 벌레. **2** 《영》 빈대(bedbug). **3** 《口》 미생물, 병원균; (보통 *pl.*) 세균학, 생물학. **4** 《口》 결점(defect); (기계의) 고장; 《컴퓨터口》 버그《프로그램 작성시의 뜻하지 않은 잘못》. **5** 《古》 잘난 체하는 사람; 《口》 열광, 열중(하기); 열광자: a movie ~ 영화광/a big ~ 《俗》 명사, 높으신 분들《보통 비웃는 말로》. **6** 《俗》 도청 마이크, 도청기; 《미》 방범 벨. **bug in one's ear** 망상(妄想); 망념.
── *vt.* (~**ged;** ~·**ging**) (식물에서) 해충을 잡다; …에 마이크를 숨겨 놓다, 도청하다; 《口》 귀찮게 굴다, 괴롭히다. **bug off** (종종 명령법) 《미俗》 가버리다. **bug out** 《미俗》 도망치다, 가버리다; …에서 급히 손을 떼다.
bug·a·boo[bʌ́gəbù:] *n.* (*pl.* ~**s**) 도깨비, 요귀(妖鬼); 근거 없는 걱정 거리.
bug·bear[bʌ́gbɛ̀ər] *n.* 도깨비; 근거 없는 걱정(거리).
bug-eyed[ˊàid] *a.* 《미俗》 눈이 튀어나온; (놀라서) 눈이 휘둥그래진.
bug·ger[1][bʌ́gər] *n.* 《卑》 남색쟁이, 비역쟁이; 《俗》 녀석, 놈. ── *vi.* 《卑》 비역하다. **bugger about**〔**around**〕 (卑) 누를끼치다; 바보 취급하다; 바보짓을 하다. **Bugger it!** 《俗》 제기랄. **bugger off** 《卑》 꺼지다, 사라지다. **bugger up** 《卑》 못쓰게 만들다.
bug·ger[2] *n.* 도청(盜聽) 전문가, 도청기 장치자.
bug·ger-all *n.* 《영俗》 무(無)(nothing).
bug·gered[ˊgərd] *a.* 《卑》 기진맥진한.
bug·ger·y[bʌ́gəri] *n.* Ⓤ 비역, 남색.
bug·ging[bʌ́giŋ] *n.* 도청.
Búg·gins's túrn[bʌ́ginziz-] 연공 서열에 의한 승진.
bug·gy[1][bʌ́gi] *a.* (-**gi·er; -gi·est**) 벌레투성이의; 《미俗》 정신이 돈, 실성한(crazy); …에 열중하는.
*__bug·gy__[2] *n.* (*pl.* -**gies**) 《영》 2륜 경마차; 《미》 4륜 경마차; 《미俗》 고물차; 유모차.
bug·house[bʌ́ghàus] *n.* (*pl.* -**hous·es**[-hàuziz]) 《미俗》 정신 병원. ── *a.* 실성한, 터무니 없는: a ~ fable 터무니 없는 말〔일〕.
bug·hunt·er[ˊhʌ̀ntər] *n.* 《口》 곤충 학자〔채집가〕.
bug·hunt·ing[ˊhʌ̀ntiŋ] *n.* Ⓤ 곤충 채집.
*__bu·gle__[1][bjú:gəl] [OF] *n.* (군대의) 나팔; 각적, 뿔피리; 뷰글《피스톤 장치가 있는 나팔》. ── *vi., vt.* 나팔을 불다〔불어 집합시키다〕.
bugle[2] *n.* (보통 *pl.*) 유리 또는 검은 구슬의 관옥(管玉).
bugle[3] *n.* 〔植〕 지난초속(屬)의 식물.
búgle càll 집합 나팔 (소리).
bu·gled[bjú:gld] *a.* 관옥 장식이 달린.
búgle hòrn 사냥꾼의 호각, 각적(bugle).
bu·gler[bjú:glər] *n.* 나팔수.
bu·glet[bjú:glit] *n.* 작은 나팔.
bu·gle·weed[bjú:glwì:d] *n.* 〔植〕 쉽싸리《약용》; =BUGLE[3]; (북미산) 콩과(科)의 야초.
bu·gloss[bjú:glɑ̀s, -glɔ̀:s/-glɔ̀s] *n.* 〔植〕 지치과(科)의 약초.

bug·out[bʌ́gàut] *n.* 《軍俗》 전선 이탈(자), 적전(敵前) 도망(병); 《俗》 꾀부리는 사람.
búg ràke 《영俗》 빗(comb).
bugs[bʌgz] *a.* 《미俗》 미친(crazy).
bug·sha[búːkʃɑ, bʌ́k-] *n.* (*pl.* **-shas**) 예멘(Yemen) 공화국의 화폐단위(1/100 rial).
búg tèst 《미俗》 심리 테스트, 정신 감정.
buhl(·work)[búːl(wəːrk)] *n.* =BOULLE.
buhr·stone[bə́ːrstòun] *n.* 규석(硅石)《맷돌용》.
bu·i·bu·i[búibúi] *n.* 부이부이《아프리카 동부 연안의 이슬람 여교도가 숄로 쓰는 검은 천》.
BUIC Back-Up Intercept Control 예비 요격 관제 시스템.
★**build** [bild] *v.* (**built**[bilt], 《詩·古》 ~·**ed**) *vt.* **1** 세우다, 짓다, 건축〔건조, 건설〕하다, 부설하다: 《Ⅰ *be being pp.*+(전+명)》 An overpass is being *built* (in front of the bus terminal). (버스 터미널 앞에) 육교가 건설 중에 있다(◇ An overpass is *building* (in front of the bus terminal).은 현재는 《文》 또는 《古》)/ The house is *built* of wood. 그 집은 목조이다/《Ⅳ 대+(목)》 He has *built* them a house. 그는 그들에게 집을 지어 주었다. **2** 조립하다(construct): 〈새가 둥지를〉 틀다; 〈불을〉 피우다; 〈부·명성 등을〉 쌓아올리다, 이룩하다, 확립하다: ~ a nest *of* dead leaves 마른 잎으로 둥지를 틀다. **3** 〈이론·주장을〉 내세우다; 〈기대를〉 걸다: ~ an argument *on* solid facts 확실한 사실에 의거해서 이론을 세우다. **4** 〈성격을〉 도야하다, 훈련하다《*into*》: ~ boys *into* men 아이들을 가르쳐 훌륭한 어른이 되게 하다. **5** 늘리다, 확대〔증강, 강화〕하다.
— *vi.* **1** 건축하다; 건축〔건설〕업에 종사하다. **2** 기대하다, 의지하다《*on, upon*》: ~ *on* a promise 약속을 믿다. **be building** 〈집이〉 건축 중이다(=be being built). **be built up of** …으로 되어 있다. **build**〔**make**〕 **a fire** 불을 피우다. **build a fire under** …을 격려하다. **build in** 〈재목을〉 짜맞추어 넣다, 〈가구 등을〉 붙박이로 만들다; 건물로 에워 싸다. **build into** …을 …에 붙박다; 〈재료를〉 써서 …을 만들다. **build on** (1) 〈토지를〉 건물로 채우다; …을 토대로 하다; …을 의지하다(rely on). (2) 증축하다. **build out** 증축하다. **build over** 〈토지를〉 건물로 채우다. **build round** 둘러 짓다. **build up** 건물로 둘러싸다; 〈재물·명성·인격 등을〉 쌓아 올리다, 확립하다; 개조하다; 갱신〔부흥〕하다, 〈건강 등을〉 증진시키다, 〈몸을〉 단련하다; 선전하다, 날조하다; 〔軍〕 〈요원을〉 모으다.
— *n.* Ⓤ **1** 만듦새, 구조, 얼개. **2** 체격.
⁑**build·er**[bíldər] *n.* 건축(업)자, 건조자; (새 국가 등의) 건설자: a master ~ 도목수.
★**build·ing**[bíldiŋ] *n.* **1** Ⓤ 건축, 건조; 건축술: a ~ contractor 건축 청부업자/a ~ berth〔slip〕 조선대. **2** 건축물, 빌딩, 가옥: a ~ area 건평/a ~ site 부지(敷地). **3** (*pl.*) 부속 건조물(헛간·마구간 등).
búilding and lóan associàtion =SAVINGS AND LOAN ASSOCIATION.
búilding blòck (장난감) 집짓기 나무 토막; 기본 원칙.
búilding còde 건축 (기준) 법규.
búilding lèase 건축 부지의 임대차 (기한).
búilding lìne 〔建〕 (도로 등에 면한) 건축 제한선.
búilding socìety 《영》 주택 조합, 건축 조합(《미》 savings and loan association).
búilding tràdes 건축업(목수·벽돌공·연관공 등의 직업).
build·up[bíldʌ̀p] *n.* 증강, 강화; 증진; 축적; (교통의) 체증; 선전; 날조(捏造); (작전 요원의) 집합; (연극의) 줄거리.
★**built**[bilt] *v.* BUILD의 과거·과거분사.
— *a.* 조립된; (복합어를 이루어) …한 체격의.
∗**built-in**[ㄹìn] *a.* 붙박이의 〈책장·선반 등〉.
— *n.* Ⓤ 붙박이 비품.
búilt-in stábilizer 〔經〕 자동 안정 장치.
built-up[ㄹʌ́p] *a.* 짜 맞춘, 조립한; 건물이 빽빽이 들어찬.
Bu·jum·bu·ra[bùːdʒumbúərə] *n.* 부줌부라(Burundi의 수도).
bul. bulletin.
⁑**bulb**[bʌlb] [Gk] *n.* **1** 구근(球根), 인경. **2** 공 모양의 물건; 전구; 진공관; (온도계 등의) 수은구; 〔解〕 안구(眼球); 연수(延髓). **bulb of the spinal cord** 연수. **the bulb of a hair** 모근(毛根). — *vi.* 구근이 되다; 둥글게 부풀다. **bulb up** 〈양배추 등이〉 결구(結球)하다. **bulbed**[bʌlbd] *a.* =BULBOUS.
bul·ba·ceous[bʌlbéiʃəs] *a.* 구근〔구경(球莖)〕(모양)의; 〔植〕 구근성의.
bulb·ar[bʌ́lbər] *a.* 구근〔인경〕의; 연수의.
bulb·if·er·ous[bʌlbífərəs] *a.* 구근〔인경〕이 생기는.
bulb·i·form[bʌ́lbəfɔ̀ːrm] *a.* 구근 모양의.
bul·bil[bʌ́lbil] *n.* 〔植〕 =BULBLET.
bulb·let[bʌ́lblit] *n.* 〔植〕 소인경(小鱗莖); 구아(球芽), 구슬눈.
bul·bous[bʌ́lbəs] *a.* 구근〔구경(球莖)〕의; 구근에서 생기는; 구근 모양의: a ~ nose 주먹코/a ~ plant 구근 식물.
bul·bul[búlbul] *n.* **1** 〔鳥〕 nightingale의 무리. **2** 가수, 시인.
Bulg. Bulgaria(n).
Bul·gar[bʌ́lgɑːr] *n., a.* =BULGARIAN.
Bul·gar·i·a[bʌlgέəriə, bul-] *n.* 불가리아《유럽 남동부의 공화국; 수도 Sofia》.
Bul·gar·i·an[-ən] *a.* 불가리아(사람·말)의.
— *n.* 불가리아 사람; Ⓤ 불가리아 말.
∗**bulge**[bʌldʒ] [L] *n.* **1** (통 등의) 중배. **2** 부풀기; 〔海〕 뱃바닥: the ~ keel (배의) 중배. **3** (수량의) 일시적 증가, 부풀어오름, 팽창; 《미口》 급등《*in*》. **4** 《俗》 유리, 우세. **get**〔**have**〕 **the bulge on** 《미俗》 …보다 우세하다; …을 지우다, …을 이기다. — *vi.* 부풀다《*with*》: His muscles ~*d out.* 그의 근육은 불룩 솟아 있었다. — *vt.* 부풀리다《*with*》; 〈배 밑바닥을〉 파손하다: He ~*d* his pockets *with* apples. 그의 호주머니는 사과로 불룩해 있었다.
bulg·er[bʌ́ldʒər] *n.* 〔골프〕 벌저《철면(凸面) 나무 골프채》.
bulg·y[bʌ́ldʒi] *a.* (**bulg·i·er; -i·est**) 불룩한. **-i·ness** *n.*
bu·lim·a·rex·i·a[bjuːlìməréksiə] *n.*=BULIMIA.
bu·lim·i·a, bu·li·my[bjuːlímiə], [bjúːləmi] *n.* Ⓤ 〔病理〕 이상 식욕 항진.
bu·lim·ic[bjuːlímik] *a.* 폭식하는.
⁑**bulk**[bʌlk] [ON] *n.* Ⓤ **1** 크기, 용적, 부피. **2** (the ~) 대부분, 태반. **3** 선창(船艙); 포장하지 않은 산적(散積) 하물, 적하(積荷); 장내 확장성 식품. **4** Ⓤ,Ⓒ 거대한 것, 거체(巨體). **break bulk** 짐을 부리기 시작하다. **bulk buying** 생산품 전량 매점. **bulk production** 《미》 대량 생산. **in bulk** 〈곡물 등을〉 포장하지 않고, 산적 화물로; 대량으로.
— *vi.* 부피가 커지다《*up*》; 덩어리가 되다《*up*》.
— *vt.* …의 부피가 커지게 하다; 일괄하다.
bulk large〔**small**〕 (in one's eyes) 크게〔작게〕

보이다: 중요하(지 않)게 보이다.
bulk·head[bʌ́lkhèd] *n.* 〔海〕 칸막이, 칸막이 벽; 〔鑛山〕 (갱내의) 분벽(分壁); 지하실의 덮개문, (들어서 여는) 옥상 출입문.
búlk lòading 낱개로 싣기《화물을 인력으로 항공기 화물실에 싣는 원시적 탑재 방식》.
búlk máil 요금 별납 우편물.
búlk mòdulus 〔物〕 체적 탄성율.
*__bulk·y__[bʌ́lki] *a.* (**bulk·i·er; -i·est**) (무게에 비해) 부피가 큰; 거대한, (너무 커서) 다루기 힘든. **búlk·i·ly** *ad.* **búlk·i·ness** *n.*
bull¹ [bul] *n.* **1 황소(*cf.* BULLOCK; cow¹). **2** (물소·코끼리·고래 등의) 수컷: a ~ whale =a whale ~ 수코래. **3** (the B-) 〔天〕 황소자리 (Taurus). **4** 〔證券〕 사는 쪽, 강세쪽(*opp.* bear¹; ⇨ STAG). **5** 《미俗》 기관차. **6** 황소 같은 사나이; 《미俗》 순경, 형사; (**B-**) =JOHN BULL. **7** =BULL'S-EYE. **8** =BULLDOG. **9** Ⓤ 《미俗》 허풍, 허튼소리. **a bull in a china shop** 사정없이 횡포를 부리는 부랑배. **bull dance** 남자들끼리만의 댄스. **like a bull at a (five-barred) gate** 맹렬히. **shoot** 〔**throw**〕 **the bull** 《미俗》 〈허튼소리를〉 지껄이다; 큰소리치다. **take the bull by the horns** 용감하게 난국에 맞서다.
── *a.* 수컷의; 황소의〔같은〕; 〔證券〕 사는 쪽의, 강세의(*opp.* bear¹): a ~ market 강세 시장. ── *vt.* **1** 〔證券〕 (시세를 올리려고) 자꾸 사들이다. **2** 밀고 나아가다, 강행하다: ~ one's way 반대를 무릅쓰고 나아가다. **3** 《俗》 위협하다(bluff). ── *vi.* **1** 《미俗》 허풍떨다, 허튼소리하다. **2** 암소가 발정하다.
bull² [L] *n.* 로마 교황의 교서.
bull³ *n.* 우스운 모순, 모순된 언행(=Irish ~).
bull. bulletin.
bul·la[búlə, bʌ́lə] *n.* (*pl.* **-lae**[-liː]) **1** 〔病理〕 수포(水泡), 물집. **2** 공문서용 인장, 관인, 《특히》 로마 교황인(印).
bul·lace[búlis] *n.* 서양 자두나무의 일종.
bull·bait·ing[búlbèitiŋ] *n.* Ⓤ 소 곯리기 《개를 부추겨 황소를 성나게 한 영국의 옛 놀이》.
bull·bat[∠bæ̀t] *n.* 〔鳥〕 쏙독새.
búll bìtch 불독의 암컷.
búll blòck 철사 감는 기계, 불블럭.
bull·boat[∠bòut] *n.* 쇠가죽배, 가죽배.
bull·dag·ger[∠dæ̀gər] *n.* 《미卑》 남성역의 여성 동성 연애자.
*__bull·dog__[∠dɔ̀ːg/∠dɔ̀g] *n.* 불독; 완강한 사람; (대학교의) 학생감의 조수; 《俗》 짧고 구경이 큰 권총; =BULLDOG CLIP. ── *a.* 불독 같은, 용맹스럽게 끈덕진.
búlldog clìp 억센 종이 집게.
búlldog edition 《俗》 신문의 새벽판(원거리로 발송하는).
bull·doze[búldòuz] *vt.* 불도저로 〈땅을〉 고르다〔파다, 나르다〕; 억지로 통과시키다, 강행하다; 위협하다, 을러대다, 괴롭히다.
bull·doz·er[-ər] *n.* 불도저; 《口》 협박자.
bull·dyke[búldàik] *n.* 《미卑》 =BULLDAGGER.
bul·let[búlit] [F] *n.* **1** 소총탄(*cf.* SHELL). **2** 작은 공; (낚싯줄의) 봉(plumb). **3** 〔印〕 (주의를 끌기 위해 찍는) 굵은 가운뎃점(·). **bite (on) the bullet** 고통을 꾹 참다, 언짢은 상황에 감연히 맞서다.
bul·let·head[-hèd] *n.* 둥근 머리(의 사람); 《口》 바보, 고집쟁이. **-héad·ed**[-id] *a.* 머리가 둥근. **-héad·ed·ly** *ad.*
bul·le·tin[búlət*i*n] *n.* 고시, 게시, 보고, 공보; 회보; 사보; 정기 보고서; (중요 인물의) 병상 발표; 작은 신문, 뉴스 속보. ── *vt.* 고시〔게시〕하다.
búlletin bòard 게시판.
bul·let·proof[-prùːf] *a.* 방탄의.
búllet tràin 탄환 열차《일본의 초고속열차》.
búll fíddle 《미口》 =CONTRABASS.
bull·fight[búlfàit] *n.* 투우. **~·er** *n.* 투우사. **~·ing** *n.* Ⓤ 투우.
bull·finch[∠fìntʃ] *n.* **1** 〔鳥〕 멋쟁이새의 일종. **2** 높은 산울타리.
bull·frog[∠fràg, ∠frɔ̀(ː)g] *n.* 식용개구리《미국산(産)》.
búll gùn (총신이 무거운) 표적 사격용 총.
bull·head[∠hèd] *n.* 둥근 머리(의 사람); 《미》 머리가 큰 물고기《메기 등》; 개구리의 일종; 고집쟁이.
bull·head·ed[∠hédid] *a.* 완고한, 고집센, 우둔한; 머리가 둥근. **~·ly** *ad.* **~·ness** *n.*
bull·horn[∠hɔ̀ːrn] *n.* 휴대용 확성기, 핸드마이크.
bul·lion[búljən] *n.* Ⓤ 금〔은〕 덩어리; 순금, 순은; 금실〔은실〕의 술; 거푸집에 부은 선철·동. **~·ìsm**[-ìzəm] *n.* Ⓤ 금은 통화주의, 경화(硬貨)주의. **~·ist** *n.* 금은 통화 론자.
búllion frìnge 금몰, 은몰.
búllion pòint =GOLD POINT.
Búllion Státe (the ~) 미국 Missouri 주의 속칭.
bull·ish[búliʃ] *a.* 황소 같은; 완고한; 우둔한; 〔證券〕 강세의, 오름세의(*opp.* bearish); 낙관적인: a ~ market 상승 시세. **~·ly** *ad.* **~·ness** *n.*
búll mástiff 불마스티프《bulldog과 mastiff의 교배종의 경비견》.
bull·necked[∠nèkt] *a.* 〈사람이〉 목이 굵은; 고집센.
bull·nose[∠nòuz] *n.* 주먹코; (돼지의) 만성 비염; 〔建〕 (벽돌·타일·벽의) 둥근 면.
bul·lock[búlək] *n.* (네 살 이상의) 황소; 불깐 소.
búllock pùncher 《오스》 =BULL PUNCHER.
bul·lock·y[búləki] *a.* 불깐 소 같은. ── *n.* 《오스》 카우보이.
bul·lous[búləs] *a.* 〔病理〕 수포성의.
bull·pen *n.* 《미》 소의 우리; 《口》 유치장; 노동자 합숙소; 〔野〕 불펜《구원 투수 연습장》.
búll pùncher 《오스》 카우보이.
bull·pup[búlpʌ̀p] *n.* 불독의 새끼.
búll ràck 《미俗》 가축 운반 트럭.
bull·ring[búlrìŋ] *n.* 투우장.
bull-roar·er[búlrɔ̀ːrər] *n.* (호주 원주민의) 의식용 악기의 일종; 《미俗》 목소리 큰 연사.
búll sèssion 《미口》 (보통, 학생 등 남자들만의) 자유 토론.
bull's-eye[búlzài] *n.* (과녁의) 중심; 정곡 (正鵠); 두꺼운 볼록 렌즈가 달린 각등(角燈); (채광용의) 둥근 창; 《영》 눈깔사탕. **hit the bull's-eye** 과녁의 중심을 맞히다; 정곡을 찌르다; 대성공을 거두다.
bull·shit[búlʃìt] *n.* Ⓤ 《卑》 엉터리, 허튼소리. ── *int.* 거짓말!, 엉터리! ── *vt., vi.* (~·ting) 《俗》 거짓말하다, 실없는 소리하다.
bull·ter·ri·er[búltériər] *n.* 불테리어《불독과 테리어의 교배종》.
búll tòngue (목화 재배용의) 무거운 쟁기.
búll tróut 《영》 〔魚〕 송어류.
bull·whack[∠*h*wæ̀k] *n., vi., vt.* 《미》 소채찍(으로 때리다). **~·er** *n.* 《미》 소몰이꾼.
bull·whip[∠*h*wìp] *n.* 생가죽 채찍.
*__bul·ly¹__ [búli] *n.* (*pl.* **-lies**) **1** 약한 자를 괴롭

히는 사람: 깡패, 난폭한 자, 고용된 깡패; 골목 대장. **2** 매춘부를 착취하는 남자, 뚜쟁이. **3** 〔럭비·미蹴〕 스크럼(scrimmage). **play the bully** 마구 뻐기다. ── *a.* 《口》 멋진, 훌륭한. ── *int.* 《口》 〔반어적〕 멋지다, 잘한다: *B-* for you〔us〕! 잘한다. ── (**-lied**) *vt.* 곯리다, 겁주다: 《V (목)+전+-*ing*》 He *bullied* me *into* giv*ing* him my hoop. 그는 나를 겁주어 내 굴렁쇠를 그에게 주도록 했다. ── *vi.* 마구 뻐기다. **bully** (a thing) **out of** a person 위협하여 아무에게서 (물건을) 빼앗다.

bully[2] *n.* =BULLY BEEF.

bully[3] *vi.* 〔하키〕 시합을 개시하다《*off*》.

búlly bèef 통조림한〔소금에 절인〕 쇠고기.

bul·ly·boy[-bɔ̀i] *n.* 폭력 조직의 하수인, 《특히》 정치깡패.

bul·ly·off[-ɔ́(:)f/-ɑ́f] *n.* 〔하키〕 경기 개시.

bul·ly·rag[-ræ̀g] *vt.,vi.* (**~ged; ~·ging**) 《미口》 으르다, 곯리다(bully[1]).

bul·rush[búlrʌ̀ʃ] *n.* 〔植〕 큰고랭이속(屬); 파피루스(papyrus).

*__bul·wark__[búlwərk] *n.* 성채, 보루; (보통 *pl.*) (배의) 현장(舷墻); 방파제; 방호자〔물〕. ── *vt.* 보루로 견고히 하다; 옹호〔방비〕하다.

bum[1][bʌm] *n.* 《미口》 **1** 부랑자(tramp); 게으름뱅이, 룸펜, 건달. **2** 술고래; 방탕. **3** (골프 등의) 열중자, …광. **4** 《미俗》 상대를 가리지 않는 여자. **a bum on the plush** 게으름뱅이 부자. **go on the bum** 떠돌이 생활을 하다, 남에게 폐를 끼치다. **on a bum** 마시고 떠들어. ── *a.* (**~mer; ~·mest**) 《俗》 하찮은; 건달의. ── (**~med; ~·ming**) 《미口》 *vi.* 빈둥빈둥 지내다, 부랑하다; 술에 빠지다. **bum along** (차를 타고) 일정한 속도로 가다. **bum around** 《미口》 빈둥빈둥 돌아다니다. ── *vt.* 올러 빼앗다, 졸라 빼앗다, 갚을 생각 없이 빌리다: ~ money *from* a person …에게서 꾼 돈을 갚지 않다.

bum[2] *n.* 《卑》 엉덩이; =BUMBAILIFF.

búm-bàg, bum·bag *n.* (돈, 귀중품등을 넣는) 작은 주머니《허리 등에 띠 모양으로 두름》.

bum·bai·liff[bʌ̀mbéilif] *n.* 《영·경멸》 집달리(bailiff).

bum·ber·shoot[bʌ́mbərʃùːt] *n.* 《口》 우산.

bum·ble[1][bʌ́mbəl] [*bu*ngle+stu*mble*] *vi.* 실패하다, 실수하다; 더듬거리며 말하다. ── *vt.* 엉망으로 하다, 실수하다. ── *n.* 큰 실수.

bumble[2] [의성어] *vi.* 〈꿀벌 등이〉 윙윙거리다.

bum·ble·bee[bʌ́mbəlbìː] *n.* 땅벌.

bum·ble·dom[bʌ́mbldəm] *n.* Ⓤ 벼슬아치 근성〔사회〕《Dickens 작 *Oliver Twist*에서》.

bum·ble·pup·py[bʌ́mblpʌ̀pi] *n.* Ⓤ **1** 〔카드〕 변칙(變則) 휘스트(whist). **2** 고무공을 기둥에 매달고 라켓으로 서로 치는 놀이.

bum·bling[bʌ́mbliŋ] *a.* 거드름부리는.

bum·bo[bʌ́mbou] *n.* Ⓤ 럼주에 단맛·향기를 가한 술.

bum·boat[bʌ́mbòut] *n.* 〔海〕 (정박중인 배에) 식료품·잡화를 팔러 다니는 작은 배.

bumf, bumph[bʌmf] *n.* Ⓤ 《영俗》 **1** 휴지(toiletpaper). **2** (집합적) 따분한 서류, 관청의 서류〔공문서〕.

Bu·mi·pu·tra[bùːmipúːtrə] *n.* (말레이시아에서, 중국인과 구별하여) 본토인, 말레이인.

bum·kin[bʌ́mkin] *n.* =BUMPKIN[2].

bum·ma·lo[bʌ́məlòu] *n.* (*pl.* **~s**) =BOMBAY DUCK.

bum·mer[1][bʌ́mər] *n.* 《미俗》 게으름뱅이, 빈둥거리는 사람(loafer).

bummer[2] *n.* 《미俗》 기대에 어긋난 경험; (마약 등의) 불쾌한 경험; 실망(시키는 것).

⁑**bump**[bʌmp] [의성어] *vi.* **1** 부딪치다, 마주치다, 〔競漕〕 추돌하다《*against, into*》: ~ *against* each other 서로 부딪치다. **2** 〈차가〉 덜거덕거리며 지나가다《*along*》. **bump into** 《미口》 (오랜만에) 우연히 만나다. ── *vt.* **1** (쾅) 부딪치다, 충돌하다: ~ one's head *against* the wall 벽에 머리를 쾅 부딪치다. **2** 부딪쳐서 …을 쿵하고 떨어뜨리다《*down*》. **3** 《俗》 쫓아내다(oust), 〈좌석에서〉 밀쳐내다, (투표로써) 부결하다(vote down). **4** 〈값·임금 등을〉 올리다. **bump off** 《미俗》 폭력으로 제거하다, 죽이다. **bump up** 〈값을〉 올리다, 《미》 승진시키다. ── *n.* **1** 충돌; 쿵, 쾅. **2** 혹(swelling); (도로 등의) 융기. **3** 〔骨相〕 (두개골의) 융기; 두상(頭相); 감각, 직감. **4** 〔競漕〕 추돌(追突)(하고서의 승리). **5** 차의 동요; 〔空〕(비행기를 동요시키는) 악기류, 돌풍; 《미》 강등, 격하. **6** (스트립쇼 등에서) 하복부를 쑥 내미는 동작. **have a bump of** …에 능력〔재능〕이 있다. ── *ad.* 쾅하고, 쿵하고. ◇ **búmpy** *a.*

*__bump·er__[1][bʌ́mpər] *n.* 《미》(열차·자동차 앞뒤의) 완충기, 범퍼(《영》 buffer[1]).

bumper[2] *n.* **1** (건배할 때의) 가득 채운 잔. **2** 《口》 풍작; 성황, 만원; 《미口》 특별히 큰 것. **3** (WHIST에서) 3판 승부에서 먼저 얻은 2승. ── *a.* 《口》 대단히 큰; 풍작의: a ~ crop〔year〕 풍작〔풍년〕.

búmper càr (유원지 등의) 부딪치기 놀이하는 소형 전기 자동차.

bump·er·stick·er *n.* 자동차 범퍼에 붙인 선전·광고 스티커.

bump·er-to-bump·er[-tə-] *a.* 〈자동차가〉 꼬리를 문; 〈교통이〉 정체된.

bumph[bʌmf] ⇨BUMF.

búmp·ing pòst (철도의)궤도 종점의 정지점.

búmping ràce 추돌(追突) 레이스《앞 보트에 부딪치거나 앞지르면 이김》.

bump·kin[1][bʌ́mpkin] *n.* 시골뜨기; 버릇없는 사람.

bumpkin[2] *n.* 〔海〕 범프킨《선체에서 뻗어나온 막대》.

bump·off[bʌ́mpɔ̀ːf/-ɔ̀f] *n.* 《미俗》 살인.

búmp sùpper BUMPING RACE의 승리 축하 만찬회.

bump·tious[bʌ́mpʃəs] *a.* 오만한, 거만한. **~·ly** *ad.* **~·ness** *n.*

bump·y[bʌ́mpi] *a.* (**bump·i·er; -i·est**) 〈길이〉 울퉁불퉁한; 〈차가〉 덜컥거리는; 〔空〕 악기류가 있는; 〈음악·시 등이〉 박자가 고르지 않은. **búmp·i·ly** *ad.* **-i·ness** *n.*

búm ráp 《미俗》 이유없는 유죄 판결; 누명.

búm-rúsh *vt.* 《俗》 강제로 밀고 나아가다.

búm's rúsh 《미口》 사람을 쫓아버리는 수단.

búm stéer 《미口》 (의도적인) 오보(誤報); 잘못된 조언〔지시〕.

*__bun__[1][bʌn] *n.* 건포도 롤빵; (bun 모양의) 타래머리, 쪽; 《미俗》 취기. **have a bun in the oven** 《익살》 〈여자가〉 임신하고 있다《남성의 표현》. **have a bun on** 취해 있다. (**hot**) **cross bun** (Good Friday에 먹는 관습이 있는) 십자형을 찍은 단빵. **take the bun** 《俗》 1등을 하다.

bun[2] *n.* 《영》 다람쥐, 토끼《의인화》.

BUN blood urea nitrogen 〔生化〕 혈액 요소 질소.

Bu·na[bjúːnə] *n.* 합성 고무의 일종《상표명》.

⁑**bunch**[bʌntʃ] *n.* **1** 다발, 송이(cluster); 묶음: a ~ of grapes 한 송이의 포도. **2** 《口》 한 패(group), 떼거리, 동아리; 《미》 마소의 떼. **3**

혹, 융기, 돌기. **bunch of calico** 《미俗》 여자. **bunch of fives** 《俗》 주먹, 손. **the best of the bunch** 《口》 정선한 것, 가장 뛰어난 것. ── *vt.* **1** …을 다발로 묶다. **2** 〈가축을〉 한 떼로 모으다. **3** 〈옷에〉 주름잡다. **4** 〔野〕 집중 안타를 치다. ── *vi.* **1** 다발이 되다. **2** 한 떼가 되다. **3** 혹이 되다. **4** 주름잡히다(*up*). ◇ búnchy *a.*

bunch·ber·ry[⌐bèri, ⌐bəri] *n.* (*pl.* **-ries**) 〔植〕 산딸나무.

bunch·flow·er[⌐flàuər] *n.* 〔植〕 백합과(科) 식물의 일종(미국 원산).

bunch·grass *n.* (미국산) 벼과(科)의 풀.

bunch·i·ness *n.* Ⓤ 송이 모양; 융기(隆起).

bunch·ing[⌐iŋ] *a.* 몹시 붐비는, 〈차 등이〉 연달은.

búnch lìght (조명의) 광속(光束).

bunch·y[bʌ́ntʃi] *a.* (**bunch·i·er; -i·est**) 송이가 있는, 송이 모양의; 타래〔다발〕로 된; 혹 모양의. **búnch·i·ly** *ad.*

bun·co[bʌ́ŋkou] 《미口》 *n.* (*pl.* **~s**) Ⓤ,Ⓒ 사기; 속임수 내기. ── *vt.* 사기치다, 속이다.

bun·combe[bʌ́ŋkəm] *n.* =BUNKUM.

búnco stèerer 《미口》 사기꾼.

bund[bʌnd] 《인도》 *n.* (동양의 항구의) 해안길; 제방; 부두.

Bund[bund/bʌnd] [G] *n.* (*pl.* **~s, Bün·de** [býndə]) 친독(親獨)협회(1936년 미국에서 독일계 미국인이 조직); 동맹, 연합.

búnder bòat 항내(港內)〔연안〕에서 사용하는 선박.

Bun·des·rat(h)[búndəsrɑ̀:t] [G] *n.* (서독의) 상원.

Bun·des·tag[búndəstɑ̀:g] [G] *n.* (서독의) 하원.

‡bun·dle[bʌ́ndl] *n.* **1** 묶음(*of*); 만 것(*of*); 꾸러미: a ~ *of* letters 편지의 한 묶음. **2** 덩어리, 무리, 일단(一團)(group). **3** 《俗》 거금. **4** 〔植·解〕 (섬유 조직·신경의) 관속(管束). **5** 〔컴퓨터〕 번들((하드웨어와 소프트웨어를) 일괄하여 파는 것). **a bundle of nerves** 몹시 신경질적인〔소심한〕 사람. **do**〔**go**〕 **a bundle on** 《俗》 …을 무척 좋아하다. ── *vt.* **1** 다발〔꾸러미〕로 하다; 〈짐을〉 꾸리다, 묶다, 싸다(*up*): ~ *up* clothes 옷을 꾸리다. **2** 뒤죽박죽 던져 넣다(*into, in*): He ~*d* his possession *into* a car. 그는 자기 물건을 자동차에 마구 던져 넣었다. **3** (…에서) 몰아내다(*off, out, to*). **4** 〔컴퓨터〕 (하드웨어와 소프트웨어를) 일괄하여 팔다. **bundle away**〔**off, out**〕 척척 치우다; 재촉해 몰아내다; 총총히 물러가다. **bundle** (one**self**) **up** 따뜻하게 몸을 감싸다. ── *vi.* 급히 물러가다〔떠나다, 나가다〕(*off, out, away, out of, into*): She ~*d out of* the kitchen. 그녀는 부엌에서 급히 나갔다. **bundle into** a person …와 부딪치다. **bún·dler** *n.*

bun·dling[bʌ́ndliŋ] *n.* **1** 약혼 중인 남녀가 옷을 입은 채 한 침대에서 자는 웨일스나 뉴잉글랜드의 옛 풍습. **2** 일괄〔시스템〕 판매(컴퓨터의 본체·디스플레이 장치·프린터·기본 소프트웨어 등을 세트로 하여, 합계 금액을 표시 판매하는 방법).

bun·do·bust[bʌ́ndoubʌ̀st] *n.* Ⓤ,Ⓒ 《인도》 준비 협정.

bun-fight[bʌ́nfàit] *n.* 《영俗》 =TEA PARTY.

bung[1][bʌŋ] *n.* (통 등의) 마개; 통 주둥이; 《俗》 거짓말. ── *vt.* 마개를 하다; 막다(*up*); 《영俗》 던지다. ── *vi.* 〈하수구 등이〉 막히다. **bung off** =BUNK[3] off. **bunged up** 《口》 〈눈이〉 부어 안보이는; 〈코·파이프가〉 막힌.

bung[2] *a.* 《오스俗》 죽어서; 파산하여; 깨져서; 무익하여. **go bung** 죽다; 파산하다; 실패하다.

bung·a·loid[bʌ́ŋgəlɔ̀id] *a.* 방갈로식의.

***bun·ga·low**[bʌ́ŋgəlòu] [Hindi] *n.* 방갈로(베란다가 붙은 간단한 목조 단층집).

bun·gee[bʌ́ndʒi] *n.* 〔空〕 (폭격기 탄창의) 보조 조절 장치.

bung·hole[bʌ́ŋhòul] *n.* 통의 따르는 구멍.

bun·gle[bʌ́ŋgəl] *vt., vi.* 서투르게 만들다, 망치다; 실수하다. ── *n.* 서투른 솜씨; 실수, 망침; 솜씨가 서투른 사람.

bun·gler *n.* 서투른 직공, 솜씨 없는 사람.

bun·gle·some *a.* 서투른, 솜씨없는.

bun·gling *a., n.* Ⓤ 서투른 (솜씨). **~·ly** *ad.*

bun·gy[bʌ́ŋgi] *n.* (*pl.* **-gies**) 《영俗》 치즈; 지우개; 청소부.

bun·ion[bʌ́njən] *n.* 〔病理〕 건막류(腱膜瘤)(엄지발가락 안쪽의 염증).

bunk[1][bʌŋk] [bunker의 단축형] *n.* (배·기차의 선반 모양의) 침상〔침대〕(berth); 《口》 침대; 《미》(트럭 등에 걸쳐 놓은) 가름대. ── *vi.* 《口》침상에 눕다; 아무렇게나 뒹굴어 자다. **bunk up** 《영俗》…와 성관계를 가지다.

bunk[2] [bunkum의 단축형] 《俗》 *n.* Ⓤ 터무니없는 소리, 속임수(humbug). ── *vt.* 터무니없는 소리를 하다.

bunk[3] 《영俗》 *n.* 도망(flight): do a ~ 도망하다. ── *vi.* 빵소니치다. **bunk off** =**bunk it** 도망가다.

búnk bèd 2단 침대.

bun·ker[bʌ́ŋkər] *n.* **1** (고정되어 있는) 큰 궤, 석탄 궤, (배의) 석탄 창고. **2** 〔골프〕 벙커(모래로 된 장애 구역). **3** 〔軍〕 엄폐호; 은신처; (로켓 발사·핵무기 실험 등의) 지하 관측실. ── *vt.* (배에) 연료를 싣다; (보통 수동형) 〔골프〕 공을 벙커에 쳐 넣다.

Bún·ker Híll *n.* 벙커힐(미국 Boston의 언덕; 독립 전쟁시의 싸움터).

búnker òil 벙커유(油).

búnk fatìgue〔**hàbit**〕 《미俗》 수면.

bunk·house[bʌ́ŋkhàus] *n.* (*pl.* **-hous·es** [-hàuziz]) 《미》 광부의 오두막, 노동자 합숙소〔숙사〕.

bunk·ie *n.* 《俗》 =BUNKMATE.

bunk·mate *n.* 〔軍〕 같은 내무반을 쓰는 사람, bunkhouse의 이웃 침대 사람.

bun·ko[bʌ́ŋkou] *n.* (*pl.* **~s**), *vt.* =BUNCO.

bun·kum[bʌ́ŋkəm] *n.* Ⓤ (선거민의) 인기를 끌기 위한 연설; 부질없는 이야기〔일〕.

bunk-up[⌐ʌ̀p] *n.* 《영口》 (오를 때의) 밀어 올리기, 받쳐 주기.

bunn[bʌn] *n.* =BUN[1].

***bun·ny**[bʌ́ni] *n.* (*pl.* **-nies**) **1** 〔愛稱〕 토끼(rabbit); 《미方》 다람쥐. **2** 버니걸(=girl)(토끼 옷을 입은 호스테스); (**B-**) 《특히》 Playboy Club의 버니걸.

Bun·ny[bʌ́ni] *n.* 여자 이름.

búnny hùg 버니 허그(20세기 초기에 미국에서 유행한 춤의 하나).

Bún·sen búrner 분젠 가스 버너(주로 화학 실험실용).

***bunt**[1][bʌnt] *vt., vi.* (머리 또는 뿔로) 받다, 밀다; 〔野〕 번트하다. ── *n.* 받기, 밀기; 〔野〕 번트.

bunt[2] *n.* (그물의) 주머니 부분; 가로돛의 중앙부.

bunt[3] *n.* Ⓤ (밀의) 흑수병(균).

bun·tal[bʌ́ntəl] *n.* 번탈 섬유(모자용).

bun·ting¹[bʌ́ntiŋ] *n.* Ⓤ (엷은) 깃발천;(집합적)(경축 등을 위한) 가느다란 기, 장식천; 선기(船旗).
bunting² *n.* 〔鳥〕 멧새 무리.
bunting³ *n.* 《미》 (갓난아기의) 후드 달린 따듯한 포대기.
bunt·line[bʌ́ntlin, -làin] [BUNT²] *n.* 〔海〕 가로돛 자락을 치켜 올리는 밧줄.
Bun·yan[bʌ́njən] *n.* 번얀 John ~(1628-88) 《영국의 작가: *Pilgrim's Progress*의 저자》.
bun·yip[bʌ́njip] *n.* 〔오스傳說〕 늪땅에 살며 사람을 잡아 먹는다는 야수; 《오스》 사기꾼.
*⁑***bu·oy**[búːi, bɔi] *n.* 〔海〕 부이, 부표(浮標); 구명 부이(=life ~). — *vt.* **1** 띄우다, 띄워 두다《*up*》. **2** 지탱하다, 〈희망 등을〉 걸다, 기운을 북돋우다《*up*》: ~ *up* a person's courage …의 용기를 북돋우다. **3** 〔海〕 〈…에〉 부이를 달다; …을 부표로 표시하다: ~ *off* a channel 수로를 부표로 표시하다. — *vi.* 뜨다, 떠오르다《*up*》.
bu·oy·age[bú(ː)iidʒ, bɔ́i-] *n.* Ⓤ 부표 설치〔표지〕;(집합적) 부표(buoys); 계선(繫船) 부표 사용료.
buoy·an·cy, -ance[bɔ́iənsi, búːjən-], [-əns] *n.* Ⓤ **1** 부력; 부양성(浮揚性). **2** 낙천적인 성질;(타격 등을 받고 곧) 회복하는 힘, 쾌활함. **3** 시세가 오를 기미.
*****buoy·ant**[bɔ́iənt, búːjənt] *a.* **1** 부양성〔부력〕이 있는: a ~ mine 부유 수뢰(浮遊水雷). **2** 탄력이 있는; 경쾌한; 낙천적인. **3** 〈시세가〉 오를 기미의; 매기가 있는. **~·ly** *ad.*
búoyant fórce 부력(浮力).
B.U.P. British United Press.
Bup·py, Bup·pie[bʌ́piː] *n.* (*pl.* **-pies**) [*b*lack *u*rban *p*roffessional+yup*pie*] 《미》 (사회·경제적 향상 지향의) 흑인의 전문 직업인.
bur¹[bəːr] *n.* (밤·우엉 등의) 가시, 가시 돋친 식물; 달라붙는 것; 성가신 사람;(치과·기계 등의) 절삭기. — *vt.* (**~red; ~·ring**) 가시를 없애다.
bur² *n., v.* (**~red; ~·ring**)=BURR[1,2,3]
bur. bureau.
Bur. Burma.
bu·ran[burɑ́ːn] *n.* 〔氣〕 부란《시베리아 등 초원 지방의 폭풍》.
burb[bəːrb] *n.* 《俗》 교외(=suburb).
Bur·ber·ry[bə́ːrbəri, -bèri] *n.* (*pl.* **-ries**) 방수포(防水布); 바바리코트《상표명》.
bur·ble[bə́ːrbəl] *vi.* 〈시내 등이〉 졸졸 흐르다; 보글보글 소리나다; 거품이 일다; 입에 거품을 내며 말하다: ~ *with* mirth 킬킬 웃다/~ *with* rage 화를 펄펄 내다. — *n.* 보글보글 소리; 킬킬댐; 〔空〕 실속(失速).
búrble pòint 〔空〕 실속각(失速角), 임계각.
bur·bot[bə́ːrbət] *n.* (*pl.* **~, ~s**) 〔魚〕 모캐.
burbs[bəːrbz] [suburbs의 단축형] *n. pl.* 《미俗》 도시 교외, 주택 지역, 베드타운.
*⁑***bur·den¹**[bə́ːrdn] [OE] *n.* Ⓒ,Ⓤ **1** 무거운 짐, 짐. **2** 부담, 의무, 책임; 걱정, 괴로움, 난삽(難澁): be a ~ to〔on〕 …의 부담이 되다. **3** (배의) 적재력. **bear the burden and heat of the day** 〔聖〕 종일 수고와 더위를 견디다. **beast of burden** ⇨beast. **the burden of proof** 〔法〕 거증 책임(擧證責任). — *vt.* **1** (종종 수동형으로) 짐을 지우다, 부담시키다: ~ a person *with* heavy taxes …에게 중세를 과하다/She was ~*ed with* debt. 그녀는 빚을 졌다. **2** 괴롭히다, 고민을 주다.
burden² *n.* (노래의) 반복구(反復句), 후렴《refrain이 일반적》; 장단 맞추는 노래; 요지, 취지. **like the burden of a song** 되풀이하여.
bur·den·some[bə́ːrdnsəm] *a.* (견딜 수 없이)부담이 되는, 귀찮은, 성가신, 고된, 어려운. **~·ly** *ad.*
bur·dock[bə́ːrdɑ̀k/-dɔ̀k] *n.* 〔植〕 우엉.
*⁑***bu·reau**[bjúərou] [F] *n.* (*pl.* **~s, ~x**[-z]) **1** 사무〔편집〕국: a ~ of information 《미》 안내소, 접수계. **2** 《미》 (관청의) 국(局)(《영》 department): the *B*- of Standards (미국 상무성의) 표준국. **3** 《영》 (개폐식의) 서랍 달린 큰 책상; 《미》(거울 달린) 침실용 장롱.
bu·reau·cra·cy[bjuərɑ́krəsi/-rɔ́k-] *n.* (*pl.* **-cies**) Ⓤ,Ⓒ 관료 정치〔주의, 제도〕; 관료적인 번잡한 절차;(집합적) 관료.
bu·reau·crat[bjúərəkræ̀t] *n.* 관료; 관료적인 사람; 관료주의자, 독선자.
bu·reau·cra·tese[bjùərəkrætíːz] *n.* 관청 용어.
bu·reau·crat·ic[bjùərəkrǽtik] *a.* 관료 정치의; 관료적인; 절차가 번잡한.
-i·cal·ly[-ikəli] *ad.*
bu·reau·crat·ism[bjúərəkrætìzəm, bjuərɑ́krətì-/-rɔ́krætì-] *n.* Ⓤ 관료주의〔기질〕.
-ist *n.*
bu·reau·cra·tize[bjuərɑ́krətàiz/-rɔ́k-] *vt.* 관료 체제로 하다, 관료화하다.
bu·reaux[bjúərouz] *n.* BUREAU의 복수.
bureau de change [F] 환전(換錢) 취급소〔점〕《외국 화폐를 국내 화폐로 또는 국내 화폐를 외국 화폐로 바꾸어 주는 곳》.
bu·ret(te)[bjuərét] *n.* 〔化〕 뷰렛《정밀한 눈금이 있는 분석용 유리관》.
burg[bəːrg] [OE] *n.* 〔史〕 성시; 《미口》 시(市)(city), 읍(town).
-burg 《연결형》 「시·읍·면」의 뜻: Johannes*burg*(⇨-burgh).
bur·gage[bə́ːrgidʒ] *n.* Ⓤ 〔法〕 (영국에서 화폐 지대를 물고 봉건 영주에게서 얻은) 도시 토지 보유권.
bur·gee[bə́ːrdʒiː] *n.* (요트 등의) 삼각기.
bur·geon[bə́ːrdʒən] *n.* (초목의) 눈, 싹, 어린 가지(shoot). — *vi.* 싹트다《*forth*》; 갑자기 출현〔발전〕하다《*into*》. **burgeon into** 갑자기 …으로 발전하다.
burg·er[bə́ːrgər] *n.* 《미口》=HAMBURGER.
-bur·ger 《연결형》 「둥근 빵에 고기·생선 등을 구워서 얹은 샌드위치」의 뜻: cheese*burger*.
burg·er·dom[bə́ːrgərdəm] *n.* 햄버거 업계.
bur·gess[bə́ːrdʒis] *n.* 《영》 (자치 도시의) 시민, 공민; 〔史〕 자치시〔대학〕 선출 대의원; 〔미史〕(독립 전쟁 전의 Virginia, Maryland주의) 하원 의원.
burgh[bəːrg/bʌ́rə] [OE] *n.* 《스코》 자치 도시 《Edin*burgh* 등의 지명에 남아 있음》.
-burgh[bə̀ːrə/bərə] 《연결형》 「시·읍·면」의 뜻: Pitts*burgh*(⇨-burg).
bur·gher[bə́ːrgər] *n.* 공민, 시민《중산층》.
*⁑***bur·glar**[bə́ːrglər] *n.* (주거 침입) 강도《본래 밤도둑은 burglar; 낮도둑은 housebreaker; 현재는 구별이 없음》(⇨thief).
búrglar alàrm 도난 경보기.
bur·glar·i·ous[bəːrglέəriəs] *a.* 주거 침입(죄)의, 강도(죄)의, 밤도둑(죄)의. **~·ly** *ad.*
bur·glar·ize[bə́ːrglərὰiz] *vt., vi.* 《口》 불법 침입하여 강도질하다; …을 털다.
bur·glar·proof[bə́ːrglərprùːf] *a.* 도난방지의.
bur·gla·ry[bə́ːrgləri] *n.* (*pl.* **-ries**) Ⓤ,Ⓒ (절도·상해·강간 등을 목적으로 한) 주거 침입(죄), 밤도둑질, 강도.
bur·gle[bə́ːrgəl] [burglar에서의 역성(逆成)]

vi., vt. 《口》 …에 불법 침입 하다, 침입하여 강탈하다; 강도질하다.
bur·go·mas·ter [bə́ːrgəmæ̀stər, -mɑ̀ːs-] *n.* (네덜란드의) 시장(市長).
bur·go·net [bə́ːrgənèt] *n.* (16-17세기의) 가벼운 투구.
bur·goo [bə́ːrguː, —́] *n.* Ⓤ 《海俗》 오트밀(porridge); 《미方》 걸쭉한 수프〔스튜〕.
Bur·gun·di·an [bərgʌ́ndiən] *a.* BURGUNDY (주민)의. — *n.* BURGUNDY 의 주민.
Bur·gun·dy [bə́ːrgəndi] *n.* (*pl.* **-dies**) 부르고뉴《프랑스의 동남부 지방》; (종종 **b-**) Ⓤ,Ⓒ 그 지방에서 나는 포도주.
burh·el [bə́ːrəl/bʌ́r-] *n.* 히말라야 들양(羊).
⁑**bur·i·al** [bériəl] *n.* Ⓤ,Ⓒ 매장; 매장식. **the burial at sea** 수장(水葬).
búrial càse 《미》 관(棺).
búrial gròund〔**plàce**〕 매장지, 공동 묘지.
búrial mòund (특히 북미 인디언의)매장총(塚).
búrial sèrvice 매장식.
bur·i·er [bériər] *n.* 매장인.
bu·rin [bjúərin] *n.* (금속 조각용) 조각칼, (대리석 조각용) 끌, 정; Ⓤ 조각 양식.
burk [bəːrk] *n.* 《俗》 =BERK.
bur·ka [bə́ːrkə] *n.* 부르카《이슬람 여교도의 장옷》.
burke [bəːrk] *vt.* 목졸라 죽이다(stifle); 〈의안 등을〉 묵살하다; 〈풍설 등을〉 없애다.
Bur·ki·na Fa·so [bə́ːrkìnəfɑ́sou] *n.* 부르키나 파소《아프리카 서부의 공화국; Upper Volta를 1984년 개칭; 수도 Ouagadougou》.
Burkitt('s) lym·pho·ma〔**túmor**〕 [bə́ːrkit(s) limfóumə] 〔醫〕 버킷 임파종.
burl[1] [bəːrl] *n.* (실·직물 등의) 마디; (나무의) 옹이. — *vt.* 마디를 제거하다.
burl[2] *n.* 《오스口》 시도, 해보기: give it a ~ 해보다.
bur·la·de·ro [bə̀ːrlədέərou, bù̀ər-] *n.* (*pl.* ~**s**) 부를라데로《투우장의 벽과 평행으로 만든 투우사의 도피 칸막이》.
bur·lap [bə́ːrlæp] *n.* Ⓤ 올이 굵은 삼베《부대·포장용》.
*__bur·lesque__ [bəːrlésk] *a.* 해학적인, 광대의; 희작(戱作)적인. — *n.* 익살 연극; 《미》 저속한 소극; 스트립쇼; 광시(狂詩); 희화(戱畵). — *vt.* 희화화하다; 익살부리다, 광대짓하다.
bur·ley, B- [bə́ːrli] *n.* (*pl.* ~**s**) 미국산 잎담배의 일종.
bur·li·ness [bə́ːrlinis] *n.* Ⓤ (몸집이) 억셈, 크고 튼튼함; 솔직함, 퉁명스러움.
Búr·ling·ton Hóuse [bə́ːrliŋtən-] *n.* 벌링턴 하우스《London 의 Piccadilly 에 있는 건물로서 Royal Academy, British Academy, British Association 의 본부》.
bur·ly [bə́ːrli] *a.* (**-li·er; -li·est**) 〈몸이〉 억센, 실한; 퉁명스러운. — *n.* (*pl.* **-lies**) 《미俗》 체구가 억센 부랑자; 《미》 =BURLESQUE.
búr·lily *ad.*
*__Bur·ma__ [bə́ːrmə] *n.* 버마《동남 아시아의 공화국; 미얀마(Myanmar)의 구칭; 수도 Rangoon ◇ 지금은 Yangon 으로 부름》.
Bur·man [bə́ːrmən] *n.* (*pl.* ~**s**) 버마 사람.
Bur·mese [bəːrmíːz] *a.* 버마의. — *n.* (*pl.* ~) **1** 버마 사람. **2** Ⓤ 버마 말.
★**burn**[1] [bəːrn] (**burnt** [-t], ~**ed** [-d]) *vi.* **1** 불타다; 타다, 그을다; 햇볕에 타다; 〈음식이〉 타다, 눋다; 〔化〕 연소〔산화〕하다: ~ *well*〔*badly*〕 잘 타다〔타지 않다〕/ ~ blue〔red〕 푸른〔붉은〕 빛을 내면서 타다. **2** (등불이) 빛을 내다, (창·눈 따위가) 빛나다. **3** (난로 따위가) 달아오르다; 〔物〕 (핵 연료가) 분열〔융합〕하다. **4** 타는 듯이 느끼다《*with*》; 〈혀·입이〉 얼얼하다《*with*》; 화끈거리다. **5** 성나다; 열중하다《*with*》, 흥분하다; 〈문제 등이〉 열을 띠다; …하고 싶어하다: ~ *with* anger 화가 불같이 나다. **6** 단내〔타는 내〕가 나다. **7** 〔遊戱〕 (술래가) 숨은 사람〔숨긴 물건〕에 가까이 가다. 수수께끼에서 답에 가까워지다. **8** 《미俗》 급히 가다 **9** 〈로켓 엔진이〉 분사하다 **10** 벌받다.
— *vt.* **1** 태우다, 불사르다, 때다; 그을리다, 눋게 하다; 굽다: The building was *burnt* (*down*) *to* ashes. 그 건물은 전소했다. **2** 〈가스 등에〉 점화하다, 켜다. **3** 불에 데게 하다: ~ one*self* 불에 데다 **4** 《俗》 요리하다, (음식을) 데우다. **5** 빨갛게 달구다《*away, off, out*》; 〈소인(燒印)·낙인을〉 달구어 찍다《*into, in*》; 〈구멍을〉 달구어 뚫다. **6** (상처 등을) 지지다; 부식〔산화〕시키다. **7** 달구어 굳히다. 〈벽돌·석회·숯 등을〉 굽다: ~ wood *into* charcoal 나무를 구워 숯을 만들다. **8** 〈해가〉 쨍쨍 내리쬐다, 볕에 그을리게 하다; 〈태양열이〉 말려 죽이다. **9** 화형에 처하다; 《미》 전기의자로 처형하다. **10** 감명시키다. **11** 《미俗》 화나게 하다. **12** 《미俗》 빌리다; 속이다, 사취하다. **13** 〔物〕 (우라늄 등의) 원자 에너지를 사용하다; 〈로켓 엔진을〉 분사시키다. **be burnt out** (of house and home) 〈집이〉 몽땅 타버리다. **burn** (**a hole in**) **one's pocket** 〈돈이〉 몸에 붙지 않다. **burn away** 타버리다; 계속해서 타다; 불살라 버리다. **burn daylight** ⇨daylight. **burn down** 전소(全燒)하다; 소진(燒盡)하다; 불기운이 죽다; 태워〔불살라〕버리다. **burn into**〔**in**〕 썩어 들어가다; 〈마음〉에 아로새겨지다. **burn low** 불기운이 약해지다. **burn off** 불살라 버리다; 태워서 〈얼룩 등을〉 없애버리다. **burn one's boats**〔**bridges**〕 **behind** ⇨boat. **burn one's fingers** ⇨finger. **burn one's lip** 열을 올려 지껄이다. **burn one's money** 돈을 다 써 버리다. **burn oneself** ⇨ *vt.* 3. **burn oneself out** 정력을 소모하다. **burn out** 태워버리다〔없애다〕; 다 타버리다; 불로 쫓아내다. **burn the candle at the both ends** ⇨ candle. **burn the earth**〔**wind**〕 《미》 전속력으로 가다. **burn the Thames** 세상을 놀라게 하다. **burn the water** 횃불을 켜 들고 연어를 작살로 잡다. **burn to ashes**〔**cinders**〕 타서 재가 되다; 〈집이〉 홀랑 타버리다. **burn to the ground** 전소하다. **burn to** (**the pan**) 눌어 붙다. **burn together** 용접하다. **burn up** 활짝 타오르다; 태워〔불살라〕버리다; 《俗》 약오르다〔올리다〕; 꾸짖다; 열광적으로 하다. **burn up the cinders** 《미》 (경주에서) 힘껏 달리다. **burn up the road** 차를 굉장한 속도로 몰다. **burn up the telephone** 전화로 몹시 꾸짖다. **have** (money, etc.) **to burn** 《미》 〈돈 등이〉 썩어나도록 많다. **The ears burn.** 귀가 가렵다, 누가 내말 하나보다.
— *n.* **1** 태워 그슬림; 화상; 햇볕에 탐. **2** (벽돌·도자기 따위의) 구움. **3** 탄 자리, 탄 벌판; 《미》 타 없어진 지대; 《미》 화전. **4** 《口》 담배. **5** (로켓의) 분사. **6** 소인(燒印). **7** 사기(詐欺).
burn[2] *n.* 《스코》 개울.
burn·a·ble [bə́ːrnəbəl] *a.* 태울〔구울, 달굴〕 수 있는.
búrn bàg 소각 폐기할 기밀 문서 자루.
burned-out [bə́ːrndáut] *a.* 탄; 지친; (전구

가) 타서 궁어진, 약효가 떨어진: (열의가) 식은.

***burn·er**[bə́:rnər] *n.* **1** 태우는[굽는]사람: a brick ~ 벽돌공. **2** 연소기, 버너: (오븐 등의) 열을 발하는 부분: (석유 등·가스등의) 점화구: a gas ~ 가스 버너. **put on a back burner** 뒤로 미루다.

bur·net[bə́:rnit] *n.* 〔植〕 오이풀속(屬).

****burn·ing**[bə́:rniŋ] *a.* 타고 있는: 뜨거운, 강렬한, 격심한: 중대한, 초미의: (부사적) 타는 듯이: a ~ question 가장 중요한 문제.

búrning ghàt (힌두교도의) 강변의 화장터.

búrning glàss 화경(火鏡)《볼록 렌즈》.

búrning pòint 발화점(發火點).

***bur·nish**[bə́:rniʃ] *vt., vi.* 닦다, 갈다(⇨ polish): 광내다, 광나다: 윤이 나다《*well, badly*, etc.》. — *n.* Ⓤ,Ⓒ 윤기, 광택.

bur·nish·er[-ər] *n.* 닦는[가는] 사람: 연마기.

burn-off[bə́:rnɔ̀:f/-ɔ̀f] *n.* 화전 만들기.

bur·nous, -noose[bə:rnú:s, bə́:rnu:s] *n.* 두건 달린 겉옷《아라비아 사람이 입는 망토》.

burn·out[bə́:rnàut] *n.* **1** (로켓의) 1연소 종료(점): (전기 기기의 합선에 의한) 단선. **2** 소모, 고갈: 화마(火魔).

burn-out, burn·out *n.* (일 등의 stress로 인한) 신체적 감정적 피로감.

búrnout velòcity (로켓의) 연소 종료 속도.

Burns[bə:rnz] *n.* 번스 Robert ~《스코틀랜드의 시인(1759-96)》.

burn·sides[bə́:rnsàidz] *n. pl.* 《미俗》 (턱수염 없는) 구레나룻.

***burnt**[bə:rnt] *v.* BURN의 과거·과거 분사. — *a.* 탄, 그을은: 불에 덴: 〈토성 안료가〉 하소된: A ~ child dreads the fire. 《속담》 불에 덴 아이는 불을 무서워한다.

búrnt álmond 설탕을 발라 찐 아몬드.

búrnt álum 고백반.

búrnt líme 생석회.

búrnt ócher 철단(鐵丹).

búrnt óffering[**sácrifice**] 번제(燔祭)의 제물《제단 위에서 구워 신에게 바치는 제물》: 《口》 너무 태운 음식.

burnt-out *a.* =BURNED-OUT.

búrnt plàster 소(燒)석고.

búrnt siénna 구운 시에나토(土)《적갈색 안료용》.

búrnt úmber 고동색 (안료).

burn·up[bə́:rnʌ̀p] *n.* **1** 원자로의 연료 소비(도). **2** 《영俗》 오토바이의 폭주.

burn·y[bə́:rni] *a.* 《口》 타(고 있)는.

búr òak 북미 중부·동부산의 오크.

burp[bə:rp] [의성어] *n.* 《口》 트림(belch). — *vi., vt.* 트림하다: (젖먹이고 난 뒤에 아기에게) 트림을 시키다.

búrp gùn 《미》 자동권총, 소형 경기관총.

***burr**[1] [bə:r] *n.* (동판 조각 등의) 깔쭉깔쭉한 부분: 거친 숫돌: (치과 의사의) 절삭 도구.

burr[2] *n.* 부르릉[윙윙] 하는 소리: r의 후음(喉音), 목젖을 진동시켜 내는 r음(uvular *r*: 기호는 [R]). — *vt., vi.* 후음[목젖 진동음][R]으로 발음하다: 불명확하게 발음하다.

burr[3] *n.* 규석(硅石).

búrr drìll 치아 천공기.

burr·head *n.* 《미俗》 흑인.

bur·ri·to[bəríːtou] *n.* =TORTILLA 빵의 일종《보통 고기와 치즈를 얹어서 요리한》.

bur·ro[bə́:rou, bʌ́r-, búər-] *n.* (*pl.* ~**s**) 《미西部》 (하물 운반용) 작은 당나귀.

***bur·row**[bə́:rou, bʌ́r-] *n.* (여우·토끼·두더지 등이 판) 굴: 피신처, 은신처. — *vt., vi.* 〈굴을〉 파다: 굴에서 살다: 잠복하다: 깊이 파고들다[조사하다]. **burrow one's way** 굴을 파며 나아가다. **~·er** *n.* 굴 파는 동물.

burr·stone[bə́:rstòun] *n.* =BUHRSTONE.

bur·ry[bə́:ri] *a.* (**-ri·er; -ri·est**) (밤송이처럼) 가시 돋친 껍질이 있는: 따끔따끔 찌르는.

bur·sa[bə́:rsə] *n.* (*pl.* ~**s, -sae**[-si:]) 〔解〕 활액낭(滑液囊): 〔動〕 포낭(包囊)(sac).

bur·sar[bə́:rsər] *n.* (대학의) 회계원, 출납원(purser): 《스코》 (대학의) 장학생.

bur·sar·i·al[bə:rsέəriəl] *a.* 회계과의, 재무 담당의: 장학금의.

bur·sa·ry[bə́:rsəri] *n.* (*pl.* **-ries**) (대학의) 회계과: 《스코》 대학의 장학금.

bur·sec·to·my[bə:rséktəmi] *n.* 〔醫〕 활액낭 절제(술).

bur·si·form[bə́:rsəfɔ̀:rm] *a.* 〔解·動〕 주머니 모양을 한.

bur·si·tis[bə:rsáitis] *n.* Ⓤ 〔病理〕 활액낭염.

****burst**[bə:rst] (**burst**) *vi.* **1** 〈폭탄 등이〉 파열하다: 폭발하다: The bomb ~. 폭탄이 터졌다/The box ~ *into* fragments. 상자는 산산조각이 났다. **2** 부풀어 터지다, 〈물집·밤알 등이〉 터지다, 아람 벌다: 〈꽃봉오리가〉 피어나다, 벌어지다: At last he ~ *with* rage. 드디어 그는 분노가 터졌다/The trees ~ *into* bloom. 나무에 꽃이 활짝 피었다. **3** 갑자기 …한 상태가 되다: 갑자기 …하다《*into*》: 갑자기 나타나다《*forth, out, upon, through*》: 〈폭풍우가〉 갑자기 일다: ~ *into* laughter 와락 폭소를 터뜨리다/~ *on*[*upon*] one's ears [view] 갑자기 들리다[보이다]/~ *through* the door 문으로 뛰어들다[뛰어나가다]/A storm ~ *upon* us suddenly. 갑자기 폭풍우가 우리를 엄습했다. **4** 가득해지다, (가득 차서) 팽팽하다《*with*》(보통 진행형): be ~*ing with* happiness 행복으로 충만해 있다. **5** …하고 싶어 참을 수 없다(보통 진행형): be ~*ing to* tell a secret 비밀을 털어놓고 싶어 못 견디다. **6** 〈문·자물쇠 등이〉 부서져 확 열리다《보통 ~ open》. **7** 《俗》 〈회사·사업이〉 파산하다(*cf.* BUST[2]). — *vt.* **1** 파열[폭파]시키다: 밀어 부수다: ~ the door open =~ open the door 문을 확 부수고 열다. **2** 찢다: 눌러 터뜨리다: 잡아 찢다, 죽 찢어 버리다: ~ one's clothes (살이 쪄서) 옷이 터지게 하다. **3** (~ one*self*) 무리해서 건강을 해치다. **4** 〔컴퓨터〕 (연속된 용지를) 잘라 한 장씩으로 하다. **burst a blood vessel** 《미口》 몹시 흥분하다. **burst at the seams** 터질 듯하다, 몹시 크다[혼잡하다]. **burst away** 파열하다. **burst forth** 갑자기 나타나다: 튀어 나오다: 돌발하다. **burst in** 〈문 등이〉 안으로 왈칵 열리다: 말을 가로채다: 난입하다《*upon*》. **burst into** 〈방 등에〉 난입하다: 갑자기 …하기 시작하다. **burst oneself** (과로하여) 몸을 해치다. **burst one's sides with laughing**[**laughter**] 배꼽빠다, 포복절도하다. **burst open** 〈문 등을〉 문을 확 부수고 열다[왈칵[쾅 하고] 열다]: 〈문이〉 확 열리다: 〈꽃봉오리가〉 활짝 피다, 〈밤·꼬투리가〉 활짝 벌어지다, 〈병 등이〉 터지다: 《Ⅱ 형》 The bottle *burst open.* 병이 터졌다. **burst out** 튀어 나오다: 갑자기 나타나다: 돌발하다(*cf.* outburst): 절규하다(exclaim): 갑자기 …하기 시작하다: 《Ⅰ 부+-*ing*》 She *burst out* crying[laughing]. 그녀는 갑자기 울기[웃기] 시작했다. **burst through** 밀어 헤치다, 뚫고 나오다. **burst up** 파열하다: 《俗》(보통 BUST up) 파산하다. **burst upon** …에 불쑥 나타나다: …을 습격하다. **burst with** 충만하다, …으로 터질 듯하다.

— *n.* **1** 파열, 폭발(explosion); 파열한 곳, 째진 구멍. **2** 돌발, (감정의) 격발: a ~ of applause 별안간 터지는 박수 갈채. **3** 분발, (말의) 한바탕 달리기; (도락에) 한바탕 몰두하기. **4** 집중 사격, 연사, 연속 발사 탄수(彈數). **5** 〔컴퓨터〕 버스트, 절단. **at a**〔**one**〕 **burst** 단숨에, 분발하여. **be**〔**go**〕 **on the burst** 《口》 술마시며 법석대다.

burst·er[-ər] *n.* 작약(炸藥).

búrsting chàrge〔**pòwder**〕 작약(burster).

bur·stone[bə́ːrstòun] *n.* =BUHRSTONE.

burst-proof[bə́ːrstprùːf] *a.* 〈문의 자물쇠 등이〉 강한 충격에 견디는.

burst-up[bə́ːrstʌ̀p] *n.* 《俗》 =BUST-UP.

bur·then[bə́ːrðən] *n., v.* 《古》 =BURDEN[1,2].

bur·ton[1] [bə́ːrtn] *n.* 〔海〕 고패 장치(돛 등을 올리는).

burton[2] *n.* (다음 성구로) **go for a burton**〔**Burton**〕 《영俗》 〈비행사가〉 전사하다; 행방불명되다.

Bu·run·di[burúndi, bərʌ́ndi] *n.* 부룬디(중앙 아프리카의 공화국; 수도 Bujumbura).

bur·weed[bə́ːrwìːd] *n.* 가시 돋친 열매를 맺는 잡초.

bur·y[béri] *vt.* (**bur·ied**) **1** 묻다, 〈흙 따위로〉 덮다. **2** 파묻다, 매장하다(inter); 〈성직자가〉 매장식을 하다: ~ one's husband 남편을 여의다/be *buried* in Westminster Abbey 웨스트민스터 성당에 안장되다. **3** (수동형으로 또는 ~ one*self* 로) 몰두하다: be *buried in* grief 슬픔에 잠기다/~ one*self in* one's studies 연구에 몰두〔골몰〕하다. **4** (덮어서) 숨기다; 찔러 넣다: ~ treasure 보물을 숨기다/~ one's face *in* one's hands 두 손으로 얼굴을 가리다/~ one's hands *in* one's pockets 양손을 주머니에 넣다. **5** 잊다, 묻어버리다. **be buried alive** 생매장되다; 세상에서 잊혀지다. **bury** a person **at sea** …을 수장(水葬)하다. **bury** one**self in** …에 몰두하다. **bury** one**'s head in the sand** 현실을 회피〔외면〕하다. **Bury yourself!** 《俗》 어림없는 소리, 헛소리 작작해(거절·경멸·혐오의 말). ◇ búrial *n.*

Bu·ryat[buərjáːt, bùəriáːt] *n.* (*pl.* ~, ~**s**) 부랴트족(族)(시베리아 동부의 몽고족); Ⓤ 부랴트 말.

bur·y·ing[bériiŋ] *n.* Ⓤ 매장(burial).

búrying bèetle 송장벌레(gravedigger).

búrying gròund〔**plàce**〕 =BURIAL GROUND〔PLACE〕.

bus[bʌs][omni*bus*] *n.* (*pl.* ~·(**s**)**es**) **1** 버스; 합승 마차〔자동차〕; 《口》 여객기; 《口》 탈것(자동차·마차·비행기·배 등). **2** 《미》 (식당의) 식기 운반용 왜건. **3** 〔電·컴퓨터〕 모선(母線). **miss the bus** 《俗》 버스를 놓치다; 좋은 기회를 놓치다, 실패하다. — *vi., vt.* (~(**s**)**ed**; ~(**s**)**ing**) 《미俗》 버스에 타다〔로 가다〕; 버스로 나르다; 《미口》 〈식당에서 그릇을〉 치우다. **bus it** 《口》 버스로 가다.

bus. business.

bús bàr 〔電〕 모선(母線)(bus).

bus·boy[bʌ́sbɔ̀i] *n.* 《미》 웨이터의 조수, 식기 나르는〔그릇 닦는〕 사람.

bus·by[bʌ́zbi] *n.* (*pl.* **-bies**) 운두가 높은 털모자(영국의 기병·근위병의 정모).

bús condùctor 버스차장; 〔電〕 모선(母線).

bus·girl *n.* 《미》 BUSBOY의 여성형.

bush[1] [buʃ] *n.* **1** 관목(shrub). **2** Ⓤ 수풀, 덤불; (종종 the ~) 총림지, 오지. **3** 담쟁이 가지(옛 술집 간판). **4** 〔野〕 지방 프로 야구 연맹(minor league). **beat the bushes** 《미》 〈인재 등을〉 사방으로〔두루〕 찾다(*for*). **go bush** 《오스》 오지로 들어가다; 행방을 감추다; 사나워지다. **Good wine needs no bush.** 《속담》 술이 좋으면 간판이 필요없다. **take to the bush** 숲 속으로 달아나다; 산적이 되다. — *vt.* 〈사냥터를〉 꺾은 나뭇가지로 둘러치다(남이 사냥을 못하도록). — *vi.* 관목처럼 우거지다; 무성하다.

bush[2] *n.,vt.* 〔機〕 부시, 축받이통(을 끼우다).

Bush[buʃ] *n.* **1** 부시 George (Herbert Walker) ~(1924~) 미국 부통령(1981~89); 제41대 미국 대통령(1989~1993). **2** 부시 George W. ~(1946~) 제43대 미국 대통령(2001~)(**1**의 아들).

bush. bushel(s).

búsh bàby 여우원숭이의 일종(아프리카산).

búsh bèan 《미》 강낭콩.

búsh càt =SERVAL.

bush·craft[´kræ̀ft, ´kràːft] *n.* 《주로 오스》 미개지에서 살아가는 지혜.

bushed[buʃt] *a.* 어찌할 바를 모르는; 《口》 지쳐 버린(worn-out).

bush·el[1] [búʃəl] *n.* **1** 〔衡量〕 부셸(8갤런; 《미》 약 35리터, 《영》 약 36리터), 1부셸들이 용기, 부셸되. **2** 많은 양, 다수(*of*). **hide** one**'s light**〔**candle**〕 **under a bushel** 〔聖〕 겸손하게 자기 재능〔선행〕을 감추다. **~·age**[-idʒ] *n.* 부셸수(數). **~·ful** *n.* 1부셸(분).

bushel[2] [búʃəl] *vt., vi.* (~**ed**; ~**·ing** | ~**led**; ~**·ling**) 〈옷을〉 고쳐 짓다, 수선하다. **~·er** *n.* 의복 수선공.

bush·er[búʃər] *n.* 《野球俗》 BUSH LEAGUE의 선수.

bush·fight·er[´fàitər] *n.* 유격병.

bush·fight·ing[´fàitiŋ] *n.* Ⓤ 게릴라전.

búsh frùit 관목의 열매.

bush·ham·mer[´hæ̀mər] *n.* 부시해머(돌의 표면을 다듬는 해머).

búsh hàrrow 써레의 일종.

búsh hàt 부시해트(챙이 넓은 호주군 군모).

bush·hog[´hàg, ´hɔ̀(ː)g] *vi.* 《미南部·中部》 한 구역의 나무·숲을 없애 버리다.

búsh hòok 《미》 낫의 일종.

bush·i·ly *ad.* 수풀〔덤불〕 같이; 〈머리가〉 텁수룩하게.

bush·ing[búʃiŋ] *n.* 〔電〕 부싱, 투관(套管); 〔機〕 부싱(베어링의 일종), 축받이통.

búsh jàcket 부시 재킷(safari jacket 비슷한 것).

búsh lèague[´lìːg] 《野球俗》=MINOR LEAGUE.

búsh lèaguer 《미俗》 MINOR LEAGUE의 선수; 이류 선수〔연예인〕.

bush·man[búʃmən] *n.* (*pl.* **-men**[-mən]) **1** 총림지 주민. **2** (**B-**) 부시먼(남아프리카 원주민); Ⓤ 부시먼 말.

bush·mas·ter[´mæ̀stər, ´màːs-] *n.* (중·남미산) 큰 독사의 일종.

búsh paròle 《미俗》 탈옥(자).

búsh pìlot 《미》 (알래스카 같은) 변방을 나는 비행사.

bush·rang·er[´rèindʒər] *n.* 총림 지대 주민; 〔오스史〕 산적(山賊).

búsh shìrt 부시 셔츠(bush jacket 비슷한 셔츠).

búsh tèlegraph **1** (북 등에 의한) 정글 통신 방법. **2** 《주로 오스》 구두 전달 방식; 정보(의 전파).

bush·veld[búʃfèlt] *n.* 총림(叢林) 지대; (때로 **B-**) 남아프리카의 저지대.

bush·wa(h)[búʃwɔː, -wɑː] *n.* 《俗》 시시한 일, 난센스.

bush·whack[búʃhwæ̀k] *vi.* 《미》 덤불을 베어 헤치다;(덤불을 이용하여) 기습하다. ── *vt.* 매복하여 공격하다. **~·er** *n.* 덤불을 베어 헤치는 사람; 게릴라병; 《오스俗》 시골뜨기. **~·ing** *n.* Ⓤ 《미》 총림 지대의 여행; 게릴라 (작)전.

***bush·y**[búʃi] *a.* (**bush·i·er; -i·est**) 관목이 무성한, 덤불이 많은; 덤불처럼 우거진;(털의) 숱이 많은, 텁수룩한. **búsh·i·ly** *ad.* **-i·ness** *n.*

⁑**bus·i·ly**[bízəli] *ad.* 바쁘게; 부지런히; 귀찮게.

★**busi·ness**[bíznis] *n.* Ⓤ **1** 사업, 실업, 장사, 상업; 거래, 매매: a man of ~ 실무가; 실업가. **2** 직업, 가업: a doctor's ~ 의업(醫業). **3** 직무, 본무; 사무; 영업. **4** 용무, 볼일, 용건, 관심사; 의사 일정. **5** Ⓒ 사정, 사건; 일이 되어가는 형편; 《口》 귀찮은 일, (막연히) 물건, 일. **6** Ⓒ 상점, 회사, 상사; 상호(商號). **7** (부정 구문) 관계〔간섭〕하는 권리, 도리, 필요. **8** 〔劇〕 몸짓, 동작. **at business** 집무중에〔인〕. **be connected in business with** …와 거래가 있다. **be in business** 실업〔사업〕에 종사하다. **Business as usual.** 평소대로 영업합니다. **Business is business.** 장사는 장사다《관용이나 감정은 필요 없음》. **close**〔**set up, open**〕 **a business** 폐업〔개업〕하다. **come**〔**get**〕 **to business** 일을 시작하다, 용건에 들어가다. **do business** 장사를 하다; 거래하다《*with*》. **do good business** 번창하다. **do** a person**'s business for** (him) =**do the business for** (a person) 〈사람을〉 해치우다, 죽이다. **Everybody's business is nobody's business.** 《속담》 공동 책임은 무책임. **get down to business** 일에 착수하다. **give**〔**get**〕 **the business** 《미俗》 되게 혼내주다〔혼나다〕; 죽이다〔죽임 당하다〕. **Go about your business!** 네 일이나 해!; 썩 물러가! **go into business** 실업계에 나서다. **Good business!** 참 잘 했어! **go out of business** 폐업하다. **go to business** 사무를 시작하다. **have no business to** do〔doing〕 …할 권리〔자격, 필요〕가 없다. **know** one**'s business** 전문가이다, 정통하고 있다. **like nobody's business** 《口》 술술, 훌륭히. **make a business of** …을 업으로 삼다. **make a great business of it** 어려운 일이라고 생각하다, 힘겨워하다. **make it** one**'s business to** …하는 것을 맡다, 자진해서〔꼭〕 …하다. **make the best of a bad business** ⇨ best. **man of business** 실무가(businessman), 실업가. **mean business** 《口》 진정이다(be serious). **mind** one**'s own business** 자기의 직분을 지키다《남의 일에 간섭하지 않다》. That's **not your business.** =That's **no business of** yours. 그것은 네가 간여할 일이 아니다. **on business** 볼일로, 상용으로: No admittance except *on business.* 무용자 출입 사절. one**'s man of business** 대리인, 법률 고문. **out of business** 파산하여. **place**〔**house**〕 **of business** 영업소, 사무소. **proceed to**〔**take up**〕 **business** 의사 일정에 들어가다. **send** a person **about his business** …을 내쫓다, 해고하다. **talk business** 장사〔사업〕 이야기를 하다, 용건에 관해서 말하다. ⊕ búsy *a.*

búsiness addrèss 영업소〔사무실〕 주소.

búsiness administràtion 경영학.

búsiness àgent 《영》 대리점; 《미》 (노동조합의) 교섭 위원.

búsiness àircraft 업무용 항공기.

búsiness càrd 업무용 명함.

búsiness cènter =BUSINESS QUARTERS.

búsiness clàss (여객기의) 일등석《first class와 tourist class의 중간》.

búsiness còllege 《미》 실무 학교《속기 · 타자 · 부기 등의 실무 훈련을 함》.

búsiness correspòndence 상업 통신.

búsiness cỳcle 《미》 경기 순환(《영》 trade cycle).

búsiness dày 영업일.

búsiness dìstrict 상업 지역.

búsiness educàtion 직업〔실무〕 교육.

búsiness ènd 《口》 **1** 영업면. **2** (the ~) 사용 부위, 요긴한 부분《비의 끝, 칼의 날 따위》: *the* ~ of a tack 압정(押釘)의 끝.

búsiness Ènglish 상업 영어.

búsiness fàilure 기업 도산(倒産).

búsiness gàme 〔컴퓨터〕 비즈니스 게임《몇 가지 경영 모델을 놓고 의사결정 훈련을 행하게 하는 게임》.

business hòurs 집무〔영업〕 시간.

business lètter 상용 편지; 사무용 통신문.

***busi·ness·like**[ˊlàik] *a.* 사무적인; 실제적인; 능률적인; 조직적인; 의도적인.

búsiness machìne 사무용 기계.

⁑**busi·ness·man**[ˊmæ̀n] *n.* (*pl.* **-men**[-mèn]) 실업가 《특히 기업의 경영자 · 관리자》; 상인; 사무가. **businessman's risk** 다소 높은 위험 부담이 있는 투자.

búsiness mànagement =BUSINESSADMINISTRATION.

búsiness òffice (회사 등의) 사무실.

business pèrson[ˊpə̀ːrsən] 《미》 실업가 《남녀 구별없이 씀》.

búsiness quàrters 번화가.

búsiness replỳ càrd 상용 반신 엽서.

búsiness ènvelope 상업용 봉투.

búsiness replỳ màil 상업 반신 우편물.

búsiness schòol =BUSINESS COLLEGE; 경영대학원.

búsiness stùdies (경영 등의) 실무 연수.

búsiness sùit 《미》 (직장에서 입는) 신사복 (《영》 lounge suit).

busi·ness·wom·an[ˊwùmən] *n.* (*pl.* **-wom·en**[-wìmin]) 여자 실업가.

bus·ing[bʌ́siŋ] *n.* Ⓤ 버스 수송; 《미》 (특히 백인과 흑인을 융합하려는) 강제 버스 통학.

busk[bʌsk] *n.* (코르셋의) 가슴을 버티는 살대《고래뼈 또는 강철로 만듦》.

busk·er[bʌ́skər] *n.* 《영》 거리의 연예인.

bus·kin[bʌ́skin] *n.* (보통 *pl.*) (옛 그리스 · 로마의 비극 배우가 신던) 편상(編上) 반장화; (the ~) 비극(tragedy). **put on the buskins** 비극을 쓰다〔연기하다〕.

bus·kined[-d] *a.* 반장화를 신은; 비극의(tragic); 고상한 〈말투 등〉.

bús làne 《영》 버스 전용 차선.

bús lìne 버스 운행 노선; 버스 회사.

bus·load[bʌ́slòud] *n.* 버스 한 대분(의 승객).

bus·man[bʌ́smən] *n.* (*pl.* **-men**[-mən]) 버스 운전사.

búsman's hóliday 《口》 평상시와 같은 일을 하며 보내는 휴가, 명색뿐인 휴일.

bus-queue[-kjùː] *n.* 버스를 기다리는 줄.

buss[1] [bʌs] *n., vt.* 《古》 키스(하다).

buss[2] *n.* 쌍돛 어선; 짐배.

buss·bar[bʌ́sbɑ̀ːr] *n.* 〔電〕 모선(母線).

bus·ses[bʌ́siz] *n.* BUS의 복수(buses).

bús shèlter 《영》 지붕이 있는 버스 정류소.
bus·sing[bʌ́siŋ] *n.* 《주로 영》 =BUSING.
bús stàtion 버스 종점, 버스 터미널.
bús stòp 버스 정류장.
⁑**bust¹** [bʌst] [L] *n.* **1** 흉상(胸像), 반신상. **2** 상반신 : (여성의) 흉부, 버스트 : 가슴둘레.
bust² [burst의 변형] *vt.* **1** 《口》 파열〔폭발〕 시키다(burst) : 파멸〔파산〕시키다. **2** 《口》 부수다, 못쓰게 하다 : 〈다리 등을〉 부러뜨리다 **3** 《미口》 때리다, 치다 : 〈야생마 등을〉 길들이다. **4** 《미》 〈신탁 회사를〉 조그마한 회사로 나누다. **5** 《口》 〈장교 · 하사관 등을〉 졸병으로 강등하다《*to*》 : be ~*ed to* private 사병으로 강등되다. **6** 《俗》 (현행범으로) 체포하다《*for*》 : 〈경찰이〉 급습하다, 현장을 덮치다, 〈남의 집 등에〉 침입하다. **bust a gut** 《미俗》 힘껏 해보다. **bust out** 〈사관생도를〉 낙제〔퇴학〕시키다. **bust up** 〈물건을〉 부수다. — *vi.* 《口》 **1** 파열하다《*up*》. **2** 파산하다《*up*》 : The company ~ *up*. 그 회사는 파산했다. **bust out** 《미》 (1) 꽃이〔잎이〕 빨리 지다〔떨어지다〕. (2) 《미俗》 탈옥하다. (3) =BURST out. (4) 낙제〔퇴학〕하다. **bust up** 〈사업 · 회사 등이〉 찌부러지다 : 파산하다 : 의(誼)가 상하다 : 폭발하다 : 싸우다.
— *n.* **1** 《口》 파열, 폭발 : (타이어의) 펑크. **2** 《口》 실패, 파산 : 《口》 패배자 : 《俗》 낙제〔제적〕 통지, 강등 명령. **3** 《口》 불황(不況). **4** 《俗》 체포, (경찰의) 습격 : 강타. **5** 《口》 술먹고 떠듦. **have a**〔**go on the**〕**bust** 흥청망청 떠들며 놀다. **on the bust** 술에 빠져.
— *a.* 파산〔파멸〕한 : 깨진, 망가진. **go bust** 파산하다.
bus·tard[bʌ́stərd] *n.* 〔鳥〕 능에.
bust·ed[bʌ́stid] *a.* 《俗》 파멸〔파산〕한, 좌천〔강등〕된 : 체포된.
bust·er[bʌ́stər] *n.* **1** 《미口》 파괴하는 사람〔물건〕. **2** 《미口》 엄청난 것 : 거대한 것. **3** 난장판, 법석 : 흥겨워 떠드는 사람. **4** 《미》 조마사(調馬師). **5** 《미俗》 이봐, 아가《호칭》. **6** 《오스》 쌀쌀한 남풍.
bust·head[bʌ́sthèd] *n.* 《미俗》 값싼 술 : 주정꾼.
bus·tier[buːstjéi] [F] 부스트웨이《몸에 꼭끼고 팔소매와 어깨끈이 없는 여성 웃옷》.
⁑**bus·tle¹** [bʌ́sl] *vi.* **1** 부산하게 움직이다, 바쁘게 일하다《*about*》 : 법석떨다, (바쁘게) 서두르다《*up*》. **2** 붐비다, 북적거리다《*with*》.
— *vt.* 법석〔부산〕떨게 하다 : 재촉하다《*off*》. **bustle up** 야단 법석하다, 서두르다.
— *n.* Ⓤ (때로 a ~) 야단 법석 : 소란. **be in a bustle** 떠들썩하다, 혼잡하다.
bustle² *n.* 허리받이《스커트 뒷자락을 부풀게 하는》.
bus·tler[bʌ́slər] *n.* 수선스러운 사람.
bust·line[bʌ́stlain] *n.* **1** 여성의 가슴 선(線). **2** (여성의 가슴 부분을 가리는) 덧옷.
bus·tling[bʌ́sliŋ] *a.* 부산스러운 : 떠들썩한, 소란한, 붐비는. **~·ly** *ad.*
bust-out[bʌ́stàut] 《미俗》 *n.* 사기 도박에서 톡 털림 : 파산. — *vt., vi.* 사기 도박에서 톡 털다〔털리다〕.
bust-up[bʌ́stʌ̀p] *n.* 《口》 파열 : 파산 : 《口》 폭발 : 《미俗》 싸움 : 《미俗》 파탄, 이별.
bust·y[bʌ́sti] *a.* (**bust·i·er; -i·est**) 〈여성이〉 가슴이 불룩한〔풍만한〕.
bu·sul·fan[bjuːsʌ́lfən] *n.* 〔藥〕 부설판《골수성 백혈병의 항생제》.
bus·way[bʌ́swèi] *n.* 버스 전용 도로〔차선〕.
★**bus·y** [bízi] *a.* (**bus·i·er; -i·est**) **1** 바쁜, 분주한, 틈이 없는 : 《Ⅱ 형+전+명》 She is ~ *at* computer control. 그녀는 컴퓨터 제어에 바쁘다/《Ⅱ 형+(전+)-*ing*》 She is ~ (*in*) preparing *for* the examination. 그녀는 시험을 준비하느라고 바쁘다. **2** 부지런히 일하는, 활동적인 《*with, at, over*》. **3** 참견 잘하는《*in*》 : be ~ *in* other men's affairs 남의 일을 돌봐주다. **4** 《미》 〈전화가〉 통화중인 : Line's ~. 《미》 통화중입니다(《영》 Number's engaged). **5** 사람들의 왕래가 잦은, 교통이 빈번한, 번화한 : a ~ street 번화가. **6** (무늬가) 복잡한 : 차분하지 않은. **be busy doing** …하기에 바쁘다. **get busy** 《미》 일에 착수하다. — *vt.* (**bus·ied**) (~ one*self*) 바쁘게 하다〔일하다〕 《*with, about, at*》. **busy** one**self**〔one's **hands**〕 **with**〔**in, at, about**〕 something= **busy** one**self** (**in**) doing (some work) …으로 바쁘다〔바쁘게 일하다〕.
— *n.*(*pl.* **bus·ies**) 《미俗》 형사, 탐정.
⊕ búsiness, búsyness *n.* : búsily *ad.*
búsy bée 부지런한 일꾼.
bus·y·bod·y[bízibàdi/-bɔ̀di] *n.* (*pl.*-**bod·ies**) 참견 잘하는 사람, 일 봐주기 좋아하는 사람.
búsy ídleness 하는 일 없이 바쁨, 무사 분주.
bus·y·ness[bízinis] *n.* Ⓤ **1** 《稀》 바쁨, 다망. **2** 무의미한 활동〔행동〕 : 참견 좋아함.
búsy sìgnal (전화선의) 「통화중」 신호.
búsy tòne 「통화중」의 신호음.
bus·y·work[bíziwə̀ːrk] *n.* Ⓤ 바쁘기만 하고 성과 없는 일.
★**but¹** [bʌt, 弱 bət] *conj.* **A** (등위접속사) **1 a** (앞의 낱말 · 구 · 절과 반대 또는 대조되는 낱말 · 구 · 절을 이끌어) 그러나, 그런데, 그렇지만 : small ~ strong 작지만 튼튼한/He is poor, ~ he is contented. 그는 가난하지만 만족히 여긴다. **b** ((It is) True, to be sure, of course, indeed, may 등이 들어 있는 절 뒤에서 양보의 뜻을 나타내어) (과연) …지만 : (*It is*) *True* its flower is beautiful, *but* it bears no fruit. 과연 그 꽃은 아름답지만, 열매를 맺지 않는다.
2 (앞에 부정어가 있을 때) …하지는 않지만 (그러나) : …이 아니고〔아니라〕(◇ *not* A *but* B로 「A가 아니고 B이다」의 뜻을 나타내는 표현 : B가 앞에 올 때는 B and *not* A) : She will *not* join the party, *but* stay at home. 그녀는 모임에는 참석하지 않고, 집에 있을 것이다.
3 (감탄사 · 감동 표현 등의 뒤에 무의미한 연결어로서) : Heavens, ~ it rains! 이런, 비가 오잖아/ "Why didn' t you go?" "Oh〔Ah〕, ~ I did." 왜 가지 않았지. 아니야, 난 갔었어.
4 (보통 문두에서) (이의 · 불만을 나타내어) 하지만, 그렇지만 : (놀람 · 의외의 감정을 나타내어) 야, 어머나 : "I'll tip you 10 pence." "*B*- that' s not enough." 팁으로 10펜스 주겠다하지만 그건 충분하지 않습니다/ "He has succeeded!" "*B*- that' s great!" 그가 성공했단다, 굉장하구나.
5 《口》 (이유) 하므로, 해서, 하여서(because) : I'm sorry I was late, ~ there' s been a lot of work to do. 늦어서 미안합니다. 할 일이 많이 있었거든요.
— **B** (종속접속사) **1** (부사적 종속절을 인도) …외에(는), …을 제외하고(는)(◇ (1) 전치사의 전용(轉用)으로서 용례 중의 I, he, she를 각각 me, him, her로 하면 but은 전치사가 됨. (2) but에 선행되는 말은 all, everybody, nothing 따위) : All ~ he are present. 그를 제외하고는 모두 참석하였다/Nobody ~ she knew it. 그녀 외에는 아무도 그것을 몰랐다.

2 (종종 but that으로)(조건을 나타내는 부사절을 인도) …이 아니면 (一할 것이다), …하지 않으면(unless), …(한 것) 외에(는): I would buy the book ~ I am poor. 가난하지 않으면 그 책을 살 텐데(=《口》… if I were not poor)/He would have helped us *but that* he was short of money at that time. 그 당시 그가 돈이 부족하지 않았더라면 우리를 도와 주었을 것이다(… but that … = … if it had not been for the fact that …). **3** (주절이 부정문일 때) **a** …않고는 (一안 하다)(without doing; if … not), …하기만 하면 반드시 (一하다): It never rains ~ it pours. 《속담》 비가 오기만 하면 반드시 억수로 퍼붓는다(◇ but절 중의 동사는 직설법)/Scarcely a day passed ~ I met her. 나는 그녀를 만나지 않는 날은 거의 하루도 없었다(Hardly a day passed without my meeting her.가 일반적임). **b** (정도·성질을 나타내는 so, such와 상관적으로) …않을〔못할〕 만큼〔정도로〕(◇ but (that) 용법은 문어적임: 일반적으로는 대신에 that … not를 씀): *No* man is *so* old ~ *that* he may learn. 나이가 너무 많아서 못 배운다는 법은 없다(=*No* man is so old *that* he may *not* learn./*No* man is *too* old *to* learn.)/He is *not such* a fool ~ he can tell that. 그는 그것을 모를 정도로 바보는 아니다(=He is *not such* a fool *that* he can*not* tell that.). **4** (명사절을 인도하여) **a** (주절에 doubt, deny, hinder, impossible, question, wonder 등 부정적인 뜻이 부정되어 있을 때)(◇ but은 명사절을 인도: but that, but what의 형태를 취하는 데 뜻은 that과 같다) …하다는〔이라는〕 것(that)(◇ 지금은 흔히 that을 씀): I do*n't doubt*〔There is *no doubt*〕 ~ (that) you will succeed. 당신이 성공하리라는 것을 의심치 않는다. **b** (종종 but that〔《口》 what〕으로 부정·수사의문에 쓰인 believe, except, fear, know, say, think, be sure 등의 뒤에서 명사절을 인도)(◇ 오늘날에는 but that〔what〕보다는 that이 보통) …않(는)다는 (것을)(that … not): I do*n't know*〔I *am not sure*〕 ~ it is all true. 아마 그것은 사실일 것이다/Who *knows* ~ *that* he may be right? 오히려 그가 옳을지도 모른다(옳지 않다고는 아무도 말 못한다). **but then** ⇨then. **(It is) not that …, but that** … …해서가 아니라 …이기 때문이다: He is often absent, *not that* he dislikes school, *but that* he is in poor health. 그가 자주 결석하는 것은 공부가 싫어서가 아니라 몸이 약해서이다(that은 because의 뜻). **(It is) ten to one but** … 아마 틀림없이, 십중팔구: *It is ten to one but* you win. 아마 틀림없이 네가 이길 거다. **not but that〔what〕** … 않는 것은 아니지만: I can't come, *not but that* I'd like to. 나는 올 수가 없다, 오기 싫은 것은 아니지만(◇ 지금은 I can't come, *not that* I wouldn't like to.가 일반적임).

— *ad.* **1** 《文語》 단지, 다만, 그저 …일 뿐(only), …에 지나지 않는: He is ~ a child. 그는 그저 어린아이에 불과하다/There is ~ one God. 신은 오직 하나뿐이다. **2** 그저 만이라도, 적어도, 하다못해: If I *could but* talk to her for three minutes. 하다못해 3분만이라도 그녀와 이야기할 수 있다면. **3** (강조어로서)《미俗》 정말로, 참으로; 단연: Oh, ~ of course. 아 물론입니다. **all but** … 거의(almost): She *all but* died of her wounds. 그녀는 중상으로 거의 생명이 위태로울 지경이었다. **but good** 《미口》 비참히, 아주, 완전히: We were defeated *but good.* 우리는 완패하였다. **but now** 방금, 지금 막, 최근에.

— *prep.* **1** (no one, nobody, none, nothing, anything; all, every one; who 등의 의문사 뒤에서) …외엔〔외의〕, …을 제외하고〔제외한〕(except): All ~ him were drowned. 그 외에는 모두 익사하였다/It is nothing (else) ~ a joke. 그것은 농담에 불과하다. **2** (the first〔next, last〕 ~ one〔two, three〕의 형태로)《영》 첫째〔다음, 마지막〕에서 두〔세, 네〕번째의: the last house ~ one〔two〕 끝에서 두〔세〕번째 집. **but for** … …이 없다면〔아니라면〕(if it were not for); …이 없었더라면〔아니었더라면〕(if it had not been for): *But for* your help, I could not do it〔I could not have done it〕. 당신의 도움이 없다면〔없었더라면〕 나는 그것을 할 수 없을〔없었을〕 것이다. **cannot but** do… ⇨can¹. **cannot choose but** do =**have no (other) choice but to** do… …하지 않을 수 없다: I *had no choice but to* accept the offer. 나는 그 제의를 받아들일 수 밖에 없었다. **do nothing but** do… …만 할 뿐이다: She *did nothing but* complain. 그녀는 불평만 할 뿐이었다. **last〔next〕 but one〔two〕** 끝〔다음〕에서 두〔세〕번째(의). **never … but once** 단〔꼭〕 한 번만.

— *rel. pron.* (부정(否定)의 부정(不定)대명사 또는 no+명사를 선행사로 하는 관계대명사로서) …않는(것, 사람); …하지 않는 (바의)(that〔who〕 … not; but that, but what이 쓰일 때도 있음): There is *no one* ~ knows it. 그것을 모르는 사람은 아무도 없다.

— *n.* (보통 *pl.*) 예외, 반대; 이의; 의문: ifs and ~*s* 조건과 이의/No ~*s* about it. 《口》 그것에 대해서 이의를 하지 말고 해 주게/It is a *but.* 그것은 의문이다. — *vt.* …에 이의를 말하다, 「그러나」라고 말하다. **But me no buts〔Not so many buts, please〕.** 「그러나, 그러나」라고만 말하지 말게(but은 임시동사, buts는 임시 명사의 용법).

but² [bʌt] *n.* 《스코》 (두 칸 집의) 바깥 칸. **but and ben** 바깥방과 안방(과); 온 집안.

bu·ta·di·ene [bjùːtədáiiːn, ⌐−−⌐] *n.* Ⓤ 《化》 부타디엔(탄화수소의 일종).

bu·tane [bjúːtein, −⌐] *n.* Ⓤ 《化》 부탄(탄화수소의 일종).

butch [butʃ] *a., n.* 《俗》 사내 같은 (여자); (동성애의) 남성역의 여성; 상고머리의, 단발의(=∠ **hàircut**).

‡butch·er [bútʃər] [F] *n.* **1** 푸주한; 정육점 주인; 도살자; 《비유》 학살자: a ~ knife 푸주칼. **2** 《미口》 (열차·관람석에서의) 판매원; 권투선수. **the butcher, the baker, the candlestick maker** 가지 각색의 직업인, 여러 직업의 사람들. — *vt.* 도살하다; 학살하다(massacre); 사형에 처하다; 《비유》 망쳐놓다; 혹평하다. **~·er** *n.* =BUTCHER 1. ⊕ **bútcherly** *a.*

butch·er·bird [bútʃərbə̀ːrd] *n.* 《鳥》 때까치(shrike).

butch·er-block [-blɑ̀k/-blɔ̀k] *a.* 나무 토막을 모아서 만든, 토막 나무 세공의.

butch·er·ly [bútʃərli] *a.* 백장같은; 잔인한(cruel); 서투른.

butch·er's [bútʃərz] *n.* 푸줏간, 정육점.

bútcher's bíll 정육점의 계산서; 전사자〔조난 사망자〕 명단.

bútcher's hòok 홀끗 봄.
bútcher('s) mèat (네발) 짐승 고기.
bútcher wàgon 《俗》 구급차.
butch·er·y[bútʃəri] *n.* (*pl.* **-er·ies**) 《영》 도살장(slaughterhouse); 도살업; 학살.
bu·te·o[bjú:tiòu] *n.* (*pl.* **～s**) 〔鳥〕 말똥가리.
*__but·ler__[bʌ́tlər] *n.* 집사, 하인 우두머리《술 창고·식기 등을 관리함》; 〔영史〕 궁내성 주류(酒類) 관리자.
bútler's pàntry 식기실《부엌과 식당 중간에 있음》.
Buts·kel·lism[bʌ́tskəlìzəm] *n.* 《영》 대립 정당이 같은 정책을 들고 나오는 상황.
butt[1] [bʌt] *n.* **1** 굵은 쪽 끝, 밑동《칼·창 등의》, (총의) 개머리; 《미口》 엉덩이. **2** 나무의 밑동; 잎자루의 기부(基部); 통나무 조각. **3** 남은 조각(=～ end); 담배 꽁초; 《미俗》 궐련. **4** 〔魚〕 가자미의 일종. **5** 배피(背皮)《혁대·구두 등에 쓰임》.
butt[2] *n.* **1** (보통 *pl.*) 살받이 터《과녁 주위에 살이 떨어지는 둑》. **2** (*pl.*) 과녁, 표적, 사격장, 사격장; 돌쩌귀. **3** (조소·비평·노력 등의) 대상.
butt[3] *n.* 큰 술통; 《일반적으로》 통; 버트《액량 단위; 영국에서는 108-140, 미국에서는 108 갤런》.
*__butt__[4] *vt.* **1** 머리〔뿔〕로 받다〔밀치다〕: ～ a person *in* the stomach …의 배를 들이받다. **2** 부딪치다, 충돌하다《*against, into*》. ── *vi.* **1** 부딪치다, 부닥치다: Going round the corner, I ～*ed into* a man〔against the fence〕. 모퉁이를 돌다가 사람과〔담에〕 부딪쳤다. **2** 돌출하다 (on, against). **butt in**〔**into**〕 《口》 간섭하다, 참견하다. **butt out** 《미口》 말참견을 그만두다. ── *n.* 박치기, 뜸베질. ── *ad.* 머리로 떠받아서; 대단한 힘으로. **run**〔**come**〕 **butt against** …와 정면으로 충돌하다. **run butt into** 쏜살같이 뛰어들다.
butte[bju:t] *n.* 《미西部·캐나다》 (평원에) 우뚝 솟은 고립된 산.
bútt ènd 밑동; (총의) 개머리; 말뚝 머리; 잔부(殘部); 잔편(殘片); (판자의) 이은 부분.
★**but·ter**[1] [bʌ́tər] [Gk] *n.* Ⓤ **1** 버터. **2** 버터 비슷한 것, 버터 모양의 물질: apple ～ 애플잼/ peanut ～ 땅콩 버터. **3** 《口》 아부, 아첨. **butter of zinc**〔**tin**〕 염화 아연〔주석〕. **lay on the butter** 아첨을 하다. **look as if butter would not melt in** one's **mouth** 얌전한 체하다, 시침을 떼다. **melted butter** 버터 소스의 일종. **spread the butter thick** =lay on the BUTTER. ── *vt.* 버터를 바르다; 버터로 맛을 들이다; 《口》 아첨하다《*up*》. **Fine words butter no parsnip.** ⇨ parsnip. **have** one's **bread buttered for life** 평생 먹고 살 만한 돈이 있다. ◈ búttery[1] *a.*
butt·er[2] *n.* 부딪치는 사람〔것〕; 머리로 떠받는 짐승.
bút·ter-and-égg màn[bʌ́tərənég-] 《미俗》 돈 잘 쓰는 사람(free spender), 돈 많은 투자가; (흥행의) 후원자.
but·ter-and-eggs[bʌ́tərənégz] *n. pl.* (단수·복수 취급) 〔植〕 해란초속(屬)《짙고 엷은 노란 꽃이 핌》.
but·ter·ball[bʌ́tərbɔ̀:l] *n.* = BUFFLEHEAD; 《口》 뚱뚱보.
bútter bèan 〔植〕 제비콩; 리마콩.
bútter bòat 배 모양의 소스 그릇.
bútter bòy 《영俗》 신참〔풋내기〕 택시 운전사.
but·ter·bur[bʌ́tərbə̀:r] *n.* 〔植〕 머위.
bútter chìp 각자 앞의 버터 접시.
bútter còoler (식탁용) 버터 냉장 장치.
but·ter·cream[-krì:m] *n.* 버터 크림《버터·설탕·계란·향미료로 만든 케이크》.
*__but·ter·cup__[-kʌ̀p] *n.* 〔植〕 미나리아재비.
bútter dìsh (식탁용) 버터 접시.
but·tered[bʌ́tərd] *a.* 버터를 바른.
but·ter·fat[bʌ́tərfæ̀t] *n.* Ⓤ 유지방(乳脂肪)《버터의 주성분》.
but·ter·fin·gered[-fìŋgərd] *a.* 《口》 물건을 잘 떨어뜨리는; 서투른.
but·ter·fin·gers[-fìŋgərz] *n. pl.* (단수 취급) 《口》 물건을 잘 떨어뜨리는 사람, 부주의한 사람; 공을 잘 놓치는 선수.
but·ter·fish[-fìʃ] *n.* (*pl.* **～, ～·es**) 〔魚〕 미끌미끌한 고기《미꾸라지 등》.
⁑**but·ter·fly**[-flài] *n.* (*pl.* **-flies**) **1** 나비; (특히 여자) 멋쟁이, 변덕스러운 여자. **2** (*pl.*) 《口》 (긴장·흥분·걱정 등으로 인한) 불안한 마음, 가슴 설렘, 초조감. **3** (보통 the ～) 〔水泳〕 버터플라이(=～ stroke). **break a butterfly on a**〔**the**〕 **wheel** 모기 보고 칼 빼다. **have butterflies** (**in the**〔**one's**〕 **stomach**) 《口》 (걱정으로) 마음이 두근거리다〔조마조마하다〕. ── *a.* 나비꼴의; 〈생선·고기 등〉 (나비꼴로) 두 장으로 열어젖힌. ── *vi., vt.* (**-flied**) 나비처럼 날아다니다; 〈고기를〉 나비꼴로 펴서 가르다.
bútterfly bàll 《野球俗》 너클볼.
bútterfly chàir 쇠파이프 등에 범포를 씌운 의자.
but·ter·fly·er[bʌ́tərflàiər] *n.* 접영 선수.
bútterfly fìsh 〔魚〕 나비고기.
bútterfly nèt 나비채, 포충망.
bútterfly nùt 나비꼴 너트〔나사〕(wing nut).
bútterfly stròke 〔水泳〕 버터플라이, 접영(법).
bútterfly tàble 접는 엽판이 달린 타원형 테이블.
bútterfly vàlve 〔機〕 나비꼴 판(瓣).
bútterfly wìndow (자동차의) 삼각창.
but·ter·ine[bʌ́tərì:n, -rin] *n.* Ⓤ 동물성 마가린.
but·ter·ing[bʌ́təriŋ] *n.* (쌓기 전에) 벽돌 수직면에 모르타르를 칠하기; 《口》 아첨 말.
but·ter·is[bʌ́təris] *n.* 말굽 깎는 기구.
bútter knìfe (버터 그릇에서 버터를 더는) 버터나이프(*cf.* BUTTER SPREADER).
but·ter·milk[bʌ́tərmìlk] *n.* Ⓤ 버터밀크《버터를 빼고난 우유; 우유를 발효시킨 식품》.
bútter mùslin 《영》 한랭사(寒冷紗)(《미》 cheesecloth)《원래 버터를 싸는 데 썼음》.
but·ter·nut[bʌ́tərnʌ̀t] *n.* 〔植〕 버터호두나무《북미산》; 버터호두《열매》.
bútter prìnt 버터에 무늬를 찍는 판; 버터에 눌린 판 무늬.
bútter sàuce 버터 소스.
but·ter·scotch[-skɑ̀tʃ/-skɔ̀tʃ] *n.* 버터볼《버터와 설탕으로 만듦》.
bútter sprèader (빵에 버터를 바르는) 버터나이프(*cf.* BUTTER KNIFE).
bútter trèe 〔植〕 버터나무《씨에서 버터 같은 물질이 남》.
but·ter·wort[-wə̀:rt] *n.* 〔植〕 벌레잡이제비꽃; 벌레오랑캐.
but·ter·y[1] [bʌ́təri] *a.* 버터같은; 버터를 함유한; 버터를 바른; 《口》 아첨하는(flattering). **-ter·i·ness** *n.* Ⓤ 버터 같음; 버터를 함유함.
buttery[2] *n.* (*pl.* **-ter·ies**) 식료품 저장실.
búttery hátch (식료품 저장실에서 식당으로 음식을 내보내는) 작은 창.

bútt hìnge (가장 흔한) 나비꼴 돌쩌귀.
butt·in·sky, -ski[bʌtínski] *n.* (*pl.* **-skies**) 《미俗》 말참견하는 사람.
bútt jòint 〔建〕 맞댐이음.
but·tock[bʌ́tək] *n.* **1** (보통 *pl.*) 엉덩이. **2** (*sing.* 또는 *pl.*) 〔海〕 고물. **3** 〔레슬링〕 허리치기, 업어치기. ── *vt.* 허리〔업어〕치기로 던지다.
****but·ton**[bʌ́tn] [F] *n.* **1** (옷의) 단추. **2** 단추 비슷한 물건; 초인종의 누름 단추, (카메라의) 셔터, (회원 등의 둥근) 배지; (펜싱 칼의) 끝에 대는 작은 가죽 씌우개. **3** (*pl.*; 단수 취급) 《영俗》 (금단추 제복의) 급사: a boy in ~*s* 금단추의 제복을 입은 급사. **4** 봉오리, 싹. **5** 《拳鬪俗》 턱 끝. **have a button short** 〔**loose, missing**〕 조금 (지혜가) 모자라다. **hold**〔**take**〕 a person **by the button** …을 붙잡아 놓고 말동무로 삼다. **not care a button** 조금도 상관없다. **not have all one's buttons** 제정신이 아니다, 머리〔지혜〕가 모자라다. **not worth a button** 아무 가치도 없는. **on the button** 《미口》 정확하게, 시간대로. **push**〔**press, touch**〕 **the button** 단추를 누르다; (사건의) 계기를 만들다. **push**〔**hit**〕 **the panic button** 《口》 허둥지둥하다; 비상 수단을 취하다.
── *vt.* **1** 단추를 채우다; 단추로 잠그다; 단추를 달다; 〈입 등을〉 꼭 다물다: ~ (*up*) one's coat (to the chin) 옷 단추를 (턱까지 꼭) 채우다. **2** 칼 끝에 가죽을 씌우다; 가죽을 씌운 칼 끝으로 찌르다. ── *vi.* 단추로 채워지다: This dress ~*s down* the back. 이 드레스는 등이 내리 단추로 채우게 되어 있다. **button into**〔**in**〕 단추를 채워(호주머니 등에) 넣어 버리다. **button one's lip**〔**mouth**〕 《미口》 (종종 명령형으로) 입다물다. **button up** 단추를 채워 잠그다; 〈입·지갑 등을〉 꼭 다물다, 꼭꼭 닫다; 결정하다; 완수하다, 실시하다; 꼭 가두어놓다. **Button up!** 입닥쳐.
⊕ búttony *a.*
but·ton·ball[bʌ́tnbɔ̀:l] *n.* =BUTTONTREE.
but·ton-down[-dàun] *a.* 단추로 잠그는 〈셔츠〉; 《미》 틀에 박힌, 보수적인.
but·toned-up *a.* 《口》 입을 다문, 말을 안 하는; 〈일 등이〉 완성된.
***but·ton·hole**[bʌ́tnhòul] *n.* 단추 구멍; 《영》 단추 구멍에 꽂는 장식꽃. ── *vt.* **1** 단추 구멍을 내다. **2** 붙들고 긴 이야기를 하다.
-hol·er[-ər] *n.* 사람을 붙들고 길게 이야기하는 사람.
búttonhole stìtch (단추 구멍의) 사뜨기.
but·ton·hook[-hùk] *n.* 단추걸이《구두·장갑 등의》.
but·ton·less[bʌ́tnlis] *a.* 단추가 없는.
bútton màn 《미俗》 (마피아 등의) 하급 단원, 졸개.
but·ton-on[-án/-ɔ́n] *a.* 단추가 달린, 단추로 잠그는.
bútton shòe 단추로 잠그는 단화.
but·ton-through[⌐θrù:] *a.* 〈여성복 등이〉 위에서 아래까지 단추가 달린.
bútton trèe =BUTTONWOOD.
but·ton·wood *n.* 〔植〕 버튼나무; 아메리카 플라타너스(plane tree)《북미산》.
but·ton·y[bʌ́tni] *a.* 단추 같은; 단추가 많이 달린.
bútt plàte (총의) 개머리판.
but·tress[bʌ́tris] *n.* 〔建〕 부벽(扶壁); 지지, 버팀; 지지자, 지지물. ── *vt.* 부벽으로 버티다; 지지하다, 보강하다.
bútts and bóunds 〔法〕 (땅의) 경계선.
bútt shàft (살촉 없는) 연습용 화살.
butt·stock[bʌ́t-stàk/-stɔ̀k] *n.* (총) 개머리.
bútt wèld 맞대기 용접.
but·ty[bʌ́ti] *n.* (*pl.* **-ties**) **1** 감독, 우두머리. **2** (탄광의) 채탄 청부인(=⌐ **màn**). **3** 《口》 동료. **4** 《영》 샌드위치.
bu·tut[butú:t] *n.* (*pl.* ~, ~**s**) 부투트《감비아의 화폐 단위; 1/100 dalasi》.
bu·tyl[bjú:til] *n.* 〔化〕 부틸기(基); (**B-**) 부틸합성고무《상표명》.
bútyl ácetate 〔化〕 초산부틸.
bútyl álcohol 〔化〕 부틸알코올.
bu·tyl·ene[bjú:tilì:n] *n.* 〔化〕 부틸렌.
bútyl nítrite 부틸니트라이트《집안의 냄새 제거용으로 쓰이는 방취제의 주요 성분으로 휘발성 액체 제제》.
bu·tyr·a·ceous[bjù:təréiʃəs] *a.* 버터성(性)의, 버터 비슷한, 버터가 들어 있는.
bu·tyr·ate[bjú:tərèit] *n.* 〔化〕 낙산염.
bu·tyr·ic[bju:tírik] *a.* 〔化〕 버터의, 버터에서 뽑은; 낙산의.
butýric ácid 〔化〕 낙산(酪酸).
bux·om[bʌ́ksəm] *a.* 〈여자가〉 통통하고 귀여운, 가슴이 풍만한, 건강하고 쾌활한.
~·ly *ad.* **~·ness** *n.*
★buy[bai] (**bought**[bɔ:t]) *vt.* **1** 사다, 구입하다(*opp.* sell): 《Ⅲ (목)+전+명》 She *bought* a new tie *for* him. 그녀는 그에게 새 넥타이를 사 주었다(=《Ⅳ 대+(목)》 She *bought* him a new tie.)/~ a thing *at* a shop〔*for* cash, *on* credit〕 물건을 가게에서〔현금으로, 외상으로〕 사다/《Ⅲ (목)+전+명》 She *bought* the car *from*〔*of*〕 him. 그녀는 그에게서 그 차를 샀다/《Ⅲ *what*(절)》 I have *bought what* you like best. 나는 네가 가장 좋아하는 것을 사 왔다/《Ⅲ (목)+〈*wh.*(절)〉》 I *bought* a book *which* was good in its content. 나는 내용이 좋은 책을 한 권 샀다/《Ⅲ (목)》, +〈*wh.*(절)〉》 (*wh.*(절)-Ⅲ (목)+전+명》 He had three sons, *for whom* he has *bought* every good book. 그는 세 아들을 두었는데, 그들에게 좋은 책은 다 사 주었다/《Ⅳ 대+(목)+*to do*》 He must have *bought* her the book *to* talk about it with her. 그는 그 책에 관해서 그녀와 이야기하는 것으로 봐서 그녀에게 그 책을 사 준게 틀림없다. **2** (대가를 치르고) 얻다: ~ favor *with* flattery 아첨으로 총애를 얻다. **3** 매수하다 (bribe). **4** 《俗》 〈의견을〉 받아들이다, 찬성하다, 믿다. **5** 〈식사 등을〉 내다. **6** 〈돈이〉 …을 살 수 있다, …의 값어치가 있다. ── *vi.* 물건을 사다; 사는 쪽이 되다. **Buy American.** 〔미標語〕 국산품 우선〔애용〕. **buy back** 되〔도로〕사다. **buy in** 사들이다; (경매에서 사는 편의 부르는 값이 너무 싸서) 〈주인이〉 되사다. **buy into** (회사의) 주주가 되다; 돈을 내고(회사의) 임원이 되다. **buy it** 《俗》 (수수께끼·질문을 풀지 못하여) 포기하다, 손떼다; 《영俗》 살해되다; 〈조종사가〉 격추당하다: I'll *buy it.* 손들었어, 모르겠어. **buy** a thing **new** 새로 사다〔장만하다〕. **buy off** 돈을 주고 내쫓다, 돈을 치르고 면하다; 면제금을 내고 〈사람을〉 구하다. **buy oneself out** 돈을 치르고 나가다. **buy one's way into** 돈을 써서 …으로 들어가다. **buy out** 〈지위·재산 등을〉 돈을 주고 포기하게 하다, 손떼게 하다. **buy over** 매수하다. **buy up** 매점하다, 〈회사 등을〉 인수하다. ── *n.* 《口》 사기, 구입 (purchase); 《미口》 싸게 산 좋은 물건: It's a real ~. 그건 정말 잘 산〔싼〕 물건이다/a bad

~《口》 잘못 산 물건/a good ~ 《口》 싸게 잘 산 물건.

buy·a·ble[-əbl] *a.* 살 수 있는.

buy·back[báibæ̀k] *a.* 되사는. — *n.* 되삼.

⁑**buy·er**[báiər] *n.* (*opp.* seller) 사는 사람, 사는 쪽, 소비자; 구매계원: a ~s' association 구매 조합.

búyers màrket 구매자 시장《공급이 많아 구매자에게 유리》(*opp.* sellers' market).

búyer's òption 〔證券〕 매입 선택권.

búyers' strìke 불매(不買) 동맹.

buy-in *n.* 주식의 매입.

buy·ing-in *n.* 사들임, 구입.

búying pòwer 구매력.

buy-off[báiɔ̀ːf/-ɔ̀f] *n.* 전권리의 매점(買占).

buy-out[báiàut] *n.* (기업의 소유주 또는 공동 출자자의 소유권·이권을 모조리) 사들이는.

buz·ka·shi[búːzkáːʃi] *n.* 부즈카시《죽은 염소〔송아지〕를 말을 타고 빼앗는 아프카니스탄의 국기(國技)》.

buzz¹, buz *int.* 케케묵은 얘기다.

⁑**buzz²** [bʌz] [의성어] *vi.* **1** 〈벌·기계 등이〉 윙윙거리다, 윙윙거리며 날다《*about, over, in, out, among*》. **2** 분주하게 돌아다니다《*about, along, around*》. **3** 와글와글 떠들다, 웅성대다; 〈소문이〉 퍼지다. **4** 《口》 급히 가다, 떠나다《*off, along*》. **5** 버저로 부르다〔알리다〕《*for*》: ~ *for* one's secretary *to* come soon 비서를 곧 오라고 버저로 부르다. **buzz off** 《口》 급히 떠나다, 가거라《명령형》; 전화를 끊다 (ring off). — *vt.* **1** 떠들썩하게 지껄이다; 《미》 말을 걸다; 〈비밀을〉 말하다. **2** 〈…에게〉 버저로 알리다, 버저로 부르다; 《口》 〈…에게〉 전화를 걸다. **3** 《軍俗》 (신호수를 통하여) 전달하다. **4** 휙 던지다. **5** 《영》 〈술병을〉 다 따라 마시다. **6** 〔空〕 …의 위를 닿을듯 말듯 낮게 날다. — *n.* **1** 윙윙거리는 소리; (기계의) 소음; 와글와글 (하는 소리). **2** 소문; 쓸데없는 소리. **3** 버저 소리, 버저에 의한 호출; 《口》 전화의 호출 신호음: give him a ~ 그에게 전화하다. **4** 《미俗》 취한 쾌감; 흥분. **5** 《미俗》 순찰차. **6** 딱정벌레의 일종. **7** 《미》 = BUZZ SAW. **have a buy on** 《미俗》 (마약 등에) 취해 있다.

buz·zard[bʌ́zərd] *n.* 〔鳥〕 말똥가리; 〔鳥〕 (미국산) 대머리수리; 《俗》 얼간이, 비열한 놈; 《미方》 윙윙거리는 벌레.

búzz bòmb 〔軍〕 폭명탄(爆鳴彈).

buzz·er[bʌ́zər] *n.* 윙윙거리는 벌레; 기적, 사이렌; 버저; 《영俗》 전화; 《軍俗》 신호수.

buzz·ing[bʌ́ziŋ] *a.* 윙윙〔와글와글〕 거리는. **~·ly** *ad.*

búzz sàw 《미》 둥근 톱(circular saw).

búzz sèssion 소(小)그룹의 비공식 회합.

buzz·wig[bʌ́zwìg] *n.* 《영》 머리 숱이 많은 큰 가발(假髮); 신분이 높은 사람.

buzz·word[bə́zwə̀ːrd] *n.* **1** (실업가·정치가·학자 등이 쓰는) 점잔빼는 말투〔전문어〕, 동업자끼리의 통용어. **2** =fuzzword.

b.v. *bene vale*《L=farewell》; book value.

B.V.D. *n.* 《미》 남성용 내의《상표명》.

B.V.M. Blessed Virgin Mary.

bvt. brevet(ted). **B.W.** Board of Works.

bwa·na[bwáːnə] [Swahili] *n.* 《東아》 주인님, 나리(master, sir).

B.W.G. Birmingham wire gauge. **B.W.I.** British West Indies. **BWR, B.W.R.** boiling water reactor 비등수형 원자로. **B.W.T.A.** British Women's Temperance Association.

BX base exchange. **bx.** (*pl.* **bxs.**) box.

⋆**by¹** [bai] *prep.* **1** (장소·위치) …의(바로) 옆에(서), 곁에〔의〕, 가까이에: a house *by* the seaside 해변가의 집/I haven't got it *by* me. 그것은 지금 수중에 없다.

2 (통과·경로). **a** …의 옆을, …을 지나서: go *by* me〔the bank〕 내〔은행〕 옆을 지나가다. **b** (길)을 지나, …을 따라서〔끼고서〕: drive *by* the highway 하이웨이를 드라이브하다/pass *by* the river 강변을 따라가다. **c** …을 경유하여(via): travel *by* (way of) Spain 스페인을 경유하여 여행하다.

3 (때) **a** (기간) …동안에, …사이《by 뒤의 명사는 무관사》: He works *by* day and studies *by* night. 그는 낮에는 일하고 밤에는 공부한다. **b** (기한) …까지는: *by* the end of this month 이 달 말까지/finish *by* the evening 저녁때까지는 완성하다.

4 (행위·수단·방법·원인·매개) **a** (수송·전달의 수단을 나타내어) …에 의하여, …으로(《◇ (1) by 뒤의 교통·통신 기관 등을 나타내는 명사는 무관사이나 특정의 시간을 나타내는 경우에는 정관사가 붙음. (2) 소유격·부정관사가 붙는 경우에는 on 또는 in을 씀: *in* one's car, *on* a bicyele》: *by* letter〔wire〕 편지〔전보〕로/send *by* post 우송하다/go 〔travel〕 *by* bus〔boat, bicycle, plane, rail(road), train, *etc.*〕 버스〔배, 자전거, 비행기, 철도, 기차(등)〕로 가다〔여행하다〕/go *by* water〔air〕 수로〔공로〕로 가다/*by* land〔sea〕 육로〔해로〕로/go *by* the 8.00 p.m. train 오후 8시 기차로 가다. **b** (수단·매개를 나타내어) …으로: *by* hand〔machine〕 손으로〔기계로〕 (만든)/sell *by* auction 경매하다/learn *by* heart 암기하다. **c** (do*ing*을 목적어로)(…함)으로써: Let's begin *by* review*ing* the last lesson. 요전 학과의 복습부터 시작합시다/We learn *by* listen*ing*. 들어서 알게〔배우게〕 된다. **d** (원인·이유를 나타내어) …때문에, …으로(인해): die *by* poison 독 때문에 죽다/*by* reason of …한 이유로.

5 (행위자〔동작주〕를 나타내어) …에 의하여, …에 의한《수동형에 쓰임》: America was discovered *by* Columbus. 아메리카는 콜럼버스에 의해 발견되었다/a novel *by* Scott 스콧의〔이 쓴〕 소설.

6 (준거) **a** (척도·표준을 나타내어) …에 의거하여, …에 따라: It's four o'clock *by* my watch. 내 시계로는 4시다/Don't judge a person *by* appearances. 사람을 외관으로 판단하지 마라. **b** (by the …의 형태로 단위를 나타내어) …을 단위로 (하여), …로, …에 얼마로 정하고: board *by* the month 월 얼마로 하숙하다/sell *by the* yard〔gallon〕 1야드〔갤런〕당 얼마로 팔다/pay a worker *by* the piece 한 건당 얼마로〔일한 양에 따라〕 노동자에게 품삯을 주다.

7 (연속) …씩, 조금씩: *by* the hundred = *by* (the) hundreds 수백씩/*by* the hour 몇 시간씩 (계속해서)/*by* degrees 조금씩, 서서히/one〔two〕 *by* one〔two〕 하나〔한 사람〕씩〔둘〔두 사람〕씩〕/step *by* step 한 걸음 한 걸음.

8 a (정도·비율·차이)(얼마) …만큼, …정도만큼, …의 차로, …하게: miss the train *by* a minute 1분 차이로 열차를 놓치다/win *by* a boat's length 보트 한 척 길이의 차로 이기다/He is taller than she (is) *by* three centimeters. 그는 그녀보다 키가 3센티 크다. **b** (곱셈·나눗셈·치수): multiply 4 *by* 3 = 4×3/divide 15 *by* 3 = 15÷3/a room (of) 11 ft. *by* 14(ft.) (폭) 11피트에 (길이) 14피트의 방/

a 5-*by*-8 inch card (가로) 5인치에 (세로) 8인치의 카드.
9 (동작을 받는 신체·의복의 부분) (사람·물건의) …을(catch, hold, lead 등 동사와 함께 쓰며, 목적어로 「사람·물건」을 쓰고 by 이하의 말로 그 부분을 나타냄; by 뒤의 명사에는 정관사를 붙임) : She led her father *by the* hand. 그녀는 아버지의 손을 잡아 인도하였다.
10 a (부모로서의 남자〔여자〕)에게서 태어난, 소생의: He had a child *by* his first wife. 그는 첫째 부인한테서 난 자식이 하나 있었다. **b** 〈말 등이 혈통상〉 …을 아비로 가진: Justice *by* Rob Roy 로브 로이를 아비로 가진 저스티스.
11 (서언(誓言)·기원) …에 맹세코; (신)의 이름을 걸고, (신)에게 맹세코: swear *by* God that … …을 신에게 맹세하다.
12 (방위) (약간) …쪽인: North *by* East 약간 동쪽인 북, 북미(微)동《N와 NNE의 중간; ⇨ the POINTS of the compass》.
13 (보통 do, act, deal과 함께) …에 대하여, …을 위하여: do one's duty *by* one's parents 부모에게 효도하다/Do (to others) as you would be done *by*. 남이 나에게 해주었으면 하고 원하는 바를 남에게 해주어라.
14 (관계) …에 관하여〔관해서 말하면〕, …점에서는, …은《by 뒤의 명사는 무관사》: *by* birth 〔name, trade〕 태생〔이름, 직업〕은/a Frenchman *by* birth 태생은 프랑스인/They are cousins *by* blood. 그들은 친 사촌간이다/He is Brown *by* name. 그는 이름이 브라운이다/I know him *by* name. (교제는 없지만) 그의 이름은 알고 있다/It's O.K. *by* me. 《미口》 나는 오케이다.
15 …별: density *by* regions 지역별 인구 밀도.
— *ad.* **1** (위치) 옆에, 곁에, 부근에: close 〔hard, near〕 *by* 바로 옆에/Nobody was *by* when the fire broke out. 불이 났을 때는 아무도 옆에 없었다. **2 a** (보통 동작 동사와 함께) (곁을) 지나서, (때가) 흘러가서: pass *by* 옆을 지나가다, 통과하다/Time goes *by*. 시간은 흐른다/in days gone *by* 예전에는. **b** (보통 come, drop, stop 등과 함께) 《미口》 남의 집에: call〔stop〕 *by* 지나다가 들르다.
3 (보통 keep, lay, put, set 등과 함께) (대비를 위해) 옆에〔곁에〕; 따로, 비축하여: keep … *by* …을 가지고 있다, …을 곁에 두다/put 〔lay, set〕 … *by* …을 따로 두다, 비축하다.
by and by 곧, 이윽고, 머지 않아. **by and large** (1) 전반적으로, 대체로. (2) 〔海〕 (돛단배가) 바람을 받다가 안 받다가 하여.
by² *n., a.* =BY(E)².
by-[bai] *pref.* **1** 「큰 길을 벗어난」의 뜻: *by*path. **2** 「곁, 가까이의」의 뜻: *by*stander. **3** 「부차적인」의 뜻: *by*name.
b.y. billion years.
by-and-by[báiənd*b*ài] *n.* (the ~) 미래, 장래(future).
by-bid·der[´bìdər] *n.* 비싼 값을 불러서 경매품의 값을 올리기 위해 고용된 사람.
by-bid·ding[´bìdiŋ] *n.* 경매인과 짜고 경매 가격을 올려 부르기.
by-blow[´blòu] *n.* **1** 싸움꾼 옆에 있다 쓸데 없이 얻어 맞는 것, 군매. **2** 사생아.
by-coun·try[´kʌ́ntri] *a.* 국별(國別)의.
by(e)¹[bai] [good-*by*(*e*)] *int.* 《口》 안녕!: *B*-now! 《미口》 그럼 안녕!
by(e)² *n.* **1** 〔크리켓〕 친 공이 타자(batsman)와 수비자(wicketkeeper)를 지나 넘어간 경우에 얻는 득점. **2** (짝을 지어 하는 경기에서) 상대가 없어 남는 사람〔편〕. **3** 지엽〔부수〕적인 것(side issue). **4** 〔골프〕 시합이 끝나고 남은 홀. **by the by** 그건 그렇고, 그런데. **draw a by** 부전승을 얻다. — *a.* **1** 부수적인; 부차적인, 부속적인. **2** 본 길에서 벗어난. **3** 비밀의; 간접적인.
bye-[bai] *pref.* =BY- 3.
bye-blow[báiblòu] *n.* =BY-BLOW.
bye-bye[báibài] [bye¹의 반복] *int.* 《口》 안녕!(goodbye!). — *n.* 《兒》 잠(sleep). **go to bye-bye(s)** 자장하다. — *ad.* 《兒》 밖에, 바깥에: go ~ 밖에 나가다.
by-ef·fect[´ifèkt] *n.* 부수적〔부차적〕인 효과, 부작용.
bye·law *n.* =BYLAW.
by-e·lec·tion[´ilèkʃən] *n.* (영국 하원·미국 국회·주의회의) 보궐 선거(*cf.* GENERAL ELECTION).
Bye·lo·rus·sia[bjèlourʌ́ʃə] *n.* 벨로루시《독립국가연합의 한 공화국》.
Bye·lo·rus·sian[bjèlourʌ́ʃən] *a.* 벨로루시의, 벨로루시 사람〔방언〕의. — *n.* **1** 벨로루시 사람. **2** Ⓤ (러시아 말의) 벨로루시 방언.
bye-low[´lòu] *ad., int.* (자장가에서) 조용히(Hush!).
by-end[´ènd] *n.* 제2〔부차적〕 목적; 사심(私心).
by-form[´fɔ̀ːrm] *n.* (단어 등의) 부차적인 형식, 이형(異形).
∗**by·gone**[´gɔ̀ːn, ´gɑ̀n/´gɔ̀n] *a.* 과거의: ~ days 지난 날, 옛날. — *n.* (*pl.*) 과거(의 일). **Let bygones be bygones.** 《속담》 지난 일은 허물하지 말자, 과거는 과거.
by-job[´dʒɑ̀b/´dʒɔ̀b] *n.* 부업.
by-lane[´lèin] *n.* 골목길, 옆길.
by·law[´lɔ̀ː] *n.* 《영》 (지방 자치 단체 등의) 조례(條例); 부칙(附則), 세칙; (회사의) 내규(內規); (법인의) 정관.
by·li·na[bəlíːnə] [Russ] *n.* (*pl.* **-ny**[-ni], ~**s**) 러시아의 서사시〔민요〕.
by-line[báilàin] *n.* (철도의) 병행선; 《미》 (신문·잡지의 표제 밑의) 필자명을 적는 줄. — *vt.* 〈신문 등에〉 서명 기사를 쓰다.
by·lin·er[-ər] *n.* 서명(署名) 기사를 쓰는 기자.
by-name[´nèim] *n.* 부명(副名); 성; 별명.
B.Y.O.[bìːwàióu] bring your own 자기 주류(酒類) 지참 식당〔파티〕. **B.Y.O.B.** Bring your own booze. 자기 술을 지참할 것.
byp. bypass.
∗**by·pass**[báipæ̀s, -pɑ̀ːs] *n.* **1** (자동차용) 우회로; 바이패스; 〔電〕 측로(側路); (가스·수도의) 측관(側管), 보조관. **2** (신체의 타 부위의 혈관이나 인공 혈관을 이식하는) 대체 혈관〔동맥〕: ~ operation 혈관이식 수술. — *vt.* 우회하다; 우회로를 내다; 측로〔측관〕를 달다; 무시하다(ignore); 기선을 제하다; 회피하다.
býpass condènser〔**capàcitor**〕 측로(側路) 축전기.
by·past[´pæ̀st, ´pɑ̀ːst] *a.* 과거의, 옛날의, 지나간.
by·path[´pæ̀θ, ´pɑ̀ːθ] *n.* (*pl.* ~**s**) =BYWAY.
by·play[´plèi] *n.* 보조 연기; 부차적 사건.
by-plot[´plɑ̀t/´plɔ̀t] *n.* (소설·희곡의) 부차적인 줄거리.
by-prod·uct[´prɑ̀dəkt, -dʌkt/-prɔ̀d-] *n.* 부산물(*of*); (뜻밖의) 부차적 결과.
byr billion years.
Byrd[bəːrd] *n.* 버드 Richard E. ~《미국의 남극 탐험가(1888-1957)》.
byre[báiər] *n.* 《영方》 외양간(cowshed).
by·road[báiròud] *n.* 샛길.

By·ron[báiərən] *n.* 바이 George Gordon ~(1788-1824)《영국의 시인》. **~·ism** *n.*
By·ron·ic[bairánik/-rɔ́n-] *a.* 바이런식의《비장하면서도 낭만적임》. **-i·cal·ly** *ad.*
bys·si·no·sis[bìsənóusis] *n.* (*pl.* **-ses**[-si:z])〔病理〕비시노시스, 면폐증(綿肺症).
bys·sus[bísəs] *n.* (*pl.* ~**·es, -si**[-sai]) **1**〔動〕(연체 동물의) 족사(足絲). **2** Ⓤ (고대 이집트의) 아마포.
*__by·stand·er__[báistæ̀ndər] *n.* 방관자, 구경꾼(looker-on).
býstander effèct〔心〕방관자 효과《곁에 다른 사람이 있어야 성과가 오르는 일》.
by·street[´strì:t] *n.* 뒷골목, 뒷거리.
by-talk[´tɔ̀:k] *n.* Ⓤ 여담(餘談).
byte[bait] *n.*〔컴퓨터〕바이트《정보 단위: 보통 8비트(bit)로 이루어짐》.
by-the-way[báiðəwéi] *ad.* 그건 그렇고, 곁들여서, 그런데.
by-time[´tàim] *n.* Ⓤ 여가.
by·walk[´wɔ̀:k] *n.* 사도(私道), 좁은 길, 옆길, 샛길.
by·way[´wèi] *n.* 옆길; 샛길; (연구 등의) 부차적 측면, 별로 알려지지 않은 분야《*of*》.
by·word[´wə̀:rd] *n.* 속담(proverb); 웃음거리《*of*》; (나쁜) 전형, 본보기《*for*》; 상투적인 말; 별명.
by-work[´wə̀:rk] *n.* Ⓤ 부업, 아르바이트.
by-your-leave[´jərlí:v] *n.* 허락을 청함: without so much as a ~ 「죄송합니다만」이라는 말도 없이.
Byz. Byzantine.
byz·ant[bíznt, bizǽnt] *n.* =BEZANT.
*__Byz·an·tine, Byzan·ti·an__[bízəntì:n, -tàin, báizen-, bizǽntin] *a.* **1** 비잔티움(Byzantium)의. **2** (때로 **b-**) (미로처럼) 복잡한; 권모술수의. ── *n.* 비잔티움〔동로마 제국〕사람; 비잔틴파의 건축가 · 화가.
◈ Byzántium, Byzántinism *n.*
Býzantine árchitecture 비잔틴식 건축《5-6세기 경의 건축 양식》.
Býzantine Chúrch (the ~) 동방 교회, 그리스 정교회(Eastern Church).
Býzantine Émpire *n.* (the ~) 비잔틴 제국, 동로마 제국《A.D. 476-1453》.
Býzantine ríte (the ~)〔基督教〕비잔틴〔그리스〕식 전례.
Býzantine schóol (the ~)〔美〕비잔틴파.
By·zan·tin·esque[bizæ̀ntənésk] *a.* 〈건축 · 예술이〉 비잔틴식〔풍〕의.
Byz·an·tin·ism[bizǽntənìzəm] *n.* Ⓤ 비잔틴식〔풍〕. **-ist**[-nist] *n.* 비잔틴 문화 연구가.
Byz·an·tin·ize[bízntinàiz/bizǽn-] *vt.* 〈건축 등을〉 비잔틴식으로 하다.
By·zan·ti·um[bizǽnʃiəm, -tiəm] *n.* 비잔티움《옛 Constantinople: 지금의 Istanbul》.
BZ[bì:zí:] *n.* 착란성(錯亂性) 독가스의 일종의 기호.
Bz. benzene.
BZZ[bz] *int.* 붕붕《장난감 · 꿀벌 등의 소리》, 삐삐《버저 소리》.

C c

c, C [siː] *n.* (*pl.* **c's, cs, C's, Cs** [-z]) **1** 시《영어 알파벳의 제3자》; 제 3번째(의 것), 병(丙); 제 3의 가정 인물〔것〕. **2** 〔樂〕 '다' 음, '다' 조(調). **3** 〔數〕 제 3기지수(既知數). **4** C 자형(의 것). **5** 로마 숫자의 100《L *centum* (=100)에서》: CⅥ =106. **6** (학업 성적의) 양(良)《A를 수(秀)로 치고》. **7** 〔컴퓨터〕 (16진수의) C《10진법에서 12》. — *a.* 보통의, 3류의.

c cedi(s); colon〔colones〕. **C** 〔電〕 capacitance; 〔化〕 carbon; 〔樂〕 contralto; 〔電〕 coulomb; Carrier 〔空〕 수송기.

C [siː] *n.* 〔컴퓨터〕 C 《미국 Bell 연구소 개발의 시스템 기술(記述) 언어》.

c. 〔光〕 candle(s); carat; carton; case; 〔野〕 catcher; 〔크리켓〕 caught; cent(s); center; centigrade; century; chapter; child; *circa, circum*《L=about》; city; cloudy; commander; cost; cubic; current.

C. Cape; Catholic; Celsius; Celtic; Centigrade © copyright. **Ca** [kɑː] 〔化〕 calcium.

CA, C.A. Central America; Coast Artillery; Court of Appeal; chartered accountant; chronological age 〔心〕 역(曆)〔생활〕 연령; 〔미郵便〕 California. **ca.** 〔電〕 cathode; centare; circa《L=about》. **C/A** capital account 〔簿〕 자본금 계정 : credit account 〔商〕 외상 계정 : current account 〔銀行〕 당좌 예금〔계정〕.

CAA, C.A.A. Civil Aeronautics Administration 《미》 민간 항공 관리국.

Caa·ba *n.* = KAABA.

*****cab**[1] [kæb] *n.* **1** 택시(taxi); 승합 마차: take a ~ 택시〔마차〕를 타다〔타고 가다〕. **2** 기관사실《기관차의》; 운전대《트럭 등의》. — (**~bed; ~·bing**) *vi.* 택시〔마차〕를 타다〔타고 가다〕. — *vt.* (~ it로) 택시로 가다.

cab[2] 《영俗》 *n.* 자습서. — *vi.* (**~bed; ~·bing**) 자습서를 사용하다.

CAB 《미》 Civil Aeronautics Board; Consumers Advisory Board. **Cab.** Cabinet.

ca·bal [kəbǽl] *n.* 음모; 비밀 결사, 음모단. — *vi.* (**~led; ~·ling**) 음모를 꾸미다(plot), 작당하다《*against*》. **~·ler** *n.* 음모자.

cab·a·la [kǽbələ, kəbɑ́ːlə] *n.* Ⓤ 헤브루 신비 철학; Ⓒ 밀교(密教).

cab·a·lism [kǽbəlìzəm] *n.* Ⓤ,Ⓒ 헤브루 신비교. **-list** [-list] *n.*

cab·a·lis·tic [-lístik] *a.* 헤브루 신비 철학의; 신비적인.

ca·bal·le·ro [kæ̀bəljέərou] [Sp] *n.* (*pl.* **~s**) **1** (스페인의) 신사, 기사(knight). **2** 《미南西部》 말 탄 사람; (여성) 숭배자, 동반자.

ca·ban·a [kəbǽnjə, -bɑ́ː-] [Sp] *n.* 오두막집; (해변 등의) 탈의실.

cab·a·ret [kæ̀bəréi/ˊ-ˋ] [F] *n.* 카바레《◇《미》에서는 보통 nightclub》; (카바레의) 여흥〔쇼〕. — *vi.* 카바레에 출입하다.

*****cab·bage**[1] [kǽbidʒ] [OF] *n.* **1** Ⓤ 양배추, 캐비지. **2** Ⓤ 《미俗》 지폐. **3** 《영口》 무기력한〔무관심한〕 사람. — *vi.* (양배추처럼) 결구(結球)하다.

cabbage[2] *n.* Ⓤ 자투리 천《재단사가 슬쩍 떼어먹는 천》. — *vt., vi.* 〈자투리를〉 훔치다.

cábbage bùtterfly 〔昆〕 배추흰나비.

cab·bage·head [-hèd] *n.* 《口》 둥근 큰 머리; 《미》 바보.

cábbage lèaves 《미俗》 지폐.

cábbage nèt 양배추 데치는 그물.

cábbage pálm 〔植〕 캐비지야자《잎눈은 식용》.

cábbage palmètto 〔植〕 아메리카팔메토 《Florida, South Carolina 주의 주목(州木)》.

cab·bage·town [kǽbidʒtàun] *n.* 《캐나다》 빈민가.

cábbage trèe =CABBAGE PALM.

cábbage whìte =CABBAGE BUTTERFLY.

cab·bage·worm [-wəːrm] *n.* 배추벌레.

cab·ba·la *n.* =CABALA.

cab·by, cab·bie [kǽbi] *n.* (*pl.* **-bies**) 《口》 =CABDRIVER.

cab·driv·er [kǽbdràivər] *n.* 택시 운전사; (승객용) 마차의 마부.

ca·ber [kéibər] *n.* 《스코》 (원목 던지기에 쓰는) 원목《소나무 · 전나무 등》: tossing the ~ 《스코》 원목 던지기《힘겨루기》.

cab·ette [kæbét] *n.* 여자 택시 운전수.

*****cab·in** [kǽbin] *n.* **1** 오두막집(hut); 〔영鐵道〕 신호소. **2** 〔海〕 선실, 캐빈《상선의 1 · 2등 객실; 군함의 함장실 · 사관실》; 〔空〕 (비행기 · 우주선의) 캐빈《승무원실 · 객실 등》; (이동 주택차(trailer)의) 거주 부분: ~ deluxe 특등 선실. — *vi., vt.* 오두막집〔좁은 곳〕에서 살다; (좁은 곳에) 가두다(*cf.* CABINED).

cabin accommodation 1 · 2등 선실과 그 식사.

cábin bòy 캐빈보이《1 · 2등 선실, 선장실 등의 급사》.

cábin clàss (객선의) 특별 2등《first class와 tourist class와의 중간》.

cab·in-class [kǽbinklæ̀s, -klɑ̀ːs] *a.* 〈선객 등〉 특별 2등의. — *ad.* 특별 2등으로.

cábin còurt (도로변의) 모텔.

cábin crùiser (거실이 있는) 유람용 대형 모터보트〔요트〕.

cab·ined [kǽbind] *a.* 〈사람 등〉 좁은 곳에 갇힌; 옹졸한, 편협한 〈생각 · 살림 등〉.

*****cab·i·net** [kǽbənit] *n.* **1** 상자, 용기. **2** 장식장, 캐비닛《귀중품을 넣는》, 유리문 진열장 《미술품을 진열하는 유리문이 달린》; 진열장에 모은 수집품(collection); 《미》 (박물관 등의) 소진열실. **3** 회의실; 《영》 각의실. **4** (보통 the C-) 《영》 내각; 《미》 (각 장관으로 구성된) 대통령 자문 위원회. **5** 조그마한 사실(私室) (closet). **6** 《영》 〔寫〕 캐비닛판(判). — *a.* **1** (**C-**) 내각의. **2** 사실용의(private); 소형의; 장식장의; 가구(제작)용의. **3** 〔寫〕 캐비닛판의.

Cábinet cóuncil 각의(閣議), 국무회의.

cábinet edítion 《영》 〔製本〕 캐비닛판《미장 소형판: 4 · 6판, 국판》.

cab·i·ne·teer [kæ̀bənitíːər] *n.* 《口》 각료.

cab·i·net·mak·er [kǽbənitmèikər] *n.* (고급) 가구 제작자, 소목장이; 《익살》 조각(組閣) 중인 총리.

cab·i·net·mak·ing [-mèikiŋ] *n.* Ⓤ (고급) 가구 제작; 《익살》 조각(組閣).

Cábinet mínister (영국 등의) 각료.

cábinet órgan 소형 오르간《reed organ 등》.

cábinet púdding 빵 · 스폰지케이크에 우유 · 달걀 등을 섞어 만든 푸딩.

cábinet reshúffle 개각(改閣).
cábinet wìne 고급 (독일) 포도주.
cab·i·net·work[-wə̀:rk] *n.* Ⓤ 고급 가구류; 고급 가구 제작.
cábin fèver 초조; 소외감; 밀실 공포증.
cábin gìrl (호텔·모텔 등의) 메이드, 여종업원.
cábin pássenger 1·2등 선객.
⁑**ca·ble**[kéibəl] *n.* **1** 굵은 밧줄. **2** 케이블, 강삭(鋼索); 쇠사슬;〔海〕닻줄. **3** 케이블, 피복전선(被覆電線), 해저 전선. **4** (전선에 의한) 해외 전보(cablegram): send a ~ 해외 전보를 치다. **5** 〔建〕새끼 모양의 장식. **6** =CABLE('S) LENGTH. **by cable** (해저) 전신으로. **jump the cable** 《俗》 다 된 배터리에 부스터 코드로 충전하다. ── *vt.* **1** 〈통신을〉 해저 전신으로 보내다, …에 해외 전보를 치다, 〈…이라고〉 국제전보를 치다, 〈…하도록〉 국제전보로 전하다: ~ one's condolence *to* a person …에게 조전을 치다/《Ⅳ 대+(목)》He ~*d* her the news. 그는 그녀에게 그 소식을 국제전보로 알렸다(=《Ⅲ (목)+전+명》He ~d the news *to* her./《Ⅲ *be pp.*+(목)》She was ~*d* the news. 그녀는 그 소식을 국제전보로 받았다)/《Ⅳ 대+*that*(절)》She ~*d* him *that* she would return soon. 그녀는 곧 귀국하겠다고 (그에게) 국제전보를 쳤다(=《Ⅲ *that*(절)》She ~*d* *that* she would return soon.)/《Ⅴ (목)+*to do*》I shall ~ him *to* ship the goods at once. 곧 그 물건을 선적(船積)하도록 그에게 국제전보로 전하게 될 것이다. **2** 밧줄로 매다. ── *vi.* **1** 해외 전보를 치다. **2** 〔建〕새끼 모양의 장식을 달다.
cáble addréss 전신〔해외 전보〕 수신인 약호.
cáble bírd 《미口》 미국의 통신 위성 Satcom의 애칭《CATV 중계용》.
cáble cár 케이블카.
ca·ble·cast[-kæ̀st, -kɑ̀:st] *vt., vi.* (~, ~·**ed**) 유선 텔레비전 방송을 하다. ── *n.* 유선 텔레비전 방송. **~·er** *n.* **~·ing** *n.*
ca·ble·gram[-græ̀m] *n.* 해저〔해외〕 전보.
cáble hòme 유선 텔레비전(cable television)의 수신 계약을 하고 있는 가정.
ca·ble-laid[-lèid] *a.* 〈밧줄이〉 아홉겹 드린.
cáble mèssage 해외 전보, 외신.
cáble nétwork 유선 텔레비전 방송망.
cáble ràilway 강삭〔케이블〕 철도.
ca·blese[kèibəlí:z] *n.* Ⓤ 전보 문체〔용어〕.
cáble ship 〔海〕 해저 전선 부설선(船).
cáble('s) lèngth 〔海〕 1련《100-120길(fathoms); 약 185m》.
cáble-stìtch[-stìtʃ] (편물의) 밧줄뜨기.
ca·blet[kéiblit] *n.* (둘레 10인치 이하의) 아홉 겹 드린 밧줄.
cáble télevision〔**TV**〕 유선(有線) 텔레비전 《略: CATV》.
cáble trànsfer (외국) 전신환(송금).
ca·ble·vi·sion[kéibəlvìʒən] *n.* =CABLE TELEVISION.
ca·ble·way *n.* 삭도(索道).
cab·man[kǽbmən] *n.* (*pl.* **-men**[-mən]) 택시 운전사; CAB의 마부.
cab·o·chon[kǽbəʃɑ̀n/-ʃɔ̀n][F] *n.* (*pl.* ~**s** [-z])(잘라 내지 않고) 위를 둥글게 연마한 보석, 카보숑 컷. **en cabochon** 카보숑 컷으로 (연마한).
ca·boo·dle[kəbú:dl] *n.* 무리, 떼. **the whole** (**kit**) **and caboodle** 《俗》 전부, 모두.
ca·boose[kəbú:s] *n.* 《미》 (화물 열차 맨 뒤의) 승무원차(《영》 guard's van); 《영》 상선 상갑판의 주방(galley).
Cab·ot[kǽbət] *n.* 캐벗 John ~(1450?-98?) 《북미 대륙을 발견한 이탈리아의 탐험가》.
cab·o·tage[kǽbətɑ̀:ʒ, -tidʒ] *n.* Ⓤ 연안(沿岸) 항해; 연안 무역; 국내 운항〔항공〕 권.
cáb rànk[kǽbræ̀ŋk] =CABSTAND.
ca·bret·ta[kəbrétə] *n.* (장갑·구두용의) 양가죽.
cab·ri·ole[kǽbriòul] *n.* (가구의) 굽은 다리 《Anne여왕 시대 가구의 특색》;〔발레〕 도약중에 수평으로 올린 한쪽 발을 다른 발로 치기.
cab·ri·o·let[kæ̀briəléi] [F] *n.* **1** 쿠페(coupé)형 자동차《접는 포장이 달린》. **2** 말 한 필이 끄는 2륜 유개(有蓋) 마차.
cab·stand[kǽbstæ̀nd] *n.* 택시의 주〔승〕차장.
cab·track[kǽbtræ̀k] *n.* 무인 택시《고가 궤도를 운행하는 미래의 도시 교통 기관》.
CAC Combat Arms Command.
ca'can·ny[kɔ:kǽni, kə-] [Scot] *vi.* **1** 신중히〔조심해서, 천천히〕 나아가다《ca'=call》. **2** 《영》 태업하다. ── *n.* Ⓤ,Ⓒ 《영》 태업.
ca·ca·o[kəkɑ́:ou, -kéi-] *n.* (*pl.* ~**s**) 카카오 열매(=∠ **bèan**)《아메리카 열대 지방산; 코코아·초콜릿 원료》; 카카오 나무(=∠ **trèe**).
cacáo bùtter 카카오 기름(=cocoa butter) 《초콜릿·비누 원료》.
ca·cha·ca, -ça[kəʃɑ́:sə] [Port] *n.* 카샤사 《브라질산 럼주》.
cach·a·lot[kǽʃəlɑ̀t, -lòu/-lɔ̀t] *n.* 〔動〕 말향고래(sperm whale).
cache[kæʃ] *n.* **1** 은닉처, 저장소, 저장 땅굴; 저장물(은닉처의); 감춰 둔 귀중품. **make** (**a**) **cache of** …을 저장하다. **2** 소형의 고속 기억 용량의 컴퓨터. ── *vt.* **1** 〈은닉처에〉 저장하다, 감추다《*away*》. **2** 〈데이터 등을〉 고속으로 처리하다.
cáche mèmory 〔컴퓨터〕 캐시 기억 장치 《주기억 장치에 격납되어 있는 데이터의 일부를 일시 보관하는 고속 기억 장치》.
cache·pot[kǽʃpɑ̀t, -pòu/-pɔ̀t] *n.* (화분을 담는) 장식 화분.
ca·chet[kæʃéi, ∠-] [F] *n.* **1** 공식 인가의 표시; 봉인(封印)(seal). **2** (감정의 자료가 되는) 특징; 우수성. **3** 표어〔선전 문구〕 등이 있는 소인(消印). **4** 〔藥〕 교갑, 캡슐.
ca·chex·i·a, -chex·y[kəkéksiə], [kə-kéksi] *n.* 〔病理〕 악액질(惡液質), 건강 불량 상태《만성병으로 인한》; (정신의) 불건전 상태; 퇴폐.
cach·in·nate[kǽkənèit] *vi.* 껄껄 웃다, 너털웃음을 웃다. **cach·in·na·tion**[-ʃən] *n.* Ⓤ,Ⓒ 홍소, 껄껄 웃음.
ca·chou[kəʃú:, kǽʃu:] [F] *n.* 구중향정(口中香錠).
ca·chu·cha[kətʃú:tʃə] [Sp] *n.* 카추차《스페인의 Andalusia지방의 볼레로 비슷한 춤》.
ca·cique[kəsí:k] [Sp] *n.* **1** 추장(酋長); 지방 정계의 보스《스페인·라틴아메리카의》. **2** 꾀꼬리.
cack[kæk] *n.* 《미》 뒤축 없는 소아용 구두.
cack-hand·ed[kǽkhǽndid] *a.* 《영口》 서투른; 왼손잡이의.
*__cack·le__[kǽkəl] [의성어] *n.* 꼬꼬댁, 꽥꽥《암탉·거위 등의 울음 소리》; 《口》 쓸데없는 잡담, 수다; 높은 웃음 소리. **cut the cackle** 《영口》 잡담을 그만두다; 본론에 들어가다. ── *vi., vt.* 꼬꼬댁〔꽥꽥〕 울다; 지껄이다《*out*》; 깔깔〔낄낄〕 웃다. **cáck·ler** *n.* 수다쟁이.
cáckle bròad 《俗》 수다쟁이 여자; 상류 여자.
CACM Central American Common Market 중미 공동 시장.

cac·o-[kǽkou] 《연결형》「악(惡)·오(誤)」의 뜻.
cac·o·d(a)e·mon[kæ̀kədíːmən] *n.* 악귀(惡鬼); 악인.
-d(a)e·món·ic[-dimánik/-mɔ́n-] *a.*
cac·o·dyl[kǽkədil] 〔化〕 *n.* Ⓤ 카코딜. ── *a.* 카코딜기(基)를 함유한.
cac·o·e·py[kǽkouèpi] *n.* Ⓤ 그릇된 발음(*cf.* ORTHOEPY).
cac·ö·e·thes, -e-[kæ̀kouíːθiːz] *n.* Ⓤ 나쁜 버릇; …광(狂)《*for*》.
cac·o·ë·thes scri·ben·di[-skraibéndai][L] *n.* 집필욕.
cac·o·gen·e·sis[kæ̀kədʒénəsis] *n.* Ⓤ 종족 퇴화; 〔醫〕 발생〔발육〕 이상.
ca·cog·ra·pher[kəkágrəfər/-kɔ́g-] *n.* 악필가(惡筆家); 글씨를 잘 틀리는 사람.
ca·cog·ra·phy[kəkágrəfi/-kɔ́g-] *n.* Ⓤ 악필(*opp.* calligraphy); 오기(誤記)(*opp.* orthography).
ca·col·o·gy[kəkálədʒi/-kɔ́l-] *n.* Ⓤ 말의 오용; 발음의 잘못.
ca·coph·o·nous[kəkáfənəs/-kɔ́f-] *a.* 불협화음의; 음조가 나쁜. **~·ly** *ad.*
ca·coph·o·ny[kəkáfəni/-kɔ́f-] *n.* (*pl.* **-nies**) 불협화음; 불쾌한 음조(*opp.* euphony).
cac·ta·ceous[kæktéiʃəs] *a.* 선인장과(科)의.
*__cac·tus__[kǽktəs][Gk] *n.* (*pl.* **~·es, -ti**[-tai]) 〔植〕 선인장.
cáctus jùice 《미俗》 =TEQUILA.
ca·cu·mi·nal[kəkjúːmənl] *a.* 〔醫〕 후굴(後屈)한; 〔音聲〕 반전음(反轉音)의. ── *n.* 〔音聲〕 반전음.
cad[kæd] *n.* 비열한〔치사한〕 사람.
CAD[kæd, síːéidíː] computer-aided design 〔컴퓨터〕 컴퓨터 원용 설계. **c.a.d.** cash against documents.
ca·das·tral[kədǽstrəl] *a.* 토지 대장의, 지적(도)의: a ~ survey 지적 측량.
ca·das·tre, -ter[kədǽstər] *n.* 토지 대장.
ca·dav·er[kədǽvər, -déi-] *n.* (특히 해부용의 사람의) 시체(corpse).
ca·dav·er·ous[kədǽvərəs] *a.* 시체 같은; 새파랗게 질린. **~·ly** *ad.* **~·ness** *n.*
CAD/CAM[kǽdkæ̀m] *n.* 컴퓨터 원용 설계·제조(*cf.* CAD, CAM).
CADD computer aided drug design 〔컴퓨터〕 컴퓨터에 의한 약(藥)의 설계.
cad·die[kǽdi] [Scot] *n.* **1** 〔골프〕 캐디. **2** 잔심부름하는 사람. **3** =CADDIE CART. ── *vi.* 캐디의 일을 하다.
cáddie bàg (골프의) 클럽 백.
cáddie càrt〔**càr**〕 〔골프〕 캐디용 2륜차.
cad·dis[1], **-dice**[1] [kǽdis] *n.* Ⓤ 캐디스《일종의 소모사〔레이스, 리본〕》.
caddis[2], **-dice**[2] *n.* =CADDISWORM.
cáddis flỳ[kǽdisflài] 〔昆〕 날도래.
cad·dish[kǽdiʃ] *a.* 야비한, 치사한(ungentlemanly). **~·ly** *ad.*
cad·dis·worm[kǽdiswə̀ːrm] *n.* 물여우《날도래의 유충 낚싯밥》.
cad·dy[1] [kǽdi] *n.* (*pl.* **-dies**) (보통 tea ~) 차통〔상자〕.
caddy[2] *n., vi.* =CADDIE.
Cad·dy *n.* 《口》 =CADILLAC.
cáddy spòon 《영》 (차 떠내는) 스푼.
-cade[kèid, kéid] 《연결형》「행렬, 구경거리」의 뜻: motor*cade*, aqua*cade*.
*__ca·dence__[kéidəns] *n.* Ⓒ,Ⓤ 운율(rhythm); 억양; 《詩》 (바람의) 소리; 〔樂〕 악장〔악곡〕의 종지법; 〔軍〕 (행진의) 보조. ◇ cádent *a.*
ca·denced[-t] *a.* 운율적인, 리드미컬한.
ca·den·cy[kéidənsi] *n.* Ⓤ **1** =CADENCE. **2** 분가(分家)의 가계; 분가의 신분.
ca·dent[kéidənt] *a.* 리듬 있는.
ca·den·za[kədénzə] [It] *n.* 〔樂〕 카덴차, 종지 장식(終止裝飾).
ca·det[1] [kədét] *n.* **1** 육해공군 사관학교·경찰학교 생도; (보통 Gentleman C-) 사관〔간부〕 후보생: a naval ~ 해군 사관 학교 생도. **2** 차남(이하의 아들): a ~ family〔branch〕 분가(分家). **3** 젊은 단원, 견습생: a ~ teacher 교생. **4** 《미俗》 뚜쟁이(pander). **~·shìp, ~·cy** *n.* Ⓤ CADET의 신분〔자격〕.
cadet[2] [kædéi] [F] *n.* 아우《성명 뒤에 붙여 형과 구별함; *opp.* aine》.
cadét còrps 《영》 학생 군사 교련단.
Ca·détte (scóut)[kədét] 12-14세의 걸스카우트 단원.
cadge[kædʒ] *vi., vt.* **1** 《영方》 행상하다(peddle). **2** 걸식하다; 조르다《*for*》.
cadg·er[kǽdʒər] *n.* 행상인; 거지.
cadg·y[kǽdʒi] *a.* 《스코》 쾌활한(cheerful); 바람난(wanton).
ca·di[káːdi, kéi-] *n.* (*pl.* **~s**) 하급 재판관《회교국의》.
Cad·il·lac[kǽdilæ̀k] *n.* 캐딜락《미국제 고급 자동차의 상표명》.
Cad·me·an[kædmíːən] *a.* 〔그神〕 CADMUS의.
Cadméan víctory 카드모스의 승리《희생이 큰 승리; *cf.* PYRRHIC VICTORY》.
cad·mi·um[kǽdmiəm] *n.* Ⓤ 〔化〕 카드뮴《금속 원소; 기호 Cd, 번호 48》. **cád·mic** *a.* 카드뮴의.
cádmium órange 카드뮴 오렌지《주황색 안료》.
cádmium yéllow 카드뮴 옐로《선황색 안료》.
Cad·mus[kǽdməs] *n.* 〔그神〕 카드모스《용을 물리치고 테베(Thebes)를 창건한 용사》.
C.A.D.O. Central Air Documents Office.
ca·dre[kǽdri, káːdrei] [F] *n.* 〔軍〕 간부; 뼈대(framework); 중핵(中核)(의 인물); (공산당의) 기간 요원; 세포.
ca·dre·man[kǽdrimən, -mæ̀n, káːdrei-] *n.* (*pl.* **-men**[-mən]) 간부의 일원, 간부 요원.
ca·du·ce·us[kədjúːsiəs, -ʃəs] *n.* (*pl.* **-ce·i**[-siài]) 〔그·로神〕 신들의 사자(使者) Mercury〔Hermes〕의 지팡이《두 마리의 뱀이 감긴 꼭대기에 두 날개가 있는 지팡이; 평화·의술의 상징; 미 육군 의무대의 휘장》.
ca·du·ci·ty[kədjúːsəti] *n.* Ⓤ 노쇠; 덧없음; 〔植〕 조락성(早落性); 〔動〕 탈락성.
ca·du·cous[kədjúːkəs] *a.* 덧없는; 〔植〕 조락성의; 〔動〕 탈락성의.
CAE computer aided engineering 컴퓨터 보조 엔지니어링.
cae·cal[síːkəl] *a.* =CECAL.
cae·ci·tis[siːsáitis] *n.* Ⓤ 맹장염.
cae·cum[síːkəm] *n.* =CECUM.
cae·no·gen·e·sis[sìːnoudʒénəsis] *n.* =CENOGENESIS.
*__Cae·sar__[1] [síːzər] *n.* 시저, 카이사르 Julius ~《로마의 장군·정치가(100-44 B.C.)》. **appeal to**〔**unto**〕 **Caesar** 최고 권위자에게 호소하다; 총선거에서 국민에게 호소하다. **Caesar's wife** 남의 의혹을 살 행위를 해서는 안 될 사람.
Caesar[2] [Julius Caesar에서] *n.* 로마 황제; 제왕(*cf.* KAISER, CZAR); 전제 군주, 독재자; 〔聖〕 통치권; 《醫俗》 제왕 절개(수술).
Cae·sar·e·an, -i·an[sizέəriən] *a.* 카이사르

의;(로마) 황제의; 전제 군주적인. — *n.* 〔史〕 카이사르당(黨)의 사람; 전제(정치)론자; =CAESAREAN SECTION.

Caesárean séction〔**operation**〕〖醫〗 제왕 절개 수술, 개복 분만법《Julius Caesar가 이 방법으로 태어났다고 함》.

Cae·sar·ism[síːzərìzəm] *n.* Ⓤ 황제 정치주의; 제국주의(imperialism); 독재군주제(autocracy). **-ist**[-ist] *n.* 황제 정치주의자.

cae·si·um *n.* =CESIUM.

cae·su·ra[siʒúrə, -zúrə, -zjúː-] *n.* (*pl.* ~**s, -rae** [-riː]) 〔詩學〕 행간의 휴지(pause); 〔樂〕 중간 휴지. **cae·sú·ral** *a.*

c.a.f., C.A.F. 〔商〕 cost and freight.

ca·fard[kɑːfáːr] [F] *n.* (특히 열대 지방에서 백인의) 극도의 우울.

***ca·fé, ca·fe**[kæféi, kə-] [F] *n.* **1** 커피점, 다방(coffee house). **2** 간이식당, 레스토랑. **3** 《미》 바(barroom). **4** Ⓤ 커피.

CAFE corporate average fuel-economy 〔自動車〕 (미국의) 연료비 효율 기준.

CAFEA Commission on Asian and Far Eastern Affairs 아시아 극동 문제 위원회.

café au lait[kǽfeiouléi, kɑːféi-] [F] *n.* 밀크 커피; 담갈색.

cafe car[-kɑ̀ːr] 〔鐵道〕 카페카《반은 식당 반은 흡연실인 차량》.

café chant·ant[*F.* -ʃɑ̃ːtɑ́ː] [F] *n.* 음악·노래를 들려주는 카페.

café cor·o·nar·y[-kɔ́ːrənèri] 카페코로네리《음식이 목에 걸렸을 때의 관상 동맥 혈전증 비슷한 증세》.

café cur·tain[-kə̀ːrtən] 창문 아래〔위〕쪽만 가리는 커튼.

café fil·tre[-fíːltrə] [F] *n.* 여과〔거른〕 커피.

café noir[-nwɑ́ːr] [F] *n.* 블랙 커피.

café so·ci·e·ty[-səsáiəti] (특히 New York 시의) 일류 카페의 단골 손님들.

⁑**caf·e·te·ri·a**[kæ̀fitíəriə] *n.* 《미》 카페테리아《셀프서비스하는 간이 식당》.

cafetéria plàn (노동자에 대한) 부가 급부 계획《명기된 달러 가치에 따라 다양한 급부 명목에서 자기에게 필요한 것을 택할 수 있는》.

caf·e·to·ri·um[kæfitɔ́ːriəm] *n.* 식당과 강당을 겸용할 수 있는 학교의 큰 방, 캐피토리엄.

caff[kæf] *n.* 《영俗》 =CAFÉ.

caf·fe·ic[kæfíːik] *a.* 커피의, 카페인의.

caf·fein·at·ed[kǽfənèitid] *a.* 카페인을 함유한.

caf·feine[kæfíːn, kǽfiːin] *n.* Ⓤ 〔化〕 카페인.

caf·feine-free *a.* 카페인 없는.

caf·fe·in·ism[kǽfiːinìzəm] *n.* 카페인 중독.

caf·tan[kǽftən, kɑːftɑ́ːn] *n.* 카프탄《터키 사람 등이 입는 소매가 긴 옷》; 카프탄식 여성 드레스.

⁑**cage**[keidʒ] [L] *n.* **1** 새장; 우리; 옥사(獄舍); 포로 수용소. **2** 새장 비슷한 것; (은행의) 창구; 운반용 방《엘리베이터의》, 운전실《기중기의》. **3** 〔野〕 포수 마스크, 이동식 백네트. **4** 〔籠〕 바스켓. **5** 〔하키〕 골; 포가(砲架). **6** 철근 골조. — *vt.* **1** 새장〔우리〕에 넣다〔가두다〕: a ~d bird 새장에 든 새. **2** 〈공·퍽(puck)을〉 슈트하다. **cage in** (종종 수동형) 가두다, 감금하다; 자유를 속박하다. **cage up** 투옥하다, 수감하다. ◇ encáge *v.*

cáge bìrd 새장에서 기르는 새.

cage·ling[kéidʒliŋ] *n.* 새장의 새.

cag·er[kéidʒər] *n.* 《미口》 농구 선수.

ca·gey, ca·gy[kéidʒi] *a.* (**-gi·er; -gi·est**) 《口》 조심성 있는, 빈틈 없는; 터놓으려 하지 않는 태도를 분명히 하지 않는《*about*》.

cá·gi·ly *ad.* **cá·gey·ness, cá·gi·ness** *n.*

ca·goule[kəgúːl] *n.* 카굴《얇고 가벼운 아노락(anorak)》.

ca·hier[kɑːjéi, kæ-] [F] *n.* 의사록, 보고서; (제본용) 접지(摺紙); (가철한) 팜플렛, 공책.

ca·hoots[kəhúːts] *n. pl.* 《미俗》 공동; 공모. **go (into**〔**in**〕**) cahoots** 《미俗》 공동으로 하다. **in cahoots(s)** 《俗》 공모하여 《*with*》.

CAI computer-assisted instruction 〔컴퓨터〕 컴퓨터 원용(援用) 수업.

cai·man[kéimən, keimǽn] *n.* (*pl.* ~**s,** (집합적) ~) 〔動〕 카이만《중남미산 악어》.

Cain[kein] *n.* 〔聖〕 카인《아우 Abel을 죽인 Adam의 장남》; 형제 살해범. **raise Cain** 《口》 큰 소동을 일으키다; 화내어 날뛰다; 소란 피우다.

Cai·no·zo·ic[kàinəzóuik, kèi-] *a., n.* 〔地質〕 =CENOZOIC.

ca·ïque, ca·ique[kɑːíːk] *n.* 가벼운 배《터키의》; (지중해의) 작은 범선.

caird[kɛərd] *n.* 《스코》 행상 땜장이; 뜨내기, 방랑자.

Cai·rene[kaiəríːn] *n., a.* Cairo 시민(의).

cairn[kɛərn] *n.* **1** 케른《돌무더기 기념비, 석총(石塚), 이정표》. **2** 테리어개의 일종(=∠ **térrier**). **cairned**[-d] *a.*

cairn·gorm[kɛ́ərngɔ̀ːrm] *n.* 연수정(煙水晶) (=∠ **stòne**).

***Cai·ro**[káiərou] *n.* 카이로《이집트의 수도》.

cais·son[kéisən, -sɑn/-sɔn] *n.* 〔軍〕 탄약상자, 탄약차; 〔土木〕 케이슨, (수중 공사용) 잠함(潛函); 부동(浮動) 수문《도크용》.

caisson disease 케이슨병, 잠함병.

Caith. Caithness 《스코틀랜드의 주》.

cai·tiff[kéitif] *a., n.* 《古·詩》 비겁한 (사람).

ca·jole[kədʒóul] [F] *vt.* 부추기다; 구워삶다, 감언 이설로 속이다(coax)《*out of, from*》: 《Ⅴ (목)+전+-*ing*》 He ~*d* his father *into* buying a new car. 그는 아버지를 졸라대어 새 차를 사주도록 했다/He ~*d* me *out of* meeting her. 그는 나를 속여서 그녀를 만나지 못하게 했다/《Ⅴ (목)+전+명》((목)-sb.) He ~*d* her *out of* money. 그는 그녀를 속여 돈을 긁어냈다(=He ~*d* money *out of* her. 《Ⅲ (목)+전+명》((목)-sth.)). **cajole** a person **into**〔**out of**〕 doing …을 꾀어 …시키다〔…을 그만두게 하다〕. **cajole a person out of** something =**cajole** something **out of** a person …을 속여 …을 빼앗다. **~·ment**[-mənt] *n.* Ⓤ,Ⓒ 감언 이설로 속이기, 농락.

ca·jól·er[-ər] *n.*

ca·jol·er·y[kədʒóuləri] *n.* (*pl.* **-er·ies**) Ⓤ,Ⓒ 감언 이설, 아첨.

Ca·jun, -jan[kéidʒən] *n.* **1** 《경멸》 ACADIA 출신 프랑스인의 자손인 루이지애나주의 주민; Ⓤ 그 방언. **2** 앨라배마주·미시시피주 남부의 백인과 인디언〔흑인〕의 튀기.

★**cake**[keik] [ON] *n.* **1** Ⓤ,Ⓒ 케이크, 양과자, Ⓒ 케이크 한 개. **2** 《미》 얇고 납작한 빵(pancake), 핫케이크; 《스코》 귀리로 만든 단단한 비스킷(oatcake). **3** (얇고 납작한) 단단한 덩어리, (고체물의) 한 개: a ~ of soap 비누 한 개. **a piece of cake** 《口》 쉬운〔즐거운〕 일. **a slice**〔**cut, share**〕 **of the cake** 《口》 이익의 한몫. **cakes and ale** 인생의 쾌락. **go**〔**sell**〕 **like hot cakes** ⇨hot cake. **My cake is dough.** 《口》 나의 계획은 실패다. **take the cake** 《口》 상을 타다, 이기다; (종종 반어적) 뛰어나다. **the Land of Cakes** 스코틀랜드의

별칭. **You can't eat your cake and have it (too).=You can't have your cake and eat it (too).** 《속담》 과자는 먹으면 없어 진다, 꿩 먹고 알 먹고는 할 수 없다. ── *vt., vi.* 뭉치다, 뭉쳐지다, 덩어리지다; 두껍게〔단단하게〕 뒤덮다《*with*》. ◇ cáky *a.*

cake-eat·er *n.* 《미俗》 (쾌락을 좇는) 유약한 남자, 플레이보이.

cáke flòur 상질(上質) 밀가루.

cake-hole *n.* 《영俗》 입(mouth).

cáke ìnk 막대꼴로 굳힌 잉크, 먹.

cake·walk *n.* 스텝〔걸음걸이〕 경기《케이크를 상품으로 주는 미국 흑인의》; 일종의 스텝댄스. ── *vi.* 케이크워크로 걷다〔춤추다〕. **~·er** *n.*

cák·ing còal 점결탄(粘結炭).

cak·y [kéiki] *a.* (**cak·i·er; -i·est**) 케이크 같은; 뭉쳐진.

cal. calendar; caliber; calory. **Cal.** California《공식 약자는 Calif.》.

cal·a·bash [kǽləbæ̀ʃ] *n.* 〔植〕 호리병박; 그 열매(로 만든 제품)《술잔·담뱃대·악기 등》.

cal·a·boose [kǽləbùːs, ⌐‐⌐] *n.* 《미俗》 교도소(prison), 유치장(jail).

ca·la·di·um [kəléidiəm] *n.* 칼라듐《관엽(觀葉) 식물의 일종》.

Cal·ais [kǽlei, ‐⌐, kǽlis] *n.* 칼레《Dover 해협에 임한 프랑스의 항구 도시》.

cal·a·man·co [kæ̀ləmǽŋkou] *n.* (*pl.* **~(e)s**) Ⓤ 윤이 나는 모직물; Ⓒ 칼라만코 옷.

cal·a·man·der [kǽləmæ̀ndər, ⌐‐⌐‐] *n.* 〔植〕 (실론산) 흑단의 일종《고급 가구재》.

cal·a·mar·y [kǽləmèri/-məri] *n.* (*pl.* **-maries**) 〔動〕 오징어.

cal·a·mi [kǽləmài] *n.* CALAMUS의 복수.

cal·a·mine [kǽləmàin, -min] *n.* Ⓤ **1** 〔藥〕 칼라민《피부 소염제》. **2** 〔鑛〕 이극광(異極鑛); 《영》 능아연광.

cálamine lótion 칼라민 로션《볕에 탄 피부 등에 바름》.

cal·a·mite [kǽləmàit] *n.* 〔古生〕 노목(蘆木)《30미터에 달하는 고생대의 화석 식물》.

ca·lam·i·tous [kəlǽmitəs] *a.* 불행한, 재난이 많은(disastrous), 비참한. **~·ly** *ad.* **~·ness** *n.*

ca·lam·i·ty [kəlǽməti] *n.* (*pl.* **-ties**) Ⓒ,Ⓤ 재난, 불행(misfortune); 참화(misery) (⇨ disaster): the ~ of war 전화(戰禍).
◇ calámitous *a.*

calámity hòwler 《미俗》 불길한 예언을 하는 사람, 비관론자.

cal·a·mus [kǽləməs] *n.* (*pl.* **-mi** [-mài]) 창포(sweet flag); 창포뿌리; 〔鳥〕 깃촉(quill).

ca·lan·do [kɑːlɑ́ːndou] [It] *ad., a.* 〔樂〕 점점 느리게〔느린〕.

ca·lash [kəlǽʃ] *n.* 2륜 포장 마차; (마차의) 포장; 포장꼴 여성 모자《18세기의》.

calc-, cal·ci- [kǽlsi] 《연결형》「칼슘」의 뜻《모음 앞에서는 calc-》.

calc. calculate(d); calculating.

cal·ca·ne·um [kælkéiniəm] *n.* (*pl.* **-ne·a** [-niə]) =CALCANEUS.

cal·ca·ne·us [kælkéiniəs] *n.* (*pl.* **-ne·i** [-niài]) 〔解〕 종골(踵骨)《발꿈치뼈》.

cal·car [kǽlkɑːr] *n.* (*pl.* **-car·i·a** [kælkɛ́əriə]) 〔動〕 며느리발톱; 그 모양의 돌기.

cal·car·e·ous, -i·ous [kælkɛ́əriəs] *a.* 석회석의, 석회질의.

cal·ce·o·lar·i·a [kæ̀lsiəlɛ́əriə] *n.* 〔植〕 칼세올라리아《현삼과(科)의 화초》.

cal·ces [kǽlsiːz] *n.* CALX의 복수.

cal·cic [kǽlsik] *a.* 칼슘의〔을 함유한〕.

cal·cif·er·ol [kælsífəròul, -rɔ̀ːl] *n.* Ⓤ 〔生化〕 칼시페롤《비타민 D_2》.

cal·cif·er·ous [kælsífərəs] *a.* 탄산칼슘을 함유한〔내는〕.

cal·ci·fi·ca·tion [kæ̀lsəfikéiʃən] *n.* Ⓤ 석회화(化); 〔生理〕 석회성 물질의 침전.

cal·ci·fy [kǽlsəfài] *vt., vi.* (**-fied**) 석회성으로 만들다, 석회질이 되다, 석회화하다.

cal·ci·mine [kǽlsəmàin, -min] *n.* Ⓤ 칼시민, 백색 도료《수성(水性) 도료의 일종》. ── *vt.* 칼시민을 칠하다.

cal·ci·na·tion [kæ̀lsənéiʃən] *n.* Ⓤ 〔化〕 하소; (석회) 소성(燒成); 〔冶〕 소광법(燒鑛法).

cal·cine [kǽlsain, -sin] *vt., vi.* 태워서〔타서〕 생석회가 되(게 하)다, 하소하다: ~*d* alum 백반(白礬)/~*d* lime 생석회.

cal·ci·no·sis [kæ̀lsənóusis] *n.* 〔病理〕 석회증(石灰症), 석회 침착증(症).

cal·cite [kǽlsait] *n.* Ⓤ 〔鑛〕 방해석(方解石).

cal·ci·to·nin [kæ̀lsətóunin] *n.* Ⓤ 〔生化〕 칼시토닌《혈중의 칼슘을 조절하는 호르몬》.

cal·cit·ri·ol [kælsítriɔ̀ːl] *n.* **1** (콜레스테롤에서 얻어지는) 비타민 D합성물.

cal·ci·um [kǽlsiəm] *n.* Ⓤ 〔化〕 칼슘《금속원소; 기호 Ca, 번호 20》. ◇ cálcic *a.*

cálcium ársenate 〔化〕 비산칼슘《살충제》.

cálcium cárbide 〔化〕 탄화칼슘.

cálcium cárbonate 〔化〕 탄산칼슘.

cálcium chlóride 〔化〕 염화칼슘.

cálcium cyánamide 〔化〕 칼슘 시아나미드《비료·제초제의 합성에 사용》.

cálcium hydróxide 〔化〕 수산화칼슘, 소석회.

cálcium lìght 칼슘광(limelight).

cálcium óxide 〔化〕 산화칼슘, 생석회.

cálcium phósphate 〔化〕 인산칼슘.

calc·spar [kǽlkspɑ̀ːr] *n.* =CALCITE.

calc-tu·fa, -tuff [kǽlktjùːfə], [-tʌ̀f] *n.* 〔地質〕 석회화(華).

cal·cu·la·bil·i·ty [-bíləti] *n.* Ⓤ 계산〔예측〕할 수 있음.

cal·cu·la·ble [kǽlkjələbəl] *a.* 계산〔예측〕할 수 있는; 신뢰할 수 있는. **-bly** *ad.*

cal·cu·late [kǽlkjəlèit] [L] *vt.* **1** 계산하다《*at*》, 산정하다, 추산하다: ~ the speed of light 빛의 속도를 계산하다/《Ⅲ *v* I+전+-*ing*》 He ~*s* on earning $20,000 a year. 그는 일년에 2만 달러를 버는 것으로 산정한다/The population of the city is ~*d at* 100,000. 그 도시의 인구는 10만으로 추산되고 있다. **2** (보통 수동태) 의도하다, 적합시키다《*for*》: 《Ⅱ *be pp.*+*to do*》 The room is ~*d to* hold a hundred people. 그 방은 백 명이 들어갈 수 있도록 계획된 것이다. **3** (상식·경험으로) 추정하다, 평가하다(evaluate); 〈장래 일을〉 계산해 내다, 예측하다, 어림하다: ~ a solar〔lunar〕 eclipse 일식〔월식〕 일을 계산해 내다/We shall win by a narrow majority, I ~. 근소한 득표차로 우리가 이길 것이다. **4** 《미口》 …이라고 생각하다, 상상하다: I ~ *that* it's waste of time. 그것은 시간의 낭비라고 생각한다. **5** 《미北部》 …할 작정이다(intend): He ~*d to* do it. 그는 그렇게 할 속셈이었다.
── *vi.* **1** 계산하다; 어림잡다. **2** 믿다, 기대하다, 의지하다(rely, depend)《*on, upon, for*》: I ~ *on* your aid. 자네의 도움을 기대하네.
◇ calculátion *n.*; cálculative *a.*

cal·cu·lat·ed [kǽlkjəlèitid] *a.* **1** 계산된; 계획적인, 고의적인; 예측〔추정〕된: a ~ crime 계

획적인 범죄. **2** …할 것 같은(likely)《*to*》: The team is ~ *to* win. 그 팀은 이길 것 같다. **3** …에 적합한(fit)《*for*》: This movie is not ~ *for* boys. 이 영화는 소년들에겐 부적합하다. **~·ly** *ad.*

cálculated rísk 예측되는 위험〔실패〕.

cal·cu·lat·ing[kǽlkjəlèitiŋ] *a.* **1** 계산하는, 계산용의. **2** 타산적인; 빈틈 없는.

cálculating machìne 계산기.

cálculating tàble 계산표.

‡**cal·cu·la·tion**[kæ̀lkjəléiʃən] *n.* **1** Ⓤ 계산(함), Ⓒ 계산의 결과. **2** Ⓤ,Ⓒ 추정(推定); 추측, 예상. **3** Ⓤ 숙고. **4** Ⓤ 타산. ◇ calculate *v.*

cal·cu·la·tive[kǽlkjəlèitiv, -lətiv] *a.* **1** 계산적인, 계산상의. **2** 타산적인; 빈틈 없는. **3** 계획적인.

cal·cu·la·tor[kǽlkjəlèitər] *n.* 계산자; 계산표〔기〕; 타산적인 사람.

cal·cu·lous[kǽlkjələs] *a.* 〔病理〕 결석의.

cal·cu·lus[kǽlkjələs] [L] *n.* (*pl.* **-li**[-lài], **~·es**) **1** 〔病理〕 결석(結石). **2** Ⓤ 〔數〕 계산법, 미적분학: differential〔integral〕 ~ 미분〔적분〕학. **calculus of finite differences** 〔數〕 차분법. **calculus of variations** 〔數〕 변분법.

Cal·cut·ta[kælkʌ́tə] *n.* 캘커타《인도 북동부에 있는 항구; 인도 최대의 도시》.

cal·dar·i·um[kældɛ́əriəm] [L] *n.* (*pl.* **-i·a**[-iə]) (옛 로마의) 고온 욕실.

Cál·de·cott awàrd 콜더콧상《미국의 아동 그림책에 주는 상》.

cal·de·ra[kældíːrə, kɔːl-] *n.* 〔地質〕 칼데라.

cal·dron[kɔ́ːldrən] *n.* 가마솥, 큰냄비.

Cald·well[kɔ́ːldwel, -wəl] *n.* 콜드웰 Erskine ~ (1903-)《미국의 소설가》.

ca·leche[kəléʃ] [F] *n.* (*pl.* **~s**) 《캐나다》 2륜마차.

Cal·e·do·nia[kæ̀lidóuniə] *n.* 《古·詩》 칼레도니아《스코틀랜드의 옛 이름》.

Cal·e·do·nian *a., n.* 옛 스코틀랜드의(사람); 《詩·익살》 스코틀랜드의 (사람).

cal·e·fa·cient[kæ̀ləféiʃənt] *n.* 발온(發溫) 물질《후추 등》. — *a.* 덥게 하는, 발열의.

cal·e·fac·tion[kæ̀ləfǽkʃən] *n.* Ⓤ 열을 일으킴; 온열(溫熱) 상태; 열오염.

cal·e·fac·to·ry[kæ̀ləfǽktəri] *a.* 난방〔가열〕용의; 열을 전도하는. — *n.* (*pl.* **-ries**) (수도원의) 난방된 방.

‡**cal·en·dar**[kǽləndər] [L] *n.* **1** 달력(almanac); 책력, 역법(曆法). **2** 연중 행사표; 연차 목록《공문서의》, 일람표(list); 공판 예정표. **3** 《미》 의사 일정《의회의》. **4** 《영》 (대학의) 요람(《미》 catalog)《◇ CALENDER와는 동음 이의어》. **perpetual calendar** 만세력. **the Gregorian**〔**Julian**〕 **calendar** ⇨Gregorian calendar, Julian calendar. **on the calendar** 달력에 실려; 일정에 있어, 예정되어. **the solar**〔**lunar**〕 **calendar** 양력〔음력〕. — *vt.* 〈행사 등을〉 달력〔일정표〕에 기입하다; 〈날짜와 내용에 따라 문서를〉 일람표〔목록〕로 만들다.

cálendar àrt (달력 등의) 값싼 그림.

cálendar clòck 달력 시계.

cálendar dáy 역일(曆日)《자정에서 다음 자정까지 24시간》.

cálendar mónth 역월(曆月).

cálendar wàtch 달력 시계《날짜·요일·달·해를 표시하는 팔목〔회중〕 시계》.

cálendar yéar 역년(曆年)《1월 1일에서 12월 31일까지》(*cf.* FISCAL YEAR); 만 1년.

cal·en·der[1] [kǽləndər] *n.* 캘린더《종이·피륙에 윤내는 압착 롤러》. — *vt.* 캘린더에 걸다, 윤내다.

calender[2] *n.* 탁발승《이란·터키 등의》.

cal·ends[kǽləndz] *n. pl.* 초하루, 삭일(朔日)《로마 옛 달력의》. **on**〔**at**〕 **the Greek calends** 언제까지 있어도 결코 …않다《옛그리스 달력에는 calends가 없으므로》.

ca·len·du·la[kəléndʒələ] *n.* 〔植〕 금송화《엉거시과(科)의 관상 식물》.

cal·en·ture[kǽləntʃuər, -tʃər] *n.* Ⓤ 열사병(熱射病)《열대 해양에서 걸리는》.

ca·les·cent[kəlésənt] *a.* 차차 더워〔뜨거워〕지는. **-cence**[kəlésəns] *n.* Ⓤ 온도 증가, 발열.

‡**calf**[1] [kæf, kɑːf] *n.* (*pl.* **calves**[-vz]) **1** 송아지(⇨ cow[1]); 새끼《하마·물소·고래·사슴 등의》. **2** Ⓤ,Ⓒ 송아지 가죽: bound in ~= CALFBOUND. **3** 빙산에서 떨어져 표류하는 얼음 덩어리. **4** 《口》 어리석은 젊은이, 멍청이. **in**〔**with**〕 **calf** 〈소가〉 새끼를 밴〔배어〕. **kill the fatted calf** 〔聖〕 〈…을 위해〉 환대의 준비를 하다《*for*》《누가복음 15:27》.

calf[2] *n.* (*pl.* **calves**) 장딴지, 종아리.

calf·bound [kǽfbàund, kɑ́ːf-] *a.* 송아지 가죽으로 장정한 〈책〉.

calf·doz·er[ˊdòuzər] *n.* 소형 불도저.

cálf knèe 안으로 굽은 무릎.

cálf lòve 《口》 (소년·소녀의) 풋사랑.

cálf's-foot jélly[kǽvzfùt-, kǽfs-, kɑ́ː-] 송아지 족(足) 젤리.

calf·skin[kǽfskìn, kɑ́ːf-] *n.* Ⓤ 송아지 가죽.

cálf's tóoth 젖니(milk tooth).

***cal·i·ber** | **-bre**[kǽləbər] *n.* **1** 구경《총·포의》, 직경《탄환의》. **2** Ⓤ 도량, 재간(ability); 품질: a man of (an) excellent ~ 수완가/ books of this ~ 이 정도의 책.

cal·i·bered[-d] *a.* 〈총포가〉 구경 …의, …구경의.

cal·i·brate[kǽləbrèit] *vt.* 〈총포의〉 구경을 재다; 〈온도계·자·저울 등의〉 눈금을 정하다.

cal·i·bra·tion[-ʃən] *n.* Ⓤ 구경〔눈금〕 측정; (*pl.*) 눈금《자·저울 등의》.

cal·i·bra·tor[-tər] *n.* 구경〔눈금〕 측정기.

cal·i·bre *n.* 《영》 =CALIBER.

cal·i·ces[kǽləsìːz] *n.* CALIX의 복수.

ca·li·che[kəlíːtʃi] *n.* 〔地質〕 나트륨·칼슘(등)을 함유한 표토(表土).

cal·i·cle[kǽlikl] *n.* 〔生〕 배상와(杯狀窩)〔기관(器官)〕.

***cal·i·co**[kǽlikòu] *n.* (*pl.* ~(**e**)**s**) **1** Ⓤ,Ⓒ 《영》 캘리코, 옥양목; 《미》 사라사. **2** 《俗》 여자. — *a.* 《영》 캘리코의; 《미》 사라사의; 《미》 〈말 등〉 점박이의.

cal·i·co·back[kǽlikoubæ̀k] *n.* 〔昆〕 노린재의 일종《양배추의 해충》.

cálico bùg =HARLEQUIN BUG.

cal·i·co-print·er *n.* 옥양목 날 염공.

cálico prìnting 옥양목 날염(법).

ca·lif *n.* =CALIPH.

Calif. California.

ca·lif·ate *n.* =CALIPHATE.

‡**Cal·i·for·nia**[kæ̀ləfɔ́ːrnjə, -niə] *n.* 캘리포니아《미국 태평양 연안에 있는 주; 주도 Sacramento; 속칭 the Golden State; 略: Calif.》. **the Gulf of California** 캘리포니아만.

Califórnia Cúrrent (the ~) 캘리포니아 해류.

Cal·i·for·nian *a., n.* 캘리포니아주의 (사람).

Califórnia póppy 〔植〕 금영화《캘리포니아

주화(州花)).

Califórnia súnshine ((俗)) =LSD[1] (*cf.* CLEAR LIGHT).

California tílt ((미俗)) 앞쪽이 낮게 경사진 자동차(스타일).

Cal·i·for·ni·cate, -ni·ate [kæ̀ləfɔ́ːrnikèit], [kæ̀ləfɔ́ːrnièit] *vt.* (도시화에 따라) …의 경관을 망치다.

cal·i·for·ni·um [kæ̀ləfɔ́ːrniəm] *n.* Ⓤ 〔化〕 캘리포르늄((방사성 원소: 기호 Cf, 번호 98)).

ca·lig·ra·phy [kəlígrəfi] *n.* =CALLIGRAPHY.

cal·i·pash [kǽləpæ̀ʃ, ⌐⌐⌐] *n.* Ⓤ 바다거북(turtle)의 등살((수프용)).

cal·i·pee [kǽləpìː, ⌐⌐⌐] *n.* Ⓤ 바다거북의 뱃살((진미)).

cal·i·per [kǽləpər, ⌐⌐⌐] *n.* (보통 *pl.* 또는 a pair of ~s) 캘리퍼스, 측경 양각기(測徑兩脚器)(=∠ **còmpasses**). — *vt.* 캘리퍼스로 재다.

cáliper rùle 캘리퍼스 자.

*****ca·liph** [kéilif, kǽl-] [Arab] *n.* 칼리프((Mohammed의 후손, 회교 교주로서의 터키 국왕 Sultan의 칭호, 지금은 폐지)).

ca·liph·ate [kǽləfèit, -fit, kéilə-] *n.* CALIPH의 지위〔직, 영토〕.

cal·is·then·ic [kæ̀ləsθénik] *a.* 미용 체조의.

cal·is·then·ics *n. pl.* **1** (단수 취급) 미용 체조법. **2** 미용 체조, 유연체조.

ca·lix [kéiliks, kǽl-] *n.* (*pl.* **-li·ces** [kǽləsìːz]) =CHALICE. ((◇ CALYX와 동음 이의어)).

calk[1] [kɔːk] *vt.* =CAULK[1].

calk[2] *n., vt.* 편자〔구두 창〕에 박는 뾰족한 징(을 박다).

calk[3] *vt.* 〈얇은 종이를 대고 그림을〉 베끼다.

calkin [kɔ́ːkin] *n.* 편자의 구부러진 끝: (구두의) 바닥징.

★**call** [kɔːl] *vt.* **1** (특히 소리를 내어) 부르다: 불러 내다, 초청하다: 〈집으로〉 불러들이다: ~ the servant 하인을 부르다/~ the doctor 의사를 부르다/((Ⅳ 대+(목)) I ~*ed* her a taxi. 나는 그녀에게 택시를 불러 주었다(=I ~*ed* a taxi *for* her.(Ⅲ (목)+전+대))/((Ⅰ/Ⅲ (호), *v*Ⅰ+접+*v*Ⅲ+(목)+부)) Tom, go and ~ the cattle home. 톰, 가서 소를 집으로 몰아들여라.
2 …에게 전화하다(ring up): 〔通信〕 (무선 통신으로) 불러내다(broad cast to): *C-* me *at* 9. 9시에 전화해 주시오/*C-* him *on* the telephone. 그에게 전화를 거시오/((Ⅲ (목)+전+명)) Somebody ~*ed* you *in* your absence. 네가 없는 사이에 어떤 사람이 너에게 전화를 했다.
3 〈관청 등에〉 불러내다; 〈회의 등을〉 소집하다: ~ a witness 증인을 불러내다/~ a meeting *for* July 5 7월 5일에 회의를 소집하다/~ men *to* arms 사람을 군대에 소집하다.
4 …이라고 이름짓다, 부르다, 칭하다: ~ one's child Tom 아들을 톰이라고 이름짓다/((Ⅱ *be pp.*+명)) He is ~*ed* Tom. 그는 톰이라고 불린다/((Ⅴ (목)+명+{전+명}) (명-(목보)-What) What do you ~ this tree in English? 이 나무를 영어로 무엇이라고 합니까/((Ⅴ (목)+명)) We ~ it Willow. 우리는 그 나무를 버드나무라고 부릅니다/((Ⅴ (목)+명)) He ~*ed* doubt the father of invention. 그는 의혹이 발명의 아버지라고 했다/((Ⅴ (목)+명)) We will ~ the club 'Club of Rome.' 본 클럽은 '로마 클럽'이라 칭한다(=The club shall be ~*ed* 'Club of Rome.' (Ⅱ *be pp.*+명))/((Ⅴ (목)+명)) He ~*s* himself an emperor. 그는 자칭 황제다.
5 …으로 간주하다, 생각하다: You may ~ him a scholar. 그를 학자라고 해도 좋다/I ~ that mean. 그것은 그것은 비열한 소견이라고 생각한다/((Ⅴ (목)+*-ing*)) Do you ~ this lead*ing* a decent life? 당신은 이것이 고상한 생활을 하는 것이라고 봅니까.
6 깨우다(awake): 주의를 환기시키다: (마음에) 불러 일으키다((*to*)): 〈…에게〉…라고 말하다: *C-* me *at* 5. 5시에 깨워 주시오/((Ⅲ (목)+전+명)) He ~*ed* good-bye *to* his mother. 그는 자기 어머니에게 작별을 고했다.
7 명하다: 요구하다: 소환하다: ~ a strike 파업을 명하다〔지령하다〕/The American ambassador was ~*ed* home. 미국 대사는 본국으로 소환되었다.
8 〈시합을〉 중지시키다: 〈심판이〉 …의 판정을 내리다, …을 선고하다: ~ the game 경기를 중지시키다(*cf.* CALLED GAME)/The umpire ~*ed* him *out*. 심판은 그에게 아웃을 선언했다.
9 〈채권 등의〉 상환을 청구하다: ~ the payment of one's loan 대부금의 상환을 요구하다.
10 〔카드〕 〈상대방의 패를〉 보자고 요구하다.
11 ((미口)) 〈경마 등〉 결과를 예상하다.
— *vi.* **1** 큰소리로 부르다; 외치다(shout)((*to*)): ((Ⅰ 전+명)) I ~*ed to* her but she did not hear. 큰소리로 그녀를 불렀지만 그녀는 듣지 못했다/((Ⅰ 전+명+*to do*)) He ~*ed to* the driver *to* stop. 그는 운전사에게 멈추라고 소리쳤다/He ~*ed down* from the top of the ladder. 그는 사닥다리 위에서 아래를 향해 소리쳤다.
2 구원을 청하다, (구원을 청하여) 큰 소리를 지르다: ((Ⅰ 전+명+전+명)) She ~*ed to* me *for* help. 그녀는 도와 달라고 내게 소리쳤다.
3 방문하다, 들르다; 정차하다, 기항하다((*at, on*)): 〈기차·기선이〉 정거〔기항〕하다((*at*)): ((Ⅰ 전+명)) ((주)-Who) Who ~*ed in* my absence? 내가 없는 사이에 누가 들렀는가/~ *at* her house 그녀의 집에 들르다/~ *on* my uncle 나의 삼촌을 방문하다/The ship ~*s at* Busan. 그 배는 부산에 기항한다.
4 전화하다, 통신을 보내다: Thanks for ~*ing*. 전화 고마왔어.
5 〔카드〕 상대방의 패를 보자고 요구하다.
6 〈새가〉 우짖다, 신호가〔나팔이〕 울리다.
call after 〈사람을〉 좇아가며 부르다: …의 이름을 따서 이름짓다: He was ~*ed* Peter *after* his grandfather. 그는 할아버지의 이름을 따서 피터라고 이름지어졌다. **call aside** 꾸짖다, 주의를 주다. **call at** 〈집 등에〉 들르다, 방문하다. **call** (one's) **attention to**: ((Ⅲ (목)+전+명)) She *called my attention to* this fact. 그녀는 이 사실에 내 주의를 돌리게 했다. **call away** 〈생각을〉 날려 버리다; 불러서 다른 데로 보내다. **call back** 불러서 되돌아오게 하다; 상기시키다; 취소하다; ((미)) 나중에 다시 전화하다; 다시 방문하다. **call by** ((口)) (지나는 걸음에) 들르다((*at*)). **call down** 불러〔끄집어〕 내리다: 〈하늘의 은총을〉 내려주십사고 빌다: 〈천벌을〉 내리게 하다: ((미俗)) 꾸짖다, 비난하다. **call for** (1) (아무를) 데리러〔부르러〕 가다〔들르다〕: (물건을) 가지러 가다〔오다〕, …을 들러서 받다: ((Ⅲ *v*Ⅰ+전+(목))) What time shall I *call for* you tomorrow? 내일 몇 시에 당신을 모시러 갈까요?/((Ⅲ *v*Ⅰ+전+(목)+{*as*(절)})) The carriage will *call for* you *as* we come back. 우리가 돌아오면 곧 당신을 모시러 마차를 보내겠습니다/((Ⅰ *be pp.*+전+명+*to be pp.*+전)) The goods were left at the depository *to be called for*. 그 물건은 가지러 오도록 그 보관소에 맡겨져 있다/((Ⅰ *be*

pp.+㉾+(㉾+㉿)》 The goods will be *called for* by Mr. Brown. 그 물건은 브라운씨가 들러서 받게 될 것이다. (2) …을 요구하다, (요)청하다; 〈갈채하여 배우 등을〉 불러내다: 《Ⅲ *v*I+㉾+(목)》 She *called for* some milk. 그녀는 우유를 좀 달라고 했다/Somebody *called for* help. 어떤 사람이 도움을 요청했다/ He *called for* the waitress in a loud voice. 그는 그 여급에게 큰 소리로 청했다. (3) …을 필요로 하다: 《Ⅲ *v*I+㉾+(목)》 This plan *calls for* quick action. 이 계획은 즉각적인 실행이 필요하다/《Ⅰ *be pp*.+㉾》 Your gratitude is not *called for*. 너의 사의(謝意)는 필요 없다. **call forth** 야기시키다; 불러내다; 〈용기 등을〉 내다. **call in** 불러 들이다; 〈의사 등을〉 부르다; 〈도움을〉 청하다; 〈통화·빚돈 등을〉 회수하다. **call in**〔**into**〕 **question**〔**doubt**〕 의심을 품다; 이의를 제기하다. **call in sick** 전화로 병결(病缺)을 알리다. **call into being**〔**existence**〕 창조하다; 성립시키다. **call into play** 활동시키다. **call it a day** 〈오늘은〉 그만두다; 단념하다. **call it square** 《俗》 결말을 짓다. **call it quits** 《미口》 끝내다. **call** a person **names** …을 욕하다, 비난하다. **call off** 물러가게 하다; 〈주의를〉 딴 곳으로 돌리다; 〈명부·숫자 등을〉 읽다; 《俗》 〈스트라이크의〉 중지를 선언하다; 〈약속 등 을〉 취소하다; 손을 떼다. **call on**〔**upon**〕 〈…을〉 방문하다; …에게 청하다, 요구하다, 부탁하다《*for, to* do》: She *~ed on* me *for* a speech〔*to* make a speech〕. 그녀는 나에게 연설을 부탁했다/《Ⅴ *v*I+㉾+(목)+*to do*》 She *called on* me *to* help her. 그녀는 나에게 협조를 요청했다. **call** (a thing) **one's own** 제것이라고 하다, 마음대로 처분하다: I have no*thing to call my own*. 내 것이라곤 아무 것도 없다. **call** one**'s shots** 《미口》 솔직히 말하다. **call out** (1) 소리쳐 구하다 《*for*》: I heard her *calling out for* help. 그녀가 도와달라고 외치는 것을 들었다. (2) 소집하다; 불러내다. (3) 〈상대에게〉 결투를 신청하다. (4) (노동자를 소집하여) 파업을 지령하다. (5) 끌어내다; 꾀어내다. **call over** (**the names**) (이름을) 부르다, 점호하다. **call round** 〈…의 집에〉 들르다, 방문하다《*at*》. **call** a person **to account** …에게 책임을 묻다, 꾸짖다, 책하다. **call to arms** 전투 준비를 명령하다. **call to mind**〔**memory, remembrance**〕 상기하다. **call to order** ⇨ order. **call together** 소집하다, 불러모으다. **call to witness** 증인으로 불러내다. **call up** (1) (위층에 대고) 부르다. (2) 〈…을〉 불러내다, 전화를 걸다, 전화로 불러내다(《영》 ring up): 《Ⅲ (목)+㉻+㉾+㉿》 He *called* her *up* from Chicago. 그는 시카고에서 그녀에게 전화를 걸었다/《Ⅲ (목)+㉻+*to do*》 He *called* me *up* (so as) *to* go to the movies with me. 그는 나와 함께 영화 구경을 가려고 전화를 걸었다/《Ⅰ ㉻+{while(절)}》 Who has〔have〕 *called up while* I've been out? 내가 외출해 있는 동안 누가 전화를 했는가(◇ 답에서 당연히 복수를 예상할 때는 Who 다음에 복수 동사를 쓴다)(◇ 현대에는 up을 쓰지 않는 경우가 많음). (3) 〈잠자는 사람을〉 깨우다; 불러 깨우다; 〈힘·용기 등을〉 불러 일으키다, 분기하다. (4) 상기시키다, …을 상기하다, 회상하다, 마음에 떠오르다, 〈정령(精靈) 등을〉 불러내다: 《Ⅲ ㉻+(목)+〈㉾+㉿〉》 The incident *called up* unhappy memories of my childhood. 그 사건은 나의 어린 시절의 불행한 기억들을 상기시켰다. (5) 〈군대를〉 소집하다: be *called up* 응소(應召)하다. (6) 〈법안 등을〉 (심의·토론을 위해) 제출하다. (7) (정보를 컴퓨터 화면에) 나타나게 하다. **call upon** =CALL on. **what** one **calls**=**what we**〔**you, they**〕 **call**=**what is called** 소위, 이른바.

— *n*. **1** a 부르는소리, 외침(cry, shout); 〈새의〉 우짖는 소리; 호각, 〈나팔·호각 등의〉 소리. **2** (전화·무선 등으로) 상대방을 불러 내기, 통화, 걸려온 전화; (기·등 등의) 신호; 〔컴퓨터〕 불러내기. **3** 호텔 접수계에 몇시에 깨워 달라는 주문; 점호(roll call). **4** 초청; 〈배우 등을 무대로〉 다시 불러 냄, 앙코르. **5** 소집, 소환; 연습을 위한 배우·촬영반의 소집; 하느님의 부르심, 사명, 천직. **6** 짧은 방문; 기항(寄港), 기차의 정차; 〈주문받는 사람·우체부 등의〉 들름. **7** (보통 the ~) 유혹, 매력: the ~ of the sea〔wild〕 바다〔야성〕의 매력. **8** 요구; (보통 부정문으로) 필요, 수요, 의무《*to* do, *for*》; =CALL of nature. **9** 〔商〕 (주식·사채(社債)의) 불입 청구《*on*》; (거래소의) 입회; 〔카드〕 상대방의 패를 보이라고 요구하기. **10** (심판의) 판정. **at call** = on CALL. **at** a person**'s call** 부르는 소리에 응하여; 대기하여. **call of nature** 대소변이 마려움. **call to quarters** 〔미軍〕 귀영 나팔 《소등 나팔 15분 전》. **call to the bar** 변호사 자격 면허. **close call** 위기일발. **give** a person **a call** …에게 전화걸다. **have** many **calls on** one**'s** time〔income〕 (시간〔수입〕)을 빼앗기는 곳이 많다. You **have no call** to interfere. (네가 참견)할 필요는 없다. **have the call** 인기가 있다, 대단히 수요가 많다. **house of call** 단골집《주문 받는 이의》, 달처; 여인숙. **make**〔**pay**〕 **a call on** …을 방문하다. **money at**〔**on**〕 **call** =CALL MONEY. **on call** 〔商〕 청구하는 대로(지불되는)(⇨money at〔on〕 CALL); 언제든지 사용할 수 있는; 대기하고 있는. **pay a call** = make a CALL on; 화장실에 가다(urinate). **place of call** 기항지, 들르는 곳. **put a call through** 전화를 연결하다. **receive a call** 전화를 받다. **take a call** 관중의 갈채에 답례하다〔응하다〕. **within call** 부르면 들릴 만한 곳에; 대기하여: Please stay *within call*. 가까운 곳에서 기다려 주시오.

cal·la[kǽlə] *n*. 〔植〕 칼라, 화란 물토란(꽃)(=~ lily).

call·a·ble[kɔ́:ləbəl] *a*. 청구하는 대로 지불되는; 부를 수 있는.

call·an(t)[kɑ́:lən(t), kǽl-] *n*. 《스코》 젊은이(lad, boy).

Cal·las[kǽləs] *n*. 칼라스 Maria Meneghini (1923~77) 미국의 오페라 가수《소프라노》.

call·back[kɔ́:lbæ̀k] *n*. **1** (결함 상품 수리를 위한) 제품 회수. **2** 일시 휴직 후의 직장 복귀; 정규 근무시간 외의 근무. **3** 돌아오면 전화해 달라는 부탁.

cáll-back pày 〔勞〕 비상 초과근무 수당.

cáll bèll 초인종.

cáll bìrd 후림새.

call-board[kɔ́:lbɔ̀:rd] *n*. 게시판《극장 등의》.

cáll bòx 《미》(경찰 연락·화재 신고용) 비상 전화; 《영》 공중 전화박스(《미》 (tele)phone booth).

call·boy[kɔ́:lbɔ̀i] *n*. 호출계《등장 배우의》; 호텔의 보이(bellboy).

cáll·bòy **1** (무대에로의) 배우 호출원. **2** = BELLBOY, PAGE[2]

cáll connèct sýstem 《영》 전화 접속기《외선·내선 전화와의》.

call day *n.* 〔영法〕(Inns of Court에서) 법정 변호사 자격증이 수여되는 날.
cálled gàme 〔野〕 콜드게임(일몰·비 등으로 중지된 시합; 그때까지의 득점으로 결정).
cálled stríke 〔野〕 놓친 스트라이크.
***call·er**[1] [kɔ́:lər] *n.* 방문객, (찾아온) 손님; 불러내는 사람, 소집자; 전화 거는 사람; (bingo 등에서) 숫자를 부르는 사람.
cal·ler[2] [kǽlər] *a.* 《스코》 신선한; 〈공기·바람·날씨가〉 상쾌한.
cáller ÍD *n.* (전화의) 발신자 번호 표시 서비스.
cal·let [kǽlət] *n.* 《스코》 매춘부.
call-fire [kɔ́:lfàiər] *n.* (상륙군 요청에 의한) 함포 사격.
cáll gìrl (전화로 불러내는) 매춘부, 콜걸.
cáll hòuse 《미》 콜걸(call girl)의 숙소; 콜걸을 알선하는 곳.
cal·li- [kǽli] 《연결형》「미(美)」의 뜻.
cal·lig·ra·pher, -phist [kəlígrəfər], [-fist] *n.* 달필가, 서예가.
cal·li·graph·ic, -i·cal [kæ̀ligrǽfik], [-əl] *a.* 서예의; 달필의. **-i·cal·ly** *ad.*
cal·lig·ra·phy [kəlígrəfi] [Gk] *n.* Ⓤ 달필 (*opp.* cacography); 서예, 서법(書法).
call-in [kɔ́:lìn] *n.* 《미》 (라디오·텔레비전의) 시청자 전화 참가 프로(《영》 phone-in).
***call·ing** [kɔ́:liŋ] *n.* Ⓤ,Ⓒ **1** 부름, 외침; 점호, 소집. **2** 하느님의 부르심, 소명. **3** 천직; 직업. **4** (직업·활동 등에 대한) 강한 충동, 욕구(*for, to* do). **5** 방문; 기항. **betray one's calling** 본색을 드러나다. **have a calling for**〔to do〕 …이 되고 싶다는 욕구를 가지다.
cálling càrd 《미》 =VISITING CARD; 《영》 =PHONECARD.
cáll-in pày 〔勞〕 출근 수당(일이 없음을 미리 통보받지 않고 출근한 자에게 주는).
Cal·li·o·pe [kəláiəpi] *n.* **1** 〔그神〕 칼리오페(웅변·서사시의 여신). **2** (**c-**) 증기 오르간 (증기로 소리를 냄).
cal·li·op·sis [kæ̀liápsis/-ɔ́p-] *n.* =COREOPSIS.
callipash *n.* =CALIPASH.
cal·li·per *n.* =CALIPER.
cal·li·pyg·i·an, -py·gous [kæ̀ləpídʒiənt], [-páigəs] *a.* 예쁜 엉덩이를 가진.
cal·lis·then·ic [kæ̀ləsθénik] *a.*=CALISTHENIC.
cal·lis·then·ics *n.* =CALISTHENICS.
Cal·lis·to [kəlístou] *n.* 〔그神〕 칼리스토(Zeus의 사랑을 받은 탓으로 Hera에 의해 곰이 된 요정); 〔天〕 목성의 위성의 하나.
cal·li·thump [kǽləθʌ̀mp] *n.* 《미口》 소란스럽게 거리를 지나가는 퍼레이드.
cál·li·thúmp·i·an [-θʌ́mpiən] *a., n.*
cal·li·typ·y *n.* 복사법(複寫法).
cáll lètters 〔通信〕 =CALL SIGN.
cáll lòan 〔金融〕 콜론(요구불 단기 대부금).
cáll màrk =CALL NUMBER.
cáll màrket 〔金融〕 콜〔단자〕 시장.
cáll mòney 〔金融〕 콜머니(요구불 단기차입금).
call-night *n.* 《영》 CALL-DAY의 밤.
cáll nùmber 도서 정리〔청구〕 번호.
call-on [kɔ́:lɔ̀n] *n.* 《영》 (구직 항만 노동자의 책임자로부터의) 호출 대기.
cáll òption 〔證券〕 주식 매입 선택권.
cal·los·i·ty [kəlásəti/-lɔ́s-] *n.* (*pl.* **-ties**) **1** 피부의 경결(硬結); 못, 티눈. **2** Ⓤ 무감각, 냉담.
***cal·lous** [kǽləs] *a.* **1** 〈피부가〉 굳어진, 못박힌. **2** 무감각한; 냉담〔무정〕한; 예사인(*to*). — *vt., vi.* 굳히다, 굳어지다; 무감각하게 하다〔되다〕. **~·ly** *ad.* 냉담하게, 무정하게, 예사로. **~·ness** *n.*
call-o·ver [kɔ́:lòuvər] *n.* 점호(roll call).
cal·low [kǽlou] *a.* 〈새가〉 깃털이 아직 나지 않은; 애송이인.
cáll ràte 〔金融〕 콜론의 이율.
cáll sìgn〔**sìgnal**〕 〔通信〕 호출 부호.
cáll slìp 〔圖書館〕 열람표, 열람 카드.
cáll to quárters (군인을 막사로 소집하는) 집합 나팔 신호〔소리〕.
call-up [kɔ́:lʌ̀p] *n.* 《영》 소집령; 소집 인원.
cal·lus [kǽləs] *n.* (*pl.* **~·es**) **1** 〔生理〕 피부 경결(硬結), 못. **2** 〔植〕 유합(癒合) 조직; 〔解〕 가골(假骨). — *vi., vt.* callus를 형성하다.
****calm** [ka:m] [L] *a.* **1** 〈바다·날씨 등〉 고요한 (*opp.* stormy, windy), 잔잔한, 조용한. **2** 〈마음·기분등〉 평온한, 침착한. **3** 《영口》 뻔뻔스러운, 뱃심 좋은. — *n.* 〔氣〕 고요; Ⓤ 냉정, 침착; 무풍, 평온: the region of ~*s* 무풍지대(적도 부근의). — *vt.* 진정시키다, 가라앉히다. — *vi.* 가라앉다, 조용해지다(*down*), 안정되다. **calm down** 〈노여움·흥분을〉 가라앉히다; 〈바다·기분·정정(政情) 등이〉 가라앉다. **calm oneself** 마음을 가라앉히다.
calm·a·tive [kǽlmətiv, ká:m-] 〔醫〕 *a.* 진정시키는. — *n.* 진정제(sedative).
****calm·ly** [ká:mli] *ad.* 고요히; 냉정하게, 태연하게.
***calm·ness** [ká:mnis] *n.* Ⓤ 평온, 냉정, 침착: with ~ =CALMLY.
cal·mod·u·lin [kælmádʒəlin] *n.* (대부분의 세포에 있는) 단백질(칼슘을 억제하여 신체 기능을 돕는).
cal·o·mel [kǽləməl, -mèl] *n.* Ⓤ 〔化〕 감홍(甘汞)(염화 제1수은).
cal·o·res·cence [kæ̀ləré sns] *n.* Ⓤ 〔物〕 열발광(熱發光).
Cál·or gás [kǽlər-] 가정용 액화 부탄가스.
cal·o·ri- [kǽləri] 《연결형》「열(heat)」의 뜻.
ca·lor·ic [kəlɔ́:rik, -lár-/-lɔ́r-] *a.* 열의; 칼로리의. — *n.* Ⓤ〔物〕 열소(熱素); 《古》 열(熱).
cal·o·ric·i·ty [kæ̀lərísəti] *n.* Ⓤ 〔生理〕 온열력(溫熱力)(열을 내어 체온을 유지하는 힘).
***cal·o·rie** [kǽləri] [L] *n.* 〔物·化〕 칼로리(열량의 단위; 특히 음식물의). **gram**〔**small**〕 **calorie** 그램〔소〕 칼로리. **kilogram**〔**large, great**〕 **calorie** 킬로〔대〕 칼로리(略: Cal.).
ca·lor·i·fa·cient [kəlɔ̀:rəféiʃənt, -làr-/lɔ̀r-] *a.* 열을 발생하는.
cal·o·rif·ic [kæ̀lərífik] *a.* 열을 발생하는 (heat producing); 열의, 열에 관한.
ca·lor·i·fi·ca·tion [kælɔ̀(:)rifikéiʃən] *n.* Ⓤ (동물체의) 열발생.
calorífic válue 발열량.
ca·lor·i·fi·er [kəlɔ́:rəfàiər, -lár-/-lɔ́r-] *n.* 액체 가열기.
cal·o·rim·e·ter [kæ̀lərímitər] *n.* 열량계.
cal·o·rim·e·try [-tri] *n.* Ⓤ 열량 측정(법).
càl·or·i·mét·ric *a.*
cal·o·rize [kǽlərὰiz] *vt.* 〈어느 금속에〉 고온에서 알루미늄을 입히다.
cal·o·ry [kǽləri] *n.* (*pl.* **-ries**) =CALORIE.
ca·lotte [kəlát/-lɔ́t] *n.* 챙 없는 모자(카톨릭 성직자들이 씀).
calque [kǽlk] [F] *n.* 〔言〕 번역 차용(어구) (loan translation).
Cal. Tech. [kælték] California Institute of Technology.
cal·trop, -trap [kǽltrəp] *n.* **1** 〔軍〕 마름쇠(적의 기병의 전진을 방해하기 위해 땅 위에

뿌림). **2** 〔植〕 납가새.

cal·u·met[kǽljəmèt] *n.* (북미 인디언의) 긴 파이프((평화의 상징)). **smoke the calumet together** 화친하다.

ca·lum·ni·ate[kəlʌ́mnièit] *vt.* 비방하다, 중상하다(slander).

ca·lum·ni·a·tion[kəlʌ̀mniéiʃən] *n.* U,C 중상.

ca·lum·ni·a·tor[kəlʌ́mnièitər] *n.* 중상자.

ca·lum·ni·a·to·ry[kəlʌ́mniətɔ̀:ri/-təri] *a.* =CALUMNIOUS.

ca·lum·ni·ous[kəlʌ́mniəs] *a.* 중상적인.

cal·um·ny[kǽləmni] *n.* (*pl.* **-nies**) U,C 비방, 중상(中傷)(slander).

cal·u·tron[kǽljətrɑ̀n/-trɔ̀n] *n.* 캘류트론((전자(電磁)방식에 의한 동위 원소 분리 장치)).

cal·va·dos, C-[kǽlvədɔ:s/-dɔs] *n.* 칼바도스((노르망디 지방산 사과주 브랜디)).

Cal·va·ry[kǽlvəri] [L] *n.* (*pl.* **-ries**) **1** 〔聖〕 그리스도가 십자가에 못 박힌 곳((Golgotha의 라틴어명)). **2** (**c-**) 그리스도의 수난상(像). **3** (**c-**) 고난, 시련.

calve[kæv, kɑ:v] [calf[1]에서] *vi., vt.* 〈소·사슴·고래 등이〉 새끼를 낳다; 〈빙산·빙하가〉 빙괴(氷塊)를 분리하다.

*__calves__[kævz, kɑ:vz] *n.* CALF[1]의 복수.

Cal·vin[kǽlvin] *n.* **1** 남자 이름. **2** 칼뱅 John ~(1509-64)((프랑스 태생의 스위스의 종교 개혁자)). **~·ìsm** *n.* 칼뱅주의. **~·ist** *n.* 칼뱅파 사람.

Cal·vin·is·tic, -ti·cal[kæ̀lvinístik], [-əl] *a.* 칼뱅파의.

cal·vi·ti·es[kælvíʃiì:z] *n.* U 〔病理〕 대머리.

calx[kælks] *n.* (*pl.* **~·es, cal·ces**[kǽlsi:z]) 〔化〕 금속회(灰); ((古)) 생석회.

ca·ly·ces[kǽləsì:z, kéilə-] *n.* CALYX의 복수.

ca·ly·cine[kǽləsin, -sàin] *a.* 〔植〕 꽃받침(꼴)의.

ca·ly·cle[kǽlikl] *n.* 〔植〕 곁꽃받침.

ca·lyp·so[kəlípsou] *n.* (*pl.* **~s**) 칼립소((Trinidad섬 원주민이 노래하는 민요풍의 재즈)); 그 춤.

ca·lyp·só·ni·an[kəlìpsóuniən, kæ̀lip-] *a.*

Ca·lyp·so[kəlípsou] *n.* **1** 〔그神〕 칼립소((Odysseus를 Ogygia섬에 머물게 한 요정)). **2** 〔天〕 토성의 제14위성. **3** (**c-**) 〔植〕 풍선난초.

ca·lyp·tra[kəlíptrə] *n.* 〔植〕 (이끼의) 내피막; (꽃·열매의) 갓; 뿌리골무(root cap).

ca·lyx[kéiliks, kǽl-] *n.* (*pl.* **~·es, ca·ly·ces**[-ləsì:z]) 〔植〕 꽃받침, 악(*cf.* SEPAL)((◇CALIX와 동음 이의어)).

cályx sprày 살충 분무액의 일종.

cal·za·da[kɑ:lsɑ́:ðɑ, -θɑ́:-] [Sp] *n.* 포장 도로; (라틴아메리카의) 대로, 한길.

cam[kæm] *n.* 〔機〕 캠((회전 운동을 왕복 운동으로 바꾸는 장치)).

CAM computer-aided manufacturing 〔컴퓨터〕 컴퓨터 원용 제조. **Cam.** Cambridge.

cam·a·ra·de·rie[kæ̀mərǽdəri, -rɑ́:d-, kɑ̀:mərɑ́:d-] [F] *n.* U 우정, 우애(friendship); 동료 의식.

ca·ma·ril·la[kæ̀mərílə] [Sp] *n.* 도당(cabal); 고문단.

cam·as(s)[kǽməs, -mæs] *n.* 〔植〕 백합과(科)의 식물((북미산)).

Camb. Cambridge.

cam·ber[kǽmbər] *n.* U,C **1** 위로 휨((도로·갑판 등의)), 가운데가 불룩한 꼴. **2** 〔空〕 캠버((날개 단면 중심선이 위로 휜 것)). — *vt., vi.* 위로 휘게 하다, 위로 휘다.

cam·bism[kǽmbizəm] *n.* 환(換)이론〔업무〕.

cam·bist[kǽmbist] *n.* **1** 환(換)관리 업무에 밝은 사람; 환 매매인, 환전상. **2** 각국 통화·도량형 비교표.

cam·bi·um[kǽmbiəm] *n.* (*pl.* **~s, -bi·a**[-biə]) 〔植〕 형성층, 부름켜.

Cam·bo[kǽmbou] *a.* =CAMBODIAN.

Cam·bo·di·a[kæmbóudiə] *n.* 캄보디아((인도지나 반도의 나라; 수도 Pnompenh)).

Cam·bo·di·an *a.* 캄보디아(사람)의. — *n.* 캄보디아 사람; U 크메르 말(Khmer).

cam·brel[kǽmbrəl] *n.* ((영)) 고기 걸어놓는 막대(gambrel)((푸줏간의)).

Cam·bri·a[kǽmbriə] *n.* ((詩)) WALES의 별칭.

Cam·bri·an[kǽmbriən] *a.* 웨일스의; 〔地質〕 캄브리아기〔계〕의: the ~ period 캄브리아기. — *n.* ((詩)) 웨일스 사람; 〔地質〕 캄브리아기〔계〕.

cam·bric[kéimbrik] *n.* U 아마포, 고급의 흰 삼베; C 흰 삼베 손수건.

cámbric téa ((미)) 우유·설탕을 탄 홍차.

*__Cam·bridge__[kéimbridʒ] *n.* 케임브리지 **1** 영국 케임브리지주(州)의 대학 도시; 케임브리지 대학교. **2** 미국 Massachusetts주의 도시((Harvard; M.I.T. 대학교의 소재지)). ◇ Cantabrígian *a.*

Cámbridge blúe ((영)) 담청색(light blue)(*cf.* OXFORD BLUE).

Cam·bridge·shire[kéimbridʒʃìər, -ʃər] *n.* 케임브리지셔((잉글랜드 동부의 주; 주도 Cambridge; 略: Cambs.)).

Cámbridge Univérsity 케임브리지 대학교((영국의 대학교; 12세기에 창립)).

Cambs. Cambridgeshire.

cam·cord·er[kǽmkɔ̀:rdər] [*cam*era+corder] *n.* 캠코더((VCR을 연결하여 사용하는 휴대용 TV 카메라; 손에 들고 사용함)).

★**came**[1][keim] *v.* COME의 과거.

came[2] *n.* 납으로 만든 틀((격자창 등의)).

⁑**cam·el**[kǽməl] *n.* **1** 낙타: the Arabian〔Bactrian〕 ~ 단봉〔쌍봉〕 낙타. **2** U 낙타색((담황갈색)). **3** 〔海〕 부함(浮函). **swallow a camel** 믿을 수 없는〔터무니없는〕 일을 받아들이다〔묵인하다〕. — *a.* 낙타색〔담황갈색〕의.

cam·el·back[kǽməlbæ̀k] *n.* ((미)) 낙타의 등; 일종의 재생 고무. **on camelback** 낙타를 타고.

cámel bìrd 〔鳥〕 타조(ostrich).

cam·el·eer[kæ̀məlíər] *n.* 낙타 몰이꾼; 낙타 기병(騎兵).

ca·mel·lia[kəmí:ljə] *n.* 〔植〕 동백나무.

ca·mel·o·pard[kəméləpɑ̀:rd] *n.* **1** ((稀)) 기린(giraffe). **2** (**C-**) 〔天〕 기린자리.

Cam·e·lot[kǽmələ̀t/-lɔ̀t] *n.* 캐멀롯((영국 전설에 Arthur왕의 궁궐이 있었다는 곳)).

cam·el·ry[kǽməlri] *n.* (*pl.* **-ries**) 낙타(기병)대(隊).

cámel('s) hàir 낙타털(모직물).

cám·el's-hair brùsh 다람쥐 꼬리털의 화필.

Cam·em·bert[kǽməmbɛ̀ər] *n.* U 부드럽고 맛이 짙은 프랑스제 치즈(=∠ **chéese**).

cam·e·o[kǽmiòu] [It] *n.* (*pl.* **~s**) **1** 카메오((양각으로 아로새긴 보석·조가비 등)); 카메오 세공. **2** 간결하고 인상적인〔주옥 같은〕 묘사〔장면〕; 〔映·TV〕 유명 배우의 조연(적 출연)(=∠ **róle**). — *vt.* …에 카메오 세공하다. — *a.* 극소량의; 소규모의.

⁑**cam·er·a**[kǽmərə] [L] *n.* (*pl.* **~s**) **1** 카메라, 사진기; 텔레비전 카메라. **2** =CAMERA OBSCURA. **3** (*pl.* **-er·ae**[-ərì:]) 판사의 사실

(私室). **in camera** 〔法〕 판사의 사실에서; 비밀히. **on〔off〕 camera** 〔映·TV〕 카메라 앞에서〔에서 벗어나〕.
cámera àngle 〔寫·映〕 (피사체에 대한) 카메라의 각도.
cam·er·a-con·scious[-kάnʃəs/-kɔ́n-] *a.* ((미)) 카메라 앞에 익숙하지 않은.
cam·er·a·cord·er[-kɔ́:rdər] *n.* 카메라코더((리코더가 달린 비디오카메라)).
cam·er·a-eye[kǽmərəài] *n.* 정확 공평한 관찰〔보도〕(능력).
cam·er·al[kǽmərəl] *a.* 판사 사실(私室)의; 국정(國政)(회의)에 관한.
cam·er·a lu·ci·da[-lú:sidə] [L] *n.* 카메라 루시다((프리즘·거울·현미경 등을 갖춘 자연물 사생 장치)).
cam·er·a·man[kǽmərəmæ̀n] *n.* (*pl.* **-men**[-mèn]) **1** (영화·텔레비전의) 카메라맨, 촬영 기사. **2** =photographer((신문·잡지의 사진사)). **3** 카메라 장수.
cam·er·a ob·scu·ra[-ɑbskjúərə/-ɔbskjúərə] [L] *n.* (사진기 등의) 주름상자; 암실.
cam·er·a·per·son *n.* 사진사, 카메라 인(人)((특히 영화나 텔레비전 카메라를 조작하는 사람)).
cam·er·a·plane[-plèin] *n.* 촬영용 비행기.
cam·er·a-read·y *a.* 〔印〕 (본문이나 삽화의) 촬영 준비가 다 된.
cám·er·a-read·y cópy[-rèdi-] 〔印〕 사진 촬영용 OK지.
cámera rehéarsal 〔TV〕 촬영을 위한 마무리 연습.
cam·er·a-shy[-ʃài] *a.* 사진 찍히기 싫어하는, 사진 혐오의.
cámera tùbe 〔TV〕 촬상관(撮像管).
cam·er·a-wise[-wàiz] *a.* ((미)) 카메라 앞에 익숙한.
cam·er·a·work *n.* 카메라 사용법, 촬영 기술.
cam·er·ist[kǽmərist] *n.* ((미)) 사진가.
cam·er·len·go, -lin-[kæ̀mərléŋgou], [-líŋ-] *n.* (*pl.* **~s**) 로마 교황의 시종·재무관.
Cam·e·roon, -roun[kæ̀mərú:n] *n.* 카메룬((서아프리카 Nigeria 동쪽의 공화국(1960년 독립); 수도 Yaoundé)).
-róon·i·an[-iən] *a., n.* 카메룬의 (사람).
cam·i·knick·ers[kǽminìkərz] [*cami*sole+*knickers*] *n. pl.* ((영)) 팬츠가 달린 슈미즈 같은 내복.
Ca·mil·la[kəmílə] *n.* **1** 여자 이름. **2** 〔로神〕 카밀라((Aeneas들과 싸운 여걸)).
ca·mion[kǽmiən] [F] *n.* 군용 트럭.
ca·mise[kəmí:s, -mí:z] *n.* 헐렁한 셔츠; 겉옷; 화장옷.
cam·i·sole[kǽmisòul] *n.* 여자용 소매 없는 속옷; 여자용 화장옷(negligee jacket).
cam·let[kǽmlit] *n.* U,C 낙타 천 가벼운 고급 모직물의 일종.
cam·o[kǽmou] *a., n.* (*pl.* **-os**) —— *a.* (군대의 위장색과 같은) 초록과 갈색 얼룩무늬; 캐모우 옷; 캐모우 천.
cam·o·mile[kǽməmàil] *n.* 〔植〕 카밀레, 카모밀라((꽃은 건위·홍분제)).
cámomile tèa 카모밀라꽃을 달인 차.
Ca·mor·ra[kəmɔ́:rə, -mɔ́rə] [It] *n.* 카모라((1820년경의 이탈리아의 비밀 결사)); (**c-**) 비밀 단체〔결사〕.
*__cam·ou·flage__[kǽməflὰ:ʒ, kǽmə-] [F] *n.* U,C 〔軍〕 카무플라주, 위장, 미채(迷彩); 기만. —— *vt.* 카무플라주하다, 위장하다; 눈가림하다; 기만하다. **-flag·er** *n.*
cam·ou·flet[kæ̀mufléi, ⌐—⌐] [F] *n.* 지하 폭발(로 생긴 구멍); 지하 폭발용 폭약.
cam·ou·fleur[kǽməflə̀:r] *n.* 〔軍〕 위장 기사(僞裝技師).
★**camp**[1][kæmp] [L] *n.* C,U **1** 야영지((군대·보이스카우트·여행자의)); 임시 주둔지; 막사. **2** (산·바닷가의) 캠프장. **3** 야영 천막; 야영대, 출정군. **4** 캠프 (생활); 군대 생활, 병역; 천막 생활. **5** 진영; 동지((주의·종교 등의)), 그룹. **6** ((미)) 지부, 분회. **7** (포로)수용소. **8** ((미)) 산장; ((오스)) 가축의 집합장. **be in the same〔the enemy's〕 camp** 동지〔적〕이다. **break〔strike〕 (a) camp** 천막을 걷다, 야영지를 철수하다. **go to camp** 캠프하러 가다; 자다. **have a camp** ((미)) 잠시 쉬다. **make〔pitch〕 (a) camp** 천막을 치다, 야영하다. **take into camp** 속이다(take in); 제것으로 하다, 이기다.
—— *vi.* 천막을 치다, 야영하다: ((I 부+전+명)) They *~ed* there for the summer. 그들은 여름 동안 거기에서 야영했다. —— *vt.* 야영시키다. **camp out** 야영〔캠프〕하다; ((영俗)) 임시 거주하다((*with*)): ((I *There v*I +*-ing*(*g.*)+부+전+명)) There is no *~ing out* in that woods. 그 숲 속에서는 도저히 야영할 수 없다.
camp[2] *n.* ((口)) 꾸미는〔거짓〕 태도〔몸짓〕; 그런 몸짓을 하는 사람; 호모(의 과장된 교태). —— *a.* 동성애의, 호모의; 〈남자가〉 나긋나긋한; 뽐내는, 과장된, 진부한. —— *vi., vt.* 연극조로〔과장되게〕 말과 행동을 하다((*up*)).
camp it up ((口)) 과장되게〔짐짓 꾸며서〕 행동〔연기〕하다.
Cam·pa·gna[kæmpά:njə] *n.* (the ~) (특히 로마 부근의) 넓은 평야; (**c-**) 평원.
⁑**cam·paign**[kæmpéin] [L] *n.* **1** 전쟁, 회전(會戰), 작전 행동; 종군, 출정. **2** (사회적) 운동, 권유, 유세((*for, against*)); ((미)) 선거전: an election ~ 선거 운동/a ~ *for* funds 〔*against* alcohol〕 자금 조달〔금주〕 운동/a ~ chairman 선거 사무장/a ~ *to* combat crime 범죄 방지 운동. **on campaign** 종군하여, 출정중; 운동〔유세〕에 나서. —— *vi.* 종군하다, 출정하다; 운동을 일으키다((*against, for*)). **go campaigning** 종군하다; 유세하다, 운동하다.
campaign badge 종군 기장.
campáign biògraphy ((미)) (대통령) 후보자 경력.
campáign bùtton 선거 운동 기장(記章).
campáign chèst =CAMPAIGN FUND.
campáign clùb ((미)) 선거 후원회.
campáign èmblem ((미)) 선거 정당의 상징((공화당의 독수리, 민주당의 수탉 등)).
cam·paign·er[kæmpéinər] *n.* 종군자; 노병(veteran); (사회·정치의) 운동가: an old ~ 노병, 노련가.
campáign fùnd (기부에 의한) 선거 자금.
campáign rìbbon〔mèdal〕 종군 기장.
campáign spèaker 유세원(遊說員).
campáign spèech 정견 발표; 선거 연설.
campáign swíng 지방 유세(여행).
campáign tràil 선거 유세 여행〔코스〕.
cam·pa·ni·le[kæ̀mpəní:li] *n.* (*pl.* **~s, -li**[-li]) 종루(鍾樓), 종탑(bell tower).
cam·pa·nol·o·gy[kæ̀mpənάlədʒi/-nɔ́l-] *n.* U 명종술(鳴鐘術); 종학(鐘學); 주종술(鑄鐘術). **-gist** *n.* 명종사; 주종사.
cam·pan·u·la[kæmpǽnjələ] *n.* =BELLFLOWER.
cam·pan·u·late[kæmpǽnjələt, -lèit] *a.*

종 모양의.

cámp bèd (접을 수 있는) 야외용[야전] 침대.

cámp chàir (접을 수 있는) 간편 의자.

cámp còunselor ((미)) (어린이를 위한) 캠프 지도자.

camp·craft[kǽmpkræ̀ft, -krὰ:ft] *n.* Ⓤ 캠프 기술[생활법].

Cámp Dávid 캠프 데이비드((미국 Maryland 주에 있는 미국 대통령 전용 별장)).

*__camp·er__[kǽmpər] *n.* 캠핑하는 사람, 캠프 생활자; 캠프용 자동차.

cam·pe·si·no[kæ̀mpəsí:nou] [Sp] *n.* (*pl.* ~**s**) (라틴아메리카계의) 농부, 농장 노동자.

cam·pes·tral[kæmpéstrəl] *a.* 들판의; 시골의.

cámp fèver 야영지에 발생하는 열병((특히 발진 티푸스)).

*__camp·fire__[kǽmpfàiər] *n.* 야영의 모닥불[화톳불], 캠프파이어; ((미)) 모닥불 가에 둘러앉아 즐기는 친목회.

cámpfire bòy ((미俗)) 아편 중독자.

cámpfire gìrl 미국 소녀단(the Camp Fire Girls of America)의 단원((7-18세)).

cámp fòllower 비전투 종군자((상인·위안부 등)); 추종자; 사리사욕만 생각하는 정치가.

camp·ground[ˊgràund] *n.* ((미)) 캠프 지정지; 야영 전도 집회지.

cam·phene[kǽmfi:n, -ˊ] *n.* Ⓤ 〔化〕 캠펜, 용뇌유(龍腦油).

cam·phol[kǽmfoul, -fɑl/-fɔl] *n.* Ⓤ 〔化〕 용뇌.

*__cam·phor__[kǽmfər] *n.* Ⓤ 장뇌(樟腦), 캠퍼.

cam·phor·ate[-rèit] *vt.* 장뇌를 넣다, 장뇌로 처리하다.

cám·phor·at·ed óil 장뇌화유(樟腦化油).

cámphor bàll 알좀약.

cam·phor·ic[kæmfɔ́(:)rik, -fɑ́r-] *a.* 장뇌의, 장뇌가 든.

cámphor ìce 장뇌 연고.

cámphor òil 장뇌유, 캠퍼 기름.

cámphor trèe 녹나무.

cam·pim·e·ter[kæmpímitər] *n.* (안과용의) 시야계(視野計).

camp·ing[kǽmpiŋ] *n.* Ⓤ 캠프[천막] 생활, 야영. **go camping** 캠핑 가다.

cam·pi·on[kǽmpiən] *n.* 〔植〕 동자꽃·장구채 등의 석죽과(科) 식물.

cámp mèeting ((미)) 야외 집회((수일간 기도·설교 등을 하는)).

cam·po[kǽmpou, kɑ́:m-] *n.* (*pl.* ~**s**) (남미의) 대초원.

camp-on[kǽmpɑn/-ɔn] *n.* (전화의) 전자 통화 시스템 장치((자동적으로 재통화를 연결시킴)).

camp·o·ree[kæ̀mpərí:] *n.* ((미)) (보이스카우트의) 지방 대회(*cf.* JAMBOREE).

cam·po san·to[kæ̀mpousǽntou] [It] *n.* (*pl.* ***cam·pos san·tos, cam·pi san·ti***[kæ̀mpisǽnti]) 공동 묘지.

camp-out[kǽmpàut] *n.* 캠프생활, 야영.

camp·site[ˊsàit] *n.* 야영지, 캠프장.

camp·stool[ˊstù:l] *n.* =CAMP CHAIR.

⁑**cam·pus**[kǽmpəs] [L] *n.* ((미)) 교정, 구내, 캠퍼스((대학 등의)); 학원(學園); ((미))(대학의) 분교: on (the) ~ 교정[구내]에서. ── *a.* 학원[교정]에서의; 대학의: ~ life 대학 생활/~ activities 학생 활동.

cámpus bùtcher ((俗)) 여학생에게 친절한 남학생; 여학생을 잘 녹이는 남학생.

cámpus políce ((미)) 대학(캠퍼스)의 경비원[경비본부].

camp·y[kǽmpi] *a.* (**camp·i·er; -i·est**) = CAMP[2].

cam·pyl·o·bac·ter[kæ̀mpiloubǽktər, kæmpìlə-] *n.* 식중독을 일으키게 하는 박테리아균((저온 살균하지 않은 낙농 제품식품에 발생)).

cam·shaft[kǽmʃæ̀ft, -ʃɑ̀:ft] *n.* 〔機〕 캠축.

Ca·mus[kæmjú:] *n.* 카뮈 Albert ~((프랑스의 작가(1913-60); 1957년 노벨문학상 수상)).

cám whèel 〔機〕 캠바퀴.

cam·wood[kǽmwùd] *n.* Ⓤ 서아프리카산 콩과(科)의 단단한 나무((붉은 물감을 채취)).

★**can**[1][kæn, 弱 kən] *aux. v.* ((현재 부정형 **cannot**[kǽnɑt, kænɑ́t/kǽnɔt, -nət]((미))에서는 강조할 때에는 **can not**, ((口))에서는 **can't**를 쓰기도 한다), 현재부정 간약형 **can't**[kænt/kɑ:nt]; 과거 **could**[kud, 弱kəd], 과거부정형 **couldnot**, 과거부정 간약형 **couldn't**[kúdnt]))

1 (능력) **a** …할 수 있다: Computer ~ do a lot of things. 컴퓨터는 많은 일을 할 수 있다/I will do what I *can*[kǽn]. 내가 할 수 있는 일은 무엇이든 하겠다((*can* 다음에 do가 생략되어 있음))/*Can* you speak English? 영어를 말할 줄 아십니까((상대의 능력을 묻는 말씨가 되므로, Do you speak English?를 쓰는 것이 보통)). **b** …의 하는 법[방식]을 알고 있다: I ~ swim. 수영할 줄 안다/*Can* you play the piano? 피아노를 칠 줄 아느냐. **c** (지각동사 및 remember와 함께 쓰여) …하고 있다((진행형과 같은 뜻이 됨)): *Can* you hear that noise? 저 소리가 들리냐/I ~ remember it well. 그것을 잘 기억하고 있다.

2 (허가) …해도 좋다(((口에서는 may보다 더 일반적임)): You ~ have it if you wish. 원한다면 그것을 가져도 좋다.

3 (가벼운 명령) **a** (긍정문에서) …하시오, …하는 것이 좋다; …해야 한다: You ~ go now. 이제 가세요. **b** (부정문에서) …해서는 안 된다, …하지 말아야 한다((may not보다 일반적; 강한 금지를 나타내는데는 must not가 쓰임)): You *can't* stay up this late. 이렇게 늦게까지 자지 않고 있으면 안 된다.

4 (가능성·추측) **a** (긍정문에서) …할 수 있다, …이 있을 수 있다, …할[일] 때가 있다: You ~ ski on the hills. 언덕에서 스키를 탈 수 있다/She ~ be very kind sometimes. 그녀는 이따금 아주 친절할 때가 있다. **b** (부정문에서) …할[일] 리가 없다, …이면 곤란하다: It *cannot* be true. 그것은 사실일 리가 없다. **c** (의문문에서) …할[일] 리가 있을까, (도)대체 …일 수(가) 있을까, 대체 …일까: *Can* such things be? 이런 일이 있을 수 있을까/How ~ you say that? 어떻게 그렇게 말할 수 있느냐/Who ~ he be? 도대체 그는 누구일까. **e** (의문문에서 can have+*pp.*로 과거의 일에 대하여 현시점에서 강한 의심을 나타냄) …이었을까, …했을까: *Can* it *have been* true? 그것이 사실이었을까. **d** (cannot have+*pp.*로 과거의 일에 대하여 현시점에서 강한 의심을 나타냄) …했을 리가 없다: She *cannot have seen* it. 그녀가 그것을 보았을 리가 없다.

5 (Can you …?로 의뢰를 나타내어) …해 주(시)겠습니까((Could you …라고 하는 것이 더 공손한 표현임)): *Can* you give me a light? 불 좀 빌립시다.

all one can ((口)) 될 수 있는 한((부사적)): He will help you *all he can.* 그는 전력을 다해 너를 도울 것이다. **as … as (…) can be** 더없이 …, 그지없이 …: I am *as* happy *as* (happy) ~ *be.* 나는 더없이 행복하다. **can but** do ((文語)) 다만[단지] (…할) 따름[뿐]이다: We *can* *but* wait. 다만 기다릴 뿐이다. **cannot but** do=**cannot help doing**=**cannot help but** do((文語)에서는 cannot CHOOSE but do도 쓰임) …할 수 밖에 없다, …하지 않을 수 없다: (Ⅳ 조+부+vⅣ+대+(목)) I *couldn't but* lend him a hand. 나는 그를 돕지 않을 수 없었다 (=I *couldn't help* lend*ing* him a hand. (Ⅲ 조+vⅢ+-*ing*) ((-*ing*)-Ⅳ 대+(목))/=I *couldn't help but* lend him a hand. (Ⅲ 조+vⅢ+부+*do*) ((*do*)-Ⅳ 대+(목))). **cannot do** [**be**] **otherwise than** … …하지 않고는 못 배기다. **cannot** do … **without** doing …을 하면 꼭 …을 한다: (Ⅲ 조+vⅢ+대+전+-*ing*) He *cannot do* so *without hurting* his feeling. 그는 자기의 감정을 해치지 않고는 그렇게 할 수 없다. **cannot … too** … ⇨too. **cannot very well** do …할 수는 없다, …할 일이 못되다. **How can you!** 네가 감히 그럴 수가!: 참 지독한 녀석이군! **No can do.** ((口)) (나로서는) 불가능하다, 할 수 없다, 부적당하다. **What one can** 될[할] 수 있는 한의 것: I will do *what I can.* 힘이 미치는 데까지 하겠다.

⁑**can²** [kæn] [OE 「컵」] *n.* **1** (손잡이·뚜껑이 있는) 금속제 용기: a milk ～ 우유통/an oil ～ 기름통/a sprinkling ～ 물뿌리개/an ash [a garbage] ～ 쓰레기통. **2** ((미)) 양철통, (통조림의) 깡통 (((영)) tin): 통조림(*of*): 한 깡통 (가득). **3** (the ～) ((俗)) 교도소: 경찰서. **4** (the ～) ((미俗)) 변소; 궁둥이. **can of worms** = PANDORA'S BOX; ((미俗)) 복잡하고 귀찮은 문제[상황]; 안절부절 못하는 사람. **carry** [**take**] **the can** ((영口)) 비난을 받다, (남의 일로) 책임을 지게 되다. **get a can on** ((俗)) 술 취하다. **in the can** ((口)) (영화가 공개할 수 있게) 준비되어; 완료되어. **pass the can to** ((영俗)) …에게 책임을 전가하다. **tie a** [**the**] **can to** [**on**] ((俗)) …을 해고하다; …을 제외하다. ── *vt.* (～**ned**; ～·**ning**) **1** ((미)) 통조림하다(((영)) tin). **2** ((미俗)) 해고하다(fire); 퇴학시키다; 중지하다. **3** ((口)) 녹음하다; 〈골프 공을〉 홀에 넣다. **Can it!** ((俗)) 그만해, 시끄러워, 입닥쳐.

can. cannon; canto. **Can.** Canada; Canadian.

Ca·naan [kéinən] *n.* **1** [聖] 가나안 땅(지금의 Palestine의 서부 지방): 신이 유대인에게 약속한 땅. **2** 약속의 땅, 이상향, 낙원.

Ca·naan·ite [-àit] *n.* (이스라엘 사람이 와서 살기 전의) 가나안 사람.

Canad. Canada; Canadian.

★**Can·a·da** [kǽnədə] *n.* 캐나다(수도 Ottawa).

Cánada bálsam 캐나다 발삼(BALSAM FIR에서 채취하는 수지; 현미경 검사 표본 접착제); =BALSAM FIR.

Cánada góose [鳥] 캐나다기러기.

⁑**Ca·na·di·an** [kənéidiən] *a.* 캐나다(사람) 의: ～English 캐나다 영어. ── *n.* 캐나다 사람. ～·**ìsm** *n.* 캐나다 특유의 습관; 캐나다 영어 특유의 어법[어구].

Canádian bácon (돼지 허리 고기의) 캐나다식 베이컨.

Canádian Frénch (프랑스계 캐나다 사람이 말하는) 캐나다 프랑스말.

ca·naille [kənéil, -náil] [F] *n.* 최하층민, 어리석은 백성(rabble).

⁑**ca·nal** [kənǽl][L] *n.* **1** 운하, 수로: the Suez *Canal* 수에즈 운하. **2** [解·植] 도관(導管)(duct). **3** [天] (화성의) 운하. ── *vt.* (～**ed**; ～·**ing**|～**led**; ～·**ling**) …에 운하를 만들다; 〈사물을〉 어떤 방향으로 유도하다. ◈ cánalize *v.*

ca·nal·age [kənǽlidʒ] *n.* 운하 개설[수송]; 운하 통행세.

ca·nal·boat *n.* (길쭉한) 운하용 보트.

ca·nal-built [-bìlt] *a.* 〈배가〉 운하 항행에 적합한.

can·a·lic·u·lar [kæ̀nəlíkjələr] *a.* [解] 소관(小管)의.

can·a·lic·u·lus [kæ̀nəlíkjələs] *n.* (*pl.* **-li** [-lai]) [解] 소관(小管), 누관(淚管).

can·al·i·za·tion [kənæ̀lizéiʃən, kæ̀nəl-] *n.* Ⓤ 운하 개설, 운하화(化).

can·al·ize [kənǽlaiz, kǽnəlàiz] *vt.* 운하를 트다; 수로를 파다, 나갈 길을 열어주다; 어떤 방향으로 인도하다(*into*). ── *vi.* 수로로 흘러들다. ◈ canál *n.*

ca·nal(l)ed *a.* 운하가 트인, 운하가 있는.

ca·nal·(l)er [kənǽlər] *n.* 운하선; 운하선원.

canál ràу [物] 커낼선(線), 양극선.

Canál Zòne *n.* (the ～) 파나마 운하 지대 (2000년에 미국이 파나마에 반환 예정).

can·a·pé [kǽnəpi, -pèi] [F] *n.* 카나페(얇은 빵에 캐비아·치즈 등을 바른 전채).

ca·nard [kənáːrd] [F] *n.* 헛소문, 유언비어. ── *vi.* 헛소문이 떠돌다; (관악기 등으로) 오리 우는 소리를 내다.

⁑**ca·nar·y** [kənέəri] [Sp] *n.* (*pl.* **-nar·ies**) **1** [鳥] 카나리아(=∠ **bìrd**). **2** Ⓤ 카나리아 빛(=～ yellow). **3** Ⓤ 카나리아 제도산의 백포도주. **4** ((俗)) (소프라노) 가수, (악단 연주로 노래하는) 여자 (재즈)가수; ((俗)) 여자. **5** ((俗)) 밀고자. ── *a.* 카나리아 제도산의; 카나리아 빛의.

canáry créeper [植] 카나리아덩굴(한련속(屬)).

canáry gràss 카나리아풀(카나리아 제도산 갈풀 무리; 열매는 카나리아 모이).

Canáry Íslands [L] *n. pl.* (the ～) 카나리아 제도(아프리카 북서 해안 가까이에 있음; 스페인령).

canáry sèed CANARY GRASS의 열매(카나리아의 모이).

canáry yéllow 카나리아 빛(선황색).

ca·nas·ta [kənǽstə] [Sp 「바구니」의 뜻에서] *n.* Ⓤ 커내스터(두 벌의 카드로 하는 놀이).

ca·nas·ter [kənǽstər] *n.* Ⓤ (남미산) 품질이 나쁜 살담배.

Ca·nav·e·ral [kənǽvərəl] *n.* =CAPE CANAVERAL.

cán bànk 빈 캔 수집소(재활용을 위한).

Can·ber·ra [kǽnbərə] *n.* 캔버라(오스트레일리아의 수도).

canc. canceled; cancellation.

can·can [kǽnkæn] [F] *n.* 캉캉춤(발을 높이 쳐드는 프랑스 춤).

can-car·ri·er [kǽnkæ̀riər] *n.* ((俗)) 책임자.

⁑**can·cel** [kǽnsəl] [L] (～**ed**; ～·**ing**|～**led**; ～·**ling**) *vt.* **1** (줄을 그어) 지워 버리다, 말소하다; 〈계약·주문 등을〉 취소하다, 무효로 하다: ～ an order for the book 그 책의 주문을 취소하다. **2** 〈계획·예정 등을〉 중지하다: ～ a trip [game] 여행[시합]을 중지하다. **3** 소인(消印)을 찍다, 〈차표 등을〉 펀치로 찍다. **4** 중화하다, 상쇄하다(*out*). **5** [印] 삭제하다. **6** [數] 약분하다. ── *vi.* **1** 상쇄되다(*out*). **2** [數] 약분되다(*by*). ── *n.* 말소, 취소; (계약의) 해제; [印] 삭제(부분). ～·**a·ble** *a.*

cán·celed *a.* 취소된; 소인이 있는.

～·**(l)er** *n.* 지우는 사람[것], 소인기.

cáncel báck órder 〔商〕 미조달(未調達) 주문의 취소(略: CBO).
can·cel·la·tion[kæ̀nsəléiʃən] *n.* U,C 말소; 취소; 해제; 〔數〕 소거; 소인.
can·cel·lous[kǽnsələs, kænséləs] *a.* 〔解〕 해면〔갯솜〕 모양의, 망상(網狀) 조직의.
‡**can·cer**[kǽnsər] [L] *n.* **1** U,C 암(癌), 암종; 악성 종양: get ~ 암에 걸리다/die of ~ 암으로 죽다/breast ~=~ of the breast 유방암. **2** (사회의) 병폐. **3** (**C-**) 〔天〕 게자리(the Crab). **4** (**C-**) 〔占星〕 a 거해궁(巨蟹宮)(*cf.* ZODIAC). b 게자리에 태어난 사람. **the Tropic of Cancer** 북회귀선, 하지선. ── *vt.* 암처럼 좀먹다. **cán·cered**[-d] *a.* 암에 걸린. ◇ cáncerous *a.*
can·cer·ate[-rèit] *vi.* 암이 되다.
cáncer géne *n.* =ONCOGENE.
can·cer·o·gen·ic[kæ̀nsərədʒénik] *a.* 발암(성)의.
can·cer·ous[kǽnsərəs] *a.* 암의; 암에 걸린; 불치의; 독성의. **~·ly** *ad.*
cáncer stìck 《口》 담배(cigarette).
can·croid[kǽŋkrɔid] *a.* 게(crab) 비슷한; 〔病理〕 암종 모양의. ── *n.* 〔病理〕 피부암.
c. & b. 〔크리켓〕 caught and bowled (by).
C & C computer and communication.
can·de·la[kændíːlə] [L] *n.* 〔光〕 칸델라(광도 단위; 略: cd).
can·de·la·brum[kæ̀ndilάːbrəm] *n.* (*pl.* **-bra**[-brə], **~s**) 가지가 달린 촛대.
can·dent[kǽndənt] *a.* 백열(白熱)하는.
can·des·cence *n.* U 백열.
can·des·cent[kændésənt] *a.* 백열의.
C.&F., c.&f. 〔商〕 cost and freight 운임 포함 조건〔가격〕.
***can·did**[kǽndid] [L] *a.* **1** 솔직한(frank), 숨김없는, 거리낌 없는(outspoken): a ~ friend 친구인 체하여 싫은 소리를 마구 해대는 사람/(《Ⅱ 형+전+명》) He is always ~ *with* her. 그는 그녀에게 항상 솔직하다. **2** 공평한(impartial): Give me a ~ hearing. 편견없이 들어 주게. **3** 〈사진 등〉 포즈를 취하지 않은, 있는대로의. **to be quite**〔**perfectly**〕 **candid** (**with you**) 솔직히 말하면(대개 문두에 씀). ── *n.* 스냅 사진. **~·ness** *n.* ◇ cándo(u)r *n.*
can·di·da[kǽndidə] *n.* 〔細菌〕 칸디다균(아구창의 병원균).
can·di·da·cy[kǽndidəsi] *n.* U 《미》 입후보(*for*).
‡**can·di·date**[kǽndidèit, -dit] [L] *n.* **1** 후보자(*for*); 지원자(*for*): a ~ *for* the Ph. D. =a Ph. D.~박사 과정을 공부하는 학생. **2** …이 될 듯한 사람(*for*): a ~ *for* fame〔wealth〕 장차 유명해질〔부자가 될〕 사람. **run candidate at** …에 입후보하다.
can·di·da·ture[⌐–dətʃùər, -tʃər] *n.* 《영》 = CANDIDACY.
cándid cámera (스냅용) 소형 카메라.
can·di·di·a·sis[kæ̀ndədáiəsis] *n.* (*pl.* **-ses**[-sìːz]) 〔醫〕 칸디다 증(症)(칸디다(candida)에 의해 발생하는 각종 감염증).
can·did·ly[kǽndidli] *ad.* 솔직히, 숨김없이; (문장 전체를 수식하여) 솔직히 말하면.
cándid phòtograph 스냅 사진.
can·died[kǽndid] *a.* **1** 설탕에 절인〔졸인〕. **2** (사탕 모양으로) 굳어진. **3** 말 솜씨 좋은, 달콤한.
C. & L.C. 〔印〕 capitals and lowercase.
‡**can·dle**[kǽndl] [L] *n.* **1** 양초; 양초 모양의 것. **2** 촉광(candlepower). **burn**〔**light**〕 **the candle at both ends** 〈정력·건강·금전 등을〉 심하게 낭비하다, 무리를 하다. **cannot**〔**be not fit to**〕 **hold a candle to** …와는 비교도 안되다. **hold a candle to the devil** 나쁜 짓에 가담하다. **The game is not worth the candle.** (그 일은) 수지가 안 맞는다. **sell by the candle**〔**by inch of candle**〕 (경매에서) 촛동강이 다 타버리는 것을 신호로 하여 낙찰시키다. **sulphur candle** 훈증 유황 초(소독용). ── *vt.* 〈달걀 품질을〉 촛불에 비추어 살피다. **cán·dler** *n.*
can·dle·ber·ry[-bèri/-bəri] *n.* (*pl.* **-ries**) 〔植〕 속귀나무 무리; 그 열매.
cán·dle-ènd *n.* 촛동강; (*pl.*) 아껴서 모은 하찮은 물건.
cán·dle-fóot[-fút] *n.* (*pl.* **-feet**[-fíːt]) = FOOTCANDLE.
cán·dle·hòld·er[-hòuldər] *n.* =CANDLESTICK.
cán·dle-lìght[-làit] *a.* 촛불 아래서 하는 〈식사 등〉.
‡**cán·dle·lìght** *n.* U 촛불(빛); 《文語》 등불 켤 무렵, 저녁.
Can·dle·mas[kǽndlməs, -mæ̀s] *n.* 〔가톨릭〕 성촉절(聖燭節)(2월 2일, 성모 마리아의 순결을 기념하는 축제일; 촛불 행렬을 함).
can·dle·nut[-nʌ̀t] *n.* 〔植〕 쿠쿠이나무(유동의 일종); 그 열매.
can·dle·pin[-pìn] *n.* 《미》 **1** 위 아래가 가느다란 볼링의 핀. **2** (*pl.*: 단수 취급) 십주희(tenpins) 비슷한 놀이.
cán·dle·pòw·er[-pàuər] *n.* U 촉광(燭光): a lamp of 100 ~ 100 촉광의 전등.
cán·dle·stànd[-stæ̀nd] *n.* (높은) 큰 촛대.
can·dle·stick[kǽndlstìk] *n.* 촛대.
cán·dle·wìck[-wìk] *n.* 초의 심지.
cán·dle·wòod *n.* 횃불용 나무(수지(樹脂)가 많은 나무; 광솔 따위); 양초 대용 나무 토막.
can-do[kǽndúː] *a.* 《미俗》 열심인, 열의있는; 유능한.
***can·dor** | **-dour**[kǽndər] *n.* U 공평 무사, 허심 탄회; 솔직, 정직. ◇ cándid *a.*
CANDU Canadian Deuterium Uranium 캐나다 중수형 원자로.
C and〔**&**〕 **W** country and western.
★**can·dy**[kǽndi] *n.* (*pl.* **-dies**) U,C **1** 《미》 캔디, 사탕 과자(《영》 sweets)(taffies, caramels, chocolates 등): a piece of ~ 캔디 1개/mixed *candies* 여러 가지로 섞어 담은 캔디. **2** 《영》 얼음 사탕(《미》 rock ~); C 얼음 사탕 조각. **3** 《俗》 해시시(hashish); =LSD. ── *vt., vi.* (**-died**) 설탕 절임하다, 설탕을 뿌리다; 사탕 모양으로 굳히다〔굳어지다〕; 〈표현을〉 감미롭게 하다.
cándy àss 《미俗》 패기 없는 사람, 겁쟁이.
cándy flòss 1 《영》 솜사탕(《미》 cotton candy). **2** 겉보기만 그럴듯한 것.
cándy màn 《미俗》 마약 밀매인.
cándy pùll 캔디 만드는 모임(젊은 남녀의 사교 집회).
cándy stòre 《미》 과자점(《영》 sweetshop).
cándy strìpe 무지에 밝은 한 색만의 줄무늬.
cándy-strìped *a.*
cándy strìper [희고 붉은 줄무늬 제복에서] 《미口》 (10대의) 자원 봉사 간호 보조원.
can·dy·tuft[-tʌ̀ft] *n.* 〔植〕 이베리스, 서양말냉이(겨자과(科)의 관상 식물).
cándy wèdding 캔디혼식(결혼 3주년).
‡**cane**[kein] [Gk] *n.* **1** (등나무로 만든) 지팡이, 《영》 가볍고 가는 지팡이; 《미》 막대기; 회초리

《처벌용》. **2** (등나무·대나무·종려·사탕수수 등의) 줄기; (용재(用材)로서의) 등나무 무리.
get the cane 《영》 (벌로) 회초리를 맞다.
— *vt.* **1** 매질하다: ~ a lesson *into* a person …에게 매질하여 학과를 가르치다. **2** 등나무로 만들다.
cane·brake[∠brèik] *n.* 《미》 등나무숲.
cáne cháir 등의자.
ca·nel·la[kənélə] *n.* 〔植〕 백육계(白肉桂).
can·e·phor(e)[kǽnəfɔ̀ːr] (*pl.* **-phò(e)s**), **ca·neph·o·ra**[kənéfərə/-níːf-] (*pl.* **-rae**[-rìː]), **ca·neph·o·rus**[kənéfərəs] (*pl.* **-ri**[-ràì]), **ca·neph·o·ros**[kənéfərəs] (*pl.* **-roe**[-rìː]) *n.* 제물 광주리를 머리에 인 처녀《옛 그리스에서 제사 행렬에 참가》.
ca·nes·cent[kənésənt, kæ-] *a.* 회백색의; 〔植〕 회백색 솜털로 덮인.
cáne sùgar 사탕수수 설탕, 감자당(甘蔗糖) (*cf.* sugar BEET).
cane·work[∠wə̀ːrk] *n.* Ⓤ 등나무 세공.
can·ful[kǽnfùl] *n.* 한 깡통(의 양).
cangue[kæŋ] *n.* 칼《옛 중국의 형틀》.
can·house[kǽnhàus] *n.* 《미俗》 매춘굴.
Ca·nic·u·la[kəníkjələ] *n.* 〔天〕 천랑성(天狼星)(Sirius).
ca·nic·u·lar[kəníkjələr] *a.* 천랑성의; 한여름의: ~ days 복날.
ca·nine[kéinain, kǽn-] [L] *a.* 개속(屬)의, 개같은. — *n.* 개; 개속의 동물; 송곳니.
cánine mádness 광견병.
cánine tòoth 송곳니, 견치(犬齒).
can·ing[kéiniŋ] *n.* 매질.
Ca·nis[kéinis] *n.* 〔動〕 개속(屬). **Cánis Májor**〔**Mínor**〕 *n.* 〔天〕 큰〔작은〕개자리.
can·is·ter[kǽnistər] *n.* 깡통《차·커피·담배 등을 넣는》; 〔가톨릭〕 성합(聖盒)《축성용 제병 그릇》; 산탄(霰彈)(=~ shot); (방독면의 여과용) 흡수통; 상자형 전기 청소기.
*__can·ker__[kǽŋkər] *n.* **1** Ⓤ 〔病理〕 구강 궤양(口腔潰瘍); 〔獸醫〕 마제염(馬蹄炎); 〔植〕 (과수의) 암종(癌腫)병; 근류(根瘤)병. **2** 해독; (마음을 좀먹는) 괴로움. **3** =CANKERWORM.
— *vt.* **1** canker에 걸리게 하다; 부식하다. **2** 해독을 끼치다, 서서히 파괴하다.
— *vi.* canker에 걸리다.
can·kered *a.* CANKER에 걸린; 근성이 부패〔타락〕한; 질이 나쁜, 성미 고약한.
can·ker·ous[-rəs] *a.* CANKER의〔같은〕; CANKER를 일으키는; 부패〔부식〕시키는.
cánker ràsh 성홍열.
can·ker·worm[∠wə̀ːrm] *n.* 〔昆〕 자벌레《과수의 해충》.
can·na[kǽnə] *n.* 〔植〕 칸나.
can·na·bin[kǽnəbin] *n.* Ⓤ 〔藥〕 칸나빈《cannabis에서 채취되는 물질; 마취제》.
can·nab·i·noid *n.* (마리화나의 주 작용제인) 화학 합성물《대마 cannabis에서 추출》.
can·na·bis[kǽnəbis] *n.* Ⓤ 〔植〕 인도대마; 마리화나, 대마초.
*__canned__[kænd] *vt.* CAN²의 과거·과거분사.
— *a.* **1** 통조림한. **2** 《口》 녹음된; 《미口》 〈연설 등〉 미리 준비된: ~ laughter 《口》 (효과음으로서) 녹음된 웃음 소리. **3** 판에 박힌; 〈신문 기사등〉 동일 내용의. **4** 《俗》 술취한; 마약을 복용한.
cánned góods 통조림 제품.
cán·nel (còal)[kǽnl-] 촉탄(燭炭)《기름·가스를 많이 함유한 석탄》.
can·nel·lo·ni[kæ̀nəlóuni] [It] *n.* 카넬로니《원통형 대형 파스타(pasta) 또는 그 요리》.
can·ne·lure[kǽnəljùər] *n.* (총탄의) 탄피 홈; (저항을 줄이기 위한) 탄대 홈.
can·ner[kǽnər] *n.* 《미》 통조림 제조업자.
can·ner·y[-ri] *n.* (*pl.* **-ner·ies**) 《미》 통조림 공장.
Cannes[kænz] *n.* 칸《프랑스 남동부의 피한지(避寒地); 해마다 국제 영화제가 열림》.
*__can·ni·bal__[kǽnəbəl] *n.* 식인종; 동족을 잡아먹는 동물. — *a.* 식인종의, 동족을 잡아먹는.
~·ism[-ìzəm] *n.* Ⓤ 사람 고기를 먹는 풍습; 동족끼리 서로 잡아먹음; 잔인, 만행.
can·ni·bal·is·tic[∸-bəlístik] *a.* 사람을 잡아먹는; 동족을 잡아먹는 ; 야만적인.
can·ni·bal·ize[kǽnəbəlàiz] *vt.* **1** 〈산 짐승의〉 고기를 먹다. **2** 〈헌〔고장난〕 자동차〔기계〕 등에서〉 이용 가능한 부품을 떼내다(*from*). **3** 〈동종의 기업 등에서〉 직원을〔설비를〕 빼내다; 〈동종의 기업 등을〉 흡수(합병)하다. — *vi.* **1** 사람의 고기를 먹다; 서로 잡아먹다. **2** 다른 기계의 부품을 떼어 내어 수리〔조립〕하다.
càn·ni·bal·i·zá·tion[kæ̀nəbəlizéiʃən] *n.*
can·ni·kin[kǽnəkin] *n.* 작은 깡통, 컵.
can·ning[kǽniŋ] *n.* Ⓤ 통조림 제조(업): the ~ industry 통조림 (제조) 공업.
__can·non__[kǽnən] [L] *n.* (*pl.* **~s, (집합적) **~**) **1** 대포《지금은 gun이 보통》; 《특히》 비행기 탑재용 기관포. **2** 〔機〕 이중축(軸); (종(鐘)의) 용두머리. **3** 《미俗》 권총; 소매치기. **4** 《영》 〔撞球〕 캐논《친 공이 계속하여 두 개의 목표 공에 맞음; 《미》 carom》. **5** 〔動〕 =CANNON BONE.
— *vi.* 대포를 쏘다; 세게 충돌하다(*against, into, with*); 《영》 〔撞球〕 캐논을 치다. — *vt.* 〈적진 등을〉 포격하다; 《영》 〔撞球〕 〈공을〉 캐논으로 하다(◇ CANON과는 동음 이의어).
can·non·ade[kæ̀nənéid] *n.* 연속 포격; 포성. — *vt.* 연속 포격하다(◇ 지금은 보통 bombard(ment)).
can·non·ball[-bɔ̀ːl] *n.* **1** 포탄《지금은 shell이 보통》. **2** 《미口》 특급〔탄환〕 열차. **3** 〔다이빙〕 캐논볼《양 무릎을 껴안고 뛰어들기》; 〔庭球〕 탄환 서브. — *a.* 탄환처럼〔굉장히〕 빠른 — *vi.* 《미俗》 탄환처럼 빨리 달리다; 껴안기형으로 다이빙하다.
cánnon bìt 둥근 재갈.
cánnon bòne 〔動〕 포골(砲骨), 말의 경골(脛骨).
cánnon cràcker 대형 폭죽〔꽃불〕.
can·non·eer[kæ̀nəníər] *n.* 포수(砲手), 포병(artilleryman).
cánnon fòdder (집합적) 《口》 병사(兵士)들《전사할 위험이 많은》.
can·non·proof[-prùːf] *a.* 방탄의.
can·non·ry[kǽnənri] *n.* Ⓤ,Ⓒ (*pl.* **-ries**) (집합적) 포; 포격.
cánnon shòt 포탄; 포격; 착탄 거리.
*__can·not__[kǽnɑt, -∠, kənɑ́t/kǽnɔt, kənɔ́t] ⇨ can(◇ can not은 다소 문어적이며 강조적임).
can·nu·la[kǽnjələ] *n.* (*pl.* **~s, -lae**[-lìː]) 〔醫〕 캐뉼러《환부에 꽂아 넣어 액을 빼 내거나 약을 넣는 데 씀》.
can·ny[kǽni] *a.* (**-ni·er; -ni·est**) **1** 영리한; 신중한, 조심성 많은, 빈틈없는. **2** 검소한, 알뜰한. **3** 좋은, 훌륭한; 운수 좋은.
cán·ni·ly *ad.* **-ni·ness** *n.*
**__ca·noe__[kənúː] *n.* 카누, 마상이, 통나무 배.
paddle one's own canoe 자립 자활하다.
— *vi., vt.* (**~·ing**) 카누를 젓다, 카누로 가다〔나르다〕. **~·ist**[-ist] *n.* 카누 젓는 사람.
can·on¹[kǽnən] [Gk] *n.* **1** 〔基督教〕 카논《기독교적 신앙 및 행위의 기준》; 교회의 법규; 법

규집(集). **2** 규범, 기준(criterion). **3** 정전(正典)《외전(外典)에 대하여》; 진짜 작품(목록)《위작(僞作)에 대하여》: the Books of the *C*-= the CANONICAL books. **4** 〔樂〕 카논, 전칙곡(典則曲). **5** Ⓤ 〔印〕 카논 활자《48포인트》. ⊕ canónical *a.*: cánonize *v.*

canon² *n.* 《영》 (대)성당 참사회원; 〔가톨릭〕 수사 신부.

ca·ñon [kǽnjən] [Sp] *n.* =CANYON.

can·on·ess [-is] *n.* 율수(律修) 수녀.

ca·non·i·cal [kənɑ́nəkəl/-nɔ́n-] *a.* **1** 정전(正典)으로 인정받은: the ~ books (of the Bible) 정전(正典). **2** 교회법에 의거한. **3** 규범적인. — *n.* (*pl.*) (정규의) 성직복. **~·ly** [-li] *ad.* 교회법에 의하여. ⊕ cánon¹ *n.*

canónical hóurs 〔가톨릭〕 정시과(定時課)《하루 일곱 번의 기도 시간》; 《영》 (교회에서의) 결혼식 거행 시간《오전 8시-오후 6시》.

can·on·ic·i·ty [kæ̀nənísəti] *n.* Ⓤ 교회법에 합치함; 정전(正典)의 자격.

ca·non·ics [kənɑ́niks/-nɔ́n-] *n. pl.* (단수 취급) 경전(經典) 연구, 정전학(正典學).

can·on·ist [kǽnənist] *n.* 교회법 학자.

can·on·is·tic, -ti·cal [kæ̀nənístik], [-əl] *a.* 교회법(상)의.

can·on·i·za·tion [kæ̀nənizéiʃən/-naiz-] *n.* Ⓤ 시성(諡聖)(식); 성전(聖典) 승인.

can·on·ize [kǽnənàiz] *vt.* 시성(諡聖)하다; 성전(聖典)으로 인정하다. ⊕ cánon¹ *n.*

cánon láw 교회법, 종규(宗規).

cánon láwyer =CANONIST.

cánon régular 〔가톨릭〕 수사 신부.

can·on·ry [kǽnənri] *n.* Ⓤ 성당 참사회원의 직; (집합적) 수도 참사회원.

ca·noo·dle [kənúːdl] *vi., vt.* 《영俗》 껴안다, 애무하다(fondle).

cán òpener 《미》 깡통따개(《영》 tin opener); 《俗》 금고 털이 연장.

can·o·pied *a.* 닫집이 있는.

*∗***can·o·py** [kǽnəpi] [Gk] *n.* (*pl.* **-pies**) 천개(天蓋), 닫집; 천개처럼 덮는 것; 하늘; 〔建〕 천개 모양의 차양; 〔空〕 원개(圓蓋)《조종사실 위쪽의 투명한》: under the ~ of smoke 연기에 뒤덮여/the ~ of heaven(s) 창공. **under the canopy** 《미》 도대체《의문의 강조》. — *vt.* (**-pied**) 천개로 덮다, 닫집처럼 가리다.

ca·no·rous [kənɔ́ːrəs] *a.* 음조〔음색〕가 좋은(melodious), 울려 퍼지는. **~·ly** *ad.*

cans [kænz] *n. pl.* 《口》 헤드폰.

canst [kænst, 弱kənst] *auxil. v.* 《古》 thou ~ =you CAN¹.

cant¹ [kænt] [L] *n.* Ⓤ **1** (점잔빼는) 위선적인 말투; 형식적인 표어《정당 등의》, 일시적인 유행어: a ~ phrase 유행어. **2** 서로 통하는 말《일부 사람들끼리만》, 변말, 은어(lingo): thieves' ~ 도둑의 은어. — *vi.* **1** 점잔빼는 말투를 쓰다. **2** 은어를 쓰다.

cant² [L] *n.* **1** (결정체·제방(堤防) 등의) 경사면, 경사. **2** (비스듬히) 한번 밀기〔찌르기〕. **3** 〔鐵道〕 캔트《커브에서 바깥쪽 레일을 높게 한 것》. — *a.* 모서리를 자른; 경사진. — *vt.* **1** 기울이다; 뒤집다(*over*). **2** 모서리를 자르다, 비스듬히 잘라내다(*off*). **3** 비스듬히 밀다〔찌르다〕. — *vi.* **1** 기울다, 비스듬히 자리잡다. **2** 뒤집다(*over*). **3** 〈배가〉 방향을 바꾸다.

cant³ *a.* 《영口》 원기 왕성한; 쾌활한.

★**can't** [kænt/kɑːnt] cannot의 단축형《◇ 구어에서는 MAYN'T대신에 쓰임》: *Can* I go now? 이제 가도 되죠 ⇨ can¹.

cant. canton; cantonment. **Cant.** Canterbury; Canticles; Cantonese.

Can·tab [kǽntæb] *n.* 《口》 =CANTABRIGIAN.

can·ta·bi·le [kɑːntɑ́ːbilèi/kɑːntɑ́ːbilè] [It] 〔樂〕 *a., ad.* 칸타빌레, 노래하는 듯한〔이〕. — *n.* 칸타빌레(악장); Ⓤ 칸타빌레 양식.

Can·ta·brig·i·an [kæ̀ntəbrídʒiən] [Cambridge의 라틴어 형용사] *a., n.* 《영》 케임브리지 대학교의 (재학생·출신자·교우). ⊕ Cámbridge *n.*

can·ta·la [kæntɑ́ːlə] *n.* 〔植〕 용설란의 일종; 그 잎에서 얻는 섬유.

can·ta·loupe, -loup [kǽntəlòup/-lùːp] *n.* 〔植〕 멜론의 일종.

can·tan·ker·ous [kəntǽŋkərəs, kæn-] *a.* 심술궂은; 잘 싸우는; 다루기 힘드는. **~·ly** *ad.* **~·ness** *n.*

can·ta·ta [kəntɑ́ːtə] [It] *n.* 〔樂〕 칸타타《독창부·2중창부·합창부로 된 성악곡》.

can·ta·tri·ce [kæ̀ntətríːtʃei, -tríːs] [It] *n.* (*pl.* ~**s** [-z], **-ci** [-tʃiː]) 여자 가수.

cánt dòg =PEAV(E)Y.

can·teen [kæntíːn] *n.* **1** (군대의) 반합, 수통(water bottle); 휴대 식기. **2** 〔영軍〕 주보《미국에서는 보통 PX라 함》; 매점《광산·바자의》: a dry〔wet〕 ~ 식료품〔주류〕을 주로 파는 주보. **3** 식기〔연장〕 상자《가정용》.

can·ter [kǽntər] *n.* 〔馬術〕 보통 구보(TROT보다 빠르고 GALLOP 보다 느림): at a ~ 〈말이〉 보통 구보로. **win at**〔**in**〕 **a canter** 〈경마 말이〉 쉽게 이기다. — *vi., vt.* 보통 구보로 달리다; 〈말을〉 천천히 달리게 하다; 〈말이〉 보통 구보로 가다(*along*).

*∗***Can·ter·bur·y** [kǽntərbèri, -bəri] [OE] *n.* **1** 캔터베리《영국 Kent 주의 도시; 영국 국교 총본산의 소재지; *cf.* YORK》. **2** (**c-**) 보면대(譜面臺), 악보대.

Cánterbury béll 〔植〕 초롱꽃.

Cánterbury tále〔**stóry**〕 지리한 이야기; 지어낸 이야기.

Cánterbury Táles (The ~) 캔터베리 이야기《14세기 Chaucer가 쓴 운문》.

can·thar·i·des [kænθǽrədìːz] *n. pl.* (*sing.* **can·tha·ris** [kǽnθəris]) **1** (단수·복수 취급) 칸타리스《발포제(發疱劑)·이뇨제》. **2** (단수 취급) 〔昆〕 가뢰(Spanish fly).

cánt hòok 갈고리 지레《통나무 처리용》.

can·thus [kǽnθəs] *n.* (*pl.* **-thi** [-θai]) 〔解〕 안각(眼角), 눈의 양끝.

can·ti·cle [kǽntikəl] *n.* 기도서 성가; (the C-s) 〔聖〕 아가(雅歌)(Song of Solomon).

can·ti·le·na [It] *n.* 〔樂〕 성악〔기악〕의 서정적 선율.

can·ti·le·ver [kǽntəlèvər, -lìːvər] *n.* 〔建〕 외팔보.

cántilever brìdge 외팔보 다리.

can·til·late [kǽntəlèit] *vi.* 영창(詠唱)하다, 가락을 붙여 창화(唱和)하다.

can·ti·na [kæntíːnə] [Sp] *n.* (*pl.* **-nas**) 《미南西部》 술집(salon), 바(bar).

cant·ing [kǽntiŋ] *a.* 점잔빼는 말투의, 위선적인 말투의.

can·tle [kǽntl] *n.* 《영》 안장 꼬리《안장 뒤쪽의 휘어 올라간 부분》; 잘라 낸 조각.

*∗***can·to** [kǽntou] [L] *n.* (*pl.* ~**s**) (시(詩)의) 편(篇) (소설의 chapter에 해당); 〔樂〕 주선율.

can·ton [kǽntn, -tɑn/kǽntɔn, —́] *n.* **1** (스위스 연방의) 주(州); (프랑스의) 군(郡)《arrondissement의 작은 구분》. **2** [kǽntən]

〔紋〕(향하여 왼편) 위쪽 구석의 작은 구획; 《일반적으로》 구획, 부분(portion). — *vt.* **1** 분할하다; 주〔군〕로 나누다. **2** 〈군대에〉 막사를 할당하다, 숙영시키다. **~·al** *a.*
Can·ton[kæntán, ⌐⌐/kæntɔ́n, ⌐⌐] *n.* 광둥(廣東)《중국 동남부의 도시》.
Cánton crépe 광둥 크레이프《실크》.
Can·ton·ese[kæ̀ntəníːz] *a.* 광둥(廣東)의; 광둥 말〔사람〕의. — *n.* (*pl.* ~) **1** 광둥 사람. **2** Ⓤ 광둥 말.
Cánton flánnel 광둥 플란넬《면직물 일종》.
can·ton·ment[kæntóunmənt, -tán-/-túːn-] *n.* 〔軍〕(보통 *pl.*) 숙영(지); 병영《원래 인도 주재 영국 군대의》.
can·tor[kǽntər] *n.* 선창자(先唱者)《성가대의》; 독창자, 주창자.
can·to·ri·al[kæntɔ́ːriəl] *a.* 선창자의; 교회 안(chancel) 북쪽의(*opp.* decanal).
can·to·ris[kæntɔ́ːris] *a.*=CANTORIAL; 〔樂〕 북쪽 합창대가 노래해야 할(*cf.* DECANI). — *n.* 북쪽 성가대.
can·trip[káːntrip] *n.* 《스코》 주문(呪文); 장난.
Cantuar.[kǽntʃuàːr/-tjuàː] *Cantuariensis* (L=of Canterbury; Archbishop of Canterbury의 서명에 쓰임).
can·tus[kǽntəs] [L] *n.* (*pl.* ~) 〔樂〕 노래, 선율; 성가조(調).
cántus fír·mus[-fə́ːrməs] [L] *n.* 〔樂〕 정(定)선율; (교회의) 전통적 성악.
cant·y[kǽnti] *a.* 《스코》 명랑한, 활발한.
Ca·nuck[kənʌ́k] *n., a.* 《미俗》 프랑스계 캐나다 사람(의), 캐나다 사람(의); 캐나다종의 말《馬》(의).
Ca·nute[kənjúːt] *n.* (~ the Great) 카뉴트 (994?-1035)《잉글랜드왕(1016-35), 덴마크왕(1018-35), 노르웨이왕(1028-35) 겸함》.
⁑**can·vas¹, -vass¹** [kǽnvəs] [L] *n.* Ⓤ **1** 범포(帆布), 즈크, 올이 굵은 삼베〔무명〕; (집합적) 텐트. **2** 캔버스, 화포. **3** Ⓒ 유화(oil painting). **4** (역사·이야기의) 배경, 무대(*of*). **5** (the ~) (권투 등의) 링의 캔버스 바닥. **by a canvas** 근소한 차로 〈이기다 등〉. **on the canvas** (권투에서) 다운 당하여; 거의 지게 되어. **under canvas** 〈군대가〉 야영중; 〈배가〉 돛을 달고(under sail). — *a.* 캔버스제의, 즈크의 〈신발 등〉.
cánvas bàck 《俗》 유랑자, 뜨내기 (노동자); 도시에 갓 나온 젊은이; 즈크 자루를 멘 사람.
can·vas·back[kǽnvəsbæ̀k] *n.* (*pl.* **~s,** ~) 〔鳥〕 댕기흰죽지《북미산 들오리》.
*****can·vass², vas²** [kǽnvəs] *vt.* **1** 〈투표·의견·기부 등을 어떤 지역·집단의 사람들에게〉 부탁하고 다니다, 간청하다, 의뢰하다, 권유하다; 〈선거구 등을〉 유세하다; 《미》 〈투표를〉 점검하다: ~ a district *for* votes 투표를 호소하러 선거구를 유세하다/~ the whole country *for* orders for their new product. 신제품의 주문을 받으러 전국을 다니다. **2** 상세히 조사하다, 정사(精查)하다: ~ the ad columns *for* a house for rent 광고란에서 셋집을 조사하다. **3** 〈문제 등을〉 검토〔토의〕하다: ~ a plan 안을 검토하다. — *vi.* **1** 선거 운동을 하다; 주문 받으러 다니다(*for*): ~ *for* a candidate 후보자를 위해 운동하다/~ *for* a newspaper 신문의 주문을 받으러 다니다. **2** 토론하다. **canvas for votes** 선거 운동을 하다. — *n.* 조사; 권유, 의뢰; 선거 운동, 유세; 여론 조사.
can·vas(s)·er[kǽnvəsər] *n.* **1** 호별 방문자; 운동원. **2** 주문받는 사람, 외판원. **3** 《미》 선거의 예상 조사를 하는 사람, 개표 참관인.
cánvas shòes 즈크화.
can·vas-stretch·er *n.* 캔버스 틀.
can·y[kéini] *a.* (**can·i·er; -i·est**) 등나무의, 등나무가 많은, 등나무로 만든.
*****can·yon**[kǽnjən] [Sp] *n.* 《미》 깊은〔큰〕 협곡. ⇨ Grand Canyon(*cf.* valley).
can·zo·ne[kænzóuni/-tsóu-] [It] *n.* (*pl.* **-nes, -ni**[-niː]) 칸초네, 민요풍의 가곡.
can·zo·net[kæ̀nzənét] *n.* 가벼운 소가요곡.
caou·tchouc[kautʃúːk, káuːtʃuk] *n.* Ⓤ 천연 고무, 생고무(rubber).
★**cap¹** [kæp] [L] *n.* **1** (테 없는) 모자(⇨hat). **2** 특수한 모자: a college〔square〕 ~ 대학모〔각모〕/a steel ~ 철모(helmet)/a football ~ 벨벳으로 만든 제모《팀 가입의 표지》. **3** 뚜껑, 캡; 모자 모양의 것, 마개, 두겁; 갓《버섯의》; 〔建〕 주두; 〔海〕 장모(檣帽); (신발의) 코; 무릎뼈(kneecap); 뇌관; 《口》 (닳은 타이어의 접촉면에 붙인) 덧 고무층. **4** 최고(top): the ~ of fools 바보 중의 상바보. **5** (법이나 협정에 의한) 임금·물가 등의 최고 한도액. **6** 《영》 피임용 페서리. **7** 《영》 사냥 회비《임시 회원의》. **cap and bells** 방울 달린 광대 모자(*cf.* FOOL'S CAP). **cap and gown** 대학의 예복. **cap in hand** 탈모하고, 황공해 하며, 굽실거리며. **cap of liberty** 원뿔 모자《공화정치의 상징》; 자유모《해방된 노예가 쓰던》. **cap of maintenance** 관모(官帽)《고관의 표장(表章), 영국왕 대관식 때 국왕 앞에서 받드는 모자》. **get**〔**win**〕 **one's cap** 선수가 되다. **If the cap fits wear it.** 그 말에 짚이는 점이 있으면 자기에 대한 말인 줄 알아라. **put on one's considering**〔**thinking**〕 **cap** 《口》 숙고하다. **send**〔**pass, take**〕 **the cap round** 모자를 돌려 기부금을 모으다. **set one's cap for**〔**at**〕 《口》 〈여자가 남자에게〉 구애하다. **snap one's cap** 《미俗》 몹시 흥분〔당황〕하다. **throw up one's cap** (기뻐서) 모자를 던져올리다. **Where is your cap?** (아가야) 인사를 해야지.
— (**~ped; ~·ping**) *vt.* **1** 모자를 씌우다. **2** 《스코》 학위를 주다; 〈경기자를〉 멤버에 넣다. **3** 〈기구에 뚜껑 등을〉 덮다, 붙이다. **4** 〈일화·인용구 등을〉 다투어 끄집어 내다; 상수를 쓰다. **5** 〈임금 물가 등의〉 한도액을 부과하다. **6** 끝손질을 하다. — *vi.* (경의를 표하여) 모자를 벗다. **cap off** (성공리에) 끝마치다, 마무리짓다. **cap the climax** 도를 지나치다. **cap to** 〈계획 등〉에 찬성하다. **cap verses** 시구(詩句)의 끝자를 이어받아 짓다. **to cap (it) all** 결국에 가서는, 필경에는.
cap² *n.* **1** 대문자(capital letter). **2** 〔印〕 대문자 케이스. — *vt.* (**~ped; ~·ping**) 대문자로 쓰다〔인쇄하다〕.
cap³ 《俗》 *n.* (헤로인 등) 약의 캡슐(capsule). — *vt., vi.* (**~ped; ~·ping**) 〈캡슐을〉 열다, 사용하다, 〈마약을〉 사다.
CAP Cathay Pacific Airways; Common Agricultural Policy《EEC의 농산물 정책》; computeraided production.
CAP, C.A.P. Civil Air Patrol. **cap.** capacity; capital; capitalize; capsule (of heroin); captain; *caput* (L =chapter).
*****ca·pa·bil·i·ty**[kèipəbíləti] *n.* (*pl.* **-ties**) Ⓤ **1** 능력(*of*) 재능, 수완(*for, to* do). **2** 가능성; 특성, 성능(*to* do). **3** (*pl.*) 뻗어날 소질; 장래성; 〔電〕 가능 출력. ⊕ cápable *a.*
⁑**ca·pa·ble**[kéipəbəl] [L] *a.* **1** 유능한(⇨able); (…에 필요한) 실력〔자격〕이 있는(*for*). **2** 〈사람

이〉 …의〔할〕 능력이 있는, 〈사물 · 사정이〉 가능한, …에 견딜 수 있는, …을 넣을 수 있는《of》: (Ⅰ 형+전+명) Her record is ~ of much improvement. 그녀의 성적은 향상될 가능성이 많다. **3** …을 감히 할, …하기를 서슴지 않을 《of》: a man ~ *of* (do*ing*) anything 무슨 짓이든 능히 할 사나이.
~·ness *n.* **-bly** *ad.* 유능하게, 훌륭하게.

*__ca·pa·cious__ [kəpéiʃəs] *a.* 널찍한; 용량이 큰; 포용력 있는. **~·ly** *ad.* ⊕ capácity *n.*

ca·pac·i·tance [kəpǽsətəns] *n.* Ⓤ 〔電〕 정전 용량(靜電容量); Ⓒ 콘덴서(condenser).

ca·pac·i·tate [kəpǽsətèit] *vt.* **1** …하는 것을 가능케 하다(enable)《*to* do》. **2** …의 능력〔자격〕을 주다《*for*》.
ca·pàc·i·tá·tion [-ʃən] *n.*

ca·pac·i·tive [kəpǽsətiv] *a.* 〔電〕 전기 용량의, 용량성(容量性)의.

ca·pac·i·tor [kəpǽsətər] *n.* =CONDENSER.

⁑**ca·pac·i·ty** [kəpǽsəti] *n.* (*pl.* **-ties**) Ⓤ,Ⓒ **1** 능력, 재능, 역량《*of, for, to* do》: a man *of* great ~ 대 수완가/have ~ *to* pay 지급 능력이 있다/We have more ~ *for* know*ing* the past than *for* know*ing* the future. 우리는 미래를 아는 능력보다도 과거를 아는 능력을 더 많이 갖고 있다. **2** (최대) 수용력〔량〕《*for*》; 흡수력《*for*》; 포용력: The auditorium has a seating ~ of 1,000. 이 강당은 1,000명분의 좌석이 있다. **3** Ⓒ 자격; 입장; Ⓤ 〔法〕 법적 자격: *in* my ~ *as* a critic 비평가로서의 내 입장에서. **4** 용적, 용량; 〔物〕 열〔전기〕 용량; 〔컴퓨터〕 용량. **5** (공장 등의) (최대) 생산 능력. **at capacity** 전생산 능력을 올려서. **be in capacity** 법률상의 능력을 갖추고 있다. **capacity to action** 〔法〕 소송 능력. **in a civil capacity** 한 시민으로서. **to capacity** 최대 한으로, 꽉 차게: be filled *to* ~ 꽉 차다, 만원이다. **with a capacity of** (수)용량 …의.
— *a.* 《미》 최대한의; 꽉 찬, 만원의: a ~ crowd 만원/a ~ house 만원인 회장(會場).
⊕ capácious *a.*

cap-a-pie, cap-à-pie [kæ̀pəpíː] [F=from head to foot] *ad.* 온몸에, 전신에.

ca·par·i·son [kəpǽrisən] *n.* (말 · 무사 등의) 성장(盛裝); 호화로운 의상. — *vt.* 성장시키다.

cáp clòud (산봉우리를 덮는) 삿갓구름.

Cap·com [kǽpkɑ̀m/-kɔ̀m] [*Cap*sule *Com*municator] *n.* 우주선과의 교신 담당자.

⁑**cape**¹ [keip] [L] *n.* **1** 곶, 갑(岬)(headland). **2** (the C-) 희망봉(Cape of Good Hope)《아프리카 최남단의 곶; 남아프리카 공화국의 주(州)》; =CAPE COD.

*__cape__² [L] *n.* 어깨 망토, 케이프《여성복의》.

Cápe bóy 흑백 튀기의 남아프리카인.

Cápe bùffalo 〔動〕 아프리카물소.

Cápe Canáveral *n.* 케이프 카내베랄《미국 Florida 주의 곶; 케네디 우주 센터가 있음》.

Cápe Cód *n.* 케이프코드《미국 Massachusetts 주의 반도》; =CAPE COD COTTAGE.

Cápe Còd cóttage (Cape Cod 지방의) 지붕이 물매가 싸고 굴뚝이 하나인 목조 단층집.

Cápe Cólored (남아프리카의) 유럽인과 아프리카인의 혼혈아.

Cápe Hórn *n.* 케이프혼《남미 최남단의 곶; the Horn 이라고도 함》.

Cápe Kénnedy Cape Canaveral의 1963-73년 사이의 이름.

cape·let [kéiplit] *n.* 작은 케이프.

cap·e·lin [kǽpəlin] *n.* (*pl.* ~, ~**s**) 〔魚〕 황어 비슷한 작은 물고기《낚시 미끼》.

Ca·pel·la [kəpélə] *n.* 〔天〕 카펠라《마차꾼자리의 α성(星)》.

Cápe Pròvince *n.* (the ~) 남아프리카 공화국의 한 주(州).

*__ca·per__¹ [kéipər] *vi.* 신나게 뛰놀다; 희롱거리다. — *n.* 신나게 뛰놀기; (종종 *pl.*) 광태(spree); 《미俗》 강도, 범죄 계획〔행위〕. **cut a caper**〔**capers**〕 신나게 뛰어다니다, 까불어대다, 광태를 부리다. **~·er** *n.*

caper² *n.* 〔植〕 서양풍조목《지중해 연안산》; (*pl.*) 그 꽃봉오리의 초절임《조미료》.

cap·er·cail·lie, -cail·zie [kæ̀pərkéilji], [-kéilzi] *n.* 〔鳥〕 큰들꿩.

Ca·per·na·um [kəpə́ːrneiəm, -niəm] *n.* 가버나움《팔레스타인의 옛 도시》.

cape·skin [kéipskìn] *n.* (남아프리카산) 양가죽; 부드러운 양가죽 제품《장갑 · 외투 등》.

Ca·pe·tian [kəpíːʃən] *a., n.* (프랑스의) 카페(Capet) 왕조의 (사람〔지지자〕).

Cápe Tòwn, Cape·town [kéiptàun] *n.* 케이프타운《남아프리카 공화국의 입법부 소재지; *cf.* PRETORIA》.

Càpe Vérde *n.* 카보베르데《아프리카 서쪽의 군도로 된 공화국; 수도 Praia》.

cap·ful [kǽpfùl] *n.* 모자에 가득(한 양), 가벼운 바람: a ~ of wind 한바탕 이는 바람.

cáp gùn =CAP PISTOL.

ca·pi·as [kéipiəs, kǽ-] *n.* (*pl.* **~·es**) 〔法〕 구속영장.

cap·il·lar·i·ty [kæ̀pəlǽrəti] *n.* Ⓤ 〔物〕 모세관 현상; 모(세)관 인력.

cap·il·lar·y [kǽpəlèri/kəpíləri] *a.* 털 모양의; 모세관(현상)의: a ~ vessel 모세 혈관.
— *n.* (*pl.* **-lar·ies**) 모세관.

cápillary attráction 〔物〕 모세관 인력.

cápillary túbe 모세관.

ca·pi·ta [kǽpitə] [L] *n.* CAPUT 의 복수.

★**cap·i·tal** [kǽpitl] [L] *n.* **1** 수도; (어느 활동의) 중심지: the ~ of American finance 아메리카 금융의 중심지. **2** 대문자: in ~*s* 대문자로. **3** Ⓤ 자본, 자산; 자본금, 원금. **4** 힘〔이익〕의 원천; (종종 C-; 집합적) 자본가(계급). **5** 〔建〕 대접받침. 《◇ CAPITOL과는 동음이의어》. **Capital and Labor** 노사(勞使). **circulating**〔**floating**〕 **capital** 유동 자본. **fixed capital** 고정 자본. **lose both capital and interest** 이자는 물론 본전마저 잃다. **make capital** (**out**) **of** …을 이용하다, …을 틈타다. 3% interest **on capital** 자본에 대해서 (3푼 이자). **working capital** 운전〔운영〕 자본. — *a.* **1** 주요한; 으뜸가는: a ~ city〔town〕 수도. **2** 〈문자가〉 대문자인: a ~ letter 대문자(*opp.* small letter). **3** 최고급의, 썩 좋은, 훌륭한: Capital! 최고야!, 멋지다!/a ~ idea 명안(名案). **4** 원래의, 기본의; 자본의: a ~ fund 자본금. **5** 〈죄가〉 사형감인: a ~ crime 죽을 죄. **6** 중대한, 치명적인(fatal): a ~ error 치명적인 과오.

cápital accóunt 〔會計〕 자본금 계정.

cápital ássets 〔會計〕 자본 자산.

cápital equípment 자본 설비.

cápital expénditure 〔會計〕 자본 지출.

cápital gáin 〔經〕 자본 이익, 고정 자산 매각 소득.

cápital góods 〔經〕 자본재(*opp.* consumer goods).

cap·i·tal-in·ten·sive [kǽpitlinténsiv] *a.* 〔經〕 자본 집약적인(*cf.* LABOR-INTENSIVE).

*__cap·i·tal·ism__ [kǽpitəlìzəm] *n.* Ⓤ 자본주의(체제).

∗**cap·i·tal·ist**[kǽpitəlist] *n.* 자본가, 자본주; 자본주의자. ── *a.*=CAPITALISTIC.
cap·i·tal·is·tic[kæ̀pitəlístik] *a.* 자본가〔주의〕의. **-ti·cal·ly** *ad.*
cápitalist róad (중국의) 주자파(走資派)의 정책〔목표〕.
cápitalist róader (중국의) 주자파.
cap·i·tal·i·za·tion[kæ̀pitəlizéiʃən] *n.* **1** Ⓤ 자본화; 《미》 투자; (수입·연금의) 자본으로의 평가, 현시가 계산; (회사의) 주식 발행고. **2** Ⓤ 대문자 사용.
cap·i·tal·ize[kǽpitəlàiz] *vt.* **1** 자본화하다; 《미》 투자하다; 〈수입·재산 등을〉 자본으로 평가하다, 현시가로 계산하다. **2** 대문자로 시작하다. **3** 〈사물을〉 이용하다: ~ one's opportunities 기회를 포착하다. ── *vi.* 이용하다《*on*》.

C

cápital lèvy 〔經〕 자본 과세.
cápital lóss 자본 손실《투자 유가증권·부동산 등 자산의 매각으로 생긴 손실》.
cap·i·tal·ly[kǽpətəli] *ad.* **1** 극형(極刑)으로. **2** 멋지게, 훌륭하게.
cápital púnishment 사형, 극형.
cápital shìp〔海軍〕 주력함《최대급 군함》.
cápital stóck (회사가 발행한) 주식 총수; 주식 자본.
cápital súrplus 자본 잉여금.
cápital térritory 수도권(首都圈).
cápital tránsfer tàx 《영》 증여세(《미》 gift tax).
cap·i·tate, -tat·ed[kǽpətèit], [-tèitid] *a.* 〔植〕 머리꽃차례의; 〈말단이〉 머리 모양의.
cap·i·ta·tion[kæ̀pətéiʃən] *n.* Ⓤ 사람 머리수대로의 할당; Ⓒ 인두세(poll tax).
capitátion grànt 사람 머리수에 따른 균일 보조금.
∗**Cap·i·tol**[kǽpitl] *n.* **1** (the ~) Jupiter의 신전《로마의 Capitoline언덕 위에 있었음》. **2** (the ~) 《미》 국회 의사당; (보통 c-) 주(州) 의회 의사당(statehouse).
Cápitol Híll *n.* 《미》 **1** 국회 의사당이 있는 곳. **2** 미국 의회.
Cap·i·to·line[kǽpitəlàin] *a.* 카피톨 언덕의. ── *n.* (the ~) = CAPITOLINE HILL.
Cápitoline Híll *n.* (the ~) 카피톨 언덕《옛 로마 시대에 Jupiter 신전이 있던 곳》.
ca·pit·u·lar[kəpítʃələr] 〔가톨릭〕 *a.* 참사회(chapter)의. ── *n.* = CAPITULARY.
ca·pit·u·lar·y[kəpítʃəlèri/-ləri] 〔가톨릭〕 *a.* 참사회의. ── *n.* (*pl.* **-lar·ies**) 참사 회원; (*pl.*) 교회 법령집.
ca·pit·u·late[kəpítʃəlèit] *vi.* 〔軍〕 (조건부로) 항복하다; 저항을 그만두다: 《I 전+명》 They ~*d to* the enemy. 그들은 적에게 항복했다.
ca·pit·u·la·tion[kəpìtʃəléiʃən] *n.* **1** Ⓤ 조건부 항복. **2** (*pl.*) 항복 문서; 치외 법권 설정 조건〔각서〕; (회의·조약 등의) 합의 사항 각서. **~·ìsm** *n.* 항복주의《특히 서방으로 넘어온 공산주의자의 자세》. **~·ist** *n.*
ca·pit·u·lum[kəpítʃələm] *n.* (*pl.* **-la**[-lə]) **1** 〔植〕 두상꽃차례, 두상화(頭狀花); (버섯류의) 삿갓. **2** 〔解〕 뼈의 소두(小頭).
cap·let[kǽplit] [*cap*sule+-*let*] *n.* (복용하기 쉽게) 타원형으로 된 알약, 정제.
Cap·let *n.* 캐플릿《캡슐 모양으로 된 정제(tablet); 상표명》.
cap·lin *n.* = CAPELIN.
Cap'n[kǽpən] *n.* = CAPTAIN.
cáp nút (위가 둥근 돔(dome) 모양의) 금속너트.
ca·po[kǽpou] [It] *n.* (마피아 지부의) 두목, 지부장.
ca·pon[kéipən, -pɑn] *n.* (거세한) 식용 수탉.
Ca·po·ne[kəpóuni] *n.* 카포네 Al ~《미국 마피아단 두목(1899-1947)》.
ca·pon·ize[kéipənàiz] *vt.* 〈수탉을〉 거세하다.
cap·o·ral[kǽpərəl, kæ̀pərǽl] [F] *n.* Ⓤ 프랑스산 살담배.
cap·o·re·gime[kæ̀pouriʒí:m] [It] *n.* (마피아의) 부두목, 부지부장《capo의 다음》.
ca·pot[kəpɑ́t, -póu/-pɔ́t] *n., vt.* (PIQUET 놀이에서) 전승(全勝)(하다).
ca·pote[kəpóut] *n.* 후드 달린 긴 외투; 끈 달린 보닛의 일종; (마차의) 접는 덮개.
cap·pa·per[kǽppèipər] *n.* 엷은 밤색 포장지; 편지지의 일종.
cap·per[kǽpər] *n.* **1** 《미俗》 (경매에서) 값을 올려 부르는 한패; (노름판의) 바람잡이. **2** 《俗》 결말, 끝장. **3** 《俗》 절정(climax).
cáp pìstol (딱총약을 쓰는) 장난감 권총.
cap·puc·ci·no[kæ̀putʃí:nou, kɑ̀:pu-] *n.* 뜨거운 에스프레소 커피(espresso coffee)에 우유를 탄 것《종종 시나몬(cinnamon)을 넣고 거품크림을 얹어 먹음》.
Ca·pri[kɑ́:pri, kǽp-, kəprí:] *n.* 카프리섬《이탈리아 나폴리만의 명승지》.
cap·ric[kǽprik] *a.* 숫염소의〔같은〕; 〔化〕 카프르산(酸)의.
cápric ácid 〔化〕 카프르산(酸).
ca·pric·cio[kəprí:tʃiòu] [It] *n.* (*pl.* **~s**[-z], **-ci**[-tʃi:]) 〔樂〕 카프리치오, 광상곡.
∗**ca·price**[kəprí:s] [L] *n.* **1** 변덕(whim); 제멋대로의 행동; 뜻밖의 급변; 공상적 작품. **2** 〔樂〕 =CAPRICCIO.
∗**ca·pri·cious**[kəpríʃəs] *a.* 변덕스러운, 급변하는. **~·ly** *ad.* **~·ness** *n.*
Cap·ri·corn[kǽprikɔ̀:rn] *n.* 〔天〕 염소자리(the Goat); 마갈궁; 염소자리 태생인 사람. **the Tropic of the Capricorn** 남회귀선, 동지선.
Cap·ri·cor·nus[kæ̀prəkɔ́:rnəs] [L] *n.* = CAPRICORN.
cap·ri·fi·ca·tion[kæ̀prəfikéiʃən] *n.* 무화과의 가루받이 촉진법.
cap·ri·fig[kǽprəfig] *n.* 야생 무화과(科)의 일종《남유럽·소아시아산》.
cap·rine[kǽprain] *a.* 염소의〔같은〕.
cap·ri·ole[kǽpriòul] *vi.* 도약하다; 〈말이〉 제자리에서 뛰어 오르다. ── *n.* 도약; 제자리뜀.
Caprí pánts 발목께가 홀쭉한 여자용 캐주얼 바지.
Ca·pris[kəprí:z] *n. pl.* = CAPRI PANTS.
ca·pró·ic ácid[kəpróuik-] 〔化〕 카프로산(酸)《향미료에 쓰임》.
caps.[kæps] capital letters; capsule.
cap·si·cum[kǽpsikəm] *n.*〔植〕 고추(열매).
cap·sid[kǽpsid] *n.* 〔生〕 캡시드《바이러스의 핵산을 싸는 단백질 껍질》. **~·al** *a.*
cap·size[kǽpsaiz, ─́] *vt., vi.* 뒤집다, 뒤집히다. ── *n.* 전복.
cáp sléeve(어깨와 팔위를 덮는)짧은 슬리브.
cap·so·mere[kǽpsəmìər] *n.* 〔生〕 캡소미어《CAPSID의 구성 단위》.
cap·stan[kǽpstən] *n.* 캡스턴《닻·무거운 짐 등을 감아올리는 장치》; (테이프레코더의) 캡스턴.
cap·stone[kǽpstóun] *n.* 〔建〕 관석(冠石), 갓돌《돌기둥·벽 등의》; 절정, 정점.
cap·su·lar[kǽpsələr/-sju-] *a.* 캡슐(모양)

의; 캡슐에 든.
cap·su·late [kǽpsəlèit, -sju-] *vt.* 캡슐에 넣다; 요약하다. — *a.* 꼬투리가 달린〔에 들어 있는〕; 캡슐에 든. **-lat·ed** *a.*
*__cap·sule__ [kǽpsəl/-sju:l] [L] *n.* **1** 캡슐, 교갑(膠匣). **2** 〔解〕 막낭(膜囊); 〔植〕 꼬투리, 삭; 〔化〕 접시《증발용의 종지》; 병마개《유리병의》;(우주선의) 캡슐(=space ~). **3** 요약. **in capsule** 요약해서, 간추려서. — *a.* 소형의; 요약한. — *vt.* 캡슐에 넣다; 요약하다.
cápsule commúnicator (우주선 승무원과의) 지상 연락원《Capcom이라고도 함》.
cápsule separátion (우주선 발사 로켓에서의) 캡슐 분리.
cap·sul·ize [-àiz] *vt.* =CAPSULE.
Capt. captain.
★**cap·tain** [kǽptin] [L] *n.* **1** 장(長), 우두머리; 지휘관, 명장《육해군의》, 지휘자, 지도자. **2** 선장, 함장, 정장; 기장. **3** 주장《팀의》, 캡틴; 반장, 단장, (소방대의) 대장; 급사장. **4** 육군〔공군〕 대위; 해군 대령; 《미》 (경찰의) 경감. **5** (실업계의) 거물. — *vt.* …의 장이 되다, 통솔하다. **~·cy** [-si] *n.* Ⓤ,Ⓒ CAPTAIN의 지위〔직, 임기〕. **~·ship** [-ʃìp] *n.* Ⓤ CAPTAIN의 자격; 통솔력.
cáptain géneral 총사령관.
cáptain's bíscuit 〔海〕 고급 건빵.
cáptain's chàir Windsor chair 형 의자.
cáptain's mást (사병이 규칙·법령 등을 위반, 고발당했을 때) 함장이 사정을 청취하고 판결을 내리는 법정.
CÁPTAIN Sýstem [kǽptin-] [*C*haracter and *P*attern *T*elephone *A*ccess *I*nformation *N*etwork] 캡틴 시스템《가정의 유선 텔레비전에의 정보 제공 시스템; 상표명》.
cap·tan [kǽptæn, -tən] [mer*captan*] *n.* 캡탠《야채·꽃 등에 사용하는 백색분말 살충제》.
cap·tion [kǽpʃən] *n.* **1** 《미》 표제, 제목《신문 등의》, 제목《장·페이지 등의》, 설명문, 캡션《삽화·사진의》, 자막《영화의》. **2** 〔法〕 (법률 문서의) 머리말. **3** 《古》 체포. — *vt.* 〔映〕 자막을 넣다; 제목을 붙이다; 설명문을 달다.
cap·tious [kǽpʃəs] *a.* 흠잡기 잘하는; 말꼬리를 잡고 늘어지는, 짓궂은. **~·ly** *ad.*
cap·ti·vate [kǽptəvèit] [L] *vt.* 마음을 사로잡다, 호리다, 매혹하다.
-vator [kǽptəvèitər] *n.*
cap·ti·vat·ing [kǽptəvèitiŋ] *a.* 매혹적인. **~·ly** *ad.*
cap·ti·va·tion [kæ̀ptəvéiʃən] *n.* Ⓤ 매혹, 매력, 매혹된 상태.
⁑**cap·tive** [kǽptiv] [L] *a.* **1** 포로의, 사로잡힌; 넋이 빠진. **2** 〈소기업이〉 모회사에 전속된. **take**〔**hold, lead**〕 a person **captive** …을 포로로 잡다〔잡아두다, 잡아가다〕. — *n.* 포로, 잡힌 사람(*opp.* captor); (사랑 등에) 빠진 사람《*to*》.
cáptive ballóon 계류(繫留) 기구.
cáptive tèst〔**firing**〕 (미사일·로켓 엔진 등의) 지상 분사 시험.
*__cap·tiv·i·ty__ [kæptívəti] *n.* Ⓤ 포로(의 신세〔기간〕); 감금; 속박. **the Captivity** 〔聖〕 유대인의 바빌론 유수(幽囚)(=BABYLONIAN CAPTIVITY). **in captivity** 사로잡혀, 감금〔속박〕되어.
cap·tor [kǽptər] *n.* 체포자(*opp.* captive); 획득자.
cap·tress [-tris] *n.* CAPTOR의 여성형.
⁑**cap·ture** [kǽptʃər] [L] *vt.* **1** 사로잡다; 포획하다; 〈요새·진지를〉 점령하다; 〔物〕 〈소립자를〉 포착하다. **2** 〈상 등을〉 획득하다. **3** 〈마음·관심을〉 사로잡다, 매료하다. **4** 〈자연미 등을 그림·말로〉 포착〔보존〕하다. **5** 〈사업 등의〉 지배권을 쥐다. **6** 〔컴퓨터〕 〈데이터를〉 컴퓨터 기계어로 변환시키다. — *n.* **1** Ⓤ 포획, 생포; 점령. **2** 포획물, 노획물; 상품, 상금. **3** Ⓤ 〔物〕 (방사성) 포착. **4** 〔컴퓨터〕 (문자 정보의) 컴퓨터 기계어로의 변환.
Cap·u·chin [kǽpjutʃin] *n.* 카푸친회《프란체스코회의 한 분파》의 수도사; (**c-**) 후드 달린 여자용 망토; (**c-**) 〔動〕 흰목꼬리감기원숭이.
ca·put [kéipət, kǽpət] [L] *n.* (*pl.* **ca·pi·ta** [kǽpitə]) 〔解〕 머리(head); 두상돌기.
caput mor·tu·um [-mɔ́:rtʃuəm] [L] *n.* 〔鍊金術〕 증류〔승화〕 찌꺼기.
cap·y·ba·ra [kæ̀pibǽrə] *n.* 〔動〕 카피바라 《남미산의 설치류 중 최대의 동물》.
★**car** [kɑ:r] *n.* **1** 차, 자동차. **2** 《영》 특수 차량, …차: a sleeping ~ 침대차. **3** 짐마차, 짐수레. **4** 《미》《일반적으로》 철도 차량, 객차, 화차; 궤도차. **5** 타는 칸《엘리베이터의》; 곤돌라《비행선·기구 등의》. **6** 《詩》 (고대의) 전차(戰車)(chariot). **by car** 자동차〔전차〕로. **take a car** 자동차〔전차〕를 타다.
CAR Central African Republic; Civil Air Regulations 민간 항공 규칙. **car.** carat(s); carpentry. **Car.** Carlow.
ca·ra·bao [kæ̀rəbáu, kɑ̀:rəbɑ́:ou] *n.* (*pl.* **~s,** ~) 물소(water buffalo)《필리핀산》.
car·a·bin [kǽrəbàin] *n.* =CARABINEER.
car·a·bi·neer, -nier [kæ̀rəbiníər] *n.* 기총병(騎銃兵).
car·a·bi·ner [kæ̀rəbí:nər] [G] *n.* 〔登山〕 카라비너《타원 또는 D자형의 강철 고리》.
ca·ra·bi·nie·re [kæ̀rəbinjέəri] [It] *n.* (*pl.* **-ri** [-ri]) (이탈리아의) 경찰관.
car·a·cal [kǽrəkæ̀l] *n.* 〔動〕 스라소니의 일종; Ⓤ 그 털가죽.
ca·ra·ca·ra [kɑ̀:rəkɑ́:rə, kæ̀rəkǽrə] *n.* 〔鳥〕 카라카라《매의 일종; 멕시코의 나라새》.
Ca·ra·cas [kərɑ́:kəs, -rǽ-] *n.* 카라카스(Venezuela의 수도).
car·ack [kǽrək] *n.* =CARRACK.
car·a·cole, -col [kǽrəkòul], [-kɑ̀l/-kɔ̀l] *vi., vt.* 〔馬術〕 반(半)회전하다〔시키다〕. — *n.* 반회전; 선회 동작; 〔建〕 나선 계단.
car·a·cul [kǽrəkəl] *n.* 카라쿨양(羊); Ⓤ 카라쿨양의 모피.
ca·rafe [kərǽf, -rɑ́:f] *n.* 유리 물병《식탁·침실·연단용》; 포도주병《식탁용》.
*__car·a·mel__ [kǽrəməl, -mèl] *n.* **1** Ⓒ 캐러멜, 설탕엿《음식물의 물감; 푸딩 등을 맛들이는 재료》. **2** 캐러멜 (과자). **3** Ⓤ 캐러멜 색.
car·a·mel·ize [-àiz] *vt., vi.* 캐러멜로 만들다〔되다〕.
ca·ran·gid [kərǽndʒid] *n.* 전갱이과(科)의 물고기《총칭》.
car·a·pace [kǽrəpèis] *n.* 등딱지《거북의》; 갑각(甲殼).
*__car·at__ [kǽrət] *n.* **1** 캐럿《보석의 무게 단위; 200mg》. **2** =KARAT 1.
⁑**car·a·van** [kǽrəvæ̀n] *n.* **1** (사막의) 대상(隊商); (순례자 등의) 여행자단. **2** (서커스단·가구 등의) 유개 대운반차; (한 떼의) 포장 마차《집시 등의》; 이주민의 차마 대열. **3** 《영》(자동차로 끄는) 트레일러, 이동 주택. — *vt., vi.* (~**ned,** 《미》 ~**ed;** ~**·ning,** 《미》 ~**·ing**) caravan으로 여행하다〔나르다〕.
car·a·van·ning *n.* 《영》 (자동차가 끄는) 이동 주택에서 휴가를 보냄.

C

cáravan párk〔síte〕 《영》 이동 주택〔트레일러〕 주차장.
car·a·van·sa·ry[kæ̀rəvǽnsəri] *n.* (*pl.* **-ries**) 대상(隊商)의 숙사《중앙에 넓은 뜰이 있는》; 큰 여관.
car·a·van·se·rai[-rài] *n.* (*pl.* ~s, ~) = CARAVANSARY.
car·a·vel, -velle[kǽrəvèl] *n.* 캐러벨《16세기경 스페인 등에서 사용한 작은 범선》.
car·a·way[kǽrəwèi] *n.* 〔植〕 캐러웨이, 회향풀의 일종; (*pl.*) 그 열매(=∠ **sèeds**).
carb [*carb*uretor] *n.* = 카브레터.
car·barn[kɑ́ːrbɑ̀ːrn] *n.*《미》 전차〔버스〕 차고.
car·ba·ryl[kɑ́ːrbəril] *n.* 카바릴《무색·결정질의 분말 살충제》.
car·be·cue[kɑ́ːrbəkjùː] [*car*+bar *becue*] *n.* 카베큐《폐차를 불 위에서 압축하는 장치》.
cár bèd 카베드《차 좌석에 놓는 아기 침대》.
car·bide[kɑ́ːrbaid, -bid] *n.* 〔化〕 **1** 카바이드, 탄화물. **2** Ⓤ 탄화칼슘(=calcium ~).
car·bine[kɑ́ːrbin, -bain] *n.* (옛날의) 기병총(騎兵銃); 〔미軍〕 카빈총.
car·bi·neer[kɑ̀ːrbiníər] *n.* = CARABI-NEER.
car·bo-[kɑ́ərbou/kɑ́ː-] 《연결형》「탄소」의 뜻.
*****car·bo·hy·drate**[kɑ̀ːrbouháidreit] *n.* 〔化〕 탄수화물, 함수탄소; (보통 *pl.*) 탄수화물이 많은 식품.
car·bo·lat·ed[kɑ́ːrbəlèitid] *a.* 석탄산을 함유한.
*****car·bol·ic**[kɑːrbɑ́lik/-bɔ́l-] *a.* 〔化〕 콜타르성(性)의.
carbólic ácid 석탄산.
carbólic sóap 석탄산 비누《약한 산성》.
car·bo·lize[kɑ́ːrbəlàiz] *vt.* 석탄산으로 처리하다; 석탄산을 가하다.
cár bòmb 자동차 폭파 장치《테러 분자의》.
cár bòmbing 자동차 폭파.
******car·bon**[kɑ́ːrbən] [L] *n.* **1** Ⓤ 〔化〕 탄소《기호 C, 번호 6》. **2** 〔電〕 탄소봉. **3** Ⓤ,Ⓒ 카본지, Ⓒ 카본지를 쓴 사본(=~copy).
car·bo·na·ceous[kɑ̀ːrbənéiʃəs] *a.* 탄소질의.
car·bo·na·do[kɑ̀ːrbənéidou] *n.* (*pl.* ~(e)s) 흑(黑)금강석《시추용》.
Car·bo·na·ri[kɑ̀ːrbənɑ́ːri] *n. pl.* (*sing.* **-ro**[-rou]) 〔史〕 카르보나리당(黨)《이탈리아 급진 공화주의자의 결사》.
car·bon·ate[kɑ́ːrbənèit, -nit] *n.* 〔化〕 탄산염. **carbonate of lime〔soda〕** 탄산 석회〔소다〕. — [kɑ́ːrbənèit] *vt.* 탄산염으로 바꾸다; 탄화하다; 탄산가스로 포화시키다.
car·bon·at·ed[kɑ́ːrbənèitid, -nitid] *a.* 탄산가스로 포화시킨: ~ water 소다수.
car·bon·a·tion[-ʃən] *n.* Ⓤ 〔化〕 탄산염화(작용); 탄산(가스) 포화; 탄화.
cárbon blàck 카본블랙《인쇄 잉크 원료》.
cárbon cópy 카본지에 의한 복사《略: c.c.》; 《미口》 꼭 닮은 사람〔것〕, 판박이.
car·bon-copy[kɑ́ːrbənkɑ̀pi/-kɔ̀-] *a.* 꼭 같은. — *vt.* 복사하다, 사본을 뜨다.
cárbon cỳcle (생물권의) 탄소 순환; 〔物〕 탄소 사이클.
car·bon-date[-dèit] *vt.* …의 연대(年代)를 방사성 탄소로 측정하다.
cárbon dàting 방사성 탄소 연대 측정법.
cárbon díamond = CARBONADO.
cárbon dióxide 〔化〕 이산화탄소, 탄산 가스 (*cf.* CARBON MONOXIDE).
cárbon dióxide snòw 드라이아이스.
cárbon fìber 탄소 섬유.
cárbon 14 〔化〕 탄소 14《탄소의 방사성 동위원소; 기호 C14》.
carbon-14 dating =RADIOCARBON DATING.
*****car·bon·ic**[kɑːrbɑ́nik/-bɔ́n-] *a.* 탄소의.
carbónic ácid 〔化〕 탄산.
carbónic ácid gàs 〔化〕 탄산가스.
Car·bon·if·er·ous[kɑ̀ːrbəníf ərəs] *a.* 석탄기(紀)의; (c-) 석탄을 산출〔함유〕하는. **the Carboniferous period〔strata, system〕** 석탄기(紀)〔층, 계〕. — *n.* (the ~) 석탄기〔계(系)〕.
car·bon·i·za·tion[kɑ̀ːrbənizéiʃən] *n.* Ⓤ 탄화; 석탄 건류(乾溜).
car·bon·ize[kɑ́ːrbənàiz] *vt.* 탄화하다; 숯〔코크스〕으로 만들다; 〈종이에〉 탄소를 칠하다. — *vi.* 탄화되다.
cárbon knòck (엔진의) 불완전 연소로 생기는 노크 소리.
cárbon monóxide 〔化〕 일산화탄소.
cárbon pàper 카본지《복사용》.
cárbon pìle 탄소 원자로.
cárbon prὸcess〔prìnting〕 〔寫〕 카본 인화법.
cárbon stèel 〔冶〕 탄소강(鋼).
cárbon tàx 탄소세(稅)《온실 효과를 가져오는 이산화탄소 배출에 대한 세금》.
cárbon tetrachlóride 〔化〕 4염화탄소《드라이클리닝 약품·소화제(消火劑)》.
cárbon(-)12[-twélv] *n.* 〔化〕 탄소 12《탄소의 동위원소; 원자량의 기준으로 사용》.
car·bon·yl[kɑ́ːrbənìl] *n.* Ⓤ 〔化〕 카르보닐기(=∠ **ràdical〔gròup〕**); 금속 카르보닐.
car·bo·rane[kɑ́ːrbərèin] *n.* Ⓤ 〔化〕 카보레인《탄소·붕소·수소의 화합물》.
car·borne[kɑ́ːrbɔ̀ːrn] *a.* 차로 온〔운반된〕; 차에 실린〔비치된〕.
Car·bo·run·dum[kɑ̀ːrbərʌ́ndəm] *n.* 카보런덤《탄화 규소 연마제 등; 상표명》.
car·box·yl[kɑːrbɑ́ksil/-bɔ́k-] *n.* 〔化〕 카르복실기(基)(=∠ **rà·dical〔group〕**)
car·box·yl·ase[kɑːrbɑ́ksileis, -leiz/-bɔ́k-] *n.* 〔生化〕 탈(脫)탄산 효소.
car·box·yl·ate[kɑːrbɑ́ksilèit] *vt.* 〔生化〕 (유기 화합물을) 카르복실화(化)하다.
car·boy[kɑ́ːrbɔi] *n.* 상자〔채롱〕 속에 든 대형 유리병《부식성의 액체를 보관하는》.
car·bun·cle[kɑ́ːrbʌŋkəl] *n.* 〔醫〕 등창, 정; 〔鑛〕 홍옥, 홍수정; (꼭대기를 둥글게 간) 석류석. **-cled, car·bun·cu·lar**[-d], [kɑːrbʌ́ŋkjələr] *a.* 등창의; 등창에 걸린; 홍옥을 박은.
car·bu·ret[kɑ́ːrbərèit, -bjərèt] *vt.*(~·**ed;** ~·**ing**|~·**ted;** ~·**ting**) 탄소와 화합시키다, 탄소화합물을 섞다.
car·bu·re·tion[∸–réiʃən, -ré-] *n.* Ⓤ 탄화(炭化), (내연 기관 등의) 기화(氣化).
car·bu·re·tor|**-ret·tor**[kɑ́ːrbərèitər, -bjə-, -re-] *n.* 〔機〕 탄화 장치; (내연 기관의) 기화기(氣化器), 카부레터.
car·bu·rize[kɑ́ːrbəràiz] *vt.* **1** 〈금속을〉 탄소로 처리하다. **2** =CARBURET.
càr·bu·ri·zá·tion[kɑ̀ːrbərizéiʃən] *n.* Ⓤ 〔化〕 탄화(炭化); 〔冶〕 침탄(浸炭)(cementation).
car·ca·jou[kɑ́ːrkədʒùː, -kəʒùː] *n.* 〔動〕 (북미산) 오소리의 일종.
car·ca·net[kɑ́ːrkənèt] *n.* (보석·금 등을 박은) 머리 장식; 《古》 목걸이.
cár càrd (전차·버스 등의) 차내 광고물.
cár càrrier (수출용) 자동차 운반선.
*****car·case**[kɑ́ːrkəs] *n.* 《영》 =CARCASS.
*****car·cass**[kɑ́ːrkəs] *n.* **1** 시체《짐승의》; 《경멸》 (사람의) 시체; (살아 있는) 인체; (도살한

짐승의) 몸통. **2** 형해(形骸), 잔해(殘骸)《*of*》. **3** 뼈대《가옥·선박 등의》. **to save one's carcass** 목숨이 아까와서, 몸의 안전을 꾀하여. ── *vt.* …의 뼈대를 만들다.

cárcass méat 날고기《깡통 고기가 아닌》.

car·cin·o·gen [kɑːrsínədʒən] *n.* 〔醫〕 발암(發癌)(성) 물질.

car·ci·no·gen·e·sis [kɑ̀ːrsənoudʒénəsis] *n.* Ⓤ 〔醫〕 발암.

car·ci·no·gen·ic [kɑ̀ːrsənoudʒénik] *a.* 발암성의. **-ge·nic·i·ty** [-dʒənísəti] *n.* 발암성.

car·ci·noid [kɑ́ːrsənɔ̀id] *n.* 〔醫〕 유암종(類癌腫).

car·ci·no·ma [kɑ̀ːrsənóumə] *n.* (*pl.* **~s, ~·ta** [-tə]) 〔醫〕 암(종)(癌(腫))(cancer); 악성 종양.

car·ci·no·ma·to·sis [kɑ̀ːrsənoumətóusis] *n.* 〔醫〕 암종증(症)《암이 온 몸에 퍼진 상태》.

car·ci·nom·a·tous [kɑ̀ːrsənɑ́mətəs/-nɔ́m-] *a.* 〔醫〕 암(성)의.

cár còat 《미》 짧은 외투《운전자용》.

⋆**card**[1] [kɑːrd] [L] *n.* **1** 카드; 판지; 마분지; 〔컴퓨터〕 =PUNCH CARD. **2** …장(狀); …권(券); …증(證); 엽서(=post ~); 명함(《미》 calling ~, 《영》 visiting ~): invitation ~ 초대장, 안내장/a wedding ~ 결혼 청첩장/an admission ~ 입장권/a Christmas ~ 크리스마스 카드. **3** 4각형의 플라스틱 카드《cash ~, credit ~《등》》. **4** (카드놀이의) 카드, 패; (*pl.*) 카드놀이; 〔카드놀이〕 좋은 수: a pack of ~*s* 카드 한 벌/play ~*s* 카드놀이를 하다. **5** 목록표, 메뉴; 방위 지시반(方位指示盤). **6** (어떠한) 수단, 방책: play a doubtful〔safe, sure〕 ~ 의심스러운〔안전한, 확실한〕 방책〔계획〕을 쓰다. **7** 《口》 (어떠한) 인물, 별난 사람, 우스꽝스러운 사람: a knowing〔queer〕 ~ 빈틈없는〔괴상한〕 놈. **8** (극장 등의) 상연표; (스포츠 등의) 진행 순서; 흥행; 시합: a drawing ~ 인기물, 특별 프로. **9** 《미》 (신문에 내는 성명·해명 등의) 짧은 광고, 통지. **10** (the (correct) ~) 《口》 옳은〔적절한〕 것: That's the ~ *for* it. 바로 그것이다. **11** (*pl.*) 《영口》 (고용주가 보관하는) 피고용자의 서류. **ask for** one's **cards** 《영口》 사의를 표명하다. **be at cards** 카드놀이를 하고 있다. **get** one's **cards** 《영口》 해고당하다. **give** a person **his cards** 《영口》 …을 해고하다. **have a card up** one's **sleeve** 비장의 방책이 있다. **have**(**all**) **the cards in** one's **hands** 유리한 처지에 있다. **hold all the cards** 완전히 지배하다. **house of cards** 확실치 못한 계획, 탁상 공론. **leave** one's **card** 명함을 두고 가다《*on*》《정식 방문 대신에》. **make a card** 〔카드〕 (한 장의 패로) 1회분의 패(trick)를 따다. **No cards.** (신문의 부고 광고에서) 이로써 개별 통지에 대신함. **on**〔**in**〕 **the cards** 《口》 예상되는, 있을 수 있는, 아마 (…인 듯한). **play** one's **best card** 비장의 방책을 쓰다. **play**〔**hold, keep**〕 one's **cards close to** one's〔**the**〕 **chest** 《口》 은밀히 행하다, 비밀로 하다. **play** one's **cards well**〔**badly**〕 일을 잘〔서툴게〕 처리하다. **play** one's **last card** 최후 수단을 쓰다. **play** one's〔**a**〕 **wrong**〔**winning**〕 **card** 서투른〔이길〕 수를 쓰다. **put**〔**lay**〕 (**all**) one's **cards on the table** 계획을 공개하다. **show** one's **cards** 자기 패를 내보이다, 비결을 내보이다. **speak by the card** 확신을 가지고〔명확하게〕 말하다. **stack the cards** ⇨stack. **throw**〔**chuck, fling**〕 **up** one's **cards** (1) 가진 패를 내던지다. (2) 계획을 포기하다, 패배를 인정하다. ── *vt.* 카드에 기입하다; 카드를 도르다; …에 카드를 붙이다; 〈골프에서 득점을〉 스코어 카드에 적다.

card[2] *n.* (양털·삼 등을 빗는) 빗; (크레딧 카드 모양의) 컴퓨터의 프린트 회로판(*cf.* PCB[2]); =CARDING MACHINE. ── *vt.* 빗다, 빗질하다; 소모(梳毛)하다.

Card. Cardinal. **CARD, C.A.R.D.** Campaign against Racial Discrimination 《영》 인종 차별 철폐 운동(조직).

card·a·hol·ic [kɑ̀ːrdəhɔ́(ː)lik, -hɑ́l-] *n.* 크레디트카드로 낭비하는 사람, 크레디트카드 중독자.

car·da·mom, -mum [kɑ́ːrdəməm] *n.* 〔植〕 (열대 아시아산) 생강과(科) 엘레타리아속(屬); 그 열매《약용·향료》.

⁎**card·board** [kɑ́ːrdbɔ̀ːrd] *n.* Ⓤ 판지(板紙), 보드지, 마분지. ── *a.* 판지의〔같은〕; 명색뿐인, 비현실적인; 평범한.

càrdboard cíty (대도시의) 무숙자 집단 지역《판지로 만든 노숙집 거리》.

card-car·ry·ing [kɑ́ːrdkæ̀riiŋ] *a.* 당원〔회원〕증을 가진, 정식의; 《口》 진짜의, 전형적인.

cárd càse 명함통, 카드 상자.

cárd càtalog 카드식 목록.

card·coun·ter [kɑ́ːrdkàuntər] *n.* 카드 도박사.

cárd·ed páckaging [kɑ́ːrdid-] 카드 모양의 포장《인쇄된 판지에 상품을 부착》.

card·er [kɑ́ːrdər] [CARD[2] *v.*에서] *n.* 빗는 사람, 소모(梳毛)하는 사람; 소모기, 소면(梳綿)기.

cárd fìle (도서관 등의) 카드식 목록〔색인〕.

cárd gàme 카드놀이.

card·hold·er [kɑ́ːrdhòuldər] *n.* (등록한) 정식 당원〔조합원〕, (도서관의) 대출 등록자; (타자기의) 카드홀더.

car·di- [kɑ́ərdi/kɑ́ː-], **car·di·o-** [kɑ́ərdiou/kɑ́ː-] 《연결형》 「심장」의 뜻《모음 앞에서는 cardi-》.

car·di·ac [kɑ́ːrdiæ̀k] *a.* 〔醫〕 심장(병)의; (위의) 분문(噴門)(esophagus)의. ── *n.* **1** 〔醫〕 강심제(cordial). **2** 심장병 환자.

cárdiac arrést 심장 (박동) 정지.

cárdiac glýcoside 〔藥〕 강심 배당체(配糖體).

cárdiac múscle 〔解〕 **1** 심근(心筋). **2** 심근층(心筋層)(myocardium).

cárdiac neurósis 〔醫〕 심장 신경증.

car·di·al·gi·a [kɑ̀ːrdiǽldʒiə] *n.* Ⓤ 〔醫〕 속쓰림(heartburn); 심장통.

car·di·ant [kɑ́ːrdiənt] *n.* 강심제.

Car·diff [kɑ́ːrdif] *n.* 카디프《영국 웨일스 남부의 항구; 웨일스의 수도》.

car·di·gan [kɑ́ːrdigən] *n.* 카디건《앞이 트인 털실로 짠 스웨터》.

⁎**car·di·nal** [kɑ́ːrdənl] *a.* **1** 기본적인; 주요한(main): a matter of ~ importance 극히 중요한 일. **2** 진홍색의, 새빨간. ── *n.* **1** Ⓤ 진홍, 새빨간 빛. **2** 추기경《진홍빛 의관(衣冠)을 착용함》. **3** 홍관조(=≁ bìrd). **4** (*pl.*) =CARDINAL NUMBER. **~·shìp** *n.* =CARDINALATE.

car·di·nal·ate [kɑ́ːrdinəlèit, -lit] *n.* Ⓤ 추기경의 직.

cárdinal flòwer 〔植〕 진홍빛 로벨리아.

cárdinal nùmber〔**númeral**〕 기수(基數)(*cf.* ORDINAL number).

cárdinal pòints (the ~) 기본 방위《북·남·동·서(NSEW)의 순서로 부름》.

cárdinal síns (the ~) =DEADLY SINS.

cárdinal vírtues (the ~) 기본 덕목《고대

철학에서는 justice, prudence, temperance, fortitude의 4덕목; *cf.* VIRTUE).
cárdinal vówels (the ~) 〔音聲〕 기본모음.
cárd ìndex 카드식 색인.
card-in·dex[ká:rdìndeks] *vt.* 카드식 색인을 만들다; (조직적으로)면밀히 분석하다, 체계적으로 분류하다.
card·ing[ká:rdiŋ] *n.* **1** Ⓤ 소면(梳綿), 소모(梳毛)《면화·양털을 잣기 전의 공정》. **2** = CARDING MACHINE.
cárding machìne 소면기, 소모기.
car·di·o·ac·tive[kà:rdiəǽktiv] *a.* 〔藥〕 심장(기능)에 작용하는.
Cardio·funk *n.* (에어로빅과 춤을 결합한) 심장 혈관 운동《상표명》.
car·di·o·gen·ic[kà:rdiədʒénik] *a.* 〔醫〕 심장성의: ~ shock 심장성 쇼크.
car·di·o·gram[ká:rdiəgræ̀m] *n.* =ELECTROCARDIOGRAM.
car·di·o·graph[ká:rdiəgræ̀f, -grà:f] *n.* = ELECTROCARDIOGRAPH.
car·di·og·ra·phy[-ágrəfi/-ɔ́g-] *n.* =ELECTROCARDIOGRAPHY. **car·di·o·graph·ic** *a.*
car·di·ol·o·gy[kà:rdiálədʒi/-ɔ́l-] *n.* Ⓤ 〔醫〕 심장(병)학. **-gist** *n.*
car·di·om·e·ter[kà:rdiámitər/-ɔ́m-] *n.* 〔醫〕 심장 고동계, 심동계(心動計).
car·di·o·my·op·a·thy[kà:rdioumaiápəθi/-ɔ́p-] *n.* 〔醫〕 심근증(心筋症).
car·di·o·pul·mo·nar·y[kà:rdioupʌ́lməneri/-nəri] *a.* 〔醫〕 심장과 폐의, 심폐의.
cardiopúlmonary resuscitátion (심박(心搏) 정지 후의) 심폐(心肺) 기능 소생〔회복〕법.
car·di·o·scope[ká:rdiəskòup] *n.* 〔醫〕 심장경(鏡).
car·di·ot·o·my[kà:rdiátəmi/-ɔ́t-] *n.* 〔外科〕 심장 절개(술).
car·di·o·ton·ic[kà:rdioutánik/-tɔ́n-] 〔藥〕 *a.* 강심성의. ── *n.* 강심제.
car·di·o·vas·cu·lar[kà:rdiouvǽskjələr] *a.* 〔解〕 심장 혈관의.
car·di·o·ver·sion[kà:rdiouvə́:rʒən, -ʃən] *n.* 〔醫〕 부정맥(不整脈) 치료를 위해 심장에 전기 충격을 주는 것.
car·di·tis[kɑ:rdáitəs] *n.* Ⓤ 〔醫〕 심장염.
car·doon[kɑ:rdú:n] *n.* 〔植〕 카르둔《아티초크(artichoke) 무리의 식물》.
card·phone[ká:rdfòun] *n.* 《영》 카드식 공중 전화《동전 대신에 카드(phonecard)를 끼우고 통화하는》.
card·play·er[ká:rdplèiər] *n.* (특히 상습적으로) 카드놀이를 하는 사람.
cárd plàying 카드놀이.
cárd pùnch 〔컴퓨터〕 카드 천공기: =KEYPUNCH.
cárd ràte 〔廣告〕 표준 매체 요금《신문사·방송국 등이 공표한 광고 표준 요금표》.
cárd rèader 〔컴퓨터〕 카드 판독기.
card·room[´rù:m] *n.* 카드놀이 방.
cárd shàrk 《미俗》 **1** 카드놀이 명수. **2** = CARDSHARP.
card·sharp(·er)[´ʃà:rp(ər)] *n.* 카드놀이 야바위꾼.
cárd tàble 카드놀이 탁자.
cárd trày 명함 받이.
cárd vòte 《영》 카드 투표《대표자가 조합원 수만큼의 표수를 가진 일괄 투표》.
★**care**[kɛər] *n.* Ⓤ **1** 걱정, 근심. **2** (종종 *pl.*) 걱정거리. **3** 주의, 조심, 배려. **4** 돌봄, 보살핌, 보호; 관리, 감독. **5** 관심, 바람, 책임, 관심사. **Care killed the**〔**a**〕 **cat.** 《속담》 걱정은 몸에 해롭다. **care of** =**in care of** … 씨 댁〔방〕, 전교(轉交)《편지 겉봉에 씀; 略: c/o》. **give care to** …에 주의하다. **have a care** =take CARE. **have the care of** = take CARE of (1). **in the care of** …의 보호하에, 의 보살핌을 받고. **leave to the care of** …에 맡기다. **place**〔**put**〕 a person **under the care of** …에게 …을 돌보도록 부탁하다. **take care** 조심하다; 처리하다 (*to do, that*). **take care of** (1) …을 돌보다, 소중히 하다. (2) …에 대비하다; 처리하다; 《俗》 …을 제거하다, 죽이다. **take care of itself** 자연히 처리〔해결〕되다. **take care of oneself** 몸조심하다(⇨take CARE of (1)); 제 일은 제가 하다. **under the care of** = in the CARE of. **with care** 애써서; 조심하여, 취급 주의《짐을 다룰 때의 주의서》.
── *vi.* **1** (보통 부정·의문·조건문에서) 걱정하다, 근심하다, 염려하다, 마음쓰다, 유념하다, 관심을 가지다, 상관하다, 아랑곳하다 (*about, for*): 《Ⅰ *if*(절)》I don't ~ if I never see him again. 나는 그를 다시 만나지 못해도 괜찮다/《Ⅰ *what*(절)》I don't ~ *what* happen now. 이제는 무슨 일이 생겨도 마음 쓰지 않는다. **2** 돌보다, 보살피다, 병구완을 하다, 간호하다(*for*): I'll ~ *for* his education. 그의 학자금을 내가 대겠다/Nurses ~ *for* the sick. 간호원은 환자를 간호한다. **3** (부정·의문·조건문에서) 좋아하다, 원하다, …하고 싶어하다 (*for, to* do): 《Ⅱ *to do*》Would you ~ *to* go for a drive? 드라이브하실 마음은 없으신지요.
care about …에 마음쓰다, …에 관심을 가지다(⇨ *vi.* 1): 《Ⅱ 전+-*ing*+전+명+부》I don't *care about* going *to* the concert *very much.* 연주회에 가는 것에 그다지 관심이 없다.
care for (1) …에 관심이 있다: 《Ⅲ *v*Ⅰ+부+전+(목)》He *cared* nothing *for* fame. 그는 명예 따위에는 전혀 관심이 없었다. (2) (부정·의문 구문) …을 좋아하다, 바라다: 《Ⅲ *v*Ⅰ+전+(목)》I don't much *care for* philosophy. 나는 철학을 별로 좋아하지 않는다/《Ⅴ *v*Ⅰ+전+(목)+*to do*》I would not *care for* him *to be* my employer. 나는 그가 나의 고용주가 되는 것을 좋아하지 않는다/《Ⅲ *v*Ⅰ+전+(목)》Would you *care for* a walk along the seashore? 해변으로 산책이나 좀 할까요. (3) …을 돌보다, 소중하게 다루다: 《Ⅲ *v*Ⅰ+전+(목)》The state must *care for* the families of soldiers killed in the war. 전몰 장병 유가족은 국가가 돌봐야 한다(=《Ⅰ *be pp.*+전+전+명》The families of soldiers killed in the war must be *cared for* by the state.). **for all**〔**what**〕 **I care.** (1) 내 알 바 아니다; 나는 상관하지 않는다. (2) 어쩌면, 혹시 …일지도 모르다. **I couldn't care less.** 《口》 전혀 관심이 없다. **I don't care a damn**〔**fig, straw, butten,** etc.〕. 《口》 조금도 상관없다. **I don't care if** (I go) 《口》 (가도) 괜찮다《권유에 대한 긍정적인 대답》. **if you care to** 원하신다면. **See if I care** 《口》 마음대로 해라, 상관 않겠다. **Who cares?** 알게 뭐야. ⊕ careful *a.*
CARE[kɛər] *n.* 케어《미국 원조 물자 발송 협회: *C*ooperative for *A*merican *R*elief to *E*verywhere》: ~ goods 케어 물자.
ca·reen[kərí:n] *vi., vt.* 〔海〕 〈배가〉 기울다; 〈배를〉 기울이다《배밑을 수리하려고》; 〈자동차가〉 흔들리면서 질주하다. ── *n.* 배를 기울임,

경선(經線): 경선 수리. **on the careen** 기울어져.
ca·reen·age[-idʒ] *n.* 배를 기울임; 배밑 수리비〔소〕.
‡**ca·reer**[kəríər] [L] *n.* **1** 생애, (직업상의) 경력, 이력. **2** 출세, 성공. **3** (전문적인) 직업. **4** 경로; Ⓤ 질주. **in full**〔**mad**〕 **career** 전속력으로. **in mid career** 중도에서. **make a**〔**one's**〕 **career** 출세하다. ― *a.* 직업적인, 전문적인: a ~ diplomat 직업 외교관. ― *vi.* 질주하다《*about, along*》. **~·ìsm**[-ríərizəm] *n.* Ⓤ 출세 제일주의. **~·ist** *n.* 출세 제일주의자.
caréer educàtion 〔敎育〕 생애 교육《알맞은 진로를 선택할 수 있도록 유치원에서 고교까지 일관되게 지도하는 미국의 교육 제도》.
caréer gìrl〔**wòman**〕 직업 여성.
ca·reer·man[kəríərmən] *n.* (*pl.* **-men**[-mən]) 직업인; 직업 외교관.
caréers màster 《영》 학생 진로 지도 교사.
*__care·free__[kέərfrì:] *a.* 근심〔걱정〕이 없는, 태평스러운, 즐거운; 무책임〔무관심〕한. **be carefree with** …에 무관심〔무책임〕하다. **~·ness** *n.*
★**care·ful**[kέərfəl] *a.* **1** 〈사람이〉 주의깊은, 조심스러운; (금전에 대하여) 검소한〔인색한〕: 《Ⅱ 형+전+명》 Be more ~ *with* your work. 일에 좀 더 주의하시오/《Ⅱ 부+형+*to do*》 He was extremely ~ *to* keep up the bird. 그는 그 새를 기르는 데에 지극히 주의를 기울였다/《Ⅱ 부+형+전+명+{*that*(절)}》 She grew so ~ *of* her reputation *that* the tongue of scandal was silenced. 그녀는 세평(世評)에 매우 조심하게 되어서 추문의 언사(言辭)를 조용하게 만들었다/《Ⅱ 형+*that*(절)》 Be ~ *that* you don't drop the vase. 꽃병을 떨어뜨리지 않도록 조심해라(=《Ⅱ 형+부+*to do*》 Be ~ not *to* drop the vase.). **2** 신중한; 〈행동《등》〉 꼼꼼한, 면밀한; 철저한, 정성 들인: 《Ⅱ 형+전+*-ing*+*what to do*》 I shall be ~ *in* decid*ing what to* do. 어떻게 해야 할 것인지 신중히 결정해야겠다. **3** 《古》 걱정〔염려〕되는, 마음 졸이는.
‡**care·ful·ly**[kέərfəli] *ad.* 주의하여, 조심스럽게, 신중히; 정성들여서.
care·ful·ness *n.* Ⓤ 조심, 신중, 용의 주도.
care·giv·er *n.* **1** 병자 혹은 불구자를 돌보는 사람. **2** 아이를 돌보는 사람.
cáre làbel (의복 등에 단) 취급 표시 라벨.
care-lad·en[⁄lèidn] *a.* =CAREWORN.
car electronics 자동차의 컴퓨터 조정 시스템《안전 주행·운전 조작·연료 소모 등의》.
‡**care·less**[kέərlis] *a.* **1** 부주의한, 조심성 없는. **2** 경솔한, 정신차리지 않는, 되는 대로의. **3** 무관심한, 무심한《*of*》, 태평스러운, 마음 편한. **be careless of** …을 염두에 두지 않다.
care·less·ly *ad.* 부주의하게, 경솔하게; 무심코, 태평하게.
care·less·ness *n.* Ⓤ 부주의, 경솔; 무사태평, 무심함.
car·er[kέərər] *n.* 보호자, 간호인.
*__ca·ress__[kərés] [L] *n.* 애무《키스·포옹 등》. ― *vt.* **1** 애무하다, 껴안다, 어루만지다; 쓰다듬다. **2** 〈바람이 피부에〉 어루만지듯 닿다; 〈소리가 귀에〉 즐겁게 들리다. **3** 친절히 대하다.
ca·ress·ing[kərésiŋ] *a.* 애무하는, 귀여워하는; 달래는 듯한(soothing). **~·ly** *ad.*
ca·ress·ive[kərésiv] *a.* 애무하는 듯한, 기분 좋은; 어리광 부리는. **~·ly** *ad.*
car·et[kǽrət] *n.* 〔교정〕 탈자(脫字) 기호(∧).
care·tak·er[kέərtèikər] *n.* 돌보는 사람, 관리인; 집보는 사람; 《영》 (학교·공공 시설 등의) 관리인(《미》 janitor).
cáretaker gòvernment 선거 관리〔과도〕 정부〔내각〕.
care·worn[kέərwɔ̀:rn] *a.* 근심걱정에 시달린〔여윈〕.
Cárey Strèet[kέəri-] *n.* **1** 케리가(街)《런던의 파산 법원이 있었음》. **2** 《영》 파산(상태): end up on ~ 파산하다.
car·fare[ká:rfὲər] *n.* 《미》 차삯《전차·버스·택시 요금》.
car·fax[ká:rfæks] *n.* 《영》 (주요 도로의) 십자로, 교차점《보통 지명(地名)에 사용》.
car·fen·tan·il[kà:rféntænil] *n.* 〔藥〕 카펜타닐《코·입에 삽입하는 강력한 마취제》.
cár fèrry 카페리《(1) 열차·자동차를 건네는 연락선. (2) 바다 건너 자동차를 나르는 비행기》.
cár flòat[ká:rflòut] 차량〔화차〕 운반선.
car·ful[ká:rfùl] *n.* 자동차〔차량〕 한 대분.
‡**car·go**[ká:rgou] [Sp] *n.* (*pl.* **~(e)s**) (선박·항공기 등의) 적하(積荷), 뱃짐, 선하, 화물.
cárgo bày (우주 왕복선의) 화물실.
cárgo bòat〔**shìp**〕 화물선.
cárgo cúlt (종종 **C- C-**) (Melanesia 특유의) 적하(積荷) 숭배《조상의 영혼이 배·비행기로 돌아와 백인에게서 해방시켜 준다는 신앙》.
cárgo lìner 정기 화물선; 화물 수송기.
cárgo plàne 화물 수송기.
car·hop[ká:rhàp/-hɔ̀p] *n.* 《미》 드라이브인(drive-in) 식당의 웨이터〔웨이트리스〕. ― *vi.* carhop으로서 일하다.
car·house *n.* 《미》 전차 차고.
Car·ib[kǽrəb] *n.* (*pl.* **~, ~s**) 카리브 사람《서인도 제도의 원주민》; Ⓤ 카리브 말.
Car·ib·an[-ən] *n.* (*pl.* **~, ~s**) 카리브 어족〔사람〕. ― *a.* 카리브 어족〔사람〕의.
Car·ib·be·an[kæ̀rəbí:ən, kəríbiən] *a.* 카리브 사람〔해〕의. ― *n.* 카리브 사람.
Caribbéan (Séa) *n.* 카리브 해.
Car·i·bees[kǽrəbì:z] *n. pl.* (the ~) LESSER ANTILLES의 속칭.
car·i·bou[kǽrəbù:] *n.* (*pl.* **~, ~s**) 〔動〕 순록《북미산》.
*__car·i·ca·ture__[kǽrikətʃùər, -tʃər] *n.* 풍자 만화〔문〕; 서투른 모방; Ⓤ,Ⓒ 만화화(化)(의 기법). **make a caricature of** …을 만화화하다. ― *vt.* 만화식으로 그리다, 풍자하다.
càr·i·ca·túr·al[-tʃúərəl] *a.*
car·i·ca·tur·ist[-rist] *n.* 풍자 만화가.
Car·i·com, CARICOM[kæ̀rəkám/-kɔ́m] *n.* 카리브 공동체〔공동 시장〕.
car·ies[kέəri:z] [L] *n.* Ⓤ 〔病理〕 카리에스, 골양(骨瘍); 충치: ~ of the teeth 충치.
car·il·lon[kǽrəlàn, -lən/kəríljən] *n.* 카리용, 편종(編鐘); 종악(鐘樂). ― *vi.* 종악을 연주하다.
car·il·lo(n)·neur[kæ̀rələnə́:r] *n.* 종악기 연주가; 종지기.
Ca·ri·na[kəráinə, -rí:-] *n.* **1** 여자 이름. **2** 〔天〕 용골자리《주성은 Canopus》.
car·i·nate, -nat·ed[kǽrənèit], [-nèitid] *a.* 〔動·植〕 용골(龍骨)이 있는; 용골형의.
car·ing[kέəriŋ] *a.* (노약자, 병자, 불구자 등을 돌보는) 봉사(단체)의.
cáring profèssion (노약자, 병자, 불구자 등을) 직업으로서 돌보는 봉사 단체《의사, 사회사업 등》.
car·i·o·ca[kæ̀rióukə] *n.* 카리오카《남미춤의 일종》; (**C-**) Rio de Janeiro의 주민.
car·i·ole[kǽriòul] *n.* **1** 두 소형 마차(*cf.* CAR-

RYALL) : 지붕 있는 짐마차.
car·i·ous[kέəriəs] *a.* 〔病理〕 카리에스에 걸린, 골양(骨瘍)의 ; 부식한, 〈이가〉 충치의.
cark[kaːrk] 《古》 *vt.* 괴롭히다. ── *vi.* 고민하다《*about*》; 안달하다. ── *n.* 고민, 심로.
cark·ing[ká:rkiŋ] *a.* 《古》 괴롭히는.
cárking cáre(s) 《古》 근심 걱정.
cár knòcker 철도 차량 검사〔수리〕원.
Carl[kaːrl] *n.* 남자 이름.
Cárl Comédian 《미俗》 어색한 농담꾼.
carl(e)[kaːrl] *n.* 《스코》 시골뜨기.
Cár·ley flòat[ká:rli-] 〔海〕 칼리식 구명 고무 보트.
cár lìcense 자동차 등록증 (번호).
car·lin(e)[ká:rlən] *n.* 《스코》 노파.
car·ling[ká:rliŋ] *n.* 〔造船〕 종량(縱梁).
Car·lisle[kaːrláil, ㅗ—] *n.* 칼라일《잉글랜드의 중서부 Cumbria 주의 주도》.
Carl·ism[ká:rlizəm] *n.* **1** 카를로스 주의 《Don Carlos가(家)의 스페인 왕위 계승권을 주장하는 주의·운동》. **2** 프랑스의 샤를르 10세를 지지하는 운동.
car·load[ká:rlòud] *n.* **1** 화차 한 대분의 화물《*of*》; 《미》 (CARLOAD RATE로 수송하기 위한) 최소량의 톤수 (略: c.l., cl.). **2** 자동차 한 대분《*of*》.
cárload lòt 《미》 화차 전세 취급 표준량.
cárload ráte 《미》 화차 전세 취급 운임률.
Car·lo·vin·gi·an[kɑ̀:rlouvíndʒiən] *a., n.* = CAROLINGIAN.
Car·lo·witz[ká:rlouwìts, -vìts] *n.* Ⓤ 카를로비츠《유고슬라비아산의 붉은 포도주》.
Cárl·ton Clúb[ká:rltən-] 칼턴 클럽《영국 보수당 본부》.
*__Car·lyle__[kaːrláil] *n.* 칼라일 Thomas ~《영국의 평론가·사상가·역사가(1795-1881)》.
Carm. Carmarthenshire《웨일스》.
car·ma·gnole[kɑ̀:rmənjóul] [F] *n.* 카르마뇰《프랑스 혁명 참가자들의 복장 ; 당시 유행한 춤·혁명가(歌)》.
car·mak·er[ká:rmèikər] *n.*자동차제조업자.
car·man[ká:rmən] *n.* (*pl.* **-men**[-mən]) 《미》 전차 승무원 ; 차량 정비사 ; 짐마차의 마부.
Car·mel·ite[ká:rməlàit] *a., n.* 카르멜회의 (수사〔수녀〕)(White Friar).
Car·men *n.* 여자 이름.
car·min·a·tive[kaːrmínətiv, ká:rmənèi-] *a.* 위장 내의 가스를 배출하는. ── *n.* 구풍제(驅風劑).
car·mine[ká:rmin, -main] *n., a.* 카민(의), 양홍색(洋紅色)(의).
Carn. Caernarvonshire《웨일스》.
Cár·na·by Strèet[ká:rnəbi-] *n.* **1** 카나비 거리《런던의 쇼핑 거리》. **2** (1960년대의) 젊은이의 패션.
car·nage[ká:rnidʒ] *n.* Ⓤ 대학살.
*__car·nal__[ká:rnl] *a.* 육체의, 육감적인 ; 육욕적인 ; 현세적인, 속세의. **~·ly** *ad.*
cárnal abúse 〔法〕 (미성년자에 대한) 강제 외설 행위 ; (소녀에 대한) 강간.
car·nal·ism *n.* Ⓤ 육욕〔현세〕주의.
car·nal·i·ty[kaːrnǽləti] *n.* Ⓤ 육욕 ; 음탕 ; 세속정.
car·nal·ize[ká:rnəlàiz] *vt., vi.* 육욕〔세속〕적으로 하다〔되다〕.
car·nall·ite[ká:rnəlàit] *n.* 〔鑛〕 광로석(光鹵石)《칼륨의 원료》.
car·nap·(p)er[ká:rnæpər] [*car*+kid*napper*] *n.* 자동차 도둑.
⁑**car·na·tion**[kaːrnéiʃən] *n.* **1** 〔植〕 카네이션. **2** Ⓤ 담홍색, 분홍색(pink). ── *a.* 담홍색의.
Car·ne *n.* =CHILI CON CARNE.
*__Car·ne·gie__[ká:rnəgi, kaːrnéigi] *n.* 카네기 Andrew ~(1835-1919)《미국의 강철왕·자선가》: ~ Foundations 카네기 재단/~ Institution 카네기 인스티튜션《카네기 학술 문화 연구 장려 기관》.
Cárnegie Háll 카네기 홀《New York시에 있는 연주회장》.
Cárnegie únit 《미》 카네기 학점《중등 학교에서 1과목을 1년 이수하면 주어짐》.
car·ne·lian[kaːrní:ljən] *n.* 〔鑛〕 홍옥수(紅玉髓)(cornelian).
car·net[kaːrnéi ; *F.* karné] [F] *n.* (*pl.* **~s**[-z]) 카르네《자동차가 유럽 각국의 국경을 통과할 때의 무관세 허가증》.
car·ney¹ [ká:rni] *vt.* 《영口》 =CAJOLE.
car·ney², -nie[ká:rni] *n.* =CARNY².
car·ni·fy[ká:rnəfài] *vt., vi.* (**-fied**) 〔病理〕 육질화(肉質化)하다, 육질이 되다.
⁑**car·ni·val**[ká:rnəvəl] [L] *n.* **1** 사육제(謝肉祭)《천주교국에서 사순절(Lent) 직전 1주일간의 명절》. **2** 왁자거리며 놀기, 광란, 흥청거림 : the ~ of bloodshed 유혈의 참극. **3** 유원지 ; 《미》 순회 흥행. **4** 축제, 스포츠 경기, 시합.
Car·niv·o·ra[kaːrnívərə] *n. pl.* 〔動〕 육식류(肉食類) ; (**c-** : 집합적) 육식 동물.
car·ni·vore[ká:rnəvɔ̀:r] *n.* 〔動〕 육식 동물 ; 〔植〕 식충(食蟲) 식물(*cf.* HERBIVORE).
car·niv·o·rous[kaːrnívərəs] *a.* 〔生〕 〈동물이〉 육식성의 ; 〈식물이〉 식충성의 ; 육식 동물의 ; 식충 식물의.
car·no·tite[ká:rnətàit] *n.* Ⓤ 〔鑛〕 카르노석(石)《우라늄 원광》.
car·ny¹[ká:rni] *vt.* 《영口》 =CARNEY 1.
carny² *n.* (*pl.* **-nies**) 《미俗》 **1** 순회흥행(carnival). **2** 순회 오락장 종사원, 순회 배우.
car·ob[kǽrəb] *n.* 〔植〕 콩과(科) 세라토니아속(屬)의 나무《지중해 지방산 ; 열매는 사료》.
⁑**car·ol**[kǽrəl] [OF] *n.* **1** 축가, 송가, 캐럴 : a Christmas ~ 크리스마스 캐럴. **2** 《詩》 새의 지저귐. ── *vi., vt.* (**~ed; ~·ing** | **~led; ~·ling**) 기뻐 노래하다 ; 〈새가〉 지저귀다 ; 축가를 부르다 ; 캐럴을 부르며 돌아다니다.
Car·ol[kǽrəl] *n.* **1** 여자 이름. **2** 남자 이름.
Car·o·le·an[kæ̀rəlí:ən] *a.* =CAROLINE.
car·ol·er *n.* CAROL을 부르는 사람.
Car·o·li·na[kæ̀rəláinə] *n.* 캐롤라이나《미국 대서양 연안의 두 주(州) North Carolina와 South Carolina》.
Car·o·line[kǽrəlàin, -lin] *n.* 여자 이름《애칭 Carrie》. ── *a.* 영국왕 찰스 1세 및 2세 (시대)의 ; Charlemagne의.
Cároline Islands *n.* 캐롤라인 제도《필리핀 동쪽의 서태평양 제도》.
Car·o·lin·gi·an[kæ̀rəlíndʒiən] *a., n.* (프랑스의) 카롤링 왕조의 (사람〔지지자〕), 카롤링 왕조풍의 (서체).
Car·o·lin·i·an[kæ̀rəlíniən] *a., n.* Carolina 주의(주민) ; =CAROLINE.
car·ol·ler *n.* 《영》 =CAROLER.
car·om[kǽrəm] *n., vi.* 《미》〔撞球〕=CANNON⁴.
car·oms *n. pl.* (단수 취급) 캐럼즈《둘 또는 넷이서 하는 일종의 구슬치기놀이》.
car·o·tene[kǽrətì:n] [L] *n.* Ⓤ,Ⓒ 〔生化〕 카로틴《당근 등에 들어 있는 탄수화물》.
ca·rot·e·noid, -rot·i-[kərátənɔ̀id/-rɔ́t-] *n., a.* (색소의 일종인) 카로티노이드(의).
ca·rot·id[kərátid/-rɔ́t-] *n., a.* 〔解〕 경동맥(의). **~·al**[-əl] *a.*

car·o·tin *n.*=CAROTENE.
ca·rous·al[kəráuzəl] *n.* U,C 《文語》 홍청거림, 큰 술잔치.
ca·rouse[kəráuz] *vi., vt.* 통음하다; (술)마시고 떠들다: ~ it (술을) 진탕 마시다.
— *n.*=CAROUSAL. **ca·róus·er** *n.*
car·ou·sel[kèrusél, -zél] *n.* 회전 목마;(공항에서 하물을 운반하는) 회전식 원형 콘베이어.
cárousel cashìer 도박장의 여자 환전원.
*__carp__[1] [kɑːrp] *vi.* 흠을 들추다, 트집잡다, 몹시 꾸짖다《*at*》: 《Ⅱ -*ing*》((-*ing*)-Ⅱ *v*Ⅱ+전+명) Don't keep ~*ing on* the same subject. 같은 문제에 대해서 계속해서 트집잡지 말라/《Ⅱ 부+*v*Ⅱ+{전+명}+전+명》 He's always ~*ing at* her about her laziness. 그는 그녀의 게으름을 늘 몹시 꾸짖는다(=He's always ~*ing at*〔*about*〕 her laziness. 《Ⅱ 부+*v*Ⅱ+전+명》).
— *n.* 불평, 투덜거림.
carp[2] *n.* (*pl.* ~, ~**s**) 〔魚〕 잉어; 잉어과(科)의 고기. **the silver carp** 붕어.
carp-[kɑəɾp/kɑːp], **car·po-**[kɑ́ərpou/kɑ́ː-] 《연결형》 「과실(果實)」의 뜻《모음 앞에서는 carp-》.
car·pal[kɑ́ːrpəl] 〔解〕 *a.* 손목관절의. — *n.* 손목뼈.
car·pa·le[kɑːrpéili] *n.* (*pl.* **-li·a**[liə]) 손목뼈.
cár pàrk 《영》 자동차 주차장(《미》 parking lot).
Car·pa·thi·an[kɑːrpéiθiən] *a.* 카르파티아 산맥의. — *n.* (the ~s) 카르파티아 산맥(=the ~ **Móuntains**)《유럽 중부》.
car·pe di·em[kɑ́ːrpi-dɑ́iem] [L] 현재를 즐기라(enjoy the present).
car·pel[kɑ́ːrpəl] *n.* 〔植〕 심피(心皮), 암술잎.
car·pel·late[kɑ́ːrpəlèit] *a.* 암술잎〔심피〕이 있는.
‡**car·pen·ter**[kɑ́ːrpəntər] [L] *n.* 목수, 대목; 〔劇〕 무대 장치인; 아마추어 목수: a ~'*s* shop 목공소/a ~'*s* square 목수의 쇠자/the ~'*s* son (나사렛 목수의 아들) 예수. — *vi.* 목수〔목공〕일을 하다. — *vt.* 목수일로 만들다.
cárpenter bèe 〔昆〕 어리호박벌.
cárpenter('s) scène (무대 장치를 바꾸기 위해 무대 앞쪽에서 하는) 막전극(幕前劇).
car·pen·try[kɑ́ːrpəntri] *n.* U 목수직; 목수일; 목공품(木工品).
carp·er[kɑ́ːrpər] *n.* 트집쟁이, 혹평가.
‡**car·pet**[kɑ́ːrpit] [OF] *n.* **1** 양탄자, 융단; 깔개(*cf.* RUG). **2** (융단을 깔아놓은 듯한) 풀밭, 꽃밭: a ~ of flowers 양탄자를 깔아 놓은 듯한 꽃밭. **a figure in the carpet** 곧 분간할 수 없는 무늬. **on the carpet** 심의〔토의〕 중; 《口》 〈아랫 사람이〉 꾸중을 듣고. **pull the carpet (out) from under** a person …에 대한 원조〔지원〕를 갑자기 중단하다. **roll out the red carpet for** 정중하게 맞다〔준비하다〕. **sweep〔push, brush〕... under〔underneath, beneath〕 the carpet** 《영口》 〈거북한 일을〉 감추다, 비밀로 하다. **walk the carpet** 〈부하가〉 야단맞다. — *vt.* **1** 양탄자를 깔다; (보통 수동형으로) (꽃 등으로) 온통 뒤덮다《*with*》: ~ the stairs 계단에 양탄자를 깔다. **2** 《口》 〈하인을〉 (불러) 꾸짖다.
car·pet·bag [-bæ̀g] *n.* (옛날헌 융단천으로 만든) 여행용 손가방. — *vi.*(~**ged**; ~·**ging**) 《미》 홀가분히 여행하다.
car·pet·bag·ger[-bæ̀gər] *n.* (선거구에 연고가 없는) 입후보자; 《미》 (특히 남북 전쟁 후 북부에서 남부로 한몫 보러간) 정상배; 《미西部》 협잡 은행가.
car·pet·beat·er[-bìːtər] *n.* 양탄자를 터는 청소원〔도구〕.
cárpet bèd 양탄자 무늬처럼 심은 꽃밭.
cárpet bèdding 양탄자 무늬로 꽃밭 만들기.
cárpet bèetle 〔昆〕 수시렁이.
car·pet-bomb[-bɑ̀m/-bɔ̀m] *vt., vi.* 〔軍〕 융단 폭격하다.
cárpet bòmbing 〔軍〕 융단 폭격.
cárpet dànce 약식 무도(회).
car·pet·ing[kɑ́ːrpitiŋ] *n.* U 양탄자〔융단〕 재료; (집합적) 마루깔개감.
cárpet knìght 《경멸》실전 경험이 없는 군인; 여자와의 교제를 즐기는 남자(lady's man).
cárpet ròd (계단의) 양탄자 누르개(stair rod)《움직이지 않도록 하는》.
cárpet slìpper[-slìpər] (가정용) 모직 슬리퍼.
cárpet snàke 얼룩뱀《오스트레일리아산》.
cárpet swèeper 양탄자 청소기.
car·pet·weed[kɑ́ːrpitwìːd] *n.* 〔植〕 석류풀의 일종.
cárpet yàrn 양탄자 짜는 실.
car-phone *n.* (차안에서 사용하는) 무선 전화기.
car·pi[kɑ́ːrpai] *n.* CARPUS의 복수.
-car·pic[kɑ́ərpik/kɑ́ː-] 《연결형》=-CARPOUS.
carp·ing[kɑ́ːrpiŋ] *a.* 트집잡는, 잔소리 심한: a ~ tongue 독설.
car·po-[kɑ́ərpou/kɑ́ː-] 《연결형》 =CARP-.
car·po·log·i·cal[kɑ̀ːrpəlɑ́dʒikəl/-lɔ́dʒ-] *a.* 과실학(果實學)의.
car·pol·o·gy[kɑːrpɑ́lədʒi/-pɔ́l-] *n.* U 과실(분류)학. **-gist** *n.* 과실학자.
cár pòol 《미》 (자가용차의) 합승 이용〔그룹〕《통근 등에서 교대로 자기 차에 태워주기》.
car·pool[kɑ́ːrpùːl] *vt.* 〈어린이 등을〉 합승식으로 태워주다; 교대로 운전하며 가다.
— *vi.* 합승 이용에 참가하다. **~·er** *n.*
car·port[kɑ́ːrpɔ̀ːrt] *n.* (지붕만 있는) 간이 차고.
-car·pous[kɑ́ərpəs/kɑ́ː-] 《연결형》 「…한〔…개의〕 열매를 가진」의 뜻: apo*carpous*.
car·pus[kɑ́ːrpəs] *n.* (*pl.* **-pi**[-pai]) 〔解〕 손목(wrist); 손목뼈.
car·rac(k)[kǽrək] *n.* 〔史〕 (14-16세기 스페인 등의) 무장 상선.
cár ràdio 카라디오《자동차에 설치한》.
car·ra·geen, -gheen[kǽrəgìːn] *n.* 진두발속(屬)의 홍조(Irish moss)《식용 해초》.
car·ra·geen·an, -in, -gheen·in[kæ̀rəgíːnən] *n.* U 카라게닌《carrageen에서 채취되는 유화제》.
car·re·four[kǽrəfùər] [F] *n.* **1** 십자로(crossroads). **2** 광장(square).
car·rel(l)[kǽrəl] *n.* (도서관의) 개인용 열람석〔실〕.
‡**car·riage**[kǽridʒ] *n.* **1** 탈것, 차; (특히) 마차《주로 4륜 자가용》; 《미》 유모차(=baby ~; 《영》 pram); 《영》(철도) 객차 (《미》 car). **2** 운반대(臺)《기계의》; (타이프라이터의) 캐리지; 포가(砲架). **3** [미 kǽriidʒ] U 운반, 수송; 운임: ~ of goods 화물 수송/~ by sea 해상 수송/the ~ on a parcel 소화물 운임. **4** (또는 a ~) 몸가짐, 태도. **5** U 통과 동의(動議)의. **a carriage and pair〔four〕** 쌍두〔4두〕의 4륜 마차.
car·riage·a·ble[-əbəl] *a.* 마차가 다닐 수 있는; 운반할 수 있는.
cárriage còmpany 《口》=CARRIAGE FOLK.
cárriage dòg 마차 개(coach dog), (특히) Dalmatia 개.

cárriage drìve (대저택의 대문에서 현관에 이르는) 차도(車道); 마차길((공원 내의)).
cárriage fòlk ((口)) 자가용 (마)차를 가질 정도로 유복한 사람들.
cárriage fórward ((영)) 운임 수취인 지불로(((미)) collect).
cárriage frée ((영)) 운임 발송인 지불로, 운임 무료로.
cárriage hòrse 마차 말.
cárriage hòuse 마차 차고.
cárriage páid ((영)) 운임 선불로(((미)) prepaid).
cárriage pòrch (현관의) 차 대는 곳.
cárriage tràde 부유 계급(과의 거래), (식당·극장 등의) 고급 고객, 자가용차 족.
car·riage·way [kǽridʒwèi] *n.* ((영)) 차도, 마차길; 차선.
cárriage wràpper 마차용 무릎 덮개.
cárrick bènd [kǽrik-] 〔海〕 캐릭 벤드((밧줄 끝끼리의 매듭의 일종)).
Car·rie *n.* 여자 이름((Caroline의 애칭)).
car·ried [kǽrid] *a.* 운반된; ((스코)) 넋을 잃은, 황홀한.
⁑**car·ri·er** [kǽriər] *n.* **1** 운반인; ((미)) 우편 집배원(((영)) postman); 신문 배달원; 운송업자, 운송 회사: a common ~ 〔法〕 운송업자((철도·기선 회사를 포함)): a ~'s note 화물 인환증(引換證), 짐표. **2** 운반차; 운반 설비; (자전거의) 짐판. **3** =CARRIER PIGEON. **4** 항공 모함(=aircraft ~); 수송기; 운반선: a baby〔light, regular〕~ 소형〔경(輕), 정식〕 항공 모함. **5** 전염병 매개체, 보균자, (유전자의) 보인자(保因者). **6** =CARRIER WAVE. **7** 배수구, 하수로. **8** 〔物·化〕 담체(擔體). **9** =SHOPPING BAG.
cárrier bàg ((영)) =SHOPPING BAG.
car·ri·er-based [kǽriərbèist] *a.* 함재(艦載)의, 함상 발진의.
car·ri·er-borne [-bɔ̀ːrn] *a.* 항공모함 적재의: a ~ aircraft 함재기(艦載機).
cár·ri·er-free ísotope [-frìː-] 〔物〕 혼합물이 없는 방사성 원소.
cárrier nàtion 해운국(海運國).
cárrier pìgeon 전서구(傳書鳩).
cárrier ròcket 운반용 로켓.
cárrier wàve 〔通信〕 반송파(搬送波).
car·ri·ole [kǽriòul] *n.* =CARIOLE.
car·ri·on [kǽriən] *n.* Ⓤ 썩은 고기, 죽은 짐승 고기. — *a.* 썩은; 썩은 고기를 먹는.
cárrion cròw (썩은 고기를 먹는 유럽산) 까마귀; 검은 새매((미국 남부산)).
Car·roll [kǽrəl] *n.* 캐롤 Lewis ~((영국의 동화 작가·수학자(1832-98))).
car·ro·ma·ta [kæ̀rəmáːtə] *n.* (필리핀의) 2륜 포장 마차.
car·ro·nade [kæ̀rənéid] *n.* 〔史〕 (구경이 크고 포신이 짧은) 함포의 일종.
cár·ron òil [kǽrən-] 캐런 기름((아마인유(亞麻仁油)·석회수를 섞은 화상약)).
***car·rot** [kǽrət] *n.* 당근; (비유) 설득 수단, 미끼, 먹이; ((口)) 상(賞), 보수; (*pl.*) ((俗)) 붉은 머리털(의 사람); 홍당무((별명)). **carrot and stick** 먹이와 매, 상과 벌, 회유와 위협.
car·rot-and-stick [kǽrətən*d*stík] *a.* 회유와 위협의: ~ diplomacy 회유와 위협의 외교.
car·rot·top [-tàp/-tɔ̀p] *n.* ((俗)) 빨강머리((애칭으로)).
car·rot·y [kǽrəti] *a.* (**-rot·i·er; -i·est**) 당근색의; ((俗)) 〈털이〉 붉은; 붉은 머리칼의.
car·rou·sel [kæ̀rusél, -zél] *n.* =CAROUSEL.
★**car·ry** [kǽri] [L] (**-ried**) *vt.* **1** 운반〔운송〕하다, 나르다, 실어 보내다; 〈동기(動機)·여비·시간 등이 사람을〉 가게 하다; 〈소식·이야기·소리 등을〉 전하다; 〈병을〉 옮기다: ((Ⅲ (목)+전+명)) She *carried* the box *with* care. 그녀는 그 상자를 조심스럽게 옮겨놓았다/((Ⅳ 대+(목))) Paul *carried* her the box. 폴은 그녀에게 그 상자를 운반해 주었다(=The box was *carried* her by Paul. ((Ⅲ *be pp.*+(목)+전+명))/ He *carried* the message *to* me. 그는 나에게 그 메시지를 전했다.
2 ((比)) (…까지) 이끌다, (…까지) 이르게 하다, 추진하다, (안전하게) 보내다: He often *carries* logic to extremes. 그는 종종 논리를 극단까지 끌고 간다/This money will ~ us *for* another week. 이 돈이면 한 주일 지낼 수 있을 게다.
3 연장하다, 확장하다; 〈일·논의 등을〉 진행시키다: ~ the war *into* the enemy's territory 전쟁을 적의 영토까지 확대하다/They *carried* the highway *across* the mountain. 고속도로는 산을 가로질러 연장되었다.
4 (손에) 가지고 있다, 들다, 안다, 메다: She is ~*ing* a child *in* her arms. 그녀는 아기를 안고 있다.
5 휴대하다, 지니다, 지니고 다니다, 소유〔소지〕하다: He never *carries* much money *with* him. 그는 결코 큰 돈을 몸에 지니고 다니지 않는다.
6 〈머리·몸 등을〉 어떤 자세로 하다: She *carried* her head *high*. 그녀는 머리를 높이 쳐들고 있었다.
7 (~ one*self*로) 거동하다, 처신하다: ((Ⅲ (목)+전+명))((목)-one*self*) He *carried* himself *with* an air. 그는 자신을 가지고 처신했다.
8 〈의무·권리 등을〉 수반하다, 따르다, 〈책임 등을〉 지다, 〈의의를〉 지니다, 〈이자를〉 낳다: ~ authority 권위를 수반하다/The loan *carries* 5% interest. 그 대부에는 5%의 이자가 붙는다/Freedom *carries* responsibility *with* it. 자유에는 책임이 따른다.
9 획득하다(win); 〔軍〕 〈요새 등을〉 함락시키다; 〈청중을〉 끌다, 사로잡다, 감동시키다: ~ the enemy's position 적의 진지를 점령하다/ ~ the house 만장의 갈채를 받다: He *carries* his audience *with* him. 그는 관중을 감동시킨다.
10 〈주장을〉 관철하다, 〈동의(動議)를〉 통과시키다, 〈후보자를〉 당선시키다; 〈선거구의〉 과반수의 표를 얻다, 지지를 얻다: The decision was *carried* unanimously. 결의는 만장 일치로 가결되었다.
11 〈무게를〉 지탱하다, 감당하다: Those columns ~ the roof. 그 원주들이 지붕을 떠받치고 있다.
12 ((미)) 〈신문·TV가 기사를〉 싣다, 내다, 보도하다: Newspapers ~ weather reports. 신문은 일기 예보를 싣고 있다.
13 기억해 두다: I was surprised *to* find him ~ all these names *in* his head. 나는 그가 이 이름들을 모두 기억하고 있는 것을 알고 놀랐다.
14 〈토지가 가축을〉 기르다; (토지가 작물의) 재배에 적합하다; (농작물을) 산출하다, 거둬들이다: The ranch will ~ 1,000 cattle. 이 목장은 소 1,000마리를 기를 수 있다.
15 〈물품을〉 가게에 놓다, 팔고 있다, 팔다: We ~ a full line of canned goods. 통조림이라면 뭐든지 있습니다.
16 〔簿〕 (다음 페이지에) 이월(移越)하다; 〔數〕 〈수를〉 한 자리 올리다.

17 〈돛을〉 올리다.
18 〔골프〕 단번에 넘기다.
19 〈아이 · 새끼를〉 배고 있다.
20 〈나이 등을〉 숨기다; 〈술을〉 마셔도 흐트러지지 않다.
21 《口》 재정적 원조를 하다.
— *vi.* **1** 들어나르다; 가지고 다니다; 운반하다; 운송업을 경영하다. **2** 〈소리 · 탄환 등이〉 이르다, 도달하다 : His voice *carries well.* 그의 목소리는 잘 들린다. **3** 〈동물의 암컷이〉 새끼를 배고 있다. **4** 〈신발 · 발굽 등에 흙이〉 달라붙다(stick). **5** 〈말 등이〉 머리를 쳐들다. **6** 〈법안 등이〉 통과되다. **7** (사냥개가) 냄새를 좇다. **as fast as one's legs carry** one 될 수 있는대로 빨리. **be carried away**〔**out of oneself**〕 넋을 잃다, 무아지경이되다. **carry about** (**with** one) 지니고 다니다. **carry all**〔**everything**〕 **before** one 파죽지세로 진격하다, 대성공을 거두다. **carry** a person **along** …을 감동시키다; …을 돕다, 격려하다. **carry along** (**with** one) 실어가다, 가지고 가다. **Carry arms!** 《口令》 어깨에 총! **carry away** 채 가다, 가져가 버리다; 넋을 잃게 하다. **carry back** 되나르다; 〈 …에게〉 지난 날의 일이 생각나게 하다; 공제하다. **carry conviction** 확신시키다. **carry down** 집어내리다; (사상 따위를) 후세에 전하다; 〔簿〕 = CARRY forward. **carry forward** 〈사업 등을〉 진척시키다; 〔簿〕 (다음 페이지로) 이월하다. **carry into effect**〔**execution, practice**〕 실행에 옮기다, 실시하다. **carry it** =CARRY the day. **carry off** (1) 유괴하다, 채가다; 〈상 등을〉 획득하다; 해내다, 버티다: *carry* it *off* well 의젓하게 해나가다. (2) 〈병이 목숨을〉 빼앗다. **carry** things (**off**) **with a high hand** (만사에) 고압적으로 굴다. **carry on** 계속해서 하다; 〈사업 등을〉 경영하다; 〔海〕(날씨에 비해) 지나치게 돛을 펴고 나아가다; 〈일 등을〉 끈기있게 견디다《*at*》; 실없이 굴다《*with*》. **carry** one **off** one's **feet** …을 넘어뜨리다; 열광시키다. **carry** one's **bat** 〔크리켓〕 아웃이 아니다. **carry** one**self** 행동하다 (⇨*vt.* 7); …의 자세를 취하다. **carry out** 수행하다, 실행하다. **carry over** 〔簿〕 이월하다, 연기하다. **carry sword** 「어깨에 칼」을 하다. **carry the day** 승리를 거두다. **carry the war into the enemy's country** 역습하다. **carry through** 견디어 내다, 이겨 내다, 관철하다. **carry weight** 〔競馬〕 핸디캡을 받다; 〈의견 등이〉 큰 비중을 차지하다, 남을 납득시키는 힘이 있다. **carry** ... **with** one …을 휴대하다, 동반하다; 기억하고 있다; 〈청중을〉 납득시키다. **to carry**〔**to be carrying**〕 **on with** 《영》 현재로서는, 당장.
— *n.* (*pl.* **-ries**) **1** (총포의) 사정(射程); 〔골프〕 공이 날아간 거리, 캐리. **2** 〔軍〕「어깨에 칼〔총〕」의 자세: at the ~ 「어깨에 칼〔총〕」을 하고. **3** 《미 · 캐나다》 두 수로간의 육상 운반, 그 육로. **4** 〔컴퓨터〕 올림.
car·ry·all[kǽriɔ̀:l] *n.* 《미》 **1** 한 필이 끄는 마차; 양쪽에 마주 앉는 좌석이 있는 버스. **2** (여행용) 큰가방, 잡낭(《영》 holdall).
car·ry-a·long[-əlɔ̀(:)ŋ, -əlɑ̀ŋ] *a.* 휴대용의.
car·ry·back[-bæ̀k] *n.* 《미》 (소득세의) 환불(액).
cárry bàg 《미》 =SHOPPING BAG.
car·ry-cot[-kɑ̀t/-kɔ̀t] *n.* (아기용) 휴대 침대.
car·ry·ing[kǽriiŋ] *n.* 적재, 운송, 운수.
— *a.* 운송〔적재〕의; 〈목소리가〉 잘 들리는.
cárrying capàcity 적재량; (케이블의) 송전력; 〔生態〕(목초지 등의) 동물 부양 능력.
cárrying chàrge 1 월부의 할증금. **2** 부동산의 계속 소유〔사용〕에 드는 비용《세금 · 보험 등》; (상품 수송의) 제비용(諸費用).
car·ry·ing-on[kǽriiŋɑ́n/-ɔ́n] *n.* (*pl.* **car·ry·ings-**) 《口》 시시덕거림; 떠들썩한〔난잡한〕 짓거리.
cárrying tràde 운송업, 해운업.
car·ry-on *a.* (비행기 안에) 가지고 들어갈 수 있는 〈짐〉. — *n.* 기내 휴대 수하물; 《영口》 =CARRYING-ON.
car·ry·out[kǽriàut] *n., a.* 《미口》 =TAKEOUT.
car·ry-o·ver[-òuvər] *n.* **1** 〔簿〕 이월. **2** 〔商〕 이월 거래, 이월품, 잔품.
car·sick[kɑ́:rsìk] *a.* 차멀미하는 : get ~ 차멀미하다.
cár sìckness 차멀미.
Cár Sléeper (철도에 의한) 여객과 승용차의 동시 수송 서비스.
Cár·son Cíty[kɑ́:rsn-] *n.* 카슨시티《Nevada 주의 주도》.
⁑**cart**[kɑ:rt] *n.* **1** 짐마차《2륜 또는 4륜》; 2륜 짐수레, 운반차. **2** 2륜 경마차《말 한 필이 끄는》. **3** 손수레. **in the cart** 《영俗》 곤경에 빠져. **on the water cart** 《俗》 금주를 하고. **put**〔**set**〕 **the cart before the horse** 《口》 본말(本末)을 전도하다. — *vt.* **1** 짐마차로 나르다; 〈짐 등을〉 (애써) 나르다. **2** 《口》 (손으로) 나르다. **3** 《俗》 (경기에서) 쉽게 이기다. **cart off** 운반해 가다; 강제로 끌고 가다: *Cart* yourself *off*! 저리 가 주게.
— *vi.* 짐마차를 사용하다; 〈말 등이〉 짐수레를 끌다. **cart about** 가지고 돌아다니다.
cart·age[kɑ́:rtidʒ] *n.* Ⓤ 짐마차 운반〔운임〕.
carte[1] [kɑ:rt] *n.* 〔펜싱〕 = QUARTE.
carte[2] [F] *n.* 식단표, 메뉴; 명함; 《스코》 트럼프; (*pl.*) 카드놀이; 《古》 지도, 해도.
carte blanche[kɑ́:rtblɑ́:nʃ] [F] *n.* (*pl.* **cartes blanches**) (서명만 하고 자유로이 기입할 수 있게 한) 백지 위임장; 백지〔전권〕 위임: give ~ to …에게 자유 재량을 주다.
carte de vi·site[kɑ́:rtdəvi:zí:t] [F] *n.* (*pl.* **cartes de vi·site**) 명함판 사진; 명함(대용의 사진).
car·tel[kɑ:rtél] [G] *n.* **1** 〔經〕 카르텔, 기업연합(*cf.* TRUST *n.* 8); 〔政〕 당파 연합. **2** 포로 교환 조약서. **3** 결투장.
cár tèlephone 자동차 전화.
car·tel·ist *n.* 카르텔의 일원; 카르텔론자.
— *a.* 카르텔의; 카르텔화의.
car·tel·ize[-aiz] *vt., vi.* 카르텔화하다〔되다〕.
cart·er[kɑ́:rtər] *n.* 짐마차꾼.
Cart·er[kɑ́:rtər] *n.* 카터 James Earl ~, Jr. (1924-)《미국 제39대 대통령(1977-81)》.
Car·te·sian[kɑ:rtí:ʒən] *a.* 데카르트의.
— *n.* 데카르트 학도〔파〕. **~·ìsm** *n.*
Cartésian coórdinate 〔數〕 데카르트 좌표.
Cartésian díver〔**dévil**〕 무자맥질 인형《유리관 속 인형이 압력 관계로 부침하는 장치》.
cart·ful[kɑ́:rtfùl] *n.* 짐마차 1대분.
Car·thage[kɑ́:rθidʒ] *n.* 카르타고《아프리카 북안의 고대 도시 국가》.
Car·tha·gin·ian[kɑ̀:rθədʒíniən] *a., n.* 카르타고의 (사람): ~ peace 카르타고적 화평《패자에게 혹독한 화평 조약》.
cárt hòrse 짐마차 말.
Car·thu·sian[kɑ:rθú:ʒən] *a., n.* 카르투지오 수도회의 (수도사).
car·ti·lage[kɑ́:rtilidʒ] *n.* Ⓤ,Ⓒ 〔解〕 연골; 연골 조직: a ~ bone 연골성 경골.

car·ti·lag·i·nous[kɑ̀:rtilǽdʒənəs] *a.* 〔解〕 연골성의; 〔動〕 골격이 연골로 된.

cart·load[ká:rtlòud] *n.* 짐(마)차 1대분의 짐, 한 바리《*of*》; 대량《*of*》 **by the cartload** (짐차에 실을 만큼) 많이.

car·to·gram[ká:rtəgræ̀m] *n.* 통계 지도, (지도에 의한) 비교 통계도.

car·to·graph [ká:rtəgræ̀f, -grɑ̀:f] *n.* 지도; 《특히》 삽화가 있는 지도.

car·tog·ra·pher[kɑ:rtɑ́grəfər/-tɔ́g-] *n.* 지도 제작자.

car·to·graph·ic, -i·cal[kɑ̀:rtəgrǽfik], [-əl] *a.* 지도 제작(상)의.

car·tog·ra·phy[kɑ:rtɑ́grəfi/-tɔ́g-] *n.* Ⓤ 지도 작성(법).

car·to·man·cy[ká:rtəmæ̀nsi] *n.* Ⓤ 카드 점(占).

car·ton[ká:rtən] [F] *n.* 판지 상자; 판지 (cardboard); 과녁 복판의 흰 별《bull's-eye 안의 흰 별》; 명중탄: a ~ of cigarettes 담배 한 상자《10갑》.

***car·toon**[kɑ:rtú:n] *n.* (시사) 만화; 만화 영화; 연재 만화; 실물 크기의 밑그림. — *vt., vi.* 만화화하다; 만화를 그리다; 밑그림을 그리다. **~·ist** *n.* 만화가; 밑그림 화가.

cartóon tést 〔마케팅〕 약화(略畵) 테스트.

car-top[ká:rtɑ̀p/-tɔ̀p] *vt., vi.* 자동차 지붕에 얹어 나르다. **~·ping** *n.*

car·top[⌐tɑ̀p/⌐tɔ̀p] *a.* 〈크기·무게 등이〉 자동차 지붕 위에 싣기 알맞은.

car·top·per *n.* 자동차 지붕 위에 싣고 다닐 수 있는 소형 보트.

car·touch(e)[kɑ:rtú:ʃ] *n.* 〔建〕 카르투시《소용돌이 무늬 장식》; 〔考古〕 긴 타원형 윤곽《옛 이집트의 국왕·신의 이름을 둘러싼 선》; 폭죽의 탄약통.

***car·tridge**[ká:rtridʒ] *n.* 탄약통; 약포(藥包); 〔寫〕 파트로네《필름통》; (레코드 플레이어의) 카트리지《cassette보다 큼》; (전축의) 카트리지; (만년필 등의) 카트리지《바꿔끼우기가 간편한 작은 용기》.

cártridge bàg 탄약 주머니.

cártridge bèlt 탄띠, 탄약대(帶).

cártridge bòx 탄약 상자.

cártridge càse 탄피.

cártridge chàmber 약실《총의》.

cártridge clìp 탄약통 (연결) 클립.

cártridge pàper 약포지(藥包紙); 포장지; 도화지.

cárt ròad〔**tràk**〕 =CARTWAY.

car·tu·lar·y[ká:rtʃulèri/-ləri] *n.* (*pl.* **-lar·ies**) 특허장〔권리증서〕 대장(臺帳).

cart·way *n.* 짐마차 길; 울퉁불퉁한 길.

cart·wheel[ká:rt*h*wì:l] *n.* 수레바퀴《달구지 등의》; 《미俗》 대형 은화, 달러 은화; 《俗》 옆으로 재주넘기: turn ~*s* 옆으로 재주넘다. — *vi.* 바퀴처럼 움직이다, 옆으로 회전하다.

cárt whíp (마부의) 굵은 채찍.

cart·wright[ká:rtràit] *n.* 달구지 목수.

car·un·cle[kǽrʌŋkl, kərʌ́ŋkl] *n.* 〔動〕 볏, 축 처진 살《눈꺼풀 등의》; 〔植〕 종부(種阜)《씨앗 배꼽의 작은 돌기》.

Ca·ru·so[kərú:sou, -zou] *n.* 카루소 Enrico ~(1873-1921)《이탈리아의 테너 가수》.

⁑**carve**[kɑ:rv] *vt.* **1** 〈나무·돌 등을 어떤 모양으로〉 새기다《*into*》; 새겨서 〈상을〉 만들다《*out of, in, on*》; 조각하다《*on, in*》: ~ one's name *on* the tree. 나무에 자기의 이름을 새기다/~ marble *into* a statue 대리석으로 상을 만들다/~ a figure *out of* stone 돌을 조각하여 상을 만들다. **2** 〈운명 등을〉 개척하다; 〈지위·명성을〉 쌓아 올리다. **3** (~one*self*로) 〈출세 등을〉 개척하다《*out*》. **4** 〈식탁에서 고기를〉 베다; 베어 나누다. — *vi.* 고기를 베어 나누다; 조각하다. **carve for oneself** 마음대로 하다. **carve out** 잘라 내다; 개척하다. **carve out** a career **for oneself** 자력으로 (출세 길)을 개척해 나아가다. **carve** (**out**) **one's** 〔**a**〕 **way** 진로를 개척하다. **carve up** 〈고기를〉 잘라서 나누다; 〈유산·소유지 등을〉 분할하다; 〈돈·장물을〉 가르다; 《영俗》 나이프로 찌르다.

car·vel[ká:rvəl] *n.* =CARAVEL.

car·vel-built[-bìlt] *a.* (뱃전의 판자를 포개지 않고) 판판하게 붙인(*cf.* CLINKERBUILT).

carv·en[ká:rvən] *a.* 《詩》 조각한.

***carv·er**[ká:rvər] *n.* 조각가; 고기 베는 사람; 고기 베는 나이프; (*pl.*) 고기 베는 나이프와 큰 포크.

***carv·ing**[ká:rviŋ] *n.* Ⓤ **1** 조각; 조각술; Ⓒ 조각물. **2** 고기 베어내기〔담기〕.

cárving fòrk (식탁용) 고기를 써는 데 쓰는 큰 포크.

cárving knìfe (식탁용의) 고기 베는 칼.

cár wàsh 세차장; 세차.

car·y·at·id[kæ̀riǽtid] *n.* (*pl.* **~s, -i·des**[-dì:z]) 〔建〕 여상주(女像柱)(*cf.* TELAMON).

car·y(o)-[kǽri(ou)] 《연결형》 =KARY(O)-.

car·y·op·sis[kæ̀riɑ́psis] *n.* (*pl.* **-ses**[-si:z], **-si·des**[-sədì:z]) 〔植〕 영과(穎果), 곡과(穀果).

ca·sa·ba[kəsá:bə] *n.* MUSKMELON의 일종(=⌐ **mélon**).

Cas·a·blan·ca[kæ̀səblǽŋkə, kɑ̀:səblá:ŋkə] *n.* 카사블랑카《모로코 북서 해안의 항구 도시》.

cas·al[kéisəl] *a.* 〔文法〕 격(case)의.

Cas·a·no·va[kæ̀zənóuvə, -sə-] *n.* 색골, 엽색꾼.

cas·bah[kǽzbɑ:] *n.* (때로 **C-**) **1** (북아프리카의) 성채. **2** (북아프리카 도시의) 토착민 구역《특히 술집이나 사창가가 있는 지역》.

cas·ca·bel[kǽskəbèl] *n.* (구장포(口裝砲)의 포신 밑둥에 있는) 둥근 쇠.

***cas·cade**[kæskéid] *n.* **1** 작은 폭포(*cf.* CATARACT), 갈라진 폭포; 인공 폭포. **2** 폭포 모양의 레이스 장식; 〔園藝〕 (화초·나무 등의) 현애(懸崖) 가꾸기. **3** 〔電〕 종속(縱續), (축전기의) 직렬; 〔機〕 익열(翼列); 〔컴퓨터〕 층계형. **4** (기업·조직의) 위로부터의 계단식 정보 전달. — *vi.* 폭포가 되어 떨어지다. — *vt.* 폭포처럼 떨어뜨리다; 〔電〕 직렬로 하다.

Cascáde Ránge *n.* 캐스케이드 산맥《미국 California주에서 캐나다의 British Columbia주에 이른다》.

cascáde shówer 〔物〕 방사선이 단계적으로 입자수를 증대시켜 가는 현상.

cas·car·a[kæskέərə] *n.* 〔植〕 카스카라《California산 갈매나무의 일종》.

cascára sa·grá·da[-səgréidə, -grá:-] CASCARA의 나무껍질(로 만드는 완하제).

cas·ca·ril·la[kæ̀skəríl ə] *n.* 〔植〕 카스카릴라《서인도제도산의 등대초과의 저목》; 그 수피 (=⌐ **bàrk**) 강장제.

⁑**case**[1] [keis] [L] *n.* **1** 경우; 사례: in such ~*s* 그런 경우에/in either ~ 어느 경우이건/ 《Ⅱ 명+〈전+대〉》 That sort of hastly conclusion is always the ~ *with* him. 이런 종류의 속단(速斷)은 그에게 늘 있는 사례(事例)이다. **2** 상태, 상황, 입장, 처지: in sorry ~ 비참한 처지에/in good〔evil〕 ~ 순경(順境)〔역경〕에 처하여. **3** (the ~) 실정; 사실, 진상: That's not *the* ~. 사실은 그렇지 않다. **4** (조사를 요하는) 사건, 문제; 사례: (《Ⅱ 명+〈전+-*ing*〉》)It is a clear ~ *of* cheating. 그것은 명백한 협잡의 사례이다. **5** 〔法〕 판례; 소송 사건(suit); (소송할 수 있는) 문제, 주장, 논거; 변호 의뢰인: state〔make out〕 one's ~ 자기의 주장을 진술〔설명〕하다/That is our ~. 그것이 우리의 주장이다/the ~ *for* conservatism 보수주의 변호론. **6** 〔醫〕 병상(病狀), 용태, 증례; 환자(patient): explain one's ~ 병세를 설명하다/twenty new ~*s* of flu 유행성 감기의 새 환자 20명. **7** 〔文法〕 격. **8** 《미口》 괴짜; 조숙한 아이. **9** 《俗》 〈이성에의〉 반함, 연모(戀慕): have a ~ *on* a person …에게 반하다. **as is often the case with** …에 흔히 있는 일이지만. **as the case may be** 경우에 따라서, 사정 여하에 따라서. **case by case** 경우에 따라, 일건씩. **drop a case** 소송을 취하하다. **gone case** 살아날 수 없는 환자. **hard case** 난증(難症); 난물(難物); 골치덩어리, 무뢰한. **If that〔such〕 is the case,** 그런 이유〔일〕라면. **in any case** 하여튼, 어쨌든. **in case** 만일을 생각하여: wear a raincoat *in case* 만일의 경우를 생각하여 비옷을 입다/(《Ⅲ (목)+*in case*(절)》((*in case*)-절)) She prolonged her remark *in case* they should suppose she was impatient. 그녀는 그들이 자기가 초조해 있다고 생각하면 안 되므로 자기의 소견을 말하는 것을 미뤘다. **in case of** …의 경우에는(in the event of), …을 생각해서: *in case of* need 만일의 경우에는/*in case of* my not seeing you 만일 만나지 못할 경우에는. **in case (that)** …의 경우를 생각하여, 만일 …라면(if). **in nine cases out of ten** 십중팔구. **in no case** 결코 …아니다. **in that〔this〕 case** 그런〔이런〕 경우에는. **in the case of** …에 관해서는; …의 경우에는. **just in case**=in CASE[1]; (접속사적으로) 《미》 …한 경우에 한해서(only if). **lay the case** 진술하다. **leading case** 판례(判例). **make out a〔one's〕 case for〔against〕** …의 옹호론〔반대론〕을 펴다. **meet the case** 적합하다. **on a case by case basis** 개개의 사례에 따라. **put (the) case (that)** …이라고 가정하다. **Such being the case, I can't go.** 사정이 그러하니까(나는 갈 수 없다). **That alters the case.** 그렇다면 이야기는 달라진다.

★**case**[2] [L] *n.* **1** 상자, 갑; 한 상자(의 분량): a ~ of wine 포도주 한 상자(한 다스 들이). **2** 용기; 그릇; 통; (칼)집; 주머니; 겉포장; 테; 덮개: a (dressing) ~ 화장품 그릇/a pillow ~ 베갯잇/a watch ~ 시계 케이스. **3** 〈창·문의〉 틀. **4** 한 조(組), 한 벌〔쌍〕. **5** 〔印〕 활자 케이스: lower〔upper〕 ~ 소〔대〕문자 활자 케이스; 소〔대〕문자 활자(略: l.c.〔u.c.〕). ― *vt.* **1** 케이스〔상자, 칼집, 주머니〕에 넣다; 싸다(*with*), 덮어씌우다(*up, over*). **2** 《미 俗》 범행 목적으로 〈집 등을〉 미리 살펴 두다.

Case [*c*omputer-*a*ided *s*oftware *e*ngineering] *n.* 〔컴퓨터〕 컴퓨터 원용(援用) 소프트웨어 공학(工學).

ca·se·ase[kéisièis] *n.* 카세인과 단백질을 분해하는 효소(치즈 제조용).

ca·se·ate[kéisièit] *vi.* 치즈질(質)이 되다. **cà·se·á·tion**[-ʃən] *n.*

cáse bày 〔建〕 천장들보 상호간의 공간.

case·book[kéisbùk] *n.* 〔法〕 판례집; 사례집(의학·심리·경제 등에서 자료로 모은).

cáse bòttle 모난 병(상자에 넣기 위한).

case·bound [⁄-bàund] *a.* 판지 표지 장정의, 하드커버의.

case-by-case[⁄-baikéis] *a.* 개별적인, 1건 1건의, 사항별의, 그때그때의.

case·dough[⁄-dòu] *n.* 《미俗》 비상금.

case-end·ing *n.* 〔文法〕 격어미(소유격의 ~'s 등).

ca·se·fy[kéisəfài] *vt., vi.* (**-fied**) 치즈질로 하다〔되다〕.

cáse gòods *n. pl.* (찬장·옷장·장롱 등) 물건을 넣어두기 위한 가구(⁄ **fùrniture**).

case·hard·en[kéishà:rdn] *vt.* **1** 〔冶〕 〈쇠를〉 담금질하다, 표면을 굳게 하다. **2** 철면피로 만들다, 신경을 무디게 하다. **-ened** *a.* 달구어 굳어진; 철면피한, 무신경한.

cáse hístory 사례사(事例史), 개인 기록; 병력(病歷).

ca·sein[kéisi:n, -si:in] *n.* Ⓤ 카세인, 건락소(乾酪素).

ca·sein·ate[kéisi:nèit, -si:in-] *n.* 카세인, 건락소(乾酪素).

cáse knìfe 칼집에 든 칼; 식탁용 나이프.

cáse làw 〔法〕 판례법(*cf.* STATUTE).

case·load[kéislòud] *n.* 《미》 (판사·사회복지 사업가 등의) 담당 건수.

case·mate[kéismèit] *n.* 포대(砲臺); 포곽(砲廓).

***case·ment**[kéismənt] *n.* (경첩이 달린) 여닫이창(=⁄ **wíndow**); 여닫이창의 창틀; 《詩》 창문(window); 틀, 덮개, 싸개.

cásement clòth 커튼용 엷은 면포.

cáse mèthod **1** 〔教育〕 사례 연구법. **2** 〔法〕 =CASE SYSTEM.

ca·se·ous[kéisiəs] *a.* 치즈(모양〔질〕)의.

cáse récord =CASE HISTORY.

ca·sern(e)[kəzə́:rn] *n.* (군대) 막사.

cáse shòt (대포의) 산탄; 유산탄.

cáse stúdy 〔社〕 **1** 사례 연구, 케이스 스터디. **2** =CASE HISTORY.

cáse sỳstem 〔미法〕 판례 중심의 교육법.

***case·work**[kéiswə̀:rk] *n.* Ⓤ 〔社〕 사회 복지 사업, 케이스워크(개별적으로 적절한 원조·지도를 하려는 사회 사업 활동).

case·work·er *n.* 사회 복지 사업원, 케이스워커.

case·worm[⁄-wə̀:rm] *n.* 〔昆〕 몸 둘레에 껍질을 만드는 애벌레(물여우 등).

⁑**cash**[1] [kæʃ] [L] *n.* Ⓤ **1** 현금; 돈(지폐·경화의 통화). **2** (대금 지불 때의) 현찰, 수표, 즉시불, 맞돈. **cash and carry** 현금 자국선(自國船) 수송주의; 현금 판매주의. **cash down** 즉시불로. **cash in〔(미) on〕 hand** 수중에 있는 현금. **cash on delivery** 《영》 대금 상환(代金相換) 인도(《미》 collect(on delivery))(略: C.O.D.). **cash on order** 주문과 동시 납입. **cash on the nail〔barrelhead〕** 즉시불, 맞돈으로. **in〔out of, short of〕 cash** 현금을 가지고〔을 갖지 않고, 이 모자라서〕. ― *vt.* 〈어음 등을〉 현금으로 바꾸다. **cash in** 현금으로 바꾸다; (口) 돈벌이하다; 《미俗》 죽다; 《미》 청산하다, 사건의 결말을 짓다. **cash in on** 《미》 …으로 벌다; …을 이용하다. **cash in one's checks** 《俗》 죽다. **cash up** 〈가게에서 그날의 매상을〉 계산하다; 《口》 〈필요한 비용을〉 치르다, 내다. **cásh·a·ble** *a.*

cash[2] *n.* (*pl.* ~) 〔史〕 (중국·인도의) 소액화폐, 엽전.

cásh accóunt 〔銀行〕 현금 계정.

cash-and-car·ry[kǽʃənkǽri] *a.* 현금 판매로 점두(店頭)에서 인도하는. — *n.* 현금 점두 판매(점); Ⓤ 현금 점두 판매주의.
cásh àssets 현금 자산.
cásh bàr 현금 바(결혼 피로연 등에서 유료로 술을 파는 가설 바; *cf.* OPEN BAR).
cash·book[ˊbùk] *n.* 현금 출납부.
cash·box[ˊbàks/ˊbɔ̀ks] *n.* 돈궤, 금고; (*pl.*) 부(富).
cash·boy[ˊbɔ̀i] *n.* 현금 취급계의 남자 점원.
cásh càrd 캐시〔현금 자동 인출〕카드(cash dispenser에 집어 넣는).
cásh càrrier (은행 등 점내의) 금전 전송 장치.
cásh còw (기업의) 재원, 달러 박스, 흑자 부문.
cásh crèdit 당좌 대부(貸付).
cásh cróp 환금(換金) 작물, 시장용 작물.
cásh cústomer 현금(내고 사는) 고객.
cásh dèsk (영) (상점 등의) 계산대.
cásh dìscount 현금 할인.
cásh dispènser 현금 자동 지급기.
cash·draw·er[ˊdrɔ̀ːər] *n.* 주화·지폐 등을 종류별로 넣는 서랍(cash register 등).
cash·ew[kǽʃuː, kəʃúː] *n.* 〔植〕 캐슈(서인도 제도산 옻나무과(科)); 그 열매(=ˊ **nùt**).
cásh flòw 〔會計〕 캐시플로(감가 상각비를 가산한 순이익); 현금 유출입, 현금 자금.
cash·girl[kǽʃgə̀ːrl] *n.* 현금 취급계의 여자 점원.
cash-hun·gry[kǽʃhʌ̀ŋgri] *a.* 현금이 없는, 현금을 탐내는.
*__cash·ier__[1] [kæʃíər, kə-] *n.* 출납원, 회계원; (미국 은행의) 지점장.
cashier[2] [kæʃíər] *vt.* 〈군인·관리 등을〉 면직시키다, (특히) 징계 파면하다.
cáshier's chéck (은행 지점장의) 자기앞 수표.
cash-in[kǽʃìn] *n.* (저축 채권 등의) 상환.
cash·less *a.* 현금이 없는〔불필요한〕.
cásh·less socíety[kǽʃlis-] 현금이 불필요한 사회(크레디트 카드의 사용, 은행의 자동 불입에 의한).
cásh machìne *n.* =AUTOMATED-TELLER MACHINE.
cash·mere[kǽʃmiər, kǽʒ-] *n.* **1** Ⓤ 캐시미어 천(Kashmir 지방산); 모조 캐시미어(양모제). **2** 캐시미어 숄〔옷〕.
cash·o·mat[kǽʃəmət] *n.* (미) 현금 자동 지급기.
cásh pàyment 현금 지불.
cásh prìce 현금 가격, 현금 정가.
cásh ràtio (은행의 지불 준비금의 총예금에 대한) 현금 비율.
cásh règister 금전 등록기.
cásh sàle (증권의) 당일 결제 거래.
cásh stòre[kǽʃstɔ̀ːr] (미) 현금만 받는 상점.
cásh (surrénder) válue 〔保險〕 해약 반환금(보험 계약 해약시 반환되는 금액).
cásh tràde =CASH SALE.
cas·i·mere, -mire[kǽsəmìər] *n.* =CASSIMERE.
cas·ing[kéisiŋ] *n.* **1** 포장(상자·자루·봉투 등); (자동차 타이어의) 케이스, 외피; (소시지의) 껍질; 포장 재료. **2** 싸개, 덮개; 창틀; 문틀; 액자; (유정(油井) 등의) 쇠 파이프.
cás·ing·head gàs[-hèd-] 〔化〕 유정(油井) 가스.
ca·si·no[kəsíːnou] [It] *n.* (*pl.* ~**s**) **1** 카지노(댄스·음악 등의 오락이 있는 도박장), 오락관; 소별장. **2** Ⓤ 카드놀이의 일종.
*__cask__[kæsk, kɑːsk] *n.* 통, 물통; 한 통(의 분량). ◇ barrel 보다 큰 것. — *vt.* 통에 넣다.
*__cas·ket__[kǽskit, kɑ́ːs-] *n.* 작은 상자(보석·귀중품을 넣는); (미) 관(coffin). — *vt.* casket에 넣다.
Cás·pi·an Séa[kǽspiən-] *n.* (the ~) 카스피해(海).
casque[kæsk] *n.* 〔史〕 (면갑이 없는) 투구.
Cass[kæs] *n.* 여자 이름(Cassandra의 애칭).
cas·sa·ba[kəsɑ́ːbə] *n.* =CASABA.
Cas·san·dra[kəsǽndrə] *n.* 〔그神〕 카산드라(Troy의 여자 예언자); 불행한 일의〔세상에서 받아들여지지 않는〕 예언자.
cas·sa·reep[kǽsərìːp] *n.* CASSAVA 뿌리에서 얻는 조미료.
cas·sa·ta[kæsɑ́ːtə] *n.* 과일·견과 아이스크림.
cas·sa·tion[kæséiʃən] *n.* Ⓤ,Ⓒ 〔法〕 파기, 폐기: the Court of *C*-(프랑스 등의) 대법원.
cas·sa·va[kəsɑ́ːvə] *n.* 〔植〕 카사바(열대 지방산); Ⓤ 카사바 녹말(TAPIOCA의 원료).
cas·se·role[kǽsəròul] [F] *n.* 캐서롤(요리한 채 식탁에 놓는 냄비); 그러한 냄비 요리; (화학 실험용) 자루 달린 냄비.
en casserole 캐서롤로 요리한. — *vt.* 캐서롤로 요리하다.
*__cas·sette__[kæsét, kə-] [F] *n.* **1** (보석 등을 넣는) 작은 상자. **2** 필름통, 파트로네. **3** (녹음〔비디오〕테이프 등의) 카세트(녹음·녹화·재생용); 카세트 플레이어〔리코더〕. — *vt.* 〈프로 등을〉 카세트에 녹음〔녹화〕하다.
cassétte plàyer (녹음〔비디오〕 테이프용) 카세트 플레이어.
cassétte tàpe recòrder 카세트식 테이프 리코더.
cassétte TV〔**télevision**〕 카세트 텔레비전(카세트식 비디오 테이프 전용 수상기).
cas·sia [kǽʃə, kǽsiə] *n.* 〔植〕 계수나무; Ⓤ 계피(桂皮), 육계(肉桂).
cássia bàrk 계피; =CASSIA-BARK TREE.
cás·sia-bark trèe 계수나무(동아시아 원산; 껍질을 계피라 함).
cas·si·mere[kǽsəmìər] *n.* Ⓤ 캐시미어(평직 또는 능직의 고급 모직 옷감).
Cas·sin·gle[kəsíŋgəl] *n.* (보통 pop 음악 등) 한 두 곡 수록의 audio cassette(상표명).
cas·si·no[kəsíːnou] *n.* =CASINO[2].
Cas·si·o·pe·ia[kæ̀siəpíːə] *n.* 〔天〕 카시오페이아자리.
Cassiopéia's Cháir *n.* 〔天〕 카시오페이아의 의자(카시오페이아 자리의 5성).
cas·sit·er·ite[kəsítəràit] *n.* Ⓤ 〔鑛〕 석석(錫石)(주석의 원광).
cas·sock[kǽsək] *n.* 일상 성직복; (the ~) 성직.
cas·so·war·y[kǽsəwɛ̀əri] *n.* (*pl.* **-war·ies**) 〔鳥〕 화식조(火食鳥)(오스트레일리아·뉴기니산).
‡**cast**[kæst, kɑːst] (**cast**) *vt.* **1** 던지다; 내던지다(*from*); 〈주사위를〉 던지다; 〈제비를〉 뽑다: ~ a stone *at* a person 아무에게 돌을 던지다/~ a dice 주사위를 던지다/~ lots 제비를 뽑다. **2** 〈그물을〉 던지다, 치다; 〈낚싯줄을〉 던지다; 〈닻·측연을〉 내리다; 〈표를〉 던지다: *Cast* the net *into* the pond. 못에 투망을 던져라/~ anchor 닻을 내리다/~ a vote〔ballot〕 투표하다. **3** 〈눈·시선을〉 던지다, 향하다(*at*); 〈빛·그림자를〉 던지다(*on*); 〈마음·생각을〉 기울이다(*over*); 〈비난·모욕을〉 퍼붓다, 가하다; 〈명예·치욕 등을〉 주다: ~a glance *at* …을 흘끗 보다/~ a shadow *on* the wall 벽에 그림자를 던지다/~ a light *on*

the subject. 그 문제에 해결의 빛을 던지다. **4** 〈녹인 쇠붙이 등을〉 주조하다《*into*》; 〈상(像)을〉 뜨다: ~ metal *into* coins 금속으로 경화를 주조하다/ ~ a statue *in* bronze. 청동으로 상을 주조하다. **5** 〈불필요한 것을〉 버리다, 내던지다; 〈옷을〉 벗다, 〈뱀이 허물을〉 벗다; 〈사슴이 뿔을, 새가 깃털을〉 갈다; 〈말이 편자를〉 빠뜨리다: The snake ~ (*off*) its skin. 뱀이 허물을 벗었다. **6** 〈짐승이 새끼를〉 조산하다; 〈나무가 과일을〉 익기 전에 떨어뜨리다. **7** 해고하다(dismiss); 〈수험자 등을〉 불합격시키다; 패소시키다. **8** 〈수를〉 계산하다, 합계하다: ~ accounts 계산하다/ ~ *up* a column of figures 한 난의 숫자를 합계하다. **9** 〈배우에게 역을〉 배정하다, 〈극을〉 배역하다: ~ an actor *for* a play 연극의 배우를 정하다/ ~ a person *for* a part 아무에게 역을 맡기다. **10** (운수를) 판단하다, 점치다; 예언하다. **11** 〈사실·자료 등을〉 정리하다. **12** 게우다, 토하다.

— *vi.* **1** 물건을 던지다; 낚싯줄을 던지다; 투망을 던지다. **2** 주조되다. **3** 계산하다, 계획하다. **be cast away** 표류하다. **cast a spell on** …에(게) 마술을 걸다, …을 호리다. **cast about**〔**around**〕**for** 찾아 다니다, 궁리〔연구〕하다; 〔海〕 바람 불어가는 방향으로 침로를 바꾸다. **cast adrift** 표류시키다. **cast ashore** 해안에 밀어올리다. **cast aside** 버리다, 벗어 던지다. **cast away** 없애다, 버리다, 낭비하다; (보통 수동형) 난파시키다. **cast back** 회고하다; 되던지다; 복귀하다, 과거의 일을 들추다. **cast behind** 추월하다. **cast beyond the moon** 멋대로 추측하다. **cast by** 팽개쳐 버리다, 배척하다. **cast down** 〈눈을 어떤 방향으로〉 향하다; 쓰러뜨리다; (보통 수동형) 낙담시키다. **cast forth** 좇아 내다. **cast in one's lot with** …와 운명을 같이하다. **cast** (something) **in one's teeth** (어떤 일로) …을 면책하다. **cast loose** 풀어놓다; 풀리다. **cast off** 포기하다, 〈옷을〉 벗어 던지다; 〔海〕 〈밧줄을〉 풀어 버리다, 〈묶어 둔 배를〉 내다; 〔編物〕 코를 매다 (finish off); 〈원고를〉 조판 페이지로 어림하다. **cast on** 재빨리 입다; 〔編物〕 (시작하는) 코를 만들다. **cast oneself on**〔**upon**〕 …에 의지하다. **cast out** 내던지다; 내쫓다; 버리다; 토하다. **cast up** (파도가 배 따위를) 해변으로 밀어올리다; …을 합계하다; 〈흙을〉 쌓아올리다; 모습을 나타내다.

— *n.* **1** (주사위·돌 따위를) 던지기, 던지는 거리; (그물·측연의) 투하; 낚싯줄을 드리움. **2** 던져진〔버림받은, 벗어 버린〕 것; (뱀·벌레의) 허물. **3** 주형(鑄型); 주조물; 깁스(붕대). **4** 〔劇〕 캐스트, 배역: an all-star ~ 인기배우 총출연. **5** (*sing.*) (얼굴 생김새·성질 등의) 특색, 기질. **6** (*sing.*) 유형, 경향, 색조, …의 기미: a yellowish ~ 누르스름한 색. **7** 가벼운 사팔뜨기: have a ~ in the right eye 오른쪽 눈이 사팔뜨기다. **8** 〈차에 사람을〉 도중에서 태움(lift). **9** 예상, 추측. **10** 운수 점치기. **give** a person **a cast** …을 도중에서 차에 태워주다. **make a cast** 〈짐승의 냄새 자국을 잃은 사냥개가〉 찾아 헤매다. **the last cast** 마지막으로 운에 맡겨 해보기. **within a stone's cast** 돌을 던져 닿을 만한 거리에.

Cas·ta·lia[kæstéiliə] *n.* 〔그神〕 카스탈리아샘 《Parnassus산의 신천(神泉)》; 시의 영천(靈泉).

Cas·ta·lian[-n] *a.* **1** CASTALIA의. **2** 시적인(poetic).

Cas·ta·ly, Cas·ta·lie[kǽstəli] *n.* =CASTALIA.

cas·ta·net[kæ̀stənét] *n.* (보통 *pl.*) 캐스터네츠.

cast·a·way[kǽstəwèi, kɑ́:st-] *a., n.* 버림받은(사람·아이); 난파한 (사람); 불량한 (사람)

∗**caste**[kæst, kɑ:st] *n.* **1** 카스트, 사성(四姓)(의 하나)《인도의 세습 계급; 승려(Brahman)·무사(Kshatriya)·평민(Vaisya)·노예(Sudra)의 4계급이 있음》; Ⓤ 카스트 제도. **2** 배타적〔특권〕 계급; Ⓤ 폐쇄적 사회 제도. **3** Ⓤ 사회적 지위. **4** 〔昆〕 (집단 생활을 하는 곤충의) 직능군별(職能群別). **lose caste** 사회적 지위를 잃다; 위신〔신망, 체면〕을 잃다.

cas·tel·lan[kǽstələn] *n.* 성주(城主).

cas·tel·lat·ed[kǽstəlèitid] *a.* 성(城) 모양으로 구축된; 성이 많은.

cas·tel·la·tion[kæ̀stəléiʃən] *n.* Ⓤ 성쌓기, 축성.

cáste màrk (인도인의) 이마에 찍는 카스트의 표지.

∗**cast·er**[kǽstər, kɑ́:stər] *n.* **1** 던지는 사람; 계산자; 배역(配役)계 담당; 주조자, 주물공(鑄物工). **2** (피아노·의자 등의) 다리바퀴; 양념병, (*pl.*) 양념병대(臺)(cruet stand).

cáster sùgar =CASTOR SUGAR.

cas·ti·gate[kǽstəgèit] *vt.* 징계하다, 벌주다; 혹평하다; 첨삭하다. **-ga·tor**[-ər] *n.*

cas·ti·ga·tion[-ʃən] *n.* Ⓤ,Ⓒ 견책, 징계; 혹평; 첨삭(添削), 수정.

cas·ti·ga·to·ry[-gətɔ̀:ri/-gèitə-] *a.* 징계하는, 징벌의.

Cas·tile[kæstí:l] *n.* 카스티야《스페인 중부의 옛 왕국》.

Castíle sóap 카스티야 비누《올리브유와 가성소다가 주원료》.

Cas·til·ian[kæstíljən] *a.* CASTILE의. — *n.* CASTILE 사람; CASTILE 말.

cast·ing[kǽstiŋ, kɑ́:st-] *n.* Ⓤ **1** 주조(鑄造); Ⓒ 주물(鑄物). **2** 낚싯줄의 드리움(방법); 던짐, 버림; Ⓒ 뱀 허물, (지렁이의) 똥. **3** 배역(配役).

cásting nèt 투망(投網).

cásting vóte〔**vóice**〕 결정 투표(decisive vote)《찬부 동수일 때 의장이 던지는》.

cást íron 주철(鑄鐵), 무쇠.

cast-i·ron[ˊáiərn] *a.* **1** 주철의. **2** 단단한, 엄한; 강건한, 튼튼한(hardy); 요지부동의 〈증거 등〉.

★**cas·tle**[kǽsl, kɑ́:sl] [L] *n.* **1** 성, 성곽. **2** 대저택(mansion). **3** (the C-) 더블린 성《본디 아일랜드 정청(政廳)·그 총독 관저》; 〔체스〕 성장(城將)(rook). **4** 안전한 은신처. **An Englishman's house is his castle.** 《속담》 영국 사람의 집은 그의 성이다《가정의 신성, 인권의 존엄성을 뜻함》. **build castles**〔**a castle**〕**in the air**〔**in Spain**〕 공중 누각을 짓다, 공상에 잠기다.

— *vt.* **1** 성을 쌓다. **2** 〔체스〕 성장말로 〈왕을〉 지키다. — *vi.* 〔체스〕 성장말로 지키다.

cas·tle-build·er[-bìldər] *n.* 축성가; 공상가.

Cástle Cáthoic 《경멸》 영국의 북아일랜드 지배를 지지하는 카톨릭교도.

cas·tled *a.* 성을 쌓은; =CASTELLATED.

cást nèt =CASTING NET.

cast·off *a.* 벗어 버린, 버림받은. — *n.* 버림받은 물건〔사람〕; (*pl.*) 입지 않는 헌 옷.

cas·tor[1] *n.* **1** 〔動〕 비버(beaver), 해리(海狸). **2** Ⓤ 비버향(香)《약품·향수의 원료》. **3** 비버 모자, 실크 해트.

castor[2] *n.* =CASTER 2.

Cas·tor[kǽstər, kɑ́:stər] *n.* 〔天〕 카스토르 《쌍둥이자리의 알파성》. **Castor and Pollux** 〔그神〕 Zeus와 Leda의 쌍둥이 아들《뱃사람의 수호신》.
cástor bèan 아주까리 씨.
cástor óil 아주까리 기름, 피마자유.
cás·tor-oil plànt[kǽstərɔ́il-, kɑ́:st-] 아주까리.
cástor sùgar 《영》 가루 백설탕.
cas·trate[kǽstreit] *vt.* 거세하다(geld), 난소를 제거하다; 골자를 빼버리다; 삭제 정정하다.
cas·tra·tion[kæstréiʃən] *n.* U,C 거세; 골자를 빼기; 삭제 정정.
cas·tra·to[kæstrɑ́:tou] [It] *n.* 〔樂〕 카스트라토《어려서 거세한 남성 가수》.
Cas·tro[kǽstrou] *n.* 카스트로 Fidel ~ 《(1927-): 쿠바의 혁명가 · 수상(1959-76) 대통령(1976-)》. **~·ìsm** *n.*
Cas·tro·ite[-àit] *n.* 카스트로 지지자. — *a.* 카스트로를 지지하는.
cást stéel 주강(鑄鋼).
****ca·su·al**[kǽʒuəl] [L] *a.* **1** 우연의(accidental), 우발의, 뜻밖의, 뜻하지 않은: a ~ meeting 뜻밖의 만남/a ~ visitor 불쑥 찾아온 방문객. **2** 그때 그때의, 임시의, 부정기의: a ~ laborer (임시의) 자유 노동자. **3** 무심결의, 즉석의: a ~ remark 무심코〔되는 대로〕한 말. **4** 되는 대로의, 아무 대중도 없는; 《俗》 태평한. **5** 무관심한, 격식을 차리지 않는, 까다롭지 않은, 격의 없는; 변덕스러운, 믿음성 없는: a very ~ sort of person 심한 변덕쟁이. **6** 〈의복 등이〉 약식의(informal), 평상복의, 캐주얼의: ~ wear 평상복. **7** (교섭 · 우정 따위가) 표면적인, 건성으로하는. **8** 《영》 임시 구호를 받는. — *n.* **1** 임시〔자유, 계절〕 노동자; 부랑자; (*pl.*) 임시 구호를 받는 사람들(the casual poor). **2** 《미》 파견병. **3** (*pl.*) 평상복, 캐주얼 웨어(= ~ **clóthes**); 캐주얼 슈즈(= ~ **shóes**). **4** 《영》 (평상복 · 스포티한 옷차림을 좋아하는) 귀족 계급의 젊은이. **~·ness** *n.*
cásual hòuse 《영》 자선 구빈원.
ca·su·al·ism [-ìzəm] *n.* 우연이 지배하는 상태; 〔哲〕 우연론.
***ca·su·al·ly**[kǽʒuəli] *ad.* 우연히, 아무 생각 없이; 무심코, 문득; 임시로; 약식으로.
càsual séx (부부간이 아닌)타인과의 성행위.
***ca·su·al·ty**[kǽʒuəlti] *n.* (*pl.* **-ties**) **1** 불상사, 불의의 재난, 사상(死傷) 사고, 상해 사고. **2** (*pl.*) 사상자수〔명단〕, (전시의) 인적(人的) 손해: heavy *casualties* 다수의 사상자. **3** 조난자, 부상자, 사망자.
cásualty insùrance 상해 보험《교통 사고 도난에 대한》.
cásualty wàrd 《영》 응급 처치실〔병동〕.
cásual wàrd 《영古》 (구빈원의) 부랑자 임시 수용소.
cásual wàter 〔골프〕 (비 때문에 코스에) 우연히 생긴 웅덩이.
ca·su·a·ri·na *n.* 〔植〕 카수아리나속의 관목 《오스트레일리아 · 태평양 제도산》.
ca·su·ist[kǽʒuist] *n.* **1** 결의론자(決疑論者). **2** 궤변가(sophist).
ca·su·is·ti·cal, -tic[kæ̀ʒuístikəl], [-tik] *a.* 결의론적인, 궤변적인. **-ti·cal·ly** *ad.*
ca·su·ist·ry[kǽʒuistri] *n.*(*pl.* **-ries**) U,C **1** 〔哲〕 결의론(決疑論)《양심의 문제나 행위의 선악을 경전 · 교회 또는 사회 도덕의 표준으로 규정지으려는 학설》. **2** 궤변.
ca·sus bel·li[kéisəs-bélai, kɑ́:səs-béli:] [L =case of war] *n.* (*pl.* ~) 전쟁 원인, 개전(開戰) 이유.
ca·sus foe·de·ris[kéisəs-fédəris, kɑ́:səs-fɔ́idəris] [L =case of treaty] *n.* (*pl.* ~) 〔國際法〕 조약 해당 사유.
★cat[1] [kæt] *n.* **1** 고양이; 〔動〕 고양이과(科)의 동물《tiger, lion, panther, leopard, lynx 등》. **2** 고양이 같은 사람; 심술궂은 여자; 잘 할퀴는 아이. **3** 《俗》 사내, 놈, 작자(guy); 재즈 연주〔애호〕가(hepcat). **4** (자치기(tipcat)용) 양끝이 뾰족한 나무막대기. **5** 〔海〕 = CATHEAD; CATBOAT. **6** (세다리로 서는) 육각기(六脚器). **7** (the ~) 《口》 =CAT-O'-NINE-TAILS. **8** =CATFISH. **9** 캐딜락(Cadillac). **10** 무한 궤도차(caterpillar); 쌍동선(雙胴船)(catamaran). **A cat has nine lives.** 《속담》 고양이는 목숨이 아홉 개 있다《쉽사리 죽지 않는다》. **A cat may look at a king.** 《속담》 고양이도 임금님을 뵈올 수 있다《천한 사람에게도 응분의 권리가 있다》. **bell the cat** 고양이 목에 방울을 달다, 어려운 일을 떠맡다. **Care killed the cat.** 《속담》 걱정은 몸에 해롭다. **Curiosity killed the cat.** 《속담》 호기심이 신세를 망친다. **enough to make a cat laugh** 〈사물이〉 아주 야릇한, 우스꽝스러운. **fight like Kilkenny cats** 쌍방이 죽을 때까지 싸우다. **Has the cat got your tongue?** 《口》 왜 말이 없지. **let the cat**〔**the cat is**〕 **out of the bag** 비밀을 누설하다〔이 누설되다〕. **land like a cat** =**land on** one's **feet** 운이 좋다. **like a cat on a hot tin roof** 《미》 = **like a cat on hot bricks** 《영口》 안절부절 못하여, 어찌할바를 모르고. **more than one way to skin a cat** 《미口》 궁하면 통하는 길. **not have a cat in hell's chance** 전혀 기회가 없다. **play cat and mouse with** ⇨ cat and mouse. **put**〔**set**〕 **the cat among the pigeons** (비밀로 할 일을 털어 놓거나 해서) 파란을 일으키다. **It rains**〔**comes down**〕 **cats and dogs.** 비가 억수같이 퍼붓는다. **see**〔**watch**〕 **which way the cat jumps**=**wait for the cat to jump** 기회를 엿보다, 형세를 관망하다. **The cat is out of the bag.** 비밀이 샜다. **turn the cat in the pan** 배신하다, 변절하다. **When the cat's away, the mice will play.** 《속담》 호랑이 없는 골에는 토끼가 스승이다.
— (~·**ted**; ~·**ting**) *vt.* 〔海〕 〈닻을〉 닻걸이에 끌어 올리다; 구승편으로〔매로〕 때리다.
— *vi.* 《영口》 토하다; 《미俗》 〈남자가〉 여자를 낚으러 다니다《*around*》.
cat[2] *n.* 《口》 CATALYTIC CONVERTER.
CAT computerized axial tomography X선 체축(體軸) 단층 촬영.
cat-[kæt], **cat·a-**[kǽtə] *pref.* 「아래(*opp.* ana-), 반(反), 오(誤), 측(側), 전(全)」의 뜻《모음 앞에서는 cat-》.
cat. catalog(ue); catechism. **C.A.T., CAT** Civil Air Transport《자유중국의》; clear-air turbulence; 《영》 College of Advanced Technology; computerized axial tomography; computer-assisted typesetting 〔印〕 컴퓨터 사식.
cat·a·bol·ic[kæ̀təbɑ́lik/-bɔ́l-] *a.* 〔生〕 이화(異化) (작용)의.
ca·tab·o·lism[kətǽbəlìzəm] *n.* U 〔生〕 이화〔분해〕 작용(*cf.* ANABOLISM).
ca·tab·o·lite[kətǽbəlàit] *n.* 〔生〕 이화생성물.
ca·tab·o·lize[kətǽbəlàiz] *vt., vi.* 이화하다.

대사 작용으로 분해하다.
cat·a·chre·sis[kæ̀təkríːsis] *n.* (*pl.* **-ses**[-siːz]) Ⓤ,Ⓒ 〔修〕 (말의) 오용, 비유의 남용.
cat·a·chres·tic, -ti·cal[-kréstik], [-kəl] *a.* 〔修〕 용어 〔비유〕가 잘못된, 부자연스러운. **-ti·cal·ly** *ad.*
cat·a·clasm[kǽtəklæ̀zəm] *n.* 파열, 분열.
cat·a·cli·nal[kæ̀təkláinəl] *a.* 〔地質〕 지층 경사 방향으로 하강하는.
cat·a·clysm[kǽtəklìzəm] *n.* 큰 홍수(deluge); 〔地質〕 지각(地殼)의 격변; 정치적〔사회적〕 대변동. **cat·a·clýs·mal**[-klízməl] *a.* = CATACLYSMIC.
cat·a·clys·mic[-mik] *a.* 격변하는.
cat·a·comb[kǽtəkòum] *n.* (보통 *pl.*) 지하 묘지: (the C-s) (로마의) 카타콤베《초기 기독교도의 피난처가 된 지하 묘지》.
ca·tad·ro·mous[kətǽdrəməs] *a.* 〔魚〕 〈물고기가〉 산란을 위해 하류〔바다〕로 내려가는, 강하(降河)〔회유〕성의.
cat·a·falque[kǽtəfæ̀lk] *n.* 관대(棺臺); 덮개 없는 영구차(open hearse).
Cat·a·lan[kǽtələn, -læ̀n] *a.* 카탈로니아(Catalonia)의; 카탈로니아 사람〔말〕의.
— *n.* 카탈로니아 사람; Ⓤ 카탈로니아 말.
cat·a·lase[kǽtəlèis, -z] *n.* Ⓤ 〔生化〕 과산화수소를 물과 산소로 분해하는 효소.
cat·a·lec·tic[kæ̀təléktik] *a., n.* 〔韻〕 각운(脚韻)이 1음절 적은 (행).
cat·a·lep·sy[kǽtəlèpsi], **cat·a·lep·sis**[kæ̀təlépsis] *n.* Ⓤ 〔精醫〕 강직증(强直症).
cat·a·lep·tic[-tik] *a., n.* 강직증의 (환자).
Cat·a·lin[kǽtəlin] *n.* (합성 수지제) 보석.
⁑**cat·a·log** | **logue**[kǽtəlɔ̀ːg, -lɑ̀g/-lɔ̀g] [Gk] *n.* **1** 목록, 카탈로그; 일람표; 도서 목록, 장서 목록: a library ~ 도서 목록. **2** 《미》 대학 요람(《영》 calendar). **a card catalog** 도서관의 색인 목록(카드). **repertory**〔**union**〕 **catalogue** (도서관의) 종합 도서 목록.
— *vt., vi.* 목록을 작성하다; 목록에 싣다; 분류하다. **-log(u)·er**[-ər] *n.* 카탈로그 편집자.
ca·ta·logue rai·son·né[-rèizənéi] [F] *n.* (*pl.* ***ca·ta·logues raison·nés***) 해제(解題)가 붙은 분류 목록《책·그림의》.
Cat·a·lo·nia[kæ̀təlóuniə, -njə] *n.* 카탈로니아《스페인 북동부 지방》.
ca·tal·pa[kətǽlpə] *n.* 〔植〕 개오동나무.
ca·tal·y·sis[kətǽləsis] *n.* (*pl.* **-ses**[-sìːz]) Ⓤ,Ⓒ 〔化〕 촉매 작용, 접촉 반응; 유인(誘因).
cat·a·lyst[kǽtəlist] *n.* 촉매; 촉진제; 촉매 역할하는 사람.
cat·a·lyt·ic[kæ̀təlítik] *a.* 촉매(작용)의.
catalýtic convérter 촉매 컨버터《자동차 배기 가스의 유해 성분을 무해화하는 장치》.
catalýtic crácker (석유의) 접촉 분해기.
cat·a·lyze[kǽtəlàiz] *vt.* …에 촉매 작용을 미치다, 〈화학 반응을〉 촉진시키다, 〈사물을〉 촉진시키다. **-lyz·er** *n.* =CATALYST.
cat·a·ma·ran[kæ̀təmərǽn] *n.* **1** 뗏목, 뗏목 배; (선체가 둘인) 쌍동선. **2** 《口》 바가지 긁는 여자, 심술궂은 여자.
cat·a·me·ni·a[kæ̀təmíːniə] *n. pl.* 〔生理〕 월경(menses). **-al**[-əl] *a.*
cat·a·mite[kǽtəmàit] *n.* (남색의 상대인) 소년, 미동.
cat·a·mount[kǽtəmàunt] *n.* 〔動〕 고양이과(科)의 야생동물; 《특히》 퓨마, 스라소니.
cat-a-moun·tain[kæ̀təmáuntən] *n.* **1** 〔動〕 고양이과(科)의 야생 동물; 《특히》 살쾡이(wildcat), 표범. **2** 싸움꾼.
cat-and-dog[kǽtəndɔ́ːg/-dɔ́g] *a.* 사이가 나쁜, 견원지간의: lead a ~ life 〈부부가〉 싸움만 하며 살아가다.
cát and móuse 고양이와 쥐《아이들 놀이의 하나》; 고양이가 쥐를 놀리듯 하기. **play cat and mouse with** …을 갖고 놀다, 곯리다; 일격을 가하려고 노리다.
cat-and-mouse[kǽtənmáus] *a.* 끊임없이 습격의 기회를 노리고 있는.
cat·a·plasm[kǽtəplæ̀zəm] *n.* 〔醫〕 습포제(濕布劑), 습포, 찜질약(poultice).
cat·a·plex·y[kǽtəplèksi] *n.* Ⓤ 〔病理〕 탈력 발작(脫力發作)《공포 등으로 갑자기 마비를 일으켜 움직일 수 없는 상태》.
*__cat·a·pult__[kǽtəpʌ̀lt] *n.* 쇠뇌, 투석기; 《영》 돌팔매총, 고무줄 새총(《미》 slingshot)《장난감의》; 〔空〕 비행기 사출기(射出機)《항공 모함에서의》; 글라이더 시주기(始走器). — *vt.* 투석기로 쏘다; 돌팔매총으로 쏘다; 발사하다; catapult로 발진시키다. — *vi.* catapult로 발진하다; 급히 날다〔뛰어 오르다〕.
càt·a·púl·tic[kæ̀təpʌ́ltik] *a.*
*__cat·a·ract__[kǽtərӕ̀kt] [Gk] *n.* **1** 큰 폭포(*cf.* CASCADE); 큰비; 홍수(deluge); 분류(奔流). **2** 〔病理〕 백내장(白內障). **3** 〔機〕 수력 절동기(節動機)《펌프의》.
*__ca·tarrh__[kətɑ́ːr] *n.* Ⓤ 〔病理〕 카타르《점막의 염증》, 《특히》 코〔목〕 카타르; 감기.
ca·tarrh·al[-rəl] *a.* 카타르성의.
cat·ar·rhine[kǽtəràin] *n., a.* 〔動〕 협비류(狹鼻類) 원숭이(의).
*__ca·tas·tro·phe__[kətǽstrəfi] [Gk] *n.* **1** 대이변, 대참사; 큰 재앙. **2** 지각(地殼)의 격변(cataclysm). **3** (희곡의) 대단원; 《특히 비극의》 파국. **4** 대실패, 파멸. ◇ catastróphic *a.*
catástrophe rìsk 〔保險〕 비상 재해 위험.
cat·a·stroph·ic[kæ̀təstrɑ́fik/-strɔ́f-], **-i·cal**[-ikəl] *a.* 대변동〔큰 재앙〕의; 파멸적인, 비극적인, 끝장의. **-i·cal·ly** *ad.*
cat·a·to·ni·a[kæ̀tətóuniə] *n.* Ⓤ 〔精醫〕 긴장병. **-ton·ic** [-tɑ́nik/-tɔ́n-] *a.*
Ca·taw·ba[kətɔ́ːbə] *n.* 카토바 포도; Ⓤ 카토바 백포도주《북미 Catawba강 부근산》.
cat·bird[kǽtbə̀ːrd] *n.* 〔鳥〕 개똥지빠귀의 일종《북미산; 고양이 울음소리를 냄》.
cátbird sèat 《미口》 유리한 입장〔조건〕.
cát blòck 닻을 감아 올리는 도르래.
cat·boat[kǽtbòut] *n.* 외대박이 작은 배.
cát bùrglar (창문 등으로 침입하는) 밤도둑.
cat·call[kǽtkɔ̀ːl] *n.* (집회·극장 등에서의) 고양이 울음소리같은 야유, 날카로운 휘파람.
— *vi., vt.* 야유하다, 놀리다. **~·er** *n.*
★**catch**[kætʃ] [L] (**caught**[kɔːt]) *vt.* **1** 붙들다, (붙)잡다, 쥐다; (덫으로) 잡다: 《Ⅲ (목)》 The early birds ~*es* the worm. 일찍 일어나는 새가 벌레를 잡는다/《Ⅴ (목)+형》 I *caught* this bird alive. 나는 이 새를 산 채로 잡았다.
2 (쫓아가서) 붙들다, (범인 따위를) (붙)잡다: ~ a criminal 범인을 잡다/~ a run away horse 도망친 말을 붙들다《Ⅴ (목)+-*ing*(*p.*)》 I *caught* the thief steal*ing* money from the safe. 나는 그 도둑이 금고에서 돈을 훔치는 것을 잡았다.
3 (갑자기) 달려들어 붙들다, 잡아채다: He *caught* her *in* her fall. 그녀가 넘어지려는 것을 달려들어 붙들었다.
4 〈기차 등을 제시간에〉 잡아타다, 시간에 대다; 〈추적자가〉 따라잡다(*opp.* miss, lose): ~ the train〔bus, plane〕 기차〔버스, 비행기〕 시간에 대다, 기차〔버스, 비행기〕를 잡아타다/I

caught him before he could go two miles. 그가 2마일도 가기 전에 그를 따라잡았다.
5 (기회 따위를) 포착하다, 잡다: ~ an opportunity of going abroad 외국에 갈 기회를 잡다.
6 〈…하고 있는 것을〉 발견하다, 현장을 목격하다, 〈거짓말 등을〉 간파하다: *Catch* me (*at* it 〔do*ing* it〕)! 《口》 그런 짓을 누가 할까봐!《내가 그런 짓하는 현장을 목격해 보라지》/《Ⅴ (목)+-*ing*(*p*.)》 She *caught* him gett*ing* in the car. 그녀는 그가 자동차에 오르는 것을 보았다.
7 급습하다(보통 수동형): 〈폭풍우 등이〉 엄습하다《*in, by*》: We were *caught in* a shower. 우리는 소나기를 만났다.
8 〈병에〉 걸리다, 감염되다: 〈물건이〉 타다, 〈불이〉 붙다, 옮겨 붙다: 〈버릇이 몸에〉 배다: 감화되다: ~ (a) cold 감기 들다/Wooden houses ~ fire easily. 목조 가옥은 불이 잘 붙는다.
9 〈공 등을〉 받다, 잡다, 받아내다: 〈투수의〉 포수를 하다: 공을 받아 〈타자를〉 아웃시키다《*out*》: 〈빛을〉 받다: ~ a ball 포구하다.
10 〈낙하물 · 타격 등이 …에〉 맞다, 〈사람의 …을〉 치다: 《Ⅳ 대+(목)》 She *caught* him one blow on the cheek. 그녀는 그의 뺨을 한 대 때렸다.
11 걸다, 얽다, 걸리다, 끼이게 하다, 감기다, 감기게 하다: He *caught* his finger *in* a window. 창 틈에 그의 손가락이 끼었다.
12 …의 주의를 끌다, 〈마음 · 눈길 등을〉 끌다: Beauty ~*es* the eye. 아름다운 것은 눈에 띈다.
13 이해하다, 알아듣다: 감지하다, 알아채다: ~ a melody 멜로디를 이해하다.
14 《口》 〈텔레비전 · 연극 · 영화 등을〉 보다.
15 〈벌 등을〉 받다.
16 (보통 수동형) 《영口》 임신시키다.
— *vi.* **1** 붙들려고 하다, 잡으려고 하다, 급히 붙들다《*at*》: 《Ⅲ *v*Ⅰ+전+(목)+전+명》 A drowing man will *catch at* a staw. 물에 빠진 사람은 지푸라기 하나라도 잡으려 한다. **2** 기대다, 매달리다: 선뜻 받아들이다《*at*》: ~ *at* a hope 희망에 매달리다/~ *at* a person's proposal …의 제안을 선뜻 받아들이다. **3** 걸리다, 얽히다. 〈자물쇠 · 빗장 등이〉 걸리다: 〈목소리가〉 메이다: The lock doesn't *caught*. 이 자물쇠는 걸리지 않는다/The kite *caught* in a tree. 연이 나무에 걸렸다/My sleeve *caught on* a nail. 옷소매가 못에 걸렸다. **4** 〈물건이〉 불붙다, 발화하다: 〈엔진이〉 시동되다: 퍼지다: 〈병이〉 전염〔감염〕되다: This match will not ~. 이 성냥은 불이 잘 안 붙는다. **5** 〔野〕 캐처 노릇을 하다. **6** 〈작물이〉 발아(發芽)하다.
be caught in (a shower) (소나기)를 만나다. **be caught out** … 〔野〕 비구(飛球)가 잡혀 아웃되다. **catch as catch can** 한사코 달려들다, 기를 쓰고 붙잡다. **catch at** 〈물건을〉 붙잡으려고 하다: 〈의견 등을〉 선뜻 받아들이다. **catch away** 잡아가다. **catch fire** 불붙다: 《俗》 담배 피우다. **catch hold of** …을 포착하다: 〈상대방의〉 말꼬리를 붙들고 늘어지다. **catch it** 《口》 꾸지람 듣다, 벌받다. **catch off** 《미》 잠들다. **catch on** 인기를 얻다, 유행하다: 뜻을 깨닫다, 이해하다《*to*》: 터득하다. **catch** one**'s breath** (놀라서) 숨을 죽이다. **catch** one**'s death of cold** 독한 감기에 걸리다. **catch** one**self** 하려다〔말하려다〕 갑자기 멈추다. **catch** one**'s eye** 눈에 띄다. **catch out** 〔野〕 공을 받아 〈타자를〉 아웃시키다: 〈잘못을〉 발견하다, 〈거짓을〉 간파하다. **catch over** 수면이 얼어붙다, 얼기 시작하다. **catch sight of** …을 발견하다: 《Ⅲ *v*Ⅲ+명+전+(목)》 He *caught sight of* a group of small boys. 그는 한 무리의 어린 소년들을 발견했다. **catch the Speaker's eye** 〔議會〕 발언을 허락받다. **catch up** 따라가다《*on, to, with*》: 〈상대를〉 비평이나 질문으로 방해하다: 급히 집어 올리다, 움켜쥐다: 이해하다: 《미》 〈말(馬)을〉 준비하다: (보통 수동형) …에 열중시키다: (보통 수동형) 〈사태 등에〉 말려들다: 《Ⅰ *v*Ⅰ+부+전+명》 You will *catch up with* them. 너는 그들을 따라갈 것이다. **catch** a person **with his pants down** 《미俗》 아무에게 창피를 주다: 불시에 습격하다.
— *n.* **1** 붙듦, 잡음, 포획, 어획, 포착: 파악. **2** 〔野 · 크리켓〕 포구(捕球), 포수(catcher): 캐치볼(놀이). **3** 잡은 것, 포획물〔량〕: 어획물〔량〕: get a good ~ (of fish) (물고기를) 많이 잡다. **4** 횡재물: 인기물, 붙들 만한 가치가 있는 사람〔것〕, 《특히》 좋은 결혼 상대, 《부정적》 대단한 것: a good ~ 좋은 결혼 상대《등》/a great ~ 인기 있는 사람. **5** (숨 · 목소리의) 막힘, 메임, 끊김: (기계 장치의) 정지, 중단. **6** 〔樂〕 윤창(輪唱): 단편(fragment). **7** 방아쇠, 문고리, 손잡이. **8** 《口》 (사람을 걸리게 하는) 함정, 올가미, 책략. **9** 발아(發芽). **by catches** 종종, 때때로. **no catch** =**not much of a catch** 대단치 않은 것, 수지가 맞지 않는 것. — *a.* **1** (질문 따위가) 함정이 있는. **2** 주의를 끄는, 흥미를 돋구는.

catch·all [⌐ɔ̀ːl] *n.* 잡동사니를 넣는 자루〔그릇, 광〕, 잡낭: 〔化〕 포즙기(捕汁器): 포괄적인 것. — *a.* 온갖 것을 넣는: 다양한 대응이 가능한, 다목적용의.

catch-as-catch-can [⌐əzkǽtʃkǽn] *n.* Ⓤ 자유형 레슬링. — *a.* 《口》 수단을 가리지 않는, 닥치는〔되는〕 대로의, 계획성 없는.

cátch bàsin 집수구: 수챗구멍의 쓰레기받이.

cátch càr 《미俗》 속도 위반 차량 적발차.

cátch cròp 〔農〕 간작 작물.

cátch cròpping 〔農〕 간작.

cátch dràin 물받이 도랑, (산중턱의) 배수구.

catch-'em-a·live-o [⌐əmәláivou] *n.* 《영》 파리잡이 끈끈이.

⁑catch·er [kǽtʃər] *n.* 잡는 사람〔물건〕: 〔野〕 포수, 캐처: 〔捕鯨〕 캐처보트.

catch·fly [kǽtʃflài] *n.* (*pl.* **-flies**) 〔植〕 끈끈이대나물.

catch·ing [kǽtʃiŋ] *a.* 전염성의: 매력 있는.

catch·light [⌐làit] *n.* 매끄러운 표면〔수면〕에서 비치는 반사광.

cátch lìne [⌐làin] (주의를 끄는) 선전 문구: 표제.

catch·ment [kǽtʃmənt] *n.* Ⓤ 집수(集水): 집수 지역: Ⓒ 집수량.

cátchment àrea 〔**bàsin**〕 《영》 (강 · 못의) 집수(集水) 지역: (학교 · 병원 · 관청 등의) 담당〔관할〕 구역.

catch-out [⌐àut] *n.* 간파: 기대에 어긋남.

catch·pen·ny [⌐pèni] *a.* 싸구려의, 돈만 긁어내려는, 싸고 겉만 번지르르한. — *n.* (*pl.* **-nies**) 싸고 겉만 번지르르한 물건.

catch·phrase *n.* 이목을 끄는 기발한 문구, (짧은) 유행어: 캐치프레이즈, 표어.

cátch pìt 집수구(集水溝).

catch·pole, -poll [⌐pòul] *n.* 《古》 집달리.

cátch stìtch 열십자뜨기.

cátch tìtle (도서 목록 등의) 약식〔요약〕 책명.

catch-22 [⌐twèntiːtúː] *n.* 《俗》 (모순되는 규칙 · 상황에 의해) 꼭 묶인 상태, (곤란으로) 꼼짝 못하는 상태, 부조리한 규칙〔상황〕, 곤경, 딜레마: 함정. — *a.* 꼼짝할 수 없는.

catch-up [kǽtʃʌ̀p] *n.* 격차 해소, 만회하기.

catch·up[kǽtʃəp, kétʃ-] *n.* =KETCHUP.
catch·weight[´-wèit] *a., n.* 〔競〕 무제한급의 (체중).
catch·word[´-wə̀ːrd] *n.* **1** 표어, 유행어. **2** 난외(欄外) 표제어((사전 등의)). **3** 다음 배우가 이어받도록 넘겨주는 대사.
catch·y[kǽtʃi] *a.* (**catch·i·er; -i·est**) ((口)) **1** 인기를 얻기 쉬운; 〈곡조가〉 재미있어 외기 쉬운. **2** 틀리기 쉬운 〈문제 등〉. **3** 단속적인, 변덕스러운. **cátch·i·ly** *ad.* **-i·ness** *n.*
cát dàvit 〔海〕 양묘주(揚錨柱).
cát dòor (소형의) 고양이 출입문.
cate[keit] *n.* (주로 *pl.*) ((古)) 진미(珍味).
cat·e·chet·i·cal, -ic[kæ̀təkétikəl], [-tik] *a.* (교수법이) 문답식의; 교리 문답의.
cat·e·chism[kǽtəkìzəm] *n.* **1 a** Ⓤ 교리 문답, 공교 요리, 성공회 문답. **b** Ⓒ 교리문답서, 문답식 교과서. **2** Ⓤ 문답식 교수법. **3** 잇달은 질문. **put** a person **through a** 〔his〕 **catechism** …에게 질문 공세하다.
càt·e·chís·mal *a.*
cat·e·chist[kǽtəkist] *n.* 교리 문답 교사, 전도사.
cat·e·chis·tic, -ti·cal[-kístik], [-əl] *a.* 〔基督教〕 전도사의; 교리 문답의.
cat·e·chize[kǽtəkàiz] *vt.* 문답식으로 가르치다; 시험하여 물어보다.
-chiz·er *n.* = CATECHIST.
cat·e·chol·a·mine[kæ̀təkáləmìːn, -kóul-] *n.* 〔生化〕 카테콜아민((신경세포에 작용하는 호르몬)).
cat·e·chu[kǽtətʃùː] *n.* 아선약(阿仙藥)((설사를 멎게 하는 약)).
cat·e·chu·men[kæ̀təkjúːmən] *n.* 세례 지원자; 입문자, 초심자.
cat·e·go·ri·al[kæ̀təgɔ́ːriəl] *a.* 범주의.
cat·e·gor·i·cal, -ic[kæ̀təgɔ́ːrikəl, -gár-/-gɔ́r-], [kæ̀təgɔ́ːrik, -gár-/-gɔ́r-] *a.* **1** 범주(範疇)에 속하는, 분류별의. **2** 무조건적인, 절대적인, 단정적인; 〔論·倫〕 단언적인(*opp.* hypothetical). **~·ness** *n.*
categórical gránt (특별한 목적이 부여되는)(개별) 보조금(*opp.* block grant).
categórical impérative 〔倫〕 지상(至上) 명령((양심의 절대 무조건적 도덕률)).
cat·e·gor·i·cal·ly[kæ̀təgɔ́ːrikəli, -gár-/-gɔ́r-] *ad.* 절대적으로, 단언적으로, 명확히.
cat·e·go·rize[kǽtigəràiz] *vt.* 분류하다, 유별(類別)하다. **càt·e·go·ri·zá·tion** *n.*
cat·e·go·ry[kǽtəgɔ̀ːri/-gəri] [Gk] *n.* (*pl.* **-ries**) **1** 〔論·言〕 범주, 카테고리. **2** 종류, 분류, 부문, 구분.
⊕ categórical *a.*; cátegorize *v.*
cátegory ròmance 카테고리 로맨스((일정한 틀에 따라 쓰여진 로맨스 소설)).
ca·te·na[kətíːnə] *n.* (*pl.* **-nae**[-niː], **~s**) 사슬; 연쇄(連鎖), 연속; 〔基督教〕 성서 주석집.
ca·te·nac·cio[kàːtənáːtʃiou] [It] *n.* 〔蹴〕 카테나치오((4명의 백(back)에 스위퍼를 두는 수비형)).
cat·e·nar·i·an[kæ̀tənέəriən] *a.*=CATENARY.
cat·e·nar·y[kǽtənèri/kətíːnəri] *n., a.* 쇠사슬 모양(의); 〔數〕 현수선(懸垂線)(의).
cat·e·nate[kǽtənèit] *vt.* 사슬로 잇다; (술술 내리) 외다.
cat·e·na·tion[-néiʃən] *n.* Ⓤ 연쇄.
ca·ter[1] [kéitər] *vi.* 음식물을 조달〔장만〕하다 ((*for*)); 요구에 응하다, 만족을 주다; 영합하다 ((*for, to*)) : ((Ⅲ *v* I 전+(목))) We ~ *for* weddings and parties. 결혼식과 연회의 주문을 받습니다 (= Weddings and parties are ~*ed for.* ((Ⅰ+*be pp.*+전)) /=We ~ wedings and parties.((Ⅲ (목)))) / "Weddings *catered for*" 결혼식 주문 배수((광고))/((Ⅲ *v* I+전+(목)))He ~*s to* her wish. 그는 그녀의 청을 들어준다.
— *vt.* (연회 따위의 요리서비스 등)을 제공하다, (연회 등의 준비)를 떠맡다; 조달하다: ((Ⅲ (목)+전+명))He ~*ed* all the food *for* us. 그는 우리에게 모든 식품을 조달한다/((Ⅲ (목))) We ~ wedings and parties. 결혼식과 연회의 주문을 받습니다/ "Weddings *catered*" 결혼식 주문 배수((광고)).
cater[2] *n.* 〔카드〕 네 끗패; (주사위의) 네 끗.
cat·er·an[kǽtərən] *n.* ((스코)) 산적(山賊).
cat·er·cor·ner, cat·er·cor·nered[kǽtər-kɔ̀rnər/kéit-], [-nərd] *a., ad.* 대각선상의〔에〕.
ca·ter-cous·in[kéitərkʌ̀zn] *n.* 친한 친구; 먼 친척.
ca·ter·er[kéitərər] *n.* 요리 조달자, 음식을 장만하는 사람((클럽 등에서)), 연회석을 마련하는 사람((호텔의)); 공급자((여흥 등의)).
⁑**cat·er·pil·lar**[kǽtərpìlər] [OF] *n.* **1** 모충(毛蟲), 쐐기벌레((송충이 등 나비·나방의 유충)). **2** 〔機〕 무한 궤도(차); 무한 궤도식 트랙터(=~ **tràctor**). **3** 욕심꾸러기, 착취자.
cat·er·waul[kǽtərwɔ̀ːl] *vi.* (교미기의) 〈고양이가〉 야옹야옹 울다(⇨cat); (고양이처럼) 서로 아옹거리다. — *n.* 야옹야옹 우는 소리; 아옹거림.
cat-eyed[kǽtàid] *a.* 밤눈이 밝은.
cat·fall[kǽtfɔ̀ːl] *n.* 〔海〕 양묘삭(揚錨索).
cat·fight[kǽtfàit] *n.* ((미俗)) 아옹거림(*cf.* DOGFIGHT).
cat·fish[kǽtfìʃ] *n.*(*pl.* ~, ~·**es**) 〔魚〕 메기.
cát fòot 고양이 발((짧고 둥근 발)).
cat-foot[kǽtfùt] *vi.* 살금살금 걸어가다.
cat·gut[kǽtgʌ̀t] *n.* 장선(腸線), 거트((악기·정구 라켓의 줄 등에 씀)); 현악기.
cath-[kæθ] *pref.* =CAT-.
cath. cathedral.
Cath. Catherine; Cathedral; Catholic.
Cath·a·ri·na[kàːtəríːnə], **Cath·a·rine**[kǽθərin] *n.* 여자 이름((애칭 cathy, Kate, Kitty)).
*__ca·thar·sis__[kəθáːrsis] [Gk] *n.* (*pl.* **-ses**[-siːz]) Ⓤ,Ⓒ 〔醫〕 (하제에 의한) 배변(排便); 〔哲·美學〕 카타르시스((인위적 경험(특히 비극)에 의한 감정의 정화(淨化))); 〔精醫〕 (정신 요법의) 카타르시스, 정화법; 정화.
ca·thar·tic[kəθáːrtik] *a.* 배변의, 변이 통하는, 하제의; 카타르시스의. — *n.* 하제.
Ca·thay[kæθéi, kə-] *n.* ((古·詩)) =CHINA.
cat·head[kǽthèd] *n.* 〔海〕 닻걸이((이물 양쪽의)).
ca·thect[kəθékt, kæ-] *vt.* 〔精神分析〕 (물건·사람·생각 등에 대해) 특별한 감정〔의의·가치·흥미〕을 주다; 정신을 집중하다.
ca·the·dra[kəθíːdrə] *n.* (*pl.* **-drae**[-driː]) **1** 주교좌. **2** 권좌; (대학 교수 등의) 지위, 강좌. **ex cathedra** 명령적으로, 권위로써.
⁑**ca·the·dral**[kəθíːdrəl] [L] *n.* **1** 〔가톨릭·영國教〕 대성당, 주교좌 성당((bishop의 자리가 있으며, 따라서 교구(diocese)의 중앙 성당)). **2** 큰 예배당. — *a.* **1** bishop의 자리를 가진; 대성당이 있는. **2** 대성당 소속의; 권위 있는: a ~ city 대성당이 있는 도시.
⊕ cathédra *n.*
cathédral ángle 〔空〕 하반각(下反角).
Cath·e·rina[kæ̀θəríːnə], **Cath·e·rine**[kǽθərin] *n.* 여자 이름((애칭 Cathy, Kate, Kitty)).
Cátherine whèel[kǽθərin-] 회전 불꽃.

turn Catherine wheels 옆으로 공중제비하다.
cath·e·ter[kǽθitər] *n.* 〖醫〗 카테테르, 도뇨관(導尿管).
cath·e·ter·ize[-ràiz] *vt.* …에 카테테르를 꽂다.
ca·thex·is [kəθéksis] *n.* (*pl.* **-thex·es**[-si:z]) U,C 〖精神分析〗 카텍시스《대상(對象)이 사람을 끄는〔배척하는〕 힘》.
cath·ode[kǽθoud] *n.* **1** 〖電〗 음극《전자관 · 전해조의》 (*opp.* anode). **2** (축전지 등의)양극.
cáthode rày 〖電〗 음극선.
cáth·ode-ray tùbe[kǽθoudrèi-] 음극선관, (텔레비전 등의) 브라운관.
⁑**Cath·o·lic** [kǽθəlik] [Gk] *a.* **1 a** (로마) 가톨릭 교회의, (신교(Protestant) 교회에 대하여) 구교의, 천주교의; 영국 국교회 고교회(古敎會)파의(Anglo-Catholic). **b** (그리스의 Orthodox 교회에 대하여) 서방 교회(Western Church)의. **c** (동서 교회로 분열되기 전의) 전(全)기독교회의. **2** (**c-**) 보편적인, 일반적인; 만인이 관심을 가지는, 만인에 공통되는; 포용적인, 도량이 넓은: ～ in one's tastes 취미가 다양한. ── *n.* 구교도; 《특히》 로마 가톨릭교도, 천주교도(Roman Catholic).
⊕ Cathólicism, catholícity *n.*; cathólicize *v.*
ca·thol·i·cal·ly[kəθálikəli/-θɔ́l-] *ad.* 보편적으로, 널리; 가톨릭교적으로.
Cátholic Apostólic Chúrch (the ～) 가톨릭 사도교회.
Cátholic Chúrch (the ～) **1** (로마) 가톨릭 교회, 천주교회. **2** 전(全)기독교회.
Cátholic Emancipátion 〖영史〗 구교도 해방《1829년 신교도와 동일한 정치적 권리를 부여한》.
Cátholic Epístles (the ～) 〖聖〗 (신약 성서 중의) 공동서한《James, Peter, Jude 및 John이 일반 신자에게 보낸 7교서》.
*****Ca·thol·i·cism** [kəθáləsìzəm] *n.* U 카톨릭교, 천주교(의 신봉); 카톨릭교 신앙〔교리〕, 카톨릭 주의. ⊕ Cátholic *a.*
cath·o·lic·i·ty[kæ̀θəlísəti] *n.* U **1** 보편성, 포용성; 마음의 너그러움. **2** (**C-**) 천주교 교리(Catholicism); 천주교 신앙.
ca·thol·i·cize[kəθáləsàiz/-θɔ́l-] *vt., vi.* 일반적으로 하다〔되다〕; (**C-**) 천주교도로 만들다〔가 되다〕.
cath·o·lic·ly *ad.* =CATHOLICALLY.
ca·thol·i·con[kəθálikən/-θɔ́l-] *n.* 만병통치약(panacea).
cat·house[kǽthàus] *n.* 매음굴.
Cath·y *n.* 여자 이름《Catherine의 애칭》.
cát ìce 살얼음《물이 빠진 자리에 남는》.
Cat·i·line[kǽtəlàin] *n.* 비열한 반역자〔음모자〕《로마의 정치가 · 반역자 Catiline((108?-62 B.C.); 라틴어명 Catilina)에서》.
cat·i·on[kǽtàiən] *n.* 〖化〗 카티온, 양(陽)이온(*opp.* anion).
càt·i·ón·ic[kæ̀taiánik/-ɔ́n-] *a.*
cat·kin[kǽtkin] *n.* 〖植〗 버들개지《버들꽃》.
cat·lap[kǽtlæ̀p] *n.* 《영俗》 싱거운 〔묽은〕 음식《차 · 죽 등》.
cat·like[kǽtlàik] *a.* 고양이 같은; 날랜, 발소리 없이 다니는.
cat·ling[kǽtliŋ] *n.* 새끼 고양이; 〖外科〗 절단도(刀); 장선(腸線).
cát màn 1 =CATBURGLAR. **2** =CATSKINNER.
cat·mint[kǽtmìnt] *n.* =CATNIP.
cat·nap[kǽtnæ̀p] *n.* 《미》 선잠(doze).
── *vi.* (～**ped**; ～·**ping**) 선잠 자다.
cat·nip[kǽtnìp] *n.* 《미》 〖植〗 개박하.
Ca·to[kéitou] *n.* 카토 Marus ～ (1) (234-149 B.C.)《로마의 장군 · 정치가》. (2) (95-46 B.C.)《그의 증손자; 정치가 · 철학자》.
cat-o'-nine-tails[kæ̀tənáintèilz] *n.* (*pl.* ～) 9개의 끈을 단 채찍《형벌용》.
ca·top·tric, **-tri·cal**[kətáptrik/-tɔ́p-], [-əl] *a.* 거울의, 반사의.
ca·top·trics[kətáptriks/-tɔ́p-] *n. pl.* (단수 취급) 반사 광학(*cf.* DIOPTRICS).
cát rig 〖海〗 CATBOAT용 범장.
cat-rigged[kǽtrìgd] *a.* CATBOAT식으로 돛을 단.
cáts and dógs[kǽts-] 《俗》 싸구려 증권, 하찮은 상품.
CAT scan[sì:èití:-, kǽt-] [*c*omputerized *a*xial *t*omography] 〖醫〗 (CAT scanner에 의한) 컴퓨터 X선 체축(體軸) 단층 사진.
CAT scànner 〖醫〗 컴퓨터X선 체축 단층 촬영 장치.
CAT scànning 〖醫〗 컴퓨터 X선 체축 촬영법.
cát's crádle 실뜨기(놀이).
cát's-ear[kǽtsìər] *n.* 〖植〗 금혼초.
cat's-eye[kǽtsài] *n.* 〖鑛〗 묘안석 (猫眼石); 야간 반사 장치《도로의》.
cat's-foot[kǽtsfùt] *n.* (*pl.* **-feet**[-fì:t]) 〖植〗 덩굴광대수염, 적설초(ground ivy).
Cáts·kill Móuntains *n.* (the ～) 미국 New York 주 동부의 산맥(=the Catskills).
cat·skin·ner[kǽt-skìnər] *n.* 《俗》 트랙터 운전수.
cat-sleep *n.* =CATNAP.
cat's-meat[kǽtsmì:t] *n.* U 《영》 고양이 먹이 고기《말고기 · 지스러기 고기》; 질 나쁜 고기 (*cf.* DOG'S MEAT).
cát's mèow《俗》(the ～)아주 멋진 것〔사람〕.
cat's-paw[kǽtspɔ̀:] *n.* **1** 앞잡이, 끄나불: make a ～ of …을 앞잡이로 쓰다. **2** 〖海〗 미풍《잔물결을 일으킬 정도》.
cát's pyjamas (the ～) =CAT'S MEOWS.
cat's-tail[kǽtstèil] *n.* 〖植〗 속새; 부들.
cat·suit[kǽt-sù:t] *n.* 내리닫이 팬츠 슈트《몸에 꼭 끼는 여성 · 아동용 운동복》.
cat·sup[kǽtsəp, kétʃəp] *n.* =KETCHUP.
cát('s) whìsker 〖通信〗 (광석 · 반도체 접속용) 가는 철사; 철사 전극; (*pl.*)《俗》 굉장한 것.
cát whísker 1 〖無線〗 위스커《광석에 접촉시키는 광석 검파기(檢波器)의 가늘고 단단한 철사》. **2** 〖電子〗 반도체 접촉용 선.
cat·tail[kǽttèil] *n.* 〖植〗 부들; 부들개지.
cat·ta·lo[kǽtəlou] *n.* (*pl.* ～(**e**)**s**) 《미》 = BEEFALO.
cat·ter·y[kǽtəri] *n.* 고양이 사육장.
cat·tish[kǽtiʃ] *a.* 고양이 같은; 교활한(sly), 음흉한. **～·ly** *ad.* **～·ness** *n.*
⁑**cat·tle**[kǽtl] [L] *n.* (집합적; 복수 취급) **1** 소, 축우(畜牛)(⇨cow[1])(I 早) Are all the ～ in? 소가 모두 안에 있는가? **2** 가축(livestock). **3** 《경멸》 짐승 같은 놈들. **4** 《古》 해충. **5** 《俗》 말.
cáttle brèeding 목축(업).
cáttle càke 《영》 가축용 고형(固形) 사료.
cáttle càll 《俗》 (지원자 등의) 집단 오디션.
cáttle dròver 목동, 소몰이꾼.
cáttle égret 〖鳥〗 황로, 붉은 백로《유라시아 · 아프리카 원산》.
cáttle grúb 《미》 쇠파리, 쇠파리의 유충.
cáttle guàrd〔《영》 **grìd**〕 《미》 가축 탈출 방지용 도랑.
cat·tle-lead·er *n.* 쇠코뚜레.
cat·tle-lift·er[-lìftər] *n.* 소도둑.

cat·tle-lift·ing *n.* Ⓤ 소도둑질.
cat·tle·man[kǽtlmən, -mæ̀n] *n.*(*pl.*-**men** [-mən])《영》목부, 소몰이;《미》(육우 사육) 목장주.
cáttle pèn 외양간, 가축 우리.
cáttle pìece 소 그림.
cáttle plàgue 우역(牛疫)(rinderpest).
cáttle rànch《미》소의 큰 방목장.
cáttle rànge《미》소의 방목지.
cáttle rùn 목장.
cáttle rùstler[kǽtlrʌ̀slər] 소도둑.
cáttle shòw 소 품평회.
cáttle trùck〔영鐵道〕가축차(《미》stock-car); 혼잡하고 불쾌한 차.
catt·ley·a[kǽtliə] *n.*〔植〕카틀레야(양란(洋蘭)의 일종).
cat·ty[1] [kǽti] *a.* (-**ti·er**; -**ti·est**) =CATTISH;《미口》심술 사납게 남의 말 하는: a ~ woman (헐뜯기 잘하는) 심술궂은 여자. **cát·ti·ly** *ad.* **cát·ti·ness** *n.*
catty[2] *n.* (*pl.* -**ties**) 캐티(중국·동남 아시아의 중량 단위, $1^1/_3$ 파운드 상당).
cat·ty-cor·ner(ed) *a., ad.*=CATER-CORNER(ED).
CATV community antenna television 공동 시청 안테나 텔레비전.
cat·walk[kǽtwɔ̀:k] *n.* (항공기 안이나 다리 한 쪽에 마련된) 좁은 통로; (패션 쇼의) 객석에 돌출한 좁다란 무대.
Cau·ca·sia[kɔ:kéiʒə, -ʃə/-zjə] *n.* 코카서스(흑해와 카스피해 사이에 있는 옛 소련의 일부).
Cau·ca·sian[kɔ:kéiʒən, -ʃən/-zjən] *a.* 코카서스 지방〔산맥〕의; 코카서스 사람의, 백색 인종의, 코카서스 언어의. ── *n.* 코카서스 사람, 백인; Ⓤ 코카서스 언어.
Cau·ca·soid[kɔ́:kəsɔ̀id] *a., n.*〔人類〕코카소이드의 (사람)(백색 인종).
***Cau·ca·sus**[kɔ́:kəsəs] *n.* (the ~) 코카서스 산맥(Caucasia에 있는 산); =CAUCASIA.
cau·cus[kɔ́:kəs] *n.* **1**《미》(정당 등의) 간부 회의(정책수립·후보 지명 등을 논의). **2**《영·경멸》지방 정치 간부회. ── *vi., vt.* 간부제로 하다;《미》간부회를 열다.
cau·dad[kɔ́:dæd] *ad.*〔動〕꼬리 근처에.
cau·dal[kɔ́:dəl] *a.*〔動〕꼬리의; 꼬리 모양의; 꼬리쪽의〔에 있는〕. **~·ly**[-dəli] *ad.*
cáudal fín〔魚〕꼬리지느러미(tail fin).
cau·date, -dat·ed[kɔ́:deit], [-id] *a.* 꼬리가 있는; 꼬리 모양의 부속 기관을 가진.
cau·di·llo[kɔ:dí:ljou] [Sp] *n.* (*pl.* ~**s**[-z]) (스페인·라틴아메리카의) 군사 독재자.
cau·dle[kɔ́:dl] *n.* 죽에 달걀·향신료를 넣은 따뜻한 자양 유동식(산부·환자용).
★**caught**[kɔ:t] *v.* CATCH의 과거·과거분사.
caul[kɔ:l] *n.*〔解〕대망막(大網膜)(태아가 종종 머리에 뒤집어 쓰고 나오는 엷은 막).
caul·dron[kɔ́:ldrən] *n.* =CALDRON.
cau·les·cent[kɔ:lésənt] *a.*〔植〕땅위 줄기가 있는.
cau·lic·o·lous[kɔ:líkələs] *a.* 줄기에 자라는(버섯 등).
cau·li·flo·rous[kɔ̀:ləflɔ́:rəs] *a.* 줄기에 직접 꽃이 피는.
***cau·li·flow·er**[kɔ́:ləflàuər] [L] *n.* C,U 콜리플라워, 꽃양배추; 《스코》맥주 거품.
cáuliflower éar (권투선수 등의) 찌그러진 귀.
cau·line[kɔ́:lain, -lin] *a.*〔植〕줄기의, 줄기에 나는.
cau·lis[kɔ́:lis] *n.* (*pl.* -**les**[-li:z])〔植〕(특히 초본 식물의) 줄기.
caulk[1] [kɔ:k] *vt.* **1** 〈선체의〉 틈에 뱃밥 등을 채우다〔채워 물이 새지 않게 하다〕. **2** 〈창틀·파이프 등의〉 틈〔균열〕을 막다.
caulk[2] *n., vt.* =CALK[2]. **cáulk·er** *n.*
caulk(·ing) *n.* Ⓤ caulk[1]하는 재료, 코킹; 누수 방지.
caus. causative.
caus·a·ble[kɔ́:zəbl] *a.* 야기될 수 있는.
caus·al[kɔ́:zəl] *a.* **1** 원인의; 원인이 되는, 인과 관계의: ~ relationship 인과 관계. **2**〔論·文法〕원인을 나타내는: ~ conjunction 원인을 나타내는 접속사(because, as 등). ── *n.*〔文法〕원인〔이유〕을 나타내는 말〔문법 요소〕. **~·ly** *ad.* 원인이 되어
cau·sal·gi·a[kɔ:zǽldʒiə, -dʒə] *n.* Ⓤ〔病理〕작열통(灼熱痛).
cau·sal·i·ty[kɔ:zǽləti] *n.* (*pl.* -**ties**) U,C 인과 관계, 인과율; 작인(作因).
cau·sa si·ne qua non[kɔ́:zə-sáini:-kwei-nán/-nɔ́n] [L] *n.* 필수 조건〔전제〕.
cau·sa·tion[kɔ:zéiʃən] *n.* Ⓤ 원인(작용); 인과 관계. **the law of causation** 인과율
caus·a·tive[kɔ́:zətiv] *a.* 원인이 되는, …을 야기시키는;〔文法〕원인 표시의, 사역적인: ~ verbs 사역 동사(cause, let, make 등). **be causative of** …의 원인이 되다. ── *n.*〔文法〕사역 동사(=~ verb). **~·ly** *ad.* 원인으로서, 사역적으로. **~·ness** *n.* Ⓤ 원인(성).
★**cause**[kɔ:z] *n.* **1** U,C 원인(*opp.* effect): ~ and effect 원인과 결과, 인과. **2** U,C 이유(reason); 근거(*for*), 정당한〔충분한〕이유: show ~ 정당한 이유를 대다/《Ⅲ (목)+〈*to* do〉》You have no ~ *to* complain. 너는 불평할 이유가 없다. **3** 주의, 주장, …운동(*of*); 대의, 목적; (주의·주장·운동의) 목적(을 위하여)(*of*): …을 위함: the temperance ~ 금주 운동. **4** U,C 소송(사건); (소송의) 사유, 이유. **cause of action**〔法〕소송 사유〔원인〕. **have cause for joy**〔**to** rejoice〕(기뻐)하는 것이 당연하다. **in the cause of** justice (정의)를 위하여 〈싸우다 등〉. **make common cause with** …와 제휴하다, 공동 전선을 펴다(*against*). **plead** one's **cause** 소송 이유를 진술하다. **the First Cause** 조물주, 신. **with**〔**without**〕**cause** 이유가 있어서〔없이〕.
── *vt.* **1** …의 원인이 되다; 일으키다:《Ⅲ *pos.*+*-ing*(*g.*)》A road accident ~*d* my *being* late. 나는 도로 사고 때문에 늦었다/《Ⅴ (목)+*to* do》(What-(주)) What ~*d* her *to* change her mind? 무엇 때문에 그녀가 마음을 바꾸었는가/《Ⅳ 대+(목): *whether*(절)》That ~*d* us a doubt *whether* he could win. 그것 때문에 그가 이길 수 있을까하는 의문을 우리에게 던져 주었다. **2** 〈…으로 하여금〉…하게 하다:《Ⅳ 대+(목)+전+*-ing*》She has ~*d* him great perplexity *in* meet*ing* his engagements. 그녀는 그가 그의 채무를 변제하는 데 매우 당혹스럽게 만들었다. **3** 〈…에게 근심 등을〉끼치다:《Ⅲ (목)+전+명》She ~*d* anxiety *to* her parents. 그녀는 자기 부모님께 걱정을 끼쳐드렸다/《Ⅳ 대+(목)》Whether to go there with him ~*d* her some anxiety. 그와 함께 거기에 가야할지 어떨지 하는 문제는 그녀에게 다소 걱정을 주었다. **be caused by** …에 기인하다.
◈ cáusal, cáusative *a.*
(')cause[kɔ:z, kʌz, kəz] *conj.*《口》=BECAUSE.
cause-and-ef·fect[kɔ́:zəndifékt] *a.* 인과 관계의.
cause cé·lè·bre[kɔ́:zsəlébrə] [F=famous

〔celebrated〕 case] *n.* (*pl.* **causes cé·lè·bres** [-]) 유명한 재판 사건; 큰 반향을 일으키는 나쁜 사건.
cause·less[kɔ́:zlis] *a.* 원인〔이유〕 없는: ~ anger 이유 없는 분노. **~·ly** *ad.*
cáuse lìst 〔法〕 소송 사건 목록.
caus·er[kɔ́:zər] *n.* 원인이 되는 사람〔것〕.
cau·ser·ie[kòuzərí:] [F] *n.* (*pl.* ~**s**[-z]) 수필(신문·잡지의), 《특히》 문예 한담.
cause·way[kɔ́:zwèi], **cau·sey**[kɔ́:zi] *n.* **1** 둑길《습지에 흙을 쌓아 올린》. **2** 인도《차도보다 높은》. ― *vt.* …에 둑길을 만들다, 자갈 등을 깔다.
caus·tic[kɔ́:stik] *a.* **1** 부식성의, 소작성의, 가성(苛性)의. **2** 통렬한, 신랄한. **3** 〔光〕 화선〔화면〕의. ― *n.* [U,C] **1** 〔醫〕 부식제(腐蝕劑), 소작제(燒灼劑). **2** 〔光〕 화면(火面), 화선(火線). **3** 빈정대는 말.
cáustic álkali 〔化〕 가성 알칼리.
caus·ti·cal·ly[-kəli] *ad.* 부식적으로; 통렬하게.
caus·tic·i·ty[kɔ:stísəti] *n.* [U] 부식성, 가성도(苛性度); 신랄함.
cáustic líme 생석회.
cáustic pótash 가성 칼리.
cáustic sílver 질산은(窒酸銀).
cáustic sóda 가성 소다.
cau·ter·ant[kɔ́:tərənt] *a.* 부식성의. ― *n.* 부식성〔소작성〕 물질; 소작기(器).
cau·ter·i·za·tion[kɔ̀:tərizéiʃən] *n.* [U] 〔醫〕 소작(燒灼), 부식(腐蝕); 뜸질.
cau·ter·ize[kɔ́:tərὰiz] *vt.* 부식하다; 소작하다, 뜸을 뜨다; 〈양심 등을〉 마비시키다.
cau·ter·y[kɔ́:təri] *n.* (*pl.* **-ter·ies**) [U] 〔醫〕 소작(법); 뜸술; [C] 소작물《달궈서 쓰는 쇠 연장》. **moxa cautery** 쑥뜸.
⁑**cau·tion**[kɔ́:ʃən] [L] *n.* **1** [U] 조심, 신중. **2** [U,C] 훈계, 주의, 경고(warning). **3** [U] 《스코》 담보, 보증(surety); [C] 《미》 보증서〔인〕. **4** 〔軍〕 (구령의) 예령(豫令); 《口》 경계를 요하는 사물〔사람〕; 희한한 사람〔것〕. **for caution's sake** =**by way of caution** 다짐으로, 노파심에서, 만약을 위해서. **with a caution** 훈계를 하여〔받고〕. **with caution** 조심하여. ― *vt.* …에게 주의시키다, 경고하다(warn)《*against*》: 《V 대+*to* do》 Her mother ~*ed* her not *to* be late. 그녀의 어머니는 그녀에게 늦지 말라고 주의를 주었다(= Her mother ~*ed* her *against* be*ing* late.《V 대+전+-*ing*》)/《Ⅱ *be pp.*+*to* do》 The driver was ~*ed to* exceed the speed limit. 그 운전사는 속도 한계를 초과했다고 경고를 받았다. **~·er** *n.* ◇ cáutious, cáutionary *a.*
cau·tion·ar·y *a.* 경계의, 훈계의, 계고적인; 담보적인, 보증의.
cáution mòney 《영》 (대학 등의) 신원 보증금.
⁑**cau·tious**[kɔ́:ʃəs] *a.* 주의 깊은, 조심하는, 신중한, 세심한: She is very ~ *of* giv*ing* 〔~ not *to* give〕 offense to others. 그녀는 남의 감정을 상하지 않도록 매우 조심한다. **~·ly** *ad.* **~·ness** *n.* ◇ cáution *n.*
cav. cavalier; cavalry.
cav·al·cade[kæ̀vəlkéid] *n.* 기마대; 자동차〔기마, 마차〕 행진; 화려한 행렬, 퍼레이드; 사건의 진전; 별의 운행.
*⁎***cav·a·lier**[kæ̀vəlíər] [L] *n.* **1** 《영古》 기사(knight). **2** (여성에게) 예의 바른 사내; (댄스에서 여자의); (여자의) 호위자(escort). **3** (**C-**) 〔영史〕 (17세기 Charles 1세 시대의) 왕당원(*cf.* ROUNDHEAD). ― *a.* **1** 기사다운. **2** 호탕한, 무관심한. **3** 거만한. ― *vt.* 〈여자를〉 호위해 가다. ― *vi.* 여성의 호위자〔파트너〕 노릇을 하다. ◇ cavalíerly *ad., a.*
cav·a·lier·ly[kæ̀vəlíərli] *a.* =CAVALIER. ― *ad.* 기사답게; 호탕하게, 거만하게.
*⁎***cav·al·ry**[kǽvəlri] [L] *n.* (*pl.* **-ries**) (집합적) 기병(대); 《미》 기갑부대: heavy〔light〕 ~ 중〔경〕기병.
cav·al·ry·man[kǽvəlrimən] *n.* (*pl.* **-men** [-mən]) 기병.
ca·vate[kéiveit] *a.* 동굴 같은; (돌을 빼낸 자국처럼) 휑하니 구멍이 난.
cav·a·ti·na[kæ̀vətí:nə] [It] *n.* (*pl.* **-ne**[-nei]) 〔樂〕 카바티나《짧은 영창곡》.
⁑**cave**[1] [keiv] [L] *n.* **1** 동굴, 굴, 종유〔석회〕동: the ~ period 혈거(穴居) 시대. **2** 《영》 (정당의) 탈당(파). **3** (땅의) 함몰. ― *vt.* **1** …에 굴을 파다, 동굴로 만들다. **2** 〈벽·모자 등을〉 움푹 들어가게 하다, 〈지반을〉 함몰시키다《*in*》: He ~*d* my hat *in.* 그는 내 모자를 움푹 들어가게 했다. **3** 《口》 〈사람을〉 녹초가 되게 하다. ― *vi.* **1** 꺼지다, 움푹 들어가다, 함몰하다《*in*》: After the long rain the road ~*d in.* 오랜 장마 끝에 도로가 내려앉았다. **2** 《口》 양보하다, 굴복하다, 항복하다(submit)《*in*》: Germany ~*d in* due to lack of goods. 독일은 물자 부족 때문에 굴복했다. **3** 《口》 동굴 탐험을 하다. **4** 《口》 〈사람이〉 녹초가 되다, 〈사업이〉 파산하다.
ca·ve[2] [kéivə] [L] *int.* 《영學俗》(선생이 왔다) 조심하라(look out!). **keep cave** 《영學俗》 망보다.
cáve àrt (석기 시대의) 동굴 예술.
ca·ve·at[kéiviæ̀t] *n.* **1** 〔法〕 소송 절차 정지 통고; 《미》 발명 특허권 보호 신청. **2** 경고; 억제; 단서(但書). **enter〔file, put in〕 a caveat against** …에 대한 정지 신청을 내다. **-a·tor**[-èitər] *n.*
cáveat émp·tor[-émptɔ:r] [L=let the buyer beware] *n.* 〔商〕 매입자의 위험 부담.
cáve dwèller 1 =CAVEMAN 1. **2** 《口》 (도시의) 아파트 거주자.
cáve dwèlling 혈거 생활.
cave-in[kéivìn] *n.* **1** 낙반(광산의), 함몰(장소). **2** 타락; 실패(failure). **3** 쇠약.
cave·man *n.* (*pl.* **-men**[-mèn]) **1** 혈거인(cave dweller)《석기시대의》. **2** 《口》 (여성에 대해) 난폭한 사람. **3** 동굴 탐험가.
cav·en·dish[kǽvəndiʃ] *n.* [U] 씹는 담배.
cav·er[kéivər] *n.* 동굴 탐험가.
*⁎***cav·ern**[kǽvərn] *n.* (큰)동굴, 땅굴; 〔醫〕 (폐 등에 생기는) 공동(空洞). ― *vt.* 동굴에 넣다; …에 굴을 파다. ◇ cávernous *a.*
cav·erned[-d] *a.* 동굴이 된.
cav·ern·ous[kǽvərnəs] *a.* 동굴같은; 〈눈·볼 등이〉 움푹한; 깊은; 동굴이 많은; 〈소리가〉 동굴에서 나오는 듯한. **~·ly** *ad.*
cav·e(s)·son[kǽvəsən] *n.* =NOSEBAND.
cav·i·ar(e)[kǽviὰ:r, ⌐-⌐] *n.* [U] 캐비아《철갑상어(sturgeon)의 알젓》; 진미. **caviar to the general** 보통 사람은 그 가치를 모르는 일품(逸品), 돼지에 진주.
cav·il[kǽvəl] (~**ed**; ~**·ing** | ~**led**; ~**·ling**) *vi.* 덮어놓고 이의를 내세우다, 흠잡다, 트집잡다 《*at, about*》: He often ~*s at* others' faults. 그는 곧잘 남의 흠을 잡는다. ― *vt.* …의 트집을 잡다. ― *n.* [U,C] 흠잡기, 트집잡기.
cav·il·er | **-il·ler**[-ər] *n.* 트집쟁이.
cav·ing[kéiviŋ] *n.* [U] 동굴 탐험; 함몰.

cav·i·ta·tion[kæ̀vətéiʃən] *n.* Ⓤ 〔機〕 캐비테이션《추진기 등의 뒤에 생기는 진공 현상》.
*__cav·i·ty__[kǽvəti] *n.* (*pl.* **-ties**) 공동(空洞), 움푹한 곳; 〔解〕 강(腔)《신체의》; 충치(의 구멍): the mouth〔oral〕 ~ 구강.
cávity résonator 〔電子〕 공동 공진기.
cávity wáll 〔建〕 중공벽(中空壁), 이중벽《내부에 중공층이 있어 단열 효과가 있음》.
ca·vort[kəvɔ́:rt] *vi.* 《口》 〈말이〉 뛰어다니다 (caper about); 〈사람이〉 신나게 뛰놀다.
CAVU 〔空〕 ceiling and visibility unlimited.
ca·vy[kéivi] *n.* (*pl.* **-vies**) 〔動〕 기니피그.
caw[kɔ:] [의성어] *vi.* 〈까마귀가〉 까악까악 울다. ── *n.* 까악까악《까마귀의 울음 소리》.
Cax·ton[kǽkstən] *n.* **1** 캑스턴 William ~ (1422?-91)《영국 최초의 인쇄가》. **2** 캑스턴판(版); Ⓤ 캑스턴 활자체.
cay[kei, ki:] *n.* 암초, 작은 섬.
cay·enne[kaién, kei-] *n.* 〔植〕 고추(red pepper); 그 열매; Ⓤ 고춧가루(=~ **pépper**).
Cay·ley[kéili] *n.* 〔地質〕 케일리암《달 표면 고지의 파인 곳에 채워진 각력암질(角礫岩質)》.
cay·man[kéimən] *n.* (*pl.* ~**s**) =CAIMAN.
Ca·yu·ga *n.* (*pl.* ~, ~**s**) 카유가족(族)《Iroquois 인디언의 한 종족》.
cay·use[kaijú:s, káiu:s] *n.* (*pl.* ~, ~**s**) 《美西部》 인디언 조랑말.
cb 〔氣〕 centibar. **Cb** 〔化〕 columbium; 〔氣〕 cumulonimbus. **CB** chemical and biological; citizens(') band. **C.B.** Bachelor of Surgery; Cape Breton; cash book; 《영》 Companion of the Bath; Cavalry Brigade; 《영》 Chief Baron; 《영》 Coal Board; 《영》 Common Bench; 《미》 Conference Board; 〔영海軍〕 Confidential Book; 〔軍〕 construction battalion; 〔樂〕 *contrabasso*(L=double bass); cost benefit; counter bombardment; county borough; confined to barracks 〔軍〕 외출금지. **CBC** Canadian Broadcasting Corporation. **CBD** central business district. **C.B.D.** 〔商〕 cash before delivery. **C.B.E.** Commander of the Order of the British Empire.
C.B.er, CB·er[sì:bí:ər] *n.* 《미口》 시민(대(帶)) 라디오(CB radio)의 소유자〔사용자〕.
C.B.I. Confederation of British Industry; computer-based instruction.
C-bomb[sí:bàm/-bɔ̀m] *n.* =COBALT BOMB (*cf.* A-BOMB, H-BOMB).
CBR chemical, biological and radiological warfare 〔軍〕 화생방전(化生放戰).
CB rádio citizens' band radio 〔通信〕 시민(대(帶)) 라디오〔무선기〕.
CBS 《미》 Columbia Broadcasting System. **CBU** Canister Bomb Unit. **C.B.W.** chemical and biological warfare〔weapons〕. **cc, c.c.** carbon copy; cubic centimeter(s). **cc.** chapters. **C.C.** Circuit Court; County Council(lor); cricket club. **C.C.A.** Circuit Court of Appeals. **CCC** Civilian Conservation Corps; Commodity Credit Corporation. **C.C.C.** Corpus Christi College. **C.C.C.P.** *Soyuz Sovietskikh Sotsialisticheskikh Respublik* [Russ] 옛 소비에트 사회주의 공화국 연방(*cf.* U.S.S.R.). **CCD** charge-coupled device; Conference of Committee on Disarmament 군축위원회; Confraternity of Christian Doctrine. **C.C.F.** Chinese Communist Forces; Cooperative Commonwealth Federation (of Canada); Combined Cadet Force 《영》 연합 장교 양성대. **CCI** Chamber of Commerce and Industry (한국) 상공 회의소; *Chambre de commerce internationale*《F=International Chamber of Commerce》 국제 상업 회의소.
C clèf[sí:-] 〔樂〕 다 음자리표《가 온음자리표; *cf.* CLEF》.
CCP Chinese Communist Party. **C.C.P.** Court of Common Pleas. **C.C.S.** casualty clearing station. **CCTV** closed-circuit television. **CCU** 〔컴퓨터〕 communication control unit; coronary care unit 〔醫〕 관(상) 질환 집중 치료 병동. **CCUS** Chamber of Commerce of the United States 미국 상업회의소. **ccw.** counterclockwise. **Cd** 〔化〕 cadmium. **CD** certificate of deposit; cash dispenser; compact disc. **cd., cd** cord(s). **C.D.** Civil Defense 민방위. **C.D.D.** Certificate of Disability for Discharge.
CD plàyer 콤팩트 디스크 플레이어《CD 재생 장치》.
CDR, Cdr Commander. **Cdre.** Commodore. **C.D.S.** Civil Defense Service 민방위 위원회. **CDT** 《미》 Central Daylight Time. **CDU** Christlich-Demokratische Union 《독일》 기독교 민주동맹. **Ce** 〔化〕 cerium.
CD-ROM[sí:dì:rám/-rɔ́m] [*C*ompact *d*isc *r*ead *o*nly *m*emory] *n.* 〔컴퓨터〕 (많은 양의 디지털화(化)한 판독 데이터를 저장할 수 있는) 콤팩트 디스크.
CD sìngle *n.* (한 두 곡의 팝 음악이 수록된) 콤팩트 디스크《직경 3인치》. **-ce** *suf.* (추상명사 어미): diligen*ce*, intelligen*ce*. ◇ 《미》에서는 -se라고 쓰는 것도 있음: defen*se*, offen*se*, preten*se*.
C.E. Church of England; Civil〔Chief Chemical〕 Engineer. **CEA** carcinoembryonic antigen; College English Association; 《미》 Council of Economic Advisers. **C.E.A.** Central Electricity Authority.
ce·a·no·thus[sì:ənóuθəs] *n.* 〔植〕 갈매나무속(屬)《북미산》.
cease[si:s] [L] 《文語》 *vi.* 그치다, 멎다, 끝나다; 그만두다(*from*): The rain ~*d.* 비가 멎었다/《Ⅱ 전+명》 We ~*d* from war. 우리는 전쟁을 중지했다/《Ⅱ 전+-*ing*+전+명》 *Cease from* bother*ing* me with it. 그것으로 나를 괴롭히지 말아라. ── *vt.* 중지하다, 끝내다, 그만두다: ~ work 일을 그만두다/《Ⅰ {전+명}+(주)+*v*Ⅰ / Ⅲ 접+(주)+*v*Ⅲ+-*ing*》 In the factory the machinery has stopped and the belts and bands have ~*d* runn*ing.* 그 공장에서는 기계가 멈추었고 여러 가지의 피대들은 가동이 정지되었다/《Ⅲ *to* do+전+명》 She ~*d to* read it *for* a while. 그녀는 그것 읽기를 잠시 동안 중지했다. **Cease fire!** 《口令》 사격 중지. **cease to exist**〔**be**〕 없어지다, 죽다; 멸망하다. ── *n.* Ⓤ 중지, 정지《◇ 다음 성구로》 **without cease** 끊임없이. ◈ cessátion *n.*
céase and desíst òrder (부당 경쟁·노동 행위 등에 대한 행정 기관의) 정지 명령.
cease-fire[sí:sfáiər] *n.* 〔軍〕 「사격 중지」의 구령; 정전(停戰)(명령), 휴전.
*__cease·less__[sí:slis] *a.* 끊임없는, 부단한. **~·ly** *ad.* **~·ness** *n.*
ceas·ing[sí:siŋ] *n.* Ⓤ 중지, 중단. **without cease** 끊임없이.
ce·cal, cae-[sí:kəl] *a.* 〔解〕 맹장(모양)의 (⇨cecum); 끝이 막힌.
Ce·cil[sí:sl, sésl] *n.* 남자 이름.

Ce·cile[sisí(:)l/sési(:)l] *n.* 여자 이름.

Ce·cil·ia[sisí(:)ljə] *n.* **1** (Saint ~) 성 세실리아(음악가의 수호 성인). **2** 여자이름.

Cec·i·ly *n.* 여자 이름(*cf.* CECIL).

ce·ci·ty[sí:səti] *n.* 《文語·비유》 눈멂.

ce·cró·pi·a (mòth)[sikróupiə(-)] 〔昆〕 멧누에나방(북미 동부산).

ce·cum[sí:kəm] *n.* (*pl.* **-ca**[-kə]) 〔解〕 맹장. **cé·cal** *a.*

CED Committee of Economic Development (미) 경제 개발 위원회;〔電子〕 capacitance electric disc.

*****ce·dar**[sí:dər] *n.* 〔植〕 히말라야삼목; Ⓤ 삼나무 목재(=cedarwood). ⊕ cédarn *a.*

ce·dar·bird *n.* 〔鳥〕 (북미산) 여새.

ce·darn[sí:dərn] *a.*《詩》삼나무의〔로 만든〕.

cédar wáxwing =CEDARBIRD.

cede *vt.* 〈권리를〉 양도하다, 〈영토를〉 할양하다, 인도(引渡)하다; 양보하다: ~ a territory *to* …에 영토를 할양도하다. **céd·er** *n.*

ce·di[séidi] *n.* (*pl.* ~, ~**s**) 세디(가나의 화폐 단위; =100 pesewas; 기호 ₵).

ce·dil·la[sidílə] *n.* 세디유(ç처럼 c자 아래에 붙여 [s] 음을 나타내는 부호; 보기: façade [fəsɑ́:d]).

Ced·ric[sédrik, sí:d-] *n.* 남자 이름.

cee[si:] *n.* C자.

CEEB College Entrance Examination Board (미) 대학 입학시험 위원회.

Cee·fax[sí:fæks] *n.* 《영》(BBC에 의해 운영되는)문자 다중 방송(teletext)시스템(상표명).

cée sprìng =C SPRING.

C.E.G.B. (영) Central Electricity Generating Board.

cei·ba[séibə] *n.* 〔植〕 케이폭나무; 그 섬유.

ceil[si:l] *vt.* …에 천장을 만들다; 〔海〕 (배의) 내부에 판자를 붙이다.

★**ceil·ing**[sí:liŋ][ME] *n.* **1** 천장: a fly *on* the ~ 천장의 파리. **2** 천장 판자; 내장 판자(배의). **3** (가격·임금·요금 등의) 최고 한도(top limit)(*opp.* floor), 상한(上限). **4** 〔空〕 상승 한계(비행기의); 운고(雲高), 운저(雲底) 고도.
set a ceiling on …의 최고 한계를 정하다.

céiling lìght 삼각 측량으로 운저(雲底)고도를 재는 탐조등.

ceil·om·e·ter[si:lɑ́mitər/-ɔ́m-] *n.* 〔空〕 운고계(雲高計).

cel·a·don[sélədɑ̀n, -dn/-dɔ̀n] *n.* Ⓤ 청자; 청자색, 회록색(灰綠色), 회청색. — *a.* 청자(색)의.

cel·an·dine[séləndàin] *n.*〔植〕 애기똥풀; 미나리아재비의 일종.

Cel·a·nese[sélənì:z, ⌣⌣⌃] *n.* 셀라니즈(인조견(사)의 일종; 상표명).

-cele[1] [sì:l] 《연결형》「tumor」의 뜻: gastro*cele,* varioco*cele.*

-cele[2] [sì:l] 《연결형》=-COELE.

ce·leb[səléb] *n.* 《俗》 명사(celebrity).

Cel·e·bes[séləbì:z, səlí:biz] *n.* 셀레베스(인도네시아 공화국의 한 섬).

cel·e·brant[séləbrənt] *n.* 사제(司祭), 집전자(미사·성찬식의); 축하자.

⁑**cel·e·brate** [séləbrèit] [L] *vt.* **1** 〈식을 올려 …을〉 축하하다; 〈의식·축전을〉 거행하다: ~ one's birthday 생일을 축하하다/~ a festival 축제를 거행하다/We ~*d* Christmas *with* trees and presents. 우리는 나무를 장식하고 선물을 보내어 크리스마스를 축하했다. **2** 〈승리·용사·공훈 등을〉 찬양하다, 찬미하다(extol): The victory was ~*d in* many poems. 그 승리는 많은 시로 찬양되었다. **3** 세상에 알리다, 공표하다. — *vi.* **1** 기념일을 축하하다, 식을 올려 기념하다. **2** 《口》 축제 기분에 젖다, 유쾌하게 마시고 놀다.
-bra·to·ry[-brətɔ̀:ri, səlébrə-/-təri] *a.*
⊕ celebrátion *n.*

*****cel·e·brat·ed** [séləbrèitid] *a.* 유명한, 저명한 (*for*): a ~ painter 유명한 화가/The place is ~ *for* its hot springs. 그곳은 온천으로 유명하다.

*****cel·e·bra·tion** [sèləbréiʃən] *n.* **1** a Ⓤ 축하. b 축전, 의식; 성찬식(의 집행). **2** ⓊⒸ 찬양.
in celebration of …을 축하하여.
⊕ célebrate *v.*

cel·e·bra·tor[séləbrèitər] *n.* 축하자(celebrant).

*****ce·leb·ri·ty** [səlébrəti] *n.* (*pl.* **-ties**) Ⓤ 명성; Ⓒ 명사.

ce·ler·i·ac[səlériæ̀k] *n.* 〔植〕 뿌리를 쓰는 셀러리.

ce·ler·i·ty[səlérəti] *n.* Ⓤ 《文語》(행동의) 민첩함, 기민함.

*****cel·er·y** [séləri] [Gk] *n.* Ⓤ 〔植〕 셀러리.

célery cábbage *n.* =CHINESE CABBAGE.

ce·les·ta[səléstə] *n.* 첼레스타(종소리 같은 소리를 내는 피아노 비슷한 악기).

ce·leste[səlést] *n.* Ⓤ 하늘빛; Ⓒ (오르간 등의) 첼레스트 음전(音栓).

*****ce·les·tial** [səléstʃəl] [L] *a.* **1** 하늘의; 천체의: a ~ map 천체도. **2** 천국의〔같은〕, 거룩한 (divine)(*cf.* TERRESTRIAL): a ~ being 천인(하늘에 사는 사람), 천사. **3** (C-) (옛날의) 중국(인)의 (Chinese). — *n.* **1** 천인, 천사. **2** (C-) 《익살》 중국인. **~·ly** *ad.*

celéstial bódy 천체.

Celéstial Cíty (the ~) 하늘의 도시, 새 예루살렘.

Celéstial Émpire (the~)(청조(清朝)까지 계속된) 중국 왕조.

celéstial equátor (the ~) 〔天〕 천구(天球)의 적도(赤道).

celéstial glóbe 천구의(天球儀).

celéstial guídance (로켓의) 천측(天測) 유도.

celéstial híerarchy (the ~) 〔基督教〕 천군 구대(天軍九隊)(*cf.* HIERARCHY 2).

celéstial látitude 황위(黃緯).

celéstial lóngitude 황경(黃經).

celéstial mechánics (단수·복수 취급) 천체 역학.

celéstial navigátion 〔空·海〕 천문 항법.

celéstial póle 천구의 극.

celéstial sphére 천구(天球).

Ce·lia *n.* 여자 이름.

ce·li·ac[sí:liæ̀k] *a.* 〔解〕 복강(腹腔)의.

céliac disèase 〔病理〕 소아 지방변증(脂肪便症).

cel·i·ba·cy[séləbəsi] *n.* Ⓤ (특히 수도사의 종교적인) 독신 (생활); 독신주의; 금욕.

cel·i·ba·tar·i·an[sèləbətέəriən] *n., a.* 독신주의자(의).

cel·i·bate[séləbit, -bèit] *a.* 독신(생활)의. — *n.* (특히 종교적 이유에 의한) 독신주의자; 독신자.

⁑**cell** [sel] [L] *n.* **1** 작은 방; (수도원의) 독방, 작은 수도원〔수녀원〕, 사실(私室); 《詩》 오두막집; 무덤. **2** (교도소의) 독방: a condemned ~ 사형수 독방. **3** 〔生〕 세포; 〔解〕 (조직 내의) 작은 공동(空洞). **4** (벌집의) 구멍; 꽃가루주머니. **5** 〔電〕 전지: a dry ~ 건전지

《cell이 모인 것이 battery》. **6** (기구의) 가스통. **7** 〔컴퓨터〕 비트 기억 소자(素子).
— *vi.* 독방 살이하다, 작은 방에 틀어박히다.
céll·lìke *a.* ◇ céllular, céllulous *a.*
cel·la[sélə] *n.* (*pl.* **-lae**[-liː]) 〔建〕 성상(聖像) 안치소《옛 그리스·로마 신전의 안쪽》.
‡**cel·lar**[sélər] *n.* **1** 지하실, 땅광, 움. **2** 포도주 저장소; 저장한 포도주. **3** 《영》 석탄 저장소(coal-cellar). **4** (the ~) 《口》 (스포츠 등의 랭킹의) 최하위. **keep a good〔small〕~** 포도주의 저장이 많다〔적다〕.
— *vt.* (포도주 등을) 지하실에 저장하다.
cel·lar·age[-ridʒ] *n.* U,C 지하실의 평수; 지하실 보관료; U (집합적) 지하실.
cel·lar·er[-rər] *n.* 땅광지기; 포도주 창고 관리인; 식료품 보관인《수도원 등의》.
cel·lar·et(te)[sèlərét] *n.* 술병 선반.
cel·lar·man[sélərmən] *n.* (*pl.* **-men**[-mən]) (호텔 등의) 지하(저장)실 담당자; 포도주 상인.
céllar sàsh *n.* 셀러 새시《수평으로 2~3개의 칸막이를 한 비교적 작은 창틀》.
cell·block[sélblɑ̀k/-blɔ̀k] *n.* (교도소의) 독방동(棟).
céll bòdy 〔解〕 세포체.
céll cỳcle 〔生〕 세포 주기, 분열 주기.
céll divìsion 〔生〕 세포 분열.
céll fùsion 〔生〕 세포 융합.
(')cel·list [tʃélist] *n.* 첼로 연주가.
céll lỳsis 〔生〕 세포 용해.
cell·mate[sélmèit] *n.* 감방 동료.
céll-me·di·at·ed immúnity[sélmìːdieitid-] 세포(매개)성 면역《세포막에 부착하는 항체의 증산에 의한》.
céll mèmbrane 〔生〕 **1** 세포막, 원형질막. **2** =CELL WALL.
*(')**cel·lo**[tʃélou][violon*cello*] *n.* (*pl.* **~s**) 〔樂〕 첼로.
cel·lo·phane[séləfèin] *n.* U 셀로판.
céll sòrter 〔生·醫〕 세포 분별기(分別機).
céll thèrapy 세포 요법《양의 갓난새끼의 세포를 주입하는 회춘법(回春法)》.
cel·lu·lar[séljələr] *a.* **1** 세포의; 세포질〔모양〕의. **2** 성기게 짠 〈셔츠 등〉; 다공질(多孔質)의. **3** 〔通信〕 통화 존(zone)식의, 셀(cell) 방식의《육상 이동 통신의 새로운 방식》: ~ radio 셀 방식 무선전화/~ telephone 셀 방식 전화.
céllular engineéring 세포 공학.
cel·lu·lar·i·ty[sèljəlǽrəti] *n.* U 세포질.
cel·lu·la·rized[séljələràizd] *a.* (많은) 작은 구획으로 갈라진, 소구획식의.
céllular thérapy =CELL THERAPY.
cel·lu·lase[séljəlèis] *n.* U 〔化〕 셀룰라아제 《섬유소 분해 효소》.
cel·lu·late, -lat·ed[séljəlèit], [-lèitid] *a.* 세포 모양의.
cel·lu·la·tion[sèljəléiʃən] *n.* U 세포 조직.
cel·lule[sélju:] *n.* 〔解〕 작은 세포.
cel·lu·lite[séljəlàit, -lìːt] *n.* 셀룰라이트《물·지방·노폐물로 된 물질로서 여자의 둔부 등의 피하에 멍울진다고 함》.
cel·lu·li·tis[sèljəláitis] *n.* U 〔病理〕 봉와직염(蜂窩織炎).
*****Cel·lu·loid**[séljəlɔ̀id] *n.* U **1** 셀룰로이드《상표명》. **2** (**c-**) 《口》 영화(필름). — *a.* (**c-**) 《口》 영화의.
***cel·lu·lose**[séljəlòus] *n.* U 〔化〕 셀룰로오스, 섬유소.
céllulose ácetate 〔化〕 초산 섬유소.
cel·lu·lous[séljələs] *a.* 세포가 많은, 세포로 이루어진.
céll wáll 〔生〕 세포벽.
Cel·o·tex[sélətèks] *n.* 셀로텍스《건물의 절연 및 방음용 합성판; 상표명》.
Cels. Celsius.
Cel·si·us[sélsiəs, -ʃəs] *n.* **1** 셀시우스 Anders ~ (1701-44)《스웨덴의 천문학자》. **2** 섭씨(略 Cels., C.)(*cf.* CENTIGRADE, FAHRENHEIT).
Célsius thermómeter 섭씨 온도계.
celt *n.* 〔考古〕 돌〔금속〕 도끼.
***Celt, Kelt**[selt, kelt] *n.* 켈트 사람; (the ~s) 켈트족《Aryan 인종의 일파; 지금은 Ireland, Wales 및 Scotland 고지 등에 삶》.
Celt. Celtic.
***Celt·ic, Kelt·ic**[séltik, kélt-] *a.* 켈트족의; 켈트 말의. — *n.* U 켈트 말.
Céltic cróss 켈트 십자가《중심에 ring이 있음》.
Céltic frínge (the ~) 《경멸》 켈트 외곽인〔지방〕《영국의 외곽을 이루는 Scots, Irish, Welsh 및 Cornish (주민들); 그 거주 지역》.
Celt·i·cism[séltəsìzəm, kél-] *n.* U,C 켈트 말투; 켈트인 기질.
Céltic twílight 「켈트의 박명(薄明)〔어스름〕」《W.B. Yeats의 민화집 제명에서; 아일랜드 민화의 동화같은 신비스런 분위기》.
Cel·to- 《연결형》「Celt」의 뜻: *Celto*-Roman.
cel·tuce[séltəs] [*cel*ery+let*tuce*] *n.* U 셀터스《셀러리와 상치를 교배시킨 야채》.
cem. cement.
C.E.M.A. Council for the Encouragement of Music and the Arts《현재는 A.C.G.B.》.
cem·ba·lo[tʃémbəlòu] *n.* (*pl.* **-li**[-lìː], **~s**) 〔樂〕 쳄발로(harpsichord); 덜시머(dulcimer).
‡**ce·ment**[simént] [L] *n.* U **1** 시멘트, 양회; 접합제. **2** 결합, 유대. **3** 〔解〕 (치아의) 백악질(cementum). — *vt., vi.* 시멘트로 바르다〔굳게 하다〕, 접합하다; 〈우정 등을〉 굳히다. ◇ cementátion *n.*
ce·men·ta·tion[sìːmentéiʃən, -mən-] *n.* U 시멘트 결합; 접합; 〔冶〕 삼탄(滲炭)《쇠를 숯가루 속에서 가열하여 강철을 만들기》.
ce·ment·er[siméntər] *n.* 접합〔결합, 교착(膠着)〕하는 사람〔것〕.
cemént hèad 《미俗》 얼간이, 바보.
ce·ment·ite[siméntait] *n.* 〔化〕 시멘타이트, 탄화철.
cemént mìxer 시멘트〔콘크리트〕 믹서 (concrete mixer).
ce·men·tum[siméntəm] *n.* U 〔解〕 (치아의) 시멘트질, 백악질.
‡**cem·e·ter·y**[sémətèri/-tri] [Gk] *n.* (*pl.* **-ter·ies**) (교회에 소속되지 않은) 묘지, 《특히》 공동 묘지(*cf.* CHURCHYARD, GRAVEYARD).
CEMF counter electromotive force 〔電〕 역(逆)기전력. **C.E.M.S.** Church of England Men's Society. **cen.** central; century.
cen-[siːn, sen], **ceno-**[síːnou, sé-] 《연결형》 「새로운」의 뜻《모음 앞에서는 cen-》.
cen·a·cle[sénikl] *n.* **1** 만찬실; (the C-) (그리스도의) 최후의 만찬실. **2** (작가 등의) 동인; 동인의 집회소; 〔가톨릭〕 묵상소.
Cen. Am. Central America.
-cene[siːn] 《연결형》 〔地質〕 「새로운」의 뜻: Eo*cene*.
ce·nes·tho·pa·tie[si(ː)nèsθoupətí], **ce·nes·tho·pa·thy**[sìnəsθɑ́pəθi] *n.* 〔精醫〕 체감증(體感症)《체감 이상·환각을 호소하는 신경증; 대인 공포를 나타냄》.
cen·o·bite[síːnəbàit, sénə-] *n.* 수도원에서

공동생활하는 수도사(*opp.* anchorite).
cen·o·bit·ic, -i·cal *a.* 수도사의.
cen·o·bit·ism[-izəm] *n.* Ⓤ 수도원제(制), 수도사 생활.
ce·no·gen·e·sis[sìːnədʒénəsis, sènə-] *n.* Ⓤ 〔生〕 변형〔신형〕 발생(*cf.* PALINGENESIS).
-ge·net·ic[-dʒinétik] *a.*
-ge·nét·i·cal·ly *ad.*
ce·no·spe·cies[síːnəspìːʃi(ː)z, sénə-] *n.* (*pl.* ~) 〔生態〕 집합종(集合種), 종합종.
ce·no·sphere[sénəsfìər] *n.* 〔化·工〕 세노스피어《초고압에 견디며 가벼워서 심해 탐사·우주선에 이용됨》.
cen·o·taph[sénətæ̀f, -tɑ̀ːf] *n.* **1** 기념비 (monument). **2** (the C-) (런던의 Whitehall에 있는) 제1차·2차 대전 전사자 기념비.
Ce·no·zo·ic[sìːnəzóuik, sènə-] 〔地質〕 *a.* 신생대의. ── *n.* (the ~) 신생대(층).
Cenozóic èra 〔地質〕 신생대.
cense[sens] *vt.* …에 향을 피우다: 분향하다.
cen·ser[sénsər] *n.* (줄 달린) 흔들 향로.
*__cen·sor__[sénsər] [L] *n.* **1** 검열관《출판물·서신 등의》: 비평〔비난〕자. **2** 〔史〕 감찰관《고대 로마의》. **3** 학생감《Oxford 대학교의》. **4** = CENSORSHIP 2. ── *vt.* 검열하다, 검열하여 삭제하다.
cen·sor·a·ble[-sərəbəl] *a.* 검열에 걸릴만한.
cen·so·ri·al[sensɔ́ːriəl] *a.* 검열(관)의.
cen·so·ri·ous[sensɔ́ːriəs] *a.* 검열관 같은, 비판적인. **~·ly** *ad.* **~·ness** *n.*
cen·sor·ship[sénsərʃip] *n.* Ⓤ **1** 검열(제도); 검열관의 직〔직권, 임기〕. **2** 〔精神分析〕 검열《잠재 의식에 대한 억압력》.
cen·sur·a·ble[sénʃərəbəl] *a.* 비난해야 할 (blamable). **~·ness** *n.* **-bly** *ad.*
*__cen·sure__[sénʃər] [L] *n.* Ⓤ 비난, 책망, 견책; 혹평. **vote of censure** 불신임 결의. ── *vt.* 비난하다, 책망하다; 〈비평가가〉 혹평하다; 견책하다(*for*): 《Ⅲ (목)+전+명》She ~*d* him *for* his rude remark. 그녀는 그의 무례한 언사(言辭)를 비난했다(=《Ⅰ *be pp.*+전+명》 He was ~*d for* his rude remark.) / 《Ⅴ (목)+전+-*ing*》 She ~*d* her daughter *for* not stud*ing* French hard. 그녀는 딸이 프랑스어를 열심히 공부하지 않는다고 책망했다(=《Ⅱ *be pp.*+전+-*ing*》 Her daughter *was* ~*d for* not stud*ing* French hard.).
cen·sur·er[-rər] *n.* 비난하는 사람.
*__cen·sus__[sénsəs] [L] *n.* 인구 조사, 국세(國勢) 조사: take a ~ (*of* the population) 인구〔국세〕 조사를 하다. ── *vt.* …의 인구를 조사하다.
cénsus tàker 인구 조사원.
cénsus tràct (미) (대도시의) 인구 조사 표준 지역, 국세 조사 단위.
‡**cent**[sent] [L: 「100」의 뜻] *n.* **1** Ⓤ 백(百)《단위로서의》. **2** 센트《미국·캐나다의 화폐 단위: 1달러의 1/100》: 1센트 동화. **3** (a ~; 보통 부정문) 동전 한 닢(의 값어치), 푼돈. **cent per cent** 10할, 100%: 10할 이자; 예외 없이. **feel like two cents** (미口) 창피한 느낌이 들다. **not care a** (**red**) **cent** 조금도 개의치 않는. **per cent** 100에 대하여, 퍼센트(%). **put in** one's **two cents** (**worth**) (미口) 분명히 자기 의견을 말하다.
cent. centered; centigrade; centimeter; central; century; centum.
cent-[sent] 《연결형》 =CENTI-.
cen·tal[séntl] *n.* 《稀》 =HUNDREDWEIGHT.
cent·are[séntɛ̀ər, -tɑ̀ːr] *n.* =CENTIARE.
cen·taur[séntɔːr] *n.* **1** 〔그神〕 켄타우루스《반인반마(半人半馬)의 괴물》. **2** 명기수(騎手). **3** (the C-) =CENTAURUS.
Cen·tau·rus[sentɔ́ːrəs] *n.* 〔天〕 켄타우루스자리.
cen·tau·ry[séntɔːri] *n.* (*pl.* **-ries**) 〔植〕 수레국화속(屬)의 식물.
cen·ta·vo[sentɑ́ːvou] [Sp =cent] *n.* (*pl.* ~**s**) 센타보《멕시코·필리핀·쿠바·브라질 등의 소액 화폐 단위: =1/100 peso》.
cen·te·nar·i·an[sèntənɛ́əriən] *a.*, *n.* 100세 (이상)의 (사람).
*__cen·ten·a·ry__[séntənèri, senténəri/sentíːnəri] *a.* 100년(간)의, 100년마다의; 100년제의. ── *n.* (*pl.* **-ries**) 100년간; 100년제(祭). 《◇ (2)의 200년제에서 (10)의 1000년제까지 차례로. (2)BICENTENARY, (3)TERCENTENARY, (4)QUATERCENTENARY, (5)QUINCENTENARY, (6)SEXCENTENARY, (7)SEPTINGENARY, (8)OCTO-CENTENARY = OCTINGENTENARY, (9)NONGENARY, (10)MILLENARY》.
*__cen·ten·ni·al__[senténiəl] *a.* 100년 마다의; 100년간의; 100년제의. ── *n.* 100년제. **~·ly** *ad.*
Centénnial Stàte (the ~) 미국 Colorado 주의 속칭.
★**cen·ter | -tre**[séntər] [Gk] *n.* **1** (보통 the ~) (원·구·다각형의) 중심; (회전의) 중심점; 〔物〕 중심. **2** (the ~) 중앙, 한가운데. **3** (the ~) 중추, 핵심; (사람이 모이는) 중심지, 센터; 중심 인물; 중핵. **4** (the C-) 〔政〕 중도파, 온건파(*cf.* the LEFT, the RIGHT). **5** 센터 《야구·축구 등의》, 센터로의 타구. **6** 〔軍〕 중앙 부대. **7** 〔建〕 홍예틀; 〔機〕 센터. **8** (과일·캔디) 속. **9** 본원(本源). **10** 축(軸). **center of attraction** 〔物〕 인력의 중심; 이목을 끄는 중심(인물). **center of government**〔**commerce**〕 정치〔상업〕의 중심지. **center of gravity** 〔物〕 중심(重心); 흥미〔활동〕의 중심. ── *a.* (최상급 **~most**) 중심의, 중심에 있어서의; 중도파의.
── *vt.* **1** 중심〔중앙〕에 두다(*in, on*): ~ a vase *on* the table 꽃병을 테이블 가운데 놓다. **2** …에 중심을 두다, 집중시키다: 《Ⅲ (목)+전+명》 He ~*ed* all his hopes *upon* the success in business of his son.(*rare*) 그는 모든 희망을 자기 아들의 사업 성공에 집중했다/ 《Ⅰ *be pp.*+전+명》 The story was ~*ed on* her success.(*usu. pass.*) 그 이야기는 그녀의 성공에 집중되었다. **3** …의 중심을 결정〔표시〕하다. **4** 〔미蹴·하키〕 〈공을〉 센터로 차다〔날리다〕. **5** 〔TV〕 〈주연 배우 등을〉 화면의 중심에 오도록 조정하다(*up, to*).
── *vi.* 중심(점)에 있다; …을 중심으로 하다; 집중하다(*on, upon, around, round*) 《격식을 차리지 않는 어법에서는 전치사로서 이밖에 *about, in, at*도 씀》: 《Ⅰ 전+명》 The people ~*ed* on the square. 그 사람들이 광장에 모였다《Ⅰ 전+명》 The story ~*s on* her success. 그 이야기는 그녀의 성공을 중심으로 전개된다. ◇ céntral, céntric *a.*
cénter báck (배구 등의) 센터백.
cénter bìt 돌리는 송곳.
cen·ter·board[séntərbɔ̀ːrd] *n.* 하수용골(下垂龍骨)《배 밑에 붙인》.
cen·tered[séntərd] *a.* **1** 중심에 있는; 중심이 있는; 〔建〕 심원이 있는; 〈어떤 것을〉 관심·활동의 주된 대상으로 한: consumer-~ 소비자 위주의. **2** 집중한.
céntered dót 〔印〕 굵은 가운뎃 점(bullet); 중점(·).

cénter field 〔野〕 센터(의 수비 위치).
cénter fielder 〔野〕 센터, 중견수.
cen·ter-fire[séntərfàiər] *a.* 〈탄약통이〉 기저부 중앙에 뇌관이 있는.
cen·ter·fold[séntərfòuld] *n.* 잡지의 한가운데에 접어 넣는 페이지(누드 사진 등).
cénter fórward (축구·하키 등의) 센터 포워드.
cénter hálf(back) (축구·하키 등의) 센터 하프.
cen·ter·ing[séntəriŋ] *n.* **1** CENTER하기. **2** 〔建〕 홍예틀.
cén·ter-of-máss sỳstem[séntərəvmǽs-] 〔物〕 중심계(重心系)(계의 중심의 운동량이 영이 되도록 취한 좌표계).
cen·ter·piece[séntərpì:s] *n.* 중앙부 장식(테이블 등의); 가장 중요한 작품〔항목 (등)〕.
cen·ter-piv·ot[-pìvət] *a.* 원형〔회전식〕 관수의(미국 서부 사막 지대의 관개 방식).
cénter púnch 〔機〕 센터 펀치(공작물 등의 중심에 표시를 하는 도구).
cen·ter-sec·ond[-sèkənd] *n.* 시계의 중심 축에 붙은 중앙 초침(이 있는 시계).
cénter spréad (잡지·신문의) 중앙의 마주 보는 양면(의 기사〔광고〕).
cen·tes·i·mal[sentésəməl] *a.* 백분법(百分法)의, 백진법의(*cf.* DECIMAL): 100분의 1의.
cen·tes·i·mo[sentésəmòu] *n.* (*pl.* **-mi**[-mì:], ~**s**) 첸테지모(이탈리아의 화폐 단위: = 1/100 lira).
cen·ti-[sénti] [L「100」](연결형)「100; 1/100」의 뜻(모음 앞에서는 cent-).
cen·ti·are[séntiɛ̀ər/-ɑ̀:r] *n.* 센티아르(1 평방 미터; 略: ca.).
cen·ti·bar[séntəbɑ̀:r] *n.* 〔氣〕 센티바(1/100 바).
*__cen·ti·grade__[séntəgrèid] *a.* 백분도(百分度)의, 섭씨의: a ~ thermometer 섭씨 온도계.
cen·ti·gram|-gramme[séntəgræ̀m] *n.* 센티그램(1/100 g; 略: cg).
cen·tile[séntail, -til] *n.* 백분위수(數)의.
cen·ti·li·ter|-li·tre[séntəlì:tər] *n.* 센티리터(1/100 liter; 略: cl).
cen·til·lion[sentíljən] *n.* (영) 백만의 백제곱; (미) 천의 백제곱.
cen·time[sɑ́:nti:m] [F=cent] *n.* 상팀(프랑스의 화폐 단위: 1/100 프랑).
⁑**cen·ti·me·ter|-me·tre**[séntəmì:tər] *n.* 센티미터(1/100 m; 略: cm).
cen·ti·me·ter-gram-sec·ond|-metre-gramme-[séntəmì:tər-grǽmsékənd] *a.* 〔物〕 C.G.S. 단위계의(센티미터·그램·초를 길이·질량·시간의 단위로 함; 略: C.G.S., c.g.s., cgs).
cen·ti·mil·lion·aire[séntəmiljənɛ́ər] *n.* 1억 달러〔파운드 등〕 이상의 부자, 억만장자.
cen·ti·mo[séntəmòu] *n.*(*pl.* ~**s**) 센티모(스페인·베네수엘라의 화폐 단위; 스페인은 1/100 peseta, 베네수엘라는 1/100 bolivar).
*__cen·ti·pede__[séntəpì:d] *n.* 〔動〕 지네.
cen·ti·poise[-pɔ̀iz] *n.* 센티푸아즈(점도(粘度)의 단위: = 1/100 푸아즈; 기호 cp).
cen·ti·sec·ond[-sèkənd] *n.* 1/100 초.
cen·ti·stere[-stìər] *n.* 센티스티어(1입방미터의 1/100).
cent·ner[séntnər] *n.* 첸트너(독일 등에서의 중량의 단위; 50 kg).
cen·to[séntou] *n.* (*pl.* ~**s**)(명작 등에서) 추려 모아 만든 시문(詩文); 명곡의 여러 부분을 추려 모아 만든 곡.
CENTO, Cento[séntou] Central Treaty Organization 중동 조약 기구.
centr-[sentr], **cen·tri-**[séntri], **cen·tro-**[séntrou] (연결형)「중심」의 뜻.
cen·tro- (연결형) =CENTR-.
cen·tra *n.* CENTRUM의 복수.
⁑**cen·tral**[séntrəl] *a.* **1** 중심의, 중앙의. **2** 중심적인; 기본적인; 주요한: the ~ idea 중심 사상. **3** 〈장소 등이〉 편리한. **4** 중도적인, 온건한. **5** 〔音聲〕 중설음(中舌音)의. **6** 〔解〕 중추 신경의. **7** 집중 방식의. ── *n.* 본부, 본사, 본국, 본점. **get central** 교환국을 호출하다. ◇ cénter *n.*: céntralize *v.*
Céntral Áfrican Émpire CENTRAL AFRICAN REPUBLIC의 옛 이름.
Céntral Áfrican Repúblic *n.* (the ~) 중앙 아프리카 공화국(수도 Bangui).
Céntral alárm sỳstem 중앙 경보 장치(자동적으로 경찰·경비 회사 등에 통보되는).
Céntral América *n.* 중앙 아메리카, 중미.
Céntral Américan 중앙 아메리카의; 중미 사람.
céntral ángle 〔幾〕 중심각(角).
Céntral Ásia *n.* 중앙 아시아.
céntral bánk 중앙 은행.
céntral bódy 〔生〕 중심체; 〔로켓〕 중심 천체(위성·탐사선이 그 주위를 도는 천체).
céntral cásting (영화 촬영소의) 배역부.
céntral cíty 대도시권의 중심도시, 핵도시.
céntral contról stàtion 〔通信〕 중앙 제어국.
céntral dógma 〔遺傳〕 센트럴도그머(유전 정보의 분자생물학의 기본 원리).
céntral góvernment (지방 정부에 대한) 중앙 정부.
céntral héating 중앙 난방(장치).
Cen·tra·lia[sentréiliə] *n.* 센트레일리아(오스트레일리아의 중부 오지).
Céntral Intélligence Àgency (the ~) (미) 중앙 정보국(略: CIA).
cen·tral·ism[séntrəlìzəm] *n.* Ⓤ 중앙 집권제〔주의〕. **-ist** *n.* 중앙 집권 주의자. **cen·tral·ís·tic** *a.*
cen·tral·i·ty[sentrǽləti] *n.* Ⓤ 중심임, 구심성.
cen·tral·i·za·tion[sèntrəlizéiʃən] *n.* Ⓤ 집중; 중앙 집권(화).
cen·tral·ize[séntrəlàiz] *vt.* 중심에 모으다; 집중시키다(*in*); 〈국가를〉 중앙 집권제로 하다. ── *vi.* 중심에 모이다; 집중되다(*in*); 중앙 집권화되다.
cen·tral·ly[séntrəli] *ad.* 중심(적)으로.
cen·tral·ly-heat·ed[séntrəlihí:tid] *a.* 중앙 난방(장치)의.
céntral nérvous sỳstem (the ~) 〔解〕 중추 신경계.
Céntral Párk *n.* 센트럴 파크(뉴욕시 중심부의 공원).
Céntral Pówers (the ~) 동맹제국(1차대전 중의 독일·오스트리아-헝가리, 때로 터키-불가리아를 포함).
céntral prócessing unít 〔컴퓨터〕 중앙 처리 장치(略: CPU).
céntral prócessor 〔컴퓨터〕 CENTRAL-PROSSING UNIT.
céntral ráte 중심 시세(변동 시세제 이전의 각국 환의 미국 달러에 대한 공정 환율).
Céntral Règion *n.* 센트럴 리전(영국 스코틀랜드 중부의 행정구).
céntral resérve〔**reservàtion**〕 (영) =MEDIAN STRIP.
Céntral Resérve Bànks (미) 연방 준비 은행.

Céntral (Stándard) Tíme 《미》 중부 표준시《G.M.T. 보다 6시간 늦음; 略: C.(S.)T.》.
★**cen·tre** *n., a., v.* 《영》 =CENTER.
cen·tric, -tri·cal[séntrik], [-əl] *a.* 중심의, 중추적인. **cén·tri·cal·ly** *ad.*
cen·tric·i·ty[sentrísəti] *n.* Ⓤ 중심임.
cen·trif·u·gal[sentrífjəgəl] *a.* (*opp.* centripetal) **1** 원심성(遠心性)〔력〕의: ~ inflorescence 〔植〕 원심화서. **2** 원심력을 이용하는. **3** 중앙 집권화에서 분리되는, 지방 분권적인. ── *n.* 원심 분리기〔통〕. **~·ly** *ad.* 원심적으로.
centrífugal fórce 원심력.
centrífugal machíne 원심 분리기.
centrífugal súgar 분밀당(分蜜糖).
cen·tri·fuge[séntrəfjù:dʒ] *n.* 원심 분리기.
cen·tri·ole[séntriòul] *n.* 〔生〕 중심 소체, 중심립(粒), 중심자《centrosome 의》.
cen·trip·e·tal[sentrípətl] *a.* (*opp.* centrifugal) **1** 구심성의. **2** 구심력을 이용하는. **~·ly** *ad.* 구심적으로, 구심력에 의해서.
centrípetal fórce 구심력.
cen·trism[séntrizəm] *n.* Ⓤ 중도〔온건〕주의, 중도 정치.
cen·trist[séntrist] *n.* 중도파, 중립당원.
cen·tro-[séntrou] 《연결형》 =CENTR-.
cen·troid[séntrɔid] *n.* 〔物〕 중심(重心); 도심(圖心).
cen·tro·mere[séntrəmi:ər] *n.* 〔生〕 동원체(動原體), 중심립(粒).
cen·tro·some[séntrousòum] *n.* 〔生〕 중심체《세포의》.
cen·tro·sphere[séntrəsfìər] *n.* 〔地質〕 지구의 중심; 〔生〕 중심질〔권〕《세포의》.
cen·trum[séntrəm] *n.* (*pl.* **~s, -tra**[-trə]) 중심; 진원지; 〔解〕 추체(椎體), 중추.
cents-off[séntsɔ̀:f/-ɔ̀f] *a.* 쿠폰 지참자에 대한 할인 방식.
cen·tum[séntəm] *n.* 백(hundred): per ~ 퍼센트(per cent).
cen·tu·ple[séntəpəl, -tju:-] *a.* 100배의(hundredfold). ── *vt.* 100배하다.
cen·tu·pli·cate[sentjú:plikèit] *vt.* 100배하다; 100통 찍다. ── [-kit] *n., a.* 100배(의); 100통(의). **in centuplicate** 100부 인쇄의〔로〕.
cen·tu·ri·al[sentjúəriəl] *a.* 1세기의, 100년의.
cen·tu·ri·on[sentjúəriən] *n.* 〔로마史〕 백부장(百夫長).
★**cen·tu·ry**[séntʃuri] [L「100」] *n.* (*pl.* **-ries**) **1** 1세기, 100년. ◇ the 20th ~ (20세기)는 1901년 1월 1일부터 2000년 12월 31일까지. **2** 100개; 《미口》 100달러(지폐). **3** 〔로마史〕 100인대《원래 100명의 보병을 1대(隊)로 하고 60대로써 legion을 조직하였음》; 100인조《투표권의 한 단위》. **4** 〔크리켓〕 100점(100 runs). ── *a.* =CENTENNIAL. ⊕ centúrial *a.*
céntury plànt 〔植〕 용설란.
CEO, C.E.O. chief executive officer.
ceph·al-[séfəl], **ceph·a·lo-**[séfəlou] 《연결형》「머리」의 뜻《모음 앞에서는 cephal-》.
ce·phal·ic[səfǽlik] *a.* 두개의, 두부의.
cephálic índex 〔人類〕 두개(頭蓋) 계수.
ceph·a·lin[séfəlin] *n.* 세팔린《세포막의 인지질(燐脂質)중의 하나; 뇌속에 많음》.
ceph·a·li·za·tion[sèfələzéiʃən] *n.* 〔動〕 두화(頭化)《진화 과정에서 뇌와 감각 기관이 두부로 집중하는 일》.
ceph·a·lo·cide[séfələsàid] *n.* 지식인에 대한 집단 학살.
ceph·a·lo·pod[séfələpɑ̀d/-pɔ̀d] *n.* 〔動〕 두족류(頭足類) 동물《오징어·낙지 등》.
ceph·a·lo·tho·rax[sèfəlouθɔ́:ræks] *n.* 〔動〕 두흉부(頭胸部)《갑각류의》.
ceph·a·lous[séfələs] *a.* 머리가 있는.
Cé·phe·id (vàriable)[sí:fiid-] 〔天〕 케페이드 변광성(變光星).
Ce·pheus[sí:fju:s, -fiəs] *n.* 〔天〕 케페우스자리.
cer-[siər], **ce·ro-**[síərou] 《연결형》「밀랍」의 뜻《모음 앞에서는 cer-》.
cero-[síərou] 《연결형》 =CER-.
ce·ra·ceous[səréiʃəs] *a.* 납(蠟) 같은, 납모양의.
ce·ram·al[sərǽməl] *n.* =CERMET.
ce·ram·ic[sərǽmik] *a.* 질그릇의, 제도술(製陶術)의, 요업(窯業)의, 도예의: the ~ industry 요업/~ manufactures 질그릇, 도자기. ── *n.* 도자기, 요업 제품.
ce·ram·i·cist *n.* =CERAMIST.
ce·ram·ics[sərǽmiks] *n. pl.* (단수 취급) 도예, 요업; (복수 취급) 도자기류.
ce·ram·ist[sérəmist] *n.* 도예가; 요업가.
ce·ras·tes[sərǽsti:z] *n.* (*pl.* ~) 〔動〕 뿔뱀《근동(近東)산 독사》.
ce·ras·ti·um[sərǽstiəm] *n.* 〔植〕 점나도나물속(屬).
ce·rate[síəreit, -rit] *n.* Ⓤ 〔藥〕 납고(蠟膏), 밀기름.
ce·rat·ed[-id] *a.* 납고〔밀랍〕를 입힌.
ce·rat·o·dus[sirǽtədəs, sèrətóudəs] *n.* 〔魚〕 세라토두스《오스트레일리아산 폐어(肺魚)》.
Cer·be·re·an[sə:rbíəriən] *a.* Cerberus의〔같은〕; 엄하고 무서운.
Cer·ber·us[sə́:rbərəs] *n.* (*pl.* **~·es, -ber·i**[-bərài]) 〔그·로神〕 케르베로스《지옥을 지키는 개; 머리가 셋에 꼬리는 뱀 모양》. **give 〔throw〕 a sop to Cerberus** 귀찮은 존재를 매수하다.
cere[siər] *n.* (새 부리의) 납막(蠟膜). ── *vt.* 〈시체를〉 납포(蠟布)로 싸다.
‡**ce·re·al**[síəriəl] *a.* 곡식의, 곡초의; 곡물로 만든. ── *n.* (보통 *pl.*) 곡식, 곡류; 곡물 식품《아침으로 먹는 오트밀, 콘플레이크 등》.
cer·e·bel·lum[sèrəbéləm] *n.* (*pl.* **~s, -la**[-lə]) 〔解〕 소뇌. **-bel·lar** *a.*
ce·rebr-[sərí:br/séri:br], **ce·re·bro-**[sərí:brou] 《연결형》「뇌, 대뇌」의 뜻《모음 앞에서는 cerebr-》.
ce·re·bra[sérəbrə] *n.* CEREBRUM의 복수의 하나.
ce·re·bral[sérəbrəl] *a.* 〔解〕 대뇌의, 뇌의; 지적인, 지성에 호소하는; 사색적인. **~·ly** *ad.*
cerébral anémia 뇌빈혈.
cerébral córtex 대뇌 피질.
cerébral déath 〔病理〕 뇌사(brain death).
cerébral hémorrhage 뇌일혈.
cerébral hyperémia 뇌충혈.
cerébral pálsy 〔病理〕 뇌성(소아)마비.
cer·e·brate[sérəbrèit] [cerebration의 역성(逆成)] *vi.* 뇌를 쓰다; 생각하다.
cer·e·bra·tion[-ʃən] *n.* Ⓤ 대뇌 작용〔기능〕; 사고(思考).
cer·e·bric[sérəbrik, sərí:-] *a.* 뇌의.
cer·e·bri·tis[sèrəbráitis] *n.* Ⓤ 뇌염(腦炎).
cer·e·bro·side[sérəbrəsàid, sərí:-] *n.* 〔生化〕 세레브로사이드《신경조직내 각종 지질(脂質)》.
cer·e·bro·spi·nal[sèrəbrouspáinəl] *a.* 〔解〕 뇌척수(腦脊髓)의; 중추 신경계의.
cerebrospínal flúid 수액, 뇌척수액.

cerebrospínal meningítis 뇌척수막염.

ce·re·bro·vas·cu·lar[sèrəbrəvǽskjələr, sərì:-] *a.* 〔解〕 뇌혈관의〔에 관한〕.

ce·re·brum[sérəbrəm, sərí:-] *n.* (*pl.* ~**s**[-z], **-bra**[-brə]) 〔解〕 뇌, 대뇌.

cere·cloth[síərklɔ̀(:)θ, -klɑ̀θ] *n.* Ⓤ,Ⓒ 납포(蠟布)《시체를 싸는》.

cer·e·ment[síərmənt] *n.* (보통 *pl.*) 수의(壽衣), 납포(graveclothes).

*__cer·e·mo·ni·al__[sèrəmóuniəl] *a.* 의식의, 의식적인; 정식의(formal). ── *n.* 의식, 전례; Ⓤ 의식 절차. **~·ism**[-izəm] *n.* Ⓤ 의식〔형식〕존중주의. **~·ist** *n.* **~·ly** *ad.* 의식적으로, 형식적으로.

cer·e·mo·ni·ous[sèrəmóuniəs] *a.* **1** 형식적인, 엄숙한. **2** 예의 바른: ~ politeness 유난스럽게 공손함. **3** 의식의, 의식적인, 딱딱한. **~·ly** *ad.* **~·ness** *n.*

⁑**cer·e·mo·ny**[sérəmòuni] [L] *n.* (*pl.* **-nies**) **1** (종종 *pl.*) 식전(式典), 의식, 식: a marriage 〔wedding, nuptial〕 ~ 결혼식. **2** Ⓤ 예의《사교상의》, 의례, 형식(formality). **master of (the) ceremonies** 의전(儀典) 장관《영국 왕실의》; 공식 집회의 사회자; 진행자《여흥의》. **stand on〔upon〕 ceremony** 《口》 격식을 차리다. **with ceremony** 형식을 차려, 유난스럽게. **without ceremony** 소탈하게, 무간하게. ◇ ceremónial, ceremónious *a.*

Ce·rén·kov cóunter[tʃərjéŋkɔf-] 〔物〕 체렌코프 계수관《체렌코프 효과를 이용한 방사선 검출기》.

Ce·rén·kov effèct (the ~) 〔物〕 체렌코프 효과《대전 입자가 물질 속에서 광속 이상의 등속운동을 행할 때 전자파를 방사하는 일》.

Cerénkov radiàtion〔light〕 〔物〕 체렌코프 복사(輻射).

Ce·res[síəri:z] *n.* 〔로神〕 케레스《풍작의 여신; 그리스 신화의 Demeter에 해당》.

cer·e·sin[sérəsin] *n.* 〔化〕 세레신《밀랍과 같이 또는 그 대신에 쓰는 딱딱하고 흰 납》.

ce·re·us[síəriəs] *n.* 〔植〕 손가락선인장.

ce·ri·a[síəriə] *n.* 〔化〕 산화 세륨.

ce·ric[síərik, sér-] *a.* 〔化〕 (특히 4가의) 세륨을 함유한.

cer·iph[sérif] *n.* 《稀》 =SERIF.

ce·rise[sərí:s, -rí:z] [F] *n.* **1** 버찌빛, 선홍색. **2** 일종의 염기성 물감. ── *a.* 선홍색의.

ce·ri·um[síəriəm] *n.* Ⓤ 〔化〕 세륨《희토류(稀土類) 원소; 기호 Ce, 번호 58》.

cer·met[sə́:rmet] *n.* Ⓤ 도성(陶性) 합금.

CERN[sə:rn] *Conseil europeen pour la recherche nucleaire*《F =European Council for Nuclear Research》 유럽 공동 원자핵 연구소.

ce·ro-[síərou] 《연결형》 =CER-.

ce·ro·plas·tic[sìərouplǽstik] *a.* 밀랍 모형의. ── *n.* (*pl.*) 납소술(蠟塑術); 납세공.

cert [sə:rt] [*cert*ainty] *n.* 《영俗》 확실한 일〔결과〕; 꼭 일어나는 일: a dead〔an absolute〕 ~ 절대로 확실한 일. **for a cert** =for a CERTAINTY.

cert. certainty; certificate; certified.

★**cer·tain**[sə́:rtən] [L] *a.* **1** 확실하다고 생각하는, 확신하는(sure): feel ~ 확실하다고 생각하다/《Ⅱ *Itv*Ⅱ +형+*to* do》 It is ~ *to* rain. 틀림없이 비가 올 것이다(=It is ~ *that* it will rain. 《Ⅱ *Itv*Ⅱ +형+*that*(절)》) 《Ⅱ 형+*wh.* (절)》 I am not ~ *who* she is. 나는 그녀가 누군지 확실하지 않다/《Ⅱ *Itv*Ⅱ +형+*wh.* (절)》 It is ~ *when* she will come. 그녀가 언제 올 것인가는 확실하다. **2** 〈일이〉 확실한; 반드시 …하는; 필연적인; 〈지식·기술 등이〉 정확한: a ~ fact 확실한 사실/a ~ cure 반드시 낫는 치료법. **3** (어느) 일정한(definite), 확정된: at a ~ place 일정한 장소에. **4** (상세히 말하지 않고) 어떤: a ~ person 어떤 사람/a ~ Mr. Brown 브라운이라고 하는 사람(a Mr. Brown이 일반적). **5** 약간의, 어느 정도의: to a ~ extent 어느정도(까지). **be certain of** victory (승리)를 확신하다. **for certain** (보통 know, say 뒤에 놓아) 확실히: I don't *know for certain.* 확실히는 모른다. **in a certain condition** 임신하여. **make certain** 〈…을〉 확인하다, 확보하다(*of, that*…).

── *pron.* (of+복수 (대)명사와 함께; 복수 취급) (…중의) 몇 개〔몇 사람〕(some이 구어적): *Certain* of them were honest enough to tell the truth. 그들 중의 몇 사람은 정직하게 진실을 말했다. ◇ cértainly *ad.*; cértainty, cértitude *n.*; ascertáin *v.*

*__cer·tain·ly__[sə́:rtənli] *ad.* **1** 확실히; 틀림 없이. **2** 〔대답으로〕 알았습니다, 물론이죠, 그럼은요; 그렇고말고요. **Certainly not!** 물론 그렇지 않습니다, 안됩니다, 절대 싫습니다.

*__cer·tain·ty__[sə́:rtənti] *n.* (*pl.* **-ties**) **1** Ⓤ (객관적) 확실성. **2** 확실한 것〔일〕; 필연적인 사물. **3** Ⓤ 확신(conviction)(*of, that*…). **bet on a certainty** (애초부터) 확실한 것을 알고 걸다. **for〔to, 《古》 of〕 a certainty** 확실히. **with certainty** 확신을 가지고; 확실히, 꼭. ◇ cértain *a.*

Cert. Ed. 《영》 Certificate in Education.

cer·tes[sə́:rtiz] *ad.* =CERTAINLY.

certif. certificate(d).

cer·ti·fi·a·ble[sə́:rtəfàiəbəl] *a.* 보증〔증명〕할 수 있는. **-bly** *ad.*

*__cer·tif·i·cate__[sərtífəkit] [OF] *n.* **1** 증명서, 증명; 면허장; (학위 없는 과정의) 수료〔이수〕 증명서; 증권, 주권. **a certificate of birth〔death, health〕** 출생〔사망, 건강〕 증명서. **a certificate of competency** 적임증서; 선원의 해기 면허장. **a certificate of deposit** 양도성 정기예금 증서. **a certificate of efficiency〔good conduct〕** 적임〔선행〕증. **a certificate of incorporation** 법인 설립 인가증. **a certificate of indebtedness** 채무 증서, 차입 증서. **a certificate of origin** (무역품의) 원산지 증명서. **a certificate of merit** 〔미軍〕 유공증(有功證). **a certificate of share〔stock〕** 기명(記名) 증권. **a gold〔silver〕 certificate** 《미》 금〔은〕증권《미국 정부가 발행한 지금(地金)의 금〔은〕의 보관증》. **a marrige certificate** 혼인 증명서. **a medical certificate** 진단서. **a teacher's〔a teaching〕 certificate** 교사 자격증. **the Certificate of Secondary Education** 《영》 중등교육 수료 시험 (합격증).

── [-kèit] *vt.* …에게 증명서를 주다; 증명서를 주어 허가하다; …임을 증명서로 증명하다: ~ a teacher 교사에게 증명서를 발행하다/I do hereby ~ *that* … 여기에 …임을 증명합니다. **-ca·to·ry**[-kətɔ̀:ri/-təri] *a.* 증명이 되는. ◇ certificátion *n.*

cer·tif·i·cat·ed[sərtífikèitid] *a.* 《영》 면허를 취득한, 유자격의: a ~ teacher 유자격 교사.

cer·ti·fi·ca·tion[sə̀:rtəfəkéiʃən] *n.* Ⓤ **1** 증명, 검정(檢定), 보증. **2** Ⓒ 증명서. **3** 증명서 교부, 상장 수여. **4** 《영》 정신 이상의 증명.

*__cer·ti·fied__[sə́:rtəfàid] *a.* **1** 보증〔증명〕된. **2** 《미》 〈회계사 등이〉 공인의. **3** 《영》 정신 이상

자로 증명된.
cértified chéck 지불 보증 수표.
cértified máil ((미)) 배달 증명 우편((영) recorded delivery).
cértified mílk ((미)) 보증 우유.
cértified públic accóuntant ((미)) 공인 회계사((略: C.P.A.)) (*cf.* CHARTERED ACCOUNTANT).
cer·ti·fi·er *n.* 증명자.
*__cer·ti·fy__[sə́:rtəfài] [L] (**-fied**) *vt.* **1** 증명하다, 검정하다, 공인하다, 인증(認證)하다: ~ a product 제품의 품질을 증명하다. **2** 〈의사가〉 정신 이상자라고 증명하다: ((Ⅲ *that*(절))) The doctor *certified* that she was mad. 의사는 그녀가 정신 이상임을 증명했다(=The doctor *certified* her (*to be*) mad.((Ⅴ(목)+(*to be*)+형))/=The doctor *certified* her (*as*) mad.((Ⅴ(목)+(*as*)+형))). **3** 보증하다(assure)((*of*)): I ~ *that* she is a diligent student. 나는 그녀가 착실한 학생임을 보증한다. **4** ((미)) 〈은행 등이 수표의〉 지불을 보증하다. **5** …에게 증명서〔면허장〕를 교부〔발행〕하다. — *vi.* 보증〔증명〕하다((*to*)); 증인이 되다((*for*)): ~ *to* a person's character …의 사람됨을 보증하다.
◇ certification *n.*
cer·ti·o·ra·ri[sə̀:rʃiərέəri, -rέərai][L] *n.* 〔法〕(보통 a writ of ~)(상급 법원이 하급 법원에 지시하는) 사건 이송(移送) 명령(서).
cer·ti·tude[sə́:rtətjù:d] *n.* Ⓤ 확신; (주관적) 확신감; 정확, 적확.
ce·ru·le·an[sərú:liən] *a.* 하늘색의, 농청색의.
ce·ru·men[sirú:mən/-men] *n.* Ⓤ 귀지.
ce·ruse[síəru:s] *n.* Ⓤ 연백(鉛白); 분(粉).
ce·ru(s)·site[síərəsàit] *n.* Ⓤ 〔鑛〕 백연광(白鉛鑛).
Cer·van·tes[sərvǽnti:z] *n.* 세르반테스 Miguel de ~ Saavedra (1547-1616)((스페인의 작가; 대표작 *Don Quixote*)).
cer·van·tite[sərvǽntàit] *n.* 〔鑛〕 세르반타이트.
cer·ve·lat[sə́:rvəlæ̀t] *n.* 훈제 소시지의 일종.
cer·vic-[sə́:rvək], **cer·vi·ci-**[-vəsi], **cer·vi·co-**[-vəkou] ((연결형)) 「목, 경부」의 뜻((모음 앞에서는 cervic-)).
cer·vi·cal[sə́:rvikəl] *a.* 〔解〕 경부(頸部)의, 목의; ((특히)) 자궁 경관(頸管)의: a ~ cap 자궁 경부의 캡((고무 피임구)).
cérvical cáp (자궁경부에 맞추어 만든 플라스틱제의) 피임 기구.
cer·vine[sə́:rvain] *a.* 사슴의〔같은〕; 짙은 갈색의.
cer·vix[sə́:rviks] *n.* (*pl.* **~·es, -vi·ces**[sərváisi:z, sə́:rvəsì:z]) 〔解〕 목((특히 후부)); 경부(頸部); 자궁 경부; 치(齒)경부.
Ce·sar·e·an, -i·an[sizέəriən] *a., n.* ((미)) = CAESAREAN.
Ce·sar·e·vitch, -witch[səzá:rəvìtʃ], [-wìtʃ] *n.* **1** (제정) 러시아 황태자(*cf.* CZAR). **2** ((영)) 매년 Newmarket에서 개최되는 경마.
ce·si·um[sí:ziəm] *n.* Ⓤ 〔化〕 세슘((금속 원소; 기호 Cs, 번호 55)).
césium clòck 세슘 시계((원자 시계의 일종)).
ces·pi·tose[séspətòus] *a.* 〔植〕 군생〔속생〕하는.
cess¹[ses] *n.* ((아일·스코·인도)) 세금, 요금.
cess² *n.* Ⓤ ((아일)) 운(luck). ((◇ 다음 성구로)) **Bad cess to ...!** 제기랄!, 뒈져버려라!
*__ces·sa·tion__[seséiʃən] *n.* 중지, 중단; 휴지, 정지: the ~ of hostilities〔arms〕 휴전.
◇ cease *v.*
ces·ser[sésər] *n.* 〔法〕 (권리의) 소멸((저당 기간 등이 끝나기)).
ces·sion[séʃən] *n.* **1** Ⓤ,Ⓒ (영토의) 할양(割讓), (권리의) 양도, (재산 등의) 양여(讓與). **2** 할양된 영토.
ces·sion·ar·y[-nèri/-nəri] *n.* (*pl.* **-ar·ies**) 〔法〕 양수인(讓受人).
Cess·na[sésnə] *n.* 세스너기(機)((미국제 경비행기)).
cess·pipe[séspàip] *n.* (구정물의) 배수관.
cess·pit[séspìt] *n.* =CESSPOOL.
cess·pool[séspù:l] *n.* **1** (지하의) 오수〔오물〕 구덩이. **2** 불결한 장소((*of*)): a ~ of iniquity 죄악의 소굴.
ces·ta[séstə] *n.* (*pl.* **-tas**) =JAI ALAI.
c'est la vie[selαví:] [F=that is life] 그것이 인생이다.
ces·tode[séstoud] 〔動〕 *a.* 촌충류의.
— *n.* 촌충류((tapeworm 등)).
ces·toid[séstɔid] *n., a.* 촌충 (같은).
ces·tus¹[séstəs] *n.* (*pl.* **~, ~·es**) 〔古로〕 (토시 비슷한) 권투 장갑.
cestus² *n.* (*pl.* **-ti**[-tai]) **1** (여성, 특히 신부의) 띠 (belt, girdle). **2** 〔그·로神〕 Aphrodite〔Venus〕의 띠((애정을 불러일으키는 장식이 있었다고 함)).
ce·su·ra[siʒúərə/-zjúə-] *n.* (*pl.* **~s, -rae**) =CAESURA.
C.E.T. Central European Time.
CETA[sí:tə] [*C*omprehensive *E*mployment and *T*raining *A*ct] *n.* ((미)) 직업 훈련 종합 계획.
Ce·ta·ce·a[sitéiʃə] *n.pl.* 〔動〕 고래류((whale, dolphin, porpoise 등)).
ce·ta·cean[sitéiʃən] *a., n.* 〔動〕 고래류(Cetacea)의 (동물).
ce·ta·ceous[sitéiʃəs] *a.* 〔動〕 고래류의.
ce·tane[sí:tein] *n.* Ⓤ 〔化〕 세탄((석유에 함유되어 있는 기름 모양의 탄화 수소)).
cétane nùmber〔**ràting**〕〔化〕 세탄가(價).
ce·te·ris pa·ri·bus[sétəris-pǽribəs/sí:t-] [L =other things being equal] *ad.* 다른 사정이 같다면((略: cet. par.)).
CETI communication with extraterrestrial intelligence 외계의 지적 생물과의 교신.
cet. par. *ceteris paribus*. **C.E.T.S.** Church of England Temperance Society.
Ce·tus[sí:təs] *n.* 〔天〕 고래자리(the Whale).
ce·vi·tám·ic ácid[sì:vaitǽmik-] 비타민 C(*cf.* ASCORBIC ACID).
Cey·lon[silάn/-lɔ́n] *n.* **1** 실론 섬((인도양에 있는 Sri Lanka 공화국을 이루는 섬)). **2** 실론((Sri Lanka의 옛이름)).
Cey·lon·ese[sì:ləní:z, sèi-] *a.* 실론(섬, 사람)의. — *n.* (*pl.* ~) 실론(섬) 사람.
Cé·zanne[sizǽn] *n.* 세잔 Paul ~((프랑스의 후기 인상파 화가(1839-1906))).
Cf 〔化〕 californium.
‡**cf.** [sí:éf, kəmpέər, kənfə́:r] [L *confer*(=compare)의 약어] 비교하라, …을 참조하라.
c.f., cf center field(er). **C.F.** 〔簿〕 carried forward; centrifugal force; Chaplain to the Forces; cost and freight. c/f carried forward〔簿〕(다음으로) 이월. **CFA** certified financial analyst; African Financial Community. **CFC** chlo rofluorocarbon.
C.F.I., c.f. (&) i. cost, freight and insurance((◇ 보통 CIF라 함)). **CFS** container freight station; cubic feet per second.
CFC[sí:efsí:] 〔化〕 클로로플루오로카본(chlorofluorocarbon)((스프레이의 분사제 · 냉각

제로 사용되는 화합물: OZONE층에 나쁜 영향을 주는 것으로 알려졌음).

CFW móuse[sì:èfdʌ́bəljú:-] [cancer-free white mouse] 〔醫〕 암이 없는 흰 쥐: 의학 실험용 동물.

cg. centigram(s). **c.g.** center of gravity. **C.G.** Coast Guard; Commanding General; Consul General. **C.G.H.** Cape of Good Hope 희망봉. **C.G.M.** Conspicuous Gallantry Medal. **C.G.S., c.g.s., cgs** centimeter-gram-second 〔物〕 시지에스 단위. **CGT** *Confédération générale du travail* 프랑스 노동 총동맹. **ch, ch.** chain; champion; chaplain; chapter; 〔체스〕 check; chief; child; children; church. **Ch.** Chaplain; Charles; China; Chinese; Christ. **C.H.** clearing house; Companion of Honor.

Cha·blis[ʃǽbli(:), ʃɑ:blí:] *n.* Ⓤ 샤블리 포도주(프랑스 Chablis 원산).

cha-cha(-cha)[tʃɑ́:tʃɑ̀:(tʃɑ́:)] *n.* 차차차 무도(곡)(중·남미에서 시작된 빠르고 선율적인 것). — *vt.* 차차차를 추다

chac·ma[tʃǽkmə] *n.* 〔動〕 차크마 비비〔개코원숭이〕(남아프리카산).

cha·conne[ʃəkɔ́(:)n, -kɑ́n] [F] *n.* (*pl.* ~**s**) **1** 샤콘(스페인에서 시작된 춤). **2** 〔樂〕 샤콘(1에서 발생한 바로크 시대의 변주곡의 한 형식).

chad[tʃæd] *n.* Ⓤ 〔컴퓨터〕 차드, 천공 부스러기(종이 테이프나 천공 카드에 구멍을 낼 때 생기는 종이 부스러기).

Chad[tʃæd] *n.* **1** 차드호(湖)(아프리카 중북부). **2** 차드(아프리카 중북부의 공화국: 공식명 the Republic of ~; 수도 N'Djamena). (◇ Tchad라고도 적음). **Chad·i·an** *a., n.*

cha·dor[tʃʌ́dər] *n.* 차도르 (인도·이란 여성이 베일이나 숄로 사용하는 검은 사각형 천).

∗**chafe**[tʃeif] [L] *vt.* **1** 〈손 등을〉 비벼서 따뜻하게 하다: She ~*d* her cold hands. 그녀는 손이 시려서 비벼댔다. **2** 〈살갗이〉 쓸려서 벗겨지게 하다: This stiff collar has ~*d* my neck. 이 빳빳한 옷깃이 목덜미를 쓸리게 한다. **3** 노하게 하다, 안달나게 하다.
— *vi.* **1** 〈동물이 울 등에〉 몸을 비벼대다 (*against, on*): The bear ~*d against* the bars. 곰이 쇠창살에 몸을 비벼댔다. **2** 〈강물이 벼랑 등에〉 부딪히다(*against*): The river ~*s against* the rocks. 강물이 바위에 세차게 부딪친다. **3** 쓸려 벗겨지다, 까지다: My skin ~*s* easily. 내 피부는 잘 벗겨진다. **4** 노하다, 성내다: 약오르다, 안달나다(*under, at, over*): ~ *at* an injustice 부정에 분노하다/ She ~*d under* his teasing. 그의 놀림에 그녀는 약이 올랐다. **chafe at the bit** 안달하다, 늦어져서 몸달다.
— *n.* **1** 찰상(擦傷)(의 아픔). **2** 약오름, 안달, 초조: in a ~ 약이 올라, 안달나서.

cha·fer[tʃéifər] *n.* 〔昆〕 풍뎅이과(科)의 곤충(cockchafer 등).

∗**chaff**[1] [tʃæf/tʃɑ:f] *n.* Ⓤ **1** 왕겨: 여물(마소의 사료), 마초. **2** 폐물, 찌꺼기: 하찮은 것. **3** 〔植〕 포(苞). **4** 〔空·로켓〕(항공기·우주선이) 공중에서 살포〔방출〕하는 금속편(레이더 교란 또는 지상 추적국의 편의를 위해 방출하는 것). **be caught with chaff** 쉽게 속아 넘어가다. **offer chaff for grain** 하찮은 것으로 …을 꾀려 하다. **separate (the) grain〔wheat〕 from (the) chaff** 가치 있는 것과 그렇지 않은 것을 구별하다. — *vt.* 〈짚 등을〉 썰다.

chaff[2] *n.* Ⓤ (악의 없는) 놀림, 희롱, 야유. — *vt.* 놀리다, 희롱하다.

chaff·cut·ter[tʃǽfkʌ̀tər/tʃɑ́:f-] *n.* 여물이나 짚을 자르는 작두.

chaff·er[1] [tʃǽfər] *n.* 놀리는〔희롱하는〕 사람.

chaf·fer[2] *n.* 에누리, 흥정. — *vt.* **1** 값을 깎다, 에누리하다(haggle). **2** (영) 잡담하다. **chaffer away** 헐값으로 팔아버리다.

chaf·finch[tʃǽfintʃ] *n.* 〔鳥〕 푸른 머리 되새(검은 방울새류의 작은 새; 유럽산).

chaff·y[tʃǽfi, tʃɑ́:fi] *a.* (**chaff·i·er; -i·est**) **1** 왕겨투성이의, 왕겨 같은. **2** 하찮은, 시시한. **cháff·i·ness** *n.*

cháf·ing dìsh[tʃéifiŋ-] 풍로 달린 탁상 냄비.

cháfing gèar 마찰막이(배의 밧줄 등의 마찰을 막기 위해 대는 헌 돛 조각·가죽 조각 등).

Cha·gall[ʃəgɑ́:l] *n.* 샤갈 Marc ~(러시아 태생의 프랑스 화가(1887-1985)).

cha·grin[ʃəgrín/ʃǽgrin] [F] *n.* Ⓤ 억울함, 원통함, 분함. — *vt.* (보통 p.p.) 억울하게 하다, 분하게 하다. **be〔feel〕 chagrined at〔by〕** …을 분하게 여기다.

⋆**chain**[tʃein] *n.* **1** 쇠사슬. **2** 일련(一連), 연쇄; (방송의) 네트워크: a ~ of mountains 산맥. **3** 목걸이, 고리줄(관직의 표시로서 목에 거는); (자전거의) 체인; 도어 체인(door chain). **4** (보통 *pl.*) 매는 사슬, (사슬이 달린) 차꼬, 족쇄; 굴레; 속박; 구금(captivity): be in ~*s* 옥에 갇혀 있다; 노예가 되어 있다. **5** (연쇄 경영의 은행·극장·호텔 등의) 체인(점), 연쇄점. **6** 〔測〕 측쇄(測鎖); 1체인(영·미에서는 66 ft.). **7** 〔電〕 회로; 쇠사슬 탄환. **8** 〔化〕 (원자의) 연쇄. **9** 〔細菌〕 연쇄. **10** 〔海〕 닻사슬. **11** 〔컴퓨터〕 연쇄, 체인. **chain of command** 지휘〔명령〕 계통. **on the chain** 사슬에 매이어; 행동을 제한받고.
— *vt.* **1** 〈동물 등을〉 사슬로 매다: *Chain up* the dog. 개를 사슬로 매 둬라. **2** 〈사람을〉 …으로 속박하다: He is ~*ed to* his work. 그는 일에 얽매여 있다. **3** 〈문에〉 (안에서) 체인을 걸다; 〈입구 등에〉 사슬을 쳐 〈…으로〉 하다. **4** 측쇄로 재다. ◇ encháin *v.*

cháin ármor =CHAIN MAIL.

cháin bèlt (자전거 등의) 톱니바퀴용 체인.

cháin bràke 체인 브레이크.

cháin brèak[⌐brèik] 〔라디오·TV〕 체인 브레이크(station break)(지국에서 끼워 넣는 짤막한 광고).

cháin brìdge 사슬 조교(弔橋).

cháin càble 〔海〕 사슬 닻줄.

cháin còupling 〔機〕 사슬 연결기.

cháin drìve (동력의) 체인 전동(傳動); 체인 전동을 이용한 시스템.

chaî·né[ʃeinéi/ʃénei] [F] *n.* 〔발레〕 셰네, 회전 통과(무대 끝에서 끝으로 회전으로 이동하기).

cháined líst 〔컴퓨터〕 연쇄 리스트.

cháin gàng 한 사슬에 매인 옥외 노동 죄수들.

cháin gèar 〔機〕 체인 톱니바퀴

chain·ing[tʃéiniŋ] 〔컴퓨터〕 체이닝 연쇄화.

chain·less *a.* 쇠사슬〔속박〕 없는.

chain·let[tʃéinlit] *n.* 작은 사슬.

cháin lètter 연쇄 편지, 행운의 편지(받은 사람이 다른 여러 사람에게 사본을 보냄).

cháin lìghtning 연쇄적인 지그재그 모양의 번갯불; (미方·俗) 싸구려〔밀조〕 위스키.

cháin máil 사슬 갑옷.

chain·man[tʃéinmən] *n.* (*pl.*-**men**[-mən]) 〔測〕 체인을 쥐는 사람, 측량 조수.

cháin mèasure 체인(야드·파운드 법에 의한 측량용 길이의 단위 계(系))(*cf.* CHAIN 6).

cháin plàte (보통 *pl.*) 〔海〕 체인 플레이트 (돛대 밧줄(shrouds)을 뱃전에 매는 데 쓰는

금속판).
cháin prìnter 체인프린터(고속 인자기(印字機)의 일종).
cháin pùmp 〔機〕 사슬 펌프(사슬에 버킷을 달아 퍼올리는 장치).
chain-re·act[⌐riǽkt] *vi.* 〔物·化〕연쇄 반응을 일으키다.
cháin-re·act·ing píle 〔物〕 연쇄 반응로, 원자로.
cháin reàction **1** 〔物·化〕 연쇄 반응. **2** (사건 등의) 연쇄 반응.
cháin reàctor 〔物·化〕 연쇄 반응 장치, 원자로(reactor).
cháin rùle 〔數〕 연쇄 법칙.
cháin sàw 휴대용 동력(動力)사슬톱, 체인소.
cháin shòt 사슬탄(해전에서 돛대 등을 파괴하기 위해 쓴 쇠사슬로 이은 두 개의 대포알).
chain-smoke *vi.* 줄담배를 피우다.
— *vt.* 〈담배를〉 잇달아 피우다.
cháin smòker 줄담배 피우는 사람.
cháin stìtch 사슬 모양으로 뜨기.
chain·stitch *vt., vi.* (…을) 사슬 모양으로 뜨다.
cháin stòre (미) 체인 스토어, 연쇄점((영) multiple shop〔store〕).
chain-wheel *n.*(자전거 등의) 사슬 톱니바퀴.
chain·work[⌐wə̀ːrk] *n.* Ⓤ 사슬 세공; 사슬 무늬.
★**chair** [tʃɛər] [Gk] *n.* **1** (1 인용) 의자: take a ~ 착석하다. **2** (대학의) 강좌: 대학 교수의 직(professorship). **3** (the ~) 권위있는 지위; 의장석〔직〕; 회장석〔직〕; (영) 시장의 직. **4** (the ~) (미) 전기 (사형) 의자(=electric ~); 전기 의자에 의한 사형: send〔go〕 to *the* ~ 사형에 처하다〔처해지다〕. **5** 〔鐵道〕 체어(레일을 침목에 고정시키는 좌철(座鐵)). **6** 〔史〕 가마(=sedan ~). **Chair! Chair!** 의장! 의장!(회의장 정리의 요구). **in the chair** 의장석에 앉아. **address the chair** 의장을 부르다. **appeal to the chair** 의장의 재결을 요구하다. **leave the chair** 의장석을 떠나다; 폐회하다. **take the chair** 의장석에 앉다; 개회하다; 취임하다; (미) 증인이 되다. — *vt.* **1** …을 착석시키다〔의자에 앉히다〕. **2** …을 권위 있는 지위에 앉히다; 의장직을 맡다. **3** (영) (우승자·당선자 등을) 의자에 앉혀 메고〔목말을 태우고〕 돌아다니다.
chair·bed *n.* 긴 의자 겸용 침대.
chair·borne[tʃɛ́ərbɔ̀ːrn] *a.* (口) 지상 근무의, 비전투〔후방〕 근무의; 탁상〔연구실〕의.
cháir càr 〔미鐵道〕 **1** =PARLOR CAR. **2** 안락 의자를 양쪽에 설비한 객차.
chair·la·dy[tʃɛ́ərlèidi] *n.* =CHAIRWOMAN.
cháir lìft (스키·관광용의) 체어 리프트(*cf.* SKI LIFT).
⁑**chair·man** [⌐mən] *n.* (*pl.* **-men**[⌐mən]) **1** a 의장; 사회자; 회장; 위원장; 사장, 은행장 (*cf.* CHAIRWOMAN). (◇ 호칭으로는 남자는 Mr. C-, 여자는 Madam C-; (미)에서는 chairperson을 쓰는 경향이 있음). b (미) (학과의) 주임 교수, 학과장. **2** 환자용 의자(bath chair)를 미는 사람; (sedan chair의) 가마꾼.
— *vt.* (~**ned;** ~·**ning**) 〈회의 등을〉 사회하다; 〈위원회 등의〉 의장〔위원장〕직을 맡다; 〈회사 등의〉 회장〔사장〕직을 맡다.
chair·man·ship[-ʃìp] *n.* Ⓤ **1** CHAIRMAN의 재능〔소질〕. **2** CHAIRMAN의 직〔지위, 기간〕.
chair·one[⌐wʌ̀n] *n.* 의장(chairperson).
chair-o-plane[tʃɛ́ərouplèin] *n.* 공중 회전 그네(유원지의 어린이용 오락 설비).
chair·per·son[tʃɛ́ərpə̀ːrsn] *n.* 의장, 사회자(*cf.* CHAIRMAN).
cháir ràil 〔建〕 (의자의 등받이 높이로 벽에 댄) 중인방(中引枋).
chair·warm·er[⌐wɔ̀ːrmər] *n.* (미俗) **1** (호텔 로비 등에서) 의자를 오래 차지하는 사람. **2** 게으름뱅이.
chair·wom·an[⌐wùmən] *n.* (*pl.*-**wom·en**[⌐wìmin]) 여자 의장〔회장, 위원장, 사회자〕. (◇ CHAIRMAN은 여자에게도 쓰여 Madam Chairman이라 부름).
chaise[ʃeiz] *n.* **1** 2륜 경마차; 4륜 유람 마차. **2** (철도 이전의) 역마차(post chaise). **3** =CHAISE LONGUE.
chaise longue[ʃéiz-lɔ́ːŋ] [F] *n.* 긴의자.
cha·la·za[kəléizə] *n.* (*pl.* ~**s, -zae**[-ziː]) **1** 〔動〕 (알의) 난대(卵帶), 알끈. **2** 〔植〕 합점(合點).
Chal·ce·don[kǽlsidàn, kælsíːdən] *n.* 칼케돈(소아시아 북서부에 있던 고대 도시).
the Council of Chalcedon 〔가톨릭〕 칼케돈 공의회(451년).
Chàl·ce·dó·ni·an[-dóuniən] *a., n.*
chal·ced·o·ny[kælsédəni, kǽlsidòuni] *n.* (*pl.* **-nies**) 〔鑛〕 옥수(玉髓).
chál·cid (flý)[kǽlsid-] 〔昆〕 수중다리좀벌.
chal·co·cite[kǽlkousàit] *n.* Ⓤ 〔鑛〕 휘동광(輝銅鑛).
chal·co·graph[kǽlkəgræ̀f, -grɑ̀ːf] *n.* 동판(화(畵)).
chal·cog·ra·pher[kælkɑ́grəfər/-kɔ́g-] *n.* 동판 조각사.
chal·cog·ra·phy[kælkɑ́grəfi/-kɔ́g-] *n.* Ⓤ 동판 조각(술). **chal·co·graph·ic, -i·cal**[kæ̀lkəgrǽfik], [-əl] *a.* 동판술의.
Chal·co·lith·ic[kæ̀lkəlíθik] *a.* 청동기 시대의; 청동기 시대의 특징을 나타내는.
chal·co·py·rite[kæ̀lkoupáirait/-páiə-] *n.* Ⓤ 〔鑛〕 황동광(黃銅鑛).
Chal·da·ic[kældéiik] *a., n.* =CHALDEAN.
Chal·de·a, -dae·a[kældí(ː)ə] *n.* 칼데아(바빌로니아 남부 지방의 옛 왕국).
Chal·de·an[kældí(ː)ən] *a.* 칼데아(사람)의.
— *n.* **1** 칼데아 사람; Ⓤ 칼데아 말. **2** 점성가(占星家); 마법사.
Chal·dee[kældiː, ⌐⌐] *a., n.* =CHALDEAN.
chal·dron[tʃɔ́ːldrən] *n.* (영) 촐드론(석탄 등의 양의 단위; 지금은별로 사용되지 않음).
cha·let[ʃæléi, ⌐⌐] *n.* **1** 샬레(스위스 산중의 양치기의 오두막집; 스위스의 농가(풍의 집); 샬레식의 산장, 별장). **2** (캠프장 등의) 방갈로.
chal·ice[tʃǽlis] *n.* **1** 〔基督敎〕 성찬배(聖餐杯), 성배, 성작(聖爵); (文語) 잔. **2** 〔植〕 배상화(杯狀花).
★**chalk**[tʃɔːk] [L] *n.* **1** Ⓤ 백악(白堊)(회백색의 연토질 석회암), 호분(胡粉). **2** Ⓤ,Ⓒ 분필, 초크, 색분필, 색초크(crayon 그림용): tailor's ~ 석필(양재용). (◇ 「분필 한 개」는 a piece of ~ 또는 a ~ 라고도 함). **3** (점수 등의) 초크로 쓴 기호; (영) (승부의) 득점(score); 외상 판매 기록. **4** (미俗) 분유(粉乳). **5** 〔地質〕 초크(상부 백악계의 이회질(泥灰質)층). **(as) different as chalk from cheese** = **(as) like as chalk and cheese** (口) (외관은 비슷하나 본질적으로는) 아주 다른, 딴판인. **by a long chalk**=**by long chalks**=**by chalks** (영口) (1)훨씬, 단연(by far). (2) (부정문에서) 전혀 …않다. **come up to (the) chalk** (미俗) 다시 시작하다; 표

준에 달하다. **make** a person **walk a chalk line** 명령에 복종시키다. **not know chalk from cheese** 선악을 분별하지 못하다. **walk one's chalks** 《俗》 가버리다: 달아나다. **walk a**〔**the**〕 **chalk**〔**mark, line**〕 《미口》 (1) 똑바로 걷다《취하지 않은 증거로》. (2) 똑바로 행동하다: 남의 명령에 따르다, 순종하다.
— *a.* **1** 백악질의. **2** 초크로 쓴〔만든〕.
— *vt.* **1** 분필로 쓰다〔표를 하다〕. **2** …에 분필칠을 하다; 〈당구의 큐〉 끝에 초크를 칠하다. **3** …에 백악을 섞다. …을 표백하다.
chalk a person's **hat** 《미俗》 (기차의) 무임승차를 허가하다. **chalk it up** 공표〔공고〕 하다; …의 외상으로 적어두다. **chalk out** (1) 초크로 윤곽을 그리다. (2) …을 계획하다; …의 대요(大要)를 말하다. **chalk up** 《口》 (1) …을 기록해 두다, 메모하다; 〈승리·득점·이익을〉 올리다, 얻다. (2) 〈술값 등을〉 …의 외상으로 적어두다. (3) …의 탓으로 하다.
⊕ chálky *a.*

chalk-bed *n.* 〔地質〕 백악층.

chalk·board[⌐bɔ̀:rd] *n.* (보통 초록색 또는 검정색의) 칠판(blackboard).

chalk·ie[tʃɔ́:ki(:)] *n.* 《오스口》 학교 교사《보통 대학이하의》(schoolteacher).

chalk-pit *n.* 백악갱(坑)《초크를 채취하는》.

chalk·stone[⌐stòun] *n.* Ⓤ 〔病理〕 통풍결절(痛風結節)《손가락의 관절 등에 발생》.

chalk-talk *n.* 《미》 칠판을 사용하여 하는 강연〔강의, 토론〕.

chalk·y[tʃɔ́:ki] *a.* (**chalk·i·er; -i·est**) **1** 백악질의; 백악이 많은. **2** 백악색의. **3** 〈맛이〉 초크 같은; 〈빵이〉 가루가 많은. **-i·ness** *n.*

chal·lah *n.* (*pl.* **~s, -loth**) =HALLAH.

⁑**chal·lenge**[tʃǽlindʒ] [L] *n.* **1** 도전(장)《*to*》; 결투〔시합 《등》〕의 신청: a ~ to violence 폭력에의 도전/accept〔take up〕 a ~ 도전에 응하다. **2** 설명〔증거〕의 요구; 항의, 힐난, 힐책; 《미》 (투표(자)의 유효성·자격 등에 대한) 이의 신청. **3** 수하(誰何)《보초의 'Halt! Who goes there?'「정지! 누구냐」》. **4** a Ⓤ 의욕〔노력, 감흥 《등》〕이 솟게 함; 해볼 만함. b 해볼 만한 일〔문제 《등》〕. **5** 〔法〕 (임명 전의 배심원에 대한) 기피.
— *vt.* **1** 도전하다; 〈논전·시합 등을〉 걸다, 〈결투를〉 신청하다; 〈…에게〉 대답을 요구하다: 《Ⅴ(목)+*to* do》 Louis ~*d* Holyfield *to* fight a title match. 루이스는 홀리필드에게 선수권 시합을 하자고 도전했다(=Louis ~*d* Holyfield *to* a title match.《Ⅲ(목)+전+명》). **2** 〈설명·칭찬 등을〉 당연히 요구하다; 〈사물이 사람의 주의력·상상력 등을〉 촉구하다, 환기하다, 자극하다: 《Ⅴ(목)+*to* do》 She ~*d* him *to* show her the proof. 그녀는 그에게 증거를 대라고 했다. **3** 〔軍〕 수하하다. **4** 〈진실·정당성·권리 등을〉 의심하다, 이의를 제기하다. **5** 〔法〕 〈배심원·증거 등을〉 거부하다. **6** 《미》 〈투표(자)의〉 유효성〔자격 《등》〕에 이의를 제기하다. — *vi.* **1** 도전하다. **2** 〈사냥개가〉 냄새를 맡고 짖다. **3** 이의 신청을 하다.
~·a·ble *a.*

chállenge cùp (경기의) 도전배.

chal·lenged[tʃǽləndʒd] *a.* 《미·완곡》 = DISABLED: the visually ~ 맹인, 앞을 잘 못 보는 사람.

chállenge flàg 도전기, 우승기.

chal·leng·er[tʃǽlindʒər] *n.* **1** 도전자. **2** 수하하는 사람. **3** 〔法〕 기피자, 거부자. **4** (**C-**) 《미》 챌린저(호)《우주 왕복선 콜롬비아호의 자매선; 1982년 7월에 완성》.

chal·leng·ing[tʃǽlindʒiŋ] *a.* **1** 〈태도 등이〉 도전적인. **2** 능력을 시험하는 것 같은, 힘드는; 의욕〔흥미〕을 돋우는, 자극적인. **3** 〈사람·개성 등이〉 매력적인. **~·ly** *ad.*

chal·lis, chal·lie[ʃǽli/ʃǽlis], [ʃǽli] *n.* Ⓤ 샬리 천《가벼운 여자 옷감의 일종》.

cha·lone[kǽloun, kéi-] *n.* 〔生理〕 칼론《호르몬과는 반대로 생리 활동을 억지하는 내분비 물질》.

cha·lyb·e·ate[kəlíbiit] *a.* 〈광천(鑛泉)·약이〉 철분을 함유한. — *n.* 철제(鐵劑); 철천(鐵泉).

cham[kæm] *n.* KHAN의 고체(古體). **the Great Cham** 달단〔타타르〕왕; 문단의 원로《특히 Dr. Johnson》.

cha·made[ʃəmɑ́:d] [F] *n.* 〔軍〕 담판〔항복〕 신청의 신호《북 또는 나팔》; 퇴각 신호.

cham·ae·phyte[kǽməfàit] *n.* 〔植〕 지표식물(地表植物).

⁑**cham·ber**[tʃéimbər] [L] *n.* **1** 《文語》 방; 《특히》 침실. **2** (궁정·왕궁의) 공무 집행실; 알현실; (공관 등의) 응접실; (*pl.*) 판사실; 재판관 집무실; (*pl.*)《영》 변호사 사무실 《특히 영국 법학원(Inns of Court) 내의》; (*pl.*) 《영》 독신자용 셋방, 전세 아파트. **3** (the ~)(입법·사법 기관의) 회의장; 의원(議院), 의회; 회의소, 회관(hall). **4** (생물체 내의) 소실(小室), 방, 공동(cavity). **5** (총포의) 약실(藥室); (기계 속의) 실(室). **6** 침실용 변기(=pot). **a chamber of commerce** 상공 회의소. **the Chamber of Horrors** 공포의 방《범죄자의 상(像)·고문 도구 등을 진열한 지하실》. **the lower**〔**upper**〕 **chamber** 하원〔상원〕 의회의.
— *a.* 실내용으로 만들어진; 실내 음악의.
— *vt.* **1** 방에 가두다. **2** …에게 침실을 제공하다. **3** 〈총포가 …형의 탄환을〉 장전하다.

chámber còncert 실내악 연주회.

chámber còuncil 비밀 회의.

chámber còunsel 《영》 **1** 법률 고문《법정에 안 나오는 변호사; 《미》 office lawyer》. **2** (변호사의) 사견(私見), 감정(鑑定).

cham·bered[tʃéimbərd] *a.* (보통 복합어를 이루어) …실(室)〔약실〕이 있는.

chámbered náutilus =NAUTILUS 1.

*__cham·ber·lain__[tʃéimbərlin] [OF] *n.* **1** 의전관(儀典官), 시종(侍從): Lord *C*-(of the Household) 시종장/Lord Great *C*- (of Eng-land) 시종 장관《영국 각료의 하나》. **2** (시·읍·동의) 회계관, 징수원. **3** (귀족의) 가령(家令).

cham·ber·maid[tʃéimbərmèid] *n.* **1** a (호텔 등의) 객실 담당 여종업원(*cf.* HOUSEMAID). b 《미》 가정부. **2** 《古》 시녀(lady's maid).

chámber mùsic 실내악.

chámber òrchestra 실내 악단.

chámber pòt 침실용 변기.

cham·bray[ʃǽmbrei] *n.* Ⓤ 샴브레이 직물《여성복·셔츠용의 엷은 직물》.

cha·me·leon[kəmí:liən, -ljən] [Gk] *n.* **1** 〔動〕 카멜레온. **2** 지조 없는 사람, 변덕쟁이. **3** (the C~) 〔天〕 카멜레온 자리.

cha·me·le·on·ic[kəmì:liɑ́nik/-ɔ́n-] *a.* 카멜레온 같은; 지조 없는, 변덕스러운.

cham·fer[tʃǽmfər] *vt.* **1** 〈목재·석재의〉 모서리를 죽이다, 모서리를 깎아내다. **2** 《미》 둥근 홈을 파다. — *n.* 모서리를 깎은 면; 《미》 둥근 홈.

chám·my (lèather)[ʃǽmi(-)] =CHAMOIS 2.

cham·ois[ʃǽmi/ʃǽmwɑ:] *n.* (*pl.* **~, oix**[-z]) **1** 〔動〕 샤무아《남유럽·서남 아시아산의 영양(羚羊)》. **2** [ʃǽmi] Ⓤ 섀미〔셈〕 가죽; (식기 등을 닦는) 섀미 가죽 행주.

cham·o·mile[kǽməmàil, -mìːl] *n.* =CAMOMILE.
champ¹[tʃæmp] *vt.* **1** 〈말이 재갈을〉 신경질적으로 씹다. **2** 〈말이 여물을〉 우적우적 씹다; 〈사람이 딱딱한 것을〉 우드득 씹다. — *vi.* **1** 〈말이 재갈을〉 신경질적으로 씹다; 〈말이 여물을〉 우적우적 씹어먹다《*at, on*》; 〈사람이〉 분해서 이를 갈다《*with*》. **2** 《口》 〈…이 …하고 싶어〉 안달하다. **champ at the bit** (1) 〈말이〉 재갈을 씹다. (2) 〈사람이 …하고 싶어〉 안달하다. — *n.* 우적우적 씹기; 그 소리.
champ² *n.* 《口》 =CHAMPION.
cham·pac, -pak[tʃǽmpæk] *n.* 목련과의 나무《동인도산; 노란 꽃이 핌》.
∗**cham·pagne**[ʃæmpéin] *n.* **1** Ⓤ 샴페인. **2** Ⓤ 샴페인 색《황록색 또는 황갈색》. **3** (**C-**) 샹파뉴《프랑스 북동부 지방》.
champágne cùp 샴페인 컵《샴페인에 감미료와 향료를 넣어 얼음에 채운 음료》.
champágne trìck 《俗》 창녀의 돈 많은 손님.
cham·paign[ʃæmpéin] *n.* 《文語》 평야, 평원. — *a.* 평원의.
cham·pers[ʃǽmpərz] *n.* 《영口》 샴페인 (champagne).
cham·per·tous[tʃǽmpərtəs] *a.* 〔法〕 소송을 원조하기로 약속한.
cham·per·ty[tʃǽmpərti] *n.* 〔法〕 (이익분배의 특약이 있는) 소송 원조.
cham·pi·gnon[ʃæmpínjən] [F] *n.* 샴피뇽《유럽 원산의 송이과의 식용 버섯》.
∗∗**cham·pi·on**[tʃǽmpiən] [L] *n.* **1** 전사(戰士), 투사. **2** (주의·주장 등을 위해 싸우는) 투사, 옹호자. **3** 선수권 보유자《경기의》, 챔피언, 우승자; (품평회의) 최우수품. **4** 《口》 뛰어난 사람〔동물〕. — *a.* 우승한; 《口》 일류의, 뛰어난. — *ad.* 《北영口》 더없이, 훌륭하게, 뛰어나게. — *vt.* **1** 투사〔옹호자〕로서 활동하다. **2** 〈주의·권리 등을〉 옹호하다.
chámpion bèlt 챔피언 벨트.
∗∗**cham·pi·on·ship**[-ʃìp] *n.* **1** 선수권, 우승, 패권, 우승자의 지위: the ~ flag〔cup〕 우승기〔배〕. **2** (보통 *pl.*) 선수권 대회. **3** Ⓤ (사람·주의·주장·운동의) 옹호.
champ·le·vé[ʃǽmpləvei] [F] *a.* 샹르베 칠보(七寶)의《바탕에 새겨서 에나멜을 입힌》. — *n.* (*pl.* ~**s**[-z]) 샹르베 칠보(*cf.* CLOISONNE).
Champs-É·ly·sées[ʃàːnzeilizéi] [F=Elysian Fields] *n.* 샹젤리제《프랑스 Paris의 큰 거리 및 그 일대의 일류 상점가》.
chan. channel.
Chanc. Chancellor; Chancery.
★**chance**[tʃæns, tʃɑːns] *n.* **1** 기회, 호기, 계기: I had a ~ *to* make some money. 돈을 좀 벌 기회가 있었다. **2** 가망(prospects), 승산, 성산(成算), 가능성; (*pl.*) (가능성이 큰) 가망; 형세: He has no ~ *of* winn*ing* this constituency. 그는 선거구민의 지지를 얻을 가망이 없다. **3** Ⓤ 우연, 운, 운수(fate); 우연히 생긴 일: We'd better leave it *to* ~. 그것은 운에 맡기는 것이 좋겠다. **4** 위험(risk), 모험: run a ~ of failure 실패할 위험을 무릅쓰다. **5** 《미口》 부정(不定) 수〔양〕: a powerful〔smart〕 ~ of apples 많은 사과. **6** 복권. **against all chances** 가망〔승산〕이 없어 보였는데도. **as chance would have it** 우연히; 공교롭게도. **by any chance** 만일, 혹시《종종 사소한 부탁을 할 때에 씀》. **by chance** 우연히. **by some chance** 어쩌다가, 어떤 기회에. **by the merest chance** 참으로 우연한 기회에. **Chances are** (**that**) … 아마 …일 것이다. **even chance** 반반의 가망. **game of chance** 운수에 맡기고 하는 승부(*cf.* GAME of skill). **give** a person **a chance** (종종 명령법으로)《口》 …에게 시간〔기회〕을 주다, 조금 기다려 주다. **give** one**self half a chance** 《口》 좀더 분발하다. **have an eye to the main chance** 사리(私利)를 꾀하다. **leave to chance** 운수에 맡기다. **on the chance of**〔that …〕 …을 은근히 기대하고. **stand a** (**good**〔**fair**〕) **chance** (**of**) (…의) 가망이 (충분히) 있다. **stand no chance against** …에 대하여 승산이 없다. **take a chance**〔**chances**〕 운에 맡기고 해보다, 위험을 무릅쓰다. **take the**〔one's〕 **chance** (**of**) 운에 맡기고 해보다; 기회를 잡다. **The chances are** (**that**) … 《口》 아마 …할〔일〕 것이다.
— *a.* 우연한: a ~ meeting 우연한 만남.
— *vi.* **1** 어쩌다가 …하다; 우연히 일어나다 (happen): 《Ⅱ *to be*+㊕+*wh*. (절)》 I ~*d to be* out when you called. 네가 찾아왔을 때 나는 때마침 외출 중이었다(=It ~*d that* I was out when you called.《Ⅰ *It v*Ⅰ+*that*(절)》). **2** 우연히 만나다, 우연히 발견하다《*on, upon*》 《지금은 보통 happen을 씀》: 《Ⅲ *v*Ⅰ+㊀+(목)》 I ~*d on*〔*upon*〕 the book at a small shop. 나는 한 작은 가게에서 우연히 그 책을 발견했다. — *vt.* 《口》 (보통 it를 목적어로 하여) 운에 맡기고 해보다, 부닥쳐 보다: I'll have to ~ *it*, whatever the outcome. 결과가 어찌 되든 해보지 않을 수 없다. **chance one's arm**〔**luck**〕 《口》 성공의 기회를 잡다; (실패를 각오하고) 해보다. **chance the consequence** 성패를 운에 맡기다.
⊕ bechánce *v.*; chàncy *a.*
chance·ful[tʃǽnsfəl, tʃɑ́ːns-] *a.* 사건이 많은, 다사한; 《古》 위험한.
chan·cel[tʃǽnsəl, tʃɑ́ːn-] *n.* 성단소(聖壇所)《교회당의 성가대(choir)와 성직자의 자리; 대개 동쪽 끝》.
chan·cel·ler·y[tʃǽnsələri, tʃɑ́ːn-] *n.* (*pl.* **-ler·ies**) **1** Ⓤ CHANCELLOR(법관·대신 등)의 지위. **2** CHANCELLOR의 관청〔법정, 사무국〕. **3** 대사관〔영사관〕의 사무국; (집합적) 대사관〔영사관〕의 사무직원.
∗**chan·cel·lor**[tʃǽnsələr, tʃɑ́ːn-] [L] *n.* **1** (**C-**) 《영》 (재무)장관, 대법관《칭호》. **2** 《영》 대사관 1등 서기관(chief secretary); (귀족·국왕의) 비서. **3** 수상《독일 등의》. **4** 《미》 대학총장, 학장《대개 President라고 함》; 《영》 대학 총장《명예직으로서 사실상의 총장은 vice-chancellor 임》. **5** 《미》 (형평법(衡平法) 재판소의) (수석) 판사. **6** 〔성공회〕 주교구 상서관. **Bishop's Chancellor** 주교의 종교법 고문관. **the Chancellor of the Duchy of Lancaster** 랭카스터 공령(公領) 상서(尙書). **the Lord** (**High**) **Chancellor** =**the Chancellor of England** (영국의) 대법관《각료의 한 사람; 의회 개회 중에는 상원 의장》.
Cháncellor of the Exchéquer 《영》 재무장관(《미》Secretary of the Treasury).
chan·cel·lor·ship[-ʃìp] *n.* Ⓤ CHANCELLOR의 직〔지위, 임기〕.
chance-med·ley[tʃǽnsmèdli, tʃɑ́ːns-] *n.* Ⓤ 〔法〕 과실 살인; 우연한 행위.
chance-met[tʃǽnsmèt, tʃɑ́ːns-] *a.* 우연히 만난.
chánce mùsic 우연(성의) 음악《John Cage 등의 작곡·연주에 우연성을 도입한 음악》.
chanc·er[tʃǽnsər, tʃɑ́ːn-/tʃǽn-] *n.* 《영俗》 곧잘 운수를 시험하는 사람; 위험한 짓〔노름〕

을 해보는 사람; 노름꾼.

chan·cer·y[tʃǽnsəri, tʃɑ́ːn-] *n.* (*pl.* **-cer·ies**) **1** (the C-)(원래 영국의) 대법관청 (재판소)《지금은 고등법원의 일부》. **2** (미국 등의) 형평법(衡平法) 재판소. **3** 공문서 보관소. **4** = CHANCELLERY 3. **in chancery** (1) 〔法〕 형평법 재판소에 소송 중인; 대법관의 지배하의. (2) 〔拳〕 머리가 상대의 겨드랑이에 끼여. (3) 꼼짝 못하게 되어.

chan·cre[ʃǽŋkər] *n.* 〔醫〕 하감(下疳); 《俗》 성병.

chan·croid[ʃǽŋkrɔ̀id] *n.* 〔醫〕 연성 하감 (soft chancre). **chan·croi·dal** *a.*

chanc·y[tʃǽnsi, tʃɑ́ːn-] *a.* (**chanc·i·er; -i·est**) 《口》 **1** 〈결과·예상 등〉 불확실한, 믿을 수 없는. **2** 위태로운, 위험한(risky). **chánc·i·ly** *ad.* **-i·ness** *n.*

* **chan·de·lier**[ʃæ̀ndəlíər] [F] *n.* 샹들리에 《천장에서 내리드리운 호화로운 장식등》.

chan·delle[ʃændél] *n., vi.* 〔空〕 급상승 방향 전환(하다).

chan·dler[tʃǽndlər, tʃɑ́ːn-] *n.* **1** 《古》 양초 제조 판매인. **2** 잡화상《양초·기름·비누·페인트 등의》: a corn ~ 잡곡상/a ship ~ 선박 잡화 상인; 선구상(船具商).

Chand·ler[tʃǽndlər/tʃɑ́ːnd-] *n.* 챈들러 Raymond ~《미국의 탐정 소설가(1888-1959)》.

Chándler périod (지구의 축(軸)의) 진동(振動)기《416~433일간 사이에서 변화를 일으킴》.

Chándler('s) wóbble 〔天〕 챈들러 요동, 자유 요동《자전축의 평균극 주위의 운동》.

chan·dler·y *n.* (*pl.* **-dler·ies**) **1** (종종 *pl.*) 잡화《양초·비누·기름 등》. **2** 잡화상.

Cha·nel[ʃənél] *n.* 샤넬 Gabrielle《프랑스의 패션 디자이너(1882-1971)》.

★**change**[tʃeindʒ] *vt.* **1** 바꾸다, 변화시키다, 변경하다, 고치다: ~ one's mind〔character, habits〕 생각〔성격, 습관〕을 바꾸다〔고치다〕/Heat ~*s* water *into* steam. 열은 물을 수증기로 변화시킨다. **2** (재산 따위를) 다른 형태로 하다: ~ jewels *into* land 보석을 처분하여 토지로 바꾸다. **3** 환전하다, 잔돈으로 바꾸다; 〈수표·어음·환을〉 현금으로 바꾸다: 《Ⅳ 대+(목)+전+명》 Can you ~ me a five-dollar bill for gold? 5달러 지폐를 금화로 바꾸어주겠는가. **4** (같은 종류·부류의 것으로) 교환하다《*with*》: Let's ~ seats. 자리를 바꾸자/They ~*d* seats (*with* each other). 그들은 (서로) 자리를 바꾸었다《◇ seats가 복수임》. **5** 〈장소·입장 등을〉 바꾸다; 〈탈것을〉 갈아타다, 바꿔 타다《*for*》: ~ schools 전학하다/You must ~ trains *for* New York *at* Chicago. 시카고에서 뉴욕행으로 기차를 갈아타야 된다.《◇ 위에서의 school*s*, train*s* 등이 복수임》. **6** 〈옷을〉 …으로 갈아입다; 〈침대의〉 시트를 갈다; 〈어린아이의〉 기저귀를 갈다: ~ one's clothes 옷을 갈아입다. **7** (기어를) 바꾸다〔변속하다〕(《미》 shift gear(s)). **8** 《미口》 〈동물을〉 거세하다. **change front** 〔軍〕 공격 정면(正面)을 바꾸다; 논봉(論鋒)을 돌리다.

— *vi.* **1** 변하다, 바뀌다, 변화하다; 〈달·조수 등이〉 변하다; 바뀌어 …이 되다《*to, into, from*》: Times ~. 세상은 변한다/《Ⅰ 전+명》 Caterpillars ~ *into* butterflies. 애벌레는 나비로 탈바꿈 한다. **2** 변경되다, 고쳐지다; (역할자리차례 따위를) 바꾸다: If you are not comfortable in that chair, I'll ~ *with* you. 그 의자가 불편하면 내 것과 바꾸어 주겠다. **3** (버스·열차 등을) 갈아타다《*for*》: ~ here〔*at* Chicago〕 여기서〔시카고에서〕 갈아타다/~ *for* New York〔*to* an express〕 뉴욕행〔급행〕으로 갈아타다. **4** 옷을 갈아입다: ~ *into* flannels 플란넬 바지로 갈아입다. **5** (자동차의) 기어를 (고속〔저속〕으로) 바꾸다. **6** 〈목소리가〉 낮아지다; 변성하다. **All change!** (종점입니다) 모두 갈아타시오. **change down**〔**up**〕 〔自動車〕 기어를 저속〔고속〕으로 바꿔 넣다. **change for the better**〔**worse**〕 좋아〔나빠〕지다. **change hands** (재산 등이) 임자를 바꾸다. **change off** 《미口》 (1) 〈두 사람이〉 교대로 하다《*at*》. (2) …와 교대하다《*with*》. **change oneself** 《스코》 옷을 갈아입다. **change oneself into** …으로 변장하다. **change over** (1) 〈사람이 …에서 …으로〉 바꾸다, 변경하다. (2) 〈기계 장치 등이〉 (자동적으로 …에서 …으로) 바뀌다. (3) 〈두 사람이〉 역할〔입장, 위치《등》〕을 바꾸다. (4) 〔스포츠〕 〈선수·팀이〉 코트를 바꾸다. (5) 〈사람이 …을 …에서 …으로〉 바꾸다, 변경하다《*from, to*》. **change round** (1) 〈풍향이〉 바뀌다. (2) 〈항목 등의〉 순서를 바꾸다. (3) =CHANGE over (3), (4).

— *n.* **1** 변화, 변천; 변경; 색다른〔새로운〕 것: a ~ for the better 개량, 진보/a ~ in the weather 날씨의 변화. **2** 교환, 교체; 갈아입기; 갈아타기: a ~ of buses 버스 갈아타기/a ~ of clothes 옷을 갈아입음. **3** Ⓤ 거스름돈, 우수리; 잔돈; 바꾼 돈: in small ~ 잔돈으로. **4** (**C-**) Ⓤ 《영》 거래소: on *Change* 거래소에서. **5** 기분전환; 전지(轉地); (the ~)《口》 (여성의) 갱년기: a ~ of air〔climate〕 전지(轉地) 요양/go away for a ~ 기분전환하러 나가다. **6** (보통 *pl.*) 〔樂〕 전조(轉調)《여러 가지로 순서를 바꾼 한 벌의 종(peal of bells)을 울리는 법》. **7** (*pl.*) 〔數〕 치환(置換); 순열(permutations). **a change of heart** 변심(變心). **a change of pace** 《미》 (1) 기분전환. (2) =CHANGE-UP. **for a change** (1) 변화를 위하여; 기분전환으로. (2) (옷 등을) 갈아입으러. **get no change out of** (a person) (1) (싸움·논쟁에서) …을 당해내지 못하다. (2) …에게서 아무것도 알아내지 못하다; …에게서 아무 원조〔조언〕도 얻어내지 못하다. **get short change** 무시당하다, 주목받지 못하다. **give** a person (his) **change** 《口》 …을 위하여 애쓰다; 앙갚음하다. **give** a person **short change** 《口》 …을 무시하다, …에 주의를 기울이지 않다. **ring the changes** (1) (교회의) 한 벌의 종을 여러 가지로 순서를 바꾸어 울리다. (2) 같은 말을 여러 가지로 바꾸어 말하다《*on*》. **take the**〔**one's**〕**change out of** …에게 앙갚음하다. **the change of life** (여성의) 갱년기. **the change of voice** (사춘기의) 변성. **undergo changes** 변천하다. ◈ **chángeful** *a.*

change·a·bil·i·ty[-bíləti] *n.* Ⓤ 변하기 쉬운 성질, 가변성; 불안정(상태).

‡**change·a·ble**[tʃéindʒəbəl] *a.* **1** 〈날씨·가격 등이〉 변하기 쉬운. **2** 〈계약 조항 등〉 가변성의, 변경할 수 있는. **3** 〈성격 등이〉 변덕스러운. **4** 〈비단 등이〉 (광선·각도에 따라) 여러 가지색으로 변화해 보이는. **~·ness** *n.* **-bly** *ad.*

change-down[tʃéindʒdàun] *n.* (자동차 등의 기어를) 저속으로 바꾸기.

change·ful[tʃéindʒfəl] *a.* 〈인생 등이〉 변화가 많은, 변하기 쉬운, 불안정한. **~·ly** *ad.* **~·ness** *n.*

chánge gèar 〔機〕 (자동차·기계의) 변속기〔장치〕.

change·less[tʃéindʒlis] *a.* 변함없는; 일정

한(constant). **~·ly** *ad.* **~·ness** *n.*
change·ling[tʃéindʒliŋ] *n.* **1** 남몰래 바꿔치기한 어린애《요정이 앗아간 예쁜 아이 대신에 두고 가는 못 생긴 아이: *cf.* ELF CHILD》. **2** 작고 보기 흉한〔어리석은〕 사람〔동물〕.
chánge machíne 잔돈 교환기.
change·mak·er[ˊmèikər] *n.* 자동 (주화) 교환기.
change-of-ends[ˊəvéndz] *n.* 〔庭球〕 체인지 코트, 코트 교체.
chánge of páce 1 (틀에 박힌 행동·활동·관심 등의 흐름을) 일시적으로 바꾸기. **2** 〔野〕 체인지업(change-up)《타자를 속이기 위해 투수가 속구의 동작으로 슬로우볼을 던지는 것》.
change·o·ver[ˊòuvər] *n.* **1** (장치 등의) 전환, 변환; (정책 등의) 전환, 변경. **2** (내각 등의) 개조(改造), 경질. **3** (형세의) 역전.
chang·er *n.* **1** 변경〔개변〕하는 사람. **2** 교환하는 사람. **3** 의견〔기분〕이 자주 변하는 사람. **4** 레코드 체인저.
chánge rìnging (교회 등의) 전조(轉調)명종(법)《종을 여러 가지 음색, 특히 4분음계로 울리기》.
change-up[tʃéindʒʌ̀p] *n.* 〔野〕 체인지업 (change of pace)《타자의 타이밍을 어긋나게 하기 위해 속구 같은 모션으로 던지는 완구》.
chánge whèel 〔機〕 전환 톱니바퀴.
cháng·ing ròom 《영》 (특히 체육 시설의) 갱의실(更衣室).
⁑**chan·nel**[1] [tʃǽnl] [L] *n.* **1** 해협(◇ strait보다 큼); 〔海〕 항로: cut a ~ 수로를 내다/the (English) *C*- 영국 해협. **2** 강바닥, 하상(河床); 유상(流床). **3** 수로(水路); 가항(可航)수로, 운하. **4** (*pl.*) (보도(報道)·무역 등의) 경로, 매개, 계통; (*pl.*) (정식) 전달 루트; (왕복 등의) 경로: the ~*s* of trade (정상적) 무역 경로. **5** (화제·행동·사상의) 방향. **6** 〔通信〕 (라디오·텔레비전 등의) 채널; (할당된) 주파수대(帶). **7** (사상·행동 등의) 방향, 방침; (활동의) 분야. **8** (도로의) 도랑, 측구(側溝); 암거(暗渠); 수관(水管), 도관(導管). **9** (문지방 등의) 홈, (기둥 등의) 장식 홈; 《일반적으로》 가늘고 긴 홈; 총검의 홈; 《미俗》 (마약 주사 놓는) 정맥. **10** 〔컴퓨터〕 채널, 통신로. **11** =CHANNEL IRON.
── *vt.* (~**ed**; ~·**ing**|~**led**; ~·**ling**) **1** …에 수로를 열다〔내다〕; …에 홈을 파다: The river ~*ed* its way *through* the rocks. 강물이 바위산을 뚫고 흐르고 있었다. **2** 〈물 등을〉 수로〔도관〕로 나르다: Water is ~*ed from* the stream *to* the fields. 물은 개울에서 밭으로 (수로를 통해) 흘러 들어간다. **3** 〈정보·관심·노력 등을〉(어떤 방향으로) 돌리다, 전하다, 보내다: He ~*ed* all his energy *into* fix*ing* his bicycle. 그는 자전거 수리에 전력을 기울였다. **4** 《俗》 (마약 주사를) 정맥에 놓다. **5** 〈자금 등의 일부를〉 타용도로 돌리다. **change the channel** 《俗》 화제를 바꾸다.
channel[2] *n.* (보통 *pl.*) 〔海〕 현측 계류판(舷側繫留板)《돛대의 버팀줄을 맴》.
chan·nel·(l)er[tʃǽnlər] *n.* **1** 도랑을 파는 사람. **2** (광산·채석장 등에서) 도랑 굴착기를 조작하는 사람(《영》 channeller). **3** 영매(靈媒)(medium).
chan·nel·ing[-iŋ] *n.* 〔物〕 채널링《가속된 입자나 이온이 원자로 등에서 매질(媒質)을 투과할 때의 결정 격자 사이의 통과 능력》.
chánnel ìron〔**bàr**〕 홈쇠《U자 모양의 쇠·못》.
Chánnel Ìslands *n. pl.* (the ~) 해협 제도 《프랑스 북서부의 영령(英領)의 섬》.
chan·nel·ize[tʃǽnəlàiz] *vt.* =CHANNEL[1].
chánnel lèase 채널 리스《유선 TV의 빈 채널의 대여〔차용〕》.
chan·nel(l)ed[tʃǽnəld] *a.* 홈이 있는.
chánnel separàtion 〔오디오〕 채널 분리《스테레오 시스템에서 좌우 채널간의 누화 (cross talk)의 비율》.
chan·son[ʃǽnsən/ʃɑːŋsɔ́ːŋ] [F] *n.* 샹송; 노래(song).
chan·son·nier[ʃɑːnsənjéi] [F] *n.* 샹송 작가; (카바레에서 노래하는) 샹송 가수.
*****chant**[tʃænt, tʃɑːnt] [L] *n.* **1** 노래(song); 노래하기. **2** 성가; 영창(詠唱). **3** 영창조(調); 단조로운 말투〔어조〕; 슬로건. ── *vt.* **1** 〈노래·성가를〉 부르다. **2** 〈가사에 맞추어〉 찬송하다; 〈찬사를〉 되풀이하다. **3** 단조로운 말투로 계속하다〔되풀이하다〕. ── *vi.* **1** 영창하다; 성가를 부르다. **2** 단조로운 어조로〔되풀이하여〕 말하다. **chant the praises of** …을 되풀이하여 칭찬하다.
chan·tage[ʃɑ̃ːtɑ́ːʒ] [F] *n.* 갈취(喝取), 공갈, 협박.
chant·er[tʃǽntər, tʃɑ́ːnt-] *n.* **1** 영창하는〔읊는〕 사람; 성가대의 리더; 성가 대원. **2** (bagpipe의) 지관(指管). **3** 《古·俗》 말 매매 사기꾼.
chan·te·relle[ʃæ̀ntərél, tʃæ̀n-, tʃæ̀n-] *n.* 〔植〕 살구버섯《유럽에서 가장 인기 있는 식용 버섯》.
chan·teuse[ʃæntúːz] [F] *n.* 여가수《카바레 등의 전속》.
chan·tey[ʃǽnti, tʃǽn-] [F] *n.* (*pl.* ~**s**) 뱃노래《뱃사람들이 닻을 감을 때 등에 부름》.
chan·ti·cleer[tʃǽntəklìər] *n.* 수탉 cock의 의인명(擬人名).
chan·tress[tʃǽntris, tʃɑ́ːn-] *n.* 《古·詩》 가희(歌姬), 여성 가수.
chan·try[tʃǽntri, tʃɑ́ːn-] *n.* (*pl.* **-tries**) **1** 기부, (명복을 빌기 위한) 헌금. **2** (기부를 받아서 세운) 공양당; (교회에 부속된) 소(小) 예배당.
chant·y[ʃǽnti, tʃǽn-] *n.* (*pl.* **chant·ies**) = CHANTEY.
Cha·nu(k)·kah *n.* =HANUKKAH.
*****cha·os**[kéiɑs/-ɔs] [Gk] *n.* **1** (천지 창조 이전의) 혼돈(*cf.* COSMOS). **2** 무질서, 대혼란. **3** (보통 **C-**) 〔그神〕 카오스《천지가 생기고 최초에 태어났다는 신》. **4** 〔物〕 카오스.
*****cha·ot·ic**[keiɑ́tik/-ɔ́t-] *a.* 혼돈된; 무질서한, 혼란한. **-i·cal·ly**[-kəli] *ad.*
⁑**chap**[1] [tʃæp] [ME] *n.* (보통 *pl.*) (살갗·입술 등의) 튼 데, 튼 자리, (갈라진) 금, 균열.
── *v.* (~**ped**; ~·**ping**) *vt.* 〈추위·서리가 살갗을〉 트게 하다. ── *vi.* 〈손·발·살갗 등이〉 트다, 거칠어지다.
chap[2] *n.* 《口》 놈(fellow), 녀석.
chap[3] *n.* =CHOP[2].
chap. chapel; chaplain; chapter.
chap·a·ra·jos, -re-[tʃæ̀pəréious/tʃɑ̀ːpəréihous] *n. pl.* 《미西部》 =CHAPS.
chap·ar·ral[tʃæ̀pərǽl, ʃæ̀p-] *n.* 《미南西部》 **1** 키작은 떡갈나무 덤불. **2** 저목(低木) 수풀 지대.
chaparrál bìrd〔**còck**〕 《미》 뻐꾸기의 일종.
chap·book[tʃǽpbùk] *n.* **1** 싸구려 책《옛날 행상인(chapman)이 팔고 다닌 소설·속요(俗謠) 등의 소책자》. **2** (시 등의) 소책자.
chape[tʃeip] *n.* **1** (칼집의) 끝에 씌운 쇠. **2** 혁대 버클의 물림쇠.
cha·peau[ʃæpóu] [F] *n.* (*pl.* ~**s**[-z] ~**x**)

모자; 《특히》 군모. **Chapeau bas!** 탈모!
chapeau bras[ʃæpóubrɑ́ː] [F] *n.* (18세기의) 접을 수 있는 삼각모.
*‡***chap·el**[tʃǽpəl] *n.* **1** (학교·병원·군·교도소·선박 등의) 예배당; (교회의) 부속 예배당. **2** (영국 비국교도의) 교회당(*opp.* church); 《스코》 카톨릭 교회: ~ folk 비국교도. **3** Ⓤ (학교의 채플에서 하는). **4** (궁정 등의) 성가대, 악대. **5** 인쇄소; 인쇄공 조합. **chapel of ease** 분(分)교회당. **keep〔miss〕 a chapel** 예배에 참석〔결석〕하다.
chápel gòer 1 《영》 비국교도(nonconformist). **2** 채플 예배에 잘 가는 사람.
chápel róyal 왕궁 부속 예배당.
chap·el·ry[-ri] *n.* (*pl.* **-ries**) 예배당 관할구.
chap·er·on·age[-idʒ] *n.* Ⓤ (젊은 여성의 보호자로서) 따라가기, 샤프롱 노릇.
chap·er·on(e)[ʃǽpəròun] *n.* (사교계에 나가는 젊은 여성의) 여성 보호자, 샤프롱. — *vt.* (젊은 여성의) 보호자로서 동반하다(escort). — *vi.* 샤프롱 노릇하다.
chap·fall·en[tʃǽpfɔ̀ːlən] *a.* 《口》 풀죽은, 기가 꺾인, 낙담한.
chap·i·ter[tʃǽpətər] *n.* 〔建〕 주두(柱頭), 기둥머리(capital).
*∗***chap·lain**[tʃǽplin] *n.* **1** 예배당 목사《큰 저택·궁정·군(軍)·학교·병원 등의 예배당 소속》; 군목, 군종 신부; (교도소의) 교회사(敎誨師). **2** (모임 등에서) 기도하는 사람.
chap·lain·cy[tʃǽplinsi] *n.* **1** 예배당. **2** = CHAPLAINSHIP.
chap·lain·ship[tʃǽplinʃìp] *n.* Ⓤ CHAPLAIN의 직〔임기〕.
chap·let[tʃǽplit] *n.* **1** 화관(花冠). **2** 목걸이; 작은 묵주《천주 교회의》; 묵주 신공(神功). **~·ed**[-id] *a.* CHAPLET을 건〔쓴〕.
Chap·lin[tʃǽplin] *n.* 채플린 Sir Charles Spencer (Charlie) ~(1889-1977)《영국의 희극 영화배우·감독; 미국에 거주(1910~52)》.
chap·man[tʃǽpmən] *n.* (*pl.* **-men**[-mən]) 《영》 행상인, 도붓장수.
chap·pal[tʃǽpəl] *n.* 인도의 가죽 샌들.
chapped[tʃæpt] *a.* 살갗이 튼, 피부가 갈라진.
chap·pie, -py[1] [tʃǽpi] *n.* 《口》 놈, 녀석《CHAP[2]의 애칭》; 꼬마.
chap·py[2] *a.* (**-pi·er**; **-pi·est**) =CHAPPED.
chaps[tʃæps] *n. pl.* 《미》 카우보이의 가죽바지《보통의 바지 위에 덧 입음》.
chap·stick[tʃǽpstìk] *n.* 입술 크림《입술 튼 데 바르는》.
*‡***chap·ter**[tʃǽptər] [L] *n.* **1** (책·논문의) 장(章)《略: chap., ch., c.》. **2** (역사·인생 등의) 중요한 한 구획, 한 장, 한 시기; 화제, 삽화; (일련의) 사건, 연속《*of*》. **3 a** (집합적) 총회, 집회. **b** 참사회《cathedral 또는 collegiate church의; 그 회원은 canons이고 dean이 감독함》. **c** (수원·기사단 등의) 총회. **d** 《미》 (동창회·클럽·조합·협회의) 지부, 분회. **4** 《野球俗》 이닝(inning). **chapter and verse** (1) 〔聖〕 장(章)과 절(節). (2) 정확한 출처; 전거(典據)《*for*》. (3) (부사적) 정확히; 상세히. **chapter of accidents** 불행〔사고〕의 연속; 일련의 예기치 않은 사건. **to〔till〕 the end of the chapter** 끝까지; 영구히, 언제까지나, 어디까지나.
chápter hòuse〔ròom〕 1 성당 참사회〔목사단〕 회의장. **2** 《미》 (동창회·클럽 등의) 지부 회관.
char[1] [tʃɑːr] (~**red**; ~**·ring**) *vt.* 〈불이 나무 등을〉 숯으로 만들다, 까맣게 태우다. — *vi.* 숯이 되다, 까맣게 타다. — *n.* **1** Ⓤ 숯, 목탄(charcoal); 골탄(骨炭)《제당(製糖)용》. **2** 까맣게 탄 것.
char[2] [OE] *n.* **1** 《영》 (가정의) 허드렛일, 잡일(chore); (*pl.*) (여자의) 시간제 잡일. **2** 《영口》 =CHARWOMAN. — *vi., vt.* (~**red**; ~**·ring**) (여성이 보통 날품팔이로) 가정의 잡일을 하다.
char[3] *n.* (*pl.* ~, ~**s**) 〔魚〕 곤들매기류.
char[4] *n.* 《영俗》 =TEA.
char·a·banc[ʃǽrəbæ̀ŋk] *n.* 《영》 대형 유람 버스, 샤라방.
*★***char·ac·ter**[kǽriktər] [Gk] *n.* **1** Ⓤ 특성, 특질, 개성, 특색. **2** Ⓤ 인격, 성격, 성질, 기질, 품성. **3** Ⓤ 고아한 품격; 고결, 기골, 정직, 덕성: a man of ~ 인격자. **4** Ⓒ 《稀》 평판, 명성(reputation): get a good〔bad〕 ~ 좋은〔나쁜〕 평판을 얻다. **5** 인물; 사람, 인간; 《口》 기인: a public ~ 공인(公人)/a good〔bad〕 ~ 평판이 좋은〔나쁜〕 사람. **6** (소설 등의) (등장) 인물, (연극의) 역(役). **7** Ⓤ 지위, 신분, 자격(status). **8** 《영》 (전고용주가 고용인에게 주는) 인물 증명서, 추천장. **9** Ⓒ 〔遺傳〕 형질(形質). **10** 문자(letter); (집합적) (한 체계로서의) 문자, 알파벳; (인쇄체·필기체의) 자체(字體); 〔컴퓨터〕 문자: a Chinese ~ 한자/write in large ~*s* 큰 글자로 쓰다. **11** 기호(mark), 부호(symbol); 암호; 〔컴퓨터〕 문자: a musical ~ 악보 기호. **12** 〔神學〕 성사의 인호(印號)《천주 교회의 세례·견진(堅振) 등의 성사에서 개인이 받는》. **in〔out of〕 character** 그 사람답게〔답지 않게〕, 적역(適役)인〔적역이 아닌〕, 격에 맞는〔맞지 않는〕. **in the character of** …의 역으로 분장하여; …의 자격으로. — *vt.* 《古》 **1** 새기다. **2** 〈성격을〉 묘사하다; …의 특성을 나타내다.
⊕ characterístic *a.*; cháracterize *v.*
cháracter àctor〔àctress〕 성격 배우〔여배우〕.
cháracter assassinátion 인신 공격, 중상, 비방.
char·ac·ter-based[kǽriktərbéist] *a.* 〔컴퓨터〕 문자 단위 표시 방식의.
cháracter dènsity 〔컴퓨터〕 문자 밀도《단위 길이 또는 단위 면적당 기록되는 문자의 수》.
char·ac·ter·ful[kǽriktərfəl] *a.* 특징〔성격〕이 잘 나타난; 특색이 있는; 성격이 강한.
cháracter generàtion 〔印〕 활자 생성《활자의 서체를 전자공학을 이용하여 구성하기》.
*‡***char·ac·ter·is·tic**[kæ̀riktərístik] *a.* **1** 특질있는, 독특한, 특징적인. **2** …에 특유한; …의 특징을 나타내는. **be characteristic of** …의 특성을 나타내고 있다. — *n.* **1** 특질, 특성, 특색. **2** 〔數〕 (대수(對數)의) 지표.
⊕ cháracter *n.*; cháracterize *v.*
char·ac·ter·is·ti·cal·ly[-kəli] *ad.* 특질상; 특징〔특색〕으로서; 개성적으로.
characterístic cúrve 〔物·寫〕 특성 곡선.
characterístic equátion 〔數〕 특성 방정식.
characterístic velócity 〔로켓〕 특성속도.
char·ac·ter·i·za·tion[kæ̀riktərizéiʃən] *n.* Ⓤ **1** 특징〔특성〕을 나타냄, 특징 부여. **2** (연극·소설의) 성격 묘사.
*∗***char·ac·ter·ize**[kǽriktəràiz] *vt.* **1** 〈사물이 …에〉 특성〔성격〕을 부여하다, …의 특색이 되다, …을 특징 지우다: His style is ~*d* by simplicity. 그의 문체는 간결한 것이 특징이다. **2** 〈사람·사물의〉 특성을 나타내다, 성격을 묘사〔기술〕하다: He ~*d* in a word or two the essential feature of the situation. 그는 한 두

마디로 그 정세의 본질적인 특색을 묘사했다. **3** 〈사람·사물을〉 …으로 보다: 《Ⅴ (목)+*as*+명》 He ~*s* himself *as* a detective story writer. 그는 자신을 추리 소설가로 여긴다.
◇ cháracter, characterizátion *n.*

char·ac·ter·less [kǽriktərlis] *a.* **1** 특징〔개성〕이 없는, 평범한. **2** 인물 증명서〔추천서〕가 없는.

char·ac·ter·o·log·i·cal [kæ̀riktərəlɑ́dʒikəl/-lɔ́dʒ-] *a.* 기질〔특성〕에 관한(연구의).

char·ac·ter·ol·o·gy [kæ̀riktərɑ́lədʒi/-rɔ́l-] *n.* Ⓤ 성격학.

cháracter pàrt 〔劇·映〕 성격역(役).

cháracter skètch 인물 촌평; 성격 묘사(의 소품).

cháracter tỳpe 〔心〕 성격 유형.

cháracter wìtness 성격 증인《법정 등에서 원고또는 피고의 성격·인품 등에 관하여 증언을 하는 사람》.

char·ac·ter·y [kǽriktəri] *n.* Ⓤ **1** 문자의 사용《사상 전달 수단으로서의》. **2** (집합적) (한 언어의) 사용 문자.

cha·rade [ʃəréid/-rɑ́:d] *n.* **1** (*pl.*: 단수 취급) 제스처 게임; (제스처 게임의) 몸짓(으로 나타낸 말). **2** 속이 들여다보이는 흉내〔행동〕.

cha·ran·go [tʃərǽŋgou] *n.* (*pl.* ~**s**) 차랑고《남아메리카의 소형 기타》.

char·broil [tʃɑ́:rbrɔ̀il] *vt.* 〈고기를〉 숯불에 굽다.

*__char·coal__ [tʃɑ́:rkòul] [ME] *n.* **1** Ⓤ 숯, 목탄. **2** 목탄화(= ∠ **dràwing**); (목탄화용) 목탄.
— *vt.* 목탄으로 그리다.

chárcoal bíscuit (소화를 돕기 위해) 탄소를 섞은 비스킷.

chárcoal bùrner 1 숯꾼. **2** 숯가마; 숯풍로. **3** (**C- B-s**) =CARBONARI.

chárcoal gráy 진회색.

chard [tʃɑ:rd] *n.* 〔植〕 근대.

chare [tʃɛər] *n., v.* 《주로 영》 =CHAR².

★**charge** [tʃɑ:rdʒ] [L] *vt.* **1** 〈총포에〉 화약을 재다, 장전(裝塡)하다《*with*》; 〈축전지에〉 충전하다《*up*》; 충만하게 하다: ~ a storage battery 축전지에 충전하다/A gun is ~*d with* shot. 총에 탄환을 장전하다. **2** 《古》 〈말 등에〉 짐을 지우다, 〈…에 짐을〉 싣다; 〈그릇에〉 …을 담다, 채우다: *Charge* your glasses *with* wine. 잔에 술을 채우시오. **3** 〈의무·책임 등을〉 지우다, 과하다; 위탁하다(entrust)《*with*》: 《Ⅱ *be pp.*+*to* do》 I am ~*d to* deliver this letter to him. 나는 그에게 이 편지를 전달할 임무를 맡고 있다(=I am ~*d with* deliver*ing* the letter to him.《Ⅱ *be pp.*+전+*-ing*》). **4** (권위를 가지고) 명령하다: 〈재판관·주교 등이〉 설유〔설명〕하다: 《Ⅴ (목)+*to be*+형》 The teacher ~*d* us *to be* silent. 선생님께서는 우리에게 조용하라고 말씀하셨다. **5** 〈죄·과실 등을〉 …탓으로 돌리다; 비난하다, 고발하다, 책망하다: 《Ⅴ (목)+전+*-ing*》 He ~*d* her *with* neglecting her duty. 그는 그녀에게 임무를 소홀히 한다고 책망하였다/《Ⅲ (목)+전+명》 They ~*d* her *with* crime of fraud. 그들은 그녀에게 사기죄를 씌웠다/《Ⅲ (목)+전+명》 She ~*s* this trouble *to*〔*against*〕 me. 그녀는 이 소동이 나에게 책임이 있다고 한다. **6** 〈지불을〉 부담시키다, 〈대가·요금을〉 청구하다, 값을 매기다, 〈세금을〉 과하다: 《Ⅲ 조+*v*Ⅲ +(목)+전+명》 (Whom-to의 목적어) *Whom* do I have to ~ this cost *to*? 누구에게 이 경비를 청구해야 합니까—You can ~ it *to* her. 그녀에게 청구하십시오/《Ⅳ 대+(목)》 He ~*d* me excessive prices. 그는 나에게 과도한 값을 요구했다. **7** 〈상품 등을〉 외상으로 사다; …의 차변(借邊)에 기입하다, 앞으로 달아 놓다: 《Ⅲ (목)+전+명》 *Charge* this bill *to* my account. 이 계산은 나에게 달아 놓으시오/《Ⅲ (목)+전+명》 He ~*d* a sum *to* her. 그는 얼마의 금액을 그녀 앞으로 달아 놓았다. **8** 〈적을〉 습격하다, …에 돌격하다. **9** 〈무기를〉 겨누다: *Charge* bayonets! 착검! **10** 〔蹴〕 차지하다.
— *vi.* **1** 값을 부르다; …의 대가〔요금〕를 청구하다《*for*》; 요금을 받다; 대변에 기입하다, 외상으로 달다. **2** …에 돌격하다, 돌진하다《*at*》. **3** 충전되다. **4** (개가) 명령을 받고 엎드리다. **5** 《미俗》 스릴을 느끼다.

be charge with (1) …으로 차 있다. (2) …의 책임을 지고 있다. (3) …의 혐의를 받다. **charge off** (1) 손실로서 빼다〔공제하다〕. (2) …의 일부로 보다. (3) (원인을) …에 돌리다《*to*》. **charge up** 《口》 (1) 선동하다, 흥분시키다. (2) (마취·수면제에) 취하다. (3) 충전하다. (4) (손해 등을) …의 부담으로 하다. (5) 《미》 ⇨CHARGE off (3). **charge** a person **with** (1) 아무에게 …을 맡기다; …의 책임을 지우다. (2) 아무를 …의 이유로 비난하다.
— *n.* **1** 짐, 화물. **2** Ⓤ,Ⓒ 충전; 전하(電荷); 장전; (1발분의) 탄약; (용광로 1회분의 원광) 투입량. **3** Ⓤ 책임, 의무; 위탁, 보호, 관리, 담당: 《Ⅱ 전+명+부》 Who is *in* ~ here? 누가 여기 책임자〔담당자〕입니까—《Ⅱ 전+명》 She is *in* ~ of this section〔this work〕? 그녀가 이 과〔이 일〕의 책임자〔담당자〕입니다. **4** 맡은 사람〔것〕《유모의 어린이, 목사의 신도 등》. **5** 명령, 지령, 훈령, 유시. **6** 비난, 고발, 고소, 문책, 죄. **7** 청구 금액, 대가, 요금; 부채의 기입, 지불 계정의 기재, 외상(으로 달기); (종종 *pl.*)(여러 가지) 비용. **8** 부담(burden), 부과금, 세금《*on*》. **9** 〔미蹴〕 차지《전진 저지》. **10** 〔軍〕 돌격, 돌진(onset), 진군 나팔〔북〕. **11** 〔紋〕 문장에 그려져 있는 도형. **12** 《미俗》 스릴, 자극, 흥분, 즐거운 경험. **13** 《俗》 마리화나. **account**〔**bill**〕 **of charges** 제(諸)비용 계산서. **at a charge of** …의 비용 부담으로. **bring a charge of** theft **against** …을 (절도죄)로 고발하다. **charges forward** 〔**paid**〕 제비용 선불〔지불 필〕. **free of charge** 무료로. **get a charge out of** 《口》 …에 스릴〔환희, 만족〕을 느끼다. **give** a person **in charge** 《영》 〈도둑 등을〉 경찰에 인도하다. **give** something **in charge to** a person …을 …에게 맡기다. **have charge of** …을 맡고 있다; …을 맡다, 담당하다. **in** a person**'s charge** …에게 맡겨져, …에게 관리〔보호〕되어. **in charge** (**of**) …을 맡고 있는, 담당의. **lay** (something) **to** a person**'s charge** …의 책임으로 돌리다. **make a charge against** … 을 비난〔고소〕하다. **make a charge for** …의 요금을 (따로) 징수하다. **No charge for admission.** 입장무료. **on** (**the**〔**a**〕) **charge of**=**on charges of** …의 죄로, …의 혐의로. **put** something **under** a person**'s charge** …을 …에게 맡기다. **return to the charge** 〈돌격·논쟁을〉 다시 시작하다. **take charge** 《口》 제어(制御)할 수 없게 되다(get out of control); 주도권을 장악하다, 책임을 떠맡다. **take charge of** …을 맡다, 담당하다. **take**〔**have**〕 a person **in charge** …을 경찰이 체포〔보호〕하다.

char·gé [ʃɑ:rʒéi, ∠–] [F] *n.* =CHARGE D'AFFAIRES.

charge·a·ble [tʃɑ́:rdʒəbəl] *a.* **1** 〈비난·죄

등이〉 …에게 돌려져야 할《on》: 〈사람이〉 (죄로) 고소되어야 할《with》. **2** 〈부담·비용 등 이〉 …에게 지워져야 할《on》: 〈물건을〉 외상으로 살 수 있는, 후불할 수 있는: 〈세금이〉 부과되어야 할《on》. **3** 〈사람이〉 (교구 등의) 보호를 받아야 할《to》. **-bly** *ad.*

chárge accòunt 《미·캐나다》 외상 거래 계정(《영》 credit account).

charge·a·hol·ic[tʃɑ̀ːrdʒəhɔ́ːlik] *n.* 크레디트 카드 남용자.

charge-a-plate[⌐əplèit] *n.* 크레디트 카드.

chárge càrd 크레디트 카드(*cf.* CREDIT CARD).

chárge conjugàtion 〔物〕 하전 공액 변환(荷電共 變換).

chárge-cóu·pled devíce[tʃɑ́ːrdʒkʌ́pld-] 〔電子〕 전하(電荷) 결합 소자《略: CCD》.

chárge cùstomer 외상 손님; 신용 거래처.

charged[tʃɑːrdʒd] *a.* **1** 〔物〕 대전(帶電)한. **2** 긴장된, 일촉 즉발의, 논쟁이 일어날 것 같은. **3** 《俗》 마약에 취한.

char·gé d'af·faires[ʃɑːrʒéidəfέər, ⌐–⌐] [F] *n.* (*pl.* **char·gés d'af·faires**) 대리 대사〔공사〕.

chárged párticle bèam 〔物〕 하전 입자선(particle beam).

chárge hànd 《영》 직장(職長)(foreman); 조장(직장 다음 직위의 직공).

chárge nùrse (병원·병동의) 수간호원.

chárge of quárters (야간 또는 휴일의) 당번〔당직〕 하사관; 그 임무.

chárge plàte =CHARGE-A-PLATE.

charg·er[1] [tʃɑ́ːrdʒər] *n.* **1** CHARGE하는 것〔사람〕. **2** (장교용) 승마, 군마(軍馬). **3** 돌격자; 용광로에 광석을 넣는 사람. **4** 장전기, 장약기(裝藥器). **5** 충전기.

charger[2] *n.* 《古》 큰 접시(large flat dish).

chárges colléct 제(諸)비용 지불; 운임 착지불(着地拂)《略: CC》.

chárge shèet 《영》(경찰의) 사건부(簿); 기소용 범죄자 명부.

char·i·ly *ad.* **1** 조심스럽게, 경계하면서(cautiously). **2** 아까운 듯이.

char·i·ness *n.* Ⓤ 조심스러움; 아까워함.

Chár·ing Cróss[tʃǽriŋ-] *n.* 채링 크로스(London 시의 중앙, Strand가(街) 서쪽 끝의 번화 구역).

***char·i·ot**[tʃǽriət] [OF] *n.* **1** (고대 그리스·로마의 전투·개선·경주용의) 2륜 전차(戰車). **2** 4륜 경마차《18세기의》. **3** 〔詩〕 훌륭한 수레, 꽃마차. — *vt., vi.* 〔詩〕 전차를 몰다; 마차로 나르다.

char·i·ot·eer[tʃæ̀riətíər] *vi.* 《文語》 CHARIOT를 몰다. — *vt.* 《文語》 **1** 〈차를〉 몰다. **2** 〈사람을〉 차로 나르다. — *n.* CHARIOT를 모는 사람.

char·ism[kǽrizəm] *n.* =CHARISMA.

cha·ris·ma[kərízmə] *n.* (*pl.* ~**·ta**[-mətə], ~**s**) **1** 〔神學〕 카리스마, (신이 특별히 부여하는) 재능, 권능. **2** Ⓤ (특정한 개인·지위가 갖는) 카리스마적 권위; (대중을 신복시키는) 카리스마적 매력〔지도력〕.

char·is·mat·ic[kæ̀rizmǽtik] *a.* 카리스마적인.

***char·i·ta·ble**[tʃǽrətəbəl] *a.* 자비로운; 관대한; 자선의. **~·ness** *n.* **-bly** *ad.*

‡**char·i·ty**[tʃǽrəti] [L] *n.* (*pl.* **-ties**) **1** Ⓤ (기독교적인) 사랑(Christian love), 자애, 자비; 동정; 동포애, 박애; 관용. **2** Ⓤ,Ⓒ 자선(행위), 보시(布施); (공공의) 구호; 구호금, 자선기금. **3** (*pl.*) 자선 사업. **4** 자선 단체; 양육원; 시료원(施療院). **5** (**C-**) 여자 이름. **(as) cold as charity** 매우 냉담하여; 내기 싫어하여. **Charity begins at home.** 《속담》 자애는 가정에서부터 시작한다, 남보다 먼저 가족을 사랑하라. **in〔out of〕 charity with** …을 가엾게 여겨서.

chárity bòy 자선 학교의 남학생.

chárity chìld 양육원의 아동.

chárity gìrl 자선 학교의 여학생.

chárity hòspital 자선 병원.

chárity schòol 《영》 (옛날의) 자선 학교.

chárity shòw 자선 흥행.

cha·ri·va·ri[ʃərìvəríː, ʃìvəríː/ʃɑ̀ːrəvɑ́ːri] *n.* =SHIVAREE.

chark[tʃɑːrk] *n.* Ⓤ 《영方》 숯, 목탄(charcoal). — *vt.* …을 구워 숯을 만들다(char); 〈석탄을〉 코크스로 만들다.

char·la·dy[tʃɑ́ːrlèidi] *n.* (*pl.* **-dies**) =CHARWOMAN.

char·la·tan[ʃɑ́ːrlətən] *n.* 허풍선이; (전문 지식이 있는 체하는) 협잡꾼; 《특히》 엉터리〔돌팔이〕 의사.

char·la·tan·ic[-tǽnik] *a.* 협잡의, 가짜의.

char·la·tan·ism[-lətənìzəm] *n.* Ⓤ 허풍; 협잡.

char·la·tan·ry[-tənri] *n.* =CHARLATANISM.

Char·le·magne[ʃɑ́ːrləmèin] *n.* 샤를마뉴 대제(742-814)《서로마 제국 황제》.

Charles[tʃɑːrlz] *n.* 남자이름《애칭 Charley, Charlie》.

Charles's Wain[tʃɑ́ːrlzizwéin] *n.* 《영》 〔天〕 **1** 북두칠성 (《미》 the (Big) Dipper). **2** 큰곰자리(the Great Bear).

Charles·ton[tʃɑ́ːrlztən, -ls-] *n.* **1** 찰스턴《미국 West Virginia주의 주도》. **2** 찰스턴《1920년대 미국에서 유행한 춤》.

Char·ley, Char·lie[tʃɑ́ːrli] *n.* **1** 남성 이름 Charles의 애칭. **2** 여성 이름 Charlotte의 애칭. **3** 《미黑人俗》 백인. **4** (보통 **c-**) 《口》 야경(꾼), 야간 순찰.

chárley hòrse 《미口》 (운동 선수 등의 팔다리의) 근육 경직; 근육통.

char·lock[tʃɑ́ːrlək, -lɑk/-lɔk] *n.* (*pl.* ~) 〔植〕 겨자과의 잡초.

Char·lotte[ʃɑ́ːrlət] *n.* **1** 여자 이름《애칭 Charley, Lotty, Lottie》. **2** (**c-**) 샬럿《찐 과일 등을 빵·스펀지 케이크로 싼 푸딩》.

chárlotte rússe[-rúːs] 러시아식 샬럿《디저트용》.

‡**charm**[tʃɑːrm] [L] *n.* **1** Ⓤ,Ⓒ 매력(fascination); (보통 *pl.*) (여자의) 아름다움, 요염. **2** Ⓤ,Ⓒ 마력(魔力)(spell), 마법. **3** 주문(呪文); 부적, 호부 《*against*》. **4** (팔찌·시계줄 등에 다는) 작은 장식물. **5** (*pl.*) 《미俗》 돈(money). **6** 〔物〕 참《하드론(hadron)을 구별하는 물리량의 일종》. **like a charm** 《口》 신기하게, 신통하게, 희한하게, 효과적으로. **under the charm** 마법〔마력〕에 걸려. — *vt.* **1** (종종 수동형으로) 매혹하다, 황홀하게 하다《*with, by*》: be ~*ed with*〔*by*〕 her beautiful voice 그녀의 아름다운 목소리에 매혹되다. **2** 마법을 걸다, …을 마력으로 …하게 하다; …을 마력으로 (…에서) 지키다《*against*》; (비밀등의 등을) 교묘히〔속여서〕 이끌어 내다《*out of*》: ~ a person asleep …을 마력으로 잠들게 하다/~ a secret *out of* a person 교묘히〔속여서〕 아무에게서 비밀을 알아내다/be ~*ed against* all evil 마력으로 모든 악에서 지켜지다. **3** 〈뱀을〉 길들여 부리다.

— *vi.* **1** 매력을 갖다, 매력적이다. **2** 주문〔마법〕을 걸다. **3** 〈약 등이〉 신기하게 잘 듣다.

charmed[-d] *a.* **1** 매혹된; 마법에 걸린; 저주받은. **2** 마법〔신통력〕으로 보호된. **3** 《口》 기쁘게 생각하여(pleased): 《Ⅱ 형+*to* do》 I am ~ *to* see you. 당신을 만나서 기쁩니다.
bear〔lead, have〕 a charmed life 불사신이다, 운좋게 사고를 면하다.
chármed círcle 배타적 집단, 특권 계급.

charm·er[tʃáːrmər] *n.* **1** 매혹하는 사람; 마법사. **2** 《익살》 매력 있는 사람; 《특히》 요염한 여자. **3** 뱀을 부리는 사람.

Char·meuse[ʃaːrmúːz] *n.* Ⓤ 샤르뫼즈《수자직(子織)의 일종》.

⁑**charm·ing**[tʃáːrmiŋ] *a.* 매력 있는; 〈어린 아이가〉 매우 귀여운; 아름다운; 호감이 가는; 마법을 거는: 《Ⅱ 형》 She is ~. 그녀는 매력이 있다. **~·ly** *ad.* **~·ness** *n.*

chárm schòol 참스쿨《여성에게 미용·예법·교양 등을 가르치는 학교》.

char·nel[tʃáːrnl] *n.* 사체 안치소; 납 골당(=∠ **hòuse**). — *a.* 납골당 같은; 죽음 같은.

Cha·ro(l)·lais [ʃærəléi] *n.* 샤롤레《프랑스 원산의 큰 흰 소; 주로 식육·교배용》.

Char·on[kɛ́ərən] *n.* **1** 〔그神〕 카론《삼도내(Styx)의 나루지기》. **2** 《익살》 나루지기.

char·qui[tʃáːrki] *n.* Ⓤ 육포(肉脯).

charr[tʃaːr] *n.* (*pl.* ~, ~**s**) =CHAR[3].

char·rette[ʃərét] *n.* 각 분야의 전문가의 조언을 얻을 수 있는 토론 집회.

char·ry[tʃáːri] *a.* (**-ri·er; -ri·est**) 숯 같은.

⁑**chart**[tʃaːrt] [Gk] *n.* **1** 해도(海圖), 수로도(水路圖); (항공용) 차트. **2** 도표(圖表), 그래프, 표: a weather〔physical〕 ~ 기상〔지세〕도. **3** 〔醫〕 (환자용) 차트〔카르테〕, 병력(病歷). **4** (*pl.*) 《口》 (가요곡 등의) 히트곡 차트. **5** 〔컴퓨터〕 차트《데이터의 분포를 알아보기 쉽게 그림으로 표현하는 것》. — *vt.* **1** 〈해역·수로 등을〉 해도에 기입하다; 〈자료를〉 도표로 만들다. **2** 《口》 계획하다. — *vi.* 〔醫〕 차트〔카르테〕를 작성하다.

⁑**char·ter**[tʃáːrtər] *n.* **1** (종종 **C-**) (목적·강령의) 헌장(憲章), 선언서. **2** (공인된) 특권; (의무·책임의) 면제. **3** (배·버스·비행기 등의) 전세 (계약); 용선 계약(서). **4** (국왕·국가가 자치도시·조합·식민단 등의 창설·특전 등을 보장·허가하는) 특허장, 면허장; (법률에 의한) 법인 단체 설립 허가(서); 지부 설립 허가(서). **the Atlantic Charter** 대서양 헌장. **the Charter of the United Nations** 국제연합 헌장. **the Great Charter** 〔영史〕 대헌장(Magna Charta). **the People's Charter** 〔영史〕 국민 헌장. — *a.* **1** 특허에 의한; 특권을 가진. **2** 〈비행기·선박 등〉 전세낸. — *vt.* **1** 특허장을 주다; 〈회사 등을〉 특허장〔설립 허가장〕에 의해 설립하다; 특허하다, 면허하다. **2** 〈배를〉 용선 계약으로 빌다; 〈비행기·차등을〉 전세내다. **3** …에 특권을 주다.

char·ter·age[tʃáːrtəridʒ] *n.* 임대차 계약, 《특히》 용선 계약; 용선료.

chárter còlony 〔미史〕 특허 식민지《영국왕이 개인·상사 등에 대해 교부한 특허장으로 건설된 식민지》.

char·tered[tʃáːrtərd] *a.* **1** 특허를 받은, 공인된: a ~ company 《영》 특허 회사/a ~ libertine 천하가 다 아는 난봉꾼/~ rights 특권. **2** 용선 계약을 한; 전세낸.

chártered accóuntant 《영》 공인 회계사(略: C.A.; 《미》 C.P.A. =certified public accountant).

char·ter·er[tʃáːrtərər] *n.* 용선 계약자, 용선주.

Char·ter·house[tʃáːrtərhàus] *n.* **1** 카르투지오회 수도원(Carthusian monastery). **2** (the ~)(1611년 런던의 카르투지오회 수도원 자리에 세운) 차터하우스 양로원.

Chárterhouse Schóol 카르투지오 스쿨《Charterhouse 자리에 세워졌다가 뒤에 Godalming으로 이전한 유명한 public school》(*cf.* CARTHUSIAN).

chárter mémber 《미》 (협회 등의) 창립 위원.

chárter pàrty 용선 계약(서) 《略: c/p》.

chárter ràte 〔出版〕 특별 요금《새 잡지의 정기 구독자·광고주 등을 위한 할인 요금》.

chárt hòuse〔ròom〕 〔海〕 해도실.

Char·tism[tʃáːrtizəm] *n.* Ⓤ 〔영史〕 인민 헌장 운동(1838-48).

char·tist[tʃáːrtist] *n.* **1** 지도 작성자. **2** 증권 시장 전문가.

Char·tist[-ist] *n.* 인민 헌장 운동 참가자〔지지자〕. — *a.* 인민 헌장 운동(가)의.

chart·less[tʃáːrtlis] *a.* 해도(海圖)가 없는; 해도에 없는.

char·tog·ra·phy[kaːrtágrəfi, tʃaːr-/-tɔ́g-] *n.* =CARTOGRAPHY.

Char·treuse[ʃaːrtrúːz/-trúːs] *n.* **1** 카르투지오회 수도원. **2** (**c-**) Ⓤ 그 수도원에서 만드는 최고급의 리큐어술. **3** (**c-**) Ⓤ 연두빛. — *a.* 연두빛의.

char·tu·lar·y[káːrtʃəlèri/-ləri] *n.* (*pl.* **-lar·ies**) =CARTULARY.

char·wom·an[tʃáːrwùmən] *n.* (*pl.* **-wom·en** [-wìmin]) 《영》 날품팔이 여자, 파출부, 잡역부(雜役婦); 《미》 (빌딩의) 청소부(婦).

char·y[tʃɛ́əri] *a.* (**char·i·er; -i·est**) **1** 조심스러운, 신중한(*of*). **2** 나서지 않는, 음전한. **3** 아까워하는(sparing)(*of*). **chár·i·ness** *n.*

Cha·ryb·dis[kəríbdis] *n.* 카리브디스《Sicily섬 앞바다의 큰 소용돌이; 배를 삼킨다고 전해 짐》. **between Scylla and Charybdis** 진퇴 양난으로.

Chas. Charles.

⁑**chase**[1][tʃeis] [L] *vt.* **1** 뒤쫓다, 추적〔추격〕하다; …을 추구하다; 《口》 〈여자를〉 귀찮게 따라 다니다: The policeman is *chasing* the thief. 경관이 도둑을 쫓고 있다. **2** 〈사람·동물을〉 쫓아내다, 쫓아버리다(drive)(*away, off*), 몰아내다(*from, out of*): ~ fear *from* one's mind. 공포심을 몰아내다/~ flies *off* 파리를 쫓아버리다/~ cattle *out (of* a wheat field). 소를 (밀밭에서) 쫓아내다. **3** 〈사냥감을〉 사냥하다; (사냥에서) 몰아내다, 쫓아내다(*from, out of, to*): ~ hares 토끼 사냥을 하다/~ a fox *out of* its burrow 여우를 굴에서 몰아내다. **4** (~ one*self*로; 보통 명령법에서) 《口》 달아나다, 떠나다: Go ~ *yourself.* 가라, 떠나라.
chase the dragon 《마약俗》 헤로인을 은박지에 쌓아 열을 가해 냄새를 들이마시다.
— *vi.* **1** …의 뒤를 쫓다, 추적하다, 추격하다(*after*): The police ~*d after* the murderer. 경찰은 살인범을 추적했다. **2** 《口》 달리다, 뛰어다니다; 서두르다(hurry): She ~*d around* town looking for a person. 그녀는 사람을 찾느라고 온 마을을 부산하게 다녔다.
chase down (1) 추구하다. (2) 《口》 〈독한 술〉 직후에 (물 등을) 마시다. (3) 《미口》 =CHASE[1] up. **chase up** 《영口》 〈사람·물건을〉 빨리 찾아 내려 하다.
— *n.* **1** Ⓤ,Ⓒ 추적, 추격; 추구. **2** 쫓기는 사람〔짐승, 배〕; 사냥감, 추구의 대상. **3** (the ~) (스포츠로서의) 사냥; 《영》 개인 소유의 사냥

터((chace 라고도 씀; *cf.* FOREST, PARK)); 수렵권(權). **4** (영화의) 추적 장면. **give chase to** …을 뒤쫓다, 추적〔추격〕하다. **in (full) chase** 〈사냥개 따위가〉 급히 추격하여. **in chase of** …을 뒤쫓아서. **lead** a person **a merry chase** 〈추적자를〉 따돌려 고생시키다.

chase[2] *vt.* 〈금속에〉 돋을새김하다, 〈무늬를〉 양각으로 넣다(engrave).

chase[3] *n.* 홈(groove); 〔建〕 홈((벽면의)); 〔印〕 체이스((조판을 죄는 쇠틀)); 앞쪽 포신(砲身). ── *vt.* …에 홈을 내다.

cháse càr ((미俗)) =CATCH CAR.

cháse gùn 〔海軍〕 추격포(追擊砲).

chas·er[1] [tʃéisər] *n.* **1** 쫓는 사람; 추격하는 사람; ((미)) 여자 뒤를 따라다니는 사람. **2** 사냥꾼(hunter). **3** 〔空〕 추격기; 〔海軍〕 구잠정(驅潛艇); 추격포. **4** ((口)) 체이서((독한 술 뒤 또는 사이에 마시는 물·맥주 등)); ((영)) (커피·담배 등 뒤에 마시는) 한 잔의 술.

chaser[2] *n.* 조금사(彫金師).

*__chasm__ [kǽzəm] [Gk] *n.* **1** (지면·바위 등의) 깊게 갈라진 폭 넓은 틈; 깊은 구렁; (벽·돌담의) 금, 균열. **2** (연속한 것의) 단절, 공백, 탈락 ((*in*)). **3** 빈 틈(gap); 결함. **4** (감정·의견의) 차이((*between*)). **chasmed** [-d] *a.*

chás·mal, chás·mic *a.*

chasm·y [kǽzmi] *a.* (**chasm·i·er; -i·est**) 갈라진 틈이 많은, 갈라진 틈 같은.

chasse [ʃæs] [F] *n.* 입가심 술((커피·담배 등 뒤에 마시는)).

chas·sé [ʃæséi, ⌐⌐] [F] *n.* Ⓤ 샤세((댄스·발레·스케이트 등에서 발을 끌듯 빨리 옮기는 스텝)). ── *vi.* (**~d; ~·ing**) 샤세 스텝으로 추다.

chas·sé-croi·sé [-krwɑ́:zei] [F] *n.* 〔舞〕 이중〔크로스〕 샤세.

chas·seur [ʃæsə́:r] *n.* **1** (프랑스의 육군의) 추격병((경장비의 보병·기병)). **2** 사냥꾼. **3** 제복을 입은 종자(從者).

chas·sis [ʃǽsi:] [F] *n.* (*pl.* **~** [-z]) **1** (자동차 등의) 차대(車臺), 섀시; (포가(砲架)가 그 위를 이동하는) 포좌(砲座); (비행기의) 각부(脚部); 〔라디오·TV〕 섀시((세트를 조립하는 대(臺))). **2** ((俗·익살)) (사람·동물의) 몸통, 동체; (특히 여성의) 몸매.

*__chaste__ [tʃeist] [L] *a.* **1** 〈여성이 육체적으로〉 순결한, 정숙한. **2** 〈사상·언동이〉 난잡〔추잡〕하지 않은, 순결한, 순수한. **3** 〈취미·문체 등이〉 품위 있는, 세련된; 간소한. **cháste·ly** *ad.* **cháste·ness** *n.* ⊕ chástity *n.*

*__chas·ten__ [tʃéisən] *vt.* **1** (바로잡기 위해) 벌하다; 〈고난을 주어 사람을〉 단련시키다. **2** 〈열정 등을〉 억제하다, 〈성질 등을〉 누그러지게 하다. **3** 〈사상·문체 등을〉 지나치지 않게 하다; 〈작품 등을〉 세련하다(refine).

chas·tened [tʃéisənd] *a.* 〈사람·태도 등이〉 (혼나서) 누그러진.

*__chas·tise__ [tʃæstáiz] *vt.* **1** 〈…을 매질 등으로〉 벌하다, 혼내주다. **2** …을 몹시 비난하다. **-tís·er** *n.* ⊕ chastísement *n.*

chas·tise·ment [tʃæstáizmənt, tʃǽstiz-] *n.* Ⓤ,Ⓒ 응징, 혼내줌, 징벌.

*__chas·ti·ty__ [tʃǽstəti] *n.* Ⓤ **1** 순결; 정숙; 성적 금욕. **2** (사상·감정의) 청순(清純). **3** (문체·취미의) 간소. ⊕ chaste *a.*

chástity bèlt 정조대(貞操帶).

chas·u·ble [tʃǽzjəbəl, tʃǽs-] *n.* 〔가톨릭〕 (미사의) 제의(祭衣)((사제(司祭)가 alb 위에 걸치는 소매 없는 제의)).

⁑**chat**[1] [tʃæt] (**~·ted; ~·ting**) *vi.* 담소〔잡담〕하다: ((Ⅰ 전+명)) We ~*ted over* our luncheon. 우리는 점심을 먹으면서 잡담을 하였다/We were ~*ting about* the accident. 우리는 그 사고에 관해서 잡담하고 있었다/((Ⅰ 부+전+명)) We ~*ted away* in the parlor. 우리는 응접실에서 계속해서 잡담을 하였다. ── *vt.* ((영口)) …에게 말을 걸다, (특히 장난으로) 〈여자에게〉 말을 걸다((*up*)): ~ *up* a girl 여성에게 말을 걸다. ── *n.* **1** 잡담, 담소, 한담(gossip): have a ~ *with* …와 잡담하다. **2** Ⓤ 잡담(하기). ⊕ chátty *a.*

chat[2] *n.* 지빠귀과(科)의 작은 새.

châ·teau [ʃætóu] [F] *n.* (*pl.* **~s, ~x** [-z]) **1** (프랑스의) 성(castle); (프랑스의 귀족·대지주의) 큰 저택(mansion). **2** (**C-**) 샤토((프랑스 보르도 지방의 포도원)).

cha·teau·bri·and [ʃætóubriɑ:ŋ] [F] *n.* (소스를 곁들인) 대형의 비프 스테이크.

châ·teau wine [⌐⌐] 샤토 와인((프랑스 보르도 부근의 우량 포도주)).

chat·e·lain [ʃǽtəlèin] [F] *n.* (*pl.* **~s**) 성주.

chat·e·laine [ʃǽtəlèin] [F] *n.* **1** 여자 성주; 성주 부인; 큰 저택의 여주인; 여주인(hostess). **2** (여자용) 허리띠 장식 쇠사슬((원래 열쇠·시계 등을 다는)).

cha·toy·ant [ʃətɔ́iənt] *a.* 색채〔광택〕가 변하는((견직물·보석 등, 이를테면 cat's-eye)).

chát shòw ((영)) =TALK SHOW.

Chat·ta·noo·ga [tʃæ̀tənú:gə] *n.* 채터누가((Tennessee 주 남동부의 공업 중심 도시; 남북전쟁의 격전지)).

chat·tel [tʃǽtl] *n.* **1** 〔法〕 동산. **2** 소지품; (*pl.*) 가재(家財): goods and ~*s* 가재 도구.

cháttel mòrtgage 〔法〕 동산 저당.

cháttel réal 〔法〕 부동산적 동산((토지의 정기 임차권 등)).

⁑**chat·ter** [tʃǽtər] *vi.* **1** 재잘거리다. **2** 〈새가〉 지저귀다; 〈원숭이가〉 끽끽거리다; 〈시냇물이〉 졸졸 흐르다; 〈이 등이〉 딱딱 맞부딪치다, 〈기계 등이〉 달각달각 소리내다. **3** (기계가 진동하여 공작물 면에) 금이가다. ── *n.* **1** 재잘거림, 수다. **2** 끽끽 우는 소리; (시냇물의) 졸졸거림; (기계·이 등의) 딱딱〔달각달각〕 소리.

chat·ter·box [tʃǽtərbɑ̀ks/-bɔ̀ks] *n.* ((口)) 수다쟁이; ((특히)) 수다스런 아이〔여자〕.

chat·ter·er [tʃǽtərər] *n.* **1** 수다쟁이. **2** 잘 지저귀는〔우는〕 새; ((특히)) 미식조과(美飾鳥科)의 새((중·남미산)).

chàttering clásses ((영口)) 중·상류의 교육받은 지식층((고급 신문을 읽고 자유스럽게 정치적 의견을 표현함)).

chat·ty [tʃǽti] *a.* (**-ti·er; -ti·est**) **1** 수다스러운, 지껄이기 좋아하는. **2** 〈이야기·편지 등이〉 터놓은, 기탄없는, 허물없는.

Chau·cer [tʃɔ́:sər] *n.* 초서 Geoffrey ~((영국의 시인(1340?-1400); 略: Chauc.)).

Chau·ce·ri·an [tʃɔ:síəriən] *a.* Chaucer(풍)의〔에 관한〕. ── *n.* Chaucer 연구가〔학자〕, Chaucer의 시풍(詩風)(의 사람).

chaud·froid [ʃóufrwɑ́:] [F] *n.* Ⓤ 젤리 또는 마요네즈 소스를 친 냉육(冷肉) 요리.

chauf·fer [tʃɔ́:fər] *n.* (들고 다닐 수 있는 작은) 풍로.

*__chauf·feur__ [ʃóufər, ʃoufə́:r] [F] *n.* (자가용차의) 운전사(*cf.* DRIVER). ── *vi.* (자가용차의) 운전사로 일하다. ── *vt.* …의 (자가용차) 운전사로 일하다, 〈사람을〉 자동차로 안내하다 ((*around, about*)).

chauf·feuse [ʃoufə́:z] [F] *n.* (*pl.* **~s** [-]) 여자 운전사.

chaul·moo·gra[tʃɔ:lmú:grə] *n.* 〖植〗 대풍수《인도 지방산: 그 씨로 대풍자유를 만듦》.

chau·tau·qua[ʃətɔ́:kwə] *n.* **1** 셔토퀴《New York 주 C- 호(湖) 연안의 마을 이름》. **2** 《미》 (교육과 오락을 겸한) 성인 하계 강습회.

chau·vin·ism[ʃóuvənìzəm] *n.* Ⓤ **1** 쇼비니즘, 광신〔맹목〕적 애국주의(*cf.* JINGOISM). **2** (자기가 속하는 단체·성별 등을 위한) 극단적 배타〔우월〕주의.

chau·vin·ist[ʃóuvinist] *n.* 광신적 애국주의자 쇼비니스트.

chau·vin·is·tic[ʃòuvinístik] *a.* 광신적 애국주의(자)의. **-ti·cal·ly** *ad.*

chaw[tʃɔ:] 《方·卑》 *vt.* (질겅질겅) 씹다(chew). **chaw up** 《미》(경쟁에서) 완패시키다. ── *n.* 한 입(의 양)《특히 씹는 담배의》.

chaw·ba·con[tʃɔ́:bèikən] *n.* 《경멸》 촌뜨기.

Ch. B. *Chirurgiae Baccalaureus*(L=Bachelor of Surgery). **Ch. Ch.** Christ Church. **Ch. E.** Chemical Engineer; Chief Engineer.

⋆**cheap**[tʃi:p] [OE] *a.* **1** 싼, 값이 싼. **2** (가게 등이) 싸게 파는, 싼 것을 파는: 《영》 할인의(*opp.* dear). **3** 노력〔고생〕하지 않고 얻은, 쉽게 입수한. **4** 값싼, 저속한, 시시한. **5** 〈돈이〉 저리(低利)의: (인플레이션으로) 〈통화가〉 구매력〔가치〕이 저하한. **6** 《俗》 풀이 죽은, 부끄러운. **7** 《미口》 인색한. **(as) cheap as dirt**=**dirt cheap** 매우 싼, 헐값의. **cheap and nasty** 값싸고 질이 나쁜. **feel cheap** 《口》 (1) 풀이 죽다, 얼굴을 못들다. (2) 기분〔몸〕이 좋지 않다. **get off cheap** 호된 벌은 면하다. **hold cheap** 깔보다, 경시하다. **make** oneself **(too) cheap** (지나치게) 자기를 낮추다, 값싸게 굴다. ── *ad.* **1** (값)싸게: buy ~ 싸게 사다. **2** 비열하게; 천하게. ── *n.* (다음 성구로) **on the cheap** 싸게, 값싸게(cheaply). ◇ chéapen *v.*

chéap chìc 〖服飾〗 개성있는 값싸고 멋진옷차림.

cheap·en[tʃí:pən] *vt.* **1** 싸게 하다, 값을 깎아주다. **2** 깔보다, 경시하다. **3** 천하게 하다, 값싸게 하다, 평판이 나빠지게 하다.

cheap·en·er[tʃí:pənər] *n.* 싸게 하는 사람, 깎아 주는 사람.

cheap·ie[tʃí:pi] 《미》 *n.* 싸구려 물건, 조제품(粗製品), 값싼 영화. ── *a.* 싸구려의.

cheap-jack, -john[tʃí:pdʒæ̀k], [-dʒɑ̀n/-dʒɔ̀n] *n.* (싸구려) 행상인. ── *a.* **1** 〈물건이〉 값싼, 품질이 떨어지는. **2** 〈사람이〉 싸구려 물건으로 돈을 버는.

cheap·ly[tʃí:pli] *ad.* **1** 싸게. **2** 값싸게, 천하게. **3** 쉽게.

chéap móney 저리(低利) 자금.

cheap·ness[tʃí:pnis] *n.* Ⓤ 염가; 값쌈.

chéap shòt 《미俗》 비열〔부당〕한 플레이〔언행〕.

chéap-shot ártist[tʃí:pʃɑ̀t-/-ʃɔ̀t-] 《미俗》 비열한 언동을 하는 자, 약자를 괴롭히는 자.

cheap·skate[tʃí:pskèit] *n.* (종종 you ~로 호칭으로도 쓰임) 《俗》 구두쇠, 노랑이.

⁑**cheat**[tʃi:t] *vt.* **1** 속이다; 속여 빼앗다, 사취하다: …을 속여서 …시키다: 《Ⅴ(목)+전+-*ing*》He ~*ed* her *into* buy*ing* his old car. 그는 그녀를 속여서 자기의 고물 차를 사도록 했다/~ a person (*out*) *of* a thing=~ a thing *out of* a person …을 속여 물건을 빼앗다. **2** 《文語》 교묘하게 피하다, 용케 면하다. **3** 《古》 〈권태·슬픔 등을〉 이럭저럭 넘기다.
── *vi.* **1** 협잡〔부정〕을 하다《*at, on, in*》: ~ *in* an examination 시험에서 부정 행위를 하다. **2** 《口》 (배우자 몰래) 바람 피우다.
── *n.* **1** 사기, 속임수, 협잡; (시험의) 부정행위, 커닝; 사기 카드놀이. **2** 교활한 녀석; 협잡꾼, 사기꾼.

cheat·er[tʃí:tər] *n.* **1** 사기〔협잡〕꾼. **2** (*pl.*) 《미口》 안경; 《특히》 색안경.

chéat shèet 《미俗》 커닝 페이퍼.

⋆**check**[tʃek] *n.* **1** (보통 a ~) 저지, 억제, 정지; (돌연한) 방해; 반격; 좌절; 〖사냥〗(매·사냥개의) 사냥감 추적 중단. **2** 저지물, 막는 물건〔사람〕, 저지하는 도구《고삐·브레이크·마개 등》; 둑, 수문(水門). **3** (군대 등의) 견제, 방지, 억제. **4** 감독, 감시, 관리, 지배. **5** 점검, 대조; 검사, 관찰, 시험; 대조 표시, 꺾자《체크 부호(∨)등》. **6** 부신(符信); 보관표, 영수증, 체크; 《미》 점수패, 칩(counter)《카드놀이 등의 득점 계산용》. **7** 《미》 수표(《영》 cheque); 《미》 회계 전표《상점·식당 등의》. **8** 바둑판〔체크〕 무늬(의 천)(*cf.* CHEQUER). **9** (목재 등의) 갈라진 금(split). **10** 〖체스〗 장군. **a check to bearer** 지참인불 수표. **a check to order** 지정인불 수표. **hand 〔pass, cash〕 in** one's **checks** 노름판에서 산가지를 현금으로 바꾸다; 《口》 죽다. **keep a check on** (1) 당부〔진위〕를 확인해 두다; …을 감시하다. (2) …을 억제하다. **keep〔hold〕 in check** 막다, 저지하다, 제어하다.
── *vt.* **1** 저지하다, 방해하다(hinder); 반격하다〔격퇴하다〕; 억제하다(restrain): ~ the deamonstration parde 데모행렬을 저지하다/~ the spread of cholera 콜레라의 전염을 저지하다/~ an enemy attack 적의 공격을 격퇴하다/I could not ~ my indignation. 나는 의분을 억제할 수 없었다. **2** (확인하기 위해) 조사하다, 점검하다, 대조하다, 대조 표시《∨등》를 하다. 성능〔안전성 등〕을 검사하다; 〈답안을〉 채점하다: *Check* your result with mine. 네 결과를 내 것과 대조해 보아라. **3** 꼬리표를 달다; 《미》〈물건을〉 물표를 받고 맡기다〔부치다〕: You'd better ~ your bag at the checkroom. 가방은 보관소에 맡기는 것이 좋겠습니다. **4** 《口·方》 〈상사가〉 질책하다, 꾸짖다. **5** 〈직물에〉 바둑판〔체크〕 무늬를 놓다. **6** 〖체스〗 장군 부르다. **7** 째다, 가르다.
── *vi.* **1** (장애를 만나) 갑자기 정지하다; 〈사냥개가〉 냄새 자취를 잃고 우뚝 서다. **2** 《미》 수표를 떼다. **3** 《미》 일치하다, 부합하다《*with*》. **4** 조사하다, 확인하다: I'll ~ *with* her *to* make sure. 확실하게 하기 위해 그녀에게 확인해 보겠다. **5** 〖체스〗 장군을 부르다. **6** 금이 가다. **check in** (1) (호텔 등에) 기장하고 들다〔투숙하다〕; (공항에서) 탑승 수속을 하다《*at*》. (2) 《口》 (타임리코더 등으로 회사에) 출근했음을 알리다, 출근하다; 도착하다《*at*》. (3) 체크〔수속〕하여 〈책·하물 등을〉 받아들이다〔맡기다, 반환하다〕. **check into** 〈호텔 등에〉 기장하고 들다〔투숙하다〕, 체크인하다. **check off** (1) 《영》 퇴근하다, 퇴사하다. (2) 대조 표시를 하다. (3) 〈사물을〉 더 이상 고려하지 않다. (4) 〈조합비 등을〉 (급료에서) 공제하다. **check out** (1) (호텔 등에서) 셈을 치르고 나오다, 체크 아웃하다《*from*》. (2) 《口》 퇴근〔퇴사〕하다; 떠나다. (3) 일치하다, 부합하다. (4) 《俗》 죽다. (5) (슈퍼마켓에서) 〈점원이 물건의〉 계산을 하다; 〈손님이 물건 의〉 계산을 하다; 〈손님이 물건의〉 계산을 치르고 나오다. (6) 《미》 성능〔안전성〕을 충분히 검사하다. (7) 《미》 (도서관에서) 〈책 등을〉 대출(貸出)하다. **check out of** (호텔 등에서) 셈을 치르고 나오다, 체크 아웃

하다. **check over** (틀림이 없는지 자세히) 조사하다. **check up** (1) 조사하다, 확인하다. (2) 검토하다, 대조하다. (3) …의 건강 진단을 하다. — *int.* (C-) **1** 《미口》 옳지!, 좋아!, 알았어! **2** 〔체스〕 장군! — *a.* **1** 저지〔억제, 조정〕에 도움이 되는. **2** 검사〔대조〕용의. **3** 체크 무늬의.

chéck bèam 〔空〕 체크빔《조종자가 착륙 전에 위치를 확인하기 위하여 발사하는 전파》.

check·book[∠bùk] *n.* 《미》 수표장(帳).

chéckbook jóurnalism 독점 인터뷰에 큰 돈을 지불하고 기사를 만드는 저널리즘.

chéck càrd 《미》 (은행 발행의) 크레디트 카드(bank card).

checked[tʃekt] *a.* 바둑판〔체크〕 무늬의.

***check·er**[1] [tʃékər] *n.* **1** 바둑판〔체크〕 무늬. **2** (*pl.*) ⇨checkers. **3** =CHECKERWORK. — *vt.* 바둑판 무늬로 하다; 얼룩얼룩하게 하다; 변화를 주다.

checker[2] *n.* **1** 검사자. **2** 《미》 (휴대품 등의) 일시보관자; 《미》(슈퍼마켓 등의) 현금 출납원.

check·er·ber·ry[-bèri] *n.* (*pl.* **-ries**) 〔植〕 백옥나무속 식물《북미 원산》; 그 (빨간) 열매.

check·er·board[-bɔ̀:rd] *n.* **1** 《미》 서양 장기판(《영》 chessboard). **2** 《미俗》 흑인·백인 혼주(混住) 지역. — *vt.* …을 바둑판 모양으로 늘어놓다.

check·ered[tʃékərd] *a.* **1** 바둑판 무늬의. **2** 가지각색의. **3** 변화가 많은.

chéckered flág 체커 플래그《자동차 경주의 최종 단계를 알리는 바둑판 무늬의 기》.

check·ers *n. pl.* (단수 취급) 《미》 체커, 서양장기(《영》 draughts)《체스판에서 두 사람이 12개씩의 말을 써서 하는 놀이》.

check·er·work[tʃékərwə̀:rk] *n.* Ⓤ 바둑판 무늬 세공; 〔石工〕 바둑판 무늬 돌담 쌓기.

check-in[∠ìn] *n.* (호텔에서의) 투숙 절차, 체크인; (공항에서의) 탑승 수속.

héck·ing accòunt 《미》 당좌 예금 구좌.

chéck·less socíety (크레디트 카드 사용, 은행 자동 불입 등에 의한) 신용 사회, 현금 불요 사회(cashless society).

check·list *n.* **1** 대조표. **2** (도서관의) 체크리스트, 점검표. **3** 선거인 명부.

chéck márk 체크 부호(⇨CHECK *n.* 5).

check·mate[∠mèit] *n.* **1** 〔체스〕 외통 장군. **2** (계획·사업 등의) 좌절, 실패. — *int.* 〔체스〕 장군! — *vt.* **1** 〔체스〕 외통 장군을 부르다〔불러 이기다〕. **2** 좌절〔실패〕 시키다; 저지하다.

chéck nùt 〔機〕 죔나사(locknut).

check·off[tʃékɔ̀:f, -àf] *n.* (급료에서의) 노동조합비 공제.

check·out[∠àut] *n.* **1** 호텔의 계산(시간), 체크아웃; 방을 내어줄 시각. **2** (기계·비행기 등의) 점검, 검사. **3** (슈퍼마켓 등에서의) 물건값 계산; 계산대(⇨counter). **4** 《미》 (도서관에서의) 책 대출 수속.

check·point[∠pɔ̀int] *n.* **1** (통행) 검문소. **2** 〔空〕 표지(標識)가 되는 지형. **3** 〔컴퓨터〕 체크포인트, 검사점.

Chéckpoint Chárlie 체크포인트 찰리《동서 베를린의 경계에 있던 검문소》; (적대 세력 간에 있는) 검문소.

check·rein[∠rèin] *n.* (말이 머리를 숙이지 못하게 하는) 제지 고삐.

check·roll[∠ròul] *n.* =CHECKLIST.

check·room[∠rù(:)m] *n.* 《미》 **1** (호텔·극장 등의) 휴대품 일시 보관소(《영》 cloakroom). **2** (역 등의) 수하물 일시 보관소(《영》 left luggage office).

check·row[∠ròu] 〔農〕 *n.* 정조식(正條植) 〔바둑판〕 이랑. — *vt.* 정조식하다.

chécks and bálances 〔政〕 견제와 균형 《입법·사법·행정 삼권간의》.

chéck strìng (운전사에게 하차를 알리는) 신호줄.

check·tak·er[∠tèikər] *n.* (극장 등의) 집표원.

chéck tìll (상점의) 출납 자동기록 상자.

chéck tràding 〔영金融〕 은행 수표 할부 판매《수표의 금액과 이자를 분할불로 팔기》.

check·up[∠ʌ̀p] *n.* **1** 대조; (업무 능률·기계 상태 등의) 총점검, 검사. **2** 건강 진단.

chéck vàlve 〔機〕 역행(逆行) 방지판(瓣).

check·writ·er[∠ràitər] *n.* 수표 금액 인자기(印字機).

Chéd·dar (chéese) 체더 치즈.

chedd·ite[tʃédait, ʃéd-] *n.* 체다이트《강력 폭약의 일종》.

chee-chee[tʃí:tʃi:] *n.* 《영·인도》 **1** 유럽인과 아시아인과의 혼혈인. **2** Ⓤ 그들이 사용하는 부정확한 영어.

★**cheek**[tʃi:k] [OE] *n.* **1** 뺨, 볼. **2** (*pl.*) (기구(器具)의) 측면. **3** Ⓤ 《口》 뻔뻔스러움(impudence); 건방진 말〔행위, 태도〕: He had the ~ *to* ask me *to* lend hhim some more money. 뻔뻔스럽게도 그는 돈을 더 꾸어 달라고 했다. **4** (보통 *pl.*) 《口》 궁둥이. **cheek by jowl** …와 꼭 붙어서; …와 친밀하여 《*with*》. **give** a person **cheek** 아무에게 건방진 소리하다. **None of your cheek!** 건방진 소리 말라! **stick**〔**put**〕 one's **tongue in** one's **cheek** ⇨tongue. **to one's own cheek** 《영口》 독점하여, 제 전용으로. **turn the other cheek** (부당한 처우를) 감수하다. — *vt.* 《영口》 …에게 건방지게 말하다, 건방지게 굴다. **cheek it** 뻔뻔스럽게 버티다. **cheek up** 건방진 말을 하다.

cheek·bone[∠bòun] *n.* 광대뼈.

-cheeked[tʃi:kt] 《연결형》「…한 뺨을 가진」의 뜻: rosy-*cheeked* 뺨이 불그스레한.

cheek·i·ly *ad.* 건방지게, 뻔뻔스럽게.

cheek·i·ness *n.* Ⓤ 건방짐, 뻔뻔스러움.

chéek pòuch 볼주머니《다람쥐·원숭이 등의》.

chéek stràp (말굴레의) 볼쪽 가죽끈.

chéek tòoth 어금니.

cheek·y[tʃí:ki] *a.* (**cheek·i·er; -i·est**) 《口》 건방진, 뻔뻔스러운(impudent).

cheep[tʃi:p] *vi.* 〈병아리 등이〉 삐악삐악 울다; 〈생쥐 등이〉 찍찍 울다. — *n.* 삐악삐악 〔찍찍〕 소리.

cheep·er *n.* **1** (특히, 메추라기·뇌조(雷鳥) 등의) 새새끼. **2** 갓난아기.

****cheer**[tʃiər] [Gk] *n.* Ⓤ **1** Ⓒ 환호, 갈채, 만세; 《미》 응원(의 구호), 성원. **2** 격려; 쾌활. **3** 음식물, 성찬: enjoy〔make〕 good ~ 맛 좋은 음식을 먹다/The fewer the better ~. 《속담》 맛난 음식은 먹는 사람이 적을수록 좋다. **4** 확기, 쾌활, 원기; 기분: What ~? 안녕하십니까(How are you?). **5** (*pl.*) (감탄사적으로) 《영口》 건배, 건강을 위하여; 고맙소; 그럼 안녕. **Be of good cheer!** 《文語》 기운을 내라!, 정신 차려라! **give**〔**raise**〕 **a cheer** 갈채하다. **give three cheers (for ...)** (…을 위하여) 만세 삼창하다《'Hip, hip, hurrah!'를 삼창하다》. **make cheer** 흥겨워 떠들다. **with good cheer** 쾌히, 기꺼이; 원기 왕성하게, 기분 좋게.

— *vt.* **1** 갈채하다; …을 환영하여 소리치다;

응원하다, 성원하다(encourage): ~ a team *to* victory 팀을 성원하여 승리하게 하다. **2** 기분 좋게 하다, 위로하다(comfort); 기운을 북돋우다, 격려하다(*up*): One glance at her face ~*ed* him *up* again. 그녀의 얼굴을 한번 보자 그는 다시 기운이 났다. — *vi.* **1** 갈채하다, 환성을 지르다(*for, over*). **2** 기운이 나다 (*up*): ~ *up* at good news 희소식을 듣고 기운이 나다. **cheer up** 격려하다; 기운이 나다; (명령법) 기운을 내라, 이겨라.
⊕ chéerful, chéery *a.*

cheer·er[tʃíərər] *n.* 갈채하는 사람, 응원자.

***cheer·ful**[tʃíərfəl] *a.* **1** 기분 좋은, 기운찬. **2** 쾌활한, 즐거운; 마음을 밝게 하는; 기분이 상쾌한; 〈방 등이〉 밝은: ~ surroundings 쾌적한 환경. **3** 쾌히〔기꺼이〕 …하는, 마음으로부터의: a ~ giver 기꺼이 물건을 주는 사람. **4** 《반어》 싫은, 지독한: That's a ~ remark. 그것은 지독한 말인데. **~·ness** *n.*

cheer·ful·ly[-i] *ad.* 기분 좋게, 쾌활하게, 명랑하게, 기꺼이.

cheer·i·ly *ad.* 기분 좋게, 명랑하게, 기운 좋게.

cheer·i·ness *n.* Ⓤ 기분이 썩 좋음, 명랑함, 원기 왕성함.

cheer·ing[tʃíəriŋ] *a.* **1** 격려가 되는, 기운을 돋우는. **2** 갈채하는.

cheer·i·o, cheer·o[tʃìərióu], [tʃíərou] *int.* 《영口》 **1** 안녕, 그럼 또 만나요《헤어질 때의 인사》. **2** 축하합니다, 건배!

cheer·lead *vt.* 응원하여 용기를 주다. — *vi.* 응원단장(cheerleader)으로 활약하다.

***cheer·lead·er**[tʃíərlì:dər] *n.* 《미》 치어리더 《관중의 응원을 리드하는 응원단원》.

cheer·less[tʃíərlis] *a.* 재미없는(joyless), 우울한(gloomy), 기운이 없는, 쓸쓸한.
~·ly *ad.* **~·ness** *n.*

cheer·ly[tʃíərli] *ad.* **1** (감탄사적) 〔海〕 힘내자. **2** 명랑하게, 기운차게.

***cheer·y**[tʃíəri] *a.* (**cheer·i·er; -i·est**) 기분 좋은; 명랑한(merry), 원기 있는(lively).
⊕ cheer *n.*

cheese[1] [tʃi:z] *n.* **1** Ⓤ,Ⓒ 치즈. **2** (모양·굳기·성분 등이) 치즈 비슷한 것. **3** 구주희(九柱戱)의 공. **4** 《미俗》 매력적인 젊은 여자. **bread and cheese** 변변치 않은 음식; 호구지책(糊口之策). **hard cheese** 《영口》 불운. **make cheeses** 〈여자가〉 무릎을 굽혀 인사하다; 빙 돌아 스커트를 불룩하게 하다《여자아이들의 유희》. **Say cheese!** 「치즈」라고 하세요!《사진 찍을 때 하는 말》. ⊕ chéesy *a.*

★**cheese**[2] *vt.* 《口》 =STOP. **Cheese it!** 《口》 그만 둬!, 조심해!, 튀어라!

cheese[3] *n.* 《俗》 **1** (the ~) 안성맞춤의 것, 일류품. **2** 《경멸》 중요 인물, 보스(boss). **That's the cheese.** 바로 그거다, 안성마춤이다.

cheese·burg·er[ˊbə̀:rgər] *n.* Ⓒ,Ⓤ 《미》 치즈버거《치즈를 넣은 햄버거》.

cheese·cake[ˊkèik] *n.* **1** Ⓒ,Ⓤ 치즈케이크. **2** Ⓤ 《俗》 (잡지 등의) 섹시한 여성의 육체미 사진(*cf.* BEEFCAKE); 《俗》 (여자의) 성적 매력.

cheese·cloth[ˊklɔ̀:θ, ˊklɑ̀θ] *n.* Ⓤ 《미》 일종의 투박한 무명(《영》 butter muslin).

cheesed[tʃi:zd] *a.* (보통 ~ off로) 《영俗》 진저리 나서, 싫증이 나서(*with*).

cheese-head[ˊhèd] *n.* **1** (나사 등의) 몽뚝한 대가리. **2** 《俗》 바보. — *a.* **1** 몽뚝한 대가리의 〈나사 등〉. **2** 어리석은, 모자라는.

cheese-head·ed *a.* =CHEESE-HEAD.

chéese mìte 치즈 벌레.

cheese·mon·ger[ˊmʌ̀ŋgər] *n.* 치즈 장수 (버터·달걀도 팖).

cheese·par·ing[ˊpɛ̀əriŋ] *n.* **1** 치즈 부스러기; (*pl.*) 푼푼이 모은 돈; 하찮은 것. **2** 인색함, 쩨쩨함. — *a.* 인색한(stingy).

chéese plàte **1** 치즈 접시《직경 약 15cm》. **2** (웃옷의) 큰 단추.

chéese scòop〔**tàster**〕 (시식용의)치즈 국자.

chéese stràws 치즈 스트로《밀가루에 가루 치즈를 섞어 길쭉하게 구운 비스킷》.

chees·y[tʃí:zi] *a.* (**chees·i·er; -i·est**) **1** 치즈질(質)의, 치즈와 같은; 치즈 맛이 나는. **2** 《미俗》 하치의, 값싼.

chee·tah[tʃí:tə] *n.* 〔動〕 치타《서남 아시아·아프리카산의 표범 비슷한 동물; 사냥에 씀》.

chef[ʃef] [F=chief] *n.* 요리사; (특히, 식당·호텔 등의) 주방장.

chef de cui·sine [F] *n.* (*pl.* chefs de cuisine[-]) 주방장.

chef-d'oeu·vre[ʃeidə́:vər] [F=chief (piece) of work] *n.* (*pl.* **chefs-d'oeu·vre**[-]) 걸작.

chéf's sálad (각자에게 따로 나오는) 샐러드《상추에 토마토·셀러리·삶은 달걀·잘게 썬 고기 및 치즈를 곁들이기도 함》.

chei·lo·plas·ty[káiləplæ̀sti] *n.* 〔外科〕 입술 성형 수술.

chei·r(o)-[káir(ou)] 《연결형》 =CHIR-.

Che·ka[tʃéka:] *n.* (옛 소련의) 체카, 비상위원회(Russ *Chrezvychainaya Kommissiya*= Extraordinary Commission; Gay-Pay-Oo의 전신).

Che·khov[tʃékɔ:f/-ɔf] *n.* 체호프 Anton ~(1860-1904)《러시아의 극작가·단편 소설가》.

C.H.E.L. Cambridge History of English Literature《책이름》.

che·la[1] [kí:lə] *n.* (*pl.* **-lae**[-li:]) 〔動〕 집게발《게·새우·전갈 등의》.

che·la[2] [tʃéilɑ:/-lə] *n.* 《인도》 (불문의) 제자, 입문자.

Chel·le·an[ʃéliən] *a., n.* 〔考古〕 (구석기시대의 초기) 셸기(문화)(의).

che·lo·ni·an[kilóuniən] *a.* 〔動〕 거북류의. — *n.* 거북(tortoise, turtle).

Chel·sea[tʃélsi] *n.* 첼시(London의 옛 구(區) 이름): dead as ~ 폐인이 되어.

Chélsea bùn 《영》 건포도 롤빵.

Chélsea pénsioner 《영》 첼시 폐병(廢兵) 병원 입원자.

Chélsea wàre 첼시 도자기《18세기에 helsea에서 만들어짐》.

chem-[kem, 미+ki:m], **che·mo-**[kémou, 미+kí:mou] 《연결형》 「화학」의 뜻《모음 앞에서는 chem-》.

chem. chemical; chemist; chemistry.

chem·ic[kémik] *a.* 《古》 **1** =CHEMICAL. **2** 연금술의(alchemic).

***chem·i·cal**[kémikəl] *a.* 화학의; 화학적인, 화학 작용의: ~ agent 화학 약제/~ analysis 화학 분석/~ combination 화합(化合)/~ textile 화학 섬유/~ weapons 화학 무기. — *n.* (보통 *pl.*) 화학 제품〔약품〕.
~·ly *ad.* ⊕ chémistry *n.*

chémical engineéring 화학 공학〔공업〕.

chémical wárfare (독가스 등을 사용하는) 화학전.

chem·i·co-[kémikou] 《연결형》「화학과 관계있는」의 뜻.

chem·i·co·bi·ol·o·gy[kèmikoubaiɑ́lədʒi/-

ɔ́l-] *n.* Ⓤ 생화학.
chem·i·co·phys·i·cal [kèmikoufízikəl] *a.* 물리 화학의.
chem·i·co·phys·ics [kèmikoufíziks] *n.* 물리 화학.
chem·i·cul·ti·va·tion [kèmikʌ̀ltəvéiʃən] *n.* 농약 사용 경작.
chem·i·lu·mi·nes·cence [kèmilù:mənésns] *n.* 화학 루미네슨스, 화학 발광.
*__che·mise__ [ʃəmí:z] [F] *n.* 슈미즈(여자용 속옷 또는 허리께가 낙낙한 간단한 드레스).
chem·i·sette [ʃèmizét] *n.* 슈미젯(chemise 위에 입는 레이스 장식의 속옷).
chem·ism [kémizəm] *n.* Ⓤ 화학 작용; 화학적 속성.
chem·i·sorb [kémisɔ̀:rb] *vt.* 화학 흡착(吸着)하다.
‡**chem·ist** [kémist] [alchemist (연금술사)의 두음 소실(頭音消失)] *n.* **1** 화학자. **2** (영) 약사; 약종상 ((미) druggist) : a ~'s (shop) (영) 약국((미) drugstore).
‡**chem·is·try** [kémistri] *n.* Ⓤ **1** 화학: applied ~ 응용 화학/organic〔inorganic〕~ 유기〔무기〕 화학. **2** 화학적 성질〔작용〕. **3** (사물의) 불가사의한 작용. **4** (남과) 성격 등이 잘 맞음. ◇ chémical *a.*
chem·i·type [kémitàip] *n.* 화학 부식 철판(凸版).
che·mo·im·mu·no·ther·a·py [kì:mouimju:nouθérəpi, kè-] *n.* 〔醫〕 화학 면역 요법.
che·mo·ki·ne·sis *n.* 화학 운동성(화학물질에 의한).
che·mo·pro·phy·lax·is [kì:moupròufəlǽksis, kè-] *n.* 〔醫〕 화학적 예방(법)(질병 예방에 화학 약제를 사용함). **-lac·tic** *a.*
che·mo·re·cep·tion *n.* 화학 감각(화학적 자극에 의한).
che·mo·sen·sing [kì:mousénsiŋ, kè-] *n.* 〔生理〕 화학적 감각.
che·mo·sen·so·ry [kì:mousénsəri, kè-] *a.* 〔生〕 화학적 감각의.
che·mo·sphere [kí:məsfìər, kém-] *n.* 〔氣〕 화학권(광화학 반응이 일어나는 상부 성층권 이상의 대기권).
che·mo·ster·i·lant [kì:moustérələnt, kè-] *n.* 화학 불임제, 불임화제(곤충 등의 생식 기능을 파괴함).
che·mo·sur·ger·y [kì:mousə́:rdʒəri, kè-] *n.* 〔醫〕 화학 외과(요법).
che·mo·syn·the·sis [kì:mousínθəsis, kè-] *n.* Ⓤ 〔生〕 화학 합성.
che·mo·tax·on·o·my [kì:moutæksɑ́nəmi, kè-/-sɔ́n-] *n.* 〔生〕 화학 분류.
che·mo·ther·a·peu·tic, -ti·cal [kì:mouθèrəpjú:tik, kè-], [-tikəl] *a.* 화학 요법의.
che·mo·ther·a·py [kèmouθérəpi, kì:-] *n.* Ⓤ 〔醫〕 화학 요법.
che·mot·ro·pism [kimɑ́trəpìzəm/-mɔ́t-] *n.* 〔生〕 화학 굴성, 굴화성(屈化性).
chem·ur·gy [kémə:rdʒi] *n.* Ⓤ 농산(農産) 화학.
che·nille [ʃəní:l] *n.* 셔닐 실(자수·가장자리 장식용 실의 일종).
cheong·sam [tʃɔ́:ŋsɑ̀:m] *n.* 장삼(長衫)(중국 여자 옷의 하나; 칼라가 높고 몸에 꼭 끼며 스커트 옆이 트인).
*__cheque__ [tʃek] *n.* (영) 수표((미) check).
cheque·book [∠bùk] *n.* (영) 수표장((미) checkbook).
*__cheq·uer__ [tʃékər] *n., v.* (영) =CHECKER[1].
che·quers [tʃékərz] *n.* (영) =CHECKERS.
Che·quers *n.* (영) 수상(首相)의 지방 관저.
cher [ʃɛər] *a.* (俗) 매력적인; 유행에 정통한, 현대적 감각을 가진.
cher·chez la femme [ʃɛərʃéilɑ:fém] [F] 여자를 찾아라(사건 뒤에는 여자가 있다).
cher·eme [kéri:m] *n.* American Sign Language의 기본 단위.
‡**cher·ish** [tʃériʃ] [F] *vt.* **1** 〈어린아이를〉 소중히 하다. **2** 귀여워하다, 소중히 기르다. **3** 〈추억을〉 고이 간직하다; 〈소망·신앙·원한 등을〉 품다(*for, against*) : ~ the religion in the heart 그 종교를 마음속 깊이 신봉하다/~ a grudge *against* ... …에 대해 원한을 품다.
Cher·o·kee [tʃérəkì:, ⌐−∠] *n.* (*pl.* ~, ~s) **1** a (the ~(s)) 체로키족(Oklahoma주에 많이 사는 북미 인디언). b 체로키족의 사람. **2** Ⓤ 체로키말.
che·root [ʃərú:t] *n.* 양 끝을 자른 엽궐련.
‡**cher·ry** [tʃéri] *n.* (*pl.* **-ries**) **1** 버찌. **2** 벚나무(=~ tree). **3** Ⓤ 벚나무 재목(=∠ wòod). **4** Ⓤ 버찌색, 선홍색. **5** (보통 *sing.*) (俗) 처녀막; 처녀성. **make two bites at a cherry** 한 번에 될 일을 두 번에 하다; 꾸물대다; 하찮은 일로 애태우다. — *a.* **1** 버찌 빛깔의, 선홍색의. **2** 벚나무 재목으로 만든.
chérry àpple 각시능금나무.
*__chérry blòssom__ (보통 *pl.*) 벚꽃 (빛깔).
cher·ry-bob [-bɑ̀b/-bɔ̀b] *n.* (영) (두 개가 붙은)버찌 송이.
chérry bómb 붉은색의 공모양의 폭죽(긴 도화선이 달렸고 폭발력이 강함).
chérry bóy (미俗) 숫총각, 동정의 소년.
chérry brándy 체리브랜디(버찌를 브랜디에 담가서 만든 리큐어 술).
chérry fàrm (미俗) 경범죄자 교화 농장.
chérry lèb (俗) =HASH OIL (leb = Lebanese).
chérry pícker **1** 이동식 크레인. **2** (俗) 미소년(남색 상대); (미俗) 처녀 좋아하는 남자.
chérry píe **1** 체리 파이. **2** (영) 〔植〕 헬리오트로프, 페루비아눔속(garden helio-trope).
cher·ry·stone [-stòun] *n.* **1** 버찌 씨. **2** 무명 조개.
*__chérry trèe__ 벚나무.
chert [tʃə:rt] *n.* Ⓤ,Ⓒ 〔岩石〕 규질암(珪質岩), 수암(燧岩), 각암(角岩).
*__cher·ub__ [tʃérəb] [Gk] *n.* (*pl.* ~s, **-u·bim** [-ìm]) **1** 〔聖〕 케루빔, 지품(智品) 천사(9품 천사 중의 제2위로 지식의 천사; *cf.* SERAPH). **2** 〔美〕 아기 천사의 그림(날개가 달리고 귀여운). **3** 토실토실한 귀여운 아기; 동안(童顔)인 사람; 아름답고 천진한 사람. ◇ cherúbic *a.*
che·ru·bic [tʃərú:bik] *a.* cherub의; 순진한; 토실토실한 〈얼굴 등〉. **-bi·cal·ly** *ad.*
cher·u·bim *n.* cherub의 복수.
cher·vil [tʃə́:rvil] *n.* 〔植〕 파슬리의 일종(샐러드용).
Ches. Cheshire.
Chés·a·peake Báy [tʃésəpì:k-] *n.* 체사피크만(미국 Virginia주와 Maryland주에 걸친 대서양 연안의 만).
Chesh·ire [tʃéʃər] *n.* 체셔(영국 서부의 주; 略 Ches.). **grin like a Cheshire cat** 공연히 벙긋벙긋 웃다.
Chéshire chéese 체셔 치즈(크고 둥글넓적함).
ches·key [tʃéski] *n.* (미俗) (종종 **C-**) **1** 체코계(系) 사람. **2** Ⓤ 체코말.
‡**chess**[1] [tʃes] *n.* Ⓤ 체스, 서양 장기(판 위에

서 32개의 말을 움직여 둘이서 둠).
chess² *n.* 《미》 참새귀리속(屬)의 식물.
chess³ *n.* (*pl.* ~, ~·**es**) 배다리(pontoon bridge)에 건너지르는 널.
chess·board[∠bɔ̀:rd] *n.* 체스판, 서양 장기판.
ches·sel[tʃésəl] *n.* 치즈 제조용 틀.
chess·man[tʃésmæ̀n, -mən] *n.* (*pl.* **-men** [-mèn])(체스의) 말.
‡**chest**[tʃest] [Gk] *n.* **1** (두껑 달린) 대형 상자, 궤, 장롱. **2** (공공 시설의) 금고(대학·병원·군·정당 등의); Ⓤ 자금: a military ~ 군자금. **3** 가슴; 흉곽(thorax); 《口》 흉중, 가슴속: ~ trouble 폐병/a cold *on*〔*in*〕 the ~ 기침이 나는 감기. **4** (가스 등의) 밀폐 용기.
a chest of drawers (침실 등의) 정리장. **get off** one's **chest** 《口》 속을 털어놓고 마음의 부담을 덜다. **play** … **close to** one's **chest** …을 신중히〔비밀로〕 하다.
◇ chésty *a.*
-chest·ed[tʃéstid] 《연결형》「…가슴의, 가슴이 …한」의 뜻: broad-*chested* 가슴통이 넓은〔평평한〕.
Ches·ter[tʃéstər] *n.* **1** 영국 Cheshire 주의 주도. **2** 미국 Pennsylvania주의 도시.
Ches·ter·field[tʃéstərfì:ld] *n.* **1** 체스터필드 Earl of ~(1694-1773)《영국의 정치가·문인》. **2** (**c-**) 침대 겸용 소파; 《캐나다·영》 소파; 자락이 긴 남자용 오버코트의 일종.
Ches·ter·field·i·an[tʃéstərfì:ldiən] *a.* 체스터필드 백작풍의; 귀족다운(lordly), 우미(優美)한, 품위 있는, 정중한.
Chéster Whíte 화이트《미국의 큰 흰돼지의 일종》.
chést nòte =CHEST VOICE.
‡**chest·nut**[tʃésnʌ̀t, -nət] *n.* **1** 밤; 서양칠엽수(=horse ~). **2** 밤나무(=∠ **trèe**); Ⓤ 밤나무 목재. **3** Ⓤ 밤색; Ⓒ 밤색 털의 말, 구렁말(*cf.* BAY, SORREL[1]). **4** 《口》 진부한 이야기〔재담〕. **5** (*pl.*) 《俗》 젖통이; 불알. **pull** a person's **chestnuts out of the fire** …을 위해 불 속의 밤을 꺼내다; …의 앞잡이로 이용되다; …을 위해 위험을 무릅쓰다. ── *a.* 밤색의, 밤색 털의.
chest-on-chest[tʃéstɑntʃést/-ɔn-] *n.* (다리가 짧은) 이층 장.
chest-pro·tec·tor[∠prətèktər] *n.* **1** 가슴받이《방한용》. **2** 〔野〕 (캐처 등의) 프로텍터.
chést règister 〔樂〕 흉성 성역(聲域).
chést thúmping 젠체함, 호언장담.
chést vóice〔**tòne**〕〔樂〕 흉성(胸聲)《저음역의 소리》.
chest·y[tʃésti] *a.* (**chest·i·er; -i·est**) **1** 《영》 〈기침·목소리 등이〉 가슴에서 나오는 듯한; 흉부 질환에 걸리기 쉬운; 흉부 질환의 (징후가 보이는). **2** 《口》 흉부가 잘 발달한; 〈여자가〉 젖가슴이 큰. **3** 《미俗》 거만한, 뽐내는.
che·tah[tʃí:tə] *n.* =CHEETAH.
Chet·nik[tʃetní:k, ∠-] *n.* 체트니크《세르비아 민족 독립 운동 그룹의 일원; 2차 대전 중 나치군을 괴롭힌 유고의 게릴라 대원》.
che·val-de-frise[ʃəvæ̀ldəfrí:z] [F] *n.* (*pl.* **che·vaux-**[ʃəvóu-]) **1** (*pl.*) 〔軍〕 (기병의 침입을 막는) 방마책(防馬柵). **2** (*pl.*) (담 위의) 철책·유리 조각 등.
che·va·let[ʃəvæ̀lei] [F] *n.* **1** (현악기의) 기러기발. **2** 조교(弔橋)의 교대(橋臺).
che·vál glàss 큰 체경.
chev·a·lier[ʃèvəlíər] [F] *n.* **1** (중세의) 기사(knight). **2** 훈작사(勳爵士)《프랑스의 레종도뇌르 훈위 등의》. **3** 의협적인 사람.
chev·a·lier d'in·dus·trie[ʃəvɑljéidɛ̃:dustrí:] [F] *n.* 협잡꾼, 사기꾼《chevalier of industry 라고도 함》.
che·vet[ʃəvéi] [F] *n.* 〔建〕 (프랑스식 교회당의) 제단 후방의 반원형으로 된 부분(apse).
chev·i·ot[tʃéviət, tʃí:v-] *n.* Ⓤ 체비엇 양털로 짠 모직물《영국 Cheviot Hills 산》.
Chéviot Hílls *n.* (the ~) 체비엇 힐스《잉글랜드와 스코틀랜드 경계의 구릉 지대》.
Chev·ro·let[ʃèvrəléi, ʃévrəlèi] *n.* 시보레《미국제 자동차 이름; 상표명》.
chev·ron[ʃévrən] *n.* 갈매기표 수장(袖章)《∧, ∨; 하사관·경관복의; 《영》 근무 연한을, 《미》 계급을 표시함》.
chev·ro·tain[ʃévrətèin] *n.* 〔動〕 애기사슴, 쥐사슴(mouse deer).
chev·(v)y[tʃévi] *n.* (*pl.* **chev·(v)ies**) = CHIV(V)Y
Chev·y[ʃévi] *n.* 《미口》 =CHEVROLET.
‡**chew**[tʃu:] *vt.* **1** 씹다, 깨물어 바수다. **2** 깊이 생각하다, 심사 숙고하다(*over*): ~ the matter *over* 그 문제를 곰곰이 생각하다. **3** 〈일을〉 충분히 의논하다; 논의하다(*over*).
── *vi.* **1** 씹다. **2** 《미口》 씹는 담배를 씹다. **3** 심사 숙고하다(*on*): ~ *on* one's future 장래 일을 깊이 생각하다. **chew a lone** … 《미俗》 혼자 쓸쓸히 …하다. **chew** a person's **ear off** 《미俗》 장황하게 (혼자) 지껄이다〔잔소리하다〕. **chew out** 《미口》 (1) …을 호되게 꾸짖다. (2) …을 호되게 비난하다〔헐뜯다〕. **chew the cud** 〈소 등이〉 새김질하다, 반추하다; 깊이 생각하다. **chew the rag**〔**fat**〕 《俗》 연해 투덜거리다, 불평하다; 끝없이 지껄이다. **chew up** (1) 〈음식 등을〉 짓씹다. (2) 파괴하다. (3) 《口》 …을 호되게 꾸짖다.
── *n.* **1** (a ~) 씹음, 저작; (특히, 씹는 담배의) 한 입. **2** 씹는 과자《캔디 등》. **chew and spit** 《俗》 어중이 떠중이, 대중. **have a chew at** 《口》 …을 한 입 먹다〔깨물다〕.
chéw·a·ble *a.*
chewed[tʃu:d] *a.* (~ up으로) 《영俗》 고민하는, 걱정하는, 난처한(*about*).
chéw·ing gùm 추잉검, 껌.
chew·ings[tʃú:iŋz] *n. pl.* 《미俗》 음식물.
chéwing tobàcco 씹는 담배.
che·wink[tʃi:wíŋk] *n.* 〔鳥〕 되새의 일종《북미산》.
chew·y[tʃú:i] *a.* (**chew·i·er; -i·est**) 〈음식 등 이〉 잘 씹히지 않는; 〈캔디 등〉 씹을 필요가 있는.
Chey·enne[ʃaién, -ǽn] *n.* (*pl.* ~, ~**s**) **1 a** (the ~(s)) 샤이엔 족《아메리칸 인디언》. **b** 샤이엔 족의 사람. **2** Ⓤ 샤이엔 말.
chez[ʃe, ʃei] [F] *prep.* **1** …의 집〔가게〕에서〔으로〕. **2** (편지에서) …씨댁. **3** …와 함께. **4** …사이에.
chg. change; charge.
chgd. changed; charged.
chi[kai] *n.* 카이《그리스 자모의 제 22자(Χ, χ)》.
Chi.[tʃai] Chicago.
chi·ack, chy·ack[tʃáiək], [-æk] 《오스俗》 *vt.* 놀리다, 조롱하다. ── *n.* 놀림; 악의 없는 농담.
Chi·ang Kai-shek[tʃǽŋkaiʃék] *n.* 장개석(蔣介石)(1887-1975)《중화 민국 총통》.
Chi·an·ti[kiǽnti, -ɑ́:n-] *n.* Ⓤ 칸티《이탈리아산 적포도주》.
chiao[tʃiau, tʃau] *n.* (*pl.* ~) 각(角)《중공의 화폐 단위; =1/10원(元)(yuan)》.
chi·a·ro·scu·ro[kiɑ̀:rəskjú:rou] *n.* (*pl.* ~**s**)

Ⓤ **1** 〔美〕 명암의 배합; Ⓒ 명암을 배합한 그림. **2** 〔文藝〕 명암 대조법. **-scú·rist** *n.*

chi·as·ma[kaiǽzmə] *n.*(*pl.* ~**·ta**[-tə], ~**s**) 〔解〕 (특히 시신경의) 교차; 〔生〕 염색체 교차.

chi·as·mus[kaiǽzməs] *n.*(*pl.* **-mi**[-mai]) 〔修〕 교차 대구법(對句法)《보기: We live to die, but we die to live.》

chi·as·tic[kaiǽstik] *a.* 교차법의.

chi·bouk, -bouque[tʃibúːk] *n.* 긴 담뱃대《터키의》.

chic[ʃi(ː)k] [F] *n.* Ⓤ (독특한) 스타일; 멋, 고상(elegance), 세련. — *a.* 우아한, 세련된, 맵시 있는(stylish). **chíc·ly** *ad.*

⁑**Chi·ca·go**[ʃikáːgou, -kɔ́ː-] *n.* 시카고《미시간 호숫가에 있는 미국 제 2의 도시》.

Chi·ca·go·an[-ən, -kɔ́ː-] *n.* 시카고 시민.

Chicágo Convèntion 시카고 조약《국제 민간 항공에 관한 조약》.

Chi·ca·na[tʃikáːnə, ʃi-] *n.* 치카나《멕시코계 여자 미국인》. — *a.* 치카나의.

chi·cane[ʃikéin] *n.* **1** =CHICANERY. **2** 〔카드〕 (bridge에서) 으뜸패를 한 장도 못 가진 사람(에게 주어지는 점수). **3** 시케인《자동차 경주 코스에 놓인 가동(可動) 장애물》.
— *vi.* 궤변으로 얼버무리다; 발뺌하다; 교활한 책략을 쓰다. — *vt.* …을 속여서 …하게 하다 〔…을 빼앗다〕《*into, out of*》: ~ a person *out of* a thing 아무에게서 물건을 속여 빼앗다.

chi·ca·ner·y[ʃikéinəri] *n.* (*pl.* **-ner·ies**) Ⓤ,Ⓒ (정치 · 법률상의) 발뺌, 속임수, 궤변; 핑계, 구실.

chi·ca·nis·mo[tʃìːkaːnízmou] *n.* 치카노(Chicano)의 강한 민족적 긍지.

Chi·ca·no[tʃikáːnou] *n.* (*pl.* ~**s**) 치카노《멕시코계 미국인》. — *a.* 치카노의.

Chich·es·ter[tʃítʃəstər] *n.* 치체스터《잉글랜드 West Sussex 주의 주도》.

chi·chi[tʃíːtʃiː] [F] *a.* **1** 〈복장 등〉 야한, 현란한. **2** 멋진. **3** 기교를 부린, 짐짓 꾸민 듯한. — *n.* **1** Ⓤ chic한 것. **2** (보통 *pl.*) 《卑》 젖통이; 섹시한 것〔여자〕.

*__chick__[1] [tʃik] [chicken의 생략형] *n.* **1** 병아리(⇨cock[1]); 새새끼. **2** 《애칭》 어린아이; (the ~s)(한 집안의) 아이들. **3** 《俗》 젊은 아가씨, 소녀; 여자 친구.

chick[2] [tʃik] *n.* 《인도》 발(簾).

chick·a·bid·dy[tʃíkəbìdi] *n.* **1** 《兒》 삐악삐악. **2** 《애칭》 아기(*cf.* CHICK[1]).

chick·a·dee[tʃíkədìː] *n.* 〔鳥〕 박새속의 총칭; 《특히》 미국 박새.

chick·a·ree[tʃíkərìː] *n.* =RED SQUIRREL.

Chick·a·saw[tʃíkəsɔ̀ː] *n.* (*pl.* ~, ~**s**) 치카소족(族)《북미 인디언의 한 종족》.

★**chick·en**[tʃíkin] [OF] *n.* **1** 새새끼; 병아리(⇨cock[1]). **2** Ⓤ 닭고기. **3** 닭(fowl). **4** (보통 no ~으로) 《口》 어린애; 《특히》 계집애: She is *no* ~. 그녀는 이젠 어린애가 아니다. **5** 《俗》 겁쟁이. **count one's chickens** (**before they are hatched**) 까기도 전에 병아리를 세어보다, 독장수 셈을 하다. **go to bed with the chickens** 《미口》 (밤에) 일찍 자다. **play chicken** 《미口》 (1) 상대편이 손을 뗄까봐 서로 협박하다. (2) (차를 고속으로 몰게 하는 등 하여) 담력을 시험하다. — *a.* **1** 닭고기의. **2** 어린애의, 어린: a ~ lobster 작은 새우. **3** 《俗》 겁많은; 〔軍〕《俗》 하찮은 일에 귀찮게 구는. — *vi.* …에서 꽁무니 빼다, 무서워서 손을 떼다《*out*》.

chick·en-and-egg[tʃíkinənd égg] *a.* 〈문제 등이〉 닭이 먼저냐 달걀이 먼저냐의.

chícken brèast 〔醫〕 새가슴(pigeon breast).

chick·en-breast·ed[-brèstid] *a.* 새가슴의.

chícken cóop 닭장.

chícken fèed **1** 가금(家禽)의 모이. **2** 《俗》 잔돈, 푼돈; 하찮은 것.

chícken hàwk 〔鳥〕 말똥가리 무리.

chick·en-heart·ed[-háːrtid] *a.* 겁 많은, 소심한(timid).

chícken lìver 겁쟁이, 무기력한 사람.

chick·en-liv·ered[-lívərd] *a.* =CHICKEN-HEARTED.

chícken pòx 〔病理〕 수두(水痘), 작은마마.

chícken sèxer 병아리 감별사.

chick·en·shit *n.* 《俗 · 卑》 좀스럽고 하찮은 일. — *a.* **1** 귀찮은〔하찮은〕 것에 사로잡힌; 시시한, 지루한. **2** 소심한; 좀스러운.

chícken yàrd 《미》 양계장(《영》 fowl run).

chick·let[tʃíklit] *n.* 《미俗》 젊은 여자, 소녀.

chick·ling[tʃíkliŋ] *n.* 햇병아리; 새새끼.

chick-pea[tʃíkpìː] *n.* 〔植〕 이집트콩, 병아리콩.

chick·weed[tʃíkwìːd] *n.* 〔植〕 별꽃.

chic·le[tʃíkəl] *n.* Ⓤ 〔植〕 치클《중미산 적철과(赤鐵科) 식물에서 채취하는 추잉검의 원료》.

Chi·com[tʃáikam/-kɔm] 《미 · 경멸》 *a.* 중국 공산당원의, 중공의. — *n.* 중국 공산당원.

chic·o·ry[tʃíkəri] *n.* (*pl.* **-ries**) Ⓤ,Ⓒ 〔植〕 《미》 치코리, 꽃상추(《영》 endive)《국화과; 잎은 샐러드용, 뿌리의 분말은 커피 대용품》.

*__chide__[tʃaid] *vt., vi.* (**chid**[tʃid], 《미》 **chid·ed**[tʃáidid]; **chid·den**[tʃídn], **chid,** 《미》 **chid·ed**) 《文語》 **1** 꾸짖다(scold), …에게 잔소리하다; 꾸짖어 쫓아내다: 《V (목)+전+-*ing*》 He ~*d* her for being late. 그는 그녀가 늦었다고 잔소리했다. **2** 〈바람 · 사냥개 등이〉 미친듯이 날뛰다.

★**chief**[tʃiːf] [L] *n.* (*pl.* ~**s**) **1** (조직 · 집단의) 장(長), 우두머리, 지배자; 《俗》 두목, 보스(boss). **2** (종족의) 추장, 족장. **3** 장관, 국〔부, 과, 소〕장; 상관, 상사. **4** (古) (물건의) 주요부; Ⓤ 〔紋〕 문장(紋章)을 그려 넣는 방패의 위쪽 1/3의 부분. **chief of police** 《미》 경찰 본부장. **Chief of the Imperial General Staff** 《영》 참모 총장. **in chief** (1) 최고의, 장관의: a commander *in* ~ 총사령관. (2) 《古 · 文語》 주로; 특히. **the chief of staff** 〔軍〕 육군〔공군〕 참모 총장; (대통령의) 수석 보좌관. — *a.* **1** (계급 · 중요도 등에 있어) 최고의, 제1위의(⇨main[1]): a ~ officer 〔海〕 1등 항해사/the ~ engineer〔nurse〕 기관장〔수간호사〕. **2** 주요한. — *ad.* 《古》 주로(chiefly), 특히(especially). **chief**(**est**) **of all** 무엇보다도, 특히.

chíef cónstable 《영》 (자치체〔지방〕 경찰의) 본부장, 경찰서장.

chief·dom[tʃíːfdəm] *n.* **1** Ⓤ,Ⓒ CHIEF의 직〔지위〕. **2** CHIEF의 관할 지역〔종족〕.

Chíef Exécutive 《미》 대통령; (the c- e-) 주지사.

chíef inspéctor 《영》 (경찰의) 경감.

chíef jústice 재판장; 법원장. **the Chief Justice of the United States** 미연방 대법원장.

⁑**chief·ly**[tʃíːfli] *ad.* **1** 주로(mainly). **2** 대개, 거의.

chíef máte 〔海〕 1등 항해사(chief officer, first officer라고도 함).

chíef pétty òfficer 《미》 (해군 · 연안 경비대의) 상사; 《영》 (해군) 상사.

Chíef Rábbi (영국 등의) 유대인 사회의 종교상의 장(長); 유대교 최고 지도자.
chief superintendent 《영》 경무관.
*__chief·tain__ [tʃíːftən] *n.* **1** 두목(산적 등의); 족장(族長)《스코틀랜드 Highland족의》; 추장《인디언 부족 등의》. **2** 지도자; 《古》 대장(隊長).
chief·tain·cy [-si] *n.* (*pl.* **-cies**) [U,C] CHIEFTAIN의 지위〔역할〕.
chief·tain·ship [-ʃìp] *n.* =CHIEFTAINCY.
chiff·chaff [tʃíftʃæ̀f] *n.* 〔鳥〕 명금(鳴禽)의 일종《솔새 무리》.
chif·fon [ʃifάn, ⌐−/⌐fɔn] [F] *n.* [U] **1** 시퐁, 견(絹) 모슬린. **2** (*pl.*) (드레스의)장식 레이스.
chif·fo(n)·nier [ʃìfəníər] *n.* (키가 큰) 서랍장《위에 거울이 달려 있음》.
chif·fo·robe [ʃífəròub] *n.* 시퍼로브《정리장과 양복장이 하나로 되어 있는 것》.
chig·ger [tʃígər] *n.* **1** (털이 난) 진드기의 일종. **2** 벼룩의 일종(=CHIGOE).
chi·gnon [ʃíːnjɑn, ʃiːnʌ́n] [F] *n.* 뒷머리에 땋아 붙인 쪽, 시뇽.
chig·oe [tʃígou] *n.* **1** 〔昆〕 모래벼룩(sand flea)《손샅·발샅 등에 기생》. **2** 〔動〕 양충(恙蟲).
Chi·hua·hua [tʃiwάːwɑː, -wə] *n.* 치와와《멕시코 원산의 작은 개의 품종》.
chil·blain [tʃílblèin] *n.* (보통 *pl.*) 동상(凍傷)《frostbite보다 다소 가벼움》. **-blained** *a.* 동상에 걸린.
★**child** [tʃaild] [OE] *n.* (*pl.* **chil·dren** [tʃíldrən]) **1** 《일반적》 아이; 어린이, 아동; 유아; 태아: 《Ⅱ 명》 He is mere ~. 그는 아직 어린 아이다/The ~ is (the) father *of*〔*to*〕 the man. 《속담》 세살 버릇이 여든까지 간다. **2** (부모에 대하여) 자식《아들·딸》: 《Ⅱ 명》 He is an only ~. 그는 외아들이다. **3** 어린애 같은 사람; 유치하고 경험 없는 사람. **4** (먼 조상의) 자손(offspring) 《*of*》: the ~ *of* Abraham 아브라함의 자손, 유대인. **5** 제자(disciple), 숭배자 《*of*》: a ~ *of* God 하느님의 아들《선인·신자》/a ~ *of* the Devil 악마의 아들《악인》. **6** (어떤 특수한 종족·계층·환경에) 태어난 사람, (어떤 특수한 성질에) 관련 있는 사람: a ~ *of* fortune〔the age〕 운명〔시대〕의 총아/a ~ *of* nature 자연아, 천진한 사람/a ~ *of* sin 죄의 아들, 사람/a ~ *of* the Revolution 혁명아. **7** 소산, 산물《두뇌·공상 등의》. **8** 《古》 = CHILDE. **as a child** 어릴 때. **from a child** 어릴 때부터. **this child** 《俗》 나(I, me). **with child** 임신하여: be *with child* by …의 아이를 배고 있다/get a woman *with child* 여자를 임신시키다. ◈ **chíldish** *a.*
chíld abùse 어린이 학대《육체적·성적인 폭력에 의한》.
child·bat·ter·ing [⌐bæ̀təriŋ] *n.* (어른에 의한) 아동 학대 행위.
child·bear·ing [⌐bɛ̀əriŋ] *n.* [U] 분만, 해산. ── *a.* 출산의; 출산 가능한.
child·bed [⌐bèd] *n.* 산욕(産褥); 분만: die in ~ 분만중에 죽다/~ fever 산욕열.
chíld bénefit 《영》(국가가 지급하는)아동 수당.
child·birth [⌐bə̀ːrθ] *n.* [U,C] 분만, 해산.
child-care *a.* 육아의, 보육의: ~ institutions 보육원.
child·care [⌐kɛ̀ər] *n.* 육아(育兒); 《영》 아동 보호《가정의 보호 밖에 놓여진 아동에 대한 지방 자치 단체의 일시적 보호》.
chíldcare lèave 육아(育兒) 휴가.
childe [tʃaild] *n.* 《古》 도련님, 귀공자.
Chil·der·mas [tʃíldərməs/-mæ̀s] *n.* 아기의 날《12월 28일, Herod왕에게 살해된 Bethlehem의 아기들을 추도하는 날》.
chíld guídance 〔教育〕 아동 상담《환경 부적응 또는 지능이 뒤진 아이를 정신 의학의 힘을 빌어 치료함》.
⁑**child·hood** [tʃáildhùd] *n.* [U] **1** 어린 시절, 유년 시대; 유년: in one's second ~ 늘그막에. **2** (사물의 발달의) 초기 단계.
child·ing [tʃáildiŋ] *a.* 《古》 아이를 낳는; 임신하고 있는(pregnant).
⁑**child·ish** [tʃáildiʃ] *a.* **1** 아동의, 어린이 같은. **2** 〈어른이〉 어린애 같은, 유치한, 어른답지 못한(⇨childlike). **~·ly** *ad.* **~·ness** *n.* ◈ child *n.*
chíld lábor 〔法〕 미성년 노동《미국에서는 15세 이하》.
child·less [tʃáildlis] *a.* 아이가 없는.
*__child·like__ [⌐làik] *a.* 어린이다운, 어린애 같은《좋은 뜻으로》, 순진한, 천진한. ◈ child *n.*
child·ly [tʃáildli] *a.* 《詩》 어린애 같은(childlike). **-li·ness** *n.*
child·mind·er [⌐màindər] *n.* **1** 《영》 =BABY-SITTER. **2** 보모.
child·mind·ing *n.* 《영》 =BABY-SITTING.
child-nap·ping [⌐næ̀piŋ] *n.* 이혼 수속이 끝나기 전에 한 쪽 부모가 자식을 빼앗는 일.
chíld pródigy =INFANT PRODIGY.
child·proof [⌐prùːf] *a.* 어린아이에게 안전한; 어린아이는 다룰 수 없는.
chíld psychólogy 아동 심리학.
★**chil·dren** [tʃíldrən] *n.* CHILD의 복수.
children of Israel 유대인, 헤브루 사람.
chil·dren·ese [tʃìldrəníːz] *n.* 《미》 소아어, 어린애말(baby talk).
child-re·sis·tant [tʃáildrizìstənt] *a.* 어린아이에게 안전한; (제품이) 어린아이가 장난할 수 없는.
chíld's plày **1** 《口》 아주 쉬운 일: It's mere ~ to do such a thing. 그런 일은 식은죽 먹기다. **2** 하찮은 일.
chíld wélfare 아동 복지.
chíld wífe 어린 아내.
chil·e *n.* =CHILI.
*__Chil·e, Chil·li__ [tʃíli] *n.* 칠레《남미 서남부의 공화국; 수도 Santiago》.
Chil·e·an, Chil·i·an [-ən] *a.* 칠레 사람의; 칠레의. ── *n.* 칠레 사람.
Chíle saltpéter〔**níter**〕 〔鑛〕 칠레 초석(硝石), 질산 나트륨($NaNO_3$).
chil·i [tʃíli] *n.* (*pl.* **~es**) [U,C] **1** 칠레고추《열대 아메리카 원산》; 그것으로 만든 향신료. **2** =CHILI CON CARNE.
chil·i·ad [kíliæ̀d] *n.* 일천; 일천년《기간》.
chil·i·asm [kíliæ̀zəm] *n.* [U] 천년 왕국설《예수가 재림하여 천년간 이 세상을 통치한다는 설; *cf.* MILLENNIUM》. **-ast** [-æ̀st] *n.* 천년 왕국설 신봉자. **chìl·i·ás·tic** [kìliǽstik] *a.*
chil·i con car·ne [tʃílikɑnkάːrni/-kɔn-] [Sp] *n.* 칠레고추를 넣은 저민 고기와 강낭콩 스튜《멕시코 요리》.
chíli pòwder 칠레 파우더《고춧가루》.
chíli sàuce 칠레 소스《칠레고추·양파 등이 든 토마토 소스》.
⁑**chill** [tʃil] *n.* **1** (보통 *sing.*) 냉기, 한기: the ~ of early dawn 이른 새벽의 냉기/a ~ in the air 쌀쌀한 기운. **2** 오한, 으스스함. **3** (보통 *sing.*) 냉담, 쌀쌀함; 파흥(破興), 불쾌. **4** 풀죽음, 실의(失意). **5** (주물의) 냉경(冷硬). **6** 《미俗》 (차게 한) 맥주. **cast a chill upon**〔**over**〕 …에 찬물을 끼얹다; 흥을 깨뜨리다. **chills and fever** 《미》 학질, 간헐열(間歇熱). **have a chill** 오싹해지다; 감기에

걸려 있다. **take**〔**catch**〕 **a chill** 한기가 들다, 오한이 나다; 감기에 걸리다. **take the chill off** 〈물·술〉을 약간 데우다, 거냉하다. — *a.* 《文語》 **1** 냉랭한, 차가운. **2** 냉담한, 쌀쌀한. **3** 추위에 떨고 있는; 오한이 나는. — *vt.* **1** 냉각하다, 식히다. **2** 〈음식물을〉 냉장하다; 〈포도주 등을〉 차게 해서 내다. **3** 춥게 하다; 오싹하게 하다. **4** 〈쇠물·강철 등을〉 급속히 식혀 굳히다, 냉경(冷硬)하다. **5** 〈열의를〉 꺾다; 〈흥을〉 깨다. **6** 《영口》 〈액체를〉 알맞게 데우다. — *vi.* **1** 차지다; 으스스해지다, 오싹하다. **2** 쇠물이 냉경(冷硬)되다. **3** 열의가 식다, 냉담해지다. ⊕ chílly *a.*

chíll càr 《미》 〔鐵道〕 냉장차.

chilled[tʃild] *a.* **1** 냉각한; 냉장한: ~ meat 〔beef〕 냉장한 고기〔쇠고기〕(*cf.* FROZEN meat). **2** 〔冶〕 냉경(冷硬)한, 칠드 주물의: ~ casting 냉경 주물(鑄物).

chill·er[tʃílər] *n.* **1** 스릴을 느끼게〔오싹하게〕 하는 소설〔영화〕. **2** 냉각〔냉장〕 장치; 냉동계(係). **3** =CHILL MOLD.

chil·li[tʃíli] *n.* (*pl.* **~es**) 《영》 =CHILI.

Chil·li *n.* =CHILE.

chil·li·ness[tʃílinis] *n.* Ⓤ 냉기; 한기; 냉담.

chill·ing[tʃíliŋ] *a.* 한기가 스미는, 으슬으슬한; 냉담한, 쌀쌀한. **~·ly** *ad.*

chíll mòld 〔冶〕 칠〔냉경(冷硬)〕 주형(鑄型).

chill·ness *n.* =CHILLINESS.

Chil·lon[ʃəlán, ʃíːlən] *n.* 시용(스위스 Geneva 호 부근의 고성(古城); 원래 정치범용).

chill·room[tʃílrù(ː)m] *n.* 냉장실.

⁑**chill·y**[tʃíli] *a.* (**chill·i·er; -i·est**) **1** 냉랭한, 으스스한 〈날·날씨 등〉; 〈사람이〉 한기가 나는, 추위를 타는. **2** 냉담한. **3** 〈이야기 등〉 오싹한. **feel**〔**be**〕 **chilly** 오한이 나다. — *ad.* 냉랭하게. **chíl·li·ly** *ad.* ⊕ chill *n.*

chi·lo-[káilou] 《연결형》 「입술」의 뜻.

chi·lo·plas·ty[káiləplæ̀sti] *n.* Ⓤ 〔外科〕 입술 성형 수술.

Chíl·tern Húndreds[tʃíltərn-] *n. pl.* (the ~) 잉글랜드 중남부의 구릉지대 Chiltern Hills를 포함하는 영국왕 직속지. **apply for**〔**accept**〕 **the Chiltern Hundreds** 《영》 하원 의원직을 사임하다.

chi·mae·ra[kimíːrə, kai-] *n.* =CHIMERA.

chimb[tʃaim] *n.* =CHIME².

⁑**chime**¹[tʃaim] [L] *n.* **1** 차임(교회·탁상 시계 등의 조율된 한 벌의 종); (*pl.*) 〔樂〕 차임, 관종(管鐘); (종종 *pl.*) 그 종소리, 종악(鐘樂). **2** (문·탁상 시계 등의) 차임(장치). **3** Ⓤ 선율(melody), 해조(諧調)(harmony); 《文語》 조화, 일치. **in chime** (1) 〈소리가〉 조화되어. (2) 일치〔협력〕하여. **keep chime with** …와 장단을 맞추다. — *vt.* **1** 〈한 벌의 종을〉 울리다. **2** 〈종소리가 시각을〉 알리다; 종을 울려 〈사람을〉 부르다 (*to*): The clock ~*d* three. 시계가 세 시를 쳤다/The bell ~*d* me *home.* 종소리가 귀가를 재촉했다/~ a person *to* rest 종을 울려 …을 쉬게 하다. **3** (선율·음악을) 차임으로 연주하다. **4** 노래하듯〔단조롭게〕 말하다〔되풀이하다〕. — *vi.* **1** 〈한 벌의 종·시계가〉 울리다. **2** 종악(鐘樂)을 연주하다. **3** 조화하다, 일치하다(agree) (*with, together*). **chime in** (1) (노래 등에) 가락을 맞추다, 참여하다. (2) 〈사물이〉 …와 조화하다, 일치하다. (3) 대화에 (찬성의 뜻을 가지고) 끼어들다. (4) 동의하다(*with*).

chime² *n.* (술통 등의 아래위 마구리의) 돌출한 가장자리.

chim·er¹[tʃáimər] *n.* 종을 울리는 사람, 종악수(鐘樂手).

chim·er² *n.* =CHIMERE.

chi·me·ra[kimíːrə, kai-] *n.* **1** 〔그神〕 (**C-**) 키메라(불을 뿜는 괴물); (일반적으로) 괴물. **2** 망상(wild fancy). **3** 〔生〕 키메라(돌연변이·접목 등에 의해 두 가지 이상의 다른 조직을 가진 생물체).

chi·mere[tʃimíər, ʃi-] *n.* 치미어(영국 성공회의 bishop이 rochet 위에 입는 소매없는 검은 제의(祭衣)).

chi·mer·i·cal, -ic[kimérikəl, kai-], [-rik] *a.* 괴물 같은; 공상적인, 터무니 없는. **-i·cal·ly**[-ikəli] *ad.*

⁑**chim·ney**[tʃímni] [L] *n.* **1** 굴뚝(집·기관차 등의). **2** (램프의) 등피. **3** 굴뚝 모양의 것; (화산의) 분화구; 〔登山〕 침니(세로로 갈라진 바위 틈).

chímney brèast 굴뚝이나 벽난로가 벽에서 방안으로 내민 부분.

chímney càp 굴뚝 갓.

chímney còrner **1** 벽난로 구석(따뜻하고 안락한 자리). **2** 노변(爐邊).

chim·ney-jack *n.* 회전식 굴뚝갓.

chímney nòok =CHIMNEY CORNER.

chim·ney·piece *n.* =MANTELPIECE.

chímney pòt 굴뚝 꼭대기의 통풍관.

chím·ney-pot hàt 《영》 운두가 높은 실크햇.

chim·ney-shaft *n.* =CHIMNEY STALK.

chímney stàck **1** 여러 개의 굴뚝을 한데 모아 붙인 굴뚝(그 하나하나에 chimney pot가 붙음). **2** 큰 굴뚝(공장의).

chímney stàlk 《영》 굴뚝의 옥상(屋上) 부분; (공장 등의) 높은 굴뚝.

chímney swàllow **1** 《영》 (굴뚝에 집을 짓는) 제비. **2** 《미》 =CHIMNEY SWIFT.

chímney swèep(er) 굴뚝 청소부.

chímney swìft 〔鳥〕 칼새(북미산, 종종 굴뚝 속에 집을 지음).

chímney tòp 굴뚝 꼭대기.

chimp[tʃimp] *n.* 《口》 =CHIMPANZEE.

***chim·pan·zee**[tʃìmpænzíː, -pǽn-] *n.* 〔動〕 침팬지(아프리카산).

⁑**chin**[tʃin] *n.* **1** 턱; 턱끝. **2** 《미俗》 지껄임, 잡담. **chin in air** 턱을 내밀고. **Chin up!** 《口》 기운을 내라. **keep** one's **chin up** 《口》 용기를 잃지 않다, 기운을 내다. **take it on the chin** 《口》 (1) 되게 당하다, 패배하다. (2) (역경·패배·고통 등을) 견디어내다, 용기있게 참아내다. **up to the**〔one's〕 **chin** (턱까지) 깊이 빠져. **wag** one's **chin** 《俗》 잘 지껄이다. — *v.* (**~ned; ~·ning**) *vt.* **1** (~ one*self*로) (철봉에서) 턱걸이하다. **2** 〈바이올린 등을〉 턱에 갖다 대다. — *vi.* **1** 턱걸이하다. **2** 《미俗》 지껄이다.

Chin. China; Chinese.

⁑**chi·na**¹[tʃáinə] [「중국(의 자기)」의 뜻] *n.* Ⓤ **1** 자기(磁器)(porcelain). **2** (집합적) 도자기, 사기그릇: a set of ~ 사기그릇 한 벌. — *a.* 도자기(제)의.

chi·na² *n.* =CINCHONA.

★**Chi·na**[tʃáinə] [「진(秦)」: B.C. 3세기의 중국 왕조 이름] *n.* 중국. **from China to Peru** 세계 도처에. **the People's Republic of China** 중화 인민 공화국. **the Republic of China** 중화 민국(대만 정부). — *a.* 중국(산)의. ⊕ Chinése *a., n.*

Chína àster 〔植〕 과꽃.

chí·na bàrk[káinə-, kíːnə-] 기나피(幾那皮).

chi·na·ber·ry[tʃáinəbèri] *n.* (*pl.* **-ries**) 전단(=∠ **trèe**); 멀구슬나무.

chína clày 고령토(高嶺土), 도토(陶土)(kaolin).
chína clòset 도자기 찬장.
Chi·na·man[tʃáinəmən] *n.* (*pl.* **-men**[-mən]) 중국인《보통 경멸적》.
Chína róse 〔植〕 **1** 월계화(Bengal rose)《중국 원산》. **2** 하이비스커스, 불상화(佛桑花)(Chinese hibiscus).
Chína Séa *n.* (the ~) 지나해.
chína shòp 도자기점, 사기전.
Chína sỳndrome 중국 증후군(症候群)《원자로의 노심 용융(爐心熔融)으로 인한 원자력 발전소의 사고; 용융물이 땅 속에 침투하여 중국까지 도달한다는 상상에서 기초를 둔 것》.
Chína téa 중국차(茶).
Chi·na·town[tʃáinətàun] *n.* 중국인 거리, 차이나타운(*cf.* LIMEHOUSE).
Chína trèe 〔植〕 멀구슬나무(chinaberry).
chi·na·ware[-wɛ̀ər] *n.* Ⓤ 도자기, 사기 그릇.
Chína wàtcher[-wɑ̀tʃər/-wɔ̀tʃ-] 중국 문제 전문가, 중국통(Pekingologist).
Chína whìte =DESIGNER DRUG.
chin·bone[tʃínbòun] *n.* 〔解·動〕 아래턱《특히 사람의》.
chin·ca·pin *n.* =CHINQUAPIN.
chinch[tʃintʃ] *n.* 〔昆〕 **1** 빈대(bedbug). **2** =CHINCH BUG.
chínch bùg 긴노린재의 일종《밀의 해충》.
chin·chil·la[tʃintʃílə] *n.* **1** 〔動〕 친칠라《남미산》. **2** Ⓤ 친칠라 모피.
chin-chin[tʃíntʃìn/⌐⌐] *n.* (중국식의) 정중한 인사(말): ~ to Mr. ... …씨에게 안부 전해 주시오. ── *int.* 안녕하세요, 안녕히 가세요; 건배! ── *vt., vi.* (~**ned**; ~·**ning**) 정중히 인사하다; 한담하다.
chin·cough[tʃínkɔ̀(:)f, -kɑ̀f] *n.* Ⓤ 《方》 백일해.
chine[1] [tʃain] *n.* 《영方》 좁고 깊은 골짜기.
chine[2] *n.* **1** 등뼈. **2** 등심《동물의》. **3** 산등성이, 산마루. ── *vt.* …의 등뼈를 따라꽂다.
chine[3] *n.* =CHIME[2].
Chi·nee[tʃainí:] *n.* 《俗·경멸》 중국인(Chinaman).
*__Chi·nese__[tʃainí:z, -ní:s] *a.* 중국(제, 산, 사람, 말)의. ── *n.* (*pl.* ~) **1** 중국 사람. **2** Ⓤ 중국 말.
Chínese bóxes 작은 상자로부터 차례로 큰 상자에 꼭 끼게 들어갈 수 있게 한 상자 한 벌.
Chínese cháracter 한자.
Chínese chéckers (단수·복수 취급) (2-6인이 하는) 다이아몬드 게임.
Chínese cópy 결점까지 완벽하게 모방한 모조품.
Chínese Émpire (1912년 이전 역대의) 중국 왕조.
Chínese ínk 먹(India ink).
Chínese lántern (종이) 초롱.
Chínese púzzle **1** 난해한 퍼즐. **2** 복잡하고 난해한 것; 난문(難問).
Chínese réd **1** 주홍색. **2** 《미俗》 헤로인(heroin).
Chinése Revolútion (the ~) 중국 혁명《손문이 청조를 무너뜨리고 1912년 중화민국을 건설; 중국 공산당에 의한 사회주의 혁명》.
Chínese Wáll *n.* (the ~) 만리 장성(the Great Wall of China).
Chínese whíte 안연백(zinc white).
Chínese wóod oìl 동유(桐油)(tung oil).
Ching, Ch'ing *n.* 〔中國史〕 청(淸), 청조(1644-1912).
chink[1] [tʃiŋk] *n.* **1** 갈라진 틈, 금; (빛·바람 등이 새는) 좁은 틈. **2** 틈새에서 새는 빛. **3** (법률 등의) 빠져나갈 구멍. **a**〔**the**〕 **chink in a person's armor** 《口》 (방어·옹호 등에 있어서의) 약점; 결점. ── *vt.* 〈틈을〉 메우다《*up*》.
chink[2] *n.* **1** 잘랑잘랑, 댕그랑《유리나 금속의 서로 닿는 소리》. **2** Ⓤ,Ⓒ 《古》 돈, 현찰(cash). ── *vt., vi.* 잘랑잘랑 소리내다〔나다〕.
Chink, Chink·ie, Chink·y *n.* 《俗·경멸》 중국사람.
chink·y[tʃíŋki] *a.* 금이 간, 틈새가 많은.
chin·ka·pin[tʃíŋkəpìn] *n.* =CHINQUAPIN.
chin·less[tʃínlis] *a.* **1** 턱이 들어간. **2** 용기〔확고한 목적〕가 없는, 우유부단한, 나약한.
chìnless wónder 《영俗》 어리석은 사람《특히 상류 계급의 남자》.
chín músic 《미俗》 잡담, 수다.
chi·no[tʃí:nou, ʃí:-] *n.* (*pl.* ~**s**) 《미》 치노《카키색의 튼튼한 면직물; 군복·작업복용》.
Chi·no-[tʃáinou] 《연결형》 'China'의 뜻(*cf.* SINO-): *Chino*-Korean 한·중의.
chi·noi·se·rie[ʃi:nwɑ́:zəri, -wɑ:zərí:] [F] *n.* (17-18세기 유럽에서 유행한 복장·가구·건축 등에서의) 중국 취미(의 것).
Chi·nook[ʃinú:k, -núk, tʃi-] *n.* (*pl.* ~, ~**s**) **1** a (the ~(s)) 치누크 족《미국 서북부 콜롬비아 강 유역에 사는 북미 인디언》. b 치누크 족의 사람. **2** Ⓤ 치누크 말. **3** (**c-**) 치누크 바람《미국 서북부에서 겨울에서 봄에 걸쳐 부는 따뜻한 남서풍》.
Chi·nook·an[-ən] *a.* 치누크 사람〔족, 어족〕의. ── *n.* 치누크 어족.
Chinóok Járgon, C- j- 치누크어와 영어·프랑스어의 혼성어.
chinóok sálmon, C- s- 〔魚〕 태평양 북부산의 큰 연어(king salmon).
chin·qua·pin[tʃíŋkəpìn] *n.* 〔植〕 북미산 밤나무의 일종; 그 열매.
chinse[tʃins] *vt.* (배의 널의 이음매를) 뱃밥으로 메우다.
chín stràp (모자의) 턱끈.
chín tùrret (폭격기 등의) 기수(機首) 밑의 총좌(銃座).
chintz[tʃints] *n.* Ⓤ 사라사 무명《커튼·가구 커버용》.
chintze[tʃints] *vt.* =CHINSE.
chintz·y[tʃíntsi] *a.* (**chintz·i·er**; **-i·est**) **1** chintz의〔같은〕; chintz로 장식한. **2** 《口》 값싼, 야한, 싸구려의.
chin-up[tʃínʌ̀p] *a.* 용감한. ── *n.* 턱걸이.
chin-wag[tʃínwæ̀g] *n.* 《俗》 수다, 잡담. ── *vi.* (~**ged**; ~·**ging**) 《俗》 수다 떨다.
chi·o·no·dox·a *n.* 〔植〕 백합과(科)의 풀.
*__chip__[1] [tʃip] *n.* **1** 조각, 나무쪽, (나무) 토막, 지저깨비; 깎아낸 부스러기; (모자·바구니 등을 만드는) 대팻밥, 무늬목. **2** (도자기·판자 등의) 이 빠진〔깨진〕 자국, 흠; 사금파리, 깨진 조각. **3** (보통 *pl.*) (음식의) 작은 조각, 얇은 조각; (*pl.*) 《영》 포테이토 프라이; 《미·오스》 포테이토 칩스. **4** (연료용의) 가축의 말린 똥; 말라빠진 것, 무미건조한 것; 하찮은 것, 사소한 일. **5** (노름에서 쓰는 현금 대용의) 점수패, 칩(counter). **6** (*pl.*) 《俗》 돈. **7** 〔골프〕 =CHIP SHOT. **8** 〔電子〕 칩《집적회로를 붙이는 반도체 조각》; 집적 회로. **a chip in porridge**〔**broth**〕 무해무득한 것, 있으나 마나 한 것. **a chip of**〔**off**〕 **the old block** (기질 등이) 아버지를 꼭 닮은 아들. **a chip on one's shoulder** 시비조. (**as**) **dry as a chip** 바싹 마른; 시시한, 무미건조한. **buy chips** 투자하다. **cash**〔**pass**〕 **in one's**

chips (1) (노름판에서) 칩을 현금으로 바꾸다. (2) 《미俗》 죽다. **have had one's chips** 《영口》 실패하다, 지다. **in the chips** 《俗》 돈이 잔뜩 있는, 매우 부유한. **let the chips fall where they may** 《口》 결과야 어찌 되든. **when the chips are down** 《口》 위급할 때에. ― (~**ped**; ~·**ping**) *vt.* **1** 잘게 썰다, 깎다, 자르다; 〈가장자리·모서리 등을〉 깎아내다, 도려내다 《*off, from*》. **2** 깎아서 …을 만들다. **3** 〈병아리가 달걀 껍질을〉 깨다. **4** 〈감자를〉 얇게 썰어 튀기다. **5** 《영口》 놀리다(banter). **6** 공헌하다, 헌금하다; 〔카드〕 칩을 내고 걸다. **7** 〔골프·미蹴〕 (볼을) chip shot으로 치다. ― *vi.* **1** 〈돌·도자기 등이〉 깨지다, 이가 빠지다. **2** 〈병아리가〉 달걀 껍데기를 깨다. **chip at** …을 치고 덤비다; …에게 독설을 퍼붓다. **chip away** (1) 〈나무·돌 등을〉 조금씩 깎아내다. (2) …을 조금씩 무너뜨리다. **chip in** (1) 〈사업 등에〉 기부하다. (2) 〈의견 등을〉 제각기 제시하다. (3) (논쟁 등에) 말참견하다, 끼여들다《*with*》. ◇ chíppy[1] *a.*

chip[2] *vi.* (~**ped**; ~·**ping**) 《미》 짹짹〔찍찍〕 울다(chirp). ― *n.* 짹짹〔찍찍〕 우는 소리.

chip[3] *n.* 〔레슬링〕 안다리 후리기.

chíp bàsket 대팻밥〔무늬목〕 바구니.

chip·board[tʃípbɔ̀:rd] *n.* Ⓤ,Ⓒ 마분지, 판지.

chíp càrd 〔컴퓨터〕 칩카드(반도체 칩을 실제로 넣은 카드; bank card나 credit card 등이 있음).

chíp hèad 〔컴퓨터〕 컴퓨터광(狂).

chip·mak·er[tʃípmèikər] *n.* 칩메이커, 반도체(소자) 제조업자(semiconductor manufacturer).

chip·munk, -muck[tʃípmʌŋk], [-mʌk] *n.* 〔動〕 다람쥐의 일종(북미산).

chip·o·la·ta *n.* 가늘고 작은 소시지의 일종.

chípped béef 《미》 (종이처럼) 얇게 썬 훈제 쇠고기.

Chip·pen·dale[tʃípəndèil] *a., n.* 치펜데일식의 (가구(家具))(곡선이 많고 장식적인 의장(意匠)).

chip·per[1][tʃípər] 《미口》 *a.* 기운찬, 쾌활한. ― *vt.* 기운을 돋우다 《*up*》. ― *vi.* 기운을 내다 《*up*》.

chipper[2] *vi.* 〈새가〉 짹짹 울다; 재잘재잘 지껄이다.

chipper[3] *n.* CHIP[1] 하는 사람〔도구〕.

Chip·pe·wa[tʃípiwɑ̀:, -wèi] *n.* (*pl.* ~, ~**s**) 치피와 사람(Superior 호수 지방에 사는 북미 인디언).

chip·pie *n.* 《俗》 =CHIPPY[2] 2.

chip·ping[1] [tʃípiŋ] *n.* (보통 *pl.*)(돌·나무 등의 깎아낸) 조각, 단편, 지저깨비.

chipping[2] *a.* 짹짹 우는.

chípping spàrrow 참새의 일종(북미산).

chip·py[1][tʃípi] *a.* (**-pi·er**; **-pi·est**) **1** 지저깨비의. **2** 바싹 마른; 《俗》 무미건조한(dry). **3** 《俗》 (과음하여) 속이 쓰린, 숙취의; 성마른.

chippy[2][tʃípi] *n.* (*pl.* **-pies**) **1** =CHIPPING SPARROW. **2** 《俗》 바람둥이 여자, 창녀. **3** =CHIPMUNK. **4** 협궤(狹軌) 철도 차량.

chíp shòt 〔골프〕 칩숏(손목 동작으로 공을 낮고 짧게 쳐 올리기).

chíp wàr 반도체 전쟁.

chip·wich[tʃípwìtʃ] *n.* 《미》 칩위치(튀긴 감자를 넣은 샌드위치 비슷한 가벼운 식사).

chir-[kair], **chi·ro-**[káirou], **chei·r(o)-**[káir(ou)] 《연결형》 「손」의 뜻.

chirk[tʃə:rk] 《미口》 *a.* 기운찬, 쾌활한. ― *vt.* 기운을 돋우다《*up*》. ― *vi.* 기운이 나다《*up*》.

chirm[tʃə:rm] *vi.* 〈새·벌레 등이〉 시끄럽게 지저귀다〔울다〕. ― *n.* 지저귐, 벌레 소리.

chi·rog·no·my[kairágnəmi/-rɔ́g-] *n.* Ⓤ 손금 보기, 수상술.

chi·ro·graph[káirougræ̀f, -grɑ̀:f] *n.* 증서, 자필 증서.

chi·rog·ra·pher[kairágrəfər/-rɔ́g-] *n.* 서예가.

chi·rog·ra·phy[kairágrəfi/-rɔ́g-] *n.* **1** Ⓤ 필법(筆法); 서체. **2** 서도.

chi·ro·man·cer[káirəmæ̀nsər] *n.* 손금 보는 사람, 수상가.

chi·ro·man·cy[káirəmæ̀nsi] *n.* Ⓤ 손금 보기, 수상술(手相術).

Chi·ron[káirɑn/-rən] *n.* 〔그神〕 케이론(가장 현명한 켄타우루스(centaur)로서 예언·의술·음악에 능했음).

chi·rop·o·dist[kərápədist/-rɔ́p-] *n.* 《영》 족병(足病) 전문의(《미》 podiatrist).

chi·rop·o·dy[kirápədi, kai-/-rɔ́p-] *n.* Ⓤ 발(병)치료(티눈의 치료, 발톱깎이 등).

chi·ro·prac·tic[kàirəprǽktik] *n.* (척추) 지압 요법, 척주 교정. **chi·ro·prac·tor**[káirəpræ̀ktər] *n.* (척추) 지압 (요법)사.

chi·rop·ter[kaiərɑ́ptər/-rɔ́p-] *n.* 〔動〕 익수류(翼手類)의 동물(박쥐(bat) 따위).

chi·rop·ter·a[kairɑ́ptərə/-rɔ́p-] *n. pl.* (*sing.* **-ter·os**[-rəs]) 〔動〕 포유강(哺類綱) 익수목(翼手目). **-ter·an**[kaiərɑ́ptərən/-rɔ́p-] *a., n.* 익수류의 (동물).

⁂**chirp**[tʃə:rp] *n.* 짹짹(새·곤충 등의 울음 소리). ― *vi.* **1** 짹짹 울다〔지저귀다〕. **2** 새된 목소리로 말하다; 즐거운 듯이 말하다. **3** 《俗》 (경찰 등에) 정보를 알리다. ― *vt.* 새된 목소리로 말하다. ◇ chírpy *a.*

chirp·y[tʃə́:rpi] *a.* (**chirp·i·er**; **-i·est**) **1** 짹짹 지저귀는. **2** 《口》 쾌활한, 즐거운.
chírpi·ly *ad.* **-i·ness** *n.*

chirr[tʃə:r] *n.* 귀뚤귀뚤〔찌르르찌르르〕(여치·귀뚜라미 등의 우는 소리). ― *vi.* 귀뚤귀뚤〔찌르르찌르르〕 울다.

chir·rup[tʃírəp, tʃə́:rəp] *n.* 짹짹(새 우는 소리); 쯧쯧(혀차는 소리). ― *vi.* **1** (말 등을 어르기 위해) 쯧쯧하다. **2** (극장 등에서 동원된 자들이) 갈채하다. ― *vt.* 〈말 등을〉 쯧쯧하여 어르다.

chi·rur·geon *n.* 《古》 외과 의사(surgeon).

Chis·an·bop[tʃízənbɑ̀p/-bɔ̀p] *n.* 지산법(指算法)(산술 초보를 가르치는 손가락 계산법; 한국인 Pai Sung Jin 씨가 발명; 상표명).

***chis·el**[tʃízəl] *n.* **1** 끌, 조각칼, (조각용) 정. **2** (the ~) 조각술(*cf.* the BRUSH, the PEN). **full chisel** 《미俗》 전속력으로. ― (~**ed**; ~·**ing**|~**led**; ~·**ling**) *vt.* **1** 끌로 파다〔새기다〕, 조각하다: (finely) ~*ed* features 윤곽이 뚜렷한 용모/~ a statue *out of*〔*from*〕 marble =~ marble *into* a statue 대리석으로 상을 조각하다. **2** 《俗》 속이다, 사취하다(*out of*): ~ a person *out of* something …을 속여 …을 빼앗다; 《미俗》 값을 생각 없이 빌다. ― *vi.* **1** 끌을 쓰다, 조각하다. **2** 《俗》 부정 행위를 하다: ~ *for* good marks 좋은 점수를 따려고 부정 행위를 하다. **chisel in** 《미口》 참견하다, 끼여들다.

chis·eled|**-elled**[tʃízəld] *a.* 끌로 판; 윤곽이 분명한.

chis·el·er|**-el·ler**[tʃízələr] *n.* **1** 조각가. **2** 《口》 속이는 사람, 사기꾼.

chi-square[kái-skwὲər] *n.* 〔통계〕 카이

제곱.
chit¹[tʃit] *n.* **1** 아기, 유아. **2** 어린 짐승. **3** 《경멸》 건방진 계집아이: a ~ of a girl 건방진 계집아이.
chit² *n.* **1** (음식의 소액의) 전표《손님이 서명함》. **2** 인물 증명서. **3** 짧은 편지; 메모.
chit³ *n.* 싹(sprout). — *vi.* (~·ted; ~·ting) 싹을 내다, 싹이 트다.
chit·chat[tʃíttʃæ̀t] *n.* 잡담, 한담; 세상 공론. — *vi.* 잡담〔한담〕하다.
chi·tin[káitin] *n.* Ⓤ 키틴질(質), 각소(角素) 《곤충·게 등의 껍질을 형성하는 성분》.
~·ous[-əs] *a.* 키틴질의.
chít·lin cìrcuit[tʃítlən-] 흑인 극장〔나이트클럽〕.
chit·lings, -lins[tʃítliŋz], [-linz] *n.*=CHITTERLINGS.
chi·ton[káitɑn/-tɔn] *n.* **1** 〔옛 그리스〕 속옷의 일종. **2** 〔貝〕 딱지 조개류의 조개.
chít sỳstem 전표 지불제(制).
chit·ter·lings[tʃítlinz, -liŋz] *n. pl.* 식용 곱창《돼지·송아지 등의》.
chiv[ʃiv] 《俗》 *n.* 칼, 단도. — *vt., vi.* 단도로 찌르다.
chi·val·ric[ʃivǽlrik/ʃívəl-] *a.* 기사도(시대)의; 기사적인(chivalrous).
*__chiv·al·rous__[ʃívəlrəs] *a.* **1** 기사도 시대〔제도〕의. **2** 기사도적인; 용기 있고 예의바른; 관대한, 의협적인; (여성에게) 정중한.
~·ly *ad.* **~·ness** *n.*
*__chiv·al·ry__[ʃívəlri] [F] *n.* Ⓤ **1** (중세의) 기사 제도; 기사도, 기사도적 정신《충의·용기·인애·예의를 신조로 하고 여성을 존중하며 약자를 도움》 the Age of *Chivalry* 기사도 시대《유럽의 10-14세기》. **2** (집합적; 복수 취급) 기사들(knights). ◇ chívalrous, chiválric *a.*
chive[tʃaiv] *n.* **1** 〔植〕 골파《조미료》. **2** (보통 *pl.*) 골파의 잎《향신료》.
chiv·(v)y[tʃívi] *n.* (*pl.* **chiv·(v)ies**) 사냥, 추적; 몰이 때 지르는 함성(hunting cry). — *vt.* (**chiv·(v)ied**) **1** 《口》 〈사람 등을〉 쫓아다니다. **2** 마구 몰아대다; 혹사하다; 귀찮게 괴롭히다(*along, up*); 귀찮게 다그쳐 …하게 하다(*into*).
chiz(z)[tʃiz] 《영俗》 *n.* 속임수. — *vt.* 속이다.
Ch. J. Chief Justice.
chla·myd·i·a[kləmídiə] *n.* 〔醫〕 클라미디아 《성병의 하나》.
chlam·ys[klǽmis, kléi-] *n.* (*pl.* **~·es, -y·des**[-mədì:z]) 〔古그〕 망토의 일종.
Chlo·ë[klóui] *n.* **1** 여자 이름. **2** 클로에《전원시에 나오는 양치는 소녀의 이름》.
chlor-[klɔ:r], **chlo·ro-**[klɔ́:rou] 《연결형》 「염소(鹽素); 녹(綠)」의 뜻《모음 앞에서는 chlor-》.
chlo·ro- 《연결형》 =CHLOR-.
chlo·ral[klɔ́:rəl] *n.* Ⓤ 〔化〕 **1** 클로랄. **2** 포수(抱水) 클로랄(=∠ **hýdrate**)《마취제》.
~·ìism[-ìzəm] *n.* Ⓤ 클로랄 중독.
chlo·ral·ize[-àiz] *vt.* 클로랄로 처리하다.
chlor·am·phen·i·col[klɔ̀:ræmfénikɔ̀:l, -kɑ̀l] *n.* Ⓤ 클로람페니콜《광범위 항생 물질》.
chlo·rate[klɔ́:reit, -rit] *n.* 〔化〕 염소산염.
chlor·dane, -dan[klɔ́:rdein], [-dæn] *n.* 〔藥〕 클로르덴 《무취의 살충액》.
chlo·rel·la[klərélə] *n.* 〔植〕 클로렐라《녹조(綠藻)의 일종》.
chlo·ric[klɔ́:rik] *a.* 염소의; 염소산의.
chlóric ácid 〔化〕 염소산.
chlo·ride[klɔ́:raid, -rid] *n.* 〔化〕 **1** Ⓤ 염화물: ~ of lime 클로르 석회, 표백분. **2** 염화화합물.
chlo·ri·dize[klɔ́:rədàiz] *vt.* 염화물〔염소〕로 처리하다; 〈광석 등을〉 염화물로 처리하다.
chlo·ri·nate[klɔ́:rənèit] *vt.* 〔化〕 〈물 등을〉 염소로 처리〔소독〕하다.
chló·ri·nat·ed hýdrocarbon[klɔ́:rənèitid-] 〔化〕 염소화 탄화수소《환경 오염 물질 중에서 가장 오래 남는 살충제》.
chlo·rin·a·tion[klɔ̀:rənéiʃən] *n.* Ⓤ 염소 처리〔소독〕(법).
chlo·rine[klɔ́:rin] *n.* Ⓤ 〔化〕 염소《기호 Cl, 번호 17》.
chlórine wàter 염소수《표백액》.
chlo·rite¹[klɔ́:rait] *n.* 〔化〕 아(亞)염소산염.
chlorite² *n.* Ⓤ 〔鑛〕 녹니석(綠泥石).
chlor·mád·i·none (ácetate)[klɔ:rmǽdənòun-] 〔藥〕 클로르마디논(아세테이트)《경구 피임약》.
chlo·ro·bró·mide (pàper)[klɔ:rəbróumaid-, -mid-] 〔寫〕 클로로브로마이드지《인화지의 일종》.
chlo·ro·dyne[klɔ́:roudàin] *n.* Ⓤ 클로로다인 《아편·클로로포름 등을 함유하는 마취 진통제》.
chlo·ro·fluor·o·car·bon[klɔ̀:rouflùəroukɑ́:bən, flɔ̀:r-] *n.* 〔化〕 클로로플루오로카본《탄소·수소·염소·불소로 된 각종 화합물; 스프레이의 분사제·냉각제로 사용》.
chlo·ro·flu·o·ro·meth·ane[klɔ̀:rouflùərəméθein, -flɔ̀:r-] *n.* 〔化〕 클로로플루오로메탄《스프레이의 분사제·냉매(冷媒); 略: CFM》.
chlo·ro·form [klɔ́:rəfɔ̀:rm] *n.* Ⓤ 클로로포름《무색·휘발성의 액체; 마취약》: put under ~ 클로로포름 마취를 하다. — *vt.* 클로로포름으로 마취〔살해, 처리〕하다. **~·ist** *n.*
Chlo·ro·my·ce·tin[klɔ̀:roumaisí:tn] *n.* 클로로마이세틴《티푸스 등의 특효; chloramphenicol의 상표명》.
chlo·ro·phyl(l)[klɔ́:rəfìl] *n.* Ⓤ 〔植·生化〕 엽록소.
chlo·ro·pic·rin[klɔ̀:roupíkrin] *n.* Ⓤ 〔化〕 클로로피크린《살충 살균제; 독가스용》.
chlo·ro·plast[klɔ́:rouplæ̀st] *n.* 〔植〕 엽록체.
chlo·ro·prene[klɔ́:roupri:n] *n.* Ⓤ 클로로프렌《합성 고무의 원료》.
chlo·ro·quine[klɔ̀:roukwí:n, -kwáin] *n.* Ⓤ 클로로퀸《말라리아의 특효약》.
chlo·ro·sis[klɔ:róusis] *n.* Ⓤ 〔病理〕 위황병(萎黃病); 〔植〕 (녹색 부분의) 백화(白化)(현상).
chlo·rous[klɔ́:rəs] *a.* 〔化〕 아염소산의, 3가의 염소를 함유한.
chlórous ácid 〔化〕 아염소산.
chlor·pic·rin *n.* =CHLOROPICRIN.
chlor·prom·a·zine[klɔ:rprɑ́məzì:n/-prɔ́m-] *n.* 〔藥〕 클로르프로마진《정신분열증의 진정제》.
chlor·tet·ra·cy·cline *n.* 〔藥〕 클로르테트라사이클린《항생 물질; 상표명은 오레오마이신》.
chm., chmn. chairman. **Ch. M.** *Chirurgiae Magister*(L =Master of Surgery).
choc[tʃɑk/tʃɔk] *n.* 《영口》 초콜릿.
choc. chocolate.
choc-bar[∠bɑ̀:r] *n.* 《영口》 아이스 초코바.
choc-ice[tʃɑ́kàis/tʃɔ́k-] *n.* 《영口》 초코 아이스크림.
chock[tʃɑk/tʃɔk] *n.* **1** (문·통·바퀴 등을 고정시키는) 굄목, 쐐기. **2** 〔海〕 초크, 도삭기(導索器); (갑판 위의 보트를 얹는) 받침 나무.

— *vt.* **1** 쐐기로 괴다. **2** 보트를 받침 나무에 얹다. **3** …으로 가득 채우다: The room was ~*ed up* a room *with* furniture. 그 방은 가구로 가득 차 있었다. — *ad.* 가득히, 빽빽이, 잔뜩.

chock·a·block[tʃákəblák/tʃɔ́kəblɔ́k] *a.* **1** 〔海〕〈복활차(複滑車)의 위·아래 활차가〉 맞닿을 만큼 당겨져. **2** 《口》 …으로 꽉 차서, 빽빽하여(*with*). — *ad.* 꽉 차서, 빽빽이.

chock-full[tʃákfúl/tʃɔ́k-] *a.* 꽉 들어찬, 빽빽이 찬.

choc·o[tʃákou/tʃɔ́kou] *n.* (*pl.* **~s**) **1** 《영俗·경멸》 유색인, 흑인. **2** 《오스俗》 (2차 대전 중의) 민병, 징집병.

choc·o·hol·ic[tʃɔ̀:kəhɔ́:lik, -hálik, tʃàkə-] *n.* 초콜릿을 습관적으로 지나치게 먹는 사람.

choc·o·late[tʃɔ́:kəlit, tʃák-/tʃɔ́k-] *n.* **1** Ⓤ 초콜릿. **2** Ⓤ,Ⓒ 초콜릿 과자; 초콜릿 음료(飮料). **3** Ⓤ 초콜릿 색. — *a.* **1** 초콜릿의, 초콜릿으로 만든; 초콜릿으로 맛들인. **2** 초콜릿 색의.

choc·o·late-box[-bàks/-bɔ̀ks] *a.* (초콜릿 상자의 그림처럼) 장식적이고 감상적인; 겉보기에 예쁜(prettified).

chócolate chìps **1** (디저트 등에 넣는) 초콜릿 칩스. **2** 《미俗》 환각제(LSD).

chócolate mòusse (기름 유출로 생기는) 해상의 기름 거품.

chócolate sóldier 실전에 참가하지 않는 군인.

Choc·taw[tʃáktɔ:/tʃɔ́k-] *n.* (*pl.* **~, ~s**) **1** a (the ~(s)) 촉토족(아메리카 인디언의 한 종족). b 촉토족의 사람. **2** Ⓤ 촉토 말; 못 알아들을 말. **3** (때로 **c-**) 촉토(오른발로 전진한 다음 왼발로 후진하는 피겨 스케이팅 스텝의 한가지).

choff[tʃɔ:f, tʃaf] *n.* 《俗》 음식물(food).

choice[tʃɔis] *n.* **1** Ⓤ 선택(하기); 선정. **2** 선택의 기회; Ⓤ 선택권, 선택의 자유〔여지〕. **3** (보통 a ~ of … 로) (집합적) (선택할 수 있는) 종류, 범위, 선택의 풍부함: a great ~ of roses 가지각색의 장미/a poor ~ 종류가 적음. **4** (the ~) Ⓒ 선택된 것〔사람〕; 특선품: Which is your ~? 어느 것으로 하겠습니까. **5** Ⓤ 선택의 신중: *with* ~ 신중히. **6** Ⓤ 《미》 (쇠고기의) 상품, 상등육. **a choice for the tokens** 〔新聞〕 잘 나가는 책. **at (one's) choice** 마음대로. **for〔by〕 choice** 고른다면, 어느 편인가 하면; 특히, 즐겨. **from choice** (자기가) 좋아서, 자진하여. **have no choice** (1) 선택의 여지가 없다, 그렇게 하지 않을 수 없다: 《Ⅲ (목)+부+〈*to do*〉》 He *had no choise* but to leave on the spot. 그는 즉석에서 떠나지 않을 수가 없었다. (2) 가리지 않다, 아무 것이나 상관없다. **have no (other) choice but to** do …하지 않을 수 없다. **have one's choice** 고를 권리가 있다, 마음대로 고를 수 있다. **make choice of** …을 선택하다. **make〔take〕 one's choice** 마음에 드는 것을 택하다. **of choice** 정선한, 특상의. **the girl of one's choice** 자기가 고른(여자). **of one's own choice** 자기가 좋아서. **offer a choice** 마음대로 고르게 하다. **There is no choice between** the two. (양자 간에) 우열(優劣)이 없다. **use careful choice** (주의하여) 고르다. **without choice** 가리지 않고, 무차별로.

— *a.* (**choic·er; -est**) **1** 〈음식 등이〉 특상의, 우량(품)의; 고급의; 《미》 〈쇠고기가〉 상등품의. **2** 〈말 등이〉 골라낸, 정선한; 《반어》 〈말이〉 신랄한, 공격적인. **chóice·ly** *ad.*

chóice·ness *n.* ⊕ choose *v.*

choir[kwáiər] *n.* **1** (집합적) 합창단, 성가대 《교회의》. **2** (보통 *sing.*) (교회의) 성가대석. **3** 노래하는 새떼. — *vt., vi.* 《詩》 〈새·천사 등이〉 합창하다.

choir·boy[kwáiərbɔ̀i] *n.* 소년 성가대원.

chóir lòft 성가대석.

choir·mas·ter[-mæ̀stər, -mà:s-] *n.* 성가대〔합창단〕 지휘자.

chóir òrgan 합창 반주용 오르간《교회의》.

chóir schòol 성가대 학교《대성당·대학에 부속된》.

chóir scrèen 성가대석(席)과 일반석 사이의 칸막이.

choke[tʃouk] *vt.* **1** 질식시키다; 〈연기·눈물 등이〉 숨막히게 하다: I was almost ~*d by* the smoke. 연기 때문에 숨이 막혀 죽을 뻔했다. **2** 메우다, 막다; 막히게 하다(*up*): Ice ~*d* the channel. 얼음으로 수로가 막혔다/The drainpipe was ~*d up with* dirt. 하수관이 진흙으로 막혔다. **3** 〈감정·눈물을〉 억제하다: ~ *down* one's rage 분노를 꾹 참다. **4** 〈잡초 등이 다른 식물을〉 마르게 하다; 〈성장·발전을〉 저해하다. **5** 〈불을〉 끄다(*up*). **6** 〈엔진을〉 초크하다(혼합기(氣)를 짙게 하기 위하여 카뷰레터의 공기 흡입을 막다). **7** 《영口》 …을 실망〔낙담〕 시키다, 진저리나게 하다. — *vi.* **1** 숨이 막히다, 질식하다; 숨통이 막히다. **2** (음식으로) 목이 메게 하다; (감정으로) 말을 못하게 되다: ~ *over* one's food 음식을 먹다가 목이 메다/~ *with* rage 분노로 말문이 막히다. **3** 〈파이프 등이〉 막히다. **choke back** 〈감정·눈물 등을〉 억누르다, 억제하다. **choke down** (1) 〈음식물을〉 간신히 삼키다. (2) 〈감정·눈물 등을〉 가까스로 억제하다. (3) 〈모욕 등을〉 꾹 참다. **choke in** 《미俗》 할 말을 꾹 참다. **choke off** (1) (목을 졸라) 〈비명을〉 지르지 못하게 하다. (2) 《口》 (소리를 지르거나 하여) …을 침묵시키다. (3) 《口》 (계획 등을) 포기하게 하다. (4) 《口》 〈토론 등을〉 중지시키다. (5) 《口》 …을 질책하다, 호통치다. **choke up** (1) 막히게 하다, 메우다. (2) 《口》 (어떤 일이 …의) 말문이 막히게 하다. (3) 〈배트·라켓 등을〉 짧게 쥐다. (4) (감정이 격하여) 말을 못하게 되다. (5) 《미口》 (긴장하여) 굳어지다, 얼다.

— *n.* **1** 질식. **2** (파이프 등의) 폐색부(閉塞部); 총강(銃腔)의 폐색부 조절 조리개(*cf.* CHOKEBORE). **3** 〔電〕 초크, 색류(塞流) 코일(=~ coil). **4** 〔機〕 초크(엔진의 공기 흡입 조절 장치). ⊕ chók(e)y[1] *a.*

choke·bore[∠bɔ̀:r] *n.* 폐색부; choke가 있는 총(銃).

choke·cher·ry[∠tʃèri] *n.* (*pl.* **-ries**) 《미》 산벚나무의 일종; 그 떫은 열매《북미산》.

chóke còil 〔電〕 초크, 색류(塞流) 코일.

choked *a.* **1** 메인, 막힌; 숨막히는. **2** 《영口》 진저리난: be〔feel〕 ~ 진저리나다.

choke·damp[∠dæ̀mp] *n.* Ⓤ 질식성 가스 《탄갱 등에 괴는 탄산 가스》.

choke-full[∠fúl] *a.* =CHOCK-FULL.

choke·point *n.* 애로(隘路); 매우 밀집〔혼잡〕한 장소; 위험한 장소.

chok·er[tʃóukər] *n.* **1** 숨막히게 하는 것〔사람〕. **2** 《口》 높은 칼라; (목을 꼭 죄는) 목걸이.

chok·(e)y[1] [tʃóuki] *a.* (**chok·i·er; -i·est**) 숨막히는, 목이 메는 듯한.

chok(e)y[2] *n.* (*pl.* **chok·ies, chok·eys**) (the ~) 《인도·영俗》 유치장, 교도소.

chok·ing[tʃóukiŋ] *a.* **1** 숨막히는. **2** (감동

으로) 목메는 듯한. **3** 〔電〕 색류(塞流)의. ── *n.* Ⓤ 숨막힘. **~·ly** *ad.*

chóking còil =CHOKE COIL.

chol-[kóul], **cho·le-**[kóulə], **chol·o-**[kóulou] 《연결형》 「담즙(bile)」의 뜻《모음 앞에서는 chol-》.

cho·la[tʃóulə] *n.* (*pl.* **-las**) (특히 멕시코계(系) 미국인의) 거리의 부랑아인 틴에이지 소녀 (*cf.* CHOLO).

chol·an·gi·og·ra·phy[kəlændʒiágrəfi/-dʒiɔ́g-] *n.* 〔醫〕 담관 조영〔촬영〕(법). **chol·àn·gi·o·gráph·ic** *a.*

cho·le·cyst[kóuləsist] *n.* 〔解〕 담낭.

cho·le·cys·tec·to·my[kòuləsistéktəmi] *n.* 〔外科〕 담낭 절제(술).

cho·le·cys·tos·to·my[kòuləsistástəmi/-tɔ́s-] *n.* (*pl.* **-mies**) Ⓤ,Ⓒ 〔外科〕 담낭 조루술(造瘻術)《담석 제거를 위한》.

chol·er[kálər/kɔ́l-] *n.* Ⓤ 《古》 **1** 성마름, 불뚱이(anger). **2** 담즙(膽汁)《네 가지 체액(體液)중의 하나: *cf.* HUMOR》.

***chol·er·a**[kálərə/kɔ́l-] *n.* Ⓤ 〔病理〕 콜레라: Asiatic〔epidemic, malignant〕 ~ 진성 콜레라/~ infantum 유아 콜레라/English〔summer〕 ~ =~ morbus 급성 위장염.

chólera bèlt 콜레라 예방 복대(腹帶)《플란넬 또는 견직의》.

chol·er·a·ic[kàləréiik/kɔ̀l-] *a.* 콜레라성(性)의.

chol·er·ic[kálərik/kɔ́l-] *a.* 화 잘 내는, 성마른(irascible). **-i·cal·ly** *ad.*

cho·les·ter·ol, -ter·in-[kəléstərɔ̀ul, -rɔ̀:l/-rɔ̀l], [kəléstərin/kɔ-] *n.* Ⓤ 〔生化〕 콜레스테롤《동물의 지방·담즙·혈액 및 노른자위자위 등에 있음》.

cho·les·ter·ol-rich[-rítʃ] *a.* 콜레스테롤이 많은.

cho·li·amb[kóuliæmb] *n.* 〔韻〕 장장격(長長格)으로 끝나는 불규칙 단장격(短長格).

cho·line[kóuli:n, kál-] *n.* Ⓤ 〔生化〕 콜린《비타민 B 복합체의 하나》.

cho·lin·o·mi·met·ic[kòulinoumimétik] *a.* 〔生化〕 콜린 자극성의. ── *n.* 콜린 자극제.

chol·la[tʃóuljə] [Sp] *n.* 〔植〕 선인장의 일종《미국 남서부·멕시코산》.

cho·lo[tʃóulou] *n.* (*pl.* **-los**) (특히 멕시코계 미국인의) 거리의 부랑아인 틴에이지 소년 (*cf.* CHOLA).

chomp[tʃamp/tʃɔmp] *vt., vi.* 깨물다; (어적어적) 씹다. ── *n.* 어적어적 씹기.

Chom·sky[tʃámski/tʃɔ́m-] *n.* 촘스키(Avram) Noam[noum] ~(1928-)《미국의 언어학자; 변형 생성문법의 창시자》.

chon·drin[kándrin/kɔ́n-] *n.* Ⓤ 〔生化〕 연골질(軟骨質), 연골소(素).

chon·drite[kándrait/kɔ́n-] *n.* 〔岩石〕 구립(球粒)〔구과(球顆)〕 운석, 콘드라이트.

chon·drule[kándru:l/kɔ́n-] *n.* 〔鑛〕 콘드룰《condrite에 함유되어 있는 구상체》.

Chong·qing[tʃɔ́:ŋtʃíŋ], [tʃúŋkíŋ] *n.* 충칭(重慶)《중국 쓰촨(四川)성 남동부의 도시》.

choo·choo[tʃú:tʃù:] *n.* (*pl.* **~s**) 《미口·兒》 칙칙폭폭(《영》 puff-puff).

chook[tʃuk] *n.* 《오스口》 병아리, 암탉.

★**choose**[tʃu:z] *v.* (**chose**[tʃouz]; **cho·sen**[tʃóuzn]) *vt.* **1** 고르다, 선택하다; 선정하다: (《Ⅳ 대+(목)》) He *chose* her a nice computer. 그는 그녀에게 좋은 컴퓨터를 골라 주었다(=He *chose* a nice computer *for* her. 《Ⅲ (목)+전+명》)/《Ⅲ (목), *wh.* (절)》 She *chose* a subject, *with which* she was very familiar. 그녀는 한 주제를 선택했는데, 그녀는 그것에 매우 정통했다/《Ⅴ(목)+*as*+명》 He has *chosen* her *as* his spouse. 그는 그녀를 그의 배우자로 선택했다. **2** 〈…하는 편이 좋다고〉 결정하다; 결심하다; 〈…하는 쪽을〉 택하다: 《Ⅲ *to* do》 She *chose to* take two elective subjects. 그녀는 두 가지 선택과목을 택하기로 결정했다/《Ⅲ -*ing*》 She *chose* stay*ing* at home. 그녀는 집에 머물기로 했다. **3** 선출하다(elect): 《Ⅴ(목)+(*as*)+명》 We *chose* him (*as*) our leader.(=《Ⅴ(목)+전+명》 We *chose* him *for* our leader.=《Ⅴ(목)+*to be*+명》 We *chose* him *to be* our leader.) 우리는 그를 지도자로 선출했다/《Ⅱ *be pp.*+(*to be*)+명》 He was *chosen* (*to be*) our leader. 그는 지도자로 선출되었다. **4** 《口》 원하다, 바라다. ── *vi.* **1** (…에서) 선택하다, 고르다《*between, from, out of*》: ~ *between* the two. 그 둘 중에서 (하나를) 고르다. **2** 바라다, 원하다: as you ~ 좋도록, 좋다면, 뜻대로. **cannot choose but** do … 하지 않을 수 없다(cannot help doing). **choose up** 《미口》 (1) 선수를 뽑아 〈팀을〉 만들다. (2) (야구 시합 등을 하기 위해) 팀으로 갈리다. **nothing〔not much, little〕 to choose between** …사이에는 전혀〔별로〕 우열(優劣)이 없다. ⊕ choice *n.*

choos·er[tʃú:zər] *n.* 선택자; 선거인.

choos·(e)y[tʃú:zi] *a.* (**choos·i·er; -i·est**) 《口》 가리는, 까다로운, 괴팍스러운.

***chop**[1] [tʃap/tʃɔp] [chap[1]의 변형] *v.* (**~ped; ~·ping**) *vt.* **1** (도끼·식칼 등으로) 찍다, 빠개다, 패다; 자르다; 〈고기·야채를〉 잘게 썰다, 저미다(*up*): ~ the tree *down* 나무를 찍어서 쓰러뜨리다/~ *up* a cabbage 양배추를 잘게 썰다. **2** 〈경비·예산 등을〉 크게 삭감하다. **3** 〈목화를〉 솎아 내다. **4** 〔庭球·크리켓〕 〈공을〉 깎아 치다(*cf.* CHOP STROKE). **5** 〈말을〉 띄엄띄엄 말하다. **6** 《영俗》 〈계획 등을〉 급히 중지하다. ── *vi.* **1** 찍다, 자르다, 베다: ~ *at* a tree 나무를 찍다. **2** 갑자기 날아가다〔날아 오르다〕, 갑자기 오다〔가다〕, 갑자기 덤비다. **3** 〈물결이〉 거칠어지다. **4** 〔庭球·크리켓〕 공을 깎아 치다. **5** 〔拳〕 (클린치 중에) 위에서 짧은 일격을 가하다. **chop about** 난도질하다. **chop at** …을 찍어 끊다; …에 덤벼 들다. **chop back** 갑자기 되돌아서다. **chop in** 〈대화 등을〉 별안간 가로막다; 말참견하다(*with*). **chop logic** 억지 이론을 내세우다. **chop off〔away〕** 잘라내다. **chop out〔up〕** 〈지층(地層)이〉 노출하다. **chop through** 헤치며 나아가다. **chop up** 잘게 썰다, 난도질하다. **chop upon〔on〕** 《俗》 …을 우연히 만나다; …에게 덤벼들다.
── *n.* **1** 절단(切斷), 찍어내기: take a ~ *at* …… 을 내리쳐 자르다. **2** 잘라낸 조각; (양고기·돼지고기의) 촙, 두껍게 자른 고깃점《보통 갈비에 붙은 것》. **3** 불규칙한 잔 물결; 삼각파(三角波). **4** 〔庭球·크리켓〕 촙, 깎아치기. **5** 〔拳〕 내리치는 짧은 일격. **get the chop** 《俗》 (1) 해고 당하다 (2) 살해되다.

chop[2] *n.* **1** (보통 *pl.*) 턱(jaw), 뺨; (*pl.*) 《俗》 입. **2** (*pl.*) 입구(항만·해협·협곡(峽谷) 등의). **3** (*pl.*) 《미俗》 음악적 재능; (*pl.*) 《미俗》 재능, 능력. **lick〔smack〕 one's chops** 입맛다시다〔다시며 기대하다〕.

chop[3] *vi.* (**~ped; ~·ping**) **1** 〈풍향 등이〉 갑자기 바뀌다. **2** 〈마음 등이〉 갑자기 변하다, 흔들리다. **chop and change** 《口》 〈사람이〉 의견〔계획 《등》〕을 자주 바꾸다, 무정견(無定

見)하다. ── *n.* (다음 성구로). **chops and changes** 변전(變轉), 무정견.
chop[4] *n.* **1** 《인도·중국》 관인(官印), 인감. **2** 출항〔양륙〕 허가증. **3** 《口》 상표: 품질, 등급: the first〔second〕 ~ 제1〔제2〕급(품).
chop-chop[tʃáptʃáp/tʃɔ́ptʃɔ́p] *ad., int.* 《俗》 빨리빨리.
chop·fall·en[tʃápfɔ̀:lən/tʃɔ́p-] *a.* =CHAPFALLEN.
chop·house[1][tʃáphàus/tʃɔ́p-] *n.* (*pl.* **-hous·es**[-hàuziz]) (고기 전문) 음식점.
chophouse[2] *n.* (옛) 중국의 세관.
Cho·pin[ʃóupæn/ʃɔ́pæn, ʃɔ́pæŋ] *n.* 쇼팽 Frédéric François ~ (1810-49)《폴란드 태생의 프랑스의 피아니스트·작곡가》.
cho·pine[tʃapí:n/ʃɔ-], **chop·in**[tʃápin/tʃɔ́-] *n.* 초핀《17세기경에 여자들이 신은 코르크창을 두껍게 댄 높은 구두; patten의 일종》.
chop·log·ic[tʃáplɑ̀dʒik/tʃɔ́plɔ̀-] *n., a.* 궤변(의), 억지 이론(의).
chopped[tʃapt/tʃɔpt] *a.* 《미俗》 〈자동차·오토바이 등〉 개조한.
chop·per[tʃápər/tʃɔ́p-] *n.* **1** 자르는 사람〔것〕; 《口》 도끼; 고기 써는 큰 식칼. **2** (보통 *pl.*)《俗》 이; 《특히》 의치. **3** 《口》 헬리콥터. **4** 《口》 개조한 오토바이. **5** 〔電子〕 초퍼《직류나 광전류를 변조하는 장치》. **6** 〔野〕 높이 바운드하는 타구(打球). **7** 《미俗》 기관총. ── *vt., vi.* 《미俗》 헬리콥터를 타고 가다, 헬리콥터로 나르다.
chop·ping[tʃápiŋ/tʃɔ́p-] *a.* **1** 삼각파(三角波)가 이는: ~ sea 역랑(逆浪). **2** 〈어린아이가〉 크고 튼튼한. ── *n.* **1** 찍기, 자르기, 썰기. **2** 벌목(伐木)한 공지(空地). **3** 〔庭球〕 깎아치기.
chópping blòck〔**bòard**〕 도마.
chópping knìfe 잘게 써는 식칼.
chop·py[1][tʃápi/tʃɔ́pi] *a.* (**-pi·er; -pi·est**) **1** 자주 끊어지는, 관련성이 없는. **2** 〈문체 등이〉 고르지 못한, 일관성이 없는. **3** 〈수면이〉 삼각파가 이는, 물결이 거친.
choppy[2] *a.* (**-pi·er; -pi·est**) **1** 〈바람이〉 자주〔불규칙하게〕 변하는. **2** 〈시세 등이〉 변동이 심한. **-pi·ly** *ad.* **-pi·ness** *n.*
chóp shòp 《俗》 촙숍《훔친 자동차를 분해하여 그 부품을 비싼 값으로 파는 불법적인 장사》.
chop·stick[tʃápstìk/tʃɔ́p-] *n.* (보통 *pl.*) 젓가락.
chóp stròke 〔庭球·크리켓〕 촙 스트로크《공을 깎아치기》.
chop su·ey〔**soo·y**〕[tʃápsú:i/tʃɔ́p-] [Chin] 잡채《미국식 중국 요리의 일종》.
cho·ral[kɔ́:rəl] *a.* **1** 합창〔성가〕대(chorus)의; 합창곡의; 합창의. **2** (낭독 등) 일제히 소리내는. **the Cho·ral Symphony** 합창 교향곡《Beethoven의 제9 교향곡》. ── *n.* =CHORALE.
cho·rale[kərǽl, kourá:l/kɔrá:l] *n.* 〔樂〕 **1** (합창) 성가; 합창곡《특히 독일 교회의》. **2** 합창.
cho·ral·ist [kɔ́:rəlist] *n.* 성가대원, 합창대원; 합창곡 작곡자.
cho·ral·ly[kɔ́:rəli] *ad.* 합창으로.
chóral sérvice (교회의) 합창 예배.
chóral spéaking (시·산문의) 집단 낭독, 제창(齊唱).
***chord**[1][kɔ:rd] [cord의 변형] *n.* **1** 《古·詩》 (악기의) 현(string), 줄. **2** (특수한) 감정, 심금: strike〔touch〕 the right ~ 심금을 울리다. **3** 〔數〕 현(弦); 〔空〕 익현(翼弦). **4** 〔解〕 인대(靭帶), 건(腱)(cord): the vocal ~*s* 성대. ── *vt.* …에 현을 매다〔달다〕.
chord[2] 〔樂〕 [accord의 두음소실(頭音消失)] *n.* 화현(和弦), 화음. ── *vi.* 가락이 맞다. ── *vt.* …의 가락을 맞추다.
chord·al[1] [kɔ́:rdəl] *a.* 현(弦) 모양의.
chord·al[2] *a.* 〔樂〕 화음의.
chor·date[kɔ́:rdət] *a.* 척삭(脊索)이 있는, 척삭 동물의. ── *n.* 척삭 동물.
chórd órgan 코드오르간《오른손용의 작은 건반과 왼손용의 버튼을 눌러 화음을 내는》.
chore[tʃɔ:r] *n.* **1** 자질구레한 일, 허드렛일(odd job); (*pl.*) (가정의) 잡일, 허드렛일《세탁·청소 등》, (농장의) 가축 시중. **2** 하기 싫은〔따분한, 힘드는〕 일.
cho·re·a [kɔ:rí:ə, kə-] *n.* Ⓤ 〔病理〕 무도병(St. Vitus's dance).
cho·re·ic[kɔ:rí:ik] *a.* 무도병의.
cho·re·o·graph[kɔ́:riəgræ̀f, -grɑ̀:f] 〔舞〕 *vt.* 공연하기 위해 〈발레〔춤〕를〉 편성〔구성〕하다; 안무하다. ── *vi.* 안무를 담당하다.
cho·re·og·ra·pher[kɔ̀:riɑ́grəfər/kɔ̀:riɔ́g-] *n.* 발레 편성가; 안무가(按舞家).
cho·re·og·ra·phy[kɔ̀:riɑ́grəfi/kɔ̀:riɔ́g-] *n.* Ⓤ (발레의) 무도법(舞蹈法), 무용술, 안무(按舞).
chò·re·o·gráph·ic[kɔ̀:riəgrǽfik] *a.*
cho·ri·amb[kɔ́:riæ̀mb] *n.* 〔韻〕 강약약강격(强弱弱强格)(⌐××⌐), 장단단장격(長短短長格)(−⏑⏑−).
cho·ri·am·bic[-ǽmbik] *a.* 강약약강〔장단단장〕격의.
cho·ri·am·bus[⌐−ǽmbəs] *n.* (*pl.* **~·es, -bi**[-bai]) =CHORIAMB.
cho·ric[kɔ́:rik, kɑ́r-] *a.* 〔그리스劇〕 합창곡풍의; 합창 가무식(歌舞式)의.
cho·rine[kɔ́:ri:n] *n.* 《미》 =CHORUS GIRL.
cho·ri·oid[kɔ́:riɔ̀id] *a., n.* =CHOROID.
cho·ri·on[kɔ́:riɑ̀n/kɔ́:riɔ̀n] *n.* 〔解〕 융모막(絨毛膜); 〔動〕 장막(漿膜). **cho·ri·on·ic**[-ik] *a.*
cho·rist[kɔ́:rist] *n.* 《古》 합창대원.
cho·ris·ter[kɔ́:ristər, kɑ́r-] *n.* **1** (특히 교회의) 소년 성가대원. **2** 《미》 성가대 지휘자(choir-leader).
cho·ro·graph·ic, -i·cal[kɔ̀:rəgrǽfik], [-əl] *a.* 지지(학)의. **-i·cal·ly** *ad.*
cho·rog·ra·phy[kɔ:rɑ́grəfi/-rɔ́g-] *n.* 지방지지(地誌), 지세도(地勢圖); 지형도 작성법. **-pher**[-fər] *n.* 지방 지지학자.
cho·roid[kɔ́:rɔid] 〔解〕 *a.* **1** (눈알의) 맥락막(脈絡膜)의. **2** 융모막 비슷한. ── *n.* 맥락막.
cho·rol·o·gy[kɔ:rɑ́lədʒi/-rɔ́l-] *n.* (생물) 분포학.
chor·tle[tʃɔ́:rtl][chuckle과 snort의 혼성] *vi.* (좋아) 깔깔 웃다; 아주 좋아하다(exult). ── *n.* (a ~) 깔깔 웃음.
***cho·rus**[kɔ́:rəs] [Gk] *n.* **1** 〔樂〕 합창: sing in ~ 합창하다. **2** 합창곡; (노래의) 합창부; 후렴(refrain). **3** 일제히 내는 소리, 이구 동성; (동물·벌레 등이) 일제히 우는 소리. **4** (집합적) 합창대, (뮤지컬 등의) 합창 무용단, 코러스. **5** 〔옛 그리스〕 합창 가무단(歌舞團)《종교 의식(儀式)·연극의》; 〔영古劇〕 코러스《prologue와 epilogue 부분을 말로 하는 배우》. ── (~(s)ed; ~·(s)ing) *vt., vi.* 합창하다; 이구동성으로 말하다.
chórus bòy (가극·레뷰 등의) 코러스 보이.
chórus gìrl 코러스 걸(chorine)《가극 등의 가수 겸 무용수》.
chórus lìne 코러스 라인《주역급 배우만이 넘을 수 있는, 무대 전면의 백선》.
chórus màster 합창 지휘자.

chose¹ [tʃouz] *v.* CHOOSE의 과거.
chose² [ʃouz] *n.* 〔法〕 물(物), 재산: ～ in action 무형(無形) 재산/～ in possession 유형(有形) 재산.
chose ju·gée [-ʒuːʒéi] [F] *n.* (*pl.* **choses ju·gées** [−]) 기정 사실; 말해도 소용 없는 지나간 일.
cho·sen [tʃóuzn] *v.* CHOOSE의 과거분사. — *a.* **1** 선발된; 선택한, 좋아하는. **2** (특히 구원받기 위해서) 신에게 선택된: the ～ people〔race〕 선민(選民)《유태인》.
chósen ínstrument 개인·단체 또는 정부가 그 이익을 위해 키우는 사람〔업자〕; 정부 육성 항공회사.
chósen péople 하느님의 선민《유대인의 자칭》.
chou [ʃuː] [F] *n.* (*pl.* ～**x** [-, ʃúːz]) (양배추 모양의) 장식 리본《여자 모자 또는 드레스의》.
Chou En-lai [dʒóuénlái, tʃóu-] *n.* 주은래(周恩來)(1898-1976)《중공의 정치가》.
chough [tʃʌf] *n.* 〔鳥〕 붉은부리까마귀《유럽·북아프리카산(産)》.
chouse¹ [tʃaus] *vt.* 《口》 속이다, 사기하다, …을 사취하다(*of, out of*). — *n.* Ⓤ 사기; Ⓒ 사기꾼.
chouse² *vt.* 《미西部》 〈소떼를〉 거칠게 몰다.
chow [tʃau] [Chin] *n.* **1** (**C-**) 《오스口》 중국 사람(Chinese). **2** 중국산 개《코가 뾰족하고 혀가 검은》. **3** Ⓤ 《俗》 음식(food); 식사(시간). — *vi.* 《미俗》 먹다(*down*).
chów chòw (종종 **C- C-**) =CHOW 2.
chow·chow [tʃáutʃàu] *n.* Ⓤ 중국 김치《등자 껍질·새앙을 썰어서 담근》.
chow·der [tʃáudər] *n.* 《미》 잡탕 요리《생선 혹은 조개에 절인 돼지고기, 양파 등을 섞어 끓인 것》.
chow·hound [tʃáuhàund] *n.* 《미俗》 대식가.
chów lìne 《미口》 (군대 등에서) 급식 받기 위해 선 줄.
chow mein [tʃáuméin] 《미》 차우멘, 초면(炒麵)《미국식 중국 요리》.
CHQ Corps Headquarters. **Chr.** Christ; Christian; Christopher.
chrem·a·tis·tic [krìːmətístik] *a.* 이재(理財)의, 화식(貨殖)의.
chrem·a·tis·tics [krìːmətístiks] *n. pl.* (단수 취급) 이재학(理財學), 화식론(貨殖論).
chres·tom·a·thy [krestámәθi/-tɔ́m-] *n.* (*pl.* **-thies**) 명문집(名文集).
Chris [kris] *n.* **1** 남자 이름《Christopher의 애칭》. **2** 여자 이름《Christiana, Christina, Christine의 애칭》.
Chris. Christopher.
chrism [krízəm] *n.* **1** Ⓤ 성유(聖油)《기독교의 의식에 사용함》. **2** 도유식(塗油式).
chris·mal [-əl] *a.* 성유의; 도유식의.
chris·ma·to·ry [krízmətɔ̀ːri/-təri] *n.* (*pl.* **-ries**) 성유 그릇; 도유. — *a.* 도유의.
chris·om [krízəm] *n.* **1** =CHRISM. **2** 유아의 세례용 흰 옷.
Chris·sake [kráissèik] *int.* 《口》 (for ～의 형태로) 제발 부탁인데.
Chris·sie [krísi] *n.* 여자 이름《Christiana, Christina, Christine의 애칭》.
Christ [kraist] [Gk] *n.* (the ～) (유대인이 대망하던) 구세주(Messiah); 그리스도《구세주(the Saviour)가 되어 세상에 온 Jesus의 칭호》: before ～ 서력 기원전《略: B.C.》. — *int.* 《俗》 제기랄《놀라움·노여움 등을 나타내는 말》. ⊕ Chrístian *a.*

Chríst chìld 아기 예수.
christ·cross [krískrɔ̀ːs] *n.* 《古》 **1** (hornbook 등의) 알파벳 앞에 표시한 십자형; 그 알파벳. **2** ×표《문맹자가 서명 대신에 씀》.
christ·cross-row [-róu] *n.* 《古》 알파벳(alphabet).
chris·ten [krísn] [OE] *vt.* **1** 세례〔침례, 영세〕하여 기독교도로 만들다(baptize). **2** 세례하여 명명(命名)하다: 《Ⅴ(목)+명》 Father ～*ed* him Daniel. 신부는 그에게 세례를 주고 다니엘이라는 세례명을 주었다/《Ⅱ *be pp.*+명》 He was ～*ed* Daniel. 그는 다니엘이라는 세례명을 받았다. **3** 〈배 등에〉 이름을 붙이다(name). **4** 《口》 〈새 차 등을〉 처음으로 사용하다. **～·er** *n.*
Chris·ten·dom [krísndəm] *n.* Ⓤ (집합적) **1** 기독교계(界), 기독교국. **2** 전(全)기독교도.
chris·ten·ing [krísniŋ] *n.* Ⓤ,Ⓒ 세례(식), 명명(식).
Christ·hood [kráisthùd] *n.* Ⓤ 그리스도〔구세주〕임; 그리스도의 성격〔신성(神性)〕.
Chris·tian [krístʃən] *a.* **1** a 그리스도의. b 기독교의; 기독교도의; 기독교를 믿는. **2** a 기독교도다운, 이웃을 사랑할 줄 아는. b 《口》 사람다운; 점잖은, 존경할 만한. — *n.* **1** 기독교도〔신자〕. **2** 《口》 훌륭한 사람, 문명인, (동물에 대하여) 사람(*opp.* brute): behave like a ～ 사람답게 행동하다. **3** 남자 이름. ⊕ Christ, Christiánity *n.*; Chrístianize *v.*
Chris·ti·an·a [krìstiǽnə, -áːnə] *n.* 여자 이름《애칭 Chris, Christie》.
Chrístian búrial 교회장(葬).
Chrístian Éra, C- e- (the ～) 서력 기원.
Chris·ti·an·i·a, c- [krìstiǽniə] *n.* 〔스키〕 크리스차니아 회전(= ∠ **túrn**).
Chris·ti·an·ism [krístʃənìzəm] *n.* 기독교주의, 기독교 교리.
Chris·ti·an·i·ty [krìstʃiǽnəti] *n.* (*pl.* **-ties**) **1** Ⓤ 기독교; 기독교적 신앙〔정신, 성격〕. **2** 기독교 교파. **3** =CHRISTENDOM 2. ⊕ Chrístian *a.*
Chris·tian·i·za·tion, c- [-nizéi-] *n.* Ⓤ 기독교화(化).
Chris·tian·ize, c- [krístʃənàiz] *vt.* 기독교화하다, 기독교 신자로 만들다.
Chris·tian·ly [krístʃənli] *a., ad.* 기독교도다운〔답게〕.
Chrístian nàme 세례명(given name)(*cf.* SURNAME).
Chrístian Scíence 크리스천 사이엔스《미국의 Mary Baker Eddy가 조직(1866)한 신흥 종교; 신앙의 힘으로 병을 고치는 정신 요법을 특색으로 함; 공식명 the Church of Christ, Scientist; 그 신봉자는 'Christian Scientist'라고 함》.
Chrìstian Scíentist Christian Science의 신자.
Chrístian Sócialism 기독교 사회주의.
Chrístian Sócialist 기독교 사회주의자.
Chrístian yéar 〔基督教〕 교회 역년(曆年).
chris·tie, chris·ty [krísti] *n.* (종종 **C-**) 〔스키〕 크리스차니아 회전.
Chris·tie [krísti] *n.* **1** 남자 이름《Christian의 애칭》. **2** 여자 이름《Christiana, Christine의 애칭》. **3** 크리스티 Dame Agatha ～(1891-1976)《영국의 여류 추리소설가; 명탐정 Hercule Poirot이 등장함》.
Chris·tie's [krístiz] *n.* 크리스티스《런던의 미술품 경매 회사》.
Chris·tine [krístiːn, kristíːn] *n.* 여자 이름《애칭은 Chris, Christie》.
Christ·less [kráistlis] *a.* 기독교 정신에 어긋나는; 기독교를 믿지 않는.

Christ·like [kráistlàik] *a.* 그리스도 같은.
Christ·ly [kráistli] *a.* 그리스도의〔같은〕.
★**Christ·mas** [krísməs] [OE] *n.* **1** 크리스마스, 성탄절《12월 25일=~ Day: 略: Xmas》. **2** = CHRISTMASTIDE. **green Christmas** 눈이 내리지 않는(따뜻한) 크리스마스. **white Christmas** 눈이 내리는 크리스마스. — *a.* 크리스마스(용)의.
Chrístmas bòok 크리스마스에 읽을 책《선물로 주고 받음》.
Christ·mas-box *n.* 《영》 크리스마스 선물〔축하금〕《사환·우편 집배원 등에게 주는: *cf.* BOXING DAY》.
Chrístmas càke 크리스마스 케이크.
Chrístmas càrd **1** 크리스마스 카드. **2** 《미俗》 속도 위반 딱지〔표지〕.
Chrístmas càrol 크리스마스 캐럴〔송가〕.
Chrístmas clùb 크리스마스 클럽《크리스마스 쇼핑용 정기 적금 구좌》.
Chrístmas cràcker 크리스마스 크래커《양쪽 끝을 잡아당기면 터지는 종이통; 크리스마스 파티용. *cf.* CRACKER *n.*》.
Chrístmas Dày 성탄절(12월 25일).
Chrístmas Éve 크리스마스 전야〔전일〕《12월 24일 밤 또는 24일》.
Chrístmas hólidays 《영》 크리스마스 휴가; (학교의) 겨울 방학.
Chrístmas prèsent 크리스마스 선물.
Chrístmas púdding 《영》 크리스마스 푸딩《plum pudding을 씀》.
Chrístmas ròse 〔植〕 크리스마스 로즈《미나리아재비속(屬)의 식물》.
Chrístmas sèal 《미》 (결핵 퇴치 기금을 위한) 크리스마스 실.
Chrístmas stòcking 산타클로스의 선물을 받기 위해 걸어두는 양말.
Christ·mas·(s)y [krísməsi] *a.* 《口》 크리스마스다운.
Christ·mas·tide [krísməstàid], **-time** [-tàim] *n.* Ⓤ 크리스마스 계절(yuletide)《12월 24일에서 1월 6일까지》.
Chrístmas trèe 크리스마스 트리.
Chrístmas vacátion (the ~) 《미》= CHRISTMAS HOLIDAYS.
Chris·to- [krístou] 《연결형》「그리스도(Christ)의」의 뜻.
Chris·to·log·i·cal [krìstəládʒikəl/-lɔ́dʒ-] *a.* 그리스도론의.
Chris·tol·o·gy [kristálədʒi/-tɔ́l-] *n.* (*pl.* **-gies**) 〔神學〕 **1** Ⓤ 그리스도론(論). **2** Ⓤ,Ⓒ 그리스도 연구. **-gist** [kristálədʒist/-tɔ́l-] *n.* 그리스도론 학자.
Chris·toph·a·ny [kristáfəni/-tɔ́f-] *n.* Ⓤ (부활 후의) 그리스도의 재현.
Chris·to·pher [krístəfər] *n.* 남자 이름 애칭(Chris, Kit).
Chríst's Hóspital 《영》 PUBLIC SCHOOL의 하나.
Christ's-thorn *n.* 〔植〕 갯대추나무속(屬)의 일종《예수의 가시 면류관은 이 나뭇가지로 만들어졌다고 함》.
Christy, c- [krísti] *n.* (*pl.* **-ties**) = CHRISTIANIA.
Chrísty's mínstrels [krísti-] 크리스티 악단《미국의 E.P. Christy(1815-62)가 조직한 MINSTREL SHOW 일행; 영미에서 호평을 받음》.
chrom- [kroum], **chro·mo-** [króumou] 《연결형》「색; 〔化〕 크롬, (무색체에 대하여) 유색 화합물」의 뜻《모음 앞에서는 chrom-》.
chro·ma [króumə] *n.* Ⓤ 〔光〕 채도(彩度); 색도(色度).
chro·mate [króumeit] *n.* 〔化〕 크롬산염(酸鹽)〔에스테르〕.
chro·mat·ic [kroumǽtik] *a.* **1** 색채의, 착색〔채색〕한: ~ printing 색채 인쇄. **2** 〔生〕 염색성의. **3** 〔樂〕 반음계(半音階)의. **-i·cal·ly** [-ikəli] *ad.*
chromátic aberrátion 〔光〕 색수차(色收差).
chromátic cólor 〔物〕 유채색.
chro·mat·i·cism [kroumǽtəsìzəm] *n.* Ⓤ 〔樂〕 반음계주의(半音階主義).
chro·ma·tic·i·ty [kròumətísəti] *n.* Ⓤ 〔光〕 색도(色度).
chro·ma·tics [kroumǽtiks] *n. pl.* (단수 취급) 색채론, 색채학.
chromátic scále 〔樂〕 반음계.
chromátic sémitone 〔樂〕 반음계적 반음.
chromátic sígn 〔樂〕 반음 기호(♯,♭,♮ 등).
chro·ma·tid [króumətid] *n.* 〔生〕 염색분체(染色分體).
chro·ma·tin [króumətin] *n.* Ⓤ 〔生〕 (세포핵 내의) 크로마틴, 염색질.
chro·ma·tism [króumətìzəm] *n.* Ⓤ **1** 〔醫〕 색채 환각(幻覺). **2** 〔光〕 색수차(色收差). **3** 채색, 착색; 〔植〕 (녹색 부분의) 이상 변색.
chro·ma·tist [króumətist] *n.* 색〔색채〕학자.
chro·mat·o·graph [króumətəgræ̀f/-grɑ̀:f] *n.* **1** 《古》 착색판, 색채 인쇄기. **2** 색층(色層) 분석 장치, 크로마토그래프. — *vt.* **1** 색채 인쇄하다. **2** 색층 분석하다.
chro·ma·tog·ra·phy [kròumətágrəfi/-tɔ́g-] *n.* Ⓤ 〔化〕 색층(色層) 분석.
chro·ma·tol·o·gy [kròumətálədʒi/-tɔ́l-] *n.* Ⓤ 색채론(chromatics); 색채에 관한 논문.
chro·ma·tol·y·sis [kròumətáləsis/-tɔ́l-] *n.* 〔生〕 염색질 용해.
chro·mat·o·phore [króumətəfɔ̀:r] *n.* 〔動〕 색소 세포; 〔植〕 색소체, 유색체.
chro·mat·o·scope [króumətəskòup] *n.* 크로마토스코프《여러 색의 광선을 혼합색으로 만드는 장치》.
chro·ma·trope [króumətròup] *n.* (환등의) 회전 채광판.
chro·ma·type [króumətàip] *n.* Ⓤ,Ⓒ 크롬지(紙) 사진(법), 컬러 사진.
chrome [kroum] *n.* Ⓤ **1** 〔化〕 크롬(chromium). **2** 크롬 염료. **3** =CHROME YELLOW. **4** 크롬 합금; 크롬 도금. — *vt.* **1** 크롬 염료로 염색하다. **2** 크롬 도금을 하다.
-chrome [ˊ-kròum] 《연결형》「(…)색의(것); …색소」의 뜻.
chróme gréen 크롬그린《녹색 안료》.
chrome-plat·ed [króumplèitid] *a.* **1** 〈금속이〉 크롬 도금의〔한〕. **2** 허식의.
chróme réd 크롬레드《적색 안료》.
chróme stéel 〔冶〕 크롬강(鋼)《스테인리스 스틸의 일종》.
chróme yéllow **1** 크롬옐로, 황연(黃鉛)《황색 안료(顔料)》. **2** 〔色彩〕 크롬옐로《황색》.
chro·mic [króumik] *a.* 〔化〕 3가(價)의 크롬을 함유하는, 크롬산(酸)의: ~ acid 크롬산.
chro·mi·nance [króumənəns] *n.* 〔光〕 색차(色差).
chro·mite [króumait] *n.* **1** Ⓤ 〔鑛〕 크롬철광. **2** 〔化〕 아(亞)크롬산염(酸鹽).
chro·mi·um [króumiəm] *n.* Ⓤ 〔化〕 크롬(chrome)《금속 원소; 기호 Cr, 번호 24》.
chrómium pláte 〔冶〕 크롬 도금.
chro·mi·um-plate [-plèit] *vt.* …에 크롬

도금을 하다. **-plat·ed** *a.*
chrómium stéel =CHROME STEEL.
chro·mo[króumou] *n.*(*pl.* ~s) **1** =CHROMOLITHOGRAPH. **2** 《미口》서투른 그림; 《오스俗》창녀, 매춘부.
chro·mo- 《연결형》=CHROM-.
chro·mo·dy·nam·ics[kròumoudainǽmiks] *n. pl.* (단수 취급) 색역학(色力學)《color force를 다루는 이론》.
chro·mo·gen[króumədʒən] *n.* 〔化〕 색원체(色原體)《물감이 되는 기질(基質)》.
chro·mo·graph[króuməgræ̀f, -grɑ̀:f] *n.* **1** =CHROMOLITHOGRAPH. **2** 〔化〕 정색(呈色) 시험.
chro·mo·lith·o·graph[kròumoulíθougræ̀f, -grɑ̀:f] *n.* 다색 석판 인쇄(한 그림). — *vt.* 다색 석판으로 인쇄〔복사〕하다.
chro·mo·li·thog·ra·pher[-fər] *n.* 다색 석판 인쇄자.
chro·mo·lith·o·graph·ic[-lìθəgrǽfik] *a.* 다색 석판(술)의.
chro·mo·li·thog·ra·phy[kròumouliθágrəfi/-θɔ́g-] *n.* Ⓤ 다색 석판술.
chro·mo·mere[króumoumìər] *n.*〔生〕 염색소립《이것이 연속하여 염색체를 구성함》.
chro·mo·ne·ma[kròumouní:mə] *n.* (*pl.* ~·ta [-tə]) 〔生〕 염색사, 나선사.
chro·mo·phil[króuməfil] *a.*(세포 조직 따위가) 쉽게 착색되는, 가염성(可染性)의. — *n.* 가염성 세포〔조직·물질〕.
chro·mo·pho·to·graph[kròumoufóutəgræ̀f, -grɑ̀:f] *n.* 천연색 사진.
chro·mo·pro·tein[kròumouprόuti:n] *n.* 〔生化〕 색소 단백질.
chro·mo·some[króuməsòum] *n.* 〔生〕 염색체(*cf.* CHROMATIN).
chrómosome nùmber 〔遺傳〕염색체 수.
chrómosome translocàtion 〔遺傳〕 염색체 전좌(轉座).
chro·mo·sphere[króuməsfìər] *n.*〔天〕 채층(彩層)《태양 광구면(光球面) 주위의 백열 가스층》. **chrò·mo·sphér·ic**[⌐sférik] *a.*
chro·mo·type[króumətàip] *n.* 착색판 인쇄; 천연색 사진.
chro·mous[króuməs] *a.* 〔化〕 2가(價)의 크롬을 함유한, 제1크롬의.
chron-[kran/krɔn], **chron·o-**[kránou/krɔ́n-] 《연결형》「때(time)」의 뜻《모음 앞에서는 chron-》: *chrono*meter.
chron. chronicle; chronological(ly); chronology. **Chron.** 〔聖〕 Chronicles.
*__chron·ic__[kránik/krɔ́n-] [L] *a.* **1** 장기간에 걸친, 오래 계속하는, 만성적인. **2** 버릇이 된, 상습적인. **3** 〈병이〉 만성의(*opp.* acute), 고질의: a ~ disease 만성병. **4** 《영口》 싫은, 심한(severe). — *n.* 만성병 환자, 지병을 지닌 사람. **-i·cal·ly**[-ikəli] *ad.* 만성적으로, 질질 시간을 끌어(persistently).
chro·nic·i·ty[kranísəti/krɔ-] *n.* (병 등의) 만성.
*__chron·i·cle__[kránikl/krɔ́n-] *n.* **1** 연대기(年代記), 편년사(編年史); 기록, 이야기. **2** (the C-; 신문명에 써서) …신문 **3** (the C-s; 단수 취급) 〔聖〕 역대기(歷代記)《구약 중의 상하 2권; 略 Chron.》. — *vt.* 연대기에 싣다, 기록에 올리다.
chrónicle plày〔**hìstory**〕사극(史劇).
chron·i·cler[kráníklər/krɔ́n-] *n.* 연대기 작자〔편자〕; (사건의) 기록자.
chron·o-[kránou/krɔ́n-] 《연결형》=CHRON-.
chron·o·bi·ol·o·gy[krɑ̀noubaiálədʒi/krɔ̀noubaiɔ́l-] *n.* 시간 생물학《생체내에서 인지되는 주기적 현상을 다룸》. **-gist** *n.*
chron·o·gram[kránəgræ̀m/krɔ́n-] *n.* 연대표시명(年代表示銘)《글 가운데 큰 자로 쓴 로마자를 숫자로서 합하면 연대가 표시되도록 한 것》; 그것에 의한 기록.
chròn·o·gram·mát·ic[-grəmǽtik] *a.*
chron·o·graph[kránəgræ̀f, -grɑ̀:f/krɔ́n-] *n.* **1** 크로노그래프《시간을 도형적으로 기록하는 장치》. **2** 스톱워치.
chròn·o·gráph·ic[⌐grǽfik] *a.*
chro·nol·o·ger[krənálədʒər/-nɔ́l-] *n.* = CHRONOLOGIST.
chron·o·log·i·cal, -ic[krɑ̀nəládʒikəl/krɔ̀nəlɔ́dʒikəl], [-ik] *a.* **1** 연대순의: in ~ order 연대순으로. **2** 연대학의; 연대기의, 연표의: a ~ table 연표. **-i·cal·ly**[-kəli] *ad.* 연대순으로, 연대학상(年代學上).
chronológical áge 〔心〕역연령(曆年齡), 생활 연령《略: C.A.》.
chro·nol·o·gist[krənálədʒist/-nɔ́l-] *n.* 연대〔연표〕학자(年代〔年表〕學者).
chro·nol·o·gize[krənálədʒàiz/-nɔ́l-] *vt.* 연대순으로 배열하다, …의 연표를 만들다.
chro·nol·o·gy[krənálədʒi/-nɔ́l-] *n.* (*pl.* **-gies**) **1** Ⓤ 연대학. **2** 연대기, 연표(年表). **3** (사건의) 연대순 배열.
chro·nom·e·ter[krənámitər/-nɔ́m-] *n.* **1** 크로노미터《정밀한 경도(經度) 측정용 시계》. **2** =METRONOME. **3** 《口》 매우 정확한 (손목) 시계.
chron·o·met·ric, -ri·cal[krɑ̀nəmétrik/krɔ̀n-] *a.* 크로노미터의〔로 측정한〕. **-ri·cal·ly** *ad.*
chro·nom·e·try[krənámitri/-nɔ́m-] *n.* Ⓤ 시간 측정(법).
chro·non[króunɑn/-nɔn] *n.* 〔物〕 크로논《가설적인 시간적 양자로서 광자가 전자의 직경을 가로지르는 데 요하는 시간; 약 10^{-24}초》.
chron·o·pher[kránəfər/krɔ́n-] *n.* 라디오 시보기(時報器).
chron·o·scope[kránəskòup/krɔ́n-] *n.* 크로노스코프《광속(光速) 등을 재는 초(秒)시계》.
chrys-[kris], **chrys·o-**[krísə] 《연결형》 〔化·鑛〕「황색의, 금빛의, 금의」의 뜻《모음 앞에서는 chrys-》.
chrys·a·lid[krísəlid] *a.* 번데기의. — *n.* = CHRYSALIS.
chrys·a·lis[krísəlis] *n.*(*pl.*~**·es, chry·sa·li·des**[krisǽlədì:z]) **1** 〔昆〕 (특히 나비의) 번데기(*cf.* PUPA). **2** 준비 시대, 과도기.
*__chry·san·the·mum__[krisǽnθəməm] [Gk] *n.* 〔植〕 국화; (**C-**) 국화속(屬).
Chry·se·is[kraisí:is] *n.*〔그神〕 크리세이스《트로이 전쟁 때 그리스군에 잡힌 미인》.
chrys·el·e·phan·tine[krìseləfǽntin, -tain] *a.* 금과 상아로 만든《그리스 조각 등》.
Chrys·ler[kráislər] *n.* 크라이슬러《미국 Chrysler사제의 자동차; 상표명》.
chrys·o-[krísə] 《연결형》=CHRYS-.
chrys·o·ber·yl[krísoubèril] *n.* Ⓤ 〔鑛〕 크리소베릴, 금록석(金綠石)《보석》.
chrys·o·lite[krísəlàit] *n.* Ⓤ 〔鑛〕 귀감람석(貴橄欖石).
chrys·o·prase[krísouprèiz] *n.* Ⓤ 〔鑛〕 녹옥수(綠玉髓).
chrys·o·tile[krísətàil] *n.* 〔鑛〕 온석면(溫石綿), 크리소타일.
chs. chapters.

chub[tʃʌb] *n.* (*pl.* ~, ~**s**) 〔魚〕 처브《유럽산 잉어과(科) 황어속(屬)의 담수어》.

chub·by[tʃʌ́bi] *a.* (**-bi·er; -bi·est**) 토실토실 살찐;(얼굴이) 통통한. — *n.* (*pl.* **-bies**) (*pl.*) 《미俗》 잘생긴 가슴〔유방〕. **-bi·ly** *ad.* 토실토실 살찐 사람처럼. **-bi·ness** *n.*

chúb pàckage 원통식〔로켓식〕 포장《소시지처럼 원통형의 양쪽 끝을 묶은 포장 형태》.

*__chuck__[1][tʃʌk] *vt.* **1** (턱 밑을 장난으로) 가볍게 찌르다〔치다〕. **2** 《口》 내던지다: ~ *away* rubbish 쓰레기를 내버리다. **3** 《口》 (회의장·방 등에서) 끌어내다, 쫓아내다; (친구 등을) 버리다; 해고하다: ~ a drunken man *out of* a pub 술집에서 주정뱅이를 끄집어내다. **4** 〈의안 등을〉 부결하다; 《口》 〈일·계획 등을〉 중지하다, 포기하다(give up), (싫어져서) 그만두다, 단념하다《*up*》: ~ (*up*) one's job 사직하다. **chuck away** 〈시간·돈을〉 낭비하다; 〈기회를〉 놓치다(lose). **chuck down** 메어치다. **chuck it** 《俗》 그만두다; (명령) (귀찮아) 그만 둬! **Chuck it in!** 《俗》 그만 둬!, 집어치워! **chuck oneself away on** 《口》 〈(남이 보아서) 시시한 사람과〉 결혼하다, 사귀다; …에 시간을〔돈을, 수고를〕 들이다. **chuck out** 내던지다; 〈폭한(暴漢)을〉 끄집어내다; 《영》 〈의안·동의를〉 부결하다. **chuck up** 《口》 (싫증나서) 내던지다, 단념하다. **chuck up the sponge** 스펀지를 내던지다《권투에서 졌다는 표시로》; 항복하다. — *n.* **1** (턱 밑을) 가볍게 찌르기〔치기〕. **2** 《口》 휙 던지기. **3** (the ~) 《영俗》 〈남을〉 해고하기〔버리기〕. **get the chuck** 《영俗》 해고당하다. **give** a person **the chuck** 《영俗》 (별안간에) 해고하다; (갑자기) 관계를 끊다.

chuck[2] *n.* **1** 척《선반(旋盤)의 물림쇠》, 손잡이; (가방·의복 등의) 척, 지퍼(zipper). **2** 목정《소의 목 둘레의 살》. **3** 《미口》 음식물: hard ~ 〔海〕 딱딱한 빵. — *vt.* 척에 끼우다, 척으로 고정시키다.

chuck[3] *int., n.* **1** (보통 chuck, chuck!) 이랴! 낄낄!《말을 몰 때 하는 소리》; 구! 구!《닭을 부르는 소리》. **2** 귀여운 것《아이·아내 등을 부르는 애칭어(愛稱語)》. — *vt.* 〈닭을〉 구구하고 부르다, 이랴 하고 〈말을〉 몰다. — *vi.* 〈암탉이〉 구구하고 울다.

chuck-a-luck, chuck-luck[tʃʌ́kəlʌ̀k], [tʃʌ́klʌ̀k] *n.* Ⓤ 《미》 주사위 3개로 하는 내기.

chuck·er-out[tʃʌ́kəráut] *n.* (*pl.* **chuck·ers-**) 《영》 경비원(《미》 bouncer)《극장·술집 등에서 말썽꾼을 내모는 사람》.

chuck-far·thing[tʃʌ́kfɑ̀:rθiŋ] *n.* (일종의) 돈치기.

chuck-full[tʃʌ́kfúl] *a.* =CHOCK-FULL.

chuck·hole[tʃʌ́khòul] *n.* (포장 도로상의) 구멍.

*__chuck·le__[tʃʌ́kl] *n.* **1** 킬킬 웃음, 싱그레 웃음. **2** 꼬꼬!《암탉이 병아리를 부르는 소리》. — *vi.* **1** 킬킬 웃다, 싱글싱글 웃다, 만족의 미소를 짓다《*at, over, with*》; 만족해 하다《*at*》 (⇨laugh). **2** 꼬꼬 울다(cluck). **chuckle out** 킬킬 웃으며 말하다. **chuckle over** 〔**at**〕 …에 싱글벙글하다, 은근히 기뻐서 웃다. **chuckle to oneself** 혼자서 킬킬〔싱글벙글〕 웃다: (I 전+대) He *chuckled to himself.* 그는 혼자서 킬킬 웃었다. **chúck·ler** *n.*

chuck·le·head[tʃʌ́klhèd] *n.* 《口》 바보, 멍청이. **-head·ed** *a.*

chúck wàgon 1 《미》 취사(炊事) 마차《농장·목장용》. **2** 《미俗》 길가의 작은 식당.

chuck·wal·la[tʃʌ́kwɑ̀lə/-wɔ̀lə], **chuck-a-** [tʃʌ́kə-] *n.* 〔動〕 척왈라《미국 남서부·멕시코산 이구아나의 일종으로 식용》.

chud·dar, -der[tʃʌ́dər] *n.* 처더(chador) 《인도 여자가 베일이나 숄로 사용하는 네모난 천》.

chuff[1][tʃʌf] *n.* (*pl.* ~**s**) 시골뜨기, 버릇없는 사람.

chuff[2] *n., vi.* =CHUG.

chuff[3] *vt.* 《영俗》 기운을 북돋우다, 격려하다, 기쁘게 하다《*up*》.

chuffed[tʃʌft] *a.* 《영俗》 **1** 매우 기쁜, 만족한. **2** 불쾌한, 불만인.

chuff·y[tʃʌ́fi] *a.* (**chuff·i·er; -i·est**) **1** 《영方》 촌스러운, 천한, 야비한; 무뚝뚝한. **2** 《方》 살이 쪄 둥글둥글한, 똥똥한.

chug[tʃʌg] *n.* (발동기·기관차 등의) 칙칙 푹푹 하는 소리. — *vi.* (~**ged**; ~·**ging**) 《口》 칙칙 푹푹 소리내다〔소리내며 나아가다〕《*along*》.

chug·a·lug, chug-a-lug[tʃʌ́gəlʌ̀g] *vt., vi.* (~**ged**; ~·**ging**) 《미俗》 단숨에 들이켜다, 꿀꺽꿀꺽 마시다.

chuk·ka[tʃʌ́kə] *n.* 처커 부츠(=∠ **bòot**)《두 쌍의 끈구멍이 있고 복사뼈까지 덮이는 신》.

chuk·ker, -kar[tʃʌ́kər] *n.* **1** 《인도》 고리, 원(circle). **2** 〔폴로〕 1회《한 시합은 8회》 (*cf.* INNING).

⁑**chum**[1][tʃʌm] *n.* **1** 《口》 친구, (학생의) 한반〔동창〕 친구; 동료. **2** 《오스》 이민: a new ~ 신참〔고참〕 이민. — *vi.* (~**med**; ~·**ming**) 《口》(보통 ~ up) 사이좋게 지내다, 친구가 되다《*with*》; 한방에 살다《*together, with*》. **chum around with** 《미口》 …과 친하게 사귀다. ⊕ chúmmy *a.*

chum[2] *n.* (낚시의)밑밥. — *vi.* (~**med**; ~·**ming**) 밑밥을 뿌리고 낚시질하다.

chum·mage[tʃʌ́midʒ] *n.* Ⓤ 《口》 **1** 한방에 살기, 합숙; 동숙(同宿) 제도. **2** 방세《동숙자가 분담하는》; 《영俗》 가입금, 텃셋돈.

chum·mer·y[tʃʌ́məri] *n.* (*pl.* **-mer·ies**) **1** 《인도》 합숙소. **2** 한방에 사는 친구.

chum·my[tʃʌ́mi] 《口》 *a.* (**-mi·er; -mi·est**) 사이 좋은, 친한; 붙임성 있는《*with*》. — *n.* (*pl.* **-mies**) 친구(chum). **-mi·ly** *ad.* **-mi·ness** *n.*

chump[tʃʌmp] *n.* **1** 짧고 뭉뚝한 나무 토막. **2** (양다리 고기의) 굵직한 쪽(=∠ **chòp**). **3** 《영俗》 머리, 대가리. **4** 《口》 바보, 멍청이 (blockhead); 《미俗》 잘 속는 사람, 봉. **off one's chump** 《영俗》 머리가 좀 이상하여; 흥분하여. **make a chump out of** 《俗》 …에게 창피를 주다. **chúmp·ish** *a.*

Chung·king *n.* =CHONGQING.

chunk[1][tʃʌŋk] *n.* **1** (치즈·빵·고깃덩이·나무 등의) 큰 덩어리〔동강〕. **2** 상당한 양〔액수〕: a ~ of money 상당한 금액. **3** 《미口》 땅딸막하고 야무진 사람〔짐승〕.

chunk[2] *vt.* 《미口》 〈물건을〉 내던지다; 〈불에〉 장작을 지피다 《*up*》. — *vi.* 〈기계 등이〉 덜커덩〔탕, 딱, 쾅〕 소리를 내다. **chunk up** 장작을 넣다.

chunk·y[tʃʌ́ŋki] *a.* (**chunk·i·er; -i·est**)(口) **1** 짤막하고 딱 바라진, 앙바틈한. **2** 〈피륙 등이〉 두툼한. **3** 〈잼 등이〉 덩어리가 든. **chúnk·i·ly** *ad.* **-i·ness** *n.*

chun·nel[tʃʌ́nəl] [*ch*annel+*t*u*nnel*] *n.* 《口》 **1** (철도용) 해저 터널. **2** (**C-**) 《영》(건설중인) 영불 해저 터널.

★**church**[tʃə:rtʃ] [Gk] *n.* **1** (기독교의) 교회(당), 성당《영국에서는 주로 국교회의 회당을 말함; *cf.* CHAPEL》. **2** Ⓤ,Ⓒ (교회의) 예배(service): at〔in〕 ~ 예배중에/after ~ 예배가

끝난 후에/between ~*es* 예배 시간과 예배 시간 사이에. **3** Ⓤ (국가에 대하여) 교회; 교권(敎權). **4** (**C-**)(교파의 의미에서) 교회; 교회 조직; 교파. **5** (the ~) 성직(聖職). **6** (the ~; 집합적) (교회의) 회중(會衆)(congregation). **7** 신도의 조합, 교구(敎區). **8** (the C-; 집합적) (전)그리스도 교도. **(as) poor as a church mouse** 몹시 가난하여, 적빈(赤貧)하여. **go into**〔**enter**〕 **the church** 성직자가 되다, 성직에 취임하다(take orders). **go to**〔**attend**〕 **church** 교회에 가다, 예배보다. **High**〔**Low**〕 **Church** 고〔저〕 교회파《교의·의식에 치중하는〔하지 않는〕 영국 국교회의 일파》. **talk church** 종교(적인) 이야기를 하다. **the Catholic**〔**Protestant**〕 **Church** 카톨릭〔개신교〕교회. **the Church of Christ** 전그리스도 교도. **the Church of Christ, Scientist** ⇨Christian Science. **the Church of England** = **the Anglican**〔**English**〕 **Church** 영국 국교회, 성공회(聖公會). **the Church of Jesus Christ of Latter-day Saints** 말일 성도 예수 그리스도 교회《Mormon Church의 정식 명칭》. **the Church of Scotland** 스코틀랜드 국교회 장로파. **the Eastern**〔**Western**〕 **Church** 동방〔서방〕 교회, 그리스〔로마 카톨릭〕 교회. **the established**〔**state**〕 **church** 국교. **the Presbyterian Church** 장로 교회. **the visible**〔**invisible**〕 **church**⇨church visible, church invisible.
— *a.* **1** 교회의. **2** 《영》 영국 국교회에 속하는. — *vt.* **1** 〈특별 예배를 위하여 사람을〉 교회에 안내하다. **2** (보통 수동형) 〈부인을 산후의 감사 기도를 위해〉 교회에 데리고 가다〔오다〕 산후의 감사 예배를 올리다.

Chúrch Ármy 처치아미《1882년 창설된 영국 국교회의 구세군과 같은 전도 봉사 단체》.

Chúrch Commíssioners 《영》 국교(國敎) 재무 위원회.

church·go·er[´gòuər] *n.* (규칙적으로) 교회에 나가는 사람, 꾸준한 예배 참석자.

church·go·ing[´gòuiŋ] *n., a.* (규칙적으로) 교회에 나감〔나가는〕, 예배 참석(의).

***Chur·chill**[tʃə́:rtʃil] *n.* 처칠 Sir Winston (Leonard Spencer) ~(1874-1965)《영국의 수상(1940-45, 51-55); 1953년 Nobel 문학상 수상》.

Chur·chill·i·an[tʃə:rtʃíliən] *a.* 처칠(가)의〔같은〕.

church·ing[tʃə́:rtʃiŋ] *n.* Ⓤ 〔基督敎〕 순산(順産) 감사식(感謝式).

chúrch invísible (the ~) 보이지 않는 교회, 재천(在天) 교회(*opp.* church visible).

church·ism[tʃə́:rtʃizəm] *n.* Ⓤ **1** 교회 의식의 고수(固守). **2** 《영》 국교주의.

chúrch kèy 《미俗》 (끝이 삼각형으로 뾰족한) 맥주 깡통 따개.

church·less[tʃə́:rtʃlis] *a.* **1** 교회가 없는. **2** 교회에 속하지 않는, 무교회의; 무종교의.

church·ly[tʃə́:rtʃli] *a.* **1** 교회의〔에 관한〕; 종교상의. **2** 교회에 충실한; 교회에 어울리는.

church·man[´mən] *n.* (*pl.*-**men**[-mən]) **1** 성직자, 신부, 목사. **2** 교회 신자; 《영》국교 신자, 국교도(*cf.* DISSENTER 2). **~·ship** *n.* churchman의 태도〔신념, 생활〕; (**C-**) 영국 국교신자임.

chúrch mílitant (종종 **C- M-**) 전투〔싸움〕의 교회《현세에서 악과 싸우고 있는 지상의 교회〔신자들〕》.

chúrch ràte 《영》 (교구의) 교회 유지세(稅).

chúrch règister 《口》 교구 기록(parish register).

chúrch schòol 교회 (부속) 학교.

church·scot[´skɑ̀t/´skɔ̀t] *n.* Ⓤ 교회비《옛날 교구민이 성직자의 생활비 또는 세금으로 바쳤던 연보》.

chúrch sèrvice **1** 예배. **2** 영국 국교 기도서.

chúrch tèxt 印 =BLACK LETTER.

chúrch tìme 예배 시간.

chúrch triúmphant (종종 **C- T-**) 승리〔개선〕의 교회《현세에서 악과 싸워서 승천한 천상의 영혼》.

chúrch vísible (the ~) 보이는 교회, 현세의 교회《참다운 교인과 거짓 신자가 혼재함; *opp.* church invisible》.

church·ward·en[´wɔ̀:rdn] *n.* **1** (영국국교회의) 교구 위원. **2** 《영》 길다란 사기 담뱃대.

church·wom·an[´wùmən] *n.* (*pl.*-**women** [-wìmin]) **1** 교회 여신도. **2** 《영》 국교의 여신도.

church·y[tʃə́:rtʃi] *a.* (**church·i·er; -i·est**) 국교에 투철한, 교회만 중요시하는; 교회 만능주의의.

****church·yard**[´jɑ̀:rd] *n.* (교회의) 구내; (교회 부속의) 묘지(*cf.* CEMETERY). **a churchyard cough** 다 죽어가는 맥없는 기침. **A green Christmas**〔**Yule**〕 **makes a fat churchyard.** 《속담》 크리스마스에 눈이 안 오면 (질병이 유행하여) 죽는 사람이 많다.

churl[tʃə(:)rl] *n.* **1** 신분이 낮은 사람(*opp.* gentleman); 비천한 사람. **2** 거친〔무뚝뚝한〕 남자, 심술꾸러기; 시골뜨기. **3** 〔英史〕 최하층의 자유민(ceorl).

churl·ish[tʃə́(:)rliʃ] *a.* **1** 야비한, 천한. **2** 인색한, 구두쇠의; 심술궂은. **3** 〈토양 등이〉 경작하기 어려운. **~·ly** *ad.* **~·ness** *n.*

churn[tʃə:rn] *n.* **1** 교유기(攪乳器), 버터 제조기. **2** 《영》 (운반용의) 큰 우유통. — *vt.* **1** (교유기로) 휘젓다, 〈통에 넣어〉 휘저어 버터를 만들다; 〈물·흙 등을〉 거세게 휘젓다. **2** 〈바람 등이 파도를〉 일게 하다, 거품나게 하다. **3** 《俗》 (계산서의 액수를 늘리기 위하여) 〈고객에게〉 불필요한 절차를 밟게 하다, 필요 이상의 서비스를 제공하여 바가지를 씌우다. — *vi.* **1** 교유기를 돌리다; 교유기로 버터를 만들다. **2** 〈파도 등이〉 거품지며 물가에 부딪치다. **3** 〈스크루 등이〉 거세게 돌다. **4** 〈군중 등이〉 우왕좌왕하다. **churn out** 《口》 〈영화·제품 등을〉 대량으로 잇따라 만들다, 대량 생산하다.

chúrn dàsher 교유(攪乳) 장치.

chúrn stàff 교유 막대.

churn·ing[tʃə́:rniŋ] *n.* Ⓤ **1** 교유, 우유 젓기. **2** 1회 제조분의 버터.

churr[tʃə:r] [의성어] *vi., n.* 〈곤충이〉 찍하고 울다〔우는 소리〕(chirr).

chut[tʃʌt] [의성어] *int.* 체!, 쯧쯧《혀를 차는 소리; 초조함을 나타냄》.

chute[ʃu:t] [F] *n.* **1** 비탈진 수로, 낙숫물 도랑, 활강사면로(滑降斜面路)(*cf.* SHOOT). **2** 자동 활송(滑送) 장치《물·재목·광석 따위를 아래로 떨어뜨리는 경사진 길파이프 따위》; (주택에서 쓰레기세탁물 따위를 떨어뜨리는) 낙하 장치. **3** 급류, 여울, 폭포. **4** 《俗》 낙하산(PARACHUTE). **a chute conveyor** 자동 활송(滑送) 운반 장치. **mail**〔**letter**〕 **chute** 레터 슈트《우편물 투하 장치》. — *vt, vi.* 낙하산으로 떨어뜨리다〔내리다〕; chute로 운반하다.

chute-the-chute(s)[ʃú:tðəʃú:t] *n.* 《미》 **1** = ROLLER COASTER; WATER CHUTE. **2** 소름끼

치게 하는 것〔경험〕.
chute-troop·er *n.* 《口》 낙하산(부대)병.
chut·ist[ʃúːtist] *n.* 《口》 =PARACHUTIST.
chut·ney, -nee[tʃʌ́tni] *n.* 처트니(달콤하고 시큼한 인도의 조미료).
chut·tie, -ty[tʃʌ́ti] *n.* (*pl.* **-ties**) 《오스口》 껌, 추잉껌.
chutz·pah, -pa[hútspə] *n.* Ⓤ 《口》 뻔뻔스러움, 철면피.
chyle[kail] *n.* Ⓤ 〔生理〕 유미(유백색으로 된 림프(lymph)).
chy·lous[káiləs] *a.* 유미의.
chyme[kaim] *n.* Ⓤ 〔生理〕 유미즙(汁).
chy·mo·pa·pa·in[kàimoupəpéiin, -páiin] *n.* 〔生化〕 키모파파인(파파이아에 함유되어 있는 단백질 분해 효소).
chy·mo·tryp·sin *n.* 〔生化〕 키모트립신 (응유력(凝乳力)이 강한 효소).
chy·pre [F] *n.* 시프레(백단(sandalwood)에서 채취한 두발용 향유).
Ci 〔氣〕 cirrus; 〔物〕 curie(s). **C.I., CI** cast iron; certificate of insurance; Channel Islands; Chief Inspector; Chief Instructor; Commonwealth Institute; Communist International; corporate identity; corporate identification 기업 인식; cost and insurance; 《영》 (Imperial Order of the) Crown of India. **cía**. compania(Sp =company).
CIA, C.I.A. Central Intelligence Agency (미국) 중앙 정보부.
ciao[tʃau] [It] *int.* 《口》 차우, 여, 안녕, 또 봐(허물없는 사이의 인사).
ci·bo·ri·um[sibɔ́ːriəm] *n.* (*pl.* **-ri·a**[-riə]) **1** 〔建〕 제단의 닫집. **2** 〔가톨릭〕 성합(성체를 담는 그릇).
Cic. Cicero. **C.I.C.** Commander in Chief; Counter Intelligence Corps.
*__ci·ca·da__[sikéidə, -káːdə] *n.* (*pl.* ~**s**, **dae**[-dìː]) 〔昆〕 매미 (《미》 locust).
ci·ca·la[sikáːlə] [It] *n.* (*pl.* ~**s**, **-le**[-le]) = CICADA.
cic·a·trice[síkətris] *n.* (*pl.* **-tri·ces**[sìkətráisiːz]) =CICATRIX.
cic·a·tri·cle[síkətrìkl] *n.* **1** 〔生〕 배점(胚點)(노른자위의). **2** 〔植〕 =CICATRIX 2.
cic·a·trix[síkətrìks] *n.* (*pl.* **-tri·ces**[sìkətráisiːz], ~**·es**) **1** 〔醫〕 반흔(瘢痕), 아문 상처. **2** 〔植〕 엽흔(葉痕), 잎이 떨어진 자국.
cic·a·tri·za·tion[sìkətrizéiʃən] *n.* Ⓤ 〔醫〕 반흔 형성; (상처의) 아물기.
cic·a·trize[síkətràiz] *vi., vt.* 상처 자국을 형성하다〔시키다〕; 새살이 나서 아물(게 하)다.
cic·e·ly[sísəli] *n.* (*pl.* **-lies**) 〔植〕 각종 미나리과(科) 식물, 《특히》 SWEET CICELY.
Cic·e·ro[sísəròu] *n.* 키케로 Marcus T. ~ (106-43 B.C.)(로마의 정치가·철학자).
cic·e·ro·ne[sìsəróuni, tʃìtʃə-] [It] *n.* (*pl.* **-ni** [-niː]) (명승 고적 등의) 관광 안내원.
Cic·e·ro·ni·an[sìsəróuniən] *a.* 키케로식〔류, 풍〕의 장중하고 단아한; (키케로 같은) 웅변의. — *n.* 키케로 연구가; 키케로 숭배자.
ci·cis·be·o[tʃìtʃizbéiou] [It] *n.* (*pl.* **-be·i**[-béiiː]) (18세기 이탈리아의) 남편 있는 여자의 공공연한 애인.
Cid[sid] [Sp] *n.* (the ~) (엘)시드(11세기경 그리스도교의 옹호자로서 무어 사람(Moors)과 싸운 스페인의 전설적 영웅 Ruy Diaz에게 준 칭호; 그의 공훈을 노래한 서사시: El Cid 라고도 함).
C.I.D. Committee for Imperial Defence; Criminal Investigation Department 《미》 검찰국 (《영》 (런던 경찰국의) 수사과; 〔軍〕 범죄 수사대).
-cidal[⌐-sàidl] 《연결형》 「죽이는(힘이 있는)」의 뜻: homi*cidal*.
-cide[⌐-sàid] 《연결형》 「죽임; 살해(자)」의 뜻: patri*cide*, insecti*cide*.
*__ci·der__[sáidər] [L] *n.* Ⓤ 《영》 사과술; 《미》 사과 주스. (◇ 사과즙을 발효시키지 않은 것(주스)은 sweet ~, 발효시킨 것(술)은 hard ~; 한국의 「사이다」는 탄산수(soda pop)를 말함).
all talk and no cider 《미口》 말만 많고 결론이 나지 않는 일.
cíder cùp 사이다 컵(사과술·리큐어·소다수 등을 혼합하여 얼음으로 식힌 여름 음료).
ci·der·kin[sáidərkin] *n.* Ⓤ 약한 사과술.
cíder prèss 사과 압착기(cider 제조용).
cíder vínegar 사과즙 발효 식초.
ci-de·vant[sidəvɑ́] [F] *a.* 전의, 이전의(former): a ~ general 전 장군. — *ad.* 이전에. — *n.* (프랑스혁명으로 작위를 빼앗긴) 전 귀족.
cie. *compagnie*.(F=company). **C.I.E.** Companion of the (Order of the) Indian Empire. **C.I.F., c.i.f.** cost, insurance & freight 운임 보험료 포함 가격.
cig[sig], **ciggie, -gy**[sígi] *n.* 《口》 담배(cigarette, cigar).
ci·ga·la[sigáːlə] [It] *n.* =CICADA.
‡**ci·gar**[sigáːr] [Sp] *n.* 여송연, 시가, 엽궐련: a ~ case 시가 케이스.
‡**cig·a·rette, -ret**[sìgərét, ⌐-⌐] [cigar+-ette (지소어미)] *n.* 궐련.
cigarétte bùtt 담배 꽁초.
cigarétte cárd 담뱃갑 속에 들어 있는 그림 카드.
cigarétte càse 궐련갑, 담배 케이스.
cigarétte gìrl (레스토랑·나이트 클럽 등의) 담배 파는 소녀〔아가씨〕.
cig·a·rette-hold·er *n.* 궐련용 물부리.
Cigarétte hùll 시가렛(형 보트); 먼 바다 레이스용 대형 모터보트(배 안에 발동기를 단).
cigarétte lìghter (담배를 붙이는) 라이터.
cigarétte pàper 궐련용 얇은 종이.
ci·gar-hold·er *n.* 엽궐련용 물부리〔파이프〕.
cig·a·ril·lo[sìgərílou] *n.* (*pl.* ~**s**) 소형 엽궐련(가늘고 김).
ci·gar-shaped[sigáːrʃèipt] *a.* 시가 모양의.
cigár stòre 담뱃가게.
ci·gár-store Índian[⌐stɔ̀ːr-] 아메리카 인디언의 목각 인형(옛날 담뱃가게의 간판).
cig·gy, cig·gie[sígi] *n.* (*pl.* **-gies**) 《俗》 = CIGARETTE.
ci·lan·tro[siláːntro, -lǽn-] *n.* (*pl.* ~**s**) (멕시코 요리에서 향신료로 쓰는) 고수(coriander)의 잎.
cil·i·a[síliə] *n. pl.* (*sing.* **-i·um**[-iəm]) **1** 속눈썹. **2** (잎·날개 등의) 솜털, 세모(細毛); 〔生〕 섬모(纖毛).
cil·i·ar·y[sílièri/-əri] *a.* **1** 속눈썹의. **2** 솜털 모양의, 섬모 (모양)의; 모양체(毛樣體)의.
cil·i·ate[síliit, -èit] *n.* 〔動〕 섬모충. — *a.* 섬모충의; 섬모가 있는, 속눈썹이 있는. ~**·ly** *ad.*
cil·i·at·ed[sílièitid] *a.* 속눈썹〔솜털〕이 있는.
cil·i·a·tion[sìliéiʃən] *n.* **1** 속눈썹〔솜털〕이 있음. **2** (집합적) 속눈썹; 솜털, 섬모.
cil·ice[sílis] *n.* **1** Ⓤ 마미단(馬尾緞). **2** 마미단으로 만든 옷.
Ci·li·cia[silíʃə] *n.* 실리시아 소아시아 남동부의, Taurus 산맥과 지중해 사이의 고대(古代) 국가.

cil·i·um[síliəm] *n.* CILIA의 단수.
CIM computer-integrated manufacturing 〔컴퓨터〕 컴퓨터에 의한 통합 생산.
ci·met·i·dine[səmétidiːn] *n.* 〔藥〕 시메티딘《십이지장궤양 치료약·제산제》.
ci·mex[sáimeks] *n.* (*pl.* **-mi·ces**[síməsìːz, sái-]) 〔昆〕 빈대(bedbug).
Cim·me·ri·an[simíəriən] *n.* 〔그神〕 키메르족의 사람《Homer의 시에 세계의 서쪽 끝의 암흑 속에서 산다는》. ─ *a.* **1** 키메르 사람의. **2** 암흑의, 음산한.
C. in C., C.-in-C. Commander in Chief 《(영) Commander-in-Chief》 최고 사령관.
CINC·EUR[síŋkjùər] [*C*ommander-*in*-*C*hief, *Eur*opean Command] *n.* 〔軍〕 유럽 주둔 미군 최고 사령관.
cinch[sintʃ] *n.* **1** 안장띠, (말의) 뱃대끈. **2** (a ~) 《口》 꽉 쥐기. **3** (a ~) 《俗》 (아주) 확실한 일(sure thing); 유력한 후보; 쉬운 일, 식은 죽먹기. ─ *vt.* **1** 〈안장띠를〉 죄다(tighten); 꽉 쥐다. **2** 《俗》 확실케 하다.
cínch bèlt 신치벨트《폭이 넓은 여자용 벨트》.
cin·cho·na[siŋkóunə, sin-] *n.* **1** 〔植〕 기나수(幾那樹). **2** Ⓤ 기나피(皮)(Peruvian bark) 《키니네를 채취함》; 기나피 제제(製劑): ~ wine 키니네 포도주.
cin·chon·i·dine *n.* Ⓤ 〔化〕 신코니딘《기나알칼로이드의 일종; 주로 말라리아 치료용》.
cin·cho·nine[síŋkəniːn, sín-] *n.* Ⓤ 〔化〕 신코닌《기나피에서 채취하는 기나 알칼로이드; 키니네 대용품》.
cin·cho·nism[síŋkənìzəm, sín-] *n.* Ⓤ 〔病理〕 기나중독(증).
cin·cho·nize[síŋkənàiz, sín-] *vt.* 기나로 처리하다; 기나 중독을 일으키다.
Cin·cin·nat·i[sìnsənǽti] *n.* 신시내티《미국 Ohio주의 도시》.
Cin·cin·na·tus[sìnsənéitəs] *n.* **1** 킨키나투스(519?-439? B.C.)《로마의 정치가; 부름을 받아 한때 로마의 집정관이 됨》. **2** 숨은 위인.
CINC·LANT[síŋklənt] [*C*ommander-*in*-*C*hief, At*lant*ic] *n.* 《미》 대서양 함대 사령관.
CINC·PAC[síŋkpæk] [*C*ommander-*in*-*C*hief, *Pac*ific] 《미》 태평양 지구 총사령관.
CINC·SAC[síŋksæk] [*C*ommander-*in*-*C*hief, *S*trategic *A*ir *C*ommand] *n.* 《미》 전략 공군 최고 사령관.
cinc·ture[síŋktʃər] *n.* **1** 〔基督敎〕 띠(girdle) 《alb 등의 제의(祭衣)를 허리께에서 죄는 띠》. **2** 울; 주변 지역. **3** 〔建〕 (원기둥의) 띠장식. ─ *vt.* 띠를 두르다; 둘러싸다.
***cin·der**[síndər] *n.* **1** Ⓤ (석탄 등의) 탄 재; 뜬숯. **2** (용광로에서 나오는) 쇠찌끼, 쇠똥(slag); (*pl.*) 재(ashes): burn to a ~ 까맣게 타다〔태우다〕. **3** (*pl.*) 〔地質〕 (화산에서 분출한) 분석(噴石). **4** =CINDER PATH.
cínder blòck (건축용) 콘크리트 블록《concrete와 cinder를 섞어서 만듦》.
***Cin·der·el·la**[sìndərélə] *n.* **1** 신데렐라《계모와 자매들에게 학대받다가 왕비가 되었다는 동화의 주인공》. **2** 의붓딸 취급받는 사람; 숨은 미인〔인재〕; 일약 유명해진 사람.
Cinderélla còmplex 신데렐라 콤플렉스《여성이 남성에게 의존하려는 잠재적 욕망》.
Cinderélla dànce (the ~) 밤 12시에 끝나는 소무도회.
cínder pàth **1** 석탄 재를 깔아 다진 보도(步道). **2** =CINDER TRACK.
cínder stár 《俗》 육상경기 선수《스포츠 기자 용어》.
cínder tràck 석탄 재를 깔아 다진 경주용 트랙.
cin·der·y[síndəri] *a.* 타다 남은 재 같은.
cin·e[síni, sínei] *n.* 영화(motion picture); 영화관; =CINEMATOGRAPHY
cin·e-[síni] 《연결형》 「영화」의 뜻.
cin·e·aste, -ast[síniæ̀st], [-æ̀st, əst] [F] *n.* 영화인; (열광적인) 영화팬.
cin·e·cam·e·ra[sínəkæ̀mərə] *n.* 《영》 영화촬영기(《미》 movie camera).
cin·e·film[sínəfìlm] *n.* 영화 필름.
⁑**cin·e·ma**[sínəmə] *n.* **1** (보통 the ~; 집합적) 영화. **2** (보통 the ~) 영화 제작법〔기술〕; 영화 산업; (예술로서의) 영화. **3** 《영》 영화관(《미》 movie). **go to the cinema** 영화보러 가다.
cínema cìrcuit 영화의 흥행 계통.
cínema còmplex 시네마 콤플렉스《복수의 홀을 가진 영화관》.
cin·e·mac·tor[sínəmæ̀ktər] [*cinem*a+*actor*] *n.* 《미俗》 영화 배우.
cin·e·mac·tress [*cinem*a+*actress*] *n.* 《미俗》 여자 영화 배우.
cin·e·ma·dap·ter[*cinem*a+*adapter*] *n.* 영화 각색가.
cínema fàn〔**gòer**〕 《영》 영화팬.
Cin·e·ma·Scope[sínəməskòup] *n.* 〔映〕 시네마스코프(*cf.* WIDE-ANGLE)《상표명》.
cin·e·ma·theque[sìnəməték] *n.* 전위 영화 전문의 소극장.
cin·e·mat·ic[sìnəmǽtik] *a.* 영화의, 영화에 관한; 영화적인. **-i·cal·ly** *ad.*
cin·e·mat·ics[cinəmǽtiks] *n. pl.* (보통 단수 취급) 영화 예술.
cin·e·ma·tize[sínəmətàiz] *vt., vi.* 영화화하다.
cin·e·mat·o·graph[sìnəmǽtəgræ̀f, -grɑ̀ːf] [Gk] *n.* 《영》 **1** 영화 촬영기(motion-picture camera); 영사기 (motion-picture projector); 영화관. **2** (the ~) 영화 제작 기술. ─ *vt.* …을 영화로 만들다; 촬영하다.
cin·e·ma·tog·ra·pher[sìnəmətɑ́grəfər/-tɔ́g-] *n.* 카메라맨, 영화 촬영 기사.
cin·e·mat·o·graph·ic[sìnəmæ̀təgrǽfik] *a.* 영화의; 영사(映寫)의. **-i·cal·ly** *ad.*
cin·e·ma·tog·ra·phy[sìnəmətɑ́grəfi/-tɔ́g-] *n.* Ⓤ 영화 촬영법〔술〕.
ci·né·ma vé·ri·té[síːnəməvèriːtéi] [F] *n.* 시네마 베리테《핸드 카메라나 가두 녹음 등으로 현실을 있는 그대로 그려내는 수법〔영화〕》.
cin·e·mi·crog·ra·phy[sìnəmaikrɑ́grəfiː] *n.* 현미경 영화 촬영법《세균의 움직임을 연구하는 데 쓰임》.
cin·e·mo·ral·i·ty[sìnəmərǽləti] *n.* 《俗》 도덕 영화.
cin·e·phile[sínəfàil] *n.* 《영》 영화팬.
cin·e·pro·jec·tor[sínəprədʒèktər] *n.* 영사기.
Cin·e·ram·a[sìnərɑ́ːmə, -rǽmə] [*cine*ma+pano*rama*] *n.* 시네라마 (*cf.* WIDE-ANGLE) 《상표명》.
cin·e·rar·i·a[sìnəréəriə] *n.* 〔植〕 시네라리아《국화과(科)의 관상 식물》.
cin·e·rar·i·um[sìnəréəriəm] *n.* (*pl.* **-i·a**[-iə]) 납골당.
cin·er·ar·y[sínərèri/-rəri] *a.* **1** 재의. **2** 납골(納骨)(용)의: a ~ urn 납골 단지.
cin·er·a·tor[sínərèitər] *n.* 화장로(爐).
ci·ne·re·ous[siníəriəs] *a.* 회색의; 재모양의.
cin·er·in[sínərin] *n.* 〔化〕 시네린《살충국(殺蟲菊) 속에 있는 살충 성분》.
cin·e·star[sínəstɑ̀ːr] *n.* 《미》 영화 배우.

ci·ne·vé·ri·té[sínivèritéi] [F] *n.* =CINEMA VERITE.

Cin·ga·lese[sìŋgəlí:z] *a.* Ceylon의.
— *n.* (*pl.* ~) **1** 실론 사람. **2** Ⓤ 실론 말.

cin·gu·late[síŋgjəlit, -lèit] *a.* 〈곤충 등이〉 색대(色帶)를 가진, 띠 모양의 것이 있는.

cin·gu·lot·o·my[sìŋgjəlátəmi] *n.* (*pl.* **-mies**) 〔外科〕 대상속(帶狀束) 절개 수술《어떤 정신병에 대한 수술》.

cin·gu·lum[síŋgjələm] *n.* (*pl.* **-la**[-lə]) **1** 〔解·動〕 띠, 띠 모양의 것〔색〕, 대상속(帶狀束). **2** 〔植〕 (규조류(珪藻類)의) 각대(殼帶). **3** 〔齒科〕 치대(齒帶)(basal ridge).

cin·na·bar[sínəbà:r] *n.* Ⓤ **1** 〔鑛〕 진사(辰砂)《수은의 원광》. **2** 주홍색(vermilion).

***cin·na·mon**[sínəmən] *n.* **1** Ⓤ 육계피(肉桂皮), 계피. **2** 〔植〕 계수(나무). **3** Ⓤ 육계색, 황갈색, 적갈색. — *a.* 육계색의.

cínnamon bèar 〔動〕 미국검은곰《북미산》.

cínnamon fèrn 〔植〕 꿩고비.

cin·na·mon·ic[sìnəmánik/-mɔ́n-] *a.* 육계(肉桂)(질)의, 육계에서 채취한.

cínnamon stòne 〔鑛〕 육계석(肉桂石).

cínnamon tóast 시나몬 토스트《설탕과 계피를 바른 빵》.

cinq-à-sept[sɛ̃kásɛt] [F] *n.* 저녁 때의 애인 방문.

cin·quain[siŋkéin, ⌐—] *n.* 〔韻〕 5행 스탠저, 5행련(聯).

cinque, cinq[siŋk] *n.* (주사위 · 카드의) 다섯끗(*cf.* ACE).

cin·que·cen·to[tʃìŋkwitʃéntou] [It] *n.* Ⓤ (종종 **C-**) (이탈리아 예술의) 16세기; 16세기의 이탈리아 예술. **-tìsm** *n.* **-tist** *n.* 16세기의 이탈리아의 문인 · 화가.

cinque·foil[síŋkfɔ̀il] *n.* **1** 〔植〕 양지꽃속(屬). **2** 〔建〕 오엽(五葉) 장식, 오판화(五瓣花) 장식.

Cínque Pórts (the ~) 〔영史〕 5항(港)《영국 남해안의 특별 항구; 원래는 5개 항; 후에 2개 항 추가》.

CINS[sinz] [*C*hild〔*C*hildren〕 *I*n *N*eed of *S*upervision] *n.* 《미》 감독이 필요한 아동.

Cin·za·no[tʃinzá:nou] *n.* (*pl.* **~s**) 친자노《이탈리아산 베르무트 술》.

CIO, C.I.O. Congress of Industrial Organizations ⇨ AFL-CIO.

ci·on[sáiən] *n.* **1** 자손(scion). **2** 어린 가지.

CIP cataloging in publication. **CIPEC** *Conseil Intergouvernemental des Pays Exportateurs de Cuivr*(=Intergovernmental Council of Copper Exporting Countries).

***ci·pher**[sáifər] [Arab] *n.* **1** (기호의) 영(零), 0(nought). **2** 아라비아 숫자, 자리수: a number of five ~*s* 다섯 자리수. **3** 변변치 않은 사람〔물건〕. **4** a Ⓤ,Ⓒ 암호: in ~ 암호의〔로〕/ a ~ code〔telegram〕 암호표〔암호전신(법)〕. b (암호를 푸는) 열쇠. **5** (성명 등의) 머릿글자를 짜맞춘 글자(monogram). **6** 〔樂〕 (풍금의 고장으로 인한) 자명(自鳴).
— *vi.* **1** 운산(運算)하다, 계산하다(calculate): 숫자를 사용하다. **2** 암호를 쓰다. **3** 〔樂〕 (풍금이) 저절로 울리다. — *vt.* **1** a …을 계산하다《*out*》. b …을 생각해 내다《*out*》. **2** 〈통신 등을〉 암호로 하다〔쓰다〕(*opp.* decipher).

ci·pher-key *n.* 암호 해독〔작성〕의 열쇠.

ci·pher·text[-tèkst] *n.* (PLAINTEXT에 대하여) 암호문.

ci·pho·ny[sáifəni] [*ci*pher+tele*phony*] *n.* 암호 전화법《신호를 전기적으로 혼란시킴》.

cip·o·lin[sípəlin] [It =little onion] *n.* Ⓤ 운모 대리석《이탈리아산(産)의 대리석; 흰빛과 초록빛 무늬가 있음》.

CIQ customs, immigration and quarantine.

cir(c). circa; circuit, circulation; circumference; circus.

cir·ca[sə́:rkə] [L =about] *prep.* (연대 · 날짜 앞에서) 약, …경(about)《略: c., ca., cir(c).》.

cir·cad·i·an[sə:rkéidiən] *a.* 〔生〕 24시간 주기〔간격〕의, 일주기성(日周期性)의: ~ rhythms 24시간 리듬. **~·ly** *ad.*

cir·ca·lu·na·di·an[sə̀:rkəlu:ná:diən] *a.* 태음일(太陰日)마다의, 24시간 50분 간격의.

cir·can·ni·an, -can·nu·al[sə:rkǽniən], [-kǽnjuəl] *a.* 〔生〕 1년 주기의.

Cir·cas·si·a[sə:rkǽʃə, -siə] *n.* 체르케스《Caucasus 산맥 북쪽의 흑해 연안 지역》.

Cir·cas·si·an[sə:rkǽʃiən, -siən] *n.* 체르케스 사람; Ⓤ 체르케스 말. — *a.* 체르케스 사람〔말〕의; 체르케스 지방의.

Cir·ce[sə́:rsi] *n.* **1** 〔그神〕 키르케《마술로 Odysseus의 부하들을 돼지로 둔갑시켰다는 마녀》. **2** 요부(형 미인).

Cir·ce·an[sə:rsí:ən] *a.* **1** 키르케의〔와 같은〕. **2** 요부형의.

cir·ci·nate[sə́:rsənèit] *a.* **1** 고리사슬 모양의. **2** 〔植〕 고리머리 모양의. **~·ly** *ad.*

cir·ci·ter *prep.* =CIRCA.

****cir·cle**[sə́:rkl] [L] *n.* **1** 원; 원주. **2** 원형의 것, 고리, 바퀴(ring), 원진(圓陣); 순환 도로, (철도의) 순환선; 원형 광장; 환상 교차로, 로터리; 곡마장(circus ring). **3** (극장의) 반원형의 좌석(*cf.* DRESS CIRCLE, UPPER CIRCLE). **4** 권(圈), 위도(緯度)(권); 〔地〕 위선(緯線); (행성의) 궤도(orbit). **5** (종종 *pl.*) (동일한 이해 · 직업 등의) 집단, 사회, 서클, …계(界): the upper ~*s* 상류 사회/business ~*s* 실업계. **6** (교우(交友) · 활동 · 세력 · 사상 등의) 범위: have a large ~ of friends 교제가 넓다. **7** 《詩》 주기(週期); 순환, 일주《*of*》. **8** 전(全)계통, 전체: the ~ of the sciences 학문의 전(全) 계통. **9** 〔論〕 순환 논법. **come full circle** 한 바퀴 돌다, 돌아서 제자리에 오다. **go all round the circle** 〈이야기 등이〉 에두르다. **go (a)round in circles** 《口》 같은 곳을 빙글빙글 돌다; 노력에 비해 진보하지 못하다, 제자리 걸음하다, 허송 세월하다. **in a circle** 원형으로, 둥글게 앉아서; 순환 논법으로. **make a circle** 〈물체가〉 원을 그리다. **run circles around** a person …보다 몇 갑절〔훨씬〕 잘하다〔잘함을 보여주다〕. **run round in circles** 《口》 같은 데를 빙빙 돌다, 하찮은 일에 초조해 하다. **square the circle** 원과 같은 면적의 정사각형을 만들려고 하다; 불가능한 일을 꾀하다. **talk in circles** 《미口》 횡설수설하다.
— *vt.* **1** 선회(旋回)하다, …의 둘레를 돌다, 일주하다, 회전하다; 〈위험을 피하여 …을〉 우회하다: The earth ~*s* the sun. 지구는 태양의 둘레를 돈다. **2** 에워싸다, 둘러싸다: The enemy ~*d* the hill. 적이 그 언덕을 에워쌌다. **3** (주의를 끌기 위해 어구 등에) 동그라미를 두르다. — *vi.* 〈비행기 등이〉 선회하다, 돌다, 회전하다《*round, over*》.

cír·cler[-ər] *n.* 원을 그리는 것〔사람〕.
◇ círcular *a.*; círculate, encírcle *v.*

círcle gràph 원 그래프(pie chart).

cir·clet[sə́:rklit] *n.* **1** 작은 원. **2** (여성 장식용의 금 · 보석 등의) 장식 고리; 머릿장식, 팔찌, 가락지(ring) 《등》.

cir·cling[sə́ːrkliŋ] *n.* [U] 〖馬術〗 빙글빙글 돌기.
Cir·clo·ra·ma[sə̀ːrklərǽmə, -rɑ́ː-] *n.* 서클로라마《영사기·스크린을 여러 개 사용하는 영사 방식의 하나; 상표명》.
circs[səːrks] *n.pl.*《영口》=CIRCUMSTANCES.
*‡***cir·cuit**[sə́ːrkit] [L] *n.* **1** 순회; 순회 여행: a ~ drive 〖野〗 홈런/make〔go〕 the ~ of …을 한 바퀴 돌다. **2** 우회도로〔코스〕; 빙 둘러서 감, 우회. **3** (원형 모양의) 주위; 범위; 둘러싸인 지역. **4** 《미俗》 〖野〗 다이아몬드. **5** (목사·세일즈맨·순회 재판 판사 등의) 정기적 순회; 순회 재판구; 순회 변호사회; (목사의) 순회 구역: go on ~ 순회 재판을 하다《판사가 붙지 않음》/ride the ~ 〈판사·목사가 말로〉 순회하다. **6** 〖電〗 회로, 회선: break〔open〕 the ~ 회로를 열다/close〔make〕 the ~ 회로를 닫다/a short ~ 단락(短絡), 쇼트. **7** (극장·영화관 등의) 흥행 계통, 체인; (야구·축구 등 스포츠의) 연맹, 리그. **8** (자동차 경주용의) 서킷, 주회로. ◇ circúitous *a.*
círcuit brèaker 1 〖電〗 회로 차단기, 브레이커. **2** (고령·저소득층에 주는) 재산세 감면(법).
círcuit clòut 《野球俗》 본루타, 홈런.
círcuit cóurt 순회 재판소《略: C.C.》.
círcuit cóurt of appéals 《미》 연방 순회 항소 법원.
círcuit jùdge 순회 재판 판사.
cir·cu·i·tous[sərkjúːitəs] *a.* **1** 에움길의, 도는 길의. **2** 에두르는, 간접적인, 넌지시 말하는. **~·ly** *ad.* **~·ness** *n.*
círcuit rìder 《미》 (개척시대 감리 교회의) 순회 목사《말을 타고 다니며 설교하는》.
cir·cuit·ry[sə́ːrkitri] *n.* [U] (전자·전기의) 회로 (설계); 회로 소자(素子).
círcuit slùgger 《野球俗》 홈런 타자.
cir·cu·i·ty[sərkjúːəti] *n.* (*pl.* **-ties**) [U,C] **1** 빙 돌아감〔돌림〕. **2** 간접적임, 우회적임.
*‡***cir·cu·lar**[sə́ːrkjələr] *a.* **1** 원의, 원형의, 고리 모양의: a ~ saw 둥근 톱. **2** 순환성의, 빙빙 도는, 환상(環狀)의: a ~ number 순환수/a ~ argument〔reasoning〕 순환 논법/a ~ note 순회 어음《여행지의 은행에서 찾아쓰는》/a ~ stair 나선식 계단. **3** 순회의, 주유(周遊)의; 회람의: a ~ tour〔ticket〕 《영》 회유(回遊) 여행〔차표〕/a ~ letter 회람장. **4** 에두른, 우회적인; 간접적인. — *n.* 회보, 회람장; 안내장; 광고 전단. **~·ly** *ad.* **~·ness** *n.* ◇ círcle *n.*; círculate *v.*
círcular díchroism 〖光〗 원편광(圓偏光) 2색성(二色性); 원편광 2색성 분광(分光) 분석.
círcular fíle 《미俗》(사무실의) 휴지통(wastebasket).
cir·cu·lar·i·ty[sə̀ːrkjəlǽrəti] *n.* [U] **1** 둥긂, 원형, 고리 모양, 환상(環狀). **2** (논지 등의) 순환성.
cir·cu·lar·ize[sə́ːrkjələràiz] *vt.* **1** 회람을 돌리다, 앙케트를 보내다. **2** 〈편지·메모 등을〉 회람하다. **3** 원형으로 만들다. **4** 공표하다, 공고하다; 유포시키다. **-iz·er** *n.*
cìr·cular·i·zá·tion[-rizéiʃən] *n.*
círcular méasure 〖數〗 호도법(弧度法)《라디안(radian)을 사용한 각도의 측정》.
círcular órbit 원(圓)궤도.
círcular polarizátion 〖光〗 원편광(偏光).
círcular velócity 〖物〗 원궤도 속도.
*‡***cir·cu·late**[sə́ːrkjəlèit] [L] *vi.* **1** 돌다, 순환하다《*through, among, in*》: Blood ~*s through* the body. 피는 체내를 순환한다. **2** 원운동을 하다, 빙빙 돌다; 〈술병이〉 차례로 돌다《*around, round*》. **3** 〖數〗 〈소수가〉 순환하다. **4** 여기저기 걸어다니다; (특히 회합 등에서) 부지런히 돌아다니다; 〈소문 등이〉 퍼지다, 유포되다: Rumors ~ rapidly. 소문은 삽시간에 퍼진다. **5** 《미》 순회하다. **6** 〈신문·책 등이〉 유포되다, 배부되다, 판매되다. **7** 〈통화 등이〉 유통하다. — *vt.* **1** 순환시키다; 〈술 등을〉 돌리다. **2** 〈정보·소문 등을〉 퍼뜨리다. **3** 〈신문 등을〉 배부하다; 〈편지·도서를〉 회람시키다; 〈통화 등을〉 유통시키다.
◇ círcular *a.*; circulátion, círcle *n.*
cir·cu·lat·ing *a.* 순환하는, 순회하는.
círculating cápital[sə́ːrkjəlèitiŋ-] 유동자본(*opp.* fixed capital).
círculating décimal 〖數〗 순환 소수.
círculating lìbrary 1 (유료의 회원제) 대출 도서관(lending library). **2** 순회 도서관, 회람 문고. **3** 《미》 대본(貸本)집.
círculating médium 통화(通貨).
*‡***cir·cu·la·tion**[sə̀ːrkjəléiʃən] *n.* **1** [U] 순환: have a good〔bad〕 ~ (혈액의) 순환이 좋다〔나쁘다〕. **2** [U] 유통; 유포, 전달. **3** (*sing.*) 발행 부수, 보급〔판매〕 부수; (도서의) 대출 부수: have a large〔small, limited〕 ~ 발행 부수가 많다〔적다〕. **4** [U] (집합적) 통화, 유통 어음. **be back in circulation** 〈사람이〉 활동을 다시 시작하다; 현역에 돌아오다. **be in circulation** 유포되고 있다, 유통하고 있다. **be out of circulation** 〈책·통화 등이〉 나와 있지 않다, 사용되지 않다; 〈사람이〉 활동하지 않다, 〈남과〉 사귀지 않다. **put in〔into〕 circulation** 유포〔유통〕시키다. **withdraw from circulation** …의 발행〔유통〕을 정지시키다.
circulátion diréctor (신문·잡지의) 부수 확장 담당 이사.
circulátion guárantee 〖廣告〗 (광고주에 대한) 부수 보증.
cir·cu·la·tive[sə́ːrkjəlèitiv, -lətiv] *a.* 순환성의, 유통성이 있는.
cir·cu·la·tor[sə́ːrkjəlèitər] *n.* **1** (정보·병균 등을) 퍼뜨리는 사람, 전달자. **2** (화폐의) 유통자. **3** 순환 장치; 〖數〗 순환 소수. **4** 여기저기 여행하는 사람, 순회자.
cir·cu·la·to·ry[sə́ːrkjələtɔ̀ːri/⌐−léitəri] *a.* (특히 혈액의) 순환상의.
círculatory sỳstem 〖解〗 순환계《혈액이나 림프액이 흐르게 하는》.
cir·cu·lus[sə́ːrkjələs] *n.* (*pl.* **-li**[-lài]) 물고기 비늘의 나이테.
cir·cum-[sə́ːrkəm] *pref.* 「주변에, 둘레에; 여러 곳으로」의 뜻.
cir·cum·am·bi·ence, -en·cy[sə̀ːrkəmǽmbiəns(i)] *n.* [U] 둘러싸기, 위요(圍繞).
cir·cum·am·bi·ent[sə̀ːrkəmǽmbiənt] *a.* 둘러싼, 주위의.
cir·cum·am·bu·late[sə̀ːrkəmǽmbjəlèit] *vi., vt.* 걸어 돌아다니다, 순회하다; 둘러서 말하다〔탐색하다〕.
cir·cum·am·bu·la·tion[sə̀ːrkəmæ̀mbjəléiʃən] *n.* [U] **1** 걸어 돌아다님, 순행(巡行). **2** 둘러서 말하기, 완곡.
cir·cum·bend·i·bus[sə̀ːrkəmbéndibəs] *n.* [U] 《익살》 빙 둘러가는 길; 완곡한 말투.
cir·cum·cen·ter[sə̀ːrkəmséntər] *n.* 〖數〗 외심(外心).
cir·cum·cir·cle[sə́ːrkəmsə̀ːrkəl] *n.* 〖數〗 외접원(外接圓).
cir·cum·cise[sə́ːrkəmsàiz] *vt.* **1** 〈유대 사람·이슬람 교도 등이 종교적 의식으로서〉 할례(割禮)를 베풀다. **2** 〖醫〗 〈남자의〉 포피를

잘라내다; 〈여자의〉 음핵 포피를 잘라내다. **3** 번뇌를 없애고 마음을 깨끗이 하다. **~d** *a.* 할례를 받은. **-cis·er** *n.*

cir·cum·ci·sion [sə̀ːrkəmsíʒən] *n.* Ⓤ **1** 할례. **2** 〔醫〕 포피 절제. **3** 심신을 깨끗이 함. **4** (the C-) 그리스도 할례제《1월 1일》. **5** (the people of the ~) 〔聖〕 유대인(the Jews).

***cir·cum·fer·ence** [sərkʌ́mfərəns] [L] *n.* Ⓤ,Ⓒ **1** 원주(圓周); 주변, 주위. **2** 주변의 길이〔거리〕. **3** 경계선; 영역, 범위(bounds). ◇ circumferéntial *a.*

cir·cum·fer·en·tial [sərkʌ̀mfərénʃəl] *a.* **1** 원주의, 주변의, 주변을 둘러싸는. **2** 완곡한. — *n.* 도시의 주위를 도는 초고속 도로.

cir·cum·flex [sə́ːrkəmflèks] *a.* **1** 꾸불꾸불한. **2** 〔解〕 구부러진(bent). **3** 〔音聲〕 곡절 악센트가 붙은, 〈악센트가〉 곡절적인. — *n.* = CIRCUMFLEX ACCENT. — *vt.* 〈모음을〉 굴절시키다; 곡절 악센트를 붙이다.

círcumflex áccent 〔音聲〕 곡절 악센트(기호)《^, ~, ^》.

cir·cum·flight [sə́ːrkəmflàit] *n.* 천체 궤도 비행.

cir·cum·flu·ence *n.* Ⓤ 환류(環流).

cir·cum·flu·ent [sərkʌ́mfluənt] *a.* 돌아 흐르는, 환류하는.

cir·cum·flu·ous [sərkʌ́mfluəs] *a.* 환류하는; 물에 에워싸인.

cir·cum·fuse [sə̀ːrkəmfjúːz] *vt.* **1** 〈빛·액체·기체 등을〉 주위에 쏟다《*about, round*》. **2** (빛·액체 등으로) 둘러싸다《*with, in*》; 감싸다(bathe)《*with*》.

cìr·cum·fú·sion [-fjúːʒən] *n.* Ⓤ,Ⓒ 주위에 쏟아 부음; 뿌림, 살포.

cir·cum·ga·lac·tic [sə̀ːrkəmgəlǽktik] *a.* 성운(星雲) 주위의〔를 도는〕.

cir·cum·glob·al [sə̀ːrkəmglóubəl] *a.* 지구를 도는, 지구 주위의.

cir·cum·gy·rate [sə̀ːrkəmdʒáirèit] *vi.* 선회〔회전〕하다; 두루 돌아다니다.

cir·cum·gy·ra·tion [sə̀ːrkəmdʒairéiʃən] *n.* Ⓤ,Ⓒ **1** 회전; 공중제비. **2** 둘러댐, 임시 변통(shift).

cir·cum·ja·cent [sə̀ːrkəmdʒéisənt] *a.* 주변의.

cir·cum·lit·to·ral [sə̀ːrkəmlítərəl] *a.* 해안선의, 해안 주변의.

cir·cum·lo·cu·tion [sə̀ːrkəmloukjúːʃən] *n.* Ⓤ,Ⓒ **1** 에둘러 말함, 완곡한 표현. **2** 핑계.

Circumlocútion Óffice **1** 번문 욕례청(繁文縟禮廳)《절차가 까다롭고 비능률적인 관청; C. Dickens 작 *Little Dorrit* 에서》. **2** 관료주의.

cir·cum·loc·u·to·ry [sə̀ːrkəmlɑ́kjətɔ̀ːri/-lɔ́kjətəri] *a.* 빙 둘러 말하는; 완곡한.

cir·cum·lu·nar [sə̀ːrkəmlúːnər] *a.* 달을 도는〔에워싸는〕: ~ flight 달 주위 비행.

cir·cum·me·rid·i·an [sə̀ːrkəmmərídiən] *a.* 〔天〕 〈천체가〉 자오선 근처의.

cir·cum·nav·i·gate [sə̀ːrkəmnǽvəgèit] *vt.* 〈세계·섬 등을〉 주항(周航)하다.

cìr·cum·nav·i·gá·tion [-ʃən] *n.* Ⓤ 주항.

cir·cum·nav·i·ga·tor [-tər] *n.* 주항자, 세계 일주 여행자.

cir·cum·nu·tate [sə̀ːrkəmnjúːteit] *vi.* 〔植〕 〈덩굴손이〉 회선(回旋)하다.

cir·cum·plan·e·tar·y [sə̀ːrkəmplǽnətèri] *a.* 행성 근처의〔를 도는〕.

cir·cum·po·lar [sə̀ːrkəmpóulər] *a.* **1** 〔天〕 〈천체가〉 북극〔남극〕의 주위를 도는: ~ stars 주극성(周極星). **2** 〈해양 등이〉 주극의, 극지 부근에 있는.

cir·cum·scribe [sə̀ːrkəmskráib, ㅅ-ㅅ] [L] *vt.* **1** …의 둘레에 선을 긋다; …의 둘레를 (선으로) 에두르다〔둘러싸다〕; 〈영토 등의〉 주위에 경계선을 긋다; 한계를 정하다. **2** 활동 등을 (… 안에) 제한하다(limit)《*within, in*》. **3** 사발통문식으로 서명하다. **4** 〔幾〕 〈원 등을〉 외접시키다(*opp.* inscribe): a ~*d* circle 외접원. **-scrib·a·ble** [-bəbəl] *a.* **-scrib·er** [-bər] *n.* 제한자(者)〔물(物)〕; 사발통문 서명자.

cir·cum·scrip·tion [sə̀ːrkəmskrípʃən] *n.* Ⓤ **1** (주위를) 둘러쌈; 제한, 한정, 한계; 《古》 정의(定義). **2** 둘러싸는 것; 한계선; 윤곽; 주변; 둘러싸인 범위, 구역. **3** Ⓒ (화폐·인장의) 둘레의 명각(銘刻). **4** 〔幾〕 외접(시킴).

cir·cum·so·lar [sə̀ːrkəmsóulər] *a.* 〔天〕 태양 주변의, 태양을 도는.

cir·cum·spect [sə́ːrkəmspèkt] *a.* **1** 〈사람이〉 조심성 있는, 신중한. **2** 〈행동이〉 충분히 고려한, 용의주도한. **~·ly** *ad.* **~·ness** *n.*

cir·cum·spec·tion [sə̀ːrkəmspékʃən] *n.* Ⓤ 세심한 주의, 신중; 용의 주도(함).

cir·cum·spec·tive [sə̀ːrkəmspéktiv] *a.* 주의 깊은, 신중한.

⁑**cir·cum·stance** [sə́ːrkəmstæ̀ns/-stəns] [L] *n.* **1** (*pl.*) (어떤 사건·사람·행동 등과 관련된 주위의) 사정, 상황, 환경. **2** (*pl.*) (경제적·물질적인) 처지, (생활) 형편. **3** Ⓒ 사건(incident), 사실(fact). **4** Ⓤ 부대 상황; 상세한 내용, 제목. **5** Ⓤ 의식〔형식〕에 구애됨, 요란함. **according to circumstances** 임기 응변으로. **depend on circumstances** 사정 여하에 달리다. **in bad**〔**needy, reduced**〕 **circumstances** 곤궁하여. **in easy circumstances** 생활이 넉넉하여. **in good circumstances** 순조롭게. **not a circumstance to** 《미俗》 …와는 비교가 되지 않는. **other circumstances being equal** 다른 사정은 같다고 하고. **pomp and circumstance** 당당한 위풍. **the web of circumstance** 운명의 실. **under**〔**in**〕 **no circumstances** 어떤 일이 있더라도 …않다, 결코 …아니다. **under**〔**in**〕 **the circumstances** 이러한 사정에서〔이므로〕. **with much**〔**great**〕 **circumstance** 자세히. **without circumstance** 형식을 찾지 않고, 소탈하게.
◇ circumstántial *a.*; circumstántiate *v.*

cir·cum·stanced [sə́ːrkəmstæ̀nst/-stənst] *a.* (어떤) 사정하에 (있는); (경제적으로 … 한) 처지에 있는: be differently〔awkwardly〕 ~ 다른〔곤란한〕 입장에 있다.

cir·cum·stan·tial [sə̀ːrkəmstǽnʃəl] *a.* **1** 〈증거 등이〉 정황적(情況的)인; (그 때의) 형편〔사정〕에 따른. **2** 부수적인, 우연한. **3** 처지상의, 생활 상태의. **4** 상세한. **~·ly** *ad.*

circumstántial évidence 〔法〕 정황(情況) 증거《간접적인 추정적 증거》.

cir·cum·stan·ti·al·i·ty [sə̀ːrkəmstæ̀nʃiǽləti] *n.* (*pl.* **-ties**) Ⓤ,Ⓒ **1** (설명 등의) 상세함. **2** 정황, 사정. **3** 우연.

cir·cum·stan·ti·ate [sə̀ːrkəmstǽnʃièit] *vt.* **1** 상세히 설명하다〔말하다〕. **2** (정황 증거에 의하여) 실증하다.

cìr·cum·stàn·ti·á·tion *n.*

cir·cum·stel·lar [sə̀ːrkəmstélər] *a.* 별 주위의, 별의 주위를 도는.

cir·cum·ter·res·tri·al [sə̀ːrkəmtəréstriəl] *a.* 지구 주위의, 지구를 도는.

cir·cum·val·late[sə̀ːrkəmvǽleit] *vt.* 성벽을 두르다. — *a.* 성벽을 두른, 성벽으로 둘러싸인.
cir·cum·val·la·tion[sə̀ːrkəmvæléiʃən] *n.* Ⓤ 성벽 두르기; Ⓒ (둘러싼) 성벽.
cir·cum·vent[sə̀ːrkəmvént] [L] *vt.* **1** 선수를 쓰다, 앞지르다. **2** 함정에 빠뜨리다; 〈곤란·문제점 등을〉 교묘하게 회피하다; 〈계획 등의〉 의표를 찌르다. **3** 일주하다, 돌다; 우회하다. **4** 포위하다. **~·er, -vén·tor** *n.* **-vén·tive**[-véntiv] *a.*
cir·cum·ven·tion[sə̀ːrkəmvénʃən] *n.* Ⓤ 계략으로 속임; 모함, 한 수 더 뜸; 우회.
cir·cum·vo·lu·tion[sə̀ːrkəmvəljúːʃən] *n.* Ⓤ,Ⓒ **1** 회전, 선회(旋回); 1회전, 일주. **2** 와선(渦線). **3** 꼬불꼬불한 길; 완곡한 행동.
cir·cum·volve[sə̀ːrkəmválv/-vɔ́lv] *vt., vi.* 회전하다〔시키다〕.
⁑**cir·cus**[sə́ːrkəs] [L] *n.* **1** 서커스, 곡예; 곡마단; 곡예장. **2** (층계로 된) 원형 흥행장; 〔古로〕 야외의 대 원형 경기장(arena). **3** 《口》 쾌활하고 떠들썩한 것〔사건, 사람〕; 명랑한 한 때; 법석댐, 구경거리. **4** 《영》 (몇 개의 거리가 모이는) 원형의 네거리, 원형 광장(*cf.* SQUARE).
Círcus Máximus[-mǽksiməs] (고대 로마의) 원형 대경기장.
cirque[səːrk] *n.* **1** 〔地質〕 권곡(圈谷), 카르. **2** 《詩》 원(圓), 고리. **3** (자연) 원형 극장.
cir·rate[síreit] *a.* 〔植·動〕 덩굴손〔극모(棘毛)〕이 있는.
cir·rho·sis[siróusis] *n.* (*pl.* **-rho·ses**[-siːz]) Ⓤ 〔病理〕 (간장 등의) 경화(증).
cir·rhot·ic[sirátik/-rɔ́t-] *a.* (간)경화(증)의.
cir·ri[sírai] *n.* CIRRUS의 복수.
cir·ri·pede, -ped[sírəpìːd], [-pèd] *n.* 만각류(蔓脚類)의 동물《굴 등》. — *a.* 만각류의.
cir·ro·cu·mu·lus[sìroukjúːmjələs] *n.* (*pl.* **-li**[-lài, -lì], ~) 〔氣〕 권적운(卷積雲)《略: Cc》.
cir·rose[sí(ː)rous] *a.* =CIRRATE.
cir·ro·stra·tus[sìroustréitəs, -strǽː-] *n.* (*pl.* **-ti**[-tai], ~) 〔氣〕 권층운(卷層雲)《略: Cs》.
cir·rous[sírəs] *a.* **1** 〔氣〕 권운(卷雲) 모양의. **2** 〔動·植〕 =CIRRATE.
cir·rus[sírəs] *n.* (*pl.* **-ri**[-rai]) **1** 〔植〕 덩굴, 덩굴손(tendril). **2** 〔動〕 촉모(觸毛). **3** (*pl.* ~) 〔氣〕 권운.
cir·soid[sə́ːrsɔid] *a.* 〔醫〕 정맥류(瘤) 모양의.
CIS Chemical Information System; communication interface system; Counter intelligence Service 대첩보부(對諜報部); Commonwealth of Independent States 독립국가연합《연방 해체 후의 옛 소련 명칭》.
cis-[sis] *pref.* 「…의 이쪽」의 뜻(*opp.* trans-, ultra-).
cis·al·pine[sisǽlpain, -pin] *a.* (로마에서 보아) 알프스 이쪽의, 알프스 남쪽의(*opp.* transalpine).
cis·at·lan·tic[sìsətlǽntik] *a.* 대서양 이쪽 편의《입장에 따라 유럽쪽 또는 미국쪽》.
cis·co[sískou] *n.* (*pl.* ~(e)s) 〔魚〕 청어 비슷한 물고기(whitefish)《미국 5대호 산》.
cis·lu·nar[sislúːnər] *a.* 〔天〕 지구와 달(궤도) 사이의: ~ space 지구와 달 사이의 공간.
CISM *Conseil International du Sports Militaire* (F=International Military Council).
cis·mon·tane[sismántein/-mɔ́n-] *a.* (알프스) 산맥 이쪽 편의; 산맥에 가까운 편의.
cis·pon·tine[sispántain/-pɔ́n-] *a.* 다리 이쪽의; (특히 London에서) 템스 강 북쪽의.
cis·sy[sísi] *n., a.* 《영口》 =SISSY.
cist[sist] *n.* **1** 〔考古〕 돌궤, 석관. **2** (고대 로마의) 제기(祭器) 상자.
Cis·ter·cian[sistə́ːrʃən, -ʃiən] *a.* 시토 수도회의. — *n.* 시토 수도회의 수도사. **~·ìsm** *n.*
Cistércian Órder (the ~) 시토 수도회 《1098년 프랑스에서 창설; *cf.* DOMINICAN, FRANCISCAN, ORDER》.
*__cis·tern__[sístərn] *n.* **1** 물이 괸 곳, (옥상 등의) 수조, 물 탱크. **2** (천연의) 저수지(*cf.* RESERVOIR). **3** 〔解〕 (분비액의) 저장기(器).
cis·tron[sístran/-trɔn] *n.* 〔遺傳〕 시스트론 《유전자의 기능 단위》; 구조유전자(structural gene).
cis·tus[sístəs] *n.* 〔植〕 시스투스《지중해 연안산 관목》.
cit[sit] *n.* 《미》 **1** 시민(citizen); 《俗》 일반인. **2** (*pl.*) 《軍俗》 (군복에 대하여) 평복, 민간복.
cit. citation; cited; citizen; 〔化〕 citrate.
cit·a·ble[sáitəbəl] *a.* 인용할 수 있는.
*__cit·a·del__[sítədl] *n.* **1** (시가를 내려다 보며 지켜주는) 성(城); 요새. **2** (군함의) 포대(砲臺). **3** 최후의 거점.
ci·ta·tion[saitéiʃən] *n.* **1** Ⓤ (구절·판례·예증의) 인증(引證), 인용; Ⓒ 인용문. **2** Ⓤ,Ⓒ (사실·예 등의) 열거(enumeration), 언급. **3** (공을 세운 군인의 이름 등을) 공보(公報) 속에 특기하기; (군인·부대 등에 수여하는) 감사장, 표창장. **4** Ⓤ 〔法〕 소환; Ⓒ 소환장.
ci·ta·to·ry[sáitətɔ̀ːri] *a.* 소환의.
*__cite__[sait] [L] *vt.* **1** 〈구절·판례 등을〉 인용〔인증(引證)〕하다(quote), 예증(例證)하다(mention); 열거하다; 〈권위자 등을〉 증인으로 삼다. **2** (예증·확인을 위해 …에) 언급하다; 〈예를〉 들다. **3** 〈공보(公報) 중에〉 특기하다; 표창장을 수여하다, 표창하다. **4** 〔法〕 소환하다(summon); 소환장을 주고 석방하다. — *n.* 《口》 인용문.
⊕ citátion *n.*; cítable *a.*
CITE 〔宇宙工學〕 cargo integration test equipment.
cite·a·ble[sáitəbl] *a.* =CITABLE.
cite-out[sáitàut] *n.* 소환장만으로 방면하는 일《체포자가 많을 때, 그 자리에서 석방되지만 후일에 출두해야 함》.
cith·a·ra [síθərə] *n.* 〔古그〕 키타라《하프 비슷한 악기》.
cith·er(n)[síθər(n)] *n.* =CITTERN.
cit·ied[sítid] *a.* 《詩》 도시의, 도시가 있는; 도시화된.
cit·i·fied[-fàid] *a.* 도시(인)화한, 도회지풍의.
cit·i·fy[sítəfài] *vt.* (**-fied**) 《口》 〈장소 등을〉 도시화하다; 〈사람을〉 도시풍으로 하다.
⁑**cit·i·zen**[sítəzən] [AF] *n.* **1** 시민; 도시인; (한 나라의) 공민, 국민: an American ~ 미국 국민. **2** 《미》 (군인·경관 등에 대하여) 민간인, 일반인. **3** 《文語》 주민(*of*). **4** (외국인에 대하여) 내국인(*opp.* alien). **a citizen of the world** 세계인, 국제인(cosmopolitan). **~·ess**[-is] *n.* CITIZEN의 여성형. **~·ly** *ad.* **~·shìp**[-ʃip] *n.* Ⓤ 시민권, 공민권; 공민의 신분〔자격〕.
cítizen defénse 시민방위《핵전쟁시의 민간방위》.
cit·i·zen-friend·ly *a.* 시민(생활)에 유익한 〔편리한〕.
cit·i·zen·ry[sítəzənri, -sən-] *n.* (*pl.* **-ries**) (보통 the ~; 집합적) (일반) 시민.
cítizen's arrést 〔法〕 시민 체포《중죄 현행

범을 시민의 권한으로 체포하는 일).
cítizens bánd ((미)) 〔通信〕 시민 밴드((개인용 무선 통신에 개방되어 있는 주파수대; 略 CB)).
cítizens bánd ràdio ((미)) 시민 밴드 라디오((일반 시민에게 허용된 주파수대를 이용한 워키토키 등의 라디오)).
cítizenship pàpers ((미)) (시민권 획득을 증명하는) 시민권 증서.
CITO Charter of International Trade Organization 국제 무역 헌장.
cit·rate[sítreit, sáit-] *n.* 〔化〕 구연산염. **sodium citrate** 구연산 나트륨.
cit·re·ous[sítriəs] *a.* 레몬색의, 푸른기를 띤 황색의.
cit·ric[sítrik] *a.* 〔化〕 구연성(性)〔산(酸)〕의: ~ acid 구연산.
cit·ri·cul·ture[sítrikʌ̀ltʃər] *n.* 귤 재배.
cit·rin[sítrin] *n.* Ⓤ 〔生化〕시트린, 비타민 P.
cit·rine[sítri:n] *n.* Ⓤ **1** 레몬빛, 담황색. **2** 〔鑛〕 황수정(黃水晶). — *a.* 레몬(빛)의.
cit·ron[sítrən] *n.* **1** 〔植〕 a 시트론((귤속(屬)의 식물)). b 시트론의 열매. **2** (설탕절임한) 시트론 껍질((케이크의 가미용)). **3** Ⓤ 시트론색, 담황색.
cit·ro·nel·la[sìtrənélə] *n.* **1** 시트로넬라((향수비자나무의 일종; 벼과(科) 식물)). **2** 시트로넬라 기름(=∠ **òil**)((향수·비누·제충(除蟲)용)).
cit·ro·nel·lal [sìtrənélæl] *n.* 〔化〕 시트로넬랄((향료용)).
cítron mèlon 시트론 멜론((수박의 일종)).
cit·rous[sítrəs] *a.* =CITRUS.
cit·rus[sítrəs] *n.* (*pl.* **~·es,** ~) 〔植〕 감귤류의 식물. — *a.* 감귤류의.
cit·tern[sítərn] *n.* 시턴((16-17세기의 기타 비슷한 현악기; 영국에서 유행)).
★**cit·y**[síti] [L] *n.* (*pl.* **cit·ies**) **1** (town보다 큰) 도시, 도회. **2** 시(市): a ((영)) bishop 또는 칙허장(勅許狀)이 있는 도시. b ((미)) 시장 또는 시의회의 행정하에 있는 자치체. c ((캐나다)) 인구에 따른 최고의 지방 자치체. **3** (the ~; 집합적; 보통 단수 취급) 전시민(全市民). **4** (the C-) ((영)) a (London의) 시티((시장(Lord Mayor) 및 시의회가 지배하는 약 1평방 마일의 구 시내로 영국의 금융·상업의 중심지; *cf.* BOW BELLS)). b 재계, 금융계. **5** 도시 국가(city-state). **6** ((미俗)) 장소; (어떤 것이 많이 있는) 상태. **city of refuge** 〔聖〕 도피의 도시((죄인의 보호지로 인정된 고대 유대의 6개 도시의 하나)). **the City of David**=JERUSALEM; BETHLEHEM. **the City of God** 천국(天國)(Paradise); NEW JERUSALEM. **the City of (the) Seven Hills** 일곱 언덕의 도시((Rome, Constantinople의 별명)). **the city of the dead** 묘지. **the Eternal City** 영원의 도시((Rome의 별명)).
Cíty àrticle ((영)) (신문의) 상업 경제 기사.
cíty assèmbly 시의회.
cíty bànk 시중 은행.
cit·y·bil·ly[sítibìli] *n.* ((미俗)) 도시에서의 컨트리 뮤직 연주자〔가수〕.
cit·y-born [-bɔ̀:rn] *a.* 도시에서 태어난.
cit·y-bred[-brèd] *a.* 도시에서 자란(*opp.* country-bred).
cíty bùster ((口)) 대폭탄((원폭·수폭 등)).
cíty chícken 돼지〔송아지〕 고기를 꼬챙이에 끼어 밀가루를 묻혀 기름에 튀긴 요리.
cíty còde 도시명 코드((항공사·여행사 등에서 사용; London은 LON, Paris는 PAR, New York은 NYC 등)).
Cíty Cómpany London시 상업 조합((옛날의 각종 상업 조합을 대표함)).
cíty cóuncil 시의회.
cíty cóuncilor 시의회 의원.
cíty delìvery 시내 우편 배달.
cíty désk ((미)) (신문사의) 지방 기사 편집부, 지방부.
cíty éditor **1** ((미))(신문사의) 지방 기사 편집장, 사회부장. **2** ((영)) (**C- e-**)(신문사의) 경제부장((주로 시티(the City)의 뉴스를 다룸)).
cíty fáther 시의 지도적 인물((시의회 의원, 구청장 등)).
cit·y·fied *a.* =CITIFIED.
cíty háll **1** ((미)) 시청사(((영)) town hall). **2** 시 당국. **fight city hall** ((미口)) 관권을 상대로 무익한 싸움을 하다.
cíty mágazine 시티 매거진((특정 도시·주 등 한정된 지역의 독자에게 읽히는 잡지)).
Cíty màn ((영)) (the City의) 실업가, 자본가.
cíty mánager ((미)) (민선이 아니고 시의회에서 임명된) 시행정 담당관.
cíty òrdinance 시조례(市條例)(bylaw).
cíty pàge ((영)) (신문의) 경제면.
cíty plán〔**planning**〕 도시 계획.
cíty polìce 시경찰국.
cíty ròom (신문사·라디오·텔레비전의) 지방 뉴스 편집실(의 직원).
cit·y·scape[sítiskèip] *n.* 도시 풍경〔경관〕.
Cíty Sèrvice Prógram ((미))도시 대상 방송.
cíty slícker ((미口)) 도회지 물이 든 사람.
cit·y-state[sítistéit] *n.* (고대 그리스 등의) 도시 국가.
cit·y-sub·urb búsing ((미)) (학구를 초월해서 행하여지는) 도시와 교외에 걸친 강제 버스 통학.
cit·y·ward(s)[sítiwərd(z)] *a., ad.* 도시(쪽)의〔으로〕.
cíty wàter 수도(水道) (용수).
cit·y·wide[sítiwàid] *a., ad.* 전 도시의〔에〕.
civ. civic; civil; civilian.
civ·et[sívit] *n.* **1** 〔動〕 사향고양이(=∠ **cát**). **2** Ⓤ 사향고양이의 향(香)((향료)).
civ·ex[síveks] *n.* 시벡스((핵연료 재처리 시스템)).
*****civ·ic**[sívik] *a.* **1** 시민〔공민〕의; 공민으로서의, 공민으로서 어울리는: ~ duties 시민의 의무/~ virtues 공민 도덕/~ rights 공민권. **2** 시의, 도시의: ~ life 도시 생활.
cív·i·cal·ly[-ikəli] *ad.* 시민으로서, 공민답게.
cívic cènter (도시의) 관청가, 도심.
cívic crówn 〔史〕 시민의 영관(榮冠)((옛 로마에서 시민의 생명을 구한 병사에게 준 떡갈나무 잎으로 만든 관(冠))).
civ·i·cism[sívəsìzəm] *n.* Ⓤ **1** 시정(市政). **2** 시민주의, 시정 존중, 공민 중심주의〔정신〕.
civ·ic-mind·ed[síVikmáindid] *a.* 공민으로서의 의식을 가진, 공공심이 있는, 사회 복지에 열심인.
civ·ics[síviks] *n. pl.* (단수 취급) **1** 국민 윤리과, 사생과. **2** 시정학(市政學), 시정 연구.
civ·ies[síviz] *n. pl.* =CIVVIES.
⁑**civ·il**[sívəl] [L] *a.* **1** a (군인·공무원에 대하여) 일반 시민의; (성직자에 대하여) 속인의. b (군용이 아니라) 민간용의, 민간인의. **2** 시민〔공민〕(으로서)의, 공민적인. **3** 시민 사회의; 집단 활동을 하는. **4** (외정에 대하여) 내정의, 민정의; 국내〔국가〕의. **5** 예의 바른, 정중한(⇨ polite); 매우 친절한, 호의적인. **6** 〔法〕 민사의(*cf.* CRIMINAL, MILITARY). **7** 달력의, 상용(常用)하는: the ~ year 역년(曆年). **do**

the civil thing ((미)) =**do the civil** ((영)) 예의 바르게 하다, 예의를 다하다, 정중히 대하다. ◇ civílity *n.*
cívil áction 〔法〕 민사 소송.
Cívil Aeronáutics Bóard ((미)) 민간 항공 위원회.
cívil affáirs (점령지 등에서의) 민정(民政).
cívil áirport 민간 비행장.
cívil códe 민법전.
cívil commótion 민요(民擾), 폭동, 소란.
cívil dáy 역일(曆日)(calendar day).
cívil déath 〔法〕 시민권 상실, 법률상의 사망.
cívil defénse (공습 기타 비상 사태에 대한) 민방위(조직〔활동〕): a ~ corps 민방위대.
cívil disobédience 시민적 불복종((납세 거부 등)).
cívil enginéer 토목 기사((略: C.E.)).
cívil enginéering 토목 공학.
*__ci·vil·ian__[sivíljən] *n.* **1** (군인·경찰관·성직자에 대하여) 일반인, 민간인, 문민, 문관; 군속. **2** 비전투원(noncombatants). **3** 일반 국민, 공민(公民). **4** 민법〔로마법〕 학자. **5** (*pl.*) (군복에 대하여) 사복, 평복. ── *a.* **1** (군·성직과 관계없는) 일반인의, 민간의, 비군사적인: a ~ airplane 민간기(機). **2** (무관에 대하여) 문관의, 문민의; (군인에 대하여) 군속의.
civílian contròl 문관 우위〔지배〕.
ci·vil·ian·ize[-àiz] *vt.* **1** 〈포로에게〉 일반 시민으로서의 자격을 주다. **2** 군(軍) 관리로부터 민간 관리로 옮기다.
ci·vìl·ian·i·zá·tion[sivìljənizéiʃən] *n.*
civílian rùle 민정.
*__ci·vil·i·ty__[sivíləti] *n.* (*pl.* **-ties**) **1** Ⓤ 정중, 공손, 예의바름. **2** (*pl.*) 예의바른〔정중한〕 말〔태도〕. **exchange civilities** 정중하게 (계절의 인사 등) 인사말을 나누다.
civ·i·liz·a·ble[sívəlàizəbəl] *a.* 문명화〔교화〕할 수 있는.
‡**civ·i·li·za·tion,** ((영)) **-sa-**[sìvəlizéiʃən] *n.* **1** Ⓤ,Ⓒ 문명, 문화. **2** 문명화, 개화(開化), 교화. **3** (집합적) 문명국; 문명 국민: All ~ was horrified by〔at〕 the event. 문명 국민은 모두 그 사건에 전율을 느꼈다. **4** 문명 세계〔사회〕; 문화 생활. **5** (벽지 등에 대해) 인구 밀집지, 도시.
‡**civ·i·lize**[sívəlàiz] *vt.* **1** 개화〔교화, 문명화〕하다(enlighten). **2** 〈사람 등을〉 세련되게 하다; ((익살)) 〈사람을〉 예의바르게 하다. **civilize away** 교화하여 …을 없애다. **-liz·er** *n.*
civ·i·lized[sívəlàizd] *a.* **1** 교화된, 개명한, 문명화한. **2** 예의 바른, 교양이 높은, 품위 있는. **~·ness** *n.*
civil law (종종 **C- L-**) 〔法〕 **1** 민법, 민사법 (*cf.* CRIMINAL LAW). **2** (국제법에 대하여) 국내법. **3** 로마법.
cívil líberty (보통 *pl.*) 시민적 자유; 시민적 자유에 관한 기본적 인권.
cívil lífe 사회〔공민〕 생활, 시민〔평민〕 생활 ((군인 생활에 대하여)).
cívil lìst (종종 **C- L-**: the ~) ((영)) **1** (의회가 정하는) 연간 왕실비(王室費). **2** 왕실의 지출 명세.
Cívil Lórd (영국의) 해군 본부 문관 위원.
civ·il·ly[sívəli] *ad.* **1** 시민〔공민〕답게. **2** 예의 바르게, 정중하게(politely). **3** 민법상, 민사적으로. **4** (종교적이 아니라) 속인적으로, 민간으로.
cívil márriage 민법상 결혼, 신고 결혼 ((종교상의 의식에 의하지 않는)).
cívil mìnimum 근대적 대도시가 갖추어야 할 최저 한도의 조건.
cívil párish ((영)) (교구와 구별하여) 지방 행정구.
cívil ríghts **1** 공민권, 민권. **2** ((미)) (공민으로서의 흑인·여성·소수 민족 등에게 주어져야 할) 평등권, 공민권.
civil rights movement 민권 운동((미국에서 특히 1950-60년대에 행해졌던 흑인차별 철폐를 위한 비폭력적 시위운동)).
cívil sérvant **1** (군 관계 이외의) 문관, 공무원. **2** (국제 연합 등의) (행정) 사무관.
cívil sérvice **1** (the ~; 집합적) (군 관계 이외의) 문관, 공무원. **2** (종종 the ~) 관청 〔문관〕 근무: ~ examination〔commission〕 공무원 임용 시험〔시험 위원〕.
civ·il-spo·ken[sívəlspóukən] *a.* 말씨가 공손한.
cívil súit 민사 소송.
*__cívil wár__ **1** 내란, 내전. **2** (the C- W-) **a** 〔미史〕 남북 전쟁(1861-65). **b** 〔영史〕 Charles 1세와 의회와의 분쟁(1642-46, 1648-52). **c** 스페인 내란(1936-39).
cívil yéar 역년(曆年)(calendar year).
civ·ism[sívizəm] *n.* Ⓤ **1** 공공심, 공민 정신. **2** 선량한 공민으로서의 자격.
civ·vy, civ·vie[sívi] *n.* (*pl.* **-vies**) **1** ((口)) 일반인. **2** (*pl.*) (군복과 구별하여) 시민복, 평복(*opp.* uniform).
cívvy strèet ((영口)) (군대에 대해) 민간인〔평민〕의 생활.
C.J. Chief Judge; Chief Justice. **ck.** cask; check; cock. **Cl** 〔化〕 chlorine. **CL** carload. **cl.** centiliter; claim; class; classification; clause; clearance; clergyman; clerk; cloth. **c.l.** carload; civil law. **C/L** 〔은행〕 cash letter 당좌. **CLA** College Language Association.
clab·ber[klǽbər] *n.* 쉬어서 굳은 우유. ── *vi.* 〈우유가〉 쉬어서 굳어지다. ── *vt.* 〈우유를〉 굳히다.
clack[klæk] [의성어] *n.* **1** (a ~) 딱딱〔딸깍〕 하는 소리. **2** 수다, 지껄여댐. **3** 〔機〕 =CLACK VALVE. ── *vi.* **1** 딱딱〔딸깍〕거리다. **2** 지껄여대다. **3** 〈암탉 등이〉 꼬꼬댁거리다. ── *vt.* 딱딱〔딸깍〕 소리나게 하다.
clack·er[klǽkər] *n.* 달가다〔딱딱〕 소리를 내는 것, 땡땡이, 논밭에서 새를 쫓는 장치.
cláck vàlve 〔機〕 역행 방지판(瓣).
*__clad__[klæd] ((古·文語)) CLOTHE의 과거·과거분사. ── *a.* (보통 복합어를 이루어) 입은; 덮인: iron-~ vessels 장갑함(裝甲艦). ── *vt.* 〈금속에〉 다른 금속을 입히다〔씌우다〕, 클래딩하다.
cla·dis·tics[klədístiks] *n. pl.* (복수 취급) 〔生〕 분기학(分岐學)((계통 발생학적으로 분류함)).
clad·o·gram[klǽdəgræ̀m] *n.* 〔生〕 진화(進化)의 파생도, 분기도(分岐圖).
‡**claim**[kleim] [L] *vt.* **1** 〈당연한 권리로서〉 요구〔청구〕하다: ~ damages 손해 배상을 요구하다. **2** (유실물을) 제 것이라고 주장하다; 〈분실자가 분실물의〉 반환을 요구하다; 〈요구에 의하여 권리 등을〉 되찾다; (기탁물을) 찾아내다: Nobody ~*ed* the hat. 그 모자의 임자는 나타나지 않았다. **3** 〈권리·사실을〉 주장하다, 승인을 구하다: ((Ⅲ *to* do)) She ~*s to be* the owner of the car. 그녀는 그 차의 소유자임을 주장한다(=She ~*s* (*that*) she is the owner of the car. ((Ⅲ (*that*) (절)))). **4** 〈사물이 사람의 주의 등을〉 끌다, 구하다(call for), 〈주의·존경 등의〉 가치가 있다(deserve): There's one other

point which ~*s* our attention. 우리가 주목해야 할 점이 또 하나 있다/(《Ⅱ *be pp.*+*to be*+명》) This house is ~*ed to be* the oldest building in this area. 이 집이 이 지역에서 가장 오래 된 건물로 되어 있다. **5** 〈죽음·재해·병 등이 목숨을〉 빼앗다: Death ~*ed* her. 그녀는 죽었다. ── *vi.* **1** 요구하다, 권리를 주장하다. **2** 의견을 말하다. **3** 토지를 점유하다. **4** 〔法〕 고소하다: 손해 배상을 요구하다《*against*》: ~ *against* a person …에게 배상을 요구하다, …을 고소하다. **claim back** …의 반환을 요구하다: 되찾다《*from*》. **claiming race** 출전마 구입 예약 경마(*cf.* selling race). **claim responsibility** 범행 성명을 내다. **claim** a person's **pound of flesh** 빚을 갚으라고 성화를 대다.

── *n.* **1** Ⓒ (당연한 권리로서의) 요구, 청구(demand): (배상보험금 등의) 지급 요구〔청구〕, 청구액: a ~ *for* damages 손해배상(청구). **2** (기탁물의) 인도 요구. **3** U,C 요구할 권리(right), 자격(title)《*on, to*》: She has no ~ *on* me. 그녀는 나에 대해서 아무 것도 요구할 권리가 없다/He has no ~ *to* scholarship. 그는 학자라고 할 자격이 없다. **4** (소유권·사실의) 주장, 단언: Her ~ *to* be promoted to the post was quite legitimate. 그 자리로 진급시켜 달라는 그녀의 요구는 아주 정당한 것이었다/He put forward the ~ *that* he was the first inventor of the machine. 그는 최초로 그 기계를 발명했다고 주장했다. **5** 청구물: (특히 광구(鑛區)의) 불하(拂下) 청구지. **6** 필요한 일: I have many ~*s on* my time. 여거 가지 일로 시간을 빼앗긴다. **7** 〔保險〕 (보험금 등의) 지불 청구(액). **8** (계약 위반 등에 대한) 보상〔배상〕의 청구(액), 클레임. **jump a claim** 남의 광산〔토지, 권리〕을 횡령하다. **lay〔make〕 claim to** …에 대한 권리〔소유권〕를 주장하다. **put〔send〕 in a claim for** …에 대한 청구권을 제출하다. **stake (out) a〔one's〕 claim** 소유권을 주장하다《*on, to*》.

claim·a·ble *a.* 요구〔청구, 주장〕 할 수 있는.

*__claim·ant, claim·er__[kléimənt], [-ər] *n.* **1** 주장자, 요구자. **2** 〔法〕 (배상 등의) 원고. **3** 실업수당 청구자.

cláim chèck (옷·주차 등의) 번호표, 예치표, 보관증, 인환권.

cláim·ing ràce 〔競馬〕 매각 경마《출주(出走) 전에 정해진 가격으로 경마 후에 팔리는 경마》.

claim-jump·er[ˊdʒʌ̀mpər] *n.* 《미》 선취특권 횡령자《특히 광구(鑛區)의》.

claims·man[kléimzmən] *n.*(*pl.*-**men**[-mən]) 〔保險〕 지불액 사정원《특히 상해 보험의》.

cláim tàg 수하물 인환증.

clair·au·di·ence[klɛərɔ́:diəns] *n.* Ⓤ (보통 사람 귀에 들리지 않는 소리를 들을 수 있다는) 투청(透聽), 투청력.

clair·au·di·ent[klɛərɔ́:diənt] *a., n.* 초인적인 청력이 있는(사람), 투청력이 있는(사람).

clair·voy·ance[klɛərvɔ́iəns] *n.* Ⓤ **1** 투시(透視), 투시력, 천리안. **2** 비상한 통찰력.

clair·voy·ant[klɛərvɔ́iənt] [F=clearseeing] *a.* **1** 투시의, 천리안의. **2** 날카로운 통찰력이 있는. ── *n.* 천리안을 가진 사람.

clair·voy·ante[-ənt] *n.* 천리안을 가진 여자.

*__clam__[1][klæm] [*clam*shell] *n.* **1** (*pl.* ~**s,** (집합적) ~) 〔貝〕 대합조개. **2** 《口》 말 없는 사람. **3** =CLAMSHELL. **shut up like a clam** 《口》 갑자기 입을 다물다. ── *vi.* (~**med;** ~·**ming**) 조개를 잡다. **clam up** 《口》 (상대방의 질문에 대해) 침묵을 지키다, 말문을 닫다: 묵비(默秘)하다. ◇ **clámmy** *a.*

clam[2] *n.* (재즈의) 가락이 안 맞는 음.

clam[3] *n.* 《稀》 클램프(clamp), 바이스(vise).

cla·mant[kléimənt] *a.* **1** 성화스럽게 요구〔주장〕하는(insistent)《*for*》. **2** 긴급한 처치를 요하는, 절박한. **3** 〔文語〕 소란한(noisy).

clam·bake[klǽmbèik] *n.* 《미》 **1** (조개를 구워 먹는) 해안 피크닉〔파티〕(의 먹을거리). **2** 많은 사람이 법석대는 파티: 정치 집회.

*__clam·ber__[klǽmbər] *vi.* 기어 올라가다: 힘들여 기어 올라가다(climb) 《*up*》. ── *n.* (a ~) 기어 올라감. ~·**er** *n.*

clám dìggers (종아리 중간까지 내려오는) 긴 반바지.

clam·my[klǽmi] *a.* (-**mi·er;** -**mi·est**) 차고 끈적끈적한, 냉습한, 찐득한.

clám·mi·ly *ad.* -**mi·ness** *n.*

__clam·or | -our__[klǽmər] [L] *n.* **1 (군중 등의) 시끄러운 외침, 떠들썩함. **2** (불평·항의·요구 등의) 부르짖음, 아우성, 소란(uproar)《*for, against*》. ── *vi.* 외치다, (와글와글) 떠들어대다: 〈…할 것을〉 강력히 요구하다: They ~*ed out.* 그들은 크게 외쳤다/~ *for* higher wages 임금 인상을 강력히 요구했다/~ *against* the proposal 그 제의에 반대하여 시끄럽게 떠들다/They ~*ed to* go home. 그들은 귀환한다고 떠들어댔다. ── *vt.* 떠들면서 요구하다, 떠들어대다, 아우성쳐 …시키다: They ~*ed* their demands. 그들은 떠들면서 요구했다/~ *down* a speaker 연사를 야유하여 물러나게 했다/They ~*ed that* the accident was caused by carelessness. 그들은 사고가 부주의 때문에 일어났다고 떠들어댔다. **clamor against** …을 시끄럽게 반대하다. **clamor down** 〈연사 등을〉 야유하여 물러나게 하다〔말 못하게 하다〕. **clamor for** …을 시끄럽게 요구하다. **clamor** a person **into〔out of〕** doing 떠들어대어 …시키다〔못하게 하다〕. **clamor out** 고래고래 소리 지르다. ◇ **clámorous** *a.*

*__clam·or·ous__[klǽmərəs] *a.* 떠들썩한, 시끄러운. ~·**ly** *ad.* ~·**ness** *n.*

*__clamp__[1][klæmp] *n.* **1** 죔쇠, 거멀못, 꺾쇠: 〔木工〕 나비장. **2** (*pl.*) 집게(pincers): (외과용) 겸자(鉗子). **put the clamps on** 《俗》 강도질하다. ── *vt.* (죔쇠 등으로) 죄다: (불법주차한 차바퀴에) 죔쇠를 채워 움직이지 못하게하다. **clamp down〔on〕** 《口》 〈폭도 등을〉 압박〔탄압〕하다, 강력히 단속하다《*on*》.

clamp[2] *n.* 《영》 (짚·흙 등을 덮어 저장한) 감자 더미: (벽돌 등의) 더미(pile). ── *vt.* 〈벽돌 등을〉 높이 쌓다 《*up*》: 〈감자 등을〉 짚·흙 등을 덮어서 가리다.

clamp[3] [의성어] *n., vi.* 육중한 발소리(를 내며 걷다).

clamp·down[klǽmpdàun] *n.* 《口》 단속(團束), 탄압(crackdown).

clamp·er[klǽmpər] *n.* **1** 꺾쇠, 거멀못: (*pl.*) 집게. **2** (신발의) 징.

clámp scrèw 죄는 나사못, 클램프 스크루.

clam·shell[klǽmʃèl] *n.* **1** 대합조개 껍질. **2** (흙·모래 등을 퍼올리는) 준설 버킷《준설기의 일부》. **3** 《俗》 입(mouth).

clám wòrm[klǽmwə̀:rm] 〔動〕 갯지렁이.

*__clan__[klæn] [Gael] *n.* **1** (스코틀랜드 고지인들의) 씨족(氏族)(tribe): 일족, 일문. **2** 벌족(閥族): 당파, 일당(一黨)(clique). **3** 《익살》 대가족. ◇ **clánnish** *a.*

clan·des·tine[klændéstin] *a.* 은밀한, 남몰

래 하는, 비밀의. **~·ly** *ad.* 비밀리에, 남몰래. **~·ness** *n.*

*__clang__[klæŋ] [의성어] *vi., vt.* 〈무기·종 등이〉 땡〔땡그렁, 철커덩〕하고 울리다〔울리게 하다〕. ― *n.* (a ~) 그 소리.

clang·er[klǽŋər] *n.* 《口》 큰 실패〔실수〕. **drop a clanger** 《口》 큰 실패〔실수〕를 하다.

clan·gor | **-gour**[klǽŋgər] *n.* (a ~) 땡그렁 땡그렁, 땡땡, 짤랑짤랑《금속성의 연속음》. ― *vi.* 땡그렁땡그렁 울리다.

clan·gor·ous[klǽŋgərəs] *a.* 땡그렁땡그렁 울리는. **~·ly** *ad.* 땡그렁〔철커덩〕하고.

clank[klæŋk] [의성어] *vi., vt.* 〈무거운 쇠사슬 등이〉 절거덕 소리나다〔소리나게 하다〕. ― *n.* **1** (a ~) 절거덕 소리. **2** (the ~s) 《俗》 = DELIRIUM TREMENS.

clanked[klæŋkt] *a.* 《俗》 지친, 녹초가 된.

clan·nish[klǽniʃ] *a.* **1** 씨족의. **2** 당파적인; 배타적인. **~·ly** *ad.* **~·ness** *n.*

clan·ship[klǽnʃìp] *n.* Ⓤ **1** 씨족 제도. **2** 씨족 정신; 당파적 감정.

clans·man[klǽnzmən] *n.* (*pl.* **-men**[-mən]) 같은 씨족〔문중〕의 사람.

__clap__[1] [klæp] [의성어] (~ped; ~·ping**) *vt.* **1** 쾅〔철썩〕 때리다〔부딪치다〕: She ~*ped* her head *on* the door. 그녀는 문에 머리를 쾅 부딪쳤다. **2** 탁탁〔찰싹, 쾅〕 소리를 내다; 〈새가 날개를〉 파닥이다: A bird ~*s* its wings. 새가 날개를 친다. **3** (우정·칭찬의 표시로 손바닥으로) 가볍게 치다〔두드리다〕, 〈손뼉을〉 치다, …에게 박수를 보내다, 박수 갈채하다: ~ a person *on* the back …의 등을 두드리다/~ one's hands 박수 치다. **4** (문을) 쾅닫다; 잽싸게〔휙〕 놓다: He ~*ped* the door *to*〔shut〕. 문을 쾅 닫았다/~ a hat *on* one's head 모자를 휙 쓰다. **5** (사람물건을 에) 급히 처넣다 (*in, into*): ~ a person *in* jail 아무를 감옥에 처넣다. ― *vi.* **1** 철썩〔쾅〕 소리내다. **2** 날개를 파닥이다. **3** 박수를〔손뼉을〕 치다. **4** 〈문 등이〉 탕〔쾅〕 닫히다: The door ~*ped* *to*〔shut〕. 문이 쾅 닫혔다. **clap eyes on** 《영口》 (종종 부정문·완료 시제) 눈에 띄다; (우연히) 발견하다. **clap hold of** 〔海〕 …을 (급히) 붙잡다. **clap** a person **in prison**〔**jail**〕〔**into gaol**〕 감옥에 처넣다. **clap on** 〈손 등을〉 얼른 놓다; 〈수갑을〉 찰카닥 채우다; 〈브레이크를〉 급히 밟다; 〈돛을〉 급히 올리다; 〈세금을〉 부과하다. **clapped out** 녹초가 되어. **clap spurs to** 〈말〉에 갑자기 박차를 가하다. **clap up** 급히 결말짓다; 〈거래·화해 등을〉 재빨리 결정짓다; 〈상자 등을〉 급히 만들다; 서둘러 투옥하다. ― *n.* **1** 파열음, 탕〔꽝, 콰르릉〕하는 소리: a ~ of thunder 천둥 소리. **2** (a ~) (짝짝) 손뼉치기; 박수; 일격. **3** (a ~) (손바닥으로 우정·칭찬 등을 나타내어 등을) 찰싹〔툭〕 두드리기(*on*); (친밀하게) 툭두드리기. **at a**〔**one**〕 **clap** 일격에. **in a clap** 갑자기.

clap[2] *n.* Ⓤ 《俗》 임질; 《때로는》 매독.

clap·board[klǽpbərd, klǽpbɔ̀:rd] *n.* **1** 《미》 물막이 판자, 미늘판. **2** 《영》 통 만드는 참나무 판자. ― *vt.* 《미》 …에 물막이 판자를 대다.

clap·net[klǽpnèt] *n.* 덫 그물《새를 잡거나 곤충 채집용》.

clap·om·e·ter[klæpámitər/-ɔ́m-] *n.* 박수 측정기.

clap·ped-out[klǽptàut] *a.* 《영俗》 **1** 지친, 녹초가 된. **2** 〈기계가〉 낡은, 덜거덕거리는.

clap·per[klǽpər] *n.* **1** 박수치는 사람. **2** 종〔방울〕의 추(tongue). **3** (새 쫓는데 쓰는) 설렁, 땡땡이; 딱다기. **4** 《俗》 혀; 수다쟁이. **like the clappers** 《영俗》 굉장히 빨리; 아주 열심히.

clápper bòards 〔映〕 (촬영 개시·종료를 알리는) 신호용 딱다기.

clap·per·claw[klǽpərklɔ̀:] *vt.* 《古·영方》 때리고 할퀴다; 욕하다; 꾸짖다.

clap·stick[klǽpstìk] *n.* (종종 *pl.*) = CLAPPER BOARDS.

cláp tràck (사운드 트랙에 넣기 전에) 미리 녹음한 박수소리.

clap·trap[klǽptræ̀p] *n.* Ⓤ **1** 인기를 끌려는 말〔책략, 수단〕; 허풍. **2** 시시한 것, 부질없는 이야기. ― *a.* 인기를 끌기 위한.

claque[klæk] [F] *n.* (집합적) **1** (극장에 고용된) 박수 갈채꾼. **2** 아첨떠는 무리.

cla·queur, claqu·er[klækə́:r], [klǽkər] [F] *n.* claque 의 한 사람.

Clar. Clarence.

clar. 〔印〕 clarendon type; clarinet.

Clar·a *n.* 여자이름《애칭 Clare》.

clar·a·bel·la[klæ̀rəbélə] *n.* 〔樂〕 (풍금의) 클라라벨라 음전(音栓)《flute 음색》.

Clare[klɛər] *n.* **1** 여자 이름《Clara, Clarice, Clarissa의 애칭》. **2** 남자 이름《Clarence의 애칭》.

Clar·ence[klǽrəns] *n.* **1** 남자 이름《애칭 Clare》. **2** (**c-**) 상자형 4인승 4륜 마차.

Clar·en·ceux[klǽrənsjù:] *n.* 《영》 클래런수 문장관(紋章官)(*cf.* KING-OF-ARMS).

clar·en·don[klǽrəndən] *n.* Ⓤ 〔印〕 클래런던체(體) 활자(略: clar.).

Clárendon Préss (the ~) 클래런던 프레스《Oxford 대학 출판국의 인쇄소 겸 학술 서적 출판부》.

clar·et[klǽrit] *n.* Ⓤ **1** 클라레《프랑스 보르도산 적포도주》. **2** 자홍색. **3** 《俗》 피(blood). **tap a person's claret** 《學俗》 …을 때려서 코피가 나게 하다.

cláret cùp 클래럿컵《적포도주에 브랜디·탄산수·레몬·설탕을 섞어 차게 한 것》.

cláret réd 짙은 자홍색.

clar·i·fi·ca·tion[klæ̀rəfikéiʃən] *n.* Ⓤ **1** 〈액체 등을〉 깨끗하게 함, 맑게 함; 정화(淨化). **2** 설명, 해명.

clar·i·fi·er[klǽrəfàiər] *n.* **1** 깨끗하고 맑게 하는 것, 정화기. **2** 청징제(淸澄劑).

*__clar·i·fy__[klǽrəfài] (**-fied**) *vt.* **1** 〈액체 등을〉 깨끗하게 하다, 맑게 하다, 정화하다. **2** 〈의미 등을〉 뚜렷하게〔명백하게〕 하다; 명백하게 설명하다. **3** (머리의) 작용을 맑게 하다. ― *vi.* **1** 〈액체가〉 맑아지다. **2** 〈의미 등이〉 뚜렷해지다.

*__clar·i·net__[klæ̀rənét, klǽrinət] *n.* 클라리넷《목관악기》.

clar·i·net·(t)ist *n.* 클라리넷 취주자.

*__clar·i·on__[klǽriən] *n.* **1** 〔樂〕 클라리온《명쾌한 음색을 가진 옛 나팔》; (파이프오르간의) 클라리온 음전(音栓). **2** 클라리온의 소리; 명쾌한 나팔 소리. ― *a.* 《文語》 밝게 울려 퍼지는; 낭랑한.

clárion càll **1** 낭랑한 부름 소리. **2** 날카로운 목소리로 하는 호소.

Cla·ris·sa[klərísə] *n.* 여자 이름.

*__clar·i·ty__[klǽrəti] *n.* Ⓤ **1** 〈사상·문체 등의〉 명쾌함, 명석함. **2** (음색의) 깨끗하고 맑음; (액체의) 투명함.

Clark[klɑ:rk] *n.* 남자 이름.

clar·ki·a[klɑ́:rkiə] *n.* 〔植〕 클라키어《북미 원산의 바늘꽃과(科)의 관상 식물》.

cla·ro[klɑ́:rou] [Sp] *a.* 〈여송연이〉 빛깔이 엷고 맛이 순한. ― *n.* (*pl.* ~(**e**)**s**) 빛깔이 엷

고 맛이 순한 여송연.

clart[klɑːrt] 《스코·영北部》 *vt.* (끈적끈적한 것으로)…을 더럽히다. ── *n.* (종종 *pl.*)(특히 구두에 묻은) 진흙.

clar·y[klέəri] *n.* (*pl.* **clar·ies**) 〔植〕 샐비어과(科)의 각종 식물(관상용).

clash[klæʃ] [의성어] *n.* **1** 충돌, 격돌, 서로 부딪치는 소리; (종 등의) 땡땡 울리는 소리. **2** (의견·이익 등의) 충돌, 불일치; 〈색의〉 부조화. **3** (행사 등의) 겹침(*between*). **4** 전투, 분규(*between*). ── *vi.* **1** 부딪치는 소리를 내다; (소리를 내며) 충돌하다(*into, upon, against*): Their swords *~ed.* 그들의 검이 쨜그렁하고 부딪쳤다/The car *~ed into*〔*against*〕 the wall. 자동차가 벽에 부딪쳤다. **2** 〈의견·이해 등 이〉 충돌하다, 상충하다; 〈규칙 등에〉 저촉되다(*with*); 〈강연 등이〉 겹치다; 《俗》 〈빛깔이〉 어울리지 않다: Their views *~ed with* mine. 그들의 견해는 나의 견해와 상충하였다. ── *vt.* 〈종 등을〉 땡땡〔쩽그렁〕 울리다; 〈칼 등을〉 부딪치다: He *~ed* the glass *against* the stone. 그는 유리잔을 돌에 던져 쩽그렁 깨버렸다. **clásh·er** *n.*

clasp[klæsp, klɑːsp] *n.* **1** 걸쇠, 죔쇠, 버클(buckle). **2** (보통 *sing.*) 쥠, 움켜쥠, 악수, 포옹. **3** 〔軍〕 전투 기장(記章), 종군 기념 약장(略章)(=battle ~)(전투지명이 새겨진 금속관). ── *vt.* **1** (걸쇠·죔쇠 등으로) 고정시키다, 죄다; 〈띠 등을〉 버클로 죄다. **2** 〈손 등을〉 꼭 쥐다; 악수하다: ~ another's hand 상대방의 손을 꼭 쥐다/~ one's hands (together) (깍지끼듯) 양손을 움켜쥐다(애원·절망 등을 나타냄)/They *~ed* hands 그들은 굳게 악수했다(제휴하다). **3** 껴안다, 포옹하다: She *~ed* her son *in* her arms〔to her bosom〕. 그녀는 아들을 팔〔가슴〕에 꼭 껴안았다. **4** 〈덩굴 등이〉 …에 휘감기다. ── *vi.* **1** 걸쇠·죔쇠 등으로 고정시키다, 죄다. **2** 꽉 쥐다, 껴안다. ⊕ enclásp *v.*

clasp·er *n.* **1** 걸쇠. **2** 〔植〕 덩굴손. **3** (곤충 수컷의) 미각(尾脚).

clásp knìfe 접는 칼(*cf.* SHEATH KNIFE).

class[klæs, klɑːs] [L] *n.* **1** (공통적 성질을 가진) 종류, 부류, 종, 유(kind). **2** (품질·정도에 의한) 등급: the first〔second, third〕 ~ 1〔2, 3〕 등/travel second ~ 2등으로 여행하다. **3** (보통 *pl.*) Ⓒ,Ⓤ (사회적) 계급; 계급제〔제도〕: the upper〔middle, lower, working〕 ~(*es*) 상류〔중류, 하층, 노동〕 계급/the educated ~ 지식 계급. **4** (the ~es) 《古》 상류 계급, 상류 사회(the upper classes)(*opp.* the masses). **5** Ⓒ,Ⓤ (학교의) 클래스, 학급, 반(*cf.* FORM); (클래스의) 학습 시간, 수업; (편물·요리 등의) 강습: take a ~ of beginners 〈교사가〉 신입생 클래스를 담임하다/take *~es* in cookery 요리 강습을 받다. **6** (집합적) 클래스의 학생들; 《미》 동기 졸업생〔학급〕; (군대의) 동기병(同期兵): the ~ of 1992 1992년 졸업반/the 1992 ~ 1992년 (입영)병. **7** Ⓤ 《口》 우수, 탁월; (옷·행위 등의) 우아함, 품위, 고급: a ~ champion 우수 선수. **8** 〔영大學〕 우등 시험(honors examination)의 합격 등급: take〔get, obtain〕 a ~ 우등으로 졸업하다. **9** 〔生〕 (동식물 분류상의) 강(綱)(PHYLUM과 ORDER와의 사이). **10** 〔數〕 집합(set). **in a class by itself**〔**oneself**〕 =**in a class of**〔**on**〕 **its**〔**one's**〕 **own**=**in a class apart** 비길 데 없는, 뛰어난. **in class** 수업 중. **no class** 《口》 등외로, 열등한. ── *a.* **1** 계급의, 계급적인. **2** 학급의, 반의. **3** 《口》 우수한, 일류의; 품위있는, 멋진. ── *vt.* **1** 분류하다(classify); 등급〔품등〕을 정하다(size up). **2** 〈학생을〉 조(組)로〔반으로〕 나누다. **3** (…을) …급〔부류〕에 넣다(*with, among*); (…을) …으로 간주하다: ~ samples 표본을 분류하다/be *~ed as* …으로 분류되다. ── *vi.* (어느 class로) 분류되다, 속하다: those who ~ *as* believers 신앙인으로 꼽히는 사람들. ⊕ clássify *v.*

class. classic(al); classification; classified.

class·a·ble[klǽsəbəl, klɑ́ːs-] *a.* 분류할 수 있는, 반을 편성할 수 있는.

cláss àction 〔法〕 (공동 피해자들의) 집단 소송(class suit).

cláss bàby 《미俗》 **1** 학급의 최연소자. **2** 졸업 후 동급생 중에서 생긴 첫 아이.

class·book[-bùk] *n.* **1** 《미》 채점부, 출석부. **2** 《미》 (반의) 졸업 기념 앨범(yearbook). **3** 《영》 교과서.

cláss clèavage 〔文法〕 유분열(類分裂)(한 낱말을 둘 이상의 형식류(形式類)로 쓰는 것).

class-con·scious[-kɑ́nʃəs/-kɔ́n-] *a.* 계급 의식을 가진; 계급 투쟁을 강하게 의식한. **~·ness** *n.* Ⓤ 계급 의식.

cláss dày 《미》 (졸업생의 졸업식 전) 졸업 기념 행사일.

cláss dìnner 동급생 만찬회.

cláss distínction 계급 의식; 계급 구분의 규준.

class-feel·ing[-fíːliŋ] *n.* Ⓤ 계급 감정.

class-fel·low[-fèlou] *n.* =CLASSMATE.

clas·sic[klǽsik] [L] *a.* **1** 〈예술품 등이〉 일류의, 최고 수준의, 걸작의. **2** 권위 있는, 정평이 나 있는; 전형적인; 모범적인. **3** 고전의, 그리스·로마 문예의; 고대 그리스·라틴의 예술 형식을 본받은; (낭만주의에 대하여 18세기의) 고전풍의, 고전적인(classical); 단아한, 고상한: ~ myths 그리스·로마 신화. **4** 역사적〔문화적〕 연상이 풍부한, 유서 깊은: ~ ground (for …)(…으로) 유서 깊은 땅/~ Oxford〔Boston〕 옛 문화의 도시 옥스퍼드〔보스턴〕. **5** 〈복장 등이〉 유행에 매이지 않는, (유행을 넘어서서) 전통적인 (스타일의).

── *n.* **1** (the ~s)(그리스·라틴의) 고전(작품); 고전어; 일류 작품. **2** (그리스·라틴의) 고전 작가〔학자〕; 대문호, 대예술가. **3** (특정 분야의) 권위서, 명저; 대표적인 것, 모범이 되는 것. **4** 전통적(으로 유명한) 행사. **5** 전통〔고전〕적인 (스타일의) 복장〔차, 도구(등)〕, 유행을 초월한 (스타일의) 옷. **6** 《미口》 클래식카(1925-42년형의 자동차). **7** = CLASSIC RACES. ⊕ classical *a.* ; clássicize *v.*

clas·si·cal[klǽsikəl] *a.* **1** 전통적인; 전형적인; 모범적인. **2** (때로 **C-**) (고대 그리스·라틴의) 고전 문학의, 고전의; 인문적인, 일반 교양적인: the ~ languages 고전어(라틴·그리스 말). **3** 고전 취미적인, 고전적인. **4 a** 〔文學·藝術〕 고전주의의, 의고적(擬古的)인(*cf.* ROMANTIC 6). **b** 〈음악이〉 (18-19세기의 균형 잡힌 형식의) 클래식의. **c** 〈학문이〉 고전파의: ~ economics 정통〔고전〕파 경제학(Adam Smith나 Ricardo 등의 학설). **~·ism** *n.* = CLASSICISM. **~·ist** *n.* =CLASSICIST. ⊕ clássic *n., a.*; classicálity *n.*

clássical cóllege 《캐나다》 고전·교양 대학(고전·일반 교양 과목을 중심으로 하는 중등학교·대학 수준의 학교).

clas·si·cal·i·ty[klæ̀səkǽləti] *n.* Ⓤ **1** 고전적 특질(예풍(藝風)의 순미(純美)·고아(古雅)·단아 등). **2** (작품의) 탁월. **3** 고전적 교양.

clas·si·cal·ly *ad.* 고전적으로, 의고적으로.
clássical músic 고전 음악, 클래식.
clássical schóol 〔經〕 고전학파(Adam Smith, Ricardo, J. S. Mill 등의 경제학파).
clas·si·cism[klǽsəsìzəm] *n.* Ⓤ **1** (종종 **C-**) 〔文學·藝術〕 고전주의(*cf.* REALISM; ROMANTICISM), 의고주의. **2** (교육상의) 상고(尙古)주의. **3 a** 고대 그리스·로마의 예술·문화의 정신. **b** 고전의 지식. **4** 고전적 어법, 고전관용표현.
clas·si·cist[klǽsəsist] *n.* **1** 고전학자: 그리스·로마 연구의 대가. **2** (문학·예술상의) 고전주의자.
clas·si·cize[klǽsəsàiz] *vt., vi.* 〈문체 등을〉 고전식으로 하다, 고전을 모방하다.
clássic ráces (the ~) 〔競馬〕 클래식 레이스: **a** 《영》 5대 경마(Derby, Oaks, St. Leger, Two Thousand Guineas, One Thousand Guineas). **b** 《미》 3대 경마(Kentucky Derby, Preakness Stakes, Belmont Stakes).
cláss identificàtion 〔社〕 계급 귀속(歸屬)의식.
clas·si·fi·a·ble[klǽsəfàiəbəl] *a.* 〈사물이〉 분류할 수 있는.
*__clas·si·fi·ca·tion__[klæ̀səfikéiʃən] *n.* Ⓤ,Ⓒ **1** 분류(법), 유별, 종별. **2** 〔生〕 분류(생물학상의 분류 순서: kingdom(계(界))—〔動〕 phylum, 〔植〕 division(문(門))—class(강(綱))—order(목(目))—family(과(科))—genus(속(屬))—species(종(種))—variety(변종(變種))). **3** 등급별, 등급 매김, 급수별. **4** 〔圖書館〕 도서 분류법. **5** 《미》 (공문서의) 기밀 종별(種別)(restricted, confidential, secret, top secret 등).
classificátion clùb 《미》 직업별 클럽.
classificátion schèdule 〔圖書館〕 도서 분류 일람표.
classificátion socìety 선급(船級) 협회(상선의 등급을 매기는).
classificátion yàrd 《미》 철도 조차장(操車場).
clas·si·fi·ca·to·ry[klǽsifikeitɔ̀:ri/-təri] *a.* 분류(상)의.
*__clas·si·fied__[klǽsəfàid] *a.* **1** 분류한; 〈광고가〉 항목별의. **2** 〈군사 정보·문서 등이〉 기밀 취급의. ── *n.*=CLASSIFIED AD〔ADVERTISING〕.
clássified ád〔**ádvertising**〕 항목별 광고(란), 3행 광고(구인·구직 등 항목별로 분류되어 있음; *cf.* WANT AD).
clássified cìvil sérvice 《미》 공무원 직계(職階) 제도.
clas·si·fi·er[klǽsəfàiər] *n.* **1** 분류자. **2** 〔化〕 분립기(分粒器). **3** 〔言〕 분류사(辭).
‡**clas·si·fy**[klǽsəfài] *vt.* (**-fied**) **1** 분류〔유별〕하다, 등급으로 나누다. **2** 〈군사 정보·문서 등을〉 기밀 취급하다. ⊕ classificátion *n.*
cláss ìnterval 〔統〕 급(級)간격, 계급폭.
clas·sis[klǽsis] *n.* (*pl.* **-ses**[-si:z]) 〔基督教〕 **1** (개혁파 교회의) 종교 법원, 장로 감독회〔구〕. **2** 종교 법원에 의한 관할구.
class·ism *n.* 계급 차별(주의)(자기가 속한 계급이 최상이라고 생각하는 신념).
clas·sist *n., a.* 계급〔계층〕 차별주의(의).
class·less[klǽslis, klɑ́:s-] *a.* **1** 〈사회가〉 계급 차별이 없는. **2** 〈사람 등이〉 특정한 사회계급에 속하지 않는. **~·ly** *ad.* **~·ness** *n.*
class-list *n.* **1** 〔영大學〕 우등 시험 합격자 등급별 명부. **2** 학급 명부.
cláss mágazine 전문 잡지.
class·man[⌐mæ̀n] *n.* (*pl.* **-men**[-mèn]) 〔영大學〕 우등 시험 합격자(*opp.* passman).
cláss màrk 1 〔統〕 계급치(階級値). **2** 〔圖書館〕 =CLASS NUMBER.
‡**class·mate**[⌐mèit] *n.* 동급생, 동창생, 급우.
cláss mèaning 〔言〕 유(類)의 의미.
cláss mèeting 학급회.
cláss nòun〔**nàme**〕 〔文法〕 종속(種屬)명사, 보통 명사(common noun).
cláss nùmber 〔圖書館〕 도서 분류 번호.
cláss rìng 《미》 졸업 기념 반지(고교나 대학의 어느 클래스〔졸업 연차〕 표시가 있는).
★**class·room**[⌐rù(:)m] *n.* 교실.
cláss strúggle (종종 the ~) 계급 투쟁.
cláss sùit =CLASS ACTION.
cláss 2 lícense 《미》 2급 운전 면허(버스 운전에 필요한 면허).
cláss wár〔**wárfare**〕 (종종 the ~) 계급 투쟁.
cláss wòrd 〔文法〕 유어(類語).
class·work[⌐wə̀:*r*k] *n.* 〔教育〕 교실 학습.
class·y[klǽsi, klɑ́:si] *a.* **class·i·er; -i·est**) **1** 《미口》 고급인(superior); 멋진(stylish). **2** 신분이 높은. **cláss·i·ly** *ad.* **-i·ness** *n.*
clast[klæst] *n.* 〔地質〕 쇄설암(碎屑岩).
clas·tic[klǽstik] *a.* **1** 〔地質〕 쇄설성(碎屑性)의: ~ rocks 쇄설암. **2** 〔生〕 분해성의: 〈해부 모형이〉 분해식의.
clath·rate *a.* **1** 〔生〕 격자(格子) 모양의. **2** 〔化〕 포접(包接)의. ── *n.* 〔化〕 포접 화합물.
‡**clat·ter**[klǽtər] [의성어] *n.* **1** (a ~) 달가닥달가닥〔덜거덕덜거덕, 찰가닥찰가닥〕하는 소리(딱딱한 물체가 부딪치는 소리, 타이프 치는 소리 등). **2** 떠들썩함: 시끄러운 소리〔말, 웃음〕; 지껄임(chatter). ── *vi.* **1** 달가닥달가닥〔덜거덕덜거덕, 찰가닥찰가닥〕 울리다. **2** 소란스런 소리를 내며 (빨리) 움직이다〔나아가다, 달려가다〕: ~ *about* 소란스런 소리를 내며 돌아다니다. **3** 〈여러 사람이〉 떠들썩하게 지껄이다(*away*). ── *vt.* 달가닥달가닥〔덜거덕덜거덕, 찰가닥 찰가닥〕 울리게 하다. **clatter about** 〈어린이 등이〉 떠들썩하게 설쳐대다; 〈…을 덜거덕덜거덕〉 거칠게 다루다. **clatter along** 덜거덕거리며 가다. **clatter down** 와르르 떨어지다, 덜컹하고 넘어지다〔떨어지다〕. **~·er**[-tərər] *n.* 덜거덕덜거덕 소리를 내는 것; 수다쟁이. **~·ing·ly** *ad.* 덜거덕거리며; 수다스럽게.
Claude[klɔ:d] *n.* 남자 이름.
Clau·di·a[klɔ́:diə] *n.* 여자 이름.
clau·di·cant[klɔ́:dəkənt] *a.* 《古》 절름발이의.
clau·di·ca·tion[klɔ̀:dəkéiʃən] *n.* Ⓤ 〔醫〕 파행(跛行), 절뚝거림.
Clau·di·us[klɔ́:diəs] *n.* **1** 남자 이름. **2** 클라우디우스(10 B.C.-A.D. 54)(로마 황제(41-54)).
‡**clause**[klɔ:z] [L] *n.* **1** 〔文法〕 절(節). **2** 〈조약·법률의〉 조항, 조목. **3** 〔樂〕 악구(樂句). **clause by clause** 한 조목 한 조목씩, 축조(逐條)적으로. **penal clause** 벌칙. **saving clause** 유보 조항, 단서.
claus·al *a.* 조항의; 〔文法〕 절의.
claus·tral[klɔ́:strəl] *a.* =CLOISTRAL.
claus·tro·pho·bi·a[klɔ̀:strəfóubiə] *n.* Ⓤ 〔精醫〕 밀실(密室) 공포증(*opp.* agoraphobia).
claus·tro·pho·bic 〔精醫〕 *a.* 밀실 공포증의. ── *n.* 밀실 공포증 환자.
cla·vate, -vat·ed[kléiveit], [-id] *a.* 〔植〕 방망이〔곤봉〕 모양의(club-shaped).
clave[1] [kleiv] *v.* 《古》 CLEAVE[2]의 과거.
cla·ve[2] [klɑ́:vei] *n.* (보통 *pl.*) 〔樂〕 클라베

스《룸바 반주 등에 쓰이는 타악기의 일종》.
clav·e·cin[klǽvəsin] *n.* 〔樂〕 클라브생(harpsichord).
cla·ver[kléivər] 《스코》 *n.* (보통 *pl.*) 잡담, 객적은 소리. — *vi.* 잡담하다, 객적은 소리를 늘어놓다.
cla·vi·cem·ba·lo[klæ̀vətʃémbəlòu] [It] *n.* 〔樂〕 클라비쳄발로《하프시코드의 일종》.
clav·i·chord[klǽvəkɔ̀ːrd] *n.* 〔樂〕 클라비코드《피아노의 전신》. **~·ist** *n.*
clav·i·cle[klǽvəkəl] *n.* 〔解〕 쇄골(鎖骨)(collarbone).
cla·vic·u·lar[kləvíkjələr] *a.* 쇄골의.
cla·vier[klǽviər] *n.* **1** 〔樂〕 건반, 키. **2** 건반 악기《피아노 등》.
clav·i·form[klǽvəfɔ̀ːrm] *a.* 곤봉 모양의.
⁑**claw**[klɔː] *n.* **1** a (고양이·매 등의 날카롭고 굽은) 갈고리 발톱(⇨nail). b 고리 발톱이 있는 발. **2** (게·새우 등의) 집게발. **3** 발톱꼴의 것;(쇠망치 끝의) 못뽑이. **4** (기중기 따위의) 거는 도구, 갈고랑쇠. **5** 사람 손《살이 빠지고 긴》; (악인 따위의) 마수. **6** 《미俗》 순경. **cut〔clip, pare〕 the claws of** 《口》 〈사람 등〉에게서 해치는 힘〔무기〕을 빼앗다; …을 무력하게 하다. **get one's claws into** …을 붙잡다; 공격하다. **in a person's claws** …에게 붙잡혀, …의 수중〔손아귀〕에 들어가. **put the claw on** 《미俗》 …을 붙잡다, 구류하다; …에게 돈을 꾸어 달라고 하다. **tooth and claw** (부사적으로) 온갖 수단을 다하여, 극력, 필사적으로.
— *vt.* **1** 손톱〔발톱〕으로 할퀴다(scratch); 손톱〔발톱〕으로 움켜잡다;(구멍을) 후벼 파다. **2** 《미俗》 체포하다(arrest); 〈돈 등을〉 긁어모으다. **3** 〔海〕 이물을 바람머리로 돌리다(*off*).
— *vi.* 발톱〔손톱〕으로 할퀴다〔찢다, 파다〕(*away*); 발톱〔손톱〕으로 움켜 할퀴려고 하다(*at*). **claw back** (서서히) 되찾다;《영》〈정부가〉 급부 지출 증가를 증세(增稅)로 보충하다. **claw hold of** …을 움켜쥐다. **Claw me, and I'll claw thee.** 《속담》 만사는 상대편이 할 탓, 오는 말이 고와야 가는 말이 곱다. **claw off** 〔海〕 〈배가〉 바람부는 쪽으로 머리를 돌리다. **claw one's way** 기듯이 나아가다.
cláw-and-báll fóot *n.* =BALL-AND-CLAW FOOT.
claw·back[klɔ́ːbæ̀k] *n.* 《영》 **1** 정부가 급부 지출 증가를 증세로 보충하기. **2** 결점, 약점(drawback).
cláw bàr 게 발 모양의 지렛대.
cláw clùtch 서로 맞무는 클러치.
clawed[klɔːd] *a.* (보통 복합어를 이루어) (…의) 발톱을 가진: sharp-~ 날카로운 발톱이 있는.
cláw hàmmer 1 못뽑이, 장도리. **2** 《미口》 연미복(tailcoat).
cláw hàtchet 못뽑이가 있는 손도끼.
cláw sétting 〔寶石〕 반지 등에 보석을 갈고리 발톱으로 고정시키는 세공법.
⁑**clay**[klei] *n.* **1** Ⓤ 점토, 찰흙, 진흙; 흙(earth). **2** Ⓤ (육체의 재료로 여겨졌던) 흙;(영혼에 대하여, 죽으면 흙이 되는) 육체; 《詩》 인체(*cf.* ASHES, BONES). **3** Ⓤ 자질, 천성; 인격, 인품: a man of common ~ 보통 사람. **4** 사기〔오지〕 담뱃대: a yard of ~ 긴 사기〔오지〕 담뱃대. **as clay in the hands of the potter** 〈사람·사물이〉 뜻〔마음〕대로 (되어). **feet of clay** (사람·사물이 가진) 인격상의〔본질적인〕 결점, 뜻밖의 결점〔약점〕. **moisten〔wet, soak〕 one's clay** 《익살》 한잔 하다, 술 마시다(drink). — *vt.* 진흙을 바르다〔섞다〕, 진흙으로 채우다. ◈ **cláyish** *a.*
Clay *n.* 남자 이름.
clay·bank[kléibæ̀ŋk] *n.* **1** Ⓤ 황갈색. **2** 《미》 황갈색의 말. — *a.* 황갈색의.
clay-cold[kléikòuld] *a.* 〈시체 등〉 점토처럼 찬; 생명이 없는.
cláy cóurt 〔庭球〕 (흙으로 된 보통의 옥외) 테니스 코트.
clay·ey[kléii] *a.* **1** 진흙의〔이 많은〕, 진흙 같은. **2** 진흙을 바른〔으로 더러워진〕.
cláy íronstone 〔鑛〕 이철광(泥鐵鑛).
clay·ish[kléiiʃ] *a.* **1** 점토질〔상(狀)〕의, 진흙 비슷한. **2** 진흙을 바른.
cláy mìneral 점토 광물.
clay·more[kléimɔ̀ːr] *n.* **1** 쌍날의 큰 칼《옛날 스코틀랜드 고지인이 사용하던》. **2** = CLAYMORE MINE.
cláymore míne 〔軍〕 클레이모어 지뢰《작은 금속 파편을 비산시키는 지뢰》.
clay·pan[´pæ̀n] *n.* **1** 〔地質〕 점토반(盤). **2** 《오스》(비오면 물이 괴는) 얕은 점토질 웅덩이.
cláy pígeon 〔射擊〕 클레이 피전《공중에 던져 올리는 진흙으로 만든 접시꼴 과녁》.
cláy pípe 사기 파이프; 토관.
cláy stóne 〔岩石〕 점토암.
cld. cleared; colored.
-cle[kl] *suf.* =-CULE.
clead·ing[klíːdiŋ] *n.* 〔機〕 (실린더나 보일러의 절연용) 덮개, 외피.
★**clean**[kliːn] *a.* **1** 청결한, 깨끗한, 말끔한. **2** 감염되어 있지 않은; 병이 아닌;(방사능 따위에) 오염 안 된; 《口》 〈핵무기가〉 방사성 강하물이 없는〔적은〕: ~ H-bombs (방사능이 적은) 깨끗한 수소 폭탄. **3** 불순물이 없는; 순수한; 섞지 않은(unmixed). **4** 백지의; 아무 것도 씌어 있지 않은《종이 따위》: a ~ sheet of paper 백지. **5** (정신적·도덕적으로) 순수〔결백, 순결〕한(pure, chaste); 거짓이 없는, 결점〔흠〕이 없는; 공정한, 공명정대한: a ~ record〔slate〕 깨끗한 이력/a ~ diamond 흠없는 다이아몬드. **6** 새로운(new), 신선한(fresh). **7** 조출한 것을 좋아하는, 몸차림이 말쑥한: be ~ in one's person 차림새가 깔끔하다. **8** 먹을 수 있는: ~ fish (산란기가 아닌) 먹을 수 있는 고기. **9** 〔聖〕 (모세(Moses)의 율법에 비추어) 부정(不淨)하지 않은; 〈새·짐승 등이〉 더럽혀지지 않은, 먹을 수 있는. **10** 날씬한, 산뜻한, 맵시 좋은, 울퉁불퉁하지 않은(smooth): ~ limbs 날씬한 지체(肢體). **11** 산뜻한(neat), 재치 있는(skillful): a ~ stroke 재치 있는 타격. **12** 당연한(proper): That's the ~ thing to do. 그것은 마땅히 해야 할 일이다. **13** 《口》 음탕〔외설〕하지 않은. **14** 범죄와 관계없는. **15** 고장이 없는. **16** 〈교정쇄 등이〉 틀린〔정정한〕 데가 없는, 읽기 쉬운: a ~ proof 고친 데 없는 교정쇄. **17** 장애가 없는, 완전한(complete): a ~ hit 〔野〕 클린 히트. **18** 〈배가〉 적하가 없는; 〈선창이〉 빈; 《俗》 무일푼의; 무기〔흉기〕를 갖고 있지 않은. **19** 마약을 상용하지 않는〔소지하지 않은〕. **20** 니코틴 함유량이 적은. **Clean Air Act of 1970** 《미》 1970년 대기 오염 방지법. **clean and sweet** 깔끔한, 말쑥한. **clean bill (of health)** 건강 증명서(*cf.* BILL of health). **come clean** 《口》 사실을 말하다, 자백〔실토〕하다(confess). **have clean hands** =**keep the hands clean** 부정에 관계되지 않다. **keep a clean tongue** 무례한〔지저분한, 입정사나운〕 말을 하지 않다. **keep oneself clean** 몸을

깨끗이 하다. **keep one's nose clean** 《口》 성가신〔귀찮은〕 일에 말려들지 않게 하다. **make a clean breast of** …을 깨끗이 털어놓다. **make a clean sweep of** …을 일소(一掃)하다. **show a clean pair of heels** 줄행랑치다. — *ad.* **1** 깨끗이(cleanly). **2** 전혀, 아주, 완전히(entirely): ~mad〔wrong〕 완전히 실성하여. **3** 바로, 정통으로(exactly), 멋지게(neatly): hit one ~ in the eye 눈을 정통으로 갈기다. **4** 정정당당하게. — *vt.* **1** 청결〔깨끗〕하게 하다, 청소하다, 손질하다; 닦다; 세탁하다; 〈이를〉 닦다; 〈상처를〉 소독하다, 씻어 처치하다: ~ one's teeth 이를 닦다/《Ⅲ (목)+전+명》 She was ~*ing* the window *at* school. 그녀는 학교에서 창문을 닦고 있었다(=《Ⅰ *be being pp.*+전+명+전+명》 The window was be*ing* ~*ed at* school *by* her.). **2** 〈…을〉 씻어 〈더러움 등을〉 없애다, 지우다: 《Ⅲ (목)》 She ~*s* the board. 그녀는 칠판을 지운다(=《Ⅰ *be pp.*+전+명》 The board is ~*ed by* her.). **3** 〈먹어서 접시를〉 비우다; 〈생선·닭 등에서〉 창자를 들어내다. — *vi.* **1** 청소하다. **2** 깨끗해지다. **clean down** 〈벽·자동차 등을 위에서 아래로〉 깨끗하게 청소하다; 〈말 등을〉 씻어 주다; 지워 버리다. **clean one's plate** 깨끗하게〔완전히〕 먹어 치우다. **clean out** (*vt.*) (1) 깨끗하게 쓸어내다. (2) 〈장소에 서〉 …을 쫓아내다. (3) 《미》 〈사람을〉 쫓아내다. (4) 〈가게 등의〉 재고품을 일소하다. (5) 〈장소에서〉 죄다 훔쳐내다. (6) 《口》 〈사람을〉 빈털터리로 만들다. — (*vi.*) 《口》 달아나다. **clean the slate** 의무를 깨끗이 다 하다. **clean up** (*vt.*) (1) 깨끗이 청소하다; 〈방 등을〉 깨끗이 정돈하다; 〈쓰레기·먼지 등을〉 없애다, 치우다. (2) (몸을) 깨끗이 씻다. (3) (불량 분자 등을) 일소하다, (…을) 정화하다, (적 등을) 일소〔소탕〕하다. (4) 《口》 〈일 등을〉 해치우다, 완료하다. (5) 〈부채 등을〉 청산하다, 정리하다. (6) 《미口》 (순식간에 큰 돈을) 벌다. — (*vi.*) (1) 깨끗이 청소하다, 정돈하다. (2) (몸을) 깨끗이 하다; 말쑥해지다. (3) 일을 마무리짓다. (4) (도박 따위로) 큰 돈을 벌다. **clean up on** … 《미口》 (1) 〈거래 등〉에서 벌다. (2) 〈사람〉을 때려 눕히다, 해치우다.
— *n.* **1** (a ~) 청결하게 함, 손질, 청소. **2** 〔力道〕 클린《바벨을 어깨높이까지 올리기》. **give it a clean** 손질하다.
◇ cléanly¹ *a.*: cléanly² *ad.*

clean·a·ble *a.* 깨끗하게 할 수 있는.

cléan and jérk 〔力道〕 용상《마루로부터 어깨 높이까지 올리고 다시 머리위로 들어 올리는 방식》.

cléan bómb 깨끗한 폭탄《방사능이 적은》 (*cf.* DIRTY bomb).

cléan bréak 갑작스러운 중단; 딱 그만 둠.

clean-bred *a.* 순종(純種)의.

cléan configurátion 〔空〕 순항(巡航)형태.

clean-cut *a.* **1** 말쑥한, 맵시 있는; 단정한. **2** 〈의미가〉 명확한(definite): ~ features 윤곽이 뚜렷한 얼굴 생김새.

cléan énergy 클린 에너지《전기처럼 대기를 오염시키지 않는 에너지》.

⁑**clean·er**[klíːnər] *n.* **1** 깨끗하게 하는 사람; 청소하는 사람; 청소 작업원. **2** 세탁소 주인〔직공〕; 청소부(婦). **3** (보통 the ~s, ~'s) 세탁소 《미》에서는 cleaner라고만 함. **4** (전기) 청소기, 진공 청소기. **5** 세제, 클리너. **go to the cleaners**〔**cleaner's**〕 《俗》 (도박 등으로) 있는 돈을 몽땅 빼앗기다, 빈털터리가 되다. **take** a person **to the cleaners**〔**cleaner's**〕 《口》 (1) 〈남의〉 돈을 몽땅 빼앗다, 빈털터리로 만들다. (2) 〈남을〉 깎아내리다, 헐뜯다. (3) 《미》 〈경쟁에서 상대를〉 대패시키다.

clean-fin·gered[´fíŋgərd] *a.* 청렴한.

clean·fin·ger·nails[´fíŋgərnèils] *n.* (육체 노동을 하지 않아서 손톱이 깨끗한) 상류계층, 특권층.

cléan fíngers 청렴.

cléan flòat 〔經〕 자유 변동 시세 제도.

clean·hand·ed[´hǽndid] *a.* 결백한.

cléan hánds 정직; 결백, 무구(無垢), 무죄.

⁑**clean·ing**[klíːniŋ] *n.* Ⓤ **1** 깨끗이 함, 청소; (의복 등의) 손질, 세탁: general ~ 대청소. **2** =DRY CLEANING. **3 a** 《口》 (투자 등의) 대손해: get a good ~ 큰 손해를 보다. **b** 《미俗》 (특히 스포츠의) 대패배, 완패.

clean·ish[klíːniʃ] *a.* 말쑥한, 조촐한.

clean·li·ly[klénlili] *ad.* 말끔히, 깨끗이.

clean-limbed[klíːnlímd] *a.* 〈젊은 남자 등〉 팔다리의 균형이 잘 잡힌, 날씬한(well-built).

⁎**clean·li·ness**[klénlinis] *n.* Ⓤ **1** 청결; 깨끗함. **2** 깨끗함을 좋아함.

clean-liv·ing[klíːnlíviŋ] *a.* (도덕적으로) 깨끗한 생활을 하는, 청렴한.

⁑**clean·ly¹**[klénli] *a.* (**-li·er; -li·est**) **1** 깨끗한 것을 좋아하는, 조촐한. **2** 품위 있는.

⁎**clean·ly²**[klíːnli] *ad.* **1** 솜씨 있게, 멋지게. **2** 깨끗하게, 청결하게. **3** 《古》 완전히, 말끔히.

clean·ness *n.* Ⓤ 청결; 결백.

clean·out[´àut] *n.* **1** (대)청소. **2** (바람직하지 않은 것의) 일소. **3** (보일러·굴뚝 등의) 청소 구멍.

cléan ròom (우주선·병원 등의) 청정실(清淨室), 무균실(無菌室).

cleans·a·ble[klénzəbəl] *a.* 깨끗이 할 수 있는, 세척할 수 있는.

⁎**cleanse**[klenz] *vt.* 《文語》 **1** 〈상처 등을〉 청결하게 하다(clean), 씻다; 세척하다. **2** 〈사람·마음에서 죄 등을〉 씻어 깨끗이 하다, 정화하다; 〈장소·조직 등에서 탐탁지 않은 것·사람 등을〉 제거하다; 숙청하다 《*of, from*》: 〈…에서부터 죄를〉 씻다, 정화하다: ~ the soul〔heart〕 *from*〔*of*〕 sin 마음의 죄를 씻다. **3** 〔聖〕 〈문둥이를〉 고치다. ◇ clean *a.*

cleans·er[klénzər] *n.* **1** 세척담당, 세탁인. **2** 청정제, 클렌저.

clean-shaved, -shav·en[klíːnʃéivd], [-ʃéivən] *a.* 수염을 말끔히 깎은〔민〕.

cléan shéet 깨끗한 경력, 훌륭한 이력.

cleans·ing[klénziŋ] *n.* Ⓤ **1** 깨끗이 함, 정화, 죄를 씻음. **2** (*pl.*) 쓸어 버린 쓰레기. **3** (*pl.*) (가축의) 후산(後産). **4** 《미》 청소. — *a.* 깨끗이 하는.

cléansing crèam 클렌징 크림《유지성(油脂性)의 세안용크림》.

cléansing depàrtment (시의) 청소국.

cléansing tìssue 화장용 박엽지(薄葉紙) 〔티슈 페이퍼〕(tissue paper).

clean·skin[klíːnskìn] *n.* 《오스》. **1** 낙인이 안 찍힌 동물. **2** 《俗》 전과가 없는 사람.

cléan sláte **1** 깨끗한 경력. **2** 백지.

cléan swéep 〔政〕 (선거에서 한 당의) 완승, 압승.

clean·up[klíːnʌ̀p] *n.* **1** 대청소. **2** 재고 정리. **3** (얼굴이나 손을 씻어) 말쑥〔깔끔〕하게 하기. **4** (악덕·정계 등의) 일소, 정화, 숙정; (잔적 등의) 소탕(*of*). **5** 《미俗》 (단기간의)

큰 벌이〔이득〕. **6** 〔野〕(타순의) 4번(타자).
— *a.* 〔野〕 4번 (타자)의, 강타자의.

cléanup hìtter 〔野〕 4번 타자.

cléan wéapon 깨끗한 무기《방사능이 나지 않는 원자 무기: *cf.* CLEAN BOMB》.

⋆**clear**[kliər] [L] *a.* **1** 맑은, 투명한, 맑게 갠, 선명한: 〈달·별 등이〉 밝은: 〈불·빛 등이〉 타오르는, 빛나는: a ~ sky 맑게 갠 하늘/~ water 맑은 물. **2** (색·음 따위가) 밝은, 맑은, 청아한, 산뜻한: the ~ note of a bell 청아한 종소리. **3** (모양·윤곽 등이) 분명한, 뚜렷한(distinct): a ~ outline 뚜렷한 윤곽. **4** 〈사실·의미·진술 등이〉 명백한, 명확한, 분명한(evident); 〈두뇌·사고 등이〉 명석한, 명료한: a ~ statement 명확한 진술/have a ~ head 머리가 명석하다/《Ⅱ *It v*Ⅱ+㉵+*that*(절)》It is ~ *that* she works hard. 그녀가 열심히 공부하는 것은 분명하다. **5** 열린(open): 〈방해·지장 등이〉 전혀 없는, 〈도로 등이〉 차가 없는, 한산한: 〈신호가〉 방해가 없음을 나타내는, 안전한: 떨어져 있는, 제거된: a ~ space 빈터/roads ~ *of* traffic 사람 왕래가 없는 도로. **6** 흠없는, 결점없는: 죄없는, 결백한: ~ *from* suspicion 혐의의 여지가 없는. **7** (…을) 지고 있지 않은, (…에) 시달리지 않는: ~ *of* debt 빚이 없는/~ *of* worry 걱정이 없는. **8** 에누리 없는, 정량〔정미(正味)〕의(net), 완전한(entire): two ~ months 꼬박 두 달/a hundred pounds ~ profit 100파운드의 순 이익. **9** 〈목재가〉 옹이〔마디〕가 없는: ~ lumber 〔timber〕 옹이 없는 재목. **10** 〈사람이 …을〉 확신하여《*on, about*》. **11** 할 일이 없는, 한가한: 아무것도 없는, 빈. **12** (숫적으로) 압도적인. **all clear** 적의 그림자 없음, 「경보 해제」. **as clear as day** 대낮처럼 밝은: 매우 명백한, 명약관화한. **get clear of** …을 멀리하다, 피하다. **keep clear of** …을 피하고 있다, 가까이 가지 않다. **Do I make myself clear?** 내가 하는 말을 알겠소. **see one's way clear** 앞에 장애가 없다. **The coast is clear.** ⇨coast.
— *ad.* **1** 밝게, 흐리지 않고, 뚜렷하게. **2** 명료하게, 또렷하게. **3** 충분히, 완전히. **4** 떨어져서. **5** 《미》 줄곧, 계속해서 쭉. **get clear away**〔**off**〕 완전히 떨어지다, 달아나다. **get clear out** 완전히 밖으로 나가다. **hang clear** 닿지 않도록 걸다. **stand**〔**steer**〕 **clear of** …에서 떨어져서 서다, …에 접근하지 않다.
— *vt.* **1** 〈액체 등을〉 맑게〔깨끗하게, 투명하게〕 하다; 〈머리·눈 등을〉 맑게하다: ~ the muddy water 흐린 물을 맑게 하다. **2** 〈장애물을〉 제거하다, 처리하다《*of*》: 〈장소를〉 깨끗하게 하다, 치우다: ~ the pavement *of* snow 길의 눈을 치우다/~ the table 탁자 위의 물건을 치우다. **3** 〈악인 등을〉 쫓아내다. **4** 명백하게 하다: (의심·혐의 등을) 풀다: (~ one*self*) 〈자기의〉 결백함을 입증하다: ~ ambiguity *up* 미심쩍은〔모호한〕 점을 풀다〔밝히다〕/~ one's mind *of* doubts 의심을 풀다/~ *oneself from*〔*of*〕 a charge 자기의 결백함을 입증하다. **5** 〈낚싯줄 등의〉 얽힌 것을 풀다, 〈문제를〉 해결하다: 〔軍〕 〈암호를〉 해독하다: 충돌을 피하다: 〈난관을〉 돌파하다: 〈안건이 의회 등을〉 통과하다: ~ an examination paper 시험 문제를 풀다/His car only just ~*ed* the truck. 그의 차는 아슬아슬하게 트럭과의 충돌을 면했다. **6** 〈목의〉 가래를 없애다: 〈목소리를〉 또렷하게 하다. **7** 〈삼림·토지를〉 개척하다, 개간하다. **8** 〔商〕 재고품을 처분하다: 일소하다. **9** 이익으로 지변(支辨)하다: ~ expense 이익으로 비용을 쓰다. **10** 〈배가 항구 등을〉 떠나다: 〈배·뱃짐 등의〉 출항〔입항, 통관〕 절차를 밟다: 〈세관을〉 통과하다: 〔商〕 관세를 지불하다, 출항 절차를 마치다: 〈빚 등을〉 청산하다: 〈어음을〉 교환 청산하다: 〈수표를〉 현금으로 바꾸다. **11** 〈사람·선박 등에〉 출국〔입국〕 허가를 주다: 〈비행기에 이착륙 등의〉 허가를 주다. **12** 〈계획·제안 등을 위원회 등에서〉 승인〔인정〕 받다《*with*》: 〈…을〉 허가〔인가〕하다. **13** 〔컴퓨터〕 〈기억 등을〉 지우다, 소거(消去)하다.
— *vi.* **1** 〈날씨가〉 개다, 〈구름·안개가〉 걷히다: 〈얼굴·앞길 등이〉 밝아지다: 〈액체가〉 맑아지다: 《Ⅰ It㊈+㊆+*v*Ⅰ+㊆》 It will soon ~ *up.* 날씨가 곧 개일 것이다. **2** 〔商〕 (어음 교환소에서) 교환 청산하다: 재고품을 처분하다: 통관 절차를 밟다〔마치다〕: ~ outward〔inward〕 출항〔입항〕 절차를 밟다. **3** 떠나다: 물러나다: ~ *out of* the way 방해가 안 되도록 물러나다. **4** 〈상품이〉 다 팔리다: 재고 정리하다. **5** (실시 전에) 심의를 거치다, 승인을 얻다. **clear a dish** 음식을 깨끗이 먹어치우다. **clear away** 제거하다, 치워 없애다: 〈식후에 식탁 위의 것을〉 치우다: 〈구름·안개가〉 걷히다: 일소하다. **clear off** 완성하다, 치우다: 청산하다: 쫓아 버리다: 〈비가〉 멎다, 〈구름이〉 걷히다: 물러 가다: 작별하다. **clear out** 비우다, 빈털터리가 되게 하다: (장애물·불필요한 것을) 제거하다, 버리다: 〈배가 절차를 마쳐〉 출항하다: (갑자기) 가버리다. **clear the air** 공기를 맑게 하다: 어두운 구름·의혹 등을 일소하다. **clear the decks for action** (갑판을 치우고) 전투 준비를 하다. **clear the way** (사전) 준비를 하다: 장애물을 모두 제거하다. **clear up** 정돈하다: 결제하다: 치우다: 〈문제·의문 등을〉 풀다: 〈날씨가〉 (비 구름이 걷히고) 개다: 〈병 등을〉 고치다: 〈병 등이〉 낫다: 청소하다.
— *n.* **1** 빈 터, 공간: 여백, 빈 틈. **2** 〔木工〕 안 치수, 안목. **3** 〔배드민턴〕 클리어 쇼트《크게 호를 그리며 상대방 뒤, 엔드라인 안으로 떨어지는 플라이트》. **4** (암호문에 대해) 명문(明文). **5** 〔컴퓨터〕 소거. **in the clear** 안 치수로, 안목으로: (통신이 암호가 아니라) 명문(明文)으로: 혐의가 풀려서: 빚지지 않고: 자유로워(free): 위험을 벗어나서.
⊕ clárity, cléarness, cléarance *n.*; clárify *v.*

clear·a·ble[klíərəbəl] *a.* 깨끗이 할 수 있는.

cléar-áir túrbulence[klíərέər-] 〔氣〕 청천 난기류《略: CAT》.

⁎**clear·ance**[klíərəns] *n.* **1** Ⓤ 정리, 제거, 정돈: 배제. **2** 통관 절차, 세관 통과: 출항 (인가): (항공기의) 착륙〔이륙〕 허가, 클리어런스: (기획 등에 대한 상사 등의) 허가, 오케이《*for*》. **3** Ⓒ 〔機〕 여유, 틈, 유극(遊隙). **4** Ⓤ (개간을 위한) 삼림 벌채. **5** 어음 교환(액): 결제, 거래 관계의 완료. **6** 재고 정리, 재고 정리 판매 (=~ sale). **7** 순이익. **8** (보도 등의) 허가. **clearance of time** 〔라디오·TV〕 네트 워크 가맹국이 네트 워크 프로그램을 일정 시간에 방송할 수 있는가의 조사. **make a clearance of** …을 깨끗이 처분하다, 일소하다.
⊕ clear *a.*

cléarance òrder 건물 철거 명령.

cléarance sàle 창고 정리 판매, 염가 판매.

clear-cut[klíərkʌ́t] *a.* 윤곽이 뚜렷한, 선명한, 명쾌한: ~ pronunciation 또렷한 발음.

clear-eyed[klíəráid] *a.* **1** 눈이 맑은. **2** 명민한, 총명한.

clear·head·ed[klíərhédid] *a.* 두뇌가 명석

한. **~·ly** *ad.* **~·ness** *n.*

*__clear·ing__[klíəriŋ] *n.* **1** (삼림 속의) 개척지. **2** Ⓤ 〔金融〕 청산; 어음 교환; (*pl.*) 어음 교환액. **3** Ⓤ 청소; 장애물 제거, 소해(掃海).

cléaring bànk 어음 교환 조합 은행.

cléaring hòspital 〔軍〕 야전 병원, 후송 병원.

clear·ing·house[ˊhàus] *n.* **1** 어음 교환소. **2** 정보 센터, 물자 집배(集配) 센터.

cléaring stàtion 〔軍〕 치료 후송소.

‡**cléar líght** 《俗》 =LSD[1] 《환각제》.

‡**clear·ly**[klíərli] *ad.* **1** 밝게; 깨끗하게; 똑똑히. **2** 뚜렷하게, 명료하게. **3** (문장 전체를 수식하여) 분명히, 의심할 여지 없이: *C*-, it is a mistake. =It is ~ a mistake. 그것은 분명히 실수이다. **4** (응답으로서) 물론, 아무렴 (Yes, no doubt.).

*__clear·ness__[klíərnis] *n.* Ⓤ **1** 밝기, 투명, 명석; 명료도(度). **2** 방해물이 없음.

clear·out[klíəràut] *n.* (불필요한 물품 등의) 처분, 일소; 청소, 정리.

clear-sight·ed[ˊsàitid] *a.* 시력이 좋은; 총명한(sagacious). **~·ly** *ad.* **~·ness** *n.*

cléar sígnal 안전 신호.

clear·starch[ˊstɑ̀ːrtʃ] *vt., vi.* 〈옷 등에〉 풀을 먹이다. **~·er** *n.*

clear·sto·ry[ˊstɔ̀ːri, ˊstòuri] *n.* (*pl.* **-ries**) =CLERESTORY.

clear·way[ˊwéi] *n.* 《영》 주차〔정차〕 금지 도로; (긴급) 대피로.

cléar wídth 〔木工〕 안 치수.

clear·wing[ˊwìŋ] *n.* 〔昆〕 유리날개나방《식물의 해충》.

cleat[kliːt] *n.* **1** 쐐기 모양의 고정구(固定具) 《목제 또는 금속제》. **2** (구두 밑창의) 미끄럼 막이. **3** 〔海〕 밧줄 걸이. **4** 〔電〕 클리트《전선 누르개》. ── *vt.* 밧줄 걸이에 잡아 매다; 클리트를 달다〔로 보강하다〕.

cleav·a·ble [klíːvəbəl] *a.* 쪼갤 수 있는.

cleav·age[klíːvidʒ] *n.* Ⓤ,Ⓒ **1** 쪼개짐, 열개(裂開), 분할. **2** (정당 등의) 분열(*between*). **3** 〔鑛〕 벽개(劈開); 벽개면; 〔化〕 분열; 〔生〕 (수정란의) 난할(卵割). **4** (앞 목 부분이 깊은 드레스에서 드러나 보이는) 유방 사이의 골짜기.

*__cleave__[1] [kliːv] *v.* (**clove**[klouv], **cleft**[kleft], **~d; cloven**[klóuvən], **cleft, ~d**) *vt.* **1** (나뭇결·벽개면을 따라) 쪼개다; (쪼개어) 틈을 내다: ~ it asunder 그것을 갈기갈기 찢다/~ it open 그것을 베어 가르다. **2** 〈새가 바람을〉 헤치며 날아가다, 〈배·수영자가 물을〉 가르며 나아가다: ~ the water 물을 가르며 나아가다. **3** 〈길을〉 헤치며 나아가다: We *clove* a path *through* the jungle. 우리는 밀림 속을 헤치며 나아갔다. **4** 〈단체를 의견·이해 관계의 대립으로〉 분열시키다; 〈사람·장소를 …으로부터〉 격리하다(*from*). ── *vi.* **1** (나뭇결을 따라) 쪼개지다. **2** 헤치고 나아가다. **3** 〈단체가〉 분열하다. **cleave one's way** (…을) 헤집고〔헤치며〕 나아가다. ◈ cleft *n.*

cleave[2] *vi.* (**~d, clove**[klouv], 《古》 **clave** [kleiv]; **~d**) **1** 《文語》 〈주의 등을〉 고수하다, …에 집착하다(*to*); 굳게 결합하다(*together*); 〈남에게〉 충실히 대하다(*to*). **2** 《古》 부착〔점착〕하다(*to*).

cleav·er[klíːvər] *n.* **1** 쪼개는〔가르는〕 것〔사람〕. **2** 고기 베는 큰 칼.

cleav·ers[klíːvərz] *n. pl.* (보통 단수 취급) 〔植〕 갈퀴덩굴(goose grass).

cleek[kliːk] *n.* **1** 클리크《철제 골프채의 1번, 때로는 목제 골프채의 4번》. **2** 갈고랑이.

clef[klef] *n.* 〔樂〕 (오선지상의) 음자리표: a C ~「다」음자리표《가운데 음자리표》/an F 〔bass〕 ~「바」음자리표《낮은 음자리표》/a G 〔treble〕 ~「사」음자리표《높은 음자리표》.

*__cleft__[kleft] *v.* CLEAVE[1]의 과거·과거분사. ── *a.* 갈라진, 쪼개진. **in a cleft stick** 진퇴양난이 되어, 궁지에 빠져. ── *n.* **1** 갈라진 틈; 쪼개진 조각; (두 부분 사이의 V형의) 오목한 자리. **2** (당파간 등의) 분열, 단절.

cléft gràfting 〔園藝〕 할접법(割接法).

cléft líp 언청이(harelip).

cléft pálate 구개 파열(口蓋破裂).

cléft séntence 〔文法〕 분열문(分裂文).

cleg|**clegg**[kleg] *n.* 《영》 〔昆〕 등에《총칭》.

cleis·to·gam·ic[klàistəgǽmik], **cleis·tog·a·mous**[klaistɑ́gəməs] *a.* 〔植〕 폐화수정(閉花受精)의, 폐쇄화(閉鎖花)의.

cleis·tog·a·my[klaistɑ́gəmi/-tɔ́g-] *n.* Ⓤ 〔植〕 폐화 수정.

clem[klem] *vt., vi.* (**~med; ~·ming**) 《영方》 주림〔갈증, 추위〕으로 고생시키다〔고생하다〕.

clem·a·tis[klémətis] *n.* 〔植〕 클레마티스《으아리속(屬)의 식물》.

Cle·men·ceau[klèmənsóu] *n.* 클레망소 Georges ~(1841-1929)《프랑스의 정치가》.

clem·en·cy[klémənsi] *n.* (*pl.* **-cies**) Ⓤ,Ⓒ **1** (특히 재판이나 처벌 때의) 관용, 인자; 온정적인 조치. **2** (기후의) 온화.

Clem·ens[klémənz] *n.* 클레멘스 Samuel L. ~《미국의 작가 Mark Twain의 본명(1835-1910)》.

clem·ent[klémənt] *a.* **1** 〈재판(관)·처벌이〉 관용적인, 관대한. **2** 〈기후가〉 온화한, 따뜻한. **~·ly** *ad.*

clem·en·tine[kléməntàin, -tìːn] *n.* 〔植〕 클레멘타인《tangerin과 sour orange의 잡종인 소형 오렌지》.

Clem·en·tine *n.* 여자 이름.

*__clench__[klentʃ] [OE] *vt.* **1** 〈이를〉 악물다; 〈입을〉 꾹 다물다, 〈주먹을〉 부르쥐다, 〈손을〉 꽉 움키다. **2** 〈물건을〉 단단히 〔꽉〕 쥐다, 움켜쥐다. **3** (못 등을 박아) 끝을 꼬부리다〔납작하게 하다〕. **4** 〔海〕 =CLINCH. **5** 〈논의·거래에〉 결말을 짓다. **clench one's teeth**〔**jaws**〕 이를 악물다; 굳게 결심하다. ── *vi.* 〈입 등이〉 꾹 다물어지다, 〈손 등이〉 단단히 움켜지다. ── *n.* **1** 이를 악물기; (분해서) 치를 떨기, 이갈기. **2** 단단히 쥐기; 〔拳·씨름〕 맞붙잡기. **3** 〈못의〉 끝을 꼬부리기(clinch); 〔海〕 끝을 꼬부려 매기《밧줄을 붙들어 매는 특수한 방법》. **clénch·er**[kléntʃər] *n.*

clénch-físt·ed salúte[kléntʃfístid-] 주먹을 내미는 항의의 몸짓.

Cle·o[klíːou] *n.* 여자 이름.

Cle·o·cin[klióusən] *n.* 클레오신《clindamycin의 상표명》.

*__Cle·o·pat·ra__[klìːəpǽtrə, -pɑ́ːtrə] *n.* 클레오파트라(69?-30 B.C.)《고대 이집트 최후의 여왕》.

clep·sy·dra[klépsidrə] *n.* (*pl.* **~s, -drae** [-drìː]) 물시계(water clock).

clep·to·ma·ni·a[klèptəméiniə] *n.* =KLEPTOMANIA.

clere·sto·ry[klíərstɔ̀ːri, -stòuri] *n.* (*pl.* **-ries**) **1** 〔建〕 채광층(層)《고딕 건축의 대성당에서 aisles의 지붕 위에 높은 창이 달려 있는 층》. **2** (공장 등의 측면 벽이나 철도 차량 지붕의) 통풍〔채광〕창.

*__cler·gy__[klə́ːrdʒi] *n.* (the ~; 집합적; 복수 취급) 성직자들《신부·목사·랍비 등; 영국에서는 보통 국교회의 목사》.

‡**cler·gy·man**[-mən] *n.* (*pl.* **-men**[-mən])

성직자(영국에서는 보통 영국 국교회의 주교(bishop) 이외의 성직자; 미국에선 널리 성직자 일반; *cf.* PRIEST, PARSON, PREACHER, MINISTER, ECCLESIASTIC). **clergyman's sore throat** 〔病理〕 만성 후두염(喉頭炎). **clergyman's week**〔**fortnight**〕 일요일이 두 번〔세 번〕 끼인 휴가.

cler·gy·wom·an[-wùmən] *n.*(*pl.*-**wom·en** [-wìmin]) **1** 여자 성직자. **2** (古·익살) (교구내에서 영향력 있는) 목사 부인〔딸〕.

cler·ic[klérik] *n.*(文語)성직자(clergyman 보다 적용 범위가 넓음; *cf.* CLERK). — *a.* = CLERICAL.

∗**cler·i·cal**[klérikəl] *a.* **1** 성직자의, 목사의 (*opp.* lay³). **2** 서기(clerk)의, 사무원의: a ~ error 잘못 쓴 것, 오기/the ~ staff 사무 직원/~ work 서기의 일, 사무. — *n.* **1** 성직자, 목사; (의회의) 성직권(聖職權) 지지자. **2** (*pl.*) 성직복, 법의. **~·ìsm**[-ìzəm] *n.* Ⓤ 성직권 주의; 성직자의 부당한 세력. **~·ist** *n.* 성직권 주장자.

clérical cóllar 성직자용 칼라.

cler·i·cal·ize[-àiz] *vt.* 성직자가 되게 하다.

cler·i·cal·ly *ad.* 목사〔서기〕로서.

cler·i·hew[klérihjù:] *n.* 〔詩學〕 클레리휴(인물을 풍자하는 익살스러운 내용의 사행 연구(四行聯句)의 일종).

cler·i·sy[klérəsi] *n.* **1** (집합적) 지식인, 학자. **2** 인텔리 계급; 문인 사회.

★**clerk**[klə:rk/klɑ:rk] [L] *n.* **1** (관청의) 서기, 사무관. **2** (은행·회사의) 사무원, 행원, 사원. **3** (미) a (소매점의) 판매원, 점원((영) shop assistant). b (호텔의) 프런트계. **4** (영) 교회 서기. **5** (古) 〔法〕 (영국 국교회의) 목사. **6** (古) 학자. **clerk in holy orders** (영) 영국국교회의 목사. **clerk of** (**the**) **works** (영) (청부 공사의) 현장 감독. **the Clerk of the Weather** (1) (영) 날씨의 신(의인화). (2) (미俗) 기상대장.

— *vi.* (미) **1** 서기로〔사무관으로〕 근무하다. **2** 점원 노릇을 하다. ◇ clérical *a.*

clerk·dom *n.* Ⓤ clerk의 직〔지위〕.

clerk·ly *a.* (-**li·er**; -**li·est**) **1** 서기〔사무원〕의; (미) 점원의. **2** 목사의, 목사다운(clerical). **3** (古) 학자의〔다운〕. — *ad.* 사무원〔점원〕답게; (古) 학자답게.

clerk·ship[⌐ʃìp] *n.* Ⓤ **1** 서기〔사무원, 점원〕의 직〔신분〕. **2** 목사의 직〔신분〕.

Cleve·land[klí:vlənd] *n.* 클리블랜드. **1** 미국 Ohio주 북동부의 Erie 호반에 있는 도시. **2** 1974년에 신설된 잉글랜드 북부의 주; 수도 Middlesbrough.

★**clev·er**[klévər] *a.* (~·**er**; ~·**est**) **1** 영리한, 슬기로운, 똑똑한, 현명한: a ~ advice 현명한 충고/(Ⅱ *It v*Ⅱ+형+*of*+명+*to do*) It was ~ *of* the little boy not *to* follow the stranger. 그 어린 소년이 그 낯선 사람을 따라가지 않은 것은 영리한 일이다. **2** 솜씨 좋은, 익숙한; 손재주 있는, 교묘한(*at*): a ~ horse 도약을 잘하는 말/(Ⅱ 부+형+전+-*ing*) He is especially ~ *at* mak*ing* dyes. 그는 물감을 제조하는 데 특히 솜씨가 좋다. **4** (미方) 사람이 좋은. **5** 〈(유능해 보이는) 사람이 실은〉 겉뿐인; 약삭빠른. **too clever by half** (영口·경멸) 너무 영리한 체하는, 지나치게 똑똑한〔똑똑하여 오히려 해로운〕. ◇ cléverly *ad.*; cléverness *n.*

clev·er-clev·er[klévərklévər] *a.* (口) 약은 체하는, 머리가 좋은 체하는.

cléver díck (영口) 약은 사람; 잘난 체하는 사람.

clev·er·ish[klévəriʃ] *a.* 잔재주 있는; 손재주 있는.

∗**clev·er·ly**[klévərli] *ad.* **1** 영리하게, 실수 없이. **2** 교묘하게, 솜씨 좋게. **3** (方) 완전히.

∗**clev·er·ness**[klévərnis] *n.* Ⓤ **1** 영리, 빈 틈 없음. **2** 교묘, 솜씨 좋음.

cléver stícks (단수 취급) =CLEVER DICK.

clev·is[klévəs] *n.* U자형 갈고리, U링크.

clew[klu:] *n.* **1** (해결의) 실마리, 단서(= CLUE). **2** 실꾸리; 〔그神〕 (미궁의) 길잡이 실. **3** 〔海〕 배돛귀(가로돛의 아랫구석, 세로돛의 뒷구석). **4** (*pl.*) (해먹을) 매다는 줄. **from clew to earing** 가로돛의 아래에서 위까지; 구석구석, 철저히. — *vt.* **1** 실톳으로 만들다(*up*). **2** 〔海〕 (돛을) 활대에 끌어올리다. **3** (미) 단서〔정보〕를 제공하다. **clew down** 돛의 아랫귀를 당겨 내리다(돛을 펼 때). **clew up** 돛의 아랫귀를 위로 끌어 올리다(돛을 거둘 때); (일을) 끝내다.

∗**cli·ché**[kli(:)ʃéi] [F] *n.* **1** (진부한) 판에 박은 문구, 진부한 표현〔생각〕. **2** (영) 〔印〕 스테레오판(版), 전기판.

cliche(')d[kliʃéid] [F] *a.* cliché가 많이 들어간, 낡은 투의.

∗**click**[klik] [의성어] *n.* **1** 딸깍〔찰깍〕 하는 소리. **2** 〔言〕 흡기음(吸氣音)(혀 차는 소리 등). **3** 〔機〕 제동자(制動子). — *vi.* **1** 딸깍 소리가 나다〔소리를 내다〕(tick). **2** (口) 의기 투합〔상투〕하다, 호흡이 맞다; (…와) 사랑하는 사이가 되다(*with*). **3** (口) 〈일이 …에게〉 잘 되다, 성공하다. **4** (口) 〈일이 …에게〉 갑자기 이해되다, 직감적으로 파악되다. **5** 〔컴퓨터〕 마우스의 버튼을 누르다, 마우스의 버튼을 눌러 (아이템을 화면상에) 선택하다. — *vt.* **1** 〈…을〉 딸깍〔찰깍〕 소리나게 하다. **2** (물건을 서로 맞부딪치어) 딸깍〔찰깍〕 소리나게 하다. **click** one's **heels** (**together**) 뒤꿈치를 딱〔착〕 맞붙이다(군인이 경례할 경우 등).

clíck bèetle 〔昆〕 방아벌레무리.

click·er[klíkər] *n.* **1** 딸깍〔찰깍〕 소리내는 것; 혀 차는 사람. **2** 〔印〕 식자 과장〔조장〕.

click·e·ty-clack[klíkətiklǽk] *n.* 찰카찰카, 덜컹덜컹(타이프·기차 등의 소리).

clíck stòp 〔寫〕 클릭 스톱(카메라 등에서 일정한 눈금마다 딱하고 소리내며 멈추는 장치).

∗**cli·ent**[kláiənt] [L] *n.* **1** (변호사 등의) 의뢰인. **2** (상인의) 고객, 단골. **3** 클라이언트(복지 사업가 등의 도움을 받는 사람). **4** 〔로마史〕 (로마 귀족의) 예속 평민; 부하. **5** (강대국의) 종속국(=~ state). **~·less** *a.*

client·age[-idʒ] *n.* Ⓤ **1** 피보호자의 지위. **2** =CLIENTELE.

cli·ent·al[klaiéntl] *a.* 의뢰인〔고객〕의〔에 관한〕; 고객 관계의.

clíent cóuntry 종속국(경제적·정치적·군사적으로 대국에 의존하는).

cli·en·tele[klàiəntél, klì:ɑ:ntéil] *n.* (집합적) **1** 소송 의뢰인. **2** (호텔·극장·상점 등의) 고객, 단골 손님; 환자. **3** 피보호자; 부하들.

cli·en·ti·tis[klàiəntáitis] *n.* Ⓤ 의존국 과신(依存國過信)(의존하고 있는 선진국에 대한 과신).

clíent státe 종속국, 의존국.

⁑**cliff**[klif] *n.* (특히 해안의) 낭떠러지, 벼랑, 절벽(precipice). ◇ clíffy *a.*

clíff dwèller **1** (종종 **C- D-**) 암굴 거주민 (Pueblo Indian의 선조로서 북미 남서부의 암굴에 살았던 한 종족). **2** (미俗) (도시의) 고층 아파트에 사는 사람, 고층 주택 거주자.

clíff dwèlling (북미 인디언의) 암굴 주거.

cliff-hang[⌐hæŋ] *vi.* **1** 손에 땀을 쥐게 하

는 상태로 끝나다; 불안정한 상태에 있다. **2** 연속 서스펜스 드라마를 쓰다〔제작하다〕.
cliff-hang·er[⌐hæ̀ŋər] *n.* **1** 서스펜스가 연속되는 드라마〔영화〕. **2** 마지막 순간까지 결과를 알 수 없는 경쟁〔시합〕. — *a.* =CLIFF-HANGING.
cliff-hang·ing[⌐hæ̀ŋiŋ] *a.* 손에 땀을 쥐게 하는, 아슬아슬한, 서스펜스가 있는.
Clif·ford[klífərd] *n.*남자이름(약칭 Cliff).
cliffs·man[klífsmən] *n.*(*pl.*-**men**[-mən]) 절벽을 잘 오르는 사람.
clíff swàllow 〔鳥〕 삼색제비(북미산).
cliff·y[klífi] *a.* (**cliff·i·er; -i·est**) 벼랑진; 낭떠러지의; 험준한.
cli·mac·ter·ic[klaimǽktərik, klàimæktérik] *a.* **1** 전환기에 있는, 위기의(critical). **2** 액년(厄年)의. **3** 〔生理〕 (45-60세의) 갱년기의, 월경 폐지기의. — *n.* **1** 액년(7년 마다, 또는 그 기수(奇數) 배(倍)의 해): the grand ~ 대액년(보통 63세). **2** 위험기, 위기, 전환기. **3** 〔生理〕 갱년기; 폐경기.
cli·mac·te·ri·um[klàimæktíəriəm] *n.* 〔生理〕 갱년기(의 생리적·정신적 변화).
cli·mac·tic[klaimǽktik] *a.* **1** 〔修〕 점층법(漸層法)의. **2** 클라이맥스의, 절정의, 정점의, 피크의. **-ti·cal·ly** *ad.* ◇ clímax *n.*
⁑**cli·mate**[kláimit] [Gk] *n.* **1** U,C 기후. **2** (어떤 특정 기후를 가진) 토지, 지방: a dry 〔wet, humid; mild〕 ~ 건조한〔습한; 온화한〕 지방. **3** C 풍토; (어떤 지역·시대 등의) 풍조, 사조; 분위기, 정세; (회사 등의) 기풍. ◇ climátic *a.*
cli·mat·ic[klaimǽtik] *a.* 기후상의; 풍토적인. **-i·cal·ly** *ad.*
cli·mat·o·graph[klaimǽtəgræ̀f] *n.* 기후 그래프(식물의 생육 가능 범위를 나타내는 월별 주야간 온도표).
cli·ma·tol·o·gist[klàimətɑ́lədʒist] *n.* 기후〔풍토〕 학자.
cli·ma·tol·o·gy[klàimətɑ́lədʒi/-tɔ́l-] *n.* U 기후〔풍토〕학. **clì·ma·to·lóg·ic, -i·cal** *a.*
⁑**cli·max**[kláimæks] [L] *n.* **1** 〔修〕 클라이맥스, 점층법(漸層法)(*opp.* anticlimax). **2** (사건·극 등의) 최고조, 절정(*of*); 최고점, 극점(極點). **3** 〔生態〕 극상(極相)(식물 군락의 안정기). **4** 성적 쾌감의 절정, 오르가슴. **cap the climax** 〈일이〉 도를 지나치다, 극단으로 흐르다, 의표를 찌르다. — *vt., vi.* 클라이맥스에 달하(게 하)다. ◇ climáctic *a.*
clímax commùnity〔植〕극상(極相)군락.
★**climb**[klaim] (~**ed,** (古) **clomb**[kloum]) *vi.* **1** 오르다, (특히 손발을 써서 나무·사닥다리 등을) 기어오르다, 〈높은 곳을 향하여 스포츠로서〉 오르다, 등반하다; 〈손발을 써서 자동차·비행기 등에〉 타다, …에서 내리다: ~ *up* a mountain〔ladder, tree〕 산을〔사닥다리를, 나무를〕 (기어)오르다/A cat was ~*ing up* a tree. 고양이가 나무에 기어올라가고있었다. **2** 〈태양·달·연기 등이 천천히〉 떠〔솟아〕 오르다(mount slowly); 〈항공기 등이〉 고도를 올리다, 상승하다; 〈물가 등이〉 오르다, 등귀하다. **3** 〈식물이〉 감기어 뻗어 오르다. **4** (노력하여) 승진하다, 지위가 오르다(*to*): ~ *to* power 출세하여 권력을 잡다. **5** 〈도로 등이〉 오르막이 되다; 〈집들이〉 치받이에 위치해 있다. **6** 〈옷을〉 급히 입다(*into*); 〈옷을〉 급히 벗다(*out of*). — *vt.* **1** 오르다, 기어 오르다; 등반하다: ~ a tree 나무에 오르다/~ a ladder *up* 사닥다리를 기어오르다. **2** 〈식물이 벽 등을〉 기어오르다. **climb down** 기어내리다; (口) (높은 지위에서) 낮은 지위로 떨어지다; (정세가 불리함을 알고) 주장을 버리다, 양보하다(give in). — *n.* (보통 *sing.*) **1 a** 오름, 기어오름. **b** 오르는 곳, 치받이, 오르막길. **2** (물가 등의) 상승; (항공기의) 상승. **3** 승진, 영달(*to*).
climb·a·ble[⌐əbəl] *a.* (기어) 오를 수 있는.
climb-down[⌐dàun] *n.* U,C **1** 기어 내림. **2** (口) (정세가 불리하다고 보고 주장 등을) 버림, 양보; (성명(聲明) 등의) 철회.
*__climb·er__[kláimər] *n.* **1** 기어 오르는 사람, 등산가. **2** (口) 출세하려고 노력하는 사람. **3** 등산용 스파이크. **4** 기어 오르는 식물(덩굴 등). **5** 반목조류(攀木鳥類)(딱따구리 등).
clímb ìndicator 〔空〕 승강계.
climb·ing[kláimiŋ] *a.* 기어 오르는; 등산용의; 상승하는. — *n.* U,C 기어 오름; 등산.
clímbing férn 〔植〕 실고사리의 일종.
climb·ing·fish[-fìʃ] *n.* (*pl.* ~, ~**·es**) 〔魚〕 반목어(攀木魚).
clímbing fràme 정글짐(jungle gym).
clímbing ìron (보통 *pl.*) 등산용 스파이크, 아이젠.
clímbing pérch =CLIMBINGFISH.
clímbing plánt =CLIMBER 4.
clímbing ròpe 등산용 로프, 자일.
clímbing róse 〔植〕 덩굴장미.
clímbing spéed 〔空〕 상승 속도.
climb·out [kláimàut] *n.* (비행기의) 이륙 중의 급상승.
clime[klaim] *n.* (詩) **1** (종종 *pl.*) 지방, 나라. **2** 기후, 풍토.
clin-[klain], **cli·no-**[kláinou] (연결형) 「사면(斜面), 경사, 각」의 뜻(모음앞에서는 clin-).
clin. clinical.
*__clinch__[klintʃ] *vt.* **1** 〈박은 못 등의 끝을〉 꼬부리다. **2** 죄다, 고정시키다. **3** 〈사건·토론 등의〉 결말을 짓다. **4** 맞붙잡고 싸우다, 움켜 쥐고 싸우다; 〔拳〕 클린치하다; 포옹하다. **5** 〔海〕 밧줄 끝을 꼬부려 동여 매다. **6** (입을) 굳게 다물다, (이를) 악물다. — *vi.* **1** (권투 등에서) 껴안다, 클린치하다. **2** (口) 열렬히 포옹하다. — *n.* **1 a** 못 끝을 꼬부리기, (꼬부려) 죄기. **b** 꼬부린 못〔나사〕. **2** (a ~) (권투 등에서의) 클린치; 맞붙어 싸우기, 드잡이. **3** (a ~) (口) 열렬한 포옹. **in a clinch** (口) 껴안고.
clinch·er[klíntʃər] *n.* **1** (못 끝을) 꼬부리는 사람〔연장〕, 볼트를 죄는 직공〔기구〕; 꺾쇠, 걸쇠(clamp). **2** (口) 결정적인 논변(論辯)〔요인, 행위 (등)〕, 결정타: That was the ~. 그 한마디로 결말이 났다.
clinch·er-built[-bìlt] *a.*=CLINKER-BUILT.
clin·da·my·cin [klìndəmáisin] *n.* 〔藥〕 클린다마이신.
cline[klain] *n.* **1** 〔生〕 클라인, (지역적) 연속 변이(變異). **2** 〔言〕 클라인, 연속 변이. **3** 연속체(continuum).
*__cling__[kliŋ] *vi.* (**clung**[klʌŋ]) **1** 달라붙다, 달라 붙어 안 떨어지다(stick)(*to*); 〈옷이 몸에〉 착 달라 붙다. **2** 〈담쟁이 등이 벽에〉 달라 붙다(*to*); 〈사람·짐승 등이 손·발로〉 매달리다(*to*); 〈사물과〉 접근을 유지하다; 〈해안 등을〉 따라서 나아가다(*to*). **3** 집착하다, 애착을 가지고 떨어지지 않다(*to*). **4** 〈냄새·습관·편견 등이 …에〉 배어들다. **cling together** 〈물건이〉 서로 들러 붙다; 단결하다. **clíng·er** *n.* ◇ clíngy *a.*
Cling·film[klíŋfìlm] *n.* 클링필름(식품 포장용 폴리에틸렌 막; 상표명).
cling·ing[klíːiŋ] *a.* **1** 밀착성의, 끈덕진. **2**

〈아이 등이〉 감겨 붙는, 달라 붙는. **3** 〈옷 등이〉 몸에 착 붙는,(착 붙어) 몸의 윤곽이 드러나는. **4** 남에게 의존하는. **~·ly** *ad.*
clínging víne 《口》 남자에게 지나치게 의존하는 여자.
cling·stone[klíŋstòun] *n.* 점핵(粘核)《과육이 씨에 달라 붙어 잘 안 떨어지는 과실: 복숭아 등》(*cf.* FREESTONE). — *a.* 〈과실이〉 점핵성인.
cling·y[klíŋi] *a.* (**cling·i·er; -i·est**) =CLINGING.
*__clin·ic__[klínik] [Gk] *n.* **1** a (병원·의과대학 부속의) 진료소: 개인〔전문〕 병원, 클리닉. b (보통 수식어와 함께) (병원내의) 과(科). c (집합적) 클리닉의 의사들. **2** 상담소: (어떤 특정 목적으로 설립된) 교정소(矯正所): a vocational ~ 직업 상담소/a speech ~ 언어 교정소. **3** (의학의) 임상 강의(의 클래스). **4** 《미》 (의학 이외의) 실지 강좌, 세미나. — *a.* =CLINICAL.
*__clin·i·cal__[klínikəl] *a.* **1** 임상의: ~ lectures〔teaching〕 임상 강의/a ~ thermometer 체온계, 검온기(檢溫器). **2** 병상의, 병실용의: a ~ diary 병상 일지. **3** 〈판단·묘사 등이 극도로〉 객관적인, 분석적인, 냉정한. **4** 〔基督教〕 병상〔임종〕의 〈세례〉. **~·ly** *ad.* 임상적으로.
clínical déath 〔醫〕 임상사(臨床死)《기기에 의존하지 않고 임상적 관찰로 판단한 죽음》.
clínical ecólogist 임상 생태학자.
clínical ecólogy 임상 생태학.
clínical pathólogy 임상 병리학.
clínical pharmacólogy 임상 약학.
clínical psychólogy 임상 심리학.
clìnical thermómeter 체온계.
cli·ni·cian[kliníʃən] *n.* 임상의 (학자).
clin·i·co·path·o·log·ic, -i·cal[klinikoupæθəlɑ́dʒik/-lɔ́dʒ-], [-ikəl] *a.* 임상병리적인.
clink¹[kliŋk][의성어] *n.* **1** (a ~) 땡그랑 소리《얇은 금속 조각·유리 등의》. **2** 《俗》 돈(coin). — *vi., vt.* 땡땡〔땡그랑〕 울리다〔소리나게 하다〕: ~ glasses 잔을 맞대다《축배로서》.
clink off 《영方》 급히 가버리다.
clink² *n.* (the ~)《俗》 교도소(prison), 유치장(lockup). **in clink** 수감되어.
clink·er¹[klíŋkər] *n.* **1** 클링커, 용재괴(鎔滓塊)《용광로 속에 생김》. **2** (네덜란드식으로 구운) 단단한 벽돌, 투화(透化) 벽돌. — *vi., vt.* 클링커로 되다〔만들다〕.
clinker² *n.* **1** 땡그랑 하고 소리나는 것. **2** (*pl.*) 《俗》 수갑. **3** 《俗》 실수, 잘못. **4** a 《미俗》 (음악에서) 가락이 맞지 않는 음. b 실패작. **5** 《영俗》(종종 a regular ~) 1등품, 일품(逸品), 멋들어진 사람〔것〕. **6** 《미俗》 형무소.
clink·er-built[-bìlt] *a.* 〈뱃전의 널을〉 비늘단, 덧붙여 댄.
clink·ing[klíŋkiŋ] *a.* **1** 땡그랑 울리는. **2** 《俗》 멋들어진. — *ad.* 《俗》 멋들어지게.
clink·stone[klíŋkstòun] *n.*〔鑛〕 향석(響石).
cli·no-[kláinou] 《연결형》 =CLIN-.
cli·nom·e·ter[klainɑ́mitər/-nɔ́m-] *n.* 〔測量〕 클리노미터, 경사계(傾斜計).
cli·nom·e·tric, -ri·cal[klàinəmétrik], [-ikəl] *a.* 경사계의, 경사계로 잰.
clin·quant[klíŋkənt] *a.* 번쩍번쩍 빛나는, 겉만 번지르르한. — *n.* 가짜 금박: 번지르르한 싸구려 물건.
Cli·o[kláiou] *n.* 〔그神〕 클레이오《사시(史詩)·역사의 여신: the Muses 의 한 사람》.
cli·o·met·rics[klàiəmétriks] *n.* 계량 경제사(史). **-met·ric** *a.* **clì·o·me·trí·cian**[-mətríʃən] *n.*
⁑**clip¹**[klip](**~ped; ~ped, clipt**[klipt]; **~·ping**) *vt.* **1** 〈털·잔가지 등을 가위 등으로〉 자르다《*off, away*》: 〈산울타리·정원수 등을〉 깎아 다듬다(trim): 〈양의〉 털을 깎다(shear). **2** 《미》 〈신문·잡지의 기사·사진 등을〉 오려내다《*out*》. **3** 〈화폐·차표의〉 가장자리를 깎아〔잘라〕 내다: 〈표에〉 구멍을 내다. **4** 어미의 음을 발음하지 않다. **5** 〈권력 등을〉 제한하다: 〈기간 등을〉 단축하다: 〈경비 등을〉 삭감하다. **6** 《俗》 (터무니없는 값을 불러 …에게서) 돈을 빼앗다, 바가지 씌우다. **7** 《口》 재빠르게 움직이다: 후려갈기다. — *vi.* **1** 잘라내다, 따다. **2** 《미》 (신문·잡지 등에서) 오려내다. **3** 《口》 재빠르게 움직이다: 빨리 날다, 질주하다. **clip a person's wings** 무력하게 만들다. **clip one's g's** g음을 발음하지 않다《[ŋ]을 [n]으로 발음하다》. — *n.* **1** (머리털·양털 등을) 깎음. **2** (한 번 또는 한 철에 깎은) 양털의 분량. **3** (a ~) 《口》 속도: 빠른 걸음. **4** 《口》 재빠른 동작: 강타. **5** (a ~) 《미口》 한 번(a time), 한 번의 노력(an effort). **at a clip** 한번에: 줄곧, 잇따라: a week at a ~ 1주일 동안 줄곧.
⁑**clip²**[OE](**~ped; ~·ping**) *vt.* **1** (꽉) 쥐다. **2** 둘러싸다. **3** 〔미蹴〕 클립하다《반칙》. **4** 〈물건을〉 클립으로 고정시키다. **5** 《古》 껴안다. — *vi.* 〈장신구 등이〉클립으로 고정되다(*on, to*). — *n.* **1** a (서류 등을 끼우는 금속제 등의) 클립, 종이〔서류〕 집게〔끼우개〕. b (머리털을 고정시키는) 클립. c (만년필 등의) 끼움쇠, 클립. **2** (스프링이 있는 클립 고정식) 장신구《이어링·브로치 등》. **3** (기관총 등의) 탄창, 클립. **4** 〔미蹴〕 클리핑《반칙》.
clíp árt 오려 붙이기 예술《책 등의 삽화를 오려 공예품을 만듦》.
clip·art·ist[klípɑ̀ːrtist] *n.* 《미俗》 프로급 사기꾼〔도둑〕.
clip·board[⌐bɔ̀ːrd] *n.* 클립보드《종이 집게가 달린 필기판》.
clip-clop[⌐klɑ́p/⌐klɔ́p] [의성어] *n.* (a ~) 따가닥따가닥《말 발굽 소리》, 그 비슷한 리드미컬한 소리. — *vi.* (**~ped; ~·ping**) 따가닥따가닥 달리다〔소리를 내다〕.
clip-fed[⌐fèd] *a.* 〈총 등이〉 자동 장전식의.
clíp jòint 《미俗》 바가지를 씌우는 엉터리 술집〔나이트클럽, 상점《등》〕.
clip-on[⌐ɑ̀n/⌐ɔ̀n] *a.* (장신구 등이 스프링식) 클립으로 고정되는:(브로치 등) 핀이 달린.
clipped[klipt] *a.* **1** 짧게 깎은, 자른. **2** 발음을 생략한.
clípped fórm〔wórd〕 〔言〕 (낱말의) 단축형《보기: ad 〈advertisement〉》.
clip·per[klípər] *n.* **1** 깎는 사람. **2** (보통 *pl.*) 가위, 깎는 기구: 바리캉(=hair ~). **3** 준마: 쾌속선, 〔海〕 쾌주 범선(快走帆船)(=⌐ **shìp**): 〔空〕 장거리 쾌속 비행정, 대형 여객기. **4** 《俗》 멋들어진 것, 일품(逸品).
clip·per-built[-bìlt] *a.* 〔海〕 (배가) 쾌속 범선식으로 만들어진.
clip·pe·ty-clop[klípətiklɑ́p/-klɔ́p] [의성어] *n.* 따가닥따가닥《말 발굽 소리》.
clip·pie[klípi] *n.* 《영口》 (버스의) 여차장.
clip·ping[klípiŋ] *n.* Ⓤ,Ⓒ **1** 가위로 벰〔자름〕: 깎음: 베어낸 풀〔털〕. **2** 《미》 (신문·잡지 등의) 오려낸 것, 클리핑(《영》 cutting): 잡보난. **3** 〔言〕 생략(보기: photograph→photo). — *a.* **1** 깎는, 베는, (가위로) 자르는. **2** 《口》 빠른(swift). **3** 《俗》 굉장한, 멋들어진.
clípping bùreau〔sèrvice〕 《미》 클리핑

통신사《신문·잡지의 발췌 기사를 주문에 따라 제공하는; 《영》 press cutting agency》.
clip·sheet[klípʃìːt] *n.* 한 면만 인쇄한 신문 《보존·복사용》.
clipt *v.* CLIP[1]의 과거분사.
clique[kliːk, klik] *n.* (배타적인) 도당(徒黨), 파벌(⇨faction) : a military ~ 군벌. — *vi.* 《口》 도당을 이루다.
cliqu·ey, cliqu·y[klíːki] *a.* (**cliqu·i·er; -i·est**) 파벌적인, 당파심이 강한; 배타적인.
cliqu·ish[´kiʃ] *a.* 도당의, 파벌적인; 배타적인(cliquey). **~·ness** *n.* 당파심, 파벌근성.
cliqu·ism[´kizəm] *n.* Ⓤ 파벌심, 배타심; 파벌.
clit[klit] *n.* 《卑》 =CLITORIS.
C Lit., C. Litt. Companion(s) of Literature.
clit·ic[klítik] 〔言〕 *a.* 〈단어가〉접어적(接語的)인. — *n.* 접어(接語).
clit·o·ri·dec·to·my[klìtəridéktəmi(ː)] *n.* 음핵(陰核)절제《이슬람 사회 일부에서 행해짐》.
clit·o·ris[klítəris, klái-] *n.* 〔解〕 음핵, 클리토리스. **-ral**[-rəl] *a.*
clit·ter-clat·ter[klítərklǽtər] [의성어] *ad.* 덜걱덜걱, 덜커덕덜커덕, 달그락달그락.
cliv·ers[klívərz] *n. pl.* =CLEAVERS.
clk. clerk; clock.
clo. clothing.
clo·a·ca[klouéikə] [L] *n.* (*pl.* **-cae**[-siː]) **1** 〔動〕 (조류·어류 등의) 배설강(排泄腔). **2** 하수(구)(sewer); 변소(privy). **-cal** *a.*
⁑cloak[klouk] [L] *n.* **1** (낙낙한) 소매 없는 외투, 망토. **2** 가리는 것, 덮개(covering). **3** 가면, 구실. **4** (*pl.*) 변소. **under a cloak of** snow (눈)에 덮여. **under the cloak** of charity (자선)의 구실 아래. **under the cloak of** (1) …의 가면을 쓰고, …을 빙자하여. (2) …을 틈타서 : *under the cloak of night* 야음을 틈타서. — *vt.* **1** 외투를 입히다 : (~ one*self*로) 망토를 입다. **2** 〈…을〉 뒤덮다. **3** 〈…을〉 덮어 감추다, 가리다, 은폐하다.
cloak-and-dag·ger[´əndǽgər] *a.* 음모(극)의; 스파이 활동의, 스파이물(物)의.
cloak-and-sword[´ənsɔ́ːrd] *a.* 칼 싸움이 등장하는 시대극의. **~·er** *n.*
cloak·room[´rù(ː)m] *n.* **1** (호텔·극장 등의) 외투류(類)〔휴대품〕 보관소(《미》 checkroom). **2** (역의) 수하물 임시 보관소. **3** 《미》 의원 휴게실(《영》 lobby). **4** 《영》 변소(toilet).
clobber[1] [klábər/klɔ́b-] *n.* **1** 《영俗》 소지품; 의복. **2** (구둣방에서 쓰는) 거무스름한 풀. — *vt.* 옷을 입히다, 차려입게 하다.
clob·ber[2] *vt.* 《俗》 **1** 사정 없이 (여러 차례) 치다; 때려 눕히다. **2** 〈상대방을〉 압도적으로 지우다; 〈진지 등에〉 큰 타격을 주다; 〈남을〉 호되게 꾸짖다; 혹평하다.
clo·chard[klóuʃərd] [F] *n.* 방랑자.
cloche[klouʃ] [F] *n.* (원예용) 종 모양의 유리 덮개; 종 모양의 여성 모자.
★clock[1] [klak/klɔk] [L] *n.* **1** 시계《괘종 시계·탁상 시계 등 휴대용이 아닌 것: *cf.* WATCH》. **2** a =TIME CLOCK. b 《口》 =STOPWATCH. c 《口》 =SPEEDOMETER. **3** 《영俗》 사람의 얼굴. **against the clock** 일정한 시간까지에 일을 마칠 수 있도록; 될 수 있는 대로 빨리. **(a)round the clock** 24〔12〕시간 계속으로; 끊임없이, 주야로, 쉬지 않고. **beat the clock** 기한 전에 일을 마치다. **hold the clock on** 스톱워치로 시간을 재다. **like a clock** 아주 정확히, 규칙적으로. **put**〔**turn**〕 **back the clock** =**put** (**the hands of**) **the clock back** (1) (서머타임 등이 끝나서) 시계 바늘을 되돌리다. (2) 과거로 되돌아가다. (3) 진보를 방해하다, 구습을 고수하다, 역행하다. **put**〔《미》 **turn**〕 **the clock on**〔**forward,** 《미》 **ahead**〕 시계 바늘을 빨리 가게 하다; 미래를 들여다 보게 하다. **run out**〔**kill**〕 **the clock** (축구·농구 등에서 자기 편의 우세를 유지하기 위하여) 끝내 시간을 끌다〔벌다〕, 남은 시간을 다 쓰다. **sleep the clock (a)round** 12〔24〕시간을 계속 자다. **watch the clock** 《口》 시계〔퇴근시간〕에만 정신을 쓰다. **when one's clock strikes** 임종시에.
— *vt.* **1** 시계〔스톱워치〕로 시간을 재다〔기록하다〕(time). **2** (경기에서) 기록을 내다. **3** 《영俗》 〈남을〉 때리다, 치다. **4** 《俗》 (사람의) 주의를 끌다; 바라보다. **clock in**〔**on**〕 (타임레코더로) 출근 시간을 기록하다; 출근하다; 스톱워치로 시간을 재다. **clock** a person **one** 《영俗》 〈남을〉 때려주다, 갈기다. **clock out**〔**off**〕 (타임레코더로) 퇴근 시간을 기록하다; 퇴근하다. **clock up** 《口》 (1) 〈어떤 기록을〉 내다 : He *~ed up* a new world record *for* 100 meters. 그는 100미터 경주에서 세계 신기록을 냈다. (2) 〈어떤 속도·거리 등에〉 달하다, 이르다. (3) 〈스포츠 등에서 기록 등을〉 축적하다, 보유하다.
⊕ clócklike *a.*
clock[2] *n.* (*pl.* 〔商〕 **clox**[klaks/klɔks]) 양말목의 자수 장식. — *vt.* 자수 장식을 하다.
clock·er[klákər/klɔ́kər] *n.* (경기의) 계시원.
clock·face[´fèis] *n.* 시계 문자판.
clóck generátor 〔컴퓨터〕 클록 발생기《중앙 연산처리 장치》.
clóck gòlf 클록골프《코스를 시계 문자판 모양으로 둥글게 12등분한》.
clock·like[´làik] *a.* 시계 같은, 정확한; 단조로운.
clock·mak·er[´mèikər] *n.* 시계 제조〔수리〕공.
clock-pulse[´pʌ̀ls] *n.* 〔電子〕 각시(刻時) 펄스.
clóck ràdio 타이머〔시계〕가 있는 라디오.
clóck tòwer 시계탑.
clóck wàtch 자명식(회중) 시계.
clóck wàtcher[´wàtʃər/´wɔ̀tʃ-] **1** 《口》 (끝나는 시간에만 정신이 팔린) 게으른 직장인〔학생〕. **2** 《미俗》 구두쇠.
clock-watch·ing *n.* 퇴근 시간만 기다리기.
clock·wise[´wàiz] *ad., a.* 오른쪽〔시계 방향〕으로 돌아〔도는〕(*opp.* counterclockwise).
clock·work[´wəːrk] *n.* Ⓤ 시계〔태엽〕 장치. **like clockwork** 《口》 규칙적으로, 정확히; 자동적으로. — *a.* 시계〔태엽〕 장치의〔와 같은〕.
clóckwork órange 과학에 의해서 개성을 상실하고 로보트화한 인간.
***clod**[klad/klɔd] *n.* **1** (흙 등의) 덩어리; (a ~) 한 덩이의 흙덩어리; 하찮은 것; Ⓤ (the ~) 흙. **2** 아둔패기, 바보. **3** 소의 어깨살.
⊕ clóddish, clóddy *a.*
clod·dish[kládiʃ/klɔ́d-] *a.* **1** 흙덩어리 같은. **2** 퉁명스러운, 어리석은; 야비한, 천한. **~·ness** *n.* **~·ly** *ad.*
clod·dy[kládi/klɔ́di] *a.* **1** 흙덩어리 같은, 흙덩어리가 많은. **2** 천한(mean).
clod·hop·per[´hàpər/´hɔ̀p-] *n.* 《口》 **1** 시골뜨기; 미련한 사람, 굼벵이. **2** (보통 *pl.*)(농부 신같은) 투박하고 무거운 신.

clod·hop·ping[⌐hὰpiŋ/⌐hɔ̀p-] *a.* 퉁명스러운, 본데 없는.
clod·pate, -pole, -poll[⌐pèit], [⌐pòul] *n.* 얼간이, 멍청이, 바보.
clo·fi·brate[kloufáibreit, -fíb-] *n.* 〔藥〕 클로피브레이트(콜레스테롤 과잉증(症)용).
*__clog__[klag/klɔg] *n.* **1** 방해물:(먼지 등으로 인한 기계의) 고장:(짐승·사람의 다리에 다는) 차꼬. **2** (보통 *pl.*)(진창 등을 걷기 위한) 나막신. **3** =CLOG DANCE.
— (~**ged**; ~·**ging**) *vt.* **1** 방해하다(*up, with*): 〈기름·먼지 등이 기계의〉 움직임을 방해하다〔나쁘게 하다〕: 〈파이프 등을〉 막히게 하다(*up*): 〈길을 차 등으로〉 막다, 막히게 하다, 움직일 수 없게 하다. **2** 〈근심·걱정·불안 등이 마음·기분을〉 무겁게 하다, 괴롭히다: 〈사람이 걱정·불안 등으로 마음·기분을〉 무겁게 하다, 괴롭게 하다(*with*). **3** 〈동물 등에〉 무거운 통나무를 달다. — *vi.* **1** 〈파이프 등이〉 막히다: 〈기계 등이 기름·먼지 등으로〉 움직임이 나빠지다, 운전이 잘 되지 않다(*with*). **2** 나막신 춤을 추다. ⊕ **clóggy** *a.*
clóg dànce 나막신 춤(나막신으로 박자를 맞추는).
clog·gy[klági/klɔ́gi] *a.* (**-gi·er**; **-gi·est**) **1** 방해가 되는: 막히기 쉬운. **2** 찐득찐득 달라붙는(sticky). **3** 덩어리〔옹이〕투성이의, 울툭불툭한.
cloi·son·né[klɔ̀izənéi/klwὰ:zɔnéi] [F] *n., a.* 칠보(七寶)(의): ~ work〔ware〕 칠보 세공〔자기〕.
*__clois·ter__[klɔ́istər] [L] *n.* **1** (보통 *pl.*) 〔建〕 (수도원·대학 등의 안뜰 둘레의) 회랑(回廊), 복도. **2** 수도원:(the ~) 수도원 생활, 은둔 생활. **3** 조용하고 외진 곳. — *vt.* **1** (~ one*self* 로) 수도원에 가두다:(보통 *pp.*) …에 틀어 박히다(⇨cloistered 1). **2** …에 회랑을 빙 두르다. ⊕ clóistral *a.*
clois·tered[klɔ́istərd] *a.* **1** 수도원에 들어 박혀 있는: 세상을 등진: 연구《등》에 몰두하는. **2** 회랑이 있는.
clóister gàrth cloister 로 둘러싸인 안뜰.
clois·tral[klɔ́istrəl] *a.* **1** 수도원의〔에 사는〕. **2** 속세를 떠난, 고독한.
clomb[kloum] *v.* 《古》 CLIMB의 과거·과거분사.
clo·mi·phene[klάməfì:n/klɔ́m-] *n.* Ⓤ 〔藥〕 클로미펜(배란(排卵) 촉진제).
clomp[klamp] *vi., n.* =CLUMP².
clon(e)[kloun] *n.* **1** (집합적) 〔生〕 영양계(系), 클론(영양 생식에 의하여 모체로부터 분리 증식한 식물군: 그 개체 또는 세포). **2** (복사한 것처럼) 똑같은 사람〔것〕(*of*). **3** (아무 생각 없이) 기계적으로 행동하는 사람. **4** (값비싼 제품의 컴퓨터의 모양과 기능을 카피한) 모조 컴퓨터. — *vt.* 〈단일 개체 등에서〉 클론을 만들다. **clon·al** *a.* 클론의.
cló·nal·ly *ad.* 클론에 의하여.
clo·nic[klάnik/klɔ́nik] *a.* 〔病理〕 간헐적 경련성의(*opp.* tonic).
clo·ni·dine[klóunidàin, -dì:n] *n.* 〔藥〕 클로니딘(혈압 강하제, 편두통(예방)약).
clon·ing[klóuniŋ] *n.* 〔生〕 클로닝(미수정란의 핵을 체세포의 핵으로 바꿔 놓아 유전적으로 꼭 같은 생물을 얻는 기술).
clóning DNA[-dì:èn éi] 〔生〕 **1** DNA의 복제(複製). **2** 클론화한 DNA.
clonk[klaŋk, klɔ:ŋk] [의성어] *n., vi., vt.* 통통〔펑〕 소리(를 내다): 《口》 쾅 치기〔치다〕.
clo·nus[klóunəs] *n.* Ⓤ 〔病理〕 (근육의) 간헐성 경련.
cloop[klu:p] [의성어] *n., vi.* 펑(소리가 나다)(코르크 마개 등이 빠지는 소리).
clop[klap/klɔp] [의성어] *n.* (a ~)(말 발굽의) 타가닥 소리. — *vi.* (~**ped**; ~·**ping**) 타가닥타가닥 걷다〔소리를 내다〕.
clop-clop[klάpklὰp/klɔ́pklɔ̀p] [의성어] *n.* 타가닥타가닥(말 발굽 소리)(⇨horse).
clo·que, clo·qué[kloukéi] [F] *n.* (*pl.* ~**s**) 클로케(무늬 등이 도드라진 직물).
★**close**¹ [klouz] *vt.* **1** 〈입을〉 다물다: 〈눈을〉 감다: 〈문·창문 등을〉 닫다: 〈가게·관청·항구 등을〉 닫다, 휴업하다: 〈장소에의〉 통행〔입장〕을 정지〔차단〕하다: 〈지역 등을〉 폐쇄하다: 《Ⅲ(목)》 She ~*d* the door. 그녀는 문을 닫았다/ ~ the eyes 눈을 감다/ ~ a street to traffic 도로의 통행을 금하다/ ~ the gate (*up*) *on* a visitor 문을 닫아 방문자를 들이지 않다/ Darkness ~*d* her *round.* 어둠이 그녀를 둘러쌌다. **2** 〈일·이야기 등을〉 종결하다, 끝내다, 완료하다: 끝마치다, 마감하다: ~ a speech 연설을 끝내다. **3** 〈상담(商談)·계약 등을〉 맺다, 체결하다: ~ a contract 계약을 체결하다. **4** 〈빈틈·상처 등을 …으로〉 메우다, 막다: 봉하다(*with*): ~ a gap 갈라진 틈을 메우다. **5** 〔軍〕 대열의 사이를 좁히다. **6** 〔電〕 〈회로·전류를〉 접속하다. **7** 〔海〕 접근하다.
— *vi.* **1** 〈문이〉 닫히다, 〈상점·극장 등이〉 문을 닫다, 폐점〔폐관〕하다: 폐쇄되다, 휴업하다(*down*): The door will not ~. 문이 좀처럼 닫히지 않는다. **2** 끝나다, 완결되다: 폐회하다. **3** 〈꽃이〉 시들다, 〈상처가〉 아물다. **4** 접근하다: 집합하다: 〔軍〕 〈대열이〉 밀집하다: These five lines ~ *together* in a center. 이들 다섯 개의 선은 중심에서 만난다. **5** (주위에) 모이다(*about, round, around*): 〈팔 등이〉 …을 죄다(*round, around*). **6** 〔證券〕 종가(終價)가 …이 되다. **close an account** (*with* a tradesman) (상인과) 신용 거래를 그만두다. **close a discussion** 〈의장이〉 토의 종결을 선언하다. **close about** 둘러싸다, 포위하다. **close down** 폐쇄하다〔되다〕: 〈방송·방영을〉 마치다, 종료하다: 《미》 〈어둠·안개 등이 …에〉 깔리다(*on*). **close in** 포위하다: 《口令》 집합!: 〈적·밤·어둠 등이〉 가까워지다, 다가오다(*on, upon*): 〈해가〉 짧아지다. **close off** 끝내다, 마감하다: 고립시키다: 흐름을 막다. **close on** …을 단단히 쥐다. **close** one's **purse to** …에게 돈을 선뜻 내놓지 않다. **close out** 《미》 팔아버리다, 헐값에 팔다: 〈사업을〉 아주 폐쇄해 버리다. **close over** 묻다, 덮어 씌우다: 가두다: 〈남을〉 사방에서 덮치다. **close round** 포위하다. **close the books** 결산하다: 〈모집 등을〉 마감하다. **close the door** 문호를 폐쇄하다(*on*). **close the ranks** 〔**files**〕 열〔오(伍)〕 사이를 좁히다: 〈정당 등이〉 진영을 공고히 하다. **close up** (1) 〈집·창문 등을 완전 히〉 닫다, 막다, 폐쇄하다: 〈음식점 등이 일시적으로〉 폐점하다. (2) 〈간격을〉 좁히다, 좁혀지다: 접근하다, 모이다: 〈사람이〉 육박하다. (3) 〈상처가〉 아물다: 마감하다. **close with** (1) 《文語》 …와 격투하다, 접전하다. (2) …와 협정하다, 와 흥정하다. (3) 〈제의·조건 등에〉 응하다.
— *n.* **1** 닫음, 폐쇄. **2** 종결, 끝(end): (우편의) 마감. **3** 〔樂〕 마침표: 겹세로줄(‖).
come〔**bring**〕 **to a close** 끝나다〔끝내다〕. **complimentary close** 편지의 결구(結句). **draw to a close** 종말에 가까워지다.

⇔ clósure *n.*

★**close²** [klous] *a.* **1** (시간·공간·정도 등이) 가까운(near)《*to*》: 친한(intimate): (친족 관계가) 가까운: 유사한: 세력이 백중한: a ~ cut 지름길/~ range 근거리/a ~ friend 절친한 친구/a ~ contest 접전/a ~ resemblance 아주 비슷함/~ *to* the church 교회 바로 가까이에 있는/(《Ⅱ 형+전+-*ing*》Your words come ~ *to* be*ing* an insult. 네 말은 모욕에 가깝다. **2** 닫힌(shut), 잠긴, 밀폐된, 폐쇄된(*opp.* open): 통풍이 나쁜, 숨이 막힐 듯한: a hot ~ room 덥고 답답한 방. **3** 〈장소 등이〉 좁은, 갑갑한: 〈날씨가〉 무더운(sultry), 답답한(heavy): 〈공기가〉 무거운. **4** 밀집한, 빽빽한(⇨dense): 몸에 꼭 맞는: 〈머리털·잔디 등〉 짧게 깎은: 내용이 충실한, 면밀한: ~ texture 올이 밴 천. **5** (머리털잔디 등이) (짧게) 깍인. **6** 정밀한(accurate), 면밀한, 용의주도한(careful): 철저한(thorough), (원전에) 충실한: a ~ analysis 면밀한 분석/a ~ investigation 정밀한 검사〔조사〕/~ attention 세심한 주의. **7** 숨겨진: 비밀로 하고 있는: 갇힌, 감금된: 감시가 심한, 엄중한: a ~ prisoner 중금고(重禁錮) 죄수. **8** 말이 적은(reticent), 터놓지 않는(reserved). **9** 인색한《*with*》: She is ~ *with* her money. 그녀는 돈에 인색하다. **10** 〈회원·특권 등이〉 한정된, 비공개의: 배타적인, 패쇄적인, 옹색한: 입수하기 어려운, (돈이) 잘 돌지 않는: 《영》〈수렵기가〉 금지중인, 금렵중인(《미》 closed): Money is ~. 돈이 잘 돌지 않는다. **11** 〔音聲〕〈모음이〉 폐쇄된 (혀의 위치가 높은)(*opp.* open). **12** (시합 등) 우열을 가릴 수 없는. **13** 《俗》 만족할만한, 훌륭한. (**come to**) **close quarters** 접전〔백병전〕(이 되다). **have a close call**〔**shave**〕 아슬아슬하게 살아나다, 구사일생하다.

— *ad.* **1** (시간적·공간적으로 …와) 접하여, 바로 곁에, 바싹 다가서, 좁게 죄어, 밀접하여: sit〔stand〕 ~ *to* … …의 바로 곁에 앉다〔서다〕. **2** 빈틈없이, 꽉 차서: 밀착하여, 꼭: shut one's eyes ~ 눈을 꼭 감다. **3** 면밀히, 주도하게: listen〔look〕 ~ 경청〔주시〕하다. **4** 짧게: 좁혀서. **5** 비밀히. **6** 검소하게.

close at hand 바로 가까이에: 절박하여. **close by** 바로 곁에. **close on**〔**upon**〕《口》(시간·수량이) 거의 …, 약 …. **close to** 접하여, 바로 곁에: 거의〔약〕 …. **close to home** 《口》〈비평·충고 등이〉 정곡을 찔러, 아주 절실하게, 사무치게. **close to the wind** 〔海〕 바람 불어 오는 쪽으로 엇거슬러: 아슬아슬하게. **keep**〔**lie**〕 **close** 숨어 있다. **keep close to** a person …곁을 떠나지 않다: …을 따르다, …에게 정들다. **live close** 검소하게 살다. **press** a person **close** …을 엄히〔호되게〕 추궁하다. **run** a person **close** …을 바싹 뒤쫓다. **too close for comfort** 절박하여 (걱정이다).

— *n.* **1** 《영》(개인 소유의) 둘러 막은 땅(enclosure): 구내, 경내(境內)(precinct): (학교의) 운동장, 교정(校庭). **2** 《스코》(한길에서 뒷골목으로 통하는) 통로, 골목길.

⇔ enclóse *v.*: clósely *ad.*: clóseness *n.*

close-at-hand [klóusəthǽnd] *a.* (시간적·공간적으로) 가까운, 절박한.

clóse bórough =POCKET BOROUGH.

close-by [klóusbái] *a.* 가까운(nearby): 인접한(adjacent): 근처의(neighboring).

clóse cáll 《口》 위기 일발, 구사 일생(close shave, narrow escape).

clóse corporátion 폐쇄 회사, 동족 회사 《주(株)를 일반에게 공개하지 않는》.

close-cropped [-krápt/-krɔ́pt] *a.* =CLOSE-CUT.

close·cross [klóuskrɔ̀s] 〔生〕 *n.* **1** 근친 교접(近親交接). **2** 근친 교접에 의한 자손.
— *vt.* 근친 교접시키다.

close-cut *a.* 〈머리털·잔디 등〉 짧게 깎은.

****closed** [klóuzd] *a.* (*opp.* open) **1** 닫힌, 밀폐한, 폐쇄한: 업무를 정지한: 교통차단한. **2** (차가) 지붕이 있는, 상자 모양의. **3** 《미》〈수렵기가〉 금지중인, 금렵중인(《영》 close). **4** 자급(자족)의: a ~ economy 자급자족 경제. **5** 〈냉난방이〉 순환식의: 〈전기의 회로가〉 순환식의. **6** 〔音聲〕 자음으로 끝나는: the ~ syllable 폐음절《자음으로 끝나는 것》. **behind closed door** 비밀히. **Closed today.** 《게시》 금일 휴업. **with closed doors** 문을 닫고: 방청을 금지하여.

clósed bóok 《口》 **1** 까닭을 알 수 없는 일, 분명하지 않은 일《*to*》: 이해하기 어려운 사람. **2** 끝난〔결정된, 확정된〕 일.

clósed cáption 〔TV〕 귀가 불편한 사람을 위한 자막.

closed-cap·tioned *a.* (텔레비전 프로가) 디코더(decoder) 사용시만 자막이 나타나는.

closed-cell [klóuzdsél] *a.* 독립기포(氣泡)의, 밀폐기포의《소재는 플라스틱 등》.

clósed cháin 〔化〕 폐쇄(ring).

clósed círcuit 1 〔電〕 폐회로(閉回路). **2** 〔TV〕 유선 텔레비전 (방식)《특정 수상기에만 송신되는》.

clósed-cír·cuit télevision [-sə́:rkit-] 폐회로〔유선〕 텔레비전(略: CCTV).

clósed cláss 〔社〕 폐쇄 계급《다른 계급과의 교류가 원칙상 행하여지지 않는 계급》(*opp.* open class).

clósed corporátion=CLOSE CORPORATION.

closed-door [klóuzddɔ́:r] *a.* 비공개〔비밀〕의: a ~ session 비밀 회의.

clósed ecològical sýstem 생태학적 폐쇄계.

closed-end [klóuzdénd] *a.* 〔商〕〈투자 신탁이〉 자본액 고정인, 폐쇄식인: 〈담보가〉 대부금액을 고정시킨.

clósed-end bónd fùnd 폐쇄형 채권 펀드.

clósed-end invéstment còmpany 폐쇄형 투자 신탁 회사.

clósed lóop 폐회로, 폐루프.

closed-loop [klóuzdlù:p] *a.* 피드백 기구로 자동 조정되는.

closed·out *n.* 폐점, 점포 정리: a ~ sale 점포 정리 세일.

close·down [klóuzdàun] *n.* **1** 작업〔조업〕 정지: 《미》 공장 폐쇄. **2** 《영》 방송〔방영〕 종료.

clósed pórt 불개항(不開港).

clósed prímary 《미》 제한 예비 선거《당원 유자격자만이 투표하는 후보자 선거》(*opp.* open primary).

clósed séa 〔國際法〕 영해(領海)(*opp.* open sea).

clósed séason 《미》 금렵기(禁獵期)(《영》 close season, close time).

clósed shóp 클로즈드 숍. **1** 노동 조합원만을 고용하는 사업장(*opp.* open shop). **2** 〔컴퓨터〕 컴퓨터 사용 방법의 하나: 프로그램 작성 및 조작 등을 전문 담당자가 하는 방식.

clóse encóunter 1 (비행 중에 다른 천체·물체에의) 근접. **2** (낯선 사람끼리) 가까이 만남.

close·fist·ed [klóusfístid] *a.* 《俗》 구두쇠

의, 인색한.
close-fit·ting[klóusfítiŋ] *a.* 〈옷 등이〉 몸에 꼭 맞는.
clóse gìrl 봉제공.
close-grained[klóusgréind] *a.* 나뭇결이 고운.
clóse hármony 〔樂〕 밀집 화성.
close-hauled[klóushɔ́:ld] *a., ad.* 〔海〕 강한 바람을 옆으로 받은〔고〕, 활짝 편〔펴고〕.
close-in[klóusìn] *a.* 가까운 거리의, 인접한.
close-knit[klóusnít] *a.* **1** (마을 등이 사회적·문화적으로) 굳게 맺어진; (정치·경제적으로) 밀접하게 조직된. **2** (이론 등이 논리적으로) 빈틈이 없는.
close-lipped[klóuslípt] *a.* =CLOSE-MOUTHED.
clóse-lóok sàtellite[-lùk-] 정찰 위성.
⁑**close·ly**[klóusli] *ad.* **1** 접근하여, 바싹. **2** 꽉, 단단히, 빽빽이. **3** 밀접하게, 친밀하게. **4** 면밀히, 엄밀히, 엄중히. **5** 열심히, 주의하여.
close·mouthed[klóusmáuðd, -θt] *a.* 말이 없는, 속을 터놓지 않는.
close·ness[klóusnis] *n.* Ⓤ **1** 근사(近似); 접근, 친밀(intimacy). **2** (피륙 등의) 올이 고움, 올의 배기. **3** 정확, 엄밀. **4** 밀폐; 숨 막힘, 답답함, 후텁지근함. **5** 인색.
clóse órder 〔軍〕 밀집대형.
close·out[klóuzàut] *n.* 폐점 등을 위한 재고 정리(품).
close-packed[klóuspǽkt] *a.* 밀집한, 빽빽이 들어찬.
close-pitched[klóuspítʃt] *a.* 〈싸움이〉 호각(互角)의, 막상막하의: a ~ battle 접전.
clóse prínting 잔 글자로 빽빽한 인쇄.
clóse punctuátion 엄밀 구두법.
clóse quárters **1** 접근, 육박. **2** 비좁은〔답답한〕 장소.
*****clos·er**[klóuzər] *n.* **1** 닫는 것〔사람〕, 폐색기 **2** 《野球俗》 최종회.
clóse séason 《영》 사냥 금지 기간, 금렵기 (《미》 closed season).
close-set[klóussét] *a.* 근접해서 늘어선, 다닥다닥 붙은, 밀집한.
clóse sháve =CLOSE CALL.
clóse shòt 〔映〕 접사(接寫), 클로즈업(*opp.* long shot).
close·stool[klóuzstù:l, klóus-] *n.* 실내 변기.
⁑**clos·et**[klɑ́zit/klɔ́z-] *n.* **1** 《미·캐나다》 벽장, 광, 찬장(cupboard). **2** 《稀》 (응접·공부 등을 위한) 사실(私室), 작은 방. **3** 《古》 변기, (수세식) 변소(=water ~). — *a.* **1** 비밀의, 은밀한. **2** 비실제적인, 탁상 공론식인: a ~ strategist〔thinker〕 탁상〔비실제적〕 전략가〔공론가〕. — *vt.* **1** (~ *oneself* 로) (방 등에) 들어 박히다; (보통 수동형) 들어 박혀 있다: ~ *oneself in* one's study 서재에 들어 박히다/be ~*ed in* one's study 서재에 들어 박혀 외출하지 않다. **2** (보통 수동형)(사업이나 정치 관계로 남을) 밀담시키다: They were ~*ed together*. 그들은 밀담 중이었다.
clóset dràma〔**plày**〕 서재극(書齋劇)《읽을 거리로 쓴 극》, 레제드라마.
clóse thíng =CLOSE CALL.
clóset homosèxual 동성 연애자임을 숨기는 사람, 숨은 호모.
clóse tíme 《영》 =CLOSE SEASON.
clóset lìberal 《미俗》 자유주의를 감추고 있는 자유주의자.
clóset politícian 비실제적인 정치가.
clóset quéen 《俗·경멸》 (동성애 사실을 숨기는〔부인하는〕) 동성애자《남자》.
clóset stáll 대변기가 설치된 화장실.
close-up[klóusʌ̀p] *n.* **1** 〔映〕 대사(大寫), 클로즈업; 근접 사진. **2** 상세한 관찰〔검사, 묘사〕; (일의) 진상.
close-wov·en[klóuswóuvən] *a.* 올이 고운〔밴〕〈천〉.
clóse wríting 잔 글자로 빽빽이 쓰기.
*****clos·ing**[klóuziŋ] *n.* Ⓤ,Ⓒ **1** 폐쇄, 밀폐. **2** 종결, 마감. **3** 〔會計〕 결산; 〔證券〕 종장 시세. — *a.* **1** 마지막의; 폐회의: a ~ address 폐회사. **2** 〔會計〕 결산의; 〔證券〕 마감하는, 종장의.
clósing còsts 〔法〕 부동산 매매 수수료.
clósing dàte **1** 마감일, 원고 마감일. **2** 결산일; 〔金融〕 증권 인수업자의 불입기일(closing day).
clósing prìce 〔證券〕 종장 시세.
clósing tìme 폐점〔종업〕 시간.
clos·trid·i·um[klɑstrídiəm/klɔs-] *n.* (*pl.* **-i·a**[-iə]) 〔細菌〕 클로스트리듐속(屬)의 세균.
clo·sure[klóuʒər] *n.* Ⓤ,Ⓒ **1** 폐쇄; 마감. **2** 폐점, 휴업. **3** 종지, 종결. **4** (보통 *sing.*)〔영議會〕 토론 종결(《미》 cloture). **5** 〔音聲〕 폐쇄(음). — *vt.* 〔영議會〕〈토론을〉 종결에 붙이다.
clot[klɑt/klɔt] *n.* **1** (피 등의) 엉긴 덩어리: a ~ of blood 핏덩어리, 응혈(凝血). **2** 《영口》 바보, 얼간이. — *v.* (~·**ted**; ~·**ting**) *vt.* **1** 〈피·우유 등을〉 응고시키다, 굳어지게 하다. **2** 〈땀 등이 머리털 등을〉 뭉치게〔얽히게〕 하다. **3** 〈물건이〉 굳어져 〈…을〉 움직이기 어렵게 만들다. — *vi.* 응고하다, 굳어지다.
★**cloth**[klɔ(:)θ, klɑθ] [OE] *n.* (*pl.* ~**s**[-ðz, -θs]) Ⓤ (종류를 나타낼 때는 Ⓒ) **1** 천, 피륙, 옷감. **2** Ⓒ 헝겊; 《특히》 식탁보(tablecloth); 행주; 걸레(duster). **3** 모직물, 나사. **4** 특수한 용도의 천. **5** (무대의 배경 따위에 쓰이는) 채색한 천. **6** 검은 성직복; (the ~) 성직(聖職); (집합적) 성직자들(the clergy). **7** Ⓤ (책의) 헝겊 표지. **8** 범포; (집합적) 돛. **cloth of gold**〔**silver**〕 금〔은〕실을 명주 또는 양털과 섞어 짠 천. **cloth of state** 옥좌(玉座) 닫집을 꾸미는 아름다운 피륙. **cut one's coat according to one's cloth** 분수에 맞는 생활을 하다. **invented out of whole cloth** 〈이야기 등이〉 처음부터 끝까지 꾸며낸. **lay the cloth** 식탁을 차리다. **remove**〔**draw**〕 **the cloth** 상을 치우다, 식사의 뒤치다꺼리를 하다. **respect a man's cloth** =**pay the respect due to his cloth** 성직자의 신분에 대하여 경의를 표하다. ◇ clothe *v.*
cloth·back[⌐bæ̀k] *n.* 〔製本〕 클로스 장정본.
cloth-bind·ing *n.* 〔製本〕 (책의) 클로스 표지(제본), 클로스 장정(본).
cloth·bound[⌐báund] *a.* 〈책이〉 클로스 장정의.
clóth càp 《영》 천으로 만든 모자《노동자 계급의 상징》.
cloth-cap[⌐kæ̀p] *a.* 《영》 노동계급의〔에 속하는〕.
⁑**clothe**[klouð] *vt.* (~**d**[-ðd], 《古·文語》 **clad** [klæd]) **1** 의복을 지급하다: ~ one's family 가족에게 옷을 사주다. **2** …에게 옷을 입히다: ~ one*self* 옷을 입다. **3** 덮다, 싸다, 입히다: The field was ~*d in* snow. 들판은 눈으로 뒤덮였다. **4** (말로) 표현하다: ~ one's ideas *in*〔*with*〕 words 자기의 생각을 말로 표현하다. **5** 〈권력·영광 등을〉 부여하다: be ~*d with* full powers 전권을 부여받다.
◇ clothes, clóthing *n.*

cloth-eared[´-ərd] *a.* 《口》 **1** 귀가 어두운, 난청의. **2** 음치의.
clóth èars 《口》 잘 안 들리는 귀, 난청; 음치: have ~ 건성으로 듣다.
★**clothes**[klouðz] *n. pl.* **1** 옷, 의복: a suit of ~ 옷 한벌/put on〔take off〕 one's ~ 옷을 입다〔벗다〕/Fine ~ make the man. 《속담》 옷이 날개. **2** 세탁물. **3** 침구(bedclothes).
clóthes bàg[´-bæg] 세탁물 주머니, 빨래 자루.
clóthes bàsket[´-bæskit/´-bɑ̀:s-] 세탁물 광주리〔바구니〕.
clothes-brush[´-brʌ̀ʃ] *n.* 옷솔.
clóthes hànger =COAT HANGER.
clothes·horse[´-hɔ̀:rs] *n.* **1** (실내용) 빨래 걸이. **2** 《俗》 옷 자랑하는 사람, 최신 패션만 뒤쫓는 사람. **3** 《미俗》 패션 모델.
clothes·line[´-lɑ̀in] *n.* **1** 빨랫줄. **2** 《미俗》 개인적인 문제. **3** 《野球俗》 라이너.
clothes·man[´-mæ̀n] *n.* (*pl.* **-men**[´-mèn]) 헌옷 장수.
clóthes mòth 〔昆〕 옷좀 나방.
clothes-peg[-pèg] *n.* 《영》 =CLOTHESPIN.
clothes·pin[´-pìn] *n.* 《미》 빨래 집게.
clothes·pole[´-pòul] *n.* 빨랫줄기둥(clothesline을 치기 위한 것).
clothes·press[´-près] *n.* 옷장, 양복장(wardrobe).
clothes-prop *n.* 《영》 =CLOTHESPOLE.
clóthes trèe 《미》 (가지가 있는) 기둥꼴 모자〔외투〕 걸이.
cloth-head *n.* 《口》 바보.
cloth·ier[klóuðjər, -ðiər] *n.* **1** 남성복 소매상; 의복〔의류〕상, 피륙 판매업자. **2** 모직물업자; 《미》 직물 마무리공.
⁑**cloth·ing**[klóuðiŋ] *n.* Ⓤ **1** (집합적) 의류(clothes). **2** 덮개(covering). **3** 〔海〕 돛.
clóthing wòol **1** 방모사용 양모(羊毛). **2** 의류용 양모.
clóth mèasure 옷감 재는 자.
Clo·tho[klóuθou] *n.* 〔그神〕 클로토(운명의 세 여신의 하나; 인간의 생명의 실을 자음).
clóth yàrd (옷감 잴 때의) 야드(3피트).
clot·ted[klɑ́tid/klɔ́t-] *a.* **1** 응고한, 엉긴. **2** 《영》 순전한, 전적인: ~ nonsense 터무니없는 말.
clótted créam (지방분이 많은) 고체 크림.
clot·ty[klɑ́ti/klɔ́ti] *a.* **1** 덩어리가 많은; 응고성의. **2** 《口》 둔한.
clo·ture[klóutʃər] 〔미議會〕 *n.* Ⓤ,Ⓒ 토론 종결(《영》 closure). — *vt.* 〈토론을〉 종결에 붙이다.
clou[klu:] *n.* **1** 인기물, 흥미의 중심. **2** 중심 사상.
★**cloud**[klaud] [OE] *n.* **1** Ⓒ,Ⓤ 구름; (*pl.*) 하늘: a bank of ~*s* 구름 봉우리/covered *with* ~(*s*) 구름에 덮여. **2** (자욱한) 먼지〔연기 《등》〕; 《口》 담배 연기. **3** 다수, 수 많은 사람; (새, 파리, 메뚜기 등의) 떼. **4** 〈투명체·거울 등의 표면에 낀〉 흐림, 티(blemish); 암영(暗影); 먹구름, (덮어 씌워) 어둡게 하는 것, 어둠. **5** 〈얼굴·이마에 어린〉 근심의 빛; 〈의혹·불만·비애 등의〉 기색. **6** 부드러운 스카프(여성용). **blow a cloud** 《口》 담배를 피우다. **drop from the clouds** 의외의 곳에서〔갑자기〕 나타나다. **Every cloud has a silver lining.** 《속담》 먹구름도 뒷쪽은 은빛으로 빛난다(괴로움이 있는 반면에 즐거움도 있다). **in the clouds** 《口》 하늘높이; 멍하니; 세상 일에 초연하여; 〈사물이〉 가공적인, 공상에 잠기어: have one's head *in the ~s* (일상적인 일을 버리고) 공상에 잠기다. **on a cloud** 《口》 매우 기뻐서, 기운차게; 《俗》 마약에 취하여. **under a cloud** 《口》 의혹〔비난〕을 받고; 풀죽어, 서글퍼서. **under cloud of night** 야음을 타고.
— *vt.* **1** 〈하늘·산꼭대기 등을〉 구름으로 덮다; 흐리게 하다; 어둡게 하다(*up*). **2** 〈불안·걱정거리 등이 얼굴·마음 등을〉 흐리게 하다, 어둡게 하다; 수심의 빛〔암영〕을 띠게 하다. **3** 〈명성·평판 등을〉 더럽히다. **4** 〈문제 등을〉 애매하게 만들다; 〈시력·판단력 등을〉 흐리게 하다, 둔화시키다. **5** 구름 무늬〔검은 반점〕로 아로새기다. — *vi.* **1** 〈하늘·창문 등이〉 흐리다, 흐려지다. **2** 〈얼굴이 고통·근심으로〉 흐리다, 흐려지다. **cloud over** 〈하늘이〉 온통 흐려지다.
◈ clóudy *a.*; enclóud *v.*
cloud·bank[´-bæ̀ŋk] *n.* (낮게 드리운) 짙은 뭉게 구름.
cloud·ber·ry[´-bèri] *n.* (*pl.* **-ries**) 〔植〕 호로딸기(야생의 나무딸기).
cloud-built[´-bìlt] *a.* 구름 같은, 공상적인.
cloud·burst[´-bə̀:rst] *n.* **1** (갑자기) 퍼붓는 비, 폭우. **2** 대량; 많음(*of*).
clóud bùster[´-bə̀:rstər] 《미俗》 **1** 〔野〕 높은 플라이. **2** 고층 건물. **3** 고속 신형 비행기.
cloud-capped[´-kæ̀pt] *a.* 〈산이〉 구름으로 뒤덮인, 구름 속에 솟은.
cloud-cas·tle[´-kæ̀sl] *n.* 공상, 몽상.
clóud chàmber 〔物〕 안개 상자(고속 원자나 원자적 미립자가 지나간 자취를 보는 장치).
cloud-cuck·oo-land[´-kú:ku:læ̀nd] *n.* (종종 Cloud-Cuckoo-Land) Ⓤ 공상의 나라, 이상향(Aristophanes 작품에서의 고을 이름).
clóud drìft **1** 뜬 구름, 떠다니는 구름. **2** 《미》 (비행기에 의한) 분말 살충제 살포.
cloud·ed[kláudid] *a.* **1** 구름에 덮인, 흐린. **2** 〈머리 등이〉 멍한, 혼란된. **3** 〈생각·의미 등이〉 흐릿한, 애매한; 〈기분이〉 침울한. **4** 구름〔얼룩〕 무늬가 있는, 구름 모양의.
clóud fòrest 운무림(雲霧林)(습기가 많은 열대 지방의 삼림).
cloud-hop·ping[´-hɑ̀piŋ/´-hɔ̀piŋ] *n.* 〔空〕 (비행기 모습을 감추기 위한) 운층(雲層) 비행.
cloud·i·ly[kláudili] *ad.* 흐려서; 어렴풋이.
cloud·i·ness[kláudinis] *n.* Ⓤ **1** 흐린 날씨; 〔氣〕 운량(雲量). **2** 구름 무늬. **3** 음침함. **4** (광택의) 흐림; 몽롱함. **5** 우울, 침울.
cloud·ing[kláudiŋ] *n.* Ⓤ **1** (광택면의) 흐림. **2** 구름 모양의 무늬.
cloud·land[´-læ̀nd] *n.* Ⓤ,Ⓒ **1** 구름나라, 구름경치. **2** 꿈나라, 신비의 나라(fairyland), 이상향.
*__cloud·less__[kláudlis] *a.* 구름〔암영〕 없는, 맑게 갠. **~·ly** *ad.* 구름 한 점도 없이.
cloud·let[kláudlit] *n.* 잔 구름.
clóud níne 《口》 행복의 절정(Dante의 *The Divine Comedy*; 본래는 **clóud séven**).
on cloud nine 《口》 더할 나위 없이 행복한; 들떠서; 《미俗》 =on a CLOUD.
clóud ràck 조각 구름의 떼.
clóud rìng (적도상의) 운대(雲帶).
cloud·scape[´-skèip] *n.* 구름 경치 (그림), 운경(雲景)(화).
clóud sèeding (인공 강우용) 구름 씨 뿌리기.
clóud sèven =CLOUD NINE.
★**cloud·y**[kláudi] *a.* (**cloud·i·er; -i·est**) **1** 흐린; 구름이 많은: 《Ⅱ It *v*Ⅱ+형》 It is ~ today. 오늘은 날씨가 흐리다. **2** 구름의, 구름 같은; 구름 무늬의, 흐림이 있는. **3** 몽롱한, 흐릿한. **4**

의미가 흐릿한, 애매한. **5** 〈액체가〉 흐린. **6** 〈마음이〉 언짢은, 기분이 좋지 못한.
◇ cloud, clóudiness *n.*; clóudily *ad.*

clough[klʌf] *n.* 《영》 계곡, 골짜기.

clout[klaut] *n.* **1** 《口》 (주먹·손바닥으로) 때림. **2** (특히 정치적인) 권력, 영향력. **3** 〔弓術〕 과녁. **4** 《古·方》 (기워대는) 천 조각, 헝겊 조각; (보통 *pl.*) =DIAPERS. **5** 〔野〕 강타. — *vt.* 《口》 **1** (주먹·손바닥으로) 때리다(hit), 치다. **2** 〔野〕 〈공을〉 강타하다. **3** 조각을 대어 깁다. **clóut·er** *n.*

clóut nàil 구두 징.

clove[1] [klouv] *n.* **1** 〔植〕 정향(丁香)나무. **2** 정향(꽃봉오리를 말린 향료).

clove[2] *n.* 〔植〕 (백합·마늘 등의) 소인경(小鱗莖), 소구근(小球根).

clove[3] *v.* CLEAVE[1]의 과거.

clóve gíllyflower =CLOVE PINK.

clóve hìtch 〔海〕 감아 매기(밧줄 매는 법의 일종).

clo·ven[klóuvən] *v.* CLEAVE[1]의 과거분사. — *a.* 〈짐승의 발굽이〉 갈라진.

clóven fóot〔**hóof**〕 (소·사슴 등의) 분지제(分趾蹄), 우제(偶蹄), 쪽발. **show the cloven foot**〔**hoof**〕 〈악마가〉 본성을 드러내다.

clo·ven-foot·ed, -hoofed[klóuvənfútid], [-hú:ft] *a.* 〔動〕 발굽이 갈라진; 악마와 같은.

clóve òil 정향유(丁香油)(양주·향미료의 원료).

clóve pìnk 〔植〕 카네이션.

⁑**clo·ver**[klóuvər] *n.* Ⓤ,Ⓒ 〔植〕 클로버, 토끼풀(콩과(科) 식물). **live**〔**be**〕 **in clover** 호화롭게〔안락하게〕 살다.

clo·ver·leaf[-lì:f] *n.* (*pl.* **-leaves**[-lì:vz]) (네 잎 클로버 형의) 입체 교차로. — *a.* 네잎 클로버 형〔모양〕의.

*****clown**[klaun] *n.* **1** 어릿광대; 익살꾼(jester). **2** 시골뜨기(rustic); 버릇 없는 사람. — *vi.* (보통 ~ it) 익살부리다; 어릿광대짓하다. **clown around** 《俗》 놀리다, 희롱하다.
◇ clównish *a.*

clown·er·y[-nəri] *n.* (*pl.* **-er·ies**) 익살, 어릿광대짓.

clown·ish[kláuniʃ] *a.* **1** 익살꾼 같은, 우스운. **2** 촌 사람 같은, 버릇 없는.
~·ly *ad.* **~·ness** *n.*

clówn wàgon 《미俗》 화물 열차의 차장차.

clówn white *n.* (어릿광대나 무언극의 광대가 하는) 흰 얼굴 화장.

clox[klɑks/klɔks] *n.* 〔商〕 CLOCK[2]의 복수.

clox·a·cil·lin[klɑ̀ksəsílən/klɔ̀ks-] *n.* 〔藥〕 클록서실린(합성 페니실린의 일종).

cloy[klɔi] *vt.* 잔뜩 먹이다, 포식시키다, 물리도록 먹이다, 물리게 하다(*with*).

cloy·ing *a.* 싫증나게 하는, (너무 먹어서) 물린. **~·ly** *ad.* **~·ness** *n.*

cloze[klouz] *a.* (시험 문제 등의) 빈칸 메우기 식의.

clóze procèdure 빈칸 메우기 (독해력) 테스트.

clr. clear. **C.L.U.** Chartered Life Underwriter; Civil Liberties Union.

★**club**[klʌb] *n.* **1** 곤봉(*cf.* CUDGEL); (골프·하키 등의) 타봉. **2** 클럽, 동호회; 클럽실, 클럽 회관; =NIGHTCLUB. **3** (카드놀이의) 클럽(♣); (*pl.*) 클럽의 짝. **4** 〔植〕 곤봉 형의 구조〔기관〕. **5** 〔野〕 구단(球團). **Club of Rome** 로마 클럽(실업가·경제학자·과학자의 국제적인 연구·제언 그룹). **in the** (**pudding**) **club** 《영俗》 (특히)(미혼 여성이) 임신하여: put〔get〕 a woman *in the* (*pudding*) *club* 여자를 임신시키다. **Join the club!** 《영俗》 (남의 실패 등을 위로하여) 이쪽도 마찬가지다.
— (~**bed**; ~**·bing**) *vt.* **1** 곤봉으로 때리다〔혼내주다〕; 〈총 등을〉 곤봉 대신으로 쓰다: ~ a rifle 총을 거꾸로 쥐다/~ a person *to* death …을 때려 죽이다. **2** 〈사람을〉 모아서 클럽을 만들다; …을 합동〔결합〕 시키다: ~ persons *together* 사람들을 모으다. **3** 〈돈·생각 등을〉 협력하여 모으다; 〈지출 등을〉 분담하다: ~ expenses 지출을 분담하다. — *vi.* 클럽을 조직하다; 〈공동 목적에〉 협력하다(unite)(*together, with*): ~ *together* 서로 협력하다/~ *with* a person 아무와 협력하다. **club together** (공동 목적을 위해) 협력하다, 돈을 각출하다.

club·ba·ble[-əbəl] *a.* 《口》 클럽 회원에 적합한; 사교적인(sociable).

clùb·ba·bíl·i·ty *n.*

clúb bàg 가죽띠가 달린 여행용 가방(바닥이 넓은).

clubbed[klʌbd] *a.* 곤봉 모양의.

club·by[klʌ́bi] *a.* (**bi·er**; **-bi·est**) 《미口》 **1** 사교적인. **2** (입회) 자격이 까다로운, 배타적인.

clúb càr (기차의) 특별 객차, 사교차.

clúb chàir 키가 낮고 묵직한 안락 의자.

club·dom[klʌ́bdəm] *n.* Ⓤ **1** 클럽계(界), 클럽 생활. **2** 〔집합적〕 클럽.

clúb flòor〔**lèvel**〕 《미》(호텔의) 귀빈용 플로어, 호화 객실 플로어(보통 호텔의 최상층).

club·foot[⌐fùt] *n.* (*pl.* **-feet**) 내반족(內反足).

club·foot·ed *a.* 내반족의.

club·hand[⌐hæ̀nd] *n.* (선천적으로) 구부러진 손.

club·haul[⌐hɔ̀:l] *vt.* 〔海〕 닻을 내려 바람 불어가는 쪽으로 배를 돌리다(위급할 때의 조치).

club·house[⌐hàus] *n.* (*pl.* **hous·es**[-hàuziz]) **1** 클럽 회관. **2** 《미》 (운동 선수용의) 갱의실(更衣室)(locker room).

club·land[⌐lənd, ⌐læ̀nd] *n.* Ⓤ 《영俗》 클럽 지구(London의 St. James's 궁전 주위에 클럽이 많음).

clúb làw 폭력(violence); 폭력주의.

club·man[⌐mən, ⌐mæ̀n] *n.* (*pl.* **-men** [⌐mən, ⌐mèn]) 클럽 회원; 《미》 사교가.

club·mo·bile[⌐moubì:l] *n.* 《미》 이동 클럽차.

clúb mòss 〔植〕 석송(石松).

club·room[⌐rù(:)m] *n.* 클럽실(室), 클럽의 집회실.

club·root[⌐rù(:)t] *n.* 〔植〕 근류병(根瘤病)(양배추·무의).

clúb sándwich 《미》 클럽샌드위치(세겹의 토스트에 고기·야채를 끼워 넣은 것).

clúb sóda =SODA WATER.

clúb sòfa =CLUB CHAIR.

clúb stèak 소의 갈비 스테이크.

club·wom·an[⌐wùmən] *n.* (*pl.* **-women** [⌐wìmin]) 클럽의 여자 회원; 여성 사교가.

*****cluck**[klʌk] *n.* **1** (암탉의) 꼬꼬 우는 소리 (⇨ cock[1]). **2** 《미俗》 얼간이. **cluck and grunt** 《俗》 햄 에그. — *vi.* 〈암탉이〉 꼬꼬울다. — *vt.* 〈혀를〉 차다; 〈홍미·관심 등을〉 나타내다.

cluck·y[klʌ́ki] *a.* 〈닭이〉 알을 품은; 《오스俗》 임신한.

*****clue**[klu:] *n.* **1** (수수께끼를 푸는) 실마리; (조사·연구 등의) 단서; 퍼즐의 열쇠; (사색의) 실마리. **2** (이야기의) 줄거리; (미궁에의) 도표(道標)(*cf.* CLEW). **not have a clue** 《口》 오리무중이다. — *vt.* **1** …에게 (해결의)

실마리를 주다. **2** 《口》 …에게 정보를 주다. **be (all) clued up** 《口》(…에 대해서) 잘 알고 있다(*about, on*).

clue·less[ˊlis] *a.* 단서〔실마리〕가 없는, 오리무중의; 《영俗》 무지한, 우둔한.

clúm·ber (spániel)[klʌ́mbər-] 다리가 짧은 스파니엘종 사냥개.

*__clump__[1][klʌmp] *n.* **1** 수풀, 나무숲; (관목의) 덤불(thicket). **2** a (흙)덩어리(lump). b 세균 덩어리. **3** (구두의) 밑창(=~ sole). **in clumps** 굳어서. ― *vi.* 군생(群生)하다, 〈세균 등이〉 응집하다. ― *vt.* **1** 떼를 짓게 하다; 〈세균 등을〉 응집시키다. **2** 〈구두에〉 밑창을 대다. ◇ clúmpy *a.*

clump[2] *n.* 무거운 발걸음 소리. ― *vi.* 쿵쿵 밟다, 터벅터벅 걷다.

clump·ish[klʌ́mpiʃ] *a.* =CLUMPY.

clúmp sòle (구두의) 두꺼운 이중창.

clump·y[klʌ́mpi] *a.* (**clump·i·er; -i·est**) **1** 덩어리의〔가 많은〕, 덩어리 모양의. **2** 꼴사나운. **3** 〈나무가〉 우거진.

*__clum·sy__[klʌ́mzi] *a.* (**-si·er; -si·est**) **1** 꼴사나운, 어색한. **2** 모양 없는; 〈변명·표현 등이〉 서투른, 재치 없는. **3** 다루기 힘든, 쓰기 불편한. **clúm·si·ly** *ad.* **-si·ness** *n.*

clunch[klʌntʃ] *n.* Ⓤ 경화 점토(硬化粘土); 경질 백악(白堊).

‡**clung**[klʌŋ] *v.* CLING의 과거·과거분사.

clunk[klʌŋk] [의성어] *n.* (중금속이 부딪쳐서) 꽝하고 나는 소리; 《스코》 병마개 뽑는 소리; 《口》 강타. ― *vi., vt.* 꽝 소리나다; 꽝 치다.

clunk·er[klʌ́ŋkər] *n.* **1** 낡은 기계〔자동차〕. **2** 쓸모 없는 것. **3** 서투른 골퍼 (등).

clunk·y [klʌ́ŋki] *a.* 《口》 꽤 무거운, 거추장스럽게 투박한 〈신〉 (등).

‡**clus·ter**[klʌ́stər] *n.* **1** (포도·꽃 등의) 송이, 한 덩어리(bunch). **2** (같은 종류의 물건 또는 사람의) 떼, 무리, 집단(group); 〔天〕 성단(星團). **3** 〔音聲〕 연속 자음(子音)《한 음으로 발음하는 둘 이상의 연속 자음》. **4** 〔컴퓨터〕 클러스터《데이터 통신에서 단말 제어 장치와 그에 접속된 복수 단말의 총칭》. **5** 〔미軍〕 같은 훈장을 여러 번 탔음을 표시하는 금속 배지. **in a cluster** 송이가 되어; 떼를 지어. ― *vi.* **1** 송이를 이루다, 주렁주렁 달리다; 군생(群生)하다. **2** 밀집하다. **cluster round** 주위에 떼를 지어 모이다. ― *vt.* **1** …을 송이지게 하다. **2** 떼를 짓게 하다: a ~*ed* column 〔pillar〕 〔建〕 다발 기둥.

clúster bòmb 〔軍〕 집속(集束) 폭탄《폭발시 금속 파편이 광범위하게 비산됨》.

cluster-bomb *vt.* 집속〔산탄형(散杻型)〕 폭탄으로 공격하다.

clúster còllege 《미》 종합 대학 내의 독립된 (교양) 학부.

clúster hèadache〔醫〕 군발성(群發性) 두통.

‡**clutch**[1][klʌtʃ] *vt.* **1** 꽉잡다; 붙들다, 부여잡다: ~ power 권력을 쥐다/ ~ one's child *to* one's breast 아이를 꽉 품에 껴안다. **2** 《俗》 〈마음을〉 사로잡다. **3** 《미俗》 〈담배를〉 피우다. ― *vi.* **1** 꼭 잡다, 잡으려 들다(*at*); (식물이) …에 뿌리를 내리다(*into*): A drowning man will ~ *at* a straw. (속담) 물에 빠진 사람은 지푸라기라도 잡는다. **2** 자동차의 클러치를 조작하다. **3** (두려움·놀람 등으로) 섬뜩해 하다, 몹시 긴장하다. **clutch up** 《미俗》 신경이 곤두서다, 오싹해 하다. ― *n.* **1** 붙잡음, 꽉 붙잡음; (보통 *pl.*) 움켜쥠; 마수(魔手), 수중(手中). **2** 〔機〕 클러치, 연축기(連軸機), (기중기의) 갈고랑이, (보트의) 노를 거는 쇠고리. **3** 《미口》 위기; 〔野〕 핀치(pinch). **4** 《미俗》 인색한〔불쾌한〕 사람. **fall into**〔**get out of**〕 **the clutches of** …의 수중에 빠지다〔벗어나다〕. ― *a.* **1** 손잡이가〔어깨끈이〕 없는《백》. **2** 핀치의〔에 강한〕.

clutch[2] *n.* **1** (알의) 한 배《보통 13개》; 한 배의 병아리. **2** 일단(一團), 일군(一群). ― *vt.* 〈알을〉 까다(hatch).

clutch bag 《미》 (여성이 손에 쥐고 다니는) 소형 핸드백, 지갑.

clutched[klʌtʃt] *a.* 《俗》 긴장한, 초조한.

clútch pèdal (자동차 등의) 클러치 페달.

clutch·y[klʌ́tʃi] *a.* 《俗》 **1** 긴장〔초조, 불안〕하기 쉬운. **2** 신경을 건드리는. **3** 어려운, 위험한.

clut·ter[klʌ́tər] *n.* 어지럽게 흩어져 있는 것; 난잡; 혼란. ― *vi.* 떠들다; 허둥지둥 달리다. ― *vt.* **1** 〈장소를〉 어지르다(*up*). **2** 〈무질서하게〉 채우〔메우〕다(*up*).

clut·ter·fly[-flài] *n.* 아무데나 쓰레기·휴지 등을 버리는 사람.

Clw·yd[klúːid] *n.* 클루이드《웨일스 북동부의 주》.

Clyde[klaid] *n.* Scotland 남서부의 만(灣).

Clydes·dale[kláidzdèil] *n., a.* 힘센 복마(卜馬)(의).

Clýdesdale térrier 〔犬〕 스코치테리어.

clyp·e·ate[klípièit] *a.* **1** 둥근 방패 모양의. **2** 〔昆〕 두순(頭楯)이 있는.

clys·ter[klístər] *n.* 《古》 〔醫〕 관장(약).

Cly·tem·nes·tra[klàitəmnéstrə] *n.* 〔그神〕 클리템네스트라《Agamemnon의 부정한 아내》.

Cm 〔氣〕 cumulonimbus mammatus; 〔化〕 curium. **CM** command module; commercial message; Common Market. **cm., cm** centimeter(s). **c.m.** common meter; corresponding member. **C.M.** =CH.M.; Congregation of the Mission; Court-Martial. **CMA** Committee on Military Affairs; Chemical Manufacturers Association. **C.M.A.S.** Clergy Mutual Assurance Society. **C.M.B.** (certified by) Central Midwives' Board; coastal motorboat. **CMC** cruise missile carrier. **cmd.** command. **Cmd.** Com-mand Paper. **cmdg.** commanding. **Cmdr.** Commander. **Cmdre.** Commodore. **C'mere** 《미口》 Come here. **C.M.G.** Companion of the Order of St. Michael & St. George. **CMI** computer-managed instruction; 《영》 Central Monetary Institutions. **cml.** commercial. **Cmnd.** Command Paper. **C'mon** 《미口》 Comeon. **CMOS** 〔電子〕 complementary metal-oxide-semiconductor. **CMP** 《영》 Commissioner of the Metropolitan Police; 《미》 Controlled Material Plan. **C.M.S.** Church Missionary Society. **C.M. Sgt.** chief master sergeant. **Cn** 〔氣〕 cumulo-nimbus. **C.N., C/N** circular note; contract note; credit note. **CNAA** Council for National Academic Awards. **CNC** computer numerical control. **C.N.D.** Campaign for Nuclear Disarmament. **CNES** *Centre National d'Etudes Spatiales*. **CNN** Cable News Network. **CNO** Chief of Naval Operations.

C note[síːnòut] 《미俗》 100달러 지폐.

CNR Canadian National Railway.

C.N.S. central nervous system.

Cnut *n.* =CANUTE.

Co 〔化〕 cobalt. **Co., co.** county; Company 〔商〕 회사. **c.o., c/o** care of …전교(轉交);

carried over. **C.O.** Cash Order; Colonial Office; Commanding Officer; conscientious objector.
co-[kou] *pref.* **1**「공동; 공통; 상호; 동등」의 뜻: (1) (명사에 붙여): *co*author, *co*religionist, *co*partner. (2) (형용사·부사에 붙여): *co*operative, *co*eternal. (3) (동사에 붙여): *co*(-)operate, *co*adjust. 《◇ (1) 다음 세 가지의 철자식이 있음: cooperate, coöperate, co-operate. (2) 두 악센트로 발음할 때도 있음: có-éd》. **2** 〔數〕「여(餘), 보(補)」의 뜻: *co* sine.
co·ac·er·va·tion[kouæ̀sərvéiʃən] *n.* 〔化〕 코아세르베이션《친수성(親水性) 콜로이드가 액적(液滴)을 형성하는 현상》.
*‡***coach**[koutʃ] *n.* **1** 대형 4륜 마차; (철도 이전의) 역마차; (의식용의) 공식 마차(state carriage). **2** 《영》 (열차의) 객차; 세단형의 유개(有蓋) 자동차; 버스; 《영》 장거리 버스; 《미》(열차·비행기의) 보통석, 이코노미 클라스. **3** 《미》 〈기차의〉(침대차, 특별차에 대하여) 보통 객차. **4** 가정 교사. **5** 〔競〕 코치, 지도원; 〔野〕 주루(走壘) 코치. **6** 〔海〕 함미실(艦尾室). **drive a coach and four**〔**six, horses**〕 **through** ... 《口》 (1) (법망을) 당당히 뚫고 나가다. (2) (약점·결점 등을 지적해서) 〈계획 등을〉 좌절시키다. **slow coach** 활동이〔이해가〕 느린 사람. ── *vt.* **1** 마차로 나르다. **2** 지도하다; 코치하다; 〈수험생 등을〉 가르치다. ── *vi.* **1** 마차로 여행하다. **2** 코치 노릇을 하다. **3** 코치를 받다; 수험 준비하다.
coach-and-four[⌐əndfɔ́:r] *n.* 4두 마차.
cóach bòx 마부석.
coach·build·ing[⌐bìldiŋ] *n.* 《영》 자동차 차체 제조업.
coach-built[⌐bìlt] *a.* 《영》 (자동차 차체가) 목제(木製)인; 주문 제작한.
cóach dòg 마차견(馬車犬); =DALMATIAN.
coach·ee[koutʃí:] *n.* 《俗》 코치〔지도〕를 받는 사람.
coach·er[kóutʃər] *n.* =COACH 5.
cóach fèllow **1** (같은 마차를 끄는) 말들. **2** 동료.
coach·ful[kóutʃfùl] *n.* 마차 한 짐(의 양).
cóach hòrn (역마차의) 나팔.
cóach hòrse 역마차 끄는 말.
cóach hòuse 마차 차고.
*****coach·man**[⌐mən] *n.* (*pl.* **-men**[⌐mən]) **1** 마부. **2** (송어 잡이용) 제물 낚시.
coach-of·fice *n.* 역마차 매표소.
cóach pàrk 《영》장거리〔관광〕버스용 주차장.
cóach státion **1** 버스 종점. **2** 《미》 (원래) 마차 정류소.
coach·wood[kóutʃwùd] *n.* 케라토 탈룸 속(屬)의 나무《호주산; 가구 용재》.
coach·work[⌐wə̀:rk] *n.* Ⓤ 자동차 차체 설계〔제작, 디자인〕.
cóach yàrd 객차 조차장(操車場).
co·act[kouǽkt] *vi.* 함께 일하다, 협력하다. ── *vt.* 강제로 …하게 하다(compel).
co·ac·tion[kouǽkʃən] *n.* Ⓤ **1** 강제. **2** 공동 작업, 협력. **3** 〔生態〕 생물 상호 작용.
coactive[kouǽktiv] *a.* **1** 강제하는, 강제적인. **2** 공동 작업의. **~·ly** *ad.*
co·ad·ja·cent[kòuədʒéisənt] *a.* 인접한, 근접한, 《특히》 사상적으로 근접한.
co·ad·just[kòuədʒʌ́st] *vi.* 서로 조절하다. **~·ment** *n.* Ⓤ,Ⓒ 상호 조절.
co·ad·ju·tant[kouǽdʒətənt] *a.* 서로 돕는, 보조의. ── *n.* 협력자.
co·ad·ju·tor[kouǽdʒətər, kòuədʒú:tər] *n.* **1** 조수, 보좌인. **2** 〔가톨릭〕 보좌 주교.
co·ad·ju·tress[-tris] *n.* 여자 조수.
co·ad·ju·trix[kòuədʒú:triks] *n.* (*pl.* **-tri·ces** [kòuədʒú:trəsì:z, kouæ̀dʒətráisi:z]) =COADJUTRESS.
co·ad·u·nate[kouǽdʒənit, -nèit] *a.* **1** 결합한. **2** 〔動·植〕 합착(合着)〔결합〕한, 착생(着生)한.
co·ad·ven·ture[kòuədvéntʃər] *vi.* 함께 모험하다. ── *n.* Ⓤ 공동 모험.
-tur·er[-tʃərər] *n.*
co·a·gen·cy[kouéidʒənsi] *n.* Ⓤ 협력, 공동 작업〔작용〕.
co·a·gent[kouéidʒənt] *n.* **1** 협력자, 협동자, 조력자. **2** 공동 작용의 힘.
co·ag·u·la·ble[kouǽgjələbəl] *a.* 응고시킬 수 있는, 응고성의.
co·ag·u·lant[kouǽgjələnt] *n.* 응고제(凝固劑).
co·ag·u·lase[kouǽgjəlèis, -z] *n.* 〔生化〕 응고〔응결〕 효소.
co·ag·u·late[kouǽgjəlèit] *vt., vi.* 〈용액을〔이〕〉 응고시키다〔하다〕; 굳히다, 굳어지다.
co·ag·u·la·tion[kouæ̀gjəléiʃən] *n.* Ⓤ 응고(작용); 응고물.
co·ag·u·la·tor[kouǽgjəlèitər] *n.* 응결제.
co·ag·u·lum[kouǽgjələm] *n.* (*pl.* **-la**[-lə], **~s**) 〔生理〕 응괴(凝塊), 응고물.
co·ai·ta[ku:áitɑ:] *n.* 〔動〕 거미원숭이(중·남미산).
★**coal**[koul] *n.* Ⓤ **1** 석탄: brown ~ 갈탄/hard ~ 무연탄/soft ~ 역청탄/small ~ 분탄. **2** (*pl.*) 《영》 (연료용으로 부순) 작은 석탄 덩이: a ton of ~s 쇄탄(碎炭) 1톤/put ~s in the stove 스토브에 석탄을 넣다. **3** Ⓒ 특종탄(炭): a good stove ~ 난로용으로 적당한 석탄. **4** 목탄, 숯(charcoal): cook food on live ~s 피운 숯불에 음식을 요리하다. **a cold coal to blow at** 가망성이 없는 일. **blow**〔**stir**〕 **the hot coals** 화를 돋우다. **call**〔**haul, take, rake**〕 a person **over the coals for something** (어떤 일에 대해) …을 꾸짖다. **carry**〔**bear**〕 **coals** 천한 일을 하다; 굴욕을 감수하다. **carry**〔**take**〕 **coals to Newcastle** 《口》 헛수고 하다《Newcastle은 석탄의 산지》. **heap**〔**cast, gather**〕 **coals of fire on** a person's **head** 〔聖〕 악을 선으로 갚아 상대를 뉘우치게 하다《로마서 12:20》. **pour on the coal** 《미俗》 (자동차·비행기의) 속력을 올리다. ── *vt.* **1** 〈배 등에〉 석탄을 보급하다. **2** 태워서 숯으로 만들다. ── *vi.* 〈배 등이〉 석탄을 싣다. ◇ cóaly *a.*
cóal bàll 탄구(炭球).
coal·bear·ing[⌐bɛ̀əriŋ] *a.* 석탄을 산출하는.
coal-bed *n.* 탄층(炭層).
coal·bin[⌐bìn] *n.* 석탄통.
coal-black[⌐blǽk] *a.* 새까만.
coal-box[⌐bɑ̀ks/⌐bɔ̀ks] *n.* **1** 석탄 통, 숯 그릇. **2** 《軍俗》 (제 1차 대전 때의) 독일군의 흑연 폭탄.
cóal brèaker 쇄탄기(碎炭機); 쇄탄소(所).
coal-bun·ker *n.* (배의) 저탄고.
cóal càr 《미》 (철도의) 석탄차; (탄광의) 석탄 운반차.
coal-cel·lar *n.* (주택의) 지하 석탄고.
coal-dust *n.* 석탄 가루, 분탄.
coal·er[kóulər] *n.* **1** 석탄 운반선; 석탄차(車); 석탄 수송 철도. **2** (배에) 석탄을 싣는 인부. **3** 《미俗》 석탄 수송 철도주(鐵道株). **4** 석탄상(石炭商).

co·a·lesce[kòuəlés] *vi.* **1** 유착(癒着)하다; 합체(合體)하다(unite)《*in, into*》. **2** 합동〔연합〕하다(combine).
co·a·les·cence[kòuəlésns] *n.* **1** 합체, 유착. **2** 합병, 합동, 연합, 제휴.
co·a·les·cent[kòuəlésnt] *a.* **1** 합체〔합동〕한; 유착한. **2** 연합한, 제휴한.
coal-face[kóulfèis] *n.* 채탄 막장; 노출된 석탄층의 표면.
coal-fac·tor *n.* 《영》 석탄 중개 상인〔도매 상인〕.
coal·field[ˊfì:ld] *n.* 탄전(炭田).
coal·fish[ˊfìʃ] *n.* (*pl.* ~, ~·**es**) 〔魚〕 검정 대구.
coal-flap *n.* 《영》 (COAL-CELLAR의) 뚜껑.
cóal gàs 석탄 가스.
coal-heav·er *n.* 석탄 운반부.
cóal hòd 《미北東部》 =COAL SCUTTLE.
coal·hole[ˊhòul] *n.* 《영》 **1** 지하 석탄고. **2** (COAL-CELLAR의) 석탄 투입구.
cóal hòuse 석탄 저장소〔창고〕.
coal·i·fi·ca·tion[kòuləfikéiʃən] *n.* 석탄화(작용).
coal·ing[kóuliŋ] *n.* 석탄 적재, 석탄 공급.
cóaling stàtion 석탄 공급소〔항구〕.
Coal·ite[kóulait] *n.* 반해탄(半骸炭)《저온 건류 코크스; 상표명》.
*__co·a·li·tion__[kòuəlíʃən] *n.* U,C **1** 연합, 합동(union). **2** (정치상의) 제휴, 연립: the ~ cabinet 연립 내각. **~·al** *a.*
co·a·li·tion·ist *n.* 연합〔합동〕론자.
coal-mas·ter *n.* 탄광주.
cóal mèasures 〔地質〕 탄층(炭層).
cóal mìne 탄광, 탄갱.
cóal mìner 탄갱부, 채탄부.
cóal mìning 채탄, 탄광업.
coal·mouse[ˊmàus] *n.* (*pl.* **-mice**[ˊmàis]) =COAL TIT.
cóal òil 《미》 석유(petroleum); 《특히》 등유(kerosene)(《영》 paraffin oil).
coal-own·er *n.* 탄광주.
cóal pàsser 〔海〕 석탄 운반부, 화부.
coal·pit[ˊpìt] *n.* **1** 탄갱(coal mine). **2** 《미》 숯가마.
cóal plàte =COAL-FLAP.
coal·sack[ˊsæ̀k] *n.* **1** 석탄 포대. **2** 〔天〕 은하의 흑점.
cóal scùttle (실내용) 석탄통(⇨bunker).
cóal sèam 탄층(coal-bed).
Cóal Stàte (the ~)《미》 Pennsylvania 주의 속칭.
cóal tàr 콜타르.
cóal tìt 〔鳥〕 진박새 무리.
coal-whip·per[ˊ*h*wìpər] *n.* (배의) 석탄 부리는 기계〔인부〕.
coal·y[kóuli] *a.* (**coal·i·er; -i·est**) 석탄의〔같은〕; 석탄이 많은; (석탄처럼) 까만.
coam·ing[kóumiŋ] *n.* (보통 *pl.*) 〔海〕 (갑판 승강구 등의) 테두리 널빤지《물이 들어오는 것을 막음》.
co-an·chor[kóuæ̀ŋkər] 〔미放送〕 *n.* 공동 뉴스 캐스터. — *vt., vi.* 공동 뉴스 캐스터를 하다.
co·ap·ta·tion[kòuæptéiʃən] *n.* **1** 접착, 접합. **2** 접골.
co·arc·tate [kouá:rkteit] *a.* 〔生〕 〈번데기가〉 껍데기에 싸여 있는.
⁑**coarse**[kɔ:rs] *a.* (**coars·er; -est**) **1** 조잡한, 거친, 하치의: ~ fare〔food〕 조식(粗食). **2** (천 등의) 결이 거친; 〈알·가루 등이〉 굵은, 조제(粗製)의(*opp.* fine). **3** 야비한, 천한; 〈말이〉 상스러운, 추잡한. ⊕ cóarsen *v.*
cóarse físh 《영》 잡어《연어·송어 외의 담수어》.
coarse-grained [ˊgréind] *a.* **1** 결이 거친, 조잡한. **2** 야한, 천한.
coarse·ly *ad.* 조잡하게; 야비하게.
coars·en[kɔ́:rsən] *vt.* 조잡하게 만들다, 거칠게 만들다, 천하게 하다. — *vi.* 조잡〔천〕해지다; (피부 등이) 거칠어지다.
coarse·ness *n.* **1** U 조잡, 열등. **2** (결의) 거침. **3** 야비, 추잡.
co·ar·tic·u·la·tion[kòuɑ:rtìkjəléiʃən] *n.* 〔言〕 동시 조음(調音).
COAS crewmen optical alignment sight 〔宇宙〕 광학 관측용 기기《space shuttle orbiter의 선미창(船尾窓)에 있는》.
⋆**coast** [koust] [L] *n.* **1** 연안, 해안. **2** (the C-) 《미》 태평양 연안 지방. **3** U 《미·캐나다》 (자전거의) 타주(惰走), (썰매의) 활강; U 활강 사면(斜面). **from coast to coast** (1) 태평양 연안에서 대서양 연안까지. (2) 전국 방방곡곡에. **The coast is clear.** (상륙에 있어) 방해자가 없음; 기회는 좋다!《밀무역선 용어》. — *vt.* …의 연안을 (따라) 항행〔비행〕하다; (로켓을) 타성으로 비행시키다. — *vi.* **1** 연안 항행〔무역〕하다. **2** 썰매로 미끄러져 내려가다; (자전거·자동차가) 타주하다; (비행기가) 활공하다; (자동차·로켓이) 타성으로 달리다. **3** 힘들이지 않고 해치우다〔얻다〕; 명성〔과거의 실적〕에 구실을 붙여 쉽사리 성공하다. ⊕ cóastal *a.*; cóastward(s) *ad.*
*__coast·al__[kóustəl] *a.* 근해〔연안〕의: ~ defense 연안 방비.
cóast artìllery 연안 포대; 연안 포병대.
cóast defènse shíp 해안 경비함.
coast·er *n.* **1** 연안 무역선. **2** 활강 썰매; 활강하는 사람. **3** (유원지의) 활주 궤도, 코스터. **4** 바퀴 달린 쟁반(tray); (접시 등의) 밑받침.
cóaster bràke (자전거용) 역전(逆轉) 브레이크《페달을 거꾸로 밟아 멈추게 하는 제동기》.
coast·guard *n.* **1** 《영》 연안 경비대《밀무역의 적발, 해난 구조 등을 맡음》. **2** 《미》 국가 해상 보안대(원).
coast·guard(s)·man[kóustgɑ̀:rd(z)mən] *n.* (*pl.* **-men**[-mən]) **1** 《영》 연안 경비대원. **2** 《미》 국가 해상 보안대원.
coast·ing[kóustiŋ] *a.* 연안 항행의; 타성으로 나아가는. — *n.* U **1** 연안 항행〔무역〕. **2** U,C 해안선의 지형, 해안선도(圖). **3** 《미·캐나다》 언덕 미끄럼 타기; 활주용 경사.
cóasting flìght 〔로켓〕 타성 비행.
cóasting lìne 연안 항로.
cóasting tràde 연해(沿海) 무역.
coast·land[kóustlæ̀nd] *n.* U 연안 지대.
*__coast·line__[ˊlàin] *n.* 해안선.
coast-lin·er[ˊlàinər] *n.* 연안 항로선.
coast-to-coast[ˊtəkóust] *a.* 《미口》 **1** 전국적인. **2** 미대륙 횡단의.
coast·wait·er[ˊwèitər] *n.* 《영》 연안 수송품을 처리하는 세관 직원.
coast·ward[kóustwərd] *a., ad.* 해안쪽의〔으로〕.
coast·wards[kóustwərdz] *ad.* =COASTWARD.
coast·ways[kóustwèiz] *ad.* 《古》=COASTWISE.
coast·wise[kóustwàiz] *a.* 연안의: ~ trade 연안 무역. — *ad.* 해안을 따라.
⋆**coat** [kout] *n.* **1** (양복의) 상의(上衣); 외투, 코트(*cf.* OVERCOAT, GREATCOAT); (여성·어

린이의) 긴 웃옷. **2** (짐승의) 외피《털가죽 또는 털》, 막(膜). **3** 가죽(skin, rind), 껍질(husk), 층(層)(layer). **4** (은 등을) 씌운 것, 덧칠, (페인트 등의) 칠, 도장(塗裝). **5** (*pl.*)《方》 스커트. **coat and skirt** 여성 외출복. **coat of arms**〔**coat-of-arms**〕 문장(紋章)이 든 덧옷《옛날 기사(騎士)들이 갑옷 위에 입은》; 문장(紋章)《방패꼴의》. **coat of mail** 쇠미늘 갑옷. **cut** one's **coat according to** one's **cloth** 분수에 맞는 생활을 하다. **dust** a person's **coat** (*for* him) …을 두들겨 주다. **red coat** 구식의 영국 군복. **take off** one's **coat** 웃통을 벗다《싸움 준비》; 본격적으로 달려들다(*to*). **trail** one's **coat** 싸움〔말다툼〕을 걸다. **turn**〔**change**〕 one's **coat** 변절하다; 개종하다. **wear the king's**〔**queen's**〕 **coat** 《영》 병역에 복무하다. — *vt.* **1** 웃옷으로 덮다〔을 입히다〕. **2** 〈페인트 등을〉 칠하다; 〈주석 등을〉 입히다; 〈먼지 등이〉 뒤덮다: ~ the wall *with* paint 벽에 페인트를 칠하다/be ~*ed with* dust 먼지로 덮여 있다/pills ~*ed with*〔*in*〕 sugar 당의정(糖衣錠).

cóat ármor 문장(紋章), 가문(家紋).

cóat càrd 《古》 (카드의) 그림패(court card) 《킹·퀸·잭》.

coat·dress[kóutdrès] *n.* 〔服〕 앞이 아래까지 트여 있는 외투 모양의 드레스.

coat·ed[kóutid] *a.* 광을 낸〔번쩍이는〕 〈종이 등〉; 방수가공한 〈천〉; 겉에 바른〔입힌〕.

cóated páper 아트지《광택지》.

coat·ee[koutíː] *n.* (몸에 꼭 맞는) 짧은 웃옷《여성복·소아복》.

cóat gène 〔生化〕 피막 유전자.

cóat hànger 옷걸이.

co·a·ti[kouáːti] *n.* 〔動〕 곰의 일종《남미산》.

***coat·ing**[kóutiŋ] *n.* U,C **1** 칠, 입힘; 입힌 것; (요리·과자 등의) 겉에 입히는 것; 도료(塗料). **2** 코트〔웃옷〕 감. **3** 〔光〕 코팅.

cóat pròtein 〔生化〕 피막 단백.

coat·rack[kóutræ̀k] *n.* 코트 걸이, 모자 걸이.

coat·room[´rùːm] *n.* 외투류〔휴대품〕 예치실(cloakroom).

coat·tail[´tèil] *n.* (보통 *pl.*) 웃옷의 옷자락 《특히 야회복·모닝코트 등의》. **on** a person's **coattails** …의 (정치력) 덕분에, …에게 편승하여. **on the coattails of** …의 뒤를 좇아서, …덕분으로. **ride**〔**hang**〕 **on to** a person's **coattails** …의 소매에 매달리다, …에게 편승하다. **trail** one's **coattails** 싸움을 걸다.

coat·trail·ing[´trèiliŋ] 《영》 *n.* 싸움을 걸기, 도발. — *a.* 도발적인.

cóat trée *n.* =CLOTHES TREE.

co·au·thor[kouɔ́ːθər] *n.* 공저자(共著者). — *vt.* 공동 집필하다.

***coax**¹[kouks] *vt.* **1** 감언으로 설득하다; 달래다, 꾀다; 구슬려 …시키다: 《Ⅴ(목)+전+명》She ~*ed* him *into* good temper. 그녀는 그를 구슬려 기분을 좋게 했다/《Ⅴ(목)+전+-*ing*》 She ~*ed* him *out of* gambl*ing*. 그녀는 그를 달래어 노름을 하지 않도록 했다/《Ⅲ(목)+전+명》 She ~*ed* a smile *from* the baby. 그녀는 아기를 달래어 방긋 웃게 했다/《Ⅴ(목)+*to* do》I ~*ed* the child *to* take the medicine. 나는 아이를 달래어 약을 먹였다(=I ~*ed* the child *into* tak*ing* the medicine.《Ⅴ(목)+전+-*ing*》). **2** 감언으로 얻어〔우려〕내다: ~a thing *out of* a person 감언 이설로 꾀어 …에게서 물건을 빼앗다/《Ⅴ(목)+전+-*ing*》She ~*ed* him *into* buy*ing* her a new dress. 그녀는 자기 그를 구슬려 자기에게 새 옷 한 벌을 사주도록 했다. **3** 〈물건을〉 잘 다루어 뜻대로 되게 하다: ~ a fire *into* burn*ing*〔*to* burn〕 불을 잘 피워내다. **coax away**〔**out**〕 부추기다, 유혹하다. — *vi.* 구슬리다, 달래다, 속이다. — *n.* 《俗》 =COAXER.

co·ax²[kóuæks, –´] *n.* 〔電〕 (전신·전화·텔레비전 따위의 전송을 위한) 동축 케이블.

coax·er *n.* 말주변이 좋은 사람.

co·ax·i·al, co·ax·al[kouǽksiəl], [kouǽksəl] *a.* 〔數〕 같은 축(軸)의, 같은 축을 가진; 〔電〕 동축 케이블의.

coáxial cáble 〔電〕 동축(同軸) 케이블《고주파 전송용》.

coax·ing *n.* U 감언 이설, 구슬리고 달램. — *a.* 알랑대는. **~·ly** *ad.*

cob¹ [kɑb/kɔb] *n.* **1** 옥수수 속(corncob). **2** 다리가 짧고 튼튼한 승마용 말; 《미》 다리를 높이 쳐드는 말. **3** 백조의 수컷(*opp.* pen). **4** 개암나무 열매(cobnut). **5** 둥근 빵; (석탄·돌 등의) 둥근 덩어리. — *vt.* (**~bed; ~·bing**) **1** …의 볼기를 두들기다. **2** 부스러뜨리다.

cob² *n.* 《영》 (여물을 섞은) 벽토.

co·bal·a·min(e) [*cobal*t+vit*amin*] *n.* =VITAMIN B_{12}.

***co·balt**[kóubɔːlt] *n.* U **1** 〔化〕 코발트《금속 원소; 기호 Co》. **2** 코발트 그림 물감. **3** 코발트색, 암청색(暗青色). ⊕ cobáltic *a.*

cóbalt blúe 코발트 청색《안료》; 암청색.

cóbalt bómb 코발트 원자 폭탄.

co·bal·tic[koubɔ́ːltik] *a.* 〔化〕 (특히 3가(價)의) 코발트의, (3가의) 코발트를 함유한.

co·bal·tite[koubɔ́ːltait] *n.* U 휘(輝) 코발트광(鑛).

co·balt 60[-síksti] 〔化〕 코발트 60《코발트의 방사성 동위원소; 기호 ^{60}Co, Co^{60}, 암 치료용》.

cob·ber[kɑ́bər/kɔ́b-] *n.* 《오스俗》 친구, 한패, 동료.

cob·ble¹[kɑ́bəl/kɔ́-] *vt.* 〈구두를〉 수선하다, 꿰매어 고치다(mend and patch)《*up*》.

cobble² *n.* **1** 자갈, 율석(栗石). **2** (*pl.*)(자갈만한) 석탄. **3** (*pl.*) 자갈을 깐 길. — *vt.* 〈도로에〉 자갈을 깔다.

cob·bled[kɑ́bəld/kɔ́-] *a.* (도로에) 자갈을 깐.

***cob·bler**[kɑ́blər/kɔ́bl-] *n.* **1** 구두 수선공. **2** 서투른 장인(匠人). **3** (*pl.*) 《영卑》 허튼소리. **4** 칵테일의 일종《포도주에 레몬·설탕 등과 얼음 조각을 넣은 음료; 흔히 셰리주를 쓰는 데서 sherry ~라고도 함》.

cóbbler's wáx 실 왁스《구두 수선용》.

cob·ble·stone[´stòun] *n.* (철도·도로용) 자갈, 조약돌.

cób còal 둥근 덩어리 석탄.

Cob·den[kɑ́bdən/kɔ́b-] *n.* 코브던 Richard ~(1804-56)《영국의 정치·경제 학자, 자유 무역 주창자》.

Cob·den·ism[kɑ́bdənìzəm/kɔ́b-] *n.* U 코브던주의《Cobden이 제창한 자유 무역·평화주의·불간섭주의》.

Cob·den·ite[kɑ́bdənàit/kɔ́b-] *n., a.* 코브던주의자(의).

co·bel·lig·er·ent[kòubəlídʒərənt] *n.* 공동 참전국. — *a.* 협동하여 싸우는.

co·ble[kóubəl] *n.* 《北영·스코》 바닥이 평평한 어선.

cob·loaf[kɑ́blòuf/kɔ́b-] *n.* (위에 혹이 달린) 둥근 빵(bun).

cob·nut[kɑ́bnʌ̀t/kɔ́b-] *n.* 개암나무(의 열매).

COBOL, Co·bol[kóubɔːl] [*co*mmon *b*usiness *o*riented *l*anguage] *n.* 〔컴퓨터〕 코볼《사

무용 공통 프로그램 언어).
*co·bra (de ca·pel·lo)[kóubrə-] 〔動〕 코브라(인도·아프리카산 독사).
co·burg[kóubəːrg] *n.* Ⓤ 안감·복지용의 능직물.
*__cob·web__[kábwèb/kɔ́b-] *n.* **1** 거미집〔줄〕. **2** 엷은 옷(엷은 천으로 된 숄레이스 등). **3** 낡아 빠진 것(법률 등). **4** 얽힘: (머리의) 혼란. **5** 함정, 덫, 음모. **blow〔clear〕 away the cobwebs from one's brain** (산책 등을 하여) 기분을 일신하다. **have a cobweb in the throat** 목이 마르다. **take the cobwebs out of one's eyes** (눈을 비벼) 졸음을 쫓다. ◈ cóbwebby *a.*
cob·webbed[-d] *a.* **1** 거미줄을 친. **2** (미ロ) 머리가 돈, 어리벙벙해진. **3** 케케묵은.
cob·web·by[-i] *a.* **1** 거미줄투성이의. **2** 가볍고 엷은.
COC 〔미空軍〕 Combat Operations Center.
co·ca[kóukə] *n.* 코카나무(남미 원산의 관목): Ⓤ 코카잎(말려서 코카인을 채취함).
Co·ca-Co·la[kóukəkóulə] *n.* (미) 코카콜라 (청량 음료의 일종: 상표명).
co·ca·co·la·i·za·tion *n.* (2차 대전 후의) 코카콜라 식민지화.
co·caine[koukéin, kóukein] *n.* Ⓤ 〔化〕 코카인(COCA의 잎에서 뽑아낸 마취제).
co·cain·ism[-izəm] *n.* Ⓤ 〔病理〕 코카인 중독(증).
co·cain·ist[-nist] *n.* 코카인 중독자.
co·cain·i·za·tion *n.* Ⓤ 코카인 중독〔마취〕.
co·cain·ize *vt.* 코카인으로 마비시키다.
coc·ci[káksai/kɔ́k-] *n.* COCCUS의 복수.
coc·cid[káksid/kɔ́k-] *n.* 개각충과(介殼蟲科)의 곤충.
coc·cus[kákəs/kɔ́k-] *n.* (*pl.* **-ci**[káksai/kɔ́k-]) 〔細菌〕 구균(球菌); 〔植〕 소건과(小乾果): 〔昆〕 연지벌레의 일종.
-coc·cus[kákəs/kɔ́k-] (*pl.* **-ci**[-sai]) (연결형) 「…구균(球菌)」의 뜻: micro*coccus*, strepto*coccus*.
coc·cyg·e·al[kaksídʒiəl/kɔk-] *a.* 〔解〕 미저골의.
coc·cyx[káksiks/kɔ́k-] *n.* (*pl.* **-cy·ges**[-sidʒìːz, kaksáidʒiːz]) 〔解〕 미저골.
co·chair[koutʃέər] *vt.* (위원회·토론회 등의) 공동 의장을 맡다.
co·chin[kóutʃin, kátʃin] *n.* 코친(닭의 일종).
Cóch·in Chína[kóutʃintʃáinə, kátʃin-] *n.* **1** 코친 차이나(Viet Nam 최남부 지방). **2** (**c- c-**) =COCHIN.
coch·i·neal[kátʃəniːl, ⌐–⌐, kóutʃə-] *n.* Ⓤ,Ⓒ 코치닐 염료(연지벌레를 건조시켜서 만듦).
co·chle·a[kákliə, kóuk-] *n.* (*pl.*-**ae**[-liìː]) 〔解〕 (내이(內耳)의) 와우각(蝸牛殼). **cóchle·ar**[-liər] *a.*
co·chle·ate, -at·ed [káklièit, -it/kɔ́k-], [-èitid] *a.* 달팽이 껍질 같은.
__cock__[1] [kak, kɔk] *n.* **1** (영) 수탉((미) rooster). **2** (새의) 수컷(*cf.* COCK ROBIN, PEACOCK). **3** 〔鳥〕 멧도요(woodcock). **4** 〈술통·가스통의〉 마개, 수도꼭지(stopcock), 콕: 〈총의〉 공이치기, 격철(擊鐵). **5** (영俗) 두목, 대장, 보스. **6** (저울의) 바늘. **7** 풍향기. **8** (모자 차양이) 위로 휨: (코끝이) 위로 젖혀짐: (눈을) 치떠봄. **9** (卑) 음경. **10** (영俗) 실없는 것. **As the old cock crows, the young cock learns.** (속담) 부모가 하는 일은 아이들이 흉내낸다. **at〔on〕 full 〔half〕 cock** 공이치기를 완전히〔반만〕 젖혀서: 충분히〔반쯤〕 준비하여. **cock of the north** 되새(멧새 비슷한 참새과(科)의 작은 새). **cock of the walk〔dunghill〕** 위세 당당한 두목: 우두머리. **cock of the wood** 도가머리딱다구리. **Every cock crows in its own dunghill.** (속담) 집 안에서만 큰소리치다. **go off at half cock** 지나치게 서두르다, 덤비다. **live like a fighting cock** 잘 먹고 호사스럽게 살다. **Old cock!** 어이 자네, 대장!(호칭). **That cock won't fight.** (俗) 그런 수〔계획〕는 글렀다, 그런 수는 통하지 않는다. **the cock of the school** 최상급의 수석 학생(head boy): (한 학교의) 대장.
— *vt.* **1** 〈총의〉 공이치기를 잡아 당기다. **2** 〈모자 차양을〉 위로 젖히다: 〈모자를〉 비뚜름하게 쓰다. **3** 곧추세우다(prick). **cock one's eye at** …에게 눈짓을 하다, 알았다는 듯이 힐끗 보다. **cock one's nose** 코끝을 위로 쳐들다(멸시하는 표정). **cock snooks〔a snook〕** 비웃다, 멸시하다(*at*). **cock up** 곧추세우다: 위로 쳐들다. **cock (up) the〔one's〕 ears** 귀를 쫑긋 세우다.
— *vi.* **1** (총의) 공이치기를 잡아 당기다. **2** 〈개 꼬리 등이〉 쫑긋〔곧추〕 서다(*up*). **3** 뻐기며 걷다(strut). **cock up** 〈개의 꼬리가〉 곧추 서다: 〈사람이〉 배를 내밀고 몸을 젖히다 (뻐기는 태도). ◈ cóckish, cócky *a.*
cock[2] *n., vt.* 건초〔볏짚〕더미(를 쌓다).
cock·ade[kakéid/kɔk-] *n.* 꽃 모양의 모장(帽章)(영국 왕실의 종복이 모자에 다는).
cock·ad·ed[-did] *a.*
cock-a-doo·dle-doo[kákədùːdldúː/kɔ́k-] *n.* **1** 꼬끼오(수탉의 울음소리)(⇒cock[1]). **2** (兒) 꼬꼬, 수탉(cock).
cock-a-hoop[kàkəhúːp/kɔ̀kə-] *a., ad.* 의기양양한〔하게〕.
Cock·aigne[kakéin/kɔk-] *n.* **1** 환락경(歡樂境). **2** (익살) 런던(cockney에 빗댄 말).
cock-a-leek·ie[kàkəlíːki/kɔ̀k-] *n.* Ⓤ (스코) 부추(leeks)가 든 닭고기 수프.
cock·a·lo·rum[kàkəlɔ́ːrəm/kɔ̀k-] *n.* (ロ) **1** 건방진 (작은) 사내. **2** 자랑 이야기. **high cockalorum** (영) 등짚고 넘기(놀이).
cock·a·ma·mie, -ma·my[kákəmèimi/kɔ́k-] *a., n.* Ⓤ,Ⓒ (미俗) 터무니없는 (일).
cóck-and-búll stòry[kákənbúl-/kɔ́k-] 터무니없는〔황당무계한〕 이야기.
cock-and-hen[kákənhén/kɔ́k-] *a.* (俗) 남녀 혼합의(클럽 등).
cock·a·tiel, -teel[kàkətíːl/kɔ̀k-] *n.* 〔鳥〕 코카틸 앵무새(호주 원산).
cock·a·too[kàkətúː/kɔ̀k-] *n.* **1** 〔鳥〕 앵무새의 일종(도가머리가 움직이는 종류). **2** (오스) 소농(小農).
cock·a·trice[kákətris/kɔ́k-] *n.* **1** 계사(鷄蛇) 전설의 괴물. **2** 〔聖〕 독사. **3** 요부(妖婦).
Cock·ayne *n.* =COCKAIGNE.
cóck bead 〔木工〕 (볼록) 구슬선.
cock·boat[⌐bòut] *n.* (큰 배에 달린)작은 배.
cock·cha·fer[⌐tʃèifər] *n.* 풍뎅이의 일종.
cock·crow(·ing)[⌐kròu(iŋ)] *n.* Ⓤ 새벽.
cocked[kakt/kɔkt] *a.* 위로 젖혀진, 위로 향하게 한.
cócked hát 삼각모(18세기 정장용의 챙이 뒤로 젖혀진 모자: 지금은 예장용). **knock into a cocked hat** (俗) 볼품없이〔초라하게〕 만들어 놓다.
cock·er[1] [kákər/kɔ́kər] *vt.* 〈아이를〉 너무 응석받다, 〈병자를〉 극진히 돌보다(*up*).
cocker[2] *n.* **1** 스파니엘개의 일종(=~ spaniel)

《수렵·애완용》. 2 투계사, 투계 사육사.
Cock·er [kákər/kɔ́kər] *n.* 코커 Edward ~ (1631-75)《영국의 수학자》. **according to Cocker** 정확한; 정확히 말하면.
cock·er·el [kákərəl/kɔ́k-] *n.* **1** 수평아리. **2** 싸우기 좋아하는 젊은이.
cócker spániel =COCKER² 1.
cock·eye [kákài/kɔ́k-] *n.* 사팔뜨기, 사시(斜視).
cock·eyed [´àid] *a.* **1** 사팔뜨기의(squinting). **2** 《俗》 비뚤어진, 기울어진(slanted). **3** 《俗》 어리석은, 술취한. **4** 《미口》 인사불성의; 제정신이 아닌, 미친.
cóckeyed bób 《오스俗》 갑작스러운 폭풍우〔스콜〕.
cock·fight [´fàit] *n.* 닭싸움 (시합).
cock·fight·ing *n.* Ⓤ 닭싸움. **This beats cockfighting.** 이렇게 재미있는 일은 없다, 참 재미 있다.
cock·horse [´hɔ̀:rs] *n.* 〈아이들의〉 목마(rockinghorse), (장난감) 말(hobbyhorse). **on (a) cockhorse** 목마를 타고; (사람의 무릎 등에) 걸터 앉아; 의기 양양하여. — *ad.* 말 타듯 걸터 앉아.
cock·ish [kákiʃ/kɔ́k-] *a.* 《口》 수탉 같은; 잘난 체하는, 건방진.
cock·le¹ [kákəl/kɔ́kəl] *n.* **1** 〔貝〕 새조개 무리. **2** =COCKLESHELL. **the cockles of one's 〔the〕 heart** 본심. **warm〔delight〕 the cockles of the heart** 마음을 기쁘게 하다.
cockle² *n.* 주름살; 부풂《종이 등의》.
— *vi., vt.* 구기다; 주름살지(게 하)다; 파도가 일다.
cockle³ *n.* 〔植〕 선옹초《잡초》.
cockle⁴ *n.* 스토브, 난로.
cock·le·boat [-bòut] *n.* (바닥이 얕은) 작은 배(cockboat).
cock·le·bur [-bə̀:r] *n.* 〔植〕 우엉; 도꼬마리.
cock·le·shell [-ʃèl] *n.* **1** (새조개의) 조가비. **2** 바닥이 얕은 작은 배.
cóckle stàirs 나선 (모양의) 계단.
cock·loft [káklɔ̀:ft/kɔ́k-] *n.* (작은) 지붕밑방, 고미다락방(garret).
***cock·ney** [kákni/kɔ́k-] *n.* **1** 런던 토박이(*cf.* Bow BELLS). **2** 《주로 미》 나약한 도회지 사람, 나약한 남자. **3** Ⓤ 런던 영어〔사투리〕.
— *a.* 《보통 경멸》 런던 토박이(풍)의.
◇ cóckneyish *a.*; cóckneyfy *v.*
cock·ney·dom [káknidəm/kɔ́k-] *n.* Ⓤ **1** 런던 토박이의 거주 지역; 그 사회(의 사람들). **2** 런던 토박이 기질. **3** (집합적) 런던 토박(cockneys).
cock·ney·ese [kɑ̀kníːz/kɔ̀k-] *n.* Ⓤ 런던 말씨〔사투리〕.
cock·ney·fy [káknifài/kɔ́k-] *vt., vi.* (**-fied**) 런던 토박이식으로 하다〔되다〕.
cock·ney·ish *a.* 런던 토박이식의.
cock·ney·ism [kákniìzəm/kɔ́k-] *n.* Ⓤ,Ⓒ 런던 말씨('plate'를 [plait], 'house'를 [æus]로 발음하는 등).
Cóckney Schòol (19세기) 런던 토박이 작가들.
***cock·pit** [kákpìt/kɔ́k-] *n.* **1** 〔空〕 (비행기·우주선 등의) 조종석〔실〕. **2** 투계장; 투기장(鬪技場). **3** 전란의 터. **4** (구식 군함의) 최하 갑판 후부의 사관실《전시에는 부상병을 수용》.
cóckpit vóice recòrder 조종실 음성 기록 장치.
cock·roach [´ròutʃ] *n.* 〔昆〕 바퀴(벌레).
cóck róbin 울새의 수컷.
cocks·comb [kákskòum/kɔ́ks-] *n.* **1** (새의) 볏. **2** 〔植〕 맨드라미.
cock·shot [kákʃàt/kɔ́kʃɔ̀t] *n.* =COCKSHY.
cock·shut *n.* Ⓤ 《영方》 일몰, 저녁때.
cock·shy [-ʃài] *n.* (*pl.* **-shies**) 표적 맞추기 《공·막대기 등을 표적에 던지는 놀이》; 그 표적; 한 번 던짐.
cóck spárrow **1** 참새의 수컷. **2** 《口》 건방진 작은 남자.
cock·spur [´spə̀:r] *n.* **1** 며느리발톱《닭 등의》. **2** 〔昆〕 날도래의 유충. **3** 〔植〕 산사나무.
cock·sure [kákʃúər/kɔ́k-] *a.* **1** 《경멸》 확신하는《*of, about*》. **2** 독단적인; 자부심이 강한. **3** 절대 확실한, 반드시 …하는(certain)《*to* do》.
~·ly *ad.* **~·ness** *n.*
cock·swain [káksən, -swèin/kɔ́k-] *n.* 《古》 =COXSWAIN.
cock·sy [káksi/kɔ́k-] *a.* (**-si·er; -si·est**) = COXY.
***cock·tail** [káktèil/kɔ́k-] *n.* **1** 칵테일《여러 가지 양주에 감미료·향료·고미제(苦味劑)·얼음 조각을 넣어서 조합한 술》; 《미》 (차게 한) 과일즙《식전에 냄》. **2** 굴·대합 등에 소스를 친 전채(前菜) 요리. **3** 꼬리를 자른 말; 트기의 경주마. **4** 벼락감투를 쓴 사람; 가짜 신사. **5** 《미俗》 마리화나가 든 담배. — *a.* 칵테일(용)의; 칵테일 파티용의. — *vt.* …을 위해 칵테일 파티를 열다. — *vi.* 칵테일을 마시다.
cócktail bèlt 교외의 고급 주택 지대.
cócktail drèss 칵테일 드레스《여성의 약식 야회복》.
cock·tailed [káktèild/kɔ́k-] *a.* 꼬리를 자른; 꼬리〔궁둥이〕를 추켜 올린.
cócktail glàss 칵테일 잔《다리가 달린》.
cócktail hòur 칵테일 아워《dinner 직전, 또는 오후 4-6시 경》.
cócktail lòunge (호텔·공항 등의) 바, 휴게실.
cócktail pàrty 칵테일 파티.
cócktail stìck 칵테일 스틱《칵테일의 버찌·올리브 등을 찍는 꼬챙이》.
cócktail tàble =COFFEE TABLE.
cock·up [kákʌ̀p/kɔ́k-] *n.* **1** 〔印〕 어깨글자《X²의 ²등》. **2** 《俗》 실수 연발, 혼란 (상태).
cock·y¹ [káki/kɔ́ki] *a.* (**cock·i·er; -i·est**) 《口》 잘난 체하는; 건방진.
cóck·i·ly *ad.* **-i·ness** *n.*
cocky² *n.* **1** 《오스口》 소농(小農). **2** 〔鳥〕 = COCKATIEL.
cock·y·leek·ie, -leek·y [kɑ̀kilíːki/kɔ̀k-] *n.* 《스코》 =COCK-A-LEEKIE.
cock·y·ól·ly bìrd [kɑ̀kiáli-/kɔ̀kiɔ́li-] 《兒》 짹짹, 새.
co·co [kóukou] *n.* (*pl.* **~s**) **1** 코코야자(coconut palm). **2** =COCO(A)NUT. **3** 《俗》 (사람의) 머리(head).
‡**co·coa¹** [kóukou] *n.* Ⓤ **1** 코코아《cacao 열매의 가루》; 코코아 음료. **2** 코코아 색, 다갈색.
— *a.* 코코아(색)의.
cocoa² *n.* =COCO《철자의 오기》.
cócoa bèan 카카오 씨《cacao의 열매; 코코아 초콜릿의 원료》.
cócoa bùtter 카카오 기름.
cócoa nìb 카카오 씨의 떡잎.
***co·co(a)·nut** [kóukənʌ̀t] *n.* 코코야자의 열매.
That accounts for the milk in the coco(a)nut. 《俗》 이제야 알겠다.
COCOM [kóukɑm/-kɔm] [Coordinating Committee (for Export to Communist Area)] *n.* 코콤《대 공산권 수출 통제 위원회》.

CÓOCOM lìst 대공산권 수출 통제 품목.
co·con·scious[koukánʃəs] *n., a.* 〔心〕 부의식(副意識)(적인). **~·ness** *n.*
cóconut ìce 코코넛 과자《핑크색·흰색》.
cóconut màtting 야자 돗자리《열매 껍질의 섬유로 만든》.
cóconut mìlk 야자 과즙.
cóconut òil (비누·양초 제조용) 야자유.
cóconut pàlm〔**trèe**〕 코코야자 나무.
cóconut shỳ 코코넛 떨어뜨리기《코코넛을 표적 또는 상품으로 함》.
co·coon[kəkúːn] *n.* **1** (누에) 고치. **2** (거미 등의) 난낭(卵囊). **3** 〔軍〕 방수 피복《수송중인 무기를 보호하기 위한》. ── *vi.* 고치를 만들다. ── *vt.* 고치로 싸다; …을(고치 처럼) 휩싸다.
co·coon·er·y[-əri] *n.* (*pl.* **-er·ies**) 양잠소.
co·coon·ing[kəkúːniŋ] *n.* 《미》 여가를 집에서 TV나 VCR을 보며 지내는 것《사회적 접촉이나 승진보다 가정 생활에 값어치를 두는》.
cóco pàlm 〔植〕 코코야자(coconut palm) 《야자수》.
co·cotte[koukát/-kɔ́t] [F] *n.* (파리의) 매춘부; 매음.
Coc·teau[kɑktóu] *n.* 콕토 Jean ~《프랑스의 저술가·화가(1889~1963)》.
co·cur·ric·u·lar[kòukəríkjələr] *a.* 정규 과목과 병행한(*cf.* EXTRACURRICULAR).
Co·cy·tus[kousáitəs] *n.* 〔그神〕 코키투스 《「탄식의 강」의 뜻으로 Acheron 강의 지류》.
∗**cod**[1] [kɑd/kɔd] *n.* (*pl.* ~, ~**s**) 〔魚〕 대구 (codfish).
cod[2] *vt.* (~**·ded;** ~**·ding**) 《俗》 〈남을〉 속이다(hoax). ── *n.* (남을) 속이기.
COD Chemical Oxygen Demand 화학적 산소 요구량. **cod.** codex. **c.o.d., C.O.D.** cash〔collect〕 on delivery: send (a thing) ~ 대금상환으로 부치다. **C.O.D.** Concise Oxford Dictionary.
co·da[kóudə] [It] *n.* 〔樂〕 코다, 종결부.
cod·bank[kádbæ̀ŋk/kɔ́d-] *n.* (바다 밑의) 대구들이 많이 모이는 천퇴(淺堆).
cod·dle[kádər/kɔ́d-] *vt.* **1** 버릇 없이〔귀하게〕 기르다《*up*》. **2** 약한 불로 삶다. ── *n.* 《口》 나약한 사람(milksop).
⋆**code**[koud] [L] *n.* **1** 법전. **2** (어떤 계급·동업자 등의) 규약, 관례; (사회의) 규범. **3** 신호법; 암호, 약호(略號). **4** 〔컴퓨터〕 코스, 부호. **5** 〔生〕 (생물의 특징을 결정하는) 정보, 암호. **civil**〔**criminal**〕 **code** 민법〔형법〕. **code of Hammurabi** 함무라비 법전. **code of honor** 신사도; 결투의 예법. **International Code** 만국 선박 부호; 만국 공통 전신 부호. **penal code** 형법전. **telegraphic code** 전신 부호. ── *vt.* **1** 법전으로 성문화하다. **2** 〈전문을〉 암호〔약호〕로 하다; 〔컴퓨터〕 …을 코드화하다. ⊕ códify, encóde *v.*
Códe blúe (종종 **C- B-**) (심장 박동이 멎은 환자를 위해 낙하산으로 파견하여 치료하는) 응급치료.
códe bòok 전신 약호장, 암호첩.
code·break·er[∠brèikər] *n.* 암호 해독자.
code·break·ing[∠brèikiŋ] *n.* 암호해독.
co·dec[kóudek] [*co*der and *dec*order] *n.* 〔電子〕 코덱, 부호기(符號器).
co·de·cide[kòudisáid] *vt.* 공동으로 결정하다.
co·dec·li·na·tion[kòudeklənéiʃən] *n.* 〔天〕 극거리(極距離), 적위(赤緯)의 여각(餘角).
códe dàting 날짜 표시제《부패하기 쉬운 상품에 대한》.
códe gròup 부호군(符號群).
co·de·fend·ant[kòudiféndənt] *n.* 〔法〕 공동 피고(joint defendant).
co·deine[kóudiːn] *n.* Ⓤ 〔藥〕 코데인《진통·수면제》.
códe nàme 코드명(名).
code-name[kóudnèim] *vt.* …에 코드명을 붙이다. **códe-nàmed** *a.*
co·de·pend·ent[kòudipéndənt] *a.* 〔心〕 (한 쪽이 노름·술 등에 정신적·육체적으로 중독되었을 때 다른 쪽은 맨 먼저 심리적으로 불건전하게 되는) 종속적 관계가 되는〔에 관한〕. ── *n.* 그 관계의 사람.
-en·cy, -ence *n.*
cod·er[kóudər] *n.* 〔컴퓨터〕 코더《프로그래머가 지시하는 정보를 코드화하여 편치 원고를 작성하는 사람》.
code-switch·ing[kóudswìtʃiŋ] *n.* 〔言〕 언어 체계의 전이.
co·de·ter·mi·na·tion[kòuditəːrmənéiʃən] *n.* 《미》 **1** (정부와 의회의) 공동 (정책) 결정. **2** 노동자의 경영 참여.
códe wòrd =CODE GROUP; =CODE NAME.
co·dex[kóudeks] *n.* (*pl.* **-di·ces**[-disìːz]) (성경·고전의) 사본(寫本).
cod·fish[kádfìʃ/kɔ́d-] *n.* (*pl.* ~, ~**·es**) 〔魚〕 대구.
códfish aristócracy 《미俗》 벼락 부자들.
codg·er[kádʒər/kɔ́dʒər] *n.* 《俗》 (특히 노인이) 괴팍한 사람, 괴짜, 영감태기.
co·di·ces *n.* CODEX의 복수.
cod·i·cil[kádəsil/kɔ́d-] *n.* **1** 〔法〕 유언 보충서(補充書). **2** 추가, 부록.
cod·i·cil·la·ry[kàdəsíləri/kɔ̀d-] *a.* 유언서에 추가한.
co·di·col·o·gy[kòudəkálədʒi/-kɔ́l-] *n.* (특히 고전·성서 등의) 사본 연구, 사본학.
cod·i·fi·ca·tion[kàdəfikéiʃən, kòu-] *n.* Ⓤ 법전 편찬; 성문화(成文化), 법전화.
cod·i·fi·er[kádəfàiər, kóu-] *n.* 법전 편찬인, 법령 집성자(集成者).
cod·i·fy[kádəfài, kóu-] *vt.* (**-fied**) 법전으로 편찬하다, 성문화하다.
cod·ing[kóudiŋ] *n.* Ⓤ 부호화; 〔컴퓨터〕 코딩《정보를 계산조작에 편리한 부호로 바꾸기》.
cod·ling[1], **-lin**[kádliŋ/kɔ́d-], [lin] *n.* **1** 《영》 요리용 사과. **2** 덜 익은 사과.
codling[2] *n.* (*pl.* ~**s**, ~) 〔魚〕 대구 새끼.
códling〔**códlin**〕 **mòth** 코들링나방《유충은 사과·배의 해충》.
cód-liv·er óil[kádlìvər-/kɔ́d-] 간유.
co·dom·i·nant[kòudámənənt] *a.* **1** 〔生態〕 (생물 군집(群集) 중에서) 공동 우점(共同優占)의. **2** 〔遺傳〕 (헤테로 표현도(度)에서) 공우성(共優性)의〔에 관한〕.
co·don[kóudàn/-dɔ̀n] *n.* 〔遺傳〕 코돈《유전 정보의 최소 단위》.
cod·piece[kádpiːs/kɔ́d-] *n.* 〔史〕 (15-16세기의) 남자 바지 앞의 샅주머니, 고간(股間) 주머니.
co·driv·er[kòudráivər] *n.* 교체 운전자.
cods(·wal·lop)[kádz(wáləp)/kɔ́dz(wɔ̀ləp)] *n.* Ⓤ 《영俗》 넌센스.
cód wàr 대구 분쟁《대구 자원 보호를 둘러싼 아이슬란드와 영국간의 분쟁》.
Co·dy *n.* 코디 William Frederick (Buffalo Bill)(1846~1917) 미국의 개척자 이자 육군의 척후흥행사.
co·ed, co-ed[kóuéd] [*coed*ucational (student)] 《口》 *n.* (남녀 공학 대학의) 여학생.

— *a.* 남녀 공학의; 양성(兩性)에 적합한.
cóed créw 《미俗》 (해군) 남녀 혼합 승무원.
cóed dórm 《미》 (대학의) 남녀 공용 기숙사.
co·e·di·tion[kòuidíʃən] *n.* 동시 출판(책) 《책을 동시에 다른 언어·나라·출판사에서 발행》.
co·ed·i·tor[kouéditər] *n.* 공편자(共編者).
co·ed·u·cate[kouédʒukèit] *vt., vi.* 남녀 공학 교육을 실시하다〔받다〕.
*__co·ed·u·ca·tion__[kòuedʒukéiʃən] *n.* U 남녀 공학. **~·al** *a.* **~·al·ly** *ad.* ◇ coéducate *v.*
coef(f). coefficient.
co·ef·fi·cient[kòuəfíʃənt] *a.* 공동 작용의 (cooperating). — *n.* 공동 작인(作因); 〔數〕 계수(係數); 〔物〕 계수, 율: a ~ of expansion 팽창 계수/a ~ of friction 마찰률/a differential ~ 미분 계수.
coel-, coe·lo-[sí:lou] 《연결형》 「강(腔)」의 뜻《모음 앞에서는 coel-》.
-coele[sì:l] 《연결형》 「체강(體腔)」의 뜻.
coe·la·canth[sí:ləkæ̀nθ] *n.* 〔魚〕 실라칸스 《중생대의 강극어(腔棘魚)의 일종; 1938년에 현세종(現世種)도 발견》.
coe·len·ter·ate[si:léntərèit, -rit] *n., a.* 강장동물(腔腸動物)(의).
coe·li·ac[sí:liæ̀k] *a.* 〔解〕 체강의.
coe·lom, -lome[sí:ləm], [-loum] *n.* (*pl.* ~s, **-lo·ma·ta**[si:lóumətə, -lάm-]) 〔動〕 체강(體腔).
coe·lo·stat[sí:ləstæ̀t] *n.* 〔天〕 실로스태트 《천체의 빛을 일정 방향으로 보내는 장치》.
coen-[si:n, sen], **coe·no-**[sí:nou, sé-] 《연결형》 「공통의; 일반의」의 뜻《모음 앞에서는 coen-》.
coe·nes·the·si·a, ce-[sì:nəsθí:ʒə], **-the·sis**[-θí:sis] *n.* U 〔心〕 체감(體感).
coe·no·bite *n.* =CENOBITE.
coe·no·cyte[sí:nəsàit, sénə-] *n.* 〔生〕 다핵(多核) 세포, 다핵체.
co·en·zy·mat·ic[kòuènzimǽtik] *a.* 보효소에 관한, 보효소적인. **-i·cal·ly** *ad.*
co·en·zyme[kouénzaim] *n.* 〔化〕 보효소(補酵素), 조(助)효소.
co·e·qual[kouí:kwəl] *a.* 동등한, 동격(同格)의 《*with*》. — *n.* 동등한 사람. **~·ly**[-əli] *ad.*
co·e·qual·i·ty[kòui:kwάləti/-kwɔ́l-] *n.* U 동등, 동격.
*__co·erce__[kouə́:rs] [L] *vt.* 《文語》 **1** 강제하다, 위압하다, 강요하다(force): 《V (목)+전+*-ing*》 He ~*d* her *into* do*ing* the hard work. 그는 그녀에게 억지로 그 어려운 일을 시켰다/《Ⅲ (목)+전+명》 He ~*d* her *into* confession 〔submission, obedience, consent, silence〕. 그는 그녀를 억지로 자백〔복종, 순종, 동의, 침묵〕시켰다. **2** (법률·권위 따위로) 지배하다, 억압〔구속〕하다.
co·erc·i·ble[kouə́:rsəbl] *a.* 강제〔강압, 위압〕할 수 있는.
co·er·cion[kouə́:rʃən] *n.* U 강제; 강압(정치). **~·ist**[-ist] *n.* 강압 정치론자.
co·er·cion·ar·y[-èri/-əri] *a.* =COERCIVE.
co·er·cive[kouə́:rsiv] *a.* 강제적인, 강압적인, 고압적인. **~·ly** *ad.* **~·ness** *n.*
coércive fórce 〔磁〕 항자력(抗磁力).
co·er·civ·i·ty *n.* 〔電〕 보자력(保磁力).
co·es·sen·tial[kòuisénʃəl] *a.* 본질이 같은, 동체(同體)의 《*with*》; 〔神學〕 〈신성(神性)이〉 일체(一體)의. **~·ly**[-ʃəli] *ad.*
co·e·ta·ne·ous[kòuitéiniəs] *a.* 《文語》 같은 시대〔기간〕의. **~·ly** *ad.*
co·e·ter·nal[kòuitə́:rnəl] *a.* 영원히 공존하는. **~·ly** *ad.*
co·e·ter·ni·ty[kòuitə́:rnəti] *n.* U (다른 영원 존재물과의) 영원한 공존.
co·e·val[kouí:vəl] *a.* 같은 시대〔연대(年代)〕의; 같은 기간의 《*with*》. — *n.* 같은 시대〔연대〕의 사람〔것〕. **~·ly** *ad.*
cò·e·vál·i·ty[kòuivǽləti] *n.*
co·ev·o·lu·tion[kòuevəlú:ʃən/-i:və-] *n.* 〔生〕 공진화(共進化). **~·ar·y**[-èri] *a.*
co·e·volve[kòuivάlv/-vɔ́lv] *vi.* 〔生〕 〈생물체가〉 공진화하다.
co·ex·ec·u·tor[kòuigzékjətər] *n.* (*fem.* **-trix** [-triks]) 〔法〕 (유언) 공동 집행인.
co·ex·ist[kòuigzíst] *vi.* **1** (동일 장소에) 동시에 존재하다; …와 공존하다 《*with*》. **2** 〈대립하는 두 나라가〉 평화 공존하다.
co·ex·ist·ence[-əns] *n.* U (국가간의) 공존, 공재(共在): peaceful ~ 평화 공존.
co·ex·ist·ent[-ənt] *a.* 공존하는 《*with*》.
co·ex·tend[kòuiksténd] *vi., vt.* 같은 넓이〔길이〕로 퍼지다〔퍼지게 하다〕.
-ten·sion[-ténʃən] *n.*
co·ex·ten·sive[kòuiksténsiv] *a.* 동일한 시간〔공간〕에 걸치는; 〔論〕 동연(同延)의. **~·ly** *ad.*
co·fac·tor[koufǽktər] *n.* **1** 〔生化〕 공동 인자, 보조 요인. **2** 〔數〕 공통 인자; 여(餘)인자 〔인수〕.
C. of C. Chamber of Commerce. **C. of E.** Church of England.
co·fea·ture[kóufì:tʃər] *n.* (주된 영화에 곁들이는) 동시 상영물.
★**cof·fee**[kɔ́:fi, kάfi/kɔ́fi] *n.* U **1** a 커피(*cf.* CAFE). b C 커피 한 잔. **2** 커피가 딸린 가벼운 식사; 식후의 커피. **3** =COFFEE TREE. **4** (집합적) 커피 열매. **5** 커피 색, 짙은 갈색.
coffee and cake(s) 《미俗》 싼 급료.
cof·fee-and[-ǽnd] *n.* (*pl.* ~, ~s) 《俗》 커피와 도넛《가장 싼 식사》.
cóffee bàg (1회분의) 커피 봉지.
cóffee bàr 《영》 차도 제공하는 간이 식당.
cóffee bèan 커피 콩.
cóffee bèrry[-bèri] 커피 열매《한 개 속에 bean이 둘 있음》; 《俗》 커피 콩(coffee bean).
cóffee brèak 《미》 차 마시는 시간, 휴식 시간 《오전·오후 중간의 15분 가량의 가벼운 휴식》.
cóffee càke 커피 케이크《아침 식사에 먹는 과자 빵》.
cóffee cùp 커피 잔.
cóffee grìnder **1** 커피 빻는 기구. **2** 《俗》 털털거리는 헌 자동차.
cof·fee·grounds *n. pl.* 커피 찌꺼기.
cof·fee·hol·ic *n.* 커피 중독자.
cóffee hòur (특히 정례적인) 다과회; =COFFEE BREAK.
cof·fee·house[-hàus] *n.* (*pl.* **-hous·es**[-hàuziz]) 다방, 커피점《영국에서 17-18세기에 문인·정객의 사교장》.
cóffee klàt(s)ch 다화회(茶話會)《커피를 마시면서 잡담하는》.
cóffee lìghtener (유제품이 아닌) 커피 크림 대용품.
cóffee màker 커피 끓이는 기구.
cóffee mìll 커피 열매를 빻는 기구.
cóffee mórning 아침 커피 파티《종종 모금을 위한》.
cóffee pèrcolator (여과식) 커피 끓이개.
cóffee plànt =COFFEE TREE.
cof·fee·pot[-pὰt/-pɔ̀t] *n.* 커피 포트, 커피 끓이는 그릇.

cóffee ròom 다방.
cóffee sèrvice〔**set**〕 커피 세트.
cóffee shòp 1 《미》 커피숍《호텔 등의 경식당》. **2** 커피 열매를 파는 가게.
cóffee stàll〔**stànd**〕 커피를 파는 노점; 옥외 다방.
cóffee tàble 커피용 작은 탁자.
cof·fee-ta·bler, cóf·fee-ta·ble bòok *n.* 커피 테이블에 놓아 두고 보는 호화판 책.
cóffee tàvern 간이 식당《원래는 술을 팔지 않음》.
cóffee trèe 〔植〕 커피 나무.
cóffee whìtener =COFFEE LIGHTENER.
cof·fer[kɔ́ːfər, káf-] *n.* **1** 귀중품 상자, 돈궤. **2** (*pl.*) (은행 등의) 금고; 재원(funds). **3** 〔建〕 (천장 등의) 소란 반자. — *vt.* **1** 상자〔궤짝〕에 넣다, 금고에 넣다. **2** 〔建〕 소란 반자로 꾸미다. **3** 〈흐름 등을〉 막다.
cof·fer·dam[kɔ́ːfərdæ̀m, káf-] *n.* **1** 임시 물막이. **2** 〔土木〕 〈수중 공사용〉 잠함(潛函)(caisson).
⁑**cof·fin** [kɔ́ːfin, káf-] [Gk] *n.* **1** 관(棺), 널. **2** 《口》 낡은 배. **3** =COFFIN BONE. **a nail in one's coffin** 수명을 줄이는 것《근심·술 등》. **drive a nail into one's coffin** 〈무절제·고민 등이〉 수명을 줄이다. **in one's coffin** 죽어, 매장되어. — *vt.* 관에 넣다, 납관(納棺)하다.
cóffin bòne 말굽뼈.
cóffin còrner 〔미蹴〕 골라인과 사이드라인이 맞닿는 코너.
cóffin jòint (말 등의) 발굽 관절.
cóffin nàil 《俗》 =CIGARETTE.
cóffin plàte 관 뚜껑에 붙이는 명찰.
cof·fle[káfl/kɔ́fl] *n.* 한 사슬에 묶인 짐승〔노예〕.
co·fig·u·ra·tive[kòufígjərətiv] *a.* 각 세대(世代)가 독자적인 가치관을 가지는.
C. of S. Chief of Staff.
co·func·tion[kóufʌ̀ŋkʃən] *n.* 〔數〕 여(餘)함수《주어진 각의 여각 함수》.
cog[1] [kag/kɔg] *n.* **1** (톱니바퀴의) 이. **2** 〔木工〕 장부. **3** 큰 조직 안에서 일하는 사람. **slip a cog** 실수하다. — *vt.* (**~ged; ~·ging**) 장부로 잇다.
cog[2] *n.* 사기, 속임수. — *vi., vt.* (**~ged; ~·ging**) (주사위 놀이에서) 부정 수단을 쓰다; 《廢》 속이다.
cog. cognate.
c.o.g. center of gravity.
Co·gas[kóugæ̀s] [*c*oal-*o*il *gas*] *n.* 석탄·석유에서 채취하는 가스.
co·gen·cy[kóudʒənsi] *n.* Ⓤ,Ⓒ (이유·추론의) 적확성, 설득력(convincing force).
co·gen·er·ate[koudʒénərèit] *vt.* 폐열 발전하다.
cò·gen·er·á·tion[kòudʒenəréiʃən] *n.* 폐열 발전.
co·gent[kòudʒənt] *a.* 사람을 납득시키는, 설복시키는, 힘 있는. **~·ly** *ad.*
cogged[kagd/kɔgd] *a.* **1** 톱니바퀴가 달린. **2** (주사위에) 부정한 장치를 한; 부정한.
cog·i·ta·ble[kádʒətəbl/kɔ́dʒ-] *a.* 생각할 수 있는, 숙고(熟考)할 만한 대상이 되는.
cog·i·tate[kádʒətèit/kɔ́dʒ-] *vi., vt.* 생각하다, 숙고하다; 고안〔계획〕하다.
cog·i·ta·tion[kàdʒətéiʃən/kɔ́dʒ-] *n.* **1** Ⓤ 사고(력); 숙고. **2** (종종 *pl.*) 고안, 생각.
cog·i·ta·tive[kádʒətèitiv/kɔ́dʒ-] *a.* 사고력이 있는; 숙고하는; 생각에 잠기는. **~·ly** *ad.* **~·ness** *n.*
cog·i·ta·tor[-tèitər] *n.* 생각하는 사람.
co·gi·to, er·go sum[kádʒitòu-ɔ́ːrgou-sʌ́m] [L=I think, therefore I exist] 나는 생각한다, 고로 나는 존재한다(Descartes의 근본 철학을 나타내는 말).
co·gnac[kóunjæk, kán-] [〈프랑스의 생산지 이름] *n.* Ⓤ 코냑《프랑스 원산의 brandy》.
*****cog·nate** [kágneit/kɔ́g-] [L] *a.* **1** 조상이 같은, 같은 혈족의(kindred); 〔法〕 여계친(女系親)의(*cf.* AGNATE). **2** 같은 기원(起源)의; 〔言〕 같은 어족〔어원〕의. **3** 같은 종류의, 같은 성질의. **4** 〔文法〕 동족의. — *n.* **1** 〔法〕 혈족, 친족(relative); 외척(in-law). **2** 기원이 같은 것, 동종의 것. **3** 〔言〕 동족의 언어; 같은 어원의 말. ⊕ cognátion *n.*
cógnate óbject 〔文法〕 동족 목적어(*live* a happy *life*의 life).
cog·na·tion[kagnéiʃən/kɔg-] *n.* Ⓤ **1** 동족, 친족; 여계친(女系親). **2** 〔言〕 동계.
cog·ni·tion[kagníʃən] *n.* Ⓤ **1** 〔心·哲〕 인식, 인식력. **2** 지식.
cog·ni·tion·al[-əl] *a.* 인식(상)의.
cog·ni·tive[kágnətiv/kɔ́g-] *a.* 인식의, 인식력 있는: ~ power 인식력. **~·ly** *ad.*
cógnitive dissonance 〔心〕 인지적(認知的) 불협화.
cógnitive méaning 〔言〕 지적(知的) 의미.
cog·ni·za·ble[kágnəzəbl, kagnái-/kɔ́gnə-] *a.* **1** 인식할 수 있는. **2** 〈범죄 등이〉 재판권 내에 있는, 심리될 수 있는. **-bly** *ad.*
cog·ni·zance[kágnəzəns/kɔ́g-] *n.* Ⓤ **1** 인식, (사실의) 인지. **2** 인식 범위. **3** 〔法〕 심리(審理); 재판권(jurisdiction). **4** 기장(記章), 문장(紋章). **be**〔**fall, lie**〕 **within**〔**beyond, out of**〕 **one's cognizance** 인식〔심리〕의 범위 안〔밖〕에 있다. **have cognizance of** …을 알고 있다(know). **take cognizance of** …을 인지하다.
cog·ni·zant[kágnəzənt/kɔ́g-] *a.* 인식하고 있는, 알고 있는(aware)(*of*).
cog·nize[kágnaiz/kɔ́g-] *vt.* 〔哲〕 인식하다.
cog·no·men[kagnóumən/kɔgnóumen] *n.* (*pl.* **~s, -nom·i·na**[-námənə/-nɔ́m-]) **1** 성(surname). **2** 이름, 명칭, 별명. **3** 〔古로〕 셋째 이름, 가명(家名)(family name)《Gaius Julius Caesar의 *Caesar*》.
cog·nom·i·nal[kagnámənəl, -nóum-/kɔg-] *a.* **1** 성(姓)의. **2** 명칭상의. **3** 동명의.
co·gno·scen·te[kànjəʃénti/kɔ̀n-] [It] *n.* (*pl.* **-ti**[-tiː]) =CONNOISSEUR.
cog·nos·ci·ble[kagnásəbl/kɔgnɔ́s-] *a.* 인식할 수 있는.
cog·no·vit[kagnóuvit/kɔg-] [L] *n.* 〔法〕 피고 승인서《피고가 원고의 요구를 정당하다고 승인하는 것》.
CO·GO[kóugou] 〔*co*ordinate *geo*metry〕 〔컴퓨터·土〕 코고《토목 기술자가 측량에 필요한 평면 기하 계산을 하기 위한 프로그래밍 언어》.
cog·rail[kágrèil/kɔ́g-] *n.* (아프트식 철도의) 톱니 레일(cogged rail).
cóg ràilway 톱니 궤도 철도, 아프트식 철도(rack railway).
cog·wheel [kághwìːl/kɔ́g-] *n.* 맞물리는 톱니바퀴.
cógwheel ràilway 아프트식 철도.
co·hab·it[kouhǽbit] *vi.* **1** 〈미혼 남녀가〉 동서하다(*with*); 《古》 동거하다(live together). **2** 반대당과 협력하다.
co·hab·i·tant[kouhǽbətənt] *n.* 동서자

(同棲者).

co·hab·i·ta·tion [-hæbə-] *n.* Ⓤ **1** 동서, 부부살이: 《古》 동거. **2** (정치에서) 반대당과의 협력《특히 한쪽이 대통령이고 다른 쪽이 수상인 경우》.

co·hab·it·ee [kouhæbətíː] *n.* 동서자.

co·heir [kouέər] *n.* 〔法〕 공동 상속인(joint heir). **~·ship** *n.* Ⓤ 공동 상속 자격.

co·heir·ess [kòuέəris] *n.* 〔法〕 여자 공동 상속인.

co·here [kouhíər] [L] *vi.* **1** 밀착하다: 〈분자가〉 응집〔결합〕하다: 〈주의 등으로〉 결합하다. **2** 〈논리 등이〉 조리가 서다, 시종 일관하다.

co·her·ence, -en·cy [kouhíərəns], [-ənsi] *n.* Ⓤ **1** 결합의 긴밀성, 결합력(union). **2** (문체·논리 등의) 통일, 일관성.

co·her·ent [kouhíərənt] *a.* **1** 응집성의, 밀착하는《*with, to*》. **2** 〈문체·논리 등이〉 조리가 서는. **3** 〔物〕 (전자파가) 간섭성의. **~·ly** *ad.*

co·her·er [kouhíərər] *n.* 〔通信〕 코히러《무선 전신용 검파기(檢波器)》.

⁎**co·he·sion** [kouhíːʒən] *n.* Ⓤ **1** 점착: 결합(력). **2** 〔物〕 (분자의) 응집력. **3** 결합, 합착(合着). **4** 단결. **~·less** *a.* **~·ness** *n.*

⁎**co·he·sive** [kouhíːsiv] *a.* **1** 결합력 있는, 밀착하는. **2** 〔物〕 응집성의. **~·ly** *ad.*

co·ho·bate [kóuhoubèit] *vt.* 〔藥〕 재증류하다.

co·hort [kóuhɔːrt] *n.* **1** 〔옛로마〕 보병대《legion을 10등분한 한 부대로 300명 내지 600명》. **2** (종종 *pl.*)《文語》 군대(army). **3** 일대(一隊), 일단(一團)《*of*》.

co·host [kouhóust, kóuhoust] *vt., vi.* 〔라디오·텔레비전〕 〈프로그램을〉 공동 사회보다. ── *n.* 공동 사회자.

C.O.I. Central Office of Information.

coif [kɔif] *n.* **1** (수녀들의) 두건. **2** (영국의 옛 상급 법정 변호사의) 흰 직모(職帽). **3** = COIFFURE.

coif·feur [kwɑːfə́ːr] [F] *n.* 이발사.

coif·feuse [kwɑːfə́ːz] [F] *n.* 미용사.

coif·fure [kwɑːfjúər] [F] *n.* **1** 조발형(調髮型), 머리형. **2** (여자용) 머리 장식. ── *vt.* (머리 장식으로) 장식하다. **-fured** *a.*

coign [kɔin] *n.* (벽 등의) 돌출한 부분〔모퉁이〕: 구석돌. **coign of vantage** (관찰이나 행동에) 유리한 위치〔상태〕.

⁑**coil** [kɔil] [L] *n.* **1** 고리, 사리: (새끼·철사 등의) 한 사리. **2** 곱슬털. **3** 〔電〕 코일: 전기 장치, 《특히》 축전기, 발전기. **4** 《古》 혼란(confusion). **shuffle off this mortal coil** 이 세상의 번거로움을 없애다, 죽다. **this mortal coil** 속세의 번뇌. ── *vi.* 사리를 틀다, 감기다, 고리를 이루다《*up*》: 꿈틀꿈틀 움직이다〔나아가다〕: The snake ~*ed around*〔*round*〕 its victim. 뱀은 먹이를 휘감았다. ── *vt.* 똘똘 감다, 사리다: ~ a rope 밧줄을 똘똘 감다/The snake ~*ed* itself *up* in the cave. 뱀이 동굴 속에서 사리고 있었다/The children ~*ed* a wire *around* a stick. 아이들이 막대기에 철사를 똘똘 감았다.

⁑**coin** [kɔin] [OF] *n.* **1** (지폐에 대해서) 주화(鑄貨). **2** (집합적) 경화: 돈, 금전. **bad coin** 악화(惡貨): 위조 화폐. **false coin** 위조 화폐, 가짜 돈. **gold**〔**silver**〕 **coin** 금〔은〕화. **pay** a person (**back**) **in his own**〔**the same**〕 **coin** 《口》 …에게 대갚음하다. **the other side of the coin** (사물의) 다른 일면. **toss** (**up**) **a coin** 동전을 던져서 (앞이냐 뒤냐) 결정하다. ── *a.* **1** 경화의. **2** 경화를 넣으면 작동하는. ── *vt.* **1** 〈화폐를〉 주조하다(mint). **2** 〈신어 등을〉 만들어내다: a ~*ed* word 신조어(新造語). **coin it in** =**coin money** 《口》 돈을 마구 벌다. **coin one's brains** 두뇌로 돈을 벌다. ── *vi.* **1** 화폐를 주조하다. **2** 《영》 가짜돈을 만들다. ⊕ cóinage *n.*

COIN counterinsurgency.

⁎**coin·age** [kɔ́inidʒ] *n.* Ⓤ **1** 경화 주조. **2** (집합적) 주조 화폐: 한 나라〔시대〕의 경화. **3** 화폐 주조권: 화폐 제도. **4** 〈신어 등을〉 만들어냄: 안출: 신조어, 신어(coined word). **the coinage of fancy**〔one's brain〕 공상〔두뇌〕의 산물. ⊕ coin *v., n.*

cóin bòx **1** (공중전화·자동 판매기 등의) 동전통. **2** 공중 전화.

cóin chànger 동전 교환기.

⁎**co·in·cide** [kòuinsáid] [L] *vi.* **1** 동시에 같은 공간을 차지하다, 동시에 일어나다: 〈둘 이상의 일이〉 부합〔일치〕하다《*with*》: The two accidents ~*d with* each other. 두 사건이 동시에 발생했다. **2** 〈행동·취미 등이〉 일치하다《*with*》: 의견〔견해〕을 같이하다《*in*》: Her ideas ~ *with* yours. 그녀의 생각은 네 생각과 일치한다.

⁎**co·in·ci·dence** [kouínsədəns] *n.* Ⓤ **1** (우연의) 일치, 부합. **2** (일이) 동시에 일어남, 동시 발생. **3** Ⓒ 동시에〔우연히 같이〕 일어난 사건.

coíncidence cìrcuit〔**còunter, gàte**〕 〔電〕 일치 회로.

⁎**co·in·ci·dent** [kouínsədənt] *a.* 《文語》 **1** (…와) 일치〔부합〕하는. **2** 동시에 일어나는. **~·ly** *ad.* ⊕ coincíde *v.*: coíncidence *n.*

co·in·ci·den·tal [kouìnsədéntl] *a.* **1** 일치〔부합〕하는. **2** 동시에 일어나는. **~·ly** *ad.*

coíncident índicators 〔經〕 일치 지표.

coin·er [kɔ́inər] *n.* **1** 화폐 주조자. **2** 《영》 《특히》 위조 화폐를 만드는 사람(《미》 counterfeiter). **3** (신어의) 고안자.

co·in·her·i·tance [kòuinhérətəns] *n.* Ⓤ 공동 상속.

co·in·her·i·tor [kòuinhérətər] *n.* 공동 상속자.

cóin làundry 경화 투입식 자동 세탁기.

cóin machìne =SLOT MACHINE.

coin-op [kɔ́inɑ́p/-ɔ́p] [*coin-op*erated] *n.* **1** =COIN LAUNDRY. **2** 자동 판매기. ── *a.* = COINOPERATED.

coin-op·er·at·ed [kɔ́inɑ́pərèitid/-ɔ́p] *a.* 동전 투입식의, 자동 판매의.

co·in·stan·ta·ne·ous [kòuinstəntéiniəs] *a.* 동시의, 동시에 일어나는. **~·ly** *ad.*

co·in·sti·tu·tion·al [kòuinstitjúːʃənəl/-tjúː-] *a.* 남녀별 학급〔학습〕제 고교의.

co·in·sur·ance [kòuinʃúərəns] *n.* Ⓤ 공동 보험.

co·in·sure [-ʃúər] *vt., vi.* 공동보험에 들다.

Co·in·tel·pro [kòuintélprou] [*Co*unter *in*-*tel*ligence *pro*gram] *n.* (미국 FBI의) 대(對) 파괴자 정보 활동.

cóin videotéx términal 코인 투입식 비디오텍스 단말《자동 정보 판매기》.

coir [kɔiər] *n.* 야자껍질의 섬유.

cois·trel [kɔ́istrəl] *n.* 《古》 **1** 기사의 말을 돌보는 종복. **2** 악당.

coit[1] [kɔit] *n.* 《오스俗》 엉덩이.

co·it[2] [kóuət] *n., vt., vi.* (여자와) 성교(를 하다).

co·i·tus [kóuitəs], **co·i·tion** [kouíʃən] *n.* Ⓤ 성교(性交)(sexual intercourse).

cóitus in·ter·rúp·tus [-ìntərʌ́ptəs] 〔醫〕 중절 성교《피임을 위한 질외 사정》.

cóitus re·ser·vá·tus [-rèzərvéitəs, -vɑ́ː-]

〔醫〕 보류(保留) 성교, 오르가즘 억제.

co·jo·nes [kəhóuneis, -ni:z] [Sp] *n. pl.* **1** 고환, 불알. **2** 용기(勇氣).

coke¹ [kouk] *n.* Ⓤ (종종 *pl.*) 코크스. ── *vt., vi.* 코크스로 만들다〔가 되다〕. **be coked up** 《미俗》 마약에 취하다; 술에 취하다. **Go and eat coke** 《俗》 저리가!

coke² *n.* 《俗》 =COCAINE.

Coke, coke³ *n.* 《口》 =COCA-COLA.

coke·a·hol·ic [kòukəhɔ́:lik, -hálik] *n.* 《口》 코카인 중독자.

coke·head [kóukhèd] *n.* 《俗》 코카인 중독자.

cóke òven 코크스 제조 가마.

co·ker·nut [kóukərnʌ̀t] *n.*=COCO(A)NUT.

cok·er·y [kóukəri] *n.* =COKE OVEN.

cóke stàre 《미俗》 적의 있는 불쾌한 눈초리 《주로 미국의 흑인이 사용》.

cóke stòp 《미俗》 용변을 위한 정차.

cok·ie, cok·ey [kóuki] *n.* 《俗》 코카인 중독자.

cók·ing còal [kóukiŋ-] 점결탄(粘結炭).

col [kɑl/kɔl] [L] *n.* (산과 산 사이의) 안부(鞍部), 고갯마루, 산협; 〔氣〕 기압골.

COL cost of living. **col.** collected; collector; college; colonel; colony; colored; column; counsel. **Col.** Colonel; Colorado(*cf.* COLO.); Colossians; Columbia.

col-¹ [kɑl/kɔl] *pref.* =COM-.

col-² [koul], **co·lo-** [kóulou] 《연결형》 「대장(大腸); 결장(結腸); 대장균」의 뜻《모음 앞에서는 col-》.

cola¹ [kóulə] *n.* 〔植〕 콜라《벽오동과(科)의 상록 교목; 서부 아프리카산》.

cola² *n.* COLON²(결장)의 복수.

co·la³ *n.* 콜라《암흑색의 탄산 음료》.

COLA cost of living adjustment(s) 생계비 조정(제도).

CÓLA clàuse 생계비 조정 조항.

COLA fréeze 생계비 조정 조항의 동결.

co·la·hol·ic [kòuləhɔ́:lik, -hál-] *n.* 《俗》 콜라 중독자.

col·an·der [kʌ́ləndər, kál-] *n.* (부엌용) 물 거르는 장치, 여과기. ── *vt.* 거르다, 여과하다.

cóla nùt〔**sèed**〕 콜라의 열매《강장제》.

co·lat·i·tude [kouláetətjù:d] *n.* Ⓤ 여위도(餘緯度)《어느 위도와 90°와의 차이》.

col·by [kóulbi] *n.* 콜비 치즈.

col·can·non [kəlkǽnən] *n.* Ⓤ 아일 양배추와 감자를 삶아 으깬 요리.

col·chi·cine [káltʃisì:n, -ki-/kɔ́l-] *n.* Ⓤ 콜히친《일종의 식물 호르몬제》.

col·chi·cum [káltʃikəm/kɔ́l-] *n.* 〔植〕 콜히쿰《백합과(科)의 다년생 식물로 씨에서 콜히친을 채취함》; 콜히친제제(製劑).

Col·chis [kálkis/kɔ́l-] *n.* 콜키스《흑해에 면한 고대 국가》; 〔그神〕 황금 양털의 나라.

col·co·thar [kálkəθər/kɔ́l-] *n.* Ⓤ 〔化〕 철단(鐵丹).

★**cold** [kould] *a.* **1** 추운, 찬, 차가운; 식힌, 식은: 《Ⅱ It *v*Ⅱ+㉠+㉡》 It's ~ today. 오늘은 (날씨가) 춥다(=Today's ~.《Ⅱ ㉠》). **2** 냉정한(calm), 냉담한(indifferent)《*in*》; 쌀쌀한(unfriendly); 객관적인. **3** 흥을 깨는; 마음 내키지 않는. **4** 〈맛이〉 약한. **5** 〔美〕 한색(寒色)의 《청색·회색 등》. **6** 〔사냥〕 〈짐승이 남긴 냄새가〉 희미한(faint). **7** 〈땅이〉 열을 흡수하기 어려운. **8** 불감증의. **9** 《口》 (구타 등으로) 기절하여; 죽은. **10** (범죄의) 혐의 없는. **11** 《口》 (알아 맞히기 놀이에서) 어림이 빗나간, 좀처럼 맞지 않는. **(as) cold as a fish** 매우 냉정한. **(as) cold as charity** 냉담한, 차가운. **blow hot and cold** 이랬다 저랬다 하다. **have**〔**get**〕 a person **cold** …을 마음대로 주무르다. **in cold blood** 냉정히, 냉혹하게. **knock**〔**lay**〕 (**out**) a person **cold** 《口》 때려서 기절시키다. **leave** a person **cold** …에게 아무 흥미〔인상〕도 주지 않다. **make** a person**'s blood run cold** 소름끼치게 하다. **throw**〔**pour**〕 **cold water on** (열중하고 있는 계획 등에) 트집을 잡다, 찬물을 끼얹다, 기가 꺾이게 하다. ── *n.* **1** Ⓤ 추위, 냉기; 빙점 이하의 추위(frost). **2** Ⓤ,Ⓒ (때때로 a ~) 감기, 고뿔. **be left out in the cold** 따돌림을 당하다, 돌림쟁이가 되다. **catch (a) cold**= **take cold** 감기들다, 감기 걸리다. **come out of cold** 추운 곳에서 안으로 들어오다; 그만두다, 손을 떼다. (four) **degree of cold** 영하(4)도. **cold in the head**〔**nose**〕 코감기. **cold on the chest**〔**lungs**〕 기침 감기. **cold without** 《俗》 냉수만 탄 위스키나 브랜디 《등》. **have a (bad) cold** (악성) 감기에 걸려 있다. ── *ad.* 《口》 완전히, 모두; 갑자기, 예고 없이. ⊕ cóldly *ad.*; cóldness *n.*

cóld·bar sùit [kóuldbɑ̀:r-] 〔軍〕 방한·방수를 겸한 플라스틱제 전투복.

cold-blood·ed [∠blʌ́did] *a.* **1** 〔動〕 냉혈의 (*opp.* warm-blooded). **2** 《口》 추위에 민감한. **3** 냉담한, 피도 눈물도 없는(cruel). **4** (말 등이) 잡종의. **~·ly** *ad.* **~·ness** *n.*

còld cáll *vt.* (물건을 팔기 위해 고객을) 임의로 방문〔전화〕하다. ── *n.* (물건을 팔기 위한) 임의적 고객 방문.

cóld cáse 《미俗》 매우 나쁜 상황, 궁지.

cóld cásh 현금.

cóld cháin 저온(低溫) 유통 체계《생선·야채 등을 냉장, 저온 상태로 공급함》.

cóld chìsel (금속용) 정.

cold·cock [kóuldkàk/-kɔ̀k] *vt.* 《미俗》 (주먹이나 몽둥이로) 실신할 정도로 때리다.

cóld cóffee 《미俗》 맥주.

cóld còil 냉각용 코일.

cóld còlors 〔美〕 한색(寒色)《청색, 회색 등》.

cóld cómfort 달갑지 않은 위로.

cóld cóunsel 달갑지 않은 조언.

cóld crèam 콜드크림《화장 크림의 일종》.

cóld cùts 냉육(冷肉)과 치즈로 만든 요리.

cóld dèck **1** 〔카드〕 (바꿔치기 하기 위한) 부정(不正) 카드의 한 벌. **2** (제재소로 갈) 벌채소(伐採所)의 쉰다 남은 통나무.

cold-deck [∠dèk] *vt.* 속이다, 농간부리다. ── *a.* 부정한(unfair); 교활한.

cóld dràwing 〔冶〕 상온(常溫)에서 잡아늘이기.

cold-drawn [∠drɔ̀:n] *a.* **1** 〔冶〕 상온(常溫)에서 잡아 늘인. **2** 평온에서 추출(抽出)한.

cóld dúck (때로 **C- D-**) 콜드 덕《버건디와 샴페인을 동률로 탄 술》.

cóld féet 《원래 軍俗》 겁, 공포, 달아나려는 자세: have〔get〕 ~ 겁을 내다.

cóld físh 《口》 냉담한 사람.

cóld fràme 〔園藝〕 냉상(冷床)《난방 장치가 없는 프레임》.

cóld frònt 〔氣〕 한랭 전선.

cóld fúsion (통상의 실내온도와 같은 비교적 낮은 온도나 압력에서 발생된다고 가정되는) 가상 핵융합 방식.

cold-ham·mer [∠hǽmər] *vt.* 〈금속을〉 상온(常溫)에서 단련하다.

cold·heart·ed [∠há:rtid] *a.* 냉담한; 무정한. **~·ly** *ad.* **~·ness** *n.*

cold·ish [kóuldiʃ] *a.* 좀 추운; 꽤 찬.

cóld líght 냉광(인광(燐光) · 반딧불 등).
cold-liv·ered[ˊlívərd] *a.* 냉담한, 무정한.
***cold·ly**[kóuldli] *ad.* 춥게, 쌀쌀하게; 냉정하게; 냉담하게.
cóld méat 1 냉육. **2** 하급요리. **3** 《俗》 시체.
cóld móoner[-mú:nər] 월면 운석설(隕石說) 주장자(크레이터(crater)는 운석의 충돌로 인해 생겼다고 믿는).
***cold·ness**[kóuldnis] *n.* Ⓤ 추위, 차가움; 냉정; 냉담.
cóld néws 듣고 싶지 않은 소식.
cóld pàck 냉찜질;(통조림의) 저온 처리법.
cold-pack[ˊpæ̀k] *vt.* …에 냉찜질을 하다; 〈과일 · 주스 등을〉 저온 처리법으로 통조림하다.
cóld píg 《영俗》(잠깨우기 위해) 끼얹는 냉수.
cold·proof[ˊprù:f] *a.* 내한(耐寒)의.
cóld réading (배우가 배역의 오디션에서 준비없이) 대본을 큰 소리로 읽는 것.
cold-roll[ˊròul] *vt.* 〈금속을〉 냉간압연(冷間壓延)하다.
cóld ròlling 냉간압연(冷間壓延).
cóld ròom 냉장실.
cóld rúbber 저온 고무(낮은 온도에서 만든 강한 합성 고무).
cóld scént 희미한 냄새.
cold-short[ˊʃɔ̀:rt] *a.* 〔冶〕 〈금속 등〉 추위에 약한. **~·ness** *n.*
cóld shóulder 《口》 냉대(冷待): give〔show, turn〕 the ~ *to* a person …에게 쌀쌀하게 대하다, 냉대하다.
cold-shoul·der[ˊʃóuldər] *vt.* 《口》 냉대하다.
cold shútdown (원자로의) 냉각〔완전한〕 운전 정지.
cóld snàp 갑자기 엄습하는 한파.
cóld sòre 〔病理〕 (감기 · 고열로 인한) 입가의 발진(發疹).
cóld stéel 《文語》 날붙이(칼 · 총검 등).
cóld stórage 1(먹을 것 등의) 냉장; 동결 상태: put in ~ 무기연기하다. **2** 《俗》 묘, 묘지.
cóld stóre 냉동 창고.
cóld sùfferer 감기 든 사람.
cóld swéat 식은 땀.
cóld táble 찬 요리(를 차려 놓은 테이블).
cóld túrkey *n.* **1** 《미俗》 솔직한 이야기, 노골적인 이야기. **2** (마약 환자에게) 갑자기 마약 사용을 중지시킴. **3** 냉담한 사람.
— *ad.* 《미俗》 돌연; 준비없이.
cold-tur·key *vi., vt.* 《미俗》 (흡연이나마약 등을) 즉각 끊다. — *a.* 별안간.
cóld týpe 〔印〕 콜드 타이프(사진 식자 등 활자 주조를 하지 않는 식자).
cóld týpe sỳstem 〔印〕 콜드 타이프 시스템(납활자나 열을 사용하지 않고 필름을 주체로 한 사식화에 의한 인쇄 공정; 略: CTS).
cóld wár (종종 **C- W-**) 냉전(*opp.* hot〔shooting〕 war).
cóld wárrior 냉전(시대)의 정치가.
cóld wàter 《口》 (희망 · 계획 등에) 찬 물을 끼얹기.
cold-wa·ter[ˊwɔ́:tər] *a.* **1** 〈아파트 등〉 온수 설비가 없는, 냉수를 쓰는. **2** 금주 집단의.
cóld-water flát (온방시설이 안된) 아파트(찬물만 공급하는).
cóld wave 1 〔氣〕 한파(*opp.* heat wave). **2** 콜드 파마.
cold-weld[ˊwèld] *vt.* (우주공간에서) 〈두 금속을〉 냉간 용접하다.
cold-work[ˊwə̀:rk] *vt.* 〈금속을〉 냉간 가공하다.
cole[koul] *n.* 〔植〕 서양평지(rape).
co·lec·to·my[kəléktəmi] *n.* (*pl.* **-mies**) Ⓤ,Ⓒ 〔外科〕 결장(結腸) 절제(술).
cole·man·ite[kóulmənàit] *n.* 〔鑛〕 회붕광(灰硼鑛).
Co·le·op·te·ra[kàliáptərə, kòul-/kɔ̀liɔ́p-] *n. pl.* 〔昆〕 딱정벌레 목(目), 초시류(梢翅類).
co·le·op·ter·an[kàliáptərən, kòul-/kɔ̀liɔ́p-] *n., a.* 〔昆〕 딱정벌레 목(目)(의).
col·e·op·te·rous[-rəs] *a.* 〔昆〕 딱정벌레 무리의, 초시류의.
Cole·ridge[kóulridʒ] *n.* 콜리지 Samuel Taylor ~(1772-1834)(영국의 시인 · 비평가).
cole·seed[kóulsì:d] *n.* Ⓤ,Ⓒ 평지의 씨; 평지(rape).
cole·slaw[kóulslɔ̀:] *n.* 《미》 양배추 샐러드.
co·le·us[kóuliəs] *n.* 〔植〕 콜레우스속(屬).
cole·wort[kóulwə̀:rt] *n.* =COLE.
co·ley[kóuli] *n.* 《영》 〔魚〕 대구류의 식용어.
co·li-[kóulə] =COL-[2].
col·ic[1] [kálik/kɔ́l-] 〔病理〕 *n.* Ⓤ 복통(腹痛), 산통(疝痛). — *a.* 산통의.
co·lic[2] [kóulik, 미+kál-] *a.* 결장(結腸)의.
col·i·cin[káləsin/kɔ́l-] *n.* 〔藥〕 콜리신(대장균의 균주에서 만들어내는 항균성 물질).
col·ick·y[káliki/kɔ́l-] *a.* =COLIC[1].
cóli còunt[káli-/kɔ́l-] (바닷물 속 등의) 대장균의 수.
co·li·form[káləfɔ̀:rm/kɔ́l-] *n.* 대장균.
— *a.* 대장균의〔비슷한〕.
Col·in[kálin/kɔ́l-] *n.* 남자 이름.
col·i·phage[káləfèidʒ] *n.* 대장균 분해 바이러스.
col·i·se·um[kàlisí:əm] *n.* **1** 대연 기장(大演技場), 대경기장. **2** (**C-**) =COLOSSEUM.
co·lis·tin[kəlístin] *n.* 〔藥〕 콜리스틴(항균제).
co·li·tis[kəláitis, kou-] *n.* Ⓤ 〔病理〕 대장염(大腸炎). **co·lit·ic** *a.*
coll. colleague; collect; collection; collective; collector; college; colloquial.
***col·lab·o·rate**[kəlǽbərèit] [L] *vi.* **1** 공동으로 일하다, 합작하다, 공동 연구하다(*with*); 협력〔협동〕하다: ~ *on* a work *with* a person …와 공동으로 일하다. **2** 〈점령군 · 적국에〉 협력하다: ~ *with* an enemy 적에 협력하다.
***col·lab·o·ra·tion**[kəlæ̀bəréiʃən] *n.* **1** Ⓤ 협동; 합작, 공동 연구; 협조, 원조. **2** 공동 연구 등의 성과, 공동 제작품, 공저(共著). **3** 이적 행위. **in collaboration with** …와 협력하여. **~·ist** *n.* (적 · 점령군 등에 대한) 협력자.
col·lab·o·ra·tive[kəlǽbərèitiv, -rətiv] *a.* 협력〔협조〕적인, 합작 하는.
col·lab·o·ra·tor[kəlǽbərèitər] *n.* 공편자(共編者), 합작자; 협력자; 이적 행위자.
col·lage[kəlá:ʒ] [F] *n.* 〔美〕 **1** Ⓤ 콜라주(기법)(사진 · 철사 · 신문 · 광고 조각 등을 맞추어 선과 색을 배합한 추상적 구성법). **2** 콜라주의 작품. **col·lág·ist** *n.*
col·la·gen[kálədʒən/kɔ́l-] *n.* Ⓤ 〔生化〕 교원질(膠原質): ~ disease 교원병(膠原病).
col·la·gen·o·lyt·ic[kàlədʒənəlítik/kɔ̀l-] *a.* 〔生化〕 교원 용해의, 교원 분해성의.
col·lap·sar[kəlǽpsa:r/kɔl-] *n.* =BLACK HOLE.
***col·lapse**[kəlǽps] [L] *vi.* **1** 〈건물 등이〉 무너지다. **2** 좌절하다. **3** 쇠약해지다; 폭락하다. **4** 〔醫〕 〈폐 등이〉 허탈(虛脫)하다. **5** 〈책상 · 의자 등이〉 접어지다. — *vt.* **1** 무너뜨리다, 붕괴시키다. **2** 〔醫〕 〈폐 등을〉 허탈케하다. **3** 〈기구를〉 접다. — *n.* Ⓤ 무너짐, 와해(瓦解); (내각 · 은행 등의) 붕괴; (희망 · 계획 등

의) 좌절(failure); (건강 등의) 쇠약; 〔醫〕 허탈; 의기 소침.

col·laps·i·ble, -a·ble[kəlǽpsəbəl] *a.* 접을 수 있는《배 · 기구 · 침대 등》.

⁑**col·lar**[kɑ́lər/kɔ́lər] [L] *n.* **1** 칼라, 깃. **2** (목에 거는) 훈장; (장식용) 목걸이. **3** (개 등의) 목걸이; 말의 어깨에 맨 줄. **4** (동물의 목 둘레의) 변색부; 〔植〕 경령(頸領)《뿌리와 줄기의 경계부》. **5** 〔機〕 고리(ring); =COLLAR BEAM. **6** 롤 말이로 만든 돼지고기나 생선《요리》. **7** 〔럭비〕 태클(tackle). **8** 《俗》 경관; 속박; 《미口》 체포. **against the collar** (말이 언덕을 올라가는데) 말 목에 맨 마구가 어깨에 마찰하여; 곤란을 무릅쓰고. **fill one's collar** 《口》 본분을 다하다, 직무를 훌륭하게 수행하다. **hot under the collar** 《俗》 화를 내어, 흥분하여. **in**〔**out of**〕 **collar** 《口》 취직〔실직〕하여. **seize**〔**take**〕 a person **by the collar** …의 목덜미를 잡다. **slip the collar** 곤란을 면하다. **the collar of SS**〔**esses**〕 SS자꼴의 수장(首章)《영국 궁내관(宮內官) · 런던 시장 · 고등 법원장 등의 관복의 일부》. **wear**〔**take**〕 a person**'s collar** …의 명령에 복종하다.

— *vt.* **1** 깃〔목걸이〕을 달다. **2** 《口》 (사람)의 목덜미를 잡다, 체포하다; (난폭하게) 붙잡다. **3** 〔럭비〕 태클하다. **4** 《俗》 자기 마음대로 하다, 좌우하다; 훔치다. **5** 〈고기를〉 롤로 말다.

cóllar bèam 〔建〕 조름보.

col·lar·bone[-bòun] *n.* 〔解〕 쇄골(鎖骨).

cóllar bùtton 《미》 칼라 단추(《영》 collar stud).

col·lard[kɑ́lərd/kɔ́l-] *n.* 콜라드《KALE의 일종; 식용》.

col·lared[kɑ́lərd/kɔ́l-] *a.* **1** 칼라〔목걸이〕를 단. **2** 롤 말이로 말은 〈고기 등〉.

col·lar·et(te)[kɑ̀lərèt/kɔ̀l-] *n.* 《영》 여성복의 칼라.

cóllar gàll (말의) 목끈에 쓸린 상처.

cóllar hàrness 말의 목에 매는 줄.

col·lar·less[kɑ́lərlis/kɔ́l-] *a.* 칼라가〔옷깃이〕 없는.

col·lar stud *n.* 《영》 칼라 단추(《미》 collar button).

cóllar wòrk 1 (비탈에서 말이) 치끌기. **2** 몹시 힘드는 일.

collat. collateral(ly).

col·late[kəléit, kou-, kɑ́leit] *vt.* **1** 대조(對照)하다, 맞추어 보다《*with*》. **2** 〔製本〕 페이지 순서를 맞추다. **3** 함께 합치다(put together). **4** 〈bishop이〉 성직에 임명하다.

*__col·lat·er·al__[kəlǽtərəl/kɔl-] *a.* **1** 서로 나란한, 평행한(parallel); 〔解〕 부행(副行)의. **2** 부대적인, 2차적인; 〔法〕 직계가 아닌, 방계의 (*cf.* LINEAL). **3** 〔商〕 담보로 내 놓은: a ~ security 근저당; 부가 저당물. — *n.* **1** 방계친(傍系親), 척속(戚屬). **2** 부대 사실〔사정〕. **3** 〔商〕 담보물. **~·ly** *ad.*

colláteral círcumstance 부대(附帶) 사정.

col·lat·er·al·ize[kəlǽtərəlàiz] *vt.* (대출금 등을) 부가 저당에 의해서 보증하다; (유가증권 등을) 부가 저당으로서 사용하다.

col·lát·ing màrk 〔製本〕 접지 순서표.

col·lát·ing séquence 〔컴퓨터〕 병합(倂合) 순서《일련의 데이터 항목의 순서를 정하기 위해쓰는 임의의 논리적 순서》.

col·la·tion[kəléiʃən, kou-, kɑl-] *n.* U,C **1** 대조 (조사); (책의) 페이지 순서 조사; 〔法〕 (권리의) 조사(照査). **2** 〔가톨릭〕 (단식일에 허용되는) 가벼운 식사; C 《文語》 간식. **3** 성직 서임.

col·la·tive[kəléitiv, kou-, kɑl-] *a.* **1** 대조하는. **2** 〔基督教〕 성직 임명권을 가진.

col·la·tor[kəléitər, kou-, kɑ́leitər] *n.* **1** 대조자. **2** (제본에서의) 페이지 수 맞추는 사람〔기계〕. **3** 〔컴퓨터〕 (천공 카드의) 병합기(倂合機).

*__col·league__[kɑ́li:g/kɔ́l-] [L] *n.* (주로 관직 · 교수 · 공무 등 직업상의) 동료. **~·shìp** *n.* U 동료 관계.

★**col·lect**[1][kəlékt] *vt.* **1** 모으다, 수집하다: 《Ⅱ-*ing*(*g.*)》His latest hobby is ~*ing* stamps. 그의 요즘의 취미는 우표를 수집하는 것이다. **2** 〈세금 · 집세 등을〉 징수하다; 〈기부금을〉 모집하다. **3** 〈생각을〉 집중하다, 가다듬다; 〈용기 를〉 불러 일으키다. **4** 《口》 〈수하물 등을〉 가지러 가다, 가져오다; 〈사람을〉 데리러 가다, 데려 오다. **collect a horse** 〈기수가〉 말이 수축 자세를 취하게 하다. **collect**〔《영》 **cash**〕 **on delivery** 《미》 대금 교환 인도《略: C.O.D》. **collect**(=recover) **oneself** 마음을 가다듬다, 정신을 차리다.

— *vi.* **1** 모이다. **2** 〈눈 · 먼지 등이〉 쌓이다. **3** 기부금을 모집하다《*for*》; 수금하다《*for*》.

— *a., ad.* 《미》 대금〔요금〕을 수신인이 내는〔내기로〕(《영》 carriage forward).

⊕ colléction *n.*; colléctive *a.*

col·lect[2] [kɑ́lekt/kɔ́l-] *n.* 〔가톨릭〕 본기도; 〔영國教〕 특도(特禱)《짧은 기도문》.

col·lec·ta·ne·a[kɑ̀lektéiniə/kɔ̀l-] *n. pl.* 발췌, 선집(選集); 잡록(雜錄).

collect cáll 요금 수신인 지불 통화.

col·lect·ed[kəléktid] *a.* **1** 모은, 수집한: ~ papers 논문집. **2** 침착한. **~·ness** *n.* 침착, 태연 자약.

col·lect·ed·ly *ad.* 침착하게, 태연하게.

col·lect·i·ble, -a·ble[kəléktəbl] *a.* 모을 수 있는; 징수할 수 있는. — *n.* (보통 *pl.*) (문화적) 수집품.

⁑**col·lec·tion**[kəlékʃən] *n.* **1** U a 수집, 채집: make a ~ of paintings 회화를 수집하다. b (우편물의 우체통으로부터의) 회수. **2** 수집물, 소장품. **3** (복식의) 콜렉션, 신작품(발표회). **4** U,C 수금; 징세(徵稅). **5** U 기부금 모집; C 헌금, 기부금. **6** (물 · 먼지 · 종이 등의) 퇴적《*of*》. **7** (*pl.*) 《영》 (대학의) 학기 시험. **make a collection for the fund** (자금)을 위하여 기부금을 모집하다. **take up a collection in church** (교회에서) 모금하다.

⊕ collect *v.*; colléctive *a.*

colléction àgency (타 회사의) 미수금 처리 대행 회사.

*__col·lec·tive__[kəléktiv] *a.* **1** 집합적인, 집합성(性)의. **2** 집단적인; 공동의: ~ note (각국의 대표자가 서명한) 공동 각서(覺書)/~ ownership 공동 소유권. **3** 〔文法〕 집합적인.

— *n.* **1** 집단; 공동체. **2** 〔文法〕 집합 명사(=~ noun). **~·ly** *ad.* **1** 집합적으로, 총괄하여. **2** 〔文法〕 집합 명사적으로. ⊕ collect, colléctivize *v.*; colléction, collectívity *n.*

colléctive agréement 〔勞〕 (노사간의) 단체 협약.

colléctive bárgaining 〔勞〕 단체 교섭.

colléctive behávior 〔社〕 집단 행동.

colléctive fárm (옛 소련의) 집단 농장, 콜호즈(kolkhos).

colléctive frúit 〔植〕 집합과(集合果)《오디 · 파인애플 등》.

colléctive léadership 집단 지도 체제.

colléctive márk 단체 마크《단체의 상표 · 서

비스 마크 등).
colléctive nóun 〔文法〕 집합명사.
colléctive representátion 〔社〕 집단 표상(表象).
colléctive secúrity 집단 안전 보장.
colléctive uncónscious 〔心〕 집단적 무의식(Jung 학설의).
col·lec·tiv·ism[kəléktəvìzəm] *n.* Ⓤ 집산(集産)주의. **-ist** *n., a.* 집산주의자(의).
col·lec·tiv·is·tic[-ik] *a.* 집산주의의, 집산주의적인(collectivist).
col·lec·tiv·i·ty[kàlektívəti/kɔ̀l-] *n.* (*pl.* **-ties**) Ⓤ,Ⓒ **1** 집합성; 집단성; 공동성. **2** Ⓒ 집합체, 집단. **3** (집합적) 민중, 인민; 전 국민. **4** 집산주의.
col·lec·tiv·ize | -ise[kəléktəvàiz] *vt.* 집산주의화하다; 집단농장화하다; 공영화하다.
col·lèc·ti·vi·zá·tion | -sá·tion[kəlèktəvàizéiʃən] *n.*
***col·lec·tor** [kəléktər] *n.* **1** 수집가; 채집자. **2** 수금원; 세리(稅吏); (관세의) 징수관; (정거장의)집찰원; ((인도)) 징세관(徵稅官). **3** 수집기〔장치〕; 〔電〕 집전기(集電器).
col·lec·tor·ate[-tərit] *n.* ((인도)) 징세관의 직〔관할구〕.
col·lec·tor·ship *n.* Ⓤ,Ⓒ 수금원〔징세관〕의 직분; 징세권.
colléctor's ìtem〔**pìece**〕 수집가의 흥미를 끄는 물건, 일품.
col·leen[káli:n, kɑlí:n/kɔ́li:n] *n.* ((아일)) 소녀, 처녀.
****col·lege**[kálidʒ/kɔ́l-] [L] *n.* **1** ((미)) 단과 대학, 칼리지. **2** ((영)) (Oxford, Cambridge 처럼 University를 이루고 자치체이며 전통적 특색을 가진) 칼리지. **3** ((영·캐나다)) 사립 중등 학교(public school): Eton *C-* 이튼 학교/Winchester *C-* 윈체스터학교(*cf.* HARROW SCHOOL). **4** 특수전문학교: a ~ of theology 신학교/the Royal Naval *C-* ((영)) 해군 사관 학교. **5** college의 교수진〔학생, 사무직원〕. **6** (상기 학교의) 교사(校舍). **7** 협회, 단체; 선거 위원단: electoral ~ ((미)) 대통령〔부통령〕 선거인단. **8** 무리, 떼: a ~ of bees 벌떼. **9** ((영俗)) 교도소(prison). **be at college** 대학에 다니고 있다, 대학생이다. **go to college** 대학에 들어가다. **the College of Cardinals**=**Sacred College** 〔가톨릭〕 추기경단(樞機卿團). **the College of Heralds**〔**Arms**〕=**the Heralds' College** 문장원(紋章院). **the College of Justice** 스코틀랜드 고등 법원. ◇ collégiate, collégial *a.*
cóllege bòards (종종 **C- B-**) ((미)) 대학 입학 자격 시험.
col·lege-bred[-brèd] *a.* 대학 교육을 받은, 대학 출신의.
cóllege càp 대학 제모, 각모(角帽).
cóllege fàir 대학 진학 설명회((매년 9-11월에 미국 각지의 진학 희망 고교생을 위한)).
cóollege líving ((영)) 대학이 임명권을 가진 성직(聖職).
cóllege lòan ((미)) 대학 학비 대부금.
col·lege-pre·par·a·to·ry[-pripǽrətɔ̀:ri] *a.* 대학 입시 준비의 〈과정·학교〉.
cóllege púdding (한 사람 앞에 한 개의) 작은 건포도 푸딩.
col·leg·er[kálidʒər/kɔ́l-] *n.* **1** ((영)) ETON COLLEGE의 장학생. **2** ((미)) 대학생.
col·lege-ruled[-rù:ld] *a.* 〈루스리프(loose-leaf)의 괘선이〉 대학 노트 폭인.
cóllege trý (모교나 팀을 위한) 열성적인 노력, 타협 없는 한결같은 노력: ((口)) (the old ~로) 최대의 노력.
cóllege wìdow ((미俗)) 대학가에 살며 학생과 교제하는 젊은 여자.
col·le·gi·al[kəlí:dʒiəl] *a.* =COLLEGIATE.
col·le·gi·al·i·ty[kəlì:dʒiǽləti, -giǽl-] *n.* 〔가톨릭〕 주교끼리의 권한의 평등.
col·le·gi·an[kəlí:dʒiən] *n.* COLLEGE의 학생〔졸업생〕.
col·le·gi·ate[kəlí:dʒit, -dʒiit] *a.* **1** COLLEGE(의 학생)의; 대학 정도의. **2** ((영)) COLLEGE 조직의; 동료가 평등하게 권한을 가지는. **3** 단체 조직의.
collégiate chúrch 1 ((영)) (dean이 관리하는) 대성당. **2** ((스코·미)) 협동(協同) 교회.
col·le·gi·um[kəlí:dʒiəm, -giəm, -léi-] *n.* (*pl.* **-gi·a**[-giə], **~s**) **1** (각자가 평등한 권리를 가진) 회, 법인. **2** 〔基督教〕 신학교. **3** (옛 소련의) 협의회, 합의회.
col·len·chy·ma[kəléŋkəmə] *n.* 〔植〕 후각(厚角) 조직.
col·let[kálit/kɔ́l-] *n.* **1** 보석 받침, 거미발. **2** 〔機〕 콜레트. — *vt.* 보석 받침에 끼우다.
col·lide[kəláid] [L] *vi.* **1** 부딪치다, 충돌하다((*against, with*)): Two motorcars ~*d.* 두 대의 자동차가 충돌했다/The truck ~*d with* the bus. =The truck and the bus ~*d.* 트럭과 버스가 충돌했다. **2** 〈의지·목적 등이〉 일치하지 않다, 상충하다((*with*)). ◇ collísion *n.*
col·lie[káli/kɔ́li] *n.* 콜리((스코틀랜드 원산의 양 지키는 개)).
col·lier[káljər/kɔ́l-] *n.* **1** (탄갱의) 갱부(coal miner). **2** 석탄선(coal ship); 석탄선 선원.
col·lier·y[káljəri/kɔ́l-] *n.* (*pl.* **-lier·ies**) ((영)) (관계 설비를 포함한) 탄갱(coal mine).
col·li·gate *vt.* **1** 결합시키다. **2** 〔論〕 종합〔총괄〕하다. — *vi.* 집합의 일원이 되다.
col·li·ga·tion[-ʃən] *n.* Ⓤ 결합, 총괄, 종합.
col·li·ga·tive[káligèitiv/kɔ́l-] *a.* 〔物·化〕 속일성(束一性)의.
col·li·mate[kálәmèit/kɔ́l-] *vt.* **1** 〔光〕 시준(視準)〔조준〕하다. **2** 〈렌즈·광선을〉 평행하게 하다, 같은 방향으로 하다.
col·li·ma·tion[-ʃən] *n.* Ⓤ,Ⓒ 시준(視準), 조준.
col·li·ma·tor[-tər] *n.* 〔光〕 시준기; 〔天〕 (망원경의) 시준의(儀).
col·lin·e·ar[kəlíniər/kɔl-] *a.* 〔數〕 동일 선상의, 공선(共線)적인. **~·ly** *ad.*
Col·lins [kálinz/kɔ́l-] *n.* **1** ((영口)) 환대에 대한 인사장. **2** (**c-**) 진을 탄 음료((칵테일의 일종)).
****col·li·sion** [kəlíʒən] *n.* Ⓤ,Ⓒ **1** 충돌, 격돌. **2** (이해·의견·목적 등의) 상충, 대립; (당 등의) 알력(軋轢). **come into**〔**be in**〕 **collision** (**with**) (…와) 충돌〔대립〕하다〔해 있다〕. ◇ collíde *v.*
collísion còurse 충돌 침로〔노선〕.
collísion màt 〔海〕 방수(防水) 거적((충돌 등으로 생긴 구멍을 막는)).
col·lo·cate[káləkèit/kɔ́l-] [L] *vt.* **1** 나란히 놓다; 배열하다. **2** 배치하다. — *vi.* 〔文法〕 (다른 말과) 연어를 이루다.
***col·lo·ca·tion** [kàləkéiʃən/kɔ̀l-] *n.* Ⓤ,Ⓒ **1** 나란히 놓음, 병치, 배열. **2** 〔文法〕 낱말의 배치; 연어(連語).
col·loc·u·tor[kəlákjətər, káləkjù:tər] *n.* 이야기 상대자, 대담자.
col·lo·di·on, -di·um[kəlóudiən], [-diəm] *n.* Ⓤ 〔化〕 콜로디온.
col·lo·di·on·ize[kəlóudiənàiz] *vt.* …에 콜로디온을 바르다, 콜로디온으로 처리하다.

col·logue[kəlóug] *vi.* 밀담(密談)하다.
col·loid[kálɔid/kɔ́l-] *a.* =COLLOIDAL. ── *n.* 〔化〕 콜로이드, 교질(膠質).
col·loi·dal *a.* 콜로이드같은, 아교질의.
col·lop[káləp/kɔ́l-] *n.* **1** 얇은 고기 조각; 얇은 조각(small slice). **2** 《古》 (살찐 사람 또는 동물의) 피부의 주름살.
colloq. colloquial(ly); colloquialism.
⁑**col·lo·qui·al**[kəlóukwiəl] *a.* 구어(口語)(체)의, 담화체의, 일상 회화의(*opp.* literary). **~·ism**[-ìzəm] *n.* 구어〔담화〕체; 회화체; 구어(적) 표현. **~·ly**[-i] *ad.*
col·lo·quist[kálәkwist/kɔ́l-] *n.* 대화자.
col·lo·qui·um[kəlóukwiəm] *n.* (*pl.* **~s, -qui·a**[-kwiə]) 공동 토의; (대학의) 세미나.
col·lo·quize[kálәkwàiz/kɔ́l-] *vi.* 대화하다.
col·lo·quy[kálәkwi/kɔ́l-] [L] *n.* (*pl.* **-quies**) U,C (정식의) 담화, 회화(conversation); 〔미議會〕 자유 토의.
col·lo·type[kálоutàip/kɔ́l-] *n.* **1** U 콜로타이프(판)《사진 제판의 일종》. **2** 콜로타이프 인쇄물.
col·lude[kəlú:d] *vi.* 결탁하다, 공모〔담합〕하다.
col·lu·nar·i·um[kàljunέәriәm/kɔ̀l-] *n.* (*pl.* **-i·a**[-iə]) 〔醫〕 세비제(洗鼻劑).
col·lu·sion[kəlú:ʒən] *n.* U,C 공모, 결탁; 〔法〕 통모(通謀). **act in collusion to** (do) 공모하여 …하려고 하다. **in collusion with** …와 한패거리가 되어.
col·lu·sive[kəlú:siv] *a.* 공모의, (미리) 결탁한. **~·ly** *ad.* **~·ness** *n.*
col·lu·vi·um[kəlú:viəm] *n.* (*pl.* **-vi·a**[-viə], **~s**) 〔地質〕 붕적층(崩積層), 붕적토.
col·ly[káli/kɔ́li] *n.* =COLLIE.
col·lyr·i·um[kəlíriəm] *n.* (*pl.* **-i·a**[-iə], **~s**) 〔醫〕 세안약(洗眼藥)(eyewash).
col·ly·wob·bles[káliwàblz/kɔ́liwɔ̀b-] *n. pl.* (the ~; 단수·복수 취급) 《口》 **1** 복통, 설사. **2** 정신적 불안.
co·lo-[kóulou] 《연결형》 =COL-.
Colo. Colorado의 공식 약어(*cf.* COL.)
col·o·bus[káləbəs/kɔ́l-] *n.* 〔動〕 콜로부스속(屬) 원숭이《꼬리가 발달한 아프리카 원숭이》.
co-lo·cate[kòulóukeit] *vt.* (시설을 공용하도록) 〈둘 이상의 부대를〉 같은 장소에 배치하다.
col·o·cynth[káləsìnθ/kɔ́l-] *n.* 〔植〕 콜로신드《박과(科)의 식물》; U 그 열매로 만든 하제(下劑).
Co·logne[kəlóun] [L] *n.* **1** 쾰른《독일의 라인 강변에 있는 도시》. **2** (~, **c-**) U 오드콜로뉴《화장수》.
Co·lom·bi·a[kəlʌ́mbiə] *n.* 콜롬비아《남미 북서부에 있는 공화국; 수도 Bogotá》.
Co·lom·bi·an[-biən] *a.* 콜롬비아의; 콜롬비아 사람의. ── *n.* 콜롬비아 사람.
Colómbian góld 《俗》 (남미산의 강한) 마리화나.
Co·lom·bo[kəlʌ́mbou] *n.* 콜롬보(Sri Lanka의 수도·항구 도시).
Colómbo Plàn 콜롬보 계획《영연방의 동남아 개발 계획》.
*__co·lon__[1] [kóulən] [Gk] *n.* (구두점의) 콜론(:)(*cf.* semicolon).
colon[2] *n.* (*pl.* **~s, -la**[kóulə]) 〔解〕 결장(結腸).
co·lon[3] [koulóun] *n.* (*pl.* **-lo·nes**[-eis], **~s**) 콜론《코스타리카 및 엘살바도르의 화폐 단위; =100 centimos (코스타리카), =100 centavos (엘살바도르); 기호 C》.
co·lon[4] [kóulən, kəlóun] [F] *n.* 식민지의 농부, 농장주.
cólon bacíllus 〔細菌〕 대장균.
*__colo·nel__[kə́:rnəl] [It] *n.* 《미》 (육군·공군·해병대) 대령; 《영》 (육군) 대령, 연대장; 《미南部》 단장, 각하《단순한 경칭》.
Cólonel Blímp 예스러운 사고 방식의 사람; 초반동주의자.
Cólonel Cómmandant 《영》 여단장.
colo·nel·cy, -ship *n.* U COLONEL의 직(위).
colo·nel-in-chief[kə́:rnəlintʃí:f] *n.* (*pl.* **co·lo·nels-, ~s**) 《영》 명예 연대장.
⁑**co·lo·ni·al**[kəlóuniəl] *a.* **1** 식민(지)의; 식민지 풍의. **2** (종종 **C-**) 《미》 **a** 식민지 시대의. **b** 〈건축 등이〉 식민지 시대풍의. **3** 〔生態〕 군체(群體)의. ── *n.* 식민지 주민. **~·ly** *ad.* ◇ cólony *n.*
colónial ánimal 군체 동물.
co·lo·ni·al·ism[-ìzəm] *n.* U **1** 식민지주의, 식민 정책. **2** 식민지풍〔기질〕.
co·lo·ni·al·ist *n.* 식민주의자; 《특히》 식민지 개척자.
Colónial Óffice (the ~) 《영》 식민성(省).
co·lon·ic[koulánik/-lɔ́n-] *a.* 결장(結腸)의. ── *n.* 결장 세척.
⁑**col·o·nist**[kálənist/kɔ́l-] *n.* **1** 해외 이주민, 식민지 이주자; 《특히》 식민지 개척자. **2** 식민지 주민. **3** 외래 동식물.
col·o·ni·tis[kàlənáitis/kɔ̀l-] *n.* U 〔病理〕 결장염(結腸炎).
col·o·ni·za·tion[kàlənizéiʃən] *n.* U **1** 식민지화〔건설〕. **2** 《미》 (선거를 위한) 일시적 이주. **3** 〔生態〕 (동식물의) colony 형성.
col·o·nize[kálənàiz/kɔ́l-] *vt.* **1** 식민지로서 개척하다. **2** 이주시키다; 《미》 (선거구에) 유권자를 일시 이주시키다. **3** 〈식물을〉 이식(移植)하다. ── *vi.* 식민지를 만들다; 개척자가 되다.
col·o·niz·er[-ər] *n.* **1** 식민지 개척자〔개척국〕. **2** 《미》 이주해 온 유권자.
col·on·nade[kàlənéid/kɔ̀l-] *n.* **1** 〔建〕 열주(列柱), 주랑(柱廊). **2** 가로수.
-nad·ed[-id] *a.* 주랑을 갖춘.
⁑**col·o·ny**[káləni/kɔ́l-] [L] *n.* (*pl.* **-nies**) **1** (집합적) 식민; 이민단. **2** 식민지; (the Colonies) 〔미史〕 (미합중국을 형성한) 동부 13주의 영국 식민지; 〔그리스史〕 식민 도시; 〔로마史〕 정복 식민지. **3** 거류지; 조계(租界); 거류민, …인단(人團): the Italian ~ in Soho 런던의 소호 지구의 이탈리아인 거리. **4** 군거지(群居地), 집단 거주지. **5** (새·개미·꿀벌 등의) 집단, 군생; 〔生態〕 콜로니, 군체(群體); 〔地質〕 (다른 계통 안에 있는) 화석군(化石群). **6** (*pl.*) 실업자 구제 기관《일자리를 주고 교육을 베푸는》. ◇ colónial *a.*; cólonize *v.*
col·o·phon[káləfàn/kɔ́ləfən, -fɔ̀n] *n.* **1** (고서(古書)의) 책끝의 장식(tailpiece), 판권 페이지. **2** (책의 등이나 표지의) 출판사 마크. **from title page to colophon** (책의) 첫장에서 끝까지, 한 권을 고스란히.
col·oph·o·ny[káləfòuni, kəláfəni/kəlɔ́fə-] *n.* U 〔化〕 수지(樹脂), 로진(rosin).
col·o·quin·ti·da[kàləkwíntidə/kɔ̀l-] *n.* = COLOCYNTH.
⁑**col·or | col·our**[kʌ́lər] *n.* **1** C,U 색, 색채; 빛깔; 색조; (광선·그림·묵화 등의) 명암. **2** C,U 안료, 물감; (*pl.*) 그림 물감(*cf.* WATER COLOR, OIL COLOR); (그림 등의) 채색, 착색(coloring). **3** U,C 안색, 혈색(complexion); 홍조. **4** U (유색 인종의) 빛깔; (집합적) 유색 인종; 《특히》 흑인: a person of ~ 유색인, 흑인. **5** U (토지의) 특색; (개인의) 개

성, 특색, (작품의) 멋, 표현의 변화, 문채(文彩); 〔樂〕 음색: local ~ 지방〔향토〕 색. **6** Ⓤ 외관, 겉치레, 가장; 구실: some ~ of truth 약간의 진실성/see a thing in its true ~*s* …의 진상을 알다. **7 a** (보통*pl.*) 군기, 군함기, 선박기, 국기: King's ~ 영국 국기/salute the ~*s* 군함기에 경례하다. **b** (the ~s) 군대. **8** (*pl.*) (학교·단체의 표지로) 기장, 배지, (휘장의) 색 리본; 단체색: 색 옷. **9** (*pl.*) 국기·군기에 대한 경례, 국기 게양〔강하〕식. **10** Ⓤ 《미口》 (특히 라디오 프로에서) 흥미와 상상을 자극하기 위하여 곁들인 프로. **11** (보통 *pl.*) 입장; 본성, 본심. **accidental color** 〔光〕 우생색(偶生色), 보색잔상(補色殘像). **a horse of another color** 전연 다른 사항. **change color** 안색이 변하다; 파래〔빨개〕지다. **come off with flying colors** 훌륭히 해치우다. **complementary color** 여색(餘色), 보색(補色). **fading**〔**fast**〕 **color** 바래기 쉬운 빛깔〔불변색〕. **gain**〔**gather**〕 **color** 혈색이 좋아지다. **gentleman**〔**lady**〕 **of color** 《익살》 흑인. **get**〔**win**〕 **one's colors** 선수가 되다. **give a false color to** 〈진술·행위 등을〉 그럴 듯하게 꾸며 보이다. **give** a person his **colors** …을 운동 선수로 만들다. **give**〔**lend**〕 **color to** 〈말을〉 정말인 양 꾸며대다. **have no color**〔**a good color**〕 안색이 안 좋다〔혈색이 좋다〕. **have the color of** …인 듯이 보이다. **in colors** 채색이 된. **in one's true colors** 본성을 나타내어. **join the colors** 입대하다. **lay on the colors too thickly** 과장해 말하다. **lose colors** 파랗게 질리다. **lower** one's **colors** 자기 요구〔주장, 지위〕를 포기하다; 항복하다. **nail** one's **colors to the mast** 주의〔결심〕를 굽히지 않다. **off color** (1) 색이 바랜. (2) 안색이 안좋은; 기운 없는. **paint in glowing**〔**bright**〕 **colors** … 을 격찬하다; 강렬〔밝은〕한 색으로 그리다. **primary**〔**fundamental**〕 **colors** 원색《빛에서는 적·녹·청의 삼색; 그림 물감에서는 적·청·황》. **put false colors upon** …을 실제와 다르게 보이다, 일부러 곡해하다. **raise color** 물들여 색을 내다. **sail under false colors** (1) 〈배가〉 가짜 국기를 달고 〔국적을 속이고〕 달리다. (2) 위선적 행위를 하다. **secondary color** 등화색(等和色) 《원색 중의 두 색을 똑같이 섞은 색》. **see the colors of** a person's **money** 《口》 …이 지불할 능력이 있음을 확인하다〔알다〕, 으로부터 지불을 받다. **serve** (**with**) **the colors** 현역에 복무하다. **show**〔**display**〕 one's (**true**) **colors** 기치를 분명히 하다. **stick**〔**stand**〕 **to** one's **color** 자기의 주의〔입장〕를 고수하다. **strike** one's **colors** 항복하다, 싸움을 포기하다. **take** one's **color from** …을 흉내내다. **under color of** …을 구실로. **under colors** 〈말이〉 공식 경주에 (나가다). **with flying colors** =**with colors flying** 대성공을 거두고, 훌륭하게. **with the colors** 군에 입대하여, 현역에 복무하여.

— *vt.* **1** …에 착색〔채색〕하다(paint); 물들이다(dye). **2** (얼굴을) 붉히다《*up*》. **3** …에 색채를 더하다, 윤색하다, 분식하다; 그럴 듯하게하다; 영향을 미치다. **4** …을 특징짓다, 특색을 이루다. — *vi.* **1** 〈파이프 등이〉 (색으로) 물들다. **2** 〈과실이〉 물들다. **3** (얼굴이) 붉어지다, 얼굴을 붉히다《*up*》. **color in** …에 색칠을 하다. ⊕ cólorful, cólory *a.*

col·or·a·ble [kʌ́lərəbəl] *a.* **1** 착색할 수 있는. **2** 겉치레의; 그럴 듯한; 가짜의. **-bly** *ad.*

Col·o·ra·dan [kɑ̀lərǽdən, -rɑ́:-/kɔ̀lərɑ́:-] *a., n.* 미국 콜로라도주의(사람).

Col·o·ra·do [kɑ̀lərǽdou, -rɑ́:-/kɔ̀lərɑ́:-] [Sp] *n.* 콜로라도《미국 서부의 주; 略 Colo., Col., CO》; (the ~) 콜로라도 강(江)《대협곡 Grand Canyon으로 유명》.

Colorádo (potáto) bèetle 콜로라도 감자 잎벌레《감자 해충의 일종》.

col·or·ant [kʌ́lərənt] *n.* 착색제, 염료, 안료, 색소.

col·or·a·tion [kʌ̀ləréiʃən] *n.* Ⓤ **1** 착색법; 착색, 배색, 채색. **2** (생물의) 천연색: protective ~ 보호색. **3** (사람·국가 등의) 특색, 성격.

col·or·a·tu·ra [kɑ̀lərətjúərə, kʌ̀l-/kɔ̀l-] [It] *n.* 〔樂〕 **1** 콜로라투라《성악의 화려한 기교적인 장식》; 그 곡. **2** 콜로라투라 가수《소프라노》.

col·or·a·ture [kʌ́lərətʃər, kʌ́l-] *n.* =COLORATURA.

cólor bàr =COLOR LINE.

col·or-bear·er [kʌ́lərbɛ̀ərər] *n.* (군대의) 기수.

col·or-blind [kʌ́lərblàind] *a.* **1** 색맹의. **2** 《미》 인종 차별을 하지 않는.

cólor blìndness 색맹.

cólor bòx 그림물감통(paint box).

col·or·breed [kʌ́lərbrì:d] *vt.* 특정한 색을 내도록 〈품종을〉 개량하다.

col·or·cast [kʌ́lərkæ̀st, -kɑ̀:st] [*color*+tele*cast*] *n.* 컬러 텔레비전 방송. — *vt., vi.* (~, ~·**ed**) 컬러 텔레비전 방송을 하다.

col·or·cast·er [kʌ́lərkæ̀stər, -kɑ̀:stər] *n.* 경기 상황을 생생하게 묘사하는 아나운서.

cólor còde 색 코드《전선 등을 식별하는 데에 쓰이는 색 분류 체계》.

col·or-code [kʌ́lərcòud] *vt.* 〈전선·수도 등을〉 (알기 쉽게) 색칠하여 구분하다.

cólor condìtioning 색채 조절《사람에게 좋은 인상을 주도록 색채를 씀》.

col·or-co·or·di·nat·ed [-kouɔ́:rdənèitid] *a.* 색을 섞은, 배색한.

***col·ored** [kʌ́lərd] *a.* **1** 착색한, 채색되어 있는. **2** 〈인종이〉 유색의; 《미》 흑인의《◇ black 쪽이 잘 쓰임》. **3** (보통 복합어를 이루어) …색의: cream-~ 크림색의. **4** 문장을 꾸민, 과장한, 겉치레의. **5** 편견의, 색안경으로 본. **6** 가짜의, 수상쩍은. — *n.* (종종 **C-**) (집합적) (남아메리카의) 유색인.

col·or·fast [kʌ́lərfæ̀st, -fɑ̀:st] *a.* 〈직물이〉 바래지 않는. **~·ness** *n.*

col·or·field [kʌ́lərfì:ld] *a.* (추상화에서) 색채면이 강조된.

cólor film 1 〔寫〕 천연색 필름. **2** 천연색 영화.

cólor filter 〔光·寫〕 컬러필터(color screen).

cólor fòrce 〔物〕 색력(色力)《quark를 결합시키는 강력한 힘》.

****col·or·ful** [kʌ́lərfəl] *a.* **1** 색채가 풍부한, 다채로운: ~ folk costumes 다채로운 민족 의상. **2** 화려한; 생기 있는(vivid). **~·ly** *ad.* **~·ness** *n.* ⊕ cólor *n.*

col·or·gen·ic [kʌ̀lərdʒénik] *a.* (컬러 텔레비전〔사진〕 등에서) 빛깔이 잘 나타나는(*cf.* PHOTOGENIC).

cólor guàrd 《미》 군기(軍旗) 위병.

col·or·if·ic [kʌ̀lərífik] *a.* **1** 색채의. **2** 빛깔을 내는; 빛깔이 풍부한. **3** 〈문체 등이〉 화려한.

col·or·im·e·ter [kʌ̀lərímitər] *n.* 색채계(色彩計); 〔物〕 비색계(比色計).

*__col·or·ing__[kʌ́ləriŋ] *n.* Ⓤ **1** 착색(법), 채색(coloration). **2** 착색제, 그림 물감; 색소. **3** (얼굴의) 혈색.
__cóloring bòok__ 칠하기 그림책.
__col·or·ist__[kʌ́lərist] *n.* **1** 채색을 특히 잘하는 화가. **2** 채색자. **3** 화려한 문체의 작가.
__col·or·is·tic__[kʌ̀lərístik] *a.* 색채화적인, 색채 효과를 잘 내는.
__col·or·i·za·tion__[kʌ̀lərizéiʃən, -aiz-] *n.* 전자 채색((옛날의 흑백 영화를 컬러 영화로 재생시키는 기술)).
__col·or·ize__[kʌ́ləràiz] *vt.* (특히 컴퓨터에 의해 흑백 영화를) 컬러화(化)하다.
__col·or-key__[kʌ́lərkì:] *vt.* =COLOR-CODE.
*__col·or·less__[kʌ́lərlis] *a.* **1** 무색의; 〈색이〉 흐릿한. **2** 〈날씨가〉 흐린; 핏기가 없는. **3** 특색이 없는, 생기가 없는; 〈사람이〉 분명하지 않은, 종잡을 수 없는; 재미 없는. **4** 어느 편에도 치우치지 않는, 중립의(neutral).
~·ly *ad.* **~·ness** *n.*
__cólor lìne__ (사회·경제·정치적) 백인·흑인의 차별 장벽(color bar). **draw the color line** 피부색에 따라 차별을 하다.
__cólor màn__ =COLORCASTER.
__col·or·man__[kʌ́lərmən] *n.* (*pl.* **-men**[-mən]) ((영)) 그림물감 파는 사람; 페인트상.
__cólor mìxture__ 〔染色·照明〕 혼색.
__cólor mùsic__ 색채악(樂)((색·형·명암의 배합 변화로 스크린 등에 음악적 느낌을 그려냄)).
__cólor pàinting__ 형태보다 색이 강조되는 추상화법.
__cólor pàrty__ 〔영軍〕 =COLOR GUARD.
__cólor phàse__ 〔動〕 **1** 유전에 의한 체색 변화. **2** 계절에 따른 모의(毛衣)의 변화색.
__cólor phóto__ 천연색 사진.
__cólor photógraphy__ 천연색 사진술.
__cólor prèjudice__ 유색 인종〔흑인〕에 대한 편견.
__cólor prìnt__ 원색 판화; 천연색 인화.
__cólor prìnting__ 원색 인쇄; 컬러 인화.
__cólor schème__ (실내 장식·복식 등의) 색채의 배합 (설계).
__cólor separàtion__ 〔印〕 색분해.
__cólor sèrgeant__ 군기 호위 하사관.
__cólor sìgnal__ 〔電子〕 색신호.
__cólor sùpplement__ (신문 등의) 컬러판 부록.
__cólor télevision__〔TV〕 컬러 텔레비전 방송〔수상기〕.
__cólor tèmperature__ 〔光〕 색온도.
__cólor wàsh__ 수성 페인트.
__col·or·way__[kʌ́lərwèi] *n.* =COLOR SCHEME.
__col·or·y__[kʌ́ləri] *a.* 〔商〕 (커피·홉 등의) 빛깔이 고운; ((口)) 다채로운.
__Co·los·sae__[kəlási:/-lɔ́-] *n.* 골로새〔골로사이〕((소아시아의 Phrygia 남서부의 옛 도시; 초기 그리스도 교회의 거점)).
*__co·los·sal__[kəlásəl/-lɔ́sl] *a.* **1** 거대한. **2** 어마어마한, 굉장한. **3** ((口)) 훌륭한, 놀랄 만한.
~·ly *ad.* ◈ colóssus *n.*
__Col·os·se·um__[kɑ̀ləsí:əm/kɔ̀lə-] *n.* 콜롯세움((로마의 원형 대연기장(大演技場))).
__Co·los·sian__[kəláʃən/-lɔ́ʃ-] *a.* COLOSSAE의, 골로새 사람의. ── *n.* **1** 골로새 사람 **2** 골로새의 그리스도 교회 회원; (the ~s; 단수 취급) 〔聖〕 골로새서(書).
__co·los·sus__[kəlásəs/-lɔ́s-] *n.* (*pl.* **-si**[-sai], **~·es**) **1** 거상(巨像); (**C-**) 아폴로 신(神)의 거상((세계 7대 불가사의의 하나로 Rhodes 항구에 있었음)). **2** 거인, 거대한 것; 큰 인물, 위인. ◈ colóssal *a.*

__co·los·to·my__[kəlástəmi/-lɔ́s-] *n.* (*pl.* **-mies**) 〔外科〕 인공 항문 형성(술), 결장 절개술.
__co·los·trum__[kəlástrəm/-lɔ́s-] *n.* Ⓤ 초유(初乳)((해산 후 처음 나오는 젖)).
__co·lot·o·my__[kəlátəmi] *n.* (*pl.* **-mies**) 〔外科〕 결장 절개(結腸切開).
⁑__col·our__ *n.* ((영)) =COLOR.
__col·o(u)·r·i·ze__ *vt.* (홈비디오 등의 흑백 필름을) 컬러로 재생하다.
__co·lous__[kələs] ((연결형)) 「…에 살고 있는, …나 있는」의 뜻: areni*colous*.
__col·por·teur__[kálpɔ̀:rtər/kɔ́l-] *n.* (종교) 서적 행상인.
__col·po·scope__ *n.* (특히 암세포 발견을 위한) 자궁경부 확대경, 질경(膣鏡).
__Col. Sergt.__ color sergeant.
*__colt__[koult] *n.* **1** 망아지((보통 4-5세까지)). **2** 장난꾸러기; 미숙한 젊은이. **3** 〔競〕 초심자(tyro), 미숙한 자, 풋내기 ((특히)) 직업 크리켓단의. **4** 〔海〕 밧줄로 만든 매듭진 채찍((형벌용)). **colt's tail** 조각 구름 ── *vt.* 〔海〕 매듭진 채찍으로 때리다. ◈ cóltish *a.*
__Colt__ *n.* 콜트식 자동 권총(=∠ **revólver**)((미국의 발명자 이름에서 온 상표명)).
__col·ter__[kóultər] *n.* 보습(plow) 바로 앞에 달린 풀 베는 날.
__colt·ish__[kóultiʃ] *a.* **1** 망아지 같은. **2** 익살맞은, 장난꾸러기의; 다루기 어려운. **~·ly** *ad.* **~·ness** *n.*
__colts·foot__[kóultsfùt] *n.* (*pl.* **~s**) 〔植〕 머위, 관동(款冬).
__col·u·brine__[káljəbràin, -brin, kɔ́ljəbràin] *a.* 〔動〕 뱀 아과(亞科)의; 뱀 같은.
__col·um·bar·i·um__[kɑ̀ləmbέəriəm/kɔ̀l-] *n.* (*pl.* **-i·a**[-iə]) **1** 비둘기집(dovecot). **2** 〔옛로마〕 (Catacomb의) 지하 유골 안치소.
__Co·lum·bi·a__[kəlʌ́mbiə] *n.* **1** ((詩)) 미국. **2** 컬럼비아((미국 South Carolina 주의 주도)). **3** 컬럼비아대학교(=∠ **Univèrsity**)((New York 시 소재)). **4** (the ~) 〔宇宙〕 컬럼비아호((1981년 4월 12일 미국에서 발사된 space shuttle 제1호)). ◈ Colúmbian *a.*
__Co·lum·bi·an__[kəlʌ́mbiən] *a.* **1** ((詩)) 미국의. **2** 콜럼버스(Columbus)의.
__col·um·bine__[káləmbàin/kɔ́l-] *a.* 비둘기의〔같은〕. ── *n.* **1** 〔植〕 참매발톱꽃. **2** (**C-**) 〔劇〕 여자 어릿광대((Harlequin의 상대역)).
__co·lum·bite__[kəlʌ́mbait] *n.* Ⓤ 〔鑛〕 콜럼브석(石)((columbium의 주요 원광)).
__co·lum·bi·um__[kəlʌ́mbiəm] *n.* Ⓤ 〔化〕 콜럼븀(기호 Cb; NIOBIUM의 구칭)).
*__Co·lum·bus__[kəlʌ́mbəs] *n.* 콜럼버스 Christopher ~ (1451?-1506)((이탈리아의 항해가, 미대륙을 발견(1492))). ◈ Colúmbian *a.*
__Colúmbus Dày__ ((미)) 콜럼버스 기념일((미대륙 발견 기념일; 10월 12일)).
__col·u·mel·la__[kɑ̀ljəmélə/kɔ̀l-] *n.* (*pl.* **-lae**[-li:]) **1** 작은 기둥. **2** 〔動〕 나사조개의 축주(軸柱); 〔植〕 자주(子柱), 과축(果軸).
⁑__col·umn__[káləm/kɔ́l-] [L] *n.* **1** 〔建〕 기둥, 원주, 지주; 원주 모양의 물건; (연기 등의) 기둥. **2** 〔印〕 종행(縱行), 단(段); (신문 등의) 난(欄); (신문의) 특약 정기 기고난((시평·문예난 등)): ad(vertisement) ~*s* 광고난/in our 〔these〕 ~*s* 본난에서, 본지상(本紙上)에서. **3** 〔軍〕 종대; (함대의) 종렬, 종진: in ~ of fours 〔sections, platoons, companies〕 4열〔분대, 소대, 중대〕 종대로. **4** 〔컴퓨터〕 (세로) 열(列). **5** 〔數〕 (행렬식의) 열. **6** 〔미政〕 (당파·후보자의) 후원자 일람표. **7** 〔植〕 꽃술대. **column**

of the nose 콧대, 콧날. **column of water〔mercury〕** 물기둥〔수은주〕. **dodge the column** 《口》 의무를 게을리하다.
⊕ colúmnar *a.*

co·lum·nar[kəlʌ́mnər] *a.* **1** 원주(형)의. **2** (신문같이) 종란(縱欄)식으로 인쇄한.

col·umned *a.* 원주의〔가 있는〕; 원주 모양의(columnar).

co·lum·ni·a·tion[kəlʌ̀mniéiʃən] *n.* U,C **1** 〔建〕 원주식 구조;(집합적) 원주. **2** (페이지의) 단구획(段區劃).

cólumn ìnch 〔印〕 1인치 컬럼난(欄).

col·um·nist[kɑ́ləmnist/kɔ́l-] *n.* (신문 등의) 특약 기고가(*cf.* COLUMN 6).

co·lure[kəlúər, kou-, kóuluər] *n.* 〔天〕 분지경선(分至經線), 사계선(四季線). **the equinoctial colure** 이분경선(二分經線). **the solstitial colure** 이지경선(二至經線).

col·za[kɑ́lzə/kɔ́l-] *n.* 〔植〕 평지(의 씨).

cólza òil 평지 기름.

COM[kɑm/kɔm] 〔컴퓨터〕 computeroutput microfilm(er) 컴퓨터 출력 마이크로필름(장치). **com.** comedy; comic; comma; commerce; commercial; commission(er); committee; common(ly); communication; communist; community. **Com.** Commander; Commodore.

com-[kɑm, kəm/kɔm] *pref.* 「함께; 전혀」의 뜻(b, p, m 앞)《l 앞에서는 col-; r 앞에서는 *cor-*; 모음, h, gn 앞에서는 *co-*; 그 밖의 경우는 *con-*》.

co·ma[1] [kóumə] *n.* (*pl.* **-mae**[-miː]) **1** (**C-**) 〔天〕 코마《혜성 주위의 성운(星雲) 모양의 물질》; 〔光〕 코마《렌즈 수차(收差)의 일종》. **2** 〔植〕 씨의 솜털.

coma[2] *n.* 〔病理〕 혼수(상태)(stupor).

co·make[kóumèik] *vt.* 연서(連署)하다.

co·mak·er[kouméikər] *n.* 연서인, (특히 약속 어음의) 연대 보증인.

co·man·age·ment[koumǽnidʒmənt] *n.* =WORKER PARTICIPATION.

Co·man·che[koumǽntʃiː] *n.* (*pl.* ~, ~**s**) **1** (북미 인디언의) 코맨치족(族). **2** U 코맨치말.

co·mate[kouméit] *n.* 친구, 동료.

co·ma·tose[kóumətòus, kɑ́m-] *a.* **1** 〔病理〕 혼수성의, 혼수 상태의. **2** 기운 없이 졸리는, 몹시 졸리는. **~·ly** *ad.*

cóma vígil 〔病理〕 각성(覺醒)혼수; 개안성(開眼性) 혼수.

‡comb[1] [koum] *n.* **1** 빗; 소면기(梳綿機); 빗 모양의 물건. **2** (닭의) 볏; 물마루. **3** 벌집. **cut the comb of** …의 거만한 기를 꺾다. **go through〔over〕... with a fine comb** 자세히 조사하다. — *vt.* **1** 빗질하다, 빗으로 빗다. **2** 빗처럼 사용하다: ~ one's finger *through* one's hair 손가락으로 머리를 빗질하다. **3** (먼지 따위를) 빗질하여 제거하다. **4** 〈장소 등을〉 철저히 수색하다: They ~*ed* the village *for* the girl. 그들은 그 소녀를 찾으려고 마을을 샅샅이 뒤졌다. — *vi.* 〈파도가〉 물마루를 일으키며 치솟다. **comb off** 〈머리의 먼지 등을〉 빗어 내다, 〈머리의〉 엉킨 데를 빗어 풀다. **comb out** 〈탈모(脫毛)를〉 빗질해 내다; 〈불순물을〉 제거하다; 〈불요 인원을〉 정리하다; 분리하다;(면제된 사람들 가운데서) 〈신병(新兵)을〉 긁어 모으다; 면밀히 수색하다〔조사하다〕. **comb through** (1) 〈머리 를〉 꼼꼼하게 빗다. (2) 세밀히 조사하다. **combed , cómb·lìke** *a.*

comb[2] *n.* =COMBE.

comb. combination(s); combining.

‡com·bat[kɑ́mbæt, kʌ́m-] [L] *n.* 전투; 투쟁; 격투; 논쟁: a single ~ 일 대 일의 격투, 결투. — *a.* 전투용의: a ~ jacket 전투복. — [kəmbǽt, kɑ́mbæt, kʌ́m-] (**~·ed; ~·ing**|**~·ted; ~·ting**) *vt.* …와 싸우다; …을 상대로 항쟁하다. — *vi.* 싸우다, 격투하다 《*with, against*》; 분투하다《*for*》: ~ *with* a person for a thing 어떤 일 때문에 …와 싸우다. ⊕ combátant *n., a.*; combátive *a.*

***com·bat·ant**[kəmbǽtənt, kɑ́mbət-, kʌ́m-] *n.* **1** 전투원(*opp.* noncombatant); 전투 부대. **2** 투사, 격투자. — *a.* 전투〔실전〕를 하는, 싸우는(fighting). ⊕ cómbat *n., v.*

cómbat bòots 《미》 전투용 반장화, 군화.

cómbat càr 〔미軍〕 전차(戰車), 군용 차량.

cómbat fatìgue 〔精醫〕 전쟁 신경증.

com·bat·ive[kəmbǽtiv, kɑ́mbətiv, kʌ́m-] *a.* 투쟁적인, 투지만만한. **~·ly** *ad.* **~·ness** *n.*

cómbat ràtion (전투용) 휴대 식량.

cómbat tèam 〔미軍〕 (육·해·공의) 연합 전투 부대.

cómbat ùnit 〔軍〕 전투 단위〔부대〕.

combe[kuːm] *n.* 《영》 (깊은) 산골짜기, (해안으로 뻗은) 골짜기.

comb·er[kóumər] *n.* **1** (양모·솜 등을) 빗는 사람; 빗는 기계〔도구〕. **2** 부서지는 파도(breaker).

com·bies[kɑ́mbiz/kɔ́m-] *n. pl.* 《영口》 아래위가 붙은 속옷(combinations).

‡com·bi·na·tion[kɑ̀mbənéiʃən/kɔ̀m-] *n.* U,C **1** 결합, 짝맞춤, 배합, 단결, 연합; 도당; 공동(동작). **2** (*pl.*) 《영》 콤비네이션《아래 위가 달린 속옷; 드로즈가 달린 슈미즈》. **3** 결사, 단체, 조합. **4** 〔化〕 화합(물);(결정(結晶)의) 집형(集形);(*pl.*) 〔數〕 조합(*cf.* PERMUTATIONS); 〔컴퓨터〕 조합. **5** =COMBINATION LOCK. **6** 사이드카가 달린 오토바이. **in combination with** …와 공동〔협력〕하여. **make a strong combination** 좋은 짝이 되다. **~·al** *a.*
⊕ combine *v.*; cómbinative *a.*

combinátion càr 《미》 〔鐵道〕 혼합차《1, 2등, 2, 3등 또는 객차와 화차의》.

combinátion dòor (방충 창문처럼) 떼고 붙일 수 있는 옥외문.

combinátion drùg 〔藥〕 복합약《2종 이상의 항생 물질 등의 혼합약》.

combinátion lòck 글자〔숫자〕 맞추기 자물쇠, 다이얼 자물쇠.

combinátion ròom =COMMON ROOM.

combinátion sàle 끼워팔기(tie-in sale).

combinátion shót 〔撞球〕 (최소한 한 개의 목적구(球)가) 다른 공을 포켓에 넣게 치기.

com·bi·na·tive[kɑ́mbənèitiv/kɔ́mbənət-] *a.* 결합하는, 결합력이 있는, 결합성의; 결합에 관한; 결합에 의한.

com·bi·na·to·ri·al[kəmbàinətɔ́ːriəl, kɑ̀mbə-] *a.* **1** 결합의. **2** 〔數〕 조합의.

com·bi·na·tor·ics[kɑ̀mbənətɑ́riks/kɔ̀mbàinətɔ́ːr-] *n. pl.* (단수 취급) 〔數〕 조합론.

‡com·bine[kəmbáin] [L] *vt.* **1** 결합시키다; 〈사람·힘·회사등을〉 합병〔합동〕시키다, 연합시키다: ~ two companies 두 회사를 합병하다/~ factions *into* a party 당파들을 한 당으로 합체하다. **2** 겸하다, 겸비하다, 아울러 가지다: work ~*d with* pleasure 오락을 겸한 일. **3** 〔化〕 화합시키다. **4** [kɑ́mbain/kɔ́m-] 콤바인으로 수확하다. — *vi.* 결합하다; 합동하다; 합병하다; 〔化〕 화합하다; 협력하다; 겸비하다: Carbon ~*s with* oxygen and forms

carbon dioxide. 탄소는 산소와 화합하여 탄산가스가 된다. **be combined in** 화합〔결합〕하여 …이 되다. — [kɑ́mbain/kɔ́m-] *n.* **1** 기업합동(syndicate) : (정치상의) 연합. **2** 콤바인, 복식 수확기《수확 · 탈곡 기능을 겸비한 농기구》. **com·bín·er** *n.*
◈ combinátion *n.* : cómbinative *a.*

com·bined[kəmbáind] *a.* **1** 결합된, 합동의 : 연합의 : ~ efforts 협력/~ squadron 〔《미》 fleet〕 연합함대. **2** 〔化〕 화합한.

com·bíned árms 〔軍〕 제병(諸兵) 연합부대《기갑 · 보병 · 포병 · 공병 · 항공 부대 등을 통합한 작전 부대》.

combíned operátions〔**éxercises**〕〔軍〕 연합 작전.

combíne hàrvester 콤바인(combine).

comb·ing[kóumiŋ] *n.* U,C **1** 빗질. **2** (*pl.*)(빗질하여) 빠진 털.

cómbing machìne 소모기(梳毛機).

com·bín·ing fòrm[kəmbáiniŋ-] 〔文法〕 연결형《복합어를 만드는 요소》.

combíning wèight 〔化〕 화합량(化合量), (화학) 당량(當量)(equivalent).

cómb jèlly 빗살해파리류(類)의 동물.

com·bo[kɑ́mbou/kɔ́m-] *n.* (*pl.* ~**s**) 캄보《소편성의 재즈 악단》.

comb-out[kóumàut] *n.* **1** (인원의) 일제 정리〔검거〕. **2** 철저 수색.

com·bust[kəmbʌ́st] *a.* 〔天〕 〈행성이〉 태양에 접근하여 빛이 엷어진.

com·bus·ti·bil·i·ty[kəmbʌ̀stəbíləti] *n.* U 연소성, 가연성(可燃性).

com·bus·ti·ble[kəmbʌ́stəbəl] *a.* **1** 타기 쉬운, 가연성의. **2** 흥분하기 쉬운. — *n.* **1** (보통 *pl.*) 가연물(可燃物). **2** 《미俗》 라이터, 성냥. **-bly** *ad.*

*****com·bus·tion**[kəmbʌ́stʃən] *n.* U **1** 연소 ; (유기체의) 산화 ; 자연 연소. **2** 격동, 소요. **spontaneous combustion** 자연발화.
◈ combústive *a.*

combústion chàmber (엔진의) 연소실.

combústion fùrnace 연소로(爐).

combústion tùbe 연소관《철강 분석용》.

com·bus·tive[kəmbʌ́stiv] *a.* 연소(성)의.

com·bus·tor[kəmbʌ́stər] *n.* 연소실〔기〕.

comd. command.

COM·DEX[kɑ́mdèks/kɔ́m-][*Com*puter *D*ealers *Ex*po] *n.* 〔컴퓨터〕 콤덱스《컴퓨터와 그 관련 업체를 대상으로 하는 전시회》.

comdg. commanding. **Comdr.** Commander. **Comdt.** Commandant.

★**come**[1] [kʌm] (**came**[keim] : ~) *vi.* **1** (말하는 사람쪽으로) 오다 ; (상대방이 있는 곳, 말하는 사람 · 상대방이 가는 쪽으로 또는 어떤 목적지로) 가다 : 《Ⅱ 부+(형)》 She *came* home (safe). 그녀는 (안전하게) 집으로 돌아왔다/《Ⅱ 전+명+형》 He *came to* school safe. 그는 안전하게 학교에 왔다/《*-ing*(*p.*)》 He *came* runn*ing*. 그는 달려왔다/《Ⅰ *do*+전+명》 *Come* talk *with* me. 이리 와서 나하고 얘기 좀 하자/Yes, I'm *coming*. 예, 지금 갑니다/《Ⅰ 전+명》 *Come in* this way. 이리〔이쪽으로〕 오세요(=*Come* here〔this way〕(, please). 《Ⅰ (부목)》)/May I ~ *to* your house next Sunday? 오는 일요일에 댁에 가도 괜찮습니까/《Ⅰ 부+*to* do》 *Come* outside *to* play. 놀러 나가자/《Ⅰ *to* do》 She *came to* see me. 그녀는 나를 만나러 왔다/Will you ~ *to* have dinner with us? 우리와 함께 식사하러 오시겠습니까.
2 도착〔도달〕하다(arrive) : She hasn't ~ yet. 그녀는 아직 도착하지 않았다/The bus is *coming in* now. 버스가 지금 들어오고 있다.
3 (시간 · 공간의 순서) 오다, 나오다 : *After* Anne ~*s* George I. 앤 여왕 다음은 조지 1세다/Revelation ~*s at* the end of the Bible. 계시록은 성경 맨 뒤에 나온다/Whose turn *came* next? 다음은 누구의 차례였는가.
4 (시기 · 계절 : 자연 현상이) 도래하다, 돌아오다 ; 나타나다, 나오다, 보이다 : Spring has ~. 봄이 왔다《《文語》 Spring is *come.*》/There's a good time *coming*. 이제 좋은 때가 올 것이다/The time has ~ *to* do …할 때가 왔다/the world *to* ~ 미래의 세계, 내세《◇ *to come*을 형용사적으로 써서 '앞으로 올, 미래의' 뜻을 나타냄》/《Ⅱ *-ing*(*p.*)+부+전+명》 A rich, sweet voice *came* float*ing up* from the garden. 우렁차고 호감이 가는 목소리가 정원에서 위로 올라왔다/Everything ~*s to* him who waits. 《속담》 기다리는 자에게는 반드시 때가 온다/The light ~*s* and goes. 빛이 나타났다가는 사라진다.
5 〈일이〉 일어나다 : 〈사물이 사람에게〉 닥치다 : 손에 들어오다 : After pain ~*s* joy. 고생 끝에 낙이 있다/I am ready for whatever ~*s.* 무슨 일이 일어나든 준비는 돼 있다.
6 (결과로서) 생기다, …에 원인이 있다 : This ~*s of* disobedience. 이것은 불복종의 결과이다.
7 (사물이) 세상에 나타나다, 되다 ; (아이가) 태어나다 : The wheat began *to* ~. 밀이 싹트기 시작하였다/A chicken ~ *from* an egg. 알에서 병아리가 깬다.
8 …의 출신〔자손〕이다;〈언어 · 습관 등이〉 …에서 오다 : ~ *of* a good family 명문 출신이다/《Ⅰ 전+명》(all over the world(부+전+명)-from(전)의 목적어) They *came from* all over the world. 그들은 세계 도처에서 왔다.
9 …에서 옮아 오다, 손에 들어오다, …의 것이 되다 : (상품을 형태로) 팔고 있다 : 공급되다 : Her fortune *came to* her *from* her mother. 그녀의 재산은 어머니로부터 물려받은 것이었다/Toothpaste ~*s in* a tube. 치약은 튜브에 넣어 판다/She has another dollar *coming to* her. 그녀는 1달러 더 받게 되어 있다《◇ *coming* : 현재분사형으로 '당연히 받아야 할'의 뜻》.
10 (생각 따위가) 떠오르다 : The idea just *came to* me. 문득 그 생각이 떠올랐다.
11 (어떤 때에) 해당하다 : Christmas *came on* a Thursday that year. 그 해의 크리스마스는 목요일이었다.
12 (물건이 …까지) 닿다, 미치다《*to*》: The dress ~*s to* her knees. 그 옷자락은 그녀의 무릎까지 온다.
13 …에 귀착하다《*to*》: What he says ~*s to* this. 그가 말하는 것은 결국 이렇다.
14 (금액 등이) 합계 …이 되다 ; …에 달하다(amount)《*to*》: Your bill ~*s to* $7. 계산은 7달러가 됩니다.
15 〈어떤 상태로〉 되다, 변하다, 시작하다 : ~ *into* conflict 충돌하다, 싸움이 되다/~ *into* force 〈법률이〉 효력을 발생하다/~ *into* sight 보이기 시작하다.
16 〈상태 · 결과에〉 이르다 : (to부정사와 함께) …하기에 이르다, …하게 되다 : 《Ⅱ *to* do》 He *came to* collide with a native. 그는 원주민 한 사람과 의견이 맞지 않았다/How did you ~ *to* know that? 어떻게 그것을 알게 되었는가.
17 …이 되다, …해지다(become) : ~ cheap

〔expensive〕 싸게〔비싸게〕 먹히다/～ untied 풀어지다/Things will ～ all right. 만사가 잘될것이다/《Ⅱ 전+명+*done*/Ⅱ 조+*v*Ⅱ+전+명+*done*》《*Emph.*》*Naked came* we *into* the world, *naked* shall we depart *from* it. 인간은 이 세상에 빈 손으로 왔다 빈 손으로 간다.
18 (감탄사처럼 사용하여 명령·권유·재촉·힐문·제지·주의 등을 나타냄) 자, 글쎄, 이봐: *Come,* tell me all about it. 자, 그것을 나에게 모두 말해다오.
19 (가정법 현재형을 접속사처럼 써서) …이 오면, …이 되면(when … comes): She will be forty ～June. 그녀는 이번 6월에 만 40세가 된다.
20 (과거분사형) 왔다: A Daniel ～ to judgment! 명재판관 다니엘씨와 같은 분이 (다시) 오셨다.
21 《俗》 오르가즘에 달하다, 사정하다.
— *vt.* **1** 《영口》 …을 하다, 행하다(do, act): 성취하다: ～ a joke〔a trick〕 on a person …을 놀리다. **2** 《口》 …의 역을 하다, 체하다: ～ the moralist 군자인 체하다. **3** 〈어느 나이에〉 가까와지다: a child *coming* five years old 5살이 다 되어가는 아이.
as … as they come 매우, 더할 나위 없이. **come about** (1)〈일이〉 일어나다, 생기다, 나타나다: (*It*을 주어로 하여)《文語》(…의) 사태가 벌어지다: 《Ⅰ *It v*Ⅰ+부+*that*(절)》(So-접속부사) So it *came about that* almost every one talked of her. 그리하여 우리 모두가 그녀의 이야기를 하게 되었다. (2) 〈바람이〉 방향을 바꾸다: 〔海〕 (배가) 뱃머리를 바람이 불어오는 쪽으로 돌리다. **come across** (1) …을 (뜻밖에) 만나다, 발견하다: 《Ⅲ *v*Ⅰ+전+(목)+(부목)》(*no pass*) I *came across* him this morning. 나는 오늘 아침에 그를 우연히 만났다. (2) 〈요구하는 것을〉 주다: 〈빚을〉 갚다: 〈의무를〉 다하다: 뇌물을 주다. (3) 자백하다. (4) 《卑》 〈여자가〉 허락하다. **come across** one's **mind** 머리에 떠오르다. **come after** …을 찾다: …에 계속되다: …의 뒤를 잇다. **come again** 다시 오다, 되돌아오다: 한 번 더 해보다: (명령형) 《口》 다시 한번 말해주시오. **come along** 오다, 〈길을〉 지나가다: (명령형) 따라 오라: 자 빨리 빨리 (make haste!): 동의〔찬성〕하다(*with*): 《미口》 잘〔성공〕하다: 숙달하다. **come and**(=*to*) see me 찾아오게. (◇ 《口》에서는 come, go, run, send, try 등의 동사 뒤에서는 come see me의 형태가 보통으로 쓰임). **come and get it** 《미口》 식사 준비가 되었어요. **come and go** 오락가락하다, 보일락 말락하다: 변천하다. **come apart** 흩어지다, 부서지다: 무너지다: 분해되다. **come apart at the seams** 《口》 (사람·계획 등이) 못쓰게 되다. **come around** 《미》 =COME round. **come at** …에 이르다, …에 도달하다: …을 알게 되다: …으로 향하여 오다, 공격하다(attack): 《미口》 …을 뜻하다. **come away** 떨어져 오다, 떨어지다. **come away with** 〈어떤 감정·인상을〉 가지고 떠나다. **come back** 돌아오다: 회복하다, 복귀하다: 기억에 다시 떠오르다: 말대꾸하다, 보복하다. **come before** (1) … 앞에 오다〔나타나다〕. (2) …에 앞서다, 보다 중요하다, 보다 상위에 있다. (3) 의제로서 제출되다, 심의되다. **come between** …의 사이에 끼다: 이간질하다. **come by** …을 손에 넣다: 통과하다: 《미俗》 지나는 길에 들르다. **come clean** 사실을 말하다: 실토〔자백〕하다. **come close**〔**near**〕 **to** doing 거의 …하게 되다: 하마터면 …할 뻔하다. **come down** (1) 내리다, 내려오다: (침실에서) 일어나 내려 오다: 〈비가〉 내리다: 〈물건이〉 떨어지다: 〈나무가〉 잘리어 넘어지다: 〈집이〉 무너지다: 〈값이〉 내리다(*in*): (특히 Oxford, Cambridge 대학교를) 졸업하다. (2) 전해 내려오다, 전해지다(*from, to*). (3) 《영口》 돈을 내다(*with*). (4) 영락하다. **come down on**〔**upon**〕 …에 돌연히 덤벼들다: 《口》 호통치다, 꾸짖다. **come down to** …에 귀착되다. **come down to earth** 《口》 (꿈과 같은 상태에서) 현실로 돌아오다. **come down with** (전염)병에 걸리다. **come first** 우선하다. **come for** (1) …의 목적으로 오다: 〈물건을〉 가지러 오다, 〈사람을〉 마중나오다. (2) 덮치려 하다. **come forth** (1) 《文語·익살》 〈제안 등이〉 나오다, 나타나다. (2) 《古》 〈사람이〉 나타나다. **come forward** 앞으로 나서다: (여러 사람의 희망에 응하여) 나서다. **come home** 집에 돌아오다. **come home to** (me, etc.) (…의 가슴에) 사무치다, 절실히 느껴지다. **come in** (1) 집〔방〕에 들어가다: (명령형) 들어와: 입장하다: 도착하다: 《Ⅰ 부+부》 You can *come in* now. 이제 들어오세요. (2) 입상하다. (3) 〔크리켓〕 타자가 되다. (4) (선거에서) 당선하다: 취임하다: 요직에 앉다: 〈당파가〉 정권을 잡다. (5) 〈돈이〉 수입으로 들어오다. (6) …의 계절이 되다: 열매가 익다: 유행하게 되다. (7) 처지가 …이 되다. (8) (농담의) 재미는 …에 있다: 간섭하다: 《미俗》 〈암소가〉 새끼를 낳다. **come in for** 〈자기 몫〉을 받다. **come in handy**〔**useful**〕 (언젠가는) 쓸 데가 있다. **come in on** (1) 〈사업 등에〉 참가하다. (2) (들어와서) 방해하다. **come into** …에 들어 가다: …에 가입〔찬성〕하다: 〈재산〉을 물려 받다: 《Ⅰ 전+명+*to* do》 Jesus *came into* the world *to* save sinners. 예수는 죄인을 구하기 위해서 이 땅에 오셨다. **come into** one's **head** 머리에 떠오르다. **come into** one's **own** 자기 역량을 충분히 발휘하다: 당연한 성공〔명성 (등)〕을 얻다. **come into sight** 보이기 시작하다. **come in with** …에 참가하다, 가담하다. **come it** 《영俗》 뻔뻔스럽게〔실례되게〕 행동하다. **come it** (**a bit**) **over**〔**with**〕 …을 이기다, 앞지르다, 속이다: 잘난 체하다. **come it a bit** (**too**) **strong** 《영口》 도를 지나치다: 과장하다. **come natural to** 《미口》 쉽다, 쉽게 익숙해지다. **come near** …에 가까이 가다: …에 맞먹다. **come near doing** 거의 … 할 지경이다. **come of** (1) …에 기인하다: 《Ⅲ *v*Ⅰ+전+-*ing*》(*no pass*) Accidents *come of* be*ing* careless. 사고는 부주의에서 온다. (2) …출신이다. **come of age** 성년이 되다. **come off** 〈사람이〉 가 버리다: 〈단추 등이〉 떨어지다, 〈머리카락·이 등이〉 빠지다, 〈페인트 등이〉 벗겨지다: 〈꾀했던 일이〉 실행되다, 실현되다: 〈예언이〉 들어맞다: 〈사업이〉 성취되다, 성공하다: 〈연극 등〉 상연을 중지하다: 《俗》 사정(射精)하다. **come off it** 《口》 거짓말〔속이 들여다 보이는 말〕은 그만두다, 쓸데없는 말을 그만두다. **come on** (1) 〈겨울·밤 등이〉 닥쳐오다, 다가오다: 몰려오다: 〈비가〉 내리기 시작하다: 〈바람·폭풍·발작 등이〉 일다: 〈병·고통 등이〉 더해지다: 〈문제가〉 토의되다, 상정되다: 〈사건이〉 제기되다: 〈배우가〉 등장하다: 〈일이〉 순조롭게 진행되다, 번창하다: (명령형) 자 가자, 자 덤벼라(I defy you), 제발(please)《도전·독촉·간청의 말투》 자!, 빨리빨리(hurry up). (2) =COME upon.

come on in 《미口》(명령문) 자 들어 오시오. **come out** 나오다; 발간〔출판〕되다; 〈새 유행이〉 나타나다; 〈무대·사교계에〉 (처음으로) 나서다; 파업하다; 〈본성·비밀 등이〉 드러나다; (수학의) 답이 나오다, 풀리다; 결과가 …이 되다; (…의 성적으로) 급제하다; 〈얼룩이〉 빠지다; 공매(公賣)에 붙여지다: 《Ⅰ 부》 Traffic accident will *come out.* 교통사고란 나는 법이다. **come out against** …에 반대하다〔를 표명하다〕. **come out for** 지지하다〔를 표명하다〕. **come out in** 《口》 (여드름, 뾰루지 등으로) 덮여있다. **come (out) into the open** 《미口》 진의(眞意)를 표명하다. Nothing will **come out of** all this talk. (이렇게 이야기만 해봐야 아무 것도) 나오지(않을 것이다). **come out on the right** 〔**the wrong**〕 **side** 〈장사꾼이〉 손해를 보지 않다〔보다〕. **come out on the side of** …의 편을 들다, 을 지지하다. **come out with** 《口》 …을 보이다; 〈비밀을〉 누설하다; …을 발표 하다; …을 공매에 붙이다: 《Ⅲ *v*ɪ+부+전+(목)》 (*no pass*) She has *come out with* an excellent solution. 그녀는 탁월한 해결책을 내놓았다. **come over** 멀리서 오다; (적편에서) 이쪽 편이 되다, 변절하다; …을 덮치다; 〈라디오·텔레비전이〉 분명히 들리다. **come past** 통과하다(come by). **come round** 닥쳐〔돌아〕오다; 훌쩍 나타나다; 원기를 회복하다, 〈기절했던 사람이〉 소생하다; 기분을 풀다; 〈바람 등이〉 방향이 바뀌다; 의견을 바꾸다; …의 환심을 사다, 을 농락하다. **come through** 끝까지 해내다《*with*》; 성공하다; 지불하다; 〈전화가〉 연결되다. **come to** (1) 의식을 회복하다, 정신이 들다; 〈배가〉 닻을 내리다, 정박하다. (2) 합계 …이 되다, 결국 …이 되다. **come to an end** 끝나다. **come to blows** 주먹다짐을 하게 되다, 격투하다. **come to grief** 슬픈 변을 당하다, 실패하다. **come to hand** 〈편지가〉 손에 들어오다(arrive). **come to harm** 몸을 다치다, 봉변을 당하다. **come to heel** 굴복하다. **come to life** 소생하다. **come to much**〔**little, nothing**〕 대단한 것이 되다〔거의 아무 일도 되지 않다, 아무 일도 되지 않다〕. **come to no good** 신통치 않다, 잘 되다. **come to one's senses**〔**oneself**〕 제 정신이 들다; 허망한 꿈에서 깨어나다. **come to pass** 발생하다, 일어나다(happen). **come to stay** 영구화하다; 〈외래의 습관 등이〉 토착화하다. **come to terms** 타협이 이루어지다. **come to that** = **if it comes to that** 그것 말인데, 실은. **come to the book** 《口》 (배심원이 되기 전에) 선서하다. **come to the scratch** 단호한 조치를 취하다. **Has it come to this?** 이 꼴이 되고 말았나. **come true** 〈일이〉 기대했던 대로 되다; 〈예언이〉 들어맞다: 《Ⅱ 형》 His dream *came true.* 그의 꿈은 실현되었다. **come under** …의 부류〔항목〕에 들다; …에 편입〔지배〕되다; …에 해당하다; 〈영향·지배 등〉을 받다. **come up** 오르다; 〈해·달이〉 떠오르다; (성큼성큼) 걸어오다, 다가오다; 상경(上京)하다; 〈일이〉 일어나다, 생기다; 《영》 대학에 입학하다; 〈종자·풀 등이〉 싹트다; 〈폭풍 등이〉 일다; 유행하기 시작하다; 논의에 오르다. **come up against** 〈곤란·반대에〉 부딪치다, 직면하다. **come up for** (토론·심의·투표 등에) 회부되다. **come upon** …을 우연히 만나다; 문득 …을 생각해 내다; …을 갑자기 습격하다; …에게 부탁하러 가다, 요구하다; 〈일을〉 …이 맡게 되다; …의 신세를 지다. **come up smiling** (복싱 등에서) 지지 않고 맞서다, 굴복하지 않다. **come up to** …에 도달하다(reach); 〈기대〉대로 되다; 〈표준·견본〉에 맞다; …와 맞먹다. **come up with** …에 따라잡다; …에 복수하다; 《口》 …을 안출하다, 제안하다: 《Ⅲ *v*ɪ+부+전+(목)+전+명》 (*no pass*) I have to *come up with* a solution to the problem. 나는 그 문제의 해결책을 모색해야 한다. **come what may**〔**will**〕 어떤 일이 일어나더라도. **come with** …에 부수되다, …에 으레히 따르다. **Coming from** a person 다른 사람으로부터 그런 말을 들으면. **First come, first**〔**best**〕 **served.** 《속담》 빠른 사람이 제일이다, 선착자 우선. **How come?** 《口》 어째서 (그런가) (Why?). **How comes it that …?** 어째서 …하게 되었는가. **if**〔**when**〕 **it comes to** …의 문제라면. **Let'em**〔**Let them**〕 **all come!** (한꺼번에) 덤빌테면 덤벼봐! **Light come, light go.** 《속담》 쉽게 생긴 것은 쉽게 없어진다. **not know whether**〔**if**〕 **one is coming or going** 어떻게 된 건지 전혀 모르다. **now**〔**when**〕 **one comes to think of it** 다시 생각해 보니, 그러고 보니.

come², cum[kʌm] *n.* 《卑》 = ORGASM; 정액(semen), (여성의) 애액(愛液). — *vi.* 오르가즘에 달하다, 사정하다.

come-and-go[kʌ́mən*d*góu] *n.* (*pl.* ~**es**) 왔다갔다함, 왕래; 변천.

come-at-a·ble[kʌmǽtəbəl] *a.* 《영口》 **1** 가까이 하기 쉬운, 사귀기 쉬운. **2** 입수하기 쉬운.

come·back[kʌ́mbæ̀k] *n.* **1** 《口》 (건강·인기 등의) 회복, 복귀, 컴백. **2** 재치 있는 말대꾸〔응답〕. **3** 《口》 불평거리. **make**〔**stage**〕 **a comeback** 복귀〔재기〕하다.

come·back·er[kʌ́mbæ̀kər] *n.* 〔野〕 투수를 강습하는 땅볼.

cómeback wín 역전승.

COMECON, Com·e·con[kámikən/kɔ́m-] [*C*ouncil for *M*utual *E*conomic (Assistance)] *n.* 동구(東歐) 공산권 경제 상호 원조 협의회.

***co·me·di·an**[kəmí:diən] *n.* **1** 희극 배우, 코미디언. **2** 《古》 희극 작가. **3** 익살꾼.

co·me·dic[kəmí:dik, -méd-] *a.* 희극(풍)의.

com·é·die de moeurs[kɔ̀meidí:dəmǽ:rs] [F = comedy of manners] *n.* 풍속 희극.

Com·é·die-Fran·çaise[kɔ̀meidí:frɑ:nséz] *n.* (the ~) (파리의) 국립 극장.

com·é·die lar·mo·yante[kɔ̀meidí:lɑ̀:r-mwəjɑ́:ŋt] [F] *n.* 감상적인 희극.

co·me·di·enne[kəmì:dién, -mèid-] [F] *n.* 여자 희극 배우.

com·é·die noire[kɔ̀meidí:nwɑ́:r] [F] *n.* = BLACK COMEDY.

co·me·di·et·ta[kəmì:diétə] [It] *n.* 소(小)희극《보통 1막 짜리》.

com·e·dist[kɑ́mədist] *n.* 희극 작가.

com·e·do[kɑ́mədòu/kɔ́m-] *n.* (*pl.* ~**s**, -**do·nes**[⌐-⌐ni:z]) 여드름(blackhead).

come·down[kʌ́mdàun] *n.* 《미》 몰락, 영락, (지위·명예의) 실추; 실망.

⁑**com·e·dy**[kɑ́mədi/kɔ́m-] [Gk] *n.* (*pl.* -**dies**) **1** 희극(*opp.* tragedy) U,C 희극적인 장면〔사건〕; 희극적 요소. **2** 인생극《희비(喜悲) 양면에서 인생의 진상을 그린 작품》: Dante's *Divine C*- 단테의 「신곡(神曲)」. **comedy of manners** 풍속 희극. ◇ cómic, cómical *a.*

cómedy dràma 희극적 요소를 가미한 드라마.

com·e·dy·wright[kɑ́mədiràit/kɔ́m-] *n.* 희극 작가.

come-from-be·hind[kʌ̀mfrəmbiháind] *a.* 역전(逆戰)의: a ~win 역전승.

come-hith·er[kʌ̀mhíðər, kəmíðər] 《口》 *n.* 사람을 끄는 것, 유혹(하는 것). — *a.* 유혹적인, 매혹적인.

come-late·ly[-léitli] *a.* 새로 들어온, 신참의.

come·li·ness *n.* **1** (용모의)예쁨; 단정함. **2** 적합.

*__come·ly__[kʌ́mli] *a.* (**-li·er; -li·est**) **1** 《文語》 《특히》 〈여자가〉 얼굴이 잘 생긴, 미모의. **2** 《古》 알맞은, 적당한, 어울리는.

come-off[ˊɔ̀(:)f, ˊɑ̀f] *n.* 《미口》 **1** 결론, 결말. **2** 발뺌, 변명.

come-on[ˊɑ̀n/ˊɔ̀n] *n.* 《미俗》 **1** 유혹하는 눈매〔태도〕; 유혹하는 것; 싸구려 상품; 경품(prize). **2** 사기꾼 앞잡이; 만들어낸 이야기.

come-outer[ˊáutər] *n.* 《미》 이탈자; 급진적 개혁주의자.

*__com·er__[kʌ́mər] *n.* **1** 올 사람, 온 사람. **2** 《미口》 유망한 신인, 성장주(株). **all comers** 오는 사람 모두《모든 희망자·응모자·참가자 등》.

co·mes·ti·ble[kəméstəbəl] 《文語》 *a.* 먹을 수 있는(edible). — *n.* (보통 *pl.*) 식료품.

⁑**com·et**[kámit/kɔ́m-] [Gk] *n.* 〔天〕 혜성. ◇ cómetary *a.*

com·e·tar·y[-èri/-əri] *a.* 혜성의〔같은〕.

co·meth·er[kouméðər] 《영方》 *n.* 유혹, 매혹; 매혹적인 말투〔언동〕. — *a.* 매혹적인. **put the**〔**one's**〕 **comether on** a person …을 설득하다.

co·met·ic, -i·cal[kəmétik], [-kəl] *a.* =COMETARY.

cómet sèeker〔**finder**〕 혜성 관측 망원경《배율은 낮으나 시야가 넓음》.

come·up·pance[kʌ̀mʌ́pənsl] *n.* 《口》 당연한 벌〔응보〕(deserts).

com·fit[kʌ́mfit] *n.* 《稀》 (동그란) 사탕 과자, 봉봉; (*pl.*) 과자.

⁑**com·fort**[kʌ́mfərt] [L] *n.* **1** Ⓤ 위로, 위안: words of ~ 위로의 말. **2** (a ~) 위로가 되는 사람〔것〕; (*pl.*) 생활을 즐겁게 해주는 것; 즐거움. **3** Ⓤ 안락, 마음 편안함: live in ~ 안락하게 살다. **4** 위문품. **5**(침대의) 이불. **cold comfort** 반갑지 않은 위로. **give comfort to** …을 위안하다. **take**〔**find**〕 **comfort in** …을 낙으로 삼다. — *vt.* **1** 위안하다, 위문하다(console); 〈몸을〉 편하게 하다: 《Ⅲ (목)+전+명》 He ~*ed* her *in* her sorrow. 그는 그녀가 슬픔에 젖어있을 때 그녀를 위로했다/《Ⅲ (목)+전+명》 He ~*ed* her *for* her failure. 그는 그녀의 실패를 위로해 주었다/《Ⅲ *It v*Ⅲ+(목)+*to* do》 It ~*ed* him *to* see her so happy. 그녀가 아주 행복하게 보여서 그는 안심이 되었다. **2** 《古》 원조하다. ◇ cómfortable *a.*

⁑**com·fort·a·ble**[kʌ́mfərtəbəl] *a.* 기분이 좋은; 마음 편한; 안락한; 〈수입이〉 충분한. **in comfortable circumstances** 편안한 환경에. — *n.* 목도리; 《미》 이불. **~·ness** *n.* ◇ cómfortably *ad.*

*__com·fort·a·bly__[kʌ́mfərtəbəli] *ad.* 기분좋게; 안락하게; 부족함이 없이. **be comfortably off** 《완곡》 꽤 잘 살고 있다.

*__com·fort·er__[kʌ́mfərtər] *n.* **1** 위안을 주는 사람〔것〕, 위안자; (the C-) 성령(the Holy Ghost). **2** 《영》 고무 젖꼭지. **3** 털목도리; 《미》 이불.

com·fort·ing[kʌ́mfərtiŋ] *a.* 기분을 돋구는, 격려하는; 위안이 되는. **~·ly** *ad.*

com·fort·less[kʌ́mfərtlis] *a.* 위안이 없는, 부자유스러운; 낙이 없는, 쓸쓸한. **~·ly** *ad.*

cómfort stàtion〔**ròom**〕 《미》 (공원·동물원 등의) 공중 변소(rest room).

cómfort stòp 《미》 (버스 여행의) 휴식을 위한 정차.

com·frey[kʌ́mfri] *n.* 〔植〕 나래지치《옛날에는 약용》.

com·fy[kʌ́mfi] *a.* (**-fi·er; -fi·est**) 《口》 = COMFORTABLE.

⁑**com·ic**[kámik/kɔ́m-] *a.* **1** 희극의, 희극풍의 (*opp.* tragic); 희극적인, 우스꽝스러운. **2** 《미》 만화의. — *n.* **1** 《미》 희극 배우. **2** 만화 책〔잡지〕; 희극 영화; (the ~s) (신문의) 만화란(欄). ◇ cómedy *n.*; cómical *a.*

com·i·cal[-ikəl] *a.* 우스꽝스러운, 익살스러운. **~·ly** *ad.* ◇ cómic *a., n.*; comicálity *n.*

com·i·cal·i·ty[kàmikǽləti/kɔ̀m-] *n.* Ⓤ 우스움; Ⓒ 익살스러운 사람〔것〕.

cómic bòok 만화책, 만화 잡지.

comic-op·era[ˊàpərə/ˊɔ̀p-] *a.* 우스꽝스럽게 우쭐대는, 익살극처럼 거드름피우는〔어리석게 구는〕.

cómic ópera 희가극 (작품).

cómic relíef (비극적인 장면에 삽입하는) 희극적인 기분 전환.

cómic strìp (신문·잡지의) 연재만화《1회 4컷》(《영》 strip cartoon).

Com. in Chf. Commander in Chief.

Com·in·form[káminfɔ̀:rm/kɔ́m-] [*Com*munist *Inform*ation Bureau] *n.* (the ~) 코민포름, 공산당 정보국《국제 공산주의의 선전기관, 1947-56》.

⁑**com·ing**[kʌ́miŋ] *a.* **1** 오는, 다음의(next). **2** 《口》 신진(新進)의. — *n.* **1** Ⓤ,Ⓒ 도래(到來)(arrival). **2** (the C-) 그리스도의 재림. **comings and goings** 《口》 사건; 활동; 왕래.

cóming óut[-áut] 사교계에의 데뷔; 데뷔 축하 파티.

Com·in·tern[kámintə̀:rn/kɔ́m-] [*Com*munist *intern*ational] *n.* (the ~) 코민테른, 국제 공산당(the Third INTERNATIONAL).

COMISCO, Co·mis·co[kəmískou] [*Com*mittee of the *I*nternational *S*ocialist *Co*nference] *n.* 국제 사회주의자 회의.

com·i·tad·ji *n.* =KOMITADJI.

co·mi·ti·a[kəmíʃiə] *n.* (*pl.* ~) 옛로마 민회(民會), 의회(議會).

com·i·ty[káməti/kɔ́m-] *n.* (*pl.* **-ties**) Ⓤ,Ⓒ 《文語》 예의(courtesy); 예양(禮讓). **the comity of nations** 국제 예양; 국제 친교국.

com·ix[kámiks/kɔ́m-] *n. pl.* 만화(책), 특히 반체제적 만화.

coml. commercial. **comm.** commander; commerce; commission; committee; commonwealth.

⁑**com·ma**[kámə/kɔ́mə] [Gk] *n.* 콤마(,); 〔樂〕 콤마, 소음정(小音程). **inverted commas** = QUOTATION MARKS.

cómma bacìllus 콤마 모양의 세균《콜레라균 등》.

com·ma-coun·ter[-kàuntər] *n.* 《俗》 사소한 일에 까다로운 사람(hairsplitter).

com·ma-count·ing[-kàuntiŋ] *n.* 《俗》 사소한 흠을 잡아내기(nitpicking).

cómma fàult 〔文法〕 콤마의 오용(誤用).

★**com·mand**[kəmǽnd, -má:nd] *vt.* **1** …에게 명(령)하다, …에게 호령〔구령〕하다, 요구하다: 《Ⅲ *that*(절)》 Their leader ~*ed that* they (should) keep to the regulations. 그들의 지도자는 그들에게 규칙을 잘 지키라고 명령했

다(=Their leader ~*ed* them *to* keep to the regulations.《Ⅴ(목)+*to* do》)/《Ⅴ(목)+*to* do》 *Command* these stones *to* turn into loaves of bread. 이 돌을 빵이 되도록 해봐라. 《◇ 이런 문장의 that절에 should를 안 쓰는 것이 미국 용법》. **2** 지휘하다, 통솔하다(lead). **3** 〈감정 등을〉 지배하다, 억누르다; 마음대로 하다: ~ oneself 자제하다. **4** 〈동정·존경 등을〉 모으다, 일으키다; 〈사물이〉 …을 강요하다, …의 값어치가 있다(deserve); 〈팔 물건이 좋은 값으로〉 팔리다. **5** 〈요충지 등을〉 차지하고 있다(dominate); 내려다 보다, 전망하다: This window ~*s* a fine view 이 창문은 전망이 좋다.
— *vi.* **1** 명령하다, 지휘하다. **2** 〈경치가〉 내려다 보이다. **born to command** 윗사람이 될 자격을 타고난. **command attention** 남의 주의를 끌게 하다. **Yours to command** 《古》 여불비례(편지를 끝맺는 말).
— *n.* **1** 명령, 분부: He issued〔gave〕a ~ for the prisoners to be set free. 그는 그 죄수들을 석방하라는 명령을 내렸다(=He issued〔gave〕a ~ that the prisoners (should) be set free.). **2** Ⓤ 지휘; 지휘권. **3** Ⓤ 지배력; 제어력; 〈언어를〉 자유 자재로 구사하는 힘(mastery); 지배권. **4** Ⓤ 〈요해지를〉 내려다 보는 위치〔고지〕(의 점유); 조망, 전망. **5** 〔軍〕 관구, 장악지, 지배지, 관할하에 있는 병력〔함선, 지구〕. **6** 〔컴퓨터〕 명령; 〔宇宙〕 (우주선 등을 작동·제어하는) 지령. **7** (한정형용사적) 사령관에 의한; 명령〔요구〕에 의한. **at** a person's **command** (1) …의 명에 의하여, 지시에 따라서. (2) 《文語》 …의 뜻대로 움직이는; 마음대로 쓸 수 있는(available). **at the word of command** 명령 일하, 호령에 따라. **chain of command** 명령 계통. **get a command** 지휘관으로 임명되다. **get command of the air**〔**sea**〕 제공〔제해〕권을 장악하다. **have a command of** =**have at one's command** …을 마음대로 쓸 수 있다. **have a good**〔**great**〕 **command of** …을 자유자재로 구사하다. **in command of** …을 지휘하고. **on**〔**upon**〕 **command** 명령을 받고. **take command of** 〈군대〉를 지휘하다. **under** (**the**) **command of** …의 지휘 하에. **word of command** (교련·훈련 등에서의) 호령.
⊕ commándment *n.*

com·man·dant[kάməndæ̀nt, -dὰːnt/kɔ̀mən-dǽnt, -dάːnt] *n.* 〈도시·요해지 등의〉 (방위) 사령관, 지휘관; 《미》 (해병대의) 사령관.

commánd càr 《미》 사령관 전용차.

commánd ecónomy 〔經〕 (중앙 정부에 의한) 계획 경제(planned economy).

com·man·deer[kὰməndíər/kɔ̀m-] *vt.* **1** 〔軍〕 〈장정을〉 징집하다; 〈사유물을〉 징발하다. **2** 《口》 〈남의 물건을〉 제멋대로 쓰다.

⁑**com·mand·er**[kəmǽndər, -mάːnd-] *n.* **1** 지휘관, 사령관; 명령자; 지휘자, 지도자. **2** (해군미국 해안 경비대의) 중령; 〔海軍〕 (군함의) 부함장. **3** (단체의) 분단장; 상급 훈작사(勳爵士)(*cf.* KNIGHT); 《영》 (런던 경시청의) 경시장. **4** 큰 나무망치. **the Commander of the Faithful** 대교주(회교국 군주(Caliph)의 칭호).

commánder in chíef (*pl.* **commánders in chíef**) (전군의) 최고 사령관; 총사령관; 군통수권자(略: C. in C.).

com·mand·er·ship[kəmǽndərʃìp/-mάːnd-] *n.* Ⓤ COMMANDER의 직〔지위〕.

com·mand·er·y[kəmǽndəri, -mάːnd-] *n.* (*pl.* **-er·ies**) Ⓤ,Ⓒ **1** 중세 기사단의 영지. **2** (비밀 결사의) 지부. **3** =COMMANDERSHIP.

*__com·mand·ing__[kəmǽndiŋ, -mάːnd-] *a.* **1** 지휘하는; 당당한, 위엄 있는. **2** 전망이 좋은; 유리한 장소를 차지한. **~·ly** *ad.*

commánding ófficer 〔軍〕 부대 지휘관, 부대장(소위에서 대령까지).

*__com·mand·ment__[kəmǽndmənt, -mάːnd-] *n.* **1** 명령, 지령. **2** 계명, 계율. **3** 명령권, 지휘권. **the Ten Commandments** 〔聖〕 모세의 십계명.

commánd módule 〔宇宙〕 사령선(船).

commánd nìght 《영》 국왕 어전(御前) 연극〔연주〕의 밤.

com·man·do[kəmǽndou, -mάːn-] *n.* (*pl.* ~(**e**)**s**) **1** 의용군(특히 남아프리카 보어 사람(Boers)의). **2** 《영》 (제2차 대전 때의) 특공대(원), 코만도.

commánd pàper 《영》 **1** (의회에 보내는) 칙령서(勅令書)(略: Cmd). **2** 정부 간행물.

commánd perfórmance 《영》 어전(御前) 상연〔연주〕.

commánd pòst 〔미軍〕 전투 사령부〔지휘소〕(略: C.P.).

commánd sérgeant májor 〔미陸軍〕 부대 주임 상사, 준위.

cómma splìce =COMMA FAULT.

com·mea·sure[kəméʒər] *vt.* …와 동일한 넓이〔크기, 양〕를 가지다. **-sur·a·ble**[-dʒərəbəl] *a.* 같은 넓이〔크기, 양〕를 가진.

com·me·di·a del·l'ar·te[kəméidiədeláːrti, -méd-] [It] *n.* (16세기 이탈리아의) 즉흥 가면 희극.

comme il faut[kɔ̃miːlfóu] [F] *a., ad.* 예절〔격식〕에 맞는〔맞게〕, 우아〔적당〕한〔하여〕.

com·mem·o·ra·ble[kəmémərəbəl] *a.* 기념〔기억〕할 만한.

*__com·mem·o·rate__[kəmémərèit] [L] *vt.* **1** (축사·의식으로) 기념하다, 기념식을 거행하다, 축하하다. **2** 찬사를 말하다; 받들다. **3** 〈기념비·날 등이〉 기념이 되다.
⊕ commemorátion *n.*; commémorative, commémoratory *a.*

*__com·mem·o·ra·tion__[kəmèməréiʃən] *n.* **1** Ⓤ 축하, 기념. **2** 기념식, 축전; 기념이 되는 것, 기념물. **3** (**C-**) Oxford 대학교 기념제. **in commemoration of** …을 기념하여, …의 기념으로. **~·al** *a.*
⊕ commémorate *v.*; commémorative *a.*

com·mem·o·ra·tive[kəmémərèitiv, -rə-] *a.* 기념의. — *n.* 기념품; 기념우표〔화폐〕. **~·ly** *ad.*

com·mem·o·ra·tor[kəmémərèitər] *n.* 축하자.

com·mem·o·ra·to·ry[kəmémərətɔ̀ːri/-rèitəri] *a.* =COMMEMORATIVE.

⁑**com·mence**[kəméns] [L] 《文語》 *vt.* 개시하다, 시작하다, 착수하다: 《Ⅲ-*ing*〔*to* do〕》 He ~*d* writ*ing*〔*to* write〕 novels in 1990. 그는 1990년에 소설을 쓰기 시작했다/~ a lawsuit 소송을 제기하다. — *vi.* **1** 시작되다(begin): The next term ~*s* *in* September. 다음 학기는 9월에 시작된다. **2** 《영》 (M.A. 등의) 학위를 받다: ~ *in* arts 인문과학의 학위를 받다. ⊕ comméncement *n.*

*__com·mence·ment__[kəménsmənt] *n.* **1** Ⓤ,Ⓒ 개시(beginning). **2** (the ~) 대학 졸업식〔일〕; (Cambridge, Dublin 및 미국 여러 대학교의) 학위 수여식〔일〕. **in the commencement** 처음에, 최초에.

*com·mend [kəménd] [L] *vt.* **1** 기리다, 칭찬하다; 추천 하다, 권하다: be highly ~*ed* 격찬받다/~ a person *for* his good work …의 선행을 칭찬하다/~ a person *to* (the notice) one's friend. 아무를 친구에게 추천하다. **2** 맡기다; 위탁하다(entrust): ~ one's children *to* one's brother. 아이들을 형에게 맡기다. **3** (…에게) 좋은 인상을 주다, (…의) 마음을 끌다. **Commend me to …** (1) 《古》 …에게 안부 전해주시오. (2) 《口》 (반어적)(…으로는) …이 제일이다〔그만이다〕. **commend oneself** 〔**itself**〕 **to** …에 좋은 인상을 주다, …의 마음을 끌다. **commend one's soul to God** 신에게 영혼을 내맡기다《안심하고 죽다》.
⊕ commendátion *n.*: comméndatory *a.*

com·mend·a·ble [kəméndəbəl] *a.* 칭찬할 만한, 훌륭한, 기특한. **-bly** *ad.* **~·ness** *n.*

*com·men·da·tion [kàməndéiʃən/kɔ̀m-] *n.* **1** Ⓤ 《文語》 추천, 칭찬(praise). **2** 상, 상장. **3** Ⓤ 위탁, 위임.
⊕ commend *v.*: comméndatory *a.*

com·men·da·to·ry [kəméndətɔ̀:ri] *a.* 《文語》 추천의, 칭찬하는.

com·men·sal [kəménsəl] *n.* **1** 식사를 같이 하는 친구들. **2** 〔生〕 공생 동물〔식물〕.
— *a.* **1** 식사를 같이하는. **2** 〔生〕 공생적인.
~·ìsm [-ìzəm] *n.* Ⓤ 〔生〕 공서(共棲), 공생.

com·men·su·ra·bil·i·ty *n.* Ⓤ 같은 수로 나누어짐, 같은 단위로 잴 수 있음; 통약성(通約性).

com·men·su·ra·ble [kəménʃərəbəl] *a.* **1** 〔數〕 같은 수로 나누어지는《*with*》. **2** 균형이 잡힌《*with, to*》. **~·ness** *n.* **-bly** *ad.*

com·men·su·rate [kəménʃərit] *a.* **1** 같은 정도〔크기, 범위, 기간〕의. **2** 액수〔크기, 정도〕가 알맞은, 적당한, 균형이 잡힌《*to, with*》. **3** 공통된 단위를 가진, 같은 단위로 잴 수 있는.
~·ly *ad.* **~·ness** *n.*
com·mèn·su·rá·tion [-ʃən] *n.*

*com·ment [káment/kɔ́m-] [L] *n.* [U,C] **1** (시사 문제 등의) 논평(remark), 평, 비평: There's still no *comment* as to why they committed such a great mistake. 그들이 왜 그런 끔찍한 실수를 저질렀는가에 대해 아직 한 마디의 논평도 없다. **2** 주해, 해설, 설명. **3** Ⓤ (세간의) 소문, 풍문, 세평.
— *vi.* 비평〔논평〕하다; 주석하다《*on, upon*》: ~ favorably *on* one's work 아무의 작품을 호평하다/~ *on* the original 원전에 주석을 달다. — *vt.* 의견으로서 진술하다.
⊕ cómmentary *n.*

*com·men·tar·y [káməntèri/kɔ́məntəri] *n.* (*pl.* **-tar·ies**) **1** (일련의) 논평, 주석, 설명. **2** 주석서. **3** (보통 *pl.*) 기록, 회고록. **4** 〔라디오·TV〕 해설, 실황 방송. **running commentary** (1) (본문의 순서를 따른) 연속 주석. (2) 동시 해설, 실황 방송. (3) 논평.

com·men·tate [káməntèit/kɔ́mən-] *vi.* **1** 해설자로서 일하다, 해설자가 되다. **2** 해설〔논평〕하다. — *vt.* …을 해설〔논평〕하다.

com·men·ta·tion [kàməntéiʃən/kɔ̀mən-] *n.* Ⓤ 해설, 논평.

*com·men·ta·tor [káməntèitər/kɔ́mən-] *n.* **1** 주석자. **2** 〔라디오·TV〕 시사 해설자; 실황 방송원.

com·ment·er [kámentər/kɔ́m-] *n.* 논평가.

*com·merce [kámərs/kɔ́m-] [L] *n.* Ⓤ **1** 상업, 통상, 교역. **2** (사회적) 교섭, 교제《*with*》. **chamber of commerce** 상공회의소. **Commerce Department** 《미》 상무부(=the Department of Commerce).

*com·mer·cial [kəmə́:rʃəl] *a.* **1** 상업상의; 통상의: ~ pursuits 상업/a ~ transaction 상거래. **2** 영리적인, 영리 본위의. **3** 공업용의, 업무용의. **4** 광고 방송의; (방송국이) 민간의.
— *n.* 광고방송, 시엠(CM); =COMMERCIAL TRAVELLER.
⊕ cómmerce *n.*: commércialize *v.*

commércial àgency 상업 흥신소.
commércial árt 상업 미술.
com·mer·cial at·ta·ché (대〔공〕사관의) 상무관.
commércial bánk 시중 은행, 상업 은행.
commércial bìll 상업 어음.
commércial brèak 〔라디오·TV〕 광고 방송.
commércial bróadcasting 상업 방송.
commércial còllege 상과 대학.

com·mer·cial·ese [kəmə̀:rʃəlí:z] *n., a.* 상업 통신문 용어(의).

com·mer·cial·ism [kəmə́:rʃəlìzəm] *n.* Ⓤ **1** 상업주의, 영리주의. **2** 상관습(商慣習).

com·mer·cial·ist *n.* 상업가, 영리주의자.

com·mer·cial·i·za·tion [kəmə̀:rʃəlizéiʃən] *n.* Ⓤ 상업〔영리, 상품〕화.

com·mer·cial·ize [kəmə́:rʃəlàiz] *vt.* 상업〔영리〕화하다; 상품화하다.

commércial láw 상법.

com·mer·cial·ly *ad.* 상업적으로, 영리적으로(보아); 통상상(CM).

commércial mèssage 광고 방송, 시엠.
commércial pàper 상업 어음《환어음·수표·약속 어음 등의 총칭》.
commércial ròom 《영》 (호텔의) 세일즈맨 전용 숙박실.
commércial sátellite 상업 위성.
commércial tráveller 《영稀》 (지방 담당) 외판원(traveling salesman).
commércial tréaty 통상 조약.
commércial véhicle 상품 수송차.

com·mer·ci·o·gen·ic [kəmə̀:rʃiədʒénik] *a.* 장사 위주의, 상업적으로 인기 있는.

com·mfu [kamfú:, ⌐—/kɔmfú:, ⌐—] [*c*omplete *m*onumental *m*ilitary *f*uck-*u*p] *n.* 《미空軍俗》 완전한 군사적 실패.

com·mie[1], **-my**[1] [kámi/kɔ́mi] *n.* (*pl.* **-mies**) 공깃돌.

com·mie[2], **-my**[2] *n.* (*pl.* **-mies**) 《口·경멸》 공산당원, 빨갱이.

com·my[1] *n.* (*pl.* **-mies**) =COMMIE[1].
commy[2] *n.* (*pl.* **-mies**) =COMMIE[2].

com·mi·nate [kámənèit/kɔ́m-] *vt.* 위협하다; 저주하다.

com·mi·na·tion [kàmənéiʃən/kɔ̀m-] *n.* [C,U] 위협; 신벌(神罰)의 선언.

com·mi·na·to·ry [kámənətɔ̀:ri/kɔ́mənətəri] *a.* 위협적인.

com·min·gle [kəmíŋgl] *vt.* 《文語》 혼합하다(mingle, mix). — *vi.* 뒤섞이다.

com·mi·nute [kámənjù:t/kɔ́m-] *vt.* 곱게 빻다(pulverize); 〈토지 등을〉 세분하다.
— *a.* 분쇄한; 세분한.

com·mi·nu·tion [kàmənjú:ʃən/kɔ̀m-] *n.* [U,C] 분쇄; 세분; 〔醫〕 분쇄 골절(粉碎骨折).

com·mis·er·a·ble [kəmízərəbəl] *a.* 가엾은.

com·mis·er·ate [kəmízərèit] *vt.* 가엾게 여기다, 동정하다, 불쌍하게 생각하다: ~ a person *for* his poverty …의 가난을 동정하다. — *vi.* 동정하다; 조의를 표하다: ~ *with* him *on* his misfortune 그의 불행에 동정하다.

com·mis·er·a·tion [kəmìzəréiʃən] *n.* [U,C]

1 연민, 동정《*up*(*on*), *for*》. 2 (*pl.*) 동정〔애도〕의 말.
com·mis·er·a·tive[kəmízərèitiv, -ərə-] *a.* 동정심 있는, 인정 많은. **~·ly** *ad.*
com·mis·sar[kámәsɑ̀:r/kɔ̀m-] *n.* (공산당의) 통제 위원; (옛 소련) 인민 위원《다른 나라의 장관에 상당; 1946년 이후는 minister》.
com·mis·sar·i·al[kɑ̀məsέəriəl/kɔ̀m-] *a.* 1 대리자의. 2〔영國敎〕감독〔주교〕대리의. 3 병참(兵站) 장교의.
com·mis·sar·i·at[kɑ̀məsέəriət/kɔ̀m-] *n.* 1〔軍〕병참부(원), 식량 경리부(원); Ⓤ 식량 보급. 2 (옛 소련의) 인민위원회《1946년 이후는 ministry》; 위원회.
com·mis·sar·y[kámәsèri/kɔ́məsəri] *n.* (*pl.* **-sar·ies**) 1《미》(광산재목 벌채소의) 물자 배급소, 판매부, 매점; (촬영소 등의) 구내 식당; 〔軍〕병참부 (장교). 2《稀》대리인(deputy); (옛 소련) =COMMISSAR. 3〔영國敎〕주교 대리. 4 (프랑스의) 경찰국장.
cómmissary géneral 수석대표〔대리〕; 〔軍〕병참감.
‡**com·mis·sion**[kəmíʃən] *n.* 1 Ⓤ (위임된) 임무, 직권; 명령, 지령; Ⓒ 주문, 의뢰 사항. 2 Ⓤ,Ⓒ (직권·임무의) 위임, 위탁《*to*》. 3 Ⓤ,Ⓒ 위임, 위임장; Ⓤ 임명; 〔軍〕(장교의) 임관 사령; Ⓤ 장교의 지위〔계급〕. 4 위원회; (집합적) 위원회의 위원들. 5 Ⓤ〔商〕(상거래의) 위탁, 업무대리, 대리(권); 거간(agency); Ⓤ,Ⓒ 수수료, 구전, 커미션: get a ~ of 10 percent 1할의 수수료를 받다. 6 Ⓤ,Ⓒ (commit 3의 명사형) 〈죄를〉 범함, 범행《*of*》. **get**〔**resign**〕**a**〔one's〕**commission** 장교로 임관되다〔퇴역하다〕. **go beyond** one's **commission** 월권행위를 하다. **have**〔**sell**〕**goods on commission** 상품을 위탁 판매하다. **in commission** 위임을 받은 〈사람들 또는 관직〉; 현역의 〈장교〉, 취역 중인 〈군함〉; 《口》언제라도 쓸 수 있는: put *in*(*to*) ~ 취역시키다. **on commission** 위탁을 받고. **on the Commission** 치안 위원에 임명되어. **out of commission** 퇴역의, 예비의; 〈무기 등〉사용 불능의; 〈사람이〉일하지 못하는. **the commission of the peace** 〔집합적〕치안 판사.
— *vt.* 1 위임하다, 권한을 주다; …에게 위임장을 주다; 〈장교로〉임관하다; 〈일 등을〉의뢰하다, 주문하다:《Ⅴ(목)+*to* do》He ~*ed* an artist *to* paint a picture of his wife. 그는 화가에게 그의 부인의 초상화를 그려 달라고 의뢰하였다. 2 〈군함을〉취역시키다. ⊕ commít *v.*
commíssion àgent 거간꾼, 중매인; 사설 마권장수(bookmaker).
com·mis·sion·aire[kəmìʃənέər] *n.*《영》(호텔백화점극장 등의) 제복 입은 수위; 런던의 the Corps of Commissionaires (용무원(用務員) 조합)의 회원; 중매인.
commíssion bròker (거래소의) 중매인.
commíssion dày 《영》순회 재판 개정일.
com·mis·sioned[kəmíʃənd] *a.* 임명된, 임관된; 권한이 있는: a ~ ship 취역함.
commíssioned ófficer 〔軍〕사관, 장교 (*cf.* NONCOMMISSIONED OFFICER).
‡**com·mis·sion·er**[kəmíʃənər] *n.* (정부가 임명한) 위원, 이사(理事); (식민지의) 판무관; (세무 등의) 감독관; (관청의) 장관, 청장, 국장; 《미》지방 행정관; (프로 야구 등의) 커미셔너 《프로 스포츠의 품위질서 유지를 위한 최고 책임자》; 《영俗》도박 브로커. **Commissioner of Education** 《미》(각 주의) 교육국장. **the Chief Commissioner of the Metropolitan Police** 《영》(런던의) 경찰국장. **the Commissioner of Customs** 《미》관세청장. **~·shìp** *n.* Ⓤ COMMISSIONER의 직〔지위〕.
commíssion hòuse 주식 중매 회사.
commíssion mèrchant 위탁 판매인, 중매인(commission agent).
commíssion plàn 《미》〔政〕위원회제《시의 입법행정 전반을 위원회가 처리 하는》.
commíssion sàle 위탁 판매.
com·mis·su·ral[kəmíʃərəl, kɑ̀məʃúər-/kɔ̀m-] *a.* 접합한, 접합면의.
com·mis·sure[kámәʃùər/kɔ́m-] *n.* 이음매, 접합선〔면〕; 〔解〕(신경의) 교련(交連), 횡연합(橫連合) 신경; 〔植〕(심피의) 접합면.
‡**com·mit**[kəmít] [L] *vt.* (**~·ted; ~·ting**) 1 위탁하다, 위임하다, 맡기다; 회부하다: ~ the bill *to* the committee 의안을 위원회에 회부하다. 2 〈처분·기록·기억·망각 등에〉맡기다, 넘기다《*to*》: ~one's idea to paper 자신의 착상을 종이에 적어 두다. 3 〈죄·과실 등을〉범하다:《Ⅴ(목)+*to* do》She had the foolishness *to* ~ the same mistake. 그녀는 어리석게도 같은 잘못을 저질렀다(=She foolishly ~*ted* the same mistake.《Ⅲ 부+*v*Ⅲ+(목)》). 4 (~ one*self*로) 몸을 맡기다, 떠맡다; 언질을 주다, 약속하다; 꼼짝 못할 처지에 두다, 관련하다; 헌신하다, 전렴하다; (관련된 문제 등에) 자기의 입장〔태도〕을 밝히다:《Ⅴ(목)+전+-*ing*》She ~*ted* herself *to* tak*ing* care of the orphans. 그녀는 고아들을 돌보겠다고 자진하여 떠맡았다/《Ⅴ(목)+*to* do》He ~*ted* himself *to* do something. 그는 어떤 일을 하기로 약속했다/《Ⅴ(목)+전+-*ing*》She ~*ted* herself *to* becom*ing* a member of our club. 그녀는 우리 클럽의 회원이 되기로 약속했다. 5 〈명성·체면을〉위태롭게 하다, …에게 누를 끼치다. 6 (정신병원·시설·싸움터 따위에) 를 보내다, 수용〔감금〕하다《*to*》. **Commit no nuisance.** 《게시》소변 금지. **commit oneself** (위험한 일에) 관여하다. **commit oneself to** 〈일 등을〉떠맡다. **commit suicide** 자살하다. **commit to memory** 암기하다, 기억하다. **commit to paper**〔**writing**〕적어 두다, 기록하다. **commit to prison** 투옥하다. **commit to the earth**〔**dust**〕묻다, 매장하다. **commit to the fire**〔**flames**〕태워버리다; 화장하다. **commit to the waves** 수장하다.
⊕ commíssion, commítment *n.*
***com·mit·ment**[kəmítmənt] *n.* 1 Ⓤ,Ⓒ (죄의) 범행; 실행. 2 Ⓤ 위탁, 위임; Ⓒ 위원회 회부. 3 Ⓤ,Ⓒ 언질을 주기; 언질, 공약, 약속; 책임. 4 Ⓤ,Ⓒ 참가, 연좌. 5 헌신, 열심, 전념《*to*》; (작가 등의) 현실 참여: make a ~ *to* …에 전념하다. 6〔法〕구속 영장; Ⓤ,Ⓒ (교도소 정신병원 등에의) 인도; 투옥, 구류《*to*》. 7〔證券〕매매 약정; 채무.
com·mit·ta·ble[kəmítəbəl] *a.* 재판에 부쳐야 할; 공판에 회부해야 할.
com·mit·tal[kəmítl] *n.* =COMMITMENT 1-4.
com·mit·ted[kəmítid] *a.* 1 전념하는, 헌신적인; 명확한 태도〔주의〕를 가진: a ~ Christian 헌신적인 기독교인. 2 언질을 주어, 약속하여; 꼼짝못할 입장이 되어. **be commited** …이라는 언질을 주고 있다.
‡**com·mit·tee**[kəmíti] *n.* 1 위원회(회의); 위원(전원). 2 [kəmíti, kɑ̀mətí:/kɔ̀m-]〔法〕수탁자(受託者), 관재인(管財人), (심신 상실자의) 후견인. **in committee** 위원회에 출석

하여; 위원회에 회부되어. **joint committee** (양원) 합동 위원회. **standing committee** 상설〔상임〕위원회. **the Committee of Rules** 〔미下院〕 운영 위원회, 법규 위원회. **the committee of the whole (house)** 〔議會〕 전원(全院) 위원회. **the Committee of** 〔《미》 **on**〕 **Ways and Means** 〔議會〕 세입〔재정〕 위원회.

Commíttee Énglish (틀에 박힌) 공문서 영어.

com·mit·tee·man [-mən, -mæ̀n] *n.* (*pl.* **-men** [-mən, -mæ̀n]) 위원회의 한 사람, 위원.

commíttee ròom 위원회 회의실.

commíttee stàge 1 〔영議會〕 위원회 심의 (법안 심의의 과정). **2** 〔미議會〕 **a** 상임위원회가 정부 관리 또는 시민에게 증언을 요구하는 입법 절차의 한 단계. **b** 의회 폐회중 법안의 심의 수정 등을 하는 입법 절차의 한 단계.

com·mit·tee·wom·an *n.* (*pl.* **-women** [-wìmin]) 여자 위원.

com·mix [kəmíks, kɑm-/kɔm-] *vt., vi.* 《文語》 섞다, 섞이다.

com·mix·ture [-tʃər] *n.* Ⓤ,Ⓒ 혼합(물).

Commo. [kámou/kɔ́m-] Commodore.

com·mode [kəmóud] *n.* (서랍 달린) 옷장; 세면대; 실내 변기.

com·mo·di·ous [kəmóudiəs] *a.* 《文語》 〈집·방 등이〉 넓은, 널찍한; 편리한. **~·ly** *ad.* **~·ness** *n.*

⁑**com·mod·i·ty** [kəmádəti/-mɔ́d-] [F] *n.* (*pl.* **-ties**) (종종 *pl.*) 상품, 일용품, 필수품; 유용한 물건: prices of *commodities* 물가. **staple commodities** 중요〔필수〕 상품.

commódity agrèement (식량원료에 대한 국제간의) 상품 협정.

commódity exchànge 상품 거래소.

commódity mòney 《미》 〔經〕 상품 화폐.

commódity tàx 물품세.

***com·mo·dore** [kámədɔ̀ːr/kɔ́m-] *n.* 〔海軍〕 준장(*cf.* BRIGADIER GENERAL); 《경칭》 제독 (고참 선장요트 클럽 회장); (준장 지휘 함대의) 기함.

★**com·mon** [kámən/kɔ́m-] [L] *a.* (**~·er, more ~; ~·est, most ~**) **1** 공통의, 공동의, 공유(共有)의. **2** 협동의, 협력의. **3** 공중의, 공공(公共)의; 공유(公有)의. **4** 일반의, 일반적으로 보급되어 있는. **5** 보통의, 평범한, 흔히 있는, 자주 일어나는. **6** 통속적인; 비속한, 야비한, 품위가 없는. **7** 〔數〕 공약의. **8** 〔文法〕 통성의, 통격의. **9** 〔樂〕 공통박자의. **10** 〔解〕 종합〔공통〕의. **(as) common as muck**〔**dirt**〕 〈여성 등이〉 전혀 품위가 없는, 교양이 없는. **the Book of Common Prayer** 성공회 기도서. — *n.* **1** (the ~) (마을 등의) 공유지, 공용지, 공원(울타리 없는 황무지 등). **2** Ⓤ (목초지 등의) 공유권(=right of ~). **3** (때로 **C-**) 미사 통상문. **4** (*pl.*) ⇨commons. **have ... in common** …와 공동으로 …을 가지고 있다, …한 점에서 같다(*with*). **in common** 공동으로, 공통으로; 보통의〔으로〕. **in common with** …와 같게. **out of (the) common** 비상한; 비범한. ◈ cómmonage *n.*

com·mon·age *n.* Ⓤ **1** (목초지 등의) 공동 사용권. **2** Ⓒ 공용지. **3** (the ~) 평민.

com·mon·al·i·ty [kɑ̀mənǽləti/kɔ̀m-] *n.* Ⓤ **1** (the ~) 일반 대중, 평민(commonalty). **2** 공통성. **3** 보통, 평범.

com·mon·al·ty [kámənəlti/kɔ́m-] *n.* (*pl.* **-ties**) **1** (the ~; 집합적) 서민, 평민. **2** 법인, 단체, 공동체.

cóm·mon-ar·e·a chárge [kámənɛ̀əriə-/kɔ́m-] 《미》 (아파트 등의) 관리비, 공익비.

cómmon cárrier 〔法〕 일반 운수업자(철도·항공 회사 등).

cómmon cáse 〔文法〕 통격(어형상 주격목적격에 공통인 것).

Cómmon Cáuse 《미》 코먼코즈(1970년 결성된 시민 단체; 국민의 요구에 따른 행정 개혁을 목적으로 조직됨).

Cómmon Cáuser 그 단체원.

cómmon chórd 〔樂〕 보통 화음.

cómmon cóld (보통의) 감기.

cómmon córe (영국 학교의) 필수 과목.

cómmon cóuncil 시의회(市議會).

cómmon críer =TOWN CRIER.

cómmon denóminator 〔數〕 공분모.

cómmon divísor 〔數〕 공약수: the greatest ~ 최대 공약수(略: G.C.D., g.c.d.).

com·mon·er [kámənər/kɔ́m-] *n.* **1** 평민, 서민, 대중. **2** 《영》 하원 의원. **3** (Oxford 대학교의) 자비생(自費生); 보통 학생(fellow, scholar 또는 exhibitioner가 아닌 학생). **4** 공용권〔입회권〕 소유자. **First Commoner** 의장(議長). **the great Commoner** 위대한 하원 의원(처음에는 the elder William Pitt 또는 W.E. Gladstone의 별명).

Cómmon Éra (the ~) =CHRISTIAN ERA.

cómmon fáctor =COMMON DIVISOR.

cómmon fráction 〔數〕 상분수(常分數).

com·mon-gar·den *a.* =COMMON-OR-GARDEN.

cómmon gás 《미俗》 레귤러〔무연(無鉛)〕휘발유.

cómmon génder 〔文法〕 통성(남녀 양성에 통용되는 baby, child, parent 등).

cómmon góod 공익.

cómmon gróund 《미》 (사회 관계논쟁상호 이해 등의) 공통 기반: be on ~ 견해가 일치하다. **Common ground!.** 《영》 동감이요!

cómmon infórmer 직업적 밀고자.

cómmon júry 〔法〕 (일반인으로 된) 보통 배심(*cf.* SPECIAL JURY).

cómmon lánd [kámənlæ̀nd/kɔ́m-] 공유지, 공용지.

cómmon láw 〔法〕 관습법, 불문율(*cf.* STATUTORY LAW).

com·mon-law [kámənlɔ̀ː/kɔ́m-] *a.* 관습법의, 관습법 상의.

cómmon-law márriage 관습법 혼인, 내연 관계.

cómmon-law wífe 내연의 처.

cómmon lódging (hòuse) 간이 숙박소.

cómmon lógarithm 〔數〕 상용(常用) 대수 (*cf.* NATURAL LOGARITHM).

⁑**com·mon·ly** [kámənli/kɔ́m-] *ad.* **1** 일반적으로, 보통으로; 통속적으로. **2** 천하게, 싸구려로.

cómmon márket 공동시장; (the **C- M-**) 유럽 공동 시장(EEC).

cómmon marketéer EEC 가입 찬성자.

cómmon méasure 〔數〕 공약수; 〔樂〕 = COMMON TIME; 〔韻〕 보통률(ballad meter).

cómmon múltiple 〔數〕 공배수(略: C.M.): the least〔lowest〕 ~ 최소 공배수(略:L.C.M.).

com·mon·ness *n.* Ⓤ 공통; 보통, 평범; 통속.

cómmon nóun 〔文法〕 보통명사.

cómmon núisance 치안 방해.

com·mon-or-gar·den [kámənərgáːrdn/kɔ́m-] *a.* 《영口》 보통의, 흔한, 일상적인.

com·mon-or-gar·den-va·ri·e·ty [-vəráiəti] *a.* 《미口》 =COMMON-OR-GARDEN.

com·mon·place [kɑ́mənplèis/kɔ́m-] [L] *n.* 흔해빠진 말〔이야기〕, 상투어, 평범한 일〔것〕, 다반사. ── *a.* 평범한(ordinary), 진부한: (the ~: 명사적; 단수 취급) 평범함, 진부함. **~·ly** *ad.* **~·ness** *n.*

cómmonplace bòok 비망록.

cómmon pléas (the **C- P-**) 민사 법원(=court of ~): 〔영法〕 민사 소송.

cómmon práyer 성공회 기도서《전례문》; =the Book of Common PRAYER.

cómmon rátio 〔數〕 공비(公比).

cómmon ròom (학교 등의) 교원 휴게실; 《영》 (대학의) 특별 연구원 사교실; 학생 휴게실.

com·mons [kɑ́mənz/kɔ́m-] *n. pl.* **1** 《古》 평민, 서민; (**C-**) 서민 계급. **2** (**C-**) 《영·캐나다》 하원; (집합적) 하원의원들. **3** (단수복수 취급) (대학 등의) 식사, 음식; 공동 식탁, (대학 등의) 식당. **the House of Commons** 《영·캐나다》 하원. **put on short commons** 음식을 충분히 주지 않다, 감식(減食)시키다.

cómmon schòol 《미》 공립 초등 학교.

cómmon séal 사인(社印), (법인의) 공인.

cómmon secúrity 공통의 안전 보장.

cómmon sénse 상식, 양식(良識).

com·mon·sense [kɑ́mənséns/kɔ́m-] *a.* 상식적인, 양식을 가진.

com·mon·sen·si·cal [-sikəl] *a.* 상식적인, 양식있는.

cómmon sítus pìcketing 《미》 전(全)건설 현장 피켓.

cómmon stóck 《미》 보통주(株)(*cf.* PREFERRED STOCK).

cómmon tíme 〔樂〕 보통의 박자《특히 4분의 4박자》.

cómmon tòuch (the ~) 대중의 인기를 얻는 자질〔재능〕, 붙임성, 서민성.

cómmon trúst fùnd 공동 투자 신탁자금.

com·mon·weal [kɑ́mənwì:l/kɔ́m-] *n.* 《文語》 Ⓤ (the ~) 공공의 복지; Ⓒ 《古》 공화국.

com·mon·wealth [kɑ́mənwèlθ/kɔ́m-] *n.* **1** Ⓤ 국민 (전체); Ⓒ 국가, 《특히》 공화국, 민주국가. **2** 《미》 주(州)《공식적으로는 Massachusetts, Pennsylvania, Virginia, Kentucky에 대해서 State 대신에 쓰이는 공칭어》. **3** 연방. **4** (공통의 이해 관계를 가진) 단체, 사회: the ~ of writers〔artists〕 문단〔화단〕. **the** (**British**) **Commonwealth of Nations** 영연방《영국(Great Britain)을 위시하여 캐나다·오스트레일리아 등으로 이루어진 연합체》. **the Commonwealth of Australia** 오스트레일리아 연방《영연방 자치령의 하나로 Tasmania를 포함》. **the Commonwealth** (**of England**) 〔영史〕 잉글랜드 공화국《1649-60》.

Cómmonwealth Dày (the ~) 영연방 기념일《5월 24일; Queen Victoria의 탄생일, 이전에는 Empire Day라고 하였음》.

Cómmonwealth préference (영연방 제국에서의 수입품에 대한) 특혜 관세 제도.

cómmon yèar 평년(*cf.* LEAP YEAR).

com·mo·rant [kɑ́mərənt/kɔ́m-] *a.* 〔法〕 일시적으로 살고 있는. **-ran·cy** [-rənsi] *n.*

com·mo·tion [kəmóuʃən] *n.* Ⓤ,Ⓒ 동요; 소요, 소동, 폭동. **be in commotion** 동요하고 있다. **create**〔**cause**〕 **a commotion** 소동을 일으키다. ⇔ commóve *v.*

com·move [kəmú:v] *vt.* 동요〔흥분〕시키다, 선동하다(agitate).

commr. commander; commissioner.

com·mu·nal [kəmjú:nl, kɑ́mjə-/kɔ́m-] *a.* **1** 공동 사회의, 자치 단체의, 시읍면리의. **2** 공동의, 공유의, 공용의. **3** 파리 코뮌(Commune)의. **~·ly** *ad.*

com·mu·nal·ism [kəmjú:nəlìzəm, kɑ́mjə-/kɔ́m-] *n.* Ⓤ 지방 자치주의; 자기 민족 중심주의; 공동체주의. **-ist** *n.*

com·mu·nal·is·tic [-lístik] *a.* 지방 자치주의적인.

com·mu·nal·i·ty [kɑ̀mjunǽləti/kɔ̀m-] *n.* Ⓤ COMMUNAL 함; 공동체 전체적 일치〔조화〕.

com·mu·nal·ize [kəmjú:nəlàiz, kɑ́mjə-/kɔ́m-] *vt.* 〈토지 등을〉 지방자치 단체의 소유로 하다. **com·mù·nal·i·zá·tion** [-lizéiʃən] *n.*

commúnal márriage 군혼(群婚), 집단 혼(group marriage).

Com·mu·nard [kɑ́mjənɑ̀:rd/kɔ́m-] *n.* 〔프랑스史〕 (1871년의) 파리 코뮌 지지자; (**c-**) COMMUNE[2]의 거주인.

com·mune[1] [kəmjú:n] *vi.* **1** 《文語》 친하게 사귀다〔이야기하다〕《*with, together*》: friends *communing together* 다정하게 이야기하는 사이의 친구들. **2** 《미》 성찬〔성체〕을 받다. **commune with** oneself〔**one's own heart**〕 조용히 생각하며 반성하다. ── [kɑ́mju:n/kɔ́m-] *n.* Ⓤ 《詩》 간담; 친교; 묵상(默想). ⇔ commúnion *n.*

com·mune[2] [kɑ́mju:n/kɔ́m-] *n.* **1** a 코뮌《중세 유럽 제국의 최소 행정구》. b 지방 자치체; (집합적) 지방 자치체의 주민. **2** (중공 등 공산권의) 인민 공사; (히피 등의) 공동 생활체. **the Commune** (**of Paris**)=**the Paris Commune** 파리 코뮌, 파리 혁명 정부《(1) (1792-95). (2) (1871년 3월-5월)》.

com·mu·ni·ca·ble [kəmjú:nikəbəl] *a.* 전달할 수 있는; 전염성의; 《古》 말하기 좋아하는《*with*》. **~·ness, com·mù·ni·ca·bíl·i·ty** [-bíləti] *n.* **-bly** *ad.*

com·mu·ni·cant [kəmjú:nikənt] *a.* …에 통하는《*with*》. ── *n.* **1** 성찬을 받는 사람, 성체 배령자, 교회원. **2** 전달〔통지〕자.

Com·mu·ni·care [kəmjú:nəkὲər] *n.* 《영》 폭넓은 사회복지 시설을 갖춘 커뮤니티센터.

com·mu·ni·cate [kəmjú:nəkèit] [L] *vt.* 《文語》 **1** (정보·뉴스 등을) 전달〔통보〕하다(impart); (지식을) 전파하다《*to*》: 《Ⅲ (목)+전+명》 She has not *~d* her wishes *to* him. 그녀는 자기의 바라는 바를 아직 그에게 연락하지 않았다/《Ⅲ (목)+전+명》 He *~d* knowledge *to* the world. 그는 세계에 지식을 전파했다. **2** 〈동력열 등을〉 전하다(transmit); 〈병을〉 전염〔감염〕시키다《*to*》; (~ oneself) (감정 등이) 전해지다, 분명히 알다《*to*》: ~ a disease *to* another 남에게 병을 옮기다/His enthusiasm *~d* itself *to* her. 그의 열의를 그녀도 분명히 알았다. **3** 나누다(share)《*with*》: ~ opinions *with* …와 의견을 나누다/~ a thing *with* another person 어떤 물건을 다른 사람과 나누어 갖다. **4** 〈…에게〉 성찬〔성체〕을 주다. ── *vi.* **1** 의사를 소통하다, 통신하다, 교통하다, 연락이 있다《*with*》: 《Ⅱ 전+명+{전+명+전+명}》 He *~d with* her by mail about this matter. 그는 이 문제에 대하여 우편으로 그녀와 연락하였다. **2** 《文語》 〈길방 등이〉 통해 있다《*with*》. **3** 성찬〔성체〕을 받다. ⇔ communicátion *n.*; commúnicative *a.*

com·mu·ni·ca·tee [kəmjù:nikətí:] *n.* 피전달자.

com·mu·ni·ca·tion [kəmjù:nəkéiʃən] *n.* **1**

Ⓤ 전달, 보도(함); (열 등을) 전함; (병의) 전염. **2** Ⓤ 통신; Ⓤ,Ⓒ (전달되는) 정보, 교신; 편지, 통신문, 전갈: receive a ~ 통신문을〔정보를〕받다. **3** Ⓤ 교제, 친밀한 관계. **4** Ⓤ,Ⓒ 교통(기관), 교통 수단; 연락. **5** (*pl.*) 보도 기관《라디오·텔레비전·신문·전화 등》. **6** (*pl.*)〔軍〕(기지와 일선과의) 연락 (기관); 수송 기관. **7** (*pl.*) 사상 전달법; 정보 기술; 통신학, 전달학. **in communication with** …와 연락〔통신〕하여. **means of communication** 통신〔교통〕기관.
⊕ commúnicate *v.*; commúnicative *a.*

communicátion còrd 《영》 (열차 내의) 비상 신호줄.

communicátion engineèring 통신 공학.

communicátion lìnes 〔軍〕 병참선.

communicátions còde wòrd 통신 용어.

communicátions gàp (세대·계급·당파 간의) 상호 이해의 결여, 의사 소통의 단절.

communicátions sàtellite 통신 위성.

communicátion(s) thèory 정보 이론.

communicátions zòne 〔軍〕 병참 관구〔지대〕.

com·mu·ni·ca·tive [kəmjúːnəkèitiv, -kətiv] *a.* 말하기 좋아하는, 수다스런; 통신의, 전달의. **~·ly** *ad.* **~·ness** *n.*

commúnicative cómpetence 〔言〕 전달〔의사 소통〕 능력.

com·mu·ni·ca·tor [kəmjúːnəkèitər] *n.* 전달〔통보〕자; 발신기; (열차 내의) 통보기(器).

com·mu·ni·ca·to·ry [kəmjúːnəkətɔ̀ːri/-təri] *a.* 통신〔전달〕의〔하는〕.

com·mu·ni·col·o·gy [kəmjùːnəkɑ́lədʒi/-kɔ́l-] *n.* Ⓤ 커뮤니케이션학. **-gist** *n.*

*__com·mu·nion__ [kəmjúːnjən] [L] *n.* **1** Ⓤ 친교, (영적) 교섭; 내성(內省). **2** 종교 단체, 종파; (같은 신앙종파의) 교우(敎友); (천주 교회 간의) 조합. **3** Ⓤ (**C-**) 성찬식(=C- service), 영성체: a ~ cup 성배. **go to Communion** 성찬식에 참석하다. **hold communion with** …와 영적 교섭을 가지다, 〈자연 등을〉 마음의 벗으로 삼다. **hold communion with oneself** (도덕·종교상의 문제에 관하여) 사색하다. **in communion with** (어떤 종파와) 밀접한 관계를 가지고. **take〔receive〕 Communion** 성체를 받다. **~·ist** *n.* 성찬 받는 사람. ⊕ commúne[1,2] *v.*

commúnion ràil 〔가톨릭〕 영성체대《제단 앞의 난간》.

Commúnion sèrvice 〔가톨릭〕 제찬봉령; 성찬식.

Commúnion Súnday 성찬 일요일《개신교회의 정기적 성찬식이 있는》.

commúnion tàble 성찬대.

com·mu·ni·qué [kəmjúːnikèi, ─⌣─⌣́] [F] *n.* 커뮤니케, (외교상의) 공식 발표, 성명(서).

⁑**com·mu·nism** [kɑ́mjənìzəm/kɔ́m-] *n.* Ⓤ (종종 **C-**) 공산주의.

⁑**com·mu·nist** [kɑ́mjənist/kɔ́m-] *n., a.* 공산주의자(의), (**C-**) 공산당원(의).

Cómmunist Chína *n.* 중공.

com·mu·nis·tic [kɑ̀mjənístik/kɔ̀m-] *a.* 공산주의적인. **-ti·cal·ly** [-kəli] *ad.*

Cómmunist Internátional (the ~) 공산당〔제3〕 인터내셔널《略 COMINTERN: 공산당의 국제적 동맹(1919-43)》.

Cómmunist Manifésto (the ~) 공산당 선언《1848년 Marx와 Engels가 발표》.

Cómmunist Párty (the ~) 공산당.

com·mu·ni·tar·i·an [kəmjùːnətέəriən] *a., n.* 공산 사회〔단체〕의 (일원).

⁑**com·mu·ni·ty** [kəmjúːnəti] [L] *n.* (*pl.* **-ties**) **1** (이해·종교·국적·문화 등을 공유하는) 공동 사회, 공동체. **2** 지역 사회; (큰 사회 가운데서 공통의 특징을 가진) 집단, 사회, …계(界): the Jewish〔foreign〕 ~ 유대인〔거류 외국인〕 사회. **3** (the ~) 일반 사회, 공중(the public). **4** Ⓤ (재산 등의) 공유, 공용; (사상이해 등의) 공통성, 일치: ~ of goods〔property〕 재산 공유. **5** (수도사 등의) 집단. **6** (동물의) 군서(群棲), (식물의) 군락.

commúnity anténna télevision 공동 시청 안테나 텔레비전《略: CATV》.

commúnity càre 지역적 보호《노령자에 대한 복지 제도의 하나》.

commúnity cènter 《미·캐나다》 시민 문화 회관.

commúnity chèst 《미·캐나다》 (사회 사업을 위한) 공동 모금.

commúnity chúrch 《미·캐나다》 (여러 종파 합동의) 지역 교회.

commúnity cóllege 《미》 (지방 자치 단체에 의한) 지역 전문 대학.

commúnity cóuncil 지역 평의회《지역 사회의 이익을 위한 일반인의 자문 기관》.

commúnity fùnd =COMMUNITY CHEST.

commúnity hòme 《영》 소년원(《미》 reformatory)(*cf.* APPROVED SCHOOL).

commúnity mèdicine 지역 의료《가정 의사로서의 활동을 통한 일반 진료》.

commúnity physícian (지방 당국이 임명하는) 지역 의료 담당 의사.

commúnity próperty 〔미法〕 부부 공동 재산.

commúnity relátions 《미》 CR활동《경찰의 방범 홍보 활동의 하나》.

commúnity schóol 지역 사회 학교.

commúnity sérvice (교도소의 수감 대신으로 하는) 무료봉사 징계 선고.

commúnity sínging (출석자 전원이 노래하는) 단체 합창.

commúnity spírit 공동체 의식〔정신〕.

com·mu·ni·za·tion [kɑ́mjunəzéiʃən/kɔ̀m-] *n.* Ⓤ 공유화, 공산제.

com·mu·nize [kɑ́mjənàiz/kɔ́m-] *vt.* 〈토지·재산 등을〉 공유하다, 공산화하다.

com·mut·a·bil·i·ty [-əbíləti] *n.* Ⓤ 전환〔교환〕할 수 있음.

com·mut·a·ble [kəmjúːtəbəl] *a.* 전환〔교환〕할 수 있는; 〔法〕 〈형 등〉 감형할 수 있는.

com·mu·tate [kɑ́mjətèit/kɔ́m-] *vt.* 〔電〕 〈전류의〉 방향을 바꾸다, 정류(整流)하다.

com·mu·ta·tion [kɑ̀mjətéiʃən/kɔ̀m-] *n.* **1** Ⓤ 교환, 전환. **2** Ⓤ,Ⓒ 지불 방법의 변경. **3** Ⓤ,Ⓒ 〔法〕 감형; (채무 등의) 감면. **4** Ⓤ 〔電〕 정류. **5** Ⓤ 《미》 정기〔회수〕권 통근.

commutátion tìcket 《미》 정기〔회수〕 승차권(《영》 season ticket).

com·mu·ta·tive [kəmjúːtətiv, kɑ́mjətèi-] *a.* 교환적인; 상호적인(mutual); 〔數〕 가환(可換)의.

cómmutative cóntract 〔로마法〕 쌍무 계약.

cómmutative làw 〔數〕 교환 법칙.

com·mu·ta·tor [kɑ́mjətèitər/kɔ́m-] *n.* 〔電〕 정류〔전환〕기, 정류자(整流子): a ~ motor 정류자 전동기.

com·mute [kəmjúːt] [L] *vt.* **1** 갈다, 교환하다. **2** 〈지불 방법 등을〉 바꾸다, 대체하다 《*into, for*》. **3** 〔法〕 감형하다《*to, into*》. **4**

〔電〕〈전류의〉 방향을 바꾸다. — *vi.* **1** 대용〔대신〕이 되다, 대리를 하다(*for*); 돈으로 대신 물다(*for, into*). **2** 《미》(정기〔회수〕권으로) 통근〔통학〕하다(*between, from … to*); (통근 통학에) 열차〔버스〕를 타다.

com·mut·er *n.* **1** 《미》 정기〔회수〕권 통근자, 교외 통근자. **2** 〔電〕 =COMMUTATOR.
— *a.* 통근(자)의.

commúter áircraft (근거리) 통근 항공기.

commúter áirline 통근 항공 회사.

commúter bèlt 교외 통근권(圈).

com·mut·er·land, -er·dom *n.* Ⓤ 교외 통근자의 주택 지역.

commúter màrriage 통근 별거 결혼(직장 관계 등으로 별거하는 부부가 주말에 만나는).

commúter tàx 통근지 소득세(통근처의 시(市)가 부과).

com·mut·er·ville [kəmjúːtərvil] *n.* Ⓤ 통근자 주택지.

com·my[1] *n.* (*pl.* **-mies**) =COMMIE[1].

commy[2] *n.* (*pl.* **-mies**) =COMMIE[2].

Cóm·o·ro Íslands *n. pl.* (the ~) 코모로 제도(⇨Comoros).

Com·o·ros [kɑ́məròuz/kɔ́m-] *n.* (the ~) 코모로(인도양 서부의 Comoro 제도로 이루어진 공화국; 수도 Moroni).

comp[1] [kɑmp/kɔmp] 《口》 *vi.* 식자공으로서 일하다. — *vt.* 〈활자를〉 식자하다. — *n.* 식자공(compositor).

comp[2] 《口》 *vi.* 〔재즈〕 (리듬을 강조하기 위하여) 불규칙적인 간격의 화음으로 반주하다. — *n.* 반주(accompaniment); 반주자.

comp[3] *vi., vt.* 《미口》 =COMPENSATE.

comp[4] *n.* 《口》 =COMPETITION.

comp[5] [*comp*limentary] *n.* 《미俗》 (호텔 흥행 등의) 무료 초대객〔권〕.

comp[6] *n.* 《口》 (보통 ~s로) COMPREHENSIVE의 단축형.

comp[7] *n.* =COMPENSATION의 약어.

comp. comparative; comparison; compilation; compiled; composer; composition; compositor; compound.

⁑**com·pact**[1] [kəmpǽkt, kɑ́mpækt] [L] *a.* **1** 꽉 들어찬, 밀집한. **2** 치밀한; 촘촘한, 올이 밴; 〈체격이〉 탄탄한. **3** 〈문체 등이〉 간결한. **4** 〈집 등이〉 아담한; 〈자동차가〉 소형의. **5** 《詩》 …으로 된(*of*). — *vt.* 꽉 채우다; 압축하다, 굳히다; 간결히 하다; 구성하다(*of*).
— [kɑ́mpækt/kɔ́m-] *n.* **1** 콤팩트(휴대용 분갑). **2** 소형 자동차(=∠ **càr**). **~·ly** *ad.* **~·ness** *n.*

*__com·pact__[2] [kɑ́mpækt/kɔ́m-] *n.* Ⓤ,Ⓒ 계약, 맹약. **general compact** 공인, 여론. **social compact** 민약(론). — *vi.* 계약〔맹약〕하다(*with*).

compáct cassétte tàpe (가장 일반적인) 카세트 테이프.

compáct dísc 콤팩트 디스크(광학식 디지털 오디오 디스크; 略 CD).

cómpact dísc plàyer 콤팩트 디스크 플레이어(하이 파이 음향 장치).

com·pact·ed [kəmpǽktid] *a.* 꽉 찬; 굳게 결속된, 탄탄한.

com·pac·tion [kəmpǽkʃən] *n.* Ⓤ 꽉 채움〔참〕; 간결화; 〔地質〕 압밀(壓密)(작용).

com·pac·tor, -pact·er [kəmpǽktər] *n.* 〈길 등을〉 다지는 기계〔사람〕; 쓰레기 분쇄 압축기(부엌용).

com·pa·dre [kəmpɑ́ːdrei] *n.* 《미南西部》 친구, 단짝(buddy).

com·pa·ges [kəmpéidʒiːz] *n.* (*pl.* ~)(복잡한 부분이 모여 생긴) 구조, 뼈대.

com·pand·er [kəmpǽndər] *n.* 〔電子〕 압신기(壓伸器).

com·pand·ing [kəmpǽndiŋ] *n.* Ⓤ 〔電子〕 송신 신호의 압축에 의한 수신 신호의 신장.

⁑**com·pan·ion**[1] [kəmpǽnjən] [L] *n.* **1** 동료, 반려; 친구, 벗, 동무: a ~ in arms 전우. **2** 말동무, 단짝 친구; (우연한) 길동무, 동반자, 패. **3** 이야기 상대로 고용된 여자(입주자). **4** 짝(쌍의 한쪽): a ~ volume 자매편. **5** (**C-**) 최하위 훈작사(勳爵士)(*cf.* KNIGHT). **6** (**C-**) (책 이름으로서) 지침서, 안내서(guide), 길잡이, 지침서, 필수서, …의 벗: A Teacher's *C-* 교사용 참고서(*to*). **7** Ⓤ …용 도구 한벌. **8** 동반성(同伴星). **traveler's companion** 휴대용 여행용품 세트. **boon companion** 술친구. **companion in arms** 전우. **Companion of Honor** 명예 훈작(略: C.H.). **Companion of the Bath** 바스 훈작사(略: C.B.).
— *vt.* 동반하다(accompany). — *vi.* 《文語》 동료로서 사귀다(*with*).
⊕ compánionate *a.*

companion[2] *n.* 〔海〕 **1** (갑판의) 천창(天窓). **2** 갑판 승강구의 덮개문(=~ hatch). **3** =COMPANIONWAY.

com·pan·ion·a·ble [kəmpǽnjənəbəl] *a.* 동무로 사귈 만한, 상대하여 재미있는.
~·ness *n.* **-bly** *ad.*

com·pan·ion·ate [kəmpǽnjənit] *a.* **1** 친구의; 우애적인. **2** 〈옷이〉 서로 잘 어울리는.

compánion hàtch〔**hèad**〕 =COMPANION[2] 2.

compánion hátchway 〔海〕 갑판 승강구.

compánion làdder =COMPANIONWAY.

compánion pìece (문학 작품 등의) 자매편.

*__com·pan·ion·ship__ [kəmpǽnjənʃìp] *n.* Ⓤ **1** 동무로서 사귀기, 교우, 교제; (집합적) 친구들: enjoy the ~ *of* a person …와 가까이 지내다. **2** 〔印〕 식자공 동료. **3** (**C-**) 최하위 훈작사(Companion)의 위계.

com·pan·ion·way [kəmpǽnjənwèi] *n.* 〔海〕 갑판 승강구 계단(갑판에서 선실로의).

★**com·pa·ny** [kʌ́mpəni] [OF] *n.* (*pl.* **-nies**) **1** Ⓤ (집합적) 동료, 친구들, 벗; 일행, 떼, 일단: a ~ of players 배우의 일단/a ~ of birds 새 떼. **2** Ⓤ (집합적) 동석한 사람(들), 손님, 방문자. **3** Ⓤ 교제, 사교(association); 동석: Will you favor me with your ~ at dinner? 같이 식사를 할 수 있겠습니까. **4** (사교적인) 회합; Ⓒ 단체, 협회; 극단(劇團). **5** 회사, 조합(guild), 상회; (회사명에 이름이 없는) 사원들(partner(s))(회사명으로서의 略: Co.): Smith & Co. 스미스 상회(대표 사원 Smith와 그 밖의 사원으로 이루어진 회사라는 뜻). **6** 〔陸軍〕 보병〔공병〕 중대; (보통 a ship's ~로서; 집합적) 〔海〕 승무원 전원. **7** 소방대. **8** (the ~) 《口》 =CIA. **be good**〔**bad, poor**〕 **company** 사귀면 재미있는〔재미없는〕 사람이다. **bear**〔**keep**〕 a person **company** …의 상대〔동반자〕가 되다; …와 동행하다. **Company in distress makes distress less.** 《속담》 슬픔도 같이 나누면 덜한 법. **err**〔**sin**〕 **in good company** 훌륭한 사람도 …와 같이 잘못을 저지르다. **fall into company with** …와 친구〔길동무〕가 되다. **for company** 교제상. **get into bad company** 나쁜 친구와 사귀다. **get**〔**receive**〕 **one's company** 중대장이〔대위로〕 되다〔승진하다〕. **give** a person **one's company** …와 상대를 해주다. **have company** =receive

COMPANY. **in company** 사람들 가운데서, 남 앞에서. **in company with** …와 함께. **keep** a person **company** =**keep company with** a person (적적하지 않도록) …와 같이 있다[가다]; 〈이성〉과 나다니다, 데이트하다(좀 낡은 표현). **keep good[bad] company** 좋은[나쁜] 친구와 사귀다. **Limited Liability Company** 유한 책임 회사(略: Co., Ltd.). **part company with** …와 헤어지다. **receive company** 손님을 맞다, 방문을 받다, 접대하다. **Two's company, three's none.** (속담) 둘이면 좋은 친구가 되나 셋이면 사이가 갈라진다. ── **(-nied)** *vi.* 사귀다 (*with*). ── *vt.* (古) …을 따르다.

cómpany gràde *n.* 〔軍〕 위관급(尉官級)장교(소위·중위·대위의 총칭: *cf.* FIELD GRADE).

cómpany làw (영) 회사법((미) corporation law).

cómpany màn (노조에서 보아) 회사편인 종업원; 스파이 종업원.

cómpany ófficer 〔軍〕 위관(尉官).

cómpany sécretary (회사의) 경리와 법률 문제를 다루는 고위급 사원.

cómpany sérgeant major (영) 중대 선임 상사.

cómpany stóre 회사 매점[구매부].

cómpany tòwn (고용주택 등을) 한 기업에 의존하는 도시.

cómpany ùnion (미) (노동 조합에 가입하지 않은) 한 회사 내의 조합, 어용조합.

compar. comparative; comparison.

*__com·pa·ra·ble__[kámpərəbəl/kɔ́m-] *a.* **1** …와 비교되는(*with*); …에 필적하는(*to*). **2** 유사한, 비슷한, (거의) 동등한. **~·ness** *n.*

com·pa·ra·bly *ad.* 비교할 수 있을 만큼; 동등하게.

com·par·a·tist[kəmpǽrətist] *n.* 비교 언어학[문학]자.

*__com·par·a·tive__[kəmpǽrətiv] *a.* **1** 비교의 (*opp.* absolute), 비교에 의한: a ~ method 비교 연구법. **2** 상대적인, 상당한: with ~ ease 비교적 쉽게. **3** 〔文法〕 비교급의: the ~ degree 비교급. ── *n.* (the ~) 비교급. ◇ compáre *v.*

compárative ádvertising 비교광고(타사 상품과 비교, 우수함을 선전하는 방법).

compárative linguístics 비교 언어학.

compárative líterature 비교 문학.

com·par·a·tive·ly *ad.* **1** 비교적으로; 비교해 보면: ~ speaking 비교적으로 말하면. **2** 비교적, 상당히, 꽤.

com·par·a·tiv·ist[kəmpǽrətivist] *n.*= COMPARATIST.

com·par·a·tor[kəmpǽrətər] *n.* 〔機〕 (정밀) 비교 측정기; 〔電〕 비교기; 〔컴퓨터〕 비교기, 콤퍼레이터.

⁑**com·pare**[kəmpɛ́ər] [L] *vt.* **1** 비교하다, 대조하다(*with, to*): ~ the copy *with* the original 사본을 원본과 비교하다. **2** 비유하다 (liken), …에 비기다, 견주다(*to*): Life is often ~*d to* a voyage. 인생은 흔히 항해에 비유된다. **3** 〔文法〕 〈형용사·부사의〉 비교 변화 (비교급·최상급)를 나타내다. **(as) compared with[to]** …와 비교해서. **(be) not to be compared with** …와 비교가 안되다. **compare notes** 정보[의견]를 교환하다. ── *vi.* (보통 부정문) 비교되다, 필적하다 (*with*): (Ⅲ 자+부+*v* Ⅰ +전+(목)) (*no pass.*) This cannot[does not] ~ *with* that. 이것은 그것과는 비교도 안 된다. **cannot[do not] compare with** …와는 비교도 안 되다. **compare favorably with** …에 비해서 나았으면 나았지 결코 떨어지지 않다. ── *n.* Ⓤ 비교, 견줌(comparison)(◇ 다음 성구로) **beyond[past, without] compare** 비할 바 없는[없이], 무쌍의. ◇ compárison *n.*; cómparable, compárative *a.*

⁑**com·par·i·son**[kəmpǽrisən] *n.* Ⓤ,Ⓒ **1** 비교, 대조(*with, to*). **2** (보통 부정문에서) 유사; 필적(하는 것). **3** 〔修〕 비유(*cf.* SIMILE, METAPHOR)(*to*): The ~ of life *to* a voyage is very common. 흔히 인생을 항해에 비유한다. **4** 〔文法〕 (형용사·부사의) 비교 (변화). **bear[stand] comparison with** …에 필적하다. **beyond[without, out of all] comparison** 유례 없는[없이]. **by comparison** 비교해 보면. **in comparison with[to]** …와 비교해 볼 때(compared with). **There is no comparison** (between them). (너무 차이져서) 비교가 안 된다. **make[draw] a comparison between** A and B (A와 B를) 비교하다. ◇ compáre *v.*

comparison-shop *vi.* (특히 상점을 방문하여) 경쟁품과의 가격품질을 비교하다.

compárison shòpper (경쟁) 상품 비교 조사원, 스파이 손님.

com·part[kəmpɑ́:rt] *vt.* 구획하다, 칸막다.

*__com·part·ment__[kəmpɑ́:rtmənt] *n.* **1** 구획, 칸막이. **2** (철도 객차의) 칸막이한 객실. **3** (보통 watertight ~) (배의 방수) 구획실. **4** 〔영政〕 (시간이 제한된) 특수 협의 사항.

com·part·men·tal[kəmpɑ̀:rtméntl, kɑ̀mpɑ:rt-] *a.*

com·part·men·tal·ize[kəmpɑ̀:rtméntəlàiz] *vt.* 구획하다. **com·pàrt·mèn·tal·i·zá·tion** [-lizéiʃən] *n.*

compártment plàte 칸막이 접시.

⁑**com·pass**[kʌ́mpəs] [L] *n.* **1** 나침반, 나침의: a mariner's ~ 선박용 나침의. **2** (보통 *pl.*) (제도용) 컴퍼스, 양각기. **3** Ⓤ,Ⓒ (보통 *sing.*) 한계(extent, range), 범위(*of*); 〔樂〕 음역. **4** Ⓤ 적당한 정도, 중용(moderation). **5** 둘레(circuit). **6** 우회로(roundabout way). **7** (C-) 컴퍼스(미국이 개발한 업무용 퍼스널 컴퓨터의 하나; 상표명). **beyond one's compass**=**beyond the compass of** one's **powers** 힘이 미치지 않는. **fetch[go] a compass** 우회하다, 멀리 돌아가다. **in small compass** 긴밀히, 간결하게. **keep within compass** 도를 지나치지 않게 하다. **the points of the compass** 나침반의 방위. **within the compass of** …범위내에. ── *vt.* (文語) **1** 에워싸다(encompass가 일반적); 둘러싸다; 포위하다(*with*). **2** …의 둘레를 돌다(go round). **3** 〈목적을〉 달성하다; 획득하다(obtain). **4** 계획하다(plot). **5** 이해하다(comprehend). **~·a·ble** *a.*

cómpass càrd 나침반의 지침면.

cómpass hèading 〔空〕 나침반의 북을 기준으로 한 비행 방향 측정.

*__com·pas·sion__[kəmpǽʃən] [L] *n.* Ⓤ 측은히 여김, (깊은) 동정, 동정심, 연민(의정). **have[take] compassion (up)on** …을 측은히 여기다. ◇ compássionate *a., v.*

*__com·pas·sion·ate__[kəmpǽʃənit] *a.* 인정 많은, 동정심 있는, 동정적인; (영) 특별 배려에 의한: ~ leave 특별 휴가. ── *vt.* 측은히 여기다, 동정하다. **~·ly**[-nitli] *ad.* **~·ness** *n.* ◇ compássion *n.*

cómpass plàne 둥근 대패.

cómpass plànt 향일성(向日性) 식물《잎이 햇빛이 강한 쪽으로 향하는 식물의 총칭》.
cómpass pòint 나침반 방위《32 방위로 되어 있음》.
cómpass ròse 〔海〕 나침도《해도상의 원형 방위도》.
cómpass sàw 줄톱《둥글게 자르는 데 씀》.
cómpass tìmber 굽은 재목, 곡재(曲材).
cómpass wíndow 반원형의 퇴창.
com·pat·i·bil·i·ty [kəmpæ̀təbíləti] *n.* Ⓤ 적합〔일치〕성; 〔TV〕 양립성; 〔컴퓨터〕 호환성.
*__com·pat·i·ble__ [kəmpǽtəbəl] [L] *a.* **1** 양립할 수 있는, 모순이 없는《*with*》. **2** 〔TV〕 〈컬러 방송이〉 흑백 수상기에 흑백으로 수상할 수 있는 겸용식의; 〔컴퓨터〕 호환성(互換性)의. **~·ness** *n.*
compátible compúter 호환성 컴퓨터.
com·pat·i·bly *ad.* 모순없이, 양립할 수 있게, 적합하게.
com·pa·tri·ot [kəmpéitriət/-pǽtri-] *n.* 동포; 동료. — *a.* 같은 나라의, 동포의. **~·ìsm** [-ətìzəm] *n.*
com·pa·tri·ot·ic [-átik/-ɔ́t-] *a.* 동포의; 조국의; 고향의.
compd. compound.
com·peer [kəmpíər, kámpiər/kɔ́m-] *n.* 《文語》 (지위신분이) 동등한 사람, 동배; 동무, 동료(comrade).
⁑**com·pel** [kəmpél] [L] *vt.* (~**led**; ~**·ling**) **1** (사물이 사람을) 억지로〔무리하게〕 (…한 상태로) 만들다, …시키다; (수동태) 〈사람이〉 …하지 않을 수 없다: 《Ⅴ (목)+*to* do》 The rain ~*led* me *to* stay indoors. 비로 인하여 부득이 집에 있었다(=I was ~*led to* stay indoors by rain. 《Ⅱ *be pp.*+*to* do》). **2** 〈복종·존경·침묵 등을〉 강요하다: ~ attention〔applause〕 주의〔칭찬〕하지 않을 수 없게 하다. **3** …을 패배시키다, …에게 이기다. **4** 《古》 〈동물을〉 몰아들이다, 억지로 한데 모으다. **be compelled to** do 할 수 없이 …하다. — *vi.* 폭력을 휘두르다, 실력 행사를 하다; 반항할 수 없는 영향력을 가지다. **~·ler** *n.* ⊕ compúlsion *n.*
com·pel·la·ble [-əbəl] *n.* 강제할 수 있는.
com·pel·la·tion [kàmpəléiʃən/kɔ̀mpel-] *n.* Ⓤ 말 걸기; Ⓒ 호칭, 명칭, 경칭.
*__com·pel·ling__ [kəmpéliŋ] *a.* 강제적인, 억지의; 사람을 가만히 두지 않는, 어쩔 수 없는. **~·ly** *ad.*
com·pend [kámpend/kɔ́m-] *n.* =COMPENDIUM.
com·pen·di·ous [kəmpéndiəs] *a.* 〈책 등이〉 간명한, 간결한. **~·ly** *ad.* **~·ness** *n.*
com·pen·di·um [kəmpéndiəm] *n.* (*pl.* ~**s, -di·a** [-diə]) 대요, 요약, 개론.
com·pen·sa·ble [kəmpénsəbəl] *a.* 〈상해 등〉 보상의 대상이 되는.
*__com·pen·sate__ [kámpənsèit/kɔ́m-] [L] *vt.* **1** 변상하다, 보상〔배상〕하다《*for*》: ~ a person *for* loss …에게 손실을 배상하다. **2** (손실·결점 등을) 보충〔벌충〕하다; 상계하다《*with*》. **3** (금 함유량을 조정하여) 〈화폐의〉 구매력을 안정시키다. **4** 《미》 보수〔급료〕를 치르다《*for*》. **5** 〔機〕 보정(補整)하다. — *vi.* 갚다, 보충하다, 벌충되다《*for*》; 보상하다《*to*》. ⊕ compensátion *n.*; cómpensative, com·pénsatory *a.*
⁑**com·pen·sa·tion** [kàmpənséiʃən/kɔ̀m-] *n.* **1** Ⓤ 배상, 갚음; 보충《*for*》; 보상〔배상〕금(recompense); 《미》 보수, 봉급(salary): in ~ for …의 보상으로서/unemployment ~ 실업 수당. **2** 〔機〕 보정(補整); 〔造船〕 보강: ~ pendulum 보정 시계추. **3** 〔心·生理〕 대상(代償)(작용). **~·al** [-ʃənəl] *a.*
compensátion bàlance 보정 저울.
com·pen·sa·tive [kámpənsèitiv, kəmpénsə-/kɔ́m-] *a.* =COMPENSATORY.
com·pen·sa·tor [kámpənsèitər/kɔ́m-] *n.* **1** 〔機〕 보정기〔판〕; 〔電〕 보상기. **2** 〔法〕 배상〔보상〕자.
com·pen·sa·to·ry [kəmpénsətɔ̀:ri/-təri] *a.* 보상〔배상〕의; 보수〔보충〕의; 보정적인.
com·pere [kámpɛər/kɔ́m-] [F] *n.* 《영》 (방송 연예의) 사회자(emcee). — *vt., vi.* (텔레비전쇼 등의) 사회를 보다.
⁑**com·pete** [kəmpí:t] [L] *vi.* **1** 경쟁하다, 겨루다, 경합하다, 맞서다《*with, for, in*》: 《Ⅱ 전+명+{전+명}》 I shall ~ *with* him *for* the first prize. 나는 일등상을 놓고 그와 경쟁을 하게 될 것이다/《Ⅱ 전+명》 He ~*d against* two rivals. 그는 두 경쟁 상대자와 겨루었다. **2** (보통 부정문) 필적하다, 비견하다, 어깨를 나란히 하다《*with*》: 《Ⅲ *v*I +전+(목)》 No bookstore can ~ *with* this one here. 여기서는 이 서점에 필적할 만한 서점은 없다/《Ⅲ *v*I +전+(목)+전+명》 I can't ~ *with* him in English. 나는 영어에 있어서 그와 어깨를 나란히 할 수 없다.
com·pét·ing [kəmpí:tiŋ] *a.*
⊕ competítion *n.*; compétitive *a.*
*__com·pe·tence, -ten·cy__ [kámpətəns/kɔ́m-] *n.* Ⓤ **1** 능력, 적성《*for*》; 〔法〕 권능, 권한; (증인 등의) 적격: 《Ⅲ (목)+〈*to do*〉》 She has the ~ *to* do this work. 그녀는 이 일을 할 수 있는 능력을 갖추고 있다. **2** (a ~) 《文語》 상당한 자산, 어지간한 수입. **3** 〔言〕 언어 능력(*cf.* PERFORMANCE). **acquire a competence** 상당한 자산을 모으다. **exceed one's competence** 월권행위를 하다. **have competence over** …을 관할하다.
*__com·pe·tent__ [kámpətənt] [L] *a.* **1** 적임의, 유능한, 자격이 있는; (충분히) 소임을 감당할 수 있는《*for*》: He is ~ *to* do the task. 그는 그 일을 해낼 수 있는 적임자이다/She is ~ *for* teaching. 제인은 가르칠 자격이 있다. **2** 적당한, 요구에 맞는, 충분한. **3** 〔法〕 (법정(法定)) 자격이 있는《재판관·법정·증인 등》; 〈재판관법정이〉 심리〔관할〕권을 가진; 〈행위가〉 합법적인, 허용되는《*to*》: the ~ authorities 소관 관청/the ~ minister 주무장관. **~·ly** *ad.* ⊕ cómpetence *n.*
⁑**com·pe·ti·tion** [kàmpətíʃən/kɔ̀m-] *n.* **1** Ⓤ 경쟁《*with, for, between*》. **2** 경기, 시합, 경쟁 시험. **3** Ⓤ (집합적으로도 씀) 경쟁자, 경쟁 상대. **in competition with** others **for** … 을 차지하려고 (남)과 경쟁하여. **put** a person **in**〔**into**〕 **competition with** …을 …와 경쟁시키다. ⊕ compéte *v.*; compétitive *a.*
competítion desìgn 〔建〕 **1** 경쟁 설계《하나의 설계를 둘 이상의 경쟁자에게 맡기기》. **2** 1에 의해 작성된 설계도(서).
*__com·pet·i·tive__ [kəmpétətiv] *a.* 경쟁의, 경쟁적인, 경쟁에 의한: ~ games 경기 종목/a ~ price 경쟁 가격. **~·ly** *ad.* **~·ness** *n.*
compétitive coexístence (특히 미국과 옛 소련간의) 경쟁적 공존.
⁑**com·pet·i·tor** [kəmpétətər] *n.* (*fem.* **-tress**) 경쟁자, 경쟁 상대.
com·pet·i·to·ry [kəmpétətɔ̀:ri/-təri] *a.* = COMPETITIVE.
com·pi·la·tion [kàmpəléiʃən/kɔ̀m-] *n.* Ⓤ 편집《*of*》; Ⓒ 편집물: the ~ *of* a dictionary

사전의 편찬.
com·pi·la·to·ry[kəmpáilətɔ̀:ri/-təri] *a.* 편집의, 편집상의.
*__com·pile__[kəmpáil] [L] *vt.* **1** 편집하다; 〈자료 등을〉 수집하다: ~ a guidebook 안내서를 만들다/~ materials *into* a magazine 자료를 수집하여 잡지를 만들다. **2** 〔크리켓〕 득점하다 (score). **3** 〔컴퓨터〕 〈프로그램을〉 다른 부호〔기계어〕로 번역하다.
⊕ compilátion *n.*: compílatory *a.*
com·pil·er[kəmpáilər] *n.* **1** 편집자, 편찬자. **2** 〔컴퓨터〕 컴파일러《고급 언어 프로그램을 기계어로 번역하는 프로그램》.
compíler lànguage 〔컴퓨터〕 컴파일러 언어(ALGOL, COBOL, FORTRAN 등).
com·píl·ing routìne[kəmpáiliŋ-] 〔컴퓨터〕 =COMPILER 2.
compl. complement; complete(d).
com·pla·cence, -cen·cy[kəmpléisəns], [-i] *n.* (*pl.* **-cenc·es; -cies**) Ⓤ 자기 만족; Ⓒ 만족을 주는 것.
com·pla·cent[kəmpléisənt] *a.* 자기 만족의, 마음에 흡족한(self-satisfied). (◇ COMPLAISANT와는 동음 이의어). **~·ly** *ad.*
*__com·plain__[kəmpléin] [L] *vi.* **1** 불평하다, 투덜거리다, 불만을 털어놓다, 푸념하다, 한탄하다《*of, about*》: be always ~*ing* 항상 불평하다/(《 I 전+명》) ~ *of* little supply 공급이 적다고 투덜거리다/(《 I 전+-*ing*》) She ~*s of* be*ing* misunderstood by you. 그녀는 너에게 오해받고 있다고 투덜거린다/(《 I 전+명+-*ing*》) She ~*s of* the room be*ing* too small for her. 그녀는 그 방이 자기에게 너무 작다고 불평한다/(《 I *There* *v* I +{(전+)-*ing*}》) There is no use (in) ~*ing* to her about it. 그 일에 대해서 그녀에게 불평해 봤자 아무런 소용이 없다/~ *about* high prices 물가고를 한탄하다. **2** 하소연하다《*to, about*》, (정식으로) 고소하다 《*to, of, against*》: (《 I 전+명+전+명》) She ~*ed* to me about the unruly behaviour of the boys. 그녀는 그 소년들의 난폭한 행동에 대해 내게 하소연했다/(《 I 전+명+전+명+-*ing*》) She ~*ed to* the police *about*〔*of*〕 that man kicking her. 그녀는 그 남자가 자기를 걷어찼다고 고소했다. **3** 〈병고·고통을〉 호소하다, 앓다《*of*》: (《 Ⅲ *v* I +전+(목)》) ~ *of* a headache〔indigestion, a stomachache, a toothache〕 두통〔소화불량, 복통, 치통〕을 호소하다. **4** 《詩》 슬픈 소리를 내다, 신음하다.
— *vt.* …라고 불평〔한탄〕하다: She ~*ed to* me *that* the room is too small. 그녀는 그 방이 너무 작다고 내게 불평했다. **~·er** *n.* 불평가.
⊕ compláint *n.*
com·plain·ant[kəmpléinənt] *n.* 〔法〕 원고, 고소인(plaintiff); 《古》 불평하는 사람.
com·plain·ing·ly[kəmpléiniŋli] *ad.* 불평하며, 투덜거리며, 불만스레.
*__com·plaint__[kəmpléint] *n.* **1** Ⓤ,Ⓒ 불평, 불만, 푸념, 투덜거림; Ⓒ 불평거리. **2** 〔法〕 (민사의) 고소; 《미》 (민사 소송에서) 원고의 첫 진술. **3** Ⓒ 병, 몸의 부조(不調). **be full of complaints about** one's food (음식)에 대하여 불평이 많다. **make**〔**lodge, file, lay**〕 **a complaint against** …을 고소하다.
⊕ compláin *v.*
com·plai·sance[kəmpléisəns, -zəns, kámpləzæ̀ns] *n.* Ⓤ 《文語》 정중, 공손(politeness); 상냥함, 유순함. (◇ COMPLACENCE와는 동음 이의어).
com·plai·sant[kəmpléisənt, -zənt, kámpləzæ̀nt] *a.* 《文語》 공손한, 정중한; 유순한, 고분고분한. (◇ COMPLACENT와는 동음 이의어). **~·ly** *ad.*
com·pla·nate[kámplənèit/kɔ́m-] *a.* 동일 평면에 놓인; 편평해진(flattened).
com·pla·na·tion[∸–néiʃən] *n.* **1** Ⓤ 평면화. **2** 〔數〕 곡면 구적법(求積法).
com·pleat[kəmplí:t] *a.* 《古》 =COMPLETE: *The C- Angler* 「낚시 대전」(Izaak Walton의 수필).
com·plect[kəmplékt] *vt.* 《古》 함께 엮다, 섞어 짜다(interweave).
com·plect·ed[1] [kəmpléktid] *a.* 섞어짠; 복잡한.
complected[2] *a.* 《미方·口》 (보통 복합어를 이루어) 안색이 …한: dark-~ 안색이 검은.
*__com·ple·ment__[kámpləmənt/kɔ́m-] [L] *n.* **1** 보충하여 완전하게 하는 것, 보완물《*to*》(*cf.* SUPPLEMENT). **2** 〔文法〕 보어. **3** 〔數〕 여수(餘數), 여각(餘角), 여호(餘弧); 〔樂〕 보충 음정. **4** (필요한) 전수(全數), 전량; 〔海〕 승무원 정원. — [-mènt] *vt.* 보충하여 완전케 하다; 보완〔보충〕하다, …의 보완이 되다. (◇ COMPLIMENT와는 동음이의어) ⊕ compléte *v.*; complemental, complementary *a.*
com·ple·men·tal[kàmpləméntl/kɔ̀m-] *a.* =COMPLEMENTARY. **~·ly** *ad.*
com·ple·men·tar·i·ty[kàmpləmentǽrəti, -mən-/kɔ̀m-] *n.* 〔哲〕 상보성(相補性).
*__com·ple·men·ta·ry__[kàmpləméntəri/kɔ̀m-] *a.* 보완적인; 서로 보완하는. — *n.* (*pl.* **-ries**)보색(=~ color). **-tar·i·ly** *ad.*
compleméntary ángle 여각.
compleméntary cèll 〔植〕 보족 세포.
compleméntary cólor 보색.
compleméntary distribútion 〔言〕 상보(相補) 분포.
cómplement fixàtion 〔免疫〕 보체(補體) 결합.
*__com·plete__[kəmplí:t] [L] *vt.* **1** 완성하다; 완료하다, 끝마치다. **2** 〈수·양을〉 채우다; 갖추다. **3** 〔野〕 〈시합을〉 완투(完投)하다; 〔미蹴〕 (포워드 패스를) 성공시키다. **to complete my misery** 가뜩이나 불행한 데다가, 설상 가상으로. — *a.* (**more ~, com·plet·er; most ~, -est**) (◇ complete는 의미상 비교변화를 하기 어려운 형용사지만, 특히 「완전함」의 정도를 강조하기 위해 more, most를 첨가하거나 completer, completest로서 비교변화를 나타내는 경우가 있다). **1** 완전한, 완벽한; 완비된: a ~ failure〔victory〕 완패〔완승〕. **2** 전부의, 전부 갖춘. **3** 전면적인, 철저한. **4** 완결〔완성〕한. **5** 《稀》 숙달한. **6** 〔文法〕 (보어가 필요없는) 완전한《완전자〔타〕동사》. **~·ly** *ad.* 완전히; 철저히. **~·ness** *n.*
⊕ complétion *n.*; complétive *a.*
compléte fértilizer 완전 배합 사료.
compléte gáme 〔野〕 완투 시합《한 투수가 1회부터 9회까지 혼자 투구하기》.
compléte zéro 《俗》 최저의 사람, 전혀 쓸모없는 사람. ◇ 간단히 zero라고도 함.
*__com·ple·tion__[kəmplí:ʃən] *n.* Ⓤ 완성, 완료; 수료, 졸업; 만료, 만기. **bring to completion** 완성시키다. ⊕ compléte *v.*
complétion tèst 〔心〕 완성형 테스트.
com·ple·tist[kəmplí:tist] *n.* 완전주의자.
com·ple·tive[kəmplí:tiv] *a.* 완성적인; 완료를 나타내는.
cómp létter (기증본에 삽입된) 증정 인사장. ◇ comp는 complementary의 단축형.

com·plex [kəmpléks, kámpleks/kɔ́mpleks] [L] *a.* **1** 복잡한, 착잡한: 〈문제 가〉 어려운. **2** 복합의, 합성의. **3** 〈문장이〉 복합의, 복문의. — [kámpleks/kɔ́m-] *n.* **1** 합성물(=~ whole): 〔化〕 복합체: (건물 등의) 집합체: 공장 단지. **2** 〔精神分析〕 콤플렉스, 복합: 《口》 (어떤 것에 대한) 고정 관념, 과도의 혐오〔공포〕《*about*》: ⇨ inferiority complex, superiority complex, Electra Complex, Oedipus Complex. ◈ compléxity *n.*

cómplex fráction 〔數〕 복분수.

com·plex·ion [kəmplékʃən] [L] *n.* **1** 안색, 혈색, 얼굴의 살갗, 얼굴빛. **2** (보통 *sing.*) (사태의) 외관, 형편, 양상(aspect): the ~ of the war 전황/It puts another ~ on the incident. 그것으로 사건의 양상이 또 달라진다. **assume a serious complexion** 중대한 양상을 띠다. **~·al** [-ʃənəl] *a.*

com·plex·ioned [kəmplékʃənd] *a.* (보통 복합어를 이루어) 안색이 (…한: fair-〔dark-〕 ~ 얼굴빛이 흰〔검은〕.

com·plex·ion·less [kəmplékʃənlis] *a.* 안색이 나쁜, 핏기 없는.

com·plex·i·ty [kəmpléksəti] *n.* (*pl.* **-ties**) U,C 복잡성: C 복잡한 것.

cómplex númber 〔數〕 복소수.

cómplex pláne 〔數〕 가우스 평면, 복소(수) 평면.

cómplex séntence 〔文法〕 복문(종속절을 가진 문)(*cf.* COMPOUND SENTENCE).

com·pli·a·ble [kəmpláiəbəl] *a.* 고분고분한, 순종하는.

com·pli·ance [kəmpláiəns] *n.* U (요구명령 등에의) 응낙, 승낙: 추종, 순종: 친절: 〔物〕 컴플라이언스. **in compliance with** …에 따라, …에 순응하여. ◈ compliant *a.*: complý *v.*

com·pli·ant [kəmpláiənt] *a.* 유순한, 시키는 대로 하는, 고분고분한. **~·ly** *ad.*

com·pli·ca·cy [kámplikəsi/kɔ́m-] *n.* (*pl.* **-cies**) U 복잡함: C 복잡한 것.

com·pli·cate [kámplikèit/kɔ́m-] [L] *vt.* **1** 복잡하게 하다, 뒤얽히게 만들다: 이해하기 어렵게 하다: ~ matters 일을 복잡하게 만들다. **2** (보통 수동형) 〈병을〉 악화시키다. — *a.* 〔動·植〕 〈날개잎이〉 접힌. **~·ly** *ad.* ◈ cómplicacy, complicátion *n.*

com·pli·cat·ed [kámplikèitid/kɔ́m-] *a.* 복잡한: 뒤얽힌: 풀기〔이해하기〕 어려운: a ~ machine 복잡한기계. **~·ly** *ad.* **~·ness** *n.*

com·pli·ca·tion [kàmplikéiʃən/kɔ̀m-] *n.* **1** U,C 복잡(화): (사건의) 분규(tangle). **2** (종종 *pl.*) 귀찮은 문제, 분규의 원인. **3** 〔醫〕 여병(餘病), 병발증, 합병증: 〔心〕 혼화(混化).

com·plic·i·ty [kəmplísəti] *n.* (*pl.* **-ties**) U,C 공모, 공범, 연루《*in*》: ~ *with* another *in* crime 공범 관계.

com·pli·er [kəmpláiər] *n.* 순응〔응낙〕자.

com·pli·ment [kámpləmənt/kɔ́m-] [L] *n.* **1** 경의, 칭찬. **2** 경의의 표시, 영광된 일: Your presence is a great ~. 참석하여 주셔서 무한한 영광입니다. **3** 아첨. **4** (*pl.*) 치하, 축사: (의례적인) 인사(말), 안부. **a doubtful** 〔**left-handed**〕 **compliment** 마음 놓을 수 없는 찬사. **do** a person **the compliment of doing** …에게 경의를 표하여 …하다. **Give**〔**Present, Send**〕 **my compliments to** …에게 안부를 전해 주시오. **make**〔**pay**〕 **a compliment to** …에게 듣기 좋은 말을 하다, …을 칭찬하다. **make**〔**pay, present**〕 one**'s compliments to** a person …에게 인사를 하다. **return the compliment** 답례하다: 보답하다. **the compliments of the season** 계절의 축하 인사《크리스마스나 정초의》. **With the compliments of** (the author) =**With** (the author's) **compliments** (저자) 근정(謹呈), 혜존(惠存)《증정하는 책에 쓰는 말》.
— [-mènt] *vt.* **1** 경의를 표하다, 칭찬하다《*on*》: 인사말하다, 축사를 하다, 축하하다: 《Ⅲ (목)+전+명》 He ~*ed* her *on* her success. 그는 그녀의 성공을 축하했다. **2** 듣기 좋은 말을 하다, 아첨하는 말을 하다《*on*》. **3** 〈…에게 물건을〉 증정하다《*with*》: ~ a person *with* a pen …에게 펜을 증정하다. ◇ COMPLEMENT 와는 동음 이의어. ◈ compliméntary *a.*

com·pli·men·ta·ry [kàmpləméntəri/kɔ̀m-plə-] *a.* **1** 칭찬하는 〈연설 등〉: 인사〔듣기 좋은 말〕 잘 하는. **2** 무료의, 초대의: a ~ ticket 우대권, 초대권. **-ri·ly** [-rili, -mentérəli] *ad.* ◈ cómpliment *v.*

compliméntary clóse〔**clósing**〕 (편지의) 결구(結句)(Sincerely yours 등).

com·pline, -plin [kámplin, -plain/kɔ́m-], [-plin] *n.* (종종 *pl.*)〔가톨릭〕 저녁 기도(시간), 종과(終課), 종도(終禱)(*cf.* MATINS).

com·plot [kámplàt/kɔ́mplɔ̀t] 《古》 *n.* 공모. — [kəmplát/-plɔ́t] *vt., vi.* (~·**ted**; ~·**ting**) 공모하다.

com·ply [kəmplái] [L] *vi.* (**-plied**) 동의하다, 승낙하다, 응하다, 〈명령·규칙에〉 따르다 《*with*》: 《Ⅲ *v*Ⅰ +전+(목)》 We will ~ *with* your request. 우리는 당신의 요구에 응할 것이다(=《Ⅰ *be pp.*+전》 Your request will be *complied with*. 당신의 요구는 응낙될 것이다)/《Ⅲ *v*Ⅰ +전+(목)》 We must ~ *with* the rules. 우리는 규칙에 따라 행동해야 한다. ◈ complíance *n.*: complíant *a.*

com·po [kámpou/kɔ́m-] [composition 의 단축형] *n.* (*pl.* **~s**) U,C 혼합물, 《특히》 회반죽, 모르타르: 인조 상아(象牙).

com·po·nent [kəmpóunənt] *a.* 구성하고 있는, 성분의: ~parts 구성 요소, 성분.
— *n.* 구성 요소, 성분《*of*》: 〔物〕 분력(分力).

com·port [kəmpɔ́ːrt] 《文語》 *vt.* 처신하다, 거동하다(behave). — *vi.* 어울리다, 적합하다《*with*》. **comport** one**self** 거동하다, 행동하다.

com·port·ment [-mənt] 《文語》 *n.* U 처신, 태도, 행동.

com·pose [kəmpóuz] *vt.* **1** 조립하다, 구성하다: 조직하다: 《Ⅰ *be pp.*+전+명》 The congregation was ~*d of* the neighbouring people of rank. 그 회합은 이웃의 상류 계급 사람들로 구성되어 있었다. **2** 〈시·글을〉 짓다, 작문하다, 쓰다: 작곡하다: 〔美〕 구도(構圖)하다: 《Ⅲ (목)》 Who ~*d* the song? 누가 그 노래를 작곡했습니까. **3** 〔印〕 식자하다, 조판하다. **4** 〈안색을〉 부드럽게 하다: (~ one*self* 로)〈마음을〉 가라앉히다: 〈마음을〉 가다듬다. **5** 〈싸움 등을〉 조정하다, 수습하다. **6** 〈시체를〉 안치하다. — *vi.* **1** 작곡하다: 시를 짓다. **2** 구도로서 갖춰지다. **3** 식자〔조판〕하다.
◈ composítion, compósure *n.*; compósite *a.*

com·posed [kəmpóuzd] *a.* **1** 침착한, 차분한. **2** …으로 구성되어《*of*》.

com·pós·ed·ness [-idnis] *n.*

com·pos·ed·ly [-idli] *ad.* 침착하게, 태연히.

com·pos·er [kəmpóuzər] *n.* 작곡가: 작자: 구도자(構圖者): 조정자

com·pos·ing [kəmpóuziŋ] *n.* 〔印〕 식자:

작곡; 조립. — *a.* 진정시키는: ~ medicine 진정제.

compósing fràme〔stànd〕〔印〕 식자대(植字臺).

compósing machìne〔印〕 자동 식자기.

compósing ròom〔印〕 식자실.

compósing stìck〔印〕 식자용 스틱.

*__com·pos·ite__[kəmpázit, kam-/ kɔ́mpɔzit] *a.* **1** 혼성〔합성〕의. **2** (C-)〔建〕 혼합식의;〔造船〕(목재와 철의) 복합의: the *C*- order 혼합식(고대 로마 건축의 제 5양식: 이오니아식과 코린트식과의 절충). **a composite carriage** (한 차량을 각 등급으로 칸막이한) 혼합 객차. **a composite family**〔社〕(어버이의 가족과 자식의 가족 등이 같이 생활하는) 복합 가족(*cf.* EXTENDED FAMILY). — *n.* **1** 합성물, 복합물. **2**〔數〕 합성함수. **~·ly** *ad.* **~·ness** *n.* ⇔ compóse *v.*

compósite fúnction〔數〕 합성 함수.

compósite númber〔數〕 합성수.

compósite phótograph 합성 사진.

compósite schóol (캐나다의 보통과·상업과·공업과를 포함하는) 종합 중등 학교.

__com·po·si·tion__[kàmpəzíʃən/kɔ̀m-] *n.* **1 Ⓤ 구성, 합성, 조직, 혼성, 조립; **2** 구성물; 한 편의 작문, 문장; 악곡. **3** Ⓤ,Ⓒ 배합, 배치 (arrangement);〔美〕 구도; 작문(법), 작시법; 문체;〔樂〕 작곡(법): a ~ book 《미》 작문 공책. **4** Ⓒ〔文法〕(단어의) 복합(법), 합성. **5** 혼합물, 합성물(*of*), 모조품(종종 compo 라 약함): ~ billiard balls (당구용) 인조 상아공. **6** Ⓤ 기질, 성질, 자질. **7** 타협, 화해(*with*): (채무의) 일부 반제금(返濟金), 화해금. **8** Ⓤ,Ⓒ〔印〕 식자, 조판. **make a composition with** …와 화해〔타협〕하다. **What is its composition?** 그것은 무엇으로 되어 있나. ⇔ compóse *v.*; compósite, compósitive *a.*

com·pos·i·tive[kəmpázitiv/-pɔ́z-] *a.* 조립하는, 합성의, 복합적인. **~·ly** *ad.*

com·pos·i·tor[kəmpázitər/-pɔ́z-] *n.*〔印〕 식자공(植字工); 식자기(機).

com·pos men·tis[kàmpəs-méntis/kɔ́m-] [L] *a.* 제정신의, 심신이 건전한(*opp.* non compos mentis).

com·post[kámpoust/kɔ́m-] *n.* 혼합물; 벽토(석회와 점토의 혼합); Ⓤ 혼합〔인조〕 비료; 퇴비(=∠ **hèap**). — *vt.* …에 퇴비를 주다; …으로 퇴비를 만들다.

*__com·po·sure__[kəmpóuʒər] *n.* Ⓤ 침착, 평정. **keep〔lose〕 one's composure** 평정을 유지하다〔잃다〕. **with composure** 침착하게. **recover〔regain〕 one's composure** 평정을 되찾다. ⇔ compóse *v.*

com·po·ta·tion[kàmpətéiʃən/kɔ̀m-] *n.* Ⓤ 술잔치, 주연.

com·po·ta·tor[kámpətèitər/kɔ́m-] *n.* 술친구.

com·pote[kámpout/kɔ́m-] [F] *n.* **1** 설탕에 절인〔끓인〕 과일. **2** (과자나 과일을 담는) 굽달린 접시.

__com·pound__[1] [kámpaund, –∠/kɔ́m-] [L] *a.* **1 합성의, 혼성의, 복합의(*opp.* simple); 복잡한, 복식의. **2**〔化〕 화합한; 집합의. **3**〔文法〕〈문장이〉중문의;〈낱말이〉복합의: ~ ratio〔proportion〕 복비례. — [kámpaund/kɔ́m-] *n.* **1** 혼합물, 합성물;〔化〕 화합물. **2**〔文法〕 복합어, 합성어(=∠ **wòrd**).
— [kəmpáund, kámpaund/kɔ́mpaund] *vt.* **1**〈요소·성분 등을〉 혼합하다, 합성하다;〈약 등을〉 조제하다(mix); 섞어서 만들다: ~ a medicine 약을 조제 하다. **2**〈일을〉 화해시키다, 이야기로 해결짓다;〔法〕 화해하다; 고소를 취하하다. **3**〈계산을〉 끝내다;〈예약금을〉 일부만의 지불로 해결짓다;〈부채를〉 일부만 치르다. **4** (좋지 않은 일의) 도를 더하게 하다,〈번거로운 일을〉 더욱 번거롭게 하다. **5**〈이자를〉 복리로 하다. **6** 을 증가〔배가〕하다, 더욱 크게〔심하게〕 하다. **7**〔電〕 복합식으로 감다. — *vi.* **1** 타협하다, 화해하다. **2** 서로 섞이다, 혼합하여 하나가 되다.
compound a felony〔crime〕 (고소를 하지 않는 등) 중죄를 합의하다.
~·er *n.* 혼합자, 조제자; 사화자.

com·pound[2] [kámpaund/kɔ́m-] *n.* (저택 공장의) 울안, 구내.

com·pound·a·ble *a.* 혼합할 수 있는, 화해〔타협〕할수 있는.

com·pound-cóm·plex séntence[-kámpleks-/-kɔ́m-]〔文法〕 중복문(重複文)(종속절을 하나 이상 가진 중문).

cómpound É[-íː]〔生化〕 복합 E 물질 (cortisone).

cómpound éngine〔機〕 복식 기관; 2단 팽창 기관.

cómpound éye〔昆〕 복안(複眼), 겹눈.

cómpound flówer〔植〕 두상화(頭狀花), 겹꽃(국화과 식물 등의).

cómpound fráction〔數〕 =COMPLEX FRACTION.

cómpound frácture〔外科〕 개방 골절.

cómpound frúit〔植〕 겹열매, 복과(複果).

cómpound hóuseholder 《영》 지방세는 주인이 물기로 하고 세든 사람.

cómpound ínterest〔金融〕 복리.

cómpound ínterval〔樂〕 복합 음정.

cómpound léaf〔植〕 겹잎, 복엽(複葉).

cómpound mícroscope 복합 현미경.

cómpound númber〔數〕 제등수(諸等數)(둘 이상의 단위로 표시되는 수).

cómpound pérsonal prónoun〔文法〕 복합 인칭 대명사(인칭 대명사 뒤에 -self가 붙은 것).

cómpound rélative〔文法〕 복합 관계사.

cómpound séntence〔文法〕 중문(절을 and, but 등 등위 접속사로 이은 문장)(*cf.* COMPLEX SENTENCE).

cómpound wòrd 복합어, 합성어(goldfish, typewriter 등).

com·pra·dor(e)[kàmprədɔ́ːr/kɔ̀m-] *n.* 매판(買辦)(중국에 있는 외국 상사영사관에 고용되어 거래의 중개를 한 중국인).

com·preg[kámprèg/kɔ̀m-] *n.* Ⓤ,Ⓒ (합성수지로 붙인) 고압 합판.

com·preg·nate[kəmprégneit] *vt.* (합성수지로) 접착시키다.

__com·pre·hend__[kàmprihénd/kɔ̀mpr-] [L] *vt.* **1 이해하다(⇨understand). **2** 포함하다, 함축하다: Science ~*s* many disciplines. 과학에는 여러 분야가 있다. ⇔ comprehénsion *n.*; comprehénsible, comprehénsive *a.*

com·pre·hend·ing·ly *ad.* 이해하여, 알면서, 아는 체하며(knowingly).

com·pre·hen·si·bil·i·ty[kàmprihènsəbíləti/kɔ̀m-] *n.* Ⓤ 이해할 수 있음; 포함성.

com·pre·hen·si·ble[kàmprihénsəbəl/kɔ̀m-] *a.* 이해할 수 있는, 알기 쉬운; 《古》 포함되는. **~·ness** *n.* **-bly** *ad.*

__com·pre·hen·sion__[kàmprihénʃən/kɔ̀m-] *n.* Ⓤ **1 이해; 이해력; 포용력. **2** 포함, 함축;〔論〕 내포; 포용주의〔정책〕: listening〔read-

ing〕~ 청취력〔독해력〕. **be above〔be beyond, pass〕 one's comprehension** 이해할 수 없다, 도무지 알 수 없다.
⊕ comprehénd *v.*

‡com·pre·hen·sive [kàmprihénsiv/kɔ̀m-] *a.* **1** 이해력이 있는, 이해가 빠른. **2** 포괄적인, 넓은: a ~ mind 넓은 마음. **3** 〔論〕 내포적인. — *n.* **1** =COMPREHENSIVE SCHOOL. **2** 《미大學》 종합시험(=~ examination). **~·ly** *ad.* **~·ness** *n.*
⊕ comprehénd *v.*: comprehénsion *n.*

comprehénsive schòol 《영》 종합 중등학교《여러 가지 과정을 둠》; 《캐나다》 =COMPOSITE SCHOOL.

com·pre·hen·si·vist [kàmprihénsivist/kɔ̀m-] *n.* (전문 교육에 치우치지 않는) 종합교육〔일반 교양〕 제창자.

***com·press** [kəmprés] [L] *vt.* **1** 압축〔압착〕하다, 눌러 찌부러뜨리다: ~ one's lips 입술을 굳게 다물다. **2** 〈사상언어 등을〉 요약하다, 집약하다《*into*》. — [kάmpres/kɔ́m-] *n.* 〔醫〕 (지혈을 위한) 압박 붕대; 습포.
⊕ compréssion *n.*: compréssive *a.*

***com·pressed** [kəmprést] *a.* 압축〔압착〕된; 간결한; 〔植〕편평한: ~air〔gas〕압축공기〔가스〕.

com·press·i·bil·i·ty [kəmprèsəbíləti] *n.* (*pl.* **-ties**) Ⓤ 압축성; Ⓒ 〔物〕 압축률.

com·press·i·ble [kəmprésəbəl] *a.* 압축〔압착〕할 수 있는, 압축성의.

***com·pres·sion** [kəmpréʃən] *n.* Ⓤ **1** 압축, 압착; 간결성; 편평화; (사상언어 등의) 요약, 압축. **2** 응압(應壓)(시험)《잠함(潛函)에 들어가기 전의》; 〔醫〕 압박(증). **~·al** *a.*

compréssional〔compréssion〕 wàve 〔物〕 압축파.

compréssion ràtio 〔機〕 (엔진의) 압축비.

com·pres·sive [kəmprésiv] *a.* 압축력이 있는, 압축의. **~·ly** *ad.*

***com·pres·sor** [kəmprésər] *n.* 압축〔압착〕기, 압축 펌프, 컴프레서; 〔外科〕 혈관 압축기.

com·pri·mar·i·o [kàmprəméəriou, -mά:r-] *n.* (*pl.* **-mar·i·os**) (오페라에서) 주역가수 다음의 가수.

com·pris·al [kəmpráizəl] *n.* **1** 포함, 함유. **2** 개략, 대요(summary).

***com·prise, -prize** [kəmpráiz] [L] *vt.* **1** 포함하다, 품다; 의미하다; 〈전체가 부분으로〉 이루어지다, 구성되다: The U.S. ~s 50 states. 미합중국은 50개 주로 구성되어 있다. **2** 〈부분이 모여 전체를〉 이루다: Fifty states ~ the U.S. 50개 주가 미합중국을 이룬다. — *vi.* 성립하다《*of*》. **be comprised in** …에 포함되다, …으로 모두 표현되다. **be comprised of** …로 구성되다, …로 이루어지다(=be COMPOSED of).

‡com·pro·mise [kάmprəmàiz/kɔ́m-] [L] *n.* **1** Ⓤ,Ⓒ 타협, 화해, 양보. **2** 절충안; 절충〔중간〕물《*between*》. **make a compromise with** …와 타협하다. — *vt.* **1** 〈분쟁 등을〉 타협하여〔이야기로〕 해결짓다, 타협시키다; 화해시키다: ~ a dispute *with* a person …와 타협하여 분쟁을 해결하다. **2** 〈명성 등을〉 더럽히다, 손상하다, 〈체면을〉 잃게 하다. **compromise oneself** 자기의 체면을 손상시키다, 신용을 떨어뜨리다. — *vi.* 타협하다, 화해하다《*with*》: ~ *with* a person over something …와 어떤 문제를 타협하다. **-mis·er** [-màizər] *n.*

com·pro·mis·ing [kάmprəmàiziŋ/kɔ́m-] *a.* 명예〔체면〕를 손상시키는; 의심을 받음직한.

com·pro·vin·cial [kàmprəvínʃəl/kɔ̀m-] *a.* 같은 지방의; 같은 관구〔대 주교구〕의.

compt. compartment.

compte ren·du [kɔ̃:trɑ̃dy] [F] (*pl.* **comptes ren·dus** [—]) *n.* (조사 등의) 보고(서); 〔商〕 지불 청구서.

Comp·tom·e·ter [kamptάmitər/kɔmptɔ́m-] *n.* 고속도 계산기《상표명》.

Cómp·ton effèct [kάmptən-/kɔ́mp-] 〔物〕 콤프턴 효과《광자와 전자의 탄성 산란(散亂)》.

comp·trol·ler [kəntróulər] [controller의 변형] *n.* (회계은행의) 감사관. **~·shìp** *n.*

Comptróller Géneral (the ~) 《미》 (연방정부) 감사원장.

com·pu·fess [kάmpju:fès/kɔ́m-] [*compu*ter+con*fess*] *n.* (가정에서 컴퓨터를 사용하여 행해지는) 카톨릭의 고해(告解).

***com·pul·sion** [kəmpʌ́lʃən] *n.* Ⓤ **1** 강제. **2** 〔心〕 강박(현상); 억제하기 어려운 욕망, …하고 싶은 충동. **by compulsion** 강제적으로 (**up**) **on**〔**under**〕 **compulsion** 강제당하여, 하는 수 없이.
⊕ compél *v.*: compúlsive, compúlsory *a.*

***com·pul·sive** [kəmpʌ́lsiv] *a.* 강제적인, 강요하는; 강박관념에 사로잡힌: a ~ eater (무엇인가) 먹지 않고는 못배기는 사람. — *n.* 강제력; 강박관념에 사로잡힌 사람. **~·ly** *ad.* **~·ness** *n.*

com·pul·so·ri·ly [-sərili] *ad.* 강제적으로, 무리하게.

***com·pul·so·ry** [kəmpʌ́lsəri] *a.* 강제적인; 의무적인; 필수의: ~ education 의무 교육/~ execution 강제 집행/~ (military) service 강제 병역, 징병/a ~ subject 《영》 필수과목(*cf.* OPTIONAL SUBJECT). **-ri·ness** *n.*
⊕ compél *v.*: compúlsion *n.*

compúlsory púrchase (토지 등의) 강제수매.

com·punc·tion [kəmpʌ́ŋ*k*ʃən] [L] *n.* Ⓤ (종종 부정문에서) 양심의 가책, 회한(悔恨): I have no ~ *in* doing so. 나는 그렇게 하더라도 전혀 양심의 가책을 느끼지 않는다. **without** (**the slightest**) **compunction** (매우) 천연덕스럽게, 뻔뻔스럽게, (조금도)미안해 하지 않고.

com·punc·tious [kəmpʌ́ŋ*k*ʃəs] *a.* 양심에 가책되는, 후회하는. **~·ly** *ad.* 후회하여.

com·pur·ga·tion [kàmpə:rgéiʃən/kɔ̀m-] *n.* Ⓤ,Ⓒ 《古》 〔영法〕 (친구 등의) 면책 선서.

com·pur·ga·tor [-tər] *n.* 〔法〕 면책 선서자.

com·put·a·ble [kəmpjú:təbəl] *a.* 계산할 수 있는. **com·pùt·a·bíl·i·ty** [-əbíləti] *n.*

com·pu·ta·tion [kàmpjutéiʃən] *n.* **1** Ⓤ (때로 *pl.*) 계산, 계량; 평가. **2** 계산 결과, 산정수치(算定數値); 컴퓨터의 사용〔조작〕. **~·al** *a.*

computátional linguístics 〔言〕 컴퓨터 언어학.

com·pu·ta·tive [kάmpjutèitiv/kɔ́m-] *a.* 계산〔셈〕하기 좋아하는.

***com·pute** [kəmpjú:t] *vt.* (컴퓨터로) 계산〔산정〕하다; 평가하다, 어림하다《*at*》; 〈…이라고〉 추정하다《*that*…》: ~ the distance *at* 150 miles 거리를 150마일로 어림잡다. — *vi.* 계산하다. ⊕ computátion *n.*: compútative *a.*

com·pút·ed tomógraphy [kəmpjú:tid-] 〔醫〕 컴퓨터 단층(촬영)법《略: CT》.

‡com·put·er, -pu·tor [kəmpjú:tər] *n.* 컴퓨터, 전산기; 계산기; 계산자(者): ~ crime 컴퓨터 범죄/a ~ game 컴퓨터 게임. (*cf.* analog, digital).

compúter abúse 〔컴퓨터〕 컴퓨터 (시스템의) 부정 이용.
com·pút·er-aid·ed desígn [-èidid-] = CAD.
com·pút·er-based léarning [-bèist-] 컴퓨터를 학습의 도구로 이용하기《略: CBL》.
compúter bréak-in 컴퓨터에 의한 불법 침해.
compúter crìme 컴퓨터 범죄.
compúter crìminal 컴퓨터 범죄자.
compúter dàting 컴퓨터에 의한 중매.
com·put·er-en·hanced [-inhǽnst, -hà:nst] *a.* 〈천체 사진 등〉 컴퓨터 처리로 화질이 향상된.
com·put·er·ese [kəmpjù:tərí:z] *n.* Ⓤ **1** 컴퓨터 전문 용어. **2** 컴퓨터 언어(computer language).
compúter gàme 컴퓨터 게임.
compúter gràphics 컴퓨터 그래픽스《컴퓨터에 의한 도형 처리》.
com·put·er·hol·ic [kəmpjù:tər*h*ɔ́(:)lik, -hɑ́lik] *n.* 《口》 =COMPUTERNIK.
compúter illìterate 컴퓨터 사용에 익숙하지 않은 사람. ◇ 형용사 용법일 때는 computer-illiterate.
com·put·er·ist *n.* 컴퓨터 사용을 직업으로 하는 사람; 컴퓨터 광(狂).
com·put·er·ite [kəmpjú:təràit] *n.* =COMPUTERNIK.
com·put·er·i·za·tion *n.* Ⓤ 컴퓨터화.
com·put·er·ize [kəmpjú:təràiz] *vt.* 컴퓨터화하다, 전산화하다; 컴퓨터로 처리하다. — *vi.* 컴퓨터를 도입〔사용〕하다. **-iz·a·ble** *a.*
com·pút·er·ized áxial tomógra·phy [kəmpjú:təràizd-] 컴퓨터에 의한 X선 체축 단층 촬영《略: CAT》.
compúter jùnkie 《미俗》 컴퓨터광(狂).
compúter lànguage 컴퓨터 언어.
com·put·er·like [kəmpjú:tə*r*làik] *a.* 컴퓨터 같은.
compúter lìteracy 컴퓨터 사용 능력, 컴퓨터 언어의 식자력(識字力).
com·pu·ter-lit·er·ate [-lítərət] *a.* 컴퓨터를 쓸 수 있는, 컴퓨터 사용 능력이 있는.
com·put·er·man [kəmpjú:tə*r*mæ̀n] *n.* (*pl.* **-men** [-mən])=COMPUTER SCIENTIST.
compúter mòdel 컴퓨터 모델《시뮬레이션 등에서 시스템이나 프로젝트의 내용 동작을 프로그램화한 것》.
com·put·er·nik [kəmpjú:tə*r*nìk] *n.*《口》 컴퓨터를 즐겨 사용하는〔에 관심을 가진〕 사람.
com·pu·ter·phone [kəmpjú:tə*r*fòun] *n.* 〔컴퓨터·通信〕 컴퓨터 폰《컴퓨터와 전화를 합친 새로운 통신 시스템》.
com·put·er·scam [kəmpjú:tə*r*skæ̀m] *n.* 컴퓨터에 관한 스파이(행위).
compúter scìence 컴퓨터 과학.
compúter scìentist 컴퓨터 과학자.
compúter scrèen 컴퓨터 스크린《컴퓨터로의 출력을 나타내는 장치의 화면》.
com·pu·ter·speak [kəmpjú:tə*r*spì:k] *n.* 컴퓨터어(語), 컴퓨터 언어.
compúter týpesetting 컴퓨터식자〔사식〕.
compúter vírus *n.* 컴퓨터 바이러스《주로 네트워크를 통해서 침입하는 악성 프로그램; 종종 시스템이나 네트워크를 정지시키거나 손상을 입힘》.
com·pu·ter·y [kəmpjú:təri] *n.* Ⓤ **1** 컴퓨터 시설; (집합적) 컴퓨터. **2** 컴퓨터 기술〔조작〕.
com·pu·tis·ti·cal [kɑ̀mpjətístikəl/kɔ̀m-] *a.* 컴퓨터 집계의; 컴퓨터로 통계 처리한.
com·pu·to·pi·a [kɑ̀mpjutóupiə/kɔ̀m-] [*com-puter+utopia*] *n.* 컴퓨터 보급으로 인간이 노동에서 해방되리라는 미래의 이상 사회.
com·pu·to·po·lis [kɑ̀mpju:tɑ́pəlis/kɔ̀m-pjutɔ́p-] *n.* 컴퓨터 도시《고도의 정보 기능을 갖춘 미래 도시》.
com·pu·tron [kɑ́mpjətrɑ̀n/kɔ́mpjətrɔ̀n] *n.* 《미俗》 계산 소립자(素粒子).
com·pu·word *n.* 컴퓨터어(語).
Comr. Commissioner.
⁑com·rade [kɑ́mræd, -rid/kɔ́m-] [Sp] *n.* **1** 동료, 친구, 동지, 전우, 조합원. **2** (공산국 등에서 호칭으로도 써서) 동무, 동지, 조합원; (보통 the ~s) 공산당원. **comrade in arms** 전우. **~·ly** *a.* 동료〔동지〕의; 동료다운.
com·rade·ship [-ʃìp] *n.* Ⓤ 동료 관계, 동지로서의 사귐, 우애, 우의: a sense of ~ 동료 의식.
coms [kɑmz/kɔmz] *n.* 《영口》 =COMBINATION 2.
COMSAT, Com·sat [kɑ́msæt/kɔ́m-] [*Com*munications *Sat*ellite] *n.* (미국의) 통신 위성 회사; (**c-**) 콤샛 통신 위성.
Com·stock·er·y [kʌ́mstɑkəri/-stɔk-] [미국인 A. Comstock에서] *n.* Ⓤ,Ⓒ 《미》 풍속을 문란케 하는 문예 미술에 대한 엄격한 단속. **Com·stóck·i·an** *a.*
Com·symp [kɑ́msìmp/kɔ́m-] *n.* 《미口》 공산당 동조자; 여행의 동행자, 길동무.
comte [kɔ̃:nt] [F] *n.* 백작(count).
Comte [kɔ:nt] *n.* 콩트 Auguste ~(1798-1857)《프랑스의 철학자사회학자》.
Com·ti·an [kɑ́mtiən/kɔ́:n-] *a.* 콩트 철학파의.
Comt·ism [kɑ́mtizəm/kɔ́:n-] *n.* Ⓤ 실증 철학(positivism). **Cómt·ist** [kɑ́mtist/kɔ́:n-] *n.* 그 학도.
Co·mus [kóuməs] *n.* 〔그·로神〕 코머스《음주 향연을 주관하는 젊은 신》.
con¹ [kɑn/kɔn] [L=*con*tra] *ad.* 반대하여: argue a matter pro and ~ 찬부 양론으로 문제를 논하다. — *n.* 반대 투표, 반대론(자).
the pros and cons ⇨pro.
con² *vt.* (~**ned**; ~·**ning**) 《古》 숙독〔정독〕하다; 암기하다《*over*》.
con³ [It] *prep.* 〔樂〕 …을 가지고, …으로써 (*with*).
con⁴ *vt., vi.* (~**ned**; ~·**ning**) 〔海〕 조타(操舵)〔침로〕를 지휘하다(*cf.* CONNING TOWER).
con⁵ [confidence] 《미俗》 *vt.* (~**ned**; ~·**ning**) **1** 속이다. **2** 속여서 …하게 하다; 속여서 빼앗다. — *n.* Ⓒ 신용 사기; 횡령.
— *a.* 신용 사기의.
con⁶ [(ex)*con*vict, *con*ductor, *con*sumption] *n.* 《미俗》 **1** 죄수, 전과자. **2** 범죄자. **3** 차장. **4** 폐병.
con- [kɑn/kɔn] *pref.* =COM-.
Con Conservative Party.
con. conclusion; contra《L=against》; conversation; concerto. **Con.** Conformist; Consul.
Co·na·kry, Ko·na·kri [kɑ́nəkri/kɔ́n-] *n.* 코나크리《Guinea의 수도》.
con a·mo·re [kɑnəmɔ́:ri/kɔn-] [It] *ad.* 애정을 가지고; 정성껏, 열심히; 〔樂〕 부드럽게.
co·na·tion [kounéiʃən] *n.* Ⓤ,Ⓒ 〔心〕 의욕, 능동(能動) 목적을 가진 활동의 총칭. **~·al** *a.*
con bri·o [kɑnbrí:ou/kɔn-] [It] *ad.* 〔樂〕 힘차게, 활발하게.
conc. concentrate(d); concentration; con-

cerning; concrete.

con·cat·e·nate[kankǽtənèit/kɔn-] *vt.* 사슬같이 잇다; 연쇄시키다; 〈사건 등을〉 결부〔연결〕시키다, 연관시키다. ── *a.* 연쇄된, 이어진, 연결된.

con·cat·e·na·tion[-ʃən] *n.* 《文語》 U,C 연쇄; (사건 등의) 연결, 연속, 결부, 연관.

*****con·cave**[kankéiv, ∸–/kɔn-] *a.* 오목한, 요면(凹面)의(*opp.* convex): a ~ lens 오목 렌즈. ── [∸–] *n.* 오목면, 요면; 《詩》(the ~) 하늘. **the sp herical concave** 《詩》 하늘, 창공. ── *vt.* 오목하게 하다. ── *vi.* 오목해지다. **~·ly** *ad.* **~·ness** *n.* ⊕ concávity *n.*

con·cav·i·ty[kankǽvəti/kɔn-] *n.* (*pl.* **-ties**) 오목함, 오목한 상태; 요면; 오목한 곳, 함몰 부분.

con·ca·vo-con·cave[kankéivoukankéiv/kɔnkéivoukɔnkéiv] *a.* 양면이 모두 오목한, 양요(兩凹)의(biconcave).

con·ca·vo-con·vex[kankéivoukanvéiks/kɔnkéivoukɔnvéks] *a.* 한 면은 오목하고 다른 면은 볼록한, 요철(凹凸)의.

‡**con·ceal**[kənsíːl] [L] *vt.* 숨기다, 감추다; 비밀로 하다, 내색하지 않다: 《Ⅲ (목)+전+명》 I ~ nothing *from* you. 나는 너에게 숨긴 것이 아무 것도 없다. **conceal** oneself 숨다. **~·a·ble** *a.* **~·ing·ly** *ad.*

*****con·ceal·ment**[kənsíːlmənt] *n.* U 은폐, 은닉; 잠복; C 은신처. **in concealment** 숨은, 숨어서.

*****con·cede**[kənsíːd] [L] *vt.* **1** 양보하다, 용인하다; 승인하다, 인정하다: 《Ⅳ 대+(목)》 He ~*d* us the right. 그는 우리에게 그 권리를 양보했다(=《Ⅲ (목)+전+명》 He ~*d* the right to us.)/《Ⅰ *It be pp.+that*(절)》 It was generally ~*d that* there was no likeness between mother and daughter. 어머니와 딸이 닮지 않았다는 것이 대체적으로 인정되었다. **2** 〈권리·특권 등을〉 부여하다《*to*》: The privilege has been ~*d to* him. 그 특권이 그에게 주어졌다. **3** 〈경기토론 등에서 상대방의〉 승리를 허용하다, 지다; …의 패배를 인정하다: ~ the victory (상대의)승리를 인정하다/~ an election 선거에서 상대방의 승리를 인정하다.
── *vi.* 양보하다; 용인하다; 《미》 (경기·선거 등에서) 패배를 인정하다: ~ *to* a person …에게 양보하다. ⊕ concéssion *n.*; concéssive *a.*

con·ced·ed·ly[kənsíːdidli] *ad.* 명백하게, 분명히.

‡**con·ceit**[kənsíːt] *n.* **1** U 자만, 자부심(*opp.* humility); C 독단, 사견. **2** 〔文學〕 (시문 등의) 기발한 착상, 기상(奇想); 기발한 표현; 변덕. **3** 호의, 호감. **be full of conceit** 자부심이 강하다. **wise in one's own conceit** 제딴에는 (영리하다고) 생각하고. **be out of conceit with** …에 싫증이〔진저리가〕 나다.
── *vt.* **1** (~ one*self*로) 우쭐대다. **2** 《古》 상상하다(imagine), 생각하다. **3** 《古》 …이 마음에 들다. ⊕ concéive *v.*

*****con·ceit·ed**[-id] *a.* 자부심이 강한; 젠체하는, 뽐내는; 《方》 변덕스러운. **~·ly** *ad.*

*****con·ceiv·a·ble**[kənsìːvəbəl] *a.* **1** 생각할 수 있는, 상상할 수 있는. **2** 상상할 수 있는 한의: by every ~ means 가능한 모든 수단으로./It is the best ~ 그 이상의 것은 생각할 수 없다. **-bly** *ad.* 생각할 수 있는 바로는, 상상컨대. **~·ness** *n.*

con·ceìv·a·bíl·i·ty[kənsìːvəbíləti] *n.*

*****con·ceive**[kənsíːv] [L] *vt.* **1** 상상하다; …라고 생각하다; 〈생각의견원한 등을〉 마음에 품다; 〈계획 등을〉 생각해 내다, 착상하다: 《Ⅲ vⅠ+전+*pos.*+*-ing*》 I cannot ~ *of* your allow*ing* the girls to smoke. 나는 당신이 소녀들에게 담배 피우는 것을 허용한다는 것은 상상할 수 없다/《Ⅴ (목)+*as*+*-ing*》 The Hebrews first ~*d* man *as* hav*ing* been made in God's image. 헤브라이 민족이 처음으로 인간은 신의 모습으로 창조되었다고 생각해냈다. **2** 이해하다: I ~ you. 네 말뜻을 알겠다. **3** (보통 수동형으로) 말로 표현하다. **4** 〈아이를〉 배다, 임신하다. ── *vi.* **1** (보통 부정문) 상상하다; 생각이 나다; 이해하다《*of*》: I can*not* ~ *of* a better plan than this. 이 이상 더 좋은 안은 생각할 수 없다. **2** 임신하다.

con·céiv·er *n.* ⊕ concéit, concéption *n.*

con·cel·e·brant[kənséləbrənt] *n.* (미사성찬식의) 공동 집전 사제.

con·cel·e·brate[kənséləbrèit] *vt., vi.* 〈미사를〉 공동 집전하다.

con·cèl·e·brá·tion *n.* (미사의) 공동 집전.

con·cent[kənsént] *n.* U,C 《古》 (소리음성의) 조화; 일치, 협조.

con·cen·ter *vi., vt.* 한 점에 모이다〔모으다〕, 집중하다〔시키다〕.

‡**con·cen·trate**[kánsəntrèit/kɔ́n-] [L] *vt.* **1** (광선·주의·노력 따위를) 집중시키다(focus), 한 점에 모으다; 〈물건 등을〉 모으다《*on, upon*》: ~ rays *to*〔*into*〕 a focus 광선을 초점에 집중시키다/~ one's energies 〔efforts〕 *on*〔*upon*〕 …에 모든 정력〔노력〕을 집중하다/《Ⅲ *to* do》 《(*to* do)-Ⅱ 전+명》 Learn *to* ~ *upon* listening comprehension. 듣고 이해하는 데 정신을 집중하는 법을 익혀라. **2** (부대를) 집결시키다《*at*》: ~ troops *at* one place 군대를 한 곳에 집결시키다. **3** 응집〔응축, 농축〕하다(condense). **4** 〔鑛山〕 〈광석을〉 선광하다.
── *vi.* **1** 한 점에 모이다, 〈인구 등이〉 집중하다《*at, in*》: Population tends *to* ~ *in* large cities. 인구는 대도시에 집중하는 경향이 있다. **2** (부대 등이) 집결하다. **3** 〈사람이 …에〉 전력을 기울이다, 전념하다, 골몰하다《*on, upon*》: ~ *upon* a problem 어떤 문제에 전념하다. **4** 순화〔농축〕되다. ── *n.* 농축물〔액〕; 농축사료; 〔鑛〕 정광(精鑛).
⊕ concentrátion *n.*; cóncentrative *a.*

con·cen·trat·ed[-id] *a.* 집중된; 응집〔응축, 농축〕된: ~ fire 집중 포화/~ juice 농축 주스.

*****con·cen·tra·tion**[kànsəntréiʃən/kɔ̀n-] *n.* U,C **1** 집중, 집결《*of*》. **2** 전심 전력, 집중력, 전념《*on, upon*》. **3** 〔化〕 농축; (*sing.*) (액체의) 농도; 〔鑛山〕 선광; 농화(濃化). **4** 집중 연구. **5** U 〔카드〕 숫자 맞추기 놀이.
⊕ cóncentrate *v.*; cóncentrative *a.*

concentrátion càmp 정치범〔포로〕 수용소.

con·cen·tra·tive[kánsəntrèitiv, kənsén-/kɔ́n-] *a.* 집중적인, 집중성의; 전심 전력하는, 골몰하는.

con·cen·tra·tor[kánsəntrèitər/kɔ́n-] *n.* 집중시키는 물건〔장치〕; (탄약통 안 또는 총구의) 발화 집중 장치; 〔通信〕 집신기(集信機); (액체의) 농축기; 선광기.

con·cen·tre *vt., vi.* 《영》 = CONCENTER.

con·cen·tric, -tri·cal[kənséntrik], [-kəl] *a.* **1** 〔數〕 중심이 같은(*opp.* eccentric): ~ circles 동심원(同心圓). **2** 집중적인: ~ fire 〔軍〕 집중 포화. **-tri·cal·ly** *ad.*

con·cen·tric·i·ty[kànsəntrísəti/kɔ̀n-] *n.*

Ⓤ 중심이 같음; 집중(성).

*__con·cept__[kánsept/kɔ́n-] **1** *n.* 〔哲〕 개념. **2** 생각; 구상, 발상, 〔광고〕 (상품·판매의) 기본적인 생각. ― *vt.* 《口》 …을 생각해내다.

‡**con·cep·tion**[kənsépʃən] *n.* **1** 개념, 생각 (concept) 《*of*》; Ⓤ 개념 작용〔형성〕(*cf.* PERCEPTION). **2** 구상, 착상, 창안; 고안, 계획: a grand ~ 웅대한 구상. **3** Ⓤ 임신, 수태; 태아. **have no conception** (*of* something, *how* …, *that* …) 〈…이 무엇인지〉 전혀 모르다. ⊕ concéive *v.*

con·cep·tion·al[-ʃənəl] *a.* 개념의, 개념상의.

concéption contròl 수태(受胎) 조절, 피임. ◇ birth control이 일반적임.

con·cep·tive[kənséptiv] *a.* **1** 개념 작용의, 개념적인; 생각하는 힘이 있는. **2** 잉태할 수 있는.

con·cep·tu·al[kənséptʃuəl] *a.* 개념의; 구상의. **~·ìsm**[kənséptʃuəlìzəm] *n.* Ⓤ 〔哲〕 개념론. **~·ist**[kənséptʃuəlist] *n.* 개념론자. **~·ly** *ad.*

concéptual árt 개념 예술《제작의 개념과 과정 그 자체를 예술 작품으로 보는》.

concéptual ártist 개념 예술가.

concéptual fúrniture 건축가에 의해 디자인된 가구.

con·cep·tu·al·ize[kənséptʃuəlàiz] *vt.* 개념화하다. ― *vi.* 개념으로 생각하다. **con·cèp·tu·al·i·zá·tion**[kənsèptʃuəlizéiʃən] *n.*

con·cep·tus[kənséptəs] *n.* (*pl.* **-tus·es**) 수태 산물, 배(胚), (포유류의) 태아.

cóncept vìdeo 음악과 그 이미지의 영상을 조합한 비디오.

‡**con·cern**[kənsə́ːrn] [L] *vt.* **1** …에 관계하다, …의 이해에 관계되다, …에 중요하다: The matter does not ~ her. 그 문제는 그녀와는 관계가 없다. **2** (수동태 또는 ~ one*self*로) 관여하다, 종사하다: I don't ~ *myself with* that matter. 나는 그일에 관여하지 않는다(=I am not ~*ed with* that matter)/《Ⅱ *be pp.*+전+*-ing*》 He is ~*ed in* writ*ing* a book. 그는 책을 쓰는 데 관여하고 있다. **3** (수동태 또는 ~one*self*로) 관심을 갖다; 염려하다, 걱정하다《*about, for, over*》: I am much ~*ed about* your future. 네 장래가 매우 걱정스럽다. **as concerns** him 《文語》 (전치사적으로)(그)에 대해서는. **be concerned to** do (1) …하고 싶다, …하기를 원하다〔힘쓰다〕: 《Ⅱ *be pp.*+*to do*》I am not ~*ed to* tell you of it. 나는 그것에 관하여 너에게 말하고 싶지 않다. (2) …하여 유감이다. **concern** one**self** 염려하다, 걱정하다《*about, for*》. **concern** one**self in**〔**with**〕 …에 관계〔관여〕하다, …에 종사하다. **To whom it may concern.** 관계 당사자 앞, 관계 제위《증명서 등에서》.

― *n.* **1** 관계《*with*》; 이해 관계《*in*》. **2** (보통 of ~) 중요성: a matter of some〔utmost〕 ~ 다소〔극히〕 중요한 사건. **3** Ⓤ 관심, 배려; 걱정, 근심《*about, for, over*》. **4** (종종 *pl.*) 관심사, 사건, 용무: It is no ~ *of* mine. 그건 내 알 바가 아니다(=It's none *of* my ~.)/Mind your own ~*s.* 네 걱정이나 해라. **5** 영업, 사업: a paying ~ 수지가 맞는 장사. **6** 회사, 상사(firm), 재단, 콘체른. **7** 《口》 (막연히) 것, 일, 사람: The war smashed the whole ~. 전쟁으로 만사가 다 틀려버렸다. **feel concern about**〔**over**〕 걱정하다. **going concern** 운영중인 사업〔회사〕. **have a concern in** …에 이해 관계가 있다, 의 공동 출자자다. **have no concern for** …에 아무 관심도 없다. **have no concern with** …에 아무런 관계도 없다. **of concern to** …에 중요한. **with**〔**without**〕 **concern** 걱정하여〔없이〕. ⊕ concérnment *n.*

*__con·cerned__[kənsə́ːrnd] *a.* **1** 걱정스러운, 염려하는, 근심하는《*about, over, for*》: with a ~ air 걱정스러운 태도로/He is very (much) ~ *about* the future of the country〔*over* her health〕. 그는 나라의 장래를〔그녀의 건강을〕 매우 걱정하고 있다. **2** 관계하고 있는; 관심을 가진《*in, with*》: the authorities〔parties〕 ~ 당국〔관계〕자. **3** 사회〔정치〕 문제에 관심이 있는. **be concerned about**〔**for over**〕 …에 관심을 가지다, …을 걱정하다. **be concerned in** 관계가 있다, 관여하고 있다. **be concerned with** …에 관계가 있다, …에 관심이 있다. **so**〔**as**〕 **far as he is concerned** 그에 관한 한. **where be concerned** …에 관한 한, …에 관해서는.

con·cern·ed·ly[-nidli] *ad.* 걱정하여.

‡**con·cern·ing**[kənsə́ːrniŋ] *prep.* …에 관하여(about). ― *a.* 걱정을 끼치는, 성가신.

con·cern·ment[kənsə́ːrnmənt] *n.* Ⓤ 《文語》 **1** 중대, 중요성: a matter of ~ 중대한 일. **2** 걱정, 근심, 우려《*about, for*》. **3** 《古》 관계, 관여. **4** Ⓒ 관계하고 있는 일, 업무.

‡**con·cert**[kánsə(ː)rt/kɔ́n-] [It] *n.* **1** 합주, 음악회, 연주회. **2** Ⓤ 협조, 협약, 제휴(concord). **3** Ⓤ 〔樂〕 협화음. **by concert** 합의하여. **in concert** 일제히. **in concert with** …와 제휴하여. ― *a.* 콘서트용의; 콘서트에서 연주되는. ― [kənsə́ːrt] *vt., vi.* 협조하다, 협정하다. ⊕ cóncertize *v.*

con·cer·ta·tion[kànsərtéiʃən] *n.* 〔프랑스政〕 (당파간의) 협조, 공동 보조.

con·cert·ed[kənsə́ːrtid] *a.* **1** 협정된, 합의된: take ~ action 일치된 행동을 하다. **2** 합창〔합주〕용으로 편곡된. **~·ly** *ad.*

con·cert·go·er[kánsə(ː)rtgòuər/kɔ́n-] *n.* 음악회에 자주 가는 사람.

cóncert gránd (piàno) (연주회용) 대형 그랜드 피아노.

cóncert hàll 연주 회장.

con·cer·ti *n.* =CONCERTO의 복수.

con·cer·ti·na[kànsərtíːnə/kɔ̀n-] *n.* **1** 콘서티나《아코디언 모양의 6각형의 손풍금》. **2** (콘서티나 모양의) 유자 철선의 장애물. ― *vi.* 《영口》 〈차가〉 충돌하여 찌부러지다. **-tín·ist** *n.*

concertína wìre (담·벽 등에 둥글게 말아 얹은) 유자(有刺) 철조망.

con·cer·ti·no[kàntʃərtíːnou/kɔ̀n-] *n.* (*pl.* ~**s, -ti·ni**[-tíːni]) 〔樂〕 소협주곡; (합주 협주곡의) 독주 악기군(群).

con·cert·ize[kánsərtàiz/kɔ́n-] *vi.* 연주 여행을 하다; 연주회를 열다.

con·cert·mas·ter, -meis·ter[kánsə(ː)rtmæ̀stər/kɔ́nsərtmàːs-], [-màistər] *n.* 〔樂〕 콘서트마스터《지휘자 다음 가는 사람, 수석 바이올리니스트》.

con·cer·to[kəntʃértou][It] *n.* (*pl.* **-ti**[-tiː], ~**s**) 〔樂〕 콘체르토, 협주곡.

cóncerto gróssо[-gróusou] 합주 협주곡.

*__con·ces·sion__[kənséʃən] *n.* **1** Ⓤ,Ⓒ 양보, 양여(讓與)《*to*》; 용인. **2** 양여된 것; (정부에서 받는) 면허, 특허; 이권, 특권: an oil ~ 석유 채굴권. **3** 거류지, 조차지(租借地), 조계(租界). **4** 《미》 (매점 등의) 토지 사용권; 구내 매점: ~ stand 구내 매점/a parking ~ (장내 등의) 유료 주차장. **make a concession to**

…에 양보하다. **~·er** *n.* =CONCESSIONAIRE. ⊕ concéde *v.*
con·ces·sion·aire[kənsèʃənέər] *n.* (권리의) 양수인(讓受人); (정부로부터의) 특허권 소유자; (극장공원 등의) 영업권 소유자, (매점 등의) 토지 사용권 소유자.
con·ces·sion·ar·y[kənséʃənèri/-nəri] *a.* 양여의. — *n.* =CONCESSIONAIRE.
con·ces·sive[kənsésiv] *a.* 《文語》 양여(讓與)의, 양보적인; 〔文法〕 양보를 나타내는: a ~ conjunction〔clause〕 양보 접속사〔양보절〕 《although, even if 등(으로 시작되는 절)》. **~·ly** *ad.*
conch[kaŋk, kantʃ/kɔntʃ] *n.* (*pl.* **~s**[kaŋks/kɔŋks], **~·es**[kántʃiz/kɔ́n-]) **1** 소라류; 詩 조가비(shell). **2** 〔그神〕 바다의 신 Triton 의 소라; (뱃길 안내인 등의) 소라. **3** (종종 **C-**)《海俗》 Bahama 제도의 원주민. **4** 〔建〕 (예배당의) 반원형 지붕. **5** 〔解〕 =CONCHA.
con·cha[káŋkə/kɔ́ŋ-] *n.* (*pl.*-**chae**[-ki:]) 〔解〕 외이(外耳), 귓바퀴, 이각(耳殼).
con·chie, con·chy[kántʃi/kɔ́n-] *n.* (*pl.* -**chies**) 《영俗》 =CONSCIENTIOUS OBJECTOR.
con·chif·er·ous[kaŋkífərəs/kɔŋ-] *a.* 〔動〕 조가비가 있는; 〔地質〕 조가비를 함유한.
con·choid[káŋkɔid/kɔ́ŋ-] *n.* 〔數〕 나사선, 콘코이드.
con·choi·dal[kaŋkɔ́idl/kɔŋ-] *a.* 〔地質·鑛〕 패각상(貝殼狀)의, 조가비 모양의.
con·chol·o·gy[kaŋkálədʒi/kɔŋkɔ́l-] *n.* Ⓤ 패류학(貝類學). **-gist** *n.* 패류학자.
con·ci·erge[kànsiέərʒ/kɔ́n-] [F] *n.* **1** 수위(doorkeeper). **2** (아파트 등의) 관리인 (《미》 superintendent)(보통 여성).
con·cil·i·a·ble[kənsíliəbəl] *a.* 달랠〔회유할〕 수 있는; 조정〔화해〕할 수 있는.
con·cil·i·ar[kənsíliər] *a.* (종교) 회의의.
con·cil·i·ate[kənsílièit] [L] *vt.* **1** 달래다; 회유하다; 조정하다. **2** (남의) 존경〔호의〕을 얻다. **3** (남의) 환심을 사다; 제편으로 끌어들이다.
con·cil·i·a·tion[kənsìliéiʃən] *n.* Ⓤ **1** 달램, 위로; 회유. **2** 화해; (노동 쟁의 등의) 조정. **Conciliation Court**(=**the Court of Conciliation**) 조정 재판소. **the Conciliation act** 《영》 (노동 쟁의) 조정법.
con·cil·i·a·tive[kənsílièitiv/-síliətiv] *a.* = CONCILIATORY.
con·cil·i·a·tor[kənsílièitər] *n.* 조정자.
con·cil·i·a·to·ry[kənsíliətɔ̀:ri/-təri] *a.* 달래는(듯한); 회유적인.
con·cin·ni·ty[kənsínəti] *n.* (*pl.* -**ties**) Ⓤ,Ⓒ 조화; (문체의) 우아함.
*__con·cise__[kənsáis] [L] *a.* (**con·cis·er; -est**) 간결한, 간명한: a ~ statement 간명한 진술. **~·ly** *ad.* **~·ness** *n.* ⊕ concísion *n.*
con·ci·sion[kənsíʒən] *n.* Ⓤ 간결, 간명 (conciseness): with ~ 간결하게.
con·clave[kánkleiv, káŋ-/kɔ́n-, kɔ́ŋ-] *n.* **1** 〔가톨릭〕 추기경(cardinals)의 교황 선거 회의(실). **2** 비밀 회의, 실력자 회의. **in conclave** 비밀 회의 중: sit *in* ~ 비밀 회의하다.
*__con·clude__ [kənklú:d] [L] *vt.* **1** 마치다, 끝내다, 결말짓다, 마무리하다(*by, with*): ~ an argument 논쟁을 마치다/~ a speech *by* saying that …〔*with* the remarks that …〕 …이라고 말하고〔…이라는 말로〕 연설을 끝맺다. **2** 결론을 내리다: We might ~ it *from* the premises. 이 전제에서 그러한 결론을 내릴 수 있을 것이다. **3** 추측〔추단〕하다: *From* what you say, I ~ *that* … 네 말로 미루어 …라고 추측한다. **4** 《미》 (최종적으로) 결정〔결의, 결심〕하다: We ~*d to* wait *for* fair weather. 우리는 날씨가 좋아지는 것을 기다리기로 결정했다. **5** 〈조약 등을〉 체결하다, 맺다: ~ a treaty of friendship 우호 조약을 체결하다. — *vi.* **1** (…으로써) 말을 맺다: ~ *by* saying that …〔*with* a few remarks〕 …이라고 말하고〔몇 마디 의견을 개진하고〕 이야기를 끝맺다. **2** 〈글·말·모임 등이〉 끝나다: The letter ~*d as* follows. 편지는 다음과 같이 끝맺어 있었다. **To be concluded.** 다음 회〔호〕에 완결. **(Now) to conclude** 결론적으로 말하자면. **con·clúd·ing**[kənklú:diŋ] *a.* 최종적인. ⊕ conclúsion *n.*; conclúsive *a.*
*__con·clu·sion__ [kənklú:ʒən] *n.* **1** Ⓤ 결말, 종결; Ⓒ 끝(맺음); 종국. **2** 추단; 〔論〕 (3단논법의) 단안; 결론, 귀결. **3** 결정, 판정. **4** Ⓤ,Ⓒ (조약의) 체결(*of*). **at the conclusion of** …을 마침에 있어. **bring (something) to a conclusion** 끝맺다. **come to a conclusion** 결론에 이르다. **come to the conclusion that** … …이라고 판단하다. **draw conclusions** 단안을 내리다, 추단하다. **foregone conclusion** 처음부터 뻔한 결론. **in conclusion** 끝으로, 결론으로서. **jump at 〔to〕 a conclusion** 속단하다. **try conclusions with** … …와 결전을 시도하다, 우열을 다투다. ⊕ conclúde *v.*; conclúsive *a.*
*__con·clu·sive__ [kənklú:siv] *a.* 결정적인, 단호한; 종국의: a ~ answer 최종적인 회답/~ evidence〔proof〕 〔法〕 확증. **~·ly** *ad.* **~·ness** *n.* ⊕ conclúde *v.*; conclúsion *n.*
con·coct[kankákt, kən-/kənkɔ́kt] *vt.* **1** 〈수프음료 등을〉 섞어서 만들다. **2** 〈각본이야기 등을〉 엮어내다, 날조하다; 〈음모 등을〉 꾸미다. **~·er** *n.*
con·coc·tion[kankákʃən, kən-/kənkɔ́k-] *n.* **1** Ⓤ 혼성, 조합(調合); Ⓒ 조제물, 수프, 혼합 음료, 조제약. **2** 구성; 책모; 꾸며낸 이야기.
con·coc·tive[kankáktiv, kən-/kənkɔ́k-] *a.* 조합한; 꾸며낸, 음모의.
con·col·or·ous[kankʌ́lərəs/kɔn-] *a.* 단색의, 같은 색의.
con·com·i·tance, -tan·cy[kankámətəns, kən-/kənkɔ́m-], [-i] *n.* Ⓤ 《文語》 **1** 수반(隨伴), 부수; 병존, 공존. **2** 〔가톨릭〕 병존(설)(성체, 특히 빵 속에 그리스도의 피와 살이 병존한다는 신앙). **3** =CONCOMITANT.
con·com·i·tant[kankámətənt, kən-/kənkɔ́m-] *a.* 《文語》 수반하는, 부수된, 동시에 일어나는(concurrent)(*with*). — *n.* (보통 *pl.*) 부대 상황, 부수물. **~·ly** *ad.*
*__con·cord__ [kánkɔ:rd, káŋ-, kɔ́n-] [L] *n.* Ⓤ **1** (의견이해 등의) 일치; (사물인간 사이의) 조화, 화합(*opp.* discord). **2** (국제민족간의) 협정, 협약; 《특히》 우호 협정. **3** Ⓒ 〔樂〕 협화음, 화현(和弦)(*opp.* discord). **4** 〔文法〕 (성수인칭 등의) 일치, 호응(many a book 은 단수, many books는 복수로 받는 등). **in concord with** …와 조화〔일치·화합〕하여. ⊕ concórdant *a.*
Con·cord[káŋkərd/kɔ́ŋ-] *n.* 콩코드. **1** 미국 Massachusetts 주 동부의 도시(독립 전쟁이 시발된 곳). **2** [káŋkɔ:rd] 미국 New Hampshire 주의 주도. **3** 〔園藝〕 콩코드 포도(=∠ **grápe**)(알이 굵고 검푸른); 콩코드 포도주.
*__con·cor·dance__ [kankɔ́:rdəns, kən-/kɔn-] *n.* **1** Ⓤ 《文語》 일치, 조화, 화합. **2** (작가성

서의) 용어 색인《to, of》. **in concordance with** …에 따라서.
con·cor·dant[kankɔ́:rdənt, kən-/kɔn-] *a.* 《文語》 조화된, 화합하는, 일치하는(harmonious)《with》. **~·ly** *ad.*
con·cor·dat[kankɔ́:rdæt/kɔn-] *n.* **1** 협정, 협약. **2** 〔가톨릭〕 (로마 교황과 국왕정부 간의) 협약, 정교(政教) 조약.
Con·corde[kankɔ́:rd/kɔn-] [F =concord] *n.* 콩코드《영국과 프랑스가 공동 개발한 초음속 여객기: 1976년 취항》.
Con·cor·di·a[kankɔ́:rdiə/kɔn-] *n.* 〔로神〕 조화와 평화의 여신; 여자 이름.
con·cours[kɔ̃ku:r] [F] *n.* 콩쿠르, 경연, 경기, 협력.
*__con·course__[kánkɔ:rs, káŋ-/kɔ́ŋ-, kɔ́n-] *n.* **1** (인마(人馬)물질분자하천 등의) 집합, 합류《of》; 군중. **2** 《미》 (공원 등의) 중앙 광장; (역공항 등의) 중앙홀. **3** 경마장, 경기장.
con·cours d'é·lé·gance (자동차 기타 차량의 미적인 면을 기본으로 하는) 자동차 전시회〔품평회〕.
con·cres·cence[kənkrésəns] *n.* Ⓤ 〔生〕 합생(合生), 합착, 유착(癒着).
⁑**con·crete**[kánkri:t, káŋ-, kankrí:t, kɔ́ŋ-] [L] *a.* **1** 구체적인, 구상적인, 유형(有形)의 (*opp.* abstract). **2** 현실의, 실제의; 명확한. **3** 굳어진, 응결한, 고체의(solid: *cf.* LIQUID). **4** 콘크리트로 만든. ― *n.* **1** Ⓤ 콘크리트. **2** Ⓤ 콘크리트 포장면. **3** (the ~) 구체(성), 구상성; 구체 명사, 구상적 관념. **4** 결합체, 응결물. **in the concrete** 구체적인, 구체적으로. ― *vt.* **1** 콘크리트를 바르다; 콘크리트를 쓰다. **2** …을 응결시키다, 굳히다(solidify). ― *vi.* 굳어지다, 응결하다.
~·ly *ad.* **~·ness** *n.* ◈ concrétion *n.*; concrétionary, concrétive *a.*; cóncretize *v.*
cóncrete blóck 〔建〕 콘크리트〔시멘트〕 블록.
cóncrete júngle 콘크리트 정글《인간이 소외된 도시》.
cóncrete mìxer 콘크리트 믹서.
cóncrete músic 〔樂〕 구체 음악《자연계의 음을 녹음합성하여 만드는 음악》.
cóncrete náme〔term〕 〔論〕 구체 명사(名辭).
cóncrete nóun 〔文法〕 구상 명사(*opp.* abstract noun).
cóncrete númber 〔數〕 명수(名數)《two boys 등: 단순한 two, five는 abstract number(불명수)》.
cóncrete póet 시각 시인, 회화 시인.
cóncrete póetry 시각시(視覺詩)《시를 그림 모양으로 배열하는 전위시》.
con·cre·tion[kankrí:ʃən, kaŋ-, kən-] *n.* Ⓤ **1** 응결; Ⓒ 응결물. **2** 病理 결석(結石).
con·cre·tion·ar·y[-nèri/-əri] *a.* 응고하여 된; 〔地質〕 결핵성(結核性)의.
con·cret·ism[kankrí:tizəm, ⸗-⸗] *n.* = CONCRETE POETRY의 이론〔실천〕. **-ist** *n.*
con·cre·tive[kankrí:tiv, kaŋ-/kɔn-] *a.* 응결성의, 응결력이 있는.
con·cret·ize[kánkrətàiz, káŋ-/kɔ́nkri:-, kɔ́ŋ-] *vt., vi.* 응결〔구체화〕시키다〔하다〕.
con·cu·bi·nage[kankjú:bənidʒ/kɔn-] *n.* Ⓤ 축첩(蓄妾)(의 풍습); 내연 관계, 동서; 첩의 신분; 정신적 굴종.
con·cu·bi·nar·y[kankjú:bənèri/kɔnkjú:bənəri] *a.* 첩〔소실〕의, 소실 태생의. ― *n.* (*pl.* **-nar·ies**) 내연의 처.
con·cu·bine[káŋkjəbàin, kán-, kɔ́ŋ-, kɔ́n-] *n.* 첩《mistress가 일반적》; 내연의 처; (일부다처제에서 제2부인 이하의) 처.
con·cu·pis·cence[kankjú:pisəns, kaŋ-/kɔŋ-, kən-] *n.* Ⓤ 《文語》 색욕, 욕정, 정욕; 〔聖〕 현세욕.
con·cu·pis·cent[kankjú:pisənt, kaŋ-/kɔŋ-, kən-] *a.* 《文語》 **1** 색욕이 왕성한, 호색의 (lustful). **2** 탐욕한.
*__con·cur__[kənkə́:r] [L] *vi.* (~**red**; ~·**ring**) 《文語》 **1** 일치하다, 동의하다(agree)《with》: 《Ⅱ 전+명》 She ~*s* *with* him in the opinion. 그녀는 그의 의견에 동의한다. **2** 공동으로 작용하다, 협력하다(cooperate): 《Ⅱ *to do*》 Careful planning and good luck ~*red* *to* give her the success. 신중한 계획과 행운이 함께 작용해 그녀는 성공을 거두었다/《Ⅱ 전+-*ing*》 Opposite forces ~*red in* bring*ing* about this result. 반대 세력들이 이러한 결과를 초래하는 데 협력했다. **3** 동시에 일어나다, 일시에 발생하다《with》: 《Ⅱ 전+명》 Our anniversary ~*red* *with* her birthday. 우리의 기념일이 그녀의 생일과 겹쳤다/《Ⅱ *to do*》 Everything ~*red* *to* make her happy. 여러 가지 일이 동시에 일어나 그녀를 행복하게 했다.
◈ concúrrent *a.*; concúrrence *n.*
con·cur·rence[kənkə́:rəns, -kʌ́rəns], [-i] *n.* Ⓤ **1** 〈원인 등이〉 동시 작용; 협력. **2** 의견의 일치, 동의: ~ *in* opinion 의견의 일치. **3** 동시 발생: ~ *of* events 사건의 동시 발생. **4** 〔數〕 (선면의) 집합(점). **5** 〔컴퓨터〕 병행성(竝行性)《2개 이상의 동작 또는 사상(事象)이 동일 시간대에 일어나는 일》.
con·cur·rent[kənkə́:rənt, -kʌ́rənt] *a.* **1** 동시 발생의, 수반하는《with》: ~ insurance 동시보험. **2** 공동으로 작용하는, 협력의. **3** 겸무(兼務)의. **4** 일치하는, 의견이 같은. **5** 〈선군중 등이〉 동일점으로 모이는. **6** 〔法〕 같은 권리의. ― *n.* **1** 병발 사정; 동시에 작용하는 원인. **2** 《古》 경쟁 상대. **3** 〔數〕 공점(共點). **~·ly** *ad.* (…와) 동시에, 함께, 겸임하여《with》.
concúrrent resolútion 〔미議會〕 (상하 양원에서 채택된) 동일 결의《법적 효력은 없고 대통령의 서명도 필요 없음: *cf.* JOINT RESOLUTION》.
con·cuss[kənkʌ́s] *vt.* 격동시키다《보통 비유적》; (보통 수동형) (뇌)진탕을 일으키게 하다; 《古》 협박하다.
con·cus·sion[kənkʌ́ʃən] *n.* Ⓤ,Ⓒ **1** 진동, 격동(shock): a ~ fuse 촉발 신관(觸發信管). **2** 〔醫〕 진탕: a ~ of the brain 뇌진탕. **3** 《스코》 협박. **~·al** *a.*
concússion grenàde (충격으로 기절시키는) 진탕 수류탄.
con·cus·sive[kənkʌ́siv] *a.* 진탕성의.
con·cyc·lic[kansáiklik/kɔn-] *a.* 〔數〕 동일 원주상(圓周上)의.
cond. conductivity.
⁑**con·demn**[kəndém] [L] *vt.* **1** 비난하다, 힐난하다, 나무라다, 책망하다《for》: 《Ⅱ *be pp.*+*as*+명》 He must be ~*ed* *as* a villain. 그는 무뢰한으로 비난받아야 한다(=We must ~*ed* him *as* a villain. 《Ⅴ (목)+*as*+명》). **2** 유죄 판결을 하다; 〈…에게 형을〉 선고하다(sentence): 《Ⅴ (목)+*to* do》 The judge ~*ed* him *to* be hanged. 판사는 그에게 교수형을 선고했다. **3** 〈표정·언사가 사람을〉 유죄로 보이게 하다: His looks ~ him. 그의 죄상이 얼굴에 드러나 있다. **4** 운명지우다《to》: be ~*ed to* poverty 가

난하도록 운명지워져 있다/She was ~*ed to* lead a life of hardship. 그녀는 고난의 삶을 살도록 운명지어졌다. **5** 〈환자에게〉 불치의 선고를 내리다. **6** 〈물품을〉 불량품으로 결정하다, 폐기 처분을 선고하다; (선박선하밀매품 등의) 몰수를 선고하다; 《미》 (공용으로) 접수하다, 수용하다: This district has been ~*ed for* making a park. =The house has been ~*ed to* make a park. 이 지역은 공원 용지로 수용되어 있다. **be condemned to** death (사형 선고)를 받다.
⊕ condemnátion *n.*: condémnatory *a.*

con·dem·na·ble[kəndémnəbəl] *a.* 비난할 만한, 책망할 만한.

***con·dem·na·tion**[kàndemnéiʃən/kɔ̀n-] *n.* Ⓤ,Ⓒ **1** 비난. **2** Ⓤ 유죄 판결, 죄의 선고. **3** (보통 *sing.*) 선고〔비난〕의 근거〔이유〕. **4** 불량품 선고; 몰수 선고.
⊕ condémn *v.*: condémnatory *a.*

con·dem·na·to·ry[kəndémnətɔ̀:ri/-təri] *a.* 처벌의, 유죄 선고의; 비난의.

con·demned[kəndémd] *a.* **1** 유죄 선고를 받은; 사형수의: the ~ pew (교회안의) 사형수석(席). **2** 몰수하기로 된, 사용 부적으로 판정된. **3** 《俗》 저주받은, 구제할 길 없는.

condémned céll〔wárd〕 사형수 감방.

con·demn·er, -dem·nor[kəndémnər] *n.* **1** (죄의) 선고자. **2** 비난자.

con·den·sa·bil·i·ty[kəndènsəbíləti] *n.* Ⓤ 응축성(凝縮性); 요약성.

con·dens·a·ble[kəndénsəbəl] *a.* 응축〔압축〕할 수 있는; 요약할 수 있는.

con·den·sate[kəndénseit, kándənsèit] *n.* 응축액, 응축물, 축합물.

***con·den·sa·tion**[kàndenséiʃən/kɔ̀n-] *n.* Ⓤ **1** 응축(凝縮), 농축; 〔物〕 응결, 냉축; 〔化〕 축합(縮合), 액화. **2** 응축 상태; Ⓒ 응축체. **3** (사상표현의) 간결화, 요약; Ⓒ 요약한 것. **~·al** *a.*

condensátion tràil *n.* =CONTRAIL.

‡**con·dense**[kəndéns] [L] *vt.* **1** 압축하다, 응축〔농축〕하다《*to, into*》; 〈기체를〉 액화〔고체화〕하다: ~ milk 우유를 농축하다. **2** 〈렌즈가 빛을〉 집중시키다, 모으다. **3** (전기의) 강도를 더하다. **4** 〈사상표현 등을〉 요약하다, 단축하다《*from, into*》: ~ a paragraph *into* a few sentences 하나의 문단을 몇〔두어〕 개의 문장으로 요약하다. ── *vi.* **1** 응축하다, 압축되다, 줄어들다; 요약하다. **2** 집광(集光)하다; 〈증기 등이〉 고체화하다. ⊕ condensátion *n.*

***con·densed**[kəndénst] *a.* 농축〔응결〕한; 요약한, 간결한.

condénsed mílk 연유(煉乳)(⇨milk).

condénsed týpe 〔印〕 가늘고 긴 활자.

***con·dens·er**[kəndénsər] *n.* **1** 응축 장치, 응결기(器). **2** 〔電〕 축전기, 콘덴서. **3** 〔光〕 집광 장치, 집광 렌즈〔경(鏡)〕.

con·den·ser·y[kəndénsəri] *n.* (*pl.* **-ser·ies**) 연유 제조소.

***con·de·scend**[kàndisénd/kɔ̀n-] [L] *vi.* **1** 자기를 낮추다, 겸손하게 굴다, 굽히다《*to*》; (아랫사람과) 대등한 처지가 되다: 《Ⅱ *to* do》 He never ~*s to* shake hands with me. 그는 으시대며 나와 결코 악수도 하지 않는다. **2** (우월감을 가지고) 짐짓 친절〔겸손〕하게 대하다, 은혜를 베푸는 것처럼 굴다, 생색을 내다: He always ~*s to* his inferiors. 그는 언제나 아랫사람들에게 생색을 낸다. **3** 창피를〔부끄럼을〕 무릅쓰고 하다, 자신을 낮추고 …하다; 지조를 버리고 … 하다《*to*》: ~ *to* accept bribes 지조를 버리고 뇌물을 받다. **condescend upon** 《스코》 세목(細目)을 지정하다.
⊕ condescénsion, condescéndence *n.*

con·de·scend·ence[kàndiséndəns/kɔ̀n-] *n.* =CONDESCENSION.

con·de·scend·ing[kàndiséndiŋ/kɔ̀n-] *a.* **1** 겸손한, 평민적인. **2** 짐짓 겸손한 체하는; 생색을 내는 듯한. **~·ly** *ad.*

con·de·scen·sion[kàndisénʃən/kɔ̀n-] *n.* Ⓤ **1** 겸손, 겸양. **2** 생색내는 듯한 태도.

con·dign[kəndáin] *a.* 《文語》 〈처벌 등이〉 적당한, 당연한.

con·di·ment[kándəmənt/kɔ́n-] *n.* Ⓒ,Ⓤ (종종 *pl.*) 《文語》 조미료, 양념(seasoning) 《고추·후추 등》.

con·dis·ci·ple[kàndisáipəl/kɔ̀n-] *n.* 같은 선생의 제자, 학우.

★**con·di·tion**[kəndíʃən] *n.* **1** 조건, 규정, 제약: make ~*s* 조건을 붙이다/the necessary and sufficient ~ 〔數〕 필요충분 조건. **2** (종종 *pl.*) 주위의 상황, 사정, 형편: *under* favorable〔difficult〕 ~*s* 순경〔역경〕에 처해 있어. **3** Ⓤ 상태; 건강 상태, 컨디션; Ⓒ 《口》 (신체의) 이상, 가벼운 병. **4** 지위; Ⓤ 신분, 처지: a man of ~ 지체 있는 사람/live according to one's ~ 분수에 맞게 생활하다. **5** (*pl.*) (생존활동 등의) 불가결한 사정, 필요〔전제〕조건. **6** 《미》 (가입학가진급 학생의) 재〔추가〕시험(과목), 추가 논문: work off ~*s* 재〔추가〕시험을 치르다. **7** (*pl.*) 지불 조건. **8** 〔文法〕 조건절. **be in good〔bad, poor〕 condition** 썩지 않고 있다〔썩어 있다〕; 건강하다〔건강하지 않다〕; 파손되지 않고 있다〔파손되어 있다〕. **be in no condition** 적당하지 않다 《*to* do》. **change one's condition** 새생활로 들어가다; 결혼하다. **in a certain〔a delicate, an interesting〕 condition** 임신하여. **in〔out of〕 condition** 건강〔건강치 못〕하여, 좋은〔좋지 못한〕 상태에. **in〔under〕 favorable〔difficult〕 conditions** 좋은〔어려운〕 상황에. **make conditions** 조건을 붙이다. **on condition that ...** …이라는 조건으로, 만약에 …라면(if). **on this〔that, what〕 condition** 이〔그, 어떤〕 조건으로. **under the present〔existing〕 conditions** 현상태로는.
── *vt.* **1** 〈사물이〉 …의 요건〔조건〕을 이루다, …의 생존에 절대 필요하다; 〈사정 등이〉 결정하다: Ability and effort ~ success. 능력과 노력이 성공의 조건이다. **2** (…이라는) 조건을 설정하다: ~ *that* they (should) marry 결혼하는 것을 조건으로 하다/~ a person *to* obey …이 복종하는 것을 조건으로 하다. **3** 개량하다; 〈사람·동물의〉 몸의 상태를 조절하다; 〈실내 공기를〉 조절하다: 《Ⅲ 图+*v*Ⅲ+(목)》 You have to ~ yourself. 너는 몸 상태를 조절해야 한다. **4** 《미》 재시험 조건부로 진급시키다, 가진급〔가입학〕을 허가하다: She was ~*ed in* mathematics. 그녀는 수학의 재시험을 치른다는 조건으로 진급되었다. **5** (하도록) 습관화〔훈련〕시키다; 〔心〕 …에게 조건 반사를 일으키게 하다: 《Ⅴ (목)+*to* do》 He ~*ed* the parrot *to* say "How are you". 그는 앵무새가 "안녕하십니까"라고 인사하도록 훈련시켰다(=The parrot is ~*ed to* say "How are you".《Ⅱ *be pp.*+*to* do》). **6** 〔商〕 검사하다.
⊕ condítional *a.*

***con·di·tion·al**[kəndíʃənəl] *a.* **1** 조건부의, 잠정적인, 가정적인; 〔文法〕 조건을 나타내는: a ~ clause 〔文法〕 조건절《보통 if, unless, provided 등으로 시작됨)/～ mood 〔文法〕 조건법/a ～contract 조건부 계약, 가계약. **2** …을 조건으로 한,…여하에 달린((on)):(《Ⅱ 명+〈형+{전+명+-*ing*}〉》) It was a promise ～ *on* circumstances be*ing* favorable. 그것은 형편이 좋을 것을 조건으로 한 약속이었다. — *n.* 〔文法〕 가정 어구, 조건문〔절〕, 조건법. **～·ly** *ad.*

con·di·tion·al·i·ty [kəndìʃənǽləti] *n.* Ⓤ 조건부, 조건 제한: (IMF 등의) 융자 조건.

conditional sale 조건부 판매.

con·di·tioned [kəndíʃənd] *a.* **1** 조건부의; ((미)) 가입학〔가진급〕의. **2** (보통 복합어를 이루어)(어떤) 상태〔경우〕에 있는: well 〔ill〕-～ 좋은〔좋지 못한〕 상태에 있는. **3** 조절된; 공기 조절된.

conditioned reflex 〔**response**〕 〔心·生理〕 조건 반사.

con·di·tion·er [kəndíʃənər] *n.* **1** 조절하는 사람〔물건〕; 공기조절 장치(=air ～). **2** (스포츠의) 트레이너; (동물의) 조교사(師).

con·di·tion·ing [kəndíʃəniŋ] *n.* Ⓤ (공기의) 조절(air ～); 조절하기, 적응시키기; (심신의) 조절; (동물 등의) 조교(調教).

condition powder (동물의)컨디션 조절약.

condition precedent 〔法〕 (법적 행위의 효력 발생에 관한) 정지(停止) 조건.

con·do [kándou/kɔ́n-] *n.* (*pl.* **～s**)((미口)) = CONDOMINIUM 1.

con·do·la·to·ry [kəndóulətɔ̀:ri/-təri] *a.* 문상(問喪)의, 조위(弔慰)의, 애도의.

con·dole [kəndóul] [L] *vi.* 문상하다, 조위하다; 위안하다, 동정하다(《Ⅲ *v* I +전+(목)+전+명》) He ～*d with* me *on* my father's death. 그는 나의 부친께서 별세하셔서 나를 조문했다. **～·ment** *n.* **con·dól·er** *n.*

con·do·lence [kəndóuləns] *n.* Ⓤ 조상(弔喪), 애도; (종종 *pl.*) 조사(弔詞), 애도의 말: a letter of ～ 조위장(弔慰狀)/Please accept my sincere ～*s.* 진심으로 애도의 뜻을 표하는 바입니다. **present one's condolences to** …에게 조의를 표하다.

con·do·lent [kəndóulənt] *a.* 조위〔문상〕의, 애도하는.

con·dom [kándəm, kʌ́n-/kɔ́n-] *n.* (피임용) 콘돔.

con·do·ma·ni·a [kàndəméiniə/kɔ̀n-] *n.* (임대 아파트의) 분양 아파트화 붐.

con·dom·i·nate [kəndámənit, kɑn-] *a.* 공동 지배〔통치〕의.

con·do·min·i·um [kàndəmíniəm/kɔ̀n-] *n.* (*pl.* **～s, -i·a** [-niə]) **1** ((미·캐나다)) 분양 아파트((건물 전체 또는 그 한 호(戶))). **2** 공동 주권(joint sovereignty); 〔國際法〕 공동 통치〔관리〕국〔지〕.

con·do·na·tion [kàndounéiʃən/kɔ̀n-] *n.* Ⓤ (특히 간통에 대한) 용서, 묵과.

con·done [kəndóun] *vt.* 묵과하다, 용서하다 (overlook); 〈간통을〉 용서하다; 속죄하다.

con·dón·a·ble *a.* **con·dón·er** [-ər] *n.*

con·dor [kándər, -dɔ:r/kɔ́ndɔ:r] *n.* 〔鳥〕 콘도르((남미산 큰 독수리의 일종)).

con·dot·tie·re [kɔ̀:ndətjέərei, -ri:] [It] *n.* (*pl.* **-ri** [-ri:]) (14-16세기경 이탈리아의) 용병(傭兵) 대장; 군사 사기꾼, 책략가.

con·do·vest·ment [kàndouvéstmənt/kɔ̀n-] *n.* 콘도식 호텔 투자(에 의해 건축된 호텔).

con·duce [kəndjú:s] *vi.* 〈좋은 결과로〉 이끌다, 이바지하다((*to, toward*)): Rest ～*s to* health. 휴식은 건강에 좋다.

con·du·cive [kəndjú:siv] *a.* 도움이 되는, 이바지하는((*to*)): (《Ⅱ 형+전+-*ing*》) His letter is not ～ *to* settl*ing* our dispute. 그의 서한은 우리의 분쟁을 해결하는 데 도움이 되지 않는다. **～·ness** *n.*

＊con·duct [kándʌkt/kɔ́n-] *n.* Ⓤ **1** ((文語)) 행위, 품행, 행실, 거동: good ～ 선행. **2** 지도, 지휘, 안내: under the ～ of …의 안내〔지도〕로. **3** 경영, 운영, 관리: the ～ of business 사업의 운영. **4** (무대극 등의) 처리법, 각색, 취향. **5** Ⓒ ((영)) (Eton College의) 교목.

— [kəndʌ́kt] *vt.* **1** 이끌다, 안내하다, 호송하다: ～ a person *to*〔*into*〕 a seat …을 자리로 안내하다. **2** 지도하다, 지휘하다: ～ an orchestra 오케스트라를 지휘하다. **3** (～ *oneself*로) 행동하다; 처신하다: ～ *oneself well* 〔*with* care〕 훌륭하게〔신중하게〕 처신하다. **4** 〈업무 등을〉 수행하다, 처리하다, 경영〔관리〕하다: ～ one's business affairs 사무를 처리하다. **5** 〔物〕 전도하다: a ～*ing* wire 도선(導線).

— *vi.* **1** 안내하다, 이끌다. **2** (길이 로) 통하다. **3** 전도하다. **4** ((영)) (버스 등의) 차장을 하다((*to*)). **5** 지휘 하다. **conduct away** 〈경관 등이〉 연행하다. **conduct** a person **to** 〔**into**〕 …로 아무를 안내하다. **conduct** a person **in**〔**out**〕 아무를 안으로〔밖으로〕 안내하다. ⊕ condúction *n.*; condúctive *a.*

con·duc·tance [kəndʌ́ktəns] *n.* Ⓤ 〔電〕 컨덕턴스((저항의 역수)); 전도력, 전도성.

con·dúct·ed tóur 안내인이 딸린 여행.

con·duct·i·bil·i·ty [-dʌ̀ktəbíləti] *n.* Ⓤ 전도성(傳導性).

con·duct·i·ble [kəndʌ́ktəbəl] *a.* 전도성의.

con·duc·tion [kəndʌ́kʃən] *n.* Ⓤ (물을 관 등으로) 끌어 들임, 유도(작용); 〔物〕 전도.

condúction bànd 〔物〕 전도대(傳導帶).

condúction cùrrent 전도 전류.

con·duc·tive [kəndʌ́ktiv] *a.* 전도(성)의, 전도력 있는: ～ power 전도력.

con·duc·tiv·i·ty [kàndʌktívəti/kɔ̀n-] *n.* Ⓤ 〔物〕 전도성〔력, 율, 도〕; 〔電〕 도전율.

cónduct mòney 증인 소환비(費).

con·duc·to·met·ric *a.* 〔化〕 전도율〔도〕 적정(滴定)의; 전도성 측정의.

＊con·duc·tor [kəndʌ́ktər] *n.* **1** 안내자, 가이드; 지도자. **2** (버스전차의) 차장; ((미)) 기차의 차장(((영)) guard). **3** 관리인, 경영자 (manager). **4** 수로 도관. **5** 〔樂〕 지휘자. **6** 〔物〕 전도체, 도체; 도선; 피뢰침(=lightning ～): a good ～ 양도체. **～·ship** *n.* Ⓤ CONDUCTOR의 직.

condúctor láureate 명예 지휘자((감독으로 남아 있는 퇴직한 상임 지휘자)).

condúctor ràil 도체(導體) 레일((전차에 전류를 보내는 제3레일)).

con·duc·tress [-tris] *n.* CONDUCTOR의 여성형.

cónduct shèet 〔영軍〕 (사병의) 기록 카드.

con·du·it [kándjuit, -dit/kɔ́n-] *n.* **1** 도관(導管)(=～ pipe). **2** 수도, 도랑, 암거(暗渠). **3** 〔電〕 콘딧, 선거(線渠): ～ system (전차의) 지하 선거식; (전기 배선의) 연관식(鉛管式).

con·du·pli·cate [kandjú:plikit/kɔn-] *a.* 〈싹 안의 꽃잎잎이〉 두 겹의.

Con·dy *n.* ((영口)) =CONDY'S FLUID.

con·dyle [kándail, -dil/kɔ́n-] *n.* 〔解〕 과(顆), 관절구(丘)((뼈끝의 둥근 돌기)).

Cóndy's flùid〔**lìquid**〕 ((영口)) 콘디 소독액.

＊cone [koun] *n.* **1** 원뿔, 원추형(의 것). **2** 폭풍 경보구(球)(=stormcone); (아이스크림의) 콘; 첨봉(尖峰); 〔地質〕 화산 원뿔(=volcanic

~). **3** 〔植〕 방울 열매, 구과(毬果), 솔방울(=pine ~); 〔貝〕 (Conus속(屬)의) 나사조개(=∠ **shèll**). — *vt.* 원뿔꼴로 만들다; (원추형으로) 비스듬히 자르다. — *vi.* 구과를 맺다; 원추형을 이루다. ⇔ cónoid *a.*

Con Ed Consolidated Edison Company《뉴욕시에 전력·가스를 공급하는 공익 회사》.

Con·el·rad [kánəlræ̀d/kɔ́n-] [*con*trol of *el*ectromagnetic *rad*iation] *n.* 〔미軍〕 코닐래드 《적기의 전파 이용 침입을 막는 방식》.

cone·nose [kóunnòuz] *n.* (미국 남부 및 서부산) 침노린재과(科)의 흡혈 곤충.

con es·pres·si·o·ne [kanèspresjóunəi/kɔn-] [It] *ad.* 〔樂〕 표정을 담아서.

Con·es·to·ga [kànəstóugə(-)/kɔ̀n-] *n.* 《미》 큰 포장 마차(=∠ **wàgon**)《서부 개척 때 이주자들이 사용》.

co·ney *n.* **1** 토끼의 모피. **2** 《古》 토끼 (rabbit).

Có·ney Ísland *n.* 코니아일랜드《New York 항구의 Long Island에 있는 유원지》.

conf. conference.

con·fab [kánfæb/kɔ́n-] 《口》 *n.* =CONFABULATION. — *vi.* (~**bed**; ~**·bing**) =CONFABULATE.

con·fab·u·late [kənfǽbjəlèit] *vi.* (사이 좋게) 담소하다, 잡담하다(chat)《*with*》. **-la·tor** *n.* 담소하는 사람. **-la·to·ry** [-lətɔ̀:ri/-lətəri] *a.*

con·fab·u·la·tion [-ʃən] *n.* U,C 간담, 담소, (허물없는) 잡담.

con·fect [kánfekt/kɔ́n-] *n.* 설탕절임, 사탕과자. — [kənfékt] *vt.* 조제하다, 만들다; 설탕절임으로 하다, 사탕 과자로 만들다.

con·fec·tion [kənfékʃən] [L] *n.* **1** 과자, 사탕 과자《candy, bonbon 등》, 설탕 절임(preserve). **2** 〔醫〕 당제(糖劑). **3** (특히 정교하게 유행에 따른) 여성 기성복. **4** U 《稀》 (잼 등의) 제조, 조합(調合). — *vt.* 《古》 〈과자·당제 등으로〉 조제하다(prepare).

con·fec·tion·ar·y [kənfékʃənèri/-nəri] *a.* 사탕 과자의; 과자 제조〔판매〕의. — *n.* (*pl.* **-ar·ies**) =CONFECTIONERY.

con·fec·tion·er [kənfékʃənər] *n.* 사탕 과자 제조〔판매〕인; 제과점.

conféctioners súgar 정제 설탕.

con·fec·tion·er·y [kənfékʃənèri/-nəri] *n.* (*pl.* **-er·ies**) **1** U 과자류《pastry, cake, jelly 등의 총칭》. **2** U 과자 제조. **3** 제과점; 과자 제조〔판매〕소(⇨bakery).

Confed. Confederate, Confederation.

*****con·fed·er·a·cy** [kənfédərəsi] *n.* (*pl.* **-cies**) **1** 연합(league), (일시적인) 동맹. **2** 동맹국; 연합체 연방. **3** U,C 〔法〕 공모. **4** 도당. **5** (the (Southern) C-) =CONFEDERATE STATES (OF AMERICA). ⇔ conféderate *a., v.*

*****con·fed·er·ate** [kənfédərit] *a.* **1** 동맹한, 연합한(allied); 공모한. **2** (**C-**) 〔미史〕 남부 동맹의(*cf.* FEDERAL 3). — *n.* **1** 동류, 공모자《*in*》. **2** 동맹국, 연합국(ally). **3** (**C-**) 〔미史〕 남부 동맹 지지자, 남부파 사람. — [-dərèit] *vt.* 동맹〔공모〕시키다《*with*》. — *vi.* 동맹〔공모〕하다. **confederate** one**self with** …와 동맹〔연합〕하다.
⇔ confederátion, conféderacy *n.*

Conféderate Memórial Dày (the ~) 《미》 남군 전몰 용사 추도일《남부에서는 공휴일》.

Conféderate Státes (of América) (the ~) 남부 연방《남북 전쟁 때에 남부 동맹에 참가한 11개 주; *cf.* FEDERAL States》.

*****con·fed·er·a·tion** [kənfèdəréiʃən] *n.* **1** U 연합, 동맹. **2** 연방, 연합국. **3** (the C-) 〔미史〕 아메리카 식민지 동맹《1781-89》.
⇔ conféderate *a., v.*; conféderative *a.*

con·fed·er·a·tive [kənfédərèitiv, -dərə-] *a.* 동맹의, 연합의, 연방의.

*****con·fer** [kənfə́:r] [L] (~**red**; ~**·ring**) *vt.* **1** 수여하다, 주다(grant)《*on, upon*》: ~ a title 〔an honor, a medal, a privilege〕 *upon* a person …에게 칭호〔영예, 메달, 특권〕를 주다. **2** 《廢》 (명령형) 참조하라(compare)《略: *cf.*; ◇ 명령형으로는 쓰이지 않게 되었지만 약어로는 쓰이고 있음》. — *vi.* 협의〔의논〕하다(consult)《*together, with*》: ~ *with* a person *about* a thing 어떤 일을 아무와 의논하다.
⇔ conférment, cónference *n.*

con·fer·ee [kànfərí:/kɔ̀n-] *n.* **1** 《미》 회의 출석자; 평의원(評議員); 의논 상대자. **2** 〈칭호·메달 등을〉 받는 사람.

‡**con·fer·ence** [kánfərəns/kɔ́n-] *n.* **1** U 회담, 협의, 상의(相議): a news ~ 기자회견/a summit ~ 수뇌〔정상〕 회담. **2** 회의, 협의회: a general ~ 총회/a disarmament ~ 군축회의. **3** 해운 동맹; 《미》 경기 연맹. **4** 수여, 서훈(conferment). **be in**〔**hold a**〕 **conference** 회의를 하고 있다〔열다〕《*with*》. **have a conference with** …와 협의하다. **the Imperial Conference** 대영제국 회의《영 본국과 각 자치령의 수상 연락 회의》. ⇔ confér *v.*

cónference càll (여럿이 하는) 전화 회의.

cónference lìnes 〔海運〕 해운 동맹항로 《해운업자가 공동 이익을 위하여 독자적 서비스를 않기로 약정한 항로》.

con·fer·en·tial [kànfərénʃəl/kɔ̀n-] *a.* 회의의.

con·fer·ment [kənfə́:rmənt] *n.* U (학위 등의) 수여, 서훈(敍勳).

con·fer·ra·ble [kənfə́:rəbəl] *a.* 수여할 수 있는.

con·fer·ral [kənfə́:rəl] *n.* =CONFERMENT.

con·fer·ree *n.* =CONFEREE.

con·fer·rer [kənfə́:rər] *n.* 수여자.

‡**con·fess** [kənfés] [L] *vt.* **1** 자백하다, 고백하다; 자인하다, 인정하다: ~ one's crime 죄를 자백하다/《Ⅲ 전+명+*that*(절)》I must ~ *to* you *that* I love her. 나는 그녀를 사랑하고 있음을 자네에게 고백하네/《Ⅴ (목)+(*to be*)+형》He ~*ed* himself (*to be*) guilty. 그는 죄가 있음을 자인했다(=He ~*ed that* he was guilty.《Ⅲ *that*(절)》). **2** 〈신앙을〉 고백〔공언〕하다; 〔가톨릭〕 (신·신부에게) 참회〔고해〕하다; 〈신부가〉 고해를 듣다: 《Ⅲ (목)/접 Ⅱ +전+명+〈전+명〉》*Confess* yourself and be *at* peace in mind. 스스로에게 참회해서 마음의 평화를 가지시오/The priest ~*ed* her. 신부는 그녀의 고해를 들어주었다/《Ⅲ (목)+전+명》She regularly ~*es* her guilty actions *to* a father. 그녀는 정규적으로 신부에게 자기의 범죄 행위를 고해한다. **be confessed of** 고해하여 (죄를) 용서받다〔(죄의) 사함을 받다〕: 《Ⅱ *be pp.*+전+명》You *were* not *confessed of* a crime〔one sin〕. 너는 고해하여 죄의 사함을 받지 않았다. **confess** one**self to God** 자기의 죄를 신에게 고백하다. **I confess (that)** 《口》 사실을 말하면 …이다: *I confess* I was surprised at it. 사실을 말하면 나는 그것을 보고〔듣고〕 놀랐다. **to confess the truth** 사실을 말하자면, 사실은(독립구): *To confess the truth,* she didn't go there. 사실은 그녀는 거기에 가지 않았다. — *vi.* **1** 자백하다, 고백하다; 시인하다《*to*》: 《Ⅲ *v* I +전+-*ing*》She ~*ed to* hav*ing*

stolen the money. 그녀는 돈을 훔쳤다고 자백〔고백〕했다. **2** 참회〔고해〕하다: 《 I 전+명》 She regularly ~*es to* a father. 그녀는 정규적으로 신부에게 고해한다. **~·a·ble** *a.* ◇ conféssion *n.*

con·fess·ant[kənfésnt] *n.* 고백자; 고해신부.

con·fessed[kənfést] *a.* (정말이라고) 인정받은, 정평 있는, 명백한; 자인한. **stand confessed as** …인 것이〔죄상이〕 명백하다.

con·fess·ed·ly[-sidli] *ad.* 자인하는 바와 같이; 명백히; 자백에 의하면.

con·fess·er *n.* =CONFESSOR.

⁑**con·fes·sion**[kənféʃən] *n.* **1** Ⓤ 자백, 고백, 자인: ~ of guilt 죄의 고백. **2** Ⓤ,Ⓒ (신앙 의) 고백; Ⓤ 〔가톨릭〕 고해. **3** 〔法〕 고백서, 구술서. **confession and avoidance** 〔法〕 승인 및 이의(異議)《고소 사실을 일단 승인하고 동시에 그것을 무효로 하기 위해서 다른 사실을 주장하는 항변》. **confession of faith** 신앙 고백. **go to confession** 〈참회하려는 사람이〉 고해하러 가다. **hear confession** 〈신부가〉 고해를 듣다. **make a confession** 자백〔참회〕하다. **particular**〔**sacramental, auricular**〕 **confession** (**of sins**) 〔가톨릭〕 (신부에게 하는) 비밀 고백. **public confession** 공중 앞에서 하는 고백. ◇ conféss *v.*

con·fes·sion·al[kənféʃənəl] *a.* 고백의; 신앙 고백의. ── *n.* 고해소〔실〕; (the ~) 고해(제도). **~·ìsm** *n.* Ⓒ 신조주의.

con·fes·sion·ar·y[kənféʃənèri/-nəri] *a.* = CONFESSIONAL.

con·fes·sor[kənfésər] *n.* **1** 고백자. **2** (종종 **C-**) 증거자《박해에 굴하지 않고 신앙을 지킨 신자》. **3** (the C-) =EDWARD THE CONFESSOR. **4** 〔가톨릭〕 고해 신부.

con·fet·ti[kənféti(:)] [It] *n. pl.* (*sing.* **-to**[-tou]) **1** (단수 취급) 색종이 조각《축제일 등에 뿌리는》. **2** 사탕 과자.

con·fi·dant[kὰnfidǽnt, -dά:nt, kάnfidæ̀nt/kɔ̀nfidǽnt, ∸-∸] *n.* (비밀, 특히 연애 문제 등을 이야기할 수 있는) 절친한 친구(bosom friend).

con·fi·dante[kὰnfidǽnt, -dά:nt, ∸-∸/kɔ̀n-, ∸-∸] *n.* **1** CONFIDANT의 여성형. **2** 일종의 긴의자.

⁑**con·fide**[kənfáid] [L] *vt.* **1** 〈비밀 따위를〉 털어놓다《*to*》: 《 Ⅲ (목)+전+명》 He ~*d* his troubles *to* his friend. 그는 자기의 고충을 친구에게 털어놓았다. **2** 신탁〔위탁〕하다, 맡기다 《*to*》: ~ a task *to* a person's charge 일을 아무에게 맡기다/~ one's whole property *to* his care. 아무의 전재산을 그의 관리에 맡기다. ── *vi.* **1** 신용하다, 신임하다, 신뢰하다 《*in*》: You can ~ *in* his good faith. 그의 성실함은 신뢰해도 좋다. **2** 비밀을 털어놓다 《*in*》: She always ~*d in* him. 그는 그에게 무엇이든지 털어놓는다. ◇ cónfidence *n.*: cónfident, confidéntial *a.*

⁑**con·fi·dence**[kάnfidəns/kɔ́n-] *n.* Ⓤ **1** 신임, 신용, 신뢰《*in, to*》. **2** 〈비밀을〉 털어 놓음; 비밀, 속이야기. **3** 자신(self-reliance), 확신 《*in*》: be full of ~ 자신만만하다. **4** (the ~) 대담, 배짱; 사기: have the ~ *to* do. 대담하게도 …하다. **enjoy**〔**have**〕 a person's **confidence** …의 신임을 받고 있다. **give one's confidence to** =**put**〔**have, show, place**〕 **confidence in** …을 신뢰하다. **have the confidence to** do 대담하게도 …하다. **in confidence** 비밀로: *in* strict ~ 극비로. **in one's confidence** 터놓고, 까놓고. **in the confidence of** =**in** a person's **confidence** …의 신임을 받아, …의 기밀에 참여하여. **make a confidence**〔**confidences**〕 **to** …에게 터놓고 이야기하다. **take a person into one's confidence** …에게 비밀로 이야기하다. **act with confidence** 자신〔확신〕을 갖고 (행하다). ◇ confíde *v.*: confidéntial, cónfident *a.*

cónfidence gàme 《미》 (호인임을 이용하는) 신용 사기.

cónfidence ìnterval 〔統〕 신뢰 구간(區間).

cónfidence lìmits 〔統〕 신뢰성 한계.

cónfidence màn 신용 사기꾼(con man).

cónfidence trìck 《영》 =CONFIDENCE GAME.

⁑**con·fi·dent**[kάnfidənt/kɔ́n-] *a.* **1** 확신하고 (있는)《*of, that* …》; 자신을 가진, 자신 만만한《*in*》: 《 Ⅱ 형+전+*-ing*》 He feels ~ *of* pass*ing* his examination. 그는 시험에 합격한다고 확신하고 있다/be ~ *in* one*self* 자신 있다. **2** 대담한, 자부심이 강한, 독단적인. ── *n.* 막역한 벗, 친구(confidant)《*of*》.

*__con·fi·den·tial__[kὰnfidénʃəl/kɔ̀n-] *a.* **1** 심복의, 신임이 두터운, 신뢰할 수 있는. **2** 속이야기를 터놓는; 친숙한: become ~ *with* strangers 낯선 사람과 친밀한〔속이야기를 터놓는〕 사이가 되다. **3** 기밀의; 내밀한: *C-* 친전(親展)《편지 겉봉에 쓰는 말》/~ papers〔documents〕 기밀 서류. **~·ly** *ad.*

confidéntial communicátion 〔法〕 비밀 정보《법정에서 증언을 강요받지 않는》.

con·fi·den·ti·al·i·ty[-ʃiǽləti] *n.* Ⓤ 기밀성, 비밀성.

con·fi·dent·ly *ad.* 확신하여, 자신 있게, 대담하게.

con·fid·ing[kənfáidiŋ] *a.* (쉽게) 신뢰하는, 곧잘 믿는. **~·ly** *ad.*

con·fig·u·ra·tion [kənfìgjəréiʃən] *n.* **1** (부분 · 요소의) 상대적 배치; (지표 등의) 형상, 지형, 윤곽(contour); 외형(外形). **2** 〔天〕 성위(星位). **3** 〔化〕 (분자의) 구성, 배열. **4** (로켓의) 형(形)과 배열. **5** 〔컴퓨터〕 구성. **~·al**[-ʃənəl] *a.* **~·ìsm**[-ìzəm] *n.* Ⓤ 〔心〕 형태 심리학. **con·fíg·u·ra·tive** *a.*

con·fig·ure[kənfígjər] *vt.* (어떤 틀에 맞추어) 형성하다《*to*》; (어떤 형태로) 배열하다.

con·fin·a·ble *a.* 한정된, 제한할 수 있는; 감금할 수 있는.

⁑**con·fine**[kənfáin] [L] *vt.* **1** 한정하다, 제한하다《*within, to*》: 《 Ⅴ (목)+전+명》 She ~*d* her comments *to* the subject of the meeting. 그녀는 그녀의 의견을 그 회의의 주제에만 한정했다/《 Ⅴ (목)+전+*-ing*》 I will ~ myself *to* quot*ing* a few examples. 나는 몇몇 실례를 인용하는 것으로 한정하겠다. **2** 가두다(shut up), 감금하다(imprison)《*within, in*》: ~ a convict *in* jail 죄수를 교도소에 가두다. **3** (보통 수동태) 산욕(産褥)에 있게 하다. **be confined to** …에 틀어박혀〔갇혀〕 있다: *be confined to* bed 앓아 누워 있다/《 Ⅱ *be pp.*+전+명》 He *is confined to* bed *with* his bad leg. 그는 아픈 다리 때문에 침대에 틀어박혀 있다. **confine oneself to** …에 틀어박히다; 〈논점 등을〉 …에만 국한하다. ── *vi.* 《古》 인접하다《*on, with*》. ── [kάnfain/kɔ́n-] *n.* (보통 *pl.*) 경계, 국경(지대); 범위, 영역; 한계: the ~ of human knowledge 인지(人智)의 한계. **on the confines of** …의 경계에; …할 지경에 (이르러): *on the ~s of* bankruptcy 파산 일보 직전에. **within**〔**beyond**〕 **the confines of** …의 범위 안〔밖〕에, 의 내부〔외

부]에. ⊕ confínement *n.*

con·fined [kənfáind] *a.* 갇힌; 〈군인이〉 외출이 금지된; 〈여자가〉 해산 자리에 누워: 《Ⅱ 형+전+명》 She is ~ of her first child. 그녀는 초산으로 자리에 누워 있다/expect to be ~ *on* Thursday〔*in* June〕 목요일〔6월〕에 해산할 예정이다.

*__con·fine·ment__ [kənfáinmənt] *n.* **1** Ⓤ 제한, 국한. **2** Ⓤ 유폐(幽閉), 감금: under ~ 감금당하여. **3** Ⓤ,Ⓒ 틀어박힘; 해산 자리에 누움, 해산(childbirth).

⁑**con·firm** [kənfə́:rm] [L] *vt.* **1** 확실하게 하다(make firm), 확립하다(establish firmly): This ~*ed* my suspicions. 이것으로 나의 의심이 확실했음을 알았다. **2** 〈진술·증거·풍설 등을〉 확인하다, 확증하다: ~ a reservation 예약을 확인하다. **3** 〔法〕 (재가·비준 등으로) 승인〔확인〕하다(ratify); 추인(追認)하다《*to*》: ~ an agree·ment〔a treaty〕 협정〔조약〕을 비준하다/~ a possession〔title〕 *to* a person …에게 어떤 물건〔칭호〕을 수여할 것을 승인하다. **4** 〈결심 등을〉 굳게 하다(fortify); 〈습관·의지·신앙 등을〉 굳게 하다《*in*》. **5** 〔가톨릭〕 〈…에게〉 견진례를 베풀다. ⊕ confirmátion *n.*; confírmative, confírmatory *a.*

con·firm·a·ble *a.* 확인할 수 있는.

con·fir·mand [kɑ̀nfərmǽnd/kɔ̀n-] *n.* 〔가톨릭〕 견진 성사 지원자.

*__con·fir·ma·tion__ [kɑ̀nfərméiʃən/kɔ̀n-] *n.* **1** Ⓤ 확정, 확증; 견고하게 함, 확립. **2** 확증(의 사례), 증거, 증언. **3** Ⓤ 확인, (정식의) 시인, 비준(批准): ~ of sale〔purchase〕 판매〔구입〕 약속의 승인. **4** Ⓤ,Ⓒ 〔가톨릭〕 견진 성사. **in confirmation of** …의 확인〔증거〕으로서. **lack confirmation** 확인된 것이 아니다.
⊕ confírm *v.*

con·fir·ma·tive [kənfə́:rmətiv], **-to·ry** [-tɔ̀:ri/-təri] *a.* 확인의, 확증적인.

*__con·firmed__ [kənfə́:rmd] *a.* **1** 확인〔확립〕된; 비준된. **2** 굳어버린, 상습적인, 완고한: a ~ drunkard 술고래/a ~ bachelor 언제까지나 독신으로 있는 남자/get ~ in …이 상습화되다. **3** 〈병이〉 만성인(chronic): a ~ cancer 불치의 암/a ~ disease 만성병/a ~ invalid 고질환자.

con·fírm·ed·ly [-fə́:rmidli] *ad.*

con·fir·mee *n.* 〔法〕 추인받는 사람; 〔가톨릭〕 견진 성사를 받는 사람.

con·fis·ca·ble [kənfískəbəl/kɔn-] *a.* 몰수할 수 있는.

*__con·fis·cate__ [kɑ́nfiskèit, kənfís-/kɔ́n-] *vt.* 몰수〔압수〕하다; 징발하다. ── *a.* 몰수된.
⊕ confiscátion *n.*; confíscatory *a.*

con·fis·ca·tion [-ʃən] *n.* Ⓤ,Ⓒ 몰수, 압수; 〔法〕 사유 재산 몰수.

con·fis·ca·tor [-tər] *n.* 몰수〔압수〕자.

con·fis·ca·to·ry [kənfískətɔ̀:ri/-təri] *a.* **1** 몰수의, 압수의. **2** 〈세금 등〉 심하게 징수하는.

con·fi·te·or *n.* 〔가톨릭〕 고백의 기도, 고죄경.

con·fi·ture [kɑ́nfitʃuər/kɔ́n-] *n.* 설탕절임, 잼.

con·fla·grant [kənfléigrənt] *a.* 불타는.

con·fla·grate *vi.* (불)타다. ── *vt.* 태우다.

*__con·fla·gra·tion__ [kɑ̀nfləgréiʃən/kɔ̀n-] [L] *n.* **1** 큰 화재(great fire). **2** (전쟁·대재해의) 돌발.

con·flate [kənfléit] *vt.* 융합시키다, 혼합하다; 〈이본(異本)을〉 합성하다.

con·fla·tion [kənfléiʃən] *n.* Ⓤ,Ⓒ 융합; 이본 합성《몇 가지 이본을 하나로 정리하기》.

⁑**con·flict** [kɑ́nflikt/kɔ́n-] [L] *n.* Ⓒ,Ⓤ **1** 투쟁(struggle), 전투(fight): a ~ of arms 무력 충돌, 교전. **2** (주의상의) 다툼, 쟁의; 알력. **3** (사상·이해 등의) 충돌, 상충, 대립, 모순: a ~ of opinion(s) 의견의 대립. **4** 〔心〕 갈등. **come into conflict** (**with**) (…와) 싸우다; 충돌〔상충〕하다. **conflict of interest** 이해의 상충, (공무원 등의) 공익과 사리의 상충. **in conflict** (**with**) (…와) 싸우고; (…와) 충돌〔상충〕하여. **the conflict of laws** (1) 법률의 저촉. (2) 국제사법(國際私法).
── [kənflíkt] *vi.* **1** 충돌하다《*with*》, 서로 용납되지 않다, 모순되다《*with*》: Your interests ~ *with* mine. 당신의 이해는 나의 이해와 상충된다. **2** 다투다, 싸우다《*with*》.

con·flic·tive [kənflíktiv] *a.*
⊕ conflíction *n.*

con·flict·ed [kənflíktid] *a.* 상충된 감정으로 꽉찬.

con·flict·ing [kənflíktiŋ] *a.* 서로 싸우는, 모순되는, 상충〔상반〕되는. **~·ly** *ad.*

con·flic·tion [kənflíkʃən] *n.* Ⓤ,Ⓒ 싸움, 충돌.

con·flu·ence [kɑ́nfluəns/kɔ́n-] *n.* **1** 합류(점)《*of*》. **2** 인파, 집합, 군중.

con·flu·ent [kɑ́nfluənt/kɔ́n-] *a.* **1** 합류하는, 합치는. **2** 〔病理〕 융합성의. ── *n.* 지류, 합류하는 하천.

con·flux [kɑ́nflʌks/kɔ́n-] *n.* =CONFLUENCE.

con·fo·cal [kɑnfóukəl/kɔn-] *a.* 〔數〕 초점을 공유하는, 공초점의.

*__con·form__ [kənfɔ́:rm] [L] *vt.* **1** 〈행위·습관 등을 모범·범례 에〉 따르게 하다; 〈행위를 법률·풍속 등에〉 맞게 하다《*to*》. **2** (~ one*self*로) 〈규칙·관습 등에〉 따르다, 순응하다《*to*》.
── *vi.* **1** 〈물체가 틀에〉 따르다, 합치하다《*to*》. **2** 〈사람이 규칙·습속에〉 따르다《*to*》: 《Ⅱ 형+*to* do》《(*to* do)-Ⅱ {전+명}+전+명》 She was bound to *conform* in all things *to* his tastes and custom. 그녀는 모든 것에 있어서 그의 취향과 습관에 순응해야만 했다. **3** 《영》 국교를 준봉하다(*cf.* CONFORMITY). **~·er** *n.*
⊕ confórmance, confórmity, conformátion *n.*

con·form·a·ble [kənfɔ́:rməbəl] *a.* **1** (…에) 준거하는《*to*》; 적합한, 상응하는《*to*》; 비슷한《*to*》. **2** 순종하여《*to*》. **3** 〔地質〕 정합(整合)의. **-bly** *ad.* 일치하여; 양순하게.

con·fòrm·a·bíl·i·ty [-əbíləti] *n.* Ⓤ 일치, 적합, 순응.

con·for·mal [kənfɔ́:rməl] *a.* 〔數〕 등각(等角)의; 〔地〕 〈도법이〉 정각(正角)의.

con·for·mance [kənfɔ́:rməns] *n.* Ⓤ 일치, 적합, 순응(*to, with*).

con·for·ma·tion [kɑ̀nfɔ:rméiʃən/kɔ̀n-] *n.* **1** 《文語》 형태, 구조. **2** Ⓤ 적합, 일치《*to*》. **3** 〔化〕 (분자의) 배좌(配座); 〔地質〕 정합(整合). **~·al** *a.*

conformátional análysis 〔化〕 형태 해석(形態解析).

con·form·ism *n.* Ⓤ 체제 순응(주의).

con·form·ist [kənfɔ́:rmist] *n.* 준수자; (종종 C-) 《영》 영국 국교도(*opp.* Nonconformist). ── *a.* 체제 순응적인.

*__con·for·mi·ty__ [kənfɔ́:rməti] *n.* Ⓤ 적합, 일치《*to, with*》; 비슷함, 부합《*to, with*》; 준거, 준봉《*with, to*》; 《영》 국교 신봉. **in conformity with**〔**to**〕 …에 따라, …을 준수하여.
⊕ confórm *v.*

*__con·found__ [kənfáund, kɑn-/kɔn-] [L] *vt.* **1** 혼동하다(confuse): ~ right and wrong

옳고 그름을 혼동하다/《Ⅲ (목)+전+명》 I always ~*ed* her with her sister. 나는 늘 그녀와 그녀의 동생을 혼동했다/~ means *with* end 수단을 목적과 혼동하다. **2** 《文語》 〈사람을〉 당황케〔난처하게〕 하다, 어리둥절케 하다: The scene ~*ed* her. 그 광경을 보고 그녀는 어리둥절해 했다. **3** 〈적·계획·희망 등을〉 꺾다, 좌절시키다(baffle): ~ an impostor 사기꾼의 정체를 폭로하다. **4** 《俗》 제기랄(가벼운 욕). (**God**) **~!= Confound it**〔**you**〕! 제기랄, 망할 자식! **~·er** *n.*

*__con·found·ed__[kənfáundid, kɑn-/kɔn-] *a.* **1** 당황한 어리둥절한《*at, by*》: 《Ⅱ 형+전+명》 I was ~ *at*〔*by*〕 the sight. 나는 그 광경을 보고 어리둥절했다. **2** 《口》 경칠놈의, 엄청난, 괘씸한, 지독한 *ad.* 《口》 =CONFOUNDEDLY.

con·found·ed·ly[kənfáundidly, kɑn-/kɔn-] *ad.* 《口》 지독〔끔찍〕히(extremely).

con·fra·ter·ni·ty[kɑ̀nfrətə́:rnəti/kɔ̀n-] *n.* (*pl.* **-ties**) (종교·자선) 단체, 협회; 결사.

Con·fra·vi·sion[kɑ́nfrəvìʒən/kɔ́n-] *n.* 《영》 (먼 도시 간의) 회의용 텔레비전.

con·frere, -frère[kɑ́nfrɛər/kɔ́n-] [F] *n.* 회원, 조합원; 동업자, 동료(colleague).

‡**con·front**[kənfrʌ́nt] [L] *vt.* **1** 직면하다, …와 마주대하다; …와 만나다(face): He was ~*ed with*〔*by*〕 a difficulty. 그는 어려움에 직면했었다. **2** (아무를) 마주 대하게 하다, 맞서게 하다; 〈법정에서〉 대결시키다《*with*》, …의 눈앞에 들이대다《*with*》: ~ a person *with* evidence of his crime …에게 범죄의 증거를 들이대다. **3** 〈적위험 따위에〉 대항하다, …와 맞서다. **4** 대비〔대조·비교〕하다《*with*》: ~ an account *with* another 한 계정을 다른 계정과 대조하다. **be confronted by**〔**with**〕 〈어려움 등에〉 직면하다. **~·er** *n.* **~·ment** *n.*
◈ confrontátion *n.*

con·fron·ta·tion[kɑ̀nfrəntéiʃən] *n.* U,C 직면, 대립, 대치; (법정에서의) 대결.
~·ist[-ist] *n., a.* 대결 주의자; 대결 주의의.

con·fron·ta·tion·al[kɑ̀nfrəntéiʃənəl], **-ta·tive**[kɑ́nfrənteitiv, kənfrʌ́ntətiv] *a.* 대립되는, 대립의, 모순되는.

confrontátion stàte 인접 적대국.

Con·fu·cian[kənfjú:ʃən] *a.* 공자의; 유교의.
— *n.* 유생, 유학자. **~·ism**[-ìzəm] *n.* U 유교. **~·ist** *n.* 유생, 유학자.

Con·fu·cius[kənfjú:ʃəs] *n.* 공자(552-479 B.C.)《유교의 창시자》.

con fuo·co[kɑnfwɔ́:kou/kɔn-] [It] *ad., a.* 정열적으로〔인〕.

‡**con·fuse**[kənfjú:z] [L] *vt.* **1** 혼동하다, 혼란시키다: ~ liberty *with* license 자유를 방종과 혼동하다. **2** 어리둥절하게 하다, 당황하게 하다. ◈ confúsion *n.*

*__con·fused__[kənfjú:zd] *a.* 혼란스러운, 지리멸렬한; 당황한, 어리둥절한《*at, by*》.
be〔**become, get**〕 **confused** (**by**) 어리둥절해지다, 어찌할 바를 모르다.
con·fús·ed·ness[-zidnis] *n.*

con·fus·ed·ly[-zidli] *ad.* 혼란스럽게, 지리멸렬하게, 뒤범벅으로; 어찌할 바를 몰라, 당황하여.

*__con·fus·ing__[kənfjú:ziŋ] *a.* 혼란시키는 (듯한), 당황케 하는. **~·ly** *ad.*

‡**con·fu·sion**[kənfjú:ʒən] *n.* U **1** 혼동《*with*》; 혼란; 지리 멸렬, 뒤죽박죽. **2** 혼미, 당황. **be in**〔**throw into**〕 **confusion** 당황하다〔하게 하다〕. **Confusion!** 제기랄!, 야단났군! **confusion worse confounded** 혼란(에) 또 혼란. **covered with**〔**in**〕 **confusion** 당황하여, 어리벙벙하여.
~·al[-ʒənəl] *a.* ◈ confúse *v.*

con·fut·a·ble[kənfjú:təbəl] *a.* 논파〔논박〕할 수 있는.

con·fu·ta·tion[kɑ̀nfjutéiʃən/kɔ̀n-] *n.* U 논파, 논박.

con·fut·a·tive[kənfjú:tətiv] *a.*

con·fute[kənfjú:t] *vt.* 논박〔논파〕하다; 찍소리 못하게 하다. **con·fút·er**[-ər] *n.*

cong. *congius*(L=gallon). **Cong.** Congregation(al); Congregationist; Congress; Congressional.

con·ga[kɑ́ŋgə/kɔ́ŋ-] *n.* 콩가《아프리카의 춤에서 발달한 쿠바 춤》.; 그 곡; 그 반주에 쓰는 북(=∠ **drùm**). — *vi.* 콩가를 추다.

cón gàme[kɑ́n-/kɔ́n-] 《미口》 =CONFIDENCE GAME; 유혹; 불법〔비도덕〕적인 것; 수월한 돈벌이.

con·gé[kɑ́nʒei/kɔ́:n-] [F] *n.* **1** 해직(解職), 면직(dismissal). **2** 작별(인사). **get** one's **conge** 해직당하다. **give** a person **his conge** …을 해직하다. **take** one's **conge** 작별을 고하다.

con·geal[kəndʒí:l] *vt., vi.* 얼리다, 얼다 (freeze); 응결〔응고〕시키다〔하다〕: His very blood was ~*ed.* (무서워서) 전신의 피가 어는 듯했다. **~·a·ble** *a.* **~·ment** *n.*

con·gee[kɑ́ndʒi:/kɔ́n-] *n.* =CONGE.

con·ge·la·tion[kɑ́ndʒəléiʃən/kɔ̀n-] *n.* **1** U 동결, 응고. **2** 동결물, 응결물. **3** U 〔病理〕 동상.

con·ge·ner[kɑ́ndʒənər/kɔ́n-] *n.* 같은 성질〔종류〕의 것《*of*》. — *a.* =CONGENERIC.

con·ge·ner·ic[kɑ̀ndʒənérik/kɔ̀n-] *a.* 같은 종류의; 〔生〕 같은 속(屬)의.

con·ge·ner·ous[kəndʒénərəs] *a.* **1** =CONGENERIC. **2** 〔解〕 협동 작용의.

*__con·ge·nial__[kəndʒí:njəl] *a.* **1** 같은 성질의, 같은 정신의, 취미가 같은, 마음이 맞는《*with, to*》: ~ company 뜻이 맞는 친구들. **2** 〈건강·취미 등에〉 알맞은, 성미에 맞는《*to*》: a climate ~ *to* one's health 건강에 적합한 풍토. **~·ly** *ad.* 성미에 맞게.
◈ congeniálity *n.*

con·ge·ni·al·i·ty[kəndʒì:niǽləti] *n.* U,C **1** 〈성질·취미 등의〉 일치, 친화성(親和性)《*in, between*》. **2** 성미에 맞음, 적합〔적응〕성《*to, with*》.

con·gen·i·tal[kəndʒénətl] *a.* 〈병·결함 등이〉 타고난, 선천적인《*with*》: ~ deformity 선천적 기형. **~·ly** *ad.*

con·ger[kɑ́ŋgər-/kɔ́ŋ-] *n.* 〔魚〕 붕장어(=∠ **éel**).

con·ge·ries[kɑ́ndʒərì:z/kəndʒíəri:z] *n.* (*pl.* ~) 한 덩어리; 퇴적, (…) 더미.

*__con·gest__[kəndʒést] *vt.* **1** 혼잡하게 하다. **2** 〔病理〕 충혈〔울혈〕시키다. — *vi.* 혼잡해지다; 〔病理〕 충혈〔울혈〕하다.
◈ congéstion *n.*; congéstive *a.*

con·gest·ed[kəndʒéstid] *a.* **1** 〈사람·교통이〉 혼잡한, 〈화물이〉 정체한: a ~ area〔district〕 인구 과잉〔과밀〕 지역/Traffic was very ~. 교통이 몹시 정체되어 있었다. **2** 〔病理〕 충혈〔울혈〕한.

*__con·ges·tion__[kəndʒéstʃən] *n.* U **1** 밀집; (인구의) 과잉; (화물 등의) 정체; (거리·교통의) 혼잡. **2** 〔病理〕 충혈, 울혈: ~ of the brain 뇌충혈. ◈ congést *v.*

con·ges·tive[kəndʒéstiv] *a.* 충혈성의.

congéstive héart fàilure *n.* =HEART FAILURE.
con·glo·bate[kanglóubeit, káŋgloubèit/kɔ́n-] *vt., vi.* 공 모양으로 하다〔되다〕. — *a.* 공 모양의, 둥근. **~·ly** *ad.*
con·glo·ba·tion[kàngloubéiʃən/kɔ̀n-] *n.* Ⓤ 구형; Ⓒ 구형체(球形體).
con·globe[kanglóub/kɔn-] *v.* =CONGLOBATE.
con·glob·u·late[kənglóubjəlèit] *vi.* 공 모양으로 모이다, 구상화(球狀化)하다.
con·glom·er·a·cy[kənglámərəsi/-glɔ́m-] *n.* (거대) 복합 기업의 형성.
con·glom·er·ate[kənglámərət/-glɔ́m-] *a.* 둥글게 뭉친, 덩어리가 된, 밀집한; 〔地質〕 역암질(礫岩質)의, 집괴성(集塊性)의. — *n.* **1** 둥글게 덩이진 것, 집단, 집성체; 〔地質〕 역암. **2** (거대) 복합 기업. — [-rèit] *vt., vi.* 둥글게 덩이지게 하다〔덩이지다〕, 덩어리 모양으로 모으다, 응집(凝集)하다.
-a·tor *n.* =CONGLOMERATEUR.
con·glòm·er·át·ic[kənglàmərǽtik/-glɔ̀m-] *a.*
conglómerate integràtion 〔經營〕 (기업의) 다각적 통합.
con·glom·er·a·teur, -teer[kənglàmərətə́:r/-glɔ̀m-], [-tíər] *n.* (거대) 복합 기업 경영자.
con·glom·er·a·tion[kənglàməréiʃən/-glɔ̀m-] *n.* Ⓤ 괴상 집적(塊狀集積); Ⓒ 응괴(凝塊), 집괴(集塊).
con·glom·er·a·tize *vt., vi.* 응집체화하다; 복합 기업이 되다.
con·glu·ti·nant[kənglú:tənənt] *a.* 교착〔유착〕하는; 〔醫〕 (장(腸)의) 유착을 촉진하는.
con·glu·ti·nate[kənglú:tənèit] *vi., vt.* 교착(膠着)하다; 유착〔유합(癒合)〕시키다〔하다〕. — *a.* 유착한, 유합한.
con·glu·ti·na·tion[-néiʃən] *n.* Ⓤ 교착; 〔醫〕 유착.
con·glu·ti·na·tive[-nèitiv, -nə-] *a.* 교착성의.
con·go *n.* =CONGOU.
Con·go[káŋgou/kɔ́ŋ-] *n.* **1** ((the) ~) 콩고 (인민공화국)《정식명 the People's Republic of the ~; 수도 Brazzaville》. **2** (the ~) 콩고 (민주 공화국)《Zaire의 구칭》. **3** ((the) ~) (중부 아프리카의) 콩고강.
Cóngo dỳe〔**còlor**〕 콩고 염료《벤진에서 얻어지는 아조(azo) 염료의 총칭》.
Con·go·lese[kàŋgəlí:z/kɔ̀ŋ-] *a.* 콩고(사람)의. — *n.* (*pl.* ~) 콩고 사람; Ⓤ 콩고 말.
Cóngo réd 콩고레드《Congo dyes의 하나》.
cóngo snàke〔**èel**〕 〔動〕 도롱뇽의 일종.
con·gou[káŋgu:/kɔ́ŋ-] *n.* Ⓤ 공후차(工夫茶)《중국산 홍차의 일종》.
con·grats, con·grat·ters[kəngrǽts], [kəngrǽtərz] [*congrat*ulations] *int.* 《口》 축하합니다!
con·grat·u·lant[kəngrǽtʃələnt] *a.* 축하의, 경하의. — *n.* 축하자
⁑**con·grat·u·late**[kəngrǽtʃəlèit] [L] *vt.* 축하하다, 경축하다, 축사를 하다(*on*): I ~ you. 축하합니다/I ~ you *on*〔*upon*〕 your marriage〔success〕. 결혼〔성공〕을 축하합니다. **congratulate oneself on**〔**upon, that**〕 …을 기뻐하다. ◈ congratulátion *n.*; congrátulant, congrátulatory *a.*
⁑**con·grat·u·la·tion**[kəngrætʃəléiʃən] *n.* Ⓤ 축하, 경하(*on, upon*); (*pl.*) 축사. **Congratulations!** 축하합니다! **offer** one's **congratulations** 축하 인사를 하다(*on, upon*).
◈ congrátulant, congrátulatory *a.*
con·grat·u·la·tor[kəngrǽtʃəlèitər] *n.* 축하자, 하객(賀客).
con·grat·u·la·to·ry[kəngrǽtʃələtɔ̀:ri/-təri] *a.* 《文語》 축하의: a ~ address 축사/send a ~ telegram 축전을 치다.
con·gre·gant[káŋgrigənt/kɔ́ŋ-] *n.* (남과 함께) 모이는 사람, 회중(會衆)의 한 사람.
*__con·gre·gate__[káŋgrigèit/kɔ́ŋ-] [L] *vi., vt.* 모이다, 군집하다; 모으다. — [-git] *a.* 모인; 집단적인. **-ga·tor** *n.*
◈ congregátion *n.*; cóngregative *a.*
*__con·gre·ga·tion__[kàŋgrigéiʃən/kɔ̀ŋ-] *n.* **1** 모임, 회합. **2** (집합적) 〔宗〕 회중(會衆); 집회. **3** (보통 **C-**) 《영》 (Oxford 대학교 등의) 교직원회; (the ~) 〔聖·유대史〕 (광야를 헤매던 때의) 이스라엘 사람들《전체》, 유대 민족 (the C- of the Lord); 〔가톨릭〕 성성(聖省)《교황청의 상임 위원회》. ◈ cóngregate *v.*; congregátional, cóngregative *a.*
con·gre·ga·tion·al[kàŋgrigéiʃənəl/kɔ̀ŋ-] *a.* 회중의; (**C-**) 조합 교회제의. **the Congregational Church**〔**Chapel**〕 조합 교회 《각 교회의 독립 자치를 주장하는》. **~·ism** *n.* Ⓤ 조합 교회제〔주의〕. **~·ist** *n.* 조합 교회 신자. **~·ly** *ad.*
con·gre·ga·tive[káŋgrigèitiv/kɔ́ŋ-] *a.* 모이는 경향이 있는, 집합적인; 집단 상대의〔에 호소하는〕.
⁑**con·gress**[káŋgris/kɔ́ŋgris] [L] *n.* **1** (**C-**; 보통 무관사)(미국 및 남미·중미 공화국의) 국회, 의회; 국회 회기. **2** (대표자·사절·위원 등의 정식) 대회, 평의원회, 대의원회, 학술 대회: the International P.E.N. *C-* 국제 펜클럽 대회. **in Congress** 국회 개회중.
◈ congréssional *a.*
cóngress bòots〔**gàiters**〕 《미》 발목까지 오는 부츠.
Cóngress càp (인도의) 국민 회의파 의원이 쓰는 흰 모자《무명제의 테 없는》.
*__con·gres·sion·al__[kəngréʃənəl, kəŋ-/kɔŋ-] *a.* 회의의; 집회의; (종종 **C-**) 《미》 국회의. **the Congressional Medal** (**of Honor**) 《미》 =MEDAL of Honor. **~·ist** *n.* =CONGRESSIST.
congréssional dístrict 《미》 하원 의원 선거구.
Congréssional Récord 《미》 연방 의회 의사록.
con·gress·ist[káŋgrisist/kɔ́ŋgresist] *n.* 국회 의원; 의회 지지자.
*__con·gress·man__[káŋgrismən/kɔ́ŋ-] *n.* (*pl.* **-men**[-mən]) (종종 **C-**) 《미》 국회 의원, 《특히》 하원 의원.
con·gress·man-at-large[-ətlá:rdʒ] *n.* (*pl.* **con·gress·men-**[-mən-]) 《미》 (congressional district 출신과 대조하여) 전주(全州) 1구 선출의 하원 의원.
Cóngress Párty (the ~) =INDIAN NATIONAL CONGRESS.
con·gress·per·son[káŋgrispə̀:rsn/kɔ́ŋ-] *n.* (*pl.* **-pèo·ple**[-pì:pl]) (종종 **C-**) 연방 의회〔하원〕 의원.
cóngress shòes =CONGRESS BOOTS.
con·gress·wom·an[káŋgriswùmən/kɔ́ŋ-] *n.* (*pl.* **-wom·en**[-wìmin]) (종종 **C-**) 《미》 여자 국회〔하원〕 의원.
con·gru·ence, -en·cy[káŋgruəns, kəngrú:əns/kɔ́ŋ-], [-si] *n.* =CONGRUITY.
con·gru·ent[káŋgruənt, kəngrú:-/kɔ́ŋ-] *a.* **1** 《文語》 =CONGRUOUS. **2** 합동하는《*with*》.

~·ly *ad.*
con·gru·i·ty[kəngrú:iti, kəŋ-/kɔ́ŋ-] *n.* (*pl.* **-ties**) U,C 적합(성), 일치(점)《*between, with*》; 〔數〕 합동(성).
con·gru·ous[káŋgruəs/kɔ́ŋ-][L] *a.* 일치하는, 적합한《*to, with*》; 〔數〕 합동의.
~·ly *ad.* **~·ness** *n.*
con·ic[kánik/kɔ́n-] 〔數〕 *a.* 원추〔원뿔〕의. ── *n.* 원뿔곡선; (*pl.*: 단수취급) 원뿔 곡선론.
con·i·cal[-kəl] *a.* 원뿔(꼴〔형〕)의. **~·ly** *ad.*
con·i·coid[kánikɔ̀id/kɔ́n-] *n.* 〔數〕 2차 곡면(曲面).
cónic projéction 〔地〕 원뿔 투영 도법.
cónic séction 〔數〕 **1** 원뿔 곡선 **2** (*pl.*: 단수 취급) 원뿔 곡선론.
co·nid·i·um[kənídiəm] *n.* (*pl.* **-i·a**[-iə]) 〔植〕 (균류의) 분생자(分生子).
co·ni·fer[kóunəfər, kánə-/kɔ́n-] *n.* 〔植〕 구과(毬果) 식물, 침엽수.
co·nif·er·ous[kouníf ərəs] *a.* 구과를 맺는; 구과 식물의: a ~ tree 침엽수.
co·ni·form[kóunəfɔ̀:rm] *a.* 원뿔꼴의.
conj. conjugation; conjunction; conjunctive.
con·jec·tur·a·ble[kəndʒéktʃərəbəl] *a.* 추측할 수 있는.
con·jec·tur·al[kəndʒéktʃərəl] *a.* 추측적인; 억측하기 좋아하는. **~·ly** *ad.*
∗**con·jec·ture**[kəndʒéktʃər] [L] 《文語》 *n.* U,C 어림짐작, 추측, 억측; 판독: hazard a ~ 어림짐작으로 말해보다. ── *vt.* 추측〔억측〕하다; 판독하다. ── *vi.* 추측하다, 어림대고 말하다. ◇ conjéctural *a.*
cón jòb *n.* 《口》 신용사기.
con·join[kəndʒɔ́in] *vt., vi.* 결합하다, 연접(連接)하다, 연합하다(combine).
con·joined[-d] *a.* 결합한. **~·er** *n.* 결합하는 것〔사람〕.
con·joint[kəndʒɔ́int, kan-/kɔndʒɔ́int] *a.* 결합한, 연합〔합동〕한(united); 공동〔연대〕의.
~·ly *ad.* 결합하여, 공동으로. **~·ness** *n.*
con·ju·gal[kándʒəgəl/kɔ́n-] *a.* 부부의, 혼인의: ~ affection 부부애. **~·ly** *ad.*
con·ju·gal·i·ty[kàndʒəgǽləti/kɔ̀n-] *n.* U 혼인 (상태), 부부 관계〔생활〕.
cónjugal ríghts 〔法〕 부부 동거〔성교〕권.
con·ju·gant[kándʒəgənt/kɔ́n-] *n.* 〔生〕 접합 개체.
∗**con·ju·gate**[kándʒəgèit/kɔ́n-] [L] *vt.* 〔文法〕 〈동사를〉 활용〔변화〕시키다. ── *vi.* **1** 〔文法〕 활용〔변화〕하다. **2** 결합하다, 《특히》 결혼하다. **3** 〔生〕 접합〔교미〕하다.
── [kándʒəgit, -gèit/kɔ́n-] *a.* (쌍으로) 결합한; 〔生〕 접합의; 〔植〕 접합의, 한 짝을 이루는 〈잎〉; 〔文法〕 어원이 같은, 동근(同根)의《보기 : peace, peaceful, pacific》; 〔化〕 =CONJUGATED; 〔數·物〕 켤레의: a ~ angle〔arc〕 켤레각〔호〕. ── [kándʒəgit, -gèit/kɔ́n-] *n.* 〔文法〕 어원이 같은 말; 〔數〕 켤레.
-ga·ti·ve[-gèitiv] *a.* **-ga·tor**[-gèitər] *n.*
◇ conjugátion *n.*
cón·ju·gat·ed[-id] *a.* 〔化〕 두 화합물의 결합으로 된, 복합의.
cón·ju·gat·ed prótein 복합 단백질.
con·ju·ga·tion[kàndʒəgéiʃən/kɔ̀n-] *n.* U,C **1** 〔文法〕 동사 변화, (동사의) 활용, 어형 변화; 활용형. **2** 결합, 연결; 〔生〕 접합《생식 세포의》. **regular**〔**irregular**〕 **conjugation** 규칙〔불규칙〕 변화. **strong conjugation** 강변화《모음 변화에 의한 것》: 불규칙 활용. **weak conjugation** 약변화; 규칙 활용.
~·al *a.* **~·al·ly** *ad.* ◇ cónjugate *v.*
con·junct[kəndʒʌ́ŋkt/kɔ́n-] *a.* 결합〔연결〕한, 공동의; 〔文法〕 접속형의《I'll의 'll 등》.
~·ly *ad.*
con·junc·tion[kəndʒʌ́ŋkʃən] [L] *n.* **1** U,C 결합, 연결, 접속; 합동, 연락. **2** 〔文法〕 접속사: coordinate〔coordinating〕 ~*s* 등위〔대등〕 접속사《동격의 어구를 잇는 and, but 등》/ subordinate〔subordinating〕 ~*s* 종위〔종속〕 접속사《종속절을 주절에 잇는 if, though 등》. **3** 〔天〕 (두 행성 등의) 합(合); (달의) 삭(朔). **in conjunction with** …와 함께; …에 관련하여. ◇ conjúnct, conjúnctive, conjúnctional *a.*
con·junc·tion·al *a.* 접속적인, 접속사의.
~·ly *ad.*
con·junc·ti·va[kàndʒʌŋktáivə/kɔ̀n-] *n.* (*pl.* **~s, -vae**[-vi:]) 〔解〕 (눈알의) 결막.
-val[-vəl] *a.*
∗**con·junc·tive**[kəndʒʌ́ŋktiv-] *a.* **1** 결합하는, 접합〔연결〕적인. **2** 〔文法〕 접속적인. ── *n.* 〔文法〕 접속어; 접속법(=~ mood). **~·ly** *ad.*
◇ conjúnction *n.*
conjúnctive ádverb 〔文法〕 접속 부사 《however, nevertheless, still, then 등》.
con·junc·ti·vi·tis[kəndʒʌ̀ŋkváitis] *n.* U 〔眼科〕 결막염.
con·junc·ture[kəndʒʌ́ŋktʃər] *n.* 국면, 사태, 경우; (위급한) 때, 위기. **at**〔**in**〕 **this conjuncture** 이 때에, 이 중대한〔위급한〕 때에.
con·ju·ra·tion[kàndʒəréiʃən/kɔ̀n-] *n.* U,C **1** 주문, 주술, 마법. **2** 요술. **3** 《古》 기원, 탄원.
∗**con·jure**[kándʒər, kʌ́n-][L] *vt.* **1** 요술〔마술〕로 …하다; 요술〔마술〕을 부리다. **2** (영혼 등을) 불러내다《*up, away*》. **3** (마음 속에) 그려내다, 생각해 내다《*up*》. **4** 《文語》 기원〔탄원〕하다, 간청하다: 《V (목)+*to* do》 I ~ you *to* grant my request. 제발 제 소원을 들어주십시오. ── *vi.* 마법〔요술〕을 쓰다. **a name to conjure with** 주문에 쓰는 이름; 유력한 〔영향력 있는〕 이름. **conjure away** 마술로 쫓아 버리다. **conjure out** 마술〔요술〕로 내놓다. **conjure up** 주문을 외어〔마술을 써서〕〈죽은이의 영혼·귀신 등을〉 나타나게 하다〔불러내다〕; 상상으로 나타나게 하다; 눈 깜짝할 사이에 …을 만들다. ◇ conjurátion *n.*
con·jur·er, -ju·ror[kándʒərər, kəndʒúərər, kʌ́ndʒər-] *n.* 마법사(magician); 요술쟁이, 마술사(juggler); 《口》 몹시 영리한 사람.
con·jur·ing[kándʒəriŋ, kʌ́n-] *n.* U *a.* 요술(의), 마술(의).
conk[1][kaŋk/kɔŋk] 《俗》 *n.* 코; 머리; (머리〔코〕에 대한) 일격. ── *vt.* …의 머리를 치다. **conk a person one** …의 머리에 한 방 먹이다.
conk[2] *vi.* 《口》 〈기계가〉 망가지다, 멈추다《*out*》; 기절하다; 죽다《*out*》; 《미》 잠들다《*out*》. **conk off** 일손을 놓다, 농땡이부리다; 잠들다.
conked-out[káŋktàut/kɔ́ŋkt-] *a.* 《俗》 못쓰게 된, 아주 망가진; 《미》 잠든.
conk·er[káŋkər/kɔ́ŋ-] *n.* 마로니에 열매; 마로니에 놀이《아이들이 실에 꿴 상수리 열매를 서로 쳐서 깨는 놀이》.
conk·out[káŋkàut/kɔ́ŋk-] *n.* 《미俗》 (기계의)고장.
conk·y[káŋki/kɔ́ŋ-] 《俗》 *a.* (**conk·i·er; -i·est**) 코가 큰. ── *n.* 코가 큰 사람; (**C-**) 코보《별명》.
cón màn 《口》 사기꾼(confidence man).
con·man·ner·ism[kánmæ̀nərizəm/kɔ́n-] *n.* 사기꾼 같은 짓〔태도〕.

con·man·ship[kάnmənʃìp/kɔ́n-] *n.* Ⓤ 사기꾼의 솜씨.

con mo·to[kanmóutou/kɔn-] [It] *ad.* 〔樂〕 활발하게.

conn *vt.* =CON[3]

Conn. Connecticut.

con·nate[kάneit/kɔ́n-] *a.* **1** 타고난, 선천적인. **2** 동시 발생의; 〔植〕 합생(合生)의.

con·nat·u·ral[kənǽtʃərəl, kan-/kɔn-] *a.* 타고난, 고유의(*to*); 같은 성질의. **~·ly** *ad.*

‡**con·nect**[kənékt] [L] *vt.* **1** 잇다, 연결하다, 결합〔접속〕하다(*to, with*): a word which ~*s* words, clauses, and sentences 단어·절·문장을 잇는 낱말/~ this wire *to*〔*with*〕 that 이 철사를 그것에 잇다. **2** 〈사람·장소를〉 전화로 연결하다: You are ~*ed.* 전화가 연결되었습니다(전화 교환수의 말)/Please ~ me *with* Mr. Brown. 브라운씨를 대주세요. **3** (보통 수동태 또는 ~ one*self* 로) 관련〔관계〕시키다; 연고〔인척〕 관계를 가지게 하다(*with*): He ~*s* himself *with* the firm. 그는 그 회사에 관계하고 있다. **4** 연상하다, 결부시켜 생각하다(*with*): ~ prosperitywith trade 번영을 무역과 결부시켜 생각하다. **5** (논설 따위의) 조리를 세우다, 시종 일관되게 하다. **6** 〈전기 기구를〉 전원에 연결하다. **connect oneself with** …와 관계하다. ── *vi.* **1** 연속하다. **2** 연결되다, 접속〔연락〕되다(*with*): The train ~*s with* another *at* Chicago. 이 열차는 시카고에서 딴 열차와 연결된다. **3** (문맥말생각 따위가) 연결되다, 연락하고 있다, 관련되다(*with*): This paragraph doesn't ~ *with* the others. 이 구절〔문단〕은 다른 구절〔문단〕과 연결이 안 된다. **4** (미俗) 마약·마초 등을 사다. **5** 〔스포츠〕 득점이 되도록 치다; 〈패스 등에〉 성공하다; 〔野〕 강타하다(*for*). **6** (미俗) 마음이 통하다. **7** (미俗) 잘하다, 성공하다(*for*), 합치되다. **connect up** 〈가스·전기 등을 본관·본선 등에〉 접속하다(*to*).
~·er *n.* = CONNECTOR.
⊕ connéction *n.*; connéctive *a.*

con·nect·ed[kənékt] *a.* **1** 연속된, 일관된: a ~ account 앞뒤가 맞는 설명. **2** 관계〔연락〕가 있는; 연고가 있는; 인척이 되는(*with*): (Ⅱ 형+전+명) It was intimately ~ *with* belief in God. 그것은 신에 대한 신앙과 밀접한 관계가 있다/I am distantly ~ *with* the family. 그 가족과 나는 먼 친척이 된다. **be well connected** 좋은 연고가〔연줄이〕 있다.
~·ly *ad.* 관련하여. **~·ness** *n.*

Con·nec·ti·cut[kənétikət] *n.* 코네티컷(미국 북동부에 있는 주; 略: Conn., CT).

con·néct·ing ròd 〔機〕 (기관의) 연접봉.

‡**con·nec·tion** | **-nex·ion**[kənékʃən] *n.* **1** Ⓤ,Ⓒ 연결, 결합; 접속. **2** Ⓤ,Ⓒ (인과적)관계, 관련(*between*). **3** Ⓤ,Ⓒ (배·기차 등의) 연락, 접속; 갈아탐; 접속편(열차·배·비행기 등). **4** Ⓤ,Ⓒ (사람과 사람과의) 사이, 관계; 친밀, 사귐; 연고, 친척, 연줄(관계 또는 그 사람): of good ~ 좋은 연고를 가진. **5** Ⓤ 정교(情交)(*with*). **6** 거래처, 단골. **7** Ⓤ,Ⓒ 연락 장치; (기계 등의) 연접, 연결 부분, (전화의) 접속; 회로; 통신 수단: You are *in* ~. (미) 연결됐습니다((영) You are through.). **8** 단체, 종파, 교문(敎門). **9** 마약 밀매인, (마약 따위의) 밀수 조직〔경유지〕; (비밀의) 범죄 조직. **criminal connection** 간통(略: crim. con.). **establish a connection** 거래 관계를 맺다(*with*). **form a connection** 관계가 생기다; 인척간이 되다; 〈남녀가〉 정을 통하다. **form useful connections** 유력한 벗을 만들다. **have a**〔**no**〕 **connection with** …와 관계가 있다〔없다〕. **have connection with** …와 정교를 맺다. **in connection with** …와 관련하여; …에 관하여서(의). **in this**〔**that**〕 **connection**=**in connection with this**〔**that**〕 이〔그〕 점에 대하여; 덧붙여 말하건대. **make**〔**miss**〕 **connection** 연락하다〔하지 못하다〕. **make connections** 〈열차가〉 접속하다(*at*). **miss the connection** 접속 열차〔연락선〕를 놓치다. **run in connection with** …와 연락하여 발착하다. **~·al**[-əl] *a.*
⊕ connéct *v.*; connéctive *a.*

con·nec·tive[kənéktiv] *a.* 접속적인, 결합〔연접〕성의. ── *n.* **1** 연결물, 연접물. **2** 〔文法〕 연결어(접속사·관계사 등). **3** 〔論〕 연결 기호. **~·ly** *ad.* 연결하여, 접속적으로.

connéctive tìssue 〔解〕 결합 조직.

con·nec·tor[kənéktər] *n.* 연결하는 것; 〔鐵道〕 연결기(coupling); 〔電〕 커넥터.

‡**con·nex·ion** *n.* (영) =CONNECTION.

Con·nie[kάni/kɔ́n-] *n.* 여자 이름(Constance의 애칭).

cón·ning tòwer[kάniŋ-/kɔ́n-] (군함의) 사령탑, (잠수함의) 전망탑.

con·nip·tion[kənípʃən] *n.* (미俗) 히스테리의 발작, 분통(=↖ fit).

con·ni·vance[kənáivəns] *n.* Ⓤ 묵과, 못 본 체하기(*at*); (범죄 행위의) 묵인. **in connivance with** …와 공모하여. **with the connivance of** …의 묵인하에.

con·nive[kənáiv] [L] *vi.* 못 본 체하다, 묵인하다, 묵과하다(*at*); 묵계〔공모〕하다(*with*): (Ⅲ *v*I +전+(목)) The government of the time ~*d at* the violation of this rule. 당시의 정부는 이 규칙의 위반을 묵인했다/(Ⅲ *v*I +전+(목)) He ~*d with* the crimial in his crime. 그는 범인과 공모하여 그 죄를 저질렀다.

con·nív·er[kənáivər] *n.* 묵인자.

con·niv·er·y[kənáivəri] *n.* 묵인, 묵과.

con·nois·seur[kὰnəsə́ːr, -súər/kɔ̀n-] *n.* (미술품 등의) 감정가, 감식가, 전문가(expert).
~·shìp *n.* Ⓤ 감식안(鑑識眼); 감정업(業).

con·no·ta·tion[kὰnoutéiʃən/kɔ̀n-] *n.* Ⓤ,Ⓒ 언외(言外)의 의미, 함축; 〔論〕 내포(*opp.* denotation).

con·no·ta·tive[kάnoutèitiv, kənóutə-/kɔ́noutèi-] *a.* 함축성 있는, 〈딴 뜻을〉 암시하는(*of*); 〔論〕 내포적인: a ~ sense 함축된 뜻. **~·ly** *ad.*

con·note[kənóut] *vt.* 〈딴 뜻을〉 암시하다(home(가정)은 comfort(안락)를 암시 하는 등); 〔論〕 내포하다(*opp.* denote); (口) 의미하다(mean).

con·nu·bi·al[kənjúːbiəl] *a.* (文語) 결혼(생활)의; 부부의. **~·ly** *ad.* 혼인상으로; 부부로서.

con·nu·bi·al·i·ty[-biǽləti] *n.* (*pl.* **-ties**) 혼인, 결혼 생활; 부부 관계.

co·noid[kóunɔid] *a.* 원뿔꼴의. ── *n.* 원뿔곡선체, 첨원체(尖圓體).

co·noi·dal[kounɔ́idl] *a.* =CONOID.

‡**con·quer**[kάŋkər/kɔ́ŋ-] [L] *vt.* **1** 정복하다, 공략하다(⇨defeat). **2** (文語) 〈명성 등을〉 획득하다. **3** 〈격정을〉 억누르다, 〈습관을〉 타파하다, 〈곤란 등 을〉 극복하다. **4** 〈여자를〉 손아귀에 넣다. ── *vi.* 정복하다; 승리를 얻다. **stoop to conquer** 짐으로써 이기다, 창피를 무릅쓰고 목적을 달성하다. ⊕ cónquest *n.*

con·quer·a·ble[-rəbəl] *a.* 정복할 수 있는; 이길 수 있는.

⁑**con·quer·or** [káŋkərər/kɔ́ŋ-] *n.* **1** 정복자, 전승(戰勝)자. **2** (the C-) 〔영史〕 정복왕 윌리엄 1세(Normandy 공, 1066년 영국을 정복). **play the conqueror** 〈동점자가〉 결승전을 하다.

⁑**con·quest** [káŋkwest/kɔ́ŋ-] *n.* **1** Ⓤ 정복 (*of*); (the C-) =NORMAN CONQUEST. **2** 정복하여 얻은 것, 점령지; 피정복자. **3** Ⓤ 애정의 획득; Ⓒ 애정에 끌린 여자〔남자〕. **make**〔**win**〕**a conquest of** …을 정복하다; 〈여자를〉 손아귀에 넣다. ◇ cónquer *v.*

con·qui·an [káŋkiən/kɔ́ŋ-] *n.* Ⓤ 〔카드〕 (40장의 패로 둘이서 하는) RUMMY[2]의 일종.

con·quis·ta·dor [kɑnkwístədɔ̀ːr, kɔ(ː)ŋ-, kən-] [Sp] *n.* (*pl.* ~**s**, **-do·res** [kwìstədɔ́ːris, -kì(ː)s-]) 정복자, (특히) 신대륙 정복자 (16세기 멕시코·페루를 정복한 스페인 사람).

Con·rad [kánræd/kɔ́n-] *n.* 콘래드 Joseph ~ (1857-1924) (폴란드 태생 영국 해양 소설가).

Con·rail [kánrèil/kɔ́n-] [*Con*solidated *Rail* Corporation] *n.* 콘레일(미국 동부·중서부 통합 화물 철도 회사).

cón ròd (영口) =CONNECTING ROD.

cons. consonant; constable; constitution; consul.

Cons. Conservative; Consul.

con·san·guine [kɑnsǽŋgwin/kɔn-] *a.* = CONSANGUINEOUS.

con·san·guin·e·ous [kɑ̀nsæŋgwíniəs/kɔ̀n-] *a.* (文語) 혈족의, 동족의. ~**·ly** *ad.*

con·san·guin·i·ty [kɑ̀nsæŋgwínəti/kɔ̀n-] *n.* Ⓤ 혈족, 친족 (관계), 동족.

⁑**con·science** [kánʃəns/kɔ́n-] [L] *n.* Ⓤ,Ⓒ 양심, 도의심, 선악의 관념: a man of ~ 양심적인 사람/have no ~ 양심이라고는 없다. **a bad**〔**guilty**〕**conscience** 떳떳치 못한 마음. **a good**〔**clear**〕**conscience** 떳떳한 마음. **a matter**〔**case**〕**of conscience** 양심의 문제. **by**〔**in, on, o'**〕**my conscience** 정말로. **for conscience**(') **sake** 양심에 거리낌이 없도록; 제발. **have** something **on** one's **conscience** 어떤 일이 마음에 거리끼다〔양심에 걸리다〕. **have the conscience to do** 뻔뻔스럽게도 …하다, 거리낌 없이 …하다. **in** (**all**) **conscience** 정말로, 확실히; 공정하게, 도리상, 양심에 거리껴서 〈할 수가 없다 등〉. **liberty**〔**freedom**〕**of conscience** 신교(信敎)의 자유. **on**〔**upon**〕one's **conscience** 양심에 맹세하여, 반드시. **with an easy conscience** 안심하고. **with good conscience** 양심에 거리낌 없이. ◇ consciéntious *a.*

cónscience clàuse 〔영法〕 양심 조항(신앙의 자유 등을 인정하는 것).

con·science·less [kánʃənslis/kɔ́n-] *a.* 비양심적인; 파렴치한.

cónscience mòney (보통 익명으로 하는 탈세자 등의) 속죄 헌금.

con·science-smit·ten [kánʃənssmìtn/kɔ́n-], **-rid·den** [-rìdn], **-struck** [-strʌ̀k] *a.* =CONSCIENCE-STRICKEN.

con·science-strick·en [kánʃənsstrìkən/kɔ́n-] *a.* 양심의 가책을 받는, 양심에 거리끼는.

＊**con·sci·en·tious** [kɑ̀nʃiénʃəs/kɔ̀n-] *a.* 양심적인, 성실한(⇨honest); 세심한, 신중한(*about*). ~**·ly** *ad.* ~**·ness** *n.* ◇ cónscience *n.*

consciéntious objéction 양심적 병역기피(신앙·혹은 윤리적 이유에서 군복무 거부를 신청하는 것).

consciéntious objéctor 양심적 병역거부자(略: C.O.).

con·sci·en·ti·za·tion [kɑ̀nʃièntizéiʃən/kɔ̀nʃièntai-] *n.* (무산자 등의) 의식 향상 운동.

con·scio·na·ble [kánʃənəbəl/kɔ́n-] *a.* (古) 양심적인, 정당한. **-bly** *ad.*

⁑**con·scious** [kánʃəs/kɔ́n-] [L] *a.* **1** 〈고통·감정·추위 등을〉 의식〔자각〕하고 있는(*of*): (Ⅱ [형]+[전]+[명]) A healthy man is not ~ *of* his breathing. 건강한 사람은 자신의 호흡을 느끼지 못한다. **2** 의식적인: a ~ liar 나쁜줄 알면서 거짓말하는 사람. **3** 지각〔정신, 의식〕이 있는, 제정신의: become ~ 제정신이 들다. **4** 의식〔감지〕하고 있는, 알아채고 있는(*of, that* …); 의식적인(*opp.* unconscious): (Ⅱ [형]+[전]+-*ing*) I was ~ *of* be*ing* lifted from the ground. 나는 땅에서 떠오르는 것을 의식하고 있었다/(Ⅱ [형]+[전]+[명]+-*ing*) I was ~ *of* someone pass*ing* through the room. 나는 누군가 방에서 빠져 나가는 것을 의식하고 있었다/(Ⅱ [형]+*that*(절)) I was ~ *that* she was by my side. 나는 그녀가 내 곁에 있음을 의식하고 있었다. **5** =SELF-CONSCIOUS. **6** (보통 복합어를 이루어) …을 강하게 의식하는: class-~ 계급 의식이 강한. **be**〔**become**〕**conscious of** …을 의식하다, …을 알다〔알아채다〕.
— *n.*(the ~) 의식.
◇ cónsciously *ad.*; cónsciousness *n.*

con·scious·ly *ad.* 의식〔자각〕하여, 의식적으로.

⁑**con·scious·ness** [kánʃəsnis/kɔ́n-] *n.* Ⓤ 자각, 감지(感知)(*of, that* …); 〔心·哲〕 의식, 지각; 심상(心像). **class consciousness** 계급 의식. **consciousness of kind** 〔社〕 동류 의식. **lose**〔**regain, recover**〕**consciousness** 의식을 잃다〔회복하다〕. **raise** one's **consciousness** 정치적〔사회적〕 의식을 높이다. **stream of consciousness** 〔心·文學〕 의식의 흐름.

con·scious·ness-ex·pand·ing [-ikspæ̀ndiŋ] *a.* 의식을 확대하는, 환각을 일으키는: ~ drugs 환각제, LSD.

con·scious·ness-rais·ing [-rèiziŋ] *n.* 자기 발견(법); 의식 향상(법)(사회적 차별 문제 등에 대한). **-rais·er** *n.*

con·scribe [kənskráib] *vt.* 병적에 등록하다, 징집하다.

con·script [kánskript/kɔ́n-] *a.* 징집된.
— *n.* 징집병, 신병. — [kənskrípt] *vt.* 징병하다, 징발하다.

cónscript fáthers (옛 로마의) 원로원 의원; (일반적으로) 입법부 의원.

con·scrip·tion [kənskrípʃən] *n.* Ⓤ 징병(제도), 모병; (전시의) 강제 징집〔징발, 징수〕: ~ age 징병 적령. **the conscription of wealth** 병역 면제세. ~**·al** *a.* ~**·ist** *n.* 징병주의자.

con·scrip·tive [kənskríptiv] *a.* 징병의: the ~ system 징병 제도.

＊**con·se·crate** [kánsikrèit/kɔ́n-] *vt.* **1** 신성하게 하다, 정화하다(hallow); 축성(祝聖)하다, 성별(聖別)하다; 귀중하게 하다. **2** 〈교회·장소·물건 등을〉 봉헌하다(dedicate)(*to*): ~ a church *to* divine service 헌당(獻堂)하다. **3** 〈어떤 목적·용도·사람에 대해〉 바치다, 전념하다(devote)(*to*): ~ one's life *to* church. 교회를 위해 일생을 바치다/(Ⅲ (목)+[전]+-*ing*) She ~*d* her life to help*ing* the poor. 그녀는 가난한 사람들을 도와주는 데 일생을 바쳤다. **4** 성직〔주교〕에 임명하다. **-crated·ness** *n.* **-cra·tive** *a.*
◇ consecrátion *n.*; cónsecratory *a.*

*__con·se·cra·tion__[kànsikréiʃən/kɔ̀n-] *n.* U,C **1** 신성화, 정화; (the ~; 종종 **C-**) 〔가톨릭〕 성변화(聖變化). **2** (교회의) 헌당(식), 봉헌(dedication); 성직〔주교〕 서품(식); 축성〔성별〕(식). **3** 헌신, 전념, 정진(devotion): the ~ *of* one's life *to* study 생애를 학문에 전념. ◇ cónsecrate *v.*

con·se·cra·tor[kánsikrèitər/kɔ́n-] *n.* 봉헌자; 성직 수임자, 주교 축성자.

con·se·cra·to·ry[kánsikrətɔ̀:ri/kɔ́nsikrətəri] *a.* 축성〔성별〕의; 봉헌의.

con·se·cu·tion[kànsikjú:ʃən/kɔ̀n-] *n.* U,C 연속, 앞뒤의 관련; 논리의 일관; 〔文法〕 (어법·시제의) 일치.

*__con·sec·u·tive__[kənsékjətiv] *a.* **1** 연속적인, 계속되는; 일관된: ~ numbers 연속〔일련〕 번호/for three ~ days 3일간 계속하여. **2** 〔文法〕 결과를 나타내는: a ~ clause 결과를 나타내는 부사절. **3** 〔樂〕 병행(竝行)의: ~ fifths 병행 5도. **~·ly** *ad.* 연속하여. **~·ness** *n.* U 연속(성), 일관성. ◇ consecútion *n.*

consécutive íntervals 〔樂〕 병행 음정.

Con·seil d'É·tat[kɔ:ŋséideitá:] [F] *n.* (le ~) 국무원; (정부 행정에 대한) 민원(民怨) 조사관.

con·sen·su·al[kənsénʃuəl] *a.* 〔法〕 합의상의; 〔生理〕 교감성(交感性)의. **~·ly** *ad.*

*__con·sen·sus__[kənsénsəs] *n.* **1** (의견·증언 등의) 일치; 여론. **2** 〔生理〕 교감(交感).

‡__con·sent__[kənsént] [L] *vi.* 동의하다, 승낙하다, 찬성하다(*opp.* dissent), (…에) 응하다, 따르다《*to*》: 《Ⅱ 전+-*ing*》 My father won't ~ *to* my leaving school. 나의 아버지께서는 내가 학교를 그만 두는 것을 승낙하시지 않을 것이다/《Ⅲ (절)》((절)-Ⅱ *to* do) Nancy said she would ~ *to* marry him. 낸시는 그와 결혼하는 것에 응할 것이라고 말했다.

— *n.* U 동의, 승낙; (의견·감정의) 일치. **by common〔general〕 consent** =**with one consent** 이의 없이, 만장일치로. **give〔refuse〕 one's consent** 승낙하다〔거부하다〕. **Silence gives〔means〕 consent.** 《속담》 침묵은 승낙의 표시. **the age of consent** 〔法〕 승낙 연령《결혼·성교에 대한 (여자의) 승낙이 법적으로 유효시되는 연령》. **with the consent of** …의 승낙〔동의〕을 얻어. **~·er** *n.* 승낙자, 동의자. **~·ing·ly** *ad.* 승낙〔동의〕하여.

◇ consénsus, consentanéity, conséntience *n.*; consentáneous, conséntient *a.*

con·sen·ta·ne·i·ty[kənsèntəní:əti] *n.* U 일치성, 합치.

con·sen·ta·ne·ous[kànsentéiniəs/kɔ̀n-] *a.* 일치한, 적합한《*to, with*》; 만장 일치의(unanimous). **~·ly** *ad.*

consént decrèe (두 적대 당사자들 간에 의해 합의된) 화해가 이서된 법원 명령〔판결〕.

con·sen·tience[kənsénʃəns] *n.* U 일치, 동의.

con·sen·tient[kənsénʃənt] *a.* 일치한; 찬동의, 동의의《*to*》.

consént·ing ádult 《영》 동의 성인《법으로 남색이 허용되는 21세 이상 남자》, 호모.

‡__con·se·quence__[kánsikwèns/kɔ́nsikwəns] *n.* **1** 결과, 귀결, 결말. **2** 영향(력). **3** U (영향의) 중대성, 중요성, 사회적 중요성. **4** U 잘난 체함, 자존(self-importance). **5** 〔論〕 귀결; 결론. **as a consequence (of)** =**in consequence (of)** 《文語》 …의 결과로서, … 때문에. **give consequence to** …에 중요성〔비중〕을 부여하다. **of (great) consequence** (매우) 중대한. **of little〔no〕 consequence** 거의〔전혀〕 문제가 되지 않는. **people of consequence** 중요 인물, 유력자. **take〔answer for〕 the consequences** (자기 행위의) 결과를 감수하다〔…에 책임을 지다〕. **with the consequence that** … 《文語》 …이라는 결과가 뒤따라, 그 결과로 …하게 되다. ◇ cónsequent, consequéntial *a.*

*__con·se·quent__[kánsikwènt/kɔ́nsikwənt] [L] *a.* **1** 결과의, 결과로서 생기는《*on, upon*》. **2** 논리상 필연의, 당연한. — *n.* 당연한〔자연스러운〕 결과; 〔論〕 후건(後件)(*opp.* antecedent); 단안, 귀결; 〔數〕 후항(後項), 후율(後率). ◇cónsequence *n.*; cónsequently *ad.*; consequéntial *a.*

con·se·quen·tial[kànsikwénʃəl/kɔ̀n-] *a.* **1** 결과로서 일어나는(resultant); 당연한, 필연적인. **2** 젠 체하는, 뽐내는(self-important). **3** 중대한. **~·ly**[-ʃəli] *ad.* 결과로서, 필연적으로; 뽐내어.

consequéntial dámages 〔法〕 간접 손해.

consequéntial lóss insùrance 〔保〕 간접 손해 보험.

con·se·quent·ly *ad.* 따라서, 그 결과로서.

con·ser·van·cy[kənsə́:rvənsi] *n.* (*pl.* **-cies**) U (삼림·하천 등의) 보존, 관리, 감독; C 《영》 (하천·항만의) 관리 위원회〔사무소〕.

con·ser·va·tion[kànsə:rvéiʃən/kɔ̀n-] *n.* U (하천·삼림의) 보호, 관리; 보존, 유지(*opp.* dissipation); 자연 보호 지역; 〔物〕 보존. **conservation of energy〔force〕** 〔物〕 에너지의 보존. **conservation of mass〔matter〕** 질량 보존. **~·al** *a.* **~·ist** *n.* 자원 보호론자. ◇ consérve *v.*; consérvative *a.*

*__con·ser·va·tism__[kənsə́:rvətìzəm] *n.* U 보수주의, 보수적인 경향; (종종 **C-**) 영국 보수당의 주의(*cf.* TORYISM).

‡__con·ser·va·tive__[kənsə́:rvətiv] *a.* **1** <사람·생각 등이> 보수적인, 전통적인; 고루한. **2** (정치적으로) 보수적인(*opp.* progressive); (**C-**) 〔政〕 영국 보수당의(*cf.* LIBERAL, LABOR). **3** 보존력 있는; 〔法〕 보전처분. **4** 조심스러운, 신중한. **5** <옷차림이> 수수한. **6** <평가 등이> 줄잡은: a ~ estimate 줄잡은 어림. — *n.* **1** 보수적인 사람, 낡은 것을 고수하는 사람. **2** (**C-**) 보수당원. **3** 《稀》 보존물; 방부제. **~·ly** *ad.* 보수적으로; 줄잡아. **~·ness** *n.* U 보존성; 보수성.

◇ consérve *v.*; conservátion *n.*

Consérvative Pàrty (the ~) 《영》 보수당(*cf.* LABOUR PARTY).

consérvative súrgery 〔外科〕 보존 외과《절제를 삼가는》.

consérvative swíng〔shíft〕 우경화, 보수화.

con·ser·va·tize[kənsə́:rvətàiz] *vi., vt.* 보수적이 되다〔으로 하다〕.

con·ser·va·toire[kənsə̀:rvətwá:r, ―⌐―⌐] [F] *n.* 음악〔미술, 예술〕 학교.

con·ser·va·tor[kánsərvèitər, kənsə́:rvətər/kɔ́n-] (*fem.* **-trix**[-triks]) *n.* **1** 보존자, 보호자. **2** (박물관 등의) 관리자; 《영》 (하천 등의) 관리 위원; 《미》 (미성년자·백치·미친 사람 등의) 보호자. **the conservators of a river** 하천 관리 위원〔관리국원〕. **the conservator of the peace** 치안 위원, 보안관.

con·ser·va·to·ri·um[kənsə̀:rvətɔ́:riəm] *n.* 오스 =CONSERVATOIRE.

*__con·serv·a·to·ry__[kənsə́:rvətɔ̀:ri/-təri] *n.* (*pl.* **-ries**) **1** 온실(greenhouse). **2** 음악〔미

술, 연극, 예술) 학교.

*con·serve [kənsə́:rv] [L] *vt.* 보존하다, 유지하다, 보호하다; 설탕 절임으로 하다.
— [kánsə:rv, kənsə́:rv/kənsə́:rv, kɔ́nsə:rv] *n.* (보통 *pl.*) 설탕 절임; 잼(jam); 〔醫〕 당제(糖劑). **conservable** *a.*
⊕ conservátion *n.*: consérvative *a.*

con·shy, -shie [kánʃi/kɔ́n-] *n.* =CONCHIE.

★**con·sid·er** [kənsídər] [L] *vt.* **1** 숙고하다; 고찰하다; 검토하다; …할 것을 생각하다: ~ a matter in all aspects 문제를 모든 면에서 고찰하다/I ~ *that* he ought to help me. 그가 나를 도와줘야 한다고 생각한다/You must ~ *whether* it will be worthwhile. 그것이 그만한 가치가 있는지를 생각해야 한다/He ~*ed what to* do. 그는 어떻게 하면 좋을까 하고 생각했다/《Ⅲ -*ing*》You must ~ marrying her. 너는 그녀와의 결혼 문제를 잘 생각해야 된다/I am ~*ing going with* them. 나는 그들과 함께 갈까 하고 생각중이다. **2** …을 …이라고 생각하다; (목적 보어와 함께) …을 …으로 보다, 간주하다, 여기다: 《Ⅴ (목)+*as*+명》I ~ him *as* a famous writer. 나는 그를 유명한 작가로 여긴다/《Ⅲ that (절)》He ~*ed that* she was guilty. 그는 그녀가 유죄라고 생각했다(=He ~*ed* her (*to be*) guilty.《Ⅴ (목)+(*to be*)+형》/=He ~*ed* her (*as*) guilty.《Ⅴ (목)+(*as*)+형》)/《Ⅴ (목)+(*to be*)+명》I ~ him (*to be*) a clever fellow. 나는 그를 똑똑한 사람이라고 생각한다/《Ⅴ (목)+(*to be*)+형》((목)-*what*(절))I ~ *what* you did to him last night (*to be*) quite wrong. 나는 당신이 어제 저녁에 그에게 한 짓이 아주 잘못된 것이라고 생각한다/《Ⅴ *it*+형+*to* do》I ~ *it* rude *to* interrupt. 나는 남의 말을 가로막는 것은 교양없는 짓이라고 생각한다/《Ⅴ (목)+형》She often ~*s* herself superior to her friends. 그녀는 친구들에 대해 우월감을 갖는 경우가 종종 있다/《Ⅱ *be pp.*+*to be*+형》He is ~*ed to be* trustworthy. 그는 믿을만하다고 여겨진다. **3** …을 참작하다, 고려하다, 고려에 넣다; (구입·채택)에 대해 고려하다: We should ~ his youth. 그의 젊음을 참작해야 할 것이다. **4** 〈사람을〉 중히 여기다, 존경하다(pay respect to): He is well ~*ed* by his friends. 그는 친구들에게 중시되고 있다. **5** …에 주의를 기울이다, …을 염려하다: She never ~*s* others. 그녀는 남의 일은 전혀 생각지 않는다. **6** 〈급사 등에게〉 팁을 주다(tip). **7** 《古》 주시하다. — *vi.* **1** 고려〔숙고〕하다. **2** 응시〔주시〕하다. **all things considered** 만사를 고려하여, 아무리 생각해도. **consider as** …으로서 논하다〔생각하다〕. **put on** one's **considering cap** 신중히 생각하다.
⊕ considerate *a.*: considerátion *n.*

⁑**con·sid·er·a·ble** [kənsídərəbəl] *a.* **1** 중요한, 유력한. **2** 고려해야 할, 무시하지 못할: become a ~ personage 저명한 인물이 되다. **3** (수량이) 꽤 많은, 적지 않은, 상당한: a ~ number of students 상당수의 학생들.
— *n.* 《미口》 다량: A ~ *of* a trade was carried on. 다량의 거래가 행하여졌다. **by considerable** 다량으로, 많이. — *ad.* 《미方》 =CONSIDERABLY. **~·ness** *n.*

⁑**con·sid·er·a·bly** [kənsídərəbli] *ad.* 상당히, 꽤, 적지 않게: It's ~ warmer this morning. 오늘 아침은 꽤 덥다.

*con·sid·er·ate [kənsídərit] *a.* 이해심〔동정심〕이 있는〔많은〕, 마음씨 좋은《*of*》; 신중한, 생각이 깊은: 《Ⅱ 형+전+명》She is ~ *of* everything. 그녀는 모든 일에 이해심이 많다/《Ⅱ *It* *v* Ⅱ+형+*of*+대+*to* do》It was very ~ *of* you *to* do so. 그렇게 해주셔서 정말 고맙습니다/《Ⅱ 형+*to* do》You were very ~ *to* have said so. 네가 그렇게 말했다니 매우 생각이 깊다. **~·ly** *ad.* **~·ness** *n.*
⊕ consider *v.*: considerátion *n.*

⁑**con·sid·er·a·tion** [kənsìdəréiʃən] *n.* **1** Ⓤ 고려, 숙고; 고찰, 연구: give a problem one's careful ~ 문제를 세밀히〔충분히〕 고려하다. **2** 고려할 사항〔문제〕; 이유(motive): That's a ~. 그것은 고려할 일〔문제〕이다/Money is no ~. 돈은 문제가 아니다. **3** Ⓤ 참작, 이해성, 동정심《*for*》. **4** Ⓤ 경의, 존중, 중요성: men of ~ 중요한〔상당한 지위의〕 사람들/It is no ~. 그것은 중요하지 않다. **5** (*sing.*) 〔法〕 (계약상의) 약인(約因), 대가(對價). **6** (보통 *sing.*) 보수, 팁. **for a consideration** 보수를 받고; 보수를 받으면. **have no consideration for**〔**of**〕 …에 대한 배려가 없다, …을 고려하지 않다. **in consideration of** …의 보수로서; …을 고려하여. **leave out of consideration** 도외시하다. **on**〔**under**〕 **no consideration** 결코 …않는(never). **out of consideration for** …을 참작하여, …을 보아서. **take … into consideration** …을 고려〔참작〕하다. **the first consideration** 첫째 요건, 가장 중요한 사항. **under consideration** 고려중에〔의〕.

con·sid·ered [kənsídərd] *a.* 깊이 생각한(후의); (부사를 앞에 두어) 존경 받는, 중히 여겨지는: *highly* ~ (one's) parents 매우 존경 받는 어버이.

⁑**con·sid·er·ing** [kənsídəriŋ] *prep.* …을 고려하면, …을 생각하면; …에 비해서: He looks young ~ his age. 그는 나이에 비해서 젊어 보인다. — *conj.* (보통 that을 수반하여) …임을 생각하면, 임에 비해서, …이므로: He does well, ~ *that* he lacks experience. 그는 경험이 없는 데 비해서는 잘 한다.
— *ad.* 《口》 (문미에서) 비교적, 그런대로: That is not so bad, ~. 그런대로 그다지 나쁘지 않다. 《◇ 원래 전치사로 뒤에 오는 'the circumstances'를 생략한 것》.

*con·sign [kənsáin] [L] *vt.* **1** 건네주다, 인도하다; 교부하다; 위임하다, (돈을) 맡기다《*to*》; 〈편지를〉 부치다: 《Ⅲ (목)+전+명》She ~*ed* her books *to* his care. 그녀는 그녀의 책들을 그에게 보관해주도록 맡겼다/~ one's soul *to* God 영혼을 신에게 맡기다《죽다》/~ a letter *to* the post 편지를 우편으로 부치다. **2** 〔商〕 〈상품을〉 위탁하다《*for, to*》; 탁송하다(send)《*to*》: ~ goods *to* an agent 상품의 판매를 대리점에 위탁하다. **3** 충당하다; 할당하다(assign)《*to*》: a room *to* one's private use. 방 하나를 자기의 전용으로 하다. **be consigned to misery** 비참한 신세가 되다. **consign the body to the flames**〔**watery grave**〕 시체를 화장〔수장〕하다. **consign … to oblivion** …을 잊어버리다, 망각하다. **consign to prison** 교도소에 넣다.
~·a·ble [-əbəl] *a.* 위탁할 수 있는.
⊕ consignátion, consígnment *n.*

con·sig·na·tion [kànsignéiʃən/kɔ̀nsai-] *n.* Ⓤ 위탁, 탁송; 교부. **to the consignation of** …앞으로, …을 인수인으로 하여.

con·sign·ee [kànsainí:/kɔ̀n-] *n.* (판매) 수탁인; 하물 인수자(*cf.* CONSIGNOR).

con·sign·er [kənsáinər] *n.* =CONSIGNOR.

con·sign·ment [kənsáinmənt] *n.* 〔商〕 **1**

Ⓤ 위탁(판매), 탁송. **2** 위탁 화물, 적송품(積送品); 위탁 판매품(=∠ **gòods**). **on consignment** 위탁으로, 위탁 판매로.

consígnment nòte 탁송 화물 송장, 《특히》 항공 화물 송장.

consígnment sàle 위탁 판매.

consígnment shèet 화물 상환증.

con·sign·or [kənsáinər] *n.* (판매품의) 위탁자; 하주(shipper).

con·sil·ience [kənsíliəns] *n.* (추론한 결과 등의) 부합, 일치. **-ient** *a.*

⁑**con·sist** [kənsíst] [L] *vi.* **1** 〈부분·요소로〉 되어[이루어져] 있다《*of*》: (Ⅰ 전+명) Water ~*s* of hydrogen and oxygen. 물은 수소와 산소로 되어 있다/His library ~*s* of scarce and foreign books. 그의 장서는 희서(稀書)와 외국 서적으로 이루어져 있다/A cricket team ~*s* of eleven players. 한 크리켓팀은 11명의 선수들로 이루어 진다. **2** 양립[일치]하다《*with, together*》. **3** … 에 존재하다, …에 있다(lie) 《*in*》: (Ⅰ 전+명) Happiness ~*s in* contentment. 행복은 만족에 있다.
⊕ consístency, consístence *n.*; consístent *a.*

con·sis·ten·cy, -tence [kənsístənsi], [-ns] *n.* Ⓤ **1** 일관성, 언행 일치, 모순이 없음《*of, with*》. **2** 견실성. **3** 농도, 밀도, 경도.
⊕ consíst *v.*; consístent *a.*

***con·sis·tent** [kənsístənt] *a.* **1** (의견·행동·신념 등이) (…와) 일치양립하는; 조화된 《*with*》. **2** (주의·방침·언행 등이) 불변한, 견지하는, 시종 일관된, 견실한, 지조 있는. **3** (성장 등이) 착실한, 안정된. **4** 〔數·論〕 모순이 없는. **~·ly** *ad.* **1** 시종 일관하게; 조리 있게, 모순 없이《*with*》. **2** 언행 일치하여.
⊕ consíst *v.*; consístency, consístence *n.*

con·sis·to·ri·al [kànsistɔ́:riəl/kɔ̀n-] *a.* 추기경 회의의, 감독 법원의, 장로 법원의.

con·sis·to·ry [kənsístəri] *n.* (*pl.* **-ries**) (천주교의) 추기경 회의, (영국 국교회의) 감독 법원 (=**Consístory Cóurt**), (장로 교회의) 장로 법원; 교회 회의실.

con·so·ci·ate [kənsóuʃièit] *vt., vi.* 연합시키다[하다]. ── [kənsóuʃiit, -ʃièit] *a.* 연합[제휴]한.

con·so·ci·a·tion [kənsòusiéiʃən] *n.* **1** Ⓤ 연합, 결합; 동맹; Ⓒ 〔基督教〕 (조합교회의) 협의회. **2** 〔生態〕 극상 군락(群落)(climax community).

consol. consolidated.

con·sol·a·ble [kənsóuləbəl] *a.* 위안이 되는.

***con·so·la·tion** [kànsəléiʃən/kɔ̀n-] *n.* Ⓤ 위로, 위안, 위자(慰藉); Ⓒ 위안이 되는 것[사람].
⊕ consóle *v.*; consólatory *a.*

consolátion màtch[**ràce**] 패자 부활 시합[경주].

consolátion mòney 위자료.

consolátion prìze 감투상《패자의》.

consolátion stàkes (경마의)패자부활 전.

con·so·la·to·ry [kənsálətɔ̀:ri/kənsɔ́lətəri] *a.* 위안[위문]의.

***con·sole**¹ [kənsóul] [L] *vt.* 위로하다, 위문하다: ~ one's grief 슬픔을 달래다/(Ⅲ (목)+전+명) Nothing could ~ her *for* the loss of her child. 그녀가 어린애를 잃은 데 대해 무엇으로도 위로할 수 없었다. **console oneself with something**[**by** doing] …하여[…으로] 스스로를 달래다: (Ⅲ (목)/접+Ⅲ (목)+전+명 : *that*(절)) [+전 +-*ing*] You may have failed the examination, but you can at least *console yourself with* the thought that you did your best[*by* pass*ing* an employment examination]. 너는 그 시험에 불합격했을지도 모르지만, 최선을 다했다는 생각으로[취직시험에는 합격했으니] 적어도 스스로를 달랠 수 있다.
⊕ consolátion *n.*; consólatory *a.*

con·sole² [kánsoul/kɔ́n-] *n.* 〔建〕 콘솔, 소용돌이꼴 초엽[까치발]; (파이프오르간의) 연주대《건반과 페달을 포함함》; (라디오·텔레비전의) 캐비닛; 〔컴퓨터〕 콘솔《컴퓨터를 제어·감시하기 위한 장치》; (비행기 등의) 관제용 계기반(盤); 〔電〕 제어 장치.

con·sole-mir·ror [kánsoul-/kɔ́n-] *n.* 까치발로 벽에 받쳐 단 거울.

cónsole tàble 까치발로 벽에 받쳐 단 테이블, 콘솔형 테이블.

con·so·lette [kànsəlét/kɔ̀n-] *n.* (라디오·텔레비전·플레이어 등을 넣는) 소형 캐비닛.

***con·sol·i·date** [kənsálədèit/-sɔ́l-] [L] *vt.* 〈토지·회사 등을〉 합병 정리하다, 통합하다; 굳히다, 강화하다: ~ one's estates 재산을 통합하다/~ two companies *into* one 두 회사를 합병하여 하나로 하다. ── *vi.* 합동하다; 굳어지다, 튼튼해지다. ⊕ consolidátion *n.*

con·sol·i·dat·ed [kənsálədèitid/-sɔ́l-] *a.* 합병 정리된, 통합된; 고정된.

consólidated annúities =CONSOLS.

Consólidated Fúnd (the ~) 《영》 정리 공채 기금《각종 공채 기금을 병합 정리한 것; 영국 공채 이자 지불의 기금》.

consólidated schòol 《미》 합동 학교 《여러 학군의 아동을 수용》.

***con·sol·i·da·tion** [kənsàlədéiʃən/-sɔ̀l-] *n.* Ⓤ **1** 강화; 단단히 함. **2** 합동, 합병; 통합, 정리: ~ funds 정리 기금. ⊕ consólidate *v.*

con·sol·i·da·tor [kənsálədèitər/-sɔ́l-] *n.* 공고히 하는 사람[것], 통합 정리자.

con·sol·i·da·to·ry [kənsálədətɔ̀:ri/-sɔ́lədətəri] *a.* 통합하는; 합병하는; 굳게 하는.

con·sol·ing [kənsóuliŋ] *a.* 위안이 되는.

con·sols [kánsalz, kənsálz/kɔ́nsɔlz] [*consol*idated annuitie*s*] *n. pl.* 《영》 콘솔[정리] 공채《1751년 각종 공채를 정리하여 연금 형태로 한 것》.

con·so·lute [kánsəlù:t/kɔ́n-] *a.* 〔化〕 공용성(共溶性)의.

con·som·mé [kànsəméi/kənsɔ́mei] [F] *n.* Ⓤ 콩소메, 맑은 수프(*cf.* POTAGE).

con·so·nance, -nan·cy [kánsənəns/kɔ́n-], [-i] *n.* Ⓤ **1** 《文語》 일치, 조화. **2** Ⓤ,Ⓒ 〔樂〕 협화음(*opp.* dissonance). **3** 〔物〕 공명(resonance). **in consonance with** …와 조화[일치, 공명]하여.

⁑**con·so·nant** [kánsənənt] [L] *a.* **1** 《文語》 …와 일치[조화]하여《*with, to*》: (Ⅲ (목)+형+전+명) Up to now he has done nothing ~ *with* the promises he has made. 현재까지 그는 자기가 한 약속에 따라 이행한 것이란 하나도 없다. **2** 〔樂〕 협화음의; 〔音聲〕 자음의. ── *n.* 〔音聲〕 자음(*opp.* vowel); 자음자. **~·ly** *ad.* ⊕ cónsonance *n.*; consonántal *a.*

con·so·nan·tal [kànsənǽntl/kɔ̀n-] *a.* 자음의, 자음적인.

consónant shìft 〔言〕 자음 추이《언어사의 어느 시기에 일어나는 음의 규칙적 추이》.

con sor·di·no [kànsɔ:rdí:nou/kɔ̀n-] [It] *ad.* 〔樂〕 약음기(mute)를 사용하여; 《비유》 조용히.

***con·sort** [kánsɔ:rt/kɔ́n-] *n.* 《文語》 **1** 배우자(spouse). **2** 동행선, 요함(僚艦), 요정(僚艇); 동료. **in consort** (**with**) (…와) 함께.

prince consort (여왕의) 부군(夫君). **queen consort** 왕비. ── [kənsɔ́:rt] *vi.* 《文語》 조화하다《*with*》: 교제하다, 사귀다《*with*》: Pride does not ~ *with* poverty. 긍지는 가난과는 걸맞지 않는다〔양립하지 않는다〕/Do not ~ *with* criminals. 전과자와 사귀지 마라. ── *vt.* 조화 있게 결합시키다.

con·sor·ti·um [kənsɔ́:rʃiəm, -sɔ́:rtiəm] *n.* (*pl.* **-ti·a** [-ʃiə], **~s**) **1** 협회, 조합: (저개발국을 원조하는) 채권국 회의, (국제) 차관단. **2** 〔法〕 배우자권(權).

con·spe·cif·ic [kɑ̀nspisífik/kɔ̀n-] *a.* 같은 종류의.

con·spec·tus [kənspéktəs] *n.* 《文語》 개관; 개요.

con·spic·u·ous [kənspíkjuəs] [L] *a.* 확실히 보이는, 뚜렷한, 두드러진; 뛰어난, 눈에 잘 띄는, 이채를 띤; 저명한, 현저한: (Ⅱ 형+전+명) He was ~ *for* the rigid uprightness of his back. 그는 등이 굽지 않고 똑바른 것이 눈에 띄었다. **be conspicuous by its**〔one's〕 **absence** 그것〔그 사람〕이 없음으로 해서 한층 더 눈에 뜨이다. **cut a conspicuous figure** 이채를 띠다. **make oneself** (**too**) **conspicuous** 유별나게 행동하다, 남의 눈에 띄게 멋부리다. **~·ly** *ad.* **~·ness** *n.*

conspícuous consúmption 과시적 소비《재산·지위를 과시하기 위한》.

con·spir·a·cy [kənspírəsi] *n.* (*pl.* **-cies**) Ⓤ,Ⓒ **1** 음모, 모의《*against*》: 음모단. **2** 〔法〕 불법 공모, 공동 모의. **a conspiracy of silence** 묵살하자는〔덮어 두자는〕 모의. **in conspiracy** 공모하여, 작당하여.
◇ conspíre *v.*

con·spi·ra·tion [kɑ̀nspəréiʃən/kɔ̀n-] *n.* 모의; 협력.

con·spir·a·tor [kənspírətər] *n.* (*fem.* **-tress** [-tris]) 공모자, 음모자(plotter).

con·spir·a·to·ri·al [kənspìrətɔ́:riəl] *a.* 공모의, 음모의. **~·ly** *ad.*

con·spire [kənspáiər] [L] *vi.* **1** 공모하다, 음모를 꾸미다《*against*》; …와 기맥을 통하다《*with*》: ~ *against* the state 국가에 대한 반란을 꾀하다/They ~*d to* drive him out of the country. 그들은 그를 국외로 추방하려고 공모했다. **2** 협력하다: 동시에 발생하다, (어떤 결과를 초래하도록 사정이) 서로 겹치다, 상호작용하여 …하다: (Ⅱ *to* do) All things ~*d to* make him prosperous. 모든 일이 잘 되어 그는 성공했다/Events ~*d to* bring about her ruin. 여러 사건들이 겹쳐져서 그녀의 파멸을 가져왔다. **conspire with** …와 공모하다. ── *vt.* 〈나쁜 일을〉 음모하다.
◇ conspíracy *n.*

con spi·ri·to [kɑnspíritòu/kɔn-] [It] *ad., a.* 〔樂〕 활기있게〔있는〕, 활발하게〔한〕.

const. constable; constant; constitution(al).

Const. Constantine; Constantinople.

cons't. consignment.

con·sta·ble [kɑ́nstəbl/kʌ́n-] [L] *n.* **1** 《영》 순경, 경관(=policeman): the chief ~ 《영》 (시·주 등의) 경찰 국장(《미》 chief of police): a special ~ 특별 순경(비상시 같은 경우에 치안 판사가 임명함). **2** 〔영史〕 성주(城主); 중세의 고관. **outrun**〔**overrun**〕 **the constable** 경찰의 손을 빠져 나가다; 빚을 지다. **pay the constable** 셈을 치르다, 빚을 갚다. **the Constable of France** (국왕 부재중의) 총사령관; 프랑스 원수(元帥). **the** (**Lord High**) **Constable of England** (영국 중세의) 보안무관장(保安武官長); (현재의) 시종(侍從) 무관장(특별한 의식이 있을 때에 임시로 임명됨).

con·stab·u·lar [kənstǽbjələr] *a.* =CONSTABULARY.

con·stab·u·lar·y [kənstǽbjəlèri/-ləri] *a.* 경관의; 경찰의: the ~ force 경찰력. ── *n.* (*pl.* **-lar·ies**) 경찰대; 경찰 관할구.

Con·stance [kɑ́nstəns/kɔ́n-] *n.* **1** 여자 이름(애칭 Connie). **2** (Lake (of) ~) 콘스탄스 호(스위스·오스트리아·독일 국경에 있는 호수).

con·stan·cy [kɑ́nstənsi/kɔ́n-] *n.* Ⓤ **1** 지조가 굳음; 절조, 절개, 수절. **2** 불변, 항구성.
◇ cónstant *a.*

con·stant [kɑ́nstənt/kɔ́n-] [L] *a.* **1** 불변의, 일정한(*opp.* variable): ~ temperature 상온, 정온/a ~ wind 항풍. **2** 끊임없이 계속하는, 부단한. **3** 《文語》 충실한, 성실한, 견실한 《*in*》: 끝까지 지키는《*to*》. ── *n.* **1** 불변의 것. **2** 〔數·物〕 상수, 불변수〔량〕; 율.
◇ cónstantly *ad.*: cónstancy *n.*

con·stan·tan [kɑ́nstəntæ̀n/kɔ́n-] *n.* Ⓤ 콘스탄탄(구리와 니켈의 합금: 전기의 저항선).

Con·stan·ti·a [kɑnstǽnʃiə/kɔn-] *n.* Ⓤ 콘스탄샤 포도주(Cape Town 부근산).

Con·stan·tine [kɑ́nstəntàin, -tì:n/kɔ́nstəntàin] *n.* **1** 남자 이름. **2 ~ the Great** 콘스탄티누스 대제(280?-337).

Con·stan·ti·no·ple [kɑ̀nstæntinóupl/kɔ̀n-] *n.* 콘스탄티노플 (터키의 Istanbul의 구칭; 동로마 제국의 수도).

con·stant-lev·el ballóon [kɑ́nstəntlèvəl-/kɔ́n-] 정(定)고도 기구.

con·stant·ly [kɑ́nstəntli/kɔ́n-] *ad.* 끊임없이(continually), 항상, 노상; 자주, 빈번히 (frequently).

con·sta·ta·tion [kɑ̀nstətéiʃən/kɔ̀n-] *n.* 주장(함), 언명; 확인, 증명.

con·sta·tive [kənstéitiv] *a.* 〔文法〕 아오리스트(aorist) 용법의; 〔論〕 술정적(述定的)인, 사실 확인의. ── *n.* 〔論〕 술정적 발언, 사실 확인문(文).

con·s·tel·late [kɑ́nstəlèit/kɔ́n-] *vt., vi.* 〔天〕 성좌를 형성하다; 떼를 짓다(cluster).

con·stel·la·tion [kɑ̀nstəléiʃən/kɔ̀n-] [L] *n.* **1** 〔天〕 별자리, 성좌; 〔占星〕 성위(星位), 성운(星運). **2** 화려하게 차린 신사 숙녀의 한 무리 (galaxy), 화려한〔아름다운〕 것의 무리《*of*》. **3** 배치, 배열. ◇ cónstellate *v.*

con·ster·nate [kɑ́nstərnèit/kɔ́n-] *vt.* (보통 수동형) 깜짝 놀라게 하다, 간담을 서늘하게 하다(dismay). **be consternated** 깜짝 놀라다.

con·ster·na·tion [kɑ̀nstərnéiʃən/kɔ̀n-] *n.* Ⓤ 깜짝 놀람, 대경실색(dismay). **in**〔**with**〕 **consternation** 깜짝 놀라서. **throw into consternation** 놀라 자빠지게 하다.

con·sti·pate [kɑ́nstəpèit/kɔ́n-] *vt.* (보통 수동형) 〔醫〕 변비에 걸리게 하다. **be constipated** 변비에 걸리다.

con·sti·pa·tion [kɑ̀nstəpéiʃən/kɔ̀n-] *n.* Ⓤ 〔醫〕 변비; (비유) 침체.

con·stit·u·en·cy [kənstítʃuənsi] *n.* (*pl.* **-cies**) **1** (집합적) 선거권자, 유권자, 선거구민 (voters); 선거구. **2** (집합적) 후원자, 지지자; 단골, 고객(clients), 구매자. **nurse** one's **constituency** 《영》 〈국회의원이〉 선거구의 기반을 보강하다(《미》 mend one's fences).

con·stit·u·ent [kənstítʃuənt] *a.* **1** 조성〔구성〕의, 성분〔요소〕이 되는. **2** 대의원 선출의; (대표자의) 선거〔지명〕권을 가진; 헌법 제정

〔개정〕의 권능이 있는. — *n.* **1** 성분, (구성) 요소; 조성〔구성〕물. **2** 선거권자, 선거인(voter), 선거구민. **3** 대리 지정인, (대리인에 대한) 본인(principal). **4** 〔言〕 구성 요소. **immediate〔ultimate〕 constituent** 〔言〕 직접〔종극〕 구성 요소. ◇ constitútion, constítuency *n.*; cónstitute *v.*

constítuent assémbly (종종 **C- A-**) 제헌〔개헌〕 의회.

constítuent strúcture〔言〕구성 요소 구조.

⁑**con·sti·tute**[kánstətjùːt/kɔ́n-] [L] *vt.* 《文語》 **1** 구성하다, 구성 요소가 되다, 조성하다;(보통 수동형) …한 성질〔체질〕이다: 《Ⅲ(목)》 Her vivacity ~*s* her main charm. 쾌활함이 그녀의 주요한 매력을 이루고 있다/《Ⅰ *be*+㈜+*pp.*》 She is delicately ~*d.* 그녀는 몸매가 우아하다. **2** 임명하다(appoint), 선정하다(elect): 《Ⅱ *be pp.*+㈜》 She was ~*d* an arbitress. 그녀는 중재인으로 선정되었다/be ~*d* representative of …의 대표자로 선정되다. **3** 제정하다, 설립〔설치〕하다. **constitute oneself** (a leader) 스스로 (지도자)가 되다, (지도자)로 자처해서 나서다. **the constituted authorities** 현직원; 관계 당국. ◇ constitútion *n.*; constítuent, cónstitutive *a.*

⁑**con·sti·tu·tion**[kànstətjúːʃən/-kɔ̀n-] *n.* **1** Ⓤ 구성, 구조, 조직; 골자, 본질. **2** 〔政〕 헌법: a written ~ 성문 헌법/an unwritten ~ 불문 헌법. **3** 정체(政體), 국체(國體); 〔史〕 율령(律令). **4** Ⓤ 제정; 설립, 설치. **5** Ⓤ,Ⓒ 체질, 체격: have a good〔strong, poor, weak〕 ~ 체질이 건전〔튼튼, 빈약, 허약〕하다. **6** 소질, 성질, 성격. **by constitution** 타고난 체질상. **have a cold constitution** 성격이 냉랭하다. **monarchical〔republican〕 constitution** 군주〔공화〕 정체. **suit〔agree with〕 one's constitution** 체질〔성격〕에 맞다. **undermine one's constitution** 신체를 해치다, 몸을 버리다.
◇ cónstitute *v.*; constitútional *a.*

*⁎***con·sti·tu·tion·al**[kànstətjúːʃənəl/kɔ̀n-] *a.* **1** 구성〔조직〕상의. **2** 헌법상의; 입헌적인; 합법의: a ~ crisis 헌정(憲政)의 위기/~ law 헌법. **3** 체질상의, 체격의; 타고난: a ~ disease 체질성 질환/a ~ infirmity〔weakness〕 타고난 허약(체질). **4** 보건(상)의, 건강을 위한 〈산책 등〉. — *n.* 건강을 위한 운동, 산책. **~·ism** *n.* Ⓤ 입헌 정치; 헌법 옹호. **~·ist** *n.* 헌법론자; 헌법학자; 입헌주의자.
◇ constitútion, constitutionálity *n.*; constitútionalize *v.*; constitútionally *ad.*

Constitútional Assémbly (the ~) 헌법 제정 회의《특히 프랑스 혁명 당시의》.

Constitútional Convéntion (the ~) 〔美史〕 헌법 제정 회의《1787년 5월 Philadelphia에서 개최》.

constitútional fórmula 〔化〕 구조식.

con·sti·tu·tion·al·i·ty[kànstətjùːʃənǽləti] *n.* Ⓤ 입헌성; 합헌〔합법〕성.

con·sti·tu·tion·al·ize *vt.* 입헌제로 하다.

con·sti·tu·tion·al·ly *ad.* **1** 입헌적으로, 헌법상. **2** 나면서부터, 체질적으로. **3** 구조상.

constitútional mónarchy 입헌 군주국〔정체〕.

constitútional sóvereign 입헌군주(제).

Constitútion Státe (the ~) 미국 Connecticut 주의 속칭.

con·sti·tu·tive[kánstətjùːtiv/kɔ́n-] *a.* **1** 구성적인, 구조의; 구성분인; 요소의. **2** 제정〔설정〕적인, 제정〔설정〕권이 있는. **~·ly** *ad.*

con·sti·tu·tor, -tut·er[kánstətjùːtər/kɔ́n-] *n.* 구성〔조직〕자.

constr. construction; construed.

⁑**con·strain**[kənstréin] *vt.* **1** 억지로 …시키다, 강요하다: ~ obedience 복종을 강요하다/《Ⅴ(목)+*to* do》 Those disadvantages ~*ed* them *to* surrender at discretion. 불리한 사정들이 그들에게 무조건 항복을 강요했다. **2** (보통 수동형으로) 억누르다, 억제하다, 압박하다; 감금하다: He was ~*ed in* the prison. 그는 교도소에 수감되었다. **be constrain ed to** do 부득이〔어쩔 수 없이〕 …하다. **constrain oneself** 무리를 하다; 자제하다. **constraining force** 〔物〕 속박력. **feel constrained** 하는 수 없다고 여기다; 거북하게 느끼다. ◇ constráint *n.*

con·strained[kənstréind] *a.* 강제적인; 부자연한, 무리한; 거북한 듯한, 어색한; 〔機〕 한정된: a ~ manner 어색한 태도/~ motion 〔物〕 속박 운동.

con·strain·ed·ly[kənstréinidli] *ad.* 억지로, 하는 수 없이; 부자연하게; 난처하여.

*⁎***con·straint**[kənstréint] *n.* Ⓤ **1** 강제, 압박; 속박. **2** 거북〔조심〕스러움, 어색함. **by constraint** 무리하게, 억지로. **feel〔show〕 constraint** 거북하게 느끼다, 스스러워하다. **under〔in〕 constraint** 강제당하여, 억지로, 하는 수 없이. ◇ constráin *v.*

con·strict[kənstríkt] *vt.* 죄다; 압축하다; 수축시키다; 〈활동 등을〉 억제〔제한〕하다.

con·stric·tion[kənstríkʃən] *n.* Ⓤ 긴축, 압축, 수축; 바싹 죄어지는 듯한 느낌, 속박감; Ⓒ 죄는〔죄어지는〕 것.

con·stric·tive[kənstríktiv] *a.* 바싹 죄는, 긴축적인, 괄약적(括約的)인, 수렴성의.

con·stric·tor[kənstríktər] *n.* 압축시키는 것; 〔解〕 괄약〔수축〕근;(혈관의) 압박기; 먹이를 졸라 죽이는 큰 뱀(boa constrictor).

con·stringe[kənstríndʒ] *vt.* 수축시키다, 수렴시키다; 긴축하다.

con·strin·gen·cy[-ənsi] *n.* Ⓤ 수축, 수렴(성). **-gent**[-dʒənt] *a.* 긴축하는; 수렴성의.

con·stru·a·ble[kənstrúːəbəl] *a.* 해석〔해부〕할 수 있는.

con·struct[kənstrʌ́kt] [L] *vt.* **1** 짜맞추다, 세우다, 건설〔건조〕하다(*opp.* destroy): 《Ⅰ *be pp.*》 A subway is being ~*ed.* 지하철이 건설되고 있다. **2** 〔幾〕 작도하다, 그리다. **3** 〈문장·논문 등을〉 작성하다, 구성하다.
— *n.* **1** 건조〔구조〕물; 구성. **2** 〔心〕 구성 개념. **~·ed** *a.* 《미俗》 몸매가 좋은 〈여자〉. **~·i·ble** *a.*

⁑**con·struc·tion**[kənstrʌ́kʃən] *n.* **1** Ⓤ,Ⓒ 건조, 건설, 건축, 축조; 건설 공사〔작업〕; 건설〔건축〕업: ~ work 건설 공사. **2** 건물, 건조물; 조립식 무대 장치. **3** Ⓤ 구조; 건축 양식, 구조법: steel ~ 철골 구조. **4** Ⓤ 〔幾〕 작도. **5** Ⓤ 〔美〕 구성. **6** 〔文法〕 구문, (어구의) 구성. **7** (어구·문장·법률·행위 등의) 해석. **bear a construction** 어떤 해석을 할 수 있다. **put a false construction on** 〈남의 언행을〉 일부러 곡해하다. **put a good〔bad〕 construction upon** …을 선의〔악의〕로 해석하다. **under〔in course of〕 construction** 건설중(인), 공사중(인).
◇ constrúct *v.*; constrúctive *a.*

con·struc·tion·al *a.* 건설상의; 구성적인, 구조상의; 해석상의. **~·ly** *ad.*

con·struc·tion·ism *n.* Ⓤ 〔美〕 구성주의. **-ist** *n.* **1** (법률) 해석자. **2** 구성파 화가.

constrúction pàper 미술 공작용 색판지.

*__con·struc·tive__[kənstrʌ́ktiv] *a.* **1** 건설적인(*opp.* destructive): ~ criticism 건설적〔적극적〕 비판. **2** 구조적인, 구성적인. **3** 〔法〕 해석에 의한; 추정적인: ~ crime 추정 범죄. **4** 〔幾〕 작도의. **~·ly** *ad.* **~·ness** *n.*

con·struc·tiv·ism[-ìzəm] *n.* Ⓤ 〔美〕 구성주의. **-ist** *n.*

con·struc·tor[kənstrʌ́ktər] *n.* 건설자, 건조자; 조선 기사.

*__con·strue__[kənstrú:] [L] *vt.* **1** …의 뜻으로 파악하다, 해석하다, 추론하다. **2** 축어적으로 번역하다. **3** 〈글의〉 구문을 설명하다, 글의 구성 요소를 분석하다. **4** 문법적으로 결합하다《*with*》: 'Rely' is ~*d* *with* 'on'. 'Rely' 는 'on' 과 결합하여 사용된다. — *vi.* 구문을 분석하다; (문법적으로) 분석할 수 있다; 해석할 수 있다(*cf.* CONSTRUCTION 7).
— *n.* 〔文法〕 **1** Ⓤ 구문 분석, 분석 연습. **2** 직역, 축어역. ◈ constrúction *n.*

con·sub·stan·tial[kànsəbstǽnʃəl/kɔ̀n-] *a.* 동질의, …와 동체의《*with*》. **~·ism** *n.* 〔神學〕 Ⓤ 성체 공존설; 삼위 일체설. **~·ist** *n.* **~·ly** *ad.*

con·sub·stan·ti·al·i·ty[kànsəbstæ̀nʃiǽləti] *n.* Ⓤ 동체〔동질〕임; 삼위 일체.

con·sub·stan·ti·ate[kànsəbstǽnʃièit/kɔ̀n-] *vt.* 동체〔동질〕로 하다. — *vi.* **1** 동체가 되다. **2** 성체 공존설을 믿다.

con·sub·stan·ti·a·tion[kɑnsəbstæ̀nʃiéiʃən] *n.* Ⓤ 〔神學〕 성체 공존(설).

con·sue·tude[kɑ́nswitjù:d/kɔ́n-] *n.* Ⓤ 관습(custom); 관례(usage).

con·sue·tu·di·nar·y[kɑ̀nswitjú:dənèri/kɔ̀nswitjú:dinəri] *a.* 관습의, 관례상의: the ~ law 관습법, 불문율. — *n.* (*pl.* **-nar·ies**) 관례서(書), (수도원 등의) 의식서.

*__con·sul__[kɑ́nsəl] *n.* **1** 영사. **2** 〔로마史〕 집정관(執政官)《정원 2명》; 〔프랑스史〕 집정《1799-1804의 최고 행정관》. **acting**〔**honorary**〕 **consul** 대리〔명예〕 영사.

con·sul·age[kɑ́nsəlidʒ/kɔ́n-] *n.* Ⓤ 〔商〕 영사 증명 수수료.

con·su·lar[kɑ́nsələr] *a.* **1** 영사(관)의: a ~ assistant 영사보(補)/a ~ attache〔clerk〕 영사관 직원〔서기〕. **2** 〔로마史〕 집정관의.
— *n.* 〔로마史〕 집정관과 동격인 사람《전(前) 집정관 등》. ◈ cónsul *n.*

cónsular ágent 영사 대리.

cónsular ínvoice 영사 증명 송장(送狀).

con·su·late[kɑ́nsəlit/kɔ́nsju-] *n.* **1** 영사관. **2** =CONSULSHIP. **3** (the C-) 〔프랑스史〕 집정 정부 시대(1799-1804).

cónsulate géneral 총영사관〔직〕.

cónsul géneral 총영사.

con·sul·ship[kɑ́nsəlʃìp/kɔ́n-] *n.* Ⓤ 영사의 직〔임기〕.

⁑__con·sult__[kənsʌ́lt] [L] *vt.* **1** 〈전문가에게〉 의견을 묻다, 상담〔상의〕하다; 〈의사에게〉 보이다, 진찰을 받다: ~ a watch (시간을 알려고) 시계를 보다/《Ⅲ (목)+뿌》 You should ~ the doctor first. 우선 의사에게 진찰부터 받아보세요. **2** 〈참고서 · 사전 등 을〉 참고하다, 찾다. **3** 고려하다《◇ 현재는 consider 쪽이 일반적》. **consult a mirror** (안색을 살피려고) 거울을 보다. **consult** one's **own interests**〔**convenience**〕 자기의 이해〔편의〕를 고려하다. **consult a** person's **pleasure** …의 형편이 어떤가 묻다. **consult** one's **pillow** 자면서 찬찬히 생각하다. — *vi.* **1** 상의〔의논〕하다; (변호 등에게) 조언을 구하다《*with*》: ~ *with* a person *about*〔*on*〕 a matter 어떤 일에 대해 남과 상의하다. **~·er** *n.* ◈ consultátion *n.*; consúltative, consúltatory *a.*

con·sul·tan·cy[kənsʌ́ltənsi] *n.* 컨설턴트업(業); 상담.

*__con·sul·tant__[kənsʌ́ltənt] *n.* **1** 상의자(consulter). **2** 컨설턴트, 상담역, 고문《기술자 · 전문가 등》; 고문 전문의《병원의 상급 의사》.

*__con·sul·ta·tion__[kɑ̀nsəltéiʃən/kɔ̀n-] *n.* **1** Ⓤ 상의, 상담, 협의; 자문; 진찰〔감정〕을 받음. **2** 전문가의 회의; 협의회, 심의회. **3** Ⓤ (서적 등의) 참고, 참조.
◈ consúlt *v.*; consúltative, consúltatory *a.*

con·sul·ta·tive, -to·ry[kənsʌ́ltətiv], [-tɔ̀:ri/-təri] *a.* 상의〔평의, 협의〕의; 자문의: a ~ body 자문 기관.

con·sult·ing[kənsʌ́ltiŋ] *a.* 자문의, 고문(자격)의; 진찰 전문의; 진찰을 위한: a ~ engineer 고문 기사/a ~ physician 고문 전문의《동료 · 환자의 자문에 응하는》/a ~ room 진찰실; 협의실/~ hours 진찰 시간.

con·sul·tive[kənsʌ́ltiv] *a.* =CONSULTATIVE.

con·sul·tor[kənsʌ́ltər] *n.* 상담자, 충고자; 《특히》 로마 성성(聖省) 고문.

con·sum·a·ble[kənsú:məbəl] *a.* 소비〔소모〕할 수 있는: a ~ ledger 소모품 원장〔원부〕. — *n.* (보통 *pl.*) 소모품, 소비재.

⁑__con·sume__[kənsú:m] [L] *vt.* **1** 다 써버리다, 소비하다, 소모하다; 낭비하다: ~ one's energy 힘을 다 써버리다. **2** 〈사람이〉 다 먹어〔마셔〕 버리다: ~ a whole bottle of whiskey 위스키 한 병을 다 마셔 버리다. **3** 소멸시키다, 파괴하다, 〈화염이〉 태워 버리다《*away*》: 《Ⅲ (목)+뿌》 The fire ~*d* half the forest *away.* 화재로 그 삼림의 절반이 소실되었다/《Ⅰ *be pp.*+전+명》 The village was ~*d* by fire 마을이 몽땅 불타 버렸다. **4** (금전 · 시간 따위를) 낭비하다《*away*》. **5** 《보통 수동태 · 재귀용법》 〈질투 · 증오 · 야심 등이〉 〈사람을〉 열중하게 하다; 〈사람의 마음에〉 파고들다; (감정에) 사로잡히다, 압도되다《*with*》: 《Ⅰ *be pp.*+전+명》 He is ~*d* *with* greed 그는 욕심을 부린다/She is ~*d with* envy〔jealousy〕. 그녀는 시기〔질투〕에 사로잡혀 있다/He is ~*d with* ambition. 그는 야망에 차 있다/《Ⅰ *be pp.*+전+명+〈*to do*〉》 He is ~*d with* a desire to conquer. 그는 정복욕에 불타고 있다/《Ⅲ (목)+전+명》 She ~*d* herself *with* resentment. 그녀는 분노에 사로잡혔다.
— *vi.* **1** 소비되다, 다하다, 소멸하다. **2** 타 버리다, 소실하다. **3** 〈생물이〉 점점 쇠약해지다; 바싹 여위다, 초췌해지다《*away*》: 《Ⅰ 뿌+뿌》 The blossoms ~ *away* quickly. 그 꽃은 곧 진다/《Ⅰ 뿌+전+명》 She ~*d away with* grief. 그녀는 슬픔으로 초췌해졌다.
◈ consúmption *n.*; consúmptive *a.*

con·sum·ed·ly[-idli] *ad.* 극도로, 몹시(excessively).

*__con·sum·er__[kənsú:mər] *n.* 소비자(*opp.* producer): an association of ~*s* =《미》 a ~*s'* union 소비자 (협동)조합.

consúmer crédit (은행 · 소매점 등에 의한) 월부 구매자에 대한 신용.

consúmer dúrables 내구(耐久) 소비재.

con·sum·er·ism[kənsú:mərìzəm] *n.* Ⓤ 소비자 중심주의, 소비자 보호 운동. **-ist** *n., a.* 소비자 중심주의자(의).

con·sum·er·i·za·tion[kənsù:mərizéiʃən] *n.* 〔經〕 소비(확대)화 (정책).

consúmer orientàtion 〔마케팅〕 소비자

지향(指向).

consúmer prìce ìndex 〔經〕 소비자 물가 지수.

consúmer resèarch 소비자 수요 조사.

consúmer resístance 소비자 저항.

consúmer(s) gòods〔items〕 〔經〕 소비재 (*opp.* producer(s') goods).

consúmer strike (소비자의) 불매 운동.

con·sum·ing[kənsúːmiŋ] *a.* **1** 소비하는: ~ public 일반 소비자. **2** 태워버리는 (정도의). **3** 여위게 하는, 애태우는.

*__con·sum·mate__[kánsəmèit/kɔ́n-] 《文語》 *vt.* **1** 완성〔완료〕하다; 극점에 달하게 하다. **2** 〈혼례를〉 마치다, 신방에 들어 〈결혼을〉 완성시키다. — *a.* **1** 완성된, 더없는, 완전한. **2** 유능한; 극도의, 엄청난. **~·ly** *ad.*
◇ consummátion *n.*; cónsummative *a.*

con·sum·ma·tion[kànsəméiʃən/kɔ̀n-] *n.* Ⓤ **1** 성취, 완수, 완성, 완료; 완전(한 경지), 극치; 죽음, 종말; 〈목적 등의〉 달성; 결혼의 완성 (=~ of marriage)《신방 차리기》. **2** 〔法〕 기수(旣遂).

con·sum·ma·tive[kánsəmèitiv/kɔ́n-] *a.* 완성하는, 끝손질의; 완전한. **~·ness** *n.*

con·sum·ma·tor[kánsəmèitər/kɔ́nsʌm-] *n.* 완성자, 실행자; (한 분야의) 명수.

con·sum·ma·to·ry[kənsʌ́mətɔ̀ri/-təri] *a.* **1** 완전한; 완성하는. **2** 〔心〕 완료 행동의.

consúmmatory behávior 〔生態〕 자극이나 분명한 동인〔충동〕의 만족에 반사하여 생기는 형태〔행동 양식〕.

*__con·sump·tion__[kənsʌ́mpʃən] *n.* Ⓤ **1** 소비 (*opp.* production); 소비량〔액〕: The speech was meant for foreign ~. 그 연설은 외국인에게 들려주기 위한 것이었다. **2** (체력 등의) 소모, 소진. **3** 《古》 폐병(=pulmonary ~).
◇ consúme *v.*; consúmptive *a.*

consúmption crédit =CONSUMER CREDIT.

consúmption dùty〔tàx〕 소비세.

consúmption gòods 소비재.

con·sump·tive[kánsʌ́mptiv] *a.* **1** 《古》 폐병의, 폐병질〔성〕의. **2** 소비의, 소모성의. *n.* 《古》 폐병 환자. **~·ly** *ad.* **~·ness** *n.*

cont. containing; content(s); continent; continental; continue(d); contract; control.

Cont. Continental.

con·ta·bes·cence[kàntəbésns/kɔ̀n-] *n.* 위축, 소모; 〔植〕 수술·꽃가루의 위축.

*__con·tact__[kántækt/kɔ́n-] [L] *n.* Ⓤ **1** 접촉, 맞닿음; 접촉물. **2** (종종 *pl.*) 《미》 교제, 친교(associations)《*with*》; 연락(을 취함); 연줄(connection). **3** 〔電〕 접촉, 혼선; 〔數〕 상접(相接), 접촉. **4** 〔心〕 접촉(감); **5** Ⓒ (상업적 목적으로) 교섭하고 있는 사람; 《미口》 중계 역할을 할 수 있는 사람. **6** 〔通信〕 교신; 〔軍〕 접전, (비행기에 의한 지상 전진 부대와의) 연락, 육안에 의한 지상 관찰. **7** Ⓒ 〔醫〕 보균 용의자. **8** (*pl.*) 《口》 =CONTACT LENS. **be in〔out of〕 contact with** …와 접촉하고 있다〔있지 않다〕; …와 가까이하고 있다〔있지 않다〕. **break〔make〕 contact** 전류를 끊다〔통하다〕; (…와) 교제를 끊다〔시작하다〕《*with*》. **bring** (one thing) **into contact with** (another) (다른 것)과 접촉시키다. **come in〔into〕 contact with** …와 접촉하다; 만나다 (come across). **point of contact** 〔數〕 접점. **the path of contact** 〔數〕 접점 궤적(軌跡). — *a.* 접촉의〔에 의한〕; 〔空〕 접촉〔시계〕 비행의. — *ad.* 〔空〕 접촉〔시계〕 비행으로. **fly contact** 접촉〔시계〕 비행을 하다.

— [kántækt, kəntǽkt/kɔ́ntækt] *vt.* **1** 접촉시키다; 교제시키다. **2** 〔通信〕 교신하다, …와 연락하다: 《Ⅲ (목)+부+(부구)》 How can I ~ you as soon as possible? 어떻게 해야 가급적 빨리 연락을 취할 수 있을까요. **3** 《口》 …와 아는 사이가 되다; 연줄을 달다. — *vi.* (서로) 접촉하다; 교제하다; 연락하다; 〔通信〕 교신하다《*with*》. — *int.* 〔空〕 준비완료.

cóntact àgent 〔化〕 촉매제(catalyzer).

con·tac·tant *n.* (피부나 점막을 통한) 알레르기 유발 물질.

cóntact appròach 〔空〕 유시계(有視界) 진입.

cóntact brèaker (전류의) 차단기.

cóntact catàlysis 〔化〕 접촉〔촉매〕 작용.

contact dermatìtis 〔醫〕 접촉 피부염.

con·tact·ee[kàntæktíː/kɔ̀n-] *n.* (공상 과학 소설에서) 피(被)접촉자《우주인과의》.

cóntact electrìcity 〔電〕 접촉 전기.

cóntact flỳing〔flìght〕 〔空〕 접촉 비행, 유시계(有視界) 비행 (*opp.* instrument flying).

cóntact hìgh 《미俗》 감염〔간접〕 도취《마약 도취자와 접하거나 연기 냄새로 취하기》.

cóntact inhibìtion 〔生〕 접촉 저지《배양 세포가 서로 접촉하여 기능이 정지되기》.

cóntact lèns 콘택트 렌즈.

cóntact màker (전류의) 접촉기.

cóntact màn (거래 등의) 중개자, 정보 제공자; (관공서 등에 대한) 섭외자; (스파이 등의) 연락원.

cóntact metamórphism 〔地質〕 접촉 변성 작용.

cóntact mìne 촉발 수뢰〔기뢰, 지뢰〕.

con·tac·tor[kántæktər, kəntǽk-] *n.* 〔電〕 접촉기.

cóntact pàper 〔寫〕 밀착(인화)지.

cóntact potèntial 〔電〕 접촉 전위차.

cóntact prìnt 〔寫〕 밀착 인화.

cóntact pròcess 〔化〕 (황산 제조의) 접촉법.

cóntact vìsit 접촉 방문《수감자와 방문자의 악수·포옹 등이 허용됨》.

con·ta·gion[kəntéidʒən] *n.* **1** Ⓤ 접촉 전염, 감염 (*cf.* INFECTION). **2** Ⓤ (접촉) 전염병 (contagious disease): a ~ ward 전염 병동. **3** Ⓤ,Ⓒ 전염력; 감화력, 나쁜 감화, 폐풍《*of*》.

*__con·ta·gious__[kəntéidʒəs] *a.* **1** (접촉) 전염성의; 만연하는, 전파하는. **2** (사람이) 전염병을 가지고 있는 보균자인. **3** 옮기 쉬운 (catching). **~·ly** *ad.* 전염적으로.

con·tá·gium[kəntéidʒəm, dʒiəm] *n.* (바이러스 등) 전염병 유발 인자.

★__con·tain__[kəntéin] [L] *vt.* **1** (안에) 담고 있다, 내포하다, 포함하다, 품다, 담을 수 있다. **2** 〈얼마〉 들어가다(hold); 〈얼마〉와 같다: A pound ~*s* 16 ounces. 1파운드는 16온스다. **3** 〈감정 등을〉 억누르다, 참다. **4** 〔軍〕 견제하다; 〈적국에〉 봉쇄 정책을 쓰다. **5** 〔幾〕 〈변이 각을〉 끼다, 〈도형을〉 에워싸다; 〔數〕 〈어떤 수로〉 나누어지다, 〈어떤 수를〉 인수로 가지다: 10 ~*s* 5 and 2. 10은 5와 2로 나누어진다. **a contained angle** 협각(夾角). **a containing attack〔force〕** 〔軍〕 견제 공격〔부대〕. **contain oneself** 자제하다, 참다: 《Ⅲ (목)+전+명》 She could not *contain herself* for joy. 그녀는 기쁨을 자제할 수 없었다. **~·a·ble** *a.*
◇ cóntent[1], contáinment *n.*

con·tained[kəntéind] *a.* 억제〔자제〕하는, 조심스러운.

*__con·tain·er__[kəntéinər] *n.* 그릇, 용기; (화물 수송용) 컨테이너.

con·tain·er·board[kəntéinərbɔ̀ːrd] *n.* 용

기용 판지.
contáiner càr 〔鐵道〕 컨테이너(전용) 차량.
con·tain·er·ize[kəntéinəràiz] *vt.* 〈화물을〉 컨테이너에 싣다, 컨테이너로 수송하다; 〈시설을〉 컨테이너 수송 방식으로 하다.
con·tàin·er·i·zá·tion[kəntèinərizéiʃən] *n.* Ⓤ 컨테이너화, 컨테이너 수송.
con·tain·er·port[kəntéinərpɔ̀:rt] *n.* 컨테이너 하역(荷役)작업 부두.
con·tain·er·ship[kəntéinərʃìp] *n.* 컨테이너선(船).
contáiner shìpping(화물의) 컨테이너 수송.
contáiner sỳstem 컨테이너 수송 방식.
con·tain·ment[kəntéinmənt] *n.* Ⓤ 견제, 억제; 봉쇄 (정책): a ~ policy 봉쇄 정책.
contáinment bòom (유출 석유의 확산을 막는) 봉쇄 방재(防材).
con·tam·i·nant[kəntǽmənənt] *n.* 오염균〔물질〕.
con·tam·i·nate[kəntǽmənèit] *vt.* **1** (폐기물·병원균 등으로) 더럽히다, 오염시키다 (defile), (특히 방사능으로) 오염시키다. **2** 악에 물들게 하다(taint), 타락시키다.
***con·tam·i·na·tion**[kəntæ̀mənéiʃən] *n.* **1** Ⓤ 오염, 오탁; 더러움; Ⓒ 오탁물. **2** Ⓤ 〔軍〕 독가스〔방사능〕에 의한 오염: radioactive ~ 방사능 오염. **3** Ⓤ (원문·기록·이야기 등의) 혼합; 〔言〕 혼성(blending), Ⓒ 혼성어.
con·tam·i·na·tive[kəntǽmənèitiv/-nətiv] *a.* 오염적인, 오탁성의.
con·tam·i·na·tor[kəntǽmənèitər] *n.* 오염시키는 것〔사람〕.
con·tan·go[kəntǽŋgou] *n.* (*pl.* ~(e)s) 《영》 〔證券〕 (런던 증권 거래소에서의) 증권 결제 유예금. **contango day** 《영》 증권 결제일.
contd. contained; continued.
conte[kɔ̃:nt] [F] *n.* 〔文學〕 콩트, 단편.
con·temn[kəntém] *vt.* 《文語》 경멸하다, 업신여기다. **con·témn·er, con·tém·nor** [-témnər] *n.*
contemp. contemporary.
‡**con·tem·plate**[kάntəmplèit/kɔ́ntem-] [L] *vt.* **1** 응시하다, 정관(靜觀) 하다. **2** 심사 숙고하다, 잘 생각하다; 묵상하다. **3** 예기〔예상〕하다. **4** 기도하다, …하려고 생각하다(intend): 《Ⅲ (목)+-*ing*》 She ~*d* go*ing to* a health resort. 그녀는 보양지(保養地)로 갈까 생각했다. ── *vi.* 정관하다, 심사숙고하다, 묵상하다; (종교적으로) 명상하다. **-plat·ing·ly** *ad.*
◇ contemplátion *n.*; contémplative *a.*
***con·tem·pla·tion**[kὰntəmpléiʃən/kɔ̀ntem-] *n.* Ⓤ **1** 응시, 정관. **2** 묵상; 숙고. **3** 예기, 예상; 기도, 계획. **be in**〔**under**〕 **contemplation** 계획중이다. **be lost in contemplation** 묵상에 잠겨 있다. **have (something) in**〔**under**〕 **contemplation** …을 계획하고 있다. **in contemplation of** …을 예기〔고려〕하여.
◇ cóntemplate *v.*; contémplative *a.*
con·tem·pla·tive[kəntémplətiv, kάntəm-] *a.* 정관적〔관조적〕인, 묵상적인, 묵상에 잠겨 있는: a ~ life (은거자 등의) 묵상적 생활. ── *n.* 묵상에 잠기는 사람《특히 수도사·수녀》. **~·ly** *ad.*
con·tem·pla·tor[kάntəmplèitər, -tem-] *n.* 숙고〔묵상〕자, 깊이 생각하는 사람.
con·tem·po *a.* 《口》 최신의; 현대의, 새로운.
con·tem·po·ra·ne·i·ty[kəntèmpərəní:əti] *n.* Ⓤ 같은 시대〔시기〕임.
con·tem·po·ra·ne·ous[kəntèmpəréiniəs] *a.* 《文語》 동시 존재〔발생〕의, 동시성의; (…와) 동시대의《*with*》. **~·ly** *ad.* **~·ness** *n.*
‡**con·tem·po·rar·y**[kəntémpərèri/-pərəri] [L] *a.* **1** …와 같은 시대의《*with*》, 그 당시의: ~ accounts 당시의 기록/Those dramatists were all ~ *with* Shakespeare. 그 극작가들은 모두 셰익스피어와 같은 시대였다. **2** 현대의; 최신의: ~ literature〔writers〕 현대 문학〔작가〕/~ opinion 시론(時論). ── *n.* (*pl.* **-rar·ies**) 같은 시대의 사람; 현대인; 동기생; 동년배의 사람; 같은 시대의 신문〔잡지 《등》〕. **our contemporaries** 우리와 같은 시대의 사람들, 현대인들. **our contemporary** 〔新聞〕 동업지. **con·tèm·po·rár·i·ly**[-rérəli] *ad.*
◇ contemporanéity *n.*; contémporize *v.*
‡**con·tempt**[kəntém*p*t] *n.* Ⓤ **1** 경멸, 멸시, 업신여김, 모욕《*for*》. **2** 치욕, 창피, 수치. **3** 〔法〕 모욕죄. **beneath contempt** 경멸할 가치조차 없는. **bring**〔**fall**〕 **into contempt** 창피를 주다〔당하다〕. **bring upon oneself the contempt of** …의 멸시를 초래하다. **contempt of court** 법정 모욕죄. **have a contempt for** …을 경멸하다. **hold**〔**have**〕 **in contempt** …을 업신여기다, 〈물건을〉 천히 여기다. **in contempt of** …을 경멸하여. **show contempt** 경멸하다.
◇ contémptuous *a.*
***con·tempt·i·ble**[kəntém*p*təbəl] *a.* 경멸할만한, 멸시할, 타기할, 치사한, 비열한, 한심한. **-bly** *ad.* **con·tèmpt·i·bíl·i·ty**[-bíləti] *n.*
***con·temp·tu·ous**[kəntém*p*tʃuəs] *a.* 사람을 얕잡아보는, 경멸적인; …을 경멸하는《*of*》. **~·ly** *ad.* 경멸하여. **~·ness** *n.* Ⓤ 오만 무례. ◇ contémpt *n.*
‡**con·tend**[kənténd] [L] *vi.* **1** 겨루다, 다투다: ~ *with* a person *for* a prize …와 상을 다투다/《Ⅲ *v*Ⅰ+전+(목)》 The two teams ~ *for* the Cup. 그 두 팀이 우승컵을 겨룬다(=The Cup is ~*ed for* by the two teams.《Ⅰ *be pp.*+전+전+명》). **2** 싸우다, 항쟁하다《*with*》; 투쟁하다《*with, against*》: ~ *for* freedom 자유를 위해 싸우다/~ *against* one's fate 운명과 싸우다/《Ⅲ *v*Ⅰ+전+(목)+전+명》 Napoleons troops ~*ed with* the armies of Europe of Waterloo. 나폴레옹의 군대는 워털루에서 유럽 연합군과 싸웠다. **3** 논쟁하다: ~ *with* a person *about* a matter 어떤 일로 …와 논쟁하다. **have much to contend with** 많은 곤란〔문제〕이 있다. ── *vt.* (강력히) 주장하다: 《Ⅲ *that*(절)》 Columbus ~*ed that* the earth is round. 콜럼버스는 지구가 둥글다고 주장했다. **~·er** *n.* **~·ing·ly** *ad.*
◇ conténtion *n.*; conténtious *a.*
‡**con·tent**[1][kəntént] [L] *a.* (서술적) **1** 만족하여; (…하는 것만으로) 만족하여, 안심하여: 《Ⅱ 형+전+명》 She is ~ *with* the result. 그녀는 그 결과에 만족하고 있다/He is not ~ *to* accept failure. 그는 실패를 받아들일 마음이 없다. **2** 기꺼이 (…하는)(willing)《*to* do》: 《Ⅱ 형+*to* do》 I am well ~ *to* remain here. 나는 기꺼이 여기에 남겠다/《Ⅱ 형+전+-*ing*》 She was ~ *with* eat*ing* dry bread. 그녀는 기꺼이 건빵을 먹었다. **3** 〔영上院〕 찬성하여《◇ yes, no 대신에 ~, not ~라고 말함; 영국 하원에서는 aye, no라고 함》. **cry content with** …에 만족하다. **live**〔**die**〕 **content** 만족하고 살다〔죽다〕. ── *vt.* (주로 ~ one*self* 로) 만족을 주다, 만족시키다, …에 만족하다《*with*》: 《Ⅴ (목)+전+-*ing*》 He ~*ed* himself *with* invit*ing* neighbors. 그는 이웃 사람들을 초대하고서 만

족했다. ── *n.* Ⓤ 《文語》 만족(*opp.* discontent): (*pl.*) 〔영上院〕 찬성 투표(자)(*opp.* noncontent). **in content** 만족하여. **to one's heart's content** 마음껏, 실컷, 충분히.
~·less *a.* ⊕ conténtment *n.*

con·tent² [kántent/kɔ́n-] *n.* Ⓤ 《◇ 단수형은 대개 추상적인 의미나 성분의 양을 표시하고, 복수형은 대개 구체적인 것을 가리킴》. **1** (보통 *pl.*) 내용, 알맹이, (서적·문서 등의) 내용. **2** (*pl.*) (서적 등의) 차례, 목차, 내용: the (*table of*) ~*s* 차례, 목록. **3** (형식에 대하여) 내용(*opp.* form): 취지, 요지, 진의: 〔哲〕 개념의 내용: 〔心〕 반응 내용. **4** 함유량, 산출량, (어떤 용기의) 용량: 〔幾〕 용적, 면적: solid 〔cubic〕 ~(*s*) 용적, 체적. ⊕ contáin *v.*

cón·tent-ad·dress·a·ble mémory 〔컴퓨터〕 연상 기억 장치.

cóntent anàlysis 〔心〕 내용 분석.

con·tent·ed [kənténtid] *a.* 만족하고 있는(satisfied)《*with*》: 흡족해 하는, 달갑게 …하는: a ~ look〔smile〕 만족스러운 표정〔미소〕.
~·ly *ad.* **~·ness** *n.*

con·ten·tion [kəntén∫ən] *n.* **1** Ⓤ,Ⓒ 말다툼, 논쟁, 논전. **2** 논쟁점, 주장. **3** Ⓤ 투쟁. **a bone of contention** 분쟁〔불화〕의 원인.
⊕ conténd *v.*: conténtious *a.*

con·ten·tious [kəntén∫əs] *a.* 다투기 좋아하는, 논쟁하기 좋아하는(quarrel some): 〈문제 등이〉 이론(異論)이 분분한, 말썽이 있는: 〔法〕 계쟁(係爭)의: a ~ case 계쟁〔소송〕 사건.
~·ly *ad.* **~·ness** *n.*

con·tent·ment [kənténtmənt] *n.* Ⓤ 만족(함), 흡족해함. ⊕ contént² *a.*, *v.*

cóntent sùbject 〔教育〕 내용 과목《실용 과목과 대조하여 철학·역사 등 그 자체를 목적으로 하는 교과: *cf.* TOOL SUBJECT》.

cóntent wòrd 〔文法〕 내용어《실질적 의미 내용을 가진 낱말》(*cf.* FUNCTION WORD).

con·ter·mi·nous, -minal [kəntə́ːrmənəs/kɔn-], [-nəl] *a.* =COTERMINOUS. **~·ly** *ad.* **~·ness** *n.*

★**con·test** [kántest/kɔ́n-][L] *n.* **1** 논쟁, 논전: beyond ~ 논쟁의 여지없이, 분명히. **2** 경쟁: 경기, 경연, 콘테스트: a speech ~ 변론대회/a beauty ~ 미인 대회. **3** 다툼, 항쟁, 싸움(strife): a bloody ~ for power 피비린내 나는 권력 투쟁. ── *vt.* **1** 논쟁하다, 다투다(dispute): ~ a suit 소송 싸움을 하다. **2** 〈승리·상·의석 등을 얻고자〉 다투다, 겨루다《*with, against*》: ~ a victory *with* a person …을 상대로 승리를 겨루다. **3** 이의를 제기하다. ── *vi.* 논쟁하다: 경쟁하다《*with, against, for*》: 《Ⅲ *v*ɪ +전+(목)+전+명》 He ~*ed with* the opponent in an argument. 그는 토론에서 반대자와 논쟁했다/《Ⅲ *v*ɪ +전+(목)》 The two teams were ~*ing for* the trophy. 그 두 팀이 트로피를 겨루고 있었다. **~·er** *n.*
⊕ contestátion *n.*

con·test·a·ble [kəntéstəbəl] *a.* 다툴 수 있는, 논쟁할 수 있는. **-bly** *ad.*

con·tes·tant [kəntéstənt] *n.* 경기자: 논쟁자, 경쟁자, 경쟁 상대: 이의 신청자.

con·tes·ta·tion [kàntestéi∫ən/kɔ̀n-] *n.* Ⓤ 논쟁, 쟁론: 쟁송(爭訟): 쟁점. **in contestation** 계쟁중의.

con·test·ed [kəntéstid] *a.* 경쟁의, 이론이 있는.

contésted eléction 《영》 경쟁 선거: 《미》 당선 무효 소송을 제기한 선거.

con·test·ee [kàntestíː/kɔ̀n-] *n.* 경쟁자, 경기자.

con·text [kántekst/kɔ́n-][L] *n.* Ⓒ,Ⓤ 문맥, (문장의) 전후 관계: (어떤 일의) 정황, 배경, 환경. **context of situation** 〔言〕 장면적 문맥《언어가 사용되는 장면을 중시》. **in this context** 이러한 관계〔정황〕에 있어서(는). **out of context** 문맥을 벗어나, 전후 관계 없이. ⊕ contéxtual *a.*

con·tex·tu·al [kəntéks∫uəl] *a.* (문장의) 전후 관계의, 문맥상의. **~·ly** *ad.*

con·tex·tu·al·ism [-ìzəm] *n.* Ⓤ 〔哲〕 콘텍스트 이론《언명·개념은 문맥을 떠나서는 의미를 이루지 못한다는 이론》.

con·tex·tu·al·ize [kantékst∫uəlàiz/kɔn-] *vt.* …의 상황〔문맥〕을 설명하다, 맥락화하다.

con·tex·ture [kəntékst∫ər] *n.* Ⓤ,Ⓒ 조직, 구조: 얽어 짠 것: 문장의 구성: 직물(fabric).

contg. containing.

con·ti·gu·i·ty [kàntəgjúː(ː)iti/kɔ̀n-] *n.* (*pl.* **-ties**) Ⓤ,Ⓒ 접근(proximity): 접촉, 인접, 연속, 연속된 넓이: 〔心〕 (시간·공간상의) 접근.

con·tig·u·ous [kəntígjuəs] *a.* 접촉하는, 인접하는《*to*》: 〈사건 등〉 끊임없는, 접종(接踵)하는《*to, with*》. **~·ly** *ad.* **~·ness** *n.*

contin. continued.

con·ti·nence, -nen·cy [kántənəns/kɔ́n-] *n.* Ⓤ 《文語》 자제, 극기: (성욕의) 절제, 금욕: 배설 억제 능력.

★**con·ti·nent¹** [kántənənt/kɔ́n-] [L] *n.* 대륙: 육지: 본토: (the C-) (영국에 대해) 유럽 대륙: *on* the European *C*- 유럽 대륙에서는. **the Dark Continent** 암흑 대륙《아프리카》. **the New Continent** 신대륙《남북 아메리카》. **the Old Continent** 구대륙《유럽·아시아·아프리카》. ⊕ continéntal *a.*

continent² *a.* 《文語》 **1** 자제심이 있는, 극기의. **2** 성욕을 절제하는, 금욕의: 정숙한. **3** 배설 억제 능력이 있는. **~·ly** *ad.* 자제하여.

con·ti·nen·tal [kàntənéntl/kɔ̀n-] *a.* **1** 대륙의, 대륙성〔풍〕의. **2** (주로 **C-**) 유럽 대륙(풍)의. **3** (**C-**) 〔미史〕 (미국 독립 전쟁 당시의) 미국 식민지의. **4** 북미(대륙)의. ── *n.* **1** 대륙 사람: (주로 **C-**) 유럽 대륙 사람. **2** 〔미史〕 (독립 전쟁 당시의) 미국 대륙의 군대: 《미俗》 (폭락했던) 미국 지폐. **not care〔not worth〕 a continental** 《미俗》 조금도 개의치 않는〔한푼의 가치도 없는〕. **~·ìsm** [-ìzəm] *n.* Ⓤ 대륙주의, 대륙인 기질. **~·ìst** *n.* 유럽 대륙주의〔도취〕자. **~·ly** *ad.*
⊕ cóntinent¹ *n.*: continéntalize *v.*

Continéntal bílls 유럽 대륙으로 보내는 어음《영국에 보내는 어음은 sterling bills》.

continéntal bréakfast (빵과 커피〔홍차〕 정도의) 가벼운 아침 식사.

continéntal clímate 대륙성 기후.

continéntal códe 대륙 부호, 국제 모르스 부호.

Continéntal Cóngress (the ~) 〔미史〕 대륙 회의《독립을 전후하여 2회에 걸쳐 열린 여러 주 대표의 회의(1774, 1775-89)》.

continéntal divíde (the ~) 대륙 분수령〔계〕: (the C- D-) 《미》 로키 산맥 분수계.

continéntal dríft 〔地質〕 대륙 이동(설).

continéntal ísland 대륙에 딸린 섬(*opp.* oceanic island).

con·ti·nen·tal·ize *vt.* 대륙식으로 하다: 대륙적 규모로 하다, 대륙에 퍼뜨리다.

còn·ti·nèn·tal·i·zá·tion *n.* 대륙화.

continéntal quílt 《영》 =DUVET.

continéntal séating (종종 **C- s-**) 〔劇〕 특

히 중앙 통로를 두지 않고 좌석 사이를 넓게 잡는 배치 방식.
continéntal shélf 〔地〕 대륙붕.
continéntal slópe 〔地〕 대륙 사면.
Continéntal Súnday 대륙식 일요일(예배·휴식보다 위락으로 보내는).
Continéntal Sỳstem (the ~) 〔史〕 대륙 봉쇄(1806년 Napoleon의 영국에 대한).
continéntal térrace 대륙 단구(段丘).
Continéntal Tráilways (미) 미국 전역에 노선을 가진 버스 회사(약칭 Trailways).
con·tin·gen·cy[kəntíndʒənsi] *n.* (*pl.* **-cies**) **1** Ⓤ 우연성. **2** 우발 사건, 뜻밖의 사고; (우발 사건에 따른) 부수 사고. **3** 임시 비용. **future contingencies** 장차 일어날지도 모를 일. **in the supposed contingency** 만일 그런 일이 생기는 경우에. **not … by any possible contingency** 설마 …않을 것이다.
contíngency fùnd 우발 위험 준비금.
contíngency plàn 긴급 대책 계획.
contíngency resèrve 우발 손실〔위험〕 준비금.
contíngency tàble 〔統〕 분할표.
con·tin·gent[kəntíndʒənt] *a.* **1** …에 부수하는(*to*); …나름으로의, …을 조건으로 하는 (*on, upon*): a fee ~ *on* success 성공 사례금〔보수〕. **2** 혹 있을지도 모르는; 우발적인, 뜻밖의. **3** 〔論〕 우연적〔경험적〕인; 〔哲〕 결정론에 따르지 않는. **4** 〔法〕 불확정의: ~ remainder 불확정 잔여금. **contingent on**〔**upon**〕 …나름으로(의). ── *n.* **1** 분담(액). **2** 분견대〔함대〕; 파견단, 대표단. **3** 우연히 발생한 사항, 뜻밖의 일; 부수 사건. **~·ly** *ad.* 우연히; 의존적으로.
contíngent liabílity 〔法〕 불확정 책임(장래의 사건 발생에 따라 확정되는 책임).
contíngent trúth 우연적 진리(「영원한 진리」에 대하여).
con·tin·u·a[kəntínjuə] *n.* CONTINUUM의 복수.
con·tin·u·a·ble[kəntínjuəbəl] *a.* 계속할 수 있는.
⁑**con·tin·u·al**[kəntínjuəl] *a.* 계속적인; 자주 일어나는, 빈번한(*cf.* CONTINUOUS). ◇ contínue *v.*; contínually *ad.*; contínuance *n.*
⁑**con·tin·u·al·ly**[kəntínjuəli] *ad.* 계속해서, 계속적으로, 끊임없이, 줄곧; 빈번히.
*__con·tin·u·ance__[kəntínjuəns] *n.* Ⓤ,Ⓒ 계속, 존속, 연속, 지속; 체류(*in*); (이야기의) 계속; 계속 기간; 〔法〕 연기. **of long**〔**short, some**〕 **continuance** 오래〔잠시, 상당히〕 지속되는〔된〕. ◇ contínue *v.*; contínual *a.*
con·tin·u·ant[kəntínjuənt] 〔音聲〕 *a.* 계속음의(자음에 대하여 말함). ── *n.* 계속음(연장할 수 있는 자음[f, v, s, θ, r] 등).
*__con·tin·u·a·tion__[kəntìnjuéiʃən] *n.* **1** Ⓤ 계속됨, 계속; 연속. **2** (중단 후) 계속, 재개; (이야기 등의) 계속, 속편(sequel): *C*- follows. 이하 다음 호에 계속(To be continued.). **3** Ⓤ 계속됨, 지속, 존속. **4** Ⓤ 연장(*of*); 증축. **5** 〔商〕 (결산의) 이연(移延), 이월(移越) 거래. **6** (*pl.*) 짧은 바지의 무릎 이하의 부분; (俗) 바지. ◇ contínue *v.*; contínuative *a.*
continuátion dày (영) =CONTANGO DAY.
continuátion ràte (영) 이월 일변(日邊).
continuátion schòol (근로 청소년을 위한) 보습(補習)학교.
con·tin·u·a·tive[kəntínjuèitiv, -ətiv] *a.* 연속적인, 계속적인; 연달은; 〔文法〕 계속 용법의(*opp.* restrictive). ── *n.* 연속 하는 것; 〔文法〕 계속사(관계대명사·접속사·전치사 등). **~·ly** *ad.*
con·tin·u·a·tor[kəntínjuèitər] *n.* 계속자; 인계받은 사람, 계승자; 〔法〕 승계인.
★**con·tin·ue**[kəntínju:] [L] *vt.* **1** 계속하다, 지속하다(*opp.* stop): (Ⅲ *to* do/-*ing*) She ~*d to* read〔read*ing*〕 it intensively. 그녀는 계속해서 그것을 정독했다. **2** (일단 중단했다가 다시) 계속하다, 〈앞에〉 계속하여 진술하다: *C-d on*〔*from*〕 page 15. 15페이지로〔에서〕 계속. **3** 계속〔존속〕시키다: ~ a boy at school 소년을 계속 학교에 다니게 하다. **4** 연장하다. **5** 〔法〕 연기하다; 〔商〕 이월하다, 이연하다. **To be continued.** 이하 다음 호에 계속. ── *vi.* **1** 계속되다, 계속하고 있다: (Ⅰ 전+명) The program ~*d for* two hours. 그 프로그램은 두 시간 동안 계속되었다. **2** 존속하다, 계속하다; 머무르다(*at, in*): ~ *at* one's post 유임하다/~ in power〔office〕 권좌〔직무〕에 계속 머무르다. **3** (보어와 함께) 계속 …이다: (Ⅱ 형) She ~*s* obdurate. 그녀는 여전히 고집불통이다/The price of rice ~*s* firm. 쌀값엔 여전히 변동이 없다. **-u·er** *n.* 계속자; 연속물. ◇continuance, continuátion, contínuum, continúity *n.*; contínual, contínuous *a.*
con·tín·ued bónd 상환 연기 공채〔회사채〕.
contínued fráction 〔數〕 연(連)분수.
contínued propórtion 〔數〕 연비례.
contínued stóry 연재 소설(serial).
con·tin·u·ing[kəntínju:iŋ] *a.* 연속적인, 계속적인; 갱신할 필요가 없는, 영구적인.
contínuing educátion 계속 교육, 성인 교육(최신 지식·기능을 가르치는).
*__con·ti·nu·i·ty__[kàntənjú:əti/kɔ̀n-] *n.* (*pl.* **-ties**) **1** 연속성, Ⓤ 연속(상태) (⇨continuance); 계속; 연달음(unbrokenseries); (논리적인) 밀접한 연락. **2** 〔映·放送〕 촬영〔방송〕 대본, 콘티; (프로 사이에 넣는 방송자의) 연락말〔부분〕. ◇ contínue *v.*; contínuous *a.*
continúity gìrl〔**clèrk**〕 〔映〕 (각 쇼트마다 상세히 기록하는) 촬영 기록 담당원.
continúity prògram 〔商〕 계속 주문(고객의 중지 요청이 없는 한 계속).
con·tin·u·o[kəntínjuòu] [It] *n.* (*pl.* **~s**) 〔樂〕 통주 저음(通奏低音)(화성은 변하지만 저음은 일정한 것).
⁑**con·tin·u·ous**[kəntínjuəs] *a.* **1** 끊임없는, 연속적인, 간단없는, 그칠줄 모르는 〈비·소리 등〉. **2** 〔植〕 마디 없는. **~·ness** *n.* ◇ contínue *v.*; continúity *n.*
contínuous asséssment 연속 평가 방법 (학생의 공부를 과정의 단계마다 평가하는).
contínuous bráke (기차의) 관통(貫通) 브레이크.
contínuous cúrrent 〔電〕 직류.
contínuous fúnction 〔數〕 연속 곡선 함수.
contínuous gróup 〔數〕 연속군(群).
contínuous índustry 일관 생산업(원료에서 제품까지 한 곳에서 이루어지는).
⁑**con·tin·u·ous·ly**[kəntínjuəsli] *ad.* 계속해서, 연속적으로, 끊임없이.
contínuous spéctrum 〔物〕 연속 스펙트럼.
contínuous státionery (컴퓨터용) 연속 인자지(印字紙).
contínuous wáves 〔通信〕 지속파(略: CW).
con·tin·u·um[kəntínjuəm] *n.* (*pl.* **-ua**[-njuə]) 〔哲〕 연속(체); 〔數〕 연속체: a space-time ~ 시공(時空) 연속체(4차원).
con·to[kántou/kɔ́n-][Port] *n.* (*pl.* **~s**) 콘토 (화폐의 계산 단위, 브라질의 1,000 cruzeiros,

포르투갈의 1,000 escudos).

con·toid[kántɔid/kɔ́n-] *n.* 〔音聲〕 음성학적 자음(*cf.* VOCOID).

con·tor·ni·ate[kəntɔ́:rniit] *a., n.* 가장자리에 깊은 홈이 있는 (메달〔동전〕).

con·tort[kəntɔ́:rt] *vt., vi.* **1** 잡아 비틀(리)다, 뒤틀(리)다, 구부리다; (의미 등을) 곡해하다《*out of*》; (얼굴을) 찡그리다: a face ~*ed with* pain 고통으로 일그러진 얼굴.

con·tor·tion[kəntɔ́:rʃən] *n.* Ⓤ,Ⓒ 비틀기, 비꼼; 찌푸림, 찡그림, 일그러짐(*of*); (바위 등의) 기괴한 모양. **make contortions of the face** (얼굴)을 찡그리다. **~·ist**[-ist] *n.* (몸을 마음대로 구부리는) 곡예사.

con·tòr·tion·ís·tic[-ístik] *a.*

con·tor·tive[kəntɔ́:rtiv] *a.* 비틀어지게 하는; 비틀어지기 쉬운; 비틀어진.

*__con·tour__[kántuər/kɔ́n-][L] *n.* **1** 윤곽, 외형. **2** 윤곽선; 〔地〕 지형선, 등고선, 등심선(等深線)(=~ line). **3** (*pl.*) 《미》 형세, 정세, 상황. **4** 〔圖案〕 (갑의 빛깔과 을의 빛깔과의) 구분선. **5** 〔美〕 윤곽의 미; (종종 *pl.*)(여성 등의) 몸의 곡선. ── *a.* **1** 윤곽〔등고〕을 나타내는; 〔農〕 등고선을 따른. **2** 〈의자 등〉 체형에 맞게 만든. ── *vt.* **1** …의 윤곽〔외형〕을 그리다〔나타내다, 이루다〕; …의 등고선을 긋다. **2** 산허리에 〈길을〉 내다. **3** 〈경사지를〉 등고선을 따라 경작하다. **4** 〈산의〉 기복을 따르다.

cóntour chàir〔**còuch**〕 체형에 맞게 만든 의자.

cóntour chàsing 〔空〕 지형의 기복을 따르는 저공 비행.

cóntour fàrming 〔農〕 등고선 농경.

cóntour fèather 〔鳥〕 (날개·꼬리 등) 새의 몸을 덮은 솜털 이외의 깃털.

cóntour ìnterval 〔地〕 등고(선) 간격.

cóntour lìne 〔地〕 등고선, 등심선.

cóntour màp 〔地〕 등고선 지도.

cóntour plòwing 등고선식 경작.

cóntour shèet 매트리스를 꼭 싸는 시트.

cóntour tòne 〔言〕 곡선 음조(높이의 변화를 곡선적으로 나타내는 중국의 4성 등).

contr. contract(ed); contraction.

con·tra[kántrə/kɔ́n-] *prep.* …에 (반)대하여. **contra credit**〔**debit**〕 대변〔차변〕에 대하여. ── *ad.* 반대로. **pro and con**(**tra**) 찬부 양면에서. ── *n.* **1** 반대 의견〔투표〕. **2** 〔簿〕 반대측. **pros and con**(**tra**)**s** 찬부론〔투표〕.

con·tra-[kántrə/kɔ́n-] *pref.* 「역(逆), 반(反), 항(抗)… (against, contrary); 〔樂〕 대(對)… (opposite to)」의 뜻.

con·tra·band[kántrəbæ̀nd/kɔ́n-] *a.* 금지〔금제〕의: ~ goods (수출입)금지품/a ~ trader 밀수업자. ── *n.* **1** Ⓤ 밀매매(품), 밀수(품); (전시(戰時)) 금제품. **2** 《미》 (남북 전쟁 당시에 북군 편으로 도망친) 흑인 노예. **absolute**〔**conditional**〕 **contraband** 절대〔조건부〕 금제품. **contraband of war** 전시 금제품(교전 상대국에 중립국이 보내는 화물; 교전국이 몰수권을 가짐). **~·ist** *n.* 밀수업자, (금지품) 밀매자.

con·tra·bass[kántrəbèis/kɔ́n-] *n.* 〔樂〕 콘트라베이스(double bass). **~·ist** *n.* 콘트라베이스 연주자.

con·tra·bas·soon[kántrəbəsú:n/kɔ́n-] *n.* 콘트라바순(double bassoon).

con·tra·cept[kàntrəsépt/kɔ̀n-] *vt.* 피임하다.

con·tra·cep·tion[kàntrəsépʃən/kɔ̀n-] [*contra*+con*ception*(임신)] *n.* Ⓤ 피임(법).

con·tra·cep·tive[kàntrəséptiv/kɔ̀n-] *a.* 피임(용)의. ── *n.* 피임약〔용구〕.

con·tra·clock·wise[kàntrəklákwaiz/kɔ̀n-] *a., ad.* =COUNTERCLOCKWISE.

__con·tract__[kántrækt/kɔ́n-][L] *n.* **1 계약(서), 약정; 청부; 《俗》 살인 청부. **2** 약혼. **3** 〔카드〕 =CONTRACT BRIDGE. **by contract** 청부로. **make**〔**enter into**〕 **a contract with** … 와 계약을 맺다. **put out to contract** 도급을 주다. **under contract** 계약하여, 계약하에(*with*). **verbal**〔**oral**〕 **contract** 구두 계약, 언약. **void contract** 무효 계약. **written contract** 서면 계약.

── [kəntrǽkt] *vt.* **1** 계약하다, 도급맡다: ~ a work *to* the construction company 그 건설 회사에 공사를 도급 주다. **2** (보통 수동형) 〈약혼·친교를〉 맺다: be ~*ed* to …와 약혼이 되어 있다. **3** 〈버릇이〉 들다; 〈감기·병에〉 걸리다; 〈빚을〉 지다. **4** 〈근육을〉 수축시키다, 긴축하다; 〈상을〉 찌푸리다: ~ one's eyebrows〔forehead〕 눈살〔이맛살〕을 찌푸리다. **5** 좁히다; 단축하다; 〔文法〕 생략하다. **as contracted** 계약대로. **contract** (**a**) **friendship**〔**a marriage**〕 **with** …와 친교〔혼인〕를 맺다. **contract oneself out of an obligation** 계약에 의하여 의무를 면하다. ── *vi.* **1** 줄어들다, 수축하다(*opp.* expand). **2** 청부 계약을 하다(*with, for*); 약혼하다. **contract in**〔**out**〕 (정식으로) 참가〔불참〕 계약을 하다.

◇ contráction *n.*; contráctile, contráctive *a.*

cóntract brídge 〔카드〕 콘트랙트 브리지(auction bridge의 변형).

cóntract càrrier 계약〔전속〕 수송업자.

con·tract·ed[kəntrǽktid] *a.* **1** 수축한; 찌푸린; 단축한. **2** 옹졸한, 인색한(mean). **3** 계약한. **~·ly** *ad.* **~·ness** *n.*

cóntract fàrming (사회주의 국가 등의) 자유 농업(규정 이상의 수확량을 개인 소득으로 인정해 준다는 제도); 계약 농업.

con·tract·i·ble[kəntrǽktəbəl] *a.* 줄어드는, 줄일 수 있는; 수축성의. **~·ness** *n.*

con·trac·tile[kəntrǽktil] *a.* 수축성의〔이 있는〕; 수축하는: ~ muscles 수축근.

con·trac·til·i·ty[kàntræktíləti/kɔ̀n-] *n.* Ⓤ 수축성, 신축성.

con·tract·ing[kəntrǽktiŋ] *a.* **1** 수축성이 있는. **2** 계약의: ~ parties 계약 당사자; 동맹 체결국. **3** 약혼의.

*__con·trac·tion__[kəntrǽkʃən] *n.* Ⓤ **1** 단축, 수축; 〔醫〕 위축. **2** 축소; 제한. **3** 〔數〕 축약(縮約); 생략산(算). **4** Ⓒ 〔文法〕 단축(do not를 don't로 하는 것 등); 단축형(department에 대한 dep't 등)(*cf.* ABBREVIATION). **5** 〈빚을〉 짐, 〈병에〉 걸림, 〈버릇이〉 듦, 〈교제를〉 맺음(*of*). **~·al** *a.*

◇ contráct *v.*; contráctive *a.*

con·trac·tive[kəntrǽktiv] *a.* 수축성의〔있는〕. **~·ly** *ad.* **~·ness** *n.*

cóntract màn 《미俗》 전문적 청부 살인자.

cóntract màrriage 계약 결혼.

cóntract nòte 계약 보고서; 매매 계약서.

con·trac·tor[kəntrǽktər] *n.* **1** 계약자; 도급자; 토건 업자. **2** 〔生理〕 수축근(*cf.* RETRACTOR).

con·trac·tu·al[kəntrǽktʃuəl] *a.* 계약상의.

con·trac·ture[kəntrǽktʃər] *n.* 〔醫〕 (근육·힘줄 등의) 구축(拘縮), 경축(痙縮).

con·tra·cy·cli·cal[kàntrəsáiklikəl/kɔ̀n-] *a.* 〔經〕 경기 조정(형)의 〈정책〉.

con·tra·cy·cli·cal·i·ty *n.* 〔經〕 경기 조정.

cóntra dànce[kántrədæ̀ns/kɔ́ntrədà:ns] =CONTREDANSE.

*__con·tra·dict__[kɑ̀ntrədíkt/kɔ̀n-] [L] *vt.* **1** 부정(부인)하다; 반박하다. **2** 〈사실·진술이〉 모순되다. **contradict oneself** 모순된 말을 하다, 자가 당착하다. ── *vi.* 반대하다, 부인하다, 반박하다. **~·a·ble**[-əbəl] *a.* **~·er, -dic·tor** *n.* ⊕ contradíction *n.*: contradíctory, contradíctious, contradíctive *a.*

*__con·tra·dic·tion__[kɑ̀ntrədíkʃən/kɔ̀n-] *n.* Ⓤ **1** 부정, 부인; 반박, 반대. **2** 모순, 당착, 상반; 모순된 말〔행위, 사실〕. **a contradiction in terms** 〔論〕 명사(名辭) 모순. **in contradiction to** …와 정반대로. ⊕ contradíct *v.*

con·tra·dic·tious[kɑ̀ntrədíkʃəs/kɔ̀n-] *a.* 반박하기〔논쟁하기〕 좋아하는. **~·ly** *ad.* **~·ness** *n.*

con·tra·dic·tive[kɑ̀ntrədíktiv/kɔ̀n-] *a.* = CONTRADICTORY.

con·tra·dic·to·ry[kɑ̀ntrədíktəri/kɔ̀n-] *a.* **1** 모순된, 양립하지 않는, 자가 당착의《*to*》: be ~ *to* each other 서로 모순되다. **2** 반박〔반항〕적인. ── *n.* (*pl.* **-ries**) **1** 반박론, 부정적 주장; 〔論〕 모순 대당(對當). **2** 정반대의 사물. **-ri·ly** *ad.* **-ri·ness** *n.*

con·tra·dis·tinc·tion[kɑ̀ntrədistíŋkʃən/kɔ̀n-] *n.* Ⓤ 대조 구별, 대비. **in contradistinction to**〔**from**〕 …와 대비하여.

con·tra·dis·tinc·tive[kɑ̀ntrədistíŋktiv] *a.* 대조적으로 다른, 대비적인. **~·ly** *ad.*

con·tra·dis·tin·guish[kɑ̀ntrədistíŋgwiʃ/kɔ̀n-] *vt.* 대조〔비교〕 구별하다

con·tra·flow[kɑ̀ntrəflou/kɔ́n-] *n.* 《특히 영》 (도로 보수 등에 의한) 대향 차선 통행.

con·trail[kɑ́ntreil/kɔ́n-] [*con*densation+*trail*] *n.* 비행운(vapor trail).

con·tra·in·di·cate[kɑ̀ntrəíndikeit/kɔ̀n-] *vt.* 〔醫〕 〈약·요법에〉 금기(禁忌)를 나타내다.

con·tra·in·di·ca·tion[kɑ̀ntrəindikéiʃən/kɔ̀n-] *n.* Ⓤ 〔醫〕 금기.

con·tra·lat·er·al[kɑ̀ntrəlǽtərəl/kɔ̀n-] *a.* 반대쪽에 일어나는, 반대쪽의 유사한 부분과 연동하는, 대측성(對側性)의.

con·tral·to[kəntrǽltou] [It] 〔樂〕 *n.* (*pl.* **~s, -ti**) 콘트랄토《tenor와 soprano의 중간, 여성(女聲) 최저음》(⇨bass[1]); 콘트랄토 가수〔악기〕. ── *a.* 콘트랄토의.

con·tra mun·dum[kɑ́ntrə-múndəm] [L] *ad.* 세계에 대하여, 일반의 의견에 반해서.

con·tra·oc·tave[kɑ̀ntrəɑ́ktiv/kɔ̀ntrəɔ́k-] *n.* 〔樂〕 콘트라옥타브, 아래 1점(음표), 1점음 옥타브.

con·tra·pose[kɑ́ntrəpòuz/kɔ́n-] *vt.* 대치하다.

con·tra·po·si·tion[kɑ̀ntrəpəzíʃən/kɔ̀n-] *n.* Ⓤ,Ⓒ 대치(對置), 대립; 〔論〕 환질 환위(換質換位)(법). **in contraposition to**〔**with**〕 …에 대치하여. **-pos·i·tive**[-pɑ́zətiv/-pɔ́z-] *a.*

con·tra·prop[kɑ́ntrəprɑ̀p/kɔ́ntrəprɔ̀p] *n.* 〔空〕 이중 반전(二重反轉) 프로펠러《서로 반대 방향으로 회전하는 같은 축의 한 쌍의》.

con·trap·tion[kəntrǽpʃən] *n.* 《口》 신안(新案), 새 고안물, 기묘한 장치.

con·tra·pun·tal[kɑ̀ntrəpʌ́ntl/kɔ̀n-] *a.* 〔樂〕 대위법(對位法)의〔에 의한〕. **~·ly** *ad.*

con·tra·pun·tist[kɑ̀ntrəpʌ́ntist/kɔ̀n-] *n.* 대위법에 능한 작곡가.

con·trar·i·an[kəntrέəriən] *n.* (경제 문제에서 특히 다수의견에) 반대의견을 갖은 사람. ── *a.* (기존 관념이나 현재의 의견에 맞서) 진보되거나 부정의 의견을 갖는.

con·tra·ri·e·ty[kɑ̀ntrəráiəti/kɔ̀n-] *n.* (*pl.* **-ties**) Ⓤ,Ⓒ 반대; 불일치; 상반하는 점〔사실〕; 모순점; 〔論〕 반대.

con·trar·i·ly[kɑ́ntrerəli/kɔ́n-] *ad.* **1** 이에 반하여. **2** 《口》 [+kəntrέərəli] 외고집으로, 심술궂게.

con·trar·i·ness[kɑ́ntrerinis/kɔ́n-] *n.* Ⓤ **1** 반대, 모순. **2** 《口》 [+kəntrέərinis] 외고집, 옹고집.

con·trar·i·ous[kəntrέriəs] *a.* 《古》 외고집의(perverse); 반대의; 불리한.

con·trar·i·wise[kɑ́ntreriwàiz/kɔ́n-] *ad.* **1** 반대로, 거꾸로. **2** 이에 반하여. **3** 《口》 외고집으로, 심술궂게.

⁑**con·trar·y**[kɑ́ntreri/kɔ́n-] [L] *a.* **1** 반대의; …에 반대되는, …와 서로 용납치 않는《*to*》: 《Ⅱ 형+전+명》 The result was ~ *to* expectation. 결과는 기대에 어긋났다. **2** 적합치 않은, 불리한: ~ weather 악천후. **3** 《俗·方》 심술궂은, 외고집의. ── *n.* (*pl.* **-trar·ies**) **1** (the ~) 정반대: Quite the ~. 전혀 정반대다/He is neither tall nor *the* ~. 키가 크지도 작지도 않다. **2** (종종 *pl.*) 상반하는 사물. **3** 〔論〕 반대 명제. **by contraries** 정반대로; 예상과는 반대로. **on the contrary** 이에 반하여, 그러하기는 커녕. **to the contrary** 그와 반대로〔의〕, 그렇지 않다는; …임에도 불구하고. ── *ad.* 반대로, 거꾸로, 반하여《*to*》. **act contrary to** …에 거역하다. **contrary to one's expectation** 예기한 바에 반하여, 뜻밖에도. ⊕ contraríety, cón·trariness *n.*; cóntrarily, cóntrariwise *ad.*

cóntrary mótion 〔樂〕 역진행《한 성부(聲部)가 올라갈 때 다른 성부가 내려가는》.

⁑**con·trast**[kɑ́ntræst/kɔ́ntrɑːst] [L] *n.* **1** 대조, 대비《*of, between*》; 〔美·修〕 대조법. **2** 현저한 차이; 대조가 되는 것; 정반대의 물건〔사람〕: What a ~ *between* them! 두 사람은 정반대로구나. **be a contrast to** …와는 뚜렷이 다르다. **by contrast** (**with**) (…와) 대조〔대비〕하여. **form**〔**present**〕 **a striking**〔**strange, singular**〕 **contrast to** …와 현저한〔묘한, 기이한〕 대조를 이루다. **in contrast with**〔**to**〕 …와 대조를 이루어; …와는 현저히 다르게. ── [kəntrǽst, -trɑ́ːst] *vt.* **1** 대조하다, 대비하다《*with*》: ~ A *with* B A와 B를 대조시키다. **2** …와 좋은 대조를 이루다; …와 대조하여 (눈에) 뚜렷이 보이게 하다. ── *vi.* …와 대조를 이루다, 대비하여 차이를 뚜렷이 나타내다《*with*》: The white peaks ~ finely *with* the blue sky. 흰 산봉우리들은 푸른 하늘과 좋은 대조를 이루고 있다《◇compare는 유사·차이 어느 쪽에도 쓸 수 있으나 contrast는 차이에만 씀》. **as contrasted with** …와 대조하여 보면. **~·a·ble** *a.* ⊕ cóntrasty *a.*

con·tras·tive[kəntrǽstiv] *a.* 대비〔대조〕적인; 〔言〕 대비 연구하는, 대조하는: ~ linguistics 대조 언어학 **~·ly** *ad.*

cóntrast mèdium 〔醫〕 조영제(造影劑)《X선 검사에서 조직의 모습을 뚜렷이 하기 위해 주입하는 바륨 따위의 방사선을 통과시키지 않는 물질》.

con·trast·y[kɑ́ntræsti, kəntrǽsti/kəntrɑ́ːsti] *a.* 〔寫〕 명암이 심한〔강한〕(*opp.* soft).

cón·trate whèel = CROWN WHEEL.

con·tra·val·la·tion[kɑ̀ntrəvəléiʃən/kɔ̀n-] *n.* 대루(對壘)《포위군이 적의 요새의 둘레에 쌓는 참호·포루(砲壘)》

con·tra·vene[kɑ̀ntrəvíːn/kɔ̀n-] *vt.* **1** 〈법률 등을〉 위반〔저촉〕하다, 범하다(go against). **2**

〈의론 등에〉 반대하다(oppose). **3** 〈주의 등과〉 모순되다(conflict with). **-ven·er** *n.*
con·tra·ven·tion[kàntrəvénʃən/kɔ̀n-] *n.* U,C **1** 위반, 위배; 위반 행위; 〔法〕 경범죄. **2** 반대. **in contravention of** …을 위반하여.
con·tre·coup[kántrəkùː/kɔ́n-] [F] *n.* 반충(反衝)〔반사〕 손상《특히 뇌 등에서 충격받은 반대측에 생기는》.
con·tre·danse[kántrədæ̀ns/kɔ́n-] [F] *n.* 콩트르당스, 대무(對舞)(곡).
con·tre·temps[kántrətàːŋ/kɔ́n-] [F] *n.* (*pl.* ∼[-z]) **1** 공교로운 사건, 뜻밖의 사고. **2** 〔樂〕 =SYNCOPATION.
contrib. contribution; contributor.
*‡***con·trib·ute** [kəntríbjuːt] [L] *vt.* **1** 〈돈·물건을〉 기부〔기증〕하다《*to*》: ∼ money *to* relieving the poor 빈민 구제를 위해 돈을 기부하다. **2** 〈원고를〉 기고하다《*to*》: ∼ articles *to* magazines 잡지에 기사를〔논설을〕 기고하다. **3** 기여〔공헌〕하다, 이바지하다, 〈조언 등을〉 주다《*to, for*》. — *vi.* **1** 기부를 하다《*to*》: ∼ *to* the community chest 공동 모금에 기부하다. **2** 기여〔공헌〕하다; …의 한 도움〔원인〕이 되다《*to, toward*》. **3** (신문·잡지 등에) 기고하다《*to*》. ◈ contribútion *n.*: contríbutive *a.* contríbutory *a.*
*‡***con·tri·bu·tion**[kàntrəbjúːʃən/kɔ̀n-] *n.* U,C **1** 기부, 기증; 공헌, 기여《*to, toward*》; 기부금, 기증물; 〔法〕 분담액; 〔軍〕 (점령지 주민에게 부과하는) 군세(軍稅); (사회 보험의) 보험료. **2** 기고, 투고《*to*》; 기고문〔기사〕. **lay the town under contribution** (시민에게) 군세를 부과하다. **make a contribution to**〔**toward**〕 …에 기부〔공헌〕하다.
con·tri·bu·tive[kəntríbjətiv] *a.* 공헌하는; …에 기여하는《*to*》. **∼·ly** *ad.*
con·trib·u·tor[kəntríbjətər] *n.* 기부자; 기고가; 공헌자《*to*》.
con·trib·u·to·ry[kəntríbjətɔ̀ːri/-təri] *a.* **1** 기여하는; …에 공헌하는, 도움이 되는《*to*》. **2** 기부의; 의연적(義捐的)인; 출자하는; 분담하는; 〈연금·보험이〉 갹출〔분담〕제의. — *n.* (*pl.* **-ries**) 출자 의무(자); 〔영法〕 무한 책임 사원, 청산 출자 사원.
contríbutory négligence 〔法〕 기여〔조성(助成)〕 과실.
con·trite[kəntráit, kántrait/kɔ́ntrait] *a.* 죄를 깊이 뉘우치는; 회오의. **∼·ly** *ad.* **∼·ness** *n.*
con·tri·tion[kəntríʃən] *n.* U 〈죄를〉 뉘우침, 회오.
con·triv·a·ble[kəntráivəbəl] *a.* 고안할 수 있는.
*∗***con·triv·ance**[kəntráivəns] *n.* **1** 고안품, 장치. **2** 계획, 모략, 계략(artifice). **3** U 연구, 고안; 연구〔고안〕의 재간. ◈ contríve *v.*
*‡***con·trive**[kəntráiv] [L] *vt.* **1** 고안하다, 연구하다(devise); 설계하다: 《Ⅲ (목)+〈*to* do〉》 We must ∼ a way *to* deal with the problem. 우리는 어떻게 해서든지 그 문제를 처리하는 방법을 찾아내야 한다. **2** 그럭저럭 …해내다, 용케 …하다(manage): ∼ an escape 용케 도망치다. **3** 꾸미다, 〈나쁜 일을〉 획책하다: ∼ her death =∼ *to* kill her 그녀의 살해를 꾀하다. **4** (반어적) 일부러 〈불리한 일을〉 저지르다〔초래하다〕: 《Ⅲ *to* do》 She ∼*d to* make a mess of the whole thing. 그녀는 모든 일을 엉망으로 만드는 실수를 저질렀다. — *vi.* **1** 고안하다; 획책하다. **2** 꾸려 나가다(get along)《*well*》. **cut and contrive** 〈살림 등을〉 용케 꾸려 나가다. ◈ contrívance *n.*
con·trived[kəntráivd] *a.* 인위적인, 부자연스러운.
con·triv·er[kəntráivər] *n.* **1** 고안자; 계략자. **2** 〈가사 등을〉 잘 꾸려 나가는 사람.
*⋆***con·trol**[kəntróul] [OF] *n.* **1** U 지배, 단속, 관리, 감독(권): light ∼ 등화 관제/traffic ∼ 교통 정리. **2** U 억제, 제어; 규제; 〔野〕 제구(制球)(력), 컨트롤: birth ∼ 산아 제한. **3** (보통 *pl.*) 통제 〔관제〕수단; (*pl.*) (기계의) 조종〔제어〕 장치. **4** 〔生〕 (실험의) 대조 표준; 대조구(區). **5** (자동차 경주 등에서 간단한 수리를 위한) 경주 중단 구역. **6** C 단속자, 관리인. **7** 〔心靈〕 영매(靈媒)를 지배하는 지배령(支配靈). **8** U 〔宇宙〕 제어(制御). **be beyond**〔**out of**〕 **control** 억제하기 힘들다, 힘에 겹다. **be in control of** …을 관리하고 있다. **be under the control of** …의 관리〔지배〕하에 있다. **bring under control** 억제하다. **control and assessment team** 〔軍〕 손해 통제반. **fall under the control of** …의 지배를 받게 되다. **get out of control** 제어할 수 없게 되다. **get under control** 제어하다; 〈불길을〉 잡다. **have control of**〔**over**〕 …을관리〔제어〕하고 있다. **keep under control** 억누르고 있다, 억제하다. **lose control of** …을 제어할 수 없게 되다. **without control** 제멋대로. — *vt.* (**-led**; **-ling**) **1** 지배하다; 통제〔관제〕하다, 감독하다; 관리하다. **2** 억제〔제어〕하다. **3** 검사하다; (실험 결과를) 대조하다. **4** (지출 등을) 제한〔조절〕하다. **control oneself** 자제하다. ◈ contrólment *n.*
contról bòard 〔電〕 제어반(制御盤).
contról bòoth 〔라디오·TV〕 제어실.
contról chàrt〔統〕관리도《특히 제품 품질의》.
contról clòck 기준 시계(master clock).
contról còlumn 〔空〕 조종륜(輪)《차의 핸들식 조정간》.
contról expèriment 〔生〕 대조 실험.
contról grìd 〔電子〕 (전자관의) 제어 그리드〔격자〕.
contról gròup 1 〔컴퓨터〕 제어 집단. **2** 〔空〕 조종 장치. **3** 〔藥〕 대조군(對照群)《동일 실험에서 실험 요건을 가하지 않은 그룹》.
con·trol·la·ble[kəntróuləbəl] *a.* 관제〔관리, 지배〕할 수 있는; 제어〔조종〕할 수 있는.
con·tròl·la·bíl·i·ty[-bíləti] *n.* **-bly** *ad.*
con·trolled[kəntróuld] *a.* (보통 복합어를 이루어) **1** 억제된; 조심스런. **2** 관리〔통제, 지배〕된.
contrólled circulátion (잡지·신문의) 무료 배부 부수《증정·광고 권유용》.
contrólled disbúrsement (미) 수표 발행 조작에 의한 고의적인 지연 지불《수취인에게서 멀리 떨어진 은행 앞으로 수표를 발행하는 등》.
contrólled ecónomy 통제 경제.
contrólled expériment 〔生〕 대조 실험《다른 실험에 대조 기준을 주기 위한》.
con·trol·led-re·lease *a.* (물질이) 미리 예정된 시간적 간격〔일정 기간〕을 지나 제어 혹은 활동을 하는.
contrólled súbstance 규제 약물《소지 및 사용이 규제되는 약물》.
*∗***con·trol·ler**[kəntróulər] *n.* **1** (회계 등의) 감사관, 감사역; (회사의) 경리부장《◇ 관명(官名)으로는 COMPTROLLER》. **2** 지배자, 관리인. **3** (항공) 관제관. **4** 〔機〕 (전동기 등의) 제어〔조종〕 장치. **the Controller**〔**Comptroller**〕 **of the Navy** 〔영海軍〕 해군 통제관. **∼·shìp** *n.* U controller의 직〔지위〕.

Contróller Gèneral (the ~) 감독 장관; 감사원장.
contról lèver =CONTROL STICK.
con·tról·ling ìnterest[kəntróuliŋ-] 지배적 이권(회사 경영을 장악하는 데 충분한 주식 보유 등).
con·trol·ment[kəntróulmənt] *n.* Ⓤ 감사, 감독; 지배, 관리, 관제; 제어.
contról pànel =CONTROL BOARD.
contról ròd 〔物〕 (원자로의) 제어봉(棒).
contról ròom **1** 관제실;(원자력 시설 등의) 제어실. **2** (방송국 등의) 조정실.
contról stìck 〔空〕 조종간.
contról stòrage 〔컴퓨터〕 제어 기억 장치.
contról sùrface 조종 익면(翼面)(방향타(rudder), 승강익(flap), 보조익(aileron) 따위).
contról tòwer 〔空〕 (공항의) 관제탑.
contról ùnit 〔컴퓨터〕 제어 장치(하드웨어의 일부).
con·tro·ver·sial[kàntrəvə́:rʃəl/kɔ̀n-] *a.* **1** 논쟁의, 논의의 여지가 있는; 쟁점(爭點)이 되는, 물의를 일으키는. **2** 논쟁을 좋아하는. **~·ism** *n.* Ⓤ 논쟁적 정신, 논쟁을 좋아하는 버릇;(심한) 논쟁. **~·ly** *ad.*
con·tro·ver·sial·ist *n.* 논변가, 논객; 논쟁자.
*__con·tro·ver·sy__[kántrəvə̀:rsi] *n.* (*pl.* **-sies**) Ⓤ,Ⓒ 논쟁, 논의;(신문·잡지상의) 논전. **beyond**〔**without**〕 **controversy** 논쟁의 여지없는〔없이〕. **have**〔**enter into**〕 **a controversy with** …와 논쟁하다. **hold**〔**carry on**〕 **a controversy withagainst** …와 의론하다. ◇ controvérsial *a.*; cóntrovert *v.*
con·tro·vert[kántrəvə̀:rt/kɔ́n-] [L] *vt.* **1** 〈문제를〉 다투다, 논쟁하다. **2** 논박하다, 부정하다. ── *vi.* 논쟁하다. **~·er**[-ər], **~·ist** *n.*
con·tro·vert·i·ble[-əbəl] *a.* 논쟁의 여지가 있는, 논쟁할 만한.
con·tu·ma·cious[kàntjuméiʃəs/kɔ̀n-] *a.* 관명(官命) 항거의(법정의 소환에 응하지 않는); 반항적인.
con·tu·ma·cy[kántjuməsi] *n.* (*pl.* **-cies**) Ⓤ,Ⓒ 완고한 불복종; 〔法〕 관명(官命) 항거.
con·tu·me·li·ous[kàntjumí:ljəs/kɔ̀n-] *a.* 오만 불손한. **~·ly** *ad.*
con·tu·me·ly[kəntjú:məli, kántjumə̀:li/kɔ́n-] *n.* (*pl.* **-lies**) Ⓤ,Ⓒ (언어·태도의) 오만 불손; 모욕(적인 취급).
con·tuse[kəntjú:z] *vt.* **1** 타박상을 입히다; 멍들게 하다(bruise). **2** 찧어서 섞다.
con·tu·sion[-ʒən] *n.* Ⓤ,Ⓒ 〔醫〕 타박상; 멍듦.
co·nun·drum[kənʌ́ndrəm] *n.* **1** 수수께끼(riddle), 재치 문답. **2** 어려운 문제. **3** 수수께끼 같은 사람〔사물〕.
con·ur·ba·tion[kànə:rbéiʃən/kɔ̀n-] *n.* 《文語》 집합도시, 광역 도시권(주변 도시군들을 포함하는 대도시 지역).
CONUS[kánəs/kɔ́n-] Continental United States 미국 본토.
conv. convention(al); convertible; convocation.
con·va·lesce[kánvəlés/kɔ̀n-][L] *vi.* (병후 서서히) 건강을 회복하다, 병이 나아져 가다(get better).
con·va·les·cence[kànvəléns/kɔ̀n-] *n.* Ⓤ 병이 나아져감; 회복(기), 요양(기간).
con·va·les·cent[kànvəlésnt/kɔ̀n-] *a.* 회복기(환자)의(recovering), 앓고 난 뒤의: a ~ hospital (회복기 환자의) 요양소. ── *n.* 회복기의 환자. **~·ly** *ad.*

con·vect[kànvékt] *vi.* 대류로 열을 보내다. ── *vt.* 〈따뜻한 공기를〉 대류로 순환시키다.
con·vec·tion[kənvékʃən] *n.* Ⓤ **1** 전달. **2** 〔物〕 (열·공기의) 대류(對流), 환류(還流).
con·vec·tion·al[-əl] *a.* 대류의.
convéction cùrrent 〔物〕 대류; 〔電〕 대류 전류.
convéction òven (팬(fan)이 부착된) 대류식(對流式) 가스 (전기·전자파) 오븐.
con·vec·tive[kənvéktiv] *a.* 대〔환〕류적인; 전달성의. **~·ly** *ad.*
con·vec·tor[kənvéktər] *n.* 대류 난방기.
con·ven·a·ble[-əbəl] *a.* 소집할 수 있는.
con·ve·nance[kánvənà:ns/kɔ́n-] [F] *n.* (*pl.* **-nanc·es**) **1** (보통 *pl.*)(세상의 일반적) 관습; 예의. **2** 편의, 적합; 관용.
con·vene[kənví:n] [L] *vt.* 〈모임·회의를〉 소집하다; 소환하다. ── *vi.* 회합하다.
con·ven·er, -ve·nor[kənví:nər] *n.* 《영》 (위원회 등의) 소집자;(특히 위원회 등의) 위원장, 의장;(회의) 주최자.
⁑**con·ve·nience**[kənví:njəns] *n.* **1** Ⓤ 편의, 편리;(편리한) 형편, 편익; Ⓒ 형편이 좋음: a marriage of ~ 물질을 목적으로 한 결혼, 정략 결혼. **2** Ⓤ 형편이 좋은 기회, 유리〔편리〕한 사정. **3** 편리한 것,(문명의) 이기(利器); (*pl.*) (편리한) 설비, 의식주의 편의(material comforts). **4** 《영》 (공중) 변소. **as a matter of convenience** 편의상. **at** one's (**own**) **convenience** 편리한 때에. **at your earliest convenience** 형편이 닿는 대로 빨리. **await** a person**'s convenience** …의 형편 좋을 때를 기다리다. **consult** one's **own convenience** 자신의 편의를 도모하다. **for convenience(') sake** 편의상. **make a convenience of** …을 마음대로 이용하다. **public convenience** 공중의 편의; 《영》 공중 변소. **suit** a person**'s convenience** …에게 형편이 좋다. ◇ convénient *a.*
convénience fòod 인스턴트〔패키지〕식품.
convénience gòods 일용 잡화 식품.
convénience màrket 일용 잡화 식료품 시장.
convénience òutlet 실내 콘센트.
convénience stòre (장시간 영업하는) 일용 잡화 식료품점.
con·ven·ien·cy[kənví:njənsi] *n.* (*pl.* **-cies**) 《古》 =CONVENIENCE.
⁑**con·ve·nient**[kənví:njənt] [L] *a.* **1** 편리한; 사용하기 좋은. **2** 형편이 좋은(*to, for*): if it is ~ *to*〔*for*〕 you 지장이 없으시다면(◇ 서술적 용법에서는 사람을 주어로 하지 않음: 《미》에서는 for가 일반적임)/Would it be ~ *for* you *to* meet me at the station? (형편이) 괜찮으시다면 그 정거장에서 저를 만나주시렵니까? **3** 《口》 손쉬운; 간편한, 손쉽고 편리한(*to*). **4** …에 가까운, 부근에(*to, for*). **make it convenient to** do 형편을 보아 …하다. ◇ convénience *n.*; convéniently *ad.*
con·ve·nient·ly *ad.* **1** 편리하게, 알맞게. **2** (문장 전체를 수식하여) 형편이 좋게도.
*__con·vent__[kánvənt/kɔ́n-] [L] *n.* **1** 수도회, 《특히》 수녀단(*cf.* MONASTERY). **2** 수도원; 《특히》 수녀원(nunnery)(*cf.* CLOISTER): go into a ~ 수도원에 들어가다, 수녀가 되다.
con·ven·ti·cle[kənvéntikəl] *n.* **1** 〔영史〕 (비국교도 또는 스코틀랜드 장로파의) 비밀 집회〔예배〕. **2** 비밀 집회소.
⁑**con·ven·tion**[kənvénʃən] *n.* **1** 집회;(정치·종교·교육·노조 등의) (대표자) 대회,

연차〔정기〕 총회;(집합적) 대회 참가자. **2** 《미》 (전국·주·군 등의) 전당 대회. **3** 〔영史〕 컨벤션《1660년과 1688년에 국왕의 소집 없이 열린 영국의 의회》. **4** 약정, 약조, 협정, 합의(agreement); 〔外交〕 국제 협정, 협약, 가조약. **5** (사회의) 관습, 풍습; 인습(*cf.* TRADITION). **6** (예술상의) 관례, 약속 사항; 〔카드〕 규정. ⊕ convéne *v.*; convéntional *a.*

‡**con·ven·tion·al**[kənvénʃənəl] *a.* **1** 전통〔인습〕적인, 관습적인(*cf.* TRADITIONAL). **2** 틀에 박힌, 판에 박힌; 진부한;(the ~; 명사적) 인습적인 것: ~ morality 인습적인 도덕. **3** 핵(무기)를 사용하지 않는; 재래식 무기의; 원자력을 사용하지 않는: ~ weapons 재래식 병기. **4** (법정에 대하여) 약정의, 협정〔조약〕(상)의: the ~ tariff 협정 세율〔요금〕. **5** 〔藝術〕 양식화된. **6** 회의의; 대회〔집회〕의. ⊕ convéntion, conventionálity *n.* convéntionalize *v.*; convéntionary *a.*

convéntional fórces 재래식 병력《핵무기가 없는 전력》.

con·ven·tion·al·ism[kənvénʃənəlìzəm] *n.* **1** Ⓤ 인습 존중, 관례 존중주의. **2** (때로 *pl.*) 풍습, 관례; 판〔틀〕에 박힌 것, 판박이 문구. **-ist**[-ʃənəlist] *n.* 인습주의자, 관례 존중자, 평범한 사람.

con·ven·tion·al·i·ty[kənvènʃənǽləti] *n.* (*pl.* **-ties**) 《文語》 **1** Ⓤ 인습적임, 인습성; 인습〔관례, 전통〕 존중. **2** (종종 the -ties) 상투, 평범; 인습, 관례.

con·ven·tion·al·ize[kənvénʃənəlàiz] *vt.* **1** 관례에 따르게 하다; 습속화하다, 인습적으로 하다. **2** 〔藝術〕 양식화하다. ── *vi.* 인습〔전통〕을 따르다.

con·ven·tion·al·ly *ad.* 인습적으로, 진부하게, 판에 박은 듯이.

convéntional wísdom 일반통념, 속된 지혜.

con·ven·tion·ar·y[kənvénʃənèri/-nəri] *a.* (차지(借地)가) 명문화된 협정에 의한, 협정상의. ── *n.* (*pl.* **-ar·ies**) 협정 차지(借地)(인(人)).

convéntion cènter 컨벤션 센터《회의 장소나 숙박 시설이 집중된 지구 또는 종합 빌딩》.

con·ven·tion·eer[kəvènʃəníər] *n.* 《미》 대회 출석자.

convéntion hàll (호텔 등의) 회의장.

convéntion hotèl 컨벤션 호텔《회의나 연차 대회 등의 개최장이 되는 호텔》.

convéntion tòur 관광을 겸한 회의 참석 여행.

con·ven·tu·al[kənvéntʃuəl] *a.* **1** 수도원〔수녀원〕의; 수도원〔수녀원〕 같은. **2** (**C-**) 컨벤추얼회(會)의. ── *n.* **1** 수도사, 수녀. **2** (**C-**) 컨벤추얼회(會)의 수도사.

con·verge[kənvə́ːrdʒ] *vi.* **1** 〈선이〉 한 점〔선〕에 모이다(*opp.* diverge): The Mountains ~ *into* a single ridge. 그 산들이 모여서 하나의 산등성이를 이룬다. **2** 모이다, 집중하다: We find much evidence *converging to* support the hypothesis. 그 가설을 뒷받침해 주는 많은 증거가 있다. **3** 〈의견·행동 등이〉 한데 모아지다. **4** 〔物·數〕 수렴하다. ── *vt.* …을 한 점에 모으다, 집중시키다.

con·ver·gence, -gen·cy[kənvə́ːrdʒəns], [-i] *n.* (*pl.* **-genc·es**; **-cies**) Ⓤ **1** 점차 한 점으로 집합함; 집중성(*opp.* divergence). **2** Ⓒ 집합점. **3** 〔物·數〕 수렴(收斂); 〔生〕 수렴 현상, 근사 현상; 집합(集合), 집폭(集輻).

con·ver·gent[kənvə́ːrdʒənt] *a.* **1** 점차 집합하는, 한 점에 모이는. **2** 포위 집중적인. **3** 〔物·數〕 수렴(성)의; 〔生〕 수렴의.

convérgent evolútion 수렴(收斂) 진화, 상근(相近)진화《계통이 다른 생물이 외견상 서로 닮아가는 현상》.

con·verg·er[kənvə́ːrdʒər] *n.* **1** converge 하는 사람〔것〕. **2** 〔心〕 집중적 사고형의 사람.

con·vérg·ing léns 〔光〕 수렴 렌즈.

con·vers·a·ble[kənvə́ːrsəbəl] *a.* **1** 말붙이기 쉬운; 이야기하기 좋아하는, 이야기가 재미있는. **2** 담화〔사교〕에 알맞은.

con·ver·sance, -san·cy[kənvə́ːrsəns], [-i] *n.* Ⓤ **1** 숙지, 정통. **2** 친밀, 친교(*with*).

con·ver·sant[kənvə́ːrsənt, kánvər-/kɔ́n-vər-] *a.* **1** (…에) 밝은, 정통한(*with, in, about*). **2** (…와) 친교가 있는(*with*). **~·ly** *ad.*

★**con·ver·sa·tion**[kànvərséiʃən/kɔ̀n-] *n.* Ⓤ **1** 회화; Ⓒ 담화, 대화, 좌담(familiar talk): be in ~ with …와 담화 중이다. **2** 〔컴퓨터〕 (컴퓨터와의) 대화. **3** (정부·정당 등 대표자의; 외교상의) 비공식 회담. **4** 성교(性交); 《古》 친교; 사교. **criminal conversation** 〔法〕 간통《略: crim. con.》. **enter**〔**fall, get**〕 **into conversation with** …와 이야기를 시작하다. **have**〔**hold**〕 **a conversation with** …와 이야기하다. **make conversation** 세상 이야기를 하다, 잡담하다. ⊕ convérse *v.*; conversátional *a.*

∗**con·ver·sa·tion·al**[kànvərséiʃənəl/kɔ̀n-] *a.* **1** 회화(체)의, 좌담식의. **2** 이야기 잘하는, 이야기하기 좋아하는, 스스럼없는. **~·ly** *ad.*

con·ver·sa·tion·al·ist[-ʃənəlist] *n.* 이야기하기 좋아하는 사람, 좌담가.

con·ver·sá·tion·al móde 〔컴퓨터〕 대화식 모드《단말장치를 통하여 컴퓨터와 정보를 교환하면서 정보 처리를 하는 형태》.

con·ver·sa·tion·ist[kànvərséiʃənist/kɔ̀n-] *n.* =CONVERSATIONALIST.

conversátion pìece **1** 풍속화, 단란도《18세기 영국에서 유행한 인물 군상화(群像畵) 등》. **2** 화제 거리《진기한 가구·장식품 등》.

conversátion pìt 차분히 이야기 등을 할 수 있도록 거실 등의 바닥 일부를 약간 낮춘 곳.

con·ver·sa·zi·o·ne[kànvərsàːtsióuni/kɔ̀nvərsǽ-] [It] *n.* (*pl.* **~s, -ni**)(특히 학술·문예상의) 좌담회, 간담회.

‡**con·verse**[1] [kənvə́ːrs] [L] *vi.* **1** 담화를 나누다, 함께 이야기하다(talk)(*with*): ~ *with* a person *on*〔*about*〕 a subject …와 어떤 문제에 대해 이야기하다. **2** 《古》 친하게 사귀다, 교제하다(*with*). **3** 〔컴퓨터〕 대화하다《컴퓨터와 교신하다》. ── [kánvəːrs/kɔ́n-] *n.* Ⓤ **1** 《미·영古》 담화, 회화. **2** 《古·文語》 교제. ⊕ conversátion *n.*; convérsant *a.*

∗**con·verse**[2] [kənvə́ːrs, kánvəːrs/kɔ́nvəːrs] [L] *a.* 〈의견·진술 등이〉 거꾸로의, 뒤바뀐. ── [kánvəːrs/kɔ́n-] *n.* (the ~) **1** 반대, 역(逆); 거꾸로 말하기. **2** 〔論〕 전환 명제. **3** 〔數〕 역.

con·verse·ly *ad.* 거꾸로, 역관계에 있어서.

con·ver·si·ble[kənvə́ːrsəbəl] *a.* 거꾸로〔전환〕할 수 있는.

∗**con·ver·sion**[kənvə́ːrʒən, -ʃən] *n.* Ⓤ **1** 변환, 전환, 전화(轉化); (집·차등의) 개장(改裝), 개조: the ~ *of* goods *into* money convicton 상품의 현금화〔환금〕. **2** (건물 등의) 용도 변경; 개장, 개조. **3** 변설(變說), 전향, 개종, (특히 기독교에의) 귀의. **4** 〔論〕 (주사(主辭)와 빈사와의) 환위(換位)(법). **5** 〔金融〕 (부채의) 차환(借換), 바꿔침, (지폐의) 태환(兌換); (외국 통화의) 환산. **6** 〔會計〕 이자를

원금에 가산 하기. **7** 〔法〕 (재산의) 전환; (동산의) 횡령. **8** 〔物〕 전환(轉換)《핵연료 물질이 다른 핵 연료 물질로 변화하기》. **9** 〔컴퓨터〕 변환, 이행(移行)《어떤 데이터 처리 방식을 다른 방식으로 바꾸는 것》. **~·al**[-ʒənəl], **~·a·ry**[-ʒənèri/-əri] *a.* ⇔ convért *v.*

convérsion àgent 〔金融〕 전환 대리 기관.

convérsion fàctor 〔廣告〕 (문의 · 자료 청구에서 실제 상품 구매인으로의) 전환율.

convérsion hèater 《영》 전열기(electric heater).

convérsion ràtio 〔物〕 전환 비율《핵분열시 하나의 원자에서 생기는 원자의 수》.

convérsion tàble (도량형 등의) 환산표.

***con·vert**[kənvə́ːrt] [L] *vt.* **1** 변하게 하다, 전환하다《*into*》; 개장〔개조〕하다: ~ cotton *into* cloth 면사를 천으로 만들다/《Ⅲ (목)+전+명》 The father will then ~ his son into an intimate friend. 그러면 아버지는 자기 아들을 친밀한 친구로 변화시킬 것이다. **2** 〔化〕 …에 화학 변화를 일으키다: ~ sugar *into* alcohol 화학 변화에 의해 설탕을 알코올로 변화시키다. **3** 개심〔전향〕시키다; 개종시키다; 귀의시키다 《특히 기독교에》; 〔神學〕 회심(回心)시키다: ~ a person *to* Christianity …을 기독교로 개종시키다. **4** 〔論〕 전환하다(*cf.* CONVERSION). **5** 〔金融〕 차환하다《*into*》; 〈지폐 · 은행권을〉 태환하다; 〈외국 통화를〉 환산하다《*into*》; 〔會計〕 〈이자를〉 원금에 가산하다: ~ bank notes *into* gold 은행권을 금과 태환하다. **6** 〔컴퓨터〕 (다른 코드로) 번역하다; 다른 매체로 옮기다. **7** 〔法〕 변경하다《*into*》; 〈동산을〉 횡령하다《*to*》. **8** 〔럭비〕 (트라이 후) 추가 득점을 하다. **be**〔**get**〕 **converted** 회개하다, 회심하다. ── *vi.* **1** 변화하다; 개조되다; 바꾸다《*from*》. **2** 개종하다, 전향하다. **3** 〔럭비 · 미蹴〕 추가 득점이 되다.
── [kɑ́nvəːrt/kɔ́n-] *n.* 개심〔전향〕자; 개종〔회심〕자, (새) 귀의자. **make a convert of** a person …을 개종시키다.
⇔ convérsion *n.*; convérse² *a., n.*

con·vert·a·plane[kənvə́ːrtəplèin] *n.* = CONVERTIPLANE.

con·vert·ed[kənvə́ːrtid] *a.* 전환〔변환〕된; 개장〔개조〕한; 개종〔전향〕한: a ~ cruiser 개장 순양함.

con·vert·er[kənvə́ːrtər] *n.* **1** 개종〔전향〕시키는 사람. **2** 〔冶〕 전로(轉爐). **3** 〔原子力〕 전환로. **4** 〔電〕 변환로. **5** 〔라디오 · TV〕 주파수 변환기. **6** 〔TV〕 채널 변환기, 컨버터. **7** 〔컴퓨터〕 변환기《데이터 형식을 변환하는 장치》.

convérter reàctor (연료) 전환로《원자로의 일종》.

con·vert·i·bil·i·ty[kənvə̀ːrtəbíləti] *n.* Ⓤ **1** 전환〔변환, 개변〕할 수 있음. **2** 개종〔전향〕 가능성. **3** 〔金融〕 태환성.

***con·vert·i·ble**[kənvə́ːrtəbəl] *a.* **1** 바꿀 수 있는, 개조〔개장〕할 수 있는《*to*》. **2** 개종〔전향〕시킬 수 있는. **3** (의미상) 바꾸어 말할 수 있는, 뜻이 같은; 〔論〕 환위(換位)할 수 있는. **4** 〔金融〕 차환할 수 있는; 태환성의; 환산할 수 있는. **5** 〔自動車〕 지붕을 접을 수 있는.
── *n.* 전환할 수 있는 사물; 지붕을 접을 수 있게 된 자동차. **~·ness** *n.* **-bly** *ad.*

convértible bónd 〔金融〕 전환 사채(社債).

convértible húsbandry 〔農〕 돌려짓기, 윤작(輪作).

convértible nòte〔**pàper cúrrency**〕 태환 지폐.

convértible tèrms 동의어.

con·vert·i·plane[kənvə́ːrtəplèin] *n.* (수직 이착륙이 가능한) 전환식 비행기.

con·vert·ite[kɑ́nvərtàit/kɔ́n-] *n.* 《古》 개종자; 《특히》 갱생한 매춘부.

***con·vex**[kɑnvéks, kən-] *a.* 볼록한, 철면(凸面)의(*opp.* concave): a ~ lens〔mirror〕 볼록 렌즈〔거울〕. ── *n.* 볼록 렌즈. **~·ly** *ad.*

con·vex·i·ty[kənvéksəti/kɔn-] *n.* (*pl.* **-ties**) **1** Ⓤ 볼록함〔한 모양〕. **2** 철면(凸面)(체).

con·vex·o-con·cave[kənvéksoukɑnkéiv/-kɔnkéiv] *a.* 한 면은 볼록하고 다른 면은 오목한, 요철(凹凸)의.

con·vex·o-con·vex[kənvéksoukɑnvéks/-kɔn-] *a.* 양면이 볼록한, 양철(兩凸)의.

con·vex·o-plane[kənvéksouplèin] *a.* 평철(平凸)의, 뒷면은 판판하고 앞면은 볼록한.

***con·vey**[kənvéi] [L] *vt.* **1** 〈물건 · 승객 등을〉 나르다, 운반하다: ~ goods by truck 트럭으로 물품을 운반하다. **2** 〈소식 · 통신 · 용건을〉 전달하다, 전하다, 알리다; (말 · 기술(記述) · 몸짓 다위가) 뜻하다, 시사하다: ~ the expression of grief *to* a person …에게 애도의 뜻을 전하다/《Ⅲ (목)+전+명》 Your words ~ no meaning *to* me. 네가 하는 말은 나에게는 아무런 의미도 없다. **3** 〈소리 · 열 등을〉 전하다; 〈전염병을〉 옮기다. **4** 〔法〕 〈재산을〉 양도하다: ~ one's property *to* a person …에게 재산을 양도하다. **~·a·ble**[-əbəl] *a.*

***con·vey·ance**[kənvéiəns] *n.* **1** Ⓤ 운반, 수송. **2** Ⓤ (소리 · 냄새 · 의미 등의) 전달. **3** 수송 기관, 탈 것. **4** Ⓤ 〔法〕 (부동산의) 양도, 교부; Ⓒ 양도 증서, 교부서. ⇔ convéy *v.*

con·vey·anc·er *n.* **1** 운반자; 전달자. **2** 〔法〕 부동산 양도 취급인.

con·vey·anc·ing *n.* Ⓤ 〔法〕 양도 증서 작성(업); 부동산 양도 수속.

con·vey·er, -or[kənvéiər] *n.* **1** 운반인; 전달자, 전달하는 것. **2** (주로 conveyor) 운반 장치, 컨베이어: the ~ system 컨베이어 장치, 흐름 작업. **3** (주로 conveyor) 〔法〕 양도인.

convéyor bèlt 〔機〕 컨베이어 벨트.

con·vey·or·ize *vt.* 컨베이어 벨트를 설치하다. **con·vèy·or·i·zá·tion** *n.*

***con·vict**[kənvíkt] *vt.* **1** 유죄를 입증〔선고〕하다: 《Ⅴ (목)+전+-*ing*》 The judge ~*ed* him *of* sett*ing* the house on fire. 판사는 그 집에 불을 지른 그에게 유죄를 선고했다. **2** (수동태 또는수동의 뜻을 지닌 능동태) (…죄로) 문초를 받다; 혐의를 받다: be ~*ed of* theft 절도죄로 문초를 받다/《Ⅱ *done*+전+-*ing*》 I stood ~*ed of* be*ing* an arrant poacher. 나는 소문난 밀렵자라는 혐의를 받은 상태로 있었다. **3** 〈양심 등이〉 죄를 깨닫게 하다: be ~*ed of* sin 죄를 깨닫다. **convicted prisoner** 기결수. ── *n.* 죄인, 죄수, 기결수.
⇔ conviction *n.*; convíctive *a.*

cónvict còlony 유형수(流刑囚) 식민지.

***con·vic·tion**[kənvíkʃən] *n.* **1** Ⓤ,Ⓒ 〔法〕 유죄의 판결: summary ~ 즉결 재판. **2** Ⓤ 설득, 설득력. **3** Ⓤ,Ⓒ 신념(firm belief), 확신: in the full〔half〕 ~ that ... …이라고 충분히〔반쯤〕 확신하고. **4** Ⓤ 〔神學〕 죄의 자각, 회오(悔悟): under ~(*s*) 뉘우쳐서. **be open to conviction** 설득〔이치〕에 순응하다. **carry conviction** 설득력이 있다. **~·al**[-əl] *a.*
⇔ convíct, convínce *v.*; convíctive *a.*

con·vic·tive[kənvíktiv] *a.* 설득력 있는; 잘못을 자각케 하는. **~·ly** *ad.*

cónvict sỳstem 징역〔유형〕 제도.

⁑**con·vince** [kənvíns] [L] *vt.* 확신시키다, 납득시키다, 수긍하게하다: ~ a person *of* sin …에게 죄를 깨닫게 하다/《Ⅳ 대+*that*(절)》He ~*d* me *that* he was innocent. 그는 자기는 무죄임을 내게 납득시켰다(=He ~*d* me *of* his innocence.《Ⅳ 대+전+(목)》/I was ~ *that* he was innocent.《Ⅲ *be pp.*+*that*(절)》).
convince oneself of …을 확신하다.
con·vínc·er *n.* ⊕ convíction *n.*

con·vinced [kənvínst] *a.* 확신을 가진, 신념 있는. **be convinced of**〔**that** …〕…을〔이라고〕확신하다.

con·vinc·i·ble [-əbəl] *a.* 설득할 수 있는; 이치에 따르는.

*__con·vinc·ing__ [kənvínsiŋ] *a.* 설득력 있는, 수긍이 가게 하는, 납득이 가는 〈증거 등〉. **~·ly** *ad.* **~·ness** *n.*

con·vive [kánvaiv/kɔ́n-] *n.* 연회〔회식〕친구.

con·viv·ial [kənvíviəl] *a.* **1** 연회의. **2** 연회를 좋아하는; 쾌활한(jovial). **~·ist** *n.* 연회를 좋아하는 사람. **~·ly** *ad.*

con·viv·i·al·i·ty [kənvìviǽləti] *n.* (*pl.* **-ties**) **1** Ⓤ 주흥, 연회 기분, 유쾌함, 기분 좋음. **2** 주연, 연회.

con·vo·ca·tion [kànvəkéiʃən/kɔ̀n-] *n.* **1** Ⓤ (회의·의회의) 소집; Ⓒ 집회. **2** (**C-**) 《영》 대주교구 회의; 《미》 (감독 교회의) 주교구 회의. **3** 《영》 (대학의) 평의회.
~·al [-ʃənəl] *a.*

con·vo·ca·tor [kánvəkèitər/kɔ́n-] *n.* **1** (회의의) 소집자. **2** 회의 참가자.

con·voke [kənvóuk] *vt.* 《文語》 〈회의·의회를〉 소집하다(*opp.* dissolve).

con·vo·lute [kánvəlùːt/kɔ́n-] *a.* **1** 〔植·貝〕 포선형(包旋形)의, 회선상(回旋狀)의. **2** 둘둘 말린. — *vt., vi.* 둘둘 말다〔감다〕; 뒤얽히다. — *n.* 〔植·貝〕 포선체(體). **~·ly** *ad.*

con·vo·lut·ed [kánvəlùːtid/kɔ́n-] *a.* **1** 〔動·解〕 회선상의(spiral). **2** 뒤얽힌, 복잡한. **~·ly** *ad.*

cónvoluted túbule 신장의 신단위(腎單位)의 일부《소변을 응집하고 염기와 수분의 균형을 유지함》.

con·vo·lu·tion [kànvəlúːʃən/kɔ̀n-] *n.* **1** 회선; 포선, 둘둘 말림. **2** (논의 등의) 얽힘, 분규. **3** 〔解〕 뇌회(腦回)《대뇌 표면의 주름》.

con·volve [kənválv/-vɔ́lv] *vt.* **1** 말다, 감다. **2** 얽다. — *vi.* 빙빙 돌다. **~·ment** *n.*

con·vol·vu·lus [kənválvjuləs/-vɔ́l-] *n.* (*pl.* **~·es, -li** [-lài, -lìː]) 〔植〕 메꽃(무리).

*__con·voy__ [kánvɔi/kɔ́n-] *vt.* **1** 〈군함·군대 등이〉 호송하다, 호위하다(escort). **2** 《古》 〈귀부인·빈객 등을〉 안내하다. — *n.* **1** Ⓤ 호송, 호위. **2** 호위대; 호위선, 경호함; 피호송자〔선〕. **under**〔**in**〕 **convoy** 호위되어〔하여〕.

con·vulse [kənvʌ́ls] [L] *vt.* **1** 진동시키다; 〈국가 등에〉 대소동을 일으키다. **2** (보통 수동형으로) 〈웃음·고통 등이〉 …을 경련시키다, 몸부림치게 하다《*with*》: be ~*d with* laughter 포복 절도하다. **3** (농담 등으로) …을 몹시 웃기다《*with*》.

*__con·vul·sion__ [kənvʌ́lʃən] *n.* **1** (보통 *pl.*) 〔醫〕 경련, 경기. **2** (*pl.*) 웃음의 발작, 포복 절도. **3** (자연계의) 격동, 변동; (사회·정계 등의) 이변, 동란: a ~ of nature 천재지변《지진, 분화 등》. **fall into a fit of convulsions** 경련을 일으키다; 포복 절도하다. **throw into convulsions** 경련을 일으키게 하다; 자지러지게 웃기다; 〈민심을〉 동요시키다.
⊕ convúlse *v.*: convúlsive, convúlsionary *a.*

con·vul·sion·ar·y [-èri/-əri] *a.* 진동〔격동〕성의; 경련적인. — *n.* (*pl.* **-ar·ies**) 경련성의 사람; (종교적 광신에서) 경련을 일으키는 사람.

con·vul·sive [kənvʌ́lsiv] *a.* **1** 경련성의, 발작적인. **2** 경련을 일으킨 듯한: with a ~ effort 사력을 다해. **~·ly** *ad.* **~·ness** *n.*

co·ny [kóuni] *n.* (*pl.* **-nies**) =CONEY.

*__coo__[1] [kuː] [의성어] *n.* (*pl.* **~s**) 구구《비둘기 우는 소리》. — *vi.* **1** 〈비둘기가〉 구구 울다. **2** 〈젖먹이가〉 킥킥거리며 좋아하다. **3** 〈연인끼리〉 정답게 소곤거리다. — *vt.* 〈말을〉 정답게 속삭이다. **bill and coo** 〈남녀가〉 서로 애무하며 사랑을 속삭이다.

coo[2] [의성어] *int.* 《영俗》 거참, 허《놀람·의문을 나타냄》.

co·oc·cur *vi.* 동시에〔함께〕 일어 나다.

cooch [HOOTCHY-KOOTCHY의 단축형] *n.* 여성이 몸을 비틀면서 선정적으로 추는 동양풍의 솔로(solo)무용.

coo·ee, -ey [kúːi] [의성어] *n., int.* 어이! 《오스트레일리아 원주민의 고함 소리》. — *vi.* 어이하고 고함치다.

coo·er [kúːər] *n.* 정답게 속삭이는 사람, 애인.

⋆**cook** [kuk] *vt.* **1** 요리하다, 음식을 만들다: 《Ⅳ 대+(목)》I'll ~ you a good dinner. 너에게 맛있는 정식을 요리해 주겠다(=I'll ~ a good dinner *for* you.《Ⅲ (목)+전+명》). **2** 열〔불〕에 쬐다; 굽다. **3** 〈이야기 등을〉 지어내다, 꾸미다, 날조하다; 〈장부 등을〉 조작하다(*up*), 속이다: ~ the accounts 장부를 조작하다/~ *up* a story〔report〕 이야기〔보고〕를 날조하다. **4** 《俗》 못 쓰게 만들다; 《영俗》 지치게 하다 《口》 (더위에) 녹초가 되게 하다. **cook the books** 장부를 속이다. — *vi.* **1** 요리하다, 식사를 준비하다: ~ *out* 옥외에서 요리하여 식사하다/《Ⅰ 전+명》She ~*s* *with* a fry(ing) pan. 그녀는 프라이팬으로 요리한다/《Ⅰ (부목)》She ~*s* her own way. 그녀는 자기 나름대로 요리한다(=She ~*s* in her own way 《Ⅰ 전+명》). **2** 〈음식물이〉 요리되다, 삶아지다, 구워지다: 《Ⅰ 부》The apples ~ soon. 그 사과는 요리가 빨리 된다. **3** 요리사로서 일하다. **4** 《口》 생기다, 일어나다(occur). **5** 《口》 (더위로) 녹초가 되다. **6** 《미俗》 흥분하다; 열렬해지다; 열연하다. **7** 《口》 방사성을 띠다. **cook up** 《미口》 안출해 내다(devise). **what's cooking?** 《口》 무슨 일이 있느냐, 어찌 되었느냐; (앞으로) 어떻게 할 것이냐. **be cooked alive** 찌는 듯이 덥다, 더위로 지치다: 《Ⅱ *be pp.*+형》She *is cooked alive.* 그녀는 더위로 지쳐 있다. — *n.* **1** 요리사, 쿡《남·녀》: a good〔bad〕 ~ 요리 솜씨가 좋은〔없는〕 사람/a head ~ 주방장/a man ~ 쿡(남자). **Too many cooks spoil the broth.** 《속담》 「사공이 많으면 배가 산으로 오른다」. **2** 끓임. **3** 《미口》 지도자. ⊕ cóokery *n.*

Cook [kuk] *n.* 쿡 James ~(1728-79)《영국의 항해가》.

cook·a·ble [kúkəbəl] *a.* 요리할 수 있는. — *n.* 요리해 먹을 수 있는 것(*cf.* EATABLE).

cook·book [kúkbùk] *n.* **1** 《미》 요리책(《영》 cookery-book). **2** 자세한 설명서〔해설서〕.

cóok chéese 가열(加熱) 치즈《탈지유로 만든 치즈》.

cook·ee [kúkiː] *n.* 《미口》 쿡의 조수.

cook·er [kúkər] *n.* **1** 요리 도구《솥·냄비 등》. **2** 《口》 요리에 알맞은 과일.

*__cook·er·y__[kúkəri] *n.* (*pl.* **-er·ies**) **1** [U] 《영》 요리법. **2** 《미》 조리실, 취사장.
cook·er·y-book *n.* 《영》 요리책(《미》 cookbook).
cook-gen·er·al[ˊ-dʒénərəl] *n.*(*pl.* **cooks-**) 《영》 요리 및 가사 일반을 맡는 하인.
cook·house[ˊ-hàus] *n.* (*pl.* **-hous·es**) 조리실;(배의) 취사실(galley);(캠프·전쟁터의) 옥외 취사장.
*__cook·ie, cook·(e)y__[kúki] [Du] *n.* **1** 《미》 (보통 가정에서 만든) 쿠키, 작고 납작한 케이크(《영》 biscuit, small sweet cake); 《스코》 과자빵(bun). **2** (보통 수식어와 함께) 《미俗》 사람, 놈(person). **3** 《미俗》 매력적인 여자, 귀여운 소녀. **4** 《俗》 《특히》 여자 쿡. **That's how〔the way〕 the cookie crumbles.** 《口》 이게 인간 세상이라는 거다.
cook·ie-cut·ter [kúki:kʌ̀tər] *a.* 개성이 없는; 대량생산적인.
cóokie pùsher 《미俗》 **1** 나약하고 소심한 청년; 아첨꾼. **2** (특히 국무성의) 관리, 전통을 고수하는 외교관.
cóokie shèet 쿠키시트《쿠키를 굽는 철판·알루미늄판》.
cook-in[kúkìn] *n.* **1** 가정 요리. **2** 요리 교실〔프로〕.
‡**cook·ing**[kúkiŋ] *n.* [U] 요리법; 요리하기. ── *a.* 요리용의.
cóoking àpple 요리용 사과.
cóoking tòp 4개의 버너가 있는 캐비닛형 레인지(cooktop).
cook·off[ˊ-ɔ̀(:)f, ˊ-ɑ̀f] *n.* 요리 콘테스트.
cook·out[ˊ-àut] *n.* 《미口》 야외 요리〔파티〕.
cook·room[ˊ-rù(:)m] *n.* 취사장, 부엌;(특히 배의) 취사실.
cook·shop[ˊ-ʃɑ̀p/ˊ-ʃɔ̀p] *n.* 작은 음식점, 식당(eating house).
Cóok's tóur 《익살》 주마 간산(走馬看山)식 (단체) 관광 여행; 조잡한 개관; 대강 봄.
cook·stove[ˊ-stòuv] *n.* 《미》 요리용 레인지.
cook·top[ˊ-tɑ̀p/ˊ-tɔ̀p] *n.* =COOKING TOP.
cook-up[ˊ-ʌ̀p] *n.* **1** 꾸며낸〔조작한〕 것. **2** (카리브해 지방의) 고기·새우·쌀·야채 등으로 만든 요리.
cook·ware[ˊ-wɛ̀ər] *n.* 취사 도구, 조리기구.
cook·y[kúki] *n.* (*pl.* **cook·ies**) **1** 《口》 (선박 등의) 요리사 (조수);(특히 여자) 쿡. **2** 작고 납작한 케이크(=COOKIE).
★**cool**[ku:l] *a.* **1** 시원한《빛깔이면 청·녹색》, 서늘한, 선선한(*opp.* warm), 차가운,(보기에) 시원스러운; (Ⅱ It *v*Ⅱ+형+부)It's ~ today. 오늘은 날씨가 서늘하다. **2** 냉정한, 침착한, 태연한; 열이 없는, 냉담한; 뻔뻔스러운: a ~ customer 뻔뻔스러운 놈/a ~ head 냉정한 두뇌(의 소유자). **3** 찬 색의,(청·녹·자색이 주조를 이루어) 찬. **4** 《口》 정미(正味)…, 에누리 없는: a ~ million dollars 에누리 없는 백만 달러의 거액. **5** 〔사냥〕 〈사냥감의 냄새가〉 희미한, 약한(*cf.* COLD; HOT). **6** 《俗》 훌륭한, 근사한. **7** 〔재즈〕 이지적 감흥을 주는, 쿨한. **as cool as a cucumber** 아주 침착한. **cool, calm, and collected** 《口》 매우 침착하게, 냉정하여. **get cool** 식다; 서늘해지다; 시원해지다. **have cool cheek** 아주 뻔뻔스럽다. **in cool blood**=in cold BLOOD. **keep** (one**self**) **cool** 땀을 들이다; 냉정을 유지하다. **nice and cool** 기분 좋게 선선한〔차가운〕(nicely cool). **remain cool** 덤벙대지 않다, 침착하다. ── *ad.* 냉정히. **play it cool** 《口》 냉정히 행동하다, 아무렇지도 않은 체하다.
── *n.* [U] **1** (the ~) 냉기, 서늘한 기운; 서늘한 때〔곳〕. **2** (one's ~) 《俗》 냉정, 침착. **keep** one's **cool** 침착하다. **lose〔blow〕** one's **cool** 흥분하다.
── *vt.* **1** 차게 하다; 서늘하게 하다. **2** 〈열정·분노 등을〉 가라앉히다, 진정시키다. **cool it** 《미俗》 냉정해지다, 침착해지다. **cool** one's **heels** 오래 기다리다. **Keep your breath to cool your porridge.** 쓸데없는 말참견하지 마라. ── *vi.* **1** 식다, 차가워지다; 서늘해지다. **2** 〈열정·화 등이〉 식다, 가라앉다. **cool down〔off〕** 〈열정·분노 등이〉 식다, 가라앉다. **cool out** (1) 달래다. (2) 《미俗》 (상대방의) 의도를 살피다. (3) 〔競馬〕 경주 후 말을 진정시키다. (4) 《미俗》 죽이다. (5) 《미口》 (경쟁 등으로) 상대편 상사를 누르다.
◇ cóolly *ad.*; cóolness *n.*
cool·ant[kú:lənt] *n.* 냉각제; 냉각수《엔진 등 내부의 열·마찰열을 감소하기 위한 것》.
cóol bàg〔bòx〕 쿨러《피크닉 등의 음식을 위한 냉장 용기》.
cóol cát 《미俗》 재즈(jazz)팬, 재즈통.
cóol chàmber 냉장실.
‡**cool·er**[kú:lər] *n.* **1** 냉각기; 《미》 냉장고. **2** 청량 음료. **3** (the ~) 《俗》 교도소, 유치장(lockup), 독감방(cell); 《軍俗》 영창.
cool-head·ed[kú:lhédid] *a.* 냉정〔침착〕한. **~·ly** *ad.*
Coo·lidge[kú:lidʒ] *n.* 쿨리지 (John) Calvin ~(1872-1933)《미국 제30대 대통령(1923-29)》.
coo·lie, -ly[kú:li][Hind] *n.* (*pl.* **-lies**) (중국·인도 등의) 쿨리, 하급 노동자.
cóolie hàt (햇볕 가리개용) 넓은 원뿔꼴의 밀짚 모자.
cóolie jàcket〔còat〕 쿨리 재킷〔코트〕《허리를 가릴 정도의 짧은 박스형 코트; 쿨리의 웃옷과 비슷》.
cool·ing[kú:liŋ] *n.* [U], *a.* 냉각(의): a ~ room 냉각실.
cóoling drìnks 청량 음료.
cóoling òff 할부 판매 계약 취소 보증 제도.
cool·ing-off[kú:liŋɔ́(:)f, -ɑ́f] *a.* (쟁의 등에서) 격정을 냉각시키기 위한.
cóol·ing-off périod 냉각 기간.
cóoling tìme =COOLING-OFF PERIOD.
cóoling tòwer (냉방용수의) 냉각탑; 냉수탑.
cool·ish[kú:liʃ] *a.* 조금 찬, 찬 기운이 있는.
cóol jázz 쿨재즈《모던 재즈의 한 연주 형식; 지적으로 세련됨》.
*__cool·ly__[kú:*l*li] *ad.* 서늘하게; 냉담하게; 냉정하게, 침착하게.
cool·ness[kú:lnis] *n.* [U] **1** 시원함, 차가움. **2** 냉정, 침착. **3** 냉담, 무뚝뚝함. **4** 뻔뻔스러움.
coombe, coomb[ku:m] *n.* =COMBE.
coon[ku:n] *n.* **1** 《미》=RA(C)COON. **2** 《口》 교활한 놈(sly fellow). **3** 《경멸》 검둥이(Negro). **go the whole coon** 《미》 철저히 하다(《영》 go the whole hog). **hunt〔skin〕 the same old coon** 늘 같은 일만 하고 있다.
coon·can[kú:nkæ̀n] *n.* [U] 쿤캔《40매의 카드로 두 사람이 하는 러미(rummy)》.
cóon càt (미국 종(種)의) 집고양이의 일종.
cóon chèese 쿤치즈《모나고 짙은색의 부드러운 체다 치즈》.
coon·hound[ˊ-hàund] *n.* 아메리카너구리 사냥용으로 개량된 사냥개.
cóon's àge 《미口》 긴 세월(a long time)(*cf.* DONKEY'S YEARS).

coon·skin[∠skìn] *n.* U,C **1** 아메리카너구리의 털가죽. **2** 그것으로 만든 모자〔외투〕.

coontie[kú:nti] *n.* **1** 〔植〕 플로리다소철《미국 Florida 주산》. **2** 그 전분.

co-op, co·op¹ [ku(:)p] [*coop*erative] *n.* **1** 《口》 소비〔협동〕조합의 가게(cooperative-store). **2** 소비〔협동〕조합《cooperative(society)의 생략》. **3** 〔廣告〕 협동광고. **on the co-op** 소비 조합 방식으로.

co-op., coop., coöp. cooperative.

coop² [ku(:)p] *n.* **1** 닭장, 우리; 《영》 가리《물고기를 잡는 기구》. **2** 비좁고 갑갑한 곳; 《俗》 감옥(jail). **fly the coop** (1) 《俗》 탈옥하다. (2) 《미俗》 도망치다. — *vt.* **1** 우리에 넣다; 비좁은 곳에 가두다《*in, up*》. **2** 《미俗》 (투표하러 못가게) 가두어 놓다.

coop·er[kú(:)pər] *n.* **1** 통장이. **2** 《영》 술장수(=wine ~)《술맛도 보고 병에 담기도 하는》. **3** U 《영》 (porter와 stout를 반반씩 섞은) 혼합 흑맥주. **dry〔wet〕 cooper** 건물용(乾物用)〔액체용〕 통 만드는 사람. **white cooper** (보통의) 통장이. — *vi.* 통장이 노릇을 하다. — *vt.* **1** 〈통 등을〉 수선하다〔만들다〕. **2** 〈포도주 등을〉 통에 넣다. **3** 《俗》 해치우다. **cooper up〔out〕** 《口》 모양을 내다, 성장하다.

Coo·per[kú(:)pər] *n.* 쿠퍼 James Fenimore ~(1789-1851)《미국의 소설가》.

coop·er·age[kú:pəridʒ] *n.* **1** U 통장이 일; 통장이의 품삯. **2** C 통장이의 제품〔일터〕.

co·op·é·rant, co·op·er·ant[kouápərənt/-ɔ́p] [F] *n.* (프랑스의) 개발도상국 원조 계획 참가자.

‡**co·op·er·ate, co-op-** [kouápərèit/-ɔ́p-] [L] *vi.* **1** 협력하다, 협동하다《*with, in, for*》: ~ *with* a person *for* …위해 …와 협력하다/《Ⅲ *v*I+전+(목)+전+명》She ~*d with* him *in* the improvement of the invention. 그녀는 그 발명품을 개선하는 데 그와 협력했다/《Ⅴ *v*I+전+(목)+전+-*ing*》I will ~ *with* you *in* uproot*ing* these eveil practices. 나는 당신이 이러한 폐습(弊習)을 근절하는 데 협력하겠습니다. **2** 〈사정 등이〉 서로 돕다(contribute): Everything ~*d to* make our plan a success. 모든 일이 잘 협조되어 우리의 계획은 성공하였다. ◇ co-operate, co-öperate, cooperate로 spelling은 세 가지가 있음.
⊕ cooperátion *n.*: coóperative *a.*

‡**co·op·er·a·tion, co-op-**[kouàpəréiʃən/-ɔ̀p-] *n.* **1** U 협력, 협동, 제휴. **2** U 협조성; 원조. **3** U 〔經〕 (생산·판매 등의) 협업. **4** 협동 조합: consumers'〔consumptive〕 ~ 소비 조합/producers'〔productive〕 ~ 생산 조합. **5** U 〔生態〕 협동 작용. **in cooperation with** …와 협력〔협동〕하여.
⊕ coóperate *v.*

*__co·op·er·a·tive, co-op-__ [kouápərèitiv, -ərətiv/-ɔ́pərətiv] *a.* **1** 협력적인, 협조적인; 협동의: ~ savings 공동 저금. **2** 조합의, 소비조합의. — *n.* **1** 협동조합(의 매점). **2** 《미》 협동주택《거주자가 건물을 공유·관리 운영함》. **~·ly** *ad.* ⊕ coóperate *v.*: cooperátion *n.*

coóperative apártment 《미》 조합식 아파트《건물 전체를 소유하는 조합〔회사〕의 주주가 입주함》.

coóperative socíety 협동 조합《소비자·생산자 등의》.

coóperative stóre 협동 조합의 매점.

co·op·er·a·tor[kouápərèitər/-ɔ́p-] *n.* **1** 협력자. **2** 협동〔소비〕 조합원.

coopery[kú:pəri] *n.* (*pl.* **-per·ies**) =COOPERAGE.

co-opt, co·öpt[kouápt/-ɔ́pt] *vt.* **1** 〈위원회 등에서 새 회원을〉 선임〔선출〕하다. **2** 《미》 〈분파 등을〉 조직에 흡수하다.

co-op·ta·tion[-téiʃən] *n.* U 새 회원의 선출.

co-op·ta·tive[-tətiv] *a.*

*__co·or·di·nate__[kouɔ́:rdənit, -nèit] *a.* **1** 동등한, 동격의, 대등한《*with*》. **2** 〔文法〕 대등의, 등위(等位)의. **3** 〔數〕 좌표의. — *n.* **1** 동격자, 대등한 것. **2** 〔文法〕 동등 어구. **3** (*pl.*) 위도와 경도(에서 본 위치); 〔數〕 좌표. **4** (*pl.*) 코오디네이트《색깔·소재·디자인 따위가 조화된 여성복》. — [kouɔ́:rdənèit] *vt.* **1** 대등하게 하다. **2** 통합하다; 조정하다(adjust), 조화시키다. — *vi.* **1** 대등하게 되다. **2** (각 부분이) 조화하여 움직이다〔기능하다〕.
⊕ coordinátion *n.*: coórdinative *a.*

coórdinate bònd 〔化〕 배위 결합(配位結合)《한 원자에서만 제공되는 두 개의 원자가 전자(原子價電子)의 공유에 의해 생기는》.

coórdinate cláuse 〔文法〕 등위절.

coórdinate conjúnction 〔文法〕 등위접속사(and, but, or, for 등).

co·or·di·nat·ed[kouɔ́:rdənèitid] *a.* 단일 목적을 위해 2개 이상의 근육계를 사용할 수 있는, 〈근육이〉 공동 작용할 수 있는.

coórdinated univérsal tìme 〔天〕 협정 세계시《略: UTC》.

*__co·or·di·na·tion__[kouɔ̀:rdənéiʃən] *n.* U **1** 동등(하게 함); 〔文法〕 대등 관계. **2** 정합(整合), (작용·기능의) 조정, (근육 운동의) 공동 작용. ⊕ coórdinate *a., v.*

co·or·di·na·tive[kouɔ́:rdənèitiv, -nət-] *a.* **1** 동등한, 대등한, 동격의. **2** 조정된. **3** 〔文法〕 등위의. **4** 〔言〕 외심적(外心的) 구조의(*opp.* subordinative).

co·or·di·na·tor[kouɔ́:rdənèitər] *n.* **1** 동격으로 하는 것〔사람〕. **2** 조정자; (의견 등을) 종합하는 사람, 진행자, 코오디네이터. **3** 〔文法〕 등위 접속사.

coot[ku:t] *n.* **1** 〔鳥〕 물닭《유럽산》; 검둥오리《북미산》. **2** 《俗》 얼간이, 멍청이. **(as) bald as a coot** 이마가 홀랑 벗겨져서. **(as) stupid as a coot** 멍텅구리인.

coo·tie[kú:ti] *n.* 《미俗》 이(louse).

co-own·er[kòuóunər] *n.* 〔法〕 공동 소유자.

cop¹ [kap/kɔp] *n.* **1** 방추(紡錘)에 원추형으로 감은 실. **2** 《영方》 (언덕 등의) 꼭대기.

cop² [*cop*per²] *n.* 《口》 순경(policeman). **cop and heel** (1) 《미俗》 탈주, 도망. (2) 《미俗》 위기 일발. **cops and robbers** 「순경과 도둑」《어린이놀이》. **on the cops** 《미俗》 순경이 되어.

cop³ [L] *vt.* (~**ped**; ~**·ping**) 《俗》 **1** 〈범인을〉 잡다, 포박하다. **2** 훔치다. **3** (~ it로) 야단맞다, 벌을 받다. **cop a plea** 《俗》 (중죄를 피하려고 가벼운) 죄를 자백하다. **cop out** 《俗》 (일·약속 등에서) 손을 떼다, 책임회피 하다《*of, on*》. — *n.* (보통 a fair ~로) 보기좋게 잡힘. **not much cop** 《영俗》 시시한, 가치〔쓸모〕가 별로 없는.

cop. copper; copyright(ed). **Cop., Copt.** Coptic.

co·pa·cet·ic[kòupəsétik] *a.* 《미俗》 훌륭한, 만족스러운.

co·pai·ba, -va[koupéibə, -pái-], [-və] *n.* U 코파이버 발삼(=∠ **bàlsam**〔**rèsin**〕)《남미산 식물에서 뽑은 약용의 나무 진》.

co·pal[kóupəl, -pæl] *n.* U 코펄《천연 수지;

니스의 원료).
co·palm[kóupɑ̀:m] *n.* **1** 〔植〕 풍향수(楓香樹)《북미산》. **2** Ⓤ 그 수지.
co·par·ce·nar·y[koupɑ́:rsənèri/-nəri] *n.* Ⓤ 〔法〕 상속 재산 공유; 공동 소유.
co·par·ce·ner[-sənər] *n.* 〔法〕 (토지) 공동 상속인.
co·part·ner[koupɑ́:rtnər] *n.* **1** 협동자, 파트너. **2** 조합원; 공동 경영자 《등》. **3** 공범〔공모〕자. **~·ship**[-ʃìp] *n.* Ⓤ **1** 협동; 조합제. **2** (공동) 조합, 합명 회사.
cope¹[koup] [OF] *vi.* **1** 겨루다, 맞서다, 대항하다, 제압하다《*with*》: 《Ⅲ 조+*v*Ⅰ+전+(목)+전+명》 You cannot ~ *with* her *in* the knowledge of the French. 너는 프랑스어의 지식면에서는 그와 겨룰 수 없다/《Ⅲ *to* do》((*to* do)-Ⅲ *v*Ⅰ+전+(목)) He tried *to* ~ *with* the enemy. 그는 적을 제압하려고 노력했다. **2** 대처하다, 처리하다, 극복하다《*with*》/《Ⅲ 조+*v*Ⅰ+전+(목)》 He cannot ~ *with* vital matters. 그는 긴요한 일들을 처리할 수가 없다/《Ⅲ 부+*v*Ⅰ+전+(목)》 He wisely ~*d with* his difficulty. 그는 현명하게 자기의 어려움을 극복했다(=He had the wisdom *to* ~ *with* his difficulty.《Ⅴ(목)+*to* do》). **3** 《口》 (이럭저럭) 해나가다.
— *vt.* 《口》 대항하다; 대처하다.
cope²*n.* **1** 〔基督敎〕 (성직자의) 코프《망토 모양의 긴 외투》. **2** 덮개: a ~ of night〔heaven〕 밤의 장막〔푸른 하늘〕. **3** 종의 거푸집 맨 윗부분; 〔建〕 (담의) 갓돌(coping). **4** 《詩》 창공, 하늘. — *vt.* **1** 코프를 입히다. **2** 갓돌을 얹다: walls ~*d* with broken bottles 꼭대기에 병 조각을 박은 담. — *vi.* 덮이다; 〈담의 갓돌처럼〉 내밀다《*over*》.
C.O.P.E.C. Conference on Christian Politics, Economics and Citizenship.
co·peck *n.* =KOPECK.
Co·pen·ha·gen[kóupənhéigən, -hɑ́-] *n.* **1** 코펜하겐《덴마크의 수도》. **2** (**c-**) 회청색(灰青色)(=**c** ∠ **blúe**)
co·pe·pod[kóupəpɑ̀d/-pɔ̀d] *a., n.* 〔動〕 요각류(橈脚類)의 (동물)《검물벼룩 등의 수생(水生) 동물》.
cop·er[kóupər] *n.* 《영》 말장수, 마도위.
Co·per·ni·can[koupə́:rnikən] *a.* **1** 코페르니쿠스(설)의: the ~ theory 지동설. **2** 코페르니쿠스적인, 획기적인.
Copérnican sỳstem (the ~) 코페르니쿠스설〔체계〕《태양 중심설 · 지동설》.
Co·per·ni·cus[koupə́:rnikəs] *n.* 코페르니쿠스 Nicholas ~(1473-1543)《폴란드의 천문학자; 지동설의 제창자》. ➾ Copérnican *a.*
co·pe·set·ic *a.* =COPACETIC.
Cópe's rùle 〔生〕 코프의 법칙《비(非) 특수형의 법칙, 체대화(體大化)의 법칙 등 정향(定向) 진화에 입각한 법칙》.
cope·stone[kóupstòun] *n.*=COPING STONE.
cop·i·er[kɑ́piər/kɔ́p-] *n.* **1** 모방자. **2** 필생(copyist). **3** 복사기; 복사하는 사람.
co·pi·lot[kóupàilət] *n.* 〔空〕 부조종사.
cop·ing[kóupiŋ] *n.* Ⓤ 〔建〕 **1** (돌담 등의) 갓돌, 지지름돌. **2** (벽돌담 등의) 갓돌공사; 꼭대기층.
cóping sàw 실톱.
cóping stòne 1 〔建〕 갓돌, 지지름돌. **2** 끝손질, 마지막 마무리; 극치.
co·pi·ous[kóupiəs] *a.* **1** (공급량 · 사용량 등이) 풍부한, 막대한. **2** 내용이 풍부한; 〈작가 등이〉 말이 많은, 자세히 서술하는.
~·ly *ad.* **~·ness** *n.*
co·pla·nar[koupléinər] *a.* 〔數〕 동일 평면상의, 공면(共面)의《점 · 선 등》.
co·pol·y·mer[koupɑ́ləmər/-pɔ́l-] *n.* 〔化〕 공중합체(共重合體).
cop-out[kɑ́pàut/kɔ́p-] *n.* 《俗》 **1** (책임 회피의) 구실, 핑계. **2** (일 · 약속 등에서) 손을 떼기〔떼는 사람〕. **3** 변절〔전향〕(자). **4** (비겁한) 도피, 타협.
cop·per¹[kɑ́pər/kɔ́p-] [L] *n.* **1** Ⓤ 구리, 동: red ~ 적동광. **2** 동화, 동전(penny 등); (*pl.*) 《俗》 잔돈. **3** a 《영》 취사〔세탁〕용 보일러《지금은 보통 쇠로 만든 것》. b (*pl.*) 배의 물끓이는 솥. **4** 동판. **5** (*pl.*) 동산주(銅山株). **6** Ⓤ 구리빛, 동색, 적갈색. **7** 〔昆〕 주홍부전나비속의 나비. **cool**〔**clear**〕 **one's coppers** 술을 깨기 위해 물을 마시다. **have hot coppers** 〈과음하여〉 목이 마르다. — *a.* **1** 구리의, 구리로 만든. **2** 구리빛의, 적갈색의.
— *vt.* **1** 구리를 입히다; 〈뱃바닥에〉 동판을 대다. **2** 〈야채를〉 황산동으로 물들이다.
➾ cóppery *a.*
copper² *n.* 《俗》 순경, 경관(cop).
cop·per·as[kɑ́pərəs/kɔ́p-] *n.* Ⓤ 〔化〕 녹반(綠礬)(green vitriol).
cópper béech 〔植〕 너도밤나무의 일종.
Cópper Bèlt (the ~) (중앙 아프리카의) 구리 산출 지대《잠비아와 자이르의 국경 지대》.
cop·per-bot·tomed[-bɑ́təmd/-bɔ́t-] *a.* **1** 밑바닥에 동판을 댄 〈배〉. **2** 《口》 진짜의, 믿을 수 있는. **3** 〈사업 등이〉 (재정적으로) 건전한.
cop·per-col·ored[-kʌ́lərd] *a.* 구리빛의.
cop·per·head[-hèd] *n.* **1** 〔動〕 미국 살무사《북미산》. **2** (**C-**) 〔미史〕 남북 전쟁 당시 남부에 동정한 북부 사람.
cópper Índian 북아메리카 인디언(red Indian).
cópper nítrate 〔化〕 질산동(銅).
cop·per·nose[-nòuz] *n.* (모주꾼의) 딸기코.
cop·per·plate[-plèit] *n.* **1** 동판. **2** Ⓤ 동판 조각; 동판 인쇄. **3** Ⓤ (동판 인쇄처럼) 깨끗한 초서체: write like ~ 마치 동판 인쇄한 것처럼 깨끗이 쓰다. — *a.* 동판의, 동판 인쇄의〔같은〕.
cópper pyrítes 〔鑛〕 황동광.
cópper red 〔鑛〕 적동광.
cop·per·skin[-skìn] *n.* 아메리카 인디언.
cop·per·smith[-smìθ] *n.* 구리 세공인; 구리 그릇 제조인.
cópper súlfate 〔化〕 황산동.
cop·per·y[kɑ́pəri/kɔ́p-] *a.* **1** 동을 함유한. **2** 구리 같은. **3** 구리빛의, 적갈색의.
cop·pice[kɑ́pis/kɔ́p-] *n.* 작은 관목숲, 잡목숲(copse). **cóp·pic·ing** *n.* 〔林〕 정기 벌채.
cop·pice-wood[-wùd] *n.* =COPSEWOOD.
co·pra[kɑ́prə/kɔ́p-] *n.* Ⓤ 코프라《야자의 열매를 말린 것》.
co·pres·i·dent[kóuprèzədənt] *n.* 공동 사장.
co·pro·duce[kòuprədjú:s] *vt.* 공동 생산하다.
co·pro·du·cer *n.* 공동 생산자.
co·prod·uct *n.* 부산물(by-product).
cop·ro·lag·ni·a[kɑ̀prəlǽgniə/kɔ̀p-] *n.* 〔精醫〕 애분(愛糞)(증)《성적 도착의 일종》.
cop·ro·la·li·a[kɑ̀prəléiliə/kɔ̀p-] *n.* Ⓤ 〔精醫〕 예어(穢語), 분어증(糞語症), 추어증(醜語症).
cop·ro·lite[kɑ́prəlàit/kɔ́p-] *n.* Ⓤ 〔地質〕 분석(糞石)《동물 똥의 화석》.
cop·rol·o·gy[kɑprɑ́lədʒi/kɔprɔ́l-] *n.* Ⓤ **1** 분석학(糞石學)(scatology). **2** (문학에서의) 외설 취미, 포르노(pornography).

cop·rol·og·i·cal *a.*
cop·roph·a·gous[kaprɑ́fəgəs/kɔprɔ́f-] *a.* 〈곤충·새·동물이〉 똥을 먹고 사는.
cop·roph·a·gy[kaprɑ́fədʒi/kɔprɔ́f-] *n.* 식분(食糞)(성), 분식증.
cop·ro·phil·i·a[kɑ̀prəfíliə/kɔ̀p-] *n.* 〔精醫〕 기분증(嗜糞症), 호분증(好糞症).
cop·roph·i·lous[kaprɑ́fələs/kɔprɔ́f-] *a.* 〈버섯·곤충이〉 똥에서 자라는.
co-pros·per·i·ty[kòuprɑspérəti/-prɔs-] *n.* Ⓤ 공영(共榮).
copse[kɑps/kɔps] *n.* =COPPICE.
copse·wood[⌐wùd] *n.* (잡목숲 밑의) 잔나무(underwood).
cóp shòp 《口》 파출소.
cops·y[kɑ́psi/kɔ́p-] *a.* 덤불 숲이 많은.
Copt[kɑpt/kɔpt] *n.* **1** 콥트 사람《이집트 원주민》. **2** 콥트교도《이집트의 기독교도》.
cop·ter[kɑ́ptər/kɔ́p-] *n.* 《口》 =HELICOPTER.
Cop·tic[kɑ́ptik/kɔ́p-] *a.* **1** 콥트 사람〔말〕의. **2** 콥트 교회의. ─ *n.* Ⓤ 콥트 말.
Cóptic Chúrch (the ~) 콥트 교회《그리스도 단성설(單性說)을 주창하여 로마 카톨릭교회에서 이탈한 이집트 교회》.
cop·u·la[kɑ́pjələ/kɔ́p-] *n.* (*pl.* **~s, -lae**) **1** 〔論·文法〕 연결사, 계사(繫辭)《subject 와 predicate 를 잇는 be 동사 등》. **2** 〔解〕 접합부. **-lar**[-lər] *a.*
cop·u·late[kɑ́pjəlèit/kɔ́p-] *vt.* **1** 〈사람이〉 성교하다. **2** 〈동물이〉 교접〔교미〕하다. ─ *a.* 연결한, 결합한.
cop·u·la·tion[-léiʃən] *n.* Ⓤ **1** (사람의) 성교; (동물의) 교접, 교미. **2** 연결, 결합; 〔文法·論〕 연계.
cop·u·la·tive[kɑ́pjəlèitiv, -lə-] *a.* **1** 〔文法〕 연계적인, 연결하는: a ~ conjunction 연계 접속사 《and 등》/a ~ verb 연계 동사《be 등》. **2** 성교의; 교접〔교미〕의. ─ *n.* 〔文法〕 계사; 연계 접속사. **~·ly** *ad.*
cop·u·lin[kɑ́pjələn/kɔ́p-] *n.* 〔生化〕 코퓰린《암원숭이가 내는 성(性) 유인 물질》.
★**cop·y**[kɑ́pi/kɔ́pi][L] *n.* (*pl.* **cop·ies**) **1** 사본; 베끼기, 복사: a foul〔rough〕 ~ 초고/a fair〔clean〕 ~ 정서. **2** 모사, 모방. **3** (습자의) 본; 연습 과제(의 시와 글). **4** (같은 책의) 부, 권, 벌, 통; (판화 따위의) 장(張), 부(部). **5** Ⓒ,Ⓤ (인쇄의) 원고(manuscript); 신문 기사거리, 제재(題材). **6** Ⓤ 광고문(안), 카피. **7** 〔영法〕 등본, 초본(*opp.* script). **8** 〔映〕 복사인화. **9** 〔컴퓨터〕 사본, 복사《컴퓨터에 있는 파일을 다른 곳에 똑같이 하나 더 만드는 것》. **a copy of verses** 짧은 시구《작문 연습과제》. **hold one's copy** 교정원의 조수 노릇을 하다. **keep a copy of** …의 사본을 떠두다. **make a copy** 복사하다. **make good copy** 좋은 신문기사 거리가 되다. **take a copy** 복사하다. ─ (**cop·ied**) *vt.* **1** 베끼다; 모사하다(⇨imitate). **2** 모방하다. **3** 《영》 (부정 시험에서) …을 그대로 베끼다. ─ *vi.* **1** 복사하다. **2** 모방하다《*from, after, out of*》; 《영》 (남의 답안·책을) 몰래 베끼다(crib): ~ *into* a notebook 노트에 베끼다/~ *after* a good precedent 좋은 선례에 따르다. **3** 《俗》(무선을) 분명히 이해하다. **copy from nature**〔(**the**) **life**〕 사생(寫生)하다. **copy out** 전부 베끼다.
cop·y·book¹ [-bùk] *n.* **1** 습자 교본, 습자책. **2** (편지·문서의) 사본, 복사부.
copy·book² *a.* 《영》 아주 알맞은, 정확한: a ~ answer 정확한 답.
cópybook máxims (습자책에 있는 것과 같은) 평범한 격언.
cop·y·boy[-bɔ̀i] *n.* (신문사·인쇄소 등의) 원고 심부름하는 아이; 잡일꾼.
cop·y·cat[-kæ̀t] *n.* 《경멸》 **1** (맹목적) 모방자(imitator). **2** (학교에서 남의 것을) 그대로 베끼는 아이.
cop·y·desk *n.* 《미》 (신문사의) 편집자용 책상.
cop·y·ed·it[-èdit] *vt.* 〈원고를〉 정리하다.
cópy èditor (신문사·출판사 등의) 원고 정리 편집자.
cop·y·graph[-græ̀f, -grɑ̀:f] *n.* 복사기.
cop·y·hold[-hòuld] *n.* Ⓤ 〔영法〕 등본 소유권(에 의해서 갖고 있는 부동산)(*cf.* FREEHOLD). **in copyhold** 등본 소유권에 의하여.
cop·y·hold·er[-hòuldər] *n.* **1** 〔영法〕 등본 소유권자. **2** 교정 조수. **3** (타자기의) 원고 누르개; (식자공의) 원고대(臺).
cop·y·ing [kɑ́piiŋ/kɔ́pi-] *n.* Ⓤ, *a.* 복사(용의), 등사(용의).
cópying bòok 복사부(簿).
cópying ìnk 필기용〔복사용〕 잉크.
cópying pàper 복사지, 카피지(紙).
cópying prèss (압착식) 복사기.
cópying rìbbon (타자기의) 복사용 리본.
cop·y·ist[kɑ́piist/kɔ́pi-] *n.* **1** 필생, 필경자. **2** 모방자.
cópy pàper 원고〔복사〕 용지.
cop·y·read[kɑ́pirì:d/kɔ́p-] *vt.* 〈원고를〉 정리하다.
cop·y·read·er[-rì:dər] *n.* 《미》 (신문·잡지사의) 원고 정리원, 편집원; 부편집장.
*__cop·y·right__[-ràit] *n.* Ⓤ,Ⓒ 저작권, 판권《기호 ©》: *C*- reserved 판권 소유/hold〔own〕 the ~ *on* (a book) (서적의) 판권을 갖고 있다. ─ *a.* 저작권〔판권〕이 있는. ─ *vt.* 저작권으로 〈작품을〉 보호하다; …의 판권을 얻다.
cópyright (depòsit) líbrary 《영》 납본〔판권〕 도서관《영국에서 출판되는 모든 책을 1부씩 기증받을 권리가 있는 도서관》.
cop·y·right·er *n.* 판권 소유자.
cópyright pàge (책의) 판권면.
cópy tàg 〔言〕 반복 부가의문문《긍정·부정이 선행 문장과 일치하는 부가의문문》.
cop·y·tast·er[-tèistər] *n.* (신문사·출판사의) 원고 감정원〔심사원〕.
cop·y·typ·ist[-tàipist] *n.* (문서 등의) 카피를 만드는 타이피스트.
*__cop·y·writ·er__[-ràitər] *n.* 광고 문안 작성자.
cop·y·writ·ing[-ràitiŋ] *n.* 광고 문안 작성.
cop·y·wrong[-rɔ̀:ŋ/-rɔ̀ŋ] *n.* 판권 위반의 카피, 해적판(版).
coq au vin[kɑ́kouvɛ́:ŋ, -vǽŋ/kɔ́kou-] [F] *n.* 코코뱅《양념 적포도주 소스로 삶은 닭 스튜》.
coque·li·cot[kɑ́klikòu, kóuk-/kɔ́k-] *n.* 〔植〕 개양귀비.
co·quet[koukét] *vi.* (**~·ted; ~·ting**) **1** 〈여자가〉 교태를 부리다, 아양을 떨다, 〈남자와〉 희롱하다(flirt)《*with*》. **2** 가지고 놀다, 농락하다; 심심풀이로 손대다(trifle)《*with*》: ~ *with* a knife 칼을 갖고 놀다/~ *with* an affair 사건에 부질없이 손대다. ─ *a.* =COQUETTISH.
co·quet·ry[kóukitri, ─⌐─] *n.* (*pl.* **-ries**) **1** 아양 부림. **2** 교태, 아양. **3** 요염.
co·quette[koukét] *n.* 요염한 여자, 바람둥이 여자(flirt). ─ *vi.* =COQUET.
co·quet·tish[koukétiʃ] [F] *a.* 요염한, 교태를 부리는. **~·ly** *ad.* **~·ness** *n.*
co·quille[koukí(:)l] [F=shell] *n.* 〔料理〕 코

키유, 조개구이 요리(조가비 (모양의 그릇)에 담아 내놓음).
co·qui·na[koukí:nə] *n.* Ⓤ 패각암(貝殼岩) (조가비와 산호 등이 주성분인 석회 퇴적물).
co·qui·to[koukí:tou] *n.* (*pl.* **~s**) 〔植〕 칠레 종려(남미 칠레산).
cor[kɔ:r] [God의 전와(轉訛)] *int.* (영俗) 악!, 이런!(놀람·감탄·초조의 발성; 하층 계급이 사용).
cor-[kɔ:r, kɑr/kɔr] *pref.* =COM- (r-앞에서 쓰임): *cor*rect; *cor*relation.
cor. corner; cornet; coroner; correct(ed); correction; correlative; correspondence; correspondent; corresponding(ly).
Cor. Corinthians; Coriolanus; Corsica.
cor·a·cle[kɔ́:rəkəl, kɑ́r-/kɔ́r-] *n.* (고리로 엮은 뼈대에 짐승 가죽을 입힌) 작은 배(아일랜드나 웨일스 지방의 강이나 호수에서 쓰임).
cor·a·coid[kɔ́:rəkɔid, kɑ́r-/kɔ́r-] 〔解·動〕 *n.* 오훼골(烏喙骨)(=the ~ bone); 오훼 돌기(=∠ **prócess**). — *a.* 오훼골의, 오훼 돌기의.
*__cor·al__[kɔ́:rəl, kɑ́r-/kɔ́r-] *n.* **1** Ⓤ 산호. **2** 〔動〕 산호충. **3** 산호 세공품, (산호로 만든) 장난감 젖꼭지. **4** Ⓤ 새우 알(찌면 산호빛이 됨). **5** 산호빛. — *a.* **1** 산호로 만든. **2** 주홍색〔산호빛〕의. ⊕ córalline *a.*
córal ísland 산호섬.
cor·al·line[kɔ́:rəlàin, kɑ́r-/kɔ́r-] *a.* 산호질〔모양〕의; 산호빛의. — *n.* **1** 〔植〕 산호말(藻). **2** 〔動〕 산호 모양의 동물.
cor·al·lite[kɔ́:rəlàit, kɑ́r-/kɔ́r-] *n.* Ⓤ **1** 산호석(石), 화석 산호. **2** 산호충의 골격. **3** 홍(紅) 산호빛〔산호질〕의 대리석.
cor·al·loid[kɔ́:rəlɔ̀id, kɑ́r-/kɔ́r-] *a.* 산호모양의.
córal pínk 산호색(황색이 도는 핑크색).
córal rèef 산호초.
Córal Séa *n.* (the ~) 산호해(오스트레일리아 북동부의 바다).
córal snàke 〔動〕 산호뱀(독사; 아메리카 산).
córal trèe 홍두(紅豆)(인도산 콩과 식물).
córal wédding 산호혼식(珊瑚婚式)(결혼 35주년 기념).
co·ram[kɔ́:ræm] [L] *prep.* 「…의 면전에서(in the presence of)」의 뜻.
co·ram ju·di·ce [∠dʒú:disi] [L] *ad.* 재판관 앞에서.
co·ram po·pu·lo[∠pɑ́pjulou/-pɔ́p-] [L] *ad.* 대중 앞에서, 공공연하게.
cor an·glais[kɔ̀:rɔ:ŋgléi] [F] *n.* (영) 〔樂〕 잉글리시 호른((미) English horn)(목관악기의 일종).
cor·ban[kɔ́:rbæn, -bən] *n.* 〔聖〕 봉납물(奉納物)(마가복음 7:11).
cor·beil(e)[kɔ́:rbel] *n.* 〔建〕 (조각한) 꽃바구니 장식.
cor·bel[kɔ́:rbəl] *n.* 〔建〕 **1** 무게를 받치는 벽의 돌출부. **2** (벽에 달아 붙인) 받침대, 까치발, 초엽. — *vt.* (**~ed; ~·ing**|**~led; ~·ling**) **1** 받침 장치를 하다. **2** 받침대로 받치다. **corbel out**〔**off**〕 받침 장치로 내밀다; (받침 나무로) 내 받치다.
cor·bel·ing[-iŋ] *n.* 〔建〕 **1** 내물림 구조. **2** 내물림을 붙임.
córbel táble 〔建〕 받침대로 받친 돌출면.
cor·bie[kɔ́:rbi] *n.* (스코) 까마귀(raven).
cor·bie·step[-stèp] *n.* 〔建〕 (집의) 박공단(박공 양쪽에 붙임).
cor·bi·na *n.* (*pl.* **-nas**) 〔魚〕 동갈민어과(科)의 낚시 물고기(북미 태평양 연안산(産)); 그 물고기의 총칭.
‡**cord**[kɔ:rd] [Gk] *n.* **1** Ⓤ,Ⓒ 끈, 새끼, 가는 밧줄, 노끈(string보다 굵고, rope보다 가는). **2** Ⓒ,Ⓤ 〔電〕 코드. **3** 〔解〕 삭상(索狀) 조직, 인대(靭帶), 건(腱). **4** 골지게 짠 직물의 이랑; Ⓤ 골지게 짠 천, 코듀로이(corduroy); (*pl.*) 코듀로이 바지. **5** 목재나 장작의 평수(보통 128 입방 피트). **6** (종종 *pl.*) 굴레, 구속. **the silver cord** 탯줄(생명). **the spinal cord** 척수. **the umbilical cord** 탯줄. **the vocal cords** 성대.
— *vt.* **1** 새끼〔밧줄, 끈〕로 묶다. **2** 〈장작을〉 평수 단위로 쌓다.
cord·age[-idʒ] *n.* Ⓤ **1** (집합적) 밧줄(ropes), (특히) 배의 밧줄; (배의) 삭구(索具). **2** (재목을 재는) 코드 수.
cor·date[kɔ́:rdeit] *a.* 〔植〕 〈잎 등이〉 심장 모양의(heart-shaped).
cord-cord·less[kɔ́:rdkɔ́:rdlis] *a.* 〈전기 기구가〉 교류·충전 양용의: a ~ shaver 충전이 가능한 전기 면도기.
cord·ed[kɔ́:rdid] *a.* **1** 끈으로 묶은〔동인〕. **2** 골지게 짠. **3** 〈근육 등이〉 힘줄이 불거진. **4** (장작을) 코드 척 단위로 쌓아 올린.
Cor·de·lia[kɔ:rdí:ljə] *n.* **1** 여자 이름. **2** 코델리아(Shakespeare작 King Lear에 나오는 리어왕의 막내딸).
Cor·de·lier[kɔ̀:rdəlíər] *n.* 프란체스코회의 수도자(남루한 옷에 밧줄 띠를 두름).
cor·delle[kɔ:rdél] *n.* (미국·캐나다에서 쓰이는) 배 끄는 밧줄. — *vt.* 〈배를〉 밧줄로 끌어당기다.
‡**cor·dial**[kɔ́:rdʒəl/-diəl] [L] *a.* **1** 충심으로부터의, 성심성의의. **2** 원기를 돋구는; 강심성(强心性)의. — *n.* **1** 과일 주스에 물을 탄 음료, 주스. **2** 강장제, 강심제. **3** Ⓤ 코디얼(감미와 향미를 배합한 알코올성 음료). **~·ness** *n.* ⊕ córdially *ad.*; cordiálity *n.*
cor·di·al·i·ty[kɔ̀:rdʒiǽləti, kɔ:rdʒǽl-/-kiǽl-] *n.* (*pl.* **-ties**) **1** Ⓤ 진심, 충정; 따뜻한 우정. **2** (*pl.*) 진심어린 언동.
*__cor·dial·ly__[kɔ́:rdʒəli] *ad.* **1** 진심으로, 정성껏(heartily). **2** 성의를 다해서. **Cordially yours**=**Yours cordially** 경구(敬具)(편지를 맺는 문구).
cor·di·form[kɔ́:rdəfɔ̀:rm] *a.* 심장형의(heart-shaped).
cor·dil·le·ra[kɔ̀:rdəljέərə, kɔ:rdílərə] [Sp] *n.* (대륙을 종단하는) 대산맥, 산계(山系)(남미·북미 서부를 종주하는 산계, (특히) 안데스 산계).
cording[kɔ́:rdiŋ] *n.* Ⓤ **1** 밧줄, 로프류. **2** 골지게 짜기〔짠 천〕.
cord·ite[kɔ́:rdait] *n.* Ⓤ 코르다이트(끈 모양의 무연(無煙) 화약).
cord·less[kɔ́:rdlis] *a.* 코드가 없는, 전지식(電池式)의: a ~ phone 무선 전화기.
cor·do·ba[kɔ́:rdəbə] *n.* **1** 코르도바(니카라과의 화폐 단위; 기호 C$; =100 centavos). **2** 1코르도바 지폐.
cor·don[kɔ́:rdn] *n.* **1** 〔軍〕 초병선(哨兵線); 비상〔경계〕선; 방역선(=sanitary ~); 교통 차단선. **2** (어깨에서 겨드랑 밑으로 걸치는) 장식 리본, 수장(綬章): the blue ~ 청수장(*cf.* CORDON BLEU)/the grand ~ 대수장. **3** (프란체스코회 수도자의) 밧줄띠. **4** 〔園藝〕 외대 가꾸기. **post**〔**draw, place**〕 **a cordon** 비상선을 치다. — *vt.* **1** 수장으로 장식하다. **2** 비상선을 치다, 교통을 차단하다(*off*).
cor·don bleu[kɔ́:rdɔ̃ŋblə́:] [F] *n.* (*pl.* ***cordons bleus***[−]) **1** 청수장(青綬章)(부르봉 왕

조의 최고 훈장). **2** (사계의) 일류인, 대가, 명인; 《특히》 일류 요리사. ── *a.* 일류 요리사가 만든 〈요리〉; 일류의.

cor·don sa·ni·taire[kɔ́:rdɔ̃ŋsɑni:tέr] [F] *n.* **1** 방역선. **2** (정치·사상의) 완충 지대.

cor·do·van[kɔ́:rdəvən] *a.* **1** (**C-**) (스페인의 주(州)와 도시) Cordova의. **2** 코도반 가죽의. ── *n.* Ⓤ 코도반 가죽.

*__cor·du·roy__[kɔ́:rdərɔ̀i, ∸∸∠] *n.* **1** Ⓤ 코듀로이. **2** (*pl.*) 코듀로이 양복〔바지〕.

córduroy ròad 《미》 (늪지 등의) 통나무 도로.

cord·wain[kɔ́:rdwein] *n.* 《古》 =CORDOVAN.

cord·wain·er[-ər] *n.* **1** 《古》 구둣방. **2** 《미》 제화공 조합원.

cord·wood[kɔ́:rdwùd] *n.* Ⓤ **1** 장작 다발. **2** 길이 4피트의 목재; 코드 척 단위로 파는 장작.

*__core__[kɔ:r] [L] *n.* **1** (과일의) 응어리; (나무의) 고갱이; (종기·부스럼 등의) 근; (새끼의) 가운데 가닥. **2** (the ~) (사물의) 핵심, 골자(gist); 속마음. **3** (전선 등의) 심; (주물(鑄物)의) 모형(母型). **4** 〔地質〕 (지구의) 중심핵. **5** (석기 시대의) 석핵(石核). **6** (도시의) 중심부. **7** 원자로의 노심. **8** 〔컴퓨터〕 자기(磁氣) 코어, 자심(磁心)(magnetic core); 자심(磁心) 기억 장치(=~ memory〔storage〕). **be rotten at the core** 속이 (썩어 있다). **to the core** 철두철미; 속속들이. ── *vt.* **1** (과일의) 속〔응어리〕을 빼내다(*out*). **2** …에서 견본을 뜨다. **3** 〔鑄物〕 …에 공동(空洞)을 만들다. **4** 중심에서 굻어내다.

CORE [*C*ongress of *R*acial *E*quality] *n.* 《미》 인종 평등 회의.

Co·re·a(n)[kərí:ə(n), kourí:ə(n)] *n., a.* =KOREA(N).

córe cìty **1** 대도시의 중심부, 핵도시. **2** 구(舊)시가.

córe currìculum 〔教育〕 코어 커리큘럼(핵심이 되는 과목을 중심으로 다른 과목을 종합 편성한 교과 과정).

co·ref·er·ence *n.* 〔言〕 (두단어나 구의) 동일 지시어(指示語), 동일 지시성(指示性)(예: *She* taught *herself*.).

co·re·late[kòuriléit] *vt.* 《영》 =CORRELATE.

co·re·la·tion[kòuriléiʃən] *n.* 《영》 =CORRELATION.

core·less[kɔ́:rlis] *a.* 속이 없는; 공허한.

co·re·li·gion·ist[kòurilídʒənist] *n.* 같은 (종교의) 신자.

córe mèmory 〔컴퓨터〕 자심(磁心) 기억 장치.

cor·e·op·sis[kɔ̀:riάpsis/kɔ̀riɔ́p-] *n.* (*pl.* ~) 〔植〕 큰금계국.

corer[kɔ́:rər] *n.* **1** (사과 등의) 응어리 뽑는 기구. **2** (지질의) 표본 채취기.

co·res·i·dence[kòurézədəns] *n.* 《영》 (대학의) 남녀 공동 기숙사(《미》 coed dorm).

co·re·spon·dent[kòurispάndənt/-pɔ́nd-] *n.* 〔法〕 (이혼 소송의) 공동 피고인.

corespóndent shóes 《영·익살》 2색 신사화.

córe stòrage 〔컴퓨터〕 자심(磁心) 기억 장치.

córe tìme 코어 타임, 핵시간(자유 근무 시간(flextime)에서 반드시 근무해야 하는 시간대).

córe tùbe (지질 조사용) 코어 튜브, 시료(試料) 채취관.

corf[kɔ:rf] *n.* (*pl.* **corves**[kɔ:rvz]) 《영》 **1** 석탄 운반용 바구니. **2** 활어조(活魚槽).

Cor·fam[kɔ́:rfæm] *n.* 코팸(미세한 구멍이 있는 인조 피혁; 상표명).

cor·gi[kɔ́:rgi] *n.* 코기견(犬)(웨일스산의 작은 개).

co·ri·a·ceous[kɔ̀:riéiʃəs/kɔ̀ri-] *a.* 가죽 같은(leathery); 피질(皮質)의; 가죽으로 만든.

co·ri·an·der[kɔ̀:riǽndər/kɔ̀ri-] *n.* 〔植〕 고수풀(미나리과).

Co·rine[kɔ(:)rí:n] *n.* 《미俗》 코카인(cocaine).

Cor·inth[kɔ́:rinθ, kάr-/kɔ́r-] *n.* 코린트(고대 그리스의 상업·예술의 중심지).
⊕ Corínthian *a., n.*

*__Co·rin·thi·an__[kərínθiən] *a.* **1** (고대 그리스) 코린트의. **2** 코린트 시민 같은(사치하고 방탕한). **3** 우아한; 〈문체가〉 화려한. **4** 〔建〕 코린트식의. **the Corinthian order** 〔建〕 코린트 주식(柱式). ── *n.* **1** 코린트 사람. **2** 《古》 난봉꾼. **3** (*pl.*) 〔聖〕 고린도서(書). **4** 요트나 승마를 도락으로 하는 부자. **Epistles to the Corinthians** 〔聖〕 고린도서(전후 2권; 略: Cor.).

Co·ri·ól·is fòrce[kɔ̀:rióuləs-] 〔物〕 코리올리의 힘(지구의 자전으로 비행중의 물체에 작용되는 편향(偏向)의 힘).

co·ri·par·i·an[kòuripέəriən, -rai-] *n.* 〔法〕 하안(河岸) 공동 소유권자.

co·ri·um[kɔ́:riəm] *n.* (*pl.* **-ria**[-riə]) **1** 〔解〕 진피(眞皮)(derma). **2** 〔昆〕 (반시초의) 혁질부(革質部).

⁑**cork**[kɔ:rk] *n.* **1** 〔植〕 코르크나무(cork oak). **2** Ⓤ 코르크(코르크나무의 껍질). **3** 코르크 제품; 《특히》 코르크 마개(bottle stopper); (코르크로 만든) 낚시찌(float). **burnt cork** 코르크 먹(눈썹을 그리거나 배우의 분장에 씀). **like a cork** 활발하게, 곧 원기를 회복하여. ── *a.* 코르크로 만든. ── *vt.* **1** 〈병에〉 코르크 마개를 하다. **2** 〈얼굴·눈썹에〉 코르크 먹을 칠하다. ── *vi.* 〔植·醫〕 코르크화(化)되다. **cork up** (코르크로) 막다; 감정을 억제하다. ⊕ córky *a.*

cork·age[kɔ́:rkidʒ] *n.* **1** Ⓤ 코르크 마개를 끼움〔뺌〕. **2** (손님이 가져온 술에 대하여 호텔 등에서 받는) 마개 뽑는 서비스료.

corked[kɔ:rkt] *a.* **1** a 코르크 마개를 한. b 〈포도주가〉 코르크 마개 냄새 나는; (코르크 마개 때문에) 맛이 덜한. **2** 《영俗》 술취하여. **3** 코르크 먹으로 화장한.

cork·er[kɔ́:rkər] *n.* **1** (코르크) 마개를 하는 사람〔기계〕. **2** 《口》 《영》 결정적 의론; 결정적 일격; 엄청난 거짓말; 굉장한 사람〔것〕. **play the corker** 눈꼴 사나운 짓을 하다(주로 학생간에서).

cork·ing[kɔ́:rkiŋ] *a.* 《俗》 굉장한, 멋들어진. ── *ad.* =VERY.

córk jácket 〔海〕 코르크 재킷(구명 조끼).

córk òak 〔植〕 코르크나무.

cork·screw[kɔ́:rkskrù:] *n.* 타래송곳(마개〔코르크〕 뽑는). ── *a.* 나사 모양의: a ~ staircase 나선 계단. ── *vt.* 빙빙 돌리다; 나사 모양으로 꾸부리다. ── *vi.* 나사모양으로 〔누비고〕 나아가다.

córkscrew díve 〔空〕 선회 강하.

cork-tipped[∠tìpt] *a.* 〈궐련이〉 코르크 모양의 필터가 붙은.

córk trèe 〔植〕 **1** =CORK OAK. **2** 황벽나무.

cork·wood[kɔ́:rkwùd] *n.* Ⓤ 〔植〕 코르크질의 나무(BALSA 등).

cork·y[kɔ́:rki] *a.* (**cork·i·er; -i·est**) **1** 코르크의〔같은〕. **2** 〈포도주가〉 코르크 냄새나는. **3** 《口》 쾌활한, 들뜬.

corm[kɔ:rm] *n.* 〔植〕 구경(球莖), 괴경(塊莖).

cor·mo·rant[kɔ́:rmərənt] *n.* **1** 〔鳥〕 가마우지. **2** 욕심쟁이; 대식가. ── *a.* 많이 먹는;

욕심 많은.

★**corn**[1] [kɔːrn] [OE] *n.* **1** Ⓤ (집합적) 곡물, 곡식(영국에서는 밀·옥수수 등의 총칭: *cf.* GRAIN). **2** Ⓤ 《영》 밀(wheat); 《미·캐나다·오스》 옥수수((영) maize; Indian ~); (그 지방의) 주요 곡물; 《스코·아일》 귀리(oats). **3** Ⓤ 곡초 《밀·옥수수 등》. **4** 낟알. **5** 《미口》 =CORN WHISKEY. **6** Ⓤ 《口》 **a** 진부〔평범〕한 것. **b** 감상적인 음악. **7** 〔스키〕 싸라기 눈. **acknowledge**〔**admit, confess**〕 **the corn** 제 잘못을 인정하다. **corn in Egypt** 〔聖〕 (식량 등의) 무진장. **earn** one's **corn** 《口》 생활비를 벌다《창세기 43:2》. **eat** one's **corn in the blade** 수입을 예상하고 사치를 하다. **measure another's corn by one's own bushel** 자기를 기준하여 남을 판단하다. **Up corn, down horn.** 《속담》 곡식 값이 오르면 쇠고기 값이 내린다. ― *vt.* 〈고기에〉 소금을 뿌리다, 소금에 절이다. ◇ córny[1] *a.*

corn[2] [L] *n.* (발가락의) 티눈, 못. **tread**〔**trample**〕 **on** a person**'s corns** …의 아픈 데를 찌르다〔찌르는 듯한 말을 하다〕.

-corn[kɔərn/kɔːn] 《연결형》 「뿔; 뿔이 있는」의 뜻: uni*corn*.

Corn. Cornish; Cornwall.

corn·ball[∠bɔ̀ːl] 《俗》 *n.* **1** 감상적이고 진부한 사람〔음악가 《등》〕. **2** 시골뜨기; 촌스러운 것. **3** 당밀〔캐러멜〕을 묻힌 팝콘. ― *a.* 낡은, 진부한; 촌스러운.

córn béef 《미》 =CORNED BEEF.

Córn Bèlt (the ~) (미국 중서부의) 옥수수 지대《Iowa, Illinois, Indiana 등의 여러 주》.

córn bòil 《미中西部》 삶은 옥수수 파티.

córn bòrer 〔昆〕 조명충나방《옥수수 해충》.

corn·brash[-bræ̀ʃ] *n.* 〔地質〕 콘브래시층 《잉글랜드 남부의 곡물 생산에 알맞은 이회질 (泥灰質) 석회암 층》.

córn brèad 《미》 옥수수 빵(Indian bread).

córn càke 《미》 옥수수 과자.

córn chàndler 《영》 잡곡상.

córn chìp 《미》 콘칩《옥수수로 만든 스낵 식품》.

corn·cob[∠kɑ̀b/∠kɔ̀b] *n.* 《미》 **1** 옥수수의 속대. **2** 옥수수 파이프 (=∠ **pìpe**).

córn còckle 〔植〕 선옹초.

córn còlor 담황색.

corn-col·ored[kɔ́(ː)rnkʌ̀lərd] *a.* 담황색의.

corncrack·er[∠krækər] *n.* 《미·경멸》 가난한 남부 백인.

corn·crake[∠krèik] *n.* 〔鳥〕 흰눈썹뜸부기.

corn·crib[∠krìb] *n.* 《미》 (통풍 설비가 된) 옥수수 창고.

córn dànce 《미》 옥수수 춤《옥수수 파종·수확 때에 추는 북미 인디언의 춤》.

córn dòdger 《미南部》 딱딱한 옥수수 가루 빵.

córn dòg 《미》 콘도그《꼬챙이에 낀 소시지를 옥수수빵으로 싼 핫도그》.

cor·ne·a[kɔ́ːrniə] *n.* 〔解〕 각막(角膜): ~ transplantation 각막 이식.

cor·ne·al *a.* 각막의.

córn èarworm 〔昆〕 큰담배밤나방의 유충 《옥수수 등의 해충》.

*__corned__[kɔːrnd] *a.* **1** 소금에 절인, 소금 등으로 간을 한. **2** 《영俗》 술취한.

córned béef 콘드비프《쇠고기 소금절이》.

Cor·neille[kɔːrnéi] *n.* 코르네유 Pierre ~ (1606-84)《프랑스의 극작가》.

cor·nel[kɔ́ːrnəl] *n.* 〔植〕 산딸나무속(屬)의 식물.

Cor·ne·lia *n.* 여자 이름.

cor·ne·lian[kɔːrníːljən] *n.* =CARNELIAN.

Cor·nell *n.* 코넬대학교(Cornell University) 《New York주 소재: 1865년 창립》.

cor·ne·ous[kɔ́ːrniəs] *a.* 각질(角質)의(horny).

★**cor·ner**[kɔ́ːrnər] [L] *n.* **1** 모퉁이, 모(angle), 길모퉁이: at〔on〕 a street ~ 거리의 모퉁이에(서). **2** 구석, 귀퉁이; 우묵한 곳. **3** (가구 등의) 모서리의 쇠붙이. **4** 구석진 곳; 외딴 곳, 변두리; 비밀 장소. **5** (종종 *pl.*) 장소, 방면; 지방, 지역(region): all the (four) ~*s* of the earth 세계의 구석구석. **6** (종종 a ~) 궁지. **7** 〔商〕 매점(買占). **8** 〔野〕 코너; 〔蹴〕 코너킥. **(a)round the corner** (1) 모퉁이를 돈 곳에. (2) 임박하여. **cut corners** (1) 〈돈·노력·시간 등을〉 절약하다. (2) 안이한 방법을 취하다. **cut off the**〔**a**〕 **corner** 지름길로 가다. **done in a corner** 비밀리에 행해진. **drive** a person **into a corner** …을 궁지에 몰아넣다. **establish**〔**make**〕 **a corner in** … …을 매점하다. **in a tight corner** 궁지에 빠져. **keep a corner** 일각〔한 귀퉁이〕을 차지하다. **leave no corner unsearched** 샅샅이 뒤지다. **look out of the corner of** one's **eyes** 곁눈질로 보다. **put**〔**stand**〕 **a child in the corner** (벌로서 아이를) 방 구석에 세워 두다. **the Poets' Corner** (1) Westminster 사원의 남쪽 외곽의 남단부《많은 영국 시인의 무덤·기념비가 있음》. (2) 《익살》 신문의 시난(詩欄). **turn the corner** (1) 〔競馬〕 최후의 모퉁이를 돌다. (2) 〈병·불경기 등이〉 고비를 넘기다. **within the four corners of a document** (문면(文面))의 범위내에서.

― *a.* **1** 길모퉁이의〔에 있는〕. **2** 구석에 두는〔에서 쓰는〕. **3** 〔스포츠〕 코너의.

― *vt.* **1** (보통 *pp.*) 모(서리)를 내다: ~ walls *with* stone 벽의 모서리를 돌로 하다. **2** …을 구석으로 몰다; 궁지에 빠뜨리다. **3** 〔商〕 매점하다: ~ wheat 밀을 매점하다. ― *vi.* **1** 모(퉁이)를 이루다; 모퉁이에 있다《*on*》. **2** 〔商〕 매점하다《*in*》: ~ *in* stocks 재고품을 매점하다. **3** 〈차·운전자가〉 모퉁이를 돌다.

cor·ner·back[kɔ́ːrnərbæ̀k] *n.* 〔미蹴〕 코너백《디펜스의 바깥쪽 하프백; 略: CB》.

córner bòy 《영》 거리의 부랑아.

cor·nered[kɔ́ːrnərd] *a.* **1** 구석에 몰린, 진퇴 양난의. **2** (보통 복합어를 이루어) …한 모서리의: sharp-~ 뾰족한 모서리의, 모서리가 뾰족한.

cor·ner·er[kɔ́ːrnərər] *n.* 〔商〕 매점자.

cór·ner·ing skìd[kɔ́ːrnəriŋ-] (자동차 등이) 방향 전환할 때의 미끄러짐.

córner kìck 〔蹴〕 코너킥.

cor·ner·man *n.* **1** 〔商〕 매점자. **2** 거리의 깡패. **3** (*pl.*) 《영》 (minstrel show에서) 양끝에 선 익살 광대. **4** 〔미蹴〕 =CORNERBACK; 〔籠〕 전위, 포워드; 〔복싱〕 세컨드.

córner reflèctor 코너 반사경《광선을 입사 광선과 역(逆)평행으로 되돌리는 반사경; 행성간의 거리 측정에 사용》.

córner shòp (슈퍼마켓에 대해) 작은 상점.

cor·ner·stone[-stòun] *n.* **1** 〔建〕 모퉁잇돌(quoin); 초석: lay the ~ of …의 정초식을 올리다. **2** 기초, 기본; 근본 이념《*of*》.

cor·ner·wise, -ways[-wàiz], [-wèiz] *ad.* **1** 어긋나게, 비스듬히. **2** 각을 이루도록.

cor·net[kɔːrnét, kɔ́ːrnit] *n.* **1** 〔樂〕 코넷《금관 악기》. **2** 코넷 주자. **3** (풍금의) 코넷 음전(音栓). **4** 원뿔꼴의 종이 봉지; 《영》 =ICECREAM CONE. **5** 흰 모자《자선단의 수녀가 쓰는》. **6** (해군의) 신호기. **7** 〔영史〕 기병대

기수(旗手)(*cf.* ENSIGN).
cor·net-à-pis·tons[kɔːrnétəpístənz] [F] *n.* (*pl.* **cor·nets-**[kɔːrnétsə-]) 〔樂〕 코넷《현대 것과는 달리 피스톤이 있는 cornet》.
cor·net·(t)ist[kɔːrnétist, kɔ́ːrnit-] *n.* 코넷 연주자.
córn exchànge 《영》 곡물 거래소.
corn-fac·tor[´-fæ̀ktər] *n.* 《영》 곡물 중개인(《미》 grain broker).
corn-fed[´-fèd] *a.* **1** 옥수수〔보리〕로 기른 〈가축〉. **2** 《口》 뚱뚱한 〈여자 등〉; 《俗》 둔중한.
*__corn·field__[´-fìːld] *n.* **1** 《영》 보리〔밀〕밭, 곡물밭. **2** 《미》 옥수수밭.
córn flàg[´-flæ̀g] 〔植〕 노랑붓꽃《유럽산》.
corn·flakes[´-flèiks] *n. pl.* 콘플레이크스《아침 식사 · 간식 · 유아식용》.
córn flòur **1** 《영》 =CORNSTARCH. **2** 《미》 옥수수 가루.
corn·flow·er[´-flàuər] *n.* 〔植〕 **1** 수레국화(bluebottle). **2** 보릿잎동자꽃.
corn·husk[´-hʌ̀sk] *n.* 《미》 옥수수 껍질.
corn·husk·er[´-hʌ̀skər] *n.* 《미》 **1** 옥수수 껍질을 벗기는 기계〔사람〕. **2** (**C-**) Nebraska 주 사람《속칭》.
Córnhusker Státe (the ~) Nebraska 주의 속칭.
corn·husk·ing[´-hʌ̀skiŋ] *n.* 《미》 **1** Ⓤ 옥수수 껍질 벗기기. **2** 옥수수 껍질 벗기기 축제(husking bee).
cor·nice[kɔ́ːrnis] *n.* **1** 〔建〕 처마 장식. **2** 〔登山〕 벼랑 끝에 차 양처럼 얼어붙은 눈더미.
cor·niced[-t] *a.* 〔建〕 처마 장식이 달린.
cor·níche (ròad)[kɔːrníːʃ(-), ´-(-)] (전망이 좋은) 절벽 가의 도로.
Cor·nish[kɔ́ːrniʃ] *a.* **1** 영국 Cornwall 지방(산)의. **2** Cornwall 사람〔말〕의. ── *n.* Ⓤ Cornwall 말《켈트어; 지금은 사어(死語)》.
Córnish bóiler 코니시 보일러《원통형의 연관(煙管) 보일러》.
Cor·nish·man[kɔ́ːrniʃmən] *n.* (*pl.* **-men**[-mən]) Cornwall 사람.
Córnish pásty (양념한 야채와 고기를 넣은) Cornwall 지방의 파이 요리.
córn jùice 《미俗》 =CORN WHISKEY.
Córn Làws (the ~) 〔영史〕 곡물 조령《곡물 수입에 중세를 과한 법률; 1846년 폐지》.
córn lìquor =CORN WHISKEY.
corn·loft [´-lɔ̀(ː)ft, ´-lɑ́ft] *n.* 곡물창고.
córn mèal **1** 《영》 보리 가루; 《미》 옥수수 가루. **2** 《스코》 =OATMEAL.
córn mìll 《영》 (밀의) 제분기(flour mill); 《미》 옥수수 분쇄기.
córn òil 옥수수 기름《식용, 경화유(硬化油) 원료, 도료》.
cor·no·pe·an[kɔːrnóupiən, kɔ̀ːrnəpíːən] *n.* 풍금의 코넷 음전; 《영》 코넷(cornet).
córn pìcker 《미》 옥수수 수확기(機).
córn pòne 《미南部 · 中部》 옥수수빵.
corn-pone[´-pòun] *a.* 《미俗》 남부식〔풍〕의.
córn pòppy 〔植〕 개양귀비.
corn·po·ri·um[kɔ̀ːrnpóuriːəm] *n.* 팝콘 전문 연쇄점.
córn rént 《영》 밀로 바치는 소작료.
corn·row[´-ròu] *n.* (*pl.*) 콘로《머리털을 가늘고 딴딴한 여러 가닥으로 땋은 흑인의 머리형》. ── *vt., vi.* 콘로형으로 하다.
córn shòck 《미》 옥수수 노적가리.
córn sìlk 《미》 옥수수의 수염.
córn snòw 〔스키〕 싸라기눈.
corn·stalk[´-stɔ̀ːk] *n.* **1** 《영》 보릿짚; 《미》 옥수수대. **2** 《영口》 키다리《오스트레일리아 태생 백인의 별명》.
corn·starch[´-stɑ̀ːrtʃ] *n.* Ⓤ 《미》 콘스타치《옥수수 녹말》.
córn sùgar 《미》 옥수수 전분당(糖)(dextrose).
córn sýrup 《미俗》 옥수수 시럽.
cor·nu[kɔ́ːrnjuː] *n.* (*pl.* **-nu·a**) 뿔(horn); 〔解〕 각상(角狀) 돌기.
cor·nu·co·pi·a[kɔ̀ːrnjukóupiə] *n.* **1** a (the ~)〔그神〕 풍요의 뿔(horn of plenty)《어린 Zeus신에게 젖을 먹였다고 전해지는 염소의 뿔》. b 그런 모양의 장식《뿔 속에 꽃 · 과일 · 곡식을 가득 담은 꼴로 표현되는 풍요의 상징》. **2** Ⓤ 풍부, 풍요. **3** 원뿔꼴 종이 봉지.
cor·nu·co·pi·an[-n] *a.* 풍부한.
cor·nut·ed[kɔːrnjúːtid] *a.* 뿔이 있는, 뿔 모양의.
Corn·wall[kɔ́ːrnwɔːl] *n.* 콘월《영국 남서부의 주; 略: Cornw.》.
córn whìskey 《미》 옥수수 위스키.
corny[1] [kɔ́ːrni] *a.* (**corn·i·er; -i·est**) **1** 곡류의, 곡식이 풍부한. **2** 《口》 〈익살 등이〉 케케묵은, 진부한; 촌스러운. **3** 감상적인, 멜로드라마적인, 센치한.
corny[2] *a.* (**corn·i·er; -i·est**) 티눈의; 티눈이 생긴.
corol(l). corollary.
co·rol·la[kərɑ́lə/-rɔ́lə] *n.* 〔植〕 화관(花冠), 꽃부리.
cor·ol·la·ceous[kɔ̀ːrəléiʃəs, kɑ̀rə-/kɔ̀r-] *a.* 화관(모양)의.
cor·ol·lar·y[kɔ́ːrəlèri, kɑ́r-/kərɔ́ləri] *n.* (*pl.* **-lar·ies**) **1** 〔數〕 계(系). **2** 《文語》 추론; 자연적인〔당연한〕 결론; (필연적) 결과.
co·rol·late, -lat·ed[kərɑ́leit/-rɔ́l-], [-leitid] *a.* 〔植〕 화관이 있는.
*__co·ro·na__[kəróunə] [L] *n.* (*pl.* **~s, -nae**[-niː]) **1** 관(冠), 화관(옛 로마에서 전공을 세운 상으로 준 것); 〔解〕 관(冠)(crown)《치관(齒冠) · 체관(體冠) 등》; 〔植〕 부관(副冠), 내(內)화관, 덧꽃부리. **2** 〔天〕 코로나, 광관(光冠); 〔氣〕 (해 · 달) 무리, 광환(光環). **3** (교회 천장에 달아맨) 원형 촛대. **4** 〔建〕 처마 장식의 중층부(中層部). **5** 〔電〕 코로나 방전(=´ **dìscharge**). ⊕ córonal, córonary *a., n.*
Co·ro·na Aus·tra·lis[-ɔːstréilis] *n.* 〔天〕 남쪽 왕관자리.
Coróna Bo·re·ál·is[-bɔ̀ːriǽlis, -éil-] *n.* 〔天〕 북쪽 왕관자리.
cor·o·nach[kɔ́ːrənək, kɑ́r-/kɔ́r-] *n.* 《스코 · 아일》 조가(弔歌), 만가.
coróna dìscharge 〔電〕 코로나 방전《도체(導體) 표면이나 두 도체 사이의 방전》.
co·ro·na·graph[kəróunəgræ̀f, -grɑ̀ːf] *n.* 광관의(光冠儀)《일식때 이외의 코로나 관측용》.
cor·o·nal[kɔ́ːrənəl, kɑ́r-/kɔ́r-] *n.* **1** 보관(寶冠). **2** 화관; 화환. ── *a.* **1** 〔解〕 두정(頭頂)의; 〔植〕 부관의. **2** 〔天〕 코로나의.
córonal hóle 〔天〕 코로나의 구멍《태양 코로나의 어둡게 보이는 저밀도 영역》.
córonal súture 〔解〕 관상 봉합.
cor·o·nar·y[kɔ́ːrənèri, kɑ́r-/kɔ́rənəri] *a.* 〔解〕 **1** 관상(冠狀)(동맥)의. **2** 심장의. ── *n.* (*pl.* **-nar·ies**) 〔病理〕 관상 동맥 혈전《발작》.
córonary ártery 〔解〕 (심장의) 관상 동맥.
córonary occlúsion 〔病理〕 관상 동맥 폐색.
córonary thrombósis 〔病理〕 관상 동맥 혈전증.

***cor·o·na·tion** [kɔ́ːrənèiʃən, kάr-/kɔ́r-] *n.* 대관(즉위)식: Ⓤ 대관: the ~ oath 대관식 선서.
co·ro·na·vi·rus [kəròunəvάiərəs] *n.* 〔醫〕 코로나바이러스(호흡기 감염 바이러스).
cor·o·ner [kɔ́ːrənər, kάr-/kɔ́r-] *n.* **1** (변사자 등의) 검시관: ~*'s* inquest 검시/~*'s* jury 검시 배심원. **2** 매장물(treasure trove) 조사관. **~·ship** *n.* Ⓤ coroner의 직(임기).
***cor·o·net** [kɔ́ːrənit, kάr-/kɔ́r-] *n.* **1** (왕자·귀족 등의) 보관(寶冠). **2** (여성의) 작은 관 모양의 머리 장식품. **3** (말의) 제관(蹄冠).
cor·o·net·(t)ed [-id] *a.* 보관을 쓴; 귀족의.
co·ro·no·graph [kəróunəgræ̀f, -grὰf] *n.* = CORONAGRAPH.
co·ro·tate [kòuróuteit] *vi.* 동시 회전하다.
co·ro·ta·tion [-ʃən] *n.* 동시 회전.
co·ro·zo [kəróusou/-zou] *n.* (*pl.* ~**s**) 〔植〕 상아야자(=~ **pàlm**)(남미산); 상아야자 열매(=~ **nút**)(인조 상아의 재료).
corp., Corp. corporal; corporation.
cor·po·ra [kɔ́ːrpərə] *n.* CORPUS의 복수.
***cor·po·ral**[1] [kɔ́ːrpərəl] [L「육체의」] *a.* 《文語》 **1** 신체(육체)의: ~ pleasure 육체적 쾌락/~ punishment 체형(주로 태형). **2** 개인적인: ~ possession 사유물. ── *n.* 〔가톨릭〕 성체포(聖體布). **~·ly** [-i] *ad.* ⇔ corporálity *n.*
corporal[2] [L「머리」] *n.* 〔軍〕 상등병. **the Little Corporal** 꼬마 상병(나폴레옹 1세의 별명). **ship's corporal** 〔영海軍〕 위병 하사관.
cor·po·ral·i·ty [kɔ̀ːrpərǽləti] *n.* (*pl.* **-ties**) Ⓤ 유형(有形); 육체; (*pl.*) 육체적 욕망.
córporal óath 《古》 (성서 등) 성물(聖物)에 손을 대고 하는 선서.
córporals guárd **1** 〔軍〕 하사가 인솔하는 소(小)분대. **2** 소수의 신봉자(추종자)들. **3** 작은 그룹(집회).
***cor·po·rate** [kɔ́ːrpərit] [L] *a.* **1** 법인(조직)의: in one's ~ capacity 법인 자격으로/~ right(s) 법인권. **2** 단체의; 집합적인, 공동의: ~ name 법인(단체) 명의/~ property 법인 재산/~ responsibility 공동 책임. **3** (종종 명사 뒤에서) 통합된. **body corporate** =**corporate** body 법인체. **~·ly** *ad.* 법인으로서, 법인 자격으로. ⇔ corporátion *n.*
córporate ádvertising 〔廣告〕 기업 광고.
córporate éspionage =INDUSTRIAL ESPIONAGE.
córporate idéntity 〔經營〕 기업 이미지 통합 전략(회사 전체의 이미지 부각 전략).
córporate ímage 기업 이미지.
córporate ládder 〔經營〕 기업 승진 단계.
córporate ráider 《미》 〔經營〕 기업 매수인.
córporate spý(ing) 기업 스파이(활동).
córporate státe (비인간적인) 법인형 국가.
córporate tówn (법인 단체인) 자치 도시.
***cor·po·ra·tion** [kɔ̀ːrpəréiʃən] *n.* **1** 〔法〕 법인; 사단 법인. **2** a 지방 공공 단체, 지방 자치체. b (종종 **C-**) 《영》 도시 자치체; 시의회: the *C-* of the City of London 런던시 자치체. **3** 《미》 유한(주식)회사(《영》 limited liability company)(⇨company): a trading ~ 무역회사. **4** 조합, (자치) 단체. **5** 《口》 올챙이배(potbelly). **~·al** *a.* ⇔ córporate, córporative *a.*
corporátion ággregate 〔法〕 집합 법인, 사단 법인.
corporátion làw 《미》 회사법(《영》 company law).
corporátion làwyer 《미》 회사 고문 변호사.
corporátion sòle 〔法〕 단독 법인.
corporátion stòck 《영》 자치체 공채, 《특히》 시(市) 공채.
corporátion tàx 법인세.
cor·po·ra·tive [kɔ́ːrpərèitiv, -rətiv] *a.* **1** 법인(단체)의. **2** 협조 조합주의의.
cor·po·ra·tize *vt.* 대기업체로 발전시키다; 법인 단체의 관할하에 들어오게 하다.
cor·po·ra·tor [kɔ́ːrpərèitər] *n.* 법인(단체)의 일원, 주주; 시정(市政) 기관의 한 구성원.
cor·po·re·al [kɔːrpɔ́ːriəl] [L「육체의」] *a.* **1** a 신체상의, 육체적인(bodily). b 물질적인(*cf.* SPIRITUAL). **2** 〔法〕 유형(有形)의: ~ hereditament 유형 상속 부동산/~ property(movables) 유형 재산(동산). **~·ly** *ad.*
cor·po·re·al·i·ty [-riǽləti] *n.* **1** Ⓤ 유형, 유체(有體). **2** 육체; 《익살》 신체.
cor·po·re·i·ty [kɔ̀ːrpəríːəti] *n.* Ⓤ 형체가 있음, 형체적 존재; 물질성; Ⓒ 《익살》 신체.
cor·po·sant [kɔ́ːrpəzæ̀nt, -sæ̀nt] *n.* =ST. ELMO'S FIRE.
***corps** [kɔːr] [F] *n.* (*pl.* ~) **1** 〔軍〕 군단, 병단(보통 2-3개 사단으로 편성. *cf.* army); 특수 병과, …대(부). **2** (같은 일·활동을 하는) 단체, 단(團). **3** (독일 대학의) 학우회. **the Army Ordnance Corps** 육군 병기부. **the Army Service Corps** 육군 수송대.
córps àrea 〔미軍〕 군단 작전 지역, 군관구.
corps d'ar·mée [kɔ̀ːr-dɑːrméi] [F] *n.* 군단(army corps).
corps de bal·let [kɔ̀ːr-də-bæléi] [F] *n.* 발레단.
corps d'é·lite [kɔ́ːr-deilíːt] [F] *n.* 선발대.
corps di·plo·ma·tique [kɔ́ːr-dìpləmætíːk] [F] *n.* 외교단.
***corpse** [kɔːrps] [L「육체」] *n.* (특히 사람의) 시체, 송장(dead body).
córpse cándle 도깨비불(죽음의 전조); 《古》 시체(관) 곁에 켜놓는 촛불.
corps·man [kɔ́ːrmən] *n.* (*pl.* **-men** [-mən]) 〔미軍〕 위생병.
cor·pu·lence, -len·cy [kɔ́ːrpjələns], [-si] *n.* Ⓤ 비만, 비대(fatness).
cor·pu·lent [kɔ́ːrpjələnt] *a.* 뚱뚱한, 비만한(fat). **~·ly** *ad.*
***cor·pus** [kɔ́ːrpəs] [L「육체」] *n.* (*pl.* **-po·ra** [-pərə]) **1** 〔解〕 신체; 《익살》 시체. **2** (문서 등의) 집성(集成), 전집. **3** (이자·수입 등에 대한) 원금(principal), 기본금, 자금. **4** (자료 등의) 전부, 총체; 〔言〕 언어 자료.
Cor·pus Chris·ti [kɔ́ːrpəs-krísti] [L] *n.* 〔가톨릭〕 성체축일(Trinity Sunday의 다음 목요일).
cor·pus·cle [kɔ́ːrpəsəl, -pʌsəl] *n.* 〔解〕 소체(小體), 《특히》 혈구; 〔物〕 미립자, 《특히》 전자(electron).
cor·pus·cu·lar *a.* 미립자의.
corpúscular thèory 〔物〕 입자설.
cor·pus·cule [kɔ́ːrpʌ́skjuːl] *n.*=CORPUSCLE.
córpus de·líc·ti [-dilíktai] [L =body of the crime] *n.* 〔法〕 죄체(罪體)(범죄가 있었던 것을 뒷받침하는 실질적 사실); 《口》 범죄의 명백한 증거, 《특히》 피살자의 시체.
córpus jú·ris [-dʒúəris] 법전(法典).
Córpus Júris Ci·ví·lis 로마법 대전.
córpus lú·te·um [-lúːtiəm] 〔解〕 (난소의) 황체(黃體).
córpus ví·le [-vάili] 실험용밖에 되지 않는 무가치한 것(사람).
corr. correct(ed); correction; correlative; correspond(ence); correspondent; corre-

sponding; corrupt(ion).

cor·rade[kəréid] 〔地質〕 *vt.* 〈강물이 바위 등을〉 닳게 하다(wear away). ― *vi.* 침식되다, 무너지다.

cor·ral[kərǽl/kɔrɑ́:l] [Sp] *n.* **1** 《미南西部》 가축 우리(pen); (코끼리 등을 사로잡기 위한) 덫울타리. **2** (예전에 야영할 때) 마차를 둥글게 둘러친 진(陣). ― *vt.* (~**led**; ~·**ling**) **1** 〈가축을〉 우리에 넣다; 가두다. **2** 〈마차를〉 둥글게 둘러 진을 치다. **3** 《미口》 잡다, 손에 넣다.

cor·ra·sion[kəréiʒən] *n.* Ⓤ 〔地質〕 삭마(削磨) 《토사·자갈 섞인 유수(流水)의 침식 작용》.

★**cor·rect**[kərékt] [L] *a.* **1** (사실과 일치하여) 옳은, 틀림없는, 정확한: a ~ judg(e)ment 〔view〕 올바른 판단〔견해〕. **2** 의당한, 온당〔적당〕한; 예의 바른; 품행 방정한: 《Ⅱ *It v*Ⅱ+형+*of*+대+*to do*》 It was ~ *of* you *to* say so. 네가 그렇게 말한 것은 예의 바른 일이었다(= You were ~ *in* say*ing* so.《Ⅱ 형+전+명》). **the correct thing** 《俗》 합당한 일

― *vt.* **1** 〈잘못을〉 정정하다, 고치다, 바로잡다; …의 잘못을 지적하다; 첨삭하다; 교정(校正)하다. **2** 교정(矯正)하다; 꾸짖다, 징계하다: ~ a child *with* the rod 아이를 매로 벌주다/~ a child *for* disobedience 말 안듣는다고 아이를 꾸짖다. **3** 중화하다(neutralize); 〈병을〉 고치다(cure). **4** 〔數·物·光〕 〈계산·관측·기계 등을〉 수정〔보정(補正)〕하다. **stand corrected** 정정을 승인하다, 잘못을 인정하다.

⊕ corréction *n.*: corréctly *ad.*

corréct cárd (the ~) 《俗》 **1** 경기 등의 프로그램. **2** 예의범절.

*****cor·rec·tion**[kərékʃən] *n.* Ⓤ,Ⓒ **1** 정정, 수정, 보정; 첨삭; 교정(校正). **2** 교정(矯正); 《완곡》 징계, 벌. **3** 〔數·物·光〕 보정, 수정. **a house of correction** 소년원. **under correction** 틀린 데가 있으면 고쳐 주기로 하고.

~·**al** *a.* ⊕ corréct *vt.*: corréctive *a.*

corréctional〔**corréction**〕 **facílity** 《미》 교도 시설, 교도소(prison).

corréctional institútion〔**cénter**〕 《미》 교도소.

corréctional〔**corréction**〕 **ófficer** 《미》 교도관.

corréction flùid 수정액(타이프 라이터용).

cor·rect·i·tude[kəréktətjù:d] *n.* Ⓤ 《文語》 (품행의) 방정.

cor·rec·tive[kəréktiv] *a.* 교정(矯正)하는; 조정(調整)하는. ― *n.* 교정물〔책(策)〕; 조정약〔책〕. ~·**ly** *ad.* ~·**ness** *n.*

corréctive máintenance 〔컴퓨터〕 고장 수리.

corréctive tráining 〔영法〕 교정 교육 처분 《죄인에게 직업 교육과 일반 교육을 받게 함》.

*****cor·rect·ly**[kəréktli] *ad.* 바르게, 정확하게; 정확히 말하면.

cor·rect·ness *n.* Ⓤ 정확함; 단정, 방정.

cor·rec·tor[kəréktər] *n.* **1** 정정〔첨삭〕자. **2** 교정자, 징치자(懲治者); 감사관. **3** 중화제.

correl. correlative(ly).

*****cor·re·late**[kɔ́:rəlèit, kɑ́r-/kɔ́r-] *n.* 상호 관계가 있는 사람〔물건〕, 상관 현상.

― *vt.* 상호관계를 나타내다; (서로) 관련 시키다: ~ the two 그 둘을 관련시키다/~ the knowledge of history *with* that of geography. 역사 지식을 지리 지식과 관련시키다.

― *vi.* 서로 관련하다, 상관하다《*to, with*》: Form and meaning ~ *to* each other. 형태와 의미는 상관 관계가 있다.

*****cor·re·la·tion**[kɔ̀:rəléiʃən, kɑ̀r-/kɔ̀r-] *n.* Ⓤ,Ⓒ **1** 《文語》 상관시킴; 상관성〔관계〕《*with*》. **2** 상호 관계《*between*》.

correlátion coefficient 〔統〕 상관 계수.

cor·rel·a·tive[kərélətiv] *a.* **1** 상관적인《*to, with*》. **2** 유사한. ― *n.* 상관물; 상관어.

~·**ly** *ad.*

corrélative conjúnction 〔文法〕 상관 접속사(either ... or 등).

corrélative térms 〔論〕 상관 명사(名辭)(「아버지」와 「아들」 등).

corrélative wórds 〔文法〕 상관어(either 와 or, the former 와 the latter 등).

cor·rel·a·tiv·i·ty[kərèlətívəti] *n.* Ⓤ 상관성, 상관 관계.

⁑**cor·re·spond**[kɔ̀:rəspɑ́nd, kɑ̀r-/kɔ̀rəspɔ́nd] [L] *vi.* **1** 일치하다, 부합하다, 조화하다《*with, to*》: 《Ⅰ *v*Ⅰ》 His words and actions do not ~. 그의 말과 행동은 일치하지 않는다/《Ⅲ *v*Ⅰ+전+(목)》 (*no pass.*) His scale of life ~*s* exactly *to* his wealth. 그의 생활의 규모는 정확히 그의 부(富)에 부합한다/Her white hat and shoes ~ *with* her white dress. 그녀의 흰 모자와 구두는 흰 옷과 조화를 이루고 있다. **2** …에 상당〔해당, 대응〕하다《*to*》: 《Ⅲ *v*Ⅰ+전+(목)》(*no pass.*) The broad lines on the map ~ *to* roads. 지도상의 굵은 선은 도로에 해당한다. **3** 교신〔서신 왕래〕하다《*with*》: 《Ⅲ *v*Ⅰ+전+(목)》(*no pass.*) He is ~*ing with* a British schoolgirl. 그는 한 영국 여학생과 서신 왕래가 있다.

⊕ correspóndence *n.*: correspóndent *a.*

⁑**cor·re·spon·dence**[kɔ̀:rəspɑ́ndəns, kɑ̀r-/kɔ̀rəspɔ́nd-] *n.* Ⓤ **1** 상응, 대응, 해당《*to*》. **2** 일치; 조화: (a) ~ *between* the two 양자간의 일치/the ~ *of* one's words with〔to〕 one's actions 언행일치. **3** 통신; 서신왕래; 왕복 문서, 편지. **be in correspondence with** …와 편지 왕래를 하다; …와 거래 관계가 있다. **commercial correspondence** 상업 통신(문), 상용문(商用文). **enter into correspondence with** …와 통신을 시작하다. **have a great deal of correspondence** 빈번히 편지를 주고 받다. **keep up correspondence** 편지 왕래를 계속하다. (**let**) **drop** one's **correspondence with** …와의 통신 연락을 끊다. ⊕ correspónd *v.*

correspóndence clèrk (회사 등의) 통신 담당.

correspóndence còlumn (신문의) 독자 통신난.

correspóndence còurse 통신 교육(과정).

correspóndence depàrtment 문서과.

correspóndence príncipal 〔原子物理〕 대응 원리.

correspóndence schòol 통신 교육 학교; (대학의) 통신 교육부.

cor·re·spon·den·cy[kɔ̀:rəspɑ́ndənsi, kɑ̀rəs-/kɔ̀rəspɔ́nd-] *n.* (*pl.* **-cies**) =CORRESPONDENCE.

⁑**cor·re·spon·dent**[kɔ̀:rəspɑ́ndənt, kɑ̀r-/kɔ̀rəspɔ́nd-] *n.* **1** 통신자; (신문·방송 등의) 특파원; (신문 독자난의) 기고가: a good〔bad, negligent〕 ~ 편지를 자주〔잘 안〕 쓰는 사람/a special〔war〕 ~ 특파원〔종군 기자〕. **2** 〔商〕 (특히 원거리의) 거래처〔점〕. **3** 일치〔상응, 대응〕하는 것. ― *a.* 대응하는, 일치하는(corresponding)《*with, to*》. ~·**ly** *ad.*

correspóndent accòunt 《미》 대리 구좌 《작은 은행이 대리 은행(correspondent bank)에 개설한 구좌》.

correspóndent bànk 《미》 대리 은행《소규모 은행의 업무를 대리하는 큰 은행》.
***cor·re·spond·ing** [kɔ̀:rəspándiŋ, kàr-/kɔ̀r-əspɔ́nd-] *a.* **1** 상응하는, 일치하는, 대응하는; 유사한(similar). **2** 통신(관계)의: a ~ clerk〔secretary〕 (회사 등의) 통신계원/a ~ member (of a society) (학회의) 통신 회원. **~·ly** *ad.*
cor·ri·da [kɔ:rí:də] [Sp] *n.* 투우.
‡cor·ri·dor [kɔ́:ridər, kár-, -dɔ̀:r/kɔ́ridɔ̀:r] [It] *n.* **1** 복도, 회랑(回廊). **2** 〔地政〕 회랑 지대. **corridors of power** 권력의 회랑《정치 권력의 중심으로 여겨지는 정계·관계 고관 등의 상부 계층》.
córridor tràin 《영》 통랑(通廊) 열차《한쪽에 통로가 있고 옆에 칸막이방(compartment)이 있음》.
cor·rie [kɔ́:ri, kári/kɔ́ri] *n.* 《스코》 산 중턱의 동굴.
Cor·rie·dale [kɔ́:rideil, ká:ri-] *n.* 코리데일 종(種)《뉴질랜드 원산의 양(羊); 질이 좋은 양모와 맛좋은 고기로 유명》.
cor·ri·gen·dum [kɔ̀:ridʒéndəm, kàr-/kɔ̀ri-] *n.* (*pl.* **-da** [-də]) **1** 정정해야 할 잘못, 오식(誤植). **2** (*pl.*) 정오표.
cor·ri·gent [kɔ́:ridʒənt, kár-/kɔ́r-] *n.* 〔藥〕 교정약(矯正藥)《약의 맛·빛깔·냄새를 고침》.
cor·ri·gi·ble [kɔ́:ridʒəbəl, kár-/kɔ́r-] *a.* 교정할 수 있는, 교정하기 쉬운; 유순한. **-bly** *ad.*
cor·ri·val [kəráivəl] *n., a.* 경쟁 상대(의).
cor·rob·o·rant [kərábərənt/-rɔ́b-] *a.* 확증적인; 보강하는. ── *n.* 강장제.
cor·rob·o·rate [kərábərèit/-rɔ́b-] *vt.* 〈소신·진술 등을〉 확실하게 하다, 확증하다.
cor·rob·o·ra·tion [kəràbəréiʃən/-rɔ̀b-] *n.* Ⓤ **1** 확실하게 함; 확증. **2** 〔法〕 보강 증거. **in corroboration of** …을 확증하기 위하여.
cor·rob·o·ra·tive [kərábərèitiv, -rət-/-rɔ́bə-] *a.* 확증적인, 뒷받침하는. **~·ly** *ad.*
cor·rob·o·ra·tor [kərábərèitər/-rɔ́b-] *n.* 확증자〔물〕.
cor·rob·o·ra·to·ry [kərábərətɔ̀:ri/-rɔ́bərətəri] *a.* =CORROBORATIVE.
cor·rob·o·ree [kərábəri/-rɔ́b-] *n.* 《오스》 **1** 오스트레일리아 원주민의 코로보리 춤〔노래〕《잔치 또는 전투 전날 밤의》. **2** 《口》 법석떨기, 잔치 소동.
cor·rode [kəróud] *vt.* **1** 부식하다, 침식하다(*cf.* ERODE). **2** 좀먹다; 마음을 좀먹다. ── *vi.* **1** 부식하다, 부패하다. **2** 〈사람·마음 등이〉 좀먹다, 서서히 나빠지다.
cor·rod·i·ble [-əbəl] *a.* 부식성의.
cor·ro·sion [kəróuʒən] *n.* Ⓤ **1** a 부식(작용); 침식, 소모. b 부식으로 생긴 것《녹 등》. **2** 〈근심이〉 마음을 좀먹기. **~·al** *a.*
corrosive [kəróusiv] *a.* **1** 부식성의. **2** (정신적으로) 좀먹는. **3** 〈말 등이〉 신랄한. ── *n.* 부식시키는 것; 부식제《산(酸) 등》. **~·ly** *ad.* **~·ness** *n.*
corrósive súblimate 〔化〕 승홍(昇汞).
cor·ru·gate [kɔ́:rəgèit, kár-/kɔ́rə-] *vt.* **1** 물결 모양으로 주름잡다. **2** 주름지게〔골지게〕 하다. ── *vi.* **1** 물결 모양이 되다. **2** 주름잡히다. ── *a.* 《古》 =CORRUGATED.
cor·ru·gat·ed [-gèitid] *a.* 물결 모양의, 주름잡힌, 골진.
córrugated íron 골함석.
córrugated páper 골판지.
cor·ru·ga·tion [kɔ̀:rəgéiʃən, kàr-/kɔ̀r-] *n.* **1** Ⓤ 물결 모양으로 만들기. **2** (철판 등의) 물결 주름; 주름(wrinkle).
cor·ru·ga·tor [kɔ́:rəgèitər, kár-/kɔ́r-] *n.* 〔解〕 추미근(皺眉筋).
‡cor·rupt [kərʌ́pt] [L] *a.* **1** 타락한, 퇴폐한, 부도덕한, 사악한. **2** 부정한, 뇌물이 통하는, 오직(汚職)의: a ~ judge 수회 판사/~ practices (선거 등에서의) 매수 행위. **3** 〈언어가〉 순수성을 잃은, 전와(轉訛)된; 〈텍스트 등이〉 틀린 곳이 많은, 믿을 수 없는. **4** 오염된. ── *vt.* **1** 〈사람·품성 등을〉 타락시키다; 손상시키다: 《Ⅲ(목)》 Evil communication ~ good manners. 불쾌한 의사소통은 단정한 태도를 손상시킨다. **2** (뇌물로) 매수하다. **3** 〈언어를〉 전와(轉訛)시키다; 〈원문을〉 개악하다, 변조하다. **4** 부패시키다. **5** 〔法〕 〈혈통을〉 더럽히다. ── *vi.* 부패하다; 타락하다. **~·er, -rup·tor** *n.* **~·ness** *n.*
◈ corrúption *n.*; corrúptive *a.*
cor·rupt·i·bil·i·ty [kərʌ̀ptəbíləti] *n.* Ⓤ 타락성; 부패성; 매수 가능성.
cor·rupt·i·ble [kərʌ́ptəbəl] *a.* 타락하기 쉬운, 부패하기 쉬운; 뇌물이 통하는. **-bly** *ad.*
***cor·rup·tion** [kərʌ́pʃən] *n.* Ⓤ **1** 타락; 퇴폐, 폐풍. **2** 매수, 독직. **3** (언어의) 순수성 상실, 전와(轉訛). **4** (원문의) 개악, 변조. **5** 부패. **corruption of blood** 〔法〕 (범죄에 의한) 혈통 오손. ◈ corrúpt *v.*; corrúptive *a.*
cor·rup·tion·ist [-ʃənist] *n.* 증〔수〕회자; 부패한 관리〔정치가〕.
cor·rup·tive [kərʌ́ptiv] *a.* 타락시키는, 부패성의. **be corruptive of** …을 타락시키다.
cor·rupt·ly *ad.* 타락하여; 전와하여.
corrúpt práctices àct 《미》 부패 행위 방지법《선거 비용 등을 규제》.
cor·sage [kɔ:rsá:ʒ] *n.* **1** (여성복의) 상반신부, 보디스. **2** (여성복의 가슴·어깨에 다는) 작은 꽃다발.
cor·sair [kɔ́:rsɛər] *n.* **1** (Barbary 연안에 출몰한) 해적선(*cf.* PRIVATEER). **2** 해적; 해적선.
corse [kɔ:rs] *n.* 《詩·古》 =CORPSE.
Cor. Sec(y). Corresponding Secretary.
corse·let[1] [kɔ́:rslit] *n.* 갑옷의 동부(胴部).
corse·let[2], **-lette** *n.* 코르셋과 브래지어를 합친 여성용 속옷(all-in-one).
***cor·set** [kɔ́:rsit] *n.* (종종 *pl.*) 코르셋(stays).
cor·set·ed [-id] *a.* 코르셋을 입은.
cor·se·tier [kɔ̀:rsətíər] *n.* CORSETIERE의 남성형.
cor·se·tière [kɔ̀:rsətíər/-setiɛ́ər] [F] *n.* (*pl.* **~s**) 코르셋 제조〔판매〕자《여자》.
Cor·si·ca [kɔ́:rsikə] *n.* 코르시카《지중해의 프랑스령 섬; 나폴레옹의 출생지; 중심 도시 Ajaccio》.
Cor·si·can [kɔ́:rsikən] *a.* 코르시카 섬 (사람)의. ── *n.* 코르시카 섬 사람; (the (great) ~) 나폴레옹 1세《속칭》; Ⓤ 코르시카 사투리.
cors·let *n.* =CORSELET[1].
cor·tege, cor·tège [kɔ:rtéiʒ] [F] *n.* 수행원, 시종; 행렬.
Cor·tes [kɔ́:rtez] [Sp] *n. pl.* (스페인·포르투갈의) 국회, 의회.
cor·tex [kɔ́:rteks] *n.* (*pl.* **-ti·ces** [-təsi:z], ~**·es**) **1** a 〔解〕 피질(皮質), 외피. b 대뇌 피질. **2** 〔植〕 피층(皮層), 나무껍질.
cor·ti·cal [kɔ́:rtikəl] *a.* 피층의; 피질의, 외피의.
córtical bráille 피질 점자법.
cor·ti·cate, -cat·ed [kɔ́:rtikit], [-kéitid] *a.*

피층이 있는, 외피가 있는; 수피(樹皮)로 덮인.
cor·ti·co·pón·tine cèll[kɔ̀ːrtikoupántiːn-/-pɔ́n-] 〔醫〕 피질교(皮質橋) 세포(대뇌 피질에 있으며 시각 자극을 뇌교(腦橋)에 보냄).
cor·ti·co·ster·oid[kɔ̀ːrtəkoustérɔid] *n.* 〔生化〕 코르티코스테로이드(부신(副腎)피질 호르몬 및 그와 유사한 화학 물질의 총칭).
cor·ti·co·tro·pin, -phin[kɔ̀ːrtikoutróu-pin], [-fin] *n.* 〔生化〕 부신피질 자극 호르몬.
cor·ti·le[kɔːrtíːlei][It] *n.* 〔建〕 안마당, 안뜰.
cor·tin[kɔ́ːrtin] *n.* Ⓤ 〔生化〕 코르틴(부신(副腎) 피질의 유효 성분과 부신 전체의 엑스).
cor·ti·sol [kɔ́ːrtəsɔ̀ːl, -sòul/-sɔ̀l] *n.* 〔生化〕 코티솔(부신피질에서 생기는 스테로이드 호르몬의 일종).
cor·ti·sone[kɔ́ːrtəsòun, -zòun] *n.* Ⓤ 〔生化〕 코티존(부신피질 호르몬의 일종; 관절염 등의 치료제).
Cór·ti's órgan 〔解·動〕 코르티 기관(포유동물의 귀에서 소리를 느끼는 기관).
co·run·dum[kərʌ́ndəm] *n.* Ⓤ 〔鑛〕 강옥(鋼玉).
cor·us·cate[kɔ́ːrəskèit, kár-/kɔ́r-] *vi.* ((文語)) **1** 번쩍이다(glitter), 반짝 반짝 빛나다(sparkle). **2** 〈재치·지성 등이〉 번득이다.
cor·us·ca·tion[kɔ̀ːrəskéiʃən, kàr-/kɔ̀r-] *n.* Ⓤ ((文語)) **1** 번쩍임; 광휘. **2** (재치 등의) 번득임.
cor·vée[kɔːrvéi] [F] *n.* Ⓤ (봉건 시대의) 부역, 강제 노역; (도로 공사 등의) 근로 봉사.
corves[kɔːrvz] *n.* CORF의 복수.
cor·vette, cor·vet[kɔːrvét] *n.* 〔海〕 **1** (옛) 코르벳함(艦)(고대의 평갑판·일단(一段) 포장(砲裝)의 목조 범장(帆裝) 전함). **2** 코르벳함(대공·대잠수함 장비를 갖춘 수송선단 호송용 소형 쾌속함).
cor·vine[kɔ́ːrvain, -vin] *a.* 까마귀의[같은](crowlike).
Cor·vus[kɔ́ːrvəs] *n.* 〔天〕 까마귀자리; 〔鳥〕 까마귀속(屬).
Cor·y·bant[kɔ́ːribænt, kár-/kɔ́r-] *n.* (*pl.* ~s, **-ban·tes**[⌐--bǽntiːz]) 〔그神〕 코리반트 **1** 여신 Cybele의 시종. **2** Cybele의 사제(司祭). **3** (c-) 술마시고 떠드는 사람.
Cor·y·ban·tic[-bǽntik] *a.* **1** 코리반트의. **2** (c-) 코리반트 같은; 법석 떠는.
Cor·y·don[kɔ́ːridən, kár-/kɔ́r-] *n.* (전원시에 나오는 대표적인) 목동; 시골 젊은이.
cor·ymb[kɔ́ːrimb, kár-/kɔ́r-] *n.* 〔植〕 산방화서(房花序). **cór·ym·bose**[kərímbous] *a.*
cor·y·phae·us[kɔ̀ːrifíːəs, kàr-/kɔ̀r-] *n.* (*pl.* **-phae·i**[-fíːai]) **1** (고대 그리스극에서) 합창대 총지휘자. **2** 지도자, 리더(leader).
cor·y·phée[kɔ̀ːriféi, kàr-/kɔ́rifèi] [F] *n.* 〔발레〕 소군무(小群舞)의 주역 댄서.
co·ry·za[kəráizə] *n.* Ⓤ 〔病理〕 코 카타르, 코감기.
cos[1] *n.* 〔數〕 코사인, 여현(餘弦).
cos[2][kas/kɔs] *n.* 〔植〕 상추의 일종.
cos[3], **'cos**[kaz/kɔz] *ad., conj.* ((口)) =BECAUSE.
cos. companies; counties. **c.o.s., C.O.S.** cash on shipment 〔商〕 선적불, 적하[현금]불.
Co·sa Nos·tra[kóuzənóustrə] ((미)) 코자노스트라(미국 마피아(Mafia)의 비밀 조직).
co·saque[kouzáːk, -zǽk] *n.* 크래커 봉봉(=CRACKER).
cose[kouz] *vi.* 편안히 앉다, 편히 쉬다(*cf.* COZE).
co·sec[kóusìːk] 〔數〕 cosecant.
co·se·cant[kousíːkənt, -kænt] *n.* 〔數〕 코시컨트, 여할(餘割)(略: cosec).
co·seis·mal, -mic[kousáismәl, -sáiz-], [-mik] *a.* 〔地震〕 등진파권상(等震波圈上)의.
co·sey[kóuzi] *a., n.* =COZY.
cosh[kaʃ/kɔʃ] ((영俗)) *n.* (경관·폭력단의) 곤봉, 경찰봉. — *vt.* 곤봉으로 치다.
cosh·er[káʃər/kɔ́ʃ-] *vt.* 호사시키다, 귀여워하다; 응석받아 기르다(*up*).
co·sie[kóuzi] *a.* (**co·si·er; -est**) =COZY.
co·sign[kousáin] *vi., vt.* 공동 서명하다, 연서(連署)하다.
co·sig·na·to·ry[kousígnətɔ̀ːri/-təri] *a.* 연서(連署)의: the ~ powers 연서국(國). — *n.* (*pl.* **-ries**) 연서인, 연판자; 연서국(國).
co·sign·er *n.* 연서인; 어음의 공동 서명인.
co·sine[kóusàin] *n.* 〔數〕 코사인, 여현(餘弦)(略: cos).
cós léttuce 양상치의 일종(cos[2]).
cosm-[kazm/kɔzm], **cos·mo-**[kázmou/kɔ́z-] ((연결형)) 「세계, 우주」의 뜻(모음 앞에서는 cosm-).
cosmo- ((연결형)) =COSM-.
***cos·met·ic**[kazmétik/kɔz-] [Gk] *a.* **1** 화장용의, 미안용의, 미발용의. **2** 겉꾸리는; 표면적인. — *n.* (보통 *pl.*) 화장품.
cos·me·ti·cian[kàzmətíʃən/kɔ̀z-] *n.* 화장품 제조[판매]인; 미용사; 미용 전문가.
cos·met·i·cize, cos·me·tize[kazmétə-sàiz/kɔz-], [⌐mətàiz] *vt.* 외면적으로 아름답게 하다, 화장하다.
cosmétic súrgery 미용(정형)외과(plastic surgery).
cos·me·tol·o·gy[kàzmətálədʒi/kɔ̀zmətɔ́l-] *n.* Ⓤ 미용술. **-gist** *n.* 미용사.
***cos·mic, -mi·cal**[kázmik/kɔ́z-], [-əl] *a.* **1** 우주의. **2** 광대무변한. **3** ((稀)) 질서 있는(*opp.* chaotic). **-mi·cal·ly**[-kəli] *ad.* ◇ cósmos *n.*
cósmic dúst 〔天〕 우주진.
cósmic fóg[clóuds] 〔天〕 성운.
cósmic jét 〔天〕 우주 제트(우주 공간의 가스 분출 현상).
cósmic nóise 우주 잡음(galactic noise).
cósmic philósophy =COSMISM.
cósmic ráys 〔物〕 우주선(線).
cósmic spéed 〔로켓〕 우주 속도(지구의 궤도 진입 및 중력권 탈출 등에 필요한 속도).
cos·mism[kázmizəm/kɔ́z-] *n.* Ⓤ 〔哲〕 우주(진화)론.
cos·mo[kázmou/kɔ́z-] *n.* ((미俗)) 외국인(유)학생.
cos·mo·chem·is·try[kàzməkémistri] *n.* 우주 화학(우주내의 화학원소의 발생과 분포를 취급하는 과학).
cos·mo·dog[kázmədɔ̀ːg/kɔ́z-] *n.* 소련의 우주견(犬)(생체 실험용).
cos·mo·drome[kázmədròum/kɔ́z-] *n.* (특히 옛 소련의) 우주선 기지.
cos·mo·gen·ic[kàzmədʒénik/kɔ̀z-] *a.* 우주선의 작용으로 생긴.
cos·mog·e·ny[kazmádʒəni/kɔzmɔ́dʒ-] *n.* (*pl.* **-nies**)=COSMOGONY.
cos·mog·o·ny[kazmágəni/kɔzmɔ́g-] *n.* (*pl.* **-nies**) Ⓤ,Ⓒ **1** 우주의 발생[창조]. **2** 우주 기원론. **-nist** *n.*
cos·mog·ra·pher[kazmágrəfər/kɔzmɔ́g-] *n.* 우주 형상지(形狀誌) 학자.
cos·mo·graph·ic, -i·cal[kàzmougrǽfik/kɔ̀z-], [-ikəl] *a.* 우주 형상지의.

cos·mog·ra·phy[kazmágrəfi/kɔzmɔ́g-] *n.* (*pl.* -phies) U,C 우주 형상지: 우주 구조론.

cos·mo·log·i·cal[kàzmouládʒikəl] *a.* 우주론의, 우주 철학의.

cos·mol·o·gist[kazmálədʒist/kɔzmɔ́l-] *n.* 우주론자.

cos·mol·o·gy[kazmálədʒi/kɔzmɔ́l-] *n.* U 〔哲〕 우주론.

cos·mo·naut[kázmənɔ̀:t/kɔ́z-] *n.* (특히 옛 소련의) 우주 비행사(《미》 astronaut).

cos·mo·nau·tic, -ti·cal[-tik], [-kəl] *a.* 우주 비행학〔술〕의.

cos·mo·nau·tics[kàzmənɔ́:tiks/kɔ̀z-] *n. pl.* (단수 취급) 우주 비행학〔술〕.

cos·mo·nette[kàzmənét/kɔ̀z-] *n.* (특히 옛 소련의) 여자 우주 비행사.

cos·mo·plas·tic[kàzmouplǽstik/kɔ̀z-] *a.* 우주〔세계〕 형성의.

cos·mop·o·lis[kazmápəlis/kɔzmɔ́p-] *n.* 국제 도시.

***cos·mo·pol·i·tan**[kàzməpálətən/kɔ̀zməpɔ́l-] *a.* **1** 세계주의의, 사해 동포주의의, 세계를 집으로 삼는. **2** 세계 각지 사람들로 구성된, 전세계적인, 국제적인. **3** 〔生〕 전세계에 분포한. — *n.* =COSMOPOLITE. **~·ize**[-àiz] *vt., vi.* 세계주의화하다. **~·ly** *ad.* ◇ cosmópolite *n.*

cos·mo·pol·i·tan·ism[kàzməpálətənìzəm/kɔ̀zməpɔ́l-] *n.* U 세계주의, 사해 동포주의.

cos·mop·o·lite[kazmápəlàit/kɔzmɔ́p-] *n.* 세계주의자, 세계인, 국제인, 코스모폴리턴. — *a.* =COSMOPOLITAN.

cos·mo·po·lit·i·cal[kàzmoupəlítikəl/kɔ̀z-] *a.* 세계 정책적인: 전세계의 이해(利害)와 관계 있는. **~·ly** *ad.*

cos·mo·pol·it·ism[kazmápəlàitizəm/kɔzmɔ́p-] *n.* =COSMOPOLITANISM.

cos·mo·ra·ma[kàzmərǽmə, -rá:mə/kɔ̀zmərá:mə] *n.* 세계풍속요지경(*cf.* DIORAMA, PANORAMA, CINERAMA).

***cos·mos**[kázməs/kɔ́zmɔs] [Gk] *n.* U **1** (the ~)(질서와 조화의 표현으로서의) 우주; 완전 체계: 질서, 조화(*opp.* chaos). **2** C 〔植〕 코스모스. **3** (C-) 코스모스《옛 소련이 쏘아 올린 일련의 위성》. ◇ cósmic *a.*

cos·mo·tron[kázmətràn/kɔ́zmətrɔ̀n] *n.* 〔物〕 양자 싱크로트론.

COSPAR[káspa:r/kɔ́s-] Committee on Space Research 국제 우주 공간 연구 위원회.

co·spon·sor[kouspánsər/-spɔ́n-] *n.* 공동 스폰서. — *vt.* …의 공동 스폰서가 되다.

Cos·sack[kásæk, -sək/kɔ́sæk] *n.* **1** 코삭 사람〔경기병〕. **2** 《俗》 경찰 기동대원《데모·노동 쟁의 등에 출동하는》. **3** (*pl.*) 바지《상점 용어》. — *a.* 코사크〔카자흐〕인의.

cos·set[kásit/kɔ́s-] *n.* 손수 기르는 새끼양; 애완 동물, 페트. — *vt.* 귀여워하다(pet); 응석받이로 기르다.

cos·sie[kázi] *n.* 《오스口》 수영복.

***cost**[kɔ:st/kɔst] *n.* U,C **1** (제작·공사 등의) 원가, 비용, 지출, 경비: the prime〔first, initial〕 ~ 매입 원가/~ control 비용 관리, 원가 관리. **2** (상품·서비스에 대한) 대가, 값, 가격. **3** (보통 the ~) (인명·시간·노력 등의) 소비, 희생, 손실, 고통. **4** (*pl.*) 〔法〕 소송 비용. **at a cost of** …의 비용으로. **at a heavy cost** 큰 손해를 보고. **at all costs** = **at any cost** 어떤 희생을 치르더라도: 꼭(◇《미》에서는 in any cost 라고도 함). **at cost** 원가로, 구입 가격으로. **at a person's cost** …의 비용으로; …에게 손해〔폐〕를 끼치고. **at great cost of life** 많은 인명을 희생하여. **at the cost of** …을 희생하여. **cost and freight** 〔商〕 운임 포함 가격(略: C. & F.). **cost of living** 생계비, 물가. **count the cost** 비용을 견적하다; 앞일을 여러 모로 내다보다. **free of cost** 무료로, 거저. **to one's cost** (1) 자신의 부담으로, 피해〔손해〕를 입고. (2) 쓰라린 경험으로: as I know it *to my cost*. 나의 쓰라린 경험으로 아는 일이지만.

— *vt.* (**cost**) **1** 〈비용·대가가 얼마〉 들다; 〈…에게 얼마를〉 들게〔치르게〕 하다: How much does it ~? 그것은 얼마냐/It ~ me 100 dollars. 100 달러가 들었다/《Ⅳ 대+(목)》 Her car ~ her $30,000. 그녀는 차를 30,000 달러에 샀다. **2** 〈시간·노력 등을〉 요하다, 〈귀중한 것을〉 희생하게 하다, 잃게 하다; 〈어떤 고통을〉 주다/《Ⅳ It *v*Ⅳ+대+(목)》 It ~ me lots of labor. 나는 힘이 많이 들었다/《Ⅳ 대+(목)》 The work ~ him his health. 그 일 때문에 그는 건강을 잃었다/《Ⅳ *It v*Ⅳ+대+(목)+*to* do》 It ~ me some difficulty *to* ferret out the sexton. 나는 무덤을 파는 사람을 찾아내는 데 좀 곤란을 겪었다. **3** 〔會計〕 〈물건·사업 등의〉 생산비〔비용〕를 견적하다.

— *vi.* **1** 비용이 들다 《Ⅰ (부목)》 The dictionary ~*s* twenty dollars. 그 사전은 가격이 20 달러이다. **2** 원가를 산정〔견적〕하다.

cost a person **dear**(**ly**) …에게 비싸게 치이다; …을 혼나게 하다. **cost what it may** 비용이 얼마 들더라도; 어떤 일이 있더라도(at any cost). ◇ cóstly *a.*

cos·ta[kástə/kɔ́s-] *n.* (*pl.*-**tae**[-ti:]) 〔解〕 늑골(rib); 〔植〕 잎의 가운데 맥, 주맥(主脈).

cost-ac·count[kɔ́:stəkáunt/kɔ́st-] *vt.* **1** (공정·계획 등의) 원가〔비용〕를 견적〔계산〕하다, 원가 계산을 하다. **2** …을 비교 평가하다.

cóst accòuntant《영》 원가 계산 담당자.

cóst accòunting 〔會計〕 원가 계산.

cos·tal[kástl/kɔ́s-] *a.* 늑골의〔이 있는〕.

co-star[kóustà:r] *n.* (주역의) 공연자. — *vi., vt.* (~**red**; ~·**ring**)(주역으로서) 공연하다〔시키다〕.

cos·tard[kástərd, kɔ́:s-/kʌ́s-] *n.* 영국종 큰 사과.

Cós·ta Rí·ca[kástəríːkə, kɔ́:s-/kɔ́s-] *n.* 코스타리카《중미의 공화국; 수도 San Jose》.

Cós·ta Rí·can *a., n.* 코스타리카의 (사람).

cos·tate[kásteit/kɔ́s-] *a.* 늑골이 있는.

cost-ben·e·fit[kɔ́:stbénəfit/kɔ́st-] *a.* 〔經〕 비용과 편익의, 비용 대 편익비의: ~ analysis 비용〔손실〕 편익 분석.

cóst bòok《영》 (광산의) 회계부; 원가 장부.

cóst clèrk 〔會計〕 원가 계산 담당자.

cost-cut[ˊkʌ̀t] *vt.* …의 경비를 삭감하다.

cos·tean, -teen[kastí:n/kɔs-] *vi.* 《영》 광맥을 찾아 바위까지 파 내려가다.

cost-ef·fec·tive[ˊiféktiv] *a.* 비용 효율적인.

cóst effèctiveness〔**efficiency**〕 비용 효과.

cost-ef·fi·cient[ˊifíʃənt] *a.* =COSTEFFECTIVE.

cos·ter[kástər/kɔ́s-] *n.* 《영》 =COSTERMONGER.

cos·ter·mon·ger[-mʌ̀ŋgər] *n.* 《영》(과일·생선의) 행상인(《미》 huckster).

cóst inflàtion =COST-PUSH.

cost·ing[kɔ́:stiŋ/kɔ́st-] *n.* U 《영》 원가 계산.

cos·tive[kástiv/kɔ́s-] *a.* 변비의; 째째한; 동작이 둔한, 우유부단한. **~·ly** *ad.* **~·ness** *n.*

cóst kèeper =COST ACCOUNTANT.
‡cost·ly[kɔ́:stli/kɔ́st-] *a.* (**-li·er; -li·est**) **1** 값비싼, 비용이 많이 드는; 호사스러운. **2** 희생〔손실〕이 큰. **-li·ness** *n.* Ⓤ 고가.
cost·mar·y[kɑ́stmὲəri/kɔ́st-] *n.* (*pl.* **-mar·ies**) 〔植〕 쑥국화.
cost-of-liv·ing[kɔ́:stəvlíviŋ/kɔ́st-] *a.* 생계비의: ~ allowance 물가 수당.
cóst-of-líving ìndex (종종 the ~) 물가 지수.
cóst perfórmance (ràtio) 〔經〕 비용대(對) 성능비(比).
cóst-plús còntract 원가 가산 계약.
cóst-plus prícing 〔經〕 코스트플러스 가격 결정(총비용에 이익을 위한 마진(margin)을 더하는 가격 설정 방법).
cóst prìce 〔經〕 비용 가격; 원가.
cost-push *n.* 〔經〕 생산 원가, (특히 임금 상승 등으로 인한) 물가 상승(=~ **inflátion**).
cóst-push inflátion 〔經〕 코스트 인플레이션(임금 수준과 이에 수반되는 생산비 상승으로 인한 인플레이션; *cf.* DEMAND-PULL INFLATION).
cóst shèet 〔會計〕 원가 계산표.
‡cos·tume[kɑ́stju:m/kɔ́s-] [F] *n.* **1** Ⓤ (특히 여성의) 복장, 옷차림; (국민·계급·시대·지방 등에 특유한) 복장, 풍속(머리 모양·장식 등을 포함). **2** 〔劇〕 시대 의상(*cf.* COSTUME PIECE). **3** 여성복, 숙녀복. **4** (복합어를 이루어) …복, …옷. ― *vt.* 의상을 입히다; (연극의) 의상을 조달하다.
cóstume bàll 가장 무도회(fancy dress ball).
cóstume jéwelry (집합적) (값싼 재료의) 모조 보석류.
cóstume pìece〔**plày**〕 (시대 의상을 입고 하는) 시대극.
cos·tum·er[kɑ́stju:mər, ―⌐―/kɔ́s-, ―⌐―], **cos·tumier**[kɑstjú:miər/kɔs-] *n.* (극·연주·영화용) 의상 만드는 사람; (연극 등에) 의상을 세놓는 사람.
cos·tum·ey[kɑ́stju:mi/kɔ́stju:-] *a.* (미) 지나치게 성장(盛裝)한, 무대의상 같은.
co·su·per·vi·sion[kòusu:pərvíʒən] *n.* = WORKER PARTICIPATION.
co·sur·e·ty[kouʃúərti] *n.* (*pl.* **-ties**) (채무의) 공동 보증인. **~·ship** *n.*
co-sur·veil·lance[kòusərvéiləns] *n.* = WORKER PARTICIPATION.
co·sy[kóuzi] *a.* (**-si·er; -si·est**), *n.* =COZY.
cot¹ [kɑt/kɔt] *n.* **1** (미) (접는 식의) 간이 침대. **2** (미) 병원 침대. **3** (영) 소아용 침대. **4** 〔海〕 달아맨 침대.
cot² *n.* **1** (양·비둘기 등의) 집, 울(cote); (詩) 시골집, 오두막집. **2** 씌우개; (손가락에 끼우는) 색(sack). ― *vt.* (~**·ted**; ~**·ting**) 〈양을〉 울에 넣다.
cot =cotangent.
co·tan·gent[koutǽndʒənt] *n.* 〔數〕 코탄젠트, 여접(餘接)(略: cot).
cót càse 걸을 수 없는〔누워 있는〕 환자; (오스·익살) 곤드레만드레 취한 사람.
cót déath (영) 요람사(搖籃死)(어린애가 자다가 갑자기 죽는 병).
cote[kout] *n.* (가축·가금의) 집(cot); (특히) 양우리(sheepcote).
Côte d'A·zur[*F* kotdazy:ʀ][F] *n.* (the ~) 코트다쥐르(프랑스 남동부, 지중해 연안의 보양 관광지).
Côte d'I·voire[*F.*kotdivwa:ʀ][F] *n.* =IVORY COAST.
cote·har·die[kouthɑ́:rdi] *n.* 코트아르디(중세의 몸에 꼭 끼는 소매가 긴 겉옷).
co·ten·an·cy[kòuténənsi] *n.* 〔法〕 부동산 공동 보유(권), 공동 차지〔차가〕(권).
co·ten·ant[kòuténənt] *n.* 부동산 공동 보유자, 공동 차지〔차가〕인(joint tenant).
co·te·rie[kóutəri] *n.* **1** (사교계의) 친구, 한패. **2** (문예 등의) 동인(同人), 그룹.
co·ter·mi·nous[koutə́:rmənəs] *a.* **1** 공통 경계의; 경계를 서로 접하는. **2** 〈공간·시간·의미 등〉 동일 연장(延長)의. **~·ly** *ad.*
co·thur·nus[kouθə́:rnəs] *n.* (*pl.* **-ni**[-nai]) **1** (고대 그리스의 비극 배우의) 반장화(buskin). **2** (the ~) 비장조(悲壯調).
cot·ics[kɑ́tiks/kɔ́t-] *n. pl.* (미俗) 마약(narcotics).
co·tid·al[koutáidəl] *a.* 〔氣〕 등조(等潮)의: a ~ line 등조시선(時線).
co·til·lion, -lon[koutíljən] *n.* **1** 코티용(2·4·8명이 추는 활발한 프랑스 춤); 그 곡. **2** (미) 상대를 줄곧 바꾸는 스텝이 복잡한 댄스. **3** (미) (사교계에 나서는 아가씨를 소개하는) 정식 무도회.
cot·quean[kɑ́tkwi:n/kɔ́t-] *n.* (古) **1** 여자 일을 하는 남자. **2** 우락부락한 여자.
co·trans·duc·tion[kòutrænsdʌ́kʃən] *n.* 〔遺傳〕 동시 형질(形質) 도입.
Cots·wold[kɑ́tswould, -wəld/kɔ́ts-] *n.* 코츠월드(몸집이 크고 털이 긴 영국산 양).
cot·ta[kɑ́tə/kɔ́tə] *n.* 〔教會〕 **1** 중백의(中白衣). **2** (성가 대원이 입는 소매가 짧은) 흰 옷.
‡cot·tage[kɑ́tidʒ/kɔ́t-] *n.* **1** 시골집, 작은 집. **2** (시골집 모양의) 작은 별장; (교외의) 작은 주택. **3** (미) (피서지 등의) 작은 별장. **4** (오스) 단층집. **5** =COTTAGE PIANO. **love in a cottage** 가난하나 즐거운 부부 생활.
cóttage chèese (미) 희고 연한 치즈(탈지유로 만듦).
cóttage còlony (휴가 등을 이용하여 가는) 휴양지.
cóttage fármer 소작농.
cóttage frìes *n. pl.* (주로 미국 북부 및 중북부 지방) =HOME FRIES.
cóttage hòspital (영) (상주 의사가 없는) 벽지 병원.
cóttage ìndustry 가내 공업.
cóttage lòaf (영) (크고 작은 두 개를) 포개 구운 빵.
cóttage piàno 직립식 소형 피아노.
cóttage pìe 시골 파이(다진 고기를 짓이긴 감자로 싸서 구운 일종의 고기 만두).
cóttage púdding 담백한 맛의 카스텔라에 달콤한 과일 소스를 친 푸딩.
cot·tag·er[kɑ́tidʒər/kɔ́t-] *n.* **1** (稀) 시골집에 사는 사람. **2** (영) 소농; 농장 노동자, 농사꾼(farm laborer). **3** (미) (피서지의) 별장 손님; 별장에 사는 사람.
cóttage túlip 〔植〕 (5월에 피는) 만생(晩生) 튤립(뾰족하고 기다란 꽃이 핌).
cot·ter¹, -tar[kɑ́tər/kɔ́t-] *n.* **1** (스코) (농장 오두막에 사는) 날품팔이 농부. **2** =COTTIER 2.
cotter² *n.* **1** 〔機〕 코터, 가로 쐐기, 쐐기 마개. **2** 〔建〕 비녀장(key). **3** =COTTER PIN.
cótter pìn 〔機〕 코터핀(쐐기 고정 못).
cot·ti·er[kɑ́tiər/kɔ́t-] *n.* (영) **1** 빈농, 소농. **2** 〔아일史〕 입찰 소작인. **3** 〔영史〕 =COTTER¹ 1.
★cot·ton[kɑ́tn/kɔ́tn] [Arab] *n.* Ⓤ **1** 솜, 면화. **2** 〔植〕 목화(나무). **3** 무명실, 면사, (특히) 코튼사(=sewing ~): a needle and ~ 무명

실을 뀐 바늘. **4** 무명, 면포, 면직물: ~ goods 면제품/the ~ industry 면직업. **5** (식물의) 솜털. **6** (미) 탈지면. **cotton in the seed** 씨 빼지 않은 목화; 약물을 먹인 솜. **raw cotton** 원면. — *a.* 면의, 면사의; 무명의, 면포의. — *vt.* …을 솜으로 싸다. — *vi.* (口) **1** 일치하다; 친해지다(*up, to, with*): …이 좋아지다(*to*): I don't ~ *to* him at all. 나는 그 사람이 아무래도 좋아지지 않는다. **2** 〈제안 등에〉 호감을 가지다, 찬성하다(*with*). **3** …을 이해하다, 깨닫다(*to*). **cotton on (to)** (口) …을 이해하다. **cotton up** 친분을 맺다(*together, with*), 친한 사이가 되다(*to*). ◇ cóttony *a.*

cótton bàtting (미) 정제솜, 이불솜; 탈지면 ((영) cotton wool).

Cótton Bèlt (the ~)(미국 남부의) 목화 산출 지대.

Cótton Bòwl (the ~) Texas 주 Dallas에 있는 축구 경기장; 거기서 열리는 대학팀의 미식 축구 경기.

cótton càke =COTTONSEED CAKE.

cótton cándy (미) 솜사탕.

cótton cúrtain (미俗) 남부 (=Mason-Dixon line).

cótton flánnel 면플란넬.

cótton fréak (미俗) 마약 중독자.

cótton gìn 조면기(繰綿機).

cótton gòods 면제품.

cótton gràss 〔植〕 황새풀.

cótton mìll 방적 공장, 면직 공장.

cótton móuth (미俗) (공포·숙취 등으로 인한) 구갈(口渴).

cot·ton·mouth[-màuθ] *n.* 〔動〕 (북미 남부의 늪·하천에 사는) 늪살모사(큰 독사); 물뱀 (속칭).

cot·ton·oc·ra·cy[kàtənákrəsi/kɔ̀tənɔ́k-] *n.* **1** 면업(綿業) 왕국; (집합적) 면업자. **2** 〔미史〕 (남북 전쟁 전의 남부의) 목화 재배자.

Cot·ton·op·o·lis[kàtənápəlis/kɔ̀tənɔ́p-] *n.* 방적의 도시(영국 Manchester의 속칭).

cótton pìcker **1** 목화 따는 사람. **2** 채면기.

cotton-picking (俗) *a.* 시시한; 지겨운, 괘씸한.

cótton plànt 목화나무.

cótton pòwder 면 화약(綿火藥).

cótton prèss 〔機〕 조면 압착기.

cótton ràt 〔動〕 코튼랫(미국 남부·중미 원산의 쥐; 실험용으로 쓰임).

cot·ton·seed[-sì:d] *n.* (*pl.* **~s,** ~) 목화씨.

cot·ton·seed càke 목화씨 깻묵.

cóttonseed mèal 면실박(粕)(사료·비료).

cóttonseed òil 면실유.

cótton spìnner (면사) 방적공; 방적업자, 방적 공장주.

cótton spìnning 면사방적(업).

Cótton Státe (the ~) 미국 Alabama 주의 속칭.

cot·ton·tail[-tèil] *n.* 솜꼬리토끼(북미산).

cótton trèe 〔植〕 판야나무(인도·말레이지아산).

cótton wàste 솜지스러기(기계류 청소용).

cot·ton·weed[-wì:d] *n.* 〔植〕 풀솜나무.

cot·ton·wood[-wùd] *n.* 〔植〕 미루나무(북미산 포플러의 일종).

cótton wóol **1** 생면(生綿), 원면. **2** (영) 정제솜, 이불솜(batting). **3** (영) 탈지면. **be [live] in cotton wool** 안일하게 살다, 호화롭게 살다. **wrap ... in cotton wool** (口) 〈아이 등을〉 응석받이로 기르다, 과보호하다.

cot·ton·y[kátni/kɔ́t-] *a.* **1** 솜 같은; 부풀부풀한, 보드라운. **2** 솜털이 있는[로 덮인]. **3** 〈천이〉 무명 같은, 투박한.

cótton yárn 방적사, 면직사.

Cót·trell precípitator 〔電〕 코트렐 집진기 (전기 집진기의 일종).

cot·y·le·don[kàtəlí:dən/kɔ̀t-] *n.* 〔植〕 자엽(子葉), 떡잎.

cot·y·le·don·ous[-dənəs] *a.* 〔植〕 자엽이 있는; 떡잎 모양의.

cot·y·loid[kátəlɔ̀id/kɔ́t-] *a.* 〔解〕 구상(臼狀)의; 관골구의.

couch[kautʃ] *n.* **1** 침상, 잠자는 의자(등이 sofa보다 낮고 팔걸이가 하나임); (文語) 소파. **2** (정신분석에서 쓰는) 베개 달린 침상. **3** (文語·詩) 침석(枕席), 잠자리: retire to one's ~ 잠자리로 물러가다, 잠자리에 들다. **4** 휴식처(풀밭 등); (짐승의) 은신처, 굴(lair). **5** (엿기름의) 못자리. **6** 〔畫〕 애벌칠, 초벌칠. — *vt.* **1** (詩·文語) 〈몸을〉 누이다 (lay): be ~*ed* upon the grass 풀 위에 누워 있다. **2** 〈동물이〉 잠복하다, 몸을 웅크리다. **3** (文語) 〈대답·의견 등을〉 말로 표현하다: a refusal ~*ed in* polite terms 정중한 말로 한 거절. **4** 〈창 등을〉 하단(下段)으로[비스듬히] 꼬느다. **5** 〈엿기름을〉 띄우다. **6** 〔眼科〕 (백내장을 고치기 위해) 초자체 전위(硝子體轉位)를 시술하다. — *vi.* **1** (古) 〈주로 짐승이 은신처에〉 눕다, 쉬다. **2**(달려들려고) 웅크리다 (*down*). **3** 〈마른 잎 등이〉 쌓이다.

couch·ant[káutʃənt] *a.* (명사 뒤에서) 〔紋〕 〈짐승이〉 머리를 들고 웅크린 (자세의).

cóuch càse (口) 정신 장애자.

cóuch dòctor (口) 정신과 의사.

cou·chette[ku:ʃét] [F] *n.* (유럽의) 침대차의 칸막이방; 그 침대.

cóuch gràss 〔植〕 개밀(quack grass).

couch·ing[káutʃiŋ] *n.* Ⓤ **1** 웅크림. **2** 〔眼科〕 초자체 전이(硝子體轉移). **3** Ⓤ,Ⓒ 카우칭(실이나 코드를 천 위에 놓고 작은 스티치로 고정시키는 자수법); 그 자수품.

cóuch potàto (口) (텔레비전을 보면서) 여가를 보내는 사람.

cou·dé[ku:déi] *a.* 〈망원경이〉 쿠데식의. — *n.* 쿠데식 망원경.

Cou·é·ism[ku:éiizəm/⌐–⌐] *n.* Ⓤ 쿠에법 [요법](자기 암시에 의한 정신 요법).

cou·gar[kú:gər] *n.* (*pl.* **~s,** ~) 〔動〕 쿠거, 아메리카 라이온(mountain lion, puma, (미) panther).

cough[kɔ(:)f, kɑf] [의성어] *n.* **1** 기침, 헛기침; 기침 소리: give a slight ~ 가벼운 기침을 하다/have a bad ~ 심한 기침을 하다/have [get] a fit of ~*ing* 발작적으로 심한 기침을 하다. **2** 기침병. **3** (내연 기관의) 불연소음. (◇ 일반적으로 「기침하는 동작·소리」의 뜻으로는 cough보다 coughing이 보통이다). — *vi.* **1** 기침하다, 기침 소리를 내다, 헛기침하다. **2** 〈내연 기관이〉 불연소음을 내다. **3** (영俗) 죄를 자백하다. — *vt.* **1** 기침하여 …을 내뱉다(*up, out*): ~ *up* phlegm 기침해서 담을 내뱉다. **2** 기침하여 …이 되게 하다: ~ one*self* hoarse 기침을 하여 목소리가 쉬다. **3** (俗) …을 마지못해 털어놓다; …을 마지못해 건네다[치르다]. **cough down** 〈청중이 연사를〉 기침 소리를 내어 방해하다. **cough out** 기침하며 말하다. **cough up** 심히 기침하다; (미俗) 터놓고 말하다; (마지못해) 내주다[지불하다].

cóugh dròp 진해정(鎭咳錠).

cough-loz·enge *n.* =COUGH DROP.
cóugh mìxture 기침약.
cóugh sỳrup 진해(鎭咳) 시럽, 기침약.
★**could** [kud, 弱 kəd] [OE] *aux. v.* CAN[1]의 과거형《부정형 **could not**: 단축형 **couldn't**》(can의 과거형인 could는 오늘날에는 직설법 과거로 쓰는 것보다는 가정법에 쓰는 경우가 많다).
A (직설법) **1** (능력·가능을 나타내는 can의 과거형으로 쓰여) …할 수가 있었다《과거형 could는 부정문, 습관적 의미를 나타내는 경우, feel, hear 등의 지각동사와 함께 쓰이는 경우 이외에는, 가정법의 could와 구별하기 위해서 흔히 was〔were〕 able to, managed to, succeeded in …*ing* 따위로 대용함》: When I was young I *could*〔*was able to*〕 play at billiards quite well. 젊었을 때 나는 당구를 꽤 잘 칠 수 있었다/I listened closely but ~ not hear a〔any〕 sound. 귀를 기울였지만 아무런 소리도 들리지 않았다《◇ 습관적이 아닌 특정한 경우에는 could를 쓰지 않고 I *was able to* reach the office on time *this morning.* 따위와 같은 식으로 말함》.
2 a (과거형인 주절의 시제와 일치되기 위해 종속절 중의 can의 과거형으로 쓰여) …할 수 있다, …하여도 좋다: He thought he ~ swim across the river. 그는 헤엄쳐서 그 강을 건널 수 있을 것이라고 생각했다. **b** (간접화법에서 can의 과거형으로 쓰여) …할 수 있다, …하여도 좋다: He said (*that*) he ~ go. 갈 수 있다고 그는 말했다(*cf.* He said, "I can go.")/He asked me if he ~ go home. 그는 집에 돌아가도 좋으냐고 내게 물었다(*cf.* He said to me, "Can I go home?").
3 (과거시의 허가) …할 수 있었다, …하는 것이 허락되어 있었다: We *could*〔*were allowed to*〕 park outside the building. 그 빌딩 바깥에 차를 주차해도 괜찮았다.
B (가정법) **1 a** (현재의 사실에 반대의 조건절, 또는 소망을 나타내는 명사절에 쓰여) …할 수 있다(면): We would, if we *could* park here. 이곳에 차를 주차해도 좋다면, 세우겠는데《가정법 과거》/I wish I *could* read sanskrit. 범어(梵語)를 읽을 줄 알았으면 좋겠는데. **b** (현재의 사실에 반대되는 가정의 귀결절에 쓰여) …할 수 있을 것이다〔텐데〕: I *could* do it if I tried. 만일 해본다면 할 수 있을 것이다《가정법 과거》.
2 a (could have+*pp.*: 과거의 사실에 반대되는 가정의 조건절에 쓰여: 또는 소망을 나타내는 명사절에 쓰여) …할 수 있었다면: If I *could have come*〔had been able to come〕, I would have helped you. 올 수가 있었다면 너를 도와주었을 것이다《가정법 과거완료》/I wish you *could have seen* the boat race. 그 경조회(競漕會) 광경을 당신이 구경할 수 있었더면. **b** (could have+*pp.*: 과거의 사실에 반대되는 가정의 귀결절에 쓰여) …할 수 있었을 텐데: If the author had known more about Korea, he *could have written* a better book. 만일 저자가 한국에 대하여 더 많이 알았다면, 그는 더 훌륭한 책을 쓸 수 있었을 것이다.
3 (가정법 과거에서 조건절의 내용을 언외(言外)에 함축한 주절만의 문장에서: 주어+could do) **a** (현재의 가능성·추측) …하였을〔이었을〕 게다: I'm so hungry that I *could* eat a horse. 나는 너무 배가 고파서 말이라도 먹을 수 있을 것 같다《가정법의 조건절이 생략된 것》. **b** (공손한 의뢰를 나타내는 의문문에서) …하여 주시겠습니까, …하여도 괜찮겠습니까: *Could* you show me the way to the station? 역에 가는 길을 가리켜 주시겠습니까《can, would보다 더 공손함》.
4 (가정법 과거완료에서 조건절의 내용을 언외에 함축한 주절만의 문장에서: 주어+could have+*pp.*) **a** (과거의 가능성) …할 수 있었다: I *could have come* yesterday, but I did not want to. 어제 올 수 있었지마는 오고싶지 않았다. **b** (과거의 추측) …이었을지도 모른다《현재에서 본 과거의 추측》: The money has disappeared! John *could have taken* it; he was here alone yesterday. 돈이 없어졌는데 존이 가져 갔을 지 모른다. 어제 이곳에 그가 혼자 있었으니까.
could be 《口》 그럴지도(모른다), 아마(그럴 거야)(it *could be* so의 생략에서): "Do you have to work late today?" "*Could be.*" 자네 오늘 늦게까지 일을 해야 하나? 아마 그럴 거예요/"Are we lost?" "*Could be.*" 길을 잃은 것일까? 그럴지도 몰라.
cóuld bè 《口》 아마(probably): *Could be* he is right, and I'm wrong. 아마 그가 옳고 내가 틀렸을 것이다《◇ It could be that에서 온 것; maybe가 It may be that에서 비롯된 것과 같음》.
★**could·n't** [kúdnt] could not의 단축형.
couldst [kudst] 《古·詩》 (주어가 thou일 때): thou ~ =you COULD.
cou·lee [kúːli] [F] *n.* **1** 《미西部》 (간헐) 하류(河流), 말라버린 강바닥, 협곡. **2** 〔地質〕 용암류(熔岩流).
cou·lée [kuːléi] [F] *n.* =COULEE.
cou·leur de rose [kúːləːrdəróuz] [F] *n.* 장미빛. — *a., ad.* 장밋빛의〔으로〕; 낙관적인〔으로〕.
cou·lisse [kuːlíːs] *n.* **1** (수문(水門)을 올렸다 내렸다 하는) 홈 있는 기둥. **2** (무대의) 옆 배경: (*pl.*) 무대의 좌우 배경: (the ~s) 무대 뒤.
coul·oir [kuːlwáːr] [F] *n.* 〔登山〕 산중턱의 협곡; 통로.
cou·lomb [kúːlɑm/-lɔm] *n.* 〔電〕 쿨롱《전기량의 실용 단위; 略: C》.
cou·lomb·me·ter *n.* =COULOMETER.
Cóulomb's láw 〔電〕 쿨롱의 법칙.
cou·lom·e·ter [kuːlámitər/-lɔ́m-] *n.* 전량계(電量計).
cou·lom·e·try [kuːlámətri/-lɔ́m-] *n.* 〔化〕 전량(電量) 분석.
coul·ter [kóultər] *n.* 《영》 =COLTER.
‡**coun·cil** [káunsəl] [L] *n.* **1** 회의, 협의, 평의; 평의회, 협의회, 자문회(*cf.* COUNSEL). **2** 지방 의회《시·읍 의회 등》: a county ~ 《영》 주의회/a municipal〔city〕 ~ 시의회. **3** 종교 회의; (대학 등의) 평의원회. **4** (the C-) 《영》 추밀원(樞密院)(Privy Council). **Cabinet Council** 각의. **council of war** 참모회의; 행동 방침의 토의. **family council** 친족 회의. **general council** 〔基督教〕 교무총회《diocese에 관한》. **Ordersin Council** (영본국의) 칙령(勅令). **the Council of Economic Advisors** 《미》 (대통령의) 경제 자문 위원회《1946년 창설; 略: CEA》. **the Council of Europe** 유럽 회의《1949년 설립; 21개국 가맹》. **the Council of Ministers** 《옛 소련》 각료 회의《내각에 해당》. **the Council of State** (프랑스의) 최고 행정 재판소. **the King〔Queen, Crown〕 in Council** 《영》 추밀원에 자문하여 행동하는 국왕.
cóuncil bòard **1** 회의용 테이블; 의석. **2** (개최중인) 회의.
cóuncil chàmber 회의실.

cóuncil estàte 《영》 공영(公營) 주택 단지.
cóuncil hòuse 의사당, 회의장; 《스코》 =TOWN HALL; 《영》 공영 주택; 《미》 북미 원주민의 회의소.
coun·cil·man[káunsəlmən] *n.* (*pl.*-**men**[-mən]) **1** 《미》 시〔읍, 면〕 의회 의원(《영》 councillor). **2** (런던의) 시의회 의원.
còun·cil·mán·ic[-mǽn-] *a.*
*****coun·cil·or** | **-cil·lor**[káunsələr] *n.* **1** 고문관, 평의원. **2** (시의회 등의) 의원. **3** (대사관의) 참사관. **county councilor** 《영》 주의회 의원. **Privy Councilor** (영국의) 추밀 고문관(略: P.C.). **~·shìp**[-ʃìp] *n.* [U] councilor의 직〔지위〕.
coun·cil·per·son *n.*시의회〔지방의회〕의원.
cóuncil schòol 《영》 공립 국민〔중〕 학교.
cóuncil tàble =COUNCIL BOARD.
coun·cil·wom·an[káunsəlwûmən] *n.* (*pl.* -**wom·en**[-wì:min]) 여자 시의회〔지방의회〕 의원.
‡coun·sel[káunsəl] [L] *n.* **1** [U] 《文語》 의논, 상담, 협의, 평의(consultation). **2** [C,U] 조언, 권고, 충고(advice). **3** [U] 결심; 의도(intention), 계획(plan). **4** (단수·복수 취급) 〔法〕 법률고문; 변호사; 변호인단. **5** [U] 《古》 사려, 분별. **adopt a counsel of despair** 자포자기적 태도를 취하다. **counsel of perfection** (1) (the ~) 〔神學〕 (천당에 가기를 바라는 사람에 대한) 완덕(完德)의 권고. (2) 실현될 수 없는 이상안(案). **Deliberate in counsel, prompt in action.** 숙고 단행(熟考斷行). **give counsel** 조언하다, 지혜를 빌려 주다. **keep** one's (**own**) **counsel** 자기생각을 남에게 털어놓지 않다. **King's**〔**Queen's**〕 **Counsel** 《영》 왕실 변호사(略: K.C., Q.C., 성명 뒤에 붙임; 보통의 barrister보다 지위가 높음). **take counsel** 상의하다, 협의하다(*together, with*). **take counsel with**〔**of**〕 **one's pillow** 하룻밤 자며 생각하다. **take the counsel's opinions** 변호사와 상의하다. **the counsel for the Crown** 《영》 검사(檢事).
— (**~ed**; **~·ing** | **~led**; **~·ling**) *vt.* **1** 충고〔조언〕하다(advise): ~ prudence 신중한 태도를 취하라고 충고하다/《V 대+*to* do》 His embassy ~*ed* him *to* leave the country at once. 그의 대사의 임무는 그가 곧 그 나라를 떠나도록 권하는 것이었다. **2** 권고하다(recommend): ~ submission 항복을 권하다.
— *vi.* 조언하다; 상의하다.
coun·seling | **-sel·ling**[káunsəliŋ] *n.* [U] 카운슬링, 상담, 조언.
‡coun·sel·or|**-sel·lor**[káunsələr] *n.* **1** 상담역, 고문, 의논 상대자; 《미》 카운슬러(연구·취직·신상 문제에 대해 개인적으로 지도하는 교사 등); 《미》 (캠프 생활의) 지도원. **2** 《미》 법정 변호사. **3** (대〔공〕사관의) 참사관. **Counsellor of State** 《영》 (국왕 부재 기간 중의) 임시 섭정.
coun·sel·or-at-law[káunsələrətlɔ́:] *n.* (*pl.* **coun·sel·ors-**)《미》 변호사.
★**count¹** [kaunt] [L] *vt.* **1** (총수를 알기 위해) 세다, 계산하다. **2** 셈에 넣다(*in*); 포함시키다(*among*). **3** 〈…을 … 이라고〉 생각하다, 간주하다(regard): 《V *it*+명+*to* do》 He ~*s* it a vice *to* want *to* do one a mercy killing. 그는 안락사 시행을 원하는 것은 악덕이라고 생각한다/《V *it*+명+*for*+대+*to* do》 We ~ it an hour *for* you *to* visit us. 귀하께서 우리를 찾아주신다니 영광입니다/《V *it*+형+*of*+대+*to* do》 I ~ it merciful *of* you *to* help those needy people. 나는 당신이 그 가난한 사람들을 도와준 것은 자비로운 일이라고 생각한다/《V (목)+명》 They ~*ed* their Sunday walks the chief jewel of each week. 그들은 일요일 마다 산책하는 것을 매주(每週)의 가장 귀중한 것으로 여긴다/《V (목)+*as*+형》 We must ~ the car *as* lost. 그 차는 분실된 것으로 간주해야 한다/《V (목)+(*to be*)+형》 I ~ her (*to be*) innocent. 나는 그녀가 결백하다고 본다/《Ⅱ *be pp.*+(*to be*)+형》 She may be ~*ed* (*to be*) fortunate. 그녀는 운이 좋다고 여겨질지도 모른다/《V (목)+*to be*+형》 After such a bad accident, you should ~ yourself *to be* lucky *to be* alive. 그렇게 심한 사고를 당하고도 당신이 살아있는 것을 행운이라고 생각하십시오/《V (목)+*to be*+전+명》 He ~*ed* his wife *to be of* no importance, when fighting for his country. 그는 조국을 위해 싸우고 있을 때는 자기 아내를 중요시하지 않았다. **4** …라고 추측하다. **5** …의 탓으로 하다, …으로 돌리다.
— *vi.* **1** 수를 세다, 계산하다; (…부터 …까지) 세다(*up*); 셈〔계산〕에 넣다. **2** 수적으로 생각하다, 합계 …이 되다. **3** (셈에 넣을) 가치가 있다, 중요하다; (…의) 가치〔값어치〕가있다(*for*); (… 안에) 포함되다(*among*): His foolish opinions do not ~ much. 그의 어리석은 의견 따위는 대소로운 것이 아니다/He ~*s among* the best American writers. 그는 미국의 대표적인 작가 중의 한 사람이다. **4** (…으로) 셈되다, …으로 간주되다: The bull's eye ~*s* 10. 한복판에 맞으면 10점으로 친다/The book ~*s as* a masterpiece. 그 책은 걸작으로 간주된다. **5** 의지하다, 기대하다(rely)(*on*): ~ *on* others 남에게 의지하다. **6** 〔樂〕 박자를 맞추다. **7** 〔스포츠〕 득점이 되다.
count against 〈실패 등이〔을〕〉 …에게 불리해지다〔불리하다고 생각하다〕. **count down** 카운트다운하다, 초읽기하다(로켓 발사 등에서 10, 9, 8, …1과 같이). **count for much**〔**little, nothing**〕 가치가 있다〔없다〕, 중요하다〔하지 않다〕. **count heads**〔**noses**〕 인원〔출석자〕 수를 세다. **count in** 셈에 넣다; 《口》〈사람을〉 한패〔동아리, 동료〕에 넣다:《Ⅲ 부+(목)》 Have you *counted in* the students who were absent? 너는 결석한 학생들을 셈에 넣었느냐?/《Ⅲ (목)+부》 If you're taking a trip, *count* me *in.* 너희들이 여행을 간다면, 나도 한패에 넣어줘. **count off** 세어서 등분하다; 〔미軍〕 〈병사가 정렬하여〉 번호를 붙이다(《영》 number off). **count on**〔**upon**〕 …을 의지하다〔믿다〕, 기대하다:《Ⅲ *v*i+전+(목)》 Can I *count on* that? 내가 그 말을 믿어도 되겠지/《V *v*i+전+(목)+전+*-ing*》 I didn't *count on* you arriving so early. 나는 네가 그렇게 일찍 도착하리라고는 기대하지 않았다. **count on one's fingers** 손을 꼽아 세다. **count out** (1) 〈물건을〉 세어서 내놓다. (2) 《口》 (세어서) 빼다, 제외하다; 따돌리다; (아이들 놀이에서) 셈놀이를 불러 놀이에서 떼내다〔술래로 지명하다〕:《Ⅲ (목)+부》 If we go camping, we won't *count* you *out.* 우리가 캠프하러 간다면, 너를 빼놓지 않겠다. (3) (종종 수동형) 〔拳〕 (10초를 세어) (…에게) 녹아웃을 선언하다. (4) 《미口》 〈득표의 일부를〉 유효표에서 제외하다. (5) (종종 수동형) 득표수를 속여 〈후보자를〉 낙선시키다. (6) (종종 수동형) 〔영議會〕 〈의장이〉 정족수 미달을 이유로 〈의회의〉 유회를 선언하다. **count over** 다시 세다; 일일이 세다. **count the house** 입장 인원수를 조사하다. **count up** 다 세어보

다, 총계하다(sum up). **count (up) to ten** ((口)) 마음을 가라앉히려고 열을 세다, 급한 마음을 억누르다〔참다〕.
— *n.* **1** Ⓒ,Ⓤ 계산, 셈. **2** 통산, 총수, 총계. **3** 〔法〕 (기소장의) 소인(訴因); (고려중인 사항의) 문제점, 논점. **4** 〔拳〕 카운트((녹다운된 선수에게 일어설 여유를 주기 위해 10초를 헤아리기)); 〔野〕 (타자의) 카운트. **5** (방적사의) 카운트, 번수. **6** ((영)) 정족수(40명) 부족에 의한 유회 (선언). **7** 〔컴퓨터〕 계수. **8** Ⓤ ((古)) 고려(考慮)(account). **keep count (of)** …을 계속 세다; …의 수를 기억하다. **lose count (of)** …의 수를 잊다, …을 중간에서 셀 수 없게 되다. **lose count of time** 시간 가는 것을 잊다. **on all counts** 모든 점에서. **out for the count** 녹아웃되어. **out of count** 셀 수 없는, 무수한. **set count on** …을 중시하다. **take〔make〕 count〔no count〕 of** …을 중요시하다〔하지 않다〕. **take count of votes** 투표수를 세다. **take the count** 〔拳鬪〕 카운트아웃(count-out)이 되다, 녹아웃이 되다, 케이오 패가 되다; 지다. **take the last〔long〕 count** ((미俗)) 죽다.

*__count__² [L=companion] *n.* (*fem.* **~·ess**) (영국 이외의) 백작((◇ 영국의 EARL에 해당; 단 earl의 여성은 countess)). **cóunt·ship** *n.*

count·a·bil·i·ty[kàuntəbíləti] *n.* Ⓤ 가산성.

*__count·a·ble__[káuntəbəl] *a.* 셀 수 있는: a ~ noun 가산 명사. — *n.* 〔文法〕 셀 수 있는 명사, 가산 명사(*opp.* uncountable). **~·ness** *n.* **-bly** *ad.*

count·down[káuntdàun] *n.* (로켓 발사 등에서의) 초읽기, 카운트다운(*cf.* COUNT down): begin the ~ 초읽기를 시작하다.

coun·te·nance[káuntənəns] [OF] *n.* **1** Ⓤ,Ⓒ (얼굴에 나타나는) 표정, 안색. **2** Ⓤ (정신적) 원조, 찬조, 지지, 장려. **3** Ⓤ (또는 a ~) 침착한 표정, 냉정. **His countenance fell.** 그는 침통한 표정을 지었다, 그는 실망하는 기색을 보였다. **find no countenance in** …의 지지를 받지 못하다. **give〔lend〕 countenance to** …의 편을 들다. **in the light of a person's countenance** …의 원조〔찬조〕에 의하여. **keep a person in countenance** …을 당황케 하지 않다; …의 체면을 세워주다, 창피를 주지 않다. **keep one's countenance** 태연하다, (웃지 않고) 천연스런 얼굴을 하고 있다. **lose countenance** 냉정을 잃다. **out of countenance** 당황하여, 무안하여. **put a person out of countenance** …을 얼떨떨하게 하다; …에게 창피를 주다. **with a good countenance** 태연하게, 침착하게. — *vt.* ((文語)) 〈사람·행동 등에 대해〉 호의를 보이다, 찬성하다, 장려하다; 묵인하다, 허용하다.

‡**count·er**¹[káuntər] [OF] *n.* **1** 계산인, 계산계; 계산기, 계수기; 계수장치, 계수관(管); 산가지((카드놀이 등에서 점수를 세는)); ((비유)) 하찮은 사람. **2** 모조 화폐((어린이 장난감의)); ((俗)) 화폐(coin). **3** (은행·상점 등의) 계산대, 카운터, 장부 기입대, 판매대; (식당·바 등의) 카운터. **4** ((미俗)) (야구의) 득점, 스코어. **5** 〔컴퓨터〕 계수기(計數器). **across the counter** 합법적으로, 정당하게 〈매매하다 ((등))〉. **a girl behind the counter** 여점원. **over the counter** (약을 살 때) 처방전 없이; 〔證券〕 (거래소가 아니라 증권업자의) 점두(店頭)에서. **pay over the counter** 카운터에 돈을 치르다. **serve〔sit〕 behind the counter** 점포에서 일하다; 소매점을 경영하다. **under the counter** 정규 루트에 의하지 않고, 비밀로, 암시세로.

*__coun·ter__²[L] *a.* **1** 반대의, 거꾸로의; (…와) 정반대로((*to*)). **2** (한 쌍에서) 한쪽편의, 부(副)의, 짝의. — *ad.* 반대 방향으로; 정반대로, 거꾸로((*to*)). **run〔go, act〕 counter to** 〈교훈·법칙 등〉을 거스르다, 〈규칙 등〉과 반대되는 행동을 취하다. — *vt.* **1** 대항하다, 거스르다, 반대하다, 맞서다((*with, by*)). **2** 무효로 하다, 취소하다. **3** 〔체스·拳〕 받아치다.
— *vi.* 〔拳〕 받아치다, 카운터를 먹이다.
— *n.* **1** 역(逆)(의 것), 반대(되는 것). **2** 〔펜싱〕 (칼끝을 둥그렇게 돌려) 적의 칼끝을 막기; 〔拳〕 받아치기, 카운터; 〔스케이트〕 역회전. **3** 〔海〕 고물의 내민 부분. **4** (구두의) 뒷굽 가죽. **5** 말의 앞가슴 부분. **6** 활자면의 패인 부분; 경화·메달의 우묵한 부분.

coun·ter-[káuntər] *pref.* (동사·명사·형용사·부사에 붙여) 「적대, 보복, 반(反), 역(逆); 대응, 부(副)」의 뜻.

*__coun·ter·act__[kàuntərǽkt] *vt.* **1** 거스르다, 방해하다. **2** 〈약 등이 효력 등을 반작용으로〉 중화하다. **3** 〈계획 등을〉 훼방하다, 좌절시키다. ◇ counteráction *n.*; counteráctive *a.*

coun·ter·ac·tion *n.* Ⓤ,Ⓒ **1** 중화 작용; 저지. **2** [⌐—⌐—] 반작용, 반동.

coun·ter·ac·tive[kàuntərǽktiv] *a.* 반작용의; 중화성의. — *n.* 반작용제, 중화제.

coun·ter·ad·ver·tis·ing[kàuntərǽdvərtàiziŋ] *n.* ((미)) (다른 광고에 대한) 반론 광고, 역선전.

coun·ter·a·gen·cy[kàuntəréidʒənsi] *n.* Ⓤ 반동 작용, 반동력.

coun·ter·a·gent[kàuntəréidʒənt] *n.* 반작용제; 반대 동인(動因).

coun·ter·ap·proach[káuntərəpròutʃ] *n.* (보통 *pl.*) 〔軍〕 (포위된 군대가 포위군의 접근을 막는) 대항 참호.

coun·ter·ar·gu·ment[káuntərɑ̀ːrgjəmənt] *n.* 반대론, 반론.

coun·ter·at·tack[káuntərətæ̀k] *n.* 역습, 반격. — [⌐—⌐] *vt., vi.* 역습〔반격〕하다.

coun·ter·at·trac·tion[kàuntərətræ̀kʃən] *n.* **1** Ⓤ 반대〔대항〕 인력. **2** (상대방과) 대항하기 위한 인기 거리.

coun·ter·bal·ance[kàuntərbǽləns] *vt.* **1** 대등하게 하다, 평형(平衡)시키다((*with*)). **2** 효과를 상쇄하다, 견제하다(neutralize); 부족을 보충하다, 벌충하다((*with*)). — [⌐—⌐—] *n.* **1** 〔機〕 평형추(錘). **2** 평형력; (딴 것과) 균형을 취하는 힘〔세력〕((*to*)).

coun·ter·blast[káuntərblæ̀st, -blɑ̀ːst] *n.* **1** 반대 기류. **2** 심한 반발; 강경한 반대((*to*)).

coun·ter·blow[káuntərblòu] *n.* 반격, 역습; 〔拳〕 카운터블로.

coun·ter·change[kàuntərtʃéindʒ] *vt.* **1** 반대의 위치에 두다, 바꿔 치다. **2** 〈무늬를〉 교착시키다. — *vi.* 바뀌다, 교체하다.

coun·ter·charge[káuntərtʃɑ̀ːrdʒ] *n.* 반역, 역습; 반론; 〔法〕 반소(反訴). — [⌐—⌐] *vt.* 역습하다; 〔法〕 반소를 제기하다.

coun·ter·check[káuntərtʃèk] *n.* **1** 대항〔억제〕 수단, 반대, 방해. **2** (정확·안전을 기하기 위한) 재조회, 재대조. — [⌐—⌐] *vt.* **1** 방해하다, 대항하다. **2** 재대조하다.

coun·ter·claim[káuntərklèim] 〔法〕 *n.* 반소(反訴). — [⌐—⌐/⌐—⌐] *vi.* 반소하다 ((*for, against*)). — *vt.* 반소하여 청구하다.

coun·ter·claim·ant[⌐—⌐ənt] *n.* 반대 요구자, 반소인.

coun·ter·clock·wise[kàuntərklɑ́kwàiz/-klɔ́k-] *a., ad.* 시계 바늘 회전과 반대의〔로〕, 왼쪽으로 도는〔돌게〕. (◇ 《영》에서는 anti-clockwise 쪽이 일반적): a ~ rotation 좌회전.

coun·ter·con·di·tion·ing[kàuntərkəndíʃəniŋ] *n.* Ⓤ 〔心〕 반대 조건 부여《자극에 대한 좋지 않은 반응을 바람직한 것으로 대치하기》.

coun·ter·coup[káuntərkù:] *n.* 반격; 역(逆)쿠데타.

coun·ter·cul·ture[káuntərkʌ̀ltʃər] *n.* Ⓤ (보통 the ~) 반(反)(체제) 문화《기성 사회의 가치관을 타파하려는 1960-70년대 젊은이들의 문화》. **-tu·ral**[-tʃərəl] *a.* **-tu·rist** *n.*

coun·ter·cur·rent[káuntərkə̀:rənt] *n.* 역류; 〔電〕 역전류.

coun·ter·cy·cli·cal[kàuntərsáiklikəl] *a.* 경기(景氣) 순환 경향과 반대되는, 경기 조정(형)의.

coun·ter·dec·la·ra·tion[kàuntərdekləréiʃən] *n.* 반대 성명, 반대 선언.

coun·ter·deed[káuntərdì:d] *n.* (앞서의 증서를 무효로 할 수 있는) 반대 증서; (공표된 협약을 취소하는) 비밀 서류.

coun·ter·dem·on·strate[kàuntərdémənstreit] *vi.* (어떤 데모에 반대하는) 반대 데모를〔대항적 시위 운동을〕 하다.

coun·ter·dem·on·stra·tion[káuntərdèmənstréiʃən] *n.* **-strà·tor**[-ər] *n.*

cóunter drùg 의사의 처방 없이 판매되는 약.

coun·ter·drug[káuntərdrʌ̀g] *n.* 〔藥〕 대항약《습관성 물질이 싫어지게 하는 약》.

coun·ter·es·ca·la·tion[kàuntərèskəléiʃən] *n.* Ⓤ,Ⓒ 대항적 확대《escalation에 대한 보복으로 이쪽에서도 escalate하기》.

coun·ter·es·pi·o·nage[kàuntəréspiənidʒ, -nɑ̀:ʒ] *n.* Ⓤ (적의 스파이 활동에 대한) 대항적 스파이 활동, 방첩.

coun·ter·ev·i·dence[káuntərèvədəns] *n.* 반증, 반대의 증언.

coun·ter·ex·am·ple[káuntərigzæ̀mpəl, -zɑ̀mpəl] *n.* (명제에 대한) 반증, 반례(反例).

***coun·ter·feit**[káuntərfìt] *a.* **1** 모조의, 위조의, 가짜의; 사이비(似而非)의: a ~ signature 가짜 서명. **2** 허위의, 꾸민, 마음에도 없는: ~ illness 꾀병. — *n.* 위조 물건; 모조품, 위작(僞作). — *vt.* **1** 〈화폐·지폐·문서 등을〉 위조하다(forge). **2** 모조하다, 흉내내다, 비슷하게 하다; 〈감정을〉 속이다, 가장하다. **3** …와 아주 흡사하다. **~·er**[-ər] *n.* 위조자; 모조자; 《특히》 화폐 위조자(coiner).

coun·ter·foil[káuntərfɔ̀il] *n.* 부본(stub) 《수표·영수증 등을 떼고 증거로 남겨두는 쪽지》.

coun·ter·force[káuntərfɔ̀:rs] *n.* Ⓤ **1** 대항 세력, 반대 세력, 저항력. **2** 〔미軍〕 선제 핵공격 무기.

coun·ter·fort[káuntərfɔ̀:rt] *n.* 〔土木〕 부벽(扶壁), 버팀벽; (산의) 돌출부.

count·er·girl[káuntərgə̀:rl] *n.* 여점원〔급사〕.

coun·ter·glow[káuntərglòu] *n.* 〔天〕 대일조(對日照).

coun·ter·in·sur·gen·cy[kàuntərinsə́:rdʒənsi] *n.* Ⓤ 대(對)게릴라 전술〔활동, 계획〕; 대(對)반란 계획〔활동〕, 역(逆)반란. — *a.* 대게릴라〔반란〕(용)의. **-gent**[-dʒənt] *a., n.* 대게릴라의 (전사(戰士)).

coun·ter·in·tel·li·gence[kàuntərintélədʒəns] *n.* Ⓤ 대적(對敵) 첩보 활동.

Counterintélligence Còrps[-kɔ̀:r] 〔미軍〕 방첩 부대(略: CIC).

coun·ter·in·tu·i·tive[kàuntərintjú:itiv] *a.* 직관에 반하는, 반직관적인.

coun·ter·ir·ri·tant[kàuntərírətənt] *n.* 반대 자극제(겨자 등). — *a.* 반대 자극제의.

coun·ter·ir·ri·tate[kàuntərírətèit] *vt.* 반대 자극제로 치료하다.

coun·ter·ir·ri·ta·tion[-ʃən] *n.* Ⓤ 〔醫〕 반대 자극 (법).

coun·ter·jum·per[káuntərdʒʌ̀mpər] *n.* 《口·경멸》 점원, 판매원.

count·er·man[káuntərmæ̀n] *n.* (*pl.* **-men** [-mèn]) (간이 식당 등의) 카운터에서 손님 시중드는 사람.

coun·ter·mand[kàuntərmǽnd, -mɑ́:nd] *vt.* **1** 〈명령·주문을〉 취소하다, 철회하다. **2** 반대 명령으로 소환하다. — [ˊ-ˋ] *n.* 주문의 취소; 반대〔철회〕 명령.

coun·ter·march[káuntərmɑ̀:rtʃ] 〔軍〕 *n.* 반대 행진, 후진(後進); 후퇴. — [ˋ-ˊ] *vi., vt.* 후진〔반대 행진〕하다〔시키다〕; 역행하다〔시키다〕.

coun·ter·mark[káuntərmɑ̀:rk] *n.* **1** (화물 등에 붙이는) 부표, 부가표, 찌지. **2** (금은 세공품에 새기는) 각인(刻印), 검증 각인. — [ˋ-ˊ] *vt.* …에 부표를 붙이다; 각인을 찍다.

coun·ter·mea·sure[káuntərmèʒər] *n.* **1** 대항책〔수단〕, 대응책, 대책. **2** 반대〔보복〕 수단(*against*).

coun·ter·mine[káuntərmàin] *n.* **1** 〔陸軍〕 대항 갱도; 〔海軍〕 역기뢰(逆機雷). **2** 대갚음 수, 대항책. — *v.* [ˋ-ˊ] *vt.* 대항 갱도〔역기뢰〕로써 대항하다〔방어하다〕; 계략을 역이용하다. — *vi.* 〔陸軍〕 대항 갱도를 만들다; 〔海軍〕 역기뢰를 부설하다.

coun·ter·move[káuntərmù:v] *n.* =COUNTERMEASURE. — *vi., vt.* 대항 수단으로서 하다; 대항 수단을 취하다.

coun·ter·move·ment[káuntərmù:vmənt] *n.* Ⓤ,Ⓒ 반대 방향으로의 운동.

coun·ter·of·fen·sive[kàuntərəfénsiv] *n.* 반격(反擊), 역습.

coun·ter·of·fer[kàuntərɔ́(:)fər, -ɑ́f-, ˊ-ˋ-] *n.* 대안(代案); 〔商〕 수정 제안, 카운터오퍼.

coun·ter·pane[káuntərpèin] *n.* (장식적으로 씌우는) 침대의 겉덮개, 베드 커버.

***coun·ter·part**[káuntərpɑ̀:rt] *n.* **1** 계인(契印), 부절(符節); 〔法〕 (정부(正副) 2통 가운데) 1통, 《특히》 부본, 사본. **2** 아주 닮은 사람〔것〕, 짝진 것의 한쪽. **3** 상대물, 대조물; 〔樂〕 대응부.

cóunterpart fúnd 〔經〕 대충 자금.

coun·ter·pho·bic[kàuntərfóubik] *a.* 역(逆)공포의, 공포를 느끼게 하는 상황〔장면〕을 자진하여 찾는.

coun·ter·plan[káuntərplæ̀n] *n.* 대안(對案); 대안(代案); 대책.

coun·ter·plea[káuntərplì:] *n.* 〔法〕 부수적 반대 항변〔답변〕.

coun·ter·plot[káuntərplɑ̀t/-plɔ̀t] *n.* 대항책. —(~·ted; ~·ting) *vt.* 〈적의 계략에 대하여〉 계략으로써 대항하다, 〈계략을〉 역이용하다. — *vi.* 반대의 계략〔대항책〕을 강구하다.

coun·ter·point [káuntərpɔ̀int] *n.* 〔樂〕 **1** Ⓤ 대위법(對位法). **2** 대위 선율.

coun·ter·poise[káuntərpɔ̀iz] *n.* **1** 평형추(錘). **2** 균세물(均勢物), 균세력, 평형력. **3** Ⓤ 균세, 균형, 평형, 안정. **4** 〔電〕 카운터포이즈, 매설 지선(地線). **be in counterpoise** 평형을 유지하다, 균형이 잡혀 있다.

— *vt.* **1** …와 균형을 이루다, 평형하다. **2** 평균시키다, 균형이 잡히게 하다, 평형〔균세〕을 유지시키다(balance). **3** 보충하다.
coun·ter·poi·son[káuntərpɔ̀izən] *n.* 해독성 독소; 해독제.
coun·ter·pres·sure[káuntərprèʃər] *n.* Ⓤ 반대 압력, 역압(逆壓).
coun·ter·pro·duc·tive[kàuntərprədʌ́ktiv] *a.* 반대의 결과를 초래하는, 역효과의.
coun·ter·pro·gram·ming[kàuntərpróugræ-miŋ] *n.* Ⓤ 〔TV〕 (딴 방송국의 프로에 대한 같은 시간대의) 대항 프로 편성.
coun·ter·prop·a·gan·da[kàuntərpràpə-gǽndə/-prɔ̀p-] *n.* Ⓤ 〔軍〕 역선전.
coun·ter·pro·pos·al[kàuntərprəpóuzəl] *n.* 반대 제안.
coun·ter·punch[káuntərpʌ̀ntʃ] *n.* (권투의) 카운터펀치, 카운터블로; 반격.
Cóunter Reformátion (the ~) 반종교 개혁 (운동)《종교 개혁으로 유발된 16-17 세기의 카톨릭 교회 내부의 자기 개혁 운동》.
coun·ter·ref·or·ma·tion[káuntərrèfər-méiʃən] *n.* Ⓤ,Ⓒ 반(反)개혁
coun·ter·re·ply[káuntərriplài] *n.* 대답에 대한 대답. — [ㅗ—ㅗ] *vi., vt.* 말대답하다;(대답에 대해) 되대꾸하다.
coun·ter·rev·o·lu·tion[kàuntərrèvəlúːʃən] *n.* Ⓤ,Ⓒ 반혁명. **~·ist** *n.* 반혁명주의자.
coun·ter·rev·o·lu·tion·ar·y[-èri] *a.* 반혁명의. — *n.* (*pl.* **-ar·ies**) =COUNTERREVOLUTIONIST.
cóunter rócker=COUNTER-ROCKING-TURN.
coun·ter-rock·ing-turn[kàuntərrákiŋ-tə̀ːrn] *n.* 〔스케이트〕 역회전, 카운터.
coun·ter·scarp[káuntərskɑ̀ːrp] *n.* 〔築城〕 (해자의) 경사진 외벽, 외안(外岸).
coun·ter·shad·ing[káuntərʃèidiŋ] *n.*(동물이) 몸체가 햇빛에 노출된 부분은 어두운 색, 그늘진 부분은 밝은 색이 되는 현상《은폐하는데 도움이 됨》.
coun·ter·shaft[káuntərʃæ̀ft, -ʃɑ̀ːft] *n.* 〔機〕 중간축.
coun·ter·sign[káuntərsàin] *n.* **1** 군호(password); 응답 신호. **2** 부서(副署). — [ㅗ—ㅗ, ㅗ—ㅗ] *vt.* 〈문서에〉 부서하다; 확인〔승인〕하다.
coun·ter·sig·na·ture[kàuntərsígnətʃər] *n.* 부서(副署), 연서(連署).
coun·ter·sink[káuntərsìŋk, ㅗ—ㅗ] *vt.* (-**sank**[-sæ̀ŋk]; **-sunk**[-sʌ̀ŋk]) 〈구멍의〉 위쪽을 넓히다, 원추형으로 〈구멍을〉 넓히다; 원추형 구멍에 〈나사 등의 대가리를〉 묻다. — *n.* 원추형 구멍; 위의 구멍을 파는 송곳.
coun·ter·spy[káuntərspài] *n.*(*pl.*-**spies**) 역간첩.
coun·ter·state·ment[káuntərstèitmənt] *n.* 반대 진술, 반박.
coun·ter·stroke[káuntərstròuk] *n.* 되쳐보냄, 반격.
coun·ter·sub·ject[káuntərsʌ̀bdʒikt] *n.* 〔樂〕 (푸가의) 부주제.
coun·ter·ten·den·cy[kàuntərténdənsi] *n.* (*pl.* **-cies**) 역경향.
coun·ter·ten·or[kàuntərténər] *n.* 〔樂〕 Ⓤ 카운터테너 《tenor보다 높은 남성(男聲)의 최고 음역》; Ⓒ 그 가수〔목소리〕. — *a.* 카운터테너의.
coun·ter·ter·ror·ism[kàuntərtérərìzəm] *n.* Ⓤ 대항〔보복〕 테러.
coun·ter·thrust[káuntərθrʌ̀st] *n.*되찌르기.
coun·ter·top[káuntərtàp/-tɔ̀p] *n.* (평평하고 납작한) 주방용 조리대.
coun·ter·trade[káuntərtrèid] *n.* Ⓤ 대응무역《수출입의 균형을 위한 조건부 무역거래》.
coun·ter·turn[káuntərtə̀ːrn] *n.* 역방향전환, 역회전;(줄거리 등) 의외의 전환, 역전.
coun·ter·type[káuntərtàip] *n.* 반대형; 대응형.
coun·ter·vail[kàuntərvéil] *vt.* 대항하다; 상쇄하다; 보상하다. — *vi.* 대항하다, 대항력이 있다(*against*).
coun·ter·váil·ing dùty 상쇄 관세.
coun·ter·val·ue[káuntərvæ̀ljuː] *n.* Ⓤ (특히 전략상의) 동치(同値), 등가(等價).
coun·ter·view[káuntərvjùː] *n.* 반대 의견; 대면, 대항.
coun·ter·vi·o·lence[kàuntərváiələns] *n.* Ⓤ 대항적〔보복적〕 폭력.
coun·ter·weigh[kàuntərwéi] *vt.* =COUNTERBALANCE. — *vi.* 평형력으로서 작용하다(*with, against*).
coun·ter·weight[káuntərwèit] *n., vt.* = COUNTERBALANCE.
coun·ter·word[káuntərwə̀ːrd] *n.* 전용어(轉用語)《본뜻 이외의 막연한 뜻으로 쓰이는 통속어; awful=very; affair =thing, 따위》.
coun·ter·work[káuntərwə̀ːrk] *n.* **1** Ⓤ 대항 작업, 반대 행동, 반작용; 방해. **2** (*pl.*) 〔軍〕 대루(對壘). — [ㅗ—ㅗ] *vt.* 대항하다, …을 방해하다 역효과가 나게 하다; 좌절시키다. **~·er** *n.*
★**count·ess**[káuntis] [count²의 여성형] *n.* (종종 **C-**) **1** 백작 부인〔미망인〕《영국에서는 EARL의 여성형》. **2** 여자 백작.
count·ing[káuntiŋ] *n.* Ⓤ 계산; 집계; 개표(開票): a ~ overseer〔witness〕 개표 참관인〔입회인〕.
cóunting fràme〔**ràil**〕 (유아용) 주판식 계산기.
count·ing·house *n.* (은행 · 회사 등의) 회계〔경리〕과; 회계실.
cóunting nùmber 〔數〕 제로 또는 정(正)의 정수(整數).
cóunting ròom =COUNTINGHOUSE.
‡**count·less**[káuntlis] *a.* 셀 수 없는, 무수한 (innumerable).
cóunt nòun 〔文法〕 가산 명사(countable).
count-out[káuntàut] *n.* 〔영議會〕 정족수(40명) 미달로 인한 유회; 《미》 제외표(에 의한 낙선자); 〔拳〕 카운트아웃.
cóunt pálatine (*pl.* **counts p-**) 〔史〕 **1** 후기 로마제국 최고 사령관. **2** 독일 황제의 허가로 일부 왕권(王權)을 자기 영토에서 행사하던 영주. **3** 잉글랜드 및 아일랜드의 주(州) 영주.
coun·tri·fied, -try-[kʌ́ntrifàid] *a.* **1** 〈사람 · 사물 등이〉 시골티〔촌티〕 나는, 세련되지 못한(rustic). **2** 〈경치 등이〉 전원풍의, 야취(野趣)가 있는.
★**coun·try**[kʌ́ntri] [L] *n.* (*pl.* **-tries**) **1** 나라, 국가; 국토: an industrial ~ 공업국/a developing ~ 개발 도상국. **2** (the ~) (도시에 대하여) 시골; 교외, 전원, 농촌지대: go into *the* ~ 시골로 가다/town and ~ 도시와 시골 《◇ 대구(對句)가 되어 관사 없음》. **3** Ⓤ 지역, 지방, 토지: mountainous〔wooded〕 ~ 산악〔삼림〕 지방. **4** 본국, 조국, 고국: love of one's ~ 조국애, 애국심. **5** 출생국, 고향, 향토. **6** (the ~; 집합적; 단수 취급) 국민. **7** (활동의) 영역, 분야, 방면. **8** (the ~) 《俗》 〔크리켓〕 외야(outfield): in *the* ~ 삼주문(三

柱門)에서 멀리 떨어져. **9** 〔法〕 배심(jury). **10** Ⓤ 〔樂〕 =COUNTRY MUSIC. **across** (**the**) **country** 전야(田野)를 횡단하여, 크로스컨트리의, 단교(斷郊)의 〈경주 등〉. **appeal**〔**go**〕 **to the country** 《영》 (의회를 해산하여) 국민의 총의를 묻다. **God's** (**own**) **country** 《미》 미합중국(의 일부): 지상의 낙원. **leave the country** 고국을 떠나다(go abroad). **live in the country** 시골에서 살다. **My**〔**Our**〕 **country, right or wrong!** 옳건 그르건 내 조국은 내 조국이다. **put**〔**throw**〕 one**self upon** one**'s country** 배심 재판을 요구하다. **So many countries, so many customs.** 《속담》 고장이 다르면 풍속도 다르다. **up country** 도시〔해안〕에서 떨어져.

— *a.* **1** 시골(풍)의, 시골에서 자란: ~ life 전원 생활. **2** 컨트리 뮤직의 〈가수 등〉.

coun·try-and-west·ern[-ənwéstərn] *n.* Ⓤ《미》〔樂〕컨트리 웨스턴, 컨트리 뮤직(country music)《미국 남부에서 발생한 민속 음악》.

coun·try-born[-bɔ́:rn] *a.* 시골 태 생의.

coun·try-bred[-bréd] *a.* 시골에서 자라난.

cóuntry bùmpkin 시골뜨기, 촌사람.

cóuntry clùb 컨트리 클럽《테니스·골프·수영 등의 시설이 있는 교외의 클럽》.

cóuntry cóusin 처음으로 도시에 나온 촌뜨기.

cóuntry dámage 〔保〕 (선적 전의 내륙 수송 과정에서의) 지방〔원산지〕 손해.

coun·try-dance[-dæ̀ns, -dɑ̀:ns] *n.* 컨트리 댄스《영국의 지방 춤: 남녀가 두 줄로 서로 마주 서서 춤》.

coun·try·fied *a.* =COUNTRIFIED.

coun·try·folk[-fòuk] *n.* 〔집합적〕 **1** 지방 사람, 시골 사람들(rustics). **2** 같은 나라 사람, 동포(fellow countrymen).

cóuntry géntleman (시골에 넓은 토지를 소유하고 광대한 주택에 거주하는) 신사〔귀족〕 계급의 사람, 지방의 대지주(squire).

cóuntry hóuse **1** 《영》 (시골의) 귀족〔대지주〕의 저택(*cf.* TOWN HOUSE). **2** 《미》 별장.

cóuntry jàke〔**jày**〕 《미口》 시골뜨기.

coun·try·like[-làik] *a., ad.* 시골풍의〔으로〕, 촌스러운〔스럽게〕.

coun·try·man[-mən] *n.* (*pl.* **-men**[-mən]) **1** 촌사람(rustic). **2** (보통 one's ~) 같은 나라 사람, 동포: 동향인. **3** (어떤) 지방의 주민《주로 영》: a North〔South〕 ~ 북국〔남국〕 사람.

cóuntry mìle 《미口》 아주 먼 거리, 광대한 범위.

cóuntry mùsic 〔樂〕 =COUNTRY-AND-WESTERN.

Cóuntry Pàrty (the ~) 〔영史〕 농민당, 지방당《Whig 당의 전신》; (**c- p-**) 지방〔농민〕당《도시나 공업의 이익에 대항하는》.

coun·try·peo·ple[-pì:pl] *n.* =COUNTRYFOLK.

cóuntry rísk 〔金融〕 국가별 위험도《해외 융자를 해줄 때의 융자 대상국의 신용도》.

cóuntry róck[1] 〔地質〕 모암(母岩).

cóuntry róck[2] 〔樂〕 컨트리 록《록조(調)의 컨트리 음악: rockabilly 등》.

coun·try·seat[-sì:t] *n.* 《영》 시골의 대저택(=COUNTRY HOUSE).

*****coun·try·side**[-sàid] *n.* **1** (시골의) 한 지방, 시골. **2** (the ~: 단수 취급) (어느) 지방의 주민들.

cóuntry sìnger 컨트리 음악 가수.

cóuntry stóre 시골〔휴양지, 관광지〕의 잡화점.

cóuntry tówn 시골 읍.

coun·try·wide[-wáid] *a.* 전국적인(*cf.* NATIONWIDE).

coun·try·wom·an[-wùmən] *n.* (*pl.* **-women** [-wìmin]) 시골 여자: (보통 one's ~) 같은 나라〔고향〕의 여자.

✱coun·ty[káunti] [L] *n.* (*pl.* **-ties**) **1** **a** 《미》 군(郡)《각 주의 정치·행정의 최대 하위 구역: 단 Louisiana 주-parish 제, Alaska 주-borough 제》. **b** 《영·아일》주(州)《행정·사법·정치상의 최대 구획: SHIRE 라고도 함》. **c** (영연방의 일부에서) 군(郡)《주의 최대 행정구》. **2** (the ~: 집합적) **a** 《미》 군민. **b** 《영》 주민(州民). **c** 《영古》 주의 명문〔부호〕.

cóunty ágent 《미》 (연방·주정부가 파견한) 농사 고문(agricultural agent).

cóunty bórough 《영》 특별시《인구 10만 이상으로 county 와 동격: 1974년 폐지》.

cóunty clérk 《미》 군 주사(主事).

cóunty cóllege 《영》 (15-18세의 남녀를 위한) 정시제(定時制) 보습(補習) 학교.

cóunty commíssioner 《미》 군정(郡政) 위원회 위원.

cóunty córporate 〔영史〕 독립 자치구(corporate county)《county 와 동격의 시·읍 및 그 인접 지대》.

cóunty cóuncil (집합적) 《영》 주의회.

cóunty cóuncillor 《영》 주의회 의원.

cóunty (**cóuncil**) **schòol** 《영》 공립 국민학교〔중등학교〕.

cóunty cóurt 《영》 주 재판소: 《미》 군 재판소.

coun·ty-court[-kɔ̀:rt] *vt.* 《영口》 주 재판소에 제소하다.

cóunty crícket 《영》 주 대항 크리켓 시합.

cóunty fáir 《미》 (연 1회의) 군의 농산물·가축 품평회.

cóunty fámily 《영》 주〔지방〕의 명문.

cóunty fárm 《미》 군영(郡營)의 구빈(救貧) 농장.

cóunty háll 《영》 **1** 주 회당《주 회의와 순회재판이 열리는》. **2** (the C- H-) 런던 주청(州廳).

cóunty hóuse〔**hóme**〕 《미》 군 운영의 구빈원(救貧院).

cóunty pálatine (*pl.* **counties p-**) 《영》 팰러틴 백작령(領)《count palatine 이 소유한 주: 지금은 Cheshire, Lancashire 의 2주》.

cóunty schóol 《영》 공립 학교(council school).

cóunty séat〔**síte**〕 《미》 군청 소재지, 군의 행정 중심지(*cf.* COUNTY TOWN).

cóunty séssions 《영》 주(州) 사계(四季) 재판소《각 주에서 주 치안 판사가 매년 4회 열던 형사 재판소》.

cóunty tówn 《영》 주청(州廳) 소재지, 주의 주도: 《미》 =COUNTY SEAT.

coup[ku:] [F] *n.* (*pl.* ~**s**[ku:z]) **1** (불시의) 일격. **2** 대히트, 대성공, 큰 인기: make〔pull off〕 a great ~ 대성공〔히트〕을 거두다. **3** =COUP D'ETAT.

coup de fou·dre[ku:dəfú:drə] [F] *n.* (*pl.* **coups de fou·dre**[-]) 벼락; 청천 벽력; 전격적인 사랑, 첫눈에 반함.

coup de grâce[ku:dəgrɑ́:s] [F] *n.* (*pl.* **coups de grâce**[-]) 최후의 일격, 온정의 일격(mercy stroke).

coup de main[ku:dəmɛ́] [F] *n.* (*pl.* **coups de main**[-]) 기습.

coup de maî·tre[ku:dəmétrə] [F] *n.* (*pl.* **coups de maî·tre**[-]) 대단한 〔뛰어난〕 솜씨,

신기(神技), 위업.

coup d'e·tat[kù:deitá:/kú:-] [F] *n.* (*pl.* **coups d'e·tat**[-], **~s**[-z]) 쿠데타, 무력 정변.

coup dé the·â·tre[ku:dəteiá:trə] [F] *n.* (*pl.* ***coups de thé·â·tre***[-]) 무대상〔연극〕의 히트; 극적 행동〔계략〕.

coup d'oeil[ku:dɔ́:i] [F] *n.* (*pl.* **coups d'oeil**[-]) 일견(glance), 개관; (정세 등을 재빨리 알아차리는) 혜안(慧眼).

cou·pé, cou·pe[ku:péi] [F] *n.* **1** 쿠페형 마차《2인승 4륜 유개 마차》. **2** 쿠페형 자동차《sedan보다 작고 문이 두 개인 2-5인승 자동차》. **3** 〔영鐵道〕 객차 뒤끝의 작은 칸《한쪽에만 좌석이 있음》.

cou·pla[kʌ́plə] *a.* 《口》 =a COUPLE of.

★**cou·ple**[kʌ́pəl] [L] *n.* **1** (밀접한 관계에 있는) 둘, 한 쌍(⇨pair). **2** 부부; 남녀 한 쌍, 약혼한 남녀; (댄스의) 남녀 한 쌍 《등》; 두 개, 두 사람《동류의 물건·사람》. **3** (보통 *pl.*) 사냥개 두 마리를 이어 매는 가죽끈. **4** (*pl.* ~) 두 마리씩의 사냥개 한 쌍. **5** 《미口》 얼마간, 두서넛(사람). **6** 〔物〕 우력(偶力); 〔電〕 커플; 〔建〕 두 재목을 이음쪽을 대고 전 보; 〔天〕 쌍성(雙星), 이중성(二重星). **a couple of** (1) 두 개〔사람〕의(two). (2) 《口》 수 개〔명〕의, 두서넛의(a few). **go**〔**hunt, run**〕 **in couples** 늘 둘이 짝지어 다니다; 협력하다.
— *a.* (a ~) 《미口》 2개의, 두 사람의(two); 두셋의, 두세명의(a few)《a couple of의 of가 생략된 형태》: a ~ books 두〔두서너〕권의 책. — *vt.* **1** 〈2개를〉 (짝이 되게) 연결하다(link); 연결기로 〈차량을〉 연결하다; 〈사냥개를〉 두 마리씩 잡아매다. **2** 〈두 사람을〉 결혼시키다. **3** 〈동물을〉 교미시키다. **4** 결부시켜 생각하다, 연상하다(associate) 《*with*》: ~ A and B (together)=~ A with B A와 B를 결부시켜 생각하다.
— *vi.* **1** 연결되다; 하나가 되다, 협력하다. **2** 〈동물이〉 교미하다; 〈사람이〉 성교하다. **3** 결혼하다(marry).

cou·pler[kʌ́plər] *n.* 연결자; 연결기〔장치〕; (오르간 등의) 연결 구조〔연동 장치〕, 커플러.

cou·plet[kʌ́plit] *n.* 〔韻〕 2행 연구(聯句), 대구(對句). **the heroic couplet** 서사 시적 2행 연구(체)《각 행이 약강격(弱强格) 10음절》.

cou·pling[kʌ́pliŋ] *n.* **1** Ⓤ 연결, 결합; 교미. **2** (철도 차량의) 연결기〔장치〕; 〔機〕 커플링, 연결기〔장치〕.

*__cou·pon__[kjú:pɑn/-pɔn] [F] *n.* **1** 쿠폰《떼어서 쓰는 표》; (철도의) 쿠폰식 승차권; 회수권의 한 장. **2** (판매 광고에 첨부된) 떼어 쓰는 신청권; (상품에 첨부된) 우대〔경품〕권. **3** 식료품 교환권; 배급표: a food ~ 식권. **4** 〔商〕 (공채 증서·채권 등의) 이자표. **5** 〔영政〕 (선거 후보자에게의) 당수(黨首)의 공인장. **cum coupon** =**coupon on** 이자표가 붙은. **ex coupon** =**coupon off** 이자표가 없는. **cóupon bònd** 이자표부(附)채권, 쿠폰 채권 **cóupon ràte** 채권의 표면 이자율. **cóupon sỳstem** 경품부 판매법. **cóupon tìcket** 떼어 쓰는 표, 쿠폰식 유람권.

★**cour·age**[kə́:ridʒ, kʌ́r-] [L] *n.* Ⓤ 용기, 담력, 배짱: moral ~ (신념을 지키려는) 정신적 용기/I have the ~ *to* do it. 나는 그것을 할 용기가 있다. **Dutch courage** 술김의 용기. **have the courage of one's convictions**〔**opinions**〕 자기의 소신〔의견〕을 단행〔주장〕하다. **have the courage to** do …할 용기가 있다, 용감하게도 …하다. **lose courage** 낙담하다. **take**〔**muster up, pluck up, screw up**〕 **courage** 용기를 내다〔불러 일으키다〕. **take one's courage in both hands** 필요한 일을 감행하다, 대담하게 나서다. ◇ courágeous *a.*; encóurage *v.*

*__cou·ra·geous__[kəréidʒəs] *a.* 용기 있는, 용감한, 담력이 있는: 《Ⅱ *It v* Ⅱ +형+*of*+대+*to* do》It was ~ *of* you *to* fight against the burglar. 네가 그 강도와 싸우다니 용감했다.
~·ly *ad.* **~·ness** *n.*

cour·gette[kuərdʒét] *n.* 《영》=ZUCCHINI.

cou·ri·er[kúriər, kə́:ri-] *n.* **1** (여행사가 단체객에게 수행시키는) 안내원, 가이드. **2** 급사; 특사; 밀사. **3** (**C-**; 신문의 명칭에 써서) …신보(新報): the Liverpool *C*~ 리버풀 쿠리어〔신보〕.

★**course**¹ [kɔ:rs] [L] *n.* **1** 진로, 수로; (보통 *sing.*) (배·비행기의) 코스, 침로, 항(공)로; 노정: a ship's ~ 침로. **2** Ⓒ,Ⓤ (보통 the ~) 진행, 추이(progress): *the* ~ of life 인생 행로. **3** (보통 the ~) 과정(過程), 경과; 추세: the ~ of nature 자연의 추세. **4 a** (행동의) 방침, 방향: a middle ~ 중용(中庸)(middle way). **5** (보통 *sing.*) (배·비행기의) 코스, 침로, 항(공)로; 노정: a ship's ~ 침로. **6** (*pl.*) 행동, 거동: mend one's ~*s* 행실을 고치다. **7 a** (보통 고교 이상의 학습) 과정(課程); 일정한 교육과정, 코스; 학과 과목. **b** (강의·치료 등의) 연속(*of*). **8** (식사의) 코스, 일품(一品), (한)접시《dinner에서 차례로 나오는 한 접시 한 접시를 말하며 보통 soup, fish, meat, sweets, cheese, dessert의 6품》: a dinner of six ~*s* 6품 요리 (식사). **9** (경주·경기의) 코스, 골프 코스(=golf ~), 《특히》 경마장(racecourse). **10** 〔建〕 (돌·벽돌 등의) 가로 층, 가로 줄; 〔編物〕 뜨개 눈의 가로 줄. **11** 〔海〕 큰 가로돛: the fore ~ 앞돛대 가로돛/the main ~ 큰돛대 가로돛. **12** (종종 *pl.*) (나침반의) 포인트. **13** 〔醫〕 쿠르《복용할 일련의 약; 치료 단위》. **14** (*pl.*) 월경(menses). **(as) a matter of course** 당연한 일(로서). **be on her course** 〈배가〉 침로를 취하고〔항해하고〕 있다. **by course of** 〈법률〉의 절차를 밟아, …의 관례에 따라. **course of events** 사건의 추이. **course of study** 〔教育〕 교육 과정, 학습 지도 요령. **course of things** 사태. **degree in course** 《미》 정규의 (과정을 밟은)칭호〔학위〕. **hold**〔**change**〕 **one's course** 방향〔방침〕을 지속하다〔바꾸다〕. **in course** 《古》=in due COURSE; 《俗》= of COURSE. **in course of construction** (건축〔건설〕) 중인〔에〕. **in due course** 일이 순조로이 진행되어〔진행되면〕, 오래지 않아, 적당한 때에. **in mid course** 도중에서, 중간에서. **in the course of** …동안에(during): *in the course of* this year 금년 중에. **in (the) course of time** 시간이 지나면, 언젠가는, 불원간에. **in the ordinary course of events**〔**things**〕 자연히, 보통은, 대개. **leave a thing to take its own course** …을 되어가는 대로 내버려 두다. **of course** 물론, 당연히; (지적당하거나 생각이 나서) 그렇구나!, 아 참! **on**〔**off**〕 **course** 침로대로〔를 벗어나〕. **run**〔**take**〕 **its**〔**their**〕 **course** 자연의 경과〔추이〕를 밟다〔따르다, 좇다〕; 자연히 소멸하다. **shape**〔**set**〕 **her course** 〈배가〉 침로를 정하다. **stay the course** (경주에서) 완주하다; 끝까지 버티다〔포기하지 않다〕. **steer a course** 진로를 따르다. **take one's own course** 독자적인 방침을 취하다.

자기 마음대로 하다. **take to evil courses** 난봉을 부리다. **the course of exchange** 외환 시세(표). **walk over the course** 〈경마말이〉 수월하게 이기다.

— *ad.* 《口》 =of ~(='course).

— *vt.* **1** 사냥개를 부려서 〈토끼 등을〉 사냥하다, 〈사냥개로 하여금〉 몰게 하다; 〈사냥개가 토끼를〉 쫓아가다(chase). **2** 〈말 등을〉 달리다. **3** 《詩》 〈들판을〉 횡단하다. **4** 〈구름 등이〉 어지럽게 날다. **5** 〈액체 등이 …을〉 따라 흐르다. — *vi.* **1** 〈말·개·아이 등이〉 뛰어다니다(run). **2** (사냥개를 부려) 사냥을 하다. **3** 〈피가〉 돌다, 순환하다; 〈눈물이〉 하염없이 흐르다〔쏟아지다〕. **4** 침로를 잡다.

course², 'course [of *course*] *ad.* 《口》 물론, 당연히.

courser[kɔ́ːsər] *n.* **1** 《詩·文語》 준마(駿馬); 군마(軍馬). **2** (사냥개를 부려) 사냥하는 사람; 사냥개. **3** 〔鳥〕 제비물떼새《아프리카 사막·남아시아산》.

course·ware[´-wὲər] *n.* Ⓤ 〔敎育〕 코스웨어《대학 교재용 카세트나 레코드》.

cours·ing[kɔːrsiŋ] *n.* Ⓤ 사냥개를 부리는 사냥; (greyhounds를 쓰는) 토끼 사냥.

★**court**[kɔːrt] [L] *n.* **1** a (주위에 건물이 있는) 안마당, 안뜰(courtyard); (Cambridge 대학교의) 네모진 마당(quadrangle). b (박람회 등의) 진열장의 구획. c 《영》 대저택; 《영》 (주위에 건물이 있는 뒷거리의) 좁은 길, 막다른 골목. d 《미》 모텔(=motor ~). **2** (테니스 등의) 코트, 경기장. **3** a (종종 **C-**) 궁전, 궁중, 왕실: a ~ etiquette 궁중 예법. b (집합적) 조신들. c (종종 **C-**) 알현(식), 어전 회의. **4** 추종, 아첨; 《특히》 (남자가) 여자의 비위를 맞추기, 구애. **5** a 법정, 법원; 재판. b (특히 주의) 의회, 입법부. c (the ~; 집합적) 법관, 판사, 재판관. **6** (특히 주의) 의회, 입법부. **7** (회사 등의) 임원〔중역〕회; (집합적) 임원, 위원, 중역; (우애(友愛) 조합 등의) 지부(회). **a court of sessions** (미국의) 주(州) 형사 재판소. **appear in court** 출정(出廷)하다. **at court** 궁정에서. **be presented at Court** 〈신임 대사·공사나 사교계의 자녀 등이〉 궁중에서 배알하다. **bring**〔**take**〕 **to court** 〈사건을〉 재판에 걸다. **civil**〔**criminal**〕 **court** 민사〔형사〕 법원. **court of appeal(s)** 항소 법원. **court of chancery** 《미》 형평법 법원; (the C- of C-) 《영》 대법관 법원. **court of domestic relations** 《미》 가정 법원. **court of first instance** 초심 법원. **court of inquiry** 군인 예심 법원; 《영》 사고〔재해〕 원인 조사 위원회. **court of justice**〔**judicature, law**〕 법정, 재판소. **court of record** 기록 법원《소송 기록을 작성·보관하는 법원》. **go to Court** 입궐하다. **hold a Court**〔**court**〕 알현식을 베풀다; 개정(開廷)하다, 재판하다. **in court** 법정에서. **laugh ... out of court** …을 일소에 부쳐버리다, 문제 삼지 않다. **order the court to be cleared** 방청인의 퇴정을 명령하다. **out of court** 법정밖에서; 각하되어; 〈제안 등이〉 일고의 가치도 없는. **pay**〔**make**〕 (one's) **court** 비위를 맞추다; 〈여자를〉 구슬리다, 구애하다(*to*). **present at court** (특히 사교계의 자녀 등의) 배알에 시중을 들다. **put oneself out of court** 다른 사람이 상대하지도 않을 일을 하다〔말을 하다〕. **put**〔**rule**〕 **... out of court** …을 다루지 않기로 하다, 문제 삼지 않다; 무시하다. **settle ... out of court** …을 (소송하지 않고) 타협으로 해결하다. **take ... into court** …을 재판에 걸다. **the Court of Admiralty** 《영》 해사(海事) 재판소. **the court of claims** 《미》 청구 재판소. **the Court of Common Pleas** 〔영史〕 민사 소송 재판소. **the Court of Conscience** 〔영史〕 (소액의 채권을 취급하는) 채권 재판소; (the c- of c-) (도덕의 심판자로서의) 양심. **the Court of St. James('s)** 성 제임스 궁정, 영국 궁정. **the High Court of Parliament** 《영》 영국 의회. **the Supreme Court** (**of Judicature**) 최고 사법 재판소, 대법원.

— *a.* **1** 궁정의, 궁정에 관한〔어울리는〕. **2** 〈스포츠 등〉 코트를 사용하는; 코트를 사용하는 스포츠의: a ~ star (코트를 사용하는) 테니스 《등》의 인기 선수.

— *vt.* **1** 환심을 사다; 비위맞추다. **2** 〈여자에게〉 사랑을 호소하다, 구애하다(woo); 《일반적으로》 구하다(seek), 얻으려고 애쓰다. **3** 꾀다, 유혹하다(allure). **4** 〈의심·재난·패배 등을〉 초래하다(invite), 만나다(be overtaken by). **5** 《영口》 법원에 고소하다.

— *vi.* 〈남녀가〉 구애하다; (결혼을 전제로) 사귀다, 서로 사랑하다. ⊕ córtly *a.*

cóurt bàron (*pl.* **courts b-, ~s**) 〔영法史〕 장원(莊園) 재판소《장원 내의 민사 사건을 영주가 재판했음; 1867년 폐지》.

cóurt càrd 《영》(카드의)그림 패(face card) 《킹·퀸·잭》.

cóurt círcular 《영》 (신문의) 궁정 기사; 궁정 행사 일보.

cóurt dànce 궁정 무용(곡).

cóurt dày 공판일, 개정(開廷)일.

cóurt drèss 궁중복, 입궐복, 대례복.

⁑**cour·te·ous**[kə́ːrtiəs/kɔ́ːr-] *a.* 예의바른, 정중한; 친절한(⇨polite) (Ⅱ 부+형+*of*+대+*to* do) It is very ~ *of* him *to* call on us. 그가 우리를 방문해 주다니 참으로 예의바르다/ (Ⅰ *v* Ⅰ+*as though*(절)) It seemed *as though* he could not be ~ enough to her. 그는 그녀에게 아무리 정중하게 해도 지나치지 않는다고 생각하는 듯했다. **~·ly** *ad.* **~·ness** *n.* ⊕ cóurtesy *n.*

cour·te·san, -zan[kɔ́ːrtəzən, kə́ːr-] *n.* 고급 매춘부.

*****cour·te·sy**[kə́ːrtəsi] *n.* (*pl.* **-sies**) **1** Ⓤ 예의, 정중, 공손, 친절; Ⓒ 정중한 행위(말). **2** Ⓤ 특별 대우, 우대; Ⓤ 호의(favor). **3** = CURTSY. **be granted the courtesies**〔**courtesy**〕 **of the port** 《미》 세관의 검사를 면제받다. **by courtesy** 의례상(의), 관례상(의). **by** (**the**) **courtesy of** …의 호의에 의하여; 《미》 …의 허가〔승낙〕에 의한. **do** a person **the courtesy to** do〔**of doing**〕 …에게 예의바르게도 … 하다. **to return the courtesy** 답례를 위하여, 답례로서. — *a.* 예의상의; 우대의. ⊕ cóurteous *a.*

cóurtesy càll〔**vìsit**〕 의례적인 방문, 예방.

cóurtesy càr (회사·호텔 등의) 손님 모시는 차, 송영차(送迎車).

cóurtesy càrd (은행·호텔·클럽 등의) 우대권〔카드〕.

cóurtesy lìght (자동차의 문을 열면 자동적으로 켜지는) 차내등.

cóurtesy rúnner 〔野〕 (불의의 사고 때의 주자를 대신하는) 대주자, 핀치 러너.

cóurtesy tìtle **1** 《영》 관례〔예의〕상의 작위〔경칭〕《귀족 자녀의 이름 앞에 붙이는 Lord, Lady, The Hon. 등》. **2** 명목적 칭호《모든 대학 선생을 Professor라고 부르는 것과 같음》.

cóurt guìde 《영》 신사록《원래는 입궐을

허가받은 사람의 인명록).
cóurt hànd (옛날의) 공문서〔법정〕 서체.
court·house[kɔ́:rthàus] *n.* (*pl.* **-hous·es**[-hàuziz]) **1** 법원(청사), 재판소(law court). **2** 《미》 군청 청사.
cour·ti·er[kɔ́:rtiər] *n.* **1** 조신(朝臣). **2** 알랑쇠.
cóurt làdy 나인, 궁녀(宮女).
cóurt lèet 〔영史〕 영주 (형사) 재판소.
*__court·ly__[kɔ́:rtli] *a.* (**-li·er; -li·est**) **1** 공손한, 고상한; 우아한, 기품 있는. **2** 아첨하는. ── *ad.* 궁정풍으로; 품위 있게, 우아하게; 아첨하여. **-li·ness** *n.*
cóurtly lóve 궁정식〔풍〕 연애《귀부인에 대한 중세 유럽의 기사도적 연애》.
court-mar·tial[⌐mɑ́:rʃəl] *n.* (*pl.* **courts-**[kɔ́:rts-], **~s**) 군법회의. **drumhead court-martial** (전투 지구의) 임시 군법 회의. ── *vt.* (**~ed; ~·ing**｜**~led; ~·ling**) 군법 회의에 회부하다.
cóurt òrder 법원 명령.
cóurt plàster 반창고.
cóurt repórter 법원 속기사〔서기〕.
cóurt ròll 법원 기록; 〔영法史〕 장원(莊園)기록《장원 영주 재판소의 토지 등록 대장》.
court·room[kɔ́:rtrù(:)m] *n.* 법정.
court·ship[kɔ́:rtʃìp] *n.* **1** Ⓤ **a** (여자에 대한) 구애, 구혼. **b** (새·동물의) 구애 (동작). **2** 구혼 기간.
cóurt shòe 《영》 코트 슈《끈이 없는 중간 높이의 여성용 힐》.
court·side *n.* (농구·테니스 등의) 코트 사이드.
cóurt tènnis 옥내 테니스(*cf.* LAWN TENNIS).
court·yard[kɔ́:rtjɑ̀:rd] *n.* 안마당, 안뜰.
cous·cous[kú:sku:s] *n.* 쿠스쿠스《밀을 쪄서 고기·야채 등을 곁들인 북 아프리카 요리》.
★**cous·in**[kʌ́zn] [L] *n.* **1** 사촌, 종형〔제〕, 종자〔매〕. **2** 친척, 일가; 근연(近緣) 관계에 있는 것. **3** 경(卿)《국왕이 타국의 왕이나 자국의 귀족에게 쓰는 호칭》. **4** 같은 계통의 것《민족·문화 등》. **5** 《미俗》 친한 친구; 《미俗》 얼간이, 「봉」. **call cousins (with …)** (…와) 친척간이라고 말하다〔말하고 나서다〕. **first** 〔**full, own**〕 **cousin** (친)사촌. (**first**) **cousin once removed** 사촌의 자녀, 종질; 부모의 사촌. **second cousin** 육촌, 재종; 《俗》=(first) COUSIN once removed. **third cousin** =**first cousin twice removed** 팔촌, 삼종. **~·age**[-idʒ] *n.* 사촌〔친척〕 관계; 사촌〔친척〕들. **~·hood**, **~·shìp** *n.* Ⓤ 종형제〔자매〕 관계, 사촌간. ◇ cóusinly *a.*
cous·in-ger·man[kʌ́zndʒə́:rmən] *n.* (*pl.* **cous·ins-**) 친사촌(first cousin).
cous·in-in-law[kʌ́zninlɔ̀:] *n.* (*pl.* **cous·ins-**) 사촌의 남편〔아내〕《사촌매부·사촌처남 등》.
cous·in·ly[kʌ́znli] *a.* 사촌(간)의, 사촌같은, 사촌다운. ── *ad.* 사촌같이, 사촌답게.
cous·in·ry[kʌ́znri] *n.* (*pl.* **-ries**) (집합적) 사촌들; 일가 친척.
cou·teau[ku:tóu] [F] *n.* (*pl.* **~x**[-z]) 쌍날의 큰 나이프《옛날에 무기로서 휴대》.
coûte que coûte[kú:tkə:kú:t] [F] *ad.* 어떤 대가〔희생〕를 치르더라도, 기어코.
couth[ku:θ] [uncouth의 역성(逆成)] *a.* 《익살》 세련된, 고상한. ── *n.* 세련, 고상함.
couthed[ku:θt] *a.* (다음 성구로) **get couthed up** 《俗》 말쑥한 옷을 입다, 모양내다.
couth·ie[kú:θi] *a.* 《스코》 우호적인, 친절한; 안락한, 기분좋은.
cou·ture[ku:tjúər] [F] *n.* **1** Ⓤ 여성복 재단업, 양재(업). **2** (집합적) 드레스 메이커, 패션 디자이너, 양재사.
cou·tu·rier[ku:túərièi] [F] *n.* 드레스 메이커, 패션 디자이너.
cou·tu·rière[⌐rjέər] [F] *n.* COUTURIER의 여성형.
cou·vade[ku:vɑ́:d] [F] *n.* 의만(擬娩)《아내가 분만할 때 남편도 함께 자리에 누워 산고(産苦)를 흉내내거나 음식을 제한하는 풍습》.
co·va·lence, -len·cy[kouvéiləns], [-si] *n.* 〔化〕 공유(共有) 원자가; 공유 결합(covalent bond). **-lent**[-lənt] *a.* 전자쌍을 공유하는.
coválent bónd 〔化〕 (2 원자에 의한) 전자의 공유(共有)결합, 등극(等極)결합.
co·var·i·ance[kouvέəriəns] *n.* 〔數·統計〕 공분산(共分散).
co·var·i·ant[kouvέəriənt] *a.* 〔數〕 공변(共變)의〔하는〕 〈미분·지수 등〉.
*__cove__[1] [kouv] *n.* **1** (만 안의) 후미, 내포(內浦), (해안 낭떠러지의) 후미진 곳. **2** (험한) 산골짜기 길, 산구석(nook). **3** 〔建〕 홍예식 천장. ── *vt.* 〔建〕 〈천장 등을〉 아치형으로 만들다.
cove[2] *n.* **1** 《영俗·오스俗》 놈, 녀석(chap). **2** 《오스俗》 주인, 《특히》 양 목장의 지배인.
cov·en[kʌ́vən, kóu-] *n.* (특히 13명의) 마녀의 집회.
*__cov·e·nant__[kʌ́vənənt] [L] *n.* **1** 계약, 맹약, 서약. **2** 〔法〕 날인 증서; 날인 증서 계약; 계약 조항. **3** (the C-) 〔聖〕 (하느님과 이스라엘 사람 사이의) 계약. **the Ark of the Covenant** 〔聖〕 (Moses의 십계명을 새긴 돌을 넣은) 법궤《출애굽기 25:10》. **the Covenant of the League of Nations** 국제 연맹 규약《1919년의 베르사유 조약의 제1편》. **the Land of the Covenant** 〔聖〕 약속의 땅(Canaan). ── *vi.* 계약하다《*with*》: ~ *with* a person *for* …와 …의 계약을 하다. ── *vt.* 계약하다; 〈…(할 것)을〉 계약〔서약, 맹약〕하다《*to* do, *that*…》: He ~*ed to* do it. 그는 그것을 하겠다고 서약했다.
cov·e·nant·ed[-id] *a.* **1** 계약한; 계약상의 의무가 있는. **2** 〔神學〕 하느님과의 계약에 의하여 얻은.
cóvenanted sèrvice (the ~) 《영》 서약 근무, 인도 주재 문관 근무.
cov·e·nan·tee[kʌ̀vənəntí:] *n.* 피계약자.
cov·e·nant·er[kʌ́vənəntər] *n.* 맹약〔서약〕자; 계약자.
cóvenant theòlogy 계약 신학.
Cóv·ent Gárden[kʌ́vənt-, kɑ́v-/kɔ́v-, kʌ́v-] *n.* **1** 코번트 가든《London 중심 지구; 청과·화초의 도매시장이 있었음》. **2** 코번트 가든(오페라) 극장《정식명은 Royal Opera House》.
Cov·en·try[kʌ́vəntri, kɑ́v-/kɔ́v-] *n.* 코번트리《영국 Warwickshire 지방의 도시》. **send** a person **to Coventry** …을 따돌리다, 절교하다.
★**cov·er**[kʌ́vər] [L] *vt.* **1** 덮다; 〈물건에〉 뚜껑을 덮다; 싸다, 씌우다, 〈머리에〉 모자를 씌우다〔쓰다〕; 감싸다《*with*》: Snow ~*ed* the ground. =The ground was ~*ed with* snow. 땅은 눈으로 덮였다/~ one's face *with* one's hands 손으로 얼굴을 가리다. **2** …에 모자를 씌우다; (몸에) 걸치다; …에 뚜껑을 하다; …에 온통 뒤바르다; 겉을 붙이다〔바르다〕, 겉포장을 하다; 표지를 달다; 칠하다《*with*》: ~ a wall *with* paper 벽에 벽지를 바르다. **3** (덮어) 감추다, 숨기다, 가리다: ~ one's feel-

ings 감정을 숨기다/~ a mistake 과오를 숨기다/~ one's bare shoulders *with* a shawl 노출된 어깨를 숄로 가리다. **4** 덮어 씌우다, 뒤덮다: His shoes were ~*ed with* dust. 그의 신은 온통 먼지로 덮여 있었다. **5** (수동형 또는 ~ one*self*로) 〈영광·치욕 등〉 일신에 입다〔지니다〕; 가득차다 《*with*》: be ~*ed with* glory〔shame〕 영광〔치욕〕으로 가득차다/~ oneself *with* honor 명예를 누리다. **6** 감싸주다(shield, protect); 〔軍〕 엄호하다; 〔스포츠〕 후방을 수비하다, 커버하다; 〈상대 플레이어를〉 마크하다; 〔庭球〕 코트를 수비하다: ~ the landing 상륙을 엄호하다/The cave ~*ed* him *from* the snow. 그 동굴에서 그는 눈을 피할 수 있었다. **7** 〈어떤 범위에〉 걸치다, 미치다(extend over); 〈분야·영역 등을〉 포함하다(include); 〈사례 등에〉 적용되다; 〈연구·주제를〉 다루고 있다; 학습하다, 강의하다: The rule ~*s* all cases. 그 법칙은 모든 경우에 적용된다. **8** 〈대포·요새 등이〉 …에 대한 방위로서 도움이 되다; 아래를 내려다보다(command), 사정거리 내에 두다; (총 등으로) 겨누다: The battery ~*ed* the city. 대포는 그 시를 사정권 내에 두었다; ~ the enemy *with* a rifle 적에게 총을 겨누다. **9** 〔新聞·라디오·TV〕 〈사건·회합 등〉 뉴스로 보도하다: The reporter ~*ed* the accident. 기자는 그 사고를 보도했다. **10** 떠맡다, …의 책임을 지다: ~ the post 그 지위를 떠맡다. **11** 〈어떤 일정한 거리를〉가다, 〈어떤 지역을〉 답파하다(travel): You can ~ the distance in an hour. 그 거리는 한 시간에 갈 수 있다. **12** 〈비용·손실 등을〉 보상하다〔하기에 족하다〕. **13** 담보물을 넣다, (담보로) 보상하다; …에 보험을 걸다. **14** 〈암탉이 알·병아리를〉 품다; 〈종마가 암말에〉 올라타다. **15** 〔카드〕 (나온 패)보다 높은 패를 내다. **16** 《미》 미행하다.

— *vi.* **1** 〈액체 등 이〉 표면에 퍼지다. **2** 감싸서 (비밀 등을) 숨기다, 알리바이 제공을 하다. **3** 대신하여 일하다《*for*》. **be covered** 모자를 쓰고 있다: Please *be covered.* 모자를 쓰십시오. **cover in** 〈구멍·무덤 등에〉 흙을 덮다; 〈도로·테라스 등에〉 지붕을 얹다. **cover into the Treasury** 《미》 국고에 수납하다. **cover oneself with** …을 온 몸에 지니다. **cover one's head**〔oneself〕 모자를 쓰다. **cover one's tracks** 발자국을 지우다; 종적을 감추다. **cover over** 〈구멍 등〉의 전면(全面)을 덮다; 〈물건의 흠 등을〉 가리다; 〈실책 등을〉 감추다. **cover shorts**〔**short sales**〕 〔證券〕 공매(空賣)한〔투기적으로 판〕 증권을 도로 사다〔메우다〕. **cover** (**the**) **ground** (어느) 거리를 가다〔나아가다〕; 〈강연이·강연자가·보고(자)가〉 (어떤) 범위를 다루다. **cover up** 싸서 감추다, 모조리 덮어버리다; 〈나쁜 짓 등을〉 은폐하다; 〈남을〉 두둔하다, 감싸주다. **remain covered** 모자를 쓴 채로 있다. **to cover the defect** 그 결점을 메우기 위해.

— *n.* **1** 덮개, 뚜껑; 커버; (침구용의) 커버, 침대보, 담요; 싸는 물건. **2** (책의) 표지《*for*》 (*cf.* JACKET), 표장(表裝); 포장지; 봉투. **3** Ⓤ,Ⓒ 숨는 곳, 피난처, 잠복처(shelter); 짐승이 숨는 곳《숲·덤불 등》. **4** Ⓤ,Ⓒ 〔軍〕 엄호(물); 차폐(물); 상공 엄호 비행대(=air ~); (폭격기의) 엄호 전투기대. **5** Ⓤ (어둠·밤·연기 등의) 차폐물; 위장; 핑계, 구실; Ⓒ 감추는 것, (주목 등을) 돌리는 것《*for*》. **6** Ⓤ (손해) 보험; 보험에 의한 담보; 〔商〕 담보물, 보증금 (deposit). **7** 〔크리켓〕 후위(의 자리); 〔庭球〕 코트 커버 (수비의 폭); 〔卓球〕 커버. **8** 커버 레코드《히트곡을 딴 사람이 뒤따라 녹음한 것》. **9** 가공의 신분; 알리바이 제공자. **10** (무기를 지닌) 호위; 대역(代役)《*for*》. **11** Ⓤ (보통 the ~) (한 지역에 나서 자라는) 식물. **12** (식탁 위의) 한 사람 분의 식기; =COVER CHARGE: *C-s* were laid for ten. 10인분의 식기가 놓였다/a dinner of 10 ~*s* 열 사람의 만찬회. **beat a cover** 짐승이 숨은 곳을 두들겨 찾다. **break cover** (동물이) 숨은 곳에서 나오다(break COVERT). **draw a cover** 동물을 숨은 곳에서 몰아내다(draw a COVERT). (**from**) **cover to cover** 전권(全卷)을 통해서, 책의 처음부터 끝까지. **take cover** 〔軍〕 (지형·지물을 이용하여) 숨다, (적의 포화 등에서) 몸을 지키다《*from*》; 숨다, 피난하다《*from*》. **under cover** 봉투에 넣어서; 동봉하여; 숨어서; 내밀하게. **under cover to** …앞으로 보내는 편지에 동봉해서. **under plain cover** 발신〔발송〕인·내용의 명기 없이〔없는〕 〈봉한 편지·소포 등〉. **under separate**〔**the same**〕 **cover** 딴〔같은〕 봉투에 넣어서. **under** (**the**) **cover of** …의 엄호를 받아서; 〈질병 등을〉 핑계삼아; 〈어둠 등〉을 타서, …을 이용하여.
~·a·ble *a.* **~·er** *n.* **~·less** *a.*
◇ cóvert *a.*

∗**cov·er·age**[kʌ́vəridʒ] *n.* Ⓤ,Ⓒ **1** 적용 범위. **2** 〔保〕 보상 (범위). **3** 정화(正貨) 준비(금). **4** 보도(범위), 취재 (범위); (광고의) 도달 범위; (라디오·텔레비전의) 방송 (범위), 서비스〔가청〕 구역.

cov·er·all[kʌ́vərɔ̀ːl] *n.* (보통 *pl.*) 상하가 붙은 작업복《overall과 달라 소매가 있음》.

cóver chàrge (레스토랑 등의) 서비스료, 커버〔테이블〕 차지.

cóver cròp 간작(間作)《비료로 쓰기 위하여 겨울 밭에 심어 두는 클로버 등》.

Cov·er·dale[kʌ́vərdèil] *n.* 커버데일 Miles ~(1488-1568)《영국의 성직자; 성서를 영역》.

cov·ered[kʌ́vərd] *a.* 덮개를 씌운, 뚜껑을 한; 모자를 쓴; 엄호물〔차폐물〕이 있는, 차폐한(sheltered): a ~ position 〔軍〕 차폐 진지.

cóvered brídge 지붕 있는 다리.

cóv·ered-dísh sùpper 각자 부담하여 음식을 가져오는 회식.

cóvered wágon 《미》 포장 마차; 〔영鐵道〕 유개 화차.

cóvered wáy 지붕이 있는 복도; 〔築城〕 복도.

cóver gìrl 커버 걸《잡지 등의 표지 모델이 되는 매력적인 여자》.

cóver glàss 1 (현미경의) 커버 글라스. **2** 영사 필름의 슬라이드 보호용 유리.

⁑**cov·er·ing**[kʌ́vəriŋ] *n.* **1** Ⓤ 덮음, 덮어 씌움; 엄호, 차폐. **2** 덮개, 외피(外被), 커버, 지붕. — *a.* 덮는; 엄호의: ~ fire 엄호 사격.

cóvering lètter〔**nòte**〕 첨부서, 설명서《동봉물에 첨부한》.

∗**cov·er·let**[kʌ́vərlit] *n.* 침대보, 침대 덮개; 《일반적으로》 덮개.

∗**cov·er·lid**[-lìd] *n.* 《方》 =COVERLET.

cóver lìnes 커버 라인《잡지 등의 표지에 인쇄되는 특집 기사의 제목〔내용〕 등》.

cóver nòte 〔保〕 가(假)증서, 보험인수증.

cóver pòint 〔크리켓〕 후위.

cóver posítion 〔廣告〕 (잡지) 표지의 광고 게재 위치.

có·versed síne[kóuvəːrst-] 〔數〕 여시(餘矢).

cóver shòt 광각(廣角) 사진, 전경 사진.

cóver slìp =COVER GLASS 1.

cóver stòry 커버 스토리《잡지의 표지 그림〔사진〕과 관련된 기사》.

*__co·vert__ [kʌ́vərt, kóu-] *a.* **1** 은밀한, 숨은; 암암리의(*opp.* overt). **2** 〔法〕 (남편의) 보호를 받고 있는: a feme ~ 유부녀. — *n.* **1** 덮어 가리는 것; 구실. **2** U,C (동물의) 숨는 장소, 잠복소(cover). **3** (*pl.*) (새의) 우비깃; 큰물닭(coot)의 무리. **break covert** 〈동물이〉 숨은 곳에서 나오다. **draw a covert** 동물〔사냥감〕을 숨은 곳에서 몰아내다. **under (the) covert of** …의 보호를 받고; …에 숨어서, 위장하여. **~·ly** *ad.* 은밀히, 살며시. **~·ness** *n.*

cóvert áction〔operátion〕 (경찰·정보부의) 비밀 공작, 비밀 첩보 활동.

cóvert clòth 능직 모〔면〕직물의 일종.

cóvert còat (사냥·승마·먼지막이용의) 짧은 외투.

cov·er·ture [kʌ́vərtʃər] *n.* **1** U,C 덮개, 씩위 덮는 물건; 엄호 물; 피난처. **2** U 〔法〕 (남편의 보호를 받는) 유부녀의 신분(*cf.* feme COVERT): under ~ 유부녀의 신분으로.

cov·er-up [kʌ́vərʌ̀p] *n.* (a ~) 숨김, 은폐, 은닉.

cóver vèrsion 원래의 곡의 가수나 작곡가가 아닌 가수나 그룹에 의한 녹음.

*__cov·et__ [kʌ́vit] *vt.* 〈남의 물건 등을〉 턱없이 탐내다, 몹시 바라다, 갈망하다:《Ⅲ (목)》(Inversion) All ~, all lose. 《속담》 모든 것을 탐내면 모든 것을 잃는다, 대탐대실(大貪大失). — *vi.* 턱없이 탐내다; 몹시 바라다: *Coveting* is dying. 탐욕은 곧 죽음이다/《Ⅰ 전+명》 ~ *after*〔*for*〕 popularity 인기를 얻으려고 기를 쓰다. **~·a·ble** *a.* **~·er** *n.* **~·ing·ly** *ad.* ◇ cóvetous *a.*

cov·et·ous [kʌ́vitəs] *a.* (남의 것을) 몹시 탐내는(*of, to* do); 탐욕스러운. **~·ly** *ad.* **~·ness** *n.* ◇ cóvet *v.*

cov·ey [kʌ́vi] *n.* (메추리·자고처럼 난 뒤 잠시 어미새와 함께 사는) 새의 무리(brood); 《익살》(사람·사물의) 한 떼〔무리〕, 일단.

cov·in [kʌ́vin] *n.* U 〔法〕 (제 3자에게에게 피해를 입힐 목적의) 공동 모의; 《古》 사기.

★__cow¹__ [kau] *n.* (*pl.* **~s,** 《古·詩》 **kine** [kain]) **1** 암소, 젖소; (*pl.*) 《미西部》 축우(cattle). **2** 《미俗》 우유, 크림. **3** (무소·코끼리·바다표범·고래 등의) 암컷(cow whale 「암코래」처럼 복합어로도 쓰임; *opp.* bull). **4** 《俗》 단정치 못한 여자; 《경멸》 계집. **fair cow** 《오스》 매우 불쾌한 사람〔것〕. **milk cow** 젖소. **salt the cow to catch the calf** 《미口》 간접적 수단으로 목적을 달성하다. **the cow with the iron tail** 《익살》 우유를 묽게 하는데 쓰는 펌프. **till〔until〕 the cows come home** 《口》 오랫동안, 언제까지나.

cow² *vt.* 위협〔협박〕하다, 으르다: be ~*ed* 겁을 집어먹다, 질리다/《Ⅴ (목)+전+-*ing*》 He ~*ed* her *into* accept*ing* his proposals. 그는 그녀에게 자기의 제의를 받아들이라고 위협했다(=She was ~*ed into* accept*ing* his proposals.《Ⅱ *be pp.*+전+-*ing*》).

cow·a·bun·ga [kàuəbʌ́ŋgə] *int.* (파도 타기에서) 카우어벙거(파도 마루에 올라탔을 때의 외침); 만세!, 해냈다!; 자! 간다.

‡__cow·ard__ [káuərd] [L] *n.* 겁쟁이, 비겁한 사람; 〔競馬〕 겁많은 말. — *a.* 겁많은, 소심한; 비겁한: a ~ blow 비겁한 공격.
◇ cówardice *n.*; cówardly *a.*

*__cow·ard·ice__ [káuərdis] *n.* U 겁, 비겁.

*__cow·ard·ly__ [káuərdli] *a.* 겁많은; 비겁한, 비열한: a ~ lie 비열한 거짓말/《Ⅱ *It v* Ⅱ +형+*of*+대+*to* do》 It is ~ *of* him *to* have given himself up to his enemy. 그가 적에게 투항하다니 비겁하다. — *ad.* 겁을 내어, 비겁하게도.
-li·ness [-linis] *n.* =COWARDICE.

cow·bane [káubèin] *n.* 〔植〕 독미나리.

cow·bell [´bèl] *n.* 소의 목에 단 방울.

cow·ber·ry [´bèri/´bəri] *n.* (*pl.* **-ries**) 〔植〕 월귤나무; 《미》 호자덩굴.

cow·bird [´bə̀ːrd] *n.* 〔鳥〕 찌르레기《북미산》.

‡__cow·boy__ [´bɔ̀i] *n.* **1** 목동; 《미·캐나다》 카우보이. **2** 《영俗》 무모한 사람; 무모한 운전자. **3** 《미俗》 서부식 샌드위치; (카드의) 킹; 갱단의 두목. **cowboys and Indians** 서부극 놀이《아이들의 카우보이와 인디언의 싸움 놀이》.

cówboy bòot 카우보이 부츠《뒤축이 높고 꿰맨 자리의 모양새에 공들인 가죽 장화》.

cówboy còffee 《미俗》 설탕을 안 탄 블랙커피.

cówboy hàt 《미》 카우보이 모자《테가 넓고 춤이 높은 모자》.

Cówboy Státe (the ~) 미국 Wyoming 주의 속칭.

cow·catch·er [´kæ̀tʃər] *n.* **1** 《미》 (기관차 앞의) 배장기(排障器) (《영》 plough, fender). **2** 〔라디오·TV〕 (어떤 프로 직전에 넣는) 짧은 광고〔선전〕.

ców cóllege 《미俗》 농과 대학; 지방의 이름 없는 대학.

cow·er [káuər] *vi.* (추위·공포 등으로) 움츠리다; 위축하다(*down*).

Cowes *n.* 카우스《영국 Wight 섬의 항구; 해수욕장·요트 경주장》.

cow·fish [´fìʃ] *n.* (*pl.* **~, ~·es**) **1** 〔動〕 **a** 해우(海牛). **b** 돌고래, 물돼지 《등》. **2** 〔魚〕 (머리에 뿔이 있는) 거북복어.

cow·girl [´gə̀ːrl] *n.* 목장에서 일하는 여자; 여자 목동.

cow·grass [´græ̀s, ´grɑ̀ːs] *n.* 〔植〕 야생의 토끼풀.

cow·hand [´hæ̀nd] *n.* 소치는 사람; 카우보이.

cow·heel [´hìːl] *n.* 카우힐, 족편《쇠족을 양파 등 양념과 함께 젤리 모양으로 삶은 요리》.

cow·herb *n.* 〔植〕 말뱅이나물《석죽과(科)》.

cow·herd [´hə̀ːrd] *n.* 소 치는 사람.

cow·hide [´hàid] *n.* **1** U (털이 붙은) 소생가죽; (무두질한) 쇠가죽. **2** 《미》 쇠가죽 채찍. — *vt.* 《미》 쇠가죽 채찍으로 치다.

cow·house [´hàus] *n.* (*pl.* **-hous·es** [-hàuziz]) 외양간, 우사(牛舍).

co·win·ner [kouwínər] *n.* 공동 우승자.

cow·ish [káuiʃ] *a.* 소 같은; 《古》 겁많은.

ców kìller 〔昆〕 개미벌《특히 미국 남부의》.

cowl¹ [kaul] *n.* **1** (수도자의) 고깔 달린 겉옷; (그) 고깔. **2** 수도자(monk). **3** (고깔 모양의) 굴뚝 갓; (환기통 꼭대기의) 집풍기(集風器); (기관차 굴뚝 꼭대기의) 불똥 막이《쇠그물로 된 둥우리》. **4** =COWLING.

cowl² *n.* 《영方》 큰 물통.

cowled [kauld] *a.* 고깔을 단.

cow·lick [´lìk] *n.* (이마 위쪽 등의) 곧추선 머리카락.

cowl·ing [káuliŋ] *n.* 〔空〕 (비행기의) 발동기커버《유선형》.

cowl·neck *n.* (둥글게 접혀 드리운 것을 댄) 네크라인(neck line); 그 네크라인을 한 의류.

cow·man [´mən] *n.* (*pl.* **-men** [-mən]) 《영》 소치는 사람; 《미西部》 목축 농장주, 목우업자(ranchman).

co-work·er [kóuwə̀ːrkər, ´´—] *n.* 같이 일하는 사람, 협력자(fellow worker).

ców pársnip 〔植〕 어수리 무리《소의 먹이》.
cow·pat[ˊpæ̀t] *n.* 쇠똥(의 둥근 덩이).
cow·pea[ˊpìː] *n.* 〔植〕 동부, 광저기《식용; 소의 먹이》.
Cow·per[kúːpər, káu-] *n.* 쿠퍼 William ~(1731-1800)《영국의 시인》.
Cówper's glànd[káupərz-, kúː-] 〔解〕 쿠퍼〔카우퍼〕선(腺)《남성의 요도구선(球腺)》.
cow·poke[ˊpòuk] *n.* 《미俗》 카우보이(cowboy).
ców pòny 《미西部》 카우보이가 타는 목우용의 조랑말.
cow·pox[ˊpɑ̀ks/ˊpɔ̀ks] *n.* Ⓤ 〔獸醫〕 우두.
cow·punch·er[ˊpʌ̀ntʃər] *n.* 《미口》 소 치는 사람; 카우보이(cowboy).
cow·rie, -ry[káuri] *n.* (*pl.* **-ries**) 〔貝〕 별보배고둥, 자패(紫貝) 무리《옛날에 미개지에서는 화폐로 사용》.
cow·shed[ˊʃèd] *n.* 외양간, 우사(牛舍).
cow·shot[ˊʃɑ̀t/ˊʃɔ̀t] *n.* 《크리켓俗》 허리를 구부리고 치는 강타.
cow·skin[ˊskìn] *n.* =COWHIDE.
cow·slip[ˊslìp] *n.* 〔植〕 **1** 《영》 양취란화, 서양깨풀. **2** 《미》 산동이나물.
ców tòwn 《미》 목우지대의 중심 소도시.
ców trèe (남미산) 뽕나무과(科)의 식물《우유 같은 식용 수액(樹液)이 나옴》.
cox[kɑks/kɔks] [*cox*swain] *n.* 《口》 (특히 레이스용 보트의) 콕스, 키잡이. ── *vt., vi.* 키잡이 노릇을 하다.
cox·a[kɑ́ksə/kɔ́k-] *n.* (*pl.* **cox·ae**[-siː]) **1** 〔解〕 고관절(股關節); 엉덩이. **2** 〔動〕 기절(基節)《곤충의 다리가 가슴에 접속되는 부분》.
cox·al[kɑ́ksəl/kɔ́k-] *a.* 기절〔둔부〕의; 고관절의.
cox·al·gi·a, cox·al·gy[kɑksǽldʒiə/kɔk-], [-dʒi] *n.* Ⓤ 〔病理〕 고관절통; 요통(腰痛).
cox·comb[kɑ́kskòm/kɔ́k-] *n.* **1** 멋쟁이, 맵시꾼. **2** 〔植〕 맨드라미.
cox·comb·i·cal *a.* 모양내는, 멋부리는.
cox·comb·ry[ˊkòumri] *n.* (*pl.* **-ries**) 멋부림; 태부림.
cox·sack·ie·vi·rus, Cox·sack·ie vi·rus [kuksɑ́ːki-] *n.* (*pl.* **-rus·es**) 콕새키 바이러스《소아의 인후 궤양성 수포증(潰瘍性水泡症)이나 유행성 흉막통(胸膜痛)의 원인이 되는 장균》.
cox·swain[kɑ́ksən, -swèin/kɔ́k-] *n.* (보트) 키잡이, 정장(cox). ── *vt.* (보트) 정장 노릇을 하다. **~·shìp** *n.* Ⓤ 키잡이〔정장〕 노릇〔수완〕.
cox·y[kɑ́ksi/kɔ́k-] *a.* (**cox·i·er; -i·est**) 《영》 건방진, 잘난 체하는, 뽐내는(cocky).
*__coy__[kɔi] *a.* **1** 〈아가씨 · 여자의 태도가〉 수줍어하는; 부끄러워하는; 어려워하는(*of*). **2** 〈장소가〉 남의 눈에 띄지 않는, 구석진.
cóy·ly *ad.* **cóy·ness** *n.*
Coy. 〔軍〕 Company.
coy·dog, coy-dog [*coyote*+*dog*] *n.* 코요테(coyote)와 개의 새끼.
coy·ote[káiout, kaióuti/kɔ́iout, ─ˊ] *n.* (*pl.* **~s,** (집합적) ~) **1** 〔動〕 코요테《북미 대초원에 사는 늑대》. **2** 《미》 악당, 망나니, 비열한 사나이.
Cóyote Stàte (the ~) 미국 South Dakota 주의 속칭.
coy·pu[kɔ́ipuː] *n.* (*pl.* **~s,** (집합적) ~) 〔動〕 코이푸, 누트리아(nutria) 《남미산; 그 모피는 고급》.
coz[kʌz] *n.* (*pl.* ~(**z**)**es**) 《미口》 사촌(cousin).
coze[kouz] *vi.* 터놓고〔다정하게〕 이야기하다; 한담〔잡담〕하다. ── *n.* 잡담, 한담.
coz·en[kʌ́zn] *vt., vi.* 《文語》 〈사람을〉 속이다, 기만하다(cheat)(*of, out of*); 속여 …하게 하다(*into*): (Ⅲ (목)+전+명+〈(절)〉) He ~*ed* her *of* all she had. 그는 그녀를 속여서 그녀가 가지고 있는 모든 것을 빼앗았다/(Ⅴ (목)+전+-*ing*) He ~*ed* her *into* giv*ing* up her rights. 그는 그녀를 속여서 그녀의 권리를 포기하게 했다. **~·er** *n.*
coz·en·age[kʌ́zənidʒ] *n.* Ⓤ 사기, 기만.
*__co·zy__[kóuzi] *a.* (**-zi·er; -zi·est**) **1** 〈방 등이 따뜻하여〉 기분 좋은; 포근〔아늑〕한; 〈사람이〉 있기 편한, 안락한. **2** 터놓은, 친해지기 쉬운. **3** (부정한 방법 · 묵인으로) 이득을 보는; 유착한. **4** 과묵한; 확실한 언질을 주지 않는. ── *ad.* 신중하게. **play it cozy** (위험을 피하려고) 조심조심〔주의깊게〕 행동 하다. ── *n.* (*pl.* **-zies**) **1** 보온 커버. **2** 차양이 있는 2인용 의자. ── (**-zied**) *vt.* 위로하다, 달래다. ── *vi.* (다음 성구로) **cozy up to** a person 《미口》 …와 친해지려고〔가까워지려고〕 하다, …의 환심을 사려고 하다. **cozy** (**along**) 《口》 안심시키다, 속이다.
có·zi·ly *ad.* **có·zi·ness** *n.*
CP[sìːpíː] *n.* (the ~) 공산당(*C*ommunist *P*arty). **CP'·er**[sìːpíːər] *n.* 공산당원.
cp. compare(⇨*cf.*); coupon. **cp., c.p.** candle power; chemically pure. **cp, cP** 〔物〕 centipoise. **C.P.** Chief Patriarch; Command Post; Common Pleas; Common Prayer; Communist Party; Court of Probate. **c/p** charter party. **C.P.A.** certified public accountant; Civilian Production Administration. 《미》 민간 생산 관리국; 〔컴퓨터〕 critical path analysis.
CP Air[sìːpíː-] 캐나다 태평양 항공(Canadian Pacific-Air). **cpd.** compound.
C.P.F.F. cost plus fixed fee. **C.P.I.** consumer price index. **Cpl, Cpl.** Corporal. **c.p.m.** cycles per minute. **C.P.M.** 〔經營〕 critical path method. **CP/M** 〔컴퓨터〕 control program formicrocomputers《미국의 Digital Research사가 개발한 마이크로컴퓨터용 운영 체제》. **CPO** Central Post Office 중앙 우체국. **C.P.O.** Chief Petty Officer. **C.P.R.** Canadian〔Central〕 Pacific Railway. **C.P.R.E.** Council for the Preservation of Rural England. **c.p.s.** cycles per second. **C.P.S.** Consumer Price Survey. **CPSU** Communist Party of the Soviet Union. **C.P.U.** 〔컴퓨터〕 central processing unit. **CPX** Command Post Exercise 〔軍〕 지휘소 훈련. **CQ** call to quarters 〔無線〕 아마추어 무선의 교신 개시 연락 신호; Charge of Quarters 〔軍〕 당번《야간 근무의》. **C.Q.M.S.** Company Quartermaster Sergeant. **Cr** 〔化〕 chromium. **CR** riel(s); 〔컴퓨터〕 carriage return《CR키; 명령어가 끝났음을 표시하기 위하여 입력하는 키》. **cr.** credit; creditor; crown. **C.R.** Costa Rica.
⁑**crab**¹[kræb] *n.* **1** 〔動〕 게; Ⓤ 게살. **2** 〔機〕 윈치 대차(臺車). **3** (the C-) 〔天〕 게자리; 〔占星〕 거해궁(巨蟹宮)(the Cancer). **4** =CRAB LOUSE. **5** (*pl.*) 《俗》 크래브《두 주사위가 다 한끗이 나오기; 최하위》. **6** 《口》 불리, 실패. **7** 〔空〕 비스듬히 날기. **catch a crab** 〔競漕〕 노를 잘못 저어 뒤집어지다. **turn out**〔**come off**〕 **crabs** 실패로 돌아가다. ── *vt., vi.* (**~bed; ~·bing**) **1** 게를 잡다. **2** 〔空〕〈비행

기가〉 비스듬히 비행하다. ⊕ **crábby** *a.*

crab² *n.* =CRAB APPLE.

crab³ *v.* (~**bed**; ~**·bing**) *vt.* **1** 〔매사냥〕 〈매가〉 발톱으로 할퀴다(scratch, claw). **2** 《미口》 깎아내리다, 흠잡다; 불평하다. **3** 《미口》 망치다(spoil); 발뺌하다《*out*》. ── *vi.* **1** 〈매가〉 발톱으로 서로 할퀴다. **2** 《口》 불평하다《*about*》; 흠을 잡다. **crab a person's act**〔**the deal**〕 …의 계획을 망쳐놓다. ── *n.* **1** 심술쟁이. **2** (*pl.*) 《卑》 매독.

cráb àpple 〔植〕 돌능금, 야생 능금.

crab·bed[krǽbid] *a.* **1** 〈사람·언동이〉 심술궂은; 괴팍한. **2** 〈문체 등이〉 이해하기 어려운; 〈필적이〉 이상야릇한, 알아보기 힘든. **~·ly** *ad.* **~·ness** *n.*

crab·ber¹[krǽbər] *n.* 게잡이 어부〔배〕.

crabber² *n.* 혹평가, 헐뜯는 사람.

crab·bing[krǽbiŋ] *n.* Ⓤ **1** 게잡이. **2** 〔紡織〕 (모직물의) 열탕(熱湯) 처리.

crab·by¹[krǽbi] *a.* (**-bi·er**; **-bi·est**) 게같은; 게가 많은.

crabby² *a.* (**-bi·er**; **-bi·est**) =CRABBED 1.

crab·grass *n.* 왕바랭이 속(屬) 식물.

cráb lòuse 〔昆〕 사면발이.

Cráb Nèbula *n.* 〔天〕 게 성운《황소자리의 성운; 지구에서 약 5,000광년》.

cráb pòt (가지로 엮은) 게잡이 바구니.

crab's-eyes[krǽbzài] *n. pl.* 해안석(蟹眼石)《게의 밥통 속의 결석(結石); 의료용》.

crab·stick[krǽbstìk] *n.* 돌능금나무(crab tree) 지팡이〔곤봉〕; 심술쟁이, 매정한 사람.

cráb trèe 〔植〕 돌능금나무.

crab·wise, -ways[krǽbwàiz], [-wèiz] *ad.* 게처럼, 옆으로 기어서; 신중히.

⁑**crack**[kræk] *vt.* **1** 날카로운 소리를 내게 하다; 〈채찍을〉 철썩 소리나게 하다; 꽝 치다, 《口》 찰싹 때리다. **2** (호두 따위를) 우두둑 까다, 금가게 하다. **3** 부수다, 〈금고 등을〉 부수다, 〈집 등에〉 강도질하러 침입하다. **4** 〈술병 등을〉 따서 마시다: ~ a bottle with a person 술병을 따서 …와 마시다. **5** 〈목을〉 쉬게 하다. **6** 〈신용 등을〉 떨어뜨리다, 잃게 하다. **7** (주로 *pp.*) 미치게 하다, …의 망음에 아픔을 주다. **8** 〔化〕 (석유·타르 등을) (열)분해하다, 분류(分溜)하다. **9** 《口》 〈난문제 등을〉 해결하다; 〈암호 등을〉 풀다; 알리다, 설명하다. **10** …의 비밀을 밝히다. **11** 〈농담 등을〉 하다: ~ a joke 농담하다. **12** 〔野〕 …을 치다: ~ a home run 홈런을 치다. **13** 〔카드〕 (브리지에서 상대의 점수를) 배가(倍加)하다. **14** 〔컴퓨터〕 (다른 컴퓨터·시스템에) 불법 침입하다(hack). ── *vi.* **1** 〈채찍이〉 철썩하고 소리를 내다, 날카로운 폭음을 내다, 〈총이〉 탕하고 소리나다. **2** 찰깍〔땅, 지끈〕하며 깨지다〔부서지다〕; 금이 가다; 못쓰게 되다 (Ⅰ 早) This cake ~*s* easily. 이 과자는 잘 부서진다. **3** 〈목이〉 쉬다; 변성하다. **4** 《스코·영北部》 지껄이다, 잡담하다(chat); 《方》 자랑하다, 자만하다《*of*》. **5** (정신적·육체적으로) 약해지다, 못쓰게 되다, 엉망이 되다, 맥을 못추다, 녹초가 되다; (압력을 받고) 물러앉다, 굴복하다, 항복하다: ~ under a strain 과로로 지쳐버리다. **6** 〔化〕 열분해하다. **7** 질주〔쾌주〕하다, 폭주하여 망가지다《*up*》. **8** 밤이 새다. **9** (블리지에서) 상대방의 내는 돈을 배가하다. **a hard nut to crack** 매우 어려운 문제. **crack a book** 책을 펴보다; 공부하다. **crack a crib** 《영俗》 남의 집에 침입하다. **crack a smile** 씽긋 미소짓다, 빙그레 웃다; 《미俗》 억지 웃음을 짓다. **crack back** 《俗》 말대꾸하다. **crack down** (**on**) 《口》 …을 엄하게 다스리다〔단속하다〕, 엄벌에 처하다. **crack hardy**〔**hearty**〕 《오스》 꾹 참다. **crack heads together** 《俗》 양쪽에 똑같이 벌주다. **crack on** 〔海〕 돛을 전부 활짝 펴다; 돛을 활짝 펴고 쾌주(快走) 하다. **crack up** 칭찬하다; …이라는 평판이다; 〈탈것 등이〔을〕〉 부스러지다〔부스러뜨리다〕, 대파시키다(crash); 〈사람·건강 등이〉 쇠해지다, 못쓰게 되다; 《口》 갑자기 웃기〔울기〕 시작하다; 《口》 〈사람을〉 웃기다. **crack wise** 《俗》 그럴싸한〔재치있는〕 말을 하다. **get cracking** 《口》 〈일을〉 척척 하기 시작하다; 서두르다. ── *n.* **1** (채찍·벼락 등의) 갑작스런 날카로운 소리《탕, 찰칵, 지끈, 우지직》; 채찍소리; 총소리. **2** 철썩(하고) 치기, 날카로운 일격. **3** 갈라진 금, 틈, (문·창 등의) 조금 열린 틈. **4** 흠, 결점, (사소한) 결함; 정신 이상, 발광. **5** 변성(變聲). **6** 《古·영方》 자랑, 허풍; 《스코》 잡담. **7** (*pl.*) 소식, 진담(珍談); 《口》 재치있는〔멋진〕 말, 경구(警句), 비꼬는 말. **8** 《영口》 일류의 사람〔물건〕, 제일인자; 명마(名馬); (연기의) 명수(名手), 우수한 배(船). **9** 《俗》 금고 털이 강도; 강도(burglar(y)). **10** 《口》 (…에 대한) 호기; 시도, 기도(attempt). **11** 《俗》 코카인을 정제한 환각제. **12** (a ~; 부사적) 조금, 약간: Open the window *a* ~. 창을 조금만 열어라. **a fair crack of the whip** 《영口》 공평〔공정〕한 기회〔취급〕. **at the crack of dawn**〔**day**〕 새벽에. **have**〔**take**〕 **a crack at** …을 시도하다〔해보다〕. **in a crack** 순식간에, 곧. **on the crack** 조금 열리어. **paper**〔**paste, cover**〕 **over the cracks** 《口》 허겁지겁 결점을 감추다, 임시 모면하다, 호도하다. **the crack of doom** 최후의 심판일 (벼락 소리); 《일반적으로》 마지막을 알리는 신호. **the crack of thunder** 벼락 소리. ── *a.* 《口》 아주 우수한, 훌륭한, 일류의: a ~ shot 명사수. **be a crack hand at** …에 관해서는 명수다. ── *ad.* 날카롭게, 탁, 탕, 찰칵, 지끈, 우지직. ⊕ **crácky** *a.*

crack·a·jack[krǽkədʒæ̀k] *n.*=CRACKERJACK.

crack·back[⌐bæk] *n.* **1** 〔미蹴〕 크랙백(블로킹). **2** 《미俗》 (재치있고 빠른) 말대꾸.

crack·brain[⌐brèin] *n.* 미친 사람.

crack·brained[-d] *a.* 미친; 바보같은.

crack·down[⌐dàun] *n.* 《口》 갑자기 후려침; (위법 행위 등의) 단속; 탄압《*on*》.

***cracked**[krækt] *a.* **1** 깨진, 부스러진; 금이 간; 갈라진. **2** 〈인격·신용 등이〉 떨어진, 손상된. **3** 변성한, 〈목이〉 쉰. **4** 《口》 미친; 어리석은. **be cracked up to be** 《口》 (보통 부정문에서) …이라는 평판이다, 이라고 믿어져 있다.

***crack·er**[krǽkər] *n.* **1** 크래커《얇고 파삭파삭한 비스킷》(《영》 biscuit). **2** 딱총, 폭죽(爆竹); 크래커 봉봉(=⌐ **bònbon**)《통형(筒形)의 양쪽 끝을 잡아 당기면 폭음과 함께 그 속에서 장난감 등이 튀어 나오는 통》. **3** 《미南部·경멸》 가난뱅이 백인. **4** 쪼개는 기구, 파쇄기(破碎器); (*pl.*) 호두 까는 기구(nutcrackers); 《익살》 이, 이빨. **5** 《方》 거짓말, 허풍(lie); 거짓말〔허풍〕쟁이. **6** 《俗》 빠른 걸음걸이(cracking pace); 파멸, 파산. **7** 《영口》 멋진 것, 멋쟁이, 미인. **8** 〔컴퓨터〕 크래커《다른 컴퓨터에 침입하여 데이터를 이용하거나 파괴하는 사람(hacker)》. **get the crackers** 《俗》 미치다, 머리가 돌다. **go a cracker** 전속력을 내다; 납작해지다.

crack·er-bar·rel[-bæ̀rəl] *a.* 《미》 시골티가

나는: 사람이 좋고 소박한.

crack·er·jack[-dʒæ̀k] 《口》 *n.* 우수품, 일등품; 일류의 사람, 제1인자. ── *a.* 우수한, 일류의, 훌륭한, 굉장한.

Crácker Jàck 당밀(糖蜜)로 뭉쳐 놓은 팝콘 《상표명》.

crack·ers[krǽkərz] *a.* 《영俗》 미친, 머리가 돈(crazy); 멍한; 열중한(*about*). **go crackers** 미치다; 열중하다.

Crácker Státe (the ~) 미국 Georgia 주의 속칭.

crack·head[ㅗhèd] *n.* 《俗》 코카인 상용자, 중독자.

crack·house, cráck hòuse 크랙코카인 취급하는 곳(팔고, 사고, 피움).

crack·ing[krǽkiŋ] *n.* Ⓤ 〔化〕 열분해, 크래킹. ── *a.* 《口》 굉장히 좋은, 아주 멋진; 활발한, 빠른; 철저한, 맹렬한. ── *ad.* 《口》 (보통 ~ good 으로) 매우, 굉장히. **get cracking** 《口》 (정력적으로) 착수하다, 서두르다.

crácking plànt (석유) 분류소(分溜所).

crack·jaw[ㅗdʒɔ̀ː] *a.* 《口》 (턱이 돌아갈듯이) 발음하기 어려운, 이상야릇한.

*__crack·le__[krǽkəl] *vi., vt.* 우지직우지직〔딱딱〕 소리를 내다〔내게 하다〕. ── *n.* **1** 우지직우지직〔딱딱〕하는 소리. **2** Ⓤ (도자기의) 빙렬무늬; = CRACKLEWARE. ◈ cráckly *a.*

crack·le·ware[-wɛ̀ər] *n.* Ⓤ 빙렬(氷裂)이 가게 구운 도자기.

crack·ling[krǽkliŋ] *n.* Ⓤ **1** 우지직우지직〔딱딱〕 소리를 냄; (과자 등이 말라서) 파삭파삭함. **2** (구운 돼지의) 오득오득한 가죽살. **3** (보통 *pl.*) (라드(lard)를 짜낸) 찌끼. **4** (집합적) 《영口》 매력적인 여성들: a bit of ~ 매력적인 여성.

crack·ly[krǽkli] *a.* (**-li·er; -li·est**) 파삭파삭〔오득오득〕한.

crack·nel[krǽknəl] *n.* 살짝 구운 비스킷; (*pl.*) 《미》 바삭바삭하게 튀긴 돼지 비계살.

crack·pot[krǽkpɑ̀t] 《口》 *n.* 이상한 사람, 미친 것 같은 사람. ── *a.* 이상한, 미친 것 같은. **~·ism** *n.* Ⓤ 《口》 괴상한 짓, 미친 짓 같음.

cracks·man[krǽksmən] *n.* (*pl.* **-men**[-mən]) 강도(burglar); 금고 털이 도둑.

crack-up[krǽkʌ̀p] *n.* **1** (탈것 등의) 대파, 파쇄; 추락, 충돌(collision). **2** 《口》 정신적으로 짜부라짐; 신경 쇠약.

crack·y[krǽki] *a.* (**crack·i·er; -i·est**) **1** 금이 간; 깨지기 쉬운. **2** 《영方》 미치광이 같은. ── *int.* (다음 성구로) **by cracky!** 이것 참!, 저런!, 칫!

-cra·cy[-krəsi] 《연결형》「…의 지배(력·권); …정치〔정체〕, 정치 계급」의 뜻: demo*cracy*.

‡**cra·dle**[kréidl] *n.* **1** 요람, 어린이 침대(cot). **2** (the ~) 요람 시대, 어린 시절. **3** (예술·국민 등을 육성한) 요람지, (문화 등의) 발상지. **4** 요람 모양의 받침대; (전화의) 수화기대; 〔海〕 (조선·수리용의) 선가(船架); 진수대(進水臺); (자동차 수리용의) 이동대; 〔砲〕 (대포를 얹는) 포가(砲架). **5** 〔農〕 낫에 덧대는 틀; 틀을 덧댄 낫. **6** 〔鑛山〕 선광기(選鑛器). **7** 《미俗》〔鐵道〕 대형의 무개차. **from the cradle** 어린 시절부터. **from the cradle to the grave** 요람에서 무덤까지, 일생 동안. **in the cradle** 유년 시절에; 초기에: What is learned *in the cradle* is carried to the tomb. 《속담》 세살 버릇 여든까지 간다. **rob the cradle** 《미口》 훨씬 나이 어린 상대를 고르다〔와 결혼하다, 사랑하다〕. **the cradle of the deep** 바다(ocean). **watch over the cradle** 발육〔성장〕을 지켜보다.
── *vt.* **1** 요람에 넣(어서 재우)다; 흔들어 어르다; 육성하다. **2** (보호하듯) 안다, 살며시 안다, 두 손으로 안듯이 받다〔잡다〕. **3** 〈배를〉 선가로 괴다, 미끄럼대 위에 놓다. **4** 〈수화기를〉 수화기대에 놓다; 〈수화기를〉 목과 어깨 사이에 끼우다(*in*). **5** 〈사금을〉 선광기로 선광하다. **6** 〔畵〕 〈화판을〉 나무틀로 지탱하다. ── *vi.* **1** 요람에 눕다, 요람 속에서 자다. **2** 덧살 댄 낫으로 작물을 베다. **3** 사금을 선광기로 고르다.

cra·dle·land[-lænd] *n.* 발상지, 요람지.

crádle ròbber =CRADLE SNATCHER.

crádle scỳthe 덧살 달린 낫(수확용).

crádle snàtcher 《口》 자기보다 훨씬 연하인 사람과 결혼〔연애〕하는 사람.

cra·dle·song[-sɔ̀ːŋ/-sɔ̀ŋ] *n.* 자장가(lullaby).

cra·dling[kréidliŋ] *n.* Ⓤ 육성; 〔建〕 나무 또는 쇠로 된 뼈대(틀); 〔鑛山〕 (사금의) 선광(選鑛).

‡**craft**[kræft, krɑːft] [OE] *n.* **1** Ⓤ 기능, 기교(skill), 교묘; (특수한) 기술, 재주; 수공업; 공예. **2** (특히 손끝의 기술을 요하는) 직업, 숙련 직업. **3** (집합적) 동업자들; 동업 조합; (the C-) 프리메이슨단(*cf.* FREEMASON). **4** Ⓤ 교활, 간지, 잔꾀, 술책(cunning). **5** (*pl.* ~)(특히 소형의) 선박; 비행기, 비행선; 우주선. **the craft of the woods** =WOODCRAFT. **the gentle craft** 낚시질; 낚시꾼들. ◈ cráfty *a.*

-craft[kræ̀ft/krɑ̀ːft] 《연결형》「…의 기술〔기예, 직업〕; …의 탈것」의 뜻: state*craft*.

cráft bròther (숙련 직업의) 동업자.

cráft guìld 동업자 조합, 직업별 길드.

*__crafts·man__[krǽftsmən, krɑ́ːfts-] *n.* (*pl.* **-men**[-mən]) **1** (숙련된) 장인, 기능공, 숙련공(journeyman의 위). **2** 기예가, 기술자, 명공(名工), 명장(名匠). 《◇ 여성형은 **crafts·wom·an**[-wùmən]; 남녀 구별 없이는 **crafts·person**》. **~·shìp**[-ʃìp] *n.* Ⓤ 장인의 기능; 숙련.

crafts·per·son[ㅗpəːrsn] *n.* =CRAFTSMAN.

cráft ùnion (숙련 직업 종사자의) 직업별 조합(horizontal union).

*__craft·y__[krǽfti, krɑ́ːf-] *a.* (**craft·i·er; -i·est**) **1** 교활한(cunning), 간사한, 나쁜 꾀가 많은 (⇨sly). **2** 《古·方》 교묘한. **cráft·i·ly**[-tili] *ad.*, **-i·ness** *n.* ◈ craft *n.*

*__crag__[kræg] *n.* **1** 울퉁불퉁한 바위, 험한 바위산. **2** 〔地質〕 (잉글랜드 동부의) 개사층(介砂層). ◈ cràggy *a.*

crag·ged[krǽgid] *a.* =CRAGGY.

crag·gy[krǽgi] *a.* (**-gi·er; -gi·est**) **1** 바위가 많은; 바위가 울퉁불퉁 돌출한. **2** 〈남자 얼굴이〉 우악스럽게 생긴. **-gi·ness** *n.*

crags·man[krǽgzmən] *n.* (*pl.* **-men**[-mən]) 험한 바위산을 잘 타는 사람.

crake[kreik] *n.* (*pl.* **~s, ~**) 〔鳥〕 뜸부기(corncrake); 뜸부기의 울음 소리.

*__cram__[kræm] (**~med; ~·ming**) *vt.* **1** (장소 등에 사람·생물 등을) 밀어 넣다, 채워〔다져〕 넣다(*with*): ~ a hall *with* people 홀에 사람들을 가득 밀어넣다. **2** (용기 속에, 사물에 사물 등을) 채워〔다져〕 넣다(*into, down*): ~ books *into* a bag 책을 가방 속에 채워 넣다. **3** 〈음식을〉 억지로 집어먹다; 포식시키다, 너무 먹이다(*overfeed*)(*with*): ~ oneself *with* food 포식하다. **4** 주입식으로 가르치다〔공부시키다〕(*for*); 〈학과를〉 주입하다(*up*). **5** 《俗》

…에게 거짓말을 하다. **cram something down a person's throat** 《口》 〈생각·의견 등을〉 남에게 강요하다. ― *vi.* **1** 포식하다, 게걸스럽게 먹다. **2** 《口》 (시험 등을 위해) 주입식[벼락] 공부를 하다. **3** 밀어닥치다, 몰려오다; (빽빽이) 몰려 타다(*into*). **4** 《俗》 거짓말을 하다. ― *n.* **1** 《口》 (시험준비의) 주입식[벼락] 공부; 《俗》 주입식 주의의 교사[학생]. **2** 《미口》 엄격한 강좌[과정]. **3** 《口》 (사람의) 빽빽이 들어참; 혼잡. **4** 《俗》 거짓말(lie). ◇ crám-full *a.*

cram·bo[krǽmbou] *n.* (*pl.* ~**es**) 운(韻)찾기(놀이); 서투른 압운[시].

cram-full[krǽmfúl] *a.* 《영口》 빽빽하게 찬(*of*).

cram·mer[krǽmər] *n.* **1** 주입식으로 시험공부를 시키는 교사[하는 수험생]. **2** 입시 준비 학원. **3** 《俗》 거짓말. **4** (닭의) 강제 비육기(肥育器).

***cramp¹** [kræmp] *n.* **1** 꺾쇠(=~ iron); 죔쇠(clamp); (구둣방의) 구두를 꿰는 구부정한 나무. **2** 속박(물); 구속. ― *vt.* **1** 꺾쇠 《등》으로 바싹 죄다. **2** 속박하다. **3** 〈핸들을〉 (갑자기) 꺾다. **cramp a person's style** 《俗》 …을 갑갑하게 하다, 능력을 충분히 발휘하지 못하게 하다. ― *a.* 읽기 어려운, 알기 어려운; 갑갑한, 비좁은.

***cramp²** *n.* **1** (근육의) 경련, 쥐: bather's ~ 헤엄칠 때 나는 쥐/writer's ~ 서경(書痙)《글 쓸 때 손에 나는 쥐》. **2** (*pl.*) 급격한 복통. ― *vt.* (보통 수동형)(…에) 경련을 일으키다, 쥐가 나게 하다. ― *vi.* 경련하다; 갑작스런 복통이 나다.

cramped[kræmpt] *a.* **1** 경련을 일으킨. **2** 비좁은, 갑갑한; 〈필체·문체 등이〉 비비 꼬인, 읽기[알기] 어려운. **crámped·ness** *n.*

cramp·fish[⌐fìʃ] *n.* (*pl.* ~, ~·**es**) 〔魚〕 전기가오리(electric ray).

crámp ìron 꺾쇠, 걸쇠.

cram·pon, -poon[krǽmpən], [-pú:n] *n.* **1** (보통 *pl.*) 쇠갈고리, 쇠집게. **2** (*pl.*) (빙상용의) 동철(冬鐵), (등산용의) 아이젠, 스파이크.

crám schòol 입시 학원.

cran[kræn] *n.* 《스코》 크랜《청어를 다는 중량의 단위; 37 1/2 갤런》.

cra·nage[kréinidʒ] *n.* Ⓤ 기중기 사용권[료].

cran·ber·ry[krǽnbèri/-bəri] *n.* (*pl.* -**ries**) 〔植〕 덩굴월귤; 그 열매《소스·젤리의 원료로 씀》.

cránberry bùsh[**trèe**] 〔植〕 미국 백당나무《북미 원산; 가막살나무 속》.

cránberry glàss 크랜베리 글라스《보랏빛이 감도는 투명한 ruby glass》.

***crane**[krein] *n.* **1** 〔鳥〕 학(鶴); 《미》 왜가리; (C-) 〔天〕 두루미자리. **2** 기중기, 크레인; (*pl.*) 〔海〕 (보트 등을 달아놓는) 뱃전의 팔 모양의 기중기. **3** 사이펀(siphon); (기관차의) 급수관(=water ~); (난로의) 자재(自在) 갈고리. ― *vt.* **1** 〈목을〉 쑥 내밀다. **2** 기중기로 달아 올리다[움직이다, 나르다]. ― *vi.* 목을 길게 빼다; 〈말이〉 멈추고 머뭇거리다(*at*); 〈사람이〉 주저하다(*at*). **crane an ear** 을 잘 들으려 하다, 에 귀를 기울여 드다(*to*).

cráne flỳ 〔昆〕 꾸정모기(daddy longlegs).

cranes·bill, crane's- *n.* 〔植〕 이질풀(속(屬)의 식물).

cra·ni·a[kréiniə] *n.* CRANIUM의 복수.

cra·ni·al[kréiniəl, -njəl] *a.* 두개(頭蓋)(골)의.

cránial índex 〔人類〕 두개[두골] 지수《두폭(頭幅)의 두고(頭高)에 대한 백분비》.

cráial nèrve 〔解·動〕 뇌신경.

cra·ni·ate[kréiniit, -nièit] 〔動〕 *a.* 두개(頭蓋)가 있는. ― *n.* 두개 동물.

cra·ni(·o)-[kréini(ou)] 《연결형》 「두개(頭蓋)」의 뜻《모음 앞에서는 crani-》.

cra·ni·o·log·i·cal[krèiniəlάdʒikəl/-lɔ́dʒi-] *a.* 두개학(頭蓋學)의.

cra·ni·ol·o·gy[krèiniάlədʒi/-ɔ́l-] *n.* Ⓤ 두개학. **-gist**[krèiniάlədʒist/-ɔ́l-] *n.* 두개학자.

cra·ni·om·e·ter[krèiniάmitər/-ɔ́m-] *n.* 두개 측정기, 두골 계측기.

cra·ni·o·met·ric, -ri·cal[krèinioumétrik], [-rikəl] *a.* 두개 측정상의.

cra·ni·om·e·try[krèiniάmitri/-ɔ́m-] *n.* Ⓤ 두골 계측(법), 두개 측정(법).

cra·ni·o·sa·cral[krèinousséikrəl, -sǽkrəl] *a.* 〔解〕 부교감(副交感) 신경의(parasympathetic).

cra·ni·ot·o·my[krèiniάtəmi/-ɔ́tə-] *n.* 〔外科〕 개두(開頭)(술).

cra·ni·um[kréiniəm] *n.* (*pl.*-**ni·a**[-niə], ~**s**) 〔解〕 두개; 두개골(skull); 《익살》 대가리.

***crank¹** [kræŋk] *n.* **1** 〔機〕 크랭크; (Z자 꼴로) 굽은 자루; 굴곡, (길의) 곡절(曲折), 꾸불꾸불함. **2** 회전반(盤)《형벌로 죄수에게 돌리게 했던 것》. **3** 묘한 표현; 기상(奇想), 변덕(fad). **4** 《口》 기인(奇人), 괴짜(faddist), 변덕쟁이; 《미口》 (성미가) 까다로운 사람, 심술쟁이. ― *a.* 〈기계·건물이〉 온전하지 못한, 흔들흔들하는(shaky); 《영方》 〈사람이〉 병약한; 괴짜의[에 의한]. ― *vt.* **1** 크랭크 모양으로 구부리다; 크랭크로 연결하다. **2** (크랭크를 돌려서) 촬영하다; 크랭크를 돌려서 〈엔진을〉 걸다(*up*). ― *vi.* **1** 크랭크를 돌리다. **2** 《미口》 시작하다(*up*). **crank in** …을 시작하다; …에 짜넣다. **crank out** 《口》 〈기계적으로〉 자꾸[척척] 만들어내다. **crank up**(*vi.*+副) (1) 《口》 시작하다; 준비하다(*for*). (2) (노력·생산을) 늘리다, (정도를) 높이다. ―(*vt.*+副) (1) (일의) 능률을 (애써) 높이다; 시동시키다, (엔진 시동을 위해) 크랭크를 돌리다. (2) 자극하다, 활성화하다; 흥분시키다, 《俗》 마약 주사를 맞다. ◇ cránky¹ *a.*

crank² *a.* 《方》 활발한, 기력이 왕성한.

crank³ *a.* 〔海〕 기울기 쉬운, 뒤집히기 쉬운.

cránk àxle 〔機〕 크랭크 차축(車軸).

crank·case[⌐kèis] *n.* (내연 기관의) 크랭크실(室)[케이스].

cran·kle[krǽŋkəl] *vi.* 꾸부러지다. ― *n.* 꾸불꾸불함.

cránk lètter (저명 인사에 대한, 종종 익명의) 협박장, 협박적 투서.

crank·ous[krǽŋkəs] *a.* 《스코》 성을 잘 내는, 괴팍한.

crank·pin[⌐pìn] *n.* 〔機〕 크랭크 핀.

crank·shaft[⌐ʃǽft, ⌐ʃɑ̀:ft] *n.* 〔機〕 크랭크샤프트, 크랭크축(軸).

crank·y¹ [krǽŋki] *a.* (**crank·i·er; -i·est**) **1** 까다로운, 심기가 뒤틀린. **2** 괴팍한, 괴짜의(eccentric); 변덕스런; 《方》 미친것 같은. **3** 《영方》 병약한. **4** 〈기계·건물 등이〉 불안정한, 흔들흔들하는. **5** 〈길 등이〉 꾸불꾸불한. **6** 〔海〕 (배가) 기울기[뒤집히기] 쉬운. **be cranky on** 《口》 …에 열중하고[빠져] 있다. **cránk·i·ly** *ad.* **-i·ness** *n.*

cran·nied[krǽnid] *a.* 금[틈]이 난.

cran·nog, -noge[krǽnəg, krænóug], [-nədʒ] *n.* 〔考古〕 호상(湖上) 인공섬, 호상 주택.

cran·ny[krǽni] *n.* (*pl.* **-nies**) 《文語·익살》 갈라진 틈, 깨어진 틈. **search every (nook and) cranny** 샅샅이 뒤지다.

crap¹ [kræp] *n.* 《미》 **1** (craps에서) 2개의

주사위를 굴리어 나온 질 숫자((2, 3, 12; 2번째 이후는 7)). **2** =CRAPS. ── *vi.* 지는 숫자가 나오다. **crap out** ((俗)) 단념하다, 손을 떼다, 포기하다; 쉬다, 낮잠자다.

crap[2] *n.* Ⓤ ((卑)) 쓰레기; 배설물, 똥; 배변; 허튼소리(nonsense); 거짓말; 허풍.
── (**~ped; ~·ping**) *vt.* ((미俗)) 허튼소리를 하다; 〈일 등을〉 엉망으로 만들다((*up*)).
── *vi.* ((卑)) 배변하다. ── *int.* 바보 같은!

*__crape__[kreip][L] *n.* 검은 크레이프 상장(喪章)((모자·팔소매에 두름))(◇ 다른 색이나 또는 그와 비슷한 것은 crêpe라 함)).

craped[-t] *a.* **1** (검은) 크레이프를 두른; 상장(喪章)을 단. **2** 곱슬곱슬한, 오그라든.

crápe háir =CREPE HAIR.

crape·hang·er[ˊhæ̀ŋər] *n.* ((미俗)) **1** 남의 흥을 깨는 음산한 사람, 비관론자. **2** 장의사.

crápe mỳrtle 〔植〕 백일홍.

crap·o·la[kræpóulə] *n.* ((俗·卑)) 허튼소리, 거짓말; 허풍.

crap·per[krǽpər] *n.* ((俗·卑)) 변소.

crap·pie[krɑ́pi/krǽpi] *n.* (*pl.* **~s,** ~) 〔魚〕 크래피((미국 5대호 지방산; 작은 담수어)).

crap·py[krǽpi] *a.* (**-pi·er; -pi·est**) ((俗)) **1** 쓰잘데 없는, 시시한. **2** 지겨운, 터무니없는.

craps[kræps] *n. pl.* (단수 취급) ((미)) 크랩 노름((두개의 주사위를 써서 하는; *cf.* CRAP[1])). **shoot craps** 크랩 노름을 하다.

crap·shoot[krǽpʃùːt] *n., v.* (**-shot, -shoot·ing**) ((口)). ── *n.* 예측할 수 없는 일, 문제가 되는〔위험한〕 것〔일〕; 도박, 노름. ── *vi.* 모험을 하다; 도박〔투기〕하다.

crap·shoot·er[-ər] *n.* ((미)) 크랩 노름꾼.

crap·u·lence[krǽpjələns] *n.* Ⓤ 과음, 숙취.

crap·u·lent[krǽpjələnt] *a.* 과음한, 숙취의.

crap·u·lous[-ləs] *a.* 폭음〔폭식〕의; 과음〔과식〕으로 병이 난.

crap·y[kréipi] *a.* (**crap·i·er; -i·est**) **1** 크레이프 같은, 곱슬곱슬한. **2** 상장을 단.

cra·que·lure[krækluə́r, krǽkluər] *n.* 크라클뤼르, 균열((고화(古畵)의 표면 따위에 생기는 잘게 간 금; 그림 물감의 층, 니스의 수축으로 생김)).

cra·ses[kréisiːz] *n.* CRASIS의 복수.

crash[1][kræʃ][의성어] *n.* **1** 갑자기 나는 요란한 소리((와르르, 쿵, 꽝; 무엇이 무너지거나 충돌할 때 등에 나는 소리)); (천둥·대포의) 굉음(轟音). **2** (시세·장사 등의) 무너짐, 파멸, 붕괴: a sweeping ~〔證券〕 대폭락/fall with a ~ 요란한 소리를 내면서 무너지다. **3** (비행기의) 추락; (차의) 충돌; (충돌 등에 의한 차량의) 파괴. **4** 〔컴퓨터〕 (시스템의) 고장, 폭주. **5** ((俗)) 홀딱 반함. **6** ((俗)) 완전한 실패. **7** ((俗)) (하룻밤의) 숙박.
── *vi.* **1** 와지끈〔와르르, 산산이〕 부서지다〔무너지다〕((*down, through*)); 굉장한 소리를 내다, 굉장한 소리를 내고 움직이다〔나아가다〕: The dishes *~ed to* the floor. 접시가 쨍그렁하고 마룻바닥에 떨어져 산산조각이 났다/The roof *~ed in.* 지붕이 와르르 내려앉았다/The stone wall *~ed down.* 돌담이 와르르 무너졌다. **2** 무섭게 충돌하다((*into, against, together*)); (충돌하여) 요란스럽게 울리다((종종 *out*)): The car *~ed into*〔*against*〕 our train. 자동차가 우리가 탄 열차와 충돌했다. **3** 〈사업·계획 등이〉 실패〔와해〕하다, 파산하다. **4** 〈비행기가 착륙 때에〉 파손되다, 추락하다; 〈비행사가〉 추락하여 참사하다; 〈자동차가〉 파괴되다. **5** ((俗)) (어떤 곳에) 숙박하다, 자다((*in, on*)): Can I ~ *in* your room? 자네 방에 재워주지 않겠나. **6** 〔컴퓨터〕 (시스템이 하드웨어나 소프트웨어의 고장에 의해) 갑자기 기능을 멈추다. **7** ((俗)) (마약 기운이 떨어져) 제정신으로 돌아오다, 마약의 효과가 끊어지다.
── *vt.* **1** 와르르 부수다, 산산조각으로 바수다: ~ a cup *against* a wall 찻잔을 벽에 던져 산산조각을 내다. **2** (요란한 소리를 내며) …을 달리다, 밀고 나아가다: ~ one's way *through* the crowd 사람들 속을 마구 밀고 나가다. **3** 〈착륙시에 비행기를〉 파괴〔파손〕하다; 〈적기를〉 추락시키다; 〈비행기를〉 불시착시키다. **4** 〈사업 등을〉 실패하다, 무너지다. **5** ((口)) 〈초대받지 않은 모임 등에〉 밀고 들어가다, 표 없이 들어가다. **6** 〔野〕 (홈런 따위를) 치다. **crash against**〔**into**〕 …에 (무섭게) 충돌하다. **crash a party** ((口)) 파티에 초대 받지 않고 참석하다. **crash in**〔**on**〕 ((口)) 난입(亂入)하다. **crash** one's **way through** …을 밀치고 나아가다. **crash out** ((俗)) (1) (특히 남의 집에) 거저〔공짜로〕 묵다. (2) 교도소에서 탈주하다, 탈옥하다. **crash over** 와르르 전복하다. **crash the gate** ((口)) (초대를 받지도 않고) 몰려 가다; (극장 등에) 입장권 없이 들어가다(*cf.* GATE-CRASH).
── *a.* (위급 사태에 대처하기 위해) 전력을 다한, 응급의; 속성의.
── *ad.* ((口)) 요란스러운 소리를 내며.

crash[2] *n.* Ⓤ 거친 아마포((수건·하복·테이블보 등에 쓰임)).

crásh bàrrier ((영)) (고속도로·활주로 등의) 방호 울타리, 가드레일.

crásh bòat (해상 추락·불시착 시의) 구명보트((고속 소형정)).

crásh càr ((미俗)) (범인 그룹의) 추적 방해용 차, 도주 엄호차.

crásh còurse ((口)) 집중 훈련〔강좌〕.

crásh dìve 〔海〕 (잠수함의) 급속 잠항(潛航).

crash-dive[ˊdàiv] *vi.* **1** 〈잠수함이〉 급속히 잠항하다. **2** 〈비행기가〉 급강하하다.
── *vt.* **1** 〈잠수함을〉 급속 잠항시키다. **2** 〈비행기를〉 급강하시키다.

crashed[kræʃt] *a.* ((俗)) 만취한.

crash·er[krǽʃər] *n.* **1** 요란스러운 소리를 내는 것; 강타, 통격(痛擊). **2** =GATECRASHER. **3** ((미口)) 강도.

crásh hàlt〔**stòp**〕 급정거.

crásh hèlmet (자동차 경주자 등이 쓰는) (안전) 헬멧.

crash·ing[ˊiŋ] *a.* ((口)) **1** 완전한, 철저한. **2** 예외적인; 최고의. **3** 놀라울만한, 두려울만한. **a crashing bore** 지독하게 따분한 사람〔물건〕.

crash-land[ˊlǽnd] *vt., vi.* 〔空〕 불시착시키다〔하다〕, 동체(胴體) 착륙시키다〔하다〕.

crash·land·ing *n.* Ⓤ,Ⓒ 불시착, 동체 착륙.

crásh pàd **1** (자동차 내부 등의) 방충(防衝) 패드. **2** ((俗)) 무료 숙박소.

crash·proof[ˊprúːf] *a.* =CRASHWORTHY.

crash·wor·thy[ˊwə̀ːrðì] *a.* 충돌〔충격〕에 견딜 수 있는. **-thi·ness** *n.*

cra·sis[kréisis] *n.* (*pl.* **-ses**[-siːz]) 〔文法〕 모음 축합(母音縮合).

crass[kræs] *a.* **1** 우둔한, 아주 어리석은; 형편없는, 지독한. **2** ((古)) 〈천이〉 두꺼운, 투박한, 거친. **cráss·ly** *ad.* **cráss·ness** *n.*

cras·si·tude[krǽsitjùːd] *n.* Ⓤ **1** 우둔. **2** 올이 성김; 조잡.

-crat[kræt] ((연결형)) 「-CRACY의 지지자〔일원〕」의 뜻: auto*crat*((형용사는 -cratic(al))).

cratch[krætʃ] *n.* 《古·영方》 여물통.

crate[kreit] *n.* **1** (병·오지 그릇 등을 운반하는) 나무 상자(의 분량), 나무틀; (과실 등을 나르는) 대〔버들〕 바구니. **2** 《口·익살》 (수리를 요할 정도의) (헌) 자동차〔비행기〕.
— *vt.* 나무 상자〔대바구니〕에 채워 넣다.

crate·ful *n.* 나무틀〔버들바구니〕 가득한 량.

*__cra·ter__ [kréitər] *n.* **1** 분화구; (달의) 크레이터. **2** 〔軍〕 (폭탄·포탄·지뢰의 폭발로 생긴) 구멍, 탄공(彈孔).

cra·ter-face[-fèis] *n.* 《미俗》 여드름 난 얼굴.

cra·ter·i·form[kréitərəfɔ̀:rm, krətérə-] *a.* 분화구 모양의.

Cráter Láke *n.* 크레이터호(미국 Oregon주에 있는 화산호(火山湖); 그 국립 공원).

cra·ter·let[kréitərlit] *n.* (달 표면 등의) 작은 분화구.

-crat·ic, -crat·i·cal[krǽtik], [-əl] 《연결형》 -CRAT의 형용사형.

cra·ton[kréitɑn/-tən] *n.* 〔地質〕 대륙괴(大陸塊), 크라톤(지각의 안정 부분).

craunch[krɔ:ntʃ, krɑ:-] *v., n.* =CRUNCH.

cra·vat[krəvǽt] *n.* **1** 넥타이(◇ 영국에서는 상용어(商用語), 미국에서는 멋부려 쓰는 용어). **2** 《古》 크러뱃(17세기경 남성이 목에 감은 스카프 모양의 neckcloth). **3** 〔外科〕 삼각건(三角巾). **wear a hempen cravat** 《俗》 교수형이 되다.

*__crave__ [kreiv] *vt.* **1** 열망〔갈망〕하다: I ~ water. 물이 마시고 싶어 못견디겠다/I ~ *that* she (should) come. 그녀가 오기를 열망한다. **2** 간청하다: ~ pardon 용서를 빌다/~ mercy *of*〔*from*〕 a person …에게 관대한 처분을 간청하다. **3** 〈사정이〉 필요로 하다(require).
— *vi.* 간청〔갈망〕하다(*for, after*)(◇ wish, desire, long for 등보다 뜻이 강함).
cráv·er *n.*

cra·ven[kréivən] *n.* 겁쟁이, 비겁한 사람.
— *a.* **1** 겁많은, 비겁한(cowardly). **2** 《古》 패배한. **cry craven** 「항복!」하고 소리치다; 항복하다. — *vt.* 《古》 겁나게 하다, 기세를 꺾다. **~·ly** *ad.* **~·ness** *n.*

Cra·ven·ette[krævənét, krèiv-] *n.* **1** 크래버넷(방수포(布); 상표명). **2** 방수 외투.

*__crav·ing__ [kréiviŋ] *n.* Ⓤ,Ⓒ 갈망; 열망; 간원. **have a craving for** …을 열망하다. — *a.* 갈망하는; 열망하는. **~·ly** *ad.* **~·ness** *n.*

craw[krɔ:] *n.* (하등 동물의) 밥통; (새·곤충의) 모이주머니, 멀떠구니. **stick in** a person's **craw** 《口》 (1) 〈음식이〉 소화되지 않다. (2) 마음에 들지 않다, 참을 수가 없다.

craw·dad, craw·dad·dy *n.* (*pl.* **-dads, -dad·dies**) =CRAYFISH.

craw·fish[krɔ́:fìʃ] *n.* (*pl.* ~, ~·**es**) **1** 〔動〕 가재(crayfish). **2** Ⓤ 가재살. **3** 《미口》 꽁무니 빼는 사람; 변절자. — *vi.* 《미口》 꽁무니 빼다; 변절하다.

⁑**crawl**[1] [krɔ:l] *vi.* **1** (가만가만) 기어가다, 기다, 포복하다: ~ about on all fours〔on hands and knees〕 네발로 기어다니다//~ *into*〔*out of*〕 a room 방으로 기어들어가다〔방에서 기어나오다〕. **2** 〈기차·교통 등이〉 서행하다; 느릿느릿 달리다〔걷다〕(*about*); 〈시간이〉 천천히 지나다. **3** 살금살금 걸어다니다; (남에게 잘보이려고) 굽실거리다, 아첨하다(*to, before*); 살살 환심을 사다(*into*); (사냥감에) 살금살금 다가가다(*on, upon*): ~ *to*〔*before*〕 one's superiors. 상사에게 굽실거리다/~ *into* a person's favor. 아무에게 빌붙다. **4** 〈장소가 벌레 등으로〉 우글거리다, 들끓다(*with*): The floor ~*s with* insects. 마루에 벌레들이 득실거린다. **5** 〈벌레가 기듯이〉 근질근질하다, 오싹해지다. **6** 〔미蹴〕 crawling을 하다. **7** 크롤로 헤엄치다. **8** (페인트 등 도료가) 얼룩지다. **crawl (home) on one's eyebrows** 《俗》 지칠대로 지쳐서 (돌아)오다. **crawl up** 〈옷 등이〉 밀리어 올라가다. — *vt.* **1** (장소를) 기듯이 나아가다. **2** 《俗》 호되게 꾸짖다. **3** (술집을) 돌아다니며 마시다. — *n.* **1** (a ~) 포복, 기어감; 천천히 걸음, 서행. **2** (보통 the ~) 〔水泳〕 크롤 수영법(=~ stroke); (경기 종목으로서의) 크롤. **3** 《미俗》 댄스. **4** 텔레비전 프로 끝에 비추는 스태프 명단. **a pub crawl** 《영俗》 이집 저집 돌아다니며 술 마심. **go at a crawl** 느릿느릿 걷다; 서행하다, 〈자동차 등이 손님을 찾아〉 거리를 슬슬 돌아다니다. **go for a crawl** 어슬렁어슬렁 산책에 나가다. ⊕ **cráwly** *a.*

crawl[2] *n.* 활어조(活魚槽)(물고기를 산 채로 가두어 두는 곳).

crawl·er[krɔ́:lər] *n.* **1** 기어 가는 사람; 포복동물, 파충(爬蟲)류(reptile); 《미》 뱀잠자리의 유충; 이. **2** 《俗》 (비굴한) 알랑쇠; 게으름뱅이. **3** 《미口》 앉은뱅이 거지(legless beggar). **4** 《영口》 손님을 찾아 슬슬 돌아다니는 택시. **5** (*pl.*) (갓난애의) 겉옷(baby's overalls). **6** 크롤 수영자. **7** 무한 궤도(차).

crawl·er·way[-wèi] *n.* 로켓〔우주선〕 운반용 도로.

crawl·ing[krɔ́:liŋ] *n.* 〔미蹴〕 크롤링.
— *a.* 《俗》 이〔벼룩〕가 핀.

crawl·ing·ly[-li] *ad.* 기어가듯이, 느릿느릿.

cráwling pèg 〔經〕 크롤링 페그(점진적인 평가(平價) 변경 방식).

cráwl spàce 1 (천장〔마루〕 밑 등의 배선·배관 등을 위한) 좁은 공간. **2** =CRAWLERWAY.

cráwl stròke 〔水泳〕 크롤 수영법.

crawl·way[krɔ́:lwèi] *n.* 기어서만 다닐 수 있는 낮은 길(동굴 속 등의).

crawl·y *a.* (**crawl·i·er; -i·est**) 《口》 근질근질한; 으스스한, 소름 끼치는.

cray·fish[kréifìʃ] *n.* (*pl.* ~, ~·**es**) 《영》 〔動〕 **1** 가재; 가재살. **2** 왕새우, 대하.

cray·fish·ing[-fìʃiŋ] *n.* 가재잡이.

⁑**cray·on**[kréiən, -ɑn/-ɔn] [L] *n.* **1** 크레용. **2** 크레용 그림. **3** (아크등의) 탄소봉(carbon point). — *vt., vi.* 크레용으로 그리다; (크레용으로) 초벌 그림을 그리다; 대략적인 계획을 세우다. **~·ist** *n.*

*__craze__ [kreiz] *vt.* **1** (보통 수동형) 미치게 하다, 발광시키다; 열중시키다: *be ~d about* a film star 영화배우에게 미치다. **2** 〈오지 그릇을〉 빙렬이 나타나게 굽다. — *vi.* **1** 발광하다. **2** 빙렬(氷裂)이 생기다. — *n.* **1** 광기(狂氣)(insanity). **2** (일시적) 열광, 열중; 대유행(rage)(*for*). **be the craze** 인기가 대단하다, 대유행이다. ⊕ **crázy** *a.*

crazed[kreizd] *a.* **1** 발광한. **2** 〈오지 그릇 등〉 빙렬이 나게 구운.

cra·zi·ly[-li] *ad.* 미친듯이, 미친 사람처럼; 열광적으로.

cra·zi·ness *n.* Ⓤ 발광; 열광.

⁑**cra·zy** [kréizi] *a.* (**-zi·er; -zi·est**) **1** 미친; 흥분해 있는, 미치광이 같은: (Ⅱ 형+*to do*) You were ~ to lend her the money. 그녀에게 돈을 빌려주다니 너 미쳤구나. **2** 《口》 열중한; 반한(*for, about, over*), 열광적인, 꼭 하고 싶어하는. **3** 결함이 많은, 〈건물·배 등이〉 흔들거리는. **4** 《俗》 굉장히 좋은, 나무랄 데 없는. **be crazy to** do 꼭 …하고 싶어하다〔싶어 못견디다〕. **like crazy** 《口》 맹렬하게, 무지무지하게.

crázy bóne 《미》 =FUNNY BONE.
crázy càt 미치광이 같은 사람.
crázy pàving〔**pàvement**〕 《영》 (산책길 등) 고르지 못한 포장.
crázy quìlt 조각을 이어 만든 이불.
cra·zy·weed[kréiziwìːd] *n.* =LOCOWEED.
CRC camera-ready copy; Civil Rights Commission. **C.R.E.** Commander Royal Engineers.
C-re·ac·tive pròtein[síːriæktiv-] *n.* 〔生化〕 탄수화물 반응(성) 단백질《이상이 생긴 혈청에 생기는 단백질; 略: CRP》.
****creak**[kriːk] [의성어] *n.* 삐걱거리는 소리, 키익키익〔삐걱삐걱〕 울리는 소리, 삐걱거림.
— *vi., vt.* 삐걱거리다, 삐걱거리게 하다.
Creaking doors hang the longest. 《속담》 병약자가 오래 산다, 「고로롱 팔십」.
creak·y[kríːki] *a.* (**creak·i·er; -i·est**) 삐걱거리는. **~·i·ly** *ad.* **~·i·ness** *n.*
‡**cream**[kriːm] *n.* Ⓤ **1** 크림, 유지(乳脂). **2** 크림 과자; 크림을 넣은 요리. **3** 화장용 크림; 크림 모양의 약. **4** (액체의) 더껑이. **5** (the ~) 최량의 부분, 정수; (이야기의) 묘미있는 곳《*of*》. **6** 크림색, 담황색; Ⓒ 크림색의 말〔토끼〕. **7** 크림 셰리(=∠ **shérry**)《감칠맛이 나는 달콤한 포도주》. **cream of lime** 석회유(石灰乳). **cream of tartar** 주석영(酒石英). **get the cream of** …의 정수〔가장 좋은 부분〕를 빼내다. **the cream of society** 최상층 사회, 사교계의 꽃들. **the cream of the cream** =CREME DE LA CREME. **the cream of the crop** 《미》 가장 좋은 것〔사람〕, 정선된 것〔사람〕, 정수. — *vt.* **1** 〈우유에서〉 크림을 분리하다〔빼다〕, 크림을 떠내다. **2** 알짜를 뽑다《*off*》. **3** 〈홍차 등에〉 크림을 넣다. **4** 〈버터와 설탕 또는 노른자위와 설탕 등을〉 휘저어 크림 모양으로 만들다; 〈요리에〉 크림 소스를 치다; 〈고기·야채를〉 크림(소스)으로 삶다. **5** 화장 크림을 바르다. **6** 《俗》 〈상대방을〉 완전히 해치우다, 철저히 패배시키다. — *vi.* **1** 〈우유 에〉 크림〔유지〕이 생기다. **2** 〈액체에〉 더껑이가 생기다, 크림 모양으로 굳어지다. **cream off** 〈…에서 가장 좋은 것을〉 빼내다, 정선하다. **cream up** 《미俗》 일을 완벽하게 해내다. — *a.* **1** 크림 색의, 엷은 황색의. **2** 크림으로 만든, 크림이 든; 크림 모양의. **3** 《미俗》 편한, 쾌적한. ◇ créamy *a.*
créam chéese 크림 치즈《생우유에 크림을 넣은 연한 치즈》.
cream-col·ored[∠kʌ̀lərd] *a.* 크림색의.
cream cràcker 《영》 크래커.
cream·cups[∠kʌ̀ps] *n.* (*pl.* ~) 〔植〕 양귀비꽃과(科)의 풀《캘리포니아산》.
cream·er[kríːmər] *n.* **1** 크림을 뜨는 접시; 크림 분리기. **2** 《미》 (식탁용) 크림 그릇. **3** 크리머《커피 등에 타는 크림 대용품》.
cream·er·y[kríːməri] *n.* (*pl.* **-er·ies**) **1** 버터〔치즈〕 제조소; 낙농장(酪農場). **2** 우유〔크림, 버터류〕 판매점《다방을 겸하는》.
cream-faced[∠féist] *a.* (무서워서) 얼굴이 하얗게 질린.
créam ìce 《영》 =ICE CREAM.
cream·i·ness *n.* Ⓤ 크림질(質)〔모양〕.
cream-laid *n.* Ⓤ 줄무늬가 들어 있는 크림색 필기용지(*cf.* LAID PAPER).
créam pùff 1 크림 퍼프, 슈크림. **2** 사내답지 못한 사람; 패기 없는 사나이. **3** 《미俗》 새 차나 다름 없는 중고차.
créam pùff diplòmacy 저자세 외교.
créam sàuce 크림 소스(white sauce).
créam sèparator 크림 분리기.
cream·slice[∠slàis] *n.* 크림〔아이스크림〕을 뜨는 엷은 나무 주걱.
cream soda 바닐라 향을 낸 소다수.
cream tea 《영》 크림 티《잼과 고체 크림을 바른 빵을 먹는 오후의 차》.
cream-wove *n.* Ⓤ 크림색 그물 무늬가 있는 종이(*cf.* WOVE PAPER).
****cream·y**[kríːmi] *a.* (**cream·i·er; -i·est**) **1** 크림을 함유한〔이 많은〕. **2** 크림 모양의; 반들반들하고 말랑말랑한. **3** 크림색의. **-i·ly** *ad.*
crease[1] [kriːs] *n.* **1** (종이·피륙 등의) 접은 자국〔금〕; (보통 *pl.*) (바지의) 주름; (옷의) 주름, 큰 구김살《◇ 작은 구김살은 wrinkles》. **2** 〔크리켓〕 투수〔타자〕의 한계선. — *vt.* **1** 〈바지·종이 등에〉 주름을 잡다. **2** 〈…을〉 주름투성이로 만들다; 구기다; 〈이마 등을〉 주름지게 하다. **3** 《영俗》 〈사람을〉 포복절도 시키다. **4** 《미》 스쳐가는 탄환으로 찰과상을 입히다〔기절시키다〕. — *vi.* **1** 접은 자국이 생기다; 구겨지다; 주름지다. **2** 《영俗》 포복 절도하다.
crease[2] *n.* =CREESE.
creased *a.* 주름 잡은; 구겨진.
creas·er *n.* 주름 잡는 기구.
crease-re·sis·tant[∠rizìstənt] *a.* 〈옷감이〉 구겨지지 않는.
creas·ing[kríːsiŋ] *n.* **1** 구김살, 주름; 접은 자국〔금〕. **2** 〔建〕 (담 또는 굴뚝 꼭대기를 덮은) 비막이 기와〔벽돌〕.
cre·a·sote[kríːəsòut] *n.* =CREOSOTE.
creas·y[kríːsi] *a.* (**creas·i·er; -i·est**) 주름이 많은; 구김살투성이의.
‡**cre·ate**[kriːéit] [L] *vt.* **1** 〈신·자연력 등이 새로운 것을〉 창조하다: 《Ⅲ (목)》 Health and wealth ~ beauty. 건강과 부(富)는 미(美)를 창조한다. **2** 〈독창적인 것을〉 창작하다; 〈배우가 어떤 역을〉 창조하다; 〈새로운 형을〉 안출하다. **3** 〈회사 등을〉 창립하다; 〈제도·관직 등을〉 창설하다. **4** 귀족으로 만들다, 〈위계·작위를〉 주다: 《Ⅴ (목)+명》 The king ~*d* him a peer. 왕은 그를 귀족에 봉했다(=He was ~*d* a peer. 《Ⅱ *be pp.*+명》) / be ~*d* (a) duke 공작 작위를 수여받다. **5** 〈새로운 사태·소동 등을〉 야기하다(cause); 〈인상 등을〉 주다; 〈평판 등이〉 나게 하다. — *vi.* **1** 창조적인 일을 하다. **2** 《영口》 몹시 떠들어대다《*about*》.
◇ creátion, créature *n.*; creátive *a.*
cre·a·tine[kríːətìːn] *n.* Ⓤ 〔化〕 크레아틴.
créatine phósphate 〔生化〕 크레아틴 인산(燐酸).
cre·at·i·nine[kriǽtənìːn, -nin] *n.* 〔生化〕 크레아티닌《척추 동물의 근육·오줌·혈액 속의 백색 결정》.
‡**cre·a·tion**[kriːéiʃən] *n.* Ⓤ **1** 창조; (the C-) 천지 창조, 창세(創世). **2** 창작; 창설; (제국 등의) 건설. **3** 수작(授爵), 위계(位階)의 수여. **4** (집합적)(신의) 창조물, 삼라 만상, 만물, 우주. **5** Ⓒ (지력·상상력의) 산물, 작품; (배우의) 역(役)의 창조, 초연(初演), 새 연출; (의상(衣裳) 등의) 창안, 새 의장(意匠). **6** (감탄사적) 《미口》 야아!, 어머나! **beat**〔**lick, whip**〕 (**all**) **creation** 《미口》 그 무엇보다도 뛰어나다〔뒤지지 않다〕. **in all creation** 《미口》 (의문사를 강조하여) 도대체. **like all creation** 《미口》 맹렬히, 열심히. **the creation of peers** 《영》 (상원의 반대를 억제하는 수단으로서 정부 지지의) 귀족을 마구 만들어 내는 일. **the lords of** (**the**) **creation** 만물의 영장(man); 《익살》 남자.
~·ìsm *n.* Ⓤ 〔神學〕 영혼 창조설; 〔生〕 (특

수) 창조설(*opp.* evolutionism). **~·ist.** *n.*
◇ creáte *v.*: creátive *a.*
création scìence 천지(창조) 과학.
*__cre·a·tive__[kriːéitiv] *a.* **1** 창조적인, 창조력이 있는. **2** 창작적인, 독창적인(originative). **be creative of** …을 낳다, 창조하다.
— *n.* 《미口》 독창적인 사람. **~·ness** *n.*
creátive evolútion 창조적 진화(프랑스의 Bergson 철학의 근본 사상).
cre·a·tive·ly *ad.* 창조적으로, 독창적으로.
creátive tèam 〔廣告〕 미술 디자이너와 광고 문안가로 형성되는 팀.
cre·a·tiv·i·ty[krìːeitívəti] *n.* Ⓤ 창조적임, 창조성, 독창력〔성〕.
*__cre·a·tor__[kriːéitər] *n.* **1** 창조자, 창작자, 창설자. **2** (the C-) 조물주, 신(God). **3** (극의) 역(役) 창조자; 수작자(授爵者); (새 의장) 고안자. **~·shìp** *n.* Ⓤ 창조자임.
cre·a·tress[-tris] *n.* CREATOR의 여성형.
⁑**crea·ture**[kríːtʃər] [L] *n.* **1** (신의) 창조물 (*cf.* CREATION). **2** 생물, 《특히》 동물; 《미》 마소, 가축. **3** 인간, 사람: fellow ~s 동포. **4** (주로 애정·동정·경멸 등의 형용사와 함께) 사람, 녀석, 놈, 년, 자식: Poor ~! 가엾어라/ the〔that〕 ~ 《경멸》 저 녀석, 그 놈/What a ~! 웬 놈이야. **5** 〈사람·사물 등에〉 지배 당하는 자, 예속자, 부하, 앞잡이(tool); 노예, 종(slave): a ~ of circumstances 환경〔충동〕의 노예. **6** 소산(所産), 산물, 아들: a ~ of the age 시대의 아들/a ~ of fancy 공상의 산물. **7** 가공의 동물; 불가사의한 생물: ~s from outer space 우주에서 온 수수께끼의 생물. **8** (the ~) 《익살》 독한 술, 《특히》 위스키. **(all) God's creatures (great and small)** 하느님의 (크고 작은) (온갖) 창조물〔생물〕, 인간도 동물도 (모두). **good creatures** = CREATURE COMFORTS.
créature cómforts (종종 the ~) 육체적 안락을 주는 것; 《특히》 먹을〔마실〕 것, 음식물.
crèche[kreiʃ] [F] *n.* **1** 탁아소. **2** 《미》 (구유 속의) 예수 탄생도(《영》 crib).
cre·dence[kríːdəns] *n.* **1** Ⓤ 신용(belief, credit): a letter of ~ 신임장(*cf.* CREDENTIALS). **2** 〔가톨릭〕 (미사에 필요한 것을 놓는) 제구대: a ~ table 제구대(祭具臺). **find credence with** …의 신임을 받다. **give 〔refuse〕 credence to** …을 믿다〔믿지 않다〕.
cre·den·da[kridéndə] *n. pl.* (*sing.* **-dendum**[-dəm]) 〔神學〕 신앙 개조(信仰個條) (articles of faith).
cre·den·tial[kridénʃəl] *n.* **1** (*pl.*) (대사·공사 등에게 수여하는) 신임장; (사람 등의) 자격, 적격, 적성: present ~*s* 신임장을 제정하다/~*s* committee 자격 심사 위원회. **2** 자격 증명서, 성적〔인물〕 증명서. **~·ìsm** *n.* 증명서〔학력〕 편중주의.
cre·den·za[kridénzə] *n.* **1** (르네상스 시대의) 식기 진열장. **2** 〔가톨릭〕 제구대(credence table).
cred·i·bil·i·ty[krèdəbíləti] *n.* Ⓤ 믿을 수 있음, 진실성; 신용, 신빙성.
credibílity gàp 1 (정부나 정치가 등의) 언행 불일치. **2** 신빙성의 결여, 불신감; (세대간의) 단절(감).
cred·i·ble[krédəbəl] *a.* 신용〔신뢰〕할 수 있는, 확실한. **-bly** *ad.* 확실히; 믿을 만한 소식통에서. **~·ness** *n.*
⁑**cred·it**[krédit] [L] *n.* Ⓤ **1** 신뢰, 신용. **2** 명성, 평판; 신망; 세력. **3 a** 〔商〕 신용; 신용 대부, 외상(판매); (크레디트에 의한) 지불 유예 기간. **b** 〔簿〕 대변(貸邊)(略: cr.; *opp.* debit); 대변의 기입; 대월(貸越)계정. **c** (은행의) 예금(액). **4** 신용장(letter of credit). **5** 면목을 세움, 명예; 칭찬; (a ~) 명예가 되는 것: He is *a ~ to* the school. 그는 학교의 명예〔자랑〕이다. **6** Ⓒ 《미》 (어떤 과목의) 수료〔이수〕 증명; 이수 단위, 학점; 《영》 (시험성적의) 양(良). **7 a** (공적·성질 등이 있다고) 인정함, 믿음(*for*). **b** (보통 *pl.*) 크레디트(출판물·연극·방송 프로 등에서 재료의 제공자에게 구두 또는 지상으로 표시하는 경의). **8** (세금 따위의) 공제. **be (much) to the cred·it of** a person〔**to a person's credit**〕 …의 커다란 명예이다, 〈…의 행위 등이〉 훌륭하다. **do credit to** a person = **do a person credit** …의 명예가 되다, 면목을 세우다. **gain〔lose〕 credit (with)** (…의) 신용을 얻다〔잃다〕. **get〔have, take〕 credit for** …의 공로를 인정받다, …에 의하여 면목을 세우다. **give a** person **credit** 신용 대부하다. **give a person credit for** 〈성질 등을〉 …이 당연히 가진 것으로 보다; 〈행위 등을〉 …에게 돌리다, …의 공로로 치다. **give credit to** 〈이야기 등을〉 믿다. **have credit** 신용이 있다 (*with, at*), 예금이 있다(*at*). **have〔get〕 the credit of** …의 영예를 얻다, 명예롭게도 …했다고 인정 받다. **letter of credit** 〔商〕 신용장(略: L/C). **long〔short〕 credit** 장기〔단기〕 신용대부. **of good credit** 평판이 좋은. **on credit** 외상으로, 신용대부로. **reflect credit on** …의 명예가 되다. **take (the) credit for** (1) …의 공로를 새치기하다. (2) …의 공적이라고 인정되다. **take credit to** oneself **(in)** (…을) 자기의 공적으로 돌리다. **to a person's credit** (1) …의 명예가 되게, 기특한〔하게도〕. (2) 자기의 이름으로〔이 붙는〕. (3) 〔簿〕 …의 대변에.
— *vt.* **1** 믿다, 신뢰하다, 신용하다. **2** 〈…의 성질·감정 등을 가지고 있다고〉 믿다, 생각하다(*with*); 〈공로·명예 따위를〉 …에게 돌리다; …덕분으로 돌리다(ascribe)(*to*): ~ something *to* a person = ~ a person *with* something 어떤 물건을 …의 소유로 보다/ (《V (목)+전+명》) I ~ him *with* rare intelligence. 나는 그가 드물게 지성을 갖춘 사람이라고 생각한다/(《V (목)+전+*-ing*》) You would hardly ~ him *with* hav*ing* acted so foolishly. 너는 그가 아주 어리석게 행동했다고는 믿지 않겠지. **3** 〔簿〕 〈얼마의 금액을 …의〉 대변에 기입하다(*to*): ~ a sum *to* a person = ~ a person *with* a sum …의 대변에 금액을 기입하다. **4** 《미》 〈…에게〉 학점〔이수 증명〕을 주다(*with*): ~ a student *with* three hours in history 학생에게 주(週) 3시간의 역사 학점을 주다.
cred·it·a·bil·i·ty[krèditəbíləti] *n.* Ⓤ **1** 명예가 됨. **2** 신용할 만함.
*__cred·it·a·ble__[kréditəbəl] *a.* **1** 명예가 되는 (honorable); 칭찬할 만한(praiseworthy) (*to*): It is ~ *to* your good sense. 그걸 보니 자네의 양식을 칭찬할 만하군. **2** 신용할 만한. **-bly**[-əbli] *ad.* 훌륭하게. **~·ness** *n.*
crédit accòunt 〔영商〕 외상 계정(《미》 charge account).
crédit àgency〔bùreau〕 (신용 판매를 위한) 신용 조사소〔기관〕, 상업 흥신소.
crédit càrd 크레디트 카드.
créd·it-card càlculator[-kάːrd-] 〔컴퓨터〕 크레디트 카드 크기〔두께〕의 전자 계산기.
crédit coòperative 신용 조합.

crédit crúnch 신용 규제, 신용 제한.
crédit hòur 〔미敎育〕 (이수의) 단위 시간.
crédit insùrance 신용〔대손〕 보험.
crédit lìne 1 크레디트 라인(뉴스·기사·사진·그림의 복제(複製) 등에 붙이는 제공자의 이름 등을 쓴 것). **2** 신용〔외상〕 한도액: 신용장 개설 한도: 신용 한도.
crédit màn 신용 조사원.
crédit memorándum 대변 전표, 크레디트 메모(파는 사람이 사는 사람에게 발행 하는 송장 이외의 전표).
crédit nòte 〔商〕 대변 전표(입금·반품 때 판 사람이 보내는 전표).
*__cred·i·tor__[kréditər] *n.* **1** 채권자(*opp.* debtor): ~*'s* ledger 매입처 원장(元帳). **2** 〔簿〕 대변(貸邊)(略: cr.).
crédit ràting (개인·법인의) 신용도 평가; 신용 등급.
crédit sàle 〔商〕 신용 판매, 외상 판매.
crédit síde 〔簿〕 대변.
crédit squèeze (인플레이션 대책으로서 정부가 취하는) 금융 긴축(정책).
crédit stànding 신용 상태.
crédit tìtles 크레디트 타이틀(영화·텔레비전의 제작자·감독·출연자 기타 관계자의 자막).
crédit trànche 크레디트 트란시(IMF 가맹국이 출자 할당액을 초과하여 인출할 수 있는 부분).
crédit ùnion 소비자 신용 조합.
cred·it·wor·thy[kréditwə̀:rði] *a.* 신용대출할 가치가 있는: 신용 있는, 신용도 높은. **-thi·ness** *n.*
cre·do[krí:dou, kréi-] [L] *n.* (*pl.* ~**s**) **1** (일반적으로) 신조(creed). **2** (the C-) 〔基督敎〕 사도 신경(信經)(Apostles' Creed), 니케아 신경(Nicene Creed).
*__cre·du·li·ty__[kridjú:ləti] *n.* Ⓤ 믿기 쉬움: 경신(輕信), 고지식함. ◇ crédulous *a.*
*__cred·u·lous__[krédʒələs] *a.* **1** 〈남의 말 등을〉 잘 믿는; 속기 쉬운(*opp.* incredulous). **2** 경솔히 믿는 데서 오는. **~·ly** *ad.* 경솔히 믿어서. **~·ness** *n.* ◇ credúlity *n.*
Cree[kri:] *n.* (*pl.* ~, ~**s**) **1** 크리 사람〔족〕 (캐나다 중앙부에 살았던 아메리카 원주민). **2** Ⓤ 크리 말.
‡**creed**[kri:d] [L] *n.* **1** (종교상의) 신경(信經): (the C-) 사도 신경(the Apostles' Creed). **2** 신조, 신념, 주의, 강령. **the Athanasian Creed** 아타나시우스 신경. **the Nicene Creed** 니케아 신경.
‡**creek**[kri:k] *n.* **1** 《영》 (바다·강·호수의) 작은 만, 후미. **2** 《미·캐나다·오스》 작은 내, 지류, 크리크. **up the creek** (**without a paddle**) 《俗》 (1) 난처하여, 딱하게 되어, 곤경에 빠져. (2) 미친 듯한, 심한. (3) 틀리어, 잘못되어.
Creek[kri:k, krik] *n.* (*pl.* ~, ~**s**) **1** (the ~) 〔史〕 크리크 동맹. **2** (the ~(s)) (크리크 동맹에 속하던) 크리크족: 크리크사람. **3** Ⓤ 크리크 말.
creek·y[-i] *a.* CREEK가 많은.
creel[kri:l] *n.* **1** (낚시꾼의) 고기 바구니. **2** 〔紡織〕 실꾸리 꽂는 틀.
‡**creep**[kri:p] *vi.* (**crept**[krept]) **1** 기다, 포복하다: 〈덩굴·나무 뿌리 등이〉 얽히다, 뻗어 퍼지다: ~ *on* all fours 네발로 기다/~ *up* the wall 벽으로 뻗어 올라가다/~ *over* the ground 지면으로 뻗어나가다. **2** 살금살금 걷다, 살살 기다〔걷다〕: Our car *crept through* heavy traffic. 우리 차는 교통 혼잡 속에서 느릿느릿 나아갔다. **3** 근질근질하다: 섬뜩해지다: make a person's flesh ~ =make a person's skin ~ =make a person ~ all over …을 소름끼치게 하다. **4** 소리를 죽여 걷다; 슬며시 접근하다: ~ *in* 슬며시 기어 들다. **5** 비굴하게 굴다, 슬며시 …의 마음을 사다: 〈사상 등이〉 어느덧 스며들다: 〈세월 등이〉 슬며시 다가오다: ~ *into* a person's favor 슬며시 …의 환심을 사다/Age ~*s upon* us. 노년은 부지중에 다가온다. **6** 〈문체가〉 유창하지 못하다, 너무 단조롭다. **7** 〔海〕 탐해구(探海鉤)(creeper)로 해저를 더듬다. **8** 〈레일 등이〉 점점 어긋나 움직이다: (금속이 열 등으로) 휘다, 변형되다. **creep in** 슬며시 기어들다. **creep into** …에 몰래〔슬며시〕 들어가다.
— *n.* **1** 포복: 서행(徐行). **2** (보통 the ~s) 《口》 섬뜩해지는 느낌, 전율(戰慄): It gave me *the* (cold) ~*s.* 그것은 나를 섬뜩하게 하였다. **3** (남에게 잘 빌붙는) 아니 꼬운〔불쾌한〕 녀석. **4** (동물이 드나드는 울타리 등의) 개구멍: =CREEPHOLE. **5** Ⓤ 〔地質〕 지층의 변형. ◇ créepy *a.*
CREEP, Creep[kri:p] [Committee to *R*e-elect the *P*resident〉 CRP] *n.* (닉슨) 대통령 재선 위원회.
creep·age *n.* 천천히〔살금살금〕 걸음〔움직임〕; 아주 조금씩 움직임.
creep·er[krí:pər] *n.* **1** 기는 것; (특히 기는) 곤충, 파충류의 동물(reptile): 〔植〕 덩굴 식물: 〔鳥〕 나무에 기어 오르는 새, 《특히》 나무발바리. **2** 비열한 사나이. **3** 〔海〕 탐해구(探海鉤). **4** (*pl.*) (갓난애의) 겉옷: 놀이옷. **5** (*pl.*) (미끄러지지 않게 구두 바닥에 댄) 얇은 철판: 《미俗》 (도둑이 신는) 고무〔펠트〕창 구두. **6** 〔크리켓〕 땅볼(grounder).
creep·ered[-d] *a.* 〈집 등이〉 담쟁이로 덮인.
creep·hole[∠hòul] *n.* **1** (짐승의) 숨는 〔드나드는〕 구멍. **2** 발뺌, 핑계(excuse).
creep·ing[krí:piŋ] *a.* **1** 기어 돌아다니는: ~ plants 포복 식물/~ things 파충류. **2** 느린(slow), 은밀한, 잠행성(潛行性)의: ~ inflation 잠행성 인플레이션. **3** 남몰래 빌붙는, 슬며시 환심 사는: 비굴〔비열〕한. **4** 근질근질하는, 오싹하는. — *n.* Ⓤ **1** 기기, 포복: 서서히〔슬며시〕 움직임. **2** 아첨. **3** 근질근질〔오싹〕한 느낌. **4** 〔海〕 탐해법(探海法).
~·ly *ad.* 기어서: 서서히.
créeping barráge 〔軍〕 잠행 탄막(潛行彈幕).
créeping hòle =CREEPHOLE.
créeping Jésus 《俗》 **1** 숨어 도망치는 사람, 비겁한 사나이. **2** 아첨하는 사람: 위선자.
créep jòint 《미俗》 **1** (경찰의 단속을 피하기 위해) 밤마다 장소를 옮기는 도박장. **2** 싸구려 술집, 수상쩍은 술집(creep dive).
creep·y[krí:pi] *a.* (**creep·i·er**; **-i·est**) **1** 《口》 근질근질〔오싹오싹〕하는: 소름이 끼치는. **2** 기어 돌아다니는: 꾸물꾸물 움직이는. **3** 《영學俗》 비굴한, 아첨하는. **créep·i·ly** *ad.* **-i·ness** *n.*
creep·y-crawl·y[krí:pikrɔ́:li] *a.* =CREEPY. — *n.* (*pl.* **-crawl·ies**) 《口·兒》 기는 벌레〔곤충〕.
creese[kri:s] *n.* (칼날이 물결 모양의) 말레이시아 사람의 단도(kris).
cre·mains[kriméinz] [*cre*mated+re*mains*] *n. pl.* (화장한 사람의) 유골.
cre·mate[krí:meit, kriméit] *vt.* **1** 〈시체를〉 화장하다. **2** 〈물건을〉 소각하다(burn).
cre·ma·tion[kriméiʃən] *n.* Ⓤ **1** 화장. **2** 소각. **~·ìsm** *n.* (매장에 대한) 화장론.

~·ist[-ist] *n.* 화장론자.
cre·ma·tor[krí:meitər, kriméitər] *n.* **1** (화장장의) 화장 작업원; 쓰레기 태우는 인부. **2** 화장로(爐); 쓰레기 소각로.
cre·ma·to·ri·al[krì:mətɔ́:riəl, krèmə-] *a.* 화장의.
cre·ma·to·ri·um[krì:mətɔ́:riəm, krèmə-] *n.* (*pl.* **~s, -ri·a**[-riə]) ((영)) =CREMATORY.
cre·ma·to·ry[krí:mətɔ̀:ri, krémə-/krémətəri] *a.* 화장의; 소각의. *n.* (*pl.* **-ries**) 화장장; 쓰레기 소각장.
crème[krem, kri:m] [F] *n.* (*pl.* **~s**[-z]) **1** =CREAM. **2** =CREAM SAUCE. **3** 크렘((달콤한 리큐르 술)).
crème de ca·ca·o[krèmdəkɑ:ká:ou, -kóukou] [F] *n.* 초콜릿 맛이 나는 리큐르 술.
crème de la crème[krémdəlɑ:krém] [F] *n.* **1** 일류 인사들, 사교계의 꽃. **2** 최상의 것, 정화(精華).
crème de menthe[krèmdəmá:nt] [F] *n.* 박하 든 리큐르 술.
Cre·mo·na[krimóunə] *n.* **1** 크레모나((북부 이탈리아의 도시)). **2** (때로 **c-**) 〔樂〕 크레모나산(産) 바이올린((명품으로 유명)).
cre·nate, -nat·ed[krí:neit], [-id] *a.* 〔植〕 무딘 톱날 모양의((잎의 가장자리 등)).
cre·na·tion[krinéiʃən] *n.* Ⓤ,Ⓒ 〔植〕 무딘 톱날 모양.
cren·a·ture[krénətʃər, krí:-] *n.* 〔植〕 무딘 톱날 모양의 구조.
cren·el, cre·nelle[krénl], [krinél] *n.* 〔築城〕 **1** 총안(銃眼), 활 쏘는 구멍. **2** (*pl.*) 총안이 있는 성의 흉벽(胸壁).
cren·el·et[krénəlit] *n.* 작은 총안(銃眼).
cren·el·late, -el·ate[krénəlèit] *vt.* …에 총안〔활 쏘는 구멍〕을 만들다.
— *a.* =CRENELLATED.
cren·el·lat·ed, -el·at-[-id] *a.* **1** 〈성벽 등〉 총안을 설치한. **2** 〔建〕 총안 무늬의. **3** 〔植〕 무딘 톱날 모양의.
cren·el·la·tion, -el·a·tion[krènəléiʃən] *n.* Ⓤ,Ⓒ **1** 총안(설비). **2** 총안이 있는 성벽. **3** 톱날 모양의 것, 톱니 모양의 들쭉날쭉.
Cre·ole[krí:oul] *n.* (종종 **c-**) **1** Ⓒ 크리올 사람: a (미국 Louisiana주의) 프랑스계 이민의 자손. b 서인도 제도, Mauritius 섬, 남아메리카 등에 이주한 백인(특히 스페인 사람)의 자손. c 크리올과 흑인과의 혼혈아. d (서인도·아메리카 대륙 태생의) 흑인(=∠ **Négro**). **2** Ⓤ 크리올말: a 1a가 쓰는 프랑스말. b 혼합〔혼성〕어〔언어〕. **3** Ⓤ 크리올 요리. — *a.* (종종 **c-**) **1** 크리올(특유)의. **2** (서인도제도 등에서 나는) 외래종의((동식물)). **3** 〈요리가〉 크리올풍의((토마토·피망·양파·고추 등 각종 향료를 사용)).
Créole Státe (the ~) 미국 Louisiana주의 속칭.
cre·o·lize *vt.* **1** 크리올풍으로 하다. **2** 〈언어를〉 혼성시키다.
cré·o·lized lánguage[krí:əlàizd-] 〔言〕 혼성 언어.
cre·o·sol[krí(:)əsòul] *n.* Ⓤ 〔化〕 크레오솔.
cre·o·sote[krí(:)əsòut] *n.* Ⓤ 〔化〕 **1** 크레오소트((의료·방부용)). **2** 콜타르 크레오소트. — *vt.* 크레오소트로 처리하다.
créosote òil 크레오소트유(油).
*__crepe, crêpe__[kreip] [F] *n.* Ⓤ **1** 크레이프, 주름진 비단의 일종(*cf.* CRAPE); 검은 크레이프 상장(喪章). **2** 크레이프 고무(=~ rùbber)((구두 창 등에 쓰는 주름살이 있는 얇은 고무판)). **3** 크레이프 종이(=~ paper)((조화용 등)). **4** Ⓒ 크레프((팬 케이크)).
crepe de Chine[krèipdəʃí:n] [F] *n.* 크레이프드신((얇은 비단 크레프)).
crépe háir 인조 머리털((연극의 가짜수염·가발용)).
crepe·hang·er[kréphæ̀ŋər] *n.* =CRAPEHANGER.
crépe pàper 크레이프 페이퍼, 주름 종이((조화(造花)·포장용)).
crépe rùbber 크레이프 고무((잔 주름이 가게 눌러 편 생고무; 구두 밑창에 사용)).
crepe su·zette[krèipsu(:)zét] [F] *n.* (*pl.* **crepes su·zette**[krèips-], **~s**[-su(:)zéts]) 얇은 디저트용 팬 케이크.
crep·i·tant[krépətənt] *a.* 타닥타닥 소리 나는; 〔病理〕 염발음(捻髮音)의.
crep·i·tate[krépətèit] *vi.* 타닥타닥〔딱딱〕 소리나다(crackle); 〔病理〕 염발음을 내다.
crep·i·ta·tion[krèpətéiʃən] *n.* Ⓤ,Ⓒ **1** 타닥타닥(나는 소리). **2** 〔病理〕 염발음(捻髮音).
cre·pon[kréipɑn/-pɔn] [F] *n.* Ⓤ 크레퐁((두꺼운 크레프; 양털·비단 또는 그것을 섞어 짠 주름천)).
‡**crept**[krept] *v.* CREEP의 과거·과거분사.
cre·pus·cu·lar[kripʌ́skjələr] *a.* **1** ((文語)) 어두컴컴한, 어둑어둑한, 황혼의. **2** ((文語)) 반개화(半開化)의; (문화의) 여명기의. **3** 〔動〕 어두컴컴한 때에 출현〔활동〕하는.
cre·pus·cule, cre·pus·cle[kripʌ́skju:l/ krépəs-], [kripʌ́səl] *n.* Ⓤ 땅거미, 황혼, 어스름.
Cres ((영)) Crescent.
cres(c). 〔樂〕 crescendo; crescent.
cre·scen·do[kriʃéndou] [It] *ad.* **1** 〔樂〕 점점 세게((略: cres(c).: 기호 <))(*opp.* diminuendo). **2** 〈감정·동작을〉 차차 강하게.
— *a.* 크레센도의, 점강음의; 점점 강한.
— *n.* (*pl.* **~(e)s**) **1** 〔樂〕 점강(漸强)음〔음절〕, 크레센도. **2** (climax에의) 진전, (감동·기세 등의) 점점 세어지기, 점고(漸高); 최고조.
— *vi.* (소리·감정이) 점점 세어지다.
*__cres·cent__[krésənt] [L] *n.* **1** 초승달, 그믐달. **2** 초승달 모양(의 것); 〔紋〕 초승달 문장. **3** (옛 터키 제국의) 초승달 모양의 기장; 터키 제국〔군대〕; (the C-) 회교. **4** ((영))초승달 모양의 광장(廣場)〔거리〕. **5** 초승달꼴 롤 빵. — *a.* **1** 초승달 모양의. **2** 〈달이〉 차차 커지는〔차가는〕(waxing). **cres·cen·tic**[krəséntik] *a.*
cres·cive[krésiv] *a.* 점차 증대〔성장〕하는.
cre·sol[krí:soul, -sɔ:l] *n.* Ⓤ 〔化〕 크레졸.
cress[kres] *n.* Ⓤ 유채과의 야채: the garden 〔water〕 ~ 논냉이.
cres·set[krésit] *n.* 화톳불용 쇠초롱.
Cres·si·da[krésidə] *n.* **1** 여자 이름. **2** 〔그神〕 크레시다((애인 Troilus를 배반한 Troy 여자)).
‡**crest**[krest] *n.* **1** (새의) 볏(comb); 관모(冠毛), 도가머리(tuft of hair). **2** 새깃 장식(plume); (투구의) 앞꽂이 장식; 투구(꼭대기). **3** 〔紋〕 (방패 꼴 문장의) 꼭대기 장식; (봉인(封印)·접시·편지지 등에 찍힌) 문장(紋章); 가문(家紋). **4** 〔建〕 용마루(장식). **5** (말 등의) 머리 장식; 갈기(mane). **6** (물건의) 꼭대기; 산꼭대기; (파도의) 물마루. **7** 최고(조), 극치, 절정. **erect one's crest** 의기 양양해지다. **on the crest of the wave** 물마루를 타고; 의기 양양하여, 득의(得意)의 절정에서. **one's crest falls** 풀이 죽다, 기가 꺾이다. — *vt.* **1** 〔建〕 용마루 장

식을 달다. **2** (산의) 꼭대기에 이르다, (파도의) 물마루를 타다. — *vi.* 〈파도가〉 물마루를 이루다, 놀치다.
crest·ed[-ed] *a.* CREST가 있는.
crésted whéatgrass 마초풀.
crest·fall·en[ˊfɔ̀:lən] *a.* 풀이 죽은, 맥빠진, 기운 없는(dejected). **~·ly** *ad.*
crest·ing[kréstiŋ] *n.* 〔建〕 용마루 장식.
crest·less[kréstlis] *a.* **1** 꼭대기 장식이 없는; 가문(家紋)이 없는. **2** 신분이 천한.
cre·ta·ceous[kritéiʃəs] *a.* **1** 백악질(白堊質)의(chalky). **2** (**C-**) 〔地質〕 백악기(紀)〔계〕의. — *n.* (the C-)〔地質〕 백악기〔층〕.
Cre·tan[krí:tn] *a.* 크레타섬(사람)의. — *n.* 크레타섬 사람.
Crete[kri:t] *n.* 크레타섬《그리스의 동남》.
cre·tic[krí:tik] *n.* 〔韻〕 장단장(長短長)의 운각(韻脚).
cre·ti·fy[krí:təfài] *vt.* (**-fied**) 〔地質〕 백악〔석회〕화하다.
cre·tin[krí:tn/krétin] *n.* **1** 크레틴병 환자. **2** 《俗》 바보, 백치.
cre·tin·ism[-ìzəm] *n.* Ⓤ 〔病理〕 크레틴병 《알프스 산지의 풍토병; 불구가 되는 백치증(白痴症)》.
cre·tin·oid[-ɔ̀id] *a.* 크레틴병 (환자)과 같은.
cre·tin·ous[-əs] *a.* **1** 크레틴병의〔에 걸린〕. **2** 바보같은, 백치의〔같은〕.
cre·tonne[kritán, krí:tan/kretɔ́n, krétɔn] *n.* Ⓤ 크레톤 사라사《의자 덮개·휘장용》.
Créutz·feldt-Ja·kob disèase[krɔ́its-feltdʒéikəb-] 〔醫〕 크로이츠펠트야콥병.
cre·val·le[krivǽli] *n.* (*pl.* **~, ~s**) 〔魚〕 갈전갱이, 《특히》 카랑스전갱이.
cre·vasse[krivǽs] [F] *n.* **1** (빙하의) 갈라진 깊은 틈. **2** 《미》 (둑의) 틈이 난 곳, 파손된 틈.
*__crev·ice__[krévis] *n.* (좁고 깊게) 갈라진 틈.
crev·iced[-t] *a.* 틈〔금〕이 난.
*__crew__[1] [kru:] *n.* (집합적) **1 a** (승객을 제외한 배·비행기·열차의) 승무원 전원. **b** (고급 선원을 제외한) 일반 선원들; (비행기에서 운항 승무원 이외의) 승무원; (보트의) 크루, 보트팀. **2** 《口》 동아리, 패거리(set, gang); 대(隊), 반(班); (노동자의) 일단. — *vi., vt.* …의 승무원〔보트 팀〕의 일원으로서 일하다.
crew[2] *v.* 《영》 CROW[1]의 과거.
créw actívity plànning (우주선 비행중의) 승무원 작업 계획.
créw cùt 상고머리.
crew·el[krú:əl] *n.* Ⓤ **1** (수·뜨개 등의 겹실로 쓰는) 털실. **2** =CREWELWORK.
crew·el·work[-wə̀:rk] *n.* Ⓤ 털실 자수.
crew·man[krú:mən] *n.* (*pl.* **-men**[-mən]) (배·비행기·우주선 등의) 승무원, 탑승원.
crew·mate[ˊmèit] *n.* (우주선 등의) 동승 승무원.
créw nèck〔**nèckline**〕 크루 넥《스웨터 등 깃이 없는 둥근 네크라인》.
créw sòck (보통 *pl.*) 크루속스《골이 진 두꺼운 양말》.
*__crib__[krib] *n.* **1** (테두리가 있는) 어린이 침대. **2** (가로장이 있는) 구유, 여물통(*cf.* MANGER). **3** (통나무) 오두막(hut); 좁은 방〔집〕; (소금·옥수수 등의) 저장소, 곳간. **4** 《俗》 집, 가게; 금고. **5 a** (the ~) (CRIBBAGE에서) 선(先)이 쥐고 있는 패. **b** =CRIBBAGE. **6** 《口》 (남의 작품의) 무단 사용, 표절(plagiarism)(*from*). **7** 《口》 (학생용의) 자습서, 주해서; 커닝페이퍼. **8** 간단한 식사, (노동자의) 도시락. **9** 방사성 폐기물을 버리는 도랑. **10** 불평, 불만. — (**~bed; ~·bing**) *vt.* **1** 구유를 비치하다〔두다〕. **2** 《口》 좀도둑질을 하다; 〈남의 작품을〉 무단 사용하다, 표절하다 (*from*). **3** 〈좁은 곳에〉 밀어넣다. — *vi.* **1** 〈말이〉 구유〔여물통〕를 물어뜯다. **2** 《口》 남의 작품을 무단 사용하다, 표절하다; 커닝하다; 자습서를 쓰다.
crib·bage[kríbidʒ] *n.* Ⓤ 크리비지《2-4명이 하는 카드 놀이의 일종》.
crib·ber[kríbər] *n.* **1** 표절자. **2** 커닝하는 사람. **3** 여물통을 물어뜯는 버릇이 있는 말.
crib·bing[kríbiŋ] *n.* **1** 《口》 (남의 작품의) 무단 사용, 표절; 커닝; 자습서〔주해서〕 사용. **2** =CRIB-BITING.
crib-bite[ˊbàit] *vi.* 〈말이〉 구유를 물어뜯다.
crib-bit·ing *n.* Ⓤ (말이) 구유〔여물통〕를 물어뜯으며 거칠게 숨쉬는 버릇.
críb crìme 《미俗》 노인을 노린 습격.
críb dèath 〔醫〕 유아의 돌연사.
crib·ri·form[kríbrifɔ̀:rm] *a.* 〔解·植〕 소공질(小孔質)의, 체 모양의.
crib·work[ˊwə̀:rk] *n.* Ⓤ **1** 통나무 기초 공사. **2** 방틀 공사.
crick[krik] *n.* (목·등 등의) 근육〔관절〕 경련, 쥐: get〔have〕 a ~ in one's neck 목 근육에 쥐가 나다. — *vt.* …에 경련을 일으키다, …에 쥐가 나다.
⁑**crick·et**[1] [kríkit] [의성어] *n.* 〔昆〕 귀뚜라미. (**as**) **merry**〔**chirpy, lively**〕 **as a cricket** 《俗》 매우 쾌활〔명랑〕하게.
⁑**crick·et**[2] [OF] *n.* **1** 크리켓《영국의 구기; 11명씩 두 패로 갈려서 하는 옥외 구기》. **2** 《영口》 공명 정대한 행동, 페어플레이; 신사다운 행동. **It's not** (**quite**) **cricket.** 정정당당하지 못하다. **play cricket** 크리켓을 하다; 정정당당하게 행동하다. — *vi.* 크리켓을 하다.
cricket[3] *n.* 낮은 (삼각) 의자, 발 얹는〔올려 놓는〕 대, 발판(footstool).
crick·et·er[-ər] *n.* 크리켓 경기자.
cri·coid[kráikɔid] *a.* 〔解〕 고리 모양의, 윤상〔환상(環狀)〕의(ringlike). — *n.* 윤상 연골(輪狀軟骨).
cri de coeur[krì:dəkə́:r] [F] *n.* (*pl.* ***cris de coeur***[krí:z-]) 열렬한 항의〔호소〕.
cri·er[kráiər] *n.* **1** 외치는〔우는〕 사람. **2** (공판정의) 정리(廷吏)(*cf.* OYEZ). **3** (동리·마을 등의) 포고(布告)를 알리는 광고꾼(=town ~); 도붓장수.
cri·key[kráiki] *int.* 《俗》 저런!, 이것 참(놀랐는데)! ◇ By ~! 라고도 함.
crim. con. 〔法〕 criminal conversation.
⁑**crime**[kraim] [L] *n.* **1** (법률상의) 죄, 범죄: He committed ~. 그는 죄를 졌다. **2** Ⓤ 《일반적으로》 죄악, 반 도덕적 행위(sin). **3** (a ~) 《口》 유감스런〔분한〕 일; 부끄러운〔한심스러운, 어리석은〕 짓〔일〕. **a capital crime** (사형에 처할 만한) 중죄. **commit a crime** 죄를 범하다. **crimes against the State** 국사범(國事犯). **put**〔**throw**〕 **a crime upon** … 에게 죄를 덮어씌우다. **worse than a crime** 언어 도단의.
◇ críminal *a.*; críminate *v.*
Cri·me·a[kraimí:ə, kri-] *n.* **1** (the ~) 크림반도《흑해 북쪽 해안의》. **2** 크림《크림 반도에 있던 옛 소련 자치 공화국; 제 2차 대전 후 우크라이나 공화국에 편입》.
críme agàinst humánity 인류에 대한 범죄《인종·민족의 집단 학살 등》.
críme agàinst náture 1 남색. **2** 자연법 종교 교리 등에 반하는 행위; 〔法〕 반자연적

(自然的) 범죄.
Cri·me·an[-ən] *a.* 크림(반도)의.
Criméan Wár (the ~) 크림 전쟁(1853-56)《영·불·터키·사르디니아 연합국 대 러시아의》.
crim·ee[kràimí:] *n.* 범죄의 동료.
críme fiction 범죄〔추리〕 소설.
críme làboratory 과학수사 연구소.
crime pas·sion·el[krì:mpɑ:siənél] [F] *n.* (*pl.* **crimes passionels**[—]) 치정(痴情) 관계 사건《특히 살인》.
crimes[kraimz] *int.* =CHRIST.
críme shèet 〔영軍〕 (군기 위반의) 범죄기록.
‡crim·i·nal[krímənl] *a.* **1** 범죄적인; 죄를 범하고 있는: a ~ operation 낙태. **2** 범죄(성)의; 형사상의(*opp.* civil): a ~ case 형사사건/ a ~ offense 형사범죄. **3** 《口》 괘씸한, 한심스러운. — *n.* 범인, 범죄자: a habitual ~ 상습범. **~·ist** *n.* 형법학자; 범죄학자.
⊕ crime *n.*; críminate *v.*
críminal chrómosome 범죄자 염색체《남성의 극히 일부에 보이는 여분의 Y염색체》.
críminal cóurt 형사 법원.
críminal conversátion〔**connéction**〕 〔法〕 간통죄(adultery).
Críminal Investigátion Depártment (the ~) 《영》 (런던 시경의) 형사부《略: C.I.D.》.
crim·i·nal·is·tics[krìmənəlístiks] *n. pl.* (단수 취급) 범죄 과학, (범인) 수사학.
crim·i·nal·i·ty[krìmənǽləti] *n.* **1** 범죄(행위). **2** Ⓤ 범죄성, 유죄(guiltiness).
crim·i·nal·i·za·tion[krìmənəlizéiʃən] *n.* Ⓤ 법률로 금하기, 유죄로 하기.
crim·i·nal·ize[krímənəlàiz] *vt.* …을 법률로 금하다. 〈사람·행위를〉 유죄로 하다.
críminal láw 형법(*opp.* civil law).
críminal láwyer 형사 전문 변호사.
crim·i·nal·ly *ad.* **1** 법을 범하여〔어겨〕, 범죄적으로. **2** 형법에 의해서, 형사〔형법〕상.
críminal sýndicalism 〔미法〕 형사 신디칼리즘《폭력·테러 등으로 사회 변혁을 꾀하는 제정법상의 범죄》.
crim·i·nate[krímənèit] *vt.* **1** 죄를 지우다. **2** 고발〔기소〕하다; 유죄의 증언을 하다. **3** 힐난하다, 비난하다. **criminate oneself** 〈증인이〉 자기에게 불리한 증언을 하다. **-na·tor** *n.*
crim·i·na·tion[krìmənéiʃən] *n.* Ⓤ,Ⓒ 죄를 씌움, 고소, 기소; 비난.
crim·i·na·tive, -na·tory[krímənèitiv/-nə-], [krímənətɔ̀:ri/-nətəri] *a.* 죄를 지우는; 비난하는.
crim·i·no·log·i·cal[krìmənəlɑ́dʒikəl/-lɔ́dʒ-] *a.* 범죄〔형사〕학(상)의. **~·ly** *ad.*
crim·i·nol·o·gy[krìmənɑ́lədʒi/-nɔ́l-] *n.* Ⓤ 범죄학, 형사학. **-gist** *n.* 범죄학자.
crim·i·nous[krímənəs] *a.* 죄를 범한. ◇ 주로 다음 구에서: a ~ clerk 파계 성직자.
crimp[1] [krimp] *vt.* **1** 〈머리털을〉 곱슬곱슬하게 지지다, 웨이브하다, 컬로하다; 〈천 등에〉 주름을 잡다; 〈구두·가죽 등을〉 길들이다, 틀이 잡히게 하다. **2** 〈생선·고기에〉 칼집을 내어 수축시키다. **3** 《미口》 방해하다, 훼방놓다(cramp). — *n.* 《미》 **1** (*pl.*) 지진머리, 웨이브, 컬(*cf.* CURLS). **2** 주름, 주름살. **3** 《미口》 방해(물), 훼방(물). **put a crimp in**(**to**)《미口》 훼방하다, 방해하다.
crimp[2] *n.* (사람을 유괴하여 선원·군인으로 팔아 먹는) 유괴 주선업자. — *vt., vi.* (선원·군인으로 팔기 위해서) 유괴하다, 꾀어 선원〔군인〕으로 팔다.
crimp·er[krímpər] *n.* 지지는 사람〔물건〕, 머리 아이언(curling iron).
crímp·ing ìron 머리 아이언.
crim·ple[krímpl] *n.* 주름살, 주름, 구김살. — *vt., vi.* 주름잡다〔잡히다〕, 지지다; 곱슬곱슬해지게 하다〔해지다〕.
Crimp·lene[krímpli:n] *n.* 크림플린《주름이 잘 안가는 합성 섬유; 상표명》.
crimp·y[krímpi] *a.* (**crimp·i·er; -i·est**) **1** 곱슬곱슬한(curly); 주름진. **2** (오그라질 만큼) 추운: ~ weather 추운〔쌀쌀한〕 날씨.
‡crim·son[krímzən] *a.* **1** 진홍색의(deep-red), 〈석양이〉 진홍색의, 시뻘건. **2** 피 비린내 나는. — *n.* Ⓤ 진홍색(물감). — *vt.* 진홍색으로 하다〔물들이다〕; 새빨갛게 하다. — *vi.* 진홍색이 되다; 새빨개지다(blush).
crímson láke 크림슨 레이크《진홍색 안료》.
cringe[krindʒ] [OE] *n.* 외축(畏縮); 비굴한 태도, 굽실거림, 아첨. — *vi.* **1** (겁이 나서) 움츠리다(cower). **2** 굽실거리다(*to*); 알랑거리다: He ~*d to* his master. 그는 주인에게 굽실거렸다. **3** 《口》 싫증이 나다, 진력나다(*at*).
críng·er *n.* 굽실거리는〔비굴한〕 사람.
crin·gle[kríŋgl] *n.* 〔海〕 (돛의 가장자리·귀 등에 단) 밧줄 구멍.
cri·nite[kráinait] *a.* 〔動·植〕 보드라운 털이 있는, 머리털 모양의.
crin·kle[kríŋkl] *vi.* **1** 주름지다; 구기다, 오그라들다(shrink)《*up*》. **2** 주춤 하다, 손을 빼다. **3** 〈종이 등이〉 버스럭거리다. — *vt.* 주름잡다; 오그라들게 하다. — *n.* **1** 주름, 굽이침; 구김살. **2** 버스럭거리는 소리.
crin·kly[kríŋkli] *a.* (**-kli·er; -kli·est**) **1** 〈천이〉 주름살 진; 〈머리카락이〉 곱슬곱슬한, 물결 모양의. **2** 버스럭거리는. **-kli·ness** *n.*
crin·kum-cran·kum[kríŋkəmkrǽŋkəm] *a., n.* 《文語》 구불구불한 (것), 구불텅구불텅한 (것); 복잡한 (것).
cri·noid[kráinɔid, krín-] *a.* **1** 백합 모양의(lily-shaped). **2** 〔動〕 바다나리 무리의. — *n.* 〔動〕 바다나리.
crin·o·line[krínəlì:n] *n.* **1** Ⓤ 크리놀린《옛날 스커트를 부풀게 하기 위하여 쓰던 말총 등으로 짠 딱딱한 천》. **2** 크리놀린 스커트(hoopskirt). **3** (군함의) 어뢰 방어망.
crin·o·tox·in[krìnətɑ́ksin/-tɔ́ks-] *n.* 크리노톡신《개구리 등이 분비하는 동물독》.
cri·ol·lo[krióulou/-óujou, -óuljou] *n.* (*pl.* **-ol·los**) *n.* **1** (스페인어권 중남미 여러나라의) 현지 태생의 유럽계(系)《보통 스페인계의 사람(*cf.* CREOLE 1)》. **2** 라틴 아메리카에서 개발된 가축의 품종. — *a.* criollo(s)의; 토착의, 그 지방 고유의.
cripes[kraips] *int.* 《俗》 (때로 by ~로 놀람·혐오 등을 나타내어) 저런!, 이것 참!
‡crip·ple[krípəl] *n.* **1** 신체 장애자, 불구자, 절름발이, 앉은뱅이; 병신, 폐인. **2** 《미俗》 서투른 선수; (*pl.*) 약하고 서투른 팀. **3** 《미方》 (잡목 등이 난) 소택지(沼澤地). **4** (창문 청소할 때 등에 쓰이는) 발판. **5** 〔野〕 (카운트가 노스트라이크 스리 볼 일 때의) 위력없는 투구. — *vt.* **1** 병신으로 만들다, 절름거리게 하다(⇨ crippled 1). **2** 무능〔무력〕하게 하다, 해치다, 전투력을 잃게 하다. — *vi.* 《주로 스코》 절룩거리다(*along*). — *a.* 불구의, 절름거리는; 능력이 뒤떨어진. **críp·pler** *n.*
crip·pled[krípəld] *a.* **1** 불구의: a ~ person 불구자. **2** 무능력한.
crip·pling[krípliŋ] *a.* (기능을 상실할 정도의) 큰 손해〔타격〕를 주는.
crise de con·fi·ance[krí:zdəkɔŋfiɑ́:ns] [F]

n. 신뢰(관계)의 위기.

crise de con·science[krí:zdəkɔŋsiɑ́:ns] [F] *n.* 양심의 위기.

crise de nerfs[krí:zdənέər] [F] *n.* (*pl.* **crises de nerfs**) 히스테리의 발작.

*‡***cri·sis**[kráisis] [Gk] *n.* (*pl.* **-ses**[-si:z]) **1** 위기, 결정적 단계, 중대 국면. **2** (운명의) 분기점: (병의) 고비, 위험한 고비, 〔醫〕 분리(分利). **bring to a crisis** 위기에 몰아넣다. **come to**〔**reach**〕 **a crisis** 위기에 달하다. **crisis of capitalism** 자본주의 체제의 (구조적 원인에 의한) 재정 위기《마르크스 경제학자의 용어》. **financial crisis** 금융 공황(*cf.* PANIC[1]). **pass the crisis** 위기〔고비〕를 넘기다. ◇ critical *a.*

crísis cènter 1 긴급 대책 본부. **2** 전화 긴급 상담소, 「생명의 전화」.

crísis mànagement 《미》 (주로 국제적 긴급 사태에 대처하기 위한) 위기 관리.

crísis relocátion 《미》 비상시 소개(疎開).

*‡***crisp**[krisp] [L] *a.* **1** 〈음식물이〉 파삭파삭한, 아삭 아삭하는: 〈야채·과일 등이〉 신선한, 싱싱한: 〈종이 등이〉 빳빳한, 빠닥빠닥한: 〈지폐 등이〉 갓 만들어진. **2** 〈공기·날씨 등이〉 상쾌한, 새뜻한(fresh): 〈동작이〉 활발한(lively), 〈말씨가〉 똑똑한(decided): 〈문체가〉 힘 있는, 시원시원한. **3** 〈양배추잎 등이〉 돌돌 말린: 〈머리카락이〉 곱슬곱슬한(curly): 잔 물결이 이는. — *n.* **1** 부서지기 쉬운 물건: 파삭파삭한 것. **2** (the ~) 《俗》 빳빳한 지폐, 지폐 뭉치. **3** (*pl.*) 《영》 얇게 썬 감자 프라이, 포테이토 칩 《미》 potato chip. **to a crisp** 바삭바삭하게. — *vt.* **1** 〈머리털 등을〉 곱슬곱슬하게 하다: 물결이 일게 하다. **2** 바삭바삭하게 굽다: 〈땅을〉 꽁꽁 얼게 하다. — *vi.* **1** 〈머리털 등이〉 곱슬곱슬하게 되다: 물결이 일다. **2** 바삭바삭하게 구워지다: 〈땅이〉 꽁꽁 얼다.

crísp·ly *ad.* **crísp·ness** *n.* ◇ crispy *a.*

cris·pate, -pat·ed[kríspeit], [-peitid] *a.* 곱슬곱슬해진: 〈가장자리가〉 돌돌 말린.

cris·pa·tion[krispéiʃən] *n.* U,C **1** 곱슬곱슬하게 함〔됨〕. **2** 〔醫〕 (근육의 수축으로 인한) 연축성 의주감(攣縮性蟻走感). **3** (액체면의) 잔물결.

crísp brèad 《영》 완전히 (호)밀가루로 만든 얇은 비스킷.

crisp·en[kríspən] *vt., vi.* 주름지〔게 하〕다: 파삭파삭하게 하다〔되다〕.

Cris·pin[kríspin] *n.* **1** 남자이름. **2** (Saint ~) 성크리스피누스《3세기 로마의 그리스도교 순교자: 제화공(製靴工)의 수호 성인》. **3** (**c-**) 제화공.

crisp·y[kríspi] *a.* (**crisp·i·er; -i·est**) 파삭파삭한, 아삭아삭하는: 부스러지기 쉬운: 활발한, 산뜻한: 곱슬곱슬한. **crísp·i·ness** *n.*

criss·cross[krískrɔ̀:s/-krɔ̀s] *n.* **1** 열십자(十), 십자형: 십자형으로 교차한 물건: (글자를 모르는 사람이 서명대신 사용하는) ×표. **2** 엇갈림, 모순. **3** 《미》 (석판 등에 그려놓고 하는) 십자놀이(《영》 fox and geese). — *a.* **1** 십자의: 교차된. **2** 골 잘 내는. — *ad.* **1** 십자로: 교차하여. **2** 의도와는 달리: 엇갈리어, 어긋나서. **go crisscross** 〈일이〉 잘 안 되다, 엇갈리다. — *vt.* 십자를 그리다: 십자 모양으로 하다: 교차하다: 종횡으로 통하다. — *vi.* 십자모양이 되다: 종횡으로 움직이다.

criss·cross-row[-róu] *n.* (the ~) 《古·方》 알파벳.

cris·ta[krístə] *n.* (*pl.* **-tae**[-ti:]) **1** 볏, 계관. **2** 〔解·動〕 능(稜), 소릉.

cris·tate[krísteit] *a.* 〔動〕 볏이있는: 〔植〕 볏 모양의.

crit. critic(al); criticism; criticized.

*∗***cri·te·ri·on**[kraitíəriən] *n.* (*pl.* **-ri·a**[-riə], ~**s**) **1** (판단·비판의) 표준, 기준《*of, for*》. **2** 특징.

*‡***crit·ic**[krítik] [Gk] *n.* **1** 비판하는 사람: 〈문예·미술 등의〉 비평가, 평론가: (고문서 등의) 감정가. **2** 혹평가, 흠잡기를 일삼는 사람. **Biblical**〔**textual**〕 **critic** 성경〔원전(原典)〕 비평가(*cf.* CRITICISM, CRITICIZE).

*‡***crit·i·cal**[krítikəl] *a.* **1** 비평(가)의, 평론의. **2** 비판적인: 비평〔감식〕력이 있는: 엄밀한. **3** 호되게 비판하는, 혹평적인, 흠을 잘 잡는. **4** 위기의, 아슬아슬한, 위험한: 〈병이〉 고비에 있는, 위독한: be in a ~ condition 중태이다. **5** 결정적인, 중대한: 중요한: 비상시에 불가결한: a ~ situation 중대한 국면〔형세〕. **6** 〔數·物〕 임계(臨界)의.

crítical ángle (the ~) 〔光·空〕 임계각.

crítical apparátus (문헌 연구에서) 연구자료(apparatus criticus).

crítical edítion (성경 등의) 원문 비평연구판.

crítical eléven mínutes 〔空〕 위험한 11분간《착륙전 8분간+이륙후 3분간》.

crítical lìst 중태 환자표.

*∗***crit·i·cal·ly**[krítikəli] *ad.* **1** 비평〔비판〕적으로: 혹평하여. **2** 아슬아슬하게, 위태롭게.

crítical máss 1 〔物〕 임계 질량. **2** 바람직한 결과를 효과적으로 얻기 위한 충분한 양.

crítical páth anàlysis〔**mèthod**〕 〔컴퓨터〕 크리티컬 패스 분석법《프로젝트의 계획·관리를 과학적으로 하는 방법; 略: CPA〔CPM〕》.

crítical philósophy (칸트(파)의) 비판 철학.

crítical póint 〔數·物〕 임계점.

crítical préssure 〔物〕 임계압.

crítical région 〔統〕 (가설(假說) 검정에 있어서의) 기각역(棄却域), 위험역.

crítical témperature 〔物〕 임계 온도.

crit·ic·as·ter[krítikæ̀stər] *n.* 엉터리 비평가. **crìt·ic·ás·ter·ìsm** *n.*

crit·i·cise *v.* =CRITICIZE.

*‡***crit·i·cism**[krítisìzəm] *n.* U,C **1** 비평, 비판, 평론: 평론〔비판〕문. **2** 비판 능력, 감상력, 안식. **3** 〔哲〕 비판주의: (칸트의) 비판 철학. **4** 비난, 흠잡기. **5** 원전 연구, (성서 따위의) 본문 비판. **Higher Criticism** 성서의 고등 비평《성서의 문학적·역사적 연구》. **Textual Criticism** (성서 등의) 원문 (대조) 비평; 작품 분석 비평. ◇ criticize *v.*: critical *a.*

crit·i·ciz·a·ble[krítisàizəbəl] *a.* 비평의 여지가 있는: 비판할 만한.

*‡***crit·i·cize**[krítisàiz] *vt.* **1** 비평〔비판, 평론〕하다. **2** 비난하다, 혹평하다, 흠을 잡다. — *vi.* 흠잡다: 비평하다. **-ciz·er** *n.* ◇ critic, criticism *n.*: critical *a.*

crit·i·co-[krítikou] 《연결형》 「비평적인」의 뜻: *critico*-historical 비판 역사적인.

cri·tique[kritíːk] *n.* U,C **1** (문예 작품 등의) 비평, 비판: 평론, 비평문. **2** 비평법.

crit·ter, -tur[krítər] *n.* **1** 《미方》 동물, 《특히》 가축, 소, 말: 《口》 괴상한 동물《가공적 동물, 특별히 작은 동물 등》. **2** 《경멸》 사람, 놈, 녀석.

C.R.O. 《영》 Commonwealth Relations Office《1966년 Colonial Office와 합병 Commonwealth Office가 되고 1968년 **F.C.O.**로됨》.

*∗***croak**[krouk] [의성어] *n.* **1** 까악까악〔개굴개

굴〕 우는 소리《까마귀·개구리 등의》. **2** 목쉰 소리; 원망하는 말, 불평; 불길한 말.
— *vi.* **1** 까악까악〔개굴개굴〕 울다. **2** 〈사람이〉 쉰 목소리를 내다; 음산한 소리로 말하다, 불평을 하다. **3** 《俗》 죽다(die); 《미學俗》 낙제하다. — *vt.* **1** 쉰 목 소리로 (…이라고) 말하다, 〈재앙 등을〉 음산한 목소리로 알리다. **2** 《俗》 죽이다(kill).

croak·er *n.* **1** 개굴개굴〔까악까악〕 우는 것; 〔魚〕 우는 물고기, 《특히》 동갈민어과(科)의 물고기《북미산》. **2** 불길한 예언을 하는 사람; 비관론자; 불평가. **3** 《미俗》 의사; 《미俗》 목사.

croak·y[króuki] *a.* (**croak·i·er; -i·est**) 개굴개굴〔까악까악〕 우는; 목쉰; 〈목소리 등이〉 음산한.

Croat[króuæt, -ət] *n., a.* =CROATIAN.

Cro·a·tia[krouéiʃiə] *n.* 크로아티아《옛 유고슬라비아 연방의 한 공화국이었으나, 1991년 독립을 선언; 중심도시 Zagreb》.

Cro·a·tian[-n] *a.* 크로아티아의; 크로아티아 사람〔말〕의. — *n.* **1** 크로아티아 사람. **2** Ⓤ 크로아티아 말.

croc[krɑk/krɔk] *n.* 《口》 =CROCODILE.

cro·chet[krouʃéi/∸–, ʃi] [F] *n.* Ⓤ 크로셰 뜨개질(*cf.* KNITTING): a ~ hook〔needle〕 크로셰 뜨개질용 갈고리 바늘. — *vi., vt.* 크로셰 뜨개질하다.

cro·ci[króusai, -kai] *n.* CROCUS의 복수.

cro·cid·o·lite[krousídəlàit] *n.* Ⓤ 〔鑛〕 청석면(青石綿).

crock¹[krɑk/krɔk] *n.* **1** 오지그릇《항아리, 독 등》. **2** 사금파리《화분의 구멍 마개》.

crock² *n.* **1** 《口》 늙은 말, 못쓰게 된 말; 《口》 폐인, 늙어빠진 사람, 병약자, 무능자; 늙은 양《암컷》; 《學俗》 운동을 하지 않는〔하지 못하는〕 사람; 《영口》 고물 자동차, 노후선(船). **2** 《方》 검댕, 때(soot, smut). **3** (a ~) 《미俗》 허튼소리, 난센스, 거짓말. — *vt.* **1** (보통 수동형) 《口》 폐인이 되게 하다, 쓸모없게 하다. **2** 검댕으로 더럽히다. — *vi.* 《口》 못쓰게〔쓸모없게〕 되다; 폐인이 되다《*up*》.

crock³ 《미俗》 허튼 소리, 허풍.

crocked[-t] *a.* 《미俗》 술 취한.

crock·er·y[krákəri/krɔ́k-] *n.* Ⓤ (집합적) 오지그릇, 도자기류.

crock·et[krákit/krɔ́k-] *n.* 〔建〕 크로켓《고딕 건축의 꽃봉오리나 잎새 모양의 장식》.

Croc·kett[krákit/krɔ́k-] *n.* 크로킷 David 〔'Davy'〕 ~《미국의 서부 개척자(1786-1836)》.

Crock·pot[krákpɑt/krɔ́kpɔt] *n.* 전기 냄비 《저온·장시간 요리용; 상표명》.

crock·y[kráki/krɔ́ki] *a.* (**crock·i·er; -i·est**) 노후한, 병약한, 무능한(crocked).

*****croc·o·dile**[krákədàil/krɔ́k-] *n.* **1** 〔動〕 크로코다일《악어의 일종》; 《일반적으로》 악어(*cf.* ALLIGATOR); Ⓤ 그 가죽. **2** 《영口》 (2열 종대로 걷는) 국민학생 등의 긴 행렬; (자동차 등의) 긴 행렬. **3** 거짓 눈물짓는 사람, 위선자. ⇨ crocodílian *a.*

crócodile bìrd 악어새《악어의 기생충을 잡아먹고 사는 물새 비슷한 새; 아프리카산》.

crócodile tèars 거짓 눈물: weep〔shed〕 ~ 거짓 눈물을 흘리다.

croc·o·dil·i·an[kràkədíliən/krɔ̀k-] *n.* 〔動〕 악어 악어목의 총칭. — *a.* **1** 악어(류)의; 악어 같은. **2** 겉만의, 거짓의, 위선적인, 불성실한.

*****cro·cus**[króukəs] *n.* (*pl.* **~·es, -ci**[-sai, -kai]) **1** 〔植〕 크로커스; 그 꽃《영국에서 봄에 맨 먼저 피는 꽃》. **2** Ⓤ,Ⓒ (닦아서 윤을 내는 데 쓰이는) 산화철(酸化鐵) 가루. **3** 《영俗》 돌팔이 의사.

Croe·sus[krí:səs] *n.* **1** 크로이소스《Lydia의 부왕(富王); 560-546 B.C.》: as rich as ~ 막대한 재산을 가진. **2** 큰 부자.

croft[krɔ:ft/krɔft] *n.* 《영》 **1** 집과 잇닿은 작은 농장. **2** (특히 Scotland CROFTER의) 소작지.

croft·er[krɔ́:ftər/krɔ́ftə] *n.* 《영》 (Scotland 고지(高地) 등의) 소작인.

Cróhns disèase 〔病理〕 크론병(病), 국한성 회장염(回腸炎)《장벽에 반흔을 남김》.

crois·sant[krəsá:nt] [F] *n.* (*pl.* **~s**[-z]) 크르와상《초승달 모양의 롤빵》.

Croix de Guerre[krwɑ̀dəgέər] [F] *n.* (프랑스의) 무공 십자훈장.

cro·jack[krádʒik/krɔ́-] *n.* 《俗》 =CROSSJACK.

Cro-Ma·gnon[kroumǽgnən, -mǽnjən] [유골이 발견된 프랑스의 동굴 이름에서] *n., a.* 크로마뇽인(人)(의)《후기 구석기 시대의 키가 크고 머리가 긴 원시인》.

crom·lech[krámlek/krɔ́m-] *n.* 〔考古〕 **1** = DOLMEN. **2** 크롬렉, 환상 열석(環狀列石).

cró·mo·lyn sódium[króuməlin-] 〔藥〕 크로몰린 나트륨《기관지 확장제》.

Crom·well[krámwel/krɔ́mwəl] *n.* 크롬웰 Oliver ~(1599-1658)《영국의 정치가》.

Crom·wel·li·an[krɑmwéliən/krɔm-] *a., n.* 크롬웰의 (부하·지지자).

crone[kroun] *n.* **1** 쪼그랑 할멈. **2** 늙은 암양(洋).

Cro·nin[króunin] *n.* 크로닌 A(rchibald) J(oseph) ~(1896-1981)《영국의 의사·작가》.

Cro·nus, -nos[króunəs] *n.* 〔그神〕 크로노스《거인(Titans)의 하나; 부친의 왕위를 빼앗았으나 후에 아들 Zeus에게 쫓겨남; 로마 신화의 Saturn에 해당》.

cro·ny[króuni] *n.* (*pl.* **-nies**) 《口》 친구, 벗 (chum).

cro·ny·ism *n.* Ⓤ 《미》 (정치가 등의 친구 관계에 따른) 편파, 편들기.

*****crook**[kruk] *n.* **1** 구부러진 갈고리; 스코《갈고리 달린 냄비걸이》. **2** 양치기의 (손잡이가 구부러진) 지팡이; =CROSIER. **3** 《길·강 등의》 굴절, 굴곡〔만곡〕 (부); 〔樂〕 (취주 악기의) 변주관. **4** 《口》 악한, 사기꾼, 도둑: a ~ film 〔play〕 갱 영화〔극〕. **a crook in one's lot** 《스코》 불행, 역경. **by hook or by crook** 무슨 짓을 해서라도, 어떻게 해서라도. **have a crook in one's nose**〔**character**〕 코〔성격〕가 비뚤어져 있다. **on the crook** 옳지 못한〔나쁜〕짓을 하여.
— *a.* **1** =CROOKED. **2** 《오스口》 부정한, 싫은, 기분이 언짢은, 화난. **go crook** 〈남에게〉 화내다《*at, on*》; 대들다《*to*》.
— *vt.* **1** 〈팔·손가락 등을 갈고리 모양으로〉 구부리다, (활처럼) 굽히다. **2** 갈고리로 낚아채다. **3** 《俗》 훔치다(steal), 사취하다(cheat); …을 속이다: ~ a friend 친구를 속이다/~ a thing from a person …에게서 물건을 사취하다. — *vi.* 구부러지다, (활처럼) 굽다(bend, curve). **crook the elbow**〔**the little finger**〕 《俗》 한잔 마시다.

crook·back[∸bæk] *n.* 곱사등이.

crook·backed[-t] *a.* 곱사등이의.

⁑crook·ed[krúkid] *a.* **1** 구부러진; 굴곡된, 비뚤어진; 기형의; 허리가 구부러진. **2** 《口》 마음이 비뚤어진, 부정직한; 《口》 부정 수단으로 얻은; 《俗》 몰래 만든, 밀매(密賣)의. **3**

[krukt] 〈막대기·지팡이 등이〉 고무래 모양의 손잡이가 있는. **~·ly** *ad.* 구부러져서; 부정하게. **~·ness** *n.*

cróoked árm 《野球俗》 좌완 투수.

cróoked stíck 《方》 무능한 게으름뱅이, 쓸모없는〔변변치 못한〕 사람.

Crookes[kruks] *n.* 크룩스 Sir William ~ 《영국의 과학자(1832-1919)》.

Cróokes gláss 자외선 흡수 유리.

Cróokes ráys 〔物〕 크룩스선, 음극선.

Cróokes túbe 〔物〕 크룩스관《진공관의 일종》.

crook·neck[krúknèk] *n.* 목이 길고 굽은 호박《관상용》.

croon[kru:n] *vt.* **1** (감상적으로) 낮은 소리로 노래하다, 입속 노래를 부르다; 중얼거리다. **2** 낮은 목소리로 노래하여 (…의 상태로) 만들다. ── *vi.* 감상적으로 낮게 노래하다; 낮게 중얼거리는 듯한 소리를 내다. ── *n.* 낮게 부르는 노래; (낮은 소리로 부르는) 감상적인 유행가.

croon·er[krú:nər] *n.* 낮은 소리로 노래하는 사람, 감상적인 저음 가수.

★**crop**[krɑp/krɔp] [OE] *n.* **1** 수확물《곡물·과실·야채 등》; (the ~s) (한 지방·한 계절의) 모든 농작물; 수확고, 생산고: an abundant 〔average〕 ~ 풍〔평년〕작/a bad ~ 흉작/a catch ~ 간작《◇ harvest보다 통속적인 말. harvest는 주로 수확 작업이나 수확고를 강조함》. **2** 농작물, 《특히》 곡물. **3** (a ~) 무리(group), 떼; (귀찮은 일 등의) 발생, 속출. **4** (새의) 멀떠구니, 소낭(craw). **5** 채찍의 손잡이; (끝에 가죽끈의 고리가 달린) 승마용 채찍. **6** 막깎기, 짧게 깎은 머리. **7** (광상(鑛床)의) 노두(露頭); 〔冶〕 절단설(切斷屑). **8** 동물 한 마리 분의 무두질한 가죽; (가축의) 귀에 낸 표《소유주 표시》. **9** 〔컴퓨터〕 잘라내기《컴퓨터 그래픽에서 화상을 섬세하게 만들기 위해서 이미지의 불필요한 부분을 잘라내고 정리하는 작업》. **a crop of** 잇달은; 썩 많은. **have a crop** 막깎다. **in**〔**under**〕 **crop** 농작물이 심어져 있는. **neck and crop** ⇨neck. **out of crop** 농작물이 심어져 있지 않은. **standing**〔**growing**〕 **crops** 아직 베지 아니한 농작물. **the black crop** 콩 종류의 농작물. **the green crop** 야채류의 농작물; (사료용 등의) 푸른 채로 베어들이는 농작물. **the white crop** 곡류《익으면 하얗게 되는 보리 등》.
── (**~ped; ~·ping**) *vt.* **1** 자르다, 베다; 〈머리털 등을〉 짧게 깎다, 막깎다. **2** …을 짧게 베다〔자르다〕; 〈동물이 풀 등의 끄트머리를〉 잘라 먹다(eat down): The sheep have ~*ped* grass very short. 양이 풀을 아주 짧게 뜯어 먹었다. **3** 〈농작 물을〉 수확하다, 베어들이다, 따다. **4** 〈농작물을〉 심다: ~ a field *with* barley 밭에 보리를 심다. **5** 〈표지로서 동물의 귀나 벌로서 사람의 귀의〉 끝을 자르다, 잘라내다; (책) 페이지의 여백을 잘라버리다.
── *vi.* **1** (well 등의 부사와 함께) 농작물이 (…하게) 되다: The beans ~*ed well*〔*badly*〕 that year. 그해는 콩이 잘 되었다〔잘 안되었다〕. **2** 작물을 심다. **3** 풀 등을 베어서 주다. **4** (문제 등이) 갑자기 발생하다. **5** (광상 따위가) 노출하다. **crop out** (1) 〈광상(鑛床) 등이〉 노출하다: A bed of coal *cropped up* there. 석탄층이 갑자기 노출되었다. (2) 나타나다, 생기다(crop up). **crop up** (1) 갑자기 나타나다〔생기다〕; 〈문제 등이〉 일어나다, 제기되다. (2) =CROP out (1).

crop-dust[⌐dʌ̀st] *vt., vi.* (비행기로) …에 농약을 뿌리다.

cróp dùster 농약 살포 비행기.

crop-dust·ing[⌐dʌ̀stiŋ] *n.* Ⓤ (비행기에 의한) 농약 살포, 농작물 소독.

crop-eared[⌐ìərd] *a.* **1** 귀를 잘라낸〈가축〉. **2** 〔영史〕 (머리를 짧게 깎아) 귀가 드러난《청교도 등》.

crop·land[⌐læ̀nd] *n.* 농작물 재배에 알맞은 땅, (농)경지.

crópped pànts[krɑ́pt-/krɔ́pt-] 무릎 위께서 잘라버린 짧은 바지.

crop·per[krɑ́pər/krɔ́p-] *n.* **1** 농작물을 재배하는 사람. **2** 농작물: a good〔poor〕 ~ 잘되는〔잘되지 않는〕 농작물. **3** 농작물을 베어들이는 사람; 〔機〕 (베·종이 등의) 자투리 절단기. **4** 《미》 (지주에게 수확의 절반을 바치는 조건하의) 소작인(=sharecropper). **5** 《口》 추락, 거꾸로 떨어짐; 낙마; 대실패. **come**〔**fall, get**〕 **a cropper** (1) (말 등에서) 털썩 떨어지다. (2) (사업 등을) 크게 실패하다.

crop·pie[krɑ́pi/krɔ́pi] *n.* (*pl.* **~s,** ~) = CRAPPIE.

crop·ping[krɑ́piŋ/krɔ́p-] *n.* 〔出版〕 크로핑《사진·삽화의 불필요한 부분 다듬기》.

crop·py[krɑ́pi/krɔ́pi] *n.* (*pl.* **-pies**) **1** 까까머리, 뭉구리(사람). **2** 〔영史〕 단발 당원《1798년의 아일랜드 반도(叛徒)의 속칭》. **3** 《俗》 시체(corpse).

cróp rotàtion 〔農〕 윤작(輪作).

cróp spràỳing =CROP-DUSTING.

cro·quet[kroukéi/⌐⌐, -ki] [F] *n.* Ⓤ 크로케《잔디 위에서 하는 공놀이》; (크로케에서) 상대편 공을 자기 공으로 제치는 타구법: take ~= croquet(*vt.*) a ball. ── *vt., vi.* 〔크로케〕 〈상대편 공을 다른 방향으로〉 제치다: ~ a ball 자기의 공으로 상대방의 공을 제치다.

cro·quette[kroukét][F] *n.* 〔料理〕 크로켓.

cro·qui·gnole[króukənòul, -kinjòul] [F] *n.* 크로키뇰《퍼머넨트 웨이브 세트의 한 방식》.

crore[krɔ:r] *n.* (*pl.* **~s,** ~) 《인도》 1000만.

Cros·by[krɔ́:zbi/krɔ́z-] *n.* 크로스비 Bing ~(1903-1977)《미국의 가수·배우》.

cro·sier[króuʒər] *n.* 홀장(笏杖)(crook)《주교·수도원장의 직표(職標)》.

★**cross**[krɔ:s/krɔs] [L] *n.* **1** 십자형, 십자가. **2** (the C-) 그리스도가 못박힌 십자가; 그리스도의 수난, 속죄; 그리스도의 수난상〔도〕; (십자가로 상징되는) 기독교(국가)(Christianity, Christendom; *cf.* CRESCENT³); 〔天〕 북〔남〕 십자성. **3** 수난, 시련, 고난(affliction); 고생(거리), 불행; 장애. **4** 십자꼴, 십자 기호; × 표《문맹자의 서명의 대용》; (맹세·축복 등을 할 때 공중이나 이마·가슴 등에 긋는) 십자 표시, 성호; 키스(kiss)《편지 속에 ××등으로 씀》. **5** 십자(가를 위에 단) 지팡이《대주교의 권표(權標)》. **6** 십자표, 십자탑《묘비(墓碑)나 거리의 중심·시장 등의 표지로 씀》. **7** 십자형 훈장; (목에 거는) 십자(가) 장식. **8** (동식물의) 이종 교배(異種交配)(hybrid); 잡종(mongrel). **9** 절충, 중간물. **10** 《俗》 부정, 기만, 야바위. **11** 〔電〕 혼선. **12** 크로스 매매(cross trade)《브로커가 매매(賣買) 양쪽 입장을 동시에 취함》. **13** 〔拳〕 크로스 카운터.
bear〔**take**〕 one's **cross** 십자가를 지다, 수난을 견디다. **die on the cross** 십자가에 못박혀 죽다. **follower of the cross** 기독교도. **go on the cross** 《俗》 부정이나 도둑질을 하다. **make** one's **cross** 〈무식자가〉 서명 대신 십자를 그리다. **No cross, no crown.** 고난 없이 영광없다. **on the cross** (1) 십자

가에 못박혀. (2) 어긋나게, 비스듬하게. (3) 《俗》 나쁜 짓을 하여. **preacher of the cross** 기독교 설교사. **soldier**〔**warrior**〕 **of the cross** 십자군 전사; 기독교 전도의 투사. **take** (**up**) **the cross** 〔史〕 십자가 휘장을 받다, 십자군에 가담하다: =bear one's CROSS. **the Cross versus the Crescent** 기독교 대(對) 이슬람교. **the Grand Cross** 대십자 훈장《최고 Knight 훈장; 略: G. C.》. **the holy**〔**real, true, Saint**〕 **Cross** 예수가 못박힌 십자가. **the Military Cross** 무공 십자훈장《세계 대전 초기 영국에서 제정; 略: M.C.》. **the Southern**〔**Northern**〕 **Cross** 〔天〕 남십자성〔북십자성〕. **the Victoria Cross** 《영》 빅토리아 십자훈장《略: V.C.》.

— *vt.* **1** 교차시키다, 엇걸다: (서로) 교차하다. **2** 십자〔성호〕를 긋다: (Ⅲ (목)/접+Ⅲ ((목)) She observed this awful incident and ~*ed* herself. 그녀는 이 무서운 사건을 보고 십자〔성호〕를 그었다. **3** 가로줄을 긋다: 《영》 〈수표 에〉 횡선을 긋다: 말살하다(*out, off*); 〈쓴 편지 위에〉 다시 교차적으로 써넣다《우편 요금을 아끼기 위하여》~ a check 수표에 횡선을 긋다/~ *out* a wrong word 틀린 말을 횡선을 그어 지우다. **4** 〈길·사막 등을〉 가로지르다, 횡단하다, 넘다, 〈강·다리를〉 건너다; 〈생각이〉 떠오르다: 〈웃음 등이 얼굴에〉 지나가다: ~ a road〔river〕 강을다리를 건너다/ Don't ~ the bridge until you come to it. 지레 걱정하지 마라. **5** …와 스쳐 지나다: 〈편지·심부름꾼 등이 도중에서〉 엇갈리다: 〈편지가〉 잘못 가다. **6** 방해하다: 〈남의 계획·희망 등을〉 거스르다, 거역하다: He is ~*ed in* his plan〔love〕. 그의 계획〔사랑〕이 방해받고 있다. **7** 〈동식물을〉 교배(交配)시키다(interbreed); 잡종으로 만들다: ~ A *with* B A와 B를 교배시키다. **8** 〈전화선을〉 딴 통화자에게 연결하다. **9** (복수의 서류를) 비교 검토하여 새 데이터를 얻다, 대비하다. **10** 〔海〕 (활대를) 돛대에 대다. **11** 《俗》 (안장 따위에) 걸터앉다. **12** 《俗》 속이다.

cross a check 《영》 수표에 횡선을 긋다. **cross a fortuneteller's hand**〔**palm**〕 **with** (silver) 점쟁이에게 (돈)을 주다. **cross** a person**'s palm** …에게 (뇌물의) 돈을 주다. **cross** one's **fingers** =**keep** one's **fingers crossed** 가운데 손가락을 굽혀서 집게손가락에 포개다《성공〔행운〕을 비는 동작》: 《미口》 의심을 품고 경계하고 있다. **cross** one's **heart** 가슴에 십자〔성호〕를 긋다〔긋고 맹세하다〕. **cross** one's **mind** 〈생각이〉 (사람의) 마음에 떠오르다: (Ⅲ (목)) A good idea *crossed her mind.* 좋은 생각이 그녀의 마음에 떠오르다. **cross** one**self** (손을 이마에서 가슴, 어깨에서 어깨로) 십자〔성호〕를 긋다. **cross** one's〔**the**〕 **t's and dot** one's〔**the**〕 **i's** 신중히 하다, 세심한 데까지 주의하다, 언행이 매우 조심스럽다. **cross out**〔**off**〕 줄을 그어 지우다, 말살하다, 말소하다. **cross over** 넘다, 건너가다, 도항(渡航)하다(*from, to*). **cross** a person**'s path** =**cross the path of** a person …와 만나다: …의 가는 길을 가로지르다, 의 계획을 가로막다, 방해하다. **cross swords** 칼을 맞대다: 논전을 벌이다, 싸우다 (*with*). **cross the line** 〔海〕 적도(赤道)를 통과하다. **cross up** 《미俗》 배반〔배신〕하다.

— *vi.* **1** 〈2선이〉 교차하다(*with*). **2** (길·강을) 건너가다, (…에서 …으로) 건너다, 도항하다(*over, from*). **3** 〈두 사람이〉 스쳐 지나가다: 〈두장의 편지 등이〉 엇갈리다. **4** 〈동식물이〉 교배하다, 잡종이 되다.

— *a.* **1** 교차한, 가로의, 비스듬한, 가로지른 **2** …와 엇갈린, …에 반대되는, 위배되는(opposed)(*to*): 《古》 반대의, 거꾸로의, 역의: 《古》 불리한, 불편한. **3** 시무룩한, 기분이 언짢은, 성 잘내는(irritable)(*with*): 〈아기가〉 보채는: (Ⅰ 형+전+-*ing*) She is ~ *at* hav*ing to* stay at home. 그녀는 집에 머물러 있어야 하므로 시무룩하다. **4** 《俗》 비뚤어진, 속이는; 부정 수단으로 얻은(ill-gotten). **5** 교호적(交互的)인(reciprocal). **6** 이종 교배의, 잡종의 (hybrid). **be as cross as two sticks** 〔**as a bear** (**with a sore head**), **as the devil**〕 《口》 몹시 성미가 까다롭다; 몹시 기분이 언짢다.

— *ad.* **1** 가로질러: (주로 동사와 결합하여 합성어로) 교차적으로: ~-index. **2** 형편 사납게, 기대에 반하여. ⊕ cróssly, crósswise *ad.*

cross-[krɔ:s] 《연결형》 **1** 「횡단하는」의 뜻: *cross*-channel. **2** 「교차하는」의뜻: *cross*-bred; *cross*-examination. **3** 「십자가」의뜻: *cross*bearer.

cróss àction 〔法〕 반대 소송, 반소(反訴).

cross-armed[´ɑ̀:rmd] *a.* **1** 팔짱을 낀. **2** 가로장을 댄.

cross·bar[´bɑ̀:r] *n.* **1** 가로장, 빗장. **2** 크로스바: (축구·럭비의) 골 가로대: (높이뛰기등의) 바. **3** (포 조준기의) 가로 표척(標尺).

cross·beam[´bì:m] *n.* 〔建〕 대들보(girder).

cross·bear·er[´bɛ̀ərər] *n.* **1** 십자가를 받드는 사람. **2** 십자가를 지는 사람. **3** 〔建〕 들보.

cross-bed·ded *a.* 〔地質〕 사층리(斜層理)가 있는《사암(砂岩) 따위로 된 단층속에, 층리(層理) 방향과 엇갈려 줄무늬가 있음》.

cróss-bédding *n.*

cross·belt *n.* 어깨에 비스듬히 걸쳐 매는 탄띠.

cross·bench[´bèntʃ] *n.* (보통 *pl.*) (영국 하원의) 무소속〔중립〕 의원석《다른 의원석과 직각으로 놓여 있음》. — *a.* 중립의, 치우치지 않는. **have the crossbench mind** 한 당 한 파에 치우치지 않다.

cross·bench·er *n.* 《영》 무소속〔중립〕의원.

cross-bill[´bìl] *n.* **1** 〔法〕 반소장(反訴狀). **2** 역어음, 교차 어음.

cross·bill[´bìl] *n.* 〔鳥〕 솔잣새.

cross·bite, cross-bite *n.* 〔齒科〕 부정 교합(不正咬合).

cróss bònd (벽돌의) 열십자 쌓기.

cross·bones[´bòunz] *n. pl.* 대퇴골(大腿骨) 2개를 교차시킨 도형(圖形)《죽음의 상징》. **skull and crossbones** 두개골 밑에 교차된 대퇴골을 그린 도형 죽음의 상징, 또는 해적의 기표(旗標).

cross·bow[´bòu] *n.* 석궁(石弓)《중세의 무기》. **~·man** [´bòumən] *n.* 석궁 사수.

cross·bred[´brèd] *n., a.* 잡종(의).

cross·breed[´brì:d] *n.* 잡종(hybrid).

— *vt., vi.* (**-bred**[-brèd]) 이종 교배하다, 잡종을 만들다.

cróss bùn 《영》 십자가 무늬가 찍힌 과자(=hot ~)《Good Friday에 먹음》.

cross-bus·ing[´bʌ̀siŋ] *n.* Ⓤ 《미》 백인·흑인 학생의 공동 버스 통학.

cross-but·tock[´bʌ́tək] *n., vt.* 레슬링 허리치기(를 하다).

cross-chan·nel[´tʃǽnəl] *a.* 해협 횡단의, 해협의 맞은편 쪽의《특히 영국 해협의》.

cross-check[´tʃék] *vt.* 〈여러 자료를〉 비교 검토하다, 다른 각도에서 검증하다: 〔아이스하키〕 크로스체크하다《반칙》. — *n.* 정확도 검토; 〔아이스하키〕 크로스체크.
cróss cóunter 〔拳〕 크로스카운터《상대방 공격에 대해 교차적으로 가하는 반격》.
*__cross-coun·try__[ˊkʌ́ntri] *a.* 산야를 횡단하는: a ~ race 크로스컨트리 레이스. ── *ad.* 산야를 횡단하여. ── *n.* Ⓤ 크로스컨트리 경기.
cross-court *a., ad.* (농구·배구 코트의) 대각선 방향의〔으로〕; 코트 반대쪽의〔으로〕.
cross-cous·in[ˊkʌ̀zn] *n.* 고종〔이종〕 사촌.
cross-cul·tur·al[ˊkʌ́ltʃərəl] *a.* 비교 문화의, 이문화(異文化)간의.
cross·cur·rent[ˊkə̀:rənt, ˊkʌ̀rənt] *n.* 역류(逆流); (보통 *pl.*) 대립하는 경향(*of*).
cross·cut[ˊkʌ̀t] *a.* **1** 가로 켜는 〈톱〉. **2** 가로 자른. ── *n.* **1** 샛길, 지름길. **2** (재목의) 가로켜기. **3** 〔스케이트〕 활주형의 일종. ── *vt.* (~; ~·ting) 가로 켜다; 가로지르다. **~·ter** *n.*
cross-cut·ting *n.* (영화·텔레비전에서 동시 장면을 보이기 위해) 대조적 장면을 삽입하는 편집 기술.
cross-dis·ci·plin·ar·y[ˊdísəplinèri] *a.* 둘(이상)의 학문 분야에 걸치는, 학제적(學際的)인, 제학문이 제휴하는, 이분야(異分野) 제휴의(interdisciplinary).
cross-dress[ˊdrés] *vi.* 이성의 옷을 입다. **~·er** *n.*
crosse[krɔ:s/krɔs] *n.* 크로스《옥외 경기인 lacrosse 용의 손잡이가 긴 라켓》.
crossed[krɔ:st/krɔst] *a.* **1** 십자 모양으로 놓은, 교차한. **2** 횡선을 그은: a ~ check 횡선 수표. **3** (절약하기 위하여) 가로 세로로 글씨를 쓴 〈편지〉. **4** 방해된.
cross-ex·am·i·na·tion[ˊigzæ̀mənéiʃən] *n.* Ⓤ,Ⓒ **1** 〔法〕 반대 심문. **2** 힐문, 준엄한 추궁.
cross-ex·am·ine[ˊigzǽmin] *vt.* **1** 〔法〕 〈증인에게〉 반대 심문하다. **2** 힐문하다. **-in·er** *n.*
cross-eye[ˊài] *n.* 내사시(內斜視); (*pl.*) 모들뜨기 눈.
cross-eyed[ˊàid] *a.* 모들뜨기〔내사시〕의; 《俗》 머리가 약간 돈; 《미口》 술취한. **look at a person cross-eyed** 《미俗》 …에게 좀 이상한 짓을 하다; …의 감정을 좀 상하게 하다; 의심하는 눈으로 사람을 보다.
cross-fer·tile[-fə́:rtl/-fə́:tail] *a.* 〔植〕 이화(異花) 수정할 수 있는; 〔動〕 잡교(雜交) 수정할 수 있는.
cross-fer·til·i·za·tion[ˊfə̀:rtəlizéiʃən] *n.* Ⓤ **1** 〔動〕 잡교 수정(雜交受精); 〔植〕 이화(異花) 수정. **2** (다른 사상·문화 등의) 상호 교류.
cross-fer·ti·lize[ˊfə́:rtəlàiz] *vt., vi.* 〔動〕 잡교 수정시키다〔하다〕; 〔植〕 이화 수정시키다〔하다〕.
cross-file[ˊfàil] *vi., vt.* 《미》 2개 정당 이상의 예선에 입후보하다〔시키다〕.
cróss fire 1 〔軍〕 십자 포화. **2** (질문의) 일제 공세; (말의) 격렬한 응수. **3** 〔野〕 플레이트의 각을 좌우로 가로지르는 투구.
cross-fron·tier[ˊfrʌntíər] *a.* 경계〔영역〕를 넘어서 행하여지는.
cross-gar·net[ˊgɑ̀:rnit] *n.* 《古》 고무래꼴의 돌쩌귀.
cróss gràin 엇결(*opp.* straight grain).
cross-grained[ˊgréind] *a.* **1** 〈목재가〉 엇결의. **2** 《口》 심술궂은(perverse).
cróss hàirs (망원경 등의 초점에 표시된) 십자선.
cross·hatch[ˊhæ̀tʃ] *vt.* 〔畵〕 사교(斜交)〔직교(直交)〕 평행선의 음영(陰影)을 넣다.
cross-hatch·ing *n.* 〔畵〕 사교(斜交)〔직교〕 평행선의 음영(陰影).
cross·head[ˊhèd] *n.* **1** 〔機〕 크로스헤드《피스톤의 꼭대기》. **2** =CROSSHEADING.
cross·head·ing[ˊhèdiŋ] *n.* (신문의) 전단 폭을 꽉 채우는 타이틀.
cross-hold·ings[ˊhóuldiŋz] *n. pl.* 《영》 (복수의 회사에 의한 주식의) 상호 소유.
cross-im·mu·ni·ty[ˊimjú:nəti] *n.* Ⓤ 〔醫〕 교차 면역《병원균과 유속균(類屬菌)의 면역》.
cróss índex (책의) 참조 표시.
cróss-ín·dex *vt.* (책의) 참조 표시를 하다. ── *vi.* 참조 표시 역할을 하다.
__cross·ing__[krɔ́:siŋ] *n.* Ⓤ,Ⓒ **1 횡단; 교차; 도항(渡航). **2** Ⓒ (도로의) 교차점, (철도의) 건널목; 십자로; 횡단 보도: a ~ gate 건널목 차단기/a grade〔《영》 level〕 ~ 평면 교차, 건널목. **3** (수표의) 횡선. **4** 교잡, 이종 교배. **have a good**〔**rough**〕 **crossing** 항해하기에 바다가 잔잔하다〔거칠다〕.
cróssing guàrd 《미》(학교의) 건널목 안전 당번.
cross·ing-o·ver[-óuvər] *n.* 〔生〕 (염색체의) 교차.
cróssing swèeper 〔史〕 횡단 보도 청소부.
cross·jack[krɔ́:sdʒæ̀k; 〔海〕 krɔ́:jik, krǽdʒik] *n.* 〔海〕 뒷돛대 아랫단의 큰 가로돛.
cróss kéys (단수 취급) 〔紋〕 2개의 열쇠가 교차한 문장(紋章)《특히 로마 교황의》.
cross-leg·ged[ˊlégid] *a., ad.* 발을 포갠〔포개고〕, 책상다리를 한〔하고〕.
cross·let[ˊlit] *n.* 〔紋〕 작은 십자가.
cróss lìcense 상호 특허 사용 허가.
cross-li·cense[ˊláisəns] *vt.* 〈다른 회사와〉 상호 특허 사용 계약을 맺다.
cross·light[ˊlàit] *n.* **1** 교차 광선, 십자광. **2** 다른 견해.
cross-link[ˊlìŋk] 〔化〕 *n.* 교차 결합 (원자군) [ˊlíŋk] *vt., vi.* 교차 결합시키다〔하다〕.
cross-lots[ˊlɑ̀ts/ˊlɔ̀ts] *ad.* 《미口》 밭〔들판〕을 지나서; 지름길로.
*__cross·ly__[krɔ́:sli/krɔ́s-] *ad.* **1** 가로로, 비스듬히. **2** 거꾸로, 반대로. **3** 뿌루퉁하게, 심사가 나서.
cross-match[ˊmǽtʃ] *vi., vt.* 〔醫〕 (수혈 전에) 교차 (적합) 시험을 하다.
cróss mátching 〔醫〕 교차 (적합) 시험.
cross-mod·al[ˊmóudl] *a.* 〔心·動〕 2감각 통합의. **-mo·dal·i·ty**[ˊmoudǽləti] *n.*
cróss múltiply 〔數〕 두 분수의 각각의 분자에 다른 분수의 분모를 곱하다.
cross·ness *n.* Ⓤ 심기가 나쁨, 뿌루퉁함, 짓궂음(bad temper).
cross·o·ver[ˊòuvər] *n.* **1** (입체) 교차로, 육교. **2** 〔영鐵道〕 전철선로(轉轍線路). **3** 〔樂〕 크로스오버《재즈에 록·라틴 음악이 섞인 형태》.
cróssover nétwork 〔電子〕 크로스오버 네트워크《multi-way loudspeaker system에서의 주파수 분할용 회로망》.
cross-own·er·ship[ˊóunərʃip] *n.* 《미》 (신문사와 라디오·텔레비전 회사의) 공동소유.
cross·patch[ˊpæ̀tʃ] *n.* 《口》 까다로운 사람, 잘 토라지는 여자〔아이〕.
cross·piece[ˊpì:s] *n.* 가로대〔장〕.
cross·ply[krɔ́:splai] *a.* (자동차 타이어가) 크로스플라이의《고무 속에 코드를 대각선 모양으로 겹쳐서 강화한》.
cróss·ply tíre[ˊplài-] 《영》 중층(重層) 타이어.
cross-pol·li·nate[ˊpɑ́lənèit/ˊpɔ́l-] *vt.* 〔植〕 이화 수분(異花受粉)시키다.

cross-pol·li·na·tion[-pɑ̀lənéiʃən] *n.* Ⓤ 〔植〕 이화 수분.
cróss pròduct 〔數〕 벡터적(積), 외적(外的)《vetor product 라고도 함》.
cross-pur·pose[⌐pə́:rpəs] *n.* **1** 반대 목적, (의향의) 상치(相馳). **2** (*pl.*) 동문서답식 문답놀이. **be at cross-purposes** 서로 오해하다; 서로 어긋난 짓〔말〕을 하다.
cross-ques·tion[⌐kwéstʃən] *vt.* 반대 심문하다(cross-examine). — *n.* 반문, 힐문. **~·er** *n.*
cross·rail[⌐rèil] *n.* 가로대, 가로장〔쇠〕.
cróss ràte 〔金融〕 크로스 레이트, 《특히》 영·미 환(換)시세.
cross-re·áct *vi.* 〔免疫〕 (항원·항체·림푸구가) 교차 반응하다. **cróss-re·ác·tion** *n.*
cross-re·fer[⌐rifə́:r] (**~red; ~·ring**) *vi.* 전후〔상호〕 참조하다. — *vt.* 〈독자에게〉 상호 참조시키다.
cróss réf·er·ence *n.* (같은 책 중의) 전후〔상호〕 참조.
cross-re·sist·ance *n.* 〔生〕 교체 저항성; 교차 내성.
*__cross·road__[⌐ròud] *n.* **1** 교차로; (간선 도로와 교차하는) 골목길, 샛길(byroad). **2** (종종 *pl.*: 단수·복수 취급) 십자로, 네거리《옛날 영국에서는 자살자의 매장소》; (행동 선택의) 기로. **stand〔be〕 at the crossroads** 기로〔갈림길〕에 서다.
cróssroad(s) stòre 《미》 네거리의 가게《마을 사람들이 모여 잡담을 하는 잡화점 등》.
cross·ruff[krɔ́:srʌ̀f, ⌐⌐/krɔ́s-] *n.* Ⓤ 〔카드〕 저희 편끼리 서로 번갈아 으뜸패를 내어 겨루는 휘스트(whist)의 일종.
cróss séa 〔海〕 옆놀, 역풍랑(逆風浪).
cróss sèction 가로 자르기; 횡단면, 단면도; (사회 등의) 대표적인 면, 단면《*of*》.
cross-sec·tion·al[⌐sèkʃənəl] *a.* 횡단면의; (전체를 대표하는) 단면의.
cróss-sectional X-rày 단층면 X선.
cróss-sec·tion pàper 모눈종이.
cróss sèlling 상호 판매, 끼워 팔기《영화와 그 레코드·원작본 등을 동시에 팔기》.
cróss shòt 〔放送〕 크로스 숏《화면에 대해서 비스듬히 찍은 화상》; 〔庭球〕 코트의 대각선으로 치는 공.
cross-staff[⌐stæ̀f, ⌐stɑ̀:f] *n.* (*pl.* **~s, -staves**[-stèvz/-stèvs]) 〔測〕 직각기(直角器).
cross-ster·ile[krɔ́:sstéril, krɑ́s-/krɔ́sstérail] *a.* 교잡(交雜)불임(不稔)의, 교잡 불임(不妊)의.
cross-stitch[⌐stìtʃ] *n., vt., vi.* (X자꼴의) 십자뜨기(로 하다).
cróss strèet 교차로, (큰 길과 교차되는) 골목길.
cross-sub·si·dize[⌐sʌ̀bsədaiz] *vi., vt.* 〈채산성 없는 사업을〉 다른 사업의 이득으로 유지하다. **cróss-sùb·si·di·zà·tion**[-dizéiʃən] *n.*
cróss tàlk 1 〔通信〕 혼선, 혼신. **2** 말다툼, 언쟁; 《영》 (의회에서) 당파간의 말의 응수; (희극 배우의) 응수.
cross·tie[⌐tài] *n.* 〔미鐵道〕 침목(枕木).
cross-tol·er·ance[⌐tɑ́lərəns/⌐tɔ́l-] *n.* 교체 내성(耐性)《약리적으로 비슷한 특성에 대한 내성》.
cross·town[⌐tàun] 《미》 *a.* 시내를 횡단하는 〈도로·버스 등〉. — *ad.* 시내를 가로질러.
cross-trad·ing[⌐trèidiŋ] *n.* (해운 회사의) 3국간 운행〔취항〕.
cross-train *vt.* (노동자·운동선수 등을 관련 업무·기술 등을 숙달시키기 위해) 색다르게 훈련 시키다.
cross·trees[⌐trì:z] *n.pl.* 〔海〕 돛대꼭대기의 가로장.
cross-vot·ing[⌐vòutiŋ] *n.* Ⓤ 교차 투표《자기 당에의 반대 또는 다른 당에의 찬성을 허용하는 투표 형식》.
cross·walk[⌐wɔ̀:k] *n.* 《미》 횡단 보도.
cross·way[⌐wèi] *n.* =CROSSROAD.
cross·ways[⌐wèiz] *ad.* =CROSSWISE.
cross·wind *n.* 〔海·空〕 옆바람.
*__cross·wise__[⌐wàiz] *ad.* **1** 십자형으로, 엇갈리게; 가로로, 비스듬히. **2** 거꾸로; 거역하여, 심술궂게. ⊕ cross *a.*
*__cróss·word (púzzle)__[⌐wə̀:rd(-)] 크로스워드 퍼즐《글자 맞추기 놀이》: do a ~ 크로스워드 퍼즐을 하다.
crotch[krɑtʃ/krɔtʃ] *n.* **1** (인체·바지의) 가랑이; (나무의) 아귀(fork). **2** 〔海〕 =CRUTCH[3].
crotched[-t] *a.* 갈래진, 가랑이진.
crotch·et[krɑ́tʃit/krɔ́tʃ-] *n.* **1** 《영》 〔樂〕 4분 음표(*cf.* BREVE): a ~ rest 4분 쉼표. **2** 기상(奇想)(whim)(*cf.* CRANK[1]) **3** 갈고리(hook); 〔解〕 구상 기관(鉤狀器官).
crotch·et·eer[krɑ̀tʃitíər/krɔ̀tʃ-] *n.* 기상가(奇想家), 기인(奇人), 괴짜.
crotch·et·y[krɑ́tʃiti/krɔ́tʃ-] *a.* (**-et·i·er; -i·est**) 변덕스러운, 괴벽스러운, 〈특히 노인이〉 외고집의. **-et·i·ness** *n.*
cro·ton[króutən] *n.* 〔植〕 파두(巴豆)《동아시아산; 완하제》.
Cróton bùg 〔昆〕 바퀴의 일종.
cróton òil 파두유(油)《하제(下劑)》.
‡**crouch**[krautʃ] [OF] *vi.* **1** 몸을 구부리다, 쪼그리고 앉다; 웅크리다(stoop)《*down*》; 오그라지다《*to*》. **2** (비굴하게) 굽실거리다, (두려워서) 위축되다《*to*》: He ~*ed to* his master. 그는 주인에게 굽실거렸다. — *n.* Ⓤ 웅크림; 비굴하게 굽실거림.
croup[1][kru:p] *n.* Ⓤ 〔病理〕 크루프, 위막성 후두염(僞膜性喉頭炎).
croup[2][kru:p] *n.* (말의) 엉덩이; 《익살》 (사람의) 궁둥이(buttocks).
crou·pi·er[krú:piər] [F] *n.* (도박장의) 도박대 책임자; (연회의) 부사회자《식탁의 아랫자리에 앉음》.
croup·ous[krú:pəs] *a.* 〔病理〕 크루프성(性)의.
croup·y[krú:pi] *a.* (**croup·i·er; -i·est**) 〔病理〕 크루프성의; 크루프 비슷한; 크루프에 걸린.
crou·ton[krú:tɑn, −⌐/krú:tɔn] [F] *n.* 크루통《버터로 튀긴 빵 조각》.
‡**crow**[1][krou] [의성어] *n.* **1** 수탉의 울음 소리(*cf.* COCKCROW)(⇨cock[1]). **2** (갓난애의) 환성. — *vi.* (**~ed,** 주로 《영》 **crew**[kru:]; **~ed**) **1** 〈수탉이〉 울다, 때를 알리다. **2** 〈갓난애가 기뻐서〉 소리지르다. **3** 환성을 올리다, 의기 양양해지다. **crow over** one's **enemy** (적을) 이기고 뽐내다.
*__crow__[2] *n.* **1** 까마귀《영국에서는 보통 carrion crow》. **2** (**C-**) 〔天〕 까마귀자리. **3** =CROWBAR. **as the crow flies** =**in a crow line** 일직선으로, 지름길로 가서(*cf.* in a BEELINE). **a white crow** 진귀한 것. **eat (boiled) crow** 《미口》 마지 못해 싫은 일을 하다, 굴욕을 참다; 자기의 실패〔과오〕를 인정하다. **have a crow to pluck〔pull, pick〕 with** a person 《口》 …에게 할 말이 있다. **Stone the crows!** 《영俗》 (놀람·불신을 나타내어) 설마, 어렵쇼.
Crow *n.* (*pl.* **~s,** ~) 크로 사람《북미 인디언

의 한 종족); Ⓤ 크로 말.
crow·bar[∠bὰ:r] *n.* 바, 쇠지레.
crow·ber·ry[∠bèri/∠bəri] *n.* (*pl.* **-ries**) 〔植〕 시로미; 그 열매; 《미》 덩굴 월귤.
crow-bill[∠bìl] *n.*〔外科〕크로빌(상처에서 탄알 등을 빼내는 겸자(鉗子)).
★**crowd** [kraud][OE] *n.* **1** 군중, 혼잡; (the ~) 민중, 대중. **2** 다수, 많은 수. **3** 《口》 패거리, 동료, 그룹(company, set); 청중, 관객. **4** 《軍口》 부대(unit). **5** 《口》 녀석(fellow), 사람: a bad ~ 좋지 못한 녀석. **a crowd of** 많은. **follow**〔**go with**〕**the crowd** 대세에 따르다, 부화 뇌동하다. **in crowds** =**in a crowd** 여럿이서. **pass in a crowd** 《口》 별로 남보다 못하지는 않다, 그저 그만하다.
— *vt.* **1** 〈…에〉 꽉 들어차다, …에 밀어닥치다. **2** 밀치락달치락하다(*together*); 떠밀어대다(press upon). **3** (꽉) 들어차게 하다, 밀어넣다(*into, with*): ~ books *into* a box = ~ a box *with* books 책을 상자 속에 채워 넣다. **4** 《미俗》 떼쓰다, 강요하다; (귀찮게) 요구〔재촉〕하다: ~ a debtor *for* immediate payment 채무자에게 즉시 갚으라고 강요하다. **5** 《미口》 어떤 나이가 거의 되어 가다. **6** …의 바로 가까이 있다서다: 〔野〕 (타자가) 플레이트에 바싹 다가서다. **crowd (on) sail** 〔海〕 (속도를 내기 위해) 돛을 전부 펴다, 돛의 수를 늘리다. **crowd out** (보통 수동형)(스페이스가 없어서) 밀어내다(*of, from*). **crowd up** 떠밀어 올리다, 들어 올리다. — *vi.* **1** 떼지어 모이다, 붐비다, 쇄도하다(*about, round, in*): They ~*ed around* the talent. 그들은 그 탤런트 둘레로 모여 들었다. **2** 몰려들다, 밀치락달치락하며 들어가다(*into*): They ~*ed into* the room. 그들은 밀치락달치락하며 방으로 몰려 들어갔다. **crowd on**〔**upon**〕=**crowd in upon** …에 쇄도하다; (마음에) 불현듯 떠오르다.
⁑**crowd·ed** [kráudid] *a.* **1** 붐비는, 혼잡한, 만원의: ~ solitude 군중 속에서 느끼는 고독감/《Ⅱ 형+전+명》 In winter the hotels are ~ *with* painters. 겨울이 되면 그 호텔들은 화가들로 붐빈다. **2** 〈사람·물건 등으로 장소가〉 가득 차서(*with*): 《Ⅱ 형+전+명》 The room was ~ *with* books〔furniture〕. 그 방은 책들〔가구〕로 가득차 있었다. **3** 파란 만장의, 다사다난한(*with*): a ~ life 다사다난한 생활〔생애〕. **~·ly** *ad.* **~·ness** *n.*
crówd pùller 《口》 인기인, 인기물.
crow·foot[króufùt] *n.* (*pl.* **-feet**[-fì:t]) **1** (*pl.* **~s**) 〔植〕 미나리아재비, 젓가락나물. **2** 〔海〕 〈갑판 텐트를〉 달아 매는 밧줄 한벌. **3** = CROW'S-FOOT.
crow·foot·ed[-id] *a.* 눈꼬리에 주름살이 잡힌.
Crów Jím 《미俗》 (흑인의) 백인에 대한 강한 편견(*cf.* JIM CROW).
crów line 일직선(beeline).
⁑**crown** [kraun] [L] *n.* **1** 왕관, 면류관, 보관(寶冠)(diadem); (the ~, **C-**) 제왕의 신분, 제위, 왕위; 제왕 또는 여왕, 군주; (군주국의) 주권, 국왕의 지배〔통치〕, 국왕의 영토. **2** (승리의) 화관, 영관(榮冠); (노력의 대가인) 영광, 명예(의 선물)(reward). **3** 왕관표; 왕관표가 붙은 것; 크라운 화폐(영국의 25펜스 경화, 옛 5실링 은화). **4** 크라운 인쇄지〔판〕(《영》15×20인치: 381×508mm; 《미》15×19인치). **5** (물건의) 꼭대기(top), 최고부, 《특히》 둥근 꼭대기; 정수리; 머리(head); (모자의) 꼭대기; 산꼭대기; 〔齒科〕 치관(齒冠), 금관(金冠); 〔建〕 홍예 머리(중앙부); 〔植〕 =CORONA; (병의) 왕관(=∠ cap). **6** (the ~) 절정, 극치(*of*). **7** (the ~) 선수권. **8** =CROWN GLASS; CROWN LENS. **crown and anchor** 도박의 일종(왕관·닻 표가 있는 주사위와 판으로 하는). **an officer of the crown** 《영》 (국왕이 임명한) 관리. **the crown of thorns** (그리스도가 썼던) 가시 면류관; 고난. **the martyr's crown** 순교자가 지니는 영예.
— *vt.* **1** 〈사람·머리에〉 관을 씌우다, 왕위에 올리다: 《Ⅴ (목)+명》 They ~*ed* him King. 그들은 그를 왕위에 앉혔다/《Ⅰ *be pp.*+전+명》 George VI was ~*ed* in 1936. 조지 6세는 1936년에 즉위했다/《Ⅱ *be pp.*+명》 He was ~*ed* king. 그는 왕위에 즉위했다/《Ⅱ *be pp.*+ *as*+명》 William and Mary were ~*ed as* king and queen of England. 윌리암과 메리는 영국의 왕과 왕비로 즉위했다. **2** 〈영예를〉 지니게 하다(*with*). **3** …의 꼭대기에 올려 놓다, 씌우다: the peaks ~*ed with* snow 눈에 덮인 봉우리/~ a poet *with* laurel 시인에게 월계관을 씌우다. **4** …의 최후를 장식하다, 유종의 미를 거두다: Success has ~*ed* his hard work. =His hard work has been ~*ed with* success. 그는 노력한 덕택에 성공하였다. **5** 〈치아에〉 금관을 씌우다. **6** 〔체커〕 〈말을 겹쳐서〉 왕이 되게 하다. **7** 《口》 …의 머리를 때리다. **to crown (it) all** 결국에 가서는, 게다가.
crówn cánopy 임관(林冠)(수관(樹冠)이 모인 것).
crówn càp (맥주병 등의) 마개.
crówn cólony (종종 **C- C-**) 《영》 영국의 직할 식민지.
Crówn Cóurt 〔法〕 영국의 순회 형사 재판소.
Crówn Dérby 영국 더비산 자기(瓷器)(왕실 인가의 왕관표가 있음).
crowned[kraund] *a.* **1** 왕관을 쓴, 왕위에 오른; 관식(冠飾)을 단: ~ heads 국왕과 여왕. **2** (복합어를 이루어) (모자의) 춤이 있는: high〔low-〕~ (모자의) 춤이 높은〔낮은〕.
cròwned héad 왕, 여왕.
crown·er[kráunər] *n.* **1** 관을 씌우는 사람, 대관시키는 사람; 영예를 주는 사람〔것〕. **2** 완성자. **3** 《口》 (말 위에서) 거꾸로 떨어지기. **4** 《미俗》 수탉.
crówn èther 〔化〕 크라운 에테르.
crówn fire (산불의) 수관화(樹冠火).
crówn glàss (광학용의) 크라운 유리, (양질의) 창유리.
crówn grèen 《영》 양쪽보다 중앙이 더 높은 론볼링용 잔디밭.
crown·ing[kráuniŋ] *a.* 더할 나위 없는, 최고의, 무상(無上)의: the ~ folly 더없는 바보.
crówn jéwels 《영》 대관식 때 쓰는 보기류(寶器類)(왕관·홀(笏) 등).
crówn lánd 《영》 왕실 소유지.
crown·land[kráunlæ̀nd] *n.* (옛 오스트리아·헝가리의) 주(州).
crówn láw 《영》 형법.
crówn láwyer 《영》 국왕측 변호사; 형사 변호사.
crówn léns 크라운 유리 렌즈.
Crówn Óffice 〔영法〕**1** (고등 법원의) 형사부. **2** 대법관청(Chancery)의 국새부(國璽部).
crówn pìece 크라운 은화(옛 5실링).
crown·piece[∠pì:s] *n.* (물건의) 꼭대기를 이루는 것.
crówn prínce (영국을 제외한 나라의) 왕세자(*cf.* Prince of WALES).
crówn príncess (영국을 제외한 나라의)

왕세자비; 여자 왕위 추정(推定) 계승자.
crówn sàw 원통톱.
crówn whèel 〔機〕 크라운 톱니바퀴.
crówn wítness 《영》 (형사 사건의) 검사〔원고〕측 증인.
crown·work[⊿wə̀ːrk] *n.* 〔齒科〕 치관(齒冠) (보철).
crów quìll **1** 까마귀 깃펜《잔글씨용》. **2** (제도용) 잔글씨 쓰는 철펜.
crow's-bill[króuzbìl] *n.* 까마귀 부리 모양의 핀셋.
crow's-foot[króuzfùt] *n.* (*pl.*-**feet**[-fìːt]) **1** (보통 *pl.*) 눈꼬리의 주름살. **2** 〔軍〕 =CALTROP. **3** 까마귀 발 모양의 표.
crów's nèst[króuznèst] 〔海〕 돛대 위의 망대(望臺).
crow·step[króustèp] *n.* =CORBIESTEP.
Croy·don[krɔ́idn] *n.* **1** Greater London 남부의 도시. **2** (c-) 2륜 마차의 일종.
cro·zier *n.* =CROSIER.
Cr$ cruzeiro(s).
CRT cathode-ray tube (브라운관).
CRT displáy[sìːàːrtíː-] 〔電子〕 브라운관에 문자·도형을 표시하는 컴퓨터 단말장치(character display).
cru [*c*ollective *r*eserve *u*nit] *n.* 〔經〕 집합준비 단위.
cru·ces[krúːsiːz] *n.* CRUX의 복수.
*__cru·cial__[krúːʃəl] [F] *a.* **1** 결정적인(decisive), 중대한. **2** 〈시련·문제 등 이〉 어려운, 혹독한. **3** 〔解〕 십자형의: a ~ incision 〔外科〕 십자 절개. **~·ly**[-i] *ad.*
crú·cian cárp 〔魚〕 붕어.
cru·ci·ate[krúːʃièit] *a.* 〔動·植〕 십자형의.
cru·ci·ble[krúːsəbl] *n.* 도가니; 가혹한 시련. **be in the crucible of** …의 혹독한 시련을 받고 있다.
crúcible stéel 〔冶〕 도가니강(鋼).
cru·ci·fer[krúːsəfər] *n.* 〔基督教〕 =CROSSBEARER; 〔植〕 겨자과(科) 식물.
Cru·cif·er·ae *n. pl.* 〔植〕 겨자과(科).
cru·cif·er·ous[kruːsífərəs] *a.* 십자가를 진〔로 장식한〕; 〔植〕 겨자과(科)의.
cru·ci·fix[krúːsəfìks] *n.* **1** 그리스도 수난상(像). **2** 《일반적으로》 십자가(cross). **3** (체조의) 십자 현수〔매달리기〕.
cru·ci·fix·ion[krùːsəfíkʃən] *n.* **1** Ⓤ 십자가에 못박음: (the C-) 그리스도를 십자가에 못박음; Ⓒ 그 그림. **2** Ⓤ,Ⓒ 큰 시련, 고난.
cru·ci·form[krúːsəfɔ̀ːrm] *a.* 십자형의, 십자가 모양의.
*__cru·ci·fy__[krúːsəfài] [L] *vt.* (**-fied**) **1** 십자가에 못박다. **2** 몹시 괴롭히다. **3** 〈정욕 등을〉 억누르다. ⊕ crucifíxion *n.*
crud[krʌd] *n.* **1** 《俗》 지겨운 놈. **2** 《俗》 굳어진 침전물. **3** (the ~) 《俗》 몸의 불편함. **4** 《方》 =CURD.
__crude__[kruːd] [L] *a.* **1** 천연 그대로의, 인공을 가하지 않은; 생짜의, 날것의, 가공하지 않은, 조제(粗製)의(⇨raw): ~ material(s) 원료. **2** 익지 않은; 소화가 안된; 〈병 등이〉 초기인. **3** 조잡한, 거친(rough); 미숙한, 생경(生硬)한, 미완성인; 있는 그대로의, 노골적인(bare). **4** 〈빛이〉 칙칙한(garish). **5** 〔文法〕 어미 변화가 없는. ― *n.* Ⓤ 원료; 원유(crude oil).
crúde·ly[-li] *ad.* **crúde·ness** *n.* ⊕ crúdity *n.*
crúde óil〔**petróleum**〕 원유.
cru·di·tés[krúːditei] [F] *n. pl.* (생야채를 잘게썰어 소스를 친) 전채(前菜)《식사전에 흔히 찍어 먹는 소스 등과 함께 나오는 야채》.
cru·di·ty[krúːdəti] *n.* (*pl.* **-ties**) **1** Ⓤ 생것, 날것, 미숙; 생경; 조잡. **2** Ⓒ 미숙한 것, 미완성품《예술 등의》. **3** Ⓤ 거칢.
__cru·el__[krúːəl] [L] *a.* (~·**er**; ~·**est**|~·**ler**; ~·**lest**) **1** 잔혹한, 잔인한, 무자비한, 무정한(merciless); 비참한, 무참한: 《Ⅱ *It*v Ⅱ+형+*of*+대+*to* do》 It's so ~ *of* him *to* beat the dog like that. 그가 그 개를 그렇게 때리다니 매우 잔인하다(= He is so ~ *to* beat the dog like that. 《Ⅱ 형+*to* do》) / 《Ⅱ 형+전+명》 She was ~ *to* animals. 그녀는 동물을 학대했다. **2** 《口》 심한, 지독한. ― *ad.* 《口》 지독하게.
~·ness *n.* ⊕ crúelty *n.*; crúelly *ad.*
cru·el·heart·ed[–háːrtid] *a.* 무자비한, 비정한.
cru·el·ly *ad.* 잔인〔잔혹〕하게; 《口》 지독하게, 몹시.
__cru·el·ty__[krúːəlti, krúəl] *n.* (*pl.* **-ties**) **1** Ⓤ 잔학, 잔혹, 무자비, 잔인성. **2** (*pl.*) 잔인한 행위, 학대. **3** Ⓤ 끔찍함. ⊕ crúel *a.*
cru·et[krúːət] *n.* **1** 양념병. **2** 〔가톨릭〕 주수(酒水)병《성찬식의 포도주〔물〕 그릇》. **3** 양념병대(臺)(=⊿ **stànd**).
Cruft's[krʌfts] *n.* 《영》 (런던에서 2월에 열리는) 개전시회(=⊿ **Dóg Shòw**).
*__cruise__[kruːz] [Du] *vi.* **1** 순항(巡航)하다, 바다 위를 떠돌아다니다, (육상을) 만유(漫遊)하다; (택시가 손님을 태우러) 돌아다니다; 《口》 (이성을 구하러) 돌아다니다. **2** 〈비행기가〉 순항 속도로 날다, 〈자동차가〉 경제 속도로 달리다. **3** 《미》 삼림지를 답사하다.
― *vt.* 〈지역을〉 순항하다; 〈삼림을〉 답사하다; 돌아다니다; 《口》 〈유흥가 등에서〉 여자〔남자〕를 낚으러 다니다. ― *n.* 순항, 순양(巡洋); 《口》 만보(漫步), 만유(漫遊); 《해커俗》 간단한 것. ― *a.* 《해커俗》 간단한, 손쉬운.
crúise càr 《미》 경찰 순찰차(squad car).
crúise contról (자동차의 임의의 지정 속도를 유지하는) 자동 속도 조정 시스템.
crúise mìssile 〔軍〕 순항 미사일《무인기(無人機)의 원리를 응용한 미사일》.
*__cruis·er__[krúːzər] *n.* **1** 순양함; 유람용 요트(=cabin ~); 《미》 경찰 순찰차(=⊿ **càr**); 순항 비행기; 손님 찾아 돌아다니는 택시. **2** 《미》 삼림 답사자; 《口》 만유자(漫遊者). **3** 《영口》 〔拳〕 =CRUISERWEIGHT. **a battle cruiser** 순양 전함. **a converted**〔**light**〕 **cruiser** 개장(改裝)〔경(輕)〕순양함. **an armored**〔**a belted**〕 **cruiser** 장갑 순양함.
cruis·er·weight[–wèit] *n.* 라이트 헤비급(의 선수).
crúis·ing ràdius 순항〔항속〕 반경《급유 없이 왕복할 수 있는 최대 거리》.
crúising spèed 순항 속도《경제 속도》.
crúising táxi 손님을 찾아다니는 빈 택시.
crul·ler[krʌ́lər] *n.* 《미》 꽈배기 도넛.
*__crumb__[krʌm] *n.* **1** (보통 *pl.*) (빵 등의) 작은 조각, 빵 부스러기, 빵가루. **2** Ⓤ 빵의 속《말랑한 부분》(*opp.* crust). **3** 근소, 조금《*of*》. **4** 《미俗》 이(louse); 《미俗》 인간 쓰레기, 쓸모없는 놈. **to a crumb** 자잘한 데까지, 엄밀히. ― *vt.* **1** 〈빵을〉 부스러뜨리다. **2** 빵가루를 묻히다; 빵가루를 넣어서 〈수프 등을〉 걸게 하다. **3** 〈급사 등이 식탁에서〉 빵부스러기를 치우다. **crumb up** (이를 잡기 위해) 옷을 삶다; 청소하다. ⊕ crúmby *a.*
crumb-brush *n.* 빵 부스러기를 쓰는 솔《식탁용》.
crumb·cloth[⊿klɔ̀ːθ/⊿klɔ̀θ] *n.* 빵 부스러기

받이(식탁 밑 양탄자에 까는 보).

crum·ble [krʌ́mbl] *vt.* 〈빵 등을〉 부스러뜨리다, 가루로 만들다, 바수다(*up*). — *vi.* **1** 산산이 무너지다, 부스러지다. **2** 〈건물·세력·희망 등이〉 힘 없이 무너지다, 망하다(*away*): The old wall is *crumbling away* at the edges. 낡은 담의 가장자리가 무너져 가고 있다/The temples ~*d into* ruin. 신전은 무너져서 폐허가 되었다. — *n.* Ⓤ 크럼블(과일 푸딩). ⇔ crúmbly *a.*

crum·bly [krʌ́mbli] *a.* (**-bli·er; -bli·est**) 부서지기 쉬운, 푸석푸석한(brittle).

crumbs [krʌmz] *int.* 《영》 아이쿠, 이런(놀람·실망의 발성).

crum·bum [krʌ́mbʌm] *n.* 《미俗》 인간 쓰레기(CRUMB).

crumb·y [krʌ́mi] *a.* (**crumb·i·er; -i·est**) **1** 빵부스러기투성이의; 빵가루를 묻힌. **2** 빵 속 같은; (빵 속 같이) 말랑말랑한(*opp.* crusty). **3** 《미俗》 지저분한.

crum·horn *n.* 크럼호른(관의 끝부분이 원뿔꼴로 휘어진 르네상스 시대의 리드 악기).

crum·my [krʌ́mi] *a.* (**-mi·er; -mi·est**) **1** 《俗》 지저분한; 값싼, 싸구려의; 기분이 쾌하지 못한. **2** 《영俗》 〈여자가〉 포동포동한, 귀여운.

crump [krʌmp] [의성어] *n.* **1** 우지끈하는 소리. **2** 《口》 강타(hard hit); 털썩 넘어짐. **3** 《軍俗》 폭음; 폭렬탄(爆裂彈), 대형 폭탄〔포탄〕. — *vt.* **1** 우두둑 깨물다. **2** 《軍俗》 대형 포탄으로 폭격하다. — *vi.* 우지끈 소리내다; 폭음을 내며 폭발하다.

crum·pet [krʌ́mpit] *n.* **1** 《영》 핫케이크의 일종(*cf.* MUFFIN). **2** 《俗》 머리. **3** (집합적) 《영口》 (섹스의 대상으로서의) 여자; (여성의) 성적 매력. **barmy**〔**balmy**〕**on the crumpet** = **off one's crumpet** 《俗》 머리가 돈.

crúmp hòle 큰 포탄 구멍.

***crum·ple** [krʌ́mpl] *vt.* **1** 구기다, 구김살 투성이로 만들다(crush)(종종 *up*): He ~*d* (*up*) a letter into a ball. 그는 편지를 꼬깃꼬깃 뭉쳤다. **2** 부수다; 〈상대를〉 압도하다(*up*). — *vi.* **1** 구겨지다, 구김살투성이가 되다. **2** 무너지다, (지쳐서) 늘어지다(*up*): ~ *to* dust 폭삭 무너지다/He ~*d up* under the news. 그 소식을 듣고 그는 풀이 죽었다. — *n.* 구김살, 주름; 와지끈와지끈(물체가 부서지는 소리).

crum·pled [-d] *a.* 〈쇠뿔 등이〉 뒤틀린; 쭈굴쭈굴한, 주름살투성이의.

crunch [krʌntʃ] [의성어] *vt., vi.* 오독오독〔아삭아삭〕 깨물다〔먹다〕(⇨bite); 〈자갈 깔린 길 등을〉 저벅저벅 밟다(*along, up, through*), 〈수레 바퀴가〉 삐걱거리다. — *n.* **1** 우두둑우두둑 부서지는 소리; 짓밟아 부숨. **2** (the ~) 《口》 결정적 시기, 위기; 요긴한 점. **when**〔**if**〕**it comes to the crunch** 결정적인 시기가 오면.

crunch·er [krʌ́ntʃər] *n.* **1** 아작아작〔오도독오도독〕 소리내는 사람〔것〕. **2** 《口》 결정적인 일격〔논쟁·사건〕.

crunch·y [krʌ́ntʃi] *a.* (**crunch·i·er; -i·est**) 우두둑 깨무는〔소리나는〕; 자박자박 밟는.

cru·or [krú:ɔ:r] *n.* 〔醫〕 혈병(血餠), 응혈.

crup·per [krʌ́pər] *n.* 껑거리 끈(마구(馬具)); 말 엉덩이(croup); 《익살》 사람의 엉덩이.

cru·ra [krú:rə] *n.* CRUS의 복수.

cru·ral [krúərəl] *a.* 〔解〕 다리의.

crus [kru:s, krʌs] *n.* (*pl.* **cru·ra** [krú:rə/krúrə]) 〔解·動〕 다리, 하퇴(下腿).

***cru·sade** [kru:séid] [Sp, F] *n.* **1** 〔史〕 십자군; (종교상의) 성전(聖戰). **2** 개혁〔숙청, 박멸〕 운동(*against*). **temperance crusade** = **crusade against alcohol** 금주 운동. — *vi.* 십자군에 참가하다; 개혁 운동에 참여하다(*for, against*).

cru·sad·er [-ər] *n.* 십자군 전사; 개혁 운동가.

cru·sa·do [kru:séidou, -zá:-] [Port] *n.* (*pl.* ~(**e**)**s**) (십자가무늬가 있는) 포르투갈의 옛은화.

cruse [kru:z, kru:s] *n.* 《古》 항아리, 병. **the widow's cruse** 〔聖〕 무진장.

crush [krʌʃ] *vt.* **1** 눌러 부수다, 뭉개다, 짜부라뜨리다: ~ a beetle *under*〔*with*〕 the foot 투구벌레를 밟아서 뭉개다/~ a person *to* death …을 압사시키다/My hat was ~*ed* flat. 모자가 납작하게 짜부라졌다. **2** …을 억지로 밀어〔쑤셔〕 넣다, 밀치고 들어가다〔나가다〕: They went on ~*ing* his way *through* the crowd. 그들은 군중 속을 밀어 헤치며 계속 걸어 나아갔다. **3** 갈아서〔찧어서〕 가루로 만들다; 분쇄하다, 박살을 내다: ~ (*up*) rock 바위를 분쇄하다. **4** 짜다, 압착하다(*up, down*): ~ (*out*) the juice from grapes 포도에서 과즙을 짜내다. **5** (힘있게) 껴안다: She ~*ed* her child *to* her breast. 그녀는 아이를 힘껏 껴안았다. **6** 짓구기다, 구김살투성이로 만들다(*up*): ~ (*up*) one's cap …의 모자를 짓구기다. **7** 진압하다, 억압하다: ~ a rebellion 반란을 진압하다. **8** 궤멸시키다, 압도하다, 박멸하다(*out*); 〈정신·희망을〉 꺾다: They ~*ed* all their enemies out of existence. 그들은 적군을 전멸시켰다/Her hopes were ~*ed*. 내 희망은 깨어졌다. **crush a cup of wine** 술을 마시다. **crush a fly on the wheel** 쓸데없는 일에 많은 노력을 들이다(=break a FLY on the wheel). — *vi.* **1** 서로 밀치며 들어가다, 쇄도하다(*into, through*): The crowd ~*ed through* the gates. 군중이 서로 밀치며 문을 지나 쇄도했다. **2** 무너지다; 구겨지다: Cotton ~*es* very easily. 무명은 잘 구겨진다. **crush down** 눌러 부수다; 분쇄하다; 진압하다. **crush out** 부수고 나가다; 《미口》 탈옥하다. **crush up** 분쇄하다; 〈종이 등을〉 꼬깃꼬깃 뭉치다. — *n.* **1** Ⓤ 으깸, 압착; 분쇄; 진압, 압도. **2** 혼잡, 서로 떼밀기; 쇄도, 붐빔; 군중; 《口》 붐비는 집회〔연회〕. **3** 《口》 짝패, 떼거리, 그룹; 《軍俗》 부대(unit). **4** Ⓤ 과즙(squash). **5** 《口》 홀딱 반함, 심취(하는 대상). **6** 《오스》 (낙인을 찍기 위하여 가축을 한 마리씩 몰아넣는) 울타리 길. **have**〔**get**〕**a crush on** 《口》 …에게 홀딱 반하다.

crush·a·ble *a.* 눌러 부술 수 있는; (주름지지 않고) 짓누를 수 있는〈옷감 등〉.

crúsh bàr (막간에 관객이 이용하는) 극장내의 바.

crúsh bàrrier 《영》 군중을 막기 위해 세운 철책.

crush·er [krʌ́ʃər] *n.* **1** 눌러 터뜨리는 물건; 분쇄기; 쇄석기(碎石機). **2** 《口》 맹렬한 일격; 꼼짝 못하게 굴복시키는 논박〔사실〕. **3** 《俗》 순경.

crúsh hát =OPERA HAT.

crush·ing [krʌ́ʃiŋ] *a.* 눌러 터뜨리는, 박살내는, 분쇄하는; 압도적인, 궤멸적인.

crush-proof [⌐prù:f] *a.* 짜부라지지 않는〈종이 상자 등〉.

crush-room [krʌ́ʃrù(:)m] *n.* (극장의) 휴게실.

Cru·soe [krú:sou] *n.* ⇨Robinson Crusoe.

crust [krʌst] [OF] *n.* **1** 빵 껍질(*opp.* crumb); (a ~) 굳어진 빵 한 조각(보잘것없는 음식); (a

～) 양식, 생계(living). **2** 《일반적으로》(물건의) 딱딱한 표면, 겉껍질, 딱딱한 껍질: =PIECRUST: 〔動〕 갑각(甲殼); (the ～) 〔地質〕 지각(地殼); 《미》 딱딱하게 얼어버린 눈의 표면. **3** 부스럼 딱지(scab): (포도주 등의) 버캐; (목욕탕 안에 끼는) 때. **4** (사물의) 겉, 겉치레. **5** (the ～) 《俗》 철면피, 뻔뻔스러움. **6** 《俗》 머리. **earn one's crust** 밥벌이를 하다. **off** one's **crust** 《俗》 미친, 정신이 돌아. **the upper crust** 《古·俗》 상류 사회.
— *vt.* 겉껍질로 덮다, 겉껍질로 싸다.
— *vi.* 딱딱한 겉껍질이 생기다; 딱지가 앉다; 굳어 붙다. ♦ crústy *a.*

Crus·ta·ce·a[krʌstéiʃiə] *n. pl.* 〔動〕 갑각류(甲殼類).

crus·ta·cean[-ʃən] *a., n.* 갑각류의 (동물).

crus·ta·ce·ol·o·gy[krʌstèiʃiɑ́lədʒi/-ɔ́l-] *n.* 갑각류학(甲殼類學)(해양 생물학 부문).

crus·ta·ceous[-ʃəs] *a.* 피각질(皮殼質)의; 피각 모양의; 〔動〕 갑각류의.

crust·al[krʌ́stəl] *a.* 외피〔갑각〕의; 지각의.

crust·ed[krʌ́stid] *a.* 겉가죽〔겉껍질〕이 있는; 〈포도주가〉 버캐가 생긴, 잘 익은; 해묵은, 낡은, 고색이 깃든; 응고한.

crust·quake[krʌ́stkwèik] *n.* 〔地質·天〕 (행성 등의) 지각성 지진.

crust·y[krʌ́sti] *a.* (**crust·i·er; -i·est**) 피각질(皮殼質)의, 겉가죽 같은; 〈빵의〉 껍질이 딱딱하고 두꺼운(*opp.* crumby); 까다로운, 쉬 화를 내는; 무뚝뚝한; 버릇없는.

crúst·i·ly *ad.* 굳어져; 성마르게.

-i·ness *n.* Ⓤ 딱딱함; 성마름.

*__crutch__[krʌtʃ] *n.* **1** 목다리, 협장(脇杖)(보통 a pair of *～es*), 당목(撞木) 모양의 지팡이. **2** 버팀, 지주(支柱); 의지; (가랑이진) 버팀나무. **3** 까치발, 〔海〕 고물의 팔꿈치 꼴 버팀목, 차주(叉柱); (보트의) 크러치. **4** (사람의) 샅. **5** 여자용 안장의 등자. — *vt.* 목다리로 걷다; 버팀목을 대다.

crutched[krʌtʃt] *a.* 목다리에 의지한; 지주로 버틴.

Crútched Fríars 십자가 수도회《17세기 중반까지 영국에 있었음》.

crux[krʌks][L] *n.* (*pl.* **～·es, cru·ces**[krú:si:z]) 요점, 급소; 난문, 수수께끼(puzzle); 〔紋〕 십자가(cross); (**C-**) 〔天〕 남십자성(the Southern Cross).

crux an·sa·ta[-ænséitə][L] *n.* (*pl.* **cru·ces an·sa·tae**[krú:si:z-ænséiti:]) =ANKH.

cru·zei·ro[kru:zéirou] *n.* (*pl.* **～s**) 크루제이로《브라질의 화폐 단위: 기호 Cr$: =100 centavos》.

★**cry**[krai] [L] (**cried; crý·ing**) *vi.* **1** 소리치다, 외치다, 고함치다; 큰소리로 말하다, 소리쳐 부르다: I *cried out* for my mother. 어머니를 큰소리로 불렀다/He *cried out* to me *for* help. 그는 나에게 살려 달라고 큰 소리로 외쳤다/《Ⅰ 전+명》 She *cried with* pain. 그녀는 고통스러워서〔아픈 나머지〕 큰소리를 질렀다. **2** 〈새·짐승이〉 울다, 〈사냥개가〉 짖다. **3** (소리내어) 울다, 울부짖다; 흐느끼다; 탄성을 올리다: 《Ⅴ (목)+형》 The baby *cried* herself hoarse. 그 아기는 목이 쉬도록 울었다/《Ⅰ *There* *v*Ⅰ+(주)+(전+)-*ing*(*g.*)》 There is no use (in) *～ing* over spilt milk. 엎질러진 우유 때문에 울어봐야 소용없다/*～ for* joy at the news. 그 소식을 듣고 기뻐서 울다. **4** 삐걱거리다.
— *vt.* **1** 외치다, 큰소리로 부르다〔말하다〕, 소리쳐 알리다(*out*): She *cried* (*out*) *that* she was coming. 그녀는 '지금 갑니다' 하고 큰소리로 말했다. **2** 〈소식을〉 큰소리로 알리고 다니다; 〈물건을〉 소리치며 팔다: *～* the news all over the town 그 소식을 온 동네에 알리며 다니다/*～* fish 생선을 외치며 팔다. **3** 구하다, 요구하다, 애원하다: *～* mercy 자비를 애원하다. **4** (눈물을) 흘리다; (*～* one*self*) 울어서 (어떤 상태에) 이르게 하다: *～* bitter tears 비통한 눈물을 흘리다/*～* one*self* blind (너무) 울어서 눈앞이 안보이다. **cry against** …에 반대를 외치다. **cry back** 《스코》 도로 부르다; 〔사냥〕 〈사냥꾼 등이〉 되돌아오다, 되돌아서다; 《비유》 조상 때의 형태로 되돌아가다. **cry down** 헐뜯다; 야유하여 깎아내리다(decry). **cry for** …을 울며 요구하다, …의 위급함을 호소하다; …을 절실히 필요로 하다: 《Ⅲ *v*Ⅰ+전+(목)》(*no pass.*) He *cries for* the medicine. 그는 그 약이 절실히 필요하다. **cry for the moon** 불가능한 것을 바라다. **cry halves** 반씩 나누기를 요구하다 (*in*). **cry hands off** (상대방에게) 손떼라고 말하다. **cry off** 손을 떼다(*from*), 포기하다; 취소하다. **cry** one's **eyes**〔**heart**〕 **out** 눈이 붓도록〔가슴이 터지도록〕 울다. **cry** one**self asleep**〔**to sleep**〕 울다가 잠이 들다. **cry out** 고함지르다, 절규하다; 반대를 외치다(*against*); 소리쳐 요구하다(*for*). **cry out before one is hurt** 불평하는 것이 너무 빠르다. **cry over** 〈불행 등을〉 한탄하다: 《Ⅱ *It* *v*Ⅱ+명+-*ing*(*g.*)》 It is no use *crying over* spilt milk. 엎질러진 우유 때문에 울어봐야 소용없다. **cry quarter** ⇨quarter. **cry quits** 《미口》 (서로) 말다툼을 그치다; 그만두다, 끝내다. **cry shame upon**〔**on**〕 …을 극구 비난하다, 맹렬히 공격하다: 《Ⅲ *v*Ⅲ+명+전+(목)》 The pavement was detestable; they *cried shame upon* it. 그 포장 도로가 아주 마음에 들지 않는다고 그들은 극구 비난했다. **cry stinking fish** 자기 것을 깎아 내리다. **cry to**〔**unto**〕 《古》 …에게 읍소(泣訴)하다; …에 도움을 애걸하다(*for*). **cry up** 칭찬하다, 추어 올리다. **for crying out loud!** 《口》 아 기막혀, 저런, 잘됐구나《불쾌·놀람·기쁨의 표현》; (명령문에서) 제발 (부탁이니): *For crying out loud* shut that door! 제발 그 문좀 닫아라. **give** a person **something to cry about** 《口》 〈꾸중 듣고 계속 우는 아이를〉 더 엄하게 벌주다.
— *n.* (*pl.* **cries**) **1** 고함, 외침, 환성; (새·짐승의) 우는 소리; (개 등의) 짖는 소리. **2** (어린아이의) 울음 소리; 《口》 울부짖는 소리, 통곡. **3** 청원, 탄원, 요구. **4** 소리쳐 파는 소리, 알리는 소리; 암호의 말. **5** 표어, 슬로건. **6** 소문, 평판; 여론(의 소리), 운동(*for, against*). **7** 풍조, 유행. **8** 〔獵〕 사냥개의 무리. **a far**〔**long**〕 **cry** 원거리(*to*); 현저한 간격, 큰 차이 (*from*). **a hue and cry** 범인 추적의 함성; 세인(世人)의 노호(怒號). **all cry and no wool** =**more cry than wool** =**much**〔**a great**〕 **cry and little wool** 공연한 소동, 태산 명동에 서일필. **all the cry** 최신 유행(the vogue). **follow in the cry** 부화뇌동하다. **give**〔**raise**〕 **a cry** 외치다, 한번 소리 지르다. **have a good cry** 실컷 울다. **have** one's **cry out** 울대로 울다, 실컷 울다. **in full cry** 〈사냥개가〉 일제히 추적하여; 《비유》 일제히. **out of cry** 소리〔손〕가 미치지 않는 곳에. **within cry of** …에서 부르면 들리는 곳에.

cry-[krai], **cry·o-**[kráiou] 《연결형》「추위;

한랭; 냉동」의 뜻《모음 앞에서는 cry-》.
cry·ba·by[ˊbèibi] *n.* (*pl.* **-bies**) 울보, 겁쟁이;(실패 등에) 우는 소리하는 사람.
cry·ing[kráiiŋ] *a.* **1** 외치는; 울부짖는. **2** 긴급한 〈필요〉, 좌시할 수 없는; 심한, 지독한.
crýing ròom 《미俗》 우는 방《좌절했을 때 들어앉아 엉엉 울 수 있다고 가상되는 곳》.
crýing tòwel 《미俗》 눈물 수건《걸핏하면 우는 소리하는 자에게 필요하다고 가상되는》.
cry·o·bi·ol·o·gy[kràiəbaiάlədʒi/-ɔ́l-] *n.* Ⓤ 저온 생물학.
cry·o·ca·ble[kràiəkéibəl] *n.* 극저온 지하 전기 케이블.
cry·o·e·lec·tron·ics[kràiəilektrάniks/-trɔ́n-] *n., pl.* (단수 취급) (극)저온 전자 공학.
cry·o·gen[kráiədʒən] *n.* 〔化〕 한제(寒劑).
cry·o·gen·ic[kràiədʒénik] *a.* 극저온의; 극저온(저장)을 필요로 하는; 극저온에 맞는.
cry·o·gen·ics[kràiədʒéniks] *n. pl.* (단수 취급) 저온학(低溫學); 인공 기상학.
cry·o·lite[kráiəlàit] *n.* Ⓤ 〔鑛〕 빙정석(氷晶石).
cry·om·e·ter[kraiάmitər/-ɔ́m-] *n.* 저(低)온도계.
cry·on·ics[kraiάniks/-ɔ́n-] *n. pl.* (단수 취급) 인간 냉동 보존술.
cry·o·phil·ic[kràioufílik] *a.* 추위에도 잘 자라는, 호냉성의.
cry·o·phyte[kráiəfait] *n.* (눈이나 얼음위에서 자라는) 빙설 식물.
cry·o·plank·ton[kràiouplǽŋktən] *n.* (빙하·북극지방의 얼음물 속에 사는) 빙설 플랑크톤.
cry·o·pres·er·va·tion[kràiəprezə(:)rvéiʃən] *n.* Ⓤ 냉동 보존〔저장〕.
cry·o·probe[kráiouprὸub] *n.* 〔外科〕 저온〔냉동〕 탐침(探針).
cry·o·pro·tec·tant[kràiəprətéktənt] *a.* = CRYOPROTECTIVE.
cry·o·pro·tec·tive[kràiəprətéktiv] *a.* 항냉동(抗冷凍)의, 부동의; 동결방지용의.
— *n.* 항냉동제, 내(耐)냉동제.
cry·o·pump[kráiəpʌ̀mp] *n.* 〔物〕 저온펌프.
cry·o·scope[kráiəskὸup] *n.* 빙점계(氷點計), 결빙점 측정기.
cry·o·re·sis·tive[kràiərizístiv] *a.* (전도성(電導性)을 높이기 위해) 극저온화한.
cry·o·stat[kráiəstæ̀t] *n.* 저온 유지 장치.
cry·o·sur·ger·y[kràiəsə́:rdʒəri] *n.* Ⓤ 저온〔냉동〕 수술. **-geon** *n.* **-gi·cal** *a.*
cry·o·ther·a·py[kràiəθérəpi] *n.* Ⓤ 냉동〔한랭〕 요법.
cry·o·tron[kráiətràn/-trɔ̀n] *n.* 크라이오트론《자장에 의하여 제어할 수 있는 초전도성 소자(素子); 컴퓨터의 연산회로용》.
crypt[kript] *n.* 토굴, 지하실《특히 성당의 납골 또는 예배용》.
crypt-[kript], **cryp·to-**[kríptou] 《연결형》 「숨은; 비밀의」의 뜻《모음 앞에서는 crypt-》.
crypto- 《연결형》 =CRYPT-.
crypt·a·nal·y·sis[krìptənǽləsis] *n.* 비문(秘文)〔암호〕 해독(학).
cryp·tate[kríptei t] *n.* 〔化〕 크립테이트《킬레이트 화합물의 하나》.
crypt·es·the·sia[kriptəsθíʒə, -ʒiə, -ziə] *n.* 〔心〕 잠재 감각《과학적으로 설명할 수 없는 지각 작용》.
cryp·tic, -ti·cal[kríptik], [-əl] *a.* **1** 숨은, 비밀의(mystic); 신비적인. **2** 암호를 사용한. **3** 〔動〕 몸을 숨기는데 알맞은.
-ti·cal·ly[-ikəli] *ad.*
cryp·to[kríptou] *n.* (*pl.* **~s**) 《영口》 비밀 결탁자〔당원〕; =CRYPTO-COMMUNIST.
cryp·to·bi·ote[krìptoubáiout] *n.* 〔生態〕 은폐(隱蔽) 생활자《대사작용 없이 생존하는 생물》. **-bi·ot·ic**[-baiάtik] *a.*
cryp·to·coc·co·sis[krìptoukakóusis] *n.* 〔病理〕 효모균증(症)《효모균(酵母菌)에 의해 생기는 병; 특히 신경계통이나 폐의 장애가 특징》.
cryp·to-Com·mu·nist[krìptoukάmju-nist/-kɔ́m-] *n.* 공산당 비밀 당원.
cryp·to·ex·pló·sion strúcture[krìptou-iksplóuʒən-] 〔地質〕 의분화(擬噴火) 구조.
cryp·to·gam[kríptougæ̀m] *n.* 〔植〕 은화(隱花) 식물(*cf.* PHANEROGAM).
cryp·to·gam·ic, -tog·a·mous[krìptou-gǽmik], [kriptάgəməs/-tɔ́g-] *a.* 〔植〕 은화식물의.
cryp·to·gen·ic[krìptədʒénik] *a.* 〈병 등이〉 원인 불명의.
cryp·to·gram[kríptougræ̀m] *n.* 암호(문).
crỳp·to·grám·mic *a.*
cryp·to·graph[kríptougræ̀f, -grà:f] *n.* **1** = CRYPTOGRAM. **2** 암호 쓰는 법, 암호.
cryp·tog·ra·pher[kriptάgrəfər/-tɔ́g-] *n.* 암호 사용자.
cryp·to·graph·ic[krìptougrǽfik] *a.* 암호(법)의. **-i·cal·ly** *ad.*
cryp·tog·ra·phy[kriptάgrəfi/-tɔ́g-] *n.* (*pl.* **-phies**) **1** Ⓤ 암호 작성〔해독〕법. **2** 암호문.
cryp·tol·o·gy[kriptάlədʒi/-tɔ́l-] *n.* Ⓤ 암호 작성〔해독(解讀)〕술. **-gist** *n.*
cryp·to·me·ri·a[krìptəmíəriə] *n.* 〔植〕 삼나무(Japanese cedar).
cryp·to·mne·sia[krìptoumní:ʒə] *n.* 〔心〕 잠복 기억《과거의 경험을 회상했을 때 미경험의 사실로 느껴지는 일》.
cryp·to·nym[kríptənim] *n.* 익명(匿名).
cryp·to·phyte[kríptəfàit] *n.* 〔植〕 지중(地中)식물.
cryp·to·sys·tem[kríptousístəm] *n.* 암호 사용법〔해독법〕, 암호법.
cryp·to·zo·ol·o·gy[krìptouzouάlədʒi/-ɔ́l-] *n.* (티베트의 설인(雪人)이나 네스호(Loch Ness) 따위와 같이) 존재가 증명 안 된 생물체의 연구〔조사〕.
cryst. crystalline; crystallized.
****crys·tal** [krístl] [Gk] *n.* **1** Ⓤ,Ⓒ 수정(=rock ~); Ⓒ 수정 제품〔세공〕. **2** Ⓒ (점치는데 쓰는) 수정 구슬(=ˊ **ball**); Ⓤ 《口》 수정점(占); 예언. **3** Ⓤ 크리스털 유리(=ˊ **glass**); 크리스털 유리 제품; 크리스털 유리로 만든 식기류; 《미》 (시계의) 유리 덮개(《영》 watch glass). **4** 〔化·鑛〕 결정(체). **5** 〔電子〕 (검파용) 광석, 반도체; 광석 검파기, 광석 정류기〔발진기〕: a ~ (radio) set〔receiver〕 (옛날) 광석 수신기. **6** Ⓒ 수정과 같은 것《눈물·얼음 등》.
(**as**) **clear as crystal** 맑고 투명한.
— *a.* **1** 수정(질·제)의, 크리스털〔컷글라스〕제의. **2** 수정 같은, 맑고 투명한. **3** 〔電子〕 수정 발진식의; 광석을 쓰는.
⊕ crýstalline *a.*; crýstallize *v.*
crýstal báll 수정〔유리〕 구슬《점치는데 씀》; 점치는 방법〔수단〕.
crys·tal-ball[-bɔ́:l] *vt., vi.* 《俗》 예언하다, 점치다.
crys·tal-clear[-klíər] *a.* 맑고 투명한; 명명백백한.
crýstal clóck 수정 시계.
crýstal detéctor 〔電子〕 광석 검파기.
crýstal gàzer 수정 점쟁이.

crýstal gàzing 수정점(占)((수정알에 나타나는 환상으로 점을 침)).
crýstal glàss =CRYSTAL *n.* 3.
crys·tall-[krístəl], **crys·tal·lo-**[krístəlou] ((연결형)) 「결정」의 뜻((모음 앞에서는 crystall-)).
crýstal làser 〔物〕 결정 레이저.
crýstal làttice 〔結晶〕 결정 격자.
***crys·tal·line**[krístəlin, -təlàin] *a.* **1** 수정 같은, 투명한. **2** 결정(질)의, 결정체로 된. — *n.* 결정체; (눈알의) 수정체.
◇ crýstal *n.*: crýstallize *v.*
crýstalline héaven〔**sphére**〕 〔天〕 (Ptolemy 천문학에서 외권(外圈)과 항성 사이에 2개가 있다고 상상된) 투명 구체(球體).
crýstalline léns (눈알의) 수정체.
crys·tal·lite[krístəlàit] *n.* 〔鑛〕 정자(晶子); (섬유의) 미셀(micelle).
crys·tal·li·za·tion[krìstəlizéiʃən] *n.* Ⓤ 결정화; 구체화(된 것); Ⓒ 결정체.
***crys·tal·lize** [krístəlàiz] *vt.* **1** 결정시키다, 결정화(結晶化)하다. **2** 〈사상·계획 등을〉 구체화하다((*into*)). **3** 설탕에 절이다: ~*d* fruit 설탕에 절인 과실. — *vi.* **1** 결정하다, 결정화하다: Water ~*s to* form snow. 물이 결정하여 눈이 된다. **2** 〈사상·계획 등이〉 구체화하다: Her vague fear ~*d into* a reality. 그녀의 막연한 두려움이 현실로 나타났다. **-liz·a·ble** *a.*
◇crýstal *n.*: crýstalline *a.*
crys·tal·lo·graph·ic, -i·cal[krìstəlougrǽfik], [-əl] *a.* 결정학적인, 결정학상의.
crys·tal·log·ra·phy[krìstəlágrəfi/-lɔ́g-] *n.* Ⓤ 결정학. **-pher** *n.* 결정학자.
crys·tal·loid[krístəlɔ̀id] *a.* 결정상(結晶狀)의; 결정의, 정질(晶質)의. — *n.* 〔化〕 정질 (*opp.* colloid). **-loi·dal** *a.*
Crýstal Pálace (the ~) 수정궁((1851년 런던에 철골과 유리로 만들어 세웠던 오락관; 1936년 소실)).
crýstal píckup (전축용) 크리스털 픽업.
crýstal pléat 천〔직물〕에 눌러낸 주름 골의 가는 선(線).
crys·tal-see·ing[krístlsì:iŋ] *n.* =CRYSTAL GAZING.
crys·tal-se·er[krístlsìər] *n.* =CRYSTAL GAZER.
crýstal sét 〔電子〕 광석 수신기.
crýstal vísion 수정점(에서 보이는 환상).
crýstal wédding 수정혼식((결혼 15주년의 축하식)).
Cs 〔化〕 c(a)esium; 〔氣〕 cirrostratus. **cs.** case(s); census; consul. **C$** cordoba(s). **C.S.** ((영)) chartered surveyor; Chief of Staff; Civil Service; Christi an Scie nce 〔Scientist〕; Court of Session. **C.S., c.s.** capital stock; civil service. **C.S.A.** Confederate States of America. **csc** cosecant. **C.S.C.** Civil Service Commission; Conspicuous Service Cross 수훈 십자 훈장. **C.S.C.S.** Civil Service Cooperative St ores. **CSE** Certificate of Secondary Education. **CSF** 〔解〕 cerebrospinal fluid.
CS gàs[sí:és-] 최루 가스의 일종.
C.S.I.R.O. ((오스)) Commonwealth Scientific and Industrial Research Organization. **csk** cask. **CSM** command and service module; corn soya, milk((혼합 식품)). **C.S.M.** ((영)) Company Sergeant Major. **C.S.O.** Chief Signal Officer.
C spring[sí:-] C자형 스프링.
C. Ss. R. *Congregatio Sanctissimi Redemptoris*((L =Congregation of the Most Holy Redeemer)) **CST, C.S.T.** ((미)) Central Standard Time 중앙 표준시. **CT** ((미)) Central Time; 〔미郵便〕 Connecticut. **ct.** carat(s); cent(s); country; court. **Ct.** Connecticut; Count; Court. **C.T.** Central time. **C.T.C.** centralized traffic control; ((영)) Cyclists Touring Club.
cten·oid[tí:nɔid, tén-] 〔動〕 *a.* 빗 모양의; 빗 모양의 비늘을 가진 〈물고기〉. — *n.* 즐린류(櫛鱗類)의 물고기.
cten·o·phore[ténəfɔ̀:r] *n.* 〔動〕 빗해파리.
ctg(.), ctge. cartage.
C3, C-3[sí:θrí:] *a.* 〔軍〕 건강〔체격〕이 열등한; ((口)) 최저의.
ctn carton; 〔數〕 cotangent. **c. to c.** center to center. **CTOL** conventional take-off and landing 〔空〕 통상 이착륙. **ctr.** center. **CTS** crude oil transshipment station; cold type system; computer〔computeized〕 typesetting system. **cts.** cents.
C-type vírus 〔醫〕 C형 바이러스((발암성으로 여겨지고 있음)).
Cu 〔化〕 *cuprum*((L =copper)). **CU** close-up. **cu., cu** cubic. **C.U.A.C.** Cambridge University Athletic Club. **C.U.A.F.C.** Cambridge University Association Football Club.
***cub**[kʌb] *n.* **1** (곰·호랑이·사자·이리 등) 야수의 새끼, 새끼 짐승(whelp): 고래〔상어〕의 새끼. **2** (종종 an unlicked ~로) ((경멸)) 버릇없는 자식. **3** ((영)) =WOLF CUB; ((미)) =CUB SCOUT. **4** ((미口)) 견습생, 애송이, 풋내기; 풋내기 신문 기자. **5** 경비행기. — *a.* 견습의, 풋내기의. — *vt., vi.* (~**bed;** ~·**bing**) 〈어미 짐승이〉 새끼를 낳다; 새끼 여우 사냥을 하다.
◇ cúbbish *a.*
cub. cubic.
***Cu·ba**[kjú:bə] *n.* 쿠바((서인도 제도의 공화국; 수도 Havana)). ◇ Cúban *a., n.*
cub·age[kjú:bidʒ] *n.* 체적, 용적, 부피.
Cu·ban[kjú:bən] *a.* 쿠바(사람)의. — *n.* 쿠바 사람.
Cúban héel 쿠반 힐((굵직한 중간 힐)).
Cu·ban·ize[kjú:bənàiz] *vt.* 쿠바화하다.
Cu·ba·nol·o·gist[kjù:bənálədʒist] *n.* 쿠바 문제 전문가.
Cúban sándwich ((미)) 쿠바식 샌드위치((햄·소시지·치즈 등을 많이 넣음)).
cu·ba·ture[kjú:bətʃər] *n.* **1** Ⓤ 입체 구적법(求積法). **2** 체적, 부피, 용적.
cub·bing[kʌ́biŋ] *n.* =CUB-HUNTING.
cub·bish[kʌ́biʃ] *a.* 새끼 짐승 같은; 버릇없는; 단정치 못한 지저분한.
cub·by·hole[kʌ́bi(hòul)] *n.* **1** 아늑한 곳. **2** 비좁은 방; 벽장; 은신처.
C.U.B.C. Cambridge University Boat Club.
****cube**[kju:b] *n.* **1** 입방체, 정6면체; 입방꼴을 한 것 (주사위·깔림돌·나무벽돌 등). **2** Ⓤ 〔數〕 입방, 세제곱: 6 feet ~ 6피트 입방. — *vt.* **1** 〈수를〉 3제곱하다; 체적〔부피〕을 구하다. **2** 깔림돌〔나무벽돌〕을 깔다.
◇ cúbic, cúbical *a.*
cu·beb[kjú:beb] *n.* Ⓤ,Ⓒ 쿠베브((자바·보르네오산 후추 열매; 약용·조미료)).
cúbe róot 〔數〕 입방근, 세제곱근((*of*)).
cúbe stéak 큐브 스테이크((격자꼴로 칼질하여 연하게 한 스테이크)).
cúbe sùgar 각설탕.
cub·hood[kʌ́bhùd] *n.* Ⓤ (들짐승의) 어린

〔새끼〕 시절; (비유) 초기.
cub·hunt·ing *n.* Ⓤ 여우새끼 사냥.
*‡***cu·bic** [kjú:bik] *a.* **1** 〔數〕 입방의, 3차의, 3제곱의 《略 cub., cu.》: ~ content 용적, 체적. **2** =CUBICAL. ── *n.* 〔數〕 3차(방정)식; 3차 곡선〔함수〕. ◇ cube *n.*
cu·bi·cal [kjú:bikəl] *a.* 입방체의, 정6면체의; 부피〔용적〕의.
cúbic equátion 〔數〕 3차 방정식.
cu·bi·cle [kjú:bikl] *n.* (기숙사 등의 칸막이 된) 작은 침실; (도서관 등의) 개인용 열람석; (풀 등의) 탈의실.
cúbic méasure 체적 도량법.
cu·bi·form [kjú:bəfɔ̀:rm] *a.* 입방형의, 정6면체의.
cub·ism [kjú:bizəm] *n.* Ⓤ 〔美〕 입체파.
cub·ist *n.* 〔美〕 입체파의 예술가《화가·조각가》; (the ~s) 입체파. ── *a.* 입체파〔식〕의.
cu·bis·tic [-tik] *a.* =CUBIST.
cu·bit [kjú:bit] *n.* 〔史〕 완척(腕尺)《팔꿈치에서 가운데 손가락 끝까지의 길이; 46-56 cm》.
cú·bi·tal [kjú:bitl] *a.* 완척의; 팔꿈치의.
cu·bi·tus [kjú:bətəs] *n.* (*pl.* **-ti** [-tài]) 〔解〕 팔꿈치.
cu·boid [kjú:bɔid] *a.* 입방형의, 주사위꼴의: the ~ bone 〔解〕 투자골. ── *n.* 〔解〕 투자골; 〔數〕 직평행 6면체.
cu·boi·dal [kjulbɔ́idl] *a.* =CUBOID.
cúb repórter 《口》 풋내기〔견습〕 신문기자.
cúb scòut 《미》 BOY SCOUTS 중의 어린이 단원《8-10세》.
cu·ca·ra·cha [kù:kərɑ́:tʃə] [Sp] *n.* 멕시코의 춤〔노래〕의 일종.
C.U.C.C. Cambridge University Cricket Club.
cu·chi·fri·to [kù:tʃi(:)frí:tou] [Sp] *n.* (*pl.* ~**s**) 쿠치프리토《모나게 썬 돼지고기 튀김》.
cúck·ing stòol [kʌ́kiŋ-] 징벌 의자.
cuck·old [kʌ́kəld] [OF] 《경멸》 *n.* 오쟁이진 남편. ── *vt.* 〈아내가〉 남편을 속여 부정한 짓을 하다; …의 아내와 사통하다. **~·ry** *n.* Ⓤ 유부녀의 서방질.
*‡***cuck·oo** [kú(:)ku:] [의성어] *n.* (*pl.* ~**s**) **1** 〔鳥〕 뻐꾸기; 뻐꾹《그 울음소리》. **2** 《俗》 얼간이, 바보. **the cuckoo in the nest** 사랑의 보금자리의 침입자; (평화를 교란하는) 방해자. ── *a.* 《俗》 미친; 우둔한; (맞아서) 정신이 아찔한, 의식을 잃은: knock him ~ 그를 기절케 하다. ── *vt.* 단조롭게 되풀이하다. ── *vi.* 뻐꾹뻐꾹 울다; 뻐꾸기 소리를 흉내내다.
cúckoo clòck 뻐꾹 시계.
cuck·oo·flow·er [kú(:)ku:flàuər] *n.* 〔植〕 황새냉이 무리.
cuck·oo·land [kú(:)kulæ̀nd] *n.* 몽상의 나라.
cuck·oo·pint [kú(:)ku:pìnt] *n.* 〔植〕 천남성 비슷한 토란과(科)의 식물.
cúckoo spìt〔**spìttle**〕〔昆〕 좀매미; 그 거품.
cu. cm. cubic centimeter(s).
cu·cul·late [kjú:kəlèit] *a.* 두건 모양의; 〔植〕 〈잎 등이〉 고깔 모양의.
*⁎***cu·cum·ber** [kjú:kəmbər] *n.* 〔植〕 오이. **(as) cool as a cucumber** 태연 자약한, 냉정한; 기분 좋게 시원한.
cúcumber trèe 〔植〕 (북미산) 목련 속(屬)의 교목; (열대 아시아산) 오렴자(五斂子).
cu·cur·bit [kju:kɔ́:rbit] *n.* 〔植〕 조롱박.
cu·cur·bi·ta·ceous [-bitéiʃəs] *a.* 〔植〕 박과(科)의.
cud [kʌd] *n.* **1** 새김질감《반추 동물이 제1위에서 입으로 게워 내어 씹는 음식물》. **2** 《方·俗》 씹는 담배의 한 조각(quid).
chew the cud 새김질하다; 《口》 숙고하다.
cud·bear [kʌ́dbɛ̀ər] *n.* Ⓤ,Ⓒ 〔植〕 이끼의 일종; (그 이끼에서 채취하는) 보라빛 물감.
*⁎***cud·dle** [kʌ́dl] *vt.* 꼭 껴안다, 껴안고 귀여워하다(hug, fondle). ── *vi.* **1** 서로 껴안다. **2** 꼭 붙어 자다〔앉다〕《*up together, up to*》; 새우잠 자다《*up*》. **3** 《口》 아첨하다. ── *n.* 포옹. ◇ cúddly, cúddlesome *a.*
cud·dle·some *a.* 꼭 껴안고 싶은.
cud·dly [kʌ́dli] *a.* (**-dli·er; -dli·est**) **1** 껴안고 싶어하는. **2** =CUDDLESOME.
cud·dy[1] [kʌ́di] *n.* (*pl.* **-dies**) **1** 〔海〕 (반갑판선의) 선실겸 요리실; (고물의 하갑판에 있는) 식당겸 사교실. **2** 작은 방, 식기실.
cud·dy[2], **-die** *n.* (*pl.* **-dies**) 《스코》 당나귀; 얼간이.
*⁎***cudg·el** [kʌ́dʒəl] *n.* 곤장《옛 형구》, 몽둥이. **take up the cudgels** 논쟁에 끼이다; …을 용감히 변호하다《*for*》. ── *vt.* (~**ed**; ~**·ing** | ~**led**; ~**·ling**) 곤봉으로 때리다. **cudgel one's brains** 곰곰이 생각하다, 지혜를 짜내다《*for, to* do》.
C.U.D.S. Cambridge University Dramatic Society.
cud·weed [kʌ́dwì:d] *n.* =COTTONWEED.
*⁎***cue**[1] [kju:] *n.* **1** 〔劇〕 큐《대사의 마지막 문구 또는 배우의 몸짓; 딴 배우의 등장이나 발언의 신호》; 〔樂〕 연주 지시 악절. **2** 신호, 계기, 암시, 단서(hint). **3** 역할, 임무. **4** 〔心〕 행동을 유도하는 자극. **5** 《古》 기분. **give** a person **the cue** …에게 암시를 주다, 훈수하다. **miss one's cue** 《미口》 자기 차례를 잊다; 좋은 기회를 놓치다. **on cue** (…에게서) 신호를 받고 《*from*》; 시기 적절하게. **take one's cue from** a person …의 예를 본받다. **that's one's cue** 《미口》 …할 차례다; 좋은 기회다.
── *vt.* **1** 〈대본에 음악 등을〉 추가하다, 삽입하다《*in*》. **2** …에게 신호를 주다; 행동 개시의 지시를 주다《*in*》. **cue** a person **in** 《口》 …에게 알리다, 정보를 주다《*on*》.
cue[2] [queue의 변형 철자에서] *n.* **1** (당구의) 큐. **2** =QUEUE. **cúe·ist** *n.* 당구가.
cúe bàll 〔撞〕 칠 공, 큐볼.
cúed spéech [kjú:d-] 구화(口話)와 수화를 조합한 농아자를 위한 언어 전달법.
cues·ta [kwéstə] [Sp] *n.* 〔地〕 한쪽이 비교적 가파르고 다른 쪽이 밋밋한 대지(臺地).
*⁎***cuff**[1] [kʌf] [ME] *n.* (장식용의) 소매 끝동; (와이셔츠의) 커프스; 《미》 양복바지의 접단; (보통 *pl.*) 《口》 수갑(handcuffs). **off the cuff** 즉석의〔에〕, 즉흥적인〔으로〕. **on the cuff** 외상의〔으로〕, 월부의〔로〕.
cuff[2] *n.* 찰싹 때림〔침〕. **at cuffs** 서로 주먹질하여. **cuffs and kicks** 치고 박고. **go** 〔**fall**〕 **to cuffs** 주먹질〔싸움〕을 하다.
── *vt., vi.* (주먹·손바닥으로) 치다, 때리다.
cúff bùttons 소맷부리〔커프스〕 단추.
cuf·fee *n.* 《미俗》 흑인.
cúff lìnks 커프스 단추〔링크〕.
Cu·fic [kjú:fik] *n., a.* =KUFIC.
cu. ft. cubic footfeet. **C.U.G.C.** Cambridge University Golf Club.
cui bo·no [kwí:-bóunou, kái-/kwí:-bɔ́nou] [L] 그것으로 누가 이익을 보았는가〔보는가〕; 누가 한 짓이냐; 무슨 소용이 있느냐, 무엇 때문에.
cu. in. cubic inch(es).
cui·rass [kwirǽs] *n.* 동체 갑옷; (갑옷의) 흉갑(胸甲) (breastplate); 〔動〕 보호 골판(骨

板)：(군함의) 장갑(裝甲). — *vt.* …에게 동체 갑옷〔흉갑〕을 입히다; 장갑하다.
cui·rassed[-t] *a.* 동체 갑옷〔흉갑〕을 입은; 장갑한.
cui·ras·sier[kwìrəssíər] *n.* 〔史〕 (프랑스 등의) 흉갑기병(胸甲騎兵), 중기병.
Cui·se·náire ród[kwì:zənέər-, -nǽər-] 퀴제네르 막대《산수 교육용구》.
cuish[kwiʃ] *n.* =CUISSE.
cui·sine[kwizí:n] [F〈L] *n.* Ⓤ 요리; 요리법; Ⓒ 《古》 주방, 요리장.
cuisse[kwis] *n.* (갑옷의) 넓적다리 가리개.
cuke *n.* 《口》 오이(cucumber).
culch[kʌltʃ] *n.* =CULTCH.
cul-de-sac[kʌ́ldəsæ̀k, kúl-] [F] *n.* (*pl.* **culs-**[kʌ́lz-], **~s**[-s]) **1** 막다른 길〔골목〕; 〔軍〕 3면 포위. **2** 궁지, 곤경; (의론의) 막힘. **3** 〔解〕 맹관(盲管).
-cule[kju:l], **-cle**[kl] *suf.* 「작은 …」의 뜻: animalcule, particle.
cu·lex[kjú:leks] *n.* (*pl.* **-li·ces**[-lisì:z]) 〔昆〕 (유럽·북미의) 모기.
cul·i·nar·y[kʌ́lənèri, kjú:-/-nəri] *a.* 부엌(용)의; 요리〔조리〕의: the ~ art 요리법, 음식 만들기/~ vegetables〔plants〕 채소류.
cull¹[kʌl] *vt.* **1** 〈꽃 등을〉 따다, 따 모으다. **2** 추려내다, 발췌하다(select): ~ the choicest lines *from* poems 시에서 가장 훌륭한 행을 발췌하다. **3** 〈노쇠한 가축 등을〉 추려서 죽이다, 도태하다. — *n.* 추림, 선택; 도태; (폐품·열등품으로) 추려낸 것, 쓰레기.
cull² *n.* 《영俗》 =CULLY.
cúll bìrd 《미俗》 버림받은 자, 열외의 인간; 《學俗》 클럽에 입회할 자격을 잃은 자.
cul·len·der[kʌ́ləndər] *n., vt.* =COLANDER.
cull·er[kʌ́lər] *n.* 추려내는〔열등한 것을 선별하는〕 사람; 뉴질《해수(害獸)를 죽이는 사람》.
cul·let[kʌ́lit] *n.* (용해용) 유리 부스러기.
cul·ly[kʌ́li] *n.* (*pl.* **-lies**) **1** 《俗》 동료, 짝패 (pal). **2** (잘 속는) 멍청이, 얼간이.
culm¹[kʌlm] *n.* 〔植〕 줄기, 대《보리·대 등 마디가 있는 것》. — *vi.* 대가 되다.
culm² *n.* **1** Ⓤ 《특히》 가루〔하등〕 무연탄. **2** 〔地質〕 컬름《하부 석탄계의 암층》.
cul·mif·er·ous[kʌlmífərəs] *a.* 〔植〕 대가 있는, 대가 생기는.
cul·mi·nant[kʌ́lmənənt] *a.* 최고점〔절정〕의; 〔天〕 자오선상의, 남중하고 있는.
*__cul·mi·nate__[kʌ́lmənèit] *vi.* **1** 최고점〔극점, 절정〕에 달하다; 최고조에 달하다, 전성의 극에 달하다; 드디어 …이 되다(*in*): ~ *in* amount 최고량에 이르다/~ *in* power 전성의 극에 이르다. **2** 〔天〕 최고도〔자오선〕에 달하다, 남중(南中)하다. — *vt.* 완결시키다, …의 최후를 장식하다. ⊕ culminátion *n.*
cul·mi·na·tion[kʌ̀lmənéiʃən] *n.* Ⓤ,Ⓒ **1** 최고점, 정점, 정상; 최고조, 전성, 극치. **2** 〔天〕 자오선 통과, 남중(southing).
cu·lottes[kjuːláts/-lɔ́ts] *n. pl.* 바지식 스커트, 치마바지.
cul·pa·ble[kʌ́lpəbl] *a.* 과실 있는, 책잡을 만한, 무도한; 《古》 유죄의: ~ negligence 태만죄. **hold a person culpable** …을 나쁘다고 생각하다. **-bly**[-bli] *ad.* 무도하게도. **cùl·pa·bíl·i·ty** *n.*
*__cul·prit__[kʌ́lprit] *n.* (the ~) **1** 범죄자, 범인 (offender). **2** 〔영法〕 형사 피고인(the accused).
*__cult__[kʌlt] [L] *n.* **1** 제식(祭式), 의식. **2** 숭배, 존경, 동경: an idolatrous ~ 우상 숭배/~ *of* personality 개인 숭배. **3** 예찬; 유행, …열(熱): the ~ *of* beauty 미의 예찬/the ~ *of* blood and iron 철혈 정책의 예찬. **4** (집합적) 숭배자〔예찬자〕 집단; 특수 소수자 집단. **5** 이교(異敎), 사교(邪敎); 종파(sect). **cult·ic** *a.*
cultch, culch[kʌltʃ] *n.* **1** (굴 양식장의 물밑에 까는) 조개껍질. **2** 굴의 알. **3** 《俗》 잡동사니.
cult-fig·ure *n.* 숭배의 대상자.
cult·i·gen[kʌ́ltədʒən] *n.* 재배종, 배양 변종.
cult·ism[kʌ́ltizəm] *n.* Ⓤ 예찬(주의); 극단적인 종파〔유행〕주의. **-ist** *n.* 예찬가; 열광자.
cul·ti·va·ble[kʌ́ltəvəbəl] *a.* 경작할 수 있는; 재배할 수 있는; 계발할 수 있는.
cul·ti·var[kʌ́ltəvɑ̀:r] *n.* 〔植〕 재배종, (재배) 품종(略 cv.).
cul·ti·vat·a·ble *a.* =CULTIVABLE.
‡**cul·ti·vate**[kʌ́ltəvèit] [L] *vt.* **1** 경작하다(till); 《미》 〈재배중의 작물을〉 사이갈이하다. **2** 재배하다; 〈물고기·굴·진주 등을〉 양식하다, 〈세균을〉 배양하다. **3** 〈수염을〉 기르다. **4** 〈재능·품성·습관 등을〉 양성하다; 교화하다, 계발하다. **5** 〈예술·학술 등에〉 몰두하다, 탐닉하다; 〈예술·학술 등을〉 장려하다, …의 발달에 노력하다; 〈문학·기예를〉 닦다, 연마하다. **6** 〈친구·교제를〉 구하다, 깊게 하다, …와 친분을 가지려 하다. **cultivate the acquaintance of** 자진하여 …에게 교제를 청하다. ⊕ cultivátion *n.*
*__cul·ti·vat·ed__[kʌ́ltəvèitid] *a.* **1** 경작〔재배, 양식〕된: ~ land 경(작)지. **2** 교화〔세련〕된, 교양 있는, 우아한: ~ manners 세련된 몸가짐.
‡**cul·ti·va·tion**[kʌ̀ltəvéiʃən] *n.* Ⓤ **1** 경작, 재배; 양식; 배양. **2** 양성, 교화; 수양, 수련; 세련, 우아. **3** Ⓒ 배양균. **be under cultivation** 경작되고 있다. **bring land under cultivation** (토지)를 개간하다. ⊕ cúltivate *v.*
*__cul·ti·va·tor__[kʌ́ltəvèitər] *n.* **1** 경작자; 재배자. **2** 양성자, 개척자; 연구자; 수양자. **3** 〔農〕 경운기.
cúlt mòvie (젊은이들에게) 인기 있는 영화.
cul·trate, -trat·ed[kʌ́ltreit], [kʌ́ltreitid] *a.* (칼날처럼) 얇고 끝이 뾰족한.
cul·tur·a·ble[kʌ́ltʃərəbəl] *a.* =CULTIVABLE.
‡**cul·tur·al**[kʌ́ltʃərəl] *a.* **1** 교양적인, 수양상의; 계발적인, 문화적인; 인문상(人文上)의: ~ studies 교양 과목. **2** 개척상의, 배양〔재배〕상의. ⊕ culture *n.*
cúltural anthropólogist 문화 인류학자.
cúltural anthropólogy 문화 인류학.
cúltural crínge 《오스》 (영국 문화에 대한) 비굴한 추종.
cúltural exchánge 문화 교류.
cúltural geógraphy 문화 지리학.
cul·tur·al·i·za·tion[-lizéiʃən/-lai-] *n.* Ⓤ 문화 습득.
cul·tur·al·ize[kʌ́ltʃərəlàiz] *vt.* 문화적 영향을 미치다〔끼치다〕.
cúltural lág 〔社〕 문화(적) 지체, 문화의 낙후.
cul·tur·al·ly *ad.* **1** 교양으로서, 문화적으로. **2** 경작상(으로), 재배상(으로).
cúltural revolútion 문화 혁명: (the C- R-) (중공의) 문화 대혁명(1966-67).
cúltural revolútionary 문화 혁명 주창〔지지〕자.
cul·tur·a·ti[kʌ̀ltʃərɑ́:ti] *n. pl.* 교양인 계급, 문화인들.
‡**cul·ture**[kʌ́ltʃər] [L] *n.* **1** Ⓤ 교양, 세련: a man of ~ 교양 있는 사람. **2** Ⓤ,Ⓒ 문화, 정신 문명, 개화. **3** Ⓤ 훈련, 수양: physical ~

체육. **4** Ⓤ 양식, 재배: ~ of cotton 목화 재배. **5** Ⓤ,Ⓒ 배양; 배양균. — *vt.* **1** 〈세균을〉 배양하다. **2** 《詩》 재배하다, 경작하다. **3** 《稀》 교화하다. ◇ cúltural *a.*
cúlture àrea (공통의) 문화 영역.
cúlture cómplex 〔社〕 문화 복합체.
cul·tured[kʌ́ltʃərd] *a.* **1** 교화〔세련〕된, 교양 있는, 문화를 가진. **2** 재배〔양식〕된.
cúltured péarl 양식 진주.
cúlture fèature (한 지역의) 인공적 특징 《도로·교량·집 등》.
cúlture gàp 문화간의 격차.
cúlture hèro 문화 영웅《문화를 창시한, 또는 사회의 이상을 구현한 신화적·전설적 인물》.
cúlture làg =CULTURAL LAG.
cúlture mèdium 〔生〕 배지(培地), 배양기(基).
cúlture mỳth 문화 신화.
cúlture pàttern 〔社〕 문화 양식.
cúlture péarl =CULTURED PEARL.
cúlture shòck 문화 쇼크《이질적인 문화나 새로운 생활 양식을 접할 때 받는 충격》.
cúlture tràit 〔社〕 문화 특성.
cul·tur·ette *n.* 《俗》 여성 문화 활동가.
cúlture vùlture 《俗》 사이비 문화인.
cul·tur·ist[kʌ́ltʃərist] *n.* **1** 재배자; 배양자. **2** 교화자; 문화주의자.
cul·tu·rol·o·gy[kʌ̀ltʃərɑ́lədʒi/-rɔ́l-] *n.* Ⓤ 문화학.
cul·tus[kʌ́ltəs] *n.* (*pl.* ~·**es**, **-ti**[-tai]) = CULT.
cul·ver[kʌ́lvər] *n.* 비둘기(dove, pigeon).
cul·ver·in[kʌ́lvərin] *n.* 〔史〕 **1** 컬버린포(砲) 《16-17세기의 장포(長砲)》. **2** 컬버린 소총.
cul·vert[kʌ́lvərt] *n.* **1** 암거(暗渠), 배수거. **2** 〔電〕 선거(線渠).
cum[kum, kʌm/kʌm] [L=with] *prep.* (보통 복합어를 이루어) …이 붙은〔딸린〕의 뜻: a bed-*cum*-sitting room 침실 겸 거실.
cum. cumulative. **Cumb.** Cumberland.
cum·ber[kʌ́mbər] *vt.* =ENCUMBER. — *n.* 방해(물), 장애(물).
Cum·ber·land[kʌ́mbərlənd] *n.* 컴벌랜드 《잉글랜드 북서부의 옛 주; Cumbria 주의 일부》.
cum·ber·some[kʌ́mbərsəm] *a.* 주체스러운, 방해가 되는, 귀찮은, 성가신. **~·ly** *ad.* **~·ness** *n.*
cum·brance[kʌ́mbrəns] *n.* 방해, 성가심.
Cum·bri·a[kʌ́mbriə] *n.* 컴브리아주(州)《잉글랜드 북부의 주》. **-an** *a., n.* Cumbria 〔Cumberland〕의 (사람).
cum·brous[kʌ́mbrəs] *a.* =CUMBERSOME.
cum div. 〔株式〕 cum dividend.
cùm dívidend [L] 〔證券〕 배당부(配當附) 《略: c.d., cum div.; *opp.* ex dividend》.
cum gra·no sa·lis[kʌm-gréinou-séilis] [L =with a grain of salt] *ad.* 좀 에누리하여, 줄잡아.
cum·in[kʌ́min] *n.* **1** 〔植〕 커민《미나리과(科) 식물》. **2** 그 열매《양념·약용》.
cum lau·de[kʌm-lɔ́:di, -láudə] [L=with praise] *ad.* 우등으로.
cum·mer[kʌ́mər] *n.* 《스코》 **1** 대모(代母) (godmother). **2** 여자 친구. **3** 여자, 계집아이.
cum·mer·bund[kʌ́mərbʌ̀nd] *n.* (인도인 등의) 장식허리띠, (야회복 등의) 웨이스트밴드.
cum·min *n.* =CUMIN.
cum·quat[kʌ́mkwɑt/-kwɔt] *n.*=KUMQUAT.
cum·shaw[kʌ́mʃɔ:] [Chin] *n.* **1** 사례금. **2** 팁; 선물.
cu·mu·late[kjú:mjəlit, -lèit] *vt., vi.* 쌓아 올리다, 쌓이다. — [-lèit] *a.* 쌓아 올린.
cu·mu·lat·ed[-lèitid] *a.* =CUMULATE.
cu·mu·la·tion[kjù:mjəléiʃən] *n.* Ⓤ,Ⓒ 쌓아 올림; 축적(accumulation).
*__cu·mu·la·tive__[kjú:mjəlèitiv, -lət-] [L] *a.* 누적하는, 누가(累加)하는: ~ evidence〔proof〕 중복 증거〔입증〕/a ~ medicine 〔醫〕 점가약(漸加藥)/a ~ offense 〔法〕 반복 범죄. **~·ly** *ad.* 점증적으로. **~·ness** *n.*
cúmulative vóting 누적 투표법《후보자 수와 동수의 표를 선거인이 갖고 전부를 동일 후보자에게 투표하거나 복수 후보자에게 나누어 투표할 수 있는 선거 제도》.
cu·mu·li[kjú:mjəlai] *n.* CUMULUS의 복수.
cu·mu·li·form[kjú:mjələfɔ̀:rm] *a.* 적운(積雲) 모양의.
cu·mu·lo·cir·rus[kjù:mjəlousírəs] *n.* (*pl.* ~) 〔氣〕 =CIRROCUMULUS.
cu·mu·lo·nim·bus[-nímbəs] *n.* (*pl.* ~) 적란운(積亂雲)《略: Cb》.
cu·mu·lo·stra·tus[-stréitəs] *n.* (*pl.* ~) 〔氣〕 층적운(層積雲)(stratocumulus)《略: Cs》.
cu·mu·lus[kjú:mjələs] *n.* (*pl.* **-li**, ~) **1** 퇴적, 누적(*of*). **2** 〔氣〕 적운(積雲)《略: k.》. **-lous** *a.*
cunc·ta·tion[kʌŋ*k*téiʃən] *n.* 지연(delay).
cu·ne·al[kjú:niəl] *a.* 쐐기의, 쐐기 모양의.
cu·ne·ate[kjú:niit, -èit] *a.* 〔植〕 쐐기 꼴의.
cu·ne·i·form[kjú:niəfɔ̀:rm, kju:ní:ə-] *a.* **1** (문자 등의) 쐐기꼴의: ~ characters 설형(楔形) 문자. **2** 설형문자의. — *n.* 설형 문자(에 의한 기록).
cun·ner[kʌ́nər] *n.* 〔魚〕 용치놀래기의 일종.
cun·ni·lin·gus[kʌ̀nilíŋgəs] *n.* Ⓤ 여성 성기의 구강(口腔) 애무.
⁑**cun·ning**[kʌ́niŋ] [OE] *a.* **1** 교활한, 간사한. **2** 교묘한. **3** 《古》 노련한; 재간 있는(skillful). **4** 《미口》 귀여운 〈어린 아이, 작은 동물〉; 매력 있는, 멋있는 〈물품 등〉. — *n.* Ⓤ **1** 교활, 빈틈 없음, 잔꾀; 간사. **2** 솜씨, 숙련, 교묘. **~·ly** *ad.* **~·ness** *n.*
cunt[kʌnt] *n.* 《卑》 **1** 여성 성기, 질(膣); 성교. **2** (you ~로도 써서) 싫은 년〔놈〕, 바보 같은〔놈〕.
★**cup**[kʌp] *n.* **1** 찻종, (홍차·커피용의) 잔(*cf.* GLASS)): a ~ of coffee 커피 한 잔/a breakfast ~ 조반용 찻종《보통 것의 약 두 배 크기》/a ~ and saucer 받침접시로 받친 찻종. **2** 찻종 한 잔(의 분량)(약 240cc)(cupful)(*of*). **3** (흔히 굽이 달린) 컵, 술잔; 성찬배(聖餐杯)(chalice), 성찬의 포도주. **4** (성경 가운데 있는 여러 가지 어구에서) 운명의 잔, 운명, 경험. **5** 우승컵: a ~ event 결승 시합. **6** 잔 모양의 물건: (뼈의) 배상와(杯狀窩)(socket); 꽃받침(calyx); (도토리의) 깍정이. **7** 〔醫〕 흡각(吸角)(cupping glass)《피·고름을 빨아내는 종모양의 유리 기구》. **8** 〔골프〕 (공 쳐 넣는) 구멍, 그 구멍에 꽂는 금속통(金屬筒). **9** 브래지어의 컵. **10** (*pl.* 또는 the ~) 술; 음주. **11** 컵《샴페인·포도주·사과주 등에 향료·감미(甘味)를 넣어 얼음으로 차게 한 음료》. **12** = POCKET(◇ in the cup〔POCKET〕의 구로 씀). **a bitter cup** 고배(苦杯)《인생의 쓰라린 경험》. **a cup of tea** 《口》 (대개 형용사와 함께)(…한) 사람, 녀석, 것. **be a cup too low** 어쩐지 기운이 없다. **between the cup and the lip** 거의 다 된 판에. **cup and ball** 죽방울(놀이). **cup of coffee** 《미口》 잠시 묵음, 짧은 체재. **drain the cup of sorrow**

〔pleasure, life〕 to the bottom〔dregs〕 슬픔의 잔〔환락의 단술, 인생의 신산(辛酸)〕의 바닥을 비우다. **have got〔had〕 a cup too much** 《口》 술 취해 있다. **in one's cups** 얼근하게취하여. **One's〔The〕 cup of happiness〔misery〕 is full.** (행복〔불행〕)이 극점에 달해 있다. **one's cup of tea** 《口》 (주로 부정문에서) 좋아하는〔마음에 드는〕 것. **One's cup runs over〔overflows〕.** 무한히〔그지없이〕 행복하다. **the cups that cheer but not inebriate** 《익살》 (기운을 돋우나 취하지 않는 잔의 뜻에서) 차·홍차(W.Cowper의 시구에서 유래).

— *vt.* (~**ped**; ~·**ping**) **1** 컵에 넣다〔받다〕: ~ water *from* brook 시내에서 물을 떠내다. **2** 〔醫〕 〈환자에게〉 흡각(吸角)으로 피를 빨아내다. **3** 〈손 등을〉 잔 모양으로 만들다: 손을 잔 모양으로 하여 〈…을〉 가리다〔받치다〕. **4** 〔골프〕 땅바닥을 훑다(클럽으로 공을 칠 때).

cúp·lìke *a.* 잔 모양의.

C.U.P. Cambridge University Press.

cup·bear·er[∠bὲərər] *n.* 〔史〕 (궁정 등의) 술 따르는 사람, 잔 드리는 자.

⁑**cup·board**[kʌ́bərd] *n.* **1** 찬장, 식기장. **2** 《영》 《일반적으로》 벽장(closet). **cry cupboard** 《口》 시장해 하다. **skeleton in the cupboard** 한 집안의 비밀.

cúpboard lòve 타산적인 사랑.

cup·board·size *a.* 조그마한.

cup·cake[kʌ́pkèik] *n.* U,C 컵케이크(컵 모양의 틀에 넣어 구운 과자).

cu·pel[kjú:pəl, kju:pél] *n.* (금·은 분석용) 회분(灰粉) 접시: 회분로(爐). — *vt.* (~**ed**; ~**ing**|~**led**; ~**ling**) 회분 접시로 분석하다.

cu·pel·la·tion[kjù:pəléiʃən] *n.* U 〔冶〕 회분법.

cúp fìnal (우승배 쟁탈의) 결승전.

cup·ful[kʌ́pfùl] *n.* (*pl.* ~**s**, **cups·ful**) **1** 한 잔(의 분량). **2** 《미》 〔料理〕 컵(tablespoon 16 개의 액량; 8온스).

cúp fùngus 〔植〕 진균 식물(眞菌植物)의 일종; 자낭균(子囊菌)의 총칭.

cup·hold·er[kʌ́phòuldər] *n.* 우승배 보유자, 우승자.

*__Cu·pid__[kjú:pid] [L] *n.* **1** 〔로神〕 큐핏(Venus의 아들로 사랑을 맺어주는 신: *cf.* EROS). **2** (c-) 사랑의 사자(使者); 미소년; 연애.

cu·pid·i·ty[kju:pídəti] *n.* U 탐욕, 욕심.

Cúpids bów 1 큐핏의 활. **2** 이중 활꼴의 (윗) 입술 모양〔선〕.

cu·po·la[kjú:pələ] *n.* **1** 〔建〕 둥근 지붕(의 꼭대기 탑); 둥근 천장(*cf.* VAULT). **2** 선회 포탑(旋回砲塔). **3** 〔生〕 반구(半球) 모양의 융기〔기관〕. **4** 〔冶〕 큐폴라, 용선로(鎔銑爐).

cup·pa[kʌ́pə] [cup of의 단축형] *n.* 《영口》 한 잔의 차.

cupped[kʌpt] *a.* 컵 모양의.

cup·per[kʌ́pər] *n.* 〔醫〕 흡각(吸角)을 쓰는 사람.

cup·ping[kʌ́piŋ] *n.* U 〔醫〕 흡각에 의한 방혈법(放血法).

cúpping glàss 〔醫〕 흡각(吸角).

cup·py[kʌ́pi] *a.* (**-pi·er**; **-pi·est**) **1** 잔 같은. **2** 작은 구멍이 많은.

cupr-[kju:pr], **cu·pri-**[kjú:pri/kjú:-] 《연결형》 「구리」의 뜻(모음 앞에서는 cupr-): *cupri*ferous, *cupr*eous.

cu·pre·ous[kjú:priəs] *a.* 구리의, 구리 같은, 구리빛의.

cu·pric[kjú:prik] *a.* 〔化〕 구리의, 제2동(銅)의.

cúpric súlfate =COPPER SULFATE.

cu·prif·er·ous[kju:prífərəs] *a.* 구리를 함유한.

cu·prite[kjú:prait] *n.* U 〔鑛〕 적동광(赤銅鑛).

cu·pro-[kjú:prou/kjú:-] 《연결형》 =CUPR-.

cu·pro·nick·el[kjù:prənìkəl] *n.* U 백동(白銅).

cu·prous[kjú:prəs] *a.* 〔化〕 제1동(銅)의.

cu·prum[kjú:prəm] [L] *n.* U 〔化〕 구리(copper)(기호 Cu).

cúp tìe 《영》 (특히 축구의) 우승배 쟁탈전.

cup-tied[kʌ́ptàid] *a.* 〈팀 등〉 우승배 쟁탈전에 출전하는.

cu·pule[kjú:pju:l] *n.* **1** 〔植〕 (도토리 등의) 깍정이. **2** 〔動〕 흡반, 빨판.

cur[kə:r] *n.* **1** 똥개. **2** 망종, 쌍놈, 겁쟁이.

cur. currency; current.

cur·a·bil·i·ty[kjùərəbíləti] *n.* U 〔醫〕 치료의 가능성.

*__cur·a·ble__[kjúərəbəl] *a.* 치료할 수 있는, 고칠 수 있는. ~·**ness** *n.* **-bly** *ad.*

cu·ra·cao, -çoa[kjùərəsáu, -sóu], [-sóuə] *n.* U 큐라소(오렌지 향료가 든 리큐어 술).

cu·ra·cy[kjúərəsi] *n.* (*pl.* **-cies**) U,C CURATE의 직위〔임기〕.

cu·ra·re, -ri, -ra[kjuərá:ri] *n.* **1** U 큐라레(남미 인디언이 살촉에 칠하는 독약). **2** 그 식물.

cu·ra·rine[kjuərá:rən] *n.* 〔生化〕 큐라린(curare에서 채취하는 맹독의 알칼로이드).

cu·ra·rize[kjúərəràiz, kjurá:-] *vt.* (생체 해부 등에서 동물을) 큐라레로 마비시키다.

cu·ras·sow[kjúərəsòu] *n.* 〔鳥〕 봉관조(鳳冠鳥)(칠면조 비슷한 중·남미 산의 새).

cu·rate[kjúərit] *n.* **1** 《영》 (교구의) 보좌 신부, 부목사(rector 또는 vicar의 대리 또는 조수); 《古》 《일반적으로》 목사. **2** 《영口》 작은 부젓가락. **perpetual curate** (분교구) 목사 (vicar).

cu·rate-in-charge[-intʃá:rdʒ] *n.* 《영》 (교구 목사의 실격, 정직 때에) 일시적으로 교구를 맡는 목사.

cúrate's égg (the ~) 《영》 옥석 혼효(玉石混淆), 좋은 점도 있고 나쁜 점도 있는 것.

cur·a·tive[kjúərətiv] *a.* 병에 잘 듣는, 치료의, 치유적인, 치유력 있는. — *n.* 의약; 치료법. ~·**ly** *ad.* ~·**ness** *n.*

cu·ra·tor[kjuəréitər] *n.* **1** (박물관·도서관 등의) 관리자, 관장, 주사. **2** 《영》 (대학의) 평의원. ~·**ship** *n.* U CURATOR의 직위〔신분〕.

cu·ra·to·ri·al[kjùərətɔ́:riəl] *a.* CURATOR의.

*__curb__[kə:rb] [L] *n.* **1** 재갈, 고삐. **2** 구속, 속박, 억제(*to*). **3** (말의 뒷발에 생기는) 비절후종(飛節後腫)(절름발이의 원인). **4** 《미》 〔證券〕 장외(場外) 시장(=∠ **márket**); (집합적) 장외 시장의 중개인들. **5** C,U 《미》 (인도와 차도 사이의) 연석(緣石)(《영》 kerb). **6** (우물 위의) 정(井)자 테. **keep〔put〕 a curb on** 〈노염 등을〉 억제하다. **on the curb** 《미》 가두〔장외〕에서. — *vt.* **1** 〈말에〉 재갈을 물리다. **2** 억제하다. **3** 《미》 〈인도에〉 연석을 깔다. **4** 〈개를〉 똥누게 도랑쪽으로 데리고 가다.

cúrb bìt 재갈(마구).

cúrb bròker〔òperator〕 《미》 (주식의) 장외 거래 중개인.

curb·ing[kɔ́:rbiŋ] *n.* U 연석(緣石), 연석 재료.

cúrb márket 《미》 〔證券〕 장외 주식 시장.

cúrb ròof 〔建〕 이중 물매 지붕.

cúrb sèrvice ⦅미⦆ (주차중인 차내의 손님에게 음식 등을 날라다 주는) 배달 서비스; 특별 봉사.
curb·side[kə́ːrbsàid] *n.* 가두(街頭), 거리.
curb·stone[kə́ːrbstòun] *n.* **1** (보도의) 연석(curb). **2** ⦅미俗⦆ 담배 꽁초. ── *a.* **1** 장외거래의. **2** 풋내기의; ⦅口⦆ 아마추어의.
cúrbstone márket 〔證券〕 장외(場外) 주식 시장(curb market).
cúrbstone opínion 시정(市井)의 의견.
cúrb wèight (자동차의) 전비(全備) 중량⦅비품·연료·오일·냉각액을 포함⦆.
cur·cu·li·o[kəːrkjúːliòu] *n.* (*pl.* ~**s**) 〔昆〕 꿀꿀이바구미속(屬).
cur·cu·ma[kə́ːrkjumə] *n.* 〔植〕 강황, 심황.
cúrcuma pàper =TURMERIC PAPER.
⁑**curd**[kəːrd] *n.* **1** (종종 *pl.*) 굳어진 우유, 응유(凝乳)(*cf.* WHEY). **2** Ⓤ 굳어진 식품: bean ~ 두부. **3** 식용꽃. **curds and whey** 응유제 식품(junket). ── *vt., vi.* =CURDLE.
⊕ cúrdy *a.*: cúrdle *v.*
cúrd chèese ⦅영⦆ =COTTAGE CHEESE.
cur·dle[kə́ːrdl] *vi., vt.* 응유(凝乳)로 굳어지다〔굳히다〕; 응고하다〔시키다〕. **curdle the**〔a person's〕 **blood** 간담을 서늘케 하다. **make a person's blood curdle** …의 간담을 서늘케 하다.
cúrd sòap 염석(鹽析) 비누.
curd·y[kə́ːrdi] *a.* (**curd·i·er; -i·est**) 굳어진, 응유 모양의, 응결한, 응유분이 많은.
⁂**cure**[1] [kjuər] [L] *n.* **1** (특수한) 치료(법), 의료(*of*); 치료제〔법〕, 양약(良藥), 요양; 광천, 온천. **2** 치유, 회복. **3** 구제법, 교정법(矯正法)(*for*); 〔基督敎〕 영혼의 구제; 신앙의 감독. **4** 목사직; 관할 교구; 〔가톨릭〕 사제; 사제직. **5** (육류·어류의) 저장(법). **6** (고무의) 가황, 경화; (시멘트의) 양생, (플라스틱의) 경화. **the cure of souls** 사제직. **take the cure** (알코올 중독 치료 등을 위해) 입원하다; 방탕한 생활을 그만 두다.
── *vt.* **1** 치료하다, 고치다: ⦅Ⅲ (목)+전+명⦆ The doctor ~*d* me *of* my cold. 그 의사는 내 감기를 치료해 주었다/⦅Ⅲ (목)+전+명⦆ She ~*d* her stomach ache *with*〔*by*〕 fasting. 그녀는 단식으로 위통을 치료했다/⦅Ⅲ *that*(절)⦆(*that*(절)-Ⅰ *be pp.*+전+명) She thought *that* her son was ~*d of* his cold. 그녀는 아들의 감기가 치료된 것으로 생각했다. **2** 〈나쁜 버릇을〉 고치다. **3** 〈육류·어류 등을〉 (말리거나 소금에 절여) 보존 처리하다. **4** 〈고무를〉 가황(加黃)하다, 경화하다. **5** 〈콘크리트를〉 양생(養生)하다. ── *vi.* **1** 치료하다; 〈병이〉 낫다, 치유되다. **2** 바르게 고치다. **3** 〈고기 등이〉 보존에 적합한 상태가 되다; 〈고무가〉 경화되다.
cure[2] *n.* ⦅俗⦆ 별난 사람, 괴짜.
cu·ré[kjuəréi, ∠−] [F] *n.* (프랑스의) 교구 목사, 사제(*cf.* CURATE).
cure-all[kjúərɔ̀ːl] *n.* 만능약, 만병 통치약(panacea).
cure·less[kjúərlis] *a.* 치료법이 없는, 불치의; 구제〔교정〕할 수 없는.
cur·er[kjúərər] *n.* **1** 치료자; 치료기. **2** 건어물〔훈제품〕 제조인.
cu·ret·tage[kjùəritáːʒ, kjurétidʒ/ kjùərətáːʒ] [F] *n.* Ⓤ 〔醫〕 소파(搔爬)(술).
cu·rette, cu·ret[kjurét] [F] 〔醫〕 *n.* 퀴렛, 소파기⦅숟가락꼴의 외과 기구⦆. ── *vt., vi.* 퀴렛으로 긁어내다, 소파하다.
cur·few[kə́ːrfjuː] *n.* **1** 만종(晩鐘), 저녁종. **2** 〔영史〕 중세기의 소등령; 그 시간; 소등용 종(=∠-**bèll**). **3** (계엄령 등의) 소등 명령, 야간 외출〔통행〕 금지; 〔미軍〕 귀영 시간.
cu·ri·a[kjúəriə] *n.* (*pl.* **-ae**[-riìː]) **1** 〔古로〕 큐리아⦅행정구⦆; 큐리아 집회소; 원로원. **2** 〔영史〕 (노르만 왕조 시대의) 법정. **3** (the C-) 로마 교황청. **-al**[-l] *a.*
cu·ri·age[kjúəriidʒ] *n.* 〔物〕 퀴리수(數)⦅퀴리로 나타낸 방사능의 강도⦆.
Cú·ri·a Ro·má·na[-rouméinə] (the ~) 로마 교황청.
Cu·rie[kjúəri, kjuríː] *n.* **1** 퀴리 Pierre ~ (1859-1906) 및 Marie ~(1867-1934)⦅라듐을 발견한 프랑스의 과학자 부부⦆. **2** (**c-**) 〔物〕 퀴리⦅방사능 강도의 단위; 略: C, Ci⦆.
Cúrie cònstant =CURIAGE.
Cúrie pòint 〔**tèmperature**〕 〔物〕 퀴리 점〔온도〕⦅자기 변태가 일어나는 온도⦆.
Cúrie's láw 〔物〕 (상자성체(常磁性體)의) 퀴리의 법칙.
cu·ri·o[kjúəriòu] [*curio*sity] *n.* (*pl.* ~**s**) 골동품.
cu·ri·o·sa[kjùərióusə] *n. pl.* **1** 진본(珍本), 진서. **2** 외설 책.
⁂**cu·ri·os·i·ty**[kjùəriásəti/-ɔ́sə-] *n.* (*pl.* **-ties**) **1** Ⓤ 호기심: ⦅Ⅱ 형⦆((주)-*pos.*+명+*to* do) The child's ~ *to* know everything is quite natural. 모든 것을 알려고 하는 어린애의 호기심은 아주 당연한 것이다. **2** Ⓤ 진기함, 신기함. **3** 진기한 물건, 골동품(curio). **out of curiosity**=**from curiosity** 호기심에서.
⊕ cúrious *a.*
curiósity shòp 골동품 상점.
cu·ri·o·so[kjùərióusou] [It] *n.* (*pl.* ~**s, -si** [-sai]) 미술품 애호〔감식〕가, 골동품 수집가(*cf.* VIRTUOSO).
⁂**cu·ri·ous**[kjúəriəs] [L] *a.* **1** 호기심이 강한, 알고 싶어하는, 캐기 좋아하는: ⦅Ⅱ 형+*to do*⦆ She is ~ *to* know everything. 그녀는 모든 것을 알고 싶어 한다. **2** 호기심을 끄는, 기이한, 이상한: ⦅Ⅱ 형+전+명⦆ She was perhaps a trifle ~ herself *about* him. (a trifle-(부구)/herself-(강)) 그녀 자신도 아마 조금은 그에 대해서 호기심이 났을 것이다/⦅Ⅱ *It v* Ⅱ+형+*that*(절)⦆ It is ~ *that* it happened on the same day. 그것이 같은 날 발생한 것은 이상하다/(*that*(절)-sub.) It is ~ *that* he should have asked you that same question. 그가 너에게 같은 질문을 했다면 이상하다. **3** 기묘한; ⦅口⦆ 별난: a ~ fellow 별난 사람, 괴짜. **4** 진본(珍本)인⦅서점 목록에서 외설 서적을 지칭⦆. **5** ⦅古·文語⦆ 면밀한, 주의깊은. **curious to say** 이상한 말이지만, 이상하게도. **curiouser and curiouser** ⦅俗⦆ 갈수록 기기 묘묘한. **steal a curious look** 호기심에 찬 눈빛으로 슬쩍 엿보다(*at*). ~·**ness** *n.*
⊕ curiósity *n.*; cúriously *ad.*
⁎**cu·ri·ous·ly**[kjúəriəsli] *ad.* **1** 신기한 듯이, 호기심에서. **2** 기묘하게(도), 지독하게: ~ enough 신기하게도, 이상하게도.
cu·rite[kjúərait] *n.* 〔鑛〕 큐라이트⦅방사성 우라늄 광석⦆.
cu·ri·um[kjúəriəm] *n.* Ⓤ 〔化〕 큐륨⦅방사성 원소의 하나; 기호 Cm, 번호 96⦆.
⁂**curl**[kəːrl] *vt.* **1** 〈머리털을〉 곱슬곱슬하게 하다. **2** 〈…을〉 꼬다; 비틀다(*up*); 둥글게 감다. **3** (~ one*self*) 둥글게 오그리고 자다. **4** 〈수면을〉 물결치게 하다. **5** 때려 눕히다, 납작하게 만들다. **curl the**〔a person's〕 **hair** = **make a person's hair curl** … 을 놀라게 하다. **curl the mo** ⦅오스俗⦆ 잘 해내다, 성공

하다, 쟁취하다. **curl** one's **lip(s)** (경멸하여) 입을 비쭉거리다. **curl** one**self up** 웅크리고 자다. **curl up** 끝부터 감아〔말아〕 올리다; 《口》〈사람을〉 쓰러뜨리다.
— *vi.* **1** 〈머리털이〉 곱슬곱슬해지다. **2** 〈연기가〉 맴돌다, 비틀리다, 〈길이〉 굽이지다; 〈공이〉 커브하다: Smoke ~*ed* (*up*) *out of* the chimney. 연기가 굴뚝에서 소용돌이치며 올라갔다. **3** 《스코》 컬링 놀이(curling)를 하다. **curl up** 〈잎 등이〉 말리다, 오그라들다; 새우잠 자다, 움츠러들다; (공포·웃음 등으로) 몸을 뒤틀다; 《俗》 쓰러지다, 납짝해지다(collapse). **make** one's **hair curl** 《俗》 …을 소름끼치게 하다.
— *n.* **1** (머리털의) 컬, 곱슬털; (*pl.*) 고수머리, 《일반적으로》 머리칼. **2** 나선형의 것, 소용돌이 꼴, 굽이침. **3** Ⓤ 감음, 말아올림, 꼬임, 비틀림; 〔數〕 (벡터의) 회전. **4** Ⓤ (감자 등의) 위축병(萎縮病). **5** 《테니스俗》 볼의 회전. **curl of the lip(s)** (경멸의 표시로) 입을 비쭉거림. **go out of curl** 컬이 풀리다; 《俗》 기운을 잃다, 맥이 풀리다. **in curl** = CURLED. **shoot the curl**〔**tube**〕 〔서핑〕 놀치는 파도 속에 들어가다. ◈ cúrly *a.*

curled [kəːrld] *a.* **1** 곱슬털의; 소용돌이 꼴의. **2** 〈잎이〉 두르르 말린; 위축병에 걸린.

curl·er [kə́ːrlər] *n.* **1** 머리를 지지는 사람; 컬 클립. **2** CURLING 경기자.

cur·lew [kə́ːrluː] *n.* (*pl.* **~s**, ~)〔鳥〕 마도요.

curl·i·cue [kə́ːrlikjùː] *n.* 소용돌이 장식; 소용돌이 모양의 장식 서체(flourish).

curl·i·ness [kə́ːrlinis] *n.* Ⓤ,Ⓒ 곱슬곱슬함, 뚤뚤 말림.

curl·ing [kə́ːrliŋ] *n.* **1** Ⓤ 컬링《얼음 위에서 돌을 미끄러뜨려 표적에 맞히는 놀이》. **2** Ⓤ,Ⓒ 말림, 말아지지기; 〈잎등의〉 말려 올라감, 위축. — *a.* 말리기 쉬운, 머리 지지는 데 쓰이는.

cúrling ìron (보통 *pl.*) 헤어 아이언.

cur·ling-pins *n. pl.* 컬핀《머리의》.

curling stone 컬링 놀이용의 반반하고 둥근 무거운 화강암《15-18 kg》.

cúrling tòngs =CURLING IRON.

curl·pa·per [kə́ːrlpèipər] *n.* (보통 *pl.*) 컬용 종이《지진 머리를 말아 두는》.

*****curl·y** [kə́ːrli] *a.* (**curl·i·er; -i·est**) **1** 곱슬곱슬한(wavy), 고수머리의, 말리기 쉬운. **2** 나무결이 물결 모양의 〈목재〉; (잎이) 두르르 말린, 오그라진. ◈ curl *n., v.*

curl·y·cue *n.* =CURLICUE.

curl·y·head, curl·y·pate [kə́ːrlihèd], [kə́ːrlipèit] *n.* 고수머리《사람》.

cur·mudg·eon [kərmʌ́dʒən] *n.* 심술궂은 구두쇠. **~·ly** [-li] *a.* 인색한, 심술궂은.

cur·rach[1]**, -ragh**[1] [kʌ́rək/-rə, -rəx] *n.* 《아일·스코》 =CORACLE.

cur·rach[2]**, -ragh**[2] *n.* 《아일》 소택지(沼澤地).

Cur·ragh *n.* (the ~) 커리《Dublin시 부근의 평야; 연병장·경마장이 유명》.

cur·rant [kə́ːrənt, kʌ́r-] *n.* **1** 작은 씨없는 건포도. **2** 〔植〕 까치밥나무; 그 열매.

*****cur·ren·cy** [kə́ːrənsi, kʌ́r-] *n.* (*pl.* **-cies**) **1** Ⓤ,Ⓒ 통화, 통화 유통액: metallic〔paper〕 ~ 경화(硬貨)〔지폐〕. **2** Ⓤ 유통, 통용; 유포, 유행; 통용〔유행〕 기간. **3** Ⓤ 일반의 평가, 성가(聲價)(general esteem). **accept** a person **at his own currency** …을 당사자가 말하는 평가 그대로 인정하다. **be in common**〔**wide**〕 **currency** 일반에〔널리〕 통용되고 있다. **gain**〔**lose**〕 **currency** 통용하기 시작하다〔하지 않게 되다〕. **gain**〔**lose**〕 **currency with the world** 사회에서 신용을 얻다〔잃다〕. **give currency to** …을 통용〔유포〕시키다(circulate). ◈ cúrrent *a.*

cúrrency bòx 손금고《액면에 따라 구분하여 넣게 된》.

cúrrency circulátion 통화 유통.

cúrrency dòctrine〔**prìnciple**〕 통화주의 (*cf.* BANKING DOCTRINE).

*****cur·rent** [kə́ːrənt, kʌ́r-] [L] *a.* **1** 지금의, 현재의《略: curt.》: the 7th ~〔*curt.*〕 이달 7일/the ~ issue〔number〕 최근호《금월〔금주〕호》/the ~ month〔year〕 이달〔올해〕. **2** 현행의, 통용하는, 유통〔유포〕되고 있는, 유행하는: ~ English 시사〔일상〕 영어/~ news 시사 뉴스/the ~ price 시가(時價). **3** 흘림 글씨의, 초서체의(running); 유창한(fluent). **pass**〔**go, run**〕 **current** 일반에 통용되다, 세상에서 인정되다. — *n.* **1** 흐름, 유동(流動); 조류, 기류; 해류. **2** 경향, 때의 흐름, 풍조(tendency). **3** 〔電〕 전류; 전류의 세기. **swim with the current** 세상 풍조를 따르다. ◈ cúrrency *n.*; cúrrently *ad.*

cúrrent accóunt 1 〔經〕 경상계정(*cf.* CAPITAL ACCOUNT). **2** 〔銀行〕 당좌계정(open account); 《영》 당좌 예금(《미》 checking account). **3** 〔會計〕 =BOOK ACCOUNT.

cúrrent ássets 〔商〕 유동 자산.

cúrrent bàlance 〔電〕 전류 천칭(天秤).

cúrrent collèctor 〔電〕 집전(集電) 장치.

cúrrent dènsity 〔電〕 전류 밀도《기호 J》.

cúrrent evénts 시사(時事), 시사 문제 연구.

cúrrent expénses 경상비.

cur·rent·ly *ad.* **1** 일반적으로, 널리. **2** 지금, 현재. **3** 손쉽게, 거침없이, 수월하게.

cúrrent mòney 통화.

cúrrent shéet =MAGNETODISK.

cur·ri·cle [kə́ːrikl, kʌ́r-] *n.* 2륜 쌍두 마차.

cur·ric·u·lar [kəríkjələr] *a.* 교과 과정의.

*****cur·ric·u·lum** [kəríkjələm] *n.* (*pl.* **-la** [-lə], **~s**) 교과〔교육〕 과정, 이수 과정.

currículum ví·tae [-váitiː] [L] *n.* (*pl.* **cur·ric·u·la vi·tae** [-lə-]) 이력(서).

cur·rie *n.* =CURRY[1].

cur·ried [kə́ːrid, kʌ́r-] *a.* 카레 가루로 조리한: ~ rice 카레라이스.

cur·ri·er [kə́ːriər, kʌ́r-] *n.* **1** 제혁(製革)업자, 제혁공. **2** 말 손질하는 사람. **cúr·ri·er·y** [kə́ːriəri, kʌ́r-] *n.* 제혁업; 제혁업소.

cur·rish [kə́ːriʃ, kʌ́r-] *a.* **1** 들개〔똥개〕 같은. **2** 딱딱거리는(snappish), 상스러운(ill-bred), 천한. **~·ly** *ad.* **~·ness** *n.*

*****cur·ry**[1] [kə́ːri, kʌ́ri] *n.* (*pl.* **-ries**) **1** Ⓤ 카레 (가루). **2** Ⓤ,Ⓒ 카레 요리. **curry and rice** 카레라이스(curried rice). **give** a person **curry** 《오스俗》 …을 야단치다, …에게 욕설하다. — *vt.* (**-ried**) 카레 요리로 하다, 카레로 맛들이다.

curry[2] *vt.* (**-ried**) **1** 〈말을〉 빗질하다, 손질하다. **2** 〈가죽을 무두질하여〉 마무르다. **curry below the knee** 《俗》 비위맞추다. **curry favor with** a person =**curry** a person**'s favor** …의 비위를 맞추다, …에게 아첨하다.

cur·ry·comb [kə́ːrikòum/kʌ́ri-] *n., vt.* 말빗(으로 빗기다).

cúrry pòwder 카레 가루.

*****curse** [kəːrs] (**cursed** [kəːrst], 《古》 **curst** [kəːrst]) *vt.* **1** 저주하다. **2** 욕지거리하다, 악담하다. **3** (보통 수동형으로) 천벌을 내리다, 화

를 끼치다, 괴롭히다《*with*》. **4** 〔宗〕 파문(破門)하다. ― *vi.* **1** 저주하다《*at*》. **2** 욕지거리하다; 불경한 말을 하다《*at*》: ~ *at* a person …을 매도하다. **be cursed with** 〈못된 성질 등을〉 가지고 있다. **curse and swear** 악담을 퍼붓다. **Curse it!** 제기랄! **Curse you!** 뒈져라!

― *n.* **1** 저주; 저주〔독설〕의 말, 악담, 욕설(Blast!, Deuce take it!, Damn!, Confound you! 등). **2** 천벌, 벌. **3** 화(禍), 재해, 재앙, 불행: the ~ of drink 음주의 해(害). **4** 불행〔재해〕의 씨; 저주받은 것. **5** 〔宗〕 파문. **6** (the ~) 《口》 월경 (기간). **call down**〔**lay**〕 **a curse** (**from Heaven**) **upon** a person = **lay** a person **under a curse** …을 저주하다. **Curse** (**upon it**)! 제기랄! **Curses** (**,like chickens,**) **come home to roost.** 《속담》 하늘에 침뱉기, 남을 해치면 나 먼저 해를 입는다. **not care**〔**give**〕 **a curse** (**for**) 《口》 …등은 조금도 상관치 않다. **not worth a curse** 《口》 조금도 가치가 없는. **the curse of Cain** 영원한 유랑 생활《카인이 받은 형벌》. **the curse of Scotland** 〔카드〕 다이아몬드의 아홉 끗. **under a curse** 저주받아, 천벌을 받아.

***curs·ed, curst**[kəːrsid, kə́ːrst], [kəːrst] *a.* **1** 저주받은, 천벌받은. **2** 저주할, 가증스러운. 《◇ 구어에서는 강의어로 쓰임》. **3** (보통 curst) 《古·方》 심술궂은, 심사 사나운(ill-tempered). ― *ad.* 《口》 =CURSEDLY 2.

~·ness *n.* Ⓤ 저주받은〔천벌받고 있는〕 상태; 저주스러움; 《口》 심술통(perversity).

curs·ed·ly *ad.* **1** 저주받아, 천벌을 받아. **2** 《口》 가증스럽게도, 지겹게도.

curs·ing[kə́ːrsiŋ] *n.* Ⓤ 저주; 악담; 파문.

cur·sive[kə́ːrsiv] *a.* 초서체의, 흘림글씨의. ― *n.* Ⓤ,Ⓒ 흘림글씨, 초서; 초서체로 쓴 것《편지·원고 등》; 〔印〕 필기체 활자. **~·ly** *ad.*

cur·sor[kə́ːrsər] *n.* 커서《(1) 계산자·측량기계 등의 눈금선이 있는 이동판. (2) 〔컴퓨터〕 브라운관(CRT)의 문자 표시 장치》.

cúrsor dìsk 〔컴퓨터〕 커서 디스크《키보드의 구석에 있는 원반 또는 4각형 패드》.

cur·so·ri·al[kəːrsɔ́ːriəl] *a.* 〔動〕 달리기에 적합한: ~ birds 주금류(走禽類)《타조 등》.

cúrsor kèy 〔컴퓨터〕 커서키《키보드상의 키의 하나, 이를 누르면 커서가 이동하게 됨》.

cur·so·ry[kə́ːrsəri] *a.* 서두르는; 마구잡이의, 소홀한; 피상적인.

-ri·ly[-rili] *ad.* **-ri·ness** *n.*

curst[kəːrst] *v.* 《古》 CURSE의 과거·과거분사. ― *a.* =cursed.

cur·sus ho·no·rum[kə́ːrsəs-hɑnɔ́ːrəm] [L] *n.* 명예로운 관직의 연속, 엘리트 코스.

curt[kəːrt] *a.* **1** 무뚝뚝한, 퉁명스러운. **2** 〈문체가〉 간략한; 짧은, 짧게 자른.

cúrt·ly *ad.* **cúrt·ness** *n.*

curt. current.

***cur·tail**[kəːrtéil] *vt.* **1** 줄이다; 단축하다, 생략하다: ~ a program 예정 계획을 단축하다. **2** 〈비용 등을〉 삭감하다: We are ~*ed of* our expenses. 경비를 삭감당하였다. **3** 〈권리 등을〉 축소하다, 줄이다; 박탈하다《*of*》: ~ a person *of* his privileges …의 특권을 박탈하다.

~·er *n.* **~·ment** *n.* Ⓤ,Ⓒ 단축; 삭감.

cur·tailed *a.* 단축한, 줄인, 삭감한: ~ words 단축어(bus, cinema 등).

★**cur·tain**[kə́ːrtən] [L] *n.* **1** 커튼, (문의) 휘장. **2** a (극장의) 막, 휘장: The ~ rises〔falls〕. 막이 오른다〔내린다〕. b =CURTAIN CALL. **3** 휘장 꼴의 물건; (휘장 꼴의) 칸막이; 〔築城〕 막벽《두 능보(稜堡)를 잇는 것》. **4** (보통 *pl.*) 한 권의 끝; 죽음, 최후, 종말. **a curtain of fire** 〔軍〕 탄막. **behind the curtain** 막후에서, 비밀리에. **bring down the curtain on** …을 끝마치다, 폐지하다. **draw a curtain over** …에 커튼을 내리다; 〈뒤끝을 맺지 않고 하던 말을〉 그치다. **draw the curtain** 막을 당기다《열다·닫다》. **draw the curtains** (방의) 커튼을 모두 치다〔쳐서 어둡게 하다〕. **drop**〔**raise**〕 **the curtain** (극장의) 막을 내리다〔올리다〕, 극을 마치다〔시작하다〕. **lift the curtain** 막을 걷어 올리다, 막을 열어 보이다; 터놓고 말하다. **ring down**〔**up**〕 **the curtain** (극장에서) 벨을 울려 막을 내리다〔올리다〕; 종말〔개시〕을 고하다《*on*》. **take a curtain** 〈배우가〉 관중의 갈채에 응하여 막 앞에 나타나다. ― *vt.* **1** 막〔커튼〕을 치다〔장식하다〕: ~*ed* window 커튼을 친 창문. **2** 막〔커튼〕으로 가리다〔막다〕《*off*》: ~ *off* part of a room. 커튼으로 방 한쪽을 막다.

cúrtain càll 커튼콜《공연이 끝난 후에 박수 갈채로 관중이 배우를 막 앞으로 불러내는 일》.

cur·tain·fall *n.* **1** (연극의) 끝. **2** (사건의) 결말, 대단원(大團圓).

cur·tain-fire *n.* 〔軍〕 탄막 포화〔사격〕, 탄막(barrage).

cúrtain lècture (아내가 남편에게 하는) 침실에서의 잔소리.

cúrtain ràiser 1 개막극. **2** 《口》 (리그전의) 개막전; (게임의) 제1회.

cúrtain rìng 커튼 고리.

cúrtain ròd 커튼을 거는 막대.

cúrtain spèech 1 (연극 종료 후) 막 앞에서의 인사말. **2** 연극〔막, 장〕의 마지막 대사.

cur·tain-up *n.* Ⓤ 《영》 연극의 개막.

cúrtain wàll 〔建〕 (구조물이 없는) 외벽, 막벽.

cur·ta·na[kəːrtéinə, -tɑ́ːnə] *n.* 칼끝이 없는 검《영국왕의 대관식에서 자비의 상징으로 받듦》.

cur·tate[kə́ːrteit] *a.* 단축한, 생략한.

cur·te·sy[kə́ːrtəsi] *n.* (*pl.* **-sies**) 〔法〕 환부산(鰥夫産)《아내가 죽은 뒤 남편이 아내의 토지·재산을 일생 동안 가지는 권리; 단 자녀가 있는 경우에 한하였음; *cf.* DOWER》.

cur·ti·lage[kə́ːrtəlidʒ] *n.* 〔法〕 주택에 딸린 땅, 대지.

***curt·sy, -sey**[kə́ːrtsi] *n.* (*pl.* **-sies; ~s**) (왼발을 빼고 무릎을 굽히는) 여자의 절; (무릎을 굽히고 몸을 약간 숙이는) 여자의 인사. **drop**〔**make**〕 **a curtsy** 〈여자가〉 절〔인사〕하다《*to*》. ― *vi.* (**-sied; -seyed**) 절하다《*to*》.

C.U.R.U.F.C. Cambridge University Rugby Union Football Club.

cu·rule[kjúruːl] *a.* 〔古로〕 CURULE CHAIR에 앉을 자격이 있는; 최고위의, 고위 고관의.

cúrule chàir 〔古로〕 대관(大官) 의자《상아를 박은 걸상》.

cur·va·ceous, -cious[kəːrvéiʃəs] *a.* 《미口》 곡선미의, 성적 매력이 있는. **~·ly** *ad.*

cur·va·ture[kə́ːrvətʃər] *n.* Ⓤ **1** 만곡(彎曲), 뒤틀림. **2** 〔數〕 곡률(曲率), 곡도.

⁑**curve**[kəːrv] [L] *n.* **1** 곡선. **2** (여자의 몸·도로 등의) 만곡부, 굴곡; (보통 *pl.*) (여자의) 곡선미. **3** 구부렁이; 곡선자; a French ~ 운형(雲形)자. **4** 〔統〕 곡선 도표, 그래프; 〔數〕 곡선. **5** 〔野〕 커브(공). **6** 〔敎育〕 커브 평가, 상대 평가. **get on to** a person**'s curves** 《미俗》 …의 의도를 알다. **make on a**〔**the**〕 **curve** 커브〔상대〕 평가로 평점하다. **throw a curve** 《口》 속이다; 의표를 찌르다.

— *vt.* **1** 굽히다, 만곡시키다. **2** 〈공을〉 커브시키다. — *vi.* 구부러지다, 만곡하다; 곡선을 그리다: The road ~*s round*〔*around*〕 the gas station. 도로가 그 주유소의 둘레를 돌아서 나 있다.
curve·ball *n.* **1** 〔野〕 커브(공). **2** 책략.
curved[kəːrvd] *a.* 구부러진, 만곡한, 곡선 모양의. **curv·ed·ly**[-vidli] *ad.* **-ed·ness**[-vid-] *n.*
cúrve kìller 《미俗》 우등생.
cur·vet[kə́ːrvit] *n.* 〔馬術〕 커벳, 등약(騰躍) 《앞발이 땅에 닿기 전에 뒷발이 뛰는 보기 좋은 도약》. **cut a curvet** 등약〔도약〕하다. — (~(t)ed; ~(t)ing) *vi.* **1** 〈말이〉 등약하다. **2** 〈아이 등이〉 뛰어다니다. — *vt.* 〈기수가〉 말을 등약〔도약〕시키다.
cur·vi·lin·e·al, -ar[kə̀ːrvilíniəl], [-niər] *a.* 곡선의; 곡선미의; 화려한.
curv·y[kə́ːrvi] *a.* (**curv·i·er; -i·est**) **1** 〈길 등이〉 구불구불한, 굽은 (데가 많은). **2** =CURVACEOUS.
Cus·co[kúːskou] *n.* =CUZCO.
cus·cus[kʌ́skəs] *n.* 〔動〕 커스커스《호주·뉴기니산의 유대(有袋) 동물》.
cu·sec[kjúːsek] [*cu*bic foot per *sec*ond] *n.* 큐섹《매초 1입방 피트의 물 흐름》.
cush[kuʃ] *n.* Ⓤ 《미俗》 돈; 현금(cash).
Cush *n.* 〔聖〕 구스《Ham의 장자; 그 자손이 산 홍해 서안의 땅; 창세기 10:6》.
cush·at[kʌ́ʃət, kúʃət] *n.* 《스코》 〔鳥〕 염주비둘기, 흙비둘기(wood pigeon).
Cúshing's disèase 〔病理〕 쿠싱병〔증후군〕 《ACTH 호르몬의 과잉 생산으로 인한 신진대사의 이상증; 고혈압·부신 피질 장애·당뇨병·비만증을 일으킴》.
⁑**cush·ion**[kúʃən] [L] *n.* **1** 쿠션, 방석, 안석. **2** 쿠션 꼴을 한 것, 바늘겨레(=pin ~); (물건을 받쳐 놓는) 받침방석; (다리) 받침; (여자의) 허리띠에 대는 헝겊 받침; 〔野〕 (1, 2, 3루의) 베이스. **3** 완충물; (당구대의) 쿠션. **4** 〔機〕 공기 쿠션《충격을 덜기 위한》. — *vt.* **1** 쿠션을 달다; 쿠션으로 받치다《*up*》. **2** 〈충격·고통 등을〉 흡수하다, 완화하다, 가라앉히다. **3** 〈사람을〉 지키다, 보호하다《*from, against*》. **4** 〔撞〕 〈공을〉 쿠션에 대어〔붙여〕 놓다. ⊕ cúshiony *a.*
cush·ion·craft[-kræ̀ft, -krɑ̀ːft] *n.* (*pl.* ~) =AIR-CUSHION VEHICLE.
cúshion tìre 고무 조각을 채워 넣은 자전거 타이어.
cush·ion·y[kúʃəni] *a.* **1** 쿠션 같은; 부드러운, 폭신한. **2** =CUSHY.
Cush·it·ic[kʌʃítik, kuʃ-] *n.* 쿠시 어군〔어파〕 《소말리아·에티오피아의 언어》. — *a.* 쿠시 어군〔어파〕의.
cush·y[kúʃi] *a.* (**cush·i·er; -i·est**) 《俗》 쉬운 (easy), 즐거운. **cúsh·i·ly** *ad.* **-i·ness** *n.*
cusk[kʌsk] *n.* (*pl.* ~, ~**s**) **1** 〔魚〕 (북대서양산) 대구 비슷한 식용어. **2** 모캐(burbot).
cusp[kʌsp] *n.* **1** 첨단. **2** 〔天〕 (초생달의) 뾰족한 끝. **3** 〔建〕 (아치의) 두 곡선이 만나서 이루는 세모꼴의 끝. **4** (이·잎사귀 등의) 끝. **5** 〔幾〕 (두곡선의) 첨점(尖點). **cusped**[-t] *a.* =CUSPIDATE.
cus·pid[kʌ́spid] *n.* 〔解〕 (사람의) 송곳니.
cus·pi·dal[kʌ́spidəl] *a.* **1** 끝이 뾰족한. **2** 〔幾〕 첨점의〔을 이루는〕.
cus·pi·date, -dat·ed[kʌ́spədèit], [-id] *a.* 끝이 뾰족한, 뾰족한 끝이 있는.
cus·pi·dor[kʌ́spədɔ̀ːr] *n.* 《미》 타구(唾具), 담통(spittoon).
cuss[kʌs] *n.* 《미口》 **1** 저주, 악담. **2** 놈, 녀석(fellow). **be not worth a** (**tinker's**) **cuss** 한푼의 가치도 없다. **not care**〔**give**〕 **a** (**tinker's**) **cuss** 조금도 개의치 않다. — *vt., vi.* 《미口》 =CURSE.
cussed[kʌ́sid] *a.* 《口》 **1** 심술궂은, 고집센. **2** =CURSED. **~·ly** *ad.* **~·ness** *n.*
cuss·word[kʌ́swə̀ːrd] *n.* 《미口》 저주하는 말, 악담, 욕지거리(oath)(*cf.* CURSE).
cus·tard[kʌ́stərd] *n.* Ⓒ,Ⓤ 커스터드《우유·계란에 설탕·향료를 넣어서 찐〔구운〕 과자》; 커스터드 소스《디저트용》; 냉동 커스터드《아이스크림과 비슷함》: ~ pudding 커스터드 푸딩.
cústard àpple 1 〔植〕 번지과(蕃枝科)의 식물《서인도산》. **2** 포포(pawpaw)《북미산》.
cústard glàss 커스터드 유리《담황색의 불투명 유리》.
cus·tard-pie[-pái] *a.* 저속한〔법석떠는〕 희극의《초기 무성 영화에서 커스터드가 든 파이를 상대방 얼굴에 던지는 일이 흔히 있었음》.
cústard pòwder 《영》 분말 커스터드.
cus·to·di·al[kʌstóudiəl] *a.* 보관의, 보호의. — *n.* 성보(聖寶) 용기.
cus·to·di·an[kʌstóudiən] *n.* **1** 관리인, 보관자. **2** 수위. **3** 후견인, 보호자. **~·shìp**[-ʃìp] *n.*
*__cus·to·dy__[kʌ́stədi] *n.* Ⓤ **1** 보관, 관리; (사람의) 보호, 후견. **2** 구류, 감금. **have custody of** a child (아이)를 보호하다. **have the custody of** …을 보관하다. **in custody** 수감〔구인〕되어, 구류중. **in the custody of** …에 보관〔보호〕되어. **keep** a person **in custody** …을 구류〔감금〕하여 두다. **take** a person **into custody** …을 수감〔구인〕하다(arrest). ⊕ custódial *a.*
★**cus·tom**[kʌ́stəm] [L] *n.* **1** Ⓒ,Ⓤ 관습, 풍습; 습관; 《Ⅱ *It* *v* Ⅱ+명+*for*+명+*to* do》 It is the ~ *for* young people *to* offer their seats to old people in crowded trams. 젊은 사람들이 혼잡한 전차 안에서 노인들에게 자기의 좌석을 양보하는 것은 관습이다/《Ⅱ *It* *v* Ⅱ+명+*to* do》 It is my ~ *to* do so. 그렇게 하는 것이 나의 습관이다(=I make it a ~ *to* do so.《Ⅴ *it*+명+*to* do》). **2** Ⓒ 〔法〕 관습법, 관례; 〔미大學〕 규칙. **3** Ⓤ (상점 등의) 애호, 애고(愛顧); (집합적) 《文語》 단골, 고객. **4** (*pl.*) 관세; (*pl.*; 보통 단수 취급) 세관; 통관 수속: pass〔get *through*, go *through*〕 (the) ~*s* 세관을 통과하다. **as is one's custom** 여느 때나 다름없이. **withdraw** one's **custom** …에서 물건 사기를 그만두다《*from*》. — *a.* **1** 《미》 주문한, 맞춤의 (custom-made): ~ clothes 맞춤 옷/a ~ tailor (맞춤 전문) 양복점. **2** (~s) 세관의; 관세의. ⊕ cústomary *a.*
cus·tom·a·ble[-əbəl] *a.* 《주로 미》 관세가 붙는(dutiable). **~·ness** *n.*
cus·tom·ar·i·ly[kʌ̀stəmérəli/-mərili] *ad.* 습관적으로, 관례상.
⁑**cus·tom·ar·y**[kʌ́stəmèri] *a.* **1** 습관적인, 관습적인, 관례적인, 통례의: 《Ⅱ *It* *v* Ⅱ+형+전+명+*to* do》 Is it ~ *in* this country *to* tip waiters? 웨이터들에게 팁을 주는 것이 이 나라에서는 관례적인가/《Ⅱ *It* *v* Ⅱ+형+*for*+명+〈전+명〉+*to* do》 Is it ~ *for* guests *in* this hotel *to* tip waiters? 이 호텔에 든 손님들이 웨이터들에게 팁을 주는 것이 관례적인가/《Ⅱ *It* *v* Ⅱ+형+*that*(절)》 It is ~ *that* young people should give up their seats to old people in a

crowded bus. 젊은 사람들이 혼잡한 버스 안에서 노인들에게 자기의 자리를 양보하는 것은 관습적인 것이다. **2** 〔法〕 관례에 의한, 관습상의: a ~ law 관습법.
— *n.* (*pl.* **-ar·ies**) **1** (한 나라·영역의) 관례집(慣例集). **2** =CONSUETUDINARY.
◇ cústom *n.*

cus·tom-built[-bílt] *a.* =CUSTOM-MADE.

cus·tom-de·sign[-dizáin] *vt.* 주문에 의하여 설계하다.

‡**cus·tom·er**[kʌ́stəmər] *n.* **1** 고객, 단골, 거래처. **2** 《口》 놈, 녀석: a cool ~ 냉정한 놈.

cústomer's bròker〔**màn**〕 증권 회사의 고객 담당원.

cus·tom·house[kʌ́stəmhàus] *n.* (*pl.* -**hous·es**[-hàuziz]) 《미》 세관(《영》 customs-house).

cus·tom·ize[kʌ́stəmàiz] *vt.* 《미》 주문을 받아서 만들다.

cus·tom-made[-méid] *a.* 《미》 주문품의, 맞춤의(*opp.* ready-made).

cus·tom-make[-méik] *vt.* 주문으로 만들다.

cústom òffice 세관 (사무소).

cústoms dùties 관세.

cus·toms-free[kʌ́stəmzfríː] *a.* 무관세의.

cus·toms·house *n.* 《영》 =CUSTOMHOUSE.

cústoms ùnion 〔經〕 관세 동맹.

cus·tom-tai·lor[kʌ́stəmtéilər] *vt.* 주문에 따라 변경〔기획, 제작〕하다.

cústom tàriff 관세율, 관세표.

cus·tos rot·u·lo·rum[kʌ́stɑs-rɑ̀tʃulɔ́ː-rəm] [L] *n.* (*pl.* ***cus·to·des rot·u·lo·rum***) 〔영法〕 수석 치안 판사.

★**cut**[kʌt] (~; ~·**ting**) *vt.* **1** (칼 따위로) 베다: ~ one's finger *with* a knife 칼로 손가락을 베다/~ something open 무엇을 절개하다.
2 절단하다, 잘라내다(*away, off, out*): 〈나무를〉 자르다, 〈풀·머리 등을〉 깎다, 〈화초를〉 꺾다: 〈고기·빵 등을〉 썰다: 〈페이지를〉 자르다: ~ timber 재목을 자르다/~ *away* the dead wood *from* a tree 나무에서 죽은 가지를 치다/《Ⅲ (목)》(herself-(강)) She herself ~ a slice of cake(=She ~ a slice of cake herself). 그녀 자신이 케이크 한 조각을 썰었다/《Ⅳ 대+(목)》 She ~ herself a slice of cake. 그녀는 케이크를 한 조각 썰어 먹었다/《Ⅳ 대+(목)》 *Cut* me a slice of bread. 빵 한 조각을 잘라주세요(=*Cut* a slice of bread for me. 《Ⅲ (목)+전+명》)/《Ⅴ (목)+형》 *Cut* the lawn close. 잔디를 짧게 깎으세요/《Ⅴ (목)+형》 She never ~*s* her hair short. 그녀는 결코 머리를 짧게 자르지 않는다.
3 (~ one's〔a〕 way) 〈물·길 등을〉 헤치며 나아가다(*through*), 돌진하다: 〈길 등을〉 터놓다, (운하·터널 등을) 파다(*through*): He ~ his way *through* the jungle *with* machete. 그는 날이 넓은 칼을 휘둘러 정글을 헤치며 나갔다/~ a road *through* a hill 산을 잘라 길을 내다/~ a trench 참호를〔도랑을〕 파다.
4 (선 따위가 다른 선 따위와) 교차하다: (강 따위가) 가로질러 흐르다(*through*): These lines ~ one another *at* this point. 이 선들은 이점에서 서로 교차한다/A brook ~*s* the field. 개천이 그 들판 가로질러 흐르고 있다.
5 〈보석을〉 깎아 다듬다: 〈돌·상(像)·이름을〉 조각하다, 새기다: 〈옷감·옷을〉 재단하다: ~ a diamond 금강석을 갈다/~ one's name *on* a tree 나무에 이름을 새기다/~ a coat 상의를 재단하다.
6 〈비용을〉 줄이다, 삭감하다: 〈값·급료를〉 깎아 내리다(*down*): ~ the pay 급료를 내리다/~ *down* the price *by* half 가격을 반값으로 내리다.
7 〈관계를〉 끊다, 절교하다: 모른 체하다: ~ an acquaintanceship 교제를 끊다.
8 〔라디오·TV〕 (명령형) (녹음방송을) 그만두다, 중단하다: 〈각본·영화 등을〉 삭제〔편집·컷〕하다(*out*): ~ several scenes *from* the original film 원 영화에서 몇 장면을 컷하다.
9 《口》 〈수업을〉 빼먹다, 결석하다: ~ school 〔the class〕 학교〔수업〕를 빼먹다.
10 차단하다, 방해하다: (엔진·전기·수도를) 끄다, 끊다(*off*): ~ (*off*) the supply of gas 가스 공급을 끊다.
11 〈찬 바람·서리 등이〉 …의 살을 에다: (매 등으로) 모질게 치다: 가슴〔마음〕을 아프게 하다: The icy wind ~ me *to* the bone. 찬 바람이 뼛속까지 스며들었다.
12 〔카드〕 〈패를〉 떼다(divide) (*cf.* DEAL).
13 〔庭球〕 〈공을〉 깎아 치다, 커트하다.
14 레코드화하다, 레코드〔테이프〕에 취입하다.
15 〈말 등을〉 거세하다.
16 《口》 …을 실연하다, 행하다.
17 〈이를〉 나게 하다.
18 용해하다: 《미口》 〈술 따위를〉 묽게 하다(*with*).
19 《미俗》 …을 훼방놓다, 망쳐놓다: (남을) 무색하게 만들다: 압도하다: 괴롭히다.
20 《미俗》 (아무를 그룹에서) 빼내다, 물러나게 하다.
— *vi.* **1** 베다, 절단하다: (고기·과자 등을) 베어 나누다: 《Ⅰ 부》 Cheese ~*s* easily. 치즈는 쉽게 잘라진다. **2** 베어지다, 들다: This knife ~*s* well. 이 칼은 잘 든다. **3** 〈쟁기·배 등이〉 헤치며 나아가다, 뚫고지나가다(*through*): 건너가다, 질러가다(*across*): ~ *through* woods 숲을 헤치고 빠져나가다/~ *across* a yard 뜰을 가로질러 가다. **4** 〔映〕 (보통 명령법으로) 촬영을 중단하다: 편집〔삭제〕하다. **5** (살을 에듯이) 아프다, 아리다, 〈찬 바람이〉 몸에 스며들다: The wind ~ bitterly. 바람이 몹시 차서 살을 에는 듯했다/The criticism ~ *at* him. 그 비평은 그에게 몹시 심한 것이었다. **6** 《미口》 (급히) 달아나다, 질주하다(*along, down*): (명령법) 물러가라(be off!). **7** 〈문제점 등의〉 핵심을 찌르다. **8** (정구 등에서) 공을 깎아 치다. **9** 〈이가〉 나다. **10** 〔카드〕 패를 떼다. **be cut out for**〔**to be**〕 (보통 부정문에서) …에〔되기에〕 적임이다〔어울리다〕. **cut about** 뛰어다니다. **cut across** (1) 〈들판 등〉을 질러가다: …을 방해하다. (2) …와 대립〔저촉〕되다. (3) …을 넘다, 초월하다. (4) …에 널리 미치다. **cut adrift** 〈배를〉 떠내려 보내다: 헤어지다, 영원히 가버리다. **cut along** 허겁지겁 달아나다: 자리를 뜨다. **cut a loss** (일찌감치 손을 떼어) 더 이상의 손해를 막다. **cut and carve** 분할하다. **Cut and come again.** 《口》 (얼마든지) 먹고 싶은 대로 먹어라. **cut and contrive** 이럭저럭 꾸려나가다. **cut and run** 《口》 황급히 도망치다. **cut a rag** 《미俗》 춤추다(dance). **cut a record** 녹음하다. **cut at** (1) (칼로) 내려치다: 사정없이 매질하다. (2) 《口》 (정신적으로) 타격을 주다, 〈희망 등을〉 꺾다. **cut a tooth** 이가 나다. **cut away** (1) 베어 버리다: 마구 베어대다. (2) 《口》 도망치다. **cut back** (1) (꽃나무·과수의) 가지를 짧게 치다. (2) 〔映〕 먼저의 장면으로 전환하다. **cut both ways** 〈의론 등이〉 양편에 다 소용되다, 쌍방에 다 편들다.

cut a person **dead**〔**cold**〕(아는) 사람을 모르는 체하다. **cut down** (1) 〈나무를〉 베어 넘어뜨리다; 〈칼로〉 베어 넘기다. (2) 〈병 등이 사람을〉 넘어뜨리다. (3) 〈치수(등) 을〉 줄이다 (4) 〈비용을〉 삭감하다《*on*》; 〈값을〉 깎다: 《Ⅲ *v* I +부+전+(목)+부》 We must *cut down on* our expenditure first. 우리는 우선 지출을 삭감해야 한다. (5) 〈담배 등의〉 양을 줄이다. **cut … down to size** 〈(과대 평가되고 있는) 사람 · 문제 등을〉 실력〔실상〕대로 평가를 낮추다. **cut for deal**〔**partners**〕 패를 떼어 선〔짝〕을 정하다. **cut … free** (밧줄 등을 잘라서) …을 자유롭게 하다; 〈일 등에서〉 빠져 나가다《*from*》. **cut in** (1) 끼어들다, 간섭하다; 말참견하다: 《I 부+부》 She *cut in* again. 그녀는 다시 말을 가로 막았다. (2) 〈사람 · 자동차가 뒤에서 와서〉 앞질러 끼이다. (3) (전화에서) 남의 이야기를 몰래 듣다. (4) 《口》 (댄스 중의 남자로부터) 파트너를 가로채다. (5) 〔카드〕 나가는 사람 대신 놀이에 끼다 (*cf.* CUT out (5)). **cut into** =CUT in (1); 〈예금 등을〉 까먹다, 줄이다. **cut it** 《俗》 달리다, 뺑소니치다; (명령법) 집어치워!, 닥쳐! **cut it fat** 《口》 자랑하다, 허세 부리다. **cut it fine**〔**close**〕 《口》 〈시간 · 돈 등을〉 최소 한도로 줄이다. **cut it off** 《俗》 잠들다. **cut loose** (1) 끈〔사슬〕을 끊어 놓다. (2) 관계〔구속〕를 끊다. (3) 《미》 벗어나다. (4) 멋대로 행동하다; 활동을 시작하다. (5) 공격을 개시하다. **cut no ice** 《俗》 아무 효과도 없다, 아무것도 하지 않다. **cut off** (1) 베어내다; 삭제하다《*from*》. (2) 중단하다, 끊다. (3) 《미口》 폐적(廢嫡)하다, (자식과) 의절하다. (4) 〈통화 · 연락 등을〉 가로막다; 잠잠케 하다. (5) 〈병 등이 사람 을〉 넘어뜨리다. **cut** a person **off with a shilling** (체면상 겨우 1 실링의 유산을 주어) 절연하다. **cut one's coat according to one's cloth** 분에 맞는 생활을 하다. **cut oneself** 다치다. **cut one's losses** =CUT a loss. **cut out** (1) 잘라내다; 제거하다, 생략하다; 그만두다: *Cut* it 〔that〕 *out*! 그만둬!, 닥쳐! (2) 〈옷을〉 마르다; 예정하다, 준비하다, 맞추다: have one's work *cut out* for one 일감의 예정이 충분히 있다⇨be CUT out for. (3) 〈…을〉 제쳐놓고 그 자리를 차지하다, 〈경쟁자를〉 앞지르다. (4) 〈적함을〉 포획하다《적의 포화를 뚫고, 또는 항구 안에서》. (5) 〔카드〕 나갈 사람을 정하다, 나가게 하다(*cf.* CUT in (5)). (6) 《미》 〈동 물을〉 무리에서 떼어놓다; 좌〔우〕로 나와 앞에서 오는 자동차를 방해하다《앞차를 앞지르기 위하여》. **cut over** (1) 횡단하다. (2) 전면적으로 베어 넘기다. (3) 쓰러뜨리다. (4) 《미》 〈옷을〉 다시 만들다〔짓다〕. **cut round** 《미口》 뛰어 돌아다니다; 실속 없이 뽐내다. **cut short** (1) 줄이다; 단축하다. (2) 〈남의 말을〉 가로막다. **cut … to**〔**in**〕 **pieces** (1) …을 난도질하다; 〈적을〉 분쇄하다, 궤멸시키다. (2) 〈저서 등을〉 혹평하다. **cut** a person **to the heart**〔**quick**〕 가슴에 사무치게 하다. **cut under** 《미》 …보다 싸게 팔다. **cut up** (1) 근절하다; 썰다. (2) 〈적군을〉 궤멸시키다. (3) 《口》 마구 깎아 내리다; 《口》 (보통 수동형) 몹시 마음 아프게 하다; 《미口》 〈소동을〉 일으키다, 장난치다. (4) 《俗》 쌍방이 묵계하여 부정한 수단으로 승부를 내다. (5) 재단되다, 마를 수 있다. (6) 《미口》 익살떨다, 뽐내어 보이다(show off). **cut up fat**〔**well**〕 (1) 분량이 듬뿍하다. (2) 많은 재산을 남기고 죽다. **cut up rough**〔**savage, rusty, stiff, ugly, nasty**〕 《口》 성내다, 난폭하게 설치다.

— *a.* **1** 벤, 베인 상처가 있는; 베어낸, 깎은, 잘게 썬; 재단된. **2** 짧게 자른, 새긴. **3** 깎아 다듬은. **4** 줄인, 삭감한, 할인한: (at) ~ rates 〔prices〕 할인 가격(으로). **5** 거세한. **6** 《俗》 술 취한. **cut and carried** 《영俗》 결혼한. **cut and dried**〔 **dry**〕 =CUT-AND-DRIED. **cut in the craw**〔**eye**〕 《미俗》 취한. **cut out for …** …에 적임의; (남녀가) 잘 어울리는. **give** a person **the cut direct** 아무를 보고도 모르는 체 지나치다.

— *n.* **1** 절단; (각본 등의) 삭제, 컷; 삭감, 에누리, 할인 감가(減價)《*in*》, 임금의 인하; 〔컴퓨터〕 자르기. **2** 베기, 벤 상처, 벤 자리. **3** 일격; 《미野球俗》 타격, 치기; 《미俗》 차례, 기회; 〔펜싱〕 내리쳐 베기, 한번 치기(*cf.* THRUST); 날카로운 매질; 무정한 처사; 신랄한 비꼼. **4** 벤 금, 새긴 금(notch). **5** 벤 조각, 《특히》 고깃점, 베어 낸 살《*from*》; 큰 고깃덩어리. **6** (옷의) 마름질, (머리의) 깎는 법, 형, 모양. **7** 횡단로; 지름길(=short~); =CUTTING 4. **8** (철로의) 개착; 해자(垓字), 수로; (배경을 오르내리게 하는) 무대의 홈. **9** (각본 · 필름 등의) 삭제; 〔映 · TV〕 급격한 장면 전환. **10** 목판화, 컷, 삽화, 인화; 〔印〕 판(版). **11** (보통 the ~) 《口》 모른 체함; (수업 등을) 빼먹기, 버려두기. **12** 〔카드〕 패 떼기; 떼는 차례; 떼어서 나온 패; 〔庭球〕 공을 깎아치기; 〔댄스〕 컷. **13** 《口》 몫, 배당《*of, in*》. **14** (목재의) 벌채량; (양털의) 깎아낸 양; 수확량. **15** (추첨의) 제비. **16** 가벼운 식사. **17** 〔골프〕 예선 통과 라인, 결승 라운지 진출 라인. **18** (전력 · 공급 등의) 제한, 정지. **a cut above**〔**below**〕 《口》 …보다 한 층 위〔아래〕. **a short**〔《스코》 **near**〕 **cut** 지름길. **draw cuts** (종이 심지 등으로) 제비 뽑다. **give** a person **the cut direct** (보고도) 아주 모르는 체하다. **have**〔**take**〕 **a cut** 《미》 고기 한 조각으로 식사를 마치다, 간단한 식사를 하다. **make a cut** 삭감〔삭제〕하다. **make a cut at** …에 맞닥뜨리다. **the cut and thrust** (1) 백병전. (2) 활발한 토론〔논쟁〕. ◇ cútty *a.*

cut-and-come-a·gain [ˊəndkʌ́məgèn] *n.* U,C **1** 《口》 (고기 등을) 몇 번이고 베어 먹기. **2** 풍부함, 무진장. **3** 〔植〕 양배추의 일종.

cut-and-dried, -dry [ˊənddráid], [-drái] *a.* **1** 〈말 · 계획 등〉 미리 준비된, 미리 결정된. **2** 신선함이 없는, 무미 건조한, 활기 없는 (dull); 틀에 박힌, 진부한.

cut-and-paste [ˊəndpéist] *a.* (책이) 풀과 가위로 만든, 스크랩하여 편집한.

cut-and-thrust *a.* 〈검(劍)이〉 베기와 찌르기 겸용의.

cut-and-try *a.* 시행착오의.

cu·ta·ne·ous [kju:téiniəs] *a.* 피부의; 피부를 해치는. **~·ly** *ad.*

cut·a·way [kʌ́təwèi] *a.* **1** (웃옷의 앞섶을 허리께부터) 비스듬히 재단한. **2** 〈기계 등이〉 절단 작용이 있는. **3** 〈모형 · 도해 등〉 (안이 보이도록) 외부의 일부를 잘라낸. — *n.* **1** 모닝 코트(= ˊ **cóat**). **2** (안이 보이도록) 외부의 일부를 잘라낸 그림〔모형〕. **3** 〔映 · TV〕 장면 전환.

cut·back [ˊbæ̀k] *n.* **1** (생산의) 축소, 삭감. **2** 〔映〕 컷백, 장면 전환(*cf.* FLASHBACK). **3** 〔園藝〕 가지치기, 가지치기한 과수.

cut·cha [kʌ́tʃə] *a.* 《인도》 빈약한, 임시 변통의(*cf.* PUKKA). — *n.* 햇볕에 말린 벽돌.

cut·down [kʌ́tdàun] *n.* **1** 감소, 저하(reduction). **2** 〔醫〕 (CATHETER의 삽입을 쉽게 하기 위한) 정맥 절개(切開).

*__cute__[kju:t][acute의 두음(頭音) 소실] *a.* (**cut·er; -est**) **1** 《주로 미口》 〈아이·물건 등〉 예쁜, 귀여운. **2** 《口》 영리한, 눈치빠른, 기민한. **3** 《미》 뽐내는, 눈꼴 신. **cúte·ly** *ad.* **cúte·ness** *n.*

cute·sy, -sie[kjú:tsi] *a.* 《미口》 귀엽게 보이려는, 뽐내는.

cute·sy·poo[kjú:tsipù] *a.* 《口》 =CUTESY.

cut·ey[kjú:ti] *n.* =CUTIE.

cút gláss 컷글라스《조탁(彫琢) 세공 유리(그릇)》.

cut-grass[kʌ́tgræ̀s, -grɑ̀:s] *n.* 〔植〕 잎가장자리가 톱니 모양으로 된 풀, 《특히》 겨풀.

Cuth·bert[kʌ́θbərt] *n.* **1** 남자 이름《애칭 Cuddie》. **2** 《영俗》 징병 기피자 《특히 제1차 대전 중의》. **3** 〔植〕 나무딸기.

cu·ti·cle[kjú:tikl] *n.* **1** 〔解·動〕 표피(表皮) (epidermis):(손톱·발톱 뿌리의) 엷은 껍질. **2** 〔植〕 상피, 각피(角皮), 쿠티쿨라.

cu·tic·u·la[kju:tíkjələ] *n.* (*pl.* **-lae**[-lì:]) = CUTICLE 1.

cu·tic·u·lar[kju:tíkjulər] *a.* 표피〔상피〕의; 각피(角皮)의.

cut·ie[kjú:ti] *n.* 《미口》 **1** 귀여운〔예쁜〕 처녀〔여자〕. **2** 모사(謀士). **3** 건방진 녀석.

cútie pìe 《口》 =CUTIE.

cut-in[kʌ́tìn] *a.* 삽입한. — *n.* **1** 〔印〕 (삽화 등의) 맞춰 넣기. **2** 〔映〕 삽입 화면.

cu·tin[kjú:tin] *n.* Ⓤ 〔植〕 각질(角質), 큐틴질.

cu·tin·ize[kjú:tənàiz] *vt., vi.* 큐틴화하다. **cú·tin·i·zá·tion** *n.*

cu·tis[kjú:tis] *n.* (*pl.* **-tes**[-ti:z], **~·es**) 〔解〕 피부, 《특히》 진피(眞皮).

cut·lass, -las[kʌ́tləs] *n.* (휘고 폭이 넓은) 단검《주로 옛날 선원들이 쓰던》.

cútlass fish 〔魚〕 갈치(hairtail).

cut·ler[kʌ́tlər] *n.* 칼 장수, 칼 만드는 사람.

cut·ler·y[kʌ́tləri] *n.* Ⓤ **1** (집합적) 칼붙이; 식탁용 날붙이《나이프·포크·스푼 등》. **2** 칼 제조업.

*__cut·let__[kʌ́tlit] *n.* **1** (굽거나 프라이용의) 얇게 저민 고기. **2** (저민 고기·생선 살 등의) 납작한 크로켓.

cut·line[kʌ́tlàin] *n.* (신문·잡지·사진 등의) 설명 문구(caption).

cút mòney 《미》 분할 화폐《18-19세기에 스페인 화폐를 잘라 잔돈으로 대용한》.

cút nàil 대가리 없는 못.

cut·off[⊿ɔ̀:f, ⊿ɑ̀f/⊿ɔ̀f] *n.* **1** 절단, 차단; (회계의) 결산일, 마감날. **2** 《미》 지름길; (고속 도로의) 출구. **3** 〔機〕 차단 장치. **4** (보통 *pl.*) 무릎께에서 자른 청바지. **5** 〔電子〕 (전자관·반도체 소자의) 전류가 끊김.

cut-off-block[-blɑ̀k/-blɔ̀k] *n.* 〔미蹴〕 컷오프 블록.

cut·out[⊿àut] *n.* **1** 차단. **2** 도려내기〔꿰매붙이기〕 세공(applique). **3** (각본·영화 필름의) 삭제 부분. **4** 〔電〕 컷아웃, 안전기(安全器); 〔機〕 (내연 기관의) 배기 밸브.

cut·o·ver[⊿òuvər] *a., n.* 《미》 벌목한 (땅).

cut-price[⊿pràis] *a.* **1** 할인〔특가〕의; 값을 깎는: a ~ sale 염가 할인 판매. **2** 특가품을 파는.

cut·purse[⊿pə̀:rs] *n.* 《古》 소매치기.

cut-rate[⊿réit] *a.* 《미》 할인〔이류(二流)〕의. — *n.* 할인 가격〔요금〕, 특가.

*__cut·ter__[kʌ́tər] *n.* **1** 베는 사람〔물건〕, 재단사; 〔映〕 필름 편집자. **2** 베는 도구, 재〔절〕단기, (기구의) 날; 〔解〕 앞니(incisor). **3** 《미·캐나다》 소형 말썰매《1-2 인승》. **4** 〔海〕 커터《군함에 딸린 소형 배》; 외돛대의 소형 범선; 《미》 감시선.

cut·throat[kʌ́tθròut] *n.* **1** 살인자(murderer). **2** 《영》 (접을 수 있는) 서양 면도칼. **3** 〔카드〕 세 사람이 하는 poker. — *a.* **1** 살인의; 흉악한(cruel). **2** 치열한(keen), 파괴적인. **3** 〔카드〕 셋이 하는(three-handed).

⁑**cut·ting**[kʌ́tiŋ] *n.* Ⓤ,Ⓒ **1** 절단; 재단; 베어내기; 벌채(伐採). **2** Ⓒ 자른 가지(꺾꽂이용). **3** Ⓒ 《영》 베어낸 것; 오려낸 것(《미》 clipping): a press ~ 신문에서 오려낸 것. **4** 개착(開鑿), 파헤친 곳. **5** 《口》 염가 판매, 할인; 치열한 경쟁. **6** 깎고 가는 가공. **7** 〔映〕 필름 편집; 녹음 테이프 편집. — *a.* **1** 예리한. **2** 살을 에는 듯한. **3** 통렬한, 신랄한. **4** 〈눈 등이〉 날카로운(penetrating). **5** 《口》 (남보다) 싸게 파는. **be on the cutting edge** 지도적 입장에 있다; 앞장서다. **~·ly** *ad.* 살을 엘 듯이, 날카롭게; 비꼬아.

cútting èdge[⊿èdʒ] 최선두, 최첨단.

cútting flúid 절삭제(切削劑).

cútting róom (필름·테이프의) 편집실.

cut·tle[kʌ́tl] *n.* =CUTTLEFISH.

cut·tle·bone[-bòun] *n.* 오징어의 뼈.

cut·tle·fish[-fìʃ] *n.* (*pl.* **~, ~·es**) 〔動〕 오징어, 《특히》 뼈오징어.

cut·ty[kʌ́ti] *a.* (**-ti·er; -ti·est**) 《스코》 **1** 짧게 자른; 치수가 짧은. **2** 성미 급한. — *n.* (*pl.* **-ties**) **1** 《영》 짧은 사기 파이프; 짧은 숟가락. **2** 바람기 있는 여자; 말괄량이.

cut·ty·hunk[kʌ́tihʌ̀ŋk] *n.* 삼실을 꼬아 만든 낚싯줄《특히 손으로 꼰 것》.

cútty sárk 《스코》 (여자용) 짧은 옷《셔츠, 스커트, 슬립 등》.

cútty stòol **1** 조리돌림대(臺)《옛날 Scotland에서 부정한 유부녀 등을 앉히던 걸상》. **2** 낮은 의자.

cut·up[kʌ́tʌ̀p] *n.* **1** 《미俗》 장난꾸러기. **2** 흥겨워 떠들썩함, 유쾌한 연회. **3** 전문가.

cut·wa·ter[⊿wɔ̀:tər, ⊿wɑ̀t-] *n.* (뱃머리의) 물가름; (교각의) 물가름.

cut·work[⊿wə̀:rk] *n.* Ⓤ 컷워크《레이스 바탕의 오려낸 자리에 무늬를 넣는 자수》.

cut·worm[⊿wə̀:rm] *n.* 〔昆〕 뿌리를 잘라 먹는 벌레, 야도충.

cu. yd. cubic yard(s).

Cuz·co *n.* 쿠스코《페루 남부의 도시; 12-16세기의 잉카 제국의 수도》.

CV *n.* 〔미軍〕 항공 모함의 함종별 기호.

CV, cv [*c*urriculum *v*itae] *n.* 이력(서).

cv. convertible. **C.V.** Common Version (of the Bible). **CVA** cerebrovascular accident; Columbia Valley Authority. **C.V.O.** Commander of the Royal Victorian Order 《영》 빅토리아 상급 훈작사(勳爵士).

CW[sí:dʌ́bəljù:] [*c*ontinuous *w*ave] *n.* 《口》 =MORSE CODE.

CW, C.W. chemical warfare. **CWA** Civil Works Administration 토목 사업국. **CWAC** Canadian Women's Army Corps 캐나다 육군 여군 부대. **Cwlth.** Commonwealth.

cwm[ku:m] *n.* 〔地質〕 =CIRQUE.

C.W.O., c.w.o. cash with order 〔商〕 현금 지불 주문. **CWO, C.W.O.** chief warrant officer. **CWS, C.W.S.** Chemical Warfare Service 화학전 부대; Cooperative Wholesale Society. **cwt.** hundredweight(s).

-cy[si] *suf.* **1** 「직·지위·신분」의 뜻: captain*cy*. **2** 「성질, 상태」의 뜻: bankrupt*cy*. 《대개

-t, -te, -tic, -nt로 끝나는 형용사에 붙음).
cy. capacity; currency. **cy, cy.** 〔컴퓨터〕 cycle(s). **Cy.** county. **CY, C.Y.** calendar year.
cy·an[sáiæn, -ən] *n., a.* 청록색(의).
cy·an-[sáiən, saiǽn], **cy·a·no-**[sáiənou, saiǽnou] 《연결형》「남색; 시안(화물)」의 뜻 《모음 앞에서는 cyan-》.
cy·an·am·ide[saiǽnəmàid, sàiənǽmaid, -mid] *n.* 〔化〕 시아나미드.
cy·a·nate[sáiənèit] *n.* 〔化〕 시안산염(酸鹽).
cy·an·ic[saiǽnik] *a.* **1** 〔化〕 시안의〔을 함유하는〕. **2** 〔植〕 푸른(빛의).
cyánic ácid 〔化〕 시안산(酸).
cy·a·nide[sáiənàid, -nid] *n.* 〔化〕 **1** 시안〔청(青)〕 화물(化物), 청산염(青酸鹽). **2** Ⓤ 청산칼리〔나트륨〕. — *vt.* 〔冶〕 시안으로 처리하다.
cýanide pròcess 〔冶〕 청화법(青化法).
cy·a·nine, -nin[sáiənì:n, -nin] *n.* Ⓤ 〔化〕 시아닌.
cy·a·nite[sáiənàit] *n.* Ⓤ 〔鑛〕 남정석(藍晶石).
cy·a·nize[sáiənàiz] *vt.* 〔化〕 〈공중 질소를〉 시안화하다〔고정시키다〕.
cy·a·no[sáiənòu, saiǽnou] *a.* 〔化〕 시안기(基)를 함유하는.
cy·a·no·a·cet·y·lene[sàiənouəsétəlì:n] *n.* 〔化〕 Ⓤ 시아노아세틸렌《성운(星雲)에서 발견된 유기 물질》.
cy·a·no·bac·te·ri·um[sàiənoubæktíəriəm] *n.* (*pl.* **-ri·a**[-riə]) 시아노 박테리아《청록색 세균문(門)의 세균》.
cy·a·no·co·bal·a·min *n.* =VITAMIN B_{12}.
cy·an·o·gen[saiǽnədʒin] *n.* Ⓤ 〔化〕 시안, 청소(青素)《유독 가스》.
cy·a·nom·e·ter[sàiənámitər/-nɔ́m-] *n.* (하늘 등의 푸른 정도를 재는) 시안계(計).
cy·a·no·sis[sàiənóusis] *n.* (*pl.* **-ses**[-si:z]) Ⓤ 〔病理〕 치아노제《산소 결핍 때문에 혈액이 검푸르게 되는 상태》.
cy·a·not·ic[sàiənátic/-nɔ́t-] *a.* 〔病理〕 치아노제의.
cy·an·o·type[saiǽnətàip] *n.* Ⓤ 청사진(법)(blueprint).
Cyb·e·le[síbəlì:] *n.* 퀴벨레《Phrygia의 대지의 여신; the Great Mother라고 불리며 곡식의 결실을 표상; *cf.* RHEA》.
cy·ber·cul·ture[sáibərkʌ̀ltʃər] *n.* Ⓤ CYBERNATION에 의한 사회〔문화〕.
cỳ·ber·cúl·tur·al[-tʃərəl] *a.*
cy·ber·nate[sáibərnèit] *vt.* (공정(工程)을 컴퓨터로) 자동 조절하다, 인공 두뇌화하다.
-nat·ed[-nèitid] *a.*
cy·ber·na·tion[sàibərnéiʃən] [*cyber*netics+auto*mation*] *n.* Ⓤ 컴퓨터에 의한 자동 제어.
cy·ber·net·ic, -i·cal[sàibərnétik], [-əl] *a.* 인공 두뇌학의. **-i·cal·ly** *ad.*
cy·ber·net·i·cist, -ne·ti·cian[-nétisist], [-nitíʃən] *n.* 인공 두뇌학자.
cy·ber·net·ics[sàibərnétiks] *n. pl.* (단수 취급) 인공 두뇌학.
cy·ber·pho·bi·a[sàibərfóubiə] *n.* 컴퓨터 공포(증).
cy·ber·punk[sáibərpʌ̀ŋk] *n.* **1** 슈퍼 컴퓨터와 인간과의 상호작용을 폭 넓게 다룬 과학 소설. **2** 《俗》 컴퓨터 광(狂)(computer hacker).
cy·ber·space[sáibərspèis] *n.* =VIRTUAL REALITY.
cy·ber·sport[sáibərspɔ̀:rt] *n.* 전자 게임.
cy·borg[sáibɔ:rg] [*cyb*ernetic+*org*anism] *n.* 사이보그《특수한 환경에서도 살 수 있게 생리 기능의 일부가 기계에 의해 대행되고 있는 인간·생물체》.
cyc[saik] *n.* 《口》 =CYCLORAMA 2.
cy·cad[sáikæd] *n.* 〔植〕 소철(과 식물).
cy·cl-[sáikl], **cy·clo-**[sáiklou] 《연결형》「원, 고리; 주기; 회전; 환식(環式)」의 뜻《모음 앞에서는 cycl-》.
cycl. cyclopedia; cyclopedic.
cy·cla·ble *a.* 자전거 전용의 〈도로〉.
cy·cla·mate[sikləmeit] *n.* Ⓤ 시클라메이트 《무영양의 인공 감미료》.
cy·cla·men[síkləmən, sái-, -mèn] *n.* 〔植〕 시클라멘.
***cy·cle**[sáikl] [Gk] *n.* **1** 순환(기), 주기; 〔電〕 사이클, 주파. **2** 한 시대, 오랜 세월. **3** (신화·전설 등의) 1단(團), 1군(群), 전체; 《특히》 일련의 사시(史詩)〔전설〕: the Arthurian ~ 아서왕 전설 전집. **4** 자전거(bicycle), 3륜차(tricycle), 오토바이(*cf.* MOTORCYCLE). **5** 〔植〕 (꽃의) 윤체(輪體); 〔天〕 궤도; 〔化〕 (원자의) 고리; 〔數〕 순회 치환; 〔生〕 =LIFE CYCLE. **6** 〔컴퓨터〕 주기, 사이클《(1) 컴퓨터의 1회 처리를 완료하는 데 필요한 최소 시간 간격. (2) 1단위로서 반복되는 일련의 컴퓨터 동작》. **move in a cycle** 주기적으로 순환하다. **the cycle theory** 〔經〕 경기 순환설. **the Metonic**〔**lunar**〕 **cycle** 메톤 주기《19년을 1주기로 하여 부활제 날을 정하는 데 쓰임; 메톤이 발견》. **the solar cycle** 태양 순환기《월일과 요일이 일치하는 해로 28년째》. — *vi.* **1** 순환하다, 회귀(回歸)하다, 주기를 이루다. **2** 자전거를 타다〔타고 가다〕, 자전거 여행을 하다.
◇ cýclic *a.*
cy·cle·car[-kà:r] *n.* 자동 3륜차〔4륜차〕.
cy·cler[sáiklər] *n.* =CYCLIST.
cy·cle·ry[sáiklri/-kləri] *n.* (*pl.* **-ries**) 자전거포.
cýcle tíme 〔컴퓨터〕 사이클타임《기억장치의 읽는 속도》.
cy·cle-track[sáikltræ̀k] *n.* 자전거용 도로.
cýcle wày[-wèi] =CYCLE-TRACK.
cy·clic, -cli·cal[sáiklik, sík-], [-əl] *a.* **1** 순환기의; 주기적인. **2** (일련의) 사시(史詩)〔전설〕의. **cý·cli·cal·ly** *ad.*
cýclic adénosine monophósphate = CYCLIC AMP.
cýclic ÁMP[-éièmpí:] 〔生化〕 사이클릭 AMP, 아데노신 1인산 회로《대사나 신경계의 기능을 조정하는 생화학 반응의 한 가지》.
cýclic chórus 〔古그〕 윤무창(輪舞唱)《Dionysus 제단 둘레를 도는》.
cýclic flówer 〔植〕 윤생화(輪生花).
cyclic GMP 〔生化〕 환상 GMP《호르몬 작용 발현을 중개하는 물질; 세포의 증식 기능과 관련이 있음》.
cýclic póets 호머(Homer)에 이어 트로이 전쟁을 읊은 시인들.
***cy·cling**[sáikliŋ] *n.* Ⓤ **1** 사이클링, 자전거 타기. **2** 순환 운동.
***cy·clist**[sáiklist] *n.* 자전거 타는 사람, 자전거로 여행하는 사람.
cy·clo[sí(:)klou, sái-] *n.* (*pl.* ~**s**) 3륜 택시.
cy·clo-[sáiklou, sík-] 《연결형》 =CYCL-.
cy·clo-cross[sáikloukrɔ̀:s] *n.* 크로스컨트리 자전거 경주.
cy·clo·di·ene[sàiklədáii:n] *n.* (염소화(化) 메틸렌군(群)을 갖는) 유기화학제의 총칭.
cy·clodrome[sáikloudròum] *n.* 자전거 경기장.
cy·clo·gen·e·sis[sàiklədʒénəsis, sìklə-]

n. 〔氣〕 저기압의 발생〔발달〕.
cy·clo·graph[sáilougræ̀f, -grɑ̀:f] *n.* **1** 원호기(圓弧器). **2** 파노라마 카메라. **3** 금속 경도(硬度) 측정기.
cy·clo·hex·ane[sàikləhéksein] *n.* Ⓤ 〔化〕 시클로헥산《용제(溶劑)·나일론의 원료》.
cy·cloid[sáiklɔid] *n.* **1** 〔數〕 사이클로이드, 파선(擺線). **2** 〔魚〕 원린어(圓鱗魚). ── *a.* **1** 원형의. **2** 〔魚〕 원린어과(科)의.
cy·cloi·dal[saiklɔ́idl] *a.* 〔數〕 사이클로이드의, 파선상(擺線狀)의.
cy·clom·e·ter[saiklɑ́mitər/-klɔ́-] *n.* **1** 원호 측정기. **2** 차륜 회전 기록기, 주행계.
cy·clone[sáikloun][Gk] *n.* **1** 〔氣〕 (인도양 등의) 열대성 저기압, 《일반적으로》 온대성 저기압. **2** 대폭풍〔선풍〕: 《미》 큰 회오리바람(tornado). **3** (원심 분리식) 집진(集塵) 장치.
cýclone cèllar 《미》 **1** 선풍 대피호〔지하실〕. **2** 안전 지대.
cy·clon·ic[saiklɑ́nik/-klɔ́n-] *a.* **1** 선풍의. **2** 격렬한, 강렬한.
cy·clo·nite[sáiklənàit, sík-] *n.* Ⓤ 강력 고성능 폭약.
cy·clo·pe·an[sàikləpí:ən] *a.* **1** (종종 **C-**) Cyclops의〔같은〕. **2** 거대한; 〔建〕 거석(巨石)으로 쌓는. **3** 애꾸눈의.
cy·clo·pe·di·a, -pae-[sàikloupí:diə] *n.* 백과 사전(encyclopedia). **-dic** *a.*
cy·clo·phos·pha·mide[sàikloufɑ́sfəmàid/-fɔ́s-] *n.* 〔藥〕 시클로포스파미드《임파선종·백혈병 치료제》.
cy·clo·ple·gi·a[kàikləplí:dʒiə, sìklə-] *n.* 〔病理〕 모양근(毛樣筋) 마비, 안근(眼筋)마비, 눈조절 마비.
cy·clo·pousse[sì:kloupú:s][F] *n.* 3륜택시.
cy·clo·pro·pane[sàiklouprόupein] *n.* Ⓤ 〔化〕 시클로프로판《흡입 마취제》.
Cy·clops[sáiklɑps/-klɔps] *n.* (*pl.*-**clo·pes**[saiklóupi:z]) **1** 〔그神〕 키클롭스《Sicily에 살았던 애꾸눈의 거인》. **2** (**c-**) (*pl.* ~) 외눈박이. **3** (**c-**) (*pl.* ~, **-pes**) 〔動〕 물벼룩.
cy·clo·ra·ma[sàiklərǽmə, -rɑ́:mə] *n.* **1** 원형 파노라마. **2** 〔劇〕 파노라마식 배경막.
cy·clo·sis[saiklóusis] *n.* (*pl.*-**ses**[-si:z]) Ⓤ 〔生〕 (세포 안에서의) 원형질 환류(環流).
cy·clo·spo·rine[sàikləspɔ́:rən, -ri:n] *n.* 〔藥〕 시클로스포린《거부 반응 방지제》.
cy·clo·stome[sáikləstòum, sík-] *a., n.* 둥근 입을 가진, 원구류(圓口類)의《물고기》.
cy·clo·style[sáikləstàil] *n.* 톱니바퀴식 철필로 원지를 긁는 등사기. ── *vt.* 사이클로스타일로 인쇄하다.
cy·clo·thy·mi·a[sàikləθáimiə, sìk-] *n.* Ⓤ 〔精醫〕 순환 기질《조(躁)와 울(鬱)과의 교체》.
cy·clo·tron[sáiklətrɑ̀n/-trɔ̀n] *n.* 〔物〕 사이클로트론《원자 파괴를 위한 이온 가속 장치》.
cy·der[sáidər] *n.* 《영》 =CIDER.
cy·e·sis[saií:sis] *n.* (*pl.* **-ses**[-si:z]) 임신
cyg·net[sígnit] *n.* 백조의 새끼.
Cyg·nus[sígnəs] *n.* **1** 〔鳥〕 백조속(屬). **2** 〔天〕 백조자리(the Swan).
cyl. cylinder; cylindrical.
⁑cyl·in·der[sílindər] [Gk] *n.* **1** 원통; 〔幾〕 원주(圓柱), 기둥, 통. **2** 〔機〕 실린더, 기통(汽筒), (펌프의) 통. **3** (윤전기의) 회전통, 윤전기. **4** 온수〔급탕〕 탱크. **5** (회전식 권총의) 탄창. **6** 〔考古〕 원통형의 석인(石印)〔토기(土器)〕. **7** 〔컴퓨터〕 실린더《자기(磁氣) 디스크 장치의 기억 장소의 단위》. **function**〔**click, hit, operate**〕 **on all**〔**four, six**〕 **cylinders** 〈엔진이〉 전력을 내고 있다; 쾌조이다. **miss on all**〔**four**〕 **cylinders** 부조(不調)하다.
── *vt.* 실린더를 달다; 실린더로 처리하다. **~·lìke** *a.* ◇ cylíndrical *a.*
cyl·in·dered[sílindərd] *a.* (보통 복합어를 이루어) …기통의, …에 실린더가 달린: a six-~ car 6기통차.
cýlinder escàpement (시계의) 실린더 역회전 방지 장치.
cýlinder hèad (내연 기관의) 실린더 헤드.
cýlinder prèss 원압(圓壓) 인쇄기.
cy·lin·dri·cal, -dric[silíndrikəl], [-ik] *a.* 원통(모양)의. **-dri·cal·ly** *ad.*
cyl·in·droid[sílindrɔ̀id, ─ˊ─] *n.* 〔幾〕 곡선주(柱), 타원주. ── *a.* 원통 모양의.
cym-[saim], **cy·mo-**[sáimou] 《연결형》「물결」의 뜻《모음 앞에서는 cym-》.
Cym. Cymric.
cy·ma[sáimə] *n.* (*pl.* **-mae**[-mi:], **~s**) **1** 〔植〕 =CYME. **2** 〔建〕 반곡(反曲); 반곡선.
cy·mar[simɑ́:r] *n.* 여자용 웃옷《품이 넉넉한》.
cy·ma·ti·um[siméiʃiəm] [L] *n.* (*pl.* **-ti·a** [-ʃiə]) 〔建〕 반곡(反曲).
＊cym·bal[símbəl] *n.* (보통 *pl.*) 〔樂〕 심벌즈《타악기》. **~·ist, ~·er**[-bələr] *n.* 심벌즈 연주자.
cym·ba·lo[símbəlòu] *n.* (*pl.* **~s**) 〔樂〕 침발로《DULCIMER 비슷한 옛 현악기》.
cym·bid·i·um[simbídiəm] *n.* 〔植〕 심비듐《열대 아시아산 한란 무리》.
cym·bi·form[símbəfɔ̀:rm] *a.* 〔動·植〕 보트 모양의.
cyme[saim] *n.* 〔植〕 취산 화서.
cy·mo-[sáimou] 《연결형》 =CYM-.
cy·mo·graph[sáiməgræ̀f, -grɑ̀:f] *n.* 《미》 =KYMOGRAPH.
cy·mo·scope[sáiməskòup] *n.* 〔電〕 검파기.
cy·mose, -mous[sáimous, ─ˊ], [sáiməs] *a.* 〔植〕 취산 화서의; 취산상(狀)의.
Cym·ric[kímrik, sím-] *a.* 웨일스 사람〔말〕의 (Welsh). ── *n.* Ⓤ 웨일스 말.
Cym·ry[kímri, sím-] *n.* (복수 취급) 웨일스 사람.
＊cyn·ic[sínik] [Gk] *n.* **1** 비꼬는 사람, 빈정대는 사람. **2** (**C-**) 견유학파(犬儒學派)의 사람: (the C-s) 시닉 학파, 견유학파. ── *a.* **1** 비꼬는(cynical). **2** (**C-**) 견유학파적인.
◇ cýnical *a.*
＊cyn·i·cal[sínikəl] *a.* **1** 빈정대는, 냉소적인 (sneering)《*about*》, 세상을 백안시하는. **2** (**C-**) 견유학파의. **~·ly** *ad.*
cyn·i·cism[sínəsìzəm] *n.* Ⓤ **1** 냉소, 비꼬는 버릇; 비꼬는 말. **2** (**C-**) 견유(犬儒) 철학, 시니시즘(*cf.* CYNIC *n.* 2).
cy·no·ceph·a·lus[sàinouséfələs] *n.* **1** 〔動〕 비비. **2** (전설상의) 개 머리를 한 사람.
cy·no·sure[sáinəʃùər, sínə-] *n.* 《文語》 만인의 주목거리(*of*); 길잡이가 되는 것, 지침.
Cyn·thi·a[sínθiə] *n.* **1** 〔그神〕 킨티아《달의 여신 Diana의 별명》. **2** 《詩》 달.
CYO Catholic Youth Organization.
cy·pher *n., v.* =CIPHER.
cy pres, cy-pres, cy·press[sí:préi] *n., a., ad.* 〔法〕 가급적 근사의 원칙(에 의한〔의하여〕).
＊cy·press[sáipris] *n.* **1** 〔植〕 사이프러스《편백나무과(科)의 상록침엽수》; 그 재목. **2** 《詩》 (죽음의 상징으로서의) 사이프러스의 가지. **Japanese cypress** 노송나무, 편백(扁柏).
Cyp·ri·an[síprian] *a.* **1** 키프로스(Cyprus) 섬의; 키프로스 섬 사람〔말〕의. **2** 사랑의 여신

Venus의; 음탕한. — *n.* **1** 키프로스 섬 사람 (Cypriot). **2** Venus의 숭배자. **3** 음탕한 여자, 《특히》 매춘부.

cyp·ri·nid[síprənid] *a., n.* 〔魚〕 잉어과(科)의 (물고기).

cyp·ri·noid[síprənɔ̀id] *a., n.* 〔魚〕 잉어 비슷한 (물고기).

Cyp·ri·ot, -ote[sípriɔ̀t] *a.* 키프로스섬의; 키프로스 사람〔말〕의. — *n.* **1** 키프로스 사람. **2** Ⓤ (그리스어의) 키프로스 섬 사투리.

cyp·ri·pe·di·um[sìpripí:diəm] *n.* (*pl.* **-di·a** [-diə]) 〔植〕 개불알꽃, 복주머니꽃.

Cy·prus[sáiprəs] *n.* 키프로스《지중해 동부의 섬; 공화국; 수도 Nicosia》.

Cyr·e·na·ic[sìrənéiik, sàir-] *a.* **1** CYRENAICA의, CYRENE의. **2** 키레네 학파의《기원전 4세기경 Aristippus가 창시한 쾌락주의의》. — *n.* 키레네 (학파) 사람; 쾌락주의자.

Cyr·e·na·i·ca, Cir-[sìrənéiikə, sàirə-] *n.* 키레나이카《옛 그리스의 식민지였던 북아프리카 리비아의 동부 지방》.

Cy·re·ne[sairí:ni:/-ni] *n.* **1** 키레네《북아프리카 Cyrenaica 지방의 고대 그리스의 식민 도시》. **2** 〔그神〕 키레네《여자 사냥꾼》.

Cyr·il[sírəl] *n.* 키릴로스《그리스의 전도자; 9세기경 슬라브 말 표기용 키릴 자모를 발명》.

Cy·ril·lic[sirílik] *a.* 키릴 문자의〔로 쓰인〕. — *n.* Ⓤ 키릴 자모.

Cyríllic álphabet (the ~) 키릴 자모.

Cy·rus[sáiərəs] *n.* **1** 남자 이름. **2** 키로스 2세(600-529 B.C.)(페르시아 제국 건설자).

cyst[sist] *n.* **1** 〔動·植〕 포낭(包囊), 피낭(被囊)(bladder, sac). **2** 〔病理〕 낭종(囊腫), 낭포(囊胞). **the urinary cyst** 〔解〕 방광.

cyst-[sist], **cys·ti-**[sísti], **cys·to-**[sístə] 《연결형》 「담낭, 방광, 낭포」의 뜻《모음 앞에서는 cyst-》.

cyst·ic[sístik] *a.* **1** 포낭이 있는. **2** 〔解〕 방광의; 담낭(gall bladder)의.

cys·ti·cer·coid[sìstisə́:rkɔid] *n.* 〔動〕 의낭미충(擬囊尾蟲). — *a.* 낭충(囊蟲)의.

cys·ti·cer·co·sis[sìstəsərkóusis] *n.* 〔病理〕 낭충증(囊蟲症), 포충증(胞蟲症)《돼지·쇠고기의 촌충의 유충으로 인한 질병; 장으로부터 신체의 다른 부분으로 옮겨짐》.

cys·ti·cer·cus[sìstisə́:rkəs] *n.* (*pl.* **-ci**[-sai]) 〔動〕 낭미충(囊尾蟲).

cýstic fibrósis 〔醫〕 낭포성 섬유증.

cys·ti·form[sístifɔ̀:rm] *a.* 낭포상(囊胞狀)의, 주머니 모양의.

cys·tine[sísti:n] *n.* 〔生化〕 시스틴《함황(含黃) 아미노산의 일종》.

cys·ti·tis[sistáitis] *n.* Ⓤ 〔醫〕 방광염.

cys·to·cele[sístousì:l] *n.* Ⓤ 〔醫〕 방광 헤르니아.

cys·toid [sístɔid] *a.* 포낭(包囊) 모양의.

cys·to·scope[sístəskòup] *n.* 〔醫〕 방광경(鏡).

cys·tos·co·py[sistáskəpi/-tɔ́s-] *n.* Ⓤ 〔醫〕 방광경 검사(법).

cys·tot·o·my[sistátəmi/-tɔ́t-] *n.* (*pl.* **-mies**) Ⓤ,Ⓒ 〔外科〕 방광 절개(술); 담낭 절개(술).

cyt-[sait], **cy·to-**[sáitou, -tə] 《연결형》 「세포, 세포질」의 뜻《모음 앞에서는 cyt-》.

-cyte[sait] 《연결형》 「세포, 세포질」의 뜻.

Cyth·er·e·a[sìθərí:ə] *n.* 〔그神〕 키테레이아 《APHRODITE(=VENUS)의 별명》.

Cyth·er·e·an[sìθərí:ən] *a.* **1** 사랑의 여신 Aphro·dite(=Venus)의. **2** 금성(Venus)의. — *n.* **1** Aphrodite(=Venus)의 숭배자《여자》. **2** 매춘부 《특히 인도의 사원 주위의》.

cy·to·chem·is·try[sàitoukémistri] *n.* Ⓤ 세포 화학.

cy·to·chrome[sáitəkròum] *n.* Ⓤ 〔生化〕 시토크롬《세포의 산화 환원에 작용 하는 색소 단백질》.

cy·to·e·col·o·gy[sàitouikálədʒi/-kɔ́l-] *n.* Ⓤ 세포 생태학. **e·co·log·i·cal** *a.*

cy·to·gen·e·sis[sàitədʒénəsis] *n.* 〔生〕 세포 발생.

cy·to·ge·net·ic, i·cal[sàitoudʒinétik], [-əl] *a.* 세포 유전학의. **-i·cist** *n.*

cy·to·ge·net·ics[sàitoudʒinétiks] *n. pl.* (단수 취급) 세포 유전학.

cy·to·ki·ne·sis[sàitoukiní:sis, -kai-] *n.* 세포질(質) 분열《핵분열 다음에 일어나는》.

cy·to·ki·nin[sàitoukáinin] *n.* 〔生化〕 시토키닌《생물 생장 호르몬》.

cytol. cytological; cytology.

cy·tol·o·gist[saitálədʒist/-tɔ́l-] *n.* 세포학자.

cy·tol·o·gy[saitálədʒi/-tɔ́l-] *n.* Ⓤ 세포학. **cy·to·log·i·cal** [sàitəládʒikəl/-lɔ́dʒ-] *a.*

cy·to·ly·sin[sàitəláisin] *n.* 〔生化〕 세포 용해소.

cy·tol·y·sis[saitáləsis/-tɔ́l-] *n.* 〔生理〕 세포 용해〔붕괴〕 (반응).

cy·to·meg·a·lo·vi·rus[sàitoumègəlouváirəs] *n.* 〔生〕 세포 확대 바이러스.

cy·to·meg·a·ly, cy·to·me·ga·li·a[sàitoumégəli], [-migéiliə] *n.* 〔病理〕 거세포성(巨細胞性).

cy·to·mor·phol·o·gy[sàitoumɔ:rfálədʒi/-fɔ́l-] *n.* Ⓤ 〔生理〕 세포형태학. **mor·pho·log·i·cal**[-mɔ:rfəládʒikəl/-mɔ:fəlɔ́dʒ-] *a.*

cy·to·path·o·gen·ic[sàitoupæ̀θədʒénik] *a.* 〔醫〕 세포 병원성의.

-ge·nic·i·ty[-dʒinísəti] *n.*

cy·to·plasm[sáitouplæ̀zm] *n.* 〔生〕 세포질.

cy·to·plás·mic[sàitouplǽzmik] *a.*

cy·to·plast[sáitouplæ̀st] *n.* 〔生〕 세포질체.

cy·to·sine[sáitəsi:n] *n.* Ⓤ 〔生化〕 시토신 《핵산(DNA, RNA)의 중요 성분》.

cy·to·sol[sáitəsɔ̀:l, -sàl/-sɔ̀l] *n.* 〔生〕 시토졸《세포질의 액상(液狀)부분》.

cy·to·some[sáitəsòum] *n.* 〔生〕 세포질체(體), 세포 원형질.

cy·to·stat·ic[sàitəstǽtik] *a.* 세포 활동〔증가〕을 억제하는. — *n.* 세포 증식〔분열〕 억제제(劑). **-i·cal·ly** *ad.*

cy·to·tax·on·o·my[sàitoutæksánəmi/-sɔ́n-] *n.* Ⓤ 세포 분류학.

cy·to·tech[sáitətèk] *n.* =CYTOTECHNOLOGIST.

cy·to·tech·nol·o·gist[sàitouteknálədʒist/-nɔ́l-] *n.* 〔醫〕 세포 검사 기사.

cy·to·tox·ic·i·ty[sàitoutaksísəti/-tɔk-] *n.* (세포 독소에 의한) 세포 파괴.

cy·to·tox·in[sàitətáksin/-tɔ́k-] *n.* 〔免疫〕 세포 독소《혈액으로 운반되어 특정한 기관에서만 작용하여 그 세포를 해치는 물질》.

CZ 〔미郵便〕 Canal Zone. **C.Z.** Canal Zone.

∗**czar** [za:r] [Russ =Caesar] *n.* **1** 황제, 군주. **2** (C-) 제정 러시아의 황제. **3** (종종 C-) 전제 군주(autocrat), 독재자; 권력자, 지도자.

czár·dom[-dəm] *n.* Czar의 국토〔지위, 권력〕.

czar·das, csar-[tʃá:rdæʃ, -daʃ] [Hung] *n.* (*pl.* ~) 차르다시《헝가리의 민속 음악》.

czar·e·vitch, -wich[zá:rəvìtʃ] [Hung] *n.* 제정 러시아의 황태자.

cza·rev·na[za:révnə] *n.* 제정 러시아의 황

녀(皇女)〔황태자비(皇太子妃)〕.

cza·ri·na[zɑːríːnə], **-rit·za**[zɑːrítsə] *n.* (제정 러시아의) 황후.

czar·ism[zɑ́ːrizəm] *n.* Ⓤ 전제〔독재〕 정치; (러시아의) 제정(帝政).

czar·ist[zɑ́ːrist] *n.* 전제〔독재〕 정치 지지자. ── *a.* (**C-**) 러시아 제정의: *Czarist* Russia 제정 러시아.

∗**Czech**[tʃek] *n.* **1** 체코 사람《주로 Bohemia와 Moravia에 사는 슬라브족의 사람》. **2** 《흔히》 체코슬로바키아 사람; Ⓤ 체코 말. ── *a.* 체코의; 체코 사람〔말〕의. ◈ Czechoslovákia *n.*

Czech. Czechoslovakia(n).

Czech·o·slo·vak[tʃèkəslóuvɑːk, -væk-] *n.* 체코슬로바키아 사람. ── *a.* 체코슬로바키아 (사람)의.

∗**Czech·o·slo·vak·i·a**[tʃèkəsləvɑ́ːkiə, -vǽk-] *n.* 체코슬로바키아《유럽 중부의 공화국: 1993년 체코 공화국, 슬로바키아 공화국으로 분리 독립함》. ◈ Czech, Czechoslóvak *a.*

Czech·o·slo·vak·i·an[tʃèkəslouvɑ́ːkiən, -vǽk-] *a., n.* =CZECHOSLOVAK.

Czer·ny[tʃérni, tʃə́ːrni] *n.* 체르니 Karl ~ (1791-1857)《오스트리아의 피아니스트》.

D d

d, D[di:] *n.* (*pl.* **d' s, ds**[-z], **D' s, Ds**) **1** 디《영어 알파벳의 넷째 글자》. **2** D자 모양(의 것). **3** (5단계 평가에서) 가(可), D《최하위 합격 성적》. **4** 〖數〗 제 4의 기지수(*cf.* A, B, C; X, Y, Z) : 제 4의 물건〔사람〕: vitamin *D* 비타민 D. **5** 〖樂〗 라음, 라조. **6** (로마 숫자의) 500 : C*D* =400. **7** 〖컴퓨터〗(16진수의) D《10진법에서 13》. **8** (구두, 브래지어 컵 사이즈의) D《C보다 큼》. **9** 《미俗》 달러. ── *a.* 평균 이하의, 불량한.

D density; deuterium; diameter; didymium.

d. date; daughter; day; dead; degree; delete; *denarii*《L=pence》; *denarius*《L=penny》; depart(s); diameter; died; dime; dividend; dollar(s); doses. **D.** December; Democrat(ic); *Deus*《L=God》; Don; Duch-ess; Duke; Dutch.

d-[di:, dæm] ⇨damn *v.*

d' [də] *v.* do의 단축형.

d° ⇨do.

'd[d] *v.* **1** had, would, should 의 단축형 : I'*d*= I had〔would, should〕. **2** (where, what, when 등 의문사 뒤에서) did 의 단축형 : When'*d* he start?=When did he start? 언제 출발했느냐.

da[dɑ:] *n.* 《俗》 =DAD[1].

da[dɑ:] [Russ] *ad.* 예 (yes) (*opp.* nyet).

DA 《알제리》 dinar(s); Doctor of Arts; duck ass〔arse〕. **d.a., D/A** deposit account.

D.A. Delayed Action (Bomb); District Attorney 《미》 지방 검사. **D/A** digital-to-analog; documents against〔for〕 acceptance.

D.A.A.G. Deputy Assistant Adjutant General.

dab[1] [dæb] (**~bed; ~·bing**) *vt.* **1** 가볍게 두드리다, 〈새 등이〉 가볍게 쪼다, 두드려 붙이다; 잘가닥 붙이다 : ~ one's eyes *with* a handkerchief 눈에 손수건을 살짝 갖다 대다. **2** 살살 칠하다, 문지르다《*on, on to, over*》. **3** 《俗》 지문을 채취하다. ── *vi.* 가볍게 두드리다〔스치다, 대다〕: ~ *at* one's face *with* a powder puff 분첩으로 얼굴에 분칠을 하다. ── *n.* **1** 가볍게 두드림 ; (페인트 · 고약 등을) 칠하기〔붙이기〕: 천공(穿孔)〔타인(打印)〕기(機)《등》. **2** 《口》 소량. **3** 《영俗》 지문.

dab[2] 《영口》 *n.* 명인(名人), 명수(=∠ **hànd**) 《*at*》. ── *a.* 숙련된.

dab[3] *n.* (*pl.* **~, ~s**) 〖魚〗 작은가자미.

D.A.B., DAB Dictionary of American Biography 미국 인명 사전.

dab·ber[dǽbər] *n.* 가볍게 두드리는 사람〔것〕; 〈물감 · 구두약 등을〉 칠하는 사람 : 칠하는 솔 : 〖印〗 잉크솔.

*****dab·ble**[dǽbəl] *vt.* 〈물 등을〉 튀기다 : 튀겨서 적시다 : boots ~*d with* mud 흙탕이 튀어서 묻은 구두. ── *vi.* **1** 물을 튀기다, 물장난을 하다 : ~ *in* water 물장난치다. **2** 취미〔장난〕 삼아 해보다《*in, at, with*》: ~ *at* painting 취미 삼아 그림을 그리다.

dab·bler[dǽbl] *n.* 물장난하는 사람 : 장난〔도락〕삼아 하는 사람.

dab·chick[dǽbtʃìk] *n.* 〖鳥〗 농병아리.

dab-hand[dǽbhæ̀nd] *n.* 《영口》 =DAB[2].

dab·ster[dǽbstər] *n.* **1** 《方》 =DAB[2]; 《미口》 솜씨도 없으면서 좋아하는 사람, 무엇이든 함부로 덤비는 사람 : 《영口》 서투른 화가.

DAC 《미》 Department of Army Civilian; Development Assistance Committee 개발 원조 위원회《OECD의 하부 기관》.

da ca·po[dɑ:kɑ́:pou] [It=(repeat) from the head] 〖樂〗 *ad.* 처음부터 (반복하라), 다카포. 《略 : D.C.》. ── *a.* 다카포의.

Dac·ca[dǽkə, dɑ́:kə] *n.* 다카《Bangladesh의 수도》.

dace[deis] *n.* (*pl.* **~, ~s**) 〖魚〗 황어무리.

da·cha[dɑ́:tʃə, dǽtʃə] [Russ] *n.* (러시아의) 시골 별장.

dachs·hund[dɑ́:kshùnt, dǽkshùnd, dǽʃ-hùnd] [G] *n.* 닥스훈트종의 개《사냥용》.

da·coit[dəkɔ́it] *n.* (인도 · 버마의) 강도.

da·coit·y[dəkɔ́iti] *n.* (*pl.* **-coit·ies**) (DACOIT의) 약탈.

D/A convérter 〖電子〗 DA 변환기《디지털 신호를 아날로그 신호로 변환》.

Da·cron[déikrɑn, -krɔn] *n.* 데이크론《셔츠 · 옷감 등의 합성 섬유의 일종 : 상표명》: (*pl.*) 그것으로 만든 셔츠〔옷 《등》〕.

dac·tyl[dǽktil] [L] *n.* 〖詩學〗 **1** (고전시의) 장단단격(長短短格)(―∪∪). **2** (영시의) 강약약격(强弱弱格)(∠××).

dac·tyl·ic[dæktílik] *a., n.* DACTYL의 (시구).

dac·ty·l(o)-[dǽktəl(ou)] 《연결형》 「손가락; 발가락」의 뜻《모음 앞에서는 dactyl-》.

dac·tyl·o·gram[dæktílougræ̀m] *n.* 지문(指紋).

dac·ty·log·ra·phy[dæ̀ktəlɑ́grəfi/-lɔ́g-] *n.* Ⓤ 지문학(指紋學); 지문법(法).

dac·ty·lol·o·gy[dæ̀ktəlɑ́lədʒi/-lɔ́l-] *n.* Ⓤ 지화술(指話術)〔법〕.

*****dad**[1]**, da·da**[dæd], [dǽdə, dɑ́:dɑ:] *n.* 《口》 아빠(father) ; (낯선 사람에게) 아저씨.

dad[2] *int.* (종종 **D-**) 《口》 =GOD《대개 가벼운 저주의 표현》.

DAD digital audio disc.

Da·da(·ism)[dɑ́:dɑ: (ìzəm), dɑ́:də(-)] *n.* Ⓤ 다다이즘《문학 · 미술상의 허무주의》.

Dà·da·ís·tic[-ístik] *a.*

Da·da·ist[dɑ́:dɑ:ist] *n.* 허무주의적 예술가, 다다이스트. ── *a.* 다다이스트의.

*****dad·dy**[dǽdi] *n.* (*pl.* **-dies**) **1** 《口》 아버지 (dad) ; 《미俗》 최연장자, 가장 중요한 인물. **2** 《俗》 =SUGAR DADDY.

dáddy lóng·legs[dǽdilɔ́:ŋlegz/-lɔ́ŋ-] (단수 · 복수 취급) **1** 〖動〗 소경머리《harvestman의 속칭》. **2** 〖昆〗 모기아재비《crane fly의 속칭》. **3** 《익살》 다리가 긴 사람.

Dad·dy-o[dǽdiòu] *n.* (종종 **d-**) 《俗》 아저씨《남자 일반에 대한 친근한 호칭》.

D.A.D.M.S. Deputy Assistant Director of Medical Services.

da·do[déidou] *n.* (*pl.* **~(e)s**) 〖建〗 징두리 판벽 : 기둥 밑동《둥근 기둥 하부의 네모진 곳》. ── *vt.* …에 징두리 판벽을 붙이다 : 〈판자 등에〉 홈을 파다.

da·do'd[-d] *a.* 징두리 판벽〔기둥 밑동〕을 댄.

D.A.D.O.S. Deputy Assistant Director of Ordnance Services. **D.A.E., DAE** Dictionary of American English.

dae·dal[dí:dl] *a.* 《주로 詩》 **1** 교묘한. **2** = DAEDALIAN. **3** 천변 만화(千變萬化)의, 가지가지의(varied).

Dae·da·lian, -lean[di:déiliən] *a.* DAEDALUS의 솜씨 같은, 복잡한.
Daed·a·lus[dédələs/dí:-] *n.* 〔그神〕 다이달로스(Crete의 미로(迷路)를 만든 Athens의 명장(名匠)).
dae·mon[dí:mən] *n.* =DEMON.
dae·mon·ic[di:mánik/-mɔ́n-] *a.* =DEMONIC.
daff[dæf] *n.* (口) =DAFFODIL.
daf·fa·down·dil·ly[dæ̀fədàundíli] *n.* (*pl.* **-lies**)(方·詩) =DAFFODIL.
‡**daf·fo·dil**[dǽfədìl] *n.* **1** 〔植〕 수선(水仙), 나팔 수선(*cf.* NARCISSUS): Ⓤ 담황색. **2** (미俗) 훈계, 격언.
daf·fy[dǽfi] *a.* (**-fi·er; -fi·est**) (口) 어리석은; 미친(crazy). **daf·fy about** (미俗) …에 반하여〔미쳐, 열중하여〕.
daft[dæft, dɑ:ft] *a.* (영口) 어리석은, 얼간이의; 미친; 들떠서 떠들어대는. **go daft** 발광하다. **dáft·ly** *ad.* **dáft·ness** *n.*
dag[dæg] *n.* (옷 등의) 가리비·나뭇잎 무늬의 가두리 장식; (오스口) 별난 사람.
dag. decagram(s). **D.A.G.** Deputy Adjutant General.
‡**dag·ger**[dǽgər] *n.* 단도, 단검, 비수; 〔印〕 칼표(obelisk)(†): double ~ 이중 칼표(‡). **at daggers drawn** 서로 노려보고〔반목하여〕 (*with*). **look daggers at** …을 노려보다. **speak daggers to** …에게 독설을 퍼붓다.
dag·gle[dǽgəl] *vt., vi.* (진창 속 등으로) 질질 끌고 가다, 질질 끌어서 더럽히다; 느릿느릿 걸어가다.
da·go, D-[déigou] *n.* (*pl.* **~(e)s**) (口·경멸) 스페인〔포르투갈, 이탈리아〕 사람.
da·go·ba[dɑ́:gəbə] *n.* 〔佛教〕 사리탑; 솔도파.
dágo réd (미俗) 값싼 술; (알코올 중독자가 상음하는) 저질의 적포도주.
da·guerre·o·type[dəgέərətàip, -riə-] *n., vt.* (옛날의) 은판(銀板) 사진(으로 찍다).
Dag·wood[dǽgwud] *n.* (종종 **d-**) (미) 초대형 샌드위치.
dah¹[dɑ:] *n.* 미얀마 사람들의 소검(小劍)(나이프 대용).
dah² *n.* 모스 부호의 긴 점(*cf.* DIT).
da·ha·be·ah, -bee·yah, -bi·ah[dɑ̀:həbí:ə], [-bí:jə], [-bí:ə] *n.* 나일강의 여객용 범선(帆船).
***dahl·ia**[dǽljə, dɑ́:l-/déil-] *n.* 〔植〕 달리아, 천축모란; Ⓤ 달리아빛. **blue dahlia** 좀처럼 없는 것.
Da·ho·mey[dəhóumi] *n.* 다오메이(아프리카 서부의 공화국; 1975년 Benin으로 개칭).
Dáil Eir·eann[dɔ̀il-έərən/dàil-] (the ~) (아일) 아일랜드공화국의 하원.
★**dai·ly**[déili] *a.* **1** 매일의; 〈신문이〉 일간의; 일상의. **2** 매일 계산하는, 일당의, 일부(日賦)의. — *ad.* 매일(every day); 끊임없이. — *n.* (*pl.* **-lies**) **1** 일간 신문. **2** (영口) = DAILY HELP. **-li·ness** *n.* Ⓤ 일상성; 일상적인 규칙성〔일률성, 단조로움〕. ◇ day *n.*
dáily bréad (보통 one's ~) 생계, 나날의 양식.
dai·ly-bread·er[-brédər] *n.* (영) 임금 생활자, 근로자.
dáily dóuble (경마에서) 복승식(複勝式); (미俗) 2연승, 두번 계속된 성공.
dáily dózen (口) (체력 증강을 위해) 매일 하는 체조.
dáily hélp 통근하는 하녀, 파출부.
dáily installment 일부(日賦), 일수(日收).
dáily néwspaper 일간 신문.
Daim·ler[dáimlər] *n.* 데임러(영국제 고급 자동차).
dai·mon[dáimoun] *n.* =DEMON.
dain·ti·ly[déintili] *ad.* 우아하게, 우미하게; 섬세히; 풍미있게; 결벽하게, 꼼꼼히; (음식을) 가려서: eat ~ 음식을 가려 먹다.
dain·ti·ness[déintinis] *n.* Ⓤ 우미(優美); 미미(美味); 까다로움; 호사를 좋아함, (음식을) 가림.
‡**dain·ty**[déinti] [L] *a.* (**-ti·er; -ti·est**) **1** 우아〔우미〕한; 화사한; 고운. **2** 맛좋은, 풍미 있는. **3** (기호가) 까다로운; 호사를 좋아하는; 음식을 가리는(*about*). **be born with a dainty tooth** 미식가로 태어나다, 천성이 입이 까다롭다. — *n.* (*pl.* **-ties**) 맛있는 것, 진미(珍味).
dai·qui·ri[dáikəri, dǽk-] *n.* (*pl.* **~s**) 다이키리(럼주·라임주스·설탕·얼음을 섞은 칵테일).
‡**dair·y**[dέəri] [OE] *n.* (*pl.* **dair·ies**) **1** 우유·버터 판매점. **2** (농장 안의) 착유장(搾乳場), 버터·치즈 제조장. **3** 낙농(酪農); 낙농장. **4** (집합적) 젖소(=∠ **cattle**). — *a.* 낙농의.
dáiry càttle (집합적; 복수 취급) 젖소(*cf.* BEEF CATTLE).
dáiry crèam (가공한 것이 아닌) 낙농장제(製) 우유.
dáiry fàrm 낙농장. **dáiry fàrmer** 낙농업자. **dáiry fàrming** 낙농업.
dair·y·ing[dέəriiŋ] *n.* Ⓤ 낙농업.
dair·y·maid[-mèid] *n.* 낙농장에서 일하는 여자.
dair·y·man[-mən] *n.* (*pl.* **-men**[-mən]) 낙농장 일꾼; 낙농장 주인; 우유 장수.
dáiry pròducts 낙농 제품, 유제품.
da·is[déiis, dái-] *n.* (보통 *sing.*)(홀·식당의) 단(壇), 높은 자리; (강당의) 연단, 교단.
dai·sied[déizid] *a.* 〔詩〕 데이지가 피어 있는.
‡**dai·sy**[déizi] [OE] *n.* (*pl.* **-sies**) **1** 〔植〕 데이지. **2** (**D-**) 여자 이름. **3** (俗) 일품(逸品), 아주 좋은 물건〔사람〕. **4** Ⓤ (미) 뼈를 추린 훈제(燻製) 햄(=∠**hàm**). **(as) fresh as a daisy** 원기왕성하여, 발랄하여. **push up daisies** (俗) 뒈지다(die); 죽어〔살해되어〕 파묻히다. **under the daisies** (俗) 죽어(dead). — *a.* 훌륭한, 아주 좋은. — *ad.* (미俗) 굉장히(very).
dáisy chàin¹ *n.* (인위적으로 값을 올리기위해) 특정 주(株)만 집중적으로 사들이는 주식 매입자. — *vt.* 특정 주(株)만 매입해 값을 올리다.
dáisy chàin² *vt.* (컴퓨터와 전기기기들을) 하나의 본체로 만들다.
dáisy chàin³ **1** 데이지 화환. **2** 줄줄이 이어진 것; (사건·항목·단계 등의) 연쇄.
dáisy cùtter **1** (구보 때) 발을 조금밖에 들지 않는 말. **2** (야구·크리켓·정구 등에서의) 땅을 스치듯 날아가는 공. **3** (軍俗) (살상용) 파쇄성 폭탄.
dáisy whèel 타자기의 원반형 활자 부위(고속으로 조용히 타자가 됨).
dak[dɔ:k, dɑ:k] *n.* (인도) 역전(驛傳)(우편물).
Dak. Dakota.
Da·kar[dɑ:kɑ́:r] *n.* 다카르(Senegal의 수도).
dák búngalow (인도) 여인숙.
***Da·ko·ta**[dəkóutə] *n.* **1** 다코타(미국 중부의 지방; North Dakota, South Dakota 주로 나뉨; 略: Dak.). **2** (*pl.* **~, ~s**) 다코타 족(아메리칸 인디언의 한 종족).
dal[dɑ:l] *n.* 달(렌즈콩과 향료를 사용한 인도 요리).
dal. decaliter(s).
Dal·ai La·ma[dɑ́:lailɑ́:mə] Lama².

da·la·si[dɑ:lɑ́:si] *n.* (*pl.* ~, ~**s**) 달라시 (Gambia의 화폐 단위: =100 bututs: 기호 D).
*__dale__ [deil] *n.* (詩·영北部) (구릉지대 등에 있는 넓은) 골짜기.
Da·lek[dɑ́:lek] *n.* (영) 달렉(귀에 거슬리는 단조로운 소리로 말하는 로봇).
dales·man[déilzmən] *n.* (*pl.*-**men**[-mən]) (영국 북부의) 골짜기에 사는 사람.
Da·lian[dɑ́:lién] *n.* 다롄(大連)(랴오둥(遼東) 반도 남단의 상업항).
Dal·las[dǽləs] *n.* 댈러스(미국 Texas주 북동부의 도시: J. F. Kennedy가 암살된 곳).
Dal·la·site[dǽləsàit] *n.* 댈러스의 주민.
dalles[dælz] *n. pl.* (미·캐나다) (절벽 사이의) 급류(急流).
dal·li·ance[dǽliəns] *n.* U,C 〔詩〕 희롱, 장난, 애정 유희; U (시간의) 낭비.
dal·ly[dǽli] *v.* (-**lied**) *vi.* **1** 희롱하다, 갖고 놀다(toy)(*with*); 장난치다, 남녀가 희롱하다(*with*): ~ *with* his new camera 새 카메라를 만지작거리다/~ *with* a lover 연인과 농탕치다. **2** 빈둥빈둥 지내다; 우물쭈물하다: ~ *over* one's work 시간만 걸리고 일이 진척되지 않다. — *vt.* 〈시간 등을〉 낭비하다, 헛되이 하다(*away*): ~ *away* the time〔a chance〕 시간을 낭비하다〔기회를 놓치다〕. -**li·er** *n.* ◇ dálliance *n.*
Dal·ma·tia[dælméiʃiə] *n.* 달마티아(유고슬라비아 서부의 아드리아 해 연안 지방).
Dal·ma·tian[dælméiʃiən] *n.* DALMATIA종의 개(=∠ dog)(마차용).
dal·mat·ic[dælmǽtik] *n.* 〔가톨릭〕 달마티카(제의(祭衣)의 일종); (국왕의) 대관식복.
dal se·gno[dɑ:lséinjou] [It] *ad.* 〔樂〕 𝄋 표부터 되풀이하여(略: D.S.).
dal·ton, Dal·ton[1] [dɔ́:ltən] *n.* 〔物〕 돌턴(원자 질량의 단위; 1달톤은 산소원자의 질량의 1/16).
Dal·ton[2] *n.* **1** 돌턴 John ~(1766-1844)(영국의 화학·물리학자). **2** 돌턴 학교(미국 Massachusetts주 돌턴시 소재); (돌턴 학교에서 시작된) 돌턴식 교육법.
dal·ton·ism[dɔ́:ltənìzəm] *n.* (보통 D-) U (선천성) 홍록(紅綠) 색맹; (일반적으로) 색맹. -**ist** *n.* 색맹인.
Dal·ton·ize[dɔ́:ltənàiz] *vt.* …에 돌턴식 학습지도법을 실시하다.
Dálton plàn 돌턴식 교육법(미국 Massachusetts의 돌턴 시에서 시도; 학생을 능력에 따라 학습시킴).
‡**dam**[1] [dæm] *n.* 댐, 둑; 막아놓은 물; 장애. — *vt.* (~**med**; ~·**ming**) …에 댐을 만들다(*up*); 둑으로 막다(*up*); 막다(block), 〈감정 등을〉 억누르다(*up*): ~ *up* a stream 개울을 둑으로 막다/~ *back* one's tears 눈물을 참다.
dam[2] *n.* (특히 가축의) 어미 짐승; (경멸) 어미(*cf.* SIRE).
dam[3] *a., ad.* =DAMNED.
dam. decameter.
‡**dam·age**[dǽmidʒ] [L] *n.* **1** U 손해, 손상, 피해(injury): do〔cause〕 ~ to …에 손해를 끼치다. **2** (*pl.*) 〔法〕 손해액, 배상금: claim ~*s* 손해 배상을 요구하다. **3** C (the ~(*s*)) (俗) 비용, 대가(*for*). — *vt.* **1** 손해〔피해〕를 입히다. **2** 〈명예를〉 손상시키다. — *vi.* 손해를〔손상을〕 입다.
dam·age·a·ble[-əbəl] *a.* 손해를 입기 쉬운.
dámage contról 〔軍〕 (응급) 피해 대책: ~ party 피해 대책반.
dámaged bággage repòrt[dǽmidʒd-] 〔空〕 수하물 파손 신고서(승객의 파손된 수하물에 대한 항공회사의 조사서).
dámage limitàtion (정치적 스캔들, 과오 등의 사건을) 최소화하기.
dam·ag·ing[dǽmidʒiŋ] *a.* 손해를 끼치는, 해로운; (법적으로) 불리한 〈진술 등〉.
dam·a·scene[dǽməsì:n, ∠-∠] *a.* DAMASK의; 〈강철이〉 물결 무늬가 있는, (금속에) 물결 무늬가 있게 하는 장식법의. — *vt.* 〈금속에〉 금·은을 상감(象嵌)하다; 〈칼날에〉 물결 무늬를 띠게 하다; 다마스크 천 모양의 꽃무늬를 놓다. — *n.* (강철 등의) 문채(文彩), 물결 무늬.
Dam·a·scene *a., n.* DAMASCUS의 (사람).
Da·mas·cus[dəmǽskəs, -mɑ́:s-] *n.* 다마스쿠스(시리아의 수도).
Damáscus stéel 다마스크 강철(도검용).
dam·ask[dǽməsk] *n.* U *a.* **1** 다마스크 천(의), 문직(紋織)(의). **2** (무늬를 띤) 다마스크 강철(의). **3** 〔詩〕 장미색(의), 담홍색(의). — *vt.* **1** 문직으로 하다. **2** 무늬를 나타내다. **3** 〈낯을〉 붉히다.
dam·as·keen[dǽməskì:n] *vt.* =DAMASCENE.
dámask róse 담홍색의 장미; 담홍색.
dámask stéel =DAMASCUS STEEL.
dame[deim] [L] *n.* **1** (古·詩·익살) 귀부인 (lady). **2** (일반적으로) 지체가 높은 숙녀 **3** 나이가 든 여인. **4** (미俗) 여자. **5** (영) BARONET의 부인(지금은 Lady); knight에 상당하는 작위를 받은 여인의 존칭. **6** (영) 이튼 학교의 사감(남자에게도 말함). **7** (D-) (자연운명 등) 여성으로 의인화된 것에 붙이는 존칭: *Dame* Fortune〔Nature〕 (의인화하여) 운명, 운명의 여신. **dáme schòol** (전에 여인이 자택을 개방하여 경영하던) 초등 학교.
dam·fool[dǽmfú:l] (口) *n.* 지독한 바보. — *a.* 형편 없는 바보의.
dam·fool·ish[dǽmfú:liʃ] *a.* =DAMFOOL.
dam·mit[dǽmit] *int.* (口) =DAMN it.
‡**damn**[dæm] *vt.* **1** 비난하다, 〈비평가가〉 헐뜯다, 혹평하다. **2** 파멸시키다, 망치다. **3** 〈하느님이 사람을〉 영원히 벌주다, 지옥에 떨어뜨리다. **4** 저주하다, 매도하다. **5** (분노·실망을 나타내어) 제기랄, 젠장: *D-* it (all)! 제기랄, 빌어먹을. — *vi.* **1** 저주하다, 매도하다. **2** (俗) 제기랄: Oh, ~! 제기랄. **Be damned to you! =Damn you!** 뒈져라, 에끼 빌어먹을 자식. **curse and damn** '빌어먹을'〔'제기랄'〕 하고 욕하다. **Damn**〔**God damn**〕 **it!** 젠장!, 제기랄!, 아차! **Damn me, but I'll do it.** 꼭 하고 말테다. **damn with faint praise** 추어주는 듯하면서 비난하다. **do**〔**know**〕 **damn all** 전혀 아무 일도 하지 않다〔쥐뿔도 모르다〕. **I'll be**〔**I am**〕 **damned if** it is true〔**if I do**〕. 천만에 그럴 리가 있나〔내가 그런 짓을 할 리가 있나〕! — *n.* **1** damn이란 말(을 하기). **2** 욕설. **3** (口) (부정적으로) 조금도. **be not worth a damn** 한푼의 가치도 없다. — *a.* (俗) =DAMNED: a ~ lie 새빨간 거짓말. — *ad.* (俗) =DAMNED: ~ cold 지독하게 추운. **damn well** (俗) 확실히, 단연. ◇ DAM과 동음 이의어. ◇ damnátion *n.*; dámnatory *a.*
dam·na·ble[dǽmnəbəl] *a.* **1** 가증한. **2** 저주받을 만한. **3** (口) 경칠 놈의, 지긋지긋한 (confounded). ~·**ness** *n.* -**bly**[-bli] *ad.* 언어 도단으로; (口) 지독하게(very).
dam·na·tion[dæmnéiʃən] *n.* U **1** 저주, 욕설, 악평(*of*). **2** 지옥에 떨어뜨림〔떨어짐〕, 천벌; 파멸. — *int.* 제기랄!, 젠장!, 아차!, 분하다! (damn!).
dam·na·to·ry[dǽmnətɔ̀:ri/-təri] *a.* 저주

의; 파멸적인; 비난의.

*__damned__[dæmd] *a.* (~·er; ~·est, dámnd·est, dámned·est) **1** 저주받은. **2** (the ~; 명사적; 복수 취급) 지옥의 망령들. **3** (d—d) (강조적으로) 전적인, 완전한, 결정적인(◇ 완곡하게 d—d라고 쓰고 [di:d]라고 읽음). **4** 터무니없는, 엄청난, 놀라운; (口) 넌더리나는; (俗) 괘씸한. **5** 〔神學〕 영겁의 정죄(定罪)를 받은. **You damned!** 이 벼락맞을 놈아! — *ad.* (口) 지독하게, 굉장히.

damned·est, damnd-[dǽmdist] *a.* (the ~) 몹시 괴상한〔기이한, 놀라운〕, 터무니없는. — *n.* (one's ~) 최선, 최대한의 노력〔기능〕: do 〔try〕 one's ~ 최선을 다하다.

dam·ni·fi·ca·tion[-fəkéiʃən] *n.* Ⓤ 〔法〕 손상 (행위).

dam·ni·fy[dǽmnəfài] *vt.* (**-fied**) 〔法〕 손상하다.

damn·ing[dǽmiŋ, dǽmniŋ] *a.* 지옥에 떨어질; 〈죄가〉 파멸적인; 〈증거 등이〉 꼼짝못할. **~·ly** *ad.* **~·ness** *n.*

dam·no·sa he·red·i·tas[dæmnóusə-hərédətæ̀s] [L] *n.* 〔로마法〕 불이익이 되는 상속물.

Dam·o·cle·an[dæ̀məklíːən] *a.* DAMOCLES의〔같은〕.

Dam·o·cles[dǽməklìːz] *n.* 다모클레스 (Syracuse의 왕인 Dionysius Ⅰ의 신하). **the sword of Damocles** =**Damocles' sword** 다모클레스(머리 위)의 검, 신변에 따라다니는 위험.

Dámon and Pýthias[déimənəndpíθiəs] *n. pl.* 다몬과 피티아스(옛 그리스에서 목숨을 걸고 맹세를 지킨 두 친구(*cf.* DAVID and Jonathan); 둘도 없는 친구, 절친한 친구).

dam·o·sel, -zel[dǽməzèl] *n.* (古·詩) = DAMSEL.

‡**damp**[dæmp] [L] *a.* 축축한, 습기찬. — *n.* Ⓤ **1** 습기, 물기, 이내, 안개, 수증기. **2** (보통 a ~)의기 저상; 낙담(시키는 것). **3** (보통 *pl.*) 땅의 독기; 유독 가스. **black damp** 탄산가스. **cast**〔**strike**〕 **a damp over**〔**into**〕 …의 의기를 저상시키다, 찬물을 끼얹다, 흥을 깨뜨리다. — *vt.* **1** 축축하게 하다. **2** (종종 ~ down) 〈불을〉 끄다; 〈소리를〉 약하게 하다; 〔電〕 〈진폭을〉 줄이다; 〔樂〕 〈현의〉 진동을 멈추다: ~ (*down*) a fire 불을 끄다(재를 덮거나 송풍을 중지하여). **3** 〈기를〉 꺾다, 풀죽게 하다: ~ *down* an agitation 소동을 가라앉히다. — *vi.* **1** 축축해지다. **2** 〈습기가 많아서 식물이〉 시들다, 말라 죽다(*off*). ◇ dámpen *v.*

dámp còurse 벽 속의 방습층(슬레이트와 같은 습기를 막는 재료로 됨).

damp-dry[dǽmpdrái] *vt.* (**-dried**) 〈세탁물을〉 설말리다. — *a.* 설말린 〈세탁물〉.

damp·en[dǽmpən] *vt.* 축축하게 하다, 축이다; 〈기·열의 등을〉 꺾다; 〈남을〉 풀죽게 하다. — *vi.* 축축해지다; 기가 꺾이다. **dampening weather** 습기찬〔궂은〕 날씨. **~·er** *n.* dampen하는 것; 완충 장치.

damp·er[dǽmpər] *n.* **1** 의기를 저상시키는 것; 야유. **2** (우표 등을) 축이는 기구. **3** (피아노의) 지음기(止音器), (바이올린 등의) 약음기; 진동을 멈추게 하는 장치; (자동차 등의) 댐퍼(shock absorber); 〔電〕 제동자(制動子); (난로의) 바람문; (전기 난로의) 통풍 조절기. **cast**〔**put, throw**〕 **a damper on** …의 기를 꺾다; …에 트집잡다. **turn** a person's **damper down** (미俗) (아무를) 안정시키다. — *vt.* (口) …의 흥을 깨다.

damp·ing[dǽmpiŋ] *a.* **1** 습기를 주는: a ~ machine (직물을 윤내는) 가습기(加濕機), 습윤기. **2** 〔電〕 제동〔감폭(減幅)〕하는. — *n.* Ⓤ 〔電〕 제동, (진동의) 감폭.

damp·ing-off[-ɔ́(ː)f, -ɑ́f] *n.* Ⓤ 〔植〕 모잘록병, 장승병.

damp·ish[dǽmpiʃ] *a.* 좀 습한〔눅눅한〕.

damp·ly[dǽmpli] *ad.* 축축하게; 기운 없이.

damp·ness[dǽmpnis] *n.* Ⓤ 축축함, 습기.

damp·proof[dǽmpprùːf] *a.* 방습성의: a ~ course =DAMP COURSE.

dámp squíb (口) 불발로 끝난 기도, 헛일; 효과가 없는 것.

dam·sel[dǽmzəl] [L] *n.* **1** (古·文語) (신분이 높은) 미혼 여성, 처녀. **2** (익살) 계집아이, 소녀.

dam·sel·fish[dǽmzəlfiʃ] *n.* (*pl.* (집합적) ~; (종류를 나타낼때) **-fish·es**) 〔魚〕 자리돔.

dam·sel·fly[dǽmzəlflài] *n.* (*pl.*-**fli·es**) 〔昆〕 실잠자리.

dam·site[dǽmsàit] *n.* 댐 건설용 부지.

dam·son[dǽmzən] *n.* 〔植〕 서양자두(나무). — *a.* 서양자두빛의, 암자색의.

dámson chèese DAMSON의 설탕절임.

dam·yan·kee, damn-[dæ̀mjǽŋki] *n.* (미 南部·경멸) 양키놈, 북부놈.

dan[1] [dæn] *n.* 부표(=ㄹ bùoy)(심해어업·소해(掃海)작업용).

dan[2] *n.* (태권도·유도·바둑 등의) 단(段); 유단자.

Dan[1] [dæn] *n.* **1** 단(북부 팔레스타인에 이주한 헤브루 사람). **2** 단(팔레스타인 북단의 도시). **3** 댄(남자 이름; Daniel의 애칭). **from Dan to Beersheba** 끝에서 끝까지.

Dan[2] *n.* (古·詩) Master, Sir에 상당하는 경칭.

Dan. Daniel; Danish.

Da Nang, Da·nang[dáːnáːŋ/dáːnǽŋ] *n.* 다낭(베트남 중동부의 항구 도시).

★**dance**[dæns, dɑːns] *vi.* **1** 춤추다, 댄스하다: ~ *with* a person to the piano music. 피아노곡에 맞추어 아무와 춤추다. **2** 뛰어 돌아다니다, 날뛰다: ~ *up* and down 깡충깡충 뛰어 돌아다니다/~ *about* for joy 기뻐 날뛰다. **3** 〈나뭇잎·물결·먼지·그림자 등이〉 춤추다, 뛰놀다, 흔들리다; 〈심장·혈액 등이〉 약동〔고동〕하다. **dance away**〔**off**〕 춤추며 사라지다; 춤추다가 〈기회·때 등을〉 놓치다(⇨ *vt.* 3). **dance on air**〔**a rope**〕 =**dance upon nothing** 교수형에 처해지다. **dance to** a person's **piping**〔**pipe, tune, whistle**〕 …의 장단에 맞추어 춤추다, …이 하라는 대로 행동하다. — *vt.* **1** 〈춤을〉 추다, 〈댄스를〉 하다: (Ⅲ (목)) ((목)-동족) They ~*d* a modern dance. 그들은 현대식 춤을 추었다. **2** 춤추게 하다; 〈아이를〉 어르다(dandle). **3** 춤추어 (어떤 상태에) 이르게 하다: ~*d* a person weary. 춤으로 아무를 지치게 했다/~ a person *out of* breath 춤의 상대자를 숨차게 하다/~ one's chance *away* 춤추느라고 기회를 놓치다. **dance attendance** (**up**)**on** a person (곁에 붙어다니며) …의 비위를 맞추다. **dance oneself into** a person**'s favor** 춤을 추어 …의 마음에 들게 하다, 알랑거려 …의 마음에 들다. — *n.* **1** 댄스, 춤, 무도, 무용. **2** 댄스〔무도〕곡. **3** 댄스파티, 무도회 (ball, dancing party). **4** (the ~) 무도법〔술〕; 발레(ballet). **lead** a person **a pretty**〔**jolly**〕 **dance** 이리저리 끌고 다녀 괴롭히다; …에게 늘 폐를 끼치다. **lead the dance** 맨 먼저 춤추다; 솔선하여 말하다. **social dance** 사교 댄스. **the dance of death** 죽

D

음의 무도(죽음의 신이 인간들을 무덤으로 인도하는 그림으로 인생 무상의 상징: 중세 예술에 종종 나타나는 주제). **the dance of joy** 미국에서 5월 1일의 꽃축제 날에 야외에서 추는 folk dance의 일종.
dance·a·ble[dǽnsəbəl, dɑ́:ns-] *a.* 〈음악 등이〉 댄스에 알맞은, 댄스용의.
dánce bànd 댄스(용) 밴드.
dánce dràma 무용극.
dánce hàll 댄스홀(입장료가 있으며 종종 파트너도 소개하는).
dánce mùsic 무도곡, 무용곡, 댄스 음악.
‡**danc·er**[dǽnsər, dɑ́:ns-] *n.* 춤추는 사람: 댄서, (전문적인)무용가.
dan·cer·cise *n.* 댄서 사이즈(운동으로서 추는 춤).
dánce stèp 댄스의 스텝.
‡**danc·ing**[dǽnsiŋ, dɑ́:ns-] *n.* Ⓤ 댄스(연습), 무도(법).
dáncing gìrl 댄서, 무희.
dáncing hàll =DANCE HALL[1]
dáncing mània〔**plàgue**〕 무도병(病).
dáncing màster 댄스 교사.
dáncing mìstress 댄스 여교사.
dáncing ròom 무용〔무도〕실.
D and C, D & C[dí:-ənd-sí:] dilatation and curettage 〔醫〕 (자궁 경관) 확장과 (내막) 소파(搔爬).
D & D Death and Dying 죽음과 임종.
D.& D., D and D (미俗) **1** [*d*eaf *and d*umb]: play ~ (보복이 두려워) 묵비권을 행사하다. **2** [*d*runk *and d*isorderly] 음주 문란(경찰 용어).
***dan·de·li·on**[dǽndəlàiən] [OF] *n.* 〔植〕 민들레.
dándelion còffee 말린 민들레 뿌리로 만든 음료.
dan·der[dǽndər] *n.* Ⓤ **1** (머리의) 비듬. **2** (口) 분통, 분노. **get one's**〔a person's〕**dander up** 화내다〔…을 화내게 하다〕.
dan·di·a·cal[dændáiəkəl] *a.* 멋쟁이다운, 멋부린. **~·ly** *ad.*
Dán·die Dín·mont (tèrrier)[dǽndi-dínmɑnt-/-mɔnt-] 댄디딘몬트 테리어(동체가 길고 다리가 짧은 테리어개의 일종).
dan·di·fi·ca·tion[dændifəkéiʃən] *n.* Ⓤ (口) 치장, 멋부린 차림새.
dan·di·fied[dǽndifàid] *a.* 멋부린, 잔뜩 치장한, 스마트한.
dan·di·fy[dǽndifài] *vt.* (**-fied**) 멋쟁이로 치장시키다, 멋부리게 하다.
dan·dle[dǽndl] *vt.* 〈아이를〉 흔들어 어르다: 달래다: 귀여워하다. **dán·dler** *n.*
dan·druff, -driff[dǽndrəf], [-drif] *n.* Ⓤ (머리의) 비듬. **dan·druffy** *a.*
***dan·dy**[1][dǽndi] *n.* (*pl.* **-dies**) 멋쟁이(남자), 맵시꾼(fop): (口) 훌륭한〔멋진〕 것.
── *a.* (**-di·er; -di·est**) (口) 훌륭한, 굉장한: (稀)단정한. **fine and dandy**⇨fine[1].
── *ad.* 훌륭하게, 멋지게. ◇ dándify *v.*
dandy[2] *n.* =DENGUE.
dándy brùsh 말빗(고래뼈로 만든 말 솔).
dándy càrt (스프링이 달린) 우유 배달차.
dan·dy·ish[dǽndiiʃ] *a.* 멋쟁이의, 멋부리는 〈남자〉.
dan·dy·ism[dǽndiìzəm] *n.* Ⓤ치장, 멋부림.
dándy ròll(er) 〔製紙〕 비치는 무늬를 박아 넣는 롤러.
***Dane**[dein] *n.* **1** 덴마크 사람. **2** (the ~*s*) 〔史〕 데인 족(9-11세기에 영국에 침입한 북유럽 사람): 데인 족 사람. **3** =GREAT DANE.
◇ Danish *a.*
dane·geld, -gelt[déingèld], [-gèlt] *n.* (종종 D-) 데인세(稅)(10세기 후반 영국에서 침입자 데인 사람에게 바칠 공물 또는 대항할 군비로 바치던 조세)
Dane·law, -lagh[déinlɔ̀:] *n.* 〔영史〕 **1** 데인법(데인 족의 영국 정복 당시 England에 시행된 법률). **2** 그 법이 시행된 잉글랜드 동북부.
dang[1][dæŋ] *v., n.* (俗) =DAMN
dang[2]**, dange**[dændʒ] (卑) *n.* 음경.
── *a.* =SEXY.
★**dan·ger**[déindʒər] [OF] *n.* **1** Ⓤ,Ⓒ 위험(상태), 위난(*of*): (Ⅱ 전+명) He was *in* ~ *of* los*ing* his life. 그는 생명을 잃을 위험한 상태에 놓여 있었다. **2** 위험물, 위험의 원인이 되는 것, 위협(*to*). **at danger** 〈신호가〉 위험을 나타내어: The signal is *at* ~. 위험 신호가 나와 있다. **Danger past, God forgotten.** (속담) 뒷간에 갈 적 마음 다르고 올 적 마음 다르다. **in danger** 위험〔위독〕하여. **in danger of life**〔**being fired**〕 생명의〔해고당할〕 위험이 있어. **make danger of** …을 위험시하다. **out of danger** 위험을 벗어나.
◇ dángerous *a.*: endánger *v.*
dánger lìst (口) (병원의) 중환자 명부.
dánger mòney (영) 위험 수당.
★**dan·ger·ous**[déindʒərəs] *a.* **1** 위험한, 위태로운: 위해를 주는, 무시무시한: (Ⅱ *It v* Ⅱ+형+*to do*) It's ~ *to* drive fast. 차를 빨리 모는 것은 위험하다(=It's ~ driv*ing* fast.(Ⅱ *It v* Ⅱ+형+*-ing*)). **2** (古·方) 위독한. **~·ness** *n.*
dan·ger·ous·ly *ad.* 위험하게, 위태롭게: He is ~ ill. 그는 위독하다.
dánger sìgnal 위험 신호, 정지 신호.
dánger zòne 〔軍〕 위험 지대〔구역〕.
***dan·gle**[dǽŋgəl] *vi.* **1** (달랑달랑) 매달리다: ~ *from* the ceiling 천장에 매달려 있다. **2** 〈남의 꽁무니를〉 따라다니다(*about, after, round*): He's always *dangling after*〔*around*〕 her. 그는 항상 그녀의 꽁무니만 쫓아다닌다. ── *vt.* 매달다: 〈유혹물을〉 달랑거려 보이다. **keep** a person **dangling** (口) …에게 결과를 알리지 않고 기다리게 하다, …을 애타게〔안달복달하게〕 하다.
dan·gle-dol·ly[dǽŋgəldɑ̀li/-dɔ̀li] *n.* (영) 자동차의 유리창에 매다는 마스코트 인형.
dan·gler[dǽŋglər] *n.* **1** 매달리는 사람, 매달린 부분. **2** 귀찮게 따라다니는 사람, 여자 꽁무니를 따라다니는 사람.
dán·gling bònd[dǽŋgliŋ-] 〔化〕 결합되어 있지 않은 화학 결합 손〔(원자)가표(價標)〕.
dángling párticiple 〔文法〕 현수(懸垂) 분사(분사의 의미상 주어와 문장의 주어가 일치하지 않는 분사: *Swimming* in the pond, the car was out of sight. 연못에서 헤엄치고 있었으므로 차가 보이지 않았다).
Dan·iel[dǽnjəl] *n.* **1** 남자 이름. **2** 〔聖〕 다니엘(유대의 예언자 이름): (구약 성서 중의) 다니엘 서: (다니엘 같은) 명재판관.
dan·i·o[déiniòu] *n.* (*pl.* **~s**) 〔魚〕 다니오(작은 관상용 열대어).
***Dan·ish**[déiniʃ] *a.* 덴마크(사람〔말〕)의, 데인 사람〔족〕의. *n.* Ⓤ 덴마크 말.
◇ Dáne, Dénmark *n.*
Dánish módern 장식이 적고 심플한 덴마크의 가구양식(1960년대에 세계적으로 유행).
Dánish pástry 파이 비슷한 과자빵(과일·땅콩 등을 가미한).
Dánish Wèst Índies *n. pl.* (the ~) 덴마크령 서인도 제도(미국이 매수하기 전의 Vir-

gin Islands of the United States의 구칭).
dank[dæŋk] *a.* 축축한, 습기찬(damp).
dánk·ly *ad.* **dánk·ness** *n.*
dan·ke schön[dáːŋkə-ʃǿːn] [G] *int.* 대단히 감사합니다(thank you very much).
Dan·ne·brog[dǽnəbrɑ̀ːg/-brɔ̀g] *n.* (붉은 바탕에 백십자가 있는) 덴마크 국기.
D'An·nun·zio[dɑːnúːntsiòu] *n.* 단눈치오 Gabriele ~(1863-1938)《이탈리아의 시인·소설가·극작가》.
dan·ny, don·ny[dǽni], [dáni/dɔ́ni] *n.* 《영方》 손, (어린아기에게) 손, 손!
Dan·ny[dǽni] *n.* 남자 이름《Daniel의 애칭》.
danse ma·ca·bre[dáːnsməkáːbər][F] *n.* (*pl.* **danses ma·ca·bres**[–]) =DANCE of death.
dan·seur[dɑːnsə́ːr][F] *n.* 남자 발레 댄서.
dan·seur no·ble[dáːɴ sœ nɔ́ːblə] [F] *n.* (*pl.* **dan·seurs no·bles**[–]) 당쇠르 노블《발레의 파드되(pas de deux) 등에서 발레리나의 상대역의 남자 무용수》.
dan·seuse[dɑːnsə́ːz] [F] *n.* (*pl.* ~**s**[-iz]) 발레리나.
***Dan·te**[dǽnti] *n.* 단테 ~ Alighieri(1265-1321)《이탈리아의 시인: 「신곡(神曲)」의 작가》.
Dan·te·an[dǽntiən, dæntíː-] *a.* 단테(류)의. — *n.* 단테 연구가[숭배자].
Dan·tesque[dæntésk] *a.* 단테류의; 장중한.
Dan·tist[dǽntist] *n.* 단테 연구가.
***Dan·ube**[dǽnjuːb] *n.* (the ~) 다뉴브 강《독일 남서부에서 시작하여 동으로 흘러 흑해로 들어감; 독일명 Donau》.
Dan·u·bi·an[dænjúːbiən] *a.* 다뉴브 강의.
Dan·zig[dǽnsig; *G.* dáutsiç] *n.* 단치히《폴란드 북부의 항구 도시》.
dap[dæp] *vi., vt.* (~**ped**; ~**·ping**) 〔낚시〕 미끼를 살며시 수면에 떨어뜨리다; 〈공이〉 튀다, 튀게 하다. — *n.* (공의) 튐.
Daph·ne[dǽfni] *n.* **1** 여자 이름. **2** 〔그神〕 다프네《Apollo에게 쫓기어 월계수로 변한 요정(妖精)》. **3** (**d-**) 〔植〕 서향나무.
daph·ni·a[dǽfniə] *n.* (*pl.* ~) 〔動〕 물벼룩류, 새각류.
Daph·nis[dǽfnəs] *n.* 〔그神〕 다프니스《목가(牧歌)의 창시자》.
Dáphnis and Chlóö〔**Chlóe**〕 *n. pl.* 다프니스와 클로에《2-3세기경 그리스의 목가적인 이야기 속의 순진한 연인들》.
dap·per[dǽpər] *a.* 날씬한, 말쑥한(*in*); 작고 민첩한; 활기 있는. **~·ly** *ad.* **~·ness** *n.*
dap·ple[dǽpəl] *a.* 얼룩진: the ~ sky 권적운(卷積雲)이 낀 하늘. — *n.* 얼룩, 얼룩배기; 얼룩배기의 동물. — *vt., vi.* 얼룩지(게 하)다.
dap·pled[dǽpəld] *a.* 얼룩(배기)의.
dap·ple-gray|**-grey**[dǽpəlgréi] *a., n.* 회색에 검은 얼룩이 박힌 (말).
dap·sone[dǽpsoun] *n.* 〔藥〕 댑손《항균성 물질; 나병·피부병 치료제》.
D.A.Q.M.G. Deputy Assistant Quartermaster General. **D.A.R.** Daughters of the American Revolution.
darb[dɑːrb] *n.* 《미俗》 굉장한〔대단한〕 것〔사람〕.
dar·bies[dáːrbiz] *n. pl.* 《俗》 수갑.
Dár·by and Jóan[dáːrbiəndʒóun] *n. pl.* 의좋은 늙은 부부《민요 중의 노부부에서》.
Dar·dan, Dar·da·ni·an[dáːrdn], [dɑːrdéiniən] *a., n.* =TROJAN.
Dar·da·nelles[dɑ̀ːrdənélz] *n.* (the ~) 다르다넬스 해협《마르마라(Marmara) 해와 에게(Aegean) 해를 잇는 유럽·아시아 대륙간의 해협》(*cf.* HELLESPONT).

****dare**[dɛər] (~**d**, 《古·方》 **durst**[dəːrst]; ~**d**) *aux. v.* 감히 …하다, 대담하게〔겁내지 않고, 뻔뻔스럽게도〕 …하다; 할 용기가 있다: 《Ⅲ 조+부+*v* Ⅰ +전+(목)》 She ~ not speak *to* him. 〈현재〉 그녀는 감히 그에게 말을 걸지 못한다/She ~*d* not speak *to* him. 〈과거〉 그녀는 감히 그에게 말을 걸지 못했다/《Ⅲ 조+(주)+*v* Ⅰ +전+(목)》 *Dare* she speak *to* him? 그녀가 감히 그에게 말을 걸 수 있을까/《Ⅲ 부+조+(주)+*v* Ⅲ +(목)+전+명》 How ~ you say *that to* me? 어떻게 감히 나에게 그런 말을 해《◇ 부정·의문에 쓰이며 3인칭·단수·현재형은 dare로 -*s*를 붙이지 않는다; 조동사 do가 불필요하고 *to*없는 부정사가 따르며, 부정의 daren't는 과거에 대해서도 쓰인다. 조동사로서의 용법은 지금은 그다지 쓰이지 않으며, 동사로서의 용법이 일반적이다》. **I dare say**〔**daresay**〕 아마 …일 것이다(maybe); 그럴 거야《종종 반어적》: I ~ say that's true. = That's true, I ~ say. 그것은 아마 사실일 것이다《접속사 *that*는 항상 생략》. **I dare swear** 반드시 …이라고 확신한다.
— *vt.* **1** 감히 …하다, 도전하다, 대담하게〔뻔뻔스럽게도〕 …하다《조동사 용법과 같은 뜻; 구문은 보통 동사처럼 -*s*, do, to를 씀; 그러나 to를 쓰지 않는 경우도 있음》: 《Ⅲ *to* do》 Holyfield ~*d to* challenge Louis *to* fight. 홀리필드는 감히 루이스에게 겨루자고 도전했다/Holyfield didn't ~ *to* challenge Louis *to* fight again. 홀리필드는 감히 루이스에게 다시 겨루자고 도전하지 못했다. **2** 〈위험을〉 무릅쓰다, 모험적으로 해보다, 부딪쳐 나가다: I ~ any danger〔anything〕. 어떤 위험이라도 무릅쓰고 한다. **3** (…해보라고) 꼬드기다, 할 수 있으면 해보라고 말하다: 《Ⅴ (목)+*to* do》 I ~ you *to* jump from this wall. 이 담에서 뛰어 내릴 수 있으면 뛰어내려 봐.
— *vi.* (…할) 용기가 있다: I would do it if I ~*d*. 할 수만 있다면 하겠는데(겁이 나서 못하겠다). — *n.* 감히 함, 도전: accept a ~ 도전에 응하다.
dare·dev·il[dɛ́ərdèvəl] *a.* 물불을 가리지 않는. — *n.* 무모하게 덤비는 사람.
dare·dev·il·ry, -try[-ri], [-tri] *n.* (*pl.* **-ries; -tries**) Ⓤ,Ⓒ 앞뒤를 헤아리지 않음, 무모한 용기, 무모(recklessness).
dare·n't[dɛərnt] dare not의 단축형.
dare·say[dɛ̀ərséi] *v.* (I ~로)=I DARE say.
darg[dɑːrg] *n.* 《스코·오스》 하루〔일정량〕의 일.
dar·gah[dáːrgɑː] *n.* (이슬람교의) 성인의 묘, 성묘(聖廟).
Da·ri[dáːriː] *n.* 다리 말(語)《페르시아말의 일종; 아프가니스탄의 Tajik사람이 사용함》.
dar·ic[dǽrik] *n.* 옛 페르시아의 금화.
****dar·ing**[dɛ́əriŋ] *n.* Ⓤ 모험적인 기상〔용기〕; 대담성; 참신함. — *a.* 대담한, 용감한; 앞뒤를 헤아리지 않는, 무모한; 참신한.
~·ly *ad.* **~·ness** *n.*
Da·ri·us[dəráiəs] *n.* **1** 남자 이름. **2** 다리우스《옛 페르시아의 왕(558?-486? B.C.)》.
Dar·jee·ling, -ji-[dɑːrdʒíːliŋ] *n.* **1** 다질링《인도 West Bengal 주의 소도시》. **2** 다질링차(= ∠ **téa**)《다질링에서 나는 고급 홍차》.
★**dark**[dɑːrk] *a.* **1** 어두운, 암흑의(*opp.* clear, light): 《Ⅱ *It v* Ⅱ +형+전+명》 It's ~ *in* this room. 이 방은 어둡다. **2** 거무스름한; 〈피부·눈·머리칼이〉 거무스름한, 가무잡잡한(*cf.* BRUNETTE; *opp.* fair, blond)(fair). **3** 〈색이〉 진한(*opp.* light): ~ green 암록색(暗綠色). **4** 비밀의, 숨은; 일반에게 알려지지 않은, 알 수

없는. **5** 〈뜻이〉 애매한, 모호한. **6** 우둔한, 몽매한: the ~*est* ignorance 극도의 무지. **7** 뱃속 검은, 음흉한, 흉악한: ~ deeds 나쁜 짓, 비행. **8** 광명이 없는, 음울한(*opp.* sunny): ~ days 불운〔실의(失意)〕의 시대, 불길한 나날/look on the ~ side of things 사물의 어두운 면을 보다, 사물을 비관적으로 보다. **9** 〈얼굴빛 등이〉 흐린, 우울한. **10** 〔音聲〕 〈[l] 음이〉 흐린, 탁한. **11** 방송되지 않은. **in a dark temper** 기분이 언짢아. **keep** a thing **dark** 〈일 을〉 비밀로 해두다, 숨겨두다. — *n.* Ⓤ **1** (the ~) 어둠; 암흑. **2** (관사 없이) 밤, 저녁께. **3** 〔美〕 Ⓤ,Ⓒ 어두운 색, 음영. **4** 비밀; 불분명; 무지. **a leap in the dark** 무모한 짓. **after**〔**before**〕 **dark** 어두워진 뒤에〔지기 전에〕. **at dark** 저녁녘에. **in the dark** 어두운 데에(서); 모르고; 비밀히; 무지하여.
⊕ dárken *v.*; dárkness *n.*; dárkly *ad.*

dárk adaptàtion 〔生理〕 암순응(暗順應)(*cf.* LIGHT ADAPTATION).

dark-a·dapt·ed [ˊ-ədǽptid] *a.* 〔生理〕 암순응의.

Dárk Áges (the ~) 암흑 시대《서로마 제국의 멸망(476년)부터 1000년경까지의 유럽 시대; 넓게는 중세(the Middle Ages) 전체》.

Dárk and Blóody Gróund (the ~) 《미》 Kentucky 주의 별명《초기의 인디언과의 전투와 관련된 호칭》.

dárk brówn stár 〔天〕 암갈색의 별《가시광(可干)을 거의 발하지 않는 은하 속의 적외선 원(源)》.

dárk cómedy =BLACK HUMOR;BLACK COMEDY.

Dárk Cóntinent (the ~)《稀》 암흑 대륙《아프리카의 구칭》.

⁑**dark·en** [dáːrkən] *vt., vi.* 어둡게 하다〔되다〕; 거무스름하게 하다〔되다〕; 희미하게 하다〔되다〕; 음침〔음울〕하게 하다〔되다〕.
darken counsel 더욱 더 혼란〔분규〕시키다.
Don't〔**Never**〕 **darken my door**(**s**) **again.** 두번 다시 내 집에 발을 들여놓지 마라.

dark·ey [dáːrki] *n.* =DARKY.

dárk field (현미경의) 암시야(暗視野).

dárk-field illuminátion [dáːrkfìːld-] 암시야 조명(법)《현미경 시료(試料)의》.

dárk-field mícroscope 〔光〕 한외(限外) 현미경, 암시야 현미경(ultramicroscope).

dárk hórse 다크호스《경마에서 실력 미지수의 말》; (경기·선거 등에서) 의외의 강력한 경쟁 상대.

dark·ie [dáːrki] *n.* =DARKY.

dark·ish [dáːrkiʃ] *a.* 어스레한; 거무스름한.

dárk lántern 차광식(遮光式) 각등(角燈).

dar·kle [dáːrkəl] *vi.* 어스름해지다; 〈얼굴빛·기분이〉 험악〔음울〕해지다.

dark·ling [dáːrkliŋ] *ad., a.* 《文語》 어스름〔어둠〕 속에〔의〕.

*__dark·ly__ [dáːrkli] *ad.* **1** 어둡게; 거무스름하게. **2** 음울하게; 험악하게. **3** 모호하게; 희미하게. **4** 은밀히, 남몰래. **look darkly** 음울〔험악〕한 얼굴을 하다(*at*).

dárk màtter (전자 방사(放射)로는 볼 수 없는) 물체의 가정적 형태《우주에서 얻어지는 인력이 원인으로 가정되는》.

dárk mèat 요리하면 검어지는 고기《닭다리 고기 등》; 《미卑》 흑인 여자, 흑인의 성기.

⁑**dark·ness** [dáːrknis] *n.* Ⓤ **1** 암흑, 어둠, 검음; 캄캄함, 암흑세계. **2** 무지, 마음의 어두움. **3** 흑심(黑心). **4** 불명료, 모호. **5** 맹목.
deeds of darkness 나쁜 짓, 범죄. **the Prince of Darkness** 마왕(Satan).

dárk ráys 암복사선(暗輻射線)《자외선이나 적외선 같은 눈에 보이지 않는 광선》.

dárk reàction 〔植〕 암반응(暗反應).

dark·room [ˊ-rù(ː)m] *n.* 〔寫〕 암실.

dark·some [dáːrksəm] *a.* 《古·詩》 =DARK, GLOOMY.

dark·town [ˊ-tàun] *n.* 흑인 거주 구역.

dark·y [dáːrki] *n.* 《口·경멸》 검둥이, 흑인.

⁑**dar·ling** [dáːrliŋ] *n.* 가장 사랑하는〔귀여워하는〕 사람, 사랑스런〔귀여운〕 사람, 마음에 드는 사람〔동물〕: my ~ (愛稱) 얘야!; 여보!/the ~ of all hearts 만인의 사랑을 한 몸에 지닌 사람. — *a.* 가장 사랑하는, 마음에 드는; 《口》 굉장히 좋은, 매력적인《주로 여성어》; 《稀》 간절히 바라는.

darn¹ [daːrn] *vt., vi.* 꿰매다, 깁다, 짜깁다, 감치다. — *n.* 꿰매기, 기움질, 짜깁기, 꿰맨〔짜기운〕 자리.

darn² *v., n., a., ad.* 《口·완곡》 =DAMN.

darned [daːrnd] *a., ad.* 《口·완곡》 =DAMNED.

dar·nel [dáːrnl] *n.* 〔植〕 독(毒)보리.

darn·er [dáːrnər] *n.* **1** 꿰매는〔짜깁는, 감치는〕 사람〔물건〕; 짜깁는〔감치는〕 바늘. **2** = DARNING last.

darn·ing [dáːrniŋ] *n.* Ⓤ (해진 구멍의) 감침질; 꿰맨〔꿰맬〕 것: a ~ last〔ball〕 감침질 받침. **dárning ègg**〔**mùshroom**〕 달걀 모양의 꿰맴질용 덧댈감. **dárning nèedle** (1) 감침질〔짜깁기〕 바늘. (2) 《미方》 잠자리.

dar·o·bok·ka [dæ̀rəbákə/-bɔ́kə] *n.* (북 아프리카의) 두 손바닥으로 두드리는 북.

da·ro·g(h)a [dəróugə, daːróugaː] *n* 《인도》 관리자, 감독자, (경찰·세무서 등의) 서장.

*__dart__ [daːrt] *n.* **1** a 던지는 (화)살, 다트. b (*pl.*; 단수 취급) 화살던지기《실내 놀이》. **2** (a ~) 급격한 돌진. **3** 곤충 등의 침. **4** 〔洋裁〕 다트. **5** 험악한 표정〔말〕. — *vt.* 〈시선·빛·화살 등을〉 던지다, 쏘다; 발(사)하다(*forth*): ~ one's eyes *around* 재빨리 둘러 보다/~ a quick glance *at* one. 재빨리 아무에게 시선을 보내다. — *vi.* (던진 화살처럼) 날아가다 《*out, into, past, etc.*》; 돌진하다(*forward*): Bird ~*ed through* the tree. 새들이 나무 사이를 쏜살같이 날아갔다.

dart·board [ˊ-bɔ̀ːrd] *n.* 다트판《화살 던지기의 과녁판》.

dart·er [dáːrtər] *n.* **1** DART 하는 사람. **2** 〔魚〕 (아메리카산) 시어(矢魚)《조그마한 민물 고기로서 화살처럼 날램》. **3** 〔鳥〕 =SNAKEBIRD.

dart·ist [dáːrtist] *n.* 화살던지기 게임을 하는 사람.

dar·tle [dáːrtl] *vt., vi.* 되풀이하여 던지다〔돌진하다〕.

Dart·moor [dáːrtmuər] *n.* **1** 다트무어《영국 Devon 주의 바위가 많은 고원》. **2** (그곳의) 다트무어 교도소.

Dart·mouth [dáːrtməθ] *n.* **1** 다트머스《영국 Devon 주의 항구》. **2** (그 곳의) 다트머스 해군 사관학교(Royal Naval College).

dar·tre [dáːrtər] *n.* 〔醫〕 포진상(疱疹狀) 피부병, 헤르페스(herpes).

dár·trous [-trəs] *a.*

Dar·von [dáːrvan/-vɔn] *n.* 다르본《진통제의 하나; 상표명》.

*__Dar·win__ [dáːrwin] *n.* 다윈 Charles ~《영국의 박물학자; 진화론 제창자(1809-82)》.
⊕ Darwínian *a.*

Dar·win·i·an [-iən] *a.* 다윈의; 다윈설의. — *n.* 다윈설의 신봉자.

D

Dar·win·ism[-ìzəm] *n.* Ⓤ 다윈설, 진화론 (자연 도태와 적자 생존을 기초로 하는). **-ist** *n.* =DARWINIAN.

Dárwin's fínches 갈라파고스 섬 되새과(科)무리의 총칭.

DASD 〔컴퓨터〕 direct access storage device.

⁑**dash**[dæʃ] *vt.* **1** 내던지다; (때려) 부수다; 부딪뜨리다(*to, against, away, off, out, down*): ~ a book *to*〔*on*〕 the floor 책을 마룻바닥에 내동댕이치다/~ a mirror *to* bits〔*in* pieces〕 거울을 산산이 부수다/He ~*ed away* his tears. 그는 눈물을 훔쳤다. **2** 〈희망 등을〉 꺾다; 낙담시키다: Her hope was ~ed. 그녀의 희망은 꺾이고 말았다. **3** 〈물 등을〉 끼얹다(*in, over*); 튀기다(*with*): ~ cold water *in*〔*into*〕 the face 얼굴에 찬물을 끼얹다. **4** 〈액체 등의 소량을 …에〉 타다, 가미하다(*with*): ~ tea *with* brandy 홍차에 브랜디를 좀 타다. **5** 세차게 하다, 급히 하다〔쓰다, 그리다, 만들다〕(*down, off*). **6** 《俗》 매수하다. **7** 당황하게 하다; 창피를 주다, 무안하게 하다. **8** 《영》 = DAMN(damn을 'd—'로 줄여서 쓰는 경우가 있기 때문에 dash로 대용한 것; damn보다 품위 있고 완곡한 말).

— *vi.* **1** 돌진〔매진〕하다; 급히 가다(*along, by, forward, off, on, etc.*); 힘차게〔단숨에〕 하다: ~ *from*〔*out of*〕 a room 방에서 달려 나오다/They ~*ed by* in a car. 차를 쏜살같이 몰고 지나갔다. **2** (세차게) 충돌하다; 부딪쳐 부서지다(*against, into, on*): The waves ~*ed against* the rocks. 파도가 바위에 부딪쳐 부서졌다. **dash against**〔**upon**〕 충돌하다, 부딪치다. **dash down** 세차게 내던지다; = DASH off. **Dash it!** 제기랄(Damn it!). **dash off** 급히 떠나다, 돌진하다; 〈문장·그림·편지 등을〉 단숨에 쓰다〔그리다〕. **dash out** 급히 가다;. 튀어 나가다; 말살하다. **I'll be dashed**〔**damned**〕 **if** it is so. 절대로 그렇지 않다.

— *n.* **1** (the ~) (액체가) 세차게 부딪치는 소리. **2** (a ~) 돌진, 돌격(*at*); (보통 *sing.*) (단거리의) 경주: a hundred-meter ~ 100미터 경주. **3** 충돌; (기운·희망 등을) 꺾는 일〔것〕, 장애. **4** 주입; 소량, 소량의 가미(加味). **5** 단숨에 써내림, 필세(筆勢). **6** 대시(—). **7** 〔通信〕 (모르스 신호의) 「다」. **8** Ⓤ 기세, 기운; 당당한 기세〔풍채〕. **9** 과시. **10** 《口》 (자동차 등의) 계기반. **11** (버터 제조용) 교반기(攪拌機). **12** 《古》 거칠고 잽싼 타격. **a dash of** …의 소량; …의 기미. **at a dash** 단숨에. **cut a dash** 과시하다; 화려한 옷차림을 하다, 위세 당당하다. **have a dash at** … 《口》 …을 시험적으로 해보다, 시도하다. **make a dash at**〔**for**〕 …을 향하여 단숨에 내닫다. ◇ dáshy *a.*

Dash·a·vey·or[dǽʃəvèiər] *n.* 대셔베이어(내장된 전기 모터로 궤도를 달리는 교통 기관의 하나; 상표명).

dash·board[⌐bɔ̀:rd] *n.* **1** (마차·썰매의) 진흙〔눈〕받이(splashboard); (보트 등의) 파도〔비〕받이 널. **2** (자동차·비행기의) 계기반(計器盤), 대시보드. **dáshboard lìght** 계기반용 등(燈).

dashed[dæʃt] *a.* **1** 의기 소침한, 낙심한. **2** 《영》 괘씸한, 지독한(damned). — *ad.* 《영口》 지독히, 굉장히(damned): That's ~ interesting. 그것은 굉장히 재미있다.

da·sheen[dæʃí:n] *n.* 〔植〕 타로토란(taro).

dash·er[dǽʃər] *n.* **1** 돌진하는 사람. **2** 교반기(機). **3** 《俗》 위세 당당한 사람. **4** 《미》 진흙받이. **5** 계기반.

da·shi·ki[dəʃí:ki] *n.* 다시키(아프리카의 민족의상으로, 선명한 빛깔의 덮어쓰는 옷).

*****dash·ing**[dǽʃiŋ] *a.* **1** 기세 좋은, 생기 있는. **2** 위세 당당한, 화려한. **~·ly** *ad.* 기세 좋게.

dash·pot[dǽʃpɑ̀t/-pɔ̀t] *n.* 〔機〕 대시포트(완충·제동 장치).

dash·y[dǽʃi] *a.* (**dash·i·er**; **-i·est**) =DASHING.

das(s)·n't[dǽsnt] 《미方》 dare not의 단축형.

das·tard[dǽstərd] *n.* 겁쟁이, 비겁한〔비열한〕 사람(coward).

das·tard·ly[dǽstərdli] *a.* 비겁한, 비열한. — *ad.* 비겁〔비열〕하게. **-li·ness** *n.*

da·stur[dəstúər] *n.* PARSI 교(敎)의 고승.

das·y·ure[dǽsijùər] *n.* 〔動〕 주머니고양이(오스트레일리아 및 태즈메이니아산).

DAT differential aptitude test 적성 판별 검사; digital audiotape. **dat.** dative.

⁑**da·ta**[déitə, dɑ́:tə, dǽtə] *n. pl.* **1** (복수, 때로는 단수 취급) 데이터, 자료; (관찰·실험으로 얻은) 사실, 지식, 정보. ◇ 원래 DATUM의 복수형이지만, 종종 집합명사 취급을 함: *These* ~ *are*〔*This* ~ *is*〕 accurate. 이 데이터는 정확하다(단수형으로는 one of the data를 쓰는 것이 보통이며 datum은 거의 쓰이지 않음). **2** (보통 단수 취급) 〔컴퓨터〕 데이터.

— *vt.* 《미》 (어떤 인물·집단에 관한) 정보를 수집하다.

dáta acquisìtion 〔컴퓨터〕 데이터 수집.

dáta bànk 데이터뱅크(전자 계산기용 정보와 그 축적·보관 및 제공 기관).

da·ta-bank[déitəbæ̀ŋk] *vt.* 데이터뱅크에 넣다〔보관하다〕.

da·ta·base[déitəbèis] *n.* 데이터 베이스(전자 계산기용 정보의 축적 및 이 정보의 제공 서비스). ◇ data base, data-base로도 씀.

dátabase índustry 〔컴퓨터〕 데이터베이스 산업(축적된 정보를 고객에게 제공하는 산업).

dáta bàse mánagement sỳstem 〔컴퓨터〕 데이터 베이스 관리 시스템 (略 DBMS).

dáta bìnder 〔컴퓨터〕 데이터 바인더(컴퓨터로부터의 프린트아웃을 철하는).

dat·a·ble[déitəbəl] *a.* 시일을 추정〔측정〕할 수 있는. **~·ness** *n.*

dáta bròadcasting 데이터 브로드캐스팅(각종 데이터를 전송하는 등의 새로운 방송 서비스 방식).

dáta bùs 〔컴퓨터〕 데이터버스(다른 컴퓨터 시스템 간을 흐르는 데이터 회로).

dáte ràpe (데이트 여성과의) 강제적 성폭행.

dáta càpture〔**collèction**〕〔컴퓨터〕 (단말장치로부터의) 데이터 수집.

dáta communicàtion〔**còmm**〕 〔컴퓨터〕 데이터 통신.

Dáta Dìscman CD를 사용하는 전자책(상표명).

da·ta-driv·en[déitədrívən] *a.* 〔컴퓨터〕 (프로그램이) 데이터에 따라 처리를 행하는.

dáta encrýption stàndard 〔金融〕 데이터 암호화 기준.

dáta fòrmat 〔컴퓨터〕 데이터의 형식(컴퓨터에 입력하는 데이터의 배열).

dáta intégrity 〔컴퓨터〕 데이터 보전성(입력된 데이터가 변경·파괴되지 않은 상태).

da·tal[1] [déitl] *n.* (주로탄광의) 일급제(日給制).

datal[2] *a.* 날짜〔연대〕(date)의〔가 있는〕; 날짜〔연대〕순으로 배열한.

dáta lìnk 〔通信·컴퓨터〕 데이터 링크(데이터 송수신을 위한 통신선; 略: D/L).

da·tal·ler[déitələr] *n.* 《영方》 날품팔이(day

laborer) 《특히 탄광의》.

dáta lògger 〔컴퓨터〕 계산치 등의 물리량(物理量)을 계속 기록하는 장치.

dáta lògging 〔컴퓨터〕 데이터를 시계열적(時系列的)으로 기록하기.

da·ta·ma·tion [dèitəméiʃən] [*data*+*automation*] *n.* Ⓤ 자동 데이터 처리; 데이터메이션 산업.

da·ta·phone [déitəfòun] *n.* 데이터폰《전화 회선을 사용하는 데이터 전송 장치》.

Da·ta·post [déitəpóust] *n.* 《영》 데이터포스트《익일 배달 소포 우편; 미국의 Express Mail과 동일》.

dáta pròcessing (전자계산기 등에 의한) 데이터 처리, 정보화 과정.

dáta pròcessor 데이터 처리 장치.

dáta redùction 〔컴퓨터〕 데이터 정리〔압축〕.

da·ta·ry [déitəri] *n.* 〔가톨릭〕 교황청 장새원(掌璽院)《성직 희망자의 적격 심사를 하는 교황청의 한 부서》.

D

dáta secúrity 〔컴퓨터〕 데이터 보호.

dáta sèt 데이터 세트《데이터 처리상 1단위로 취급되는 일련의 기록; 데이터 통신에서 쓰이는 변환기》.

dáta tàblet (컴퓨터의) 마우스 받침대.

dáta términal equìpment 〔通信〕 데이터 단말 장치.

dáta transmìssion 〔컴퓨터〕 데이터 전송(傳送).

dat·cha *n.* =DACHA.

★**date**[1] [deit] [L] *n.* **1** 날짜, 연월일《종종 장소도 포함》; 기일. **2** 연대, 시대. **3** (상업문에서) 당일(當日); Ⓤ 《口》 금일; 기일, 기한. **4** (*pl.*) (사람의) 생몰년(生沒年). **5** 《口》 데이트《특히 이성과의 약속》: 《Ⅲ (목)+전+명》 She had a nice ~ *with* him. 그녀는 그와 멋진 데이트를 했다/have〔make〕 a ~ with …와 만날 약속이 있다〔을 하다〕/keep〔break〕 a ~ with …와의 만날 약속을 지키다〔어기다〕. **6** 《미口》 데이트의 상대. **at an early date** 근간, 멀지 않아. **blind date** 상대가 누군지도 모르는 맹목적인 데이트. **bring … up to date** (1) 〈사물을〉 최신식(의 것)으로 하다. (2) (남에게 …에 관한) 최신 정보를 제공하다 (*on, about*). **down to date** 《미》 =up to DATE. **(down) to date** 이날까지, 지금〔현재〕까지. **of early date** 초기의, 고대의. **out of date** 시대에 뒤떨어진, 구식의. **under date** June 7. 6월 7일자의. ◇ (날짜 매김) 일반적으로 《미》에서는 June. 7, 1999. 군부·과학 관계에서는, 7 June, 1999의 형식을 잘 씀. 메모 등에 줄여 쓸 때에는 6/7/99의 형식을 쓰지만, 《영》 기타에서는 7(th) June, 1999, 줄여서 7/6/99 또는 7-6, 99처럼 쓰는 수도 있음. June 7은 보통 June seventh라고 읽지만 구어에서는 June seven이라고도 읽음. **up to date** (1) 이날〔오늘날〕까지(의). (2) 최신식으로〔의〕, 현대적으로〔인〕. (3) (시대 등에) 뒤지지 않고. **without date** 무기한으로.

— *vt.* **1** (편지·문서에) 날짜를 기입하다; (사건·미술품 등에) 날짜〔연대〕를 매기다: ~ letter 편지에 날짜를 적다/The letter is ~*d* (from Chicago) June 7. 그 (시카고발) 편지는 6월 7일부로 되어 있다. **2** …의 연대를 정〔추정〕하다. **3** 《미口》 (이성과) 만날 약속을 하다, …와 데이트하다.

— *vi.* **1** 《미》 〈편지가〉 날짜가 적혀 있다: the letter *dating from* 1999 1999년 날짜의 편지. **2** (…부터) 시작되다, 기산(起算)되다. **3** 〈예술·문체 등이〉 특정 시대의 것이라고 인정되다; 연대가 오래 되다. **4** 《미口》 (이성과 만날) 약속을 하다, 데이트하다(*with*). **date back** (…으로) 소급하다(*to*).

date[2] [deit] [L] *n.* 대추야자(의 열매).

date·a·ble *a.* =DATABLE.

date·book [déitbùk] *n.* (신문 기자의) 예정 메모책; 《일반적으로》 (회합 등의 예정을 적는) 메모책, 예정장.

dat·ed [déitid] *a.* **1** 날짜가 있는〔적힌〕. **2** 시대에 뒤진, 구식의. **~·ly** *ad.* **~·ness** *n.*

date·less [déitlis] *a.* **1** 날짜가 없는; 연대〔시기〕를 알 수 없는. **2** 〔詩〕 무한의. **3** 태고적부터의. **4** 《口》 (사교상의) 약속이 없는; (이성의) 교제 상대가 없는. **5** 낡았으나 여전히 흥미 있는.

dáte lìne (the ~) 날짜 변경선《동경 또는 서경 180도의 자오선》.

date·line [déitlàin] *n.* **1** 날짜 기입선《편지·신문·잡지 등의 발신지와 날짜 등을 기입하는 난》. **2** =DATE LINE. — *vt.* (기사 등에) 발신지와 날짜를 기입하다.

date·mark [déitmà:rk] *n.* 일부인(日附印) 《특히 금·은제 식기류에 찍은 제조 연월일》. — *vt.* …에 일부인을 찍다.

dáte pàlm 〔植〕 대추야자.

dat·er *n.* **1** 날짜 찍는 사람〔기구〕, 날짜 스탬프. **2** 《口》 데이트하는 사람.

dáte slìp 〔圖書館〕 반납 기일〔대출 일자〕 표, 대출 카드.

dáte stàmp (우편물 등에 찍는) 날짜 인자기(印字器), 일부인; 날짜 인(印), 소인.

date-stamp [⌐stæ̀mp] *vt.* (우편물 등에) 일부인〔소인〕을 찍다.

dat·ing [déitiŋ] *n.* Ⓤ **1** 날짜 기입; 〔商〕 선일부(先日附), 사후 일부(事後日附)《날짜를 늦추어 기입하여 어음 등의 지불을 유예함》; (고고학·지질학 등에서의) 연대 결정. **2** 《口》 데이트하기.

dáting bàr 독신 남녀용 바〔술집〕.

da·tiv·al [deitáivəl] *a.* 〔文法〕 여격(與格)의.

da·tive [déitiv] [L] 〔文法〕 *n.* 여격(dative case)《명사·대명사가 간접목적어로 되어 있을 때의 격: I gave *him*〔*the boy*〕 a pen.에 있어서의 him, boy》. — *a.* 여격의: the ~ case 여격. **~·ly** *ad.* 여격으로서.

dátive vèrb 〔文法〕 여격동사, 수여동사《간접·직접의 두 목적어를 취하는 동사》.

da(t)·to [dá:tou] *n.* (*pl.* ~**s**) **1** (필리핀·말레이시아 등지의) 족장(族長). **2** (BARRIO의) 수장(首長).

***da·tum** [déitəm, dá:-, dǽ-] [L] *n.* (*pl.* **-ta** [-tə]) **1** 논거(論據), 여건, 소여(所與), 자료《보통 복수형인 data를 씀》; 〔論〕 기지(旣知) 사항; 〔數〕 기지수. **2** (*pl.* ~**s**) (계산·계측(計測)의 기산(起算)을 위한) 기준, 기준점〔선, 면〕.

dátum lìne 〔測〕 기준선.

dátum plàne 〔測〕 기준면.

da·tu·ra [dət*j*úərə] *n.* 〔植〕 흰독말 풀.

dau. daughter.

daub [dɔ:b] [L] *vt.* **1** 〈도료 등을 흠뻑〉 바르다, 칠하다(*with*). **2** 더럽히다(soil); 〈채료를〉 마구〔서투르게〕 칠하다. **3** 〈그림을〉 서투르게 그리다. — *vi.* 《口》 서투른 그림을 그리다. — *n.* **1** 바르기, 마구 칠함; 더러움. **2** (질척한) 칠, 도료. **3** 서투른 그림. **wattle and daub** ⇨wattle.

daub·er *n.* **1** 칠하는 사람, 미장이. **2** = DAUBSTER. **3** 칠하는 솔〔도구〕.

daub·er·y [dɔ́:bəri] *n.* (*pl.* **-er·ies**) **1** 그림물감을 누덕누덕 칠하기; Ⓤ,Ⓒ 서투른 그림. **2**

속임수.

daub·ster[dɔ́:bstər] *n.* 서투른 화가.

daub·y[dɔ́:bi] *a.* (**daub·i·er; -i·est**) 마구 그린; 끈적끈적한.

⋆**daugh·ter**[dɔ́:tər] *n.* **1** 딸(*opp.* son): 부녀자. **2** 여자 자손; …이 낳은 여성(*of*): a ~ *of* Eve 이브의 후예. **3** 파생된 것; 소산(所産): a ~ language of Latin 라틴어에서 파생된 언어. **4** 며느리, 의붓딸. **5** 부인회, 여성단체. **6** 《俗》 동성애의 남성; 《특히》 유혹되어 동성애의 세계로 빠진 남자. **daughter of Abraham** 유대 여자. **daughters of the American Revolution** 《미》 미국 애국 여성회(회원은 독립 전쟁 때 싸운 이들의 자손에 한함: 略: DAR.). — *a.* **1** 딸로서의, 딸다운; 딸과 같은 관계에 있는. **2** 〔生〕 제1세의 소산의; 〔物〕 방사성 붕괴로 생긴. **~·hood** [dɔ́:tərhùd] *n.* Ⓤ 딸 된 신분; 처녀 시절; (집합적) 딸들. **~·less** *a.* ◇ dáughterly *a.*

dáughter élement 〔物〕 낭원소(娘元素)(방사성 원소의 붕괴에 의하여 생기는).

daugh·ter-in-law[dɔ́:tərinlɔ̀:] *n.* (*pl.* **daughters-**) **1** 며느리. **2** 《俗》 =STEPDAUGHTER.

daugh·ter·ly *a.* 딸로서의, 딸다운.

⁎**daunt**[dɔ:nt] [L] *vt.* 위압하다; (한)풀을 꺾다, 기세〔기운〕를 꺾다. **nothing daunted** 《文語》 조금도 굽히지 않고.

⁎**daunt·less**[dɔ́:ntlis] *a.* 겁 없는, 꿈쩍도 않는, 담대한, 불굴의. **~·ly** *ad.* **~·ness** *n.*

dau·phin[dɔ́:fin] *n.* 〔史〕 프랑스 황태자의 칭호(1349-1830년 왕조시대의).

dau·phin·ess[-is] *n.* 〔史〕 프랑스 황태자비의 칭호.

D.A.V., DAV *D*isabled *A*merican *V*eterans 미국 상이 군인회.

Dave *n.* 남자 이름(David의 애칭).

dav·en·port[dǽvənpɔ̀:rt] *n.* **1** 《영》 소형 책상(경첩 달린 뚜껑을 열면 책상이 되는). **2** 《미》 (침대 겸용의) 대형 소파.

Da·vid[déivid] *n.* **1** 〔聖〕 다윗(이스라엘 제2대 왕, 시편의 시의 작자). **2** (St. ~) 성다윗(Wales의 수호성인; 축일은 3월 1일). **3** 남자 이름(애칭 Dave, Davy; 略: Dav.).

David and Jonathan 〔聖〕 막역한 친구.

Da·vid·ic[deivídik, də-] *a.*

da Vin·ci[dəvíntʃi] *n.* 다빈치 Leonardo ~ (1452-1519)(이탈리아의 화가·조각가·건축가·과학자).

Da·vis[déivis] *n.* 남자 이름.

Dávis apparàtus 데이비스 장치(잠수함 탈출 장치).

Dávis Cúp 1 데이비스컵(1900년 미국의 정치가 D.F.Davis가 영미 정구 시합(후에 국제 선수권 시합이 됨)을 위해 기증한 우승 은배). **2** (the ~) 데이비스컵(쟁탈)전.

Dávis Stráit *n.* (the ~) (Greenland와 캐나다의 Baffin섬 사이의) 데이비스해협.

da·vit[dǽvit, dévit] *n.* **1** 〔海〕 (보트·닻을) 달아올리는 기둥, 대빗. **2** 《古》 =FISH DAVIT.

da·vy[déivi] *n.* (*pl.* **-vies**) 《俗》 선서서(宣誓書). **take one's davy** 《俗》 맹세하다.

Da·vy[déivi] *n.* **1** 데이비 Sir Humphry ~ (1778-1829)(영국의 화학자). **2** 남자 이름 (David의 애칭; Davey, Dave라고도 함).

Dávy Jónes (익살) 〔海〕 바다 귀신, 해마(海魔)(선원들에 의한 유머러스한 호칭).

Dávy Jónes'(s) lócker 1 바다, 해저. **2** 《특히》 바다의 무덤: go *to* ~ 바다에 빠져 죽다, 물고기 밥이 되다.

Dávy làmp (옛날 탄광용의) (데이비) 안전등.

daw[dɔ:] *n.* **1** =JACKDAW. **2** 바보.

daw·dle[dɔ́:dl] *vi.* 빈둥거리다, 빈둥빈둥 시간을 보내다(*along, over*): ~ *along* a street 거리를 어슬렁어슬렁 걷다. — *vt.* 〈시간을〉 낭비하다(*away*): He ~*d away* his time. 그는 시간을 헛되이 보냈다. — *n.* **1** 빈둥거림, 시간 낭비. **2** =DAWDLER.

daw·dler *n.* 느림보, 게으름뱅이.

dawg[dɔ:g] *n.* 《口》 개(dog).

dawk[1] [dɔ:k] *n.* =DAK.

dawk[2] [dove+hawk] *n.* 《미》 소극적 반전론자; 비둘기파(dove)와 매파(hawk)의 중간파.

⁑**dawn**[dɔ:n] *n.* Ⓤ **1** 새벽, 동틀 녘, 여명. **2** (the ~)(일의) 시초, 조짐, 서광(*of*). **at dawn** 새벽녘에. **before dawn** 날이 새기〔동트기〕 전에. **from dawn till dusk** 〔**dark**〕 새벽부터 해질 때까지. — *vi.* **1** 날이 새다, 〈하늘이〉 밝아지다. **2** (서서히) 발달하기 시작하다; 〈사물이〉 나타나기 시작하다, 보이기 시작하다. **3** 〈사물이〉 (사람·마음에) 이해되기 시작하다, 보이기 시작하다, 〈생각이〉 (마음·머리에) 떠오르다(*on, upon*): (Ⅲ *v* I +전+(목)) (*no pass.*) A novel plan slowly and deliberately ~*ed* on〔upon〕 him. 참신한 계획이 서서히 그리고 신중하게 그의 머리에 떠올랐다/(Ⅲ *It v* I +전+(목)+*that*(절)) It at last ~*ed on*〔*upon*〕 him *that* he had been charged with an impossible mission. 그는 자기가 불가능한 사명을 맡고 있었다는 것을 드디어 깨닫게 되었다/(Ⅲ *It v* I +전+(목)+*wh.*(절)) It ~*ed* on me *where* I had seen him before. 내가 전에 어디에서 그를 본 적이 있다는 것이 나의 머리에 떠올랐다. **It**〔**Day, Morning**〕 **dawns.** 날이 샌다.

dáwn chòrus 1 (극광 등으로 인한) 새벽의 라디오 전파 장애. **2** 이른 아침의 합창(새들의 지저귐).

dawn·ing[dɔ́:niŋ] *n.* Ⓤ **1** 새벽, 여명; 동녘, 동쪽. **2** (새 시대 등의) 조짐, 출현, 시작.

dawn·like *a.* 새벽〔조짐〕 같은.

dáwn patròl 1 〔軍〕 새벽 정찰 비행. **2** (라디오·텔레비전의) 새벽 프로그램 담당자.

dàwn ráid (회사인수를 목적으로) 첫 거래의 주식을 기습적으로 사들여 주주권을 확보하는 것.

⋆**day**[dei] *n.* **1** Ⓤ 낮(*opp.* night), 해가 떠 있는 동안. **2** 하루, 날, 일주야(=solar ~); 〔天〕 (지구 이외의) 천체의 하루(1회 자전에 요하는 시간). **3** (노동〔근무〕 시간의) 하루: an eight-hour ~ 8시간 노동. **4** (종종 **D-**) 기념일, 축제일, 데이; 특정일, 기일, 약속 날짜. **5** (종종 *pl.*) 시대, 시절, 시기; (the ~) 그 시대, 당시; 현대. **6** (보통 the ~, one's ~) (사람의) 좋았던 시절, 전성기〔시대〕; (종종 *pl.*) (사람의) 일생. **7** (the ~) 어느 날의 일, 《특히》 싸움, 승부, 승리: The ~ is ours. 승리는 우리의 것이다. **8** (the day가 부사적으로 쓰여 부사절을 수반)(…의) 날에: She was born *the* ~ (*that*) her father left for Europe. 그녀는 아버지가 유럽으로 떠난 날에 태어났다. **a day of days** 중대한 날. **all day** (**long**) =**all the day** (하루) 종일. **any day** (1) 언제든. (2) =any DAY (of the week). **any day** (**of the week**) 《口》 어떠한 조건〔경우〕이건, 어떻게든; 아무리 생각해 보아도. (**as**) **clear as day** 대낮처럼 밝은; 아주 명백한. **astronomical day** 천문일(天文日)(정오에서 정오까지의 24시간). **at that**〔**this**〕 **day** 그 무렵에〔바로 지금〕. **at the present day** 오늘날. **before day** 날 새기 전에. **better days** (과거 또는 장래의) 좋은

D

시절: have seen *better* ~*s* 전성 시대도 한 번은 있었다. **between two days** 밤새. **by day** 해 있을 때는, 낮에는(*opp.* by night). **by the day** 하루 단위로 〈일하다 · 지불하다 등〉. **(We will) call it a day.** 《口》 오늘은 이것으로 그치자〔그만두자〕. **carry〔win〕 the day** 승리 하다, 성공하다. **day about** 《영》 하루 걸러. **day after day** (오늘도 내일도) 매일; 며칠이고 끝이 없이. **day and night** =**night and day** 밤낮, 자지도 쉬지도 않고. **day by day** 매일매일; 날마다 (daily). **day in, day out**=**day in and day out** 날이면 날마다(every day). **days after date** 일부(日附) 후 …일. **days of wine and roses** 번영기, 행복한 시기. **end〔close〕 one's days** 죽다. **every day** 매일. **every other day**=**every second day** 하루 걸러서. **Every dog has his day.** 《속담》 쥐구멍에도 볕들 날이 있다. **from day to day** =DAY **by day. from one day to the next** 이틀 계속하여. **from this day forth** 오늘 이후. **have〔get, take〕 a day〔... days〕 off** 하루〔…일〕의 휴가를 얻다. **have a day out** 하루 외출하다. **Have a nice day!** 좋은 하루를!《헤어질 때의 인사》. **have one's day** 한때를 만나다, 전성기가 있다. **How goes the day?** 형세는 어떤가. **if a day**⇨if. **in a day** 하루에; 일조 일석에. **in broad day** 대낮에, 백주에 공공연하게. **in days to come〔gone by〕** 장래〔지난날〕에. **in one's day** 한창〔젊었을〕 때에는. **in the day of trouble〔evil〕** (고난〔액운〕)을 당할 때에. **in the days of old** =**in the olden days** 옛날에(formerly). **(in) these days** 오늘날(nowadays)(◇ 이 숙어는 지나간 일에 쓸 때도 있으며, 구어에서는 in을 생략할 때가 많음). **in those days** 그 당시〔시대〕에는(then)(◇ 보통 in을 생략하지 않음). **It is all in the〔a〕 day's work.** =**All in the day's work.** (싫지만) 아주 일상적인〔당연한, 보통의〕 일이다, 별나지도 않은 일이다. **keep one's day** 약속 날짜를 지키다, 기일을 지키다. **know the time of day** 뭣이든지 다 알고 있다. **lose the day** 지다, 패배하다. **make a person's day** 《口》 …을 (그날) 하루 즐겁게 해주다. **men of other days** 옛날 사람. **men of the day** 당대의 사람. **not have all day** 《口》 꾸물거릴 수 없다, 시간이 없다. **of a day** 명이 짧은, 일시적인. **of the day** (그) 당시의; 그 날의; 지금의. **on one's day** 《口》 한창때에는. **one day** (과거나 미래의) 어느 날; 언젠가는. **one of these (fine) days** 근일중에, 근간에. **one's day** 집에 있는 날《일주일에 하루 손님을 맞는》; 생애; 전성 시대. **pass the time of day** (그 시각에 맞는) 인사를 하다《고풍임》. **quit the day** (일을 마치고) 귀가하다. **solar〔lunar〕 day** 태양〔태음〕일. **some day** (보통 미래의) 어느날, 언젠가, 멀지 않아(◇ 과거에서 본 미래에도 사용함). **That'll be the day.** 《口 · 익살》 그렇게 된다면야, 설마(그럴 수 있을까), 그런 것은 (도저히) 믿을 수 없다. **the day after tomorrow〔before yesterday〕** 모레〔그저께〕(◇ 《미》에서는 종종 the를 생략함). **the day before〔after〕 the fair** 시기가 너무 일러〔늦어〕. **day of judgment** =**the last day** 최후의 심판일《세상의 종말》. **the day of reckoning** 벌을 받을 때, 잘못을 깨달을 때(the Judgment Day(심판의 날)의 뜻에서). **the other day** 일전에. **this day week〔fortnight, month, year〕** 내주〔2주일 후, 다음 달, 내년〕의 오늘; 지난 주〔2주일 전, 지난 달, 작년〕의 오늘. **till〔up to〕 this day** 오늘(날)까지. **to a day** 하루도 틀리지 않고, 꼭 〈몇 년 등〉. **to this〔that〕 day** 오늘날〔그 당시〕까지. **What is the time of day?** 지금 몇 시입니까. **without day** 무기한으로. ◇ dáily *a.*

Day·ak[dáiæk] *n.* (*pl.* ~, ~s) **1** 다야크족(族)《보르네오섬 내륙부에 분포하는 비이슬람교 종족》. **2** Ⓤ 다야크 말.

day·bed *n.* 소파 겸용의 침대.

dáy blìndness 〔病理〕 주맹(晝盲)(증).

dáy bòarder 《영》 통학생《기숙사에 들어가지 않고 식사만을 학교에서 하는》.

day·book[déibùk] *n.* **1** 일기. **2** 〔簿〕 거래 일기장.

dáy bòy 《영》 (기숙제 학교의) 남자 통학생; 통근 고용자〔점원, 하인〕.

‡**day·break**[déibrèik] *n.* Ⓤ 새벽(dawn): at ~ 새벽에 / *D*~ came. 날이 새었다.

day-by-day[déibaidéi] *a.* 날마다의, 매일의 (daily).

dáy càmp 주간에만 하는 어린이를 위한 캠프.

dáy càre 데이케어《미취학 아동 · 고령자 · 신체 장애자 등을 주간만 돌봐주는 일》.

day-care[déikɛ̀ər] *a.* (취학 전의 아이를 맡는) 주간 탁아소의, 보육의.

day·care *vt.* 〈취학 전의 아이를〉 탁아소〔보육원〕에 맡기다.

dáy-care cénter 탁아소.

day-clean[déiklì:n] *n.* 카리브 · 서아프리카 《口》 새벽, 이른 아침.

dáy còach 《미》 보통 객차(*cf.* CHAIR CAR).

***day·dream**[déidrì:m] *n.* **1** 백일몽, 공상, 몽상(castle in the air). **2** 현실과는 동떨어진 생각〔계획〕. ── *vi.* 공상에 잠기다.

day·dream·er *n.* 공상가.

dáy fìghter 주간 전투기.

day·flow·er *n.* **1** 피었다가 그 날 시드는 꽃. **2** 〔植〕 자주달개비.

day·fly[déiflài] *n.* (*pl.* **-flies**) 〔昆〕 하루살이(mayfly).

dáy gìrl 《영》 (기숙제 학교의) 여자 통학생.

day·glow[déiglòu] *n.* 〔氣〕 주간 대기광(大氣光).

Day·Glow[déiglòu] *n.* 데이글로우《형광(螢光) 안료를 포함한 인쇄용 잉크의 일종; 상표명》.

dáy hòspital 주간 병원, 외래 환자 전용 병원.

dáy in cóurt 〔法〕 법정 출두일; 자기 주장을 말할 기회.

dáy làbor 날품.

dáy làborer 날품팔이, 일급쟁이.

dáy lètter 《미》 주간 발송 전보《요금이 쌈; (*opp.* night letter); *cf.* LETTERGRAM》.

‡**day·light**[∠làit] *n.* Ⓤ **1** 일광; 낮(daytime); 새벽(dawn). **2** (암흑에 대하여) 밝음. **3** 주지(周知), 공공연 함, 공표(公表). **4** 이해, 지식. **5** (똑똑히 보이는) 틈, 간격《경조(競漕)시 두 보트 사이, 승마자와 안장과의 사이, 술의 표면과 잔의 운두와의 사이 등》. **6** (*pl.*) 《古 · 俗》 눈; 시력; 활동력; 생명. **7** (*pl.*) 《俗》 의식, 제정신. **burn daylight** 쓸데 없는 짓을 하다. **knock the (living) daylights out of** ... 《俗》 …을 죽이다, 때려 눕히다. **in broad daylight** 대낮에, 백주에, (대낮에) 공공연하게. **let daylight into** …을 밝은 곳에 내놓다; …에 구멍을 뚫다; 《俗》 …을 쏘다, 찌르다. **No daylight!** 가뜩 따릅시다《축배를 들기 전에 toastmaster가 하는 말》.

see daylight (1) 이해하다. (2) 해결〔완성〕의 서광이 비치다, 전망이 보이다(*into, through*). (3) 〈사물이〉 햇빛을 보다, 공표되다: 〈사람이〉 태어나다. — *vt.* **1** …에 햇빛을 쬐다. **2** (장애물을 제거하여) 전망이 트이게 하다. — *vi.* **1** 햇빛을 쬐다. **2** (아르바이트로) 주간의 일도 하다.

dáylight blùe **1** 주광색(晝光色). **2** 주광색 채료〔안료〕.

dáylight làmp 주광등(晝光燈).

dáylight róbbery **1** 백주의 강도, 공공연한 도둑 행위. **2** 터무니없는 대금〔청구〕, 바가지 씌우기, 폭리.

dáylight sàving 일광 절약〔이용〕(여름에 시계를 1시간 앞당겨 낮을 많이 이용하는 제도).

dáy·light-sáv·ing tìme 일광 절약 시간, 서머타임 ((영) summer time).

dáy lìly 〔植〕 **1** 원추리속의 총칭(백합과(科)). **2** 옥잠화속의 총칭: 그 꽃.

day·long[déilɔ̀(:)ŋ, -lɑ̀ŋ] *ad., a.* 종일(의).

day·mark[déimɑ̀:rk] *n.* 〔空〕 주표(晝標), 주간 항공 표지.

dáy mòde (미俗) 주간 모드(사람이 주간에 활동하고 밤에는 잠자는 상태): I'm in ~ this week. 금주의 내 활동기(期)는 주간이다.

dáy núrsery 탁아소; (영) (상류 가정의) 낮의 아이들 방.

Dáy of Atónement (the ~) =YOM KIPPUR.

dáy óff (口) 비번(非番), 휴일.

Dáy of Júdgment〔**Dóom**〕 (the ~) 최후 심판의 날(Judgment Day).

Dáy 1, Dáy Óne[déiwʌ́n] (口) 최초(의 날).

dáy òwl 〔鳥〕 주행성(晝行性) 올빼미.

dáy pàck 당일치기 하이킹·캠프용의 배낭〔룩색〕.

dáy pàrt (방송국 네트워크의) 하루의 방송 시간 구분(prime time, late fringe 등).

dáy relèase (영) 연수 휴가 제도(종업원에게 대학 다닐 낮시간을 허락해 주는 일): ~ course 취업 시간내 통학자용 교육 과정.

dáy retùrn (영) 당일 통용의 (할인) 왕복 요금(표).

day·room *n.* (기숙제 학교·군대·병원 등의 독서 등도 가능한) 주간 오락실.

days[deiz] *ad.* (미口) (언제나) 낮에(는): work ~ and go to school nights 낮에는 일하고 밤에는 학교에 가다.

day-sail·er *n.* (침구의 설비가 없는) 소형선(요트의 일종).

dáy schòlar (기숙제 학교의) 통학생.

dáy schòol 통학제 학교(*opp.* boarding school); 주간 학교(*opp.* night school).

dáy shìft **1** (공장 등의) 주간 근무 (시간) (*opp.* night shift): on the ~ 주간 근무로. **2** (집합적) 주간 근무자〔반〕.

dáy sìde 〔天〕 햇빛을 받는 행성〔달〕의 반구(半球), 낮이 되는 쪽.

day·side[∠sàid] *n.* (신문사의) 석간 요원, 주간 근무자(*opp.* nightside).

days·man[déizmən] *n.* (*pl.* **-men**[-mən]) (古) **1** 중재인, 조정자(arbiter). **2** 일용(日傭) 근로자, 날품팔이꾼.

dáys of gráce (어음 등의 기한 직후의) 지불 유예 기간(보통 3일간).

day·spring[déispriŋ] *n.* (古·詩) =DAWN.

day·star[déistɑ̀:r] *n.* **1** 샛별(morning star). **2** (the ~) (詩) 낮의 별(태양).

dáy stùdent (기숙제 학교의) 통학생.

day·tal·er[déitələr] *n.* (영方) =DATALLER.

dáy tìcket (영) 당일 통용의 할인 왕복표.

‡day·time[∠tàim] *n.* 낮, 주간. **in the daytime** 주간에, 낮 동안에(*opp.* at night). — *a.* 낮〔주간〕의: ~ burglaries 백주의 강도.

day-to-day[déitədéi] *a.* **1** 나날의, 일상의. **2** 그날〔당일, 당장〕의 일밖에 생각하지 않는, 그날그날 살아가는. **3** 〔商〕 당일한의.

Day·ton[déitn] *n.* 데이튼 **1** Ohio주 남서부의 도시. **2** Tennessee주의 읍.

dáy tràder 〔證券〕 당일 매매만을 하는 투기가.

day-trip·per[∠trìpər] *n.* 당일치기 여행자(주로 소풍여행).

‡daze[deiz] [ON] *vt.* 멍하게 하다; 눈부시게 하다, 어리둥절케하다. — *n.* (a ~) 현혹, 망연, 어리둥절한 상태, 눈이 부심: be in *a* ~ 눈이 부셔서 잘 보지 못하다〔어리벙벙하다〕.

daz·ed·ly[déizidli] *ad.* 눈이 부셔, 멍하니.

da·zi·bao[dɑ́:dzi:báu] *n.* (중공의) 대자보(大字報)(wallposter).

‡daz·zle[dǽzəl] [daze의 반복형] *vt.* **1** 눈부시게 하다, (빛이 세어) 바로 보지 못하게 하다. **2** 〈아름다움·화려함 등이 사람을〉 현혹시키다, 감탄케 하다, 압도하다. — *vi.* (강한 빛으로) 〈눈이〉 부시다; 눈부시게 빛나다; 경탄시키다. — *n.* U,C 현혹; 눈이 부신 빛. **~·ment** *n.* **dáz·zler** *n.*

dázzle pàint 〔海〕 (함선의) 위장, 카무플라지.

***daz·zling**[dǽzliŋ] *a.* 눈부신, 휘황찬란한; 현혹적인: ~ advertisement 현혹적인 광고. **~·ly** *ad.*

dB, db decibel(s). **DB** 〔컴퓨터〕 database. **db.** debenture. **D/B, d.b.** daybook; double bed; double-breasted. **d.b., D.B.** daybook. **D.B.** Bachelor of Divinity; Domesday Book. **dBA, dba** decibel A(소음측정 단위). **DBA** Doctor of business Administration. **D.B.E.** Dame Commander of (the Order of) the British Empire. **D.B.H.** diameter at breast height. **dbl.** double. **DBMS** database management system. **DBS** direct broadcast satellite. **dbt.** debit. **DC** data communication; dental corps. **d.c.** direct current. **D.C.** [It] *da capo*, Deputy Consul; direct current; District Court; District of Columbia. **DCB** Defense Commission Board. **D.ch.E.** Doctor of Chemical Engineering. **D.C.L.** Doctor of Civil Law. **D.C.L.I.** Duke of Cornwall's Light Infantry. **D.C.M.** Distinguished Conduct Medal. **DCS** data collection system; 〔미軍〕 Defense Communications System; 〔宇宙〕 display control system. **DD** drunk driver 음주 운전자; drunk(en) driving 음주 운전; 〔컴퓨터〕 double density 배(倍)밀도. **dd.** dated; delivered. **d.d.** days after date 〔delivery〕; demand draft. **D.D.** dishonorable discharge; Doctor of Divinity; due date.

d-d[di:d, dæmd] *a., ad.* =DAMNED.

D dày[dí:dèi] **1** 〔軍〕 공격 개시일(*cf.* ZERO HOUR); (일반적으로) 계획 개시 예정일. **2** 동원 해제일.

DDC Dewey decimal classification 〔圖書館〕 듀이 십진(十進) 분류법. **DDD** direct distance dialing 장거리 직통 전화. **ddI, DDI** dideoxyinosine(AIDS의 치료 시약). **DDP** 〔컴퓨터〕 distributed data processing. **D.D.S.** Doctor of Dental Surgery. **DDT** 〔컴퓨터〕 dynamic debugging tool(디버그 작업에 쓰이는 프로그램); (미俗) don't do that.

DDT, D.D.T.[dì:dì:tí:][*d*ichloro-*d*iphenyl-*t*richloro-ethane] *n.* 〔藥〕 디디티(살충제: *cf.*

BHC).
DDVP [dìːdìːvìːpíː] [*d*imethyl-*d*ichlor-*v*inyl-*p*hosphate] *n.* 〔藥〕 디디비피《살충제》.
de [1] [diː] [L = down from, off] *prep.* 「…에서〔부터〕; …에 대하여」의 뜻: *de* facto.
de [2] [də] [F = of, from] *prep.* 「…의; …에서; …에 속하는」의 뜻: coup *de* main.
DE 〔미郵便〕 Delaware; 〔미海軍〕 destroyer escort. **D.E.** defensive end; Doctor of Engineering; Doctor of Entomology.
de- *pref.* **1** down from, down to의 뜻: *de*bus, *de*scend, *de*press. **2** off, away, aside의 뜻: *de*cline, *de*precate. **3** asunder, apart의 뜻: *de*compose. **4** entirely, completely의 뜻: *de*claim, *de*nude. **5** un-의 뜻: *de*centralize, *de*calcify. **6** bad의 뜻: *de*ceive, *de*lude.
Dea. Deacon.
de·ac·ces·sion [dìːəksέʃən] 《미》 *vt.* (작품·수집품의 일부를 다른 작품을 구입하기 위하여) 매각〔처분〕하다. ── *n.* 매각, 처분.
***dea·con** [díːkən] *n.* **1** 〔영國教·가톨릭〕 부제(副祭); 〔그리스正教〕 보제(補祭); (장로교회 등의) 집사. **2** 《스코》 (상공 조합의) 조합장. **3** Ⓤ 《미》 갓난 송아지의 가죽. ── *vt.* **1** 《미口》 회중이 노래하기 전에 찬송가의 시구를 1행씩 낭독하다(*off*). **2** 《미俗》 〈과실 등을〉 좋은 것이 위에 오도록 하여 상자를 채우다; 눈가림하다. **3** 《미》 〈송아지를 태어난지 얼마 안 되어〉 죽이다. **~·ship** [-ʃìp] *n.*
dea·con·ess [díːkənis] *n.* (기독교의) 여자 집사; (기독교의) 자선 사업 여성 회원.
dea·con·ry [díːkənri] *n.* (*pl.* **-ries**) **1** DEACON의 직. **2** (집합적) DEACON들.
de·ac·qui·si·tion [diːækwəzíʃən] *n.* 처분 예정의 수집품; 수집품의 처분〔매각〕.
de·ac·ti·vate [diːǽktəvèit] *vt.* 군대를 해산하다, 동원을 해제시키다(*cf.* ACTIVATE).
de·ac·ti·vá·tor *n.*
dè·àc·ti·vá·tion [diːæktəvéiʃən] *n.*
★**dead** [ded] *a.* **1** 죽은, 생명이 없는(*opp.* alive); (식물이) 말라 죽은〔시들어 죽은〕; 〈바람이〉 자버린, 그친: shoot a person ~ 쏘아 죽이다/He has been ~ for two years. 그가 죽은 지 2년이 된다(*cf. He died two years ago.*). **2** (죽은 것처럼) 움직이지 않는; 잠잠한; 무감각한; 마비된(numbed). **3** 불이 꺼진; 생기〔기력, 활기〕가 없는; 〈소리·빛깔·빛 등이〉 흐릿한, 침침한(dull, heavy). **4** 〈시장의 경기 등이〉 활발하지 않은; 〈음료 등이〉 김빠진. **5** 쓸모없는, 비생산적인, 팔리지 않는, 〈토지가〉 메마른. **6** 폐기된, 무효의. **7** 출입구가 없는, 〈앞이〉 막힌. **8** 《口》 (죽은 것처럼) 기진맥진한, 녹초가 된(worn-out). **9** (죽음같이) 필연적인, 틀림없는, 정확한. **10** 전적인, 완전한, 철저한(absolute): on a ~ level 아주 수평으로. **11** 〔競〕 아웃이 된, 죽은. **12** 〈경기가〉 일시 정지의; 〈공이〉 잘 튀지 않는; 〈그라운드가〉 공이 잘 굴러가지 않는; 〔골프〕 〈공이〉 홀(hole) 바로 옆에 있는. **13** 〈전지 등이〉 끊어진, 다 된; 〈전화가〉 끊어진, 통하지 않는; 〈전선 등이〉 전류가 통해있지 않은. **14** 형식만의, (정신적으로) 무의미한. **15** 〔印〕 (조판 활자가) 사용이 끝난, 짰으나 쓰지 않은. **a dead certainty** 필연적인 일. **a dead faint** 실신(失神). **(as) dead as mutton** 〔**a doornail, a herring,** etc.〕 아주 죽은, 전혀 활발하지 않은. **come to a dead stop** 딱 멈추다. **dead and buried** 죽어 매장되어, 이미 죽어버려; 〈일이〉 이미 끝나버려, 종말을 고하여. **dead and gone** 죽어 버려서. **dead from the neck up** 《口》 바보인; 멍한. **dead hours of the night** 고요한 한밤중. **Dead men tell no tales.** 《속담》 죽은 사람은 말이 없다《비밀을 아는 자는 죽이라는 뜻》. **dead to** …에 무감각한: He is ~ *to* pity. 연민의 정〔인정〕이 없다. **dead to the world** 《口》 깊이 잠들어; 의식이 없어. **in dead earnest** 진정으로. **over my dead body** 《口》 살아 생전에는〔눈에 흙이 들어가기 전에는〕 절대로 …시키지 않겠다. **wouldn't be seen dead** 《口》 (…은) 죽어도 싫다, 절대 하지 않겠다. ── *ad.* **1** 《口》 완전히, 아주, 전적으로. **2** 직접적으로, 똑바로; 정면으로; 꼭, 바로. **3** 갑자기, 느닷없이, 뚝. **cut a person dead** …을 전혀 모르는 체하다. **dead against** 《口》 …에 전적으로 반대인. **dead asleep** 《口》 세상 모르고 잠들어. **dead broke** 《口》 빈털터리가 되어. **dead certain** 《口》 =DEAD sure. **dead drunk** 《口》 곤드레만드레 취한. **dead sure** 《口》 절대로 확실한. **dead tired** 《口》 녹초가 되어. ── *n.* **1** (the ~; 보통 집합적; 복수 취급) 죽은 사람; 고인. **2** 죽은 듯이 고요한 때, 가장 생기없는 시간. **3** 《미俗》 배달 불능 우편물. **at (the) dead of night** 한밤중에. **in the dead of winter** 한겨울에. **rise**〔**raise**〕 **from the dead** 부활하다〔시키다〕, 소생하다〔시키다〕. ◇ die, déaden *v.*; death *n.*; déadly *a.*
déad áir 《俗》 〔라디오·TV〕 (아무것도 방송되고 있지 않는) 침묵의 시간.
dead-a·live [dédəláiv] *a.* 기운〔활기〕없는; 불경기의; 단조로운(dull).
dead-and-alive *a.* 《영》 =DEAD-ALIVE.
déad ángle 〔軍〕 사각(死角)《사격할 수 없는 각도; *cf.* DEAD SPACE》.
déad attráctive 《미俗》 잘생긴, 미남인.
déad béat 《口》 녹초가 된; 참패한.
dead·beat[1] [dédbìːt] *n.* **1** 《俗》 게으름뱅이, 부랑자; 식객, 기식자. **2** 《미俗》 빚〔대금〕을 떼어먹는 사람; 기차를 거저 타는 방랑자. ── *vi.* 《미俗》 빈둥거리다; 기식하다.
deadbeat[2] [⌐bíːt] *a.* 〔時計〕 직진식(直進式)의; 〔機〕 속시(速示)의; 〈계기의 지침이〉 흔들리지 않고 바로 가리키는.
dead·born [⌐bɔ̀ːrn] *a.* 사산(死産)의.
déad cát **1** 《俗》 (서커스에서) 관중에게 구경만 시키는 호랑이〔표범, 사자 《등》〕. **2** 엄한〔조소하는 듯한〕 비판, 입정사나운 비난.
déad cénter (the ~) 〔機〕 (크랭크의) 사점(死點)(dead point); (선반(旋盤)의) 부동 중심; 정확한 중심.
déad cólor(ing) (유화의) 바탕칠.
déad dóg 죽은 개; 무용지물이 된 것.
déad dróp (스파이의) 연락용 정보의 은닉 장소.
déad dúck 《俗》 가망없는 자〔것〕.
dead·ee [dedíː] *n.* (사진을 보고 그린) 고인의 초상화.
dead·en [dédn] *vt.* **1** 〈활기·감수성·감정 등을〉 약하게 하다, 죽이다, 무감각하게 하다. **2** 〈소리·고통·광택·향기 등을〉 끄다, 덜다, 둔하게 하다; 〈술 등의〉 김을 빼다. **3** 〈속력을〉 늦추다. **4** 〈벽·마루·천장 등을〉 방음으로 하다. **5** 〈나무를〉 말라죽게 하다; 〈나무를 고사시켜 토지를〉 개간하다. ── *vi.* **1** 사멸하다. **2** 소멸하다; 김이 빠지다. **~·er** *n.*
déad énd **1** (관(管) 등의) 막힌 끝; (통로의) 막힘, 막다른 골목; (철도 지선의) 종점. **2** (행동·상황 등의) 막다름, 막힘, 궁지.
dead-end [dédénd] *a.* **1** 막다른: a ~ street

D

막다른 길. **2** 발전성(장래성)이 없는: 빈민굴의: 밑바닥 생활의, 꿈도 희망도 잃은: 무법의: a ~ kid 빈민가의 비행 소년, 거리의 부랑아/a ~ job 장래성이 없는 직업(직위).
— *vi., vt.* 막다르게 되다(하다).

dead·en·ing[dédniŋ] *n.* Ⓤ **1** 방음재, 방음 장치: 무광(택) 도료. **2** 《미》 (나무를 고사시켜) 개간한 토지.

dead·eye[ˊài] *n.* 〔海〕 삼공 활차(三孔滑車).

dead·fall[ˊfɔ̀:l] *n.* 《미》 **1** (무거운 것을 떨어뜨려 짐승을 잡는) 함정. **2** (숲속의) 쓰러진 나무. **3** 하급 술집(도박장).

déad fíre =ST. ELMO'S FIRE.

déad fréight 〔商〕 공하(空荷) 운임.

déad gróund 〔電〕 완전 접지: 〔軍〕 사각(死角)(=DEAD SPACE 2).

déad hánd 1 〔法〕 =MORTMAIN. **2** (현재(생존자)에 대한) 과거(죽은 자)의 압박감. **3** (**D- H-**) 〔病理〕 레이노 현상(병)《손·손가락 등이 희게 되는 증상: Raynaud's phenomenon(disease)》.

dead·head[ˊhèd] *n.* **1** 《미》 (우대권·초대권을 가진) 무료 입장자(승객): 회송(열)차(버스, 비행기), 빈 차(비행기). **2** 《미口》 무용지물, 무능한 사람. **3** 《영》 시든 꽃. — *vi., vt.* 〈사람이(을)〉 무료 입장(승차)하다(시키다): 〈차를〉 회송하다: 시든 꽃을 들어내다(잘라내다). — *a., ad.* 회송의(으로).

déad héat (두 사람 이상의 경기자가 동시에 골인하는) 무승부《접전은 a close finish (race)라고 함》.

dead·house[ˊhàus] *n.* 시체 안치소, 영안실.

déad lánguage 사어(死語)《라틴어·고대 그리스어 등》.

déad létter 1 공문(空文)화한 법률 《등》. **2** 배달 불능 우편물.

déad létter bòx(dròp) =DEAD DROP.

déad líft 1 (기계를 쓰지 않고) 바로 들어올리기. **2** 《古》 필사적 노력(을 요하는 일·상황).

dead·light[ˊlàit] *n.* **1** 〔海〕 현창(舷窓) 안뚜껑《침수나 불빛이 새는 것을 막음》. **2** 채광창(採光窓).

*****dead·line**[ˊlàin] *n.* **1** 넘지 못할 선: 《미》 사선(死線)《죄수가 넘으면 총살당하는》. **2** (신문·잡지의) 원고 마감 시간; 최종 기한. **3** 〔軍〕 수리(정기 검사)를 위해 모아 놓은 자동차들.

déadline diplòmacy 기한부 외교《시간을 정해 놓고 문제를 해결하려는 외교적 절충》.

dead·li·ness *n.* Ⓤ 치명적임: 집념이 강함: 맹렬함.

déad lóad 〔建·鐵道〕 정(사)하중(靜(死)荷重), 자중(自重), 자체 중량.

déad lóan 회수 불능 대출금.

*****dead·lock**[ˊlàk/ˊlɔ̀k] *n.* **1** 막다른 골목: 정돈(停頓): bring a ~ to an end 교착 상태를 타개하다. **2** 이중 자물쇠. **3** 〔컴퓨터〕 교착 상태《두 사람 이상의 사람이 동시에 진행하려 하여 컴퓨터가 응할 수 없는 상태》. — *vi., vt.* 정돈되다(시키다).

déad lóss 1 (보상을 받을 수 없는) 순전한 손실, 전손(全損). **2** 무용지물, 전혀 쓸모없는 사람(것).

‡**dead·ly**[dédli] *a.* (**-li·er; -li·est**) **1** 치명적인, 치사의(⇨fatal): a ~ poison 맹독, 극약. **2** 죽음(죽은 사람)과 같은(deathlike): 활기 없는: 따분한, 지루한. **3** 살려둘 수 없는 〈적 등〉: 집념이 센: 증오에 찬. **4** 매우 효과적인 (*against*). **5** 《口》 심한, 지독한, 맹렬한: 진절머리나는. **6** 〔神學〕 〈죄악이〉 지옥에 갈 정도의. **in deadly haste** 굉장히 급하게. **the seven deadly sins** =DEADLY SINS.
— *ad.* 죽은듯이: 《口》 지독하게, 무섭게, 몹시.

déadly níghtshade 〔植〕 =BELLADONNA.

déadly síns (the ~: 복수 취급) (지옥에 떨어지는) 칠대 죄악《오만·탐욕·색욕·화냄·대식·선망·나태: =seven ~》.

déad mán 1 죽은 사람. **2** (보통 *pl.*) 《口》 (연회가 끝난 뒤의) 빈 술병(dead marine (soldier)). **3** 《영俗·方》 허수아비.

déad màn's flóat 〔水泳〕 엎드려 뜨기《양팔을 앞으로 뻗고 엎드린 자세》.

déad·man's hànd 《미俗》 **1** (포커에서) 에이스 2장과 8짜리 2장이 있는 패. **2** 불운, 불행.

déadman's hándle[dédmænz-] 〔機〕 손을 떼면 동력이 멈추는 비상 제어 장치.

déad màrch 장송곡(funeral march), (특히 육군장에서 취주되는) 장송 행진곡.

déad maríne 《俗》 빈 술병(dead man).

déad mátter 1 〔印〕 (해판 직전의) 폐판(廢版). **2** 〔化〕 무기물.

dead·ness[dédnis] *n.* Ⓤ **1** 죽음(의 상태). **2** 생기 없음, 무감각. **3** (광택·빛 등의) 칙칙함. **4** (술 등의) 김빠짐.

déad néttle 〔植〕 광대수염.

dead-on[dédán, -ɔ́:n] *a.* 바로 그대로의, 아주 정확한.

dead-on-ar·riv·al[-əráivəl] *n.* **1** 병원에 도착하였을 때 이미 사망한 환자《略: DOA》. **2** 〔電子〕 처음 사용 때 작동하지 않는 전자 회로.

déad pàn 《口》 무표정한 얼굴(의 사람): 무표정으로 하는 연기(희극).

dead·pan[ˊpæ̀n] *a., ad.* 《口》 무표정한(하게). — *vi.* (**~ned; ~·ning**) 《口》 무표정한 얼굴을 하다(로 말하다).

déad pèdal 《미俗》 느리게 운전하는 차: 서툴러서 신중한 드라이버(Sunday driver).

déad pígeon 《俗》 가망(쓸모) 없는 사람.

déad póint =DEAD CENTER.

déad púll =DEAD LIFT.

déad réckoning 1 〔海·空〕 추측 항법(推測航法). **2** 《일반적으로》 추측, 추정.

déad rínger 《俗》 똑같이 닮은 사람(물건), 대역(代役).

déad róom 무향실(無響室)《음향의 반사를 최소로 한 방》.

Déad Séa *n.* (the ~) 사해《이스라엘과 요르단 사이의 함수호(鹹水湖)》.

Déad Sèa ápple(frúit) (the ~) =APPLE of Sodom.

Déad Séa Scròlls (the ~) 사해(死海) 문서(사본)《사해 북서부 동굴에서 발견된 구약 성서 등을 포함한 고문서의 총칭》.

déad sét 1 (사냥개가 사냥감을 노릴 때의) 부동 자세: 단호한 자세. **2** 과감한(정면) 공격: 끈기 있는(필사의) 노력: (특히 여성의) 열렬한 구애(求愛)(*at*). **make a dead set at** (논의·조소 등으로) …을 공격하다: (여성이 남성에게) 열렬히 구혼하다.

déad shót 1 명중탄. **2** 사격의 명수.

dead-smooth[ˊsmú:ð] *a.* 매우 매끄러운, 매우 매끄럽게 움직이는.

déad sóldier (보통 *pl.*) **1** 《口》 빈 술병(dead man). **2** 《미俗》 똥.

déad spáce 1 〔生理〕 사강(死腔)《비강(鼻腔)에서 폐포(肺胞)까지의 호흡기계(系) 중 혈액이 가스 대사를 하지 않는 부분》. **2** 〔軍〕 사계(死界), 사각(死角)《사격할 수 없는 지역: *cf.* DEAD ANGLE》. **3** 〔建〕 이용할 수 없는 공간《기둥 둘레 등》: 집회장 등에서 소리가 들리지 않는 부분.

D

déad spòt 1 수신(受信) 곤란 지역, 난청 지역. **2** 방송 중지 상태.
déad stíck 1 회전을 멈춘 프로펠러. **2** 《卑》 발기하지 않는 음경.
déad-stick lànding[dédstìk-] 〔空〕 프로펠러 정지 착륙《엔진을 끄고 내리는 불시착》.
déad stóck 1 팔리고 남은 상품, 사장(死藏) 재고. **2** (가축에 대해) 농구(農具).
déad stórage 가구·화일 등의 창고 보관 《필요시 사용을 위한》.
déad tìme 〔電子〕 부동(不動) 시간, 불감(不感) 시간《지령후 작동하기까지의》.
déad wáll 창 등이 없는 벽.
déad wáter 1 사수(死水), 괸 물. **2** 〔海〕 (항해 중) 배 뒤에 소용돌이치는 물.
dead·weight *n.* **1** (생명·자동력이 없는 사람·물체의) 중량; 무거운 물건. **2** 〔建·鐵道〕 사하중(死荷重), 자중(自重)(dead load). **3** Ⓤ 〔海〕 배에 실은 것의 무게《선원·승객·화물·연료 등》, (배에 실을 수 있는) 재화(載貨) 중량. **4** Ⓤ 〔海〕 중량 화물《무게에 따라 선임을 지불하는》. **5** (부채 등의) 무거운 짐 〔부담〕(*of*); 부담스러운〔귀찮은〕 사물, 쓸모없는 사람.
déadweight capácity〔**tónnage**〕 〔海〕 재화 중량 톤수.
déadweight tón 중량톤(2240 파운드).
déad wínd 역풍, 맞바람(head wind).
dead·wood[dédwùd] *n.* Ⓤ **1** 말라 시든 가지〔나무〕. **2** 무용지물; 무의미한 상투 어구. **3** (*pl.*) 〔造船〕 역재(力材). **4** 볼링 레인 위에 쓰러져 있는 핀. **5** 《미俗》 팔리다 남은 입장권(철). **have the dead wood on** … 《미西部俗》 …보다 유리한 입장에 서다, …을 지배하다.
⁑**deaf**[def] *a.* (~·er; ~·est) **1** 귀머거리의, 귀가 먼, 귀가 들리지 않는; 청각 장애의: 《Ⅱ 형+*to* do》 She must be ~ not *to* have heard it. 그것이 들리지 않았다니 틀림없이 그녀는 귀가 먼 것이다. **2** (탄원·충고 등에) 귀를 기울이지 않는, (…을) 들으려고 하지 않는; 무관심한, 개의치 않는(*to*): 《Ⅱ 형+전+명》 He is ~ *to* all advice. 그는 어떤 충고도 듣지 않는다. **3** (*the* ~; 명사적; 복수취급) 청각장애자들, 귀머거리들, 귀가 먼 사람들. **be deaf as an adder** 〔**a door, a post, a stone**〕 귀가 전혀 들리지 않다. **deaf of an ear**〔**in one ear**〕 한쪽 귀가 먼. **turn a deaf ear to** …에 조금도 귀를 기울이지 않다. **déaf·ly** *ad.* ◇déafen *v.*
deaf-aid[défèid] *n.* 《영》 보청기(hearing aid).
deaf-and-dumb[défəndʌ́m] *a.* 농아의; 농아자(용)의: a ~ alphabet〔language〕 수화법(手話法) 알파벳.
*__deaf·en__[défən] *vt.* **1** 귀머거리로 만들다, …의 귀를 멍멍하게 하다《큰 소리로》. **2** 〈음성·악음(樂音)을〉 들리지 않게 하다. **3** (벽·바닥 등에) 방음 장치를 하다. — *vi.* (보통 ~ing 로) 귀가 들리지 않게 하다. ◇ deaf *a.*
deaf·ened[défənd] *a.* (사람이) 청각 기능을 잃은《선천성이 아닌》.
deaf·en·ing[défəniŋ] *a.* **1** 귀청이 터질 것 같은. **2** 방음(防音)의. — *n.* Ⓤ 방음 장치; 방음 재료. **~·ly** *ad.* 귀청이 터질 것 같이.
deaf-mute[défmjùːt, ⌐⌐] *n., a.* 농아자(의).
deaf-mut·ism[défmjùːtizəm, ⌐⌐] *n.* Ⓤ 농아 상태.
deaf·ness *n.* Ⓤ 귀먹음; 귀를 기울이지 않음.
déaf nút 1 인(仁)이 없는 견과(堅果). **2** 무가치한 일.
⁑**deal**¹[diːl] [OE] (**dealt**[delt]) *vt.* **1** 나누어 주다, 분배하다(*out*): ~ (*out*) gifts *to*〔*among*〕 the poor 가난한 사람들에게 선물을 나눠 주다. **2** 〈타격을〉 가하다: 《Ⅳ 대+(목)》 He *dealt* me a blow. 그는 나에게 일격을 가했다(=He *dealt* a blow *to*〔*at*〕 me. 《Ⅲ (목)+전+명》)/《Ⅳ 대+(목)》 Her death *dealt* him a severe blow. 그녀의 죽음은 그에게 심한 타격을 주었다/《Ⅲ *be pp.*+(목)》 His prestige has been *dealt* a heavy blow. 그의 위신은 큰 타격을 받았다. **3** 〈카드 패를〉 도르다: He had been *dealt* seven trumps. 그에게는 으뜸패가 7장 돌라졌다. **4** 《미俗》 (마약을) 불법적으로 사다〔팔다〕.
deal a person **in** 《俗》 …을 (게임·사업 등에) 끌어들이다, 참가시키다. — *vi.* **1** 다루다, 처리하다, 취급하다(*with*): 《Ⅲ *v* I +전+(목)》 Detective Smith *dealt with* the criminal. 스미스 형사가 그 범인을 다루었다. **2** (…에 대하여) 행동하다, 대우하다, 대하다(*with*): 《Ⅰ 부》 He ~*s* fairly. 그는 (누구에게나) 공정하게 대한다/《Ⅲ *v* I +부+전+(목)》 *Deal* fairly *with* your pupils. 학생들을 공정하게 대하시오/She ~*s* well〔badly〕 *with* him. 그녀는 그를 우대〔냉대〕한다. **3** 〈책·강연 등이 주제 등을〉 다루다, 논하다 (*with*). **4** 〈상품을〉 취급하다 (*in*); …에 종사하다(*in*): 《Ⅲ *v* I +전+(목)》 This shop〔He〕 ~*s in* earthenware goods. 이 가게에서는〔그는〕 도기(陶器) 제품을 취급한다 〔팔고 있다〕/He *dealt in* the research project. 그는 그 연구 계획에 종사했다. **5** (사람·회사·상점 등과) 거래하다(*at, with*): 《Ⅲ *wh.*(절)》 (*wh.*(절)-Ⅲ *v* I +전+(목)) (*no pass.*) He could soon see *what* manner of man he had *to deal with*. 그는 자기가 거래해야 하는 사람이 어떤 사람인가를 곧 알 수 있었다. **6** …와 관계하다, 교제하다(*with*). **7** 카드 패를 도르다. **8** 《口》 〈사람을〉 죽이다, 없애다(*with*).
deal from the bottom 《미口》 음험한 수단을 쓰다. **hard to deal with** 다루기 힘드는.
— *n.* **1** 《口》 취급, 처리, 대우, 대접. **2** 거래, 타협; 《미》 부정(不正) 거래; 담합, 밀약(密約). **3** (사회·경제상의) 정책, 계획. **4** 분량, 액(額): a ~ 다량. **5** 〔카드〕 패를 도르기, 도를 차례〔권리〕; (카드놀이의) 한 판. **a big deal** ⇨BIG DEAL. **a great**〔**good**〕 **deal** (1) 다량, 상당량, 많이. (2) (강조어로서 more, less, too many, too much, 또는 비교급 앞에 붙여서) 훨씬 더, 아주 더: *a great* ~ more 〔cheaper〕 훨씬 더 많은〔싼〕. **a great**〔**good**〕 **deal of** 다량의(a lot of). **a vast deal** 굉장히. **call it a deal** (거래 등에서) 일이 낙착된 것으로 치다. **crumb the deal** 《俗》 계획을 망쳐놓다. **do a deal with** …와 거래하다; 《俗》 …와 협정〔타협〕하다. **raw**〔**square**〕 **deal** 부당한〔공정한〕 취급〔처사〕. **That's a deal.** 좋아 알았다; 그것으로 결정짓자〔계약하자〕. **the Fair**〔**New**〕 **Deal** Truman〔Roosevelt〕 대통령의 공정〔신〕 정책.
*__deal__² *n.* Ⓤ 전나무〔소나무〕 널빤지. — *a.* 전나무〔소나무〕 재목의.
de·al·co·hol·ize[di(ː)ǽlkəhɔ(ː)làiz, -hɑl-] *vt.* (술의) 알코올분을 제거하다.
⁑**deal·er**[díːlər] *n.* **1** 상인, 업자, …상(商): a retail ~ 소매상/a wholesale ~ 도매상/a ~ *in* tea 차(茶) 상인. **2** (특정의) 행동을 하는 사람: a plain ~ 행동이 솔직한 사람. **3** (the ~) 카드 패를 도르는 사람; 도박장의 종업원, 도박사. **4** 《미俗》 불법적인 마약 거래자.
deal·er·ship[díːlərʃìp] *n.* Ⓤ 판매권〔업, 지역〕; 《미》 판매 대리점, 특약점.
*__deal·ing__[díːliŋ] *n.* **1** (보통 *pl.*) 교섭, 교제, 관계; 거래, 매매(*with*). **2** Ⓤ (남에게 대한)

행동, 짓. **3** Ⓤ (카드 패 등의) 도름.

dealt [delt] *v.* DEAL[1]의 과거·과거분사.

de·am·bu·la·tion [diːæmbjəléiʃən] *n.* 산책; (산책과 같은) 가벼운 걷기 운동.

de·am·bu·la·to·ry [diːǽmbjələtɔ̀ːri/-təri] *a., n.* =AMBULATORY.

de-A·mer·i·can·ize [dìːəmérikənàiz] *vt.* 비〔탈〕미국화(化)하다, …에 대한 미국의 관여를 적게 하다. **dè-A·mèr·i·can·i·zá·tion** *n.* 비〔탈〕미국화.

de·am·i·nate [diːǽmənèit] *vt.* 〖生化〗 탈(脫)아미노하다《아미노 화합물에서 아미노기(基)를 뽑는 것》.

dean [diːn] *n.* **1** 〖가톨릭〗 지구(地區) 수석 사제, 지구장; 〖영國教〗 (cathedral의) 주임 사제; 《영》 지방 부(副)감독〔집사〕(=rural ~). **2** (대학의) 학장; (《미》 대학의) 학생 부장; (Oxford, Cambridge 대학교의) 학생감(監). **3** 단체의 최고참자. ── *vi.* dean 직을 맡아보다. **déan·ship** *n.* Ⓤ dean의 직〔지위, 임기〕.

dean·e·ry [díːnəri] *n.* (*pl.* **-ries**) **1** Ⓤ DEAN의 직〔지위, 임기〕; DEAN의 관사〔저택〕. **2** DEAN의 관구(管區).

déan's lìst 《미》 (학기·학년말의) 대학 우등생 명단.

dear [diər] *a.* (~**·er**; ~**·est**) **1** 친애하는, 귀여운, 그리운: ~ Tom / Tommy ~. **2** 〈상품 등이〉 비싼, 값이 비싼; 〈가게 등이〉 비싼: The price of this book is *high*〔*low*〕. =This book is *dear*〔*cheap*〕. 이 책은 값이 비싸다〔싸다〕. **3** 소중한, 귀한(*to*): one's ~*est* wish 간절한 소원. **Dear**〔**My dear**〕 Mr.〔Mrs., Miss〕 A (1) 여보세요(A선생님〔부인, 양〕)《말할 때의 공손한 부름말; 때로는 비꼼·항의의 기분을 나타냄》. (2) 근계(謹啓)《편지의 첫머리에 쓰는 말; 미국에서는 D- … 쪽이 My ~ … 보다 친밀감이 더 있지만, 영국에서는 그 반대》. **Dear Sir**〔**Madam**〕 근계(謹啓)《상업문 또는 모르는 사람에 대한 편지의 서두 인사》. **Dear Sirs**〔**Madams**〕 근계《회사·단체 등에 대한 편지의 서두 인사》. **for dear life** 죽을 힘을 다하여, 필사적으로. **hold** a person **dear** …을 귀엽게 여기다. ── *n.* 친애하는 사람, 귀여운 사람; 애인. (◇ 보통 부름말로 (my) dear 또는 (my) dearest라고 말하며 「여보; 애」 등의 뜻이 됨. 이 경우의 dearest는 절대 최상급). **There's**〔**That's**〕 **a dear.** 애, 참착하지(《그러니》 울지 마라 등); (잘 해서, 울지 않아) 착하구나. **What dears they are!** 어쩌면 저렇게 귀여울까! ── *ad.* **1** 귀여워하여, 소중히. **2** 비싸게: sell〔buy〕 dear 비싸게 팔다〔사다〕(◇ dearly로 쓰지 않음). **It will cost him dear.** 비싸게 치일걸, 혼이 날걸. **pay dear for one's ignorance** (자기의 무지) 때문에 골탕먹다. ── *int.* 아이구!, 어머나!, 저런!《놀람·연민·초조·곤혹·경멸 등을 나타냄》. **Dear, dear!** =**Dear me!** =**Oh**(,) **dear!** 원!, 저런!, 어머나! **Oh dear**(,) **no!** 원, 천만에! **~·ness** *n.*

⊕ déarly *ad.*; endéar *v.*

dear·ie [díəri] *n.* =DEARY.

Déar Jóhn (létter) 《미口》 **1** (병사에게 부친 아내의) 이혼 요구서; (애인·약혼자가 보낸) 절연장. **2** 《일반적으로》 절교장.

dear·ly [díərli] *ad.* **1** 극진히, 끔찍이, 깊이 〈사랑하다 등〉. **2** 비싼 값으로: a ~ bought victory 막대한 희생을 치르고 얻은 승리. **dearly beloved** 친애하는 자들이여《사제·목사가 결혼하는 남녀에게 쓰는 부름말》.

déar móney 〖金融〗 고금리 자금, 고리채 (*opp.* cheap money).

dear·ness *n.* Ⓤ **1** 값비쌈, 고가(高價). **2** 귀중함; 귀여움, 사랑스러운 성질; 친애의 정.

dearth [dəːrθ] *n.* Ⓤ,Ⓒ (a ~) 《文語》 부족, 결핍(*of*); 기근(飢饉): *a* ~ *of* information 정보〔지식〕 부족.

dear·y [díəri] *n.* (*pl.* **dear·ies**) (보통 부름말에 써서) 《口》 귀여운 사람아(darling); (종종 노인에게) 할아버지, 할머니《보통 부름말》.

death [deθ] *n.* Ⓤ,Ⓒ **1** 죽음, 사망. **2** 죽는 모양〔꼴〕, 죽은 상태. **3** (the ~) (…의) 사인(死因); 염병; 사형. **4** 살인, 살육. **5** (**D-**) 죽음의 신《낫을 든 해골로 상징함》. **6** (the ~) 파멸, 멸망, 종말(*of*). (**as**) **pale as death** 몹시 창백하여. (**as**) **sure as death** 아주 확실히. **at death's door** 빈사(瀕死) 상태로, 명재경각(命在頃刻)으로. **be burnt**〔**frozen, starved**〕 **to death** 타〔얼어, 굶어〕 죽다(*cf.* be DROWNed)(◇ 이 경우 《특히》 영국에서는 burn a person dead, be burnt dead 등으로 말할 때가 많음). **be death on** 《口》 (1) …에는 훌륭한 솜씨다: The cat *is death on* rats. 그 고양이는 쥐를 기가 막히게 잘 잡는다. (2) …을 몹시 싫어하다: We *are death on* humbug. 협잡은 질색이다. (3) …을 매우 좋아하다: He *is death on* his aunt. 그는 숙모를 매우 좋아한다. (4) (약 따위가) …에 잘 듣다: This medicine *is death on* colds. 이 약은 감기에 잘 듣는다. **be in at the death** (여우 사냥에서) 여우의 죽는 것을 보다; (일의) 결말을 끝까지 보다. **be the death of** (보통 will과 함께) 《口》 (1) 〈사람·사물이 …의〉 목숨을 빼앗다, …의 사인(死因)이 되다; …을 죽이다, 몹시 괴롭히다. (2) 〈사람·사물이 우스워서 …을〉 죽도록 웃기다. **be worse than death** 아주 지독하다. **catch** one's **death** (**of cold**) 《口》 지독한 감기에 걸리다. **Death!** 죽일놈 같으니!, 아차! **death with dignity** 존엄사(尊嚴死)《연명만을 위한 의료를 중단하고 죽게 하는 것》. **do** … **to death** (1) 《口》 〈…을〉 몇 번이고 되풀이하여 재미가 없게 하다. (2) 《稀》 =put … to DEATH. **feel like death** (**warmed up**) 《口》 몹시 지쳐 있다; 상태가 몹시 나쁘다. **field of death** 싸움터, 사지(死地). **hang**〔**hold**〕 **on like grim death** 꼭 붙들고 늘어지다, 꼭 매달리다. **meet** one's **death** 죽다. **natural death** 자연사, 천수(天壽)를 다함. **put** … **to death** 사형에 처하다, 처형하다; 죽이다. **shoot**〔**strike**〕 a person **to death** 쏴〔때려〕 죽이다. (**tired**) **to death** 죽도록, 극단적으로, 몹시 〈피곤한 등〉. **to the death** 죽을 때까지, 최후까지. **violent death** 변사(變死), 횡사(橫死).

⊕ die *v.*; dead, déathly *a.*

déath àdder (오스트레일리아산) 독사의 일종.

déath ágony 숨이 끊어질 때의 고통, 단말마(斷末魔)의 고통.

death·bed [déθbèd] *n.* 죽음의 자리, 임종(臨終): ~ repentance 임종의 참회; 때늦은 정책 전환. **on**〔**at**〕 one's **deathbed** 임종에.

déath bèll 임종을 알리는 종, 조종.

déath bènefit 〖生保〗 사망 급부금.

death·blow [déθblòu] *n.* (보통 a〔the〕 ~) 치명적 타격; 치명적인 것.

déath càmp 죽음의 수용소, 집단 처형장.

déath cèll 사형수 감방〔독방〕.

déath certìficate 사망 진단서〔확인서〕.

déath chàir (사형용) 전기 의자.

déath chàmber 사형실; 임종의 방

déath cùp 〖植〗 광대버섯《독버섯》.

D

death·day[déθdèi] *n.* 사망일, 기일(忌日).
death-deal·ing[-dì:liŋ] *a.* 죽음을 초래하는, 치명적인, 치사의.
déath dùty ((영)) 상속세(((미)) death tax).
déath educàtion 죽음에 관한 교육(죽음 및 죽음에 관한 문제들을 다루는 교육).
déath fìre 도깨비불(죽음의 징조).
death·ful[déθfəl] *a.* **1** 죽음의, 죽음과 같은(deathly). **2** 치명적인(fatal).
déath hòuse ((미)) 사형수 감방 건물, 사형수동(棟).
déath ìnstinct (the ~) 〔精醫〕 죽음의 본능.
déath knèll 조종(passing bell); 죽음〔종언〕의 전조; 종결〔폐지〕을 재촉하는 것.
death·less[déθlis] *a.* 불사〔불멸, 불후〕의, 영구한(immortal). **~·ly** *ad.* **~·ness** *n.*
death·like[déθlàik] *a.* 죽음〔죽은 사람〕과 같은, 죽은 듯한.
death·ly[déθli] *a.* **1** =DEATHLIKE. **2** 치사(致死)의, 치명적인; 잔인한. **3** ((詩)) 죽음의 〈침묵 등〉. — *ad.* 죽은 듯이; 극단적으로.
déath màsk 데스 마스크, 사면(死面).
déath pènalty 사형.
death·place[déθplèis] *n.* 사망지(*opp.* birthplace).
déath ràte 사망률(100인(人)에 대한).
déath ràttle (임종 때의) 가래 끓는 소리.
déath ràY 살인 광선: a ~ weapon 살인 광선 무기(killer ray weapon).
déath ròll (전쟁·재해 등의) 사망자 명부; 사망자수.
déath ròw (한 줄로 늘어선) 사형수 감방.
déath sànd 〔軍〕 살인사(殺人砂)(방사능 분말; 닿으면 죽음), (방사능의) 죽음의 재.
déath sèat ((미俗·오스俗)) (차의) 조수석.
déath sèntence 사형 선고.
death's-head[déθshèd] *n.* 해골(骸骨), 두개골(의 그림 또는 모형)(죽음의 상징).
déath squàd (중남미 등의 군사정권에서의 경범죄자·좌파 등에 대한) 암살대.
déath tàx ((미)) 유산 상속세(((영)) death duty)(*cf.* INHERITANCE tax).
déath thròes 죽음의 고통.
déath tòll 사망자수.
death·trap[déθtræ̀p] *n.* 죽음의 함정(인명 피해의 우려가 있는 건물·상태·장소).
Déath Válley *n.* 데스 밸리, 죽음의 계곡(California주 남동부의 건조 분지).
déath wàrrant **1** 사형 집행 영장. **2** 치명적 타격〔사건〕, (의사의) 임종 선언.
death·watch[déθwɑ̀tʃ/-wɔ̀tʃ] *n.* **1** 임종을 지켜봄; 경야(經夜)(vigil). **2** 사형수 감시인; ((미)) (중대 발표 등을 대기하는) 기자단. **3** 〔昆〕 살짝수염벌레(=∠ **béetle**)(그 수놈이 우는 소리를 죽음의 전조로 믿었음).
déath wìsh 〔心〕 죽고 싶은 생각(의식적 혹은 무의식적으로 자신 또는 타인의 죽음을 바라는 것).
de·au·tom·a·ti·za·tion[diɔ:tɑ̀mətizéiʃən/-tɔ̀mətai-] *n.* 탈(脫)자동화.
deb[deb] *n.* **1** ((口)) =DEBUTANTE. **2** ((미俗)) 거리를 배회하는 불량 소녀.
deb. debenture; debutante.
de·ba·cle, dé·bâ·cle[deibɑ́:kl, -bǽkl, də-] [F] *n.* **1** 강의 얼음이 부서지는 것; (산)사태. **2** 와해(瓦解), 붕괴; (시세의) 폭락, (갑작스런) 완패. **3** (군대의) 패주(敗走), 궤주(潰走).
de·bag[di:bǽg] *vt.* (~**ged**; ~·**ging**) ((영俗)) **1** (장난·벌로서) 바지를 벗기다. **2** 정체를 폭로하다.
de·bar[dibɑ́:r] (~**red**; ~·**ring**) *vt.* 제외하다; 〈…하는 것을〉 (법으로) 금하다; 방해하다(*from*): (Ⅴ(목)+전+-*ing*) His prompt action *debarred* her from be*ing* run over. 그의 민첩한 동작으로 그녀가 차에 치이지 않았다.
~·ment *n.*
de·bark[1] [dibɑ́:rk] *vt., vi.* =DISEMBARK.
de·bark[2] *vt.* 나무껍질을 벗기다.
de·bar·ka·tion[dì:bɑ:rkéiʃən] *n.* Ⓤ 양륙(揚陸), 상륙.
de·base[dibéis] *vt.* **1** 〈품성·인격 등을〉 떨어뜨리다: (~ one*self* 로) 품성을 떨어뜨리다, 면목을 잃다. **2** 〈품질·가치·품위를〉 저하시키다. **~·ment** *n.* Ⓤ 〈품위·품질의〉 저하; 〈화폐의〉 가치 저하; 악화, 타락.
de·bás·er *n.*
de·bat·a·ble[dibéitəbəl] *a.* 논쟁의 여지가 있는, 이론(異論)이 있는, 미해결의; 계쟁중의.
debátable gróund〔**lánd**〕 계쟁지(係爭地)(국경 등); 논쟁점.
‡de·bate[dibéit] [OF] *n.* Ⓤ,Ⓒ 토론, 논쟁(*upon*); (the ~s) (의회의) 토의록, 토론 보고서: the question *under* ~ 논쟁 중인 문제.
hold debate with oneself 숙고하다.
open the debate 토론을 개시하다.
— *vi.* **1** 논쟁〔토론〕하다, 토론에 참가하다(*on, about*): ~ *on*〔*about*〕 a question 어떤 문제에 대해 토론하다. **2** 숙고하다(*of, about*).
— *vt.* **1** 토의〔토론〕하다. **2** 숙고〔검토〕하다: I was *debating* in my mind *whether to* go or not. 갈까 말까 숙고 중이었다. **debate with oneself** 숙고하다, 곰곰이 생각하다.
de·bat·er[-ər] *n.* 토론가, 토의자.
de·bát·ing socìety〔**clùb**〕 토론회.
de·bauch[dibɔ́:tʃ] *vt.* (주색으로) 타락시키다; 〈여자를〉 유혹하다; 〈마음·취미·판단 등을〉 더럽히다. — *vi.* 주색에 빠지다, 방탕하다. — *n.* 방탕, 난봉. **~·er** *n.* 방탕자.
de·bauched[dibɔ́:tʃt] *a.* 타락한, 부패한; 방탕의: a ~ man 방탕자.
deb·au·chee[dèbɔ:tʃí:] *n.* 방탕자, 난봉꾼.
de·bauch·er·y[dibɔ́:tʃəri] *n.* (*pl.* **-er·ies**) Ⓤ **1** 방탕, 도락: a life of ~ 방탕 생활. **2** (*pl.*) 유흥, 환락.
de·bauch·ment *n.* Ⓤ 방탕.
deb·by, -bie[débi] ((口)) *n.* =DEBUTANTE.
Deb·by *n.* 여자 이름.
de·ben·ture[dibéntʃər] *n.* **1** (관공서 발행의) 채무 증서 **2** ((영)) 회사채(會社債), 사채, 사채권(=∠ **bònd**). **3** (세관의) 관세 환불 증명서; ((미)) 무담보 회사채.
debénture stòck ((영)) 무상환사채권.
de·bil·i·tate[dibílətèit] *vt.* 쇠약하게 하다.
-ta·tive[-tèitiv] *a.* 쇠약하게 하는.
de·bil·i·ta·tion[-ʃən] *n.* Ⓤ 쇠약, 허약(화).
de·bil·i·ty[dibíləti] *n.* Ⓤ (병에 의한) 쇠약: nervous ~ 신경 쇠약.
deb·it[débit] *n.* 차변(借邊)(장부의 좌측)(*opp.* credit); 차변 기입: the ~ side 차변란/a ~ slip 지불 전표. — *vt.* 차변에 기입하다.
débit càrd (은행 예금에서 직접 인출할 수 있는) 크레디트 카드(은행이 고객에게 발행).
deb·o·nair(e)[dèbənέər] [F] *a.* 〈남성이〉 사근사근한, 정중한; 유쾌한, 쾌활한.
-náir·ly *ad.* **-náir·ness** *n.*
de·bone[dibóun] *vt.* (고기에서) 뼈를 발라내다.
de·boost[dibú:st] *vt.* 〈우주선 등을〉 감속(減速)시키다. — *n.* 〈우주선 등의〉 감속.
Deb·o·rah[débərə] *n.* **1** 〔聖〕 데보라(이스

라엘의 여자 예언자). 2 여자 이름.
de·bouch[dibú:ʃ, -báutʃ] [F] *vi.* **1** 〈강 등이〉 흘러나오다(*into*). **2** 〈길·군대 등이〉 넓은 곳으로 나오다(*into*). — *vt.* (넓은 곳으로) 유출〔진출〕시키다. — *n.* = DÉBOUCHÉ.
dé·bou·ché[dèibu:ʃéi] [F] *n.* **1** (요새 등의) 진출구; 출구(outlet). **2** (상품의) 판로(*for*).
de·bouch·ment[dibú:ʃmənt, -báutʃ-] *n.* Ⓤ 진출(지점); (강 등의) 유출(구).
De·brett[dəbrét] *n.* (口) 디브렛(영국 귀족 연감; 정식명 Debrett's Peerage of England, Scotland and Ireland).
de·bride·ment[dibrí:dmənt, dei-] *n.* Ⓤ 〔外科〕 (상처에서의) 이물질·괴사(壞死) 조직 제거.
de·brief[di:brí:f] *vt.* 〈특수 임무를 마치고 온 사람에게서〉 보고를 듣다; 〈공무원 등에게〉 이임 후 비밀 정보의 공표를 금지시키다. — *vi.* 〈임무를 마친 병사 등이〉 보고하다. **~·ing** *n.* DEBRIEF하기〔받기〕; 복명(復命).
de·bris[dəbrí:, déibri:/déb-] [F] *n.* (*pl.* ~ [-z]) 부스러기, (파괴물의) 파편, 잔해; 〔地質〕 (산·절벽 아래에 쌓인) 암석 부스러기; 〔登山〕 쌓인 얼음 덩어리.
⁑**debt**[det] [F] *n.* **1** Ⓤ,Ⓒ 빚, 부채, 채무. **2** Ⓒ,Ⓤ 〈남에게〉 빚진 것, 신세, 은혜. **3** 〔神學〕 죄(sin). **bad**〔**good**〕 **debt** 회수 불능〔가능〕의 빚. **be in a person's debt** = **be in debt to a person** 남에게 빚〔신세〕을 지고 있다. **contract**〔**incur**〕 **debts** 빚이 생기다. **debt of gratitude** 은덕, 신세. **debt of honor** 체면상 갚아야 할 빚, 《특히》 노름빚. **debt of**〔**to**〕 **nature** 천명, 죽음: pay one's *debt to nature* 죽다. **floating debt** 일시 차입금(借入金). **funded debt** 이부(利附) 장기 부채. **get**〔**run**〕 **into debt** 빚을 지다. **get**〔**keep**〕 **out of debt** 빚을 갚다〔지지 않고 살다〕. **the national debt** 국채.
débt collèctor 《영》 빚 수금 대행업자.
débt còunselling 채무자에 전문적 조언이나 지원을 하는 사람.
débt fìnancing 〔金融〕 채권 금융(공채·사채 등 채권 발행에 의한 자금 조달).
débt lìmit 〔財政〕 채무 한도액; 채무 한계.
*__debt·or__[détər] *n.* 차주(借主), 채무자(*opp.* creditor); 신세〔의무〕를 진 사람; 〔簿〕 차변(debit)(略: dr.).
débtor nátion 채무국.
de·bug[di:bʌ́g] *vt.* (~ged; ~·ging) **1** 《미》 해충을 없애다. **2** 《口》 (비행기·컴퓨터 등의) 결함을 고치다. **3** 《口》 〈방 등에서〉 도청 장치를 제거하다. — *n.* 〔컴퓨터〕 오류 수정(하는 프로그램).
de·bug·ging[di:bʌ́giŋ] *n.* 〔컴퓨터〕 디버깅(프로그램의 잘못을 찾아내어 수정하기).
de·bunk[di:bʌ́ŋk] *vt.* 《口》 〈사람·제도·사상 등의〉 정체를 폭로하다. **~·er** *n.*
de·bus[di:bʌ́s] *vt., vi.* (~(s)ed; ~·(s)ing) 〔주로 軍〕 〈자동차·버스·트럭에서〉 내리다.
*__de·but__[deibjú:, di-, déi-, déb-] [F] *n.* 처음으로 정식 사교계에 나감; 첫 무대〔출연〕, 데뷔; 첫 등장, (사회 생활의) 첫걸음. **make one's debut** 데뷔하다. — *vi.* 〈…로〉 데뷔하다. — *vt.* (청중 앞에서) 처음 연주〔연기〕하다; 신상품으로 소개하다. — *a.* 첫 등장의, 첫 걸음의.
deb·u·tant, déb-[débjutɑ̀:nt, -bjə-] [F] (*fem.* **-tante**[-tɑ̀:nt]) *n.* 첫 무대에 선 배우; 사교계에 처음 나온 사람.
dec-[dek], **dec·a-**[dékə] 《연결형》 「10(배)」의 뜻(모음 앞에서는 dec-)(*cf.* DECI-, HECTO-, CENTI-).
dec. deceased; decimeter; declaration; declension; decrease. **Dec.** December.
dec·a·dal[dékədəl] *a.* 10(년간)의.
*__dec·ade__[dékeid/dəkéid] [Gk] *n.* **1** 10개가 한 벌이 된 것; 10권〔편〕, 10년간. **2** 〔가톨릭〕 로사리오 염주(소주 10개, 대주 1개).
dec·a·dence, -den·cy[dékədəns, dikéidns], [-i] *n.* Ⓤ 쇠미(衰微), 타락; 〔文藝〕 퇴폐(기); 데카당스.
dec·a·dent[dékədənt, dikéidənt] *a.* 퇴폐적인; 〔文藝〕 퇴폐기의, 데카당파의. — *n.* 데카당파의 예술가·문인.
de·caf[dí:kæ̀f] *n.* 카페인을 제거한〔줄인〕 커피〔콜라(등)〕.
de·caf·fein·ate[di:kǽfiənèit] *vt.* 〈커피 등에서〉 카페인을 제거하다〔줄이다〕.
dec·a·gon[dékəgɑ̀n/-gən] *n.* 10각〔변〕형.
de·cag·o·nal[dikǽgənəl] *a.* 10각〔변〕형의.
dec·a·gram|**gramme**[dékəgræ̀m] *n.* 데카그램(10 grams).
dec·a·he·dral[dèkəhí:drəl] *a.* 〔數〕 10면체의, 10면이 있는.
dec·a·he·dron[dèkəhí:drən] *n.* (*pl.* **~s, -dra**[-drə]) 10면체.
dec·a·hy·drate *n.* 〔化〕 10수화물(水和物), 10수화물(水化物).
de·cal[dí:kæl, dikǽl] *n.* = DECALCOMANIA. — *vt.* 〈도안·그림 등을〉 전사하다.
de·cal·ci·fy[di:kǽlsəfài] *vt.* (**-fied**) 석회질을 제거하다.
de·cal·co·ma·ni·a[dikæ̀lkəméiniə] *n.* **1** Ⓤ (유리·도기·금속 등에의) 도안·그림 등의 전사(轉寫) 인쇄. **2** 전사한 도안〔그림〕.
dec·a·li·ter|**-tre**[dékəlì:tər] *n.* 데카리터(10 liters).
Dec·a·logue, -log[dékəlɔ̀:g, -lɑ̀g] *n.* **1** (the ~) (모세의) 십계(十戒)(the Ten Commandments). **2** (**d-**) 기본 계율.
De·cam·er·on[dikǽmərən] *n.* (The ~) 데카메론, 열흘 이야기(Boccaccio 작).
dec·a·me·ter|**-tre**[dékəmì:tər] *n.* 데카미터(10 meters).
dec·a·met·ric[dèkəmétrik] *a.* 〔通信〕 고주파 무선의(1-10 데카미터의 주파수대의).
de·camp[dikǽmp] *vi.* **1** 야영을 거두다. **2** 도망하다, 튀다(run away). **~·ment** *n.*
de·ca·nal[dékənl, dikéi-] *a.* DEAN(직)의; 성당의 남쪽(성가대)의.
de·ca·ni[dikéinai] *a.* 〔樂〕 (찬송가의 교창(交唱)에서) 남쪽 성가대가 노래해야 할(*cf.* CANTORIS).
de·cant[dikǽnt] *vt.* (용액의 웃물을) 가만히 따르다; 〈병에 든 포도주를〉 DECANTER에 옮기다.
de·can·ta·tion[dì:kæntéiʃən] *n.* Ⓤ (웃물을) 가만히〔찬찬히〕 붓기.
de·cant·er[dikǽntər] *n.* (식탁용) 마개 있는 유리병(보통 포도주를 담음).
de·ca·pac·i·tate[dì:kəpǽsitèit] *vt.* 〔生理〕 (정자(精子)의) 수정 능력을 없애다.
de·ca·pac·i·ta·tion[dì:kəpæsitéiʃən] *n.* Ⓤ 〔生理〕 (정자의) 수정 능력 제거.
de·cap·i·tate[dikǽpətèit] *vt.* …의 목을 베다(behead); 《미》 파면하다(dismiss).
de·cap·i·ta·tion[dikæ̀pətéiʃən] *n.* Ⓤ 목베기; 《미》 해고, 파면.
de·cap·i·ta·tor[dikǽpətèitər] *n.* 목베는 사람; 《미》 해고〔파면〕하는 사람.
dec·a·pod[dékəpɑ̀d/-pɔ̀d] *n., a.* 〔動〕 십각

류(十脚類)(의)《새우·게 등》; 십완류(十腕類)(의)《오징어 등》.

de·car·bon·ate[di:ká:rbənèit] *vt.* …에서 이산화탄소를 제거하다. **-a·tor** *n.*

de·càr·bon·á·tion *n.*

de·car·bon·i·za·tion[di:kɑ̀:rbənəzéiʃən] *n.* 탄소 제거, 탈(脫)탄소.

de·car·bon·ize[di:ká:rbənàiz] *vt.* (엔진의 실린더 벽 등의) 탄소를 제거하다.

de·car·box·yl·ate[dìkɑ:rbáksəlèit] *vt.* 〔化〕 탈(脫) 카르보닐하다《유기 화합물에서 카르보닐기(基)를 제거하는 것》.

de·car·bu·rize[di:ká:rbjəràiz] *vt.* =DECARBONIZE; 〔冶〕 탈탄(脫炭)하다.

dec·are[dékɛər, dékɑ:r] *n.* 데카르《10아르; 1,000평방 미터》.

dec·a·rock[dékərɑ̀k/-rɔ̀k] *n.* =GLITTER ROCK.

de·car·te·li·za·tion[di:kɑ̀:rtiləzéiʃən] *n.* Ⓤ 〔經〕 기업 집중 배제, 카르텔 해체.

dec·a·stere[dékəstìər] *n.* 10입방 미터.

de·cas·u·a·lize[di:kǽʒuəlàiz] *vt.* 〈임시 근로자의〉 고용을 중지하다; 상시 고용화하다.

dec·a·syl·la·bic[dèkəsilǽbik] *n., a.* 10음절(시행(詩行))(의).

dec·a·syl·la·ble[dékəsìləbəl] *n.* 10음절(시행).

de·cath·lete[dikǽθli:t] *n.* 10종 경기 선수.

de·cath·lon[dikǽθlɑn, -lən/-lɔn] *n.* Ⓤ (보통 the ~) 10종 경기(*cf.* PENTATHLON).

de·ca·thol·i·cize[dì:kəθáləsàiz/-θɔ́l-] *vt.* 카톨릭적 성질을 제거하다.

⁑**de·cay**[dikéi] [OF] *vi.* **1** 부식〔부패〕하다, 문드러지다(rot); 〈이가〉 썩다.《◇「부패하다」의 뜻으로는 rot 쪽이 일반적》. **2** 〈질·체력 등이〉 쇠하다, 쇠퇴하다; 타락〔퇴화〕하다. **3** 〔物〕 〈방사성 물질이〉 자연 붕괴하다. ── *vt.* 부패시키다; 〈이가〉 썩게 하다. **decayed tooth** 충치. ── *n.* Ⓤ 부식, 문드러짐(rot); 쇠미(衰微), 쇠퇴(decline); 충치; 〔物〕 (방사성 물질의) 자연 붕괴. **be in decay** 썩어 있다, 쇠미하여 있다. **fall**〔**go**〕 **into**〔**to**〕 **decay** 썩다, 쇠잔하다. ◈ décadence *n.*, décadent *a.*

Dec·can[dékən, -æn] *n.* (the ~) (인도의) 데칸고원; (인도의) 데칸반도.

de·cease[disí:s] *n.* Ⓤ 사망(death). ── *vi.* 사망하다(⇨die[1]).

*__de·ceased__[disí:st] *a.* **1** 사망한(dead), 고(故)…. **2** (the ~; 명사적; 단수·복수 취급) 고인.

de·ce·dent[disí:dənt] *n.* 〔미法〕 사자(死者), 고인(故人).

decédent estáte 〔미法〕 유산.

⁑**de·ceit**[disí:t] *n.* Ⓤ,Ⓒ 사기, 기만; 책략; 허위, 부실(不實): discover (a piece of) ~ 사기 행위를 간파하다. ◈ decéive *v.*; decéitful *a.*

*__de·ceit·ful__[disí:tfəl] *a.* 기만적인, 사기의; 허위의; 〈외양이〉 사람의 눈을 속이기 쉬운. **~·ly** *ad.* 속여서, 속이려고. **~·ness** *n.*

de·ceiv·a·ble[disí:vəbəl] *a.* 속일 수 있는.

⁑**de·ceive**[disí:v] [L] *vt.* 속이다, 기만하다; 현혹시키다: …을 속여서 …하게 하다; 《古》 배반하다: 《Ⅴ (목)+전+-*ing*》 She ~*d* him *into* believ*ing* such a lie. 그녀가 그를 속여서 그런 거짓말을 믿게 했다(=He was ~*d into* believ*ing* such a lie. 그는 속아서 그런 거짓말을 믿게 됐다《Ⅱ *be pp.*+전+-*ing*》). **deceive oneself** 잘못 생각하다, 오해하다: 《Ⅲ (목)》 Don't ~ yourself. 자가당착(自家撞着)하지 말아. ── *vi.* 사기하다, 속이다.

◈ decéit, decéption *n.*; decéptive *a.*

de·ceiv·er *n.* 사기꾼.

de·ceiv·ing·ly *ad.* 거짓으로, 속여서.

de·cel·er·ate[di:sélərèit] *vt., vi.* 속도를 줄이다; 속도가 줄다, 감속하다(*opp.* accelerate). **-a·tor** *n.* 감속기.

de·cel·er·a·tion[di:sèləréiʃən] *n.* Ⓤ 감속; 〔物〕 감속도(*opp.* acceleration).

deceleration làne 《미》 (고속 도로의) 감속 차선(《영》 deceleration strip).

★**De·cem·ber**[disémbər] [L] *n.* 12월《略: Dec.》.

de·cem·vir[disémvər] *n.* (*pl.* **~s, -vi·ri**[-vəràì]) 〔로마史〕 10대관(十大官)의 한 사람; 10인 위원회의 한 사람.

de·cem·vi·ral[-vərəl] *a.* 〔로마史〕 10대관의; 10인 위원의.

de·cem·vi·rate[disémvərit, -rèit] *n.* Ⓤ 〔로마史〕 10대관의 직〔기간〕; 십두(十頭) 정치.

*__de·cen·cy__[dí:snsi] *n.* (*pl.* **-cies**) **1** Ⓤ 보기 흉하지 않음; 품위; 체면. **2** Ⓤ 예절 바름, 몸가짐의 단정함; (언어·동작의) 점잖음; (*pl.*) 예의 범절. **3** Ⓤ 《俗》 관대, 친절. **4** (the ~s) 어엿한 생활에 필요한 것. **Decency forbids.** 《게시》 소변 금지《등》. **for decency's sake** 체면〔외관〕상. ◈ décent *a.*

de·cen·na·ry[disénəri] *n.* (*pl.* **-ries**) 10년간. ── *a.* 10년간의.

de·cen·ni·ad[diséniæ̀d] *n.* = DECENNIUM.

de·cen·ni·al[diséniəl] *a.* 10년간〔마다〕의. ── *n.* 《미》 10년제(祭).

de·cen·ni·um[diséniəm] *n.* (*pl.* **~s, -ni·a**[-niə]) 10년간(decade).

⁑**de·cent**[dí:sənt] [L] *a.* **1** 남보기 흉하지 않은, 꽤 좋은; 상당한 신분의: a ~ living 착실한〔성실한〕 생활. **2** 예절 바른, 점잖은. **3** 《口》 어지간한, 상당한. **4** 《口》 친절한, 엄하지 않은, 너그러운: a ~ fellow 기분 좋은〔마음에 드는〕 사람/《Ⅱ 형+*to* do》 He was ~ *to* grant her request. 그는 그녀의 요구를 너그럽게 들어주었다. **5** 남 앞에 나서도 될만큼 옷을 입은, 발가벗지 않은. **~·ness** *n.*

◈ décency *n.*; décently *ad.*

de·cent·ly *ad.* **1** 볼썽사납지 않게, 괜찮게: be ~ dressed 단정한 복장을 하고 있다. **2** 품위 있게, 점잖게: behave ~ 점잖게 행동하다. **3** 《口》 상당히, 제법, 꽤. **4** 《口》 친절하게, 상냥하게, 관대하게, 인심 좋게: treat a person ~ …을 친절하게 대하다.

de·cen·tral·i·za·tion[di:sèntrəlizéiʃən] *n.* Ⓤ 분산; 집중 배제; 지방 분권.

de·cen·tral·ize[di:séntrəlàiz] *vt.* 〈행정권·인구 등을〉 분산시키다; …의 집중을 배제하다; 지방으로 분산시키다. ── *vi.* 분산화하다.

*__de·cep·tion__[disépʃən] *n.* Ⓤ 속임; 기만 수단; 현혹, 사기: practice (a) ~ *on* a person …을 속이다. ◈ decéive *v.*; decéptive *a.*

de·cep·tive[diséptiv] *a.* 〈사람을〉 속이는, 현혹시키는, 믿을 수 없는; 오해를 사는. **~·ly** *ad.* **~·ness** *n.*

de·cer·e·brate[disérəbreit] *vt.* 〔外科〕 대뇌를 제거하다《척추와 뇌의 연결을 절단하는 것》.

de·cer·ti·fy[di:sə́:rtəfài] *vt.* (**-fied**) …의 증명〔인가〕을 취소〔철회〕하다.

de·chlo·ri·nate[di:klɔ́:rənèit] *vt.* 〔化〕 염소를 제거하다.

de·chris·tian·ize[di:krístʃənàiz] *vt.* …의 기독교적 특질을 잃게 하다.

dec·i-[dési, désə] 《연결형》「10분의 1」의 뜻(*cf.* DECA-).

dec·i·are[désiὲər] *n.* 데시아르(1/10아르).
dec·i·bar[désəbὰ:r] *n.* 〔氣〕 0.1바.
dec·i·bel[désəbèl, -bəl] *n.* 〔電·物〕 데시벨(전력〔음향〕의 측정 단위; 略: dB, db).
de·cid·a·ble[disáidəbəl] *a.* 결정할 수 있는.
★**de·cide**[disáid] [L] *vt.* **1** 결정하다: (Ⅰ *It be pp.+to do*) It has been ~*d to* postpone the departure. 출발은 연기하기로 결정되었다/(Ⅰ *It be pp.+that*(절)) It was ~*d that* she should be sent to Denver. 그녀를 덴버로 보내야 한다고 결정되었다/(Ⅲ *wh.*(절)) Have you ~*d where* you should build the house? 집을 지을 곳을 결정했느냐(=Have you ~*d where to* build the house?(Ⅲ *wh.to* do)). **2** 결심〔결의〕하다(◇이 뜻으로는 목적어로 명사·대명사를 쓰지 않음): (Ⅲ *to* do) He ~*d to be* a pilot. 그는 조종사가 되기로 결심했다(=He ~*d that* he would be a pilot.(Ⅲ *that*(절))) (◇ ~ *doing*은 잘못)/She ~*d* to leave Brazil for good. 그녀는 영구히 브라질로 떠나기로 결심했다. **3** 〈…에게〉 결심시키다: The new evidence ~*d* him. 새 증거가 그를 결심케 했다/(Ⅴ(목)+*to* do) The news ~*d* him *to* postpone his departure. 그는 그 뉴스를 듣고 출발을 연기했다. **4** 〈논점 등을〉 해결하다, 〈승부를〉 정하다; 〔法〕 판결하다: ~ a question 문제를 해결하다/(Ⅲ (목)+전+명) The court has ~*d* the case〔suit〕 *in favor of*〔*against*〕 the plaintiff. 법원은 그 (소송) 사건을 원고에게 유리〔불리〕하게 판결했다(=The case〔suit〕 has been ~*d in favor of*〔*against*〕 the plaintiff.(Ⅰ *be pp.*+전+명)). — *vi.* **1** 결심하다, 결정하다(*on, upon*): (Ⅲ *v*Ⅰ+전+*-ing*) He ~*d on*〔*for*〕 *going* abroad. 그는 해외로 나갈 결심을 했다(=He ~*d to* go abroad.(Ⅲ *to* do))/(Ⅱ *for*+대+*to* do) It is *for* you *to* ~. 그것은 네가 결정해야 한다/(Ⅲ *v*Ⅰ+전+(목)) He has not yet ~*d on* a site for his new building. 그는 그의 새 건물의 부지를 아직 (결)정하지 않았다/(Ⅴ *v*Ⅰ+전+(목)+*to* do) We ~*d on* him *to* lead the expedition. 우리는 그가 탐험대를 이끌도록 결정했다. **2** 판결을 내리다(against; for, in favor of): (Ⅰ 전+명) The judge ~*d against*〔*for, in favor of*〕 the defendant. 판사는 피고에게 불리〔유리〕한 판결을 내렸다. **decide against** …하지 않기로 결정하다: (Ⅲ *v*Ⅰ+전+(목)) I *decided against* a holiday in Europe. 휴가 때에 유럽에 가지 않기로 결정했다. **decide between** …의 어느 하나로 결정하다: (Ⅱ *It v*Ⅱ+형+*to* do)((*to* do)-Ⅰ 전+명) It is difficult *to decide between* the two opinions. 두 의견 중 어느 한 쪽으로 결정하는 것은 어렵다. ⊕ decísion *n.*: decísive *a.*
⁑**de·cid·ed**[disáidid] *a.* **1** 결정적인; 결연한, 단호한, 과단성 있는(resolute): a ~ person 과단성 있는 사람. **2** 분명한, 명확한(distinct). ⊕ decídedly *ad.*
de·cid·ed·ly *ad.* **1** 확실히, 명백히, 단연: This is ~ better than that. 이것이 저것보다 단연코 낫다. **2** 단호히, 뚜렷하게: answer ~ 분명하게 대답하다.
de·cid·er[disáidər] *n.* 결정〔재결〕자; 결승경기.
de·cid·ing[disáidiŋ] *a.* 결정적인, 결승〔결전〕의.
de·cid·u·ous[disídʒu:əs] *a.* **1** 〔生〕 탈락성의; 낙엽성의(*opp.* persistent). **2** 덧없는.
decíduous tèeth 배냇니, 젖니.
dec·i·gram|-gramme[désigræm] *n.* 데시그램(1/10 그램; 略: dg).

dec·i·li·ter|-tre[désilì:tər] *n.* 데시리터(1/10 리터; 略: dl).
de·cil·lion[disíljən] *n.* (영·독일) 백만의 10제곱(1에 0이 60개 붙음); (미·프랑스) 천의 11제곱(1에 0이 33개 붙음).
⁎**dec·i·mal**[désəməl] *a.* **1** 〔數〕 십진법의, 소수(小數)의. **2** 10부문의. — *n.* 소수; (*pl.*) 십진산. **a circulating**〔**repeating**〕 **decimal** 순환 소수. **an infinite decimal** 무한소수. **~·ism** *n.* 십진법〔제〕. **~·ist**[-ist] *n.* 십진법〔제〕 주장〔주의〕자.
décimal aríthmetic 〔數〕 십진산, 소수산.
décimal classificàtion (도서의) 십진분류법.
décimal còinage 통화 십진제.
décimal cùrrency 십진제 통화.
décimal fràction 〔數〕 소수(*cf.* COMMON FRACTION).
dec·i·mal·i·za·tion[dèsəməlizéiʃən] *n.* Ⓤ 십진법화(化), 십진법 채용.
dec·i·mal·ize[désəməlὰiz] *vt.* 〈통화 등을〉 십진법으로 하다.
dec·i·mal·ly *ad.* 십진법으로, 소수로.
décimal notátion 〔數〕 십진 기수법.
décimal plàce 〔數〕 소수 자리.
décimal pòint 〔數〕 소수점.
décimal sýstem (the ~) 십진법〔제〕; =DECIMAL CLASSIFICATION.
dec·i·mate[désəmèit] [L] *vt.* **1** (특히 옛 로마에서 처벌로서) 열 명에 한 명씩 뽑아 죽이다. **2** 〈질병·전쟁 등이〉 많은 사람을 죽이다: a population ~*d* by disease 병으로 격감한 인구. **3** …의 10분의 1을 제거하다〔죽이다〕. **-ma·tor**[-ər] *n.*
dec·i·ma·tion *n.* Ⓤ 다수의 인명을 앗음.
dec·i·me·ter|-tre *n.* 데시미터(1/10 미터; 略: dm).
de·ci·pher[disáifər] *vt.* 〈암호·수수께끼를〉 풀다, 해독〔번역〕하다(decode); 〈고문서 등을〉 판독하다(*opp.* cipher). **~·a·ble**[disáifərəbəl] *a.* 해독〔판독〕할 수 있는. **~·ment** *n.*
⁑**de·ci·sion**[disíʒən] *n.* Ⓤ,Ⓒ **1** 결정; 해결. **2** 판결, 재결; Ⓒ 결의문, 판결문: give a ~ on a matter 사건에 판결을 내리다. **3** 결의, 〈…하려는〉 결심, 결단: (Ⅲ (목)+〈*to* do〉) He announced his ~ *to* resign. 그는 사직하겠다는 그의 결심을 밝혔다(=He announced his ~ *that* he (should) resign.(Ⅲ (목)+〈*that*(절)〉)). **4** Ⓤ 결단력, 과단성: He lacks ~. 그는 결단력이 없다. **5** Ⓤ 〔拳〕 판정승: win by ~ 판정으로 이기다. **a man of decision** 과단성 있는 사람. **arrive at**〔**come to, reach**〕 **a decision** 해결이 되다, 결정되다. **decision by majority** 다수결. **make**〔**take**〕 **a decision** 결정하다, 결단하다. — *vt.* (口) 〔拳〕 …을 판정으로 이기다. ⊕ decíde *v.*: decísive *a.*
de·ci·sion-mak·er *n.* (정책 등의) 의사 결정자.
de·ci·sion-mak·ing *a.* (정책·원칙 등을) 결정하는: the ~ process (정책·방향) 결정과정.
decísion suppórt sỳstem 〔컴퓨터〕 (경영의) 의사 결정 지원 시스템(略: DSS).
decísion tàble 의사 결정표(모든 조건과 필요한 행동을 표시하는 일람표).
decísion trèe 의사 결정 분지도(分枝圖)(전략·방법 등을 나뭇가지 모양으로 그린 것).
⁑**de·ci·sive**[disáisiv] *a.* **1** 결정적인, 중대한. **2** 과단성 있는〈대답 등〉. **3** 명확한. **be decisive of** …을 결정하다, 결단을 내리다. **~·ly**

D

ad. **~·ness** *n.* ⊕ decíde *v.*: decísion *n.*
decísive bàllot 결선 투표.
decísive èvidence〔pròof〕 결정적 증거, 확증.
dec·i·stere[désistìər] *n.* 데시스테르(10분의 1 스테르〔입방미터〕).
⁑**deck**[dek] *n.* **1** 〔海〕 갑판, 덱: the forecastle〔quarter, main〕 ~ 앞〔뒤, 가운데〕 갑판. **2** 《미》 (철도의) 객차 지붕, (버스 등의) 바닥, 층, (복엽기의) 날개. **3** (신문의) 부제(副題). **4** 《미》 (카드 패의) 한 벌(52매): a ~ of cards 카드 한 벌. **5** 《영俗》 지면(ground). **6** 《미俗》 마약 봉지. **7** =TAPE DECK. **8** 〔컴퓨터〕 덱(천공한 일련의 카드). **clear the decks (for action)** 갑판을 치우다; 전투 준비를 하다; 투쟁〔활동〕 준비를 하다. **on deck** (1) 갑판에 나가, 당직하여(*cf.* go BELOW). (2) 《미》 대기하여. (3) 《미》 다음 차례로〔의〕.
— *vt.* **1** (one*self* 로) 장식하다, 꾸미다(*out, with*): ~ one*self out* in one's best 나들이 옷을 차려 입다/The room was ~*ed with* flowers. 방은 꽃으로 꾸며져 있었다. **2** 갑판을 깔다. **3** 《미俗》 때려눕히다.
déck bòy 갑판(청소)원.
déck brìdge 상로교(上路橋), 노선교(路線橋).
déck cábin 갑판 선실.
déck càrgo 갑판에 싣는 짐.
déck chàir 갑판 의자; 간편 의자, 접의자.
deck·el[dékəl] *n.* =DECKLE.
deck·er[dékər] *n.* **1** 《口》 갑판 선원〔선객〕. **2** …층의 갑판이 있는 함선〔버스〕: a double-~ 2층 전차〔버스〕/a three-~ 3층함(艦). **3** 장식자〔물〕.
deck·hand[dékhæ̀nd] *n.* 갑판원, 평선원.
deck·house[´-hàus] *n.* (*pl.* **-hous·es**[-hàuziz]) 갑판실.
deck·le[dékəl] *n.* 〔製紙〕 뜸틀(종이의 판형(判型)을 정하는): =DECKLE EDGE.
déckle édge 〔製紙〕 (손으로 뜬 종이의) 도련하지 않은 가장자리.
déck lòad[dékloud] 〔海〕 (상)갑판 적재 화물.
déck lòg 〔海〕 갑판부 (항해) 일지.
deck·man[dékmən] *n.* (*pl* **-men**[-mən]) 덱맨(윈치 작업의 하역 지휘자).
déck òfficer 〔海〕 갑판 사관; 당직 항해사.
déck pàssage 갑판 도항(渡航).
déck pàssenger 갑판〔3등〕 선객.
déck quòits (단수 취급) (갑판 위에서 밧줄〔고무〕 고리로 하는) 고리던지기 놀이.
déck tènnis 덱테니스(갑판에서 네트를 사이에 두고 작은 밧줄 고리를 치고 받음).
de·claim[dikléim] [L] *vt.* 〈시문을〉 웅변조로 낭독하다, 연설하다. — *vi.* 열변을 토하다; 낭독〔웅변〕을 연습하다; 격렬하게 비난〔공격〕하다. **declaim against** …을 열변으로 항의하다, 몹시 규탄하다. **~·er** *n.*
dec·la·ma·tion[dèkləméiʃən] *n.* **1** Ⓤ 낭독(법). **2** 연설, 열변, 장광설.
de·clam·a·to·ry[diklǽmətɔ̀:ri/-təri] *a.* 낭독조의; 연설투의; 〈문장이〉 수사적(修辭的)인.
de·clar·a·ble[dikléərəbəl] *a.* **1** 선언〔언명〕할 수 있는; 밝힐〔증명할〕 수 있는. **2** (세관에서) 신고해야 할.
de·clar·ant[dikléərənt] *n.* 〔法〕 신고인; 원고(原告); 〔미法〕 미국 귀화 신청〔선서〕자; =DECLARER.
⁑**dec·la·ra·tion**[dèkləréiʃən] *n.* Ⓤ,Ⓒ **1** 선언, 발표, 포고; (사랑의) 고백; 선언서: a ~ of war 선전 포고. **2** (세관·세무서에의) 신고(서): a ~ of income 소득의 신고. **3** 〔法〕 진술(陳述), (증인의) 선언; 소장(訴狀); (소송에 있어서) 원고의 진술(*cf.* PLEA). **4** 〔카드〕 득점 발표; 으뜸패 선언. **the Declaration of Human Rights** 세계 인권 선언(1948년 12월 유엔에서 채택). **the Declaration of Independence** (미국의) 독립 선언(1776년 7월 4일).
⊕ declàre *v.*: declárative, decláratory *a.*
*__de·clar·a·tive__[diklǽrətiv] *a.* =DECLARATORY; 〔文法〕 평서(平敍)의: a ~ sentence 평서문. **~·ly** *ad.*
*__de·clar·a·to·ry__[-tɔ̀:ri/-təri] *a.* 선언〔신고〕의; 진술〔단정〕적인.
⁑**de·clare**[dikléər] [L] *vt.* **1** 선언하다, 선포하다, 포고하다, 공표하다; 선고하다: 《Ⅴ(목)+(*to be*)+형》 They ~*d* him (*to be*) an immoral person. 그들은 그를 패륜아(悖倫兒)라고 선언했다/《Ⅴ(목)+명》 They ~*d* him king. 그들은 그를 왕으로 선포했다/《Ⅴ(목)+(*to be*)+형》 The judge ~*d* the accused (*to be*) guilty. 법관은 피고에게 유죄를 선고했다(=The accused was ~*d* (*to be*) guilty.《Ⅱ *be pp.*+(*to be*)+형》)/《Ⅱ *be pp.*+명+전+명》 He was ~*d* dictator by the senate. 그는 상원(上院)에 의하여 독재자로 공표되었다/~ a state of emergency 비상 사태를 선포하다. **2** 언명〔단언〕하다; (~ one*self* 로) (찬성〔반대〕 등) 자기 입장을 표명하다: 《Ⅲ *that*(절)》 He ~*d that* he was innocent. 그는 자기는 결백하다고 언명〔단언〕했다(=He ~*d* himself (*to be*) innocent.《Ⅴ(목)+(*to be*)+형》)/《Ⅴ *it*+형+*to* do》 I ~*d* it impossible *to* adjust both points of view. 나는 두 관점을 조정하는 것이 불가능하다고 언명했다. **3** (세관에서) 신고하다: Do you have anything *to* ~? 신고하실 것이 있습니까. **4** 〔카드〕 〈가진 패를〉 알리다; 〈어느 패를〉 으뜸패로 선언하다. **5** 〈사물이〉 나타내다, …의 증거가 되다: The heavens ~ the glory of God. 하늘이 하나님의 영광을 나타내도다(시편 19:1)/~ one*self* 소신을 말하다; 신분을 말하다.
— *vi.* 〈찬성·반대 등을〉 선언〔단언, 언명〕하다; 〔法〕 (원고로서의) 주장을 진술하다: ~ *for*〔*against*〕 war 주전〔반전〕론을 주창하다. **declare against〔for, in favor of〕** …에 반대〔찬성〕한다고 언명하다. **declare off** 해약〔취소〕을 신청하다. **I declare!** 정말 …이다! **Well, I declare!** 원!, 저런!, 설마!(등).
⊕ declarátion *n.*: declárative *a.*
de·clared[dikléərd] *a.* **1** 선언〔언명〕한, 공공연한. **2** 신고한; 가격 표기의: ~ value (수입품의) 신고 가격.
de·clar·ed·ly[-kléəridli] *ad.* 공공연하게.
de·clar·er[dikléərər] *n.* 선언〔단언〕자; 신고자; (특히 카드놀이에서) 디클레어러; 분명히 밝히는 사람〔것〕.
de·class[di:klǽs, -klɑ́:s] *vt.* …의 계급을 낮추다; 사회적 지위〔신분〕를 낮추다.
dé·clas·sé[dèiklæséi] [F] *a., n.* (*fem.* **-sée** [-]) 낙후〔몰락〕한 (사람).
de·classed *a.* =DECLASSE.
de·clas·si·fi·ca·tion[di:klæ̀səfikéiʃən] *n.* 비밀 취급의 해제(서류·암호 등의).
de·clas·si·fy[di:klǽsəfài] *vt.* (**-fied**) 〈서류·암호 등을〉 기밀 정보의 리스트에서 제외하다, 비밀 취급을 해제하다.
de·clen·sion[diklénʃən] *n.* **1** a Ⓤ,Ⓒ 〔文法〕 어형 변화, 격변화, 굴절(명사·대명사·형용사의 수·성·격에 의한 변화)(*cf.* CONJUGATION, INFLECTION). b 동일 어형 변화 어군. **2** Ⓤ 기울어짐; Ⓒ 내리막길. **3** Ⓤ 타락,

탈선(*from*).

de·clin·a·ble[dikláinəbəl] *a.* 〔文法〕 어형 변화가 되는, 격변화가 있는.

dec·li·nate[déklənèit] *a.* 아래로〔밖으로〕 굽은〔기운〕.

dec·li·na·tion[dèklənéiʃən] *n.* U,C **1** 기울, 경사. **2** 편위(偏位); 〔物〕 (자침의) 편차(variation); 〔天〕 적위(赤緯). **3** (관직 등의) 정식 사퇴; 사절. **4** 《文語》 쇠퇴, 하락.

~·al[-əl] *a.*

de·clin·a·ture[dikláinətʃər] *n.* 거절, 사절; (정식의) 사퇴.

***de·cline**[dikláin] *vt.* **1** 〈도전·초대·신청 등을〉 거절하다(*opp.* accept): 《Ⅲ *to* do》 He *~d to* accept our offer. 그는 우리의 제의를 받아들이기를 거절했다(=He *~d* accept*ing* our offer. 《Ⅲ *-ing*》) (◇ *to* do가 일반적임). **2** 기울이다, 늘어뜨리다. **3** 〔文法〕 〈명사·대명사·형용사를〉 어형〔격〕변화시키다(*cf.* CONJUGATE). — *vi.* **1** (정중히) 거절하다, 사절하다. **2** 《文語》 기울다, 내려가다. **3** 〈해가〉 기울다; 종말〔황혼〕에 가까워지다(*to, toward(s)*). **4** 쇠퇴하다, 타락〔퇴보〕하다, (힘이) 쇠하다; 감퇴하다. **5** 〔經〕 〈물가 등이〉 떨어지다〔하락하다〕. **decline with thanks** 좋은 말로〔고맙다하며〕 거절하다. — *n.* **1** 경사, 내리받이: a gentle *~ in* the road 도로의 완만한 내리막. **2** 〈해가〉 기움. **3** 쇠미, 퇴보, 타락; (귀족 계급 등의) 몰락; 만년: a *~ in* the power of Europe 유럽 세력의 쇠미. **4** 감퇴; (가격의) 하락: a sharp ~ 폭락, 대폭 하락. **5** 소모성 질환, 폐병. **fall〔go〕 into a decline** 〈나라·경제 등이〉 쇠퇴하다; 폐병에 걸리다. **in a decline** (1) 쇠하여. (2) (사람이) 만년(晩年)인. (3) 《口》 울적하여, 언짢아. **on the decline** 기울어져; 쇠퇴하여, 내리막에.

de·clin·er[-ər] *n.* 사퇴자.

de·clin·ing[-iŋ] *a.* 기우는, 쇠퇴하는: one's ~ fortune〔years〕 쇠운(衰運)〔만년(晩年)〕.

dec·li·nom·e·ter[dèklənámitər/-nɔ́m-] *n.* 〔測〕 방위각계(方位角計), 자침 편차계.

de·cliv·i·tous[diklívətəs] *a.* 내리받이의.

de·cliv·i·ty[diklíviti] *n.* (*pl.* **-ties**) 《文語》 내리받이(길)(*opp.* acclivity).

de·cli·vous[dikláivəs] *a.* 기운, 아래로 향한, 내리받이의.

de·clutch[dì:klʌ́tʃ] *vi.* 《영》 (자동차의) 클러치를 풀다.

dec·o[dékou, déikou] *n.* (종종 **D-**) =ART DECO. — *a.* ART DECO를 연상시키는, ART DECO에 속하는.

de·coct[di:kákt/-kɔ́kt] *vt.* 〈약 등을〉 달이다, 졸이다.

de·coc·tion[dikákʃən/-kɔ́k-] *n.* **1** U 달임. **2** 달인 즙〔약〕, 탕약.

de·code[di:kóud] *vt., vi.* 〈암호문을〉 풀다, 번역하다(*cf.* ENCODE).

de·cod·er[di:kóudər] *n.* (암호문의) 해독자; 해독기; (전화 암호) 자동 해독 장치; 〔컴퓨터〕 해독기, 디코더.

de·cod·ing[dikóudiŋ] *n.* 〔컴퓨터〕 디코딩 《코드화된 데이터·명령을 처리 가능하도록 해독하는 일》.

de·coke[di:kóuk] *vt.* 《영口》 =DECARBONIZE.

de·col·late[dikáleit/-kɔ́l-] *vt.* 목을 베다 (behead).

de·col·la·tion[dì:kəléiʃən] *n.* U 참수(斬首); 〔宗〕 성도 참수화(聖徒斬首畫).

de·col·la·tor[dí:kəlèitər] *n.* 목베는 관리, 망나니.

dé·col·le·tage[dèikɑlətɑ́:ʒ, dèkələ-/-kɔl-] [F] *n.* 목덜미와 어깨를 드러냄; 목 둘레를 깊이 판 네크라인.

dé·col·le·té[deikɑ̀lətéi/deikɔ́lətei] [F] *a.* 〈드레스가〉 목덜미와 어깨를 드러낸, 데콜테옷을 입은: a robe ~ 로브 데콜테《여성의 야회복》.

de·col·o·nize[di:kɑ́lənàiz/-kɔ́l-] *vt.* 〈식민지에〉 자치〔독립〕를 부여하다, 비식민지화하다.

de·còl·o·ni·zá·tion[-nizéiʃən] *n.*

de·col·or[di:kʌ́lər] *vt.* 탈색〔표백〕하다 (bleach).

de·col·or·ant[di:kʌ́lərənt] *n.* 탈색〔표백〕제. — *a.* 탈색성의, 표백하는(bleaching).

de·col·or·i·za·tion[di:kʌ̀lərizéiʃən] *n.* U 탈색, 표백.

de·col·or·ize[di:kʌ́ləràiz] *vt.* =DECOLOR.

de·com·mis·sion[dì:kəmíʃən] *n.* (원자로의) 폐로(廢爐). — *vt.* **1** (배·비행기 등의) 취역(就役)을 해제하다. **2** …의 사용을 중지하다; …의 조업을 중지하다, 휴업하다; 원자로를 폐로 조치하다. **3** (임원 등의) 위임 직권을 해제하다.

de·com·mu·nize[dì:kámjunàiz/-kɔ̀m-] *vt.* 비(非)공산화하다.

de·còm·mu·ni·zá·tion[-nizéiʃən] *n.*

de·com·pen·sa·tion [di:kɑ̀mpənséiʃən/-kɔ̀mpen-] *n.* U 보상 작용의 상실; 〔醫〕 (심장의) 대상 부전(代償不全)《호흡 곤란 등》.

***de·com·pose**[dì:kəmpóuz] *vt.* **1** 〈성분·요소로〉 분해시키다(*into*): A prism *~s* sunlight *into* its various colors. 프리즘은 일광을 여러 색으로 분해한다. **2** 부패〔변질〕시키다. **3** 분석하다. — *vi.* 분해하다; 부패하다.

-pós·a·ble[-póuzəbəl] *a.* 분해〔분석〕할 수 있는. ◈ decomposítion *n.*; decompósite *a.*

de·com·pos·er[-zər] *n.* 분해하는 사람〔것〕; 〔生態〕 분해자《박테리아·균류 등》.

de·com·po·site[dì:kəmpázit/-kɔ́mpə-] *a.* 복(複)〔재(再)〕혼합된. — *n.* 복〔재〕혼합물; 이중 복합어《newspaperman 등》.

***de·com·po·si·tion**[dì:kɑmpəzíʃən] *n.* U 분해; 해체; 부패, 변질. ◈ decompóse *v.*

de·com·pound[dì:kəmpáund] *vt.* 분해하다; 《古》 혼합물과 배합하다. — *a., n.* =DECOMPOSITE.

de·com·press[dì:kəmprés] *vt.* 에어록(air lock)으로 압력을 감소시키다; 감압(減壓)하다; 〔醫〕 (기관·부위의) 압박을 완화하다. — *vi.* 감압되다; 《口》 긴장이 풀리다, 느슨해지다, 약해지다.

de·com·pres·sion[dì:kəmpréʃən] *n.* U 감압.

decompréssion chàmber 감압실, 기압 조정실.

decompréssion sìckness〔illness〕 〔病理〕 잠함(潛函)병(caisson disease).

de·com·pres·sor[dì:kəmprésər] *n.* 감압 장치.

de·con·cen·trate[di:kánsəntrèit] *vt.* 〈중앙 집중에서〉 분산시키다; (경제력의) 집중을 배제하다. **de·còn·cen·trá·tion** *n.* U 분산; (경제력의) 집중 배제.

de·con·di·tion[dikəndíʃən] *vt.* **1** (사람의) 몸 컨디션을 망가뜨리다, 건강을 손상시키다. **2** (동물의) 조건 반사를 제거하다.

de·con·gest[dikəndʒést] *vt.* 혼란을 없애다, 혼잡을 완화시키다.

de·con·ges·tant[dì:kəndʒéstənt] *n.* U,C 〔藥〕 (특히 코의) 충혈 완화제; 소염제(消炎劑).

de·con·struc·tion[dì:kənstrʌ́kʃən] *n.* **1**

원문 분석《원문이 근거할 만한 출전(出典)이 없을 경우 원문 그대로를 분석함》. **2** 이 이론을 지지하는 철학적·비평적 운동《1960년대 프랑스에서 시작》.

de·con·struc·tiv·ism[dikənstrʌ́ktivizəm] *n.* 신 건축 운동《전통적 건축 개념에 도전하여 단편성·불균형성·경사성·사각(斜角) 등을 특징으로 함》.

de·con·tam·i·nant[dìːkəntǽmənənt] *n.* 오염 제거 장치, 정화제.

de·con·tam·i·nate[dìːkəntǽmənèit] *vt.* 오염을 제거하다, 정화하다; 독가스〔방사능〕를 제거하다; 〈기밀 문서에서〉 기밀 부분을 삭제하다. **dè·con·tàm·i·ná·tion** *n.*

de·con·trol[dìːkəntróul] *vt.* (**~led; ~·ling**) (정부 등의) 관리를 해제하다, 통제를 철폐하다. ── *n.* Ⓤ 관리〔통제〕 해제: ~ of domestic oil prices 국내 석유가의 통제 해제.

de·cor, dé·cor[deikɔ́ːr, ⌐–] [F] *n.* Ⓤ 장식(양식); 실내 장식; 무대 장치.

⁑**dec·o·rate**[dékərèit] *vt.* **1** 장식하다《*with*》: ~ a room *with* flowers 방을 꽃으로 장식하다. **2** …의 장식물이 되다; 〈벽·방 등에〉 페인트를 칠하다, 벽지를 바르다: ~ a wall 벽에 벽지를 바르다. **3** …에게 훈장을 주다: He was ~*d* (*with* a medal) *for* his brave act. 그는 용감한 행동으로 훈장을 받았다. ── *vi.* 벽〔방〕에 벽지를 바르다, 페인트칠을 하다.
⊕ decorátion *n.*; décorative *a.*

dec·o·rat·ed[-id] *a.* **1** 훌륭하게 꾸민, 장식된. **2** 훈장을 받은. **3** 〔建〕 장식식(裝飾式)의.

⁑**dec·o·ra·tion**[dèkəréiʃən] *n.* **1** Ⓤ 장식(법), 꾸밈새; (*pl.*) 장식물: interior ~ 실내 장식/ Christmas ~*s* 크리스마스 장식. **2** 훈장.
Decorátion Dày 《미》 현충일(Memorial Day). ⊕ décorate *v.*

*__dec·o·ra·tive__[dékərèitiv, -rə-] *a.* 장식의, 장식적인; 화사한 〈여성복 등〉. **~·ly** *ad.* **~·ness** *n.* ⊕ décorate *v.*; decorátion *n.*

*__dec·o·ra·tor__[dékərèitər] *n.* 장식자; 실내 장식가(interior decorator); 《영》 도배장이, 칠장이.

dec·o·rous[dékərəs] *a.* 예의 바른, 단정한; 품위 있는; 근엄한. **~·ly** *ad.* **~·ness** *n.*
⊕ decórum *n.*

de·cor·ti·cate[diːkɔ́ːrtikèit] *vt.* …의 (나무) 껍질을 벗기다; 〔醫〕 (뇌 등의) 피질(皮質)을 제거하다; …의 가면을 벗기다, 혹평하다.

de·co·rum[dikɔ́ːrəm] *n.* Ⓤ **1** 단정(端正). **2** 예의 바름, 에티켓; (종종 *pl.*) (품위 있는) 예절.
⊕ decorous *a.*

de·cou·page, dé-[dèikuːpáːʒ] [F] *n.* 오려낸 종이 쪽지를 붙이는 그림(의 기법).

de·cou·ple[diːkʌ́pl] *vt.* 분리〔분단〕하다; (지하 폭발로 핵폭발의) 충격을 흡수〔완화〕하다.

de·cou·pling[dìːkʌ́pliŋ] *n.* (지하 핵폭발의) 충격을 흡수〔완화〕하기.

*__de·coy__[díːkɔi, dikɔ́i] *n.* **1** (오리 등을) 꾀어 들이는 장치, 유인하는 것. **2** 후림새; 꾀어내기 위해 쓰는 물건〔사람〕, 미끼. **3** (오리 등의) 유인 못, 유인 장소. **4** 〔宇宙·軍〕 레이더 탐지 방해용 물체《레이더 교란용》.
── [dikɔ́i] *vt.* 유인〔유혹〕하다, 꾀어내다《*away, from, into, out of*》: ~ ducks *within* gunshot 오리를 사정 거리내로 유인하다.
── *vi.* 미끼에 걸리다, 유혹당하다.

décoy bìrd 〔사냥〕 후림새, 매조(媒鳥).

de·coy-duck *n.* 후림오리; 미끼 구실하는 사람.

décoy shìp =Q-BOAT.

⁑**de·crease**[díːkriːs, dikríːs] *vi.* (*opp.* increase) **1** 줄다, 감소하다: His influence slowly ~*d.* 그의 영향력은 서서히 줄었다. **2** 〈온도계 등이〉 내리다. **3** 축소되다; 〈힘 등이〉 줄다.
── *vt.* 줄이다, 감소〔축소, 저하〕 시키다: ~ pollution 오염을 감소시키다. ── *n.* Ⓤ,Ⓒ 감소, 축소; Ⓒ 감소량〔액〕: a rapid ~ *in* population 인구의 급감. **be on the decrease** 점차로 줄다, 점감하다.

de·creas·ing *a.* 감소하는, 점점 주는.

de·creas·ing·ly[dikríːsiŋli] *ad.* 점점 줄어〔감소하여〕; 점감적(漸減的)으로.

⁑**de·cree**[dikríː] [L] *n.* **1** 법령, 율령(律令), 포고: a ~ *that* slavery (should) be abolished 노예제도 폐지 법령. **2** (법원의) 명령, 판결; 〔宗〕 (공의회의) 결의, 교령(敎令); (**D-**; 종종 *pl.*) 교령집, 법령집. **3** 〔神學〕 신의(神意), 섭리, 천명; 계율. ── *vt.* **1** 〈신이〉 명하다, 〈운명이〉 정하다: Fate ~*d that* he (should) die. 그는 죽을 운명이었다. **2** (법령으로서) 포고하다. **3** 《미》 판결하다. ── *vi.* 법령을 공포하다; (하늘이) 명하다.

decrée ní·si[-náisai] 이혼의 가(假)판결.

dec·re·ment[dékrəmənt] *n.* **1** Ⓤ 점감; 감소; 소모. **2** 감소액, 감소량; 〔物·電〕 감소율 (*opp.* incre·ment).

de·crem·e·ter[dékrəmìːtər, dikrémi-] *n.* 〔電〕 감폭계(減幅計).

de·crep·it[dikrépit] *a.* **1** 노쇠한; 쇠약해진. **2** (낡아서) 덜거덕거리는. **~·ly** *ad.*

de·crep·i·tate[dikrépitèit] *vt., vi.* 〈소금 등〉 바작바작 소리나게 굽다〔구워지다〕.

de·crèp·i·tá·tion[-ʃən] *n.*

de·crep·i·tude[dikrépitjùːd] *n.* Ⓤ 노쇠 (한 상태), 노망, 허약; 노후(老朽).

decresc. 〔樂〕 decrescendo.

de·cre·scen·do[dìːkriʃéndou, dèi-] [It] 〔樂〕 *a., ad.* 점점 약한〔약하게〕《略: decresc.; 기호 >》. ── *n.* (*pl.* **~s**) 점차 약음(의 1절), 데크레셴도.

de·cres·cent[dikrésnt] *a.* 점점 줄어드는; 〈달이〉 이지러지는, 하현의(*opp.* increscent).

de·cre·tal[dikríːtəl] *a.* 법령의, 법령적인.
── *n.* 〔가톨릭〕 교황의 교령〔교서〕; (*pl.*) 교령집.

de·cre·tist [dikríːtist] *n.* 교회법 학자.

de·cre·tive [dikríːtiv] *a.* =DECRETAL.

de·cri·al[dikráiəl] *n.* Ⓤ,Ⓒ 비난, 중상.

de·cri·er[dikráiər] *n.* 비난자, 중상(中傷)자.

de·crim·i·nal·ize[dìːkrímənəlàiz] *vt.* 해금(解禁)하다; 〈사람·행위를〉 기소〔처벌〕 대상에서 제외하다. **dè·crìm·i·nal·i·zá·tion** [-lizéiʃən] *n.*

de·cruit[diːkrúːt] *vt.* 〈고령자 등을〉 다른 회사〔낮은 부서〕로 배치 전환하다. **~·ment** *n.*

de·cry[dikrái] *vt.* (**-cried**) **1** 비난하다, 헐뜯다. **2** 〔經〕 〈통화 등의〉 가치를 떨어뜨리다.

de·crypt[diːkrípt] *vt.* 〈암호를〉 해독〔번역〕하다(decipher).

dec·u·man[dékjumən] *a.* 열번째의; 〈파도가〉 거대한: a ~ wave 큰 파도.

de·cum·ben·cy, -bence[dikʌ́mbənsi], [-bəns] *n.* (*pl.* **-cies; ~s**) Ⓤ,Ⓒ 드러누움; 땅 위로 뻗음.

de·cum·bent[dikʌ́mbənt] *a.* **1** 드러누운, 가로누운. **2** 〔植〕 〈가지·줄기가〉 땅 위로 뻗은.

de·cu·mu·late[dikjúːmjəlèit] *vt.* 〈축적된 것을〉 줄이다, 까먹어 없애다.

de·cù·mu·lá·tion *n.*

dec·u·ple[dékjupl] *n., a.* 10배(의)(tenfold). ── *vt.* 10배로 하다.

de·cur·rent[dikə́:rənt] *a.* 〔植〕〈잎이〉 줄기 아래로 뻗은.
de·cus·sate[dikʌ́seit, dékəsèit] *vt., vi.* X자 꼴로 교차하다. — *a.* 직각으로 교차한, X자 꼴의; 〔植〕 십자 대생(十字對生)의.
de·cus·sa·tion[dèkəséiʃən] *n.* U,C X자 꼴〔십자형〕 교차.
ded. dedicated; dedication. **D.Ed.** Doctor of Education.
de·dal[dí:dəl] *a.* =DAEDAL.
De·da·li·an[didéiliən] *a.*=DAEDALIAN.
de·dans[dədɑ́:ŋ] [F] *n.* (*pl.* ~) (테니스 코트의) 서브측 뒤의 관람석; (the ~) (테니스) 관중.
⁑**ded·i·cate**[dédikèit] [L] *vt.* **1** 〈생애·시간을〉 바치다 《*to*》: ~ one's time〔oneself〕 *to* business〔politics〕 사업〔정치〕에 전념하다. **2** 봉납〔헌납〕하다: ~ a new church building 신축 교회를 헌당하다. **3** 〈저서·작곡 등을〉 헌정하다: ~ a book〔poem〕 *to* one's wife〔patron〕 책〔시〕을 아내〔후원자〕에게 바치다/*Dedicated to* … 〈이 책을〉 …에게 바칩니다《헌정사(獻呈辭)》. **4** 《미》 〈공공 건물 등을〉 공식으로 개관하다, (기념비의) 제막식을 하다. **5** 〔法〕 〈토지 등을〉 공공용으로 제공하다.
 ⊕ dedication *n.*; dedicative, dedicatory *a.*
ded·i·cat·ed[dédikèitid] *a.* **1** 〈이상·정치·목표 등에〉 일신을 바친, 헌신적인: a ~ artist 헌신적인 예술가. **2** 〈장치 등〉 오로지 특정한 목적을 위한, 전용의.
ded·i·ca·tee[dèdikətí:] *n.* 헌정받는 사람.
*****ded·i·ca·tion**[dèdikéiʃən] *n.* U **1** 바침, 봉헌, 봉납, 헌납, 기부; 헌신《*to*》. **2** 헌정; C 헌정사. **3** 《미》 개관; C 개관식, 헌당식.
 ⊕ dédicate *v.*
ded·i·ca·tive[dédikèitiv] *a.*=DEDICATORY.
ded·i·ca·tor[dédikèitər] *n.* 봉납자; 헌정자; 헌신자.
ded·i·ca·to·ry[dédikətɔ̀:ri, -touri] *a.* 봉납〔헌납〕의〔을 위한〕; 헌정의.
de·dif·fer·en·ti·a·tion[di:dìfərenʃiéiʃən] *n.* 〔生〕 탈(脫) 분화(分化), 퇴분화(退分化)《세포·조직이 단순한 무분화(無分化) 상태로 돌아가는 일》. **dè·dif·fer·én·ti·ate** *vi.*
*****de·duce**[did*j*ú:s] [L] *vt.* **1** 연역(演繹)하다, 추론하다(infer)《*from*》(*opp.* induce): ~ a conclusion *from* premises 전제에서 결론을 연역〔추론〕하다. **2** 계통을 따지다, 유래를 찾다(derive)《*from*》: ~ one's lineage 가계(家系)를 더듬다. ⊕ dedúction *n.*; dedúctive *a.*
de·duc·i·ble[-əbəl] *a.* 추론 할 수 있는.
*****de·duct**[didʌ́kt] *vt.* 빼다, 공제하다《*from, out of*》: ~ 10% *from* a person's salary 급료에서 1할을 공제하다. ⊕ dedúction *n.*
de·duct·i·ble[-əbəl] *a.* 공제할 수 있는.
— *n.* 〔保險〕 공제 조항(이 있는 보험 증권).
de·dùct·i·bíl·i·ty *n.*
*****de·duc·tion**[didʌ́kʃən] *n.* **1** U 공제, 삭감; C 공제액. **2** U,C 추론; 결론; U 〔論〕 연역(법)(*opp.* induction). ⊕ dedúct, dedúce *v.*
de·duc·tive[didʌ́ktiv] *a.* 추론적인; 〔論〕 연역적인(*opp.* inductive): the ~ method 연역법/~ reasoning 연역적 추리〔추론〕.
~·ly *ad.*
dee[di:] *n.* **1** D자; D자 꼴의 것. **2** 'd—'의 발음(*cf.* DAMN).
⁑**deed**[di:d] *n.* **1** 행위(action); 행동, 소행. **2** U,C 실행; 사실. **3** 업적, 공훈, 공적. **4** 〔法〕 (서명 날인한) 증서, 권리증. **in deed as well as in name** 명실 공히. **in** (**very**) **deed** 실로, 실제로(*cf.* INDEED). **in word and** (**in**) **deed** 언행이 다 (함께). — *vt.* 《미》 증서를 작성하여 〈재산을〉 양도하다.
 ⊕ do *v.*
deed·box[⁄-bɑ̀ks, ⁄-bɔ̀ks] *n.* (증서 등의) 서류 보관함〔금고〕.
déed pòll 〔法〕 (당사자의 한쪽만이 작성하는) 단독 날인 증서.
dee·jay[dí:dʒèi] *n.* 《口》 =DISK JOCKEY.
*****deem**[di:m] *vt.* 《文語》 (…으로) 생각하다(consider), 간주하다: 《Ⅴ(목)+(*to be*)+형》 I ~ this plan (*to be*) sensible. 이 계획은 합리적이라고 생각한다(=I ~ (*that*) this plan is sensible.《Ⅲ(*that*)(절)》)/《Ⅴ(목)+(*to be*)+명》 Do you ~ him (*to be*) a sage? 당신은 그가 현명한 사람이라고 생각하십니까(=Do you ~ (that) he is a sage.《Ⅲ(*that*)(절)》)/《Ⅴ(목)+형》 We ~*ed* him dead. 우리는 그가 사망한 것으로 생각하였다(=He was deemed dead.《Ⅱ *be pp.*+형》)/《Ⅴ(목)+*it*+형+*to* do》 I ~ *it* necessary *to* do it. 그것을 할 필요가 있다고 생각합니다/《Ⅴ(목)+*it*+명+*to* do》 I ~ *it* your duty *to* do so. 그렇게 하는 것이 당신의 의무라고 생각합니다/《Ⅴ(목)+*it*+명+*for*+대+*to* do》 I ~ *it* a great compliment *for* you *to* call at my house. 당신이 내 집을 방문하시는 것을 큰 영광으로 생각합니다/《Ⅴ(목)+*it*+명+*if*(절)》 I would ~ *it* an honor *if* you come to see me. 당신이 저를 보러 와 주신다면 영광으로 생각하겠습니다.
— *vi.* 생각하다《*of*》: ~ highly *of* a person's honesty …의 정직함을 존경하다.
de·em·pha·size[di:émfəsàiz] *vt.* 덜 강조하다, 중요성을 깎아내리다.
deem·ster[dí:mstər] *n.* (영국 the Isle of Man 의) 재판관, 판사.
★**deep**[di:p] *a.* **1** (아래로) 깊은(*opp.* shallow), 깊숙이 들어간; (안으로) 얼안이 깊은; (상당히) 두꺼운; 깊이가〔얼안이, 길이가〕 …인: a pond 7 feet ~ 깊이 7 피트의 못/a lot 70 ft. ~ 얼안 길이 70 피트의 부지/《Ⅱ(부구)+형》 The burrow is twelve feet ~. 그 굴은 깊이가 12 피트다. **2** 심원한(profound), 알기 어려운; 뿌리 깊은; 깊이 빠진〔몰두한〕, 열심인《*in*》. **3** (정도가) 강한, 심한. **4** 통렬한(intense), 충심으로의(heartfelt). **5** 뱃속 검은(sly). **6** 〈목소리 등〉 굵고도 낮은, 장중한; 〈색 등〉 짙은, 검은(*cf.* FAINT, THIN). **7** (시간적·공간적으로) 먼: the ~ past 먼 옛날. **8** 〈겨울·밤이〉 깊은, 〈잠이〉 깊은; 〈죄가〉 무거운; 〈술을〉 많이 마시는. **9** (신체의) 심부의; 〔言〕 심층의. **10** …열로 겹쳐서: drawn up six〔eight〕 ~ 6〔8〕렬로 늘어서서. **ankle-**〔**knee-, waist-**〕**deep in mud** 진창에 발목〔무릎, 허리〕까지 빠져. **deep drinker** 술고래. **deep one** 《俗》 엉큼한〔뱃속 검은〕 사람. **in deep water**(**s**) 매우 곤궁하여〔난처하여, 괴로워〕. **a ship deep in the water** 흘수(吃水)가 깊은 배. — *ad.* 깊게; 밤 늦게까지. **deep down** 《口》 내심은. **deep into the night** 밤 늦게까지. **drink deep** 흠씬 마시다. **Still waters run deep.** 《속담》 깊은 강물은 소리 없이 흐른다.
— *n.* **1** (보통 *pl.*) 심연(深淵)(abyss), 깊은 못, 깊숙한 곳. **2** (the ~) 《詩》 대양; 대해. **3** 한겨울, 한밤중 **4** (the ~) 〔크리켓〕 투수의 후방의 경계선 부근에 있는 외야수의 위치. **5** (의식의) 깊은 속. **go** (**in**) **off the deep end.** ⇒end. **in the deep of night**〔**winter**〕 한밤중〔한겨울〕에. **monsters**〔**wonders**〕

of the deep 대해의 괴물〔경이〕.
◇ depth *n.*: déepen *v.*: déeply *ad.*
deep-browed[∠bráud] *a.* 이마가 넓고 시원한(지성을 나타냄).
deep-chest·ed[∠tʃéstid] *a.* 가슴이 두툼한, 가슴팍이 두꺼운; 가슴속 깊이에서 우러나는.
déep cóver (첩보원 등의 신분·소재의) 은폐, 위장; 극비로 하기.
deep-cov·er *a.* 극비의.
deep-dish *a.* 〔料理〕 운두가 높은 접시로 구운 〈파이 등〉.
déep-dish píe *n.* (deepdish로 구워낸) 과일 파이(맨 뒤에 빵껍질을 얹은).
deep-drawn[∠drɔ́:n] *a.* 크게 들이 쉰 〈한숨 등〉.
deep-dyed[∠dáid] *a.* 짙게 물든; 순전한; 악에 깊이 물든.
déep ecólogy *n.* 심부(深部)〔전면적〕 생태계 보호(*cf.* biocentrism).
‡deep·en[dí:pn] *vt., vi.* 깊게〔진하게, 굵게, 낮게〕하다〔되다〕; 〈인상·지식 등〉 깊게 하다〔깊어지다〕, 〈우울 등〉 심각하게 하다〔해지다〕.
◇ deep *a.*: depth *n.*
déep fát (튀김 요리용의) 지방유(油).
deep-felt[∠félt] *a.* 깊이 느낀, 충심으로의 〈감사 등〉.
déep fréeze (계획·활동 등의) 동결 상태; 《俗》 냉대 《특히 동맹자에 대한》.
deep-freeze *vt.* (~d, -froze; -fro·zen) 급속 냉동하다; 냉장하다. **-fréez·er** *n.* (급속) 냉동 냉장고.
deep·freeze[∠frí:z] *n.* 냉동 저장; (식료품의) 급속 냉동기〔냉장고〕; (**D-**) 그 상표명.
deep-fry[∠frái] *vt.* (**-fried**) 기름을 듬뿍 넣어 튀기다(*cf.* SAUTE)(⇨cook).
déep fryer (튀김요리에 쓰는 철사로된 망이 있는) 운두가 깊은 프라이팬〔남비〕.
deep·ie[dí:pi] *n.* 《口》 입체 영화(3-D film).
déep kíss 혀 키스(soul kiss, French kiss).
deep-laid[∠léid] *a.* 주의 깊게〔감쪽같이〕 꾸민〔계획한〕 〈음모 등〉.
‡deep·ly[dí:pli] *ad.* **1** 깊이. **2** 짙게. **3** 〈음조가〉 굵고 낮게. **4** 철저히, 심각하게; 〈음모 등을〉 주도 면밀하게, 교묘히.
deep-mined[∠máind] *a.* 깊은 갱에서 캔(*opp.* opencast).
déep móurning 정식 상복(喪服); 깊은애도.
deep-mouthed[∠máuðd, -θt] *a.* 〈사냥개의 짖는 소리가〉 낮고 굵직한.
deep·ness[dí:pnis] *n.* Ⓤ **1** 깊이, 심도. **2** 현묘(玄妙), 오묘, 심오.
déep póckets *pl.* 돈이 많음, 부유함.
deep-read[∠réd] *a.* 학식이 깊은, 정통한 《*in*》 (*cf.* WELL-READ).
deep-root·ed[∠rú:tid, -rút-] *a.* 깊이 뿌리박힌, 뿌리 깊은.
deep-sea[∠sí:] *a.* 깊은 바다의; 원양의: ~ fishery〔fishing〕 원양 어업.
deep-seat·ed[∠sí:tid] *a.* **1** 뿌리 깊은; 고질적인: a ~ disease 만성〔고질〕병. **2** 심층(深層)부의.
deep-set[∠sét] *a.* 깊이 파인; 움폭하게 들어간 〈눈〉; 뿌리 깊은.
déep síx 《俗》 수장(水葬), 해장(海葬), 바다에 버리기; 무덤, 묘지; 폐기 (처분)(장소). **give ... the deep six** …을 버리다, 매장하다.
deep-six[∠síks] *vt.* 《俗》 (배에서) 바다로 내던지다; 폐기하다.
Déep Sóuth *n.* (the ~) (미국의) 최남부 지방(Georgia, Alabama, Mississippi, Louisiana 주 등).
déep spáce (지구에서 먼) 우주 공간.
déep strúcture 〔言〕 심층 구조《(변형) 생성문법에서 문장의 의미를 결정하는 심리적 실재로서의 기저(基底) 구조》.
déep thérapy 〔醫〕 X선 심부 치료《주로 악성 종양에 대한》.
deep-think[∠θìŋk] *n.* 《미俗》 극단적으로 학구적인 생각, 탁상 공론.
déep thróat 《미·캐나다》 내부 고발자, 밀고자 《특히 정부의 고관》.
deep-voiced[∠vɔ́ist] *a.* 목소리가 낮고 굵은.
deep·wa·ter[∠wɔ́:tər] *a.* 깊은 물의, 심해의(deep-sea); 원양의.
‡deer[diər] [OE] *n.* (*pl.* ~, (때로) ~**s**) 〔動〕 사슴; 사슴고기. **small deer** 시시한 사람〔것〕.
deer·hound[díərhàund] *n.* 사슴 사냥개 (greyhound와 비슷함).
déer lìck 사슴이 소금기를 핥으러 오는 샘〔늪〕.
déer mòuse 〔動〕 흰발생쥐《북미산》.
déer pàrk 사슴 사냥터.
deer·skin[∠skìn] *n.* Ⓤ,Ⓒ 사슴 가죽, 녹비; 사슴 가죽 옷.
deer·stalk·er[∠sɔ̀:kər] *n.* **1** 사슴 사냥꾼. **2** 사냥 모자.
deer·stalk·ing[∠stɔ̀:kiŋ] *n.* Ⓤ 사슴 사냥.
de-es·ca·late[di:éskəlèit] *vt.* 점감(漸減)시키다; 단계적으로 줄이다. **-la·tor** *n.* **-la·to·ry** *a.* 단계적으로 축소하는, 축소적인.
de-es·ca·la·tion[-ʃən] *n.* (단계적) 축소.
deet, Deet[di:t] *n.* 《미》〔化〕 디트《무색·유상(油狀)의 방충제; diethyltoluamide의 상표명》.
def[def] [*def*initely] *ad.* 《미俗》 전적으로, 정말(그래).
def. defective; defendant; deferred; definite; definition.
de·face[diféis] *vt.* **1** 외관을 더럽히다, 손상시키다. **2** 〈비명·증서등을〉 마손시켜 잘 보이지 않게 하다; (비유) 말살하다, 지우다.
de·fác·er *n.* ◇ defácement *n.*
de·face·ment[diféismənt] *n.* Ⓤ 오손, 파손; Ⓒ 오손〔파손〕물.
de fac·to[di:-fǽktou, dei-] [L] *ad., a.* 사실상(의)(actual)(*opp.* de jure).
de·fal·cate[difǽlkeit, -fɔ́l-] *vi.* 위탁금을 유용하다. **-ca·tor**[difǽlkeitər, -fɔ́:l-] *n.*
de·fal·ca·tion[dì:fælkéiʃən, -fɔ:l-] *n.* Ⓤ 〔法〕 위탁금 유용(流用); Ⓒ 부당 유용액.
def·a·ma·tion[dèfəméiʃən] *n.* Ⓤ 중상, 비방: ~ of character 명예 훼손.
de·fam·a·to·ry[difǽmətɔ̀:ri/-təri] *a.* 중상하는, 비방하는(slanderous).
de·fame[diféim] *vt.* 중상하다, …의 명예를 훼손하다; 모욕하다. **de·fám·er** *n.*
de·fang[di:fǽŋ] *vt.* …의 엄니를 뽑다.
de·fat[di:fǽt] *vt.* 지방질을 제거하다.
de·fault[difɔ́:lt] [OF] *n.* Ⓤ **1** 태만, 불이행(neglect); 〔法〕 채무 불이행; (법정에의) 결석: judgment by ~ 궐석〔결석〕 재판. **2** 부족(lack). **3** (경기 등에의) 불출장, 기권: win〔lose〕 *by* ~ 부전승〔부전패〕하다. **4** 〔컴퓨터〕 디폴트값《이미 예상한 설정이나 사전에 정한 데이터》. **in default of** …이 없을 때는; …이 없으므로. **make default** 〔法〕 결석하다.
— *vi.* **1** 의무를 게을리하다. **2** 채무를 이행하지 않다: ~ on a debt 빚을 갚지 않다. **3** 〈재판에〉 결석하다. **4** 〈시합에〉 출장하지 않다. — *vt.* **1** 〈의무·채무를〉 이행하지 않다. **2** 궐석 재판에 부치다. **3** 경기에 출전하지 않

다; (경기에서) 부전패가 되다, 기권하여 〈시합〉에 지다.

de·fault·er *n.* 태만자, 체납자, 계약〔채무〕 불이행자; (재판의) 결석자; 〔영軍〕 규율 위반자.

defáult vàlue 〔컴퓨터〕 디폴트값, 기본값《이용자가 어느 값을 지정하지 않는 경우 컴퓨터가 자동적으로 선택하는 것》.

de·fea·sance[difí:zəns] *n.* 〔法〕 **1** Ⓤ 무효화, 폐기, 파기. **2** 계약 해제 조건(증서).

de·fea·si·bil·i·ty[difì:zəbíləti] *n.* Ⓤ 폐기〔파기〕 가능성.

de·fea·si·ble[difí:zəbəl] *a.* 무효로 할 수 있는, 해제〔취소, 폐기〕할 수 있는.

‡de·feat[difí:t] *vt.* **1** 쳐부수다, 패배시키다(beat) (*in*): ~ an enemy 적을 패배시키다. **2** 〈…의 계획·희망 등을〉 헛되게 하다, 좌절시키다: ~ one's own object〔purpose, end〕 자신의 목적〔본뜻〕에 어긋나다/be ~*ed in* one's plan 계획이 좌절되다. **3** 〔法〕 무효로 하다(annul). ― *n.* Ⓤ,Ⓒ **1** 타파. **2** 패배, 짐. **3** 좌절, 실패(*of*). **4** 〔法〕 무효로 함, 파기.

de·feat·ism[-ìzəm] *n.* Ⓤ 패배주의; 패배주의적 행동.

de·feat·ist *n.* 패배주의자. ― *a.* 패배주의(자)적인.

de·fea·ture[difí:tʃər] *vt., n.* =DISFIGURE(-MENT).

def·e·cate[défikèit] *vt., vi.* 깨끗하게 하다〔되다〕, 〈더러움·불순물을〉 없애다〔없어지다〕; 배변(排便)하다.

def·e·ca·tion[-ʃən] *n.* Ⓤ 깨끗하게 함, (더러움·불순물의) 배제; 배변.

def·e·ca·tor[-tər] *n.* 정화기(淨化器), 여과장치.

‡de·fect[1] [difékt, ∠-] *n.* **1** 결점, 결함; 단점, 약점; 흠. **2** Ⓤ 결손, 부족; Ⓒ 부족액〔량〕. **in defect** 부족하여, 모자라서. **in defect of** …이 없는 경우에는; …이 없으므로. **the defects of one's qualities** 장점에 따르는 결점: Every man has the ~*s* of his qualities. 누구나 장점에 따르는 결점이 있다.
◇ deféctive *a.*

de·fect[2] *vi.* 탈퇴하다, 변절하다(*from*); 도망가다, 망명하다(*to*).

defect. defective.

de·fec·tion[difékʃən] *n.* Ⓤ,Ⓒ 〈조국·주의·당 등을〉 저버림, 탈당, 탈퇴(*from*); 변절, 망명(*to*); 의무의 불이행, 태만; 결함, 부족.

∗de·fec·tive[diféktiv] *a.* **1** 결점〔결함〕이 있는, 불완전한. **2** 모자라는 점이 있는(wanting) (*in*). **3** 〈사람이〉 지능적으로 표준 이하인. **4** 〔文法〕 〈단어가〉 활용형의 일부가 없는. ― *n.* **1** 심신 장애자, 《특히》 정신 장애자. **2** 〔文法〕 결여어. **~·ly** *ad.* 불완전하게. **~·ness** *n.*
◇ défect, deféction *n.*

deféctive vèrb 〔文法〕 결여 동사《변화형이 결여된 can, may, must, shall, will 등》.

de·fec·tol·o·gy[dì:fektáləd3i, difek-] *n.* 결함〔결점〕 연구, 결함학.

de·fec·tor[diféktər] *n.* 탈주자, 탈당자; 배반자, 망명자.

de·fem·i·nize[di:fémənàiz] *vt.* 여성다움을 없애다, 남성화하다.

‡de·fence[diféns] *n.* 《영》 ◇ DEFENSE.

‡de·fend[difénd] [L] *vt.* **1** 방어하다, 지키다(*from, against*): ~ a city *against* an attack 도시를 공격에서 지키다. **2** (언론 등에서) 옹호하다. **3** 〔法〕 변호〔항변, 답변〕하다. **4** 〔스포츠〕 〈포지션을〉 지키다. ― *vi.* 방어〔변호〕하다; 〔스포츠〕 〈포지션을〉 지키다. **defend oneself** 자기를 변호하다. **God defend!** (그런 일은) 절대로 없다.
◇ defénse *n.*; defénsive *a.*

∗de·fen·dant[diféndənt] *n.* 피고(인)(*opp.* plaintiff). ― *a.* 피고(측)의.

∗de·fend·er[diféndər] *n.* **1** 방어〔옹호〕자; 〔스포츠〕 선수권 보유자(*opp.* challenger). **2** 〔法〕 =DEFENDANT. **the Defender of the Faith** 신앙의 옹호자《영국왕의 전통적인 칭호》.

de·fen·es·tra·tion[di:fènəstréiʃən] *n.* Ⓤ 〈사람·물건을〉 창밖으로 내던지기.

‡de·fense | de·fence[diféns, dí:fens] *n.* **1** Ⓤ,Ⓒ 방어, 방위, 수비(*opp.* offense, attack) (*against*): Offense is the best ~. 공격은 최선의 방어이다. **2** 방어물; (*pl.*) 〔軍〕 방어 시설; (경기에서) 골을 지키는 선수〔팀〕, 수비(의 방법), 디펜스. **3** Ⓤ 변명; Ⓤ,Ⓒ 〔法〕 변호, 답변(서). **4** (the ~) 피고측《피고와 그 변호인》(*opp.* prosecution). **defense in depth** 종(縱)심층 방어《방어 시설이 여러 겹으로 된 복잡한 저항선》. **in defense of** …을 지키기 위하여. **legal defense** 정당 방위. **national defense** 국방. **offensive defense** 공세 방어. **put oneself in the state of defense** 방어 태세를 갖추다. **the science** 〔**art**〕 **of** (**self-**) **defense** 호신술《권투, 태권도, 유도 등》. ◇ defénd *v.*; defénsive *a.*

∗de·fense·less[difénslis] *a.* 방비 없는; 방어할 수 없는. **~·ly** *ad.* **~·ness** *n.* Ⓤ 무방비(상태).

defénse mèchanism〔**reàction**〕 〔心〕 방어 기제(機制), 〔生理〕 방어 기구.

defénse spènding 국방비, 국방비 지출.

de·fen·si·bil·i·ty[-bíləti] *n.* Ⓤ 방어〔변호〕의 가능성.

de·fen·si·ble[difénsəbəl] *a.* 방어〔변호〕할 수 있는. **-bly** *ad.*

‡de·fen·sive[difénsiv] *a.* **1** 방어적인, 자위(自衛)의; 수비의; 변호의(*opp.* offensive). **2** 〈말씨·태도가〉 수세인. **3** (경기 등에 별로 좌우되지 않는) 안정 업종의《식품·공익 사업 등》. **take defensive measures** 방어책을 강구하다. ― *n.* (the ~) 방위, 수세; 변호; 방어물. **be** 〔**stand, act**〕 **on the defensive** 수세를 취하다. **~·ly** *ad.* **~·ness** *n.*
◇ defénd *v.*; defénse *n.*

defénsive drìving 《미》 (경찰의) 방위적 운전법, 방어 운전《범인의 추적·체포에서》.

defénsive médicine (의사의) 자기 방어적 의료《의료 과오 소송을 피하려고 과잉 검사·진단을 지시하는 일》.

defénsive tàctics 《미》 (경찰의) 호신술

de·fen·so·ry *a.* =DEFENSIVE.

∗de·fer[1] [difə́:r] (~**red**; ~**·ring**) *vt.* 연기하다, (뒤로) 미루다(put off) (*till, until*); 《미》 …의 징병을 유예하다: (Ⅲ *-ing*) Why did she ~ return*ing* to Naples? 그녀는 왜 나폴리로 돌아가는 것을 연기했지. ― *vi.* 연기〔지연〕되다, 미루적거리다.

defer[2] (~**red**; ~**·ring**) *vi.* (사람에게) 경의를 표하다; 경의를 표하여 양보하다〔복종하다〕(yield) (*to*). ― *vt.* (아무에게) …의 결정을 맡기다〔부탁하다〕(*to*).

de·fer·a·ble[difə́:rəbəl] *a.*=DEFERRABLE.

∗def·er·ence[défərəns] *n.* Ⓤ 복종; 존경, 경의(*to*). **blind deference** 맹종. **in deference to** …을 존중하여, …을 좇아. **pay** 〔**show**〕 **deference to** …에게 경의를 표하다. **with all** (**due**) **deference to you** 지당한 말씀이오나, 미안하오나.

def·er·ent¹ [défərənt] *a.* 〔解〕 수송〔배설〕의, 수정관의: a ~ duct 수정관(輸精管).
deferent² *a.* =DEFERENTIAL.
def·er·en·tial [dèfərénʃəl] *a.* 경의를 표하는, 공손한(respectful). **~·ly** *ad.* 경의를 표하여, 공손히.
de·fer·ment [difə́:rmənt] *n.* Ⓤ **1** 연기; 천연(遷延); 거치(据置). **2** ((미)) 징병 유예.
de·fer·ra·ble [difə́:rəbəl] *a.* 연기할 수 있는; ((미)) 징병을 유예할 수 있는. — *n.* ((미)) 징병 유예 유자격자.
de·fer·ral [difə́:rəl] *n.* (예산의) 집행 연기.
de·ferred *a.* 연기된; 거치(据置)한.
deférred annúity 거치 연금.
deférred ássets 이연 자산(移延資産).
deférred ínstinct 〔心〕 지발(遲發) 본능.
deférred ínsurance 거치 보험.
deférred páy ((영)) (사병의 급여중) 거치 지불금((제대 또는 사망 때까지 보류하는)).
deférred páyment 연불(延拂).
deférred sávings 거치 저금.
deférred séntence 〔法〕 선고 유예.
deférred sháre〔**stóck**〕 ((영)) 후배주(後配株)(*opp.* preferred share).
deférred télegram 간송(間送) 전보((요금이 쌈)).
de·feu·dal·i·za·tion [-lizéiʃən/-lai-] *n.* 봉건 제도 철폐.
de·feu·dal·ize [di:fjú:dəlaiz] *vt.* …의 봉건제를 없애다, 봉건적 성질을 제거하다.
*__de·fi·ance__ [difáiəns] *n.* Ⓤ 도전(challenge); 도전〔반항〕적 태도; (명령·관습·위험 등의) 무시. **bid defiance to** … =**set** … **at defiance** …에 도전하다, 공공연히 반항하다. **in defiance of** …에 구애하지 않고, 을 무시하고, 에 반항하여. ◇ defý *v.*; defíant *a.*
*__de·fi·ant__ [difáiənt] *a.* 도전적인, 반항적인, 시비조의; 대담한; 거만한; 무례한. **be defiant of** …을 무시하다. **~·ly** *ad.* **~·ness** *n.* ◇ defý *v.*; defíance *n.*
de·fi·brate [di:fáibreit] *vt.* (폐지(廢紙) 등의) 섬유를 분리하다.
de·fi·bril·late [di:fíbrəlèit, -fáib-] *vt.* 〔醫〕 (전기적 자극으로 심근〔심방, 심실〕의 세동(細動)을 정지하다.
de·fi·bril·la·tion [di:fìbrəléiʃən, -fàib-] *n.*
de·fi·bril·la·tor [difíbrəlèitər, -fáibrə-] *n.* 〔醫〕 세동(細動) 제거기〔제(劑)〕((심실 근육의 세동을 저지하는 장치)).
de·fi·bri·nate [di:fáibrənèit] *vt.* 〔醫〕 (혈액중에서) 섬유소(fibrin)를 제거하다.
de·fi·bri·na·tion [di:fàibrənéiʃən] *n.*
*__de·fi·cien·cy__ [difíʃənsi] *n.* (*pl.* **-cies**) Ⓒ,Ⓤ **1** 부족, 결핍((*of*)). **2** 부족분〔량, 액〕; ((특히)) 수입 부족액; 결손(*cf.* EXCESS); (심신의) 결함. ◇ defícient *a.*
defíciency disèase 〔病理〕 비타민 결핍증, 영양 실조.
defíciency pàyment ((영)) (농산물 가격 안정) 정부 보조금.
*__de·fi·cient__ [difíʃənt] *a.* 부족한((*in*)), 불충분한; 불완전한, 결함 있는(defective); 투미한, 멍청한. — *n.* 불완전한 것〔사람〕. **~·ly** *ad.* ◇ defíciency, déficit *n.*
*__def·i·cit__ [défəsit] *n.* 결손, 부족(액)((*in*)); 적자(*opp.* surplus); 불리한 입장〔조건〕.
déficit fi·nánc·ing (정부의) 적자 재정(정책).
déficit spénding (정부의) 적자 재정 지출.
de·fi·er [difáiər] *n.* 도전자; 반항자; 무시하는 사람.
def·i·lade [dèfəléid] *n., vt.* 〔軍〕 차폐(遮蔽)(하다).
de·file¹ [difáil] *vt.* 더럽히다, 불결〔부정(不淨)〕하게 하다((*by, with*)); 〈신성(神聖)을〉 모독하다((*by, with*)). **de·fíl·er** *n.* ◇ defílement *n.*
de·file² [difáil, dí:fail] *vi., vt.* 〔軍〕 (일렬) 종대로 행진하다〔시키다〕. — *n.* 애로, 좁은 길, 협곡.
de·file·ment [-mənt] *n.* Ⓤ 더럽힘, 오염.
de·fin·a·ble [difáinəbəl] *a.* 한정할 수 있는; 정의(定義)〔설명〕 할 수 있는.
‡**de·fine** [difáin] *vt.* **1** 정의를 내리다, (말의) 뜻을 명확히 하다: ((Ⅴ(목)+*as*+명)) We ~ the word charm *as* attractiveness. 'charm'이라는 단어를 'attractiveness'라고 정의한다(=The word charm is ~*d as* attractiveness.((Ⅱ *be pp.*+*as*+명)). **2** 〈진의(眞意)·본질·입장 등을〉 밝히다: ~ one's position 자기의 입장을 밝히다. **3** 〈경계·범위를〉 규정짓다, 한정하다, 〈윤곽을〉 뚜렷하게 하다; 명백히 보여주다. **4** 〈사물이〉 특징 짓다, …의 특징이 되다: Reason ~*s* man. 이성이 인간의 특징이다. — *vi.* 정의를 내리다. ◇ definiítion *n.*; définite *a.*
de·fin·i·en·dum [difìniéndəm] *n.* (*pl.* **-da** [-də]) 정의되는 것((사전의 표제어 등)); 〔論〕 정의되는 항(項).
de·fin·i·ens [difíniènz] *n.* (*pl.* **-en·ti·a**) 정의하는 것, 정의((사전의 어의 설명 부분 등)); 〔論〕 정의하는 항.
‡**def·i·nite** [défənit] *a.* **1** 한정된, 일정한; 〔植〕 〈수술이〉 정수(定數)의. **2** 명확한: a ~ answer 확답. **3** 〔文法〕 한정하는. **~·ness** *n.* ◇ defíne *v.*; defínitude *n.*; définitely *ad.*
‡**définite árticle** (the ~) 〔文法〕 정관사(the) (*cf.* INDEFINITE ARTICLE).
def·i·nite·ly [défənitli] *ad.* 한정적으로; 명확히; ((口)) (강한 긍정·동의) 확실히, 그렇고 말고(yes, certainly); (부정어와 함께 강한 부정) 절대로 (…아니다).
définite pólicy 〔保險〕 확정 보험 증권.
*__def·i·ni·tion__ [dèfəníʃən] *n.* Ⓤ **1 a** 한정; 명확. **b** Ⓒ 정의(定義), 말뜻. **2** (렌즈의) 해상력(解像力). **3** (라디오 재생음·텔레비전 재생화의) 선명도, 명료도, (무전의) 감응도. **by definition** 정의에 의하면; 정의상으로는, 당연히. ◇ defíne *v.*
de·fin·i·tive [difínətiv] *a.* **1** 한정적인; 정의적인. **2** 결정적인, 최종적인(final): a ~ edition 결정판. **3** 일정한, 명확한. **4** 〔生〕 완전히 발달한 형태의(*opp.* primitive); 완성된, 최종의: ~ organs 완전 기관. **5** (기념 우표와 구별하여) 보통 우표의. — *n.* **1** 〔文法〕 한정사. **2** 보통 우표. **~·ly** *ad.* 뚜렷이, 결정적으로, 종국적으로. **~·ness** *n.*
defínitive hóst 〔生〕 종결〔고유〕 숙주(宿主)(*cf.* INTERMEDIATE HOST).
de·fin·i·tude [difínətjù:d] *n.* Ⓤ 명확성, 적확성.
def·la·grate [défləgrèit, dí:f-] *vt., vi.* 갑자기 연소시키다〔하다〕, 확 타게 하다〔타다〕.
def·la·gra·tion [-ʃən] *n.* Ⓤ 〔化〕 폭연(爆燃)(작용)(*cf.* DETONATION).
de·flate [difléit] *vt.* **1** 공기〔가스〕를 빼다, 옴츠리다. **2** 〔經〕 〈가격·통화를〉 수축시키다 (*opp.* inflate). **3** ((미口)) 〈희망·자신 등을〉 꺾다. — *vi.* 공기가 빠지다; 통화가 수축하다.
de·flá·tor [difléitər] *n.*
*__de·fla·tion__ [difléiʃən] *n.* Ⓤ **1** 수축; 〔經〕 통화 수축, 디플레이션(*opp.* inflation). **2** 공기

〔가스〕를 뺌 ; (기구의) 가스 방출. **3** 〔地〕 건식(乾蝕), 풍식(風蝕). **~·ist** *n.* 디플레이션 논자(論者). ◈ defláte *v.*; deflátionary *a.*
de·fla·tion·ar·y[-ʃənèri/-əri] *a.* 통화 수축적인, 디플레이션의.
deflátionary spìral 〔經〕 진행성 디플레이션.
de·flect[diflékt] *vi., vt.* (광선·탄알 등이 한쪽으로) 비끼다〔비끼게 하다〕, 빗나가다〔빗나가게 하다〕(*from*). 〈생각 등이〉 편향(偏向)하다〔시키다〕; 구부리다(swerve).
de·flec·tion | -flex·ion[diflékʃən] *n.* Ⓤ,Ⓒ 빗나감, 비뚤어짐, 치우침; 〔物〕 편향, (계기 등의 바늘의) 기울; (총알의) 편차(偏差); 〔工學〕 (부재의) 휨, 휘어지는 정도; (빛의) 굴절.
de·flec·tive[difléktiv] *a.* 편향적인, 빗나가는, 휘어진.
de·flec·tor[difléktər] *n.* **1** 변류기(變流器) 《기류·연소 가스 조절용》. **2** 편침의(偏針儀) 《나침반 자차(自差) 수정용》.
def·lo·ra·tion[dèfləréiʃən, dìːflɔː-] *n.* Ⓤ 꽃을 땀; 아름다움을 빼앗음; 처녀 능욕.
de·flow·er[difláuər] *vt.* …의 아름다움을 빼앗다, 더럽히다, 신선미 등을 해치다; …의 처녀성을 빼앗다; 《稀》 꽃을 따다〔지게 하다〕.
de·fo·cus[difóukəs] (~(s)ed; ~·(s)ing) *vt.* 〈렌즈 등의〉 초점을 흐리게 하다. ── *vi.* 초점이 흐려지다. ── *n.* 초점의 흐려짐; 흐리게 한 영상(映像).
De·foe[difóu] *n.* 디포 Daniel ~《영국의 소설가(1660-1731). *Robinson Crusoe*의 저자》.
de·fog[difɔ́ːg/-fɔ́g] *vt.* (~ged; ~·ging) (자동차의 유리 등에서) 서린 김〔물방울〕을 제거하다.
de·fo·li·ant[di(ː)fóuliənt] *n.* 고엽제(枯葉劑).
de·fo·li·ate[di(ː)fóulièit] *vt., vi.* 잎이 지게 하다〔지다〕; 고엽제를 뿌리다. ── [-liət] *a.* (자연히) 잎이 진. **-a·tor** *n.* 낙엽지게 하는 것; 잎벌레; =DEFOLIANT.
de·fo·li·a·tion[-ʃən] *n.* Ⓤ (해충 등에 의한) 잎의 떨어짐; 낙엽; 〔軍〕 고엽(枯葉) 작전 《월남전에서 미군이 사용》.
de·force [difɔ́ːrs] *vt.* 〔法〕 〈남의 재산을〉 불법으로 점유하다.
de·for·est [diːfɔ́ːrist, -fɑ́r-/-fɔ́r-] *vt.* 삼림을 벌채〔개간〕하다. **~·er** *n.* 삼림 벌채자.
de·for·est·a·tion[-téiʃən] *n.* Ⓤ 삼림 벌채, 산림 개간; 남벌(濫伐).
de·form[difɔ́ːrm] *vt.* 추하게 하다; 볼품없게 하다, 불구로 만들다; 〔物〕 변형시키다; 〔美〕 데포르메하다. ── *vi.* 변형되다, 추해지다. **~·a·ble**[-əbəl] *a.*
*__de·for·ma·tion__[dìːfɔːrméiʃən, dèf-] *n.* Ⓤ **1** 모양을 망침, 변형; 개악. **2** 흉한 모습, 볼품없음, 추함; 기형; 〔物·地〕 변형(량); 〔美〕 데포르마시옹.
de·for·ma·tive[diːfɔ́ːrmətiv] *a.* DEFORM하는 (경향이 있는).
*__de·formed__[difɔ́ːrmd] *a.* 불구의; 일그러진, 보기 흉한.
*__de·for·mi·ty__[difɔ́ːrməti] *n.* (*pl.* **-ties**) **1** Ⓤ 기형. **2** 〔病理〕 신체의 기형 부분. **3** 신체장애자; 기형물. **4** Ⓤ 추함; 불쾌함. **5** Ⓤ,Ⓒ (인격·작품 등의) 결함. ◈ defórm *v.*
*__de·fraud__[difrɔ́ːd] *vt.* **1** 속여서 빼앗다, 횡령하다(*of*): ~ a person *of* one's money …에게서 돈을 속여 빼앗다. **2** 속이다. **~·er**[-ər] *n.* ◈ defraudátion *n.*
de·frau·da·tion[dìːfrɔːdéiʃən] *n.* Ⓤ 사취.
de·fray[difréi] *vt.* 《文語》 〈비용을〉 지불〔부담〕하다, 지출하다. **~·a·ble**[-əbəl] *a.* **~·al, ~·ment**[-əl], [-mənt] *n.* Ⓤ 지불, 지출. **~·er**[-ər] *n.*
de·frock[di(ː)frɑ́k/-frɔ́k] *vt.* 성직(聖職)을 빼앗다.
de·frost[diːfrɔ́ːst, -frɑ́st/-frɔ́st] *vt.* 서리〔얼음〕를 없애다; 〈냉동 식품 등을〉 녹이다; 자산 동결을 해제하다; 〈차창의〉 성에〔김〕를 없애다(《영》 demist).
de·frost·er *n.* 서리 제거 장치.
deft[deft] *a.* 손재주 있는, 솜씨좋은; 재치 있는. **déft·ly** *ad.* **déft·ness** *n.*
deft. defendant.
de·funct[difʌ́ŋkt] *a.* 《文語》〔法〕 **1** 죽은, 고인이 된(dead, deceased). **2** 없어져 버린, 현존하지 않는. ── *n.* (the ~) 죽은 사람, 고인.
de·func·tive[difʌ́ŋktiv] *a.* 고인의; 장례식의.
de·fuse, -fuze[di(ː)fjúːz] *vt.* **1** (폭탄·지뢰의) 신관을 제거하다. **2** …의 위기를 해제하다, 진정시키다. **de·fús·er, -fúz-** *n.*
⁑**de·fy**[difái] [L] (**-fied**) *vt.* **1** …에 도전하다, 해볼테면 해보라고 하다: 《Ⅴ(목)+*to* do》 I ~ you *to* give me one good reason for believing you. 당신은 내가 당신(의 말)을 믿을 만한 이유를 하나 대 보시오/I ~ you *to* fight me. 싸울 테면 싸워〔덤벼〕/I ~ you *to* do so. 할테면 해 봐. **2** …을 (공공연하게) 무시하다, 얕보다; 문제삼지 않다; 경멸하다; (공공연히) 반항하다; …에 대해 (공공연하게, 정면으로) 반대하다: 《Ⅲ(목)》 ~ public opinion 여론을 무시하다/《Ⅲ(목)+〈*that*(절)〉》 (*that*(절)-Ⅲ(목)) He has a constitution *that defies* any climate. 그는 어떤 기후에도 문제되지 않는〔잘 견디는〕 체질을 지니고 있다/《Ⅲ(목)》 She *defies* her husband. 그녀는 자기 남편을 업신여긴다/He *defied* his immediate superior. 그는 자기의 직속 상사에게 반항했다/He *defied* the sailing orders. 그는 출범 명령에 정면으로 반대했다. **3** 〈사물이〉 허용하지 않다, 받아들이지 않다. 〈해결·시도 등을〉 좌절시키다: 《Ⅲ(목)》 Her strange behaviour *defies* understanding. 그녀의 이상한 행위는 (정말) 이해가 안된다. **defy description** 이루 다 말할 수 없다. **defy every criticism** 비평할 여지가 없다. ── *n.* (*pl.* **-fies**) 《미口》 도전. ◈ defiance *n.*; defíant *a.*
deg. degree; degrees.
dé·ga·gé[dèigɑːʒéi] [F] *a.* (*fem.* **-gée**) 〈몸가짐이〉 딱딱하지 않은, 편안한; 초연한.
de·gas[diːgǽs] *vt.* (~sed; ~·sing) 가스를 제거하다.
De·gas[dəgɑ́ː] *n.* 드가 Edgar ~《프랑스의 화가(1834-1917)》.
De Gaulle[dəgóul] *n.* 드골 Charles ~《프랑스의 장군·대통령(1890-1970)》.
De Gaullist 드골파의 사람.
de·gauss[diːgáus] *vt.* 〈선체·텔레비전 수상기 등을〉 소자(消磁)하다.
de·gen·der[diːdʒéndər] *vt.* (말 등에서) 성(gender)의 구별을 없애다.
de·gen·der·ize[diːdʒéndəraiz] *vt.* (교과서·교본 따위) 성(性)에 대한 편견을 두지 않다.
de·gen·er·a·cy[didʒénərəsi] *n.* Ⓤ **1** 퇴화, 퇴보; 타락(deterioration). **2** 성적 도착. **3** 〔物〕 축퇴; 〔數〕 축중.
*__de·gen·er·ate__[didʒénərèit] [L] *vi.* 퇴보하다(*from*); 타락하다(*into*); 〔生〕 퇴화하다(*to*); 〔病理〕 변질하다: ~ *into* commonplace 평범한 일이 되어 버리다. ── [-nərit] *a.* 퇴화한; 타락한; 변질한; 〔物〕 축퇴(縮退)한; 〔數〕 축중

(縮重)한. ── [-nərit] *n.* 타락자; 퇴화한 것〔동물〕; 변질자; 성욕도착자. **~·ly** *ad.*
◇ degenerátion, degéneracy *n.*: degénerative *a.*

***de·gen·er·a·tion** [didʒènəréiʃən] *n.* Ⓤ **1** 타락, 퇴보; 퇴폐. **2** 〔生〕 퇴화; 〔病理〕 변성(變性), 변질. **3** 〔物〕 축퇴; 〔數〕 축중.
◇ degénerate *v., a.*: degénerative *a.*

de·gen·er·a·tive [didʒénərèitiv, -rət-] *a.* 퇴화적인, 퇴행성(退行性)의; 타락한; 〔病理〕 변질〔성〕의: ~ disease 퇴행성 질환.

de·glam·or·ize|-our·ize [diglǽməraiz] *vt.* 매력〔지위〕을 떨어뜨리는 듯한 취급을 하다.

de·glitch [diglítʃ] *vt.* …의 고장을 제거하다〔고치다〕.

de·glu·ti·tion [dìːgluːtíʃən] *n.* Ⓤ 〔生理〕 삼킴; 삼키는 작용.

de·grad·a·ble [digréidəbəl] *a.* (화학적으로) 분해할 수 있는.

***deg·ra·da·tion** [dègrədéiʃən] *n.* Ⓤ **1** 좌천, 파면. **2** 저락, 하락, 타락, 퇴폐. **3** 퇴보; 〔生〕 (기능) 퇴화(degeneration); 〔地質〕 (지층·암석 등의) 붕괴; 〔化〕 분해. ◇ degráde *v.*

***de·grade** [digréid] [L] *vt.* **1** 지위를 낮추다, 좌천시키다, 면직〔강등〕하다. **2** 품위〔가치〕를 떨어뜨리다; 면목을 잃게 하다. **3** 〔生〕 퇴화시키다; 〔地質〕 붕괴시키다; 〔物〕〈에너지를〉 변쇠(變衰)시키다. ── *vi.* **1** 지위〔신분〕가 떨어지다; 위계를 잃다. **2** 타락하다, 품위가 떨어지다; 〔生〕 퇴화하다. **3** (Cambridge 대학교에서) 우등 학위 지원의 시험을 1년간 연기하다. ◇ degradátion *n.*

de·grad·ed [digréidid] *a.* 타락〔퇴화〕한.

de·grad·ing [digréidiŋ] *a.* 품위를〔자존심을〕 떨어뜨리는, 치사한, 창피스러운. **~·ly** *ad.*

★**de·gree** [digríː] *n.* **1** Ⓒ,Ⓤ 정도, 등급 (grade); 단계. **2** Ⓤ《古》 계급, 신분, 지위; Ⓒ 학위: take the doctor's ~ 박사 학위를 받다. **3** (각도·경위도·온도계 등의) 도, 각도율; 〔樂〕 도(度); 〔數〕 차(次)(수): 45 ~*s* 45도/~*s* of latitude 위도. **4** 〔文法〕 급: the positive 〔comparative, superlative〕 ~ 원〔비교, 최상〕급(級). **5** 〔法〕 촌수: a relation in the fourth ~ 4촌. **6** 〔미法〕 범죄의 등급: a murder in the first ~ 제1급 살인. **a degree of freedom** 〔物〕 자유도. **a high〔low〕 degree of** 고도〔저도〕의. **by degrees** 차차〔점차〕로. **degrees of frost** 빙점하, 영하 …도: We had five ~*s of frost.* 영하 5도였다. **in a degree** 조금은. **in a greater or less degree** (정도의 차는 있으나) 다소라도. **in some degree** 얼마간. **man of high〔low〕 degree** 신분이 높은〔낮은〕 사람. **not in the slightest〔least, smallest〕 degree** 조금도 …않는. **prohibited〔forbidden〕 degrees (of marriage)** 결혼 금지의 친등〔촌수〕《1등친에서 3등친》. **Song of Ddegrees** =GRADUAL PSALMS. **the third degree** 《미》 경찰의 엄중한 취조, 고문. **to a certain degree** 어느 정도는. **to a degree** 《영》 매우; 《미》=in some DEGREE. **to a high degree** 고도로, 대단히. **to some degree** =in some DEGREE. **to the last degree** 극도로.

degrée dày (대학의) 학위 수여일.

de·gree-day *n.* 기온 편차일《어느 날의 평균 온도의 표준 온도와의 차》.

de·grée·less *a.* 눈금이 없는, 눈금으로는 측정할 수 없는; 학위가 없는, 칭호가 없는.

degrée of fréedom 〔物·化〕 자유도(自由度)《어떤 역학계(系)에 있어서 그 위치를 결정하는 좌표 가운데 독립한 임의의 변화를 할 수 있는 것의 수》.

de·gres·sion [digréʃən] *n.* Ⓤ 하강(下降)(descent), (과세의) 체감.

de·gres·sive [digrésiv] *a.* 체감적인.

de haut en bas [dəóutɑ̃ːbáː] [F] *a., ad.* 깔보는 (태도로), 무례한 (태도로).

de·head [diːhéd] *vt.* 〈새우 등의〉 머리를 자르다〔잘라떼다〕.

de·hire [diːháiər] *vt.* 《미》 퇴직시키다.

de·hisce [dihís] *vt.* 입을 벌리다(open); 〈씨껍질·과실이〉 터져 벌어지다, 열 개하다.

de·his·cence [dihísns] *n.* Ⓤ 〔植〕 열개(裂開), 터져 벌어짐.

de·his·cent [dihísnt] *a.* 〔植〕 열개성의.

de·horn [diːhɔ́ːrn] *vt.* 《미》 뿔을 잘라내다. ── *n.* 《미俗》 주정뱅이, 취한.

de·hor·ta·tion [dìːhɔːrtéiʃən] *n.* 말림; 간언(諫言). **de·hor·ta·tive** [dihɔ́ːrtətiv] *a.* 말리는, 간언의.

de·hu·man·ize [diːhjúːmənàiz] *vt.* 인간성을 빼앗다, 〈사람을〉 기계적〔비개성적〕으로 만들다. **dè·hù·man·i·zá·tion** [dihjùːmənizéiʃən] *n.* Ⓤ 인간성 말살.

de·hu·mid·i·fi·er *n.* 제습기(除濕機).

de·hu·mid·i·fy [dìːhju(ː)mídəfài] *vt.* (**-fied**) 〈대기에서〉 습기를 없애다, 탈습(脫濕)하다; 〈군함 내부 등을〉 건조시키다.
dè·hu·mìd·i·fi·cá·tion [dìːhju(ː)mìdəfikéiʃən] *n.*

de·hy·drate [diːháidreit] *vt.* 탈수(脫水)하다, 수분을 빼다, 건조시키다. ── *vi.* 수분이 빠지다, 탈수되다, 마르다. **-dra·tor** *n.* 탈수기〔장치〕; 탈수〔건조〕제.

de·hy·dra·tion [-ʃən] *n.* Ⓤ 탈수.

de·hy·dro·freez·ing [diːháidrəfrìːziŋ] *n.* Ⓤ (식품의) 급속 건조 냉동법.

de·hy·dro·gen·ase [diːháidrədʒəneis, -neiz] *n.* 〔生化〕 탈(脫)수소 효소《산화 환원 효소류(類)의 일종》.

de·hy·dro·gen·ate [dìːhaidrádʒənèit, -háidrə-] *vt.* 〔化〕 (화합물에서) 수소를 제거하다. **dè·hy·drò·gen·á·tion** [-néiʃən] *n.*

de·hy·dro·gen·ize [diːháidrədʒənàiz] *vt.* =DEHYDROGENATE.

de·hyp·no·tize [diːhípnətàiz] *vt.* 최면술을 풀다, 최면 상태에서 깨어나게 하다.

de·ice [diːáis] *vt.* (비행기 날개·차창·냉장고 등에) 제빙(除氷)〔방빙(防氷)〕 장치를 하다.

de·ic·er [diːáisər] *n.* 제빙〔방빙〕 장치.

de·i·cide [díːəsàid] *n.* **1** Ⓤ 신(神)을 죽임. **2** 신을 죽이는 사람.

deic·tic [dáiktik] *a.* 〔論〕 직증적(直證的)인 (*opp.* elenctic); 〔文法〕 지시적인(demonstrative).

de·if·ic [diːífik] *a.* 신격화하는; 신과 같은.

de·i·fi·ca·tion [dìːəfəkéiʃən] *n.* Ⓤ 신으로 숭상함〔섬김〕, 신격화; 신성시.

de·i·form [díːəfɔ̀ːrm] *a.* 신의 모습을 한; 신 같은.

de·i·fy [díːəfài] (**-fied**) *vt.* 신으로 섬기다; 신으로 받들다, 신성시하다. ── *vi.* 신성해지다. **-fi·er** *n.*

deign [dein] *vi.* **1** 황송하옵게도 …하여 주시다(condescend): (Ⅱ *to* do) The King ~*ed to* accept the offer. 국왕께서는 황송하옵게도 그 제안을 받아 들이셨다/The King ~*ed to* grant an audience. 황송하옵게도 국왕께서 배알을 허락해 주셨다. **2** (주로 부정문에서) 머리를 숙여〔부끄러움을 참고, 체면 불구하고〕

…하다. ── *vt.* 《주로 부정문에서》 …을 하사하다, 내리다: She ~*s* us no attention. 그녀는 우리를 거들떠보지도 않는다.

De·i gra·ti·a[dí:ai-gréiʃiə][L] *ad.* 신의 은총으로.

deil[di:l] *n.* 《스코》 =DEVIL.

de·in·dus·tri·al·i·za·tion[dì:indʌ̀striəlizéiʃən] *n.* U (특히 패전국의) 산업 조직의 파괴〔축소〕.

de·in·sti·tu·tion·al·ize[dì:instət*j*ú:ʃənəlàiz] *vt.* 비(非)제도화하다.

de·in·te·grate[dì:íntəgrèit] *vt.* (기업의 종합 경영을 그만두고) 분산 전문 경영으로 하다.

de·in·te·gra·tion[di:ìntəgréiʃən] *n.* 비종합 기업화.

de·i·on·ize[di:áiənàiz] *vt.* 〔化〕 〈물·기체 등의〉 이온을 제거하다.

de·ism[dí:izəm] *n.* U 〔哲〕 이신론(理神論), 자연신론〔교〕. **de·ist**[dí:ist] *n.* 자연신교 신도.

de·is·tic, -ti·cal[-tik], [-əl] *a.* 자연신교(도)의.

*****de·i·ty**[dí:əti] *n.* (*pl.* **-ties**) **1** U 신위(神位), 신격, 신성(神性). **2** 신(god)《다신교의 남신·여신》: (the D-) (일신교의) 신, 하느님 (God). **3** 신적 존재. ◇ déify *v.*

dé·jà en·ten·du[dèiʒa:ɑ̃tɑ̃d*j*ú:] [F] *n.* 이미 (듣고) 안다는 느낌〔인식〕.

dé·ja lu[dèiʒa:l*j*ú:] [F] *n.* 이미 읽은 적이 있다는 느낌〔인식〕.

dé·jà vu[dèiʒa:vjú:][F] *n.* 〔心〕 기시(감)(旣視(感))《일종의 착각》.

de·ject[didʒékt] *vt.* …의 기를 꺾다, 낙심〔낙담〕시키다. ── *a.* 《古》 =DEJECTED.

de·jec·ta[didʒéktə] *n. pl.* 배설물; 똥오줌.

*****de·ject·ed**[didʒéktid] *a.* 낙심한, 풀이 죽은. **~·ly** *ad.* 맥없이, 낙심하여.

de·jec·tion[didʒékʃən] *n.* U **1** 낙담, 실의: in ~ 낙담하여. **2** 우울. **3** U,C 〔醫〕 배설물; 통변(通便).

dé·jeu·ner[déiʒənèi, ⌐−⌐] [F] *n.* (특히, 늦은) 아침 식사; 점심(lunch).

de ju·re[di:-ʒúəri] [L] *ad., a.* 정당하게〔한〕, 합법으로〔의〕, 법률상(의)(*opp.* de facto).

dek(·a)-[dék(ə)] 《연결형》 =DEC(A)-.

dek·ko[dékou] *n.* (*pl.* ~**s**) 《영俗》 일별(一瞥), 엿봄.

del. delegate; delete. **Del.** Delaware.

de·laine[dəléin] *n.* U 메린스, 모슬린.

de·lam·i·nate[di:lǽmənèit] *vi., vt.* 얇은 조각〔층〕으로 갈라지다〔가르다〕; 〔生〕 엽렬(葉裂)하다. **dè·làm·i·ná·tion** [di:læ̀mənéiʃən] *n.*

De·lá·ney améndment〔**cláuse**〕[diléini-] 《미》 딜레이니 수정〔조항〕《발암성 식품 첨가물 등의 전면 금지법》.

de·late[diléit] *vt.* 《古》 고소하다; 소문을 퍼뜨리다.

de·la·tion *n.* U 고소, 고발.

de·la·tor *n.* 고소인, 밀고자.

*****Del·a·ware**[déləwὲər] *n.* **1** 델라웨어주《미국 동부에 있는 주; 略: Del.》. **2** (the ~) 델라웨어강. **3** 델라웨어종의 포도. **4** 델라웨어 말. **5** 델라웨어 족. ◇ Delawárean, -ian *a., n.*

Del·a·war·e·an, -i·an[dèləwέəriən] *a.* 델라웨어주의. ── *n.* 델라웨어주의 사람.

Délaware Wáter Gàp (the ~) 델라웨어 협곡.

*****de·lay**[diléi] *vt.* **1** 늦추다, …을 지체시키다: Ignorance ~*s* progress. 무지가 진보를 늦춘다/The ship *was* ~*ed* (*for*) an hour by a storm. 그 배는 폭풍으로 1시간 연착했다. **2** 미루다, 연기하다: 《Ⅲ -*ing*》 Don't ~ answer*ing* the letter. 그 편지의 회답을 하는 것을 미루지 말아라. ── *vi.* 우물쭈물하다; 시간이 걸리다. ── *n.* U,C **1** 지연, 지체; 유예, 연기: 《Ⅰ *There* vⅠ+(주)+전+-*ing*》 There must be no ~ *in* forward*ing* these goods. 이 상품을 발송하는 데 지체되어서는 안된다. **2** 지연 시간〔기간〕. **admit of no delay** 잠깐의 여유도 주지 않다. **without** (**any**) **delay** 지체 없이, 곧(at once).

de·layed-ac·tion[diléidǽkʃən] *a.* 지발(遲發)의: a ~ bomb 지발성 폭탄, 시한 폭탄.

deláyed néutron 〔物〕 지발 중성자.

deláyed tíme sỳstem 〔電子〕 시간 지연〔축적〕 방식(*opp.* real-time system).

de·láy·ing àction 지연 전술.

deláy machìne 〔樂器〕 딜레이 머신《음성 신호를 임의로 지연시켜 재생하는 장치》.

de·le[dí:li] [L =delete] *vt.* 〔校正〕 삭제하라(*cf.* DELETE).

de·lec·ta·ble[diléktəbəl] *a.* (때때로 비꼬아) 즐거운, 기쁜; 맛있는. **~·ness** *n.* **delectability** *n.* **-bly** *ad.*

de·lec·ta·tion[dì:lektéiʃən, dilèk-] *n.* U 환희, 쾌락(pleasure): for one's ~ 재미로.

de·lec·tus[diléktəs] *n.* (학습용) 라틴〔그리스〕 작가 발췌서〔본〕, 명문초(名文抄).

del·e·ga·ble[déligəbəl] *a.* 〈직권 등이〉 대리인에게 위임할 수 있는.

del·e·ga·cy[déligəsi] *n.* (*pl.* **-cies**) **1** 대표 임명〔파견〕; 대표권. **2** 대표자단, 사절단.

de·le·gal·ize[di:lí:gəlàiz] *vt.* …의 법적 인가를 취소하다, 비합법화하다.

******del·e·gate**[déligit, -gèit] *n.* **1** 대표, 대리자(deputy), 사절, 파견 위원(*cf.* REPRESENTATIVE). **2** 《미》 (Territory 선출의) 연방 하원의원, 대의원《발언권은 있으나 투표권이 없음》. ── [-gèit] *vt.* **1** (대리자·대표자로서) 특파〔파견〕하다: ~ a person *to* attend a conference …을 대표로서 회의에 참석시키다/~ a person *to* perform a task 일을 수행하기 위하여 …을 파견하다. **2** 〈권한 등을〉 위임하다(*to*): ~ power〔authority〕 *to* a person …에게 권한을 위임하다. **3** 〔法〕 〈채무를〉 전부(轉付)하다. ◇ delegátion *n.*

dél·e·gat·ed legislátion (영국 의회의) 위임 입법.

*****del·e·ga·tion**[dèligéiʃən] *n.* **1** U 대표 임명; (권력 등의) 위임. **2** U 대표 파견. **3** (집합적) 대표단, 파견단; 《미》 각 주(州)를 대표하는 국회 의원. ◇ délegate *v.*

de·lete[dilí:t] *vt.* 삭제하다, 지우다(*from*)《◇ 교정 용어; 略: del.》(*cf.* DELE); 〔컴퓨터〕 삭제하다.

del·e·te·ri·ous[dèlətíəriəs] *a.* 《文語》(심신에) 해로운; 유독한. **~·ly** *ad.* **~·ness** *n.*

de·le·tion[dilí:ʃən] *n.* U 삭제; C 삭제 부분.

delft[delft], **delft·ware**[délftwὲər], **delf**[delf] *n.* U 델프(트) 도자기〔오지 그릇〕《네덜란드 Delft 산(産); 일종의 채색도기》.

Del·hi[déli] *n.* 델리《인도 북부의 연방 직할주, 그 주도; Mogul 제국의 옛 수도; 원래 영국의 인도 정청(政廳) 소재지》.

Délhi bélly 《俗》 여행자의 인도 설사.

del·i[déli] *n.* 《미口》 =DELICATESSEN.

De·li·a[dí:ljə] *n.* 여자 이름.

*****de·lib·er·ate**[dilíbərit][L] *a.* **1** 신중한, 생각이 깊은, 사려 깊은. **2** 찬찬한, 침착한, 느긋한. **3** 고의의, 계획적인: ~ murder 모살(謀殺).

— [-líbərèit] *vt.* **1** 숙고하다, 신중히 생각하다:(Ⅲ *what to* do) I ~*d what to* do next. 다음에 무엇을 할 것인가를 숙고했다/~ *how to* do it 그것을 하는 방법을 숙고하다. **2** 심의〔협의, 숙의(熟議), 토의〕하다:(Ⅲ *what*(절)) The committee are *deliberating* what they said. 그 (전)위원들은 그들이 한 말을 심의하고 있다. — *vi.* **1** 숙고하다, 신중히 고려하다 (*on, upon, about, over*):(Ⅲ *v*Ⅰ+전+(목)) He ~*d on*〔*about*〕a difficult problem. 그는 한 어려운 문제를 숙고했다. **2** (위원회 등이 정식으로) 심의하다, 협의하다(*on, upon, over*):(Ⅲ *v*Ⅰ+(부목)+전+(목)) The committee have been *deliberating* all afternoon over the question of raising taxes. 그 (전)위원들은 오후 내내 세금 인상 문제를 심의하고 있다.
 ◇ deliberátion *n.*: delíberative *a.*

de·lib·er·ate·ly [dilíbəritli] *ad.* 신중히; 고의로, 일부러; 찬찬히, 유유히.

de·lib·er·ate·ness *n.* Ⓤ 심사 숙고; 신중; 고의; 유유함.

de·lib·er·a·tion [dilìbəréiʃən] *n.* Ⓤ **1** 숙고, 곰곰이 생각함; U,C 심의, 토의. **2** 고의. **3** 신중함;(동작의) 완만, 찬찬함. **under deliberation** 숙고 〔협의〕 중. **with deliberation** 주도하게, 차근차근.
 ◇ delíberate *v., a.*: delíberative *a.*

de·lib·er·a·tive [dilíbərèitiv, -rit-] *a.* 깊이 생각하는; 심의하는: a ~ assembly 심의회. **~·ly** *ad.* 숙고한 끝에, 신중히. **~·ness** *n.*

de·lib·er·a·tor [dilíbərèitər] *n.* 숙고자, 심의자.

del·i·ca·cy [délikəsi] *n.* (*pl.* **-cies**) Ⓤ **1** (빛깔 등의) 고움. **2** (용모·자태 등의) 우아, 고상함. **3** 정교(함);(감각 등의) 섬세, 민감, (계기(計器) 등의) 민감도, 정밀함. **4** 신중함, (문제 등의) 미묘함, 다루기 힘듦: a matter of great ~ 극히 미묘한 문제. **5** 솜씨있음, 신중함. **6** (다른 사람의 감정에 대한) 동정심, 곰살궂음; 겸손한 마음씨, 얌전함. **7** 날씬함; 허약, 연약함: ~ of health 병약. **8** Ⓒ 맛있는 음식. **feel a delicacy about** …을 꺼리다, 을 스스러워하다. **give a proof of one's delicacy** 동정심이 있음을 보이다(*about, in*).
 ◇ délicate, delícious *a.*

del·i·cate [délikət, -kit] *a.* **1** 섬세한, 고운(fine); 가날픈, 연약한(frail), 허약한(feeble), 깨지기 쉬운: in ~ health 병약하여/a ~ china 깨지기 쉬운 자기. **2** 예민한; 민감한, 〈성미가〉 까다로운. **3** 〈빛깔이〉 아름다운, 〈색조가〉 부드러운, 연한. **4** 〈기계 등이〉 정밀한. **5** 미묘한; 〈차이가〉 극미한(subtle): a ~ difference 미묘한 차이. **6** 다루기 어려운, 말하기〔하기〕 힘드는, 세심한 주의〔솜씨〕가 필요한: a ~ situation 어려운 입장/a ~ operation 힘드는 수술. **7** 솜씨 좋은, 교묘한. **8** 우아한, 고상한(decent). **9** 동정심이 있는, 곰살궂은, 자상한: ~ attention 배려. **10** 맛좋은. **be in a delicate condition** 《미俗》 임신중이다. **~·ness** *n.* ◇ délicacy *n.*: délicately *ad.*

del·i·cate·ly *ad.* 우아하게, 섬세하게; 미묘하게; 정교하게; 고상하게.

del·i·ca·tes·sen [dèlikətésn] *n.* **1** (*pl.* ~**s**) (단수 취급) 조제 식품 판매점〔식당〕. **2** (집합적; 《미》 복수 취급; 《영》 단수 취급) 조제(調製) 식품(미리 요리된 고기·치즈·샐러드·통조림 등). **3** 《미俗》 탄알, 소총탄(bullets). **4** 《미廣告俗》 일터, 작업장.

de·li·cious [dilíʃəs] [L] *a.* **1** 매우 맛좋은, 맛있는(sweet-tasting); 향기로운. **2** 상쾌한, 즐거운, 매우 재미있는. — *n.* (**D-**) 델리셔스 (미국산 사과의 일종). **~·ly** *ad.* **~·ness** *n.*

de·lict [dilíkt] *n.* 〔法〕 불법 행위, 범죄. **in flagrant delict** 현행범으로.

de·light [diláit] [L] *n.* **1** Ⓤ 기쁨; 즐거움, 환희(*cf.* pleasure). **2** 기쁘게 하는 것, 즐거운 것:(Ⅱ *It v*Ⅱ+명+*to* do) It was a ~ *to* see you again. 다시 너를 만나게 되어 매우 기쁘다. **take〔have〕 (a) delight in** …을 기뻐하다, 을 즐기다, …을 낙으로 삼다:(Ⅲ *v*Ⅲ+명+전+-*ing*) I *take*〔*have*〕 (*a*) *great delight in* rid*ing* my new bicycle. 나는 새 자전거를 타는 것을 퍽 즐기고 있다/(Ⅲ *v*Ⅲ+명+전+(목)) He *takes*〔*has*〕 the greatest *delight in* philosophy. 그는 철학을 가장 즐기고 있다. **to one's (great) delight** …로서는 (매우) 기쁘게도. **with delight** 기꺼이, 크게 기뻐하며.
— *vt.* (매우) 기쁘게 하다, 〈귀·눈을〉 즐겁게 하다; 즐기게 하다; …에게 즐거움이 되다:(Ⅲ (목)+전+명) He ~*s* us *with* his return. 그가 돌아와서 우리는 매우 기쁘다/(Ⅲ (목)) These photographs ~ the eyes. 이 사진들은 눈을 즐겁게 해준다〔눈요기가 된다〕/The performing monkeys ~*ed* the children. 원숭이들이 재주부리는 것을 보고 그 어린애들은 즐거워 했다. — *vi.* 기뻐하다, 즐기다(*in*); 기꺼이 (…)하다:(Ⅲ *v*Ⅰ+전+(목)) (*no pass.*) She sometimes ~*s in* the rainbow. 그녀는 때때로 무지개를 보고 즐긴다/(Ⅲ *v*Ⅰ+전+-*ing*) Children ~ *in* watch*ing* the monkeys in the monkey-house. 어린애들은 우리 속에 있는 원숭이들을 즐겁게 구경한다/(Ⅱ *to* do) We ~ *to* serve Jesus. 우리는 기꺼이 예수님을 섬깁니다/Why do you ~ *to* torture me? 너는 왜 나를 괴롭히는 것을 즐기느냐.

de·light·ed [diláitid] *a.* **1** 아주 기뻐하는〔즐거워 하는〕(*at, in*):(Ⅱ 형) I'll be ~. 좋습니다〔알겠습니다〕/(Ⅱ 형+*to* do) She was ~ *to* hear the news. 그녀는 그 소식을 듣고 몹시 기뻐했다(=She was ~ *at* the news.(Ⅱ 형+전+명))/(Ⅱ 형+*to* do) I'm ~ *to* see〔meet〕 you. 만나뵙게 되어 반갑습니다/(Ⅱ 형+*that*(절)) She was ~ *that* you were well again. 그녀는 당신의 건강이 회복된 것을 기뻐하였다. **2** (shall〔will〕 be ~ *to* do의 형태로) 기꺼이 하다: I'll be ~ *to* help you. 기꺼이 도와드리겠습니다. **be delighted at** …을 듣고〔보고, 알고, 하고〕 기뻐하다:(Ⅱ 형+전+-*ing*) She *was delighted at* receiv*ing* so many letters of congratulation. 그녀는 그렇게 많은 축하편지를 받고 기뻐했다(=She *was delighted to* receive so many letters of congratulation. (Ⅱ 형+*to* do))/**be delighted with** …가〔이〕 마음에 들다:(Ⅱ 형+전+명) She *was delighted with* the new house. 그녀는 그 새집이 마음에 들었다. **~·ly** *ad.* 기뻐서, 기꺼이.

de·light·ful [diláitfəl] *a.* 매우 기쁜, 즐거운, 몹시 유쾌한; 매혹적인, 귀염성 있는: a ~ room 쾌적한 방. **~·ly** *ad.* **~·ness** *n.*

de·light·some *a.* 《詩·文語》=DELIGHTFUL.

De·li·lah [diláilə] *n.* **1** 여자 이름. **2** 〔聖〕 델릴라(Samson을 배반한 여자). **3** 《일반적으로》 배반한 여자, 요부.

de·lim·it, -i·tate [dilímit], [dilímitèit] *vt.* 범위〔한계, 경계〕를 정하다.

de·lim·i·ta·tion [dilìmitéiʃən] *n.* **1** Ⓤ 한계〔경계〕 결정. **2** 한계, 분계.

de·lim·it·er [dilímitər] *n.* 〔컴퓨터〕 구획 문자(테이프에서 데이터의 시작〔끝〕을 나타냄).

de·lin·e·ate [dilínièit] *vt.* 윤곽을 그리다;

묘사〔서술〕하다. **-a·tive** *a.*

de·lin·e·a·tion[dilìniéiʃən] *n.* **1** Ⓤ 묘사. **2** 도형; 설계, 도해;(재봉용) 본. **3** 서술, 기술.

de·lin·e·a·tor[dilínièitər] *n.* **1** 묘사하는 사람〔기구〕. **2** (양재의) 본.

de·lin·quen·cy[dilíŋkwənsi] *n.* (*pl.* **-cies**) **1** Ⓤ 직무 태만, 의무 불이행; Ⓤ,Ⓒ 지불 기한이 지난 부채, 체납(금). **2** Ⓤ,Ⓒ 과실, 범죄, 비행; =JUVENILE DELINQUENCY.

de·lin·quent[dilíŋkwənt] *a.* 직무태만의; 비행을 저지른; 비행자의, 비행 소년의; 체납하는. ── *n.* (직무) 태만자; 범법자; =JUVENILE delinquent.

delínquent sùbculture 〔心〕 비행성(非行性) 저(低)문화《비공리성·찰나주의·집단 맹종성 등》.

del·i·quesce[dèlikwés] *vi.* 용해하다; 〔化〕 조해(潮解)하다; 〔生〕 융화(融化)하다.

del·i·ques·cence[-kwésns] *n.* Ⓤ 용해; 〔化〕 조해(성). **-cent**[-nt] *a.*

de·lir[dilíər] *vi.* 섬망 상태가 되다.

del·i·ra·tion[dèləréiʃən] *n.* 《稀》=DELIRIUM.

*__de·lir·i·ous__[dilíriəs] *a.* 헛소리를 하는, 일시적 정신 착란의《*from, with*》; 열중한, 미쳐 날뛰는, 기뻐서 흥분한《*with*》: ~ *with* joy 기뻐서 어쩔줄 모르는. **~·ly** *ad.* 열중하여. **~·ness** *n.* ⊕ delírium *n.*

de·lir·i·um[dilíriəm] [L] *n.* (*pl.* **~s, -i·a**[-riə]) Ⓤ,Ⓒ 섬망 상태, 일시적 정신 착란; 맹렬한 흥분 (상태), 광란, 광희(狂喜): a ~ *of* joy 광희. **lapse**〔**fall**〕 **into** (**a**) **delirium** 헛소리를 하기 시작하다.

delírium tre·mens[-trí:mənz] [L] *n.* 〔醫〕 (알코올 중독에 의한) 중풍성 섬망증《略: d.t.('s), D.T.('s)》.

de·list[di:líst] *vt.* 목록〔표〕에서 빼다.

del·i·tes·cence[dèlətésns] *n.* Ⓤ 잠복 (기간);(증상의) 돌연 소실(消失).

del·i·tes·cent[dèlətésnt] *a.* 《稀》 잠복하고 있는.

⁑**de·liv·er**[dilívər] [L] *vt.* **1** 〈물건·편지를〉 배달하다, 〈전언 등을〉 전하다; 넘겨 주다, 인도하다, 포기하다《*up, over; to, into*》; 〔法〕 정식으로 교부하다: 《Ⅴ(목)+*do*+*wh.*(절)》《*wh.*(절)-Ⅲ(목)+전+명》 Let us know *when* you can ~ the goods to us. 언제 그 상품을 우리에게 인도할 수 있는지 알려주십시오/~ a city *up* 도시를 포기하다/~ a castle (*up*) *to* an enemy 성을 적에게 내어주다. **2** 〈연설·설교를〉 하다, 〈의견을〉 말하다: 《Ⅲ(목)+전+명》 Lincoln ~*ed* an address at Gettysburg. 링컨은 게티즈버그에서 연설을 했다. **3** 〈타격·공격 등을〉 주다, 가하다《*at*》; 〈유전이 기름을〉 분출시키다, 내다; 〈타자에게 공을〉 던지다: ~ an attack *against*〔*on*〕 an enemy 적에게 공격을 가하다. **4** 구해내다, 구해주다, 구원하다(relieve); 구출하다, 구조하다; 해방시키다《*from, out of*》: 《Ⅲ(목)+전+명》 He ~*ed* her *from*〔*out of*〕 danger. 그는 그녀를 위험에서 구해주었다/*D*- us *from* evil. 〔聖〕 우리를 악에서 구하옵소서《주기도문》. **5** (보통 수동형) 분만〔해산〕시키다《*of*》: She was ~*ed of* a boy. 그녀는 사내아이를 분만했다/The doctor ~*ed* her *of* a girl. 의사는 그녀의 여자 아기를 받아냈다. **6** 《미口》 후보자·정당을 위하여 〈표를〉 모으다. ── *vi.* 분만〔해산〕하다, 낳다; 배달하다; 기대에 보답하다, 성공하다. **be delivered of** 〈아이를〉 낳다; 〈시를〉 짓다. **deliver a jail** 교도소에서 죄수를 법정으로 데려 내오다. **deliver battle** 공격을 개시하다. **deliver oneself of an opinion** (의견)을 말하다. **deliver oneself to the police** (경찰)에 자수하다. **deliver over** 내주다. **deliver the goods** 물건을 넘기다; 《口》 약속을 이행하다, 기대에 어그러지지 않다. **deliver up** 넘겨 주다; 〈성 등을〉 내주다. **~·a·ble**[-əbəl] *a.* ⊕ delíverance, delívery *n.*

*__de·liv·er·ance__[dilívərəns] *n.* **1** Ⓤ 《文語》 구출, 구조《*from*》; 석방(release), 해방. **2** Ⓤ,Ⓒ 진술〔의견〕(의 공표), 공식 의견. **3** Ⓤ,Ⓒ 〔法〕 (배심의) 평결.

de·liv·ered[dilívərd] *a.* 〔商〕 …인도(引渡)의: ~ to order 지정인 인도/~ on rail 화차 적하(積荷) 인도.

delívered príce 인도 가격.

*__de·liv·er·er__[dilívərər] *n.* **1** 구조자; 석방자. **2** 인도인(引渡人), 교부자, 배달인.

⁑**de·liv·er·y**[dilívəri] *n.* (*pl.* **-er·ies**) Ⓤ,Ⓒ **1** (편지 등의) 배달, …편; 배달물. **2** 인도, 명도, 교부, 출하, 납품. **3** 구조, 해방. **4** 말투, 강연〔논술〕(투). **5** 방출, 발사; 배급, 배수(配水); 〔球技〕 투구법; 타격법. **6** 분만, 해산, 출산: an easy ~ 순산. **delivery port** 인도항. **express**〔《미》 **special**〕 **delivery** 속달. **payment on delivery** 현품 상환 지불. **take delivery of** (**goods**) (물건을) 인수하다. ⊕ delíver *v.*

delívery bòy 배달 사환; 신문 배달 소년.

de·liv·er·y·man[dilívərimæ̀n] *n.* (*pl.*-**men**[-mən]) 상품 배달원.

delívery nòte 《영》 상품 수령증.

delívery ròom **1** (병원의) 분만실. **2** (도서관의) 도서 인수〔인도〕실.

dell[del] *n.* (수목이 우거진) 작은 골짜기.

Del·la[délə] *n.* 여자 이름《Adela, Delia의 애칭》.

Dél·lin·ger phenòmenon 〔物〕 델린저 현상《태양 흑점의 출현과 관계 있는 전신 전파의 이상 감쇠》.

del·ly, del·lie[déli] *n.* 《口》 =DELI.

Del·mar·va[delmá:rvə] [*Del*aware+*Mar*yland+*V*irgini*a*] *n.* 《미》 델마버(반도)《미국 동부 3주를 포함하는 반도; 비공식 호칭》.

de·lo·cal·ize[di:lóukəlàiz] *vt.* 본래의 장소에서 옮기다, 지방성을 없애다. **-cal·i·za·tion**[-lizéiʃən] *n.*

de·louse[di:láus, -láuz] *vt.* 이를 잡다.

Del·phi[délfai] *n.* 델포이《그리스의 옛 도시; Apollo 신전이 있었음》.

Del·phi·an, -phic[délfiən], [-fik] *a.* DELPHI의; Apollo 신전〔신탁(神託)〕의; 모호한.

Del·phi·cal·ly[délfikəli] *ad.* 모호하게.

Délphic óracle 아폴로 신전의 신탁.

Del·phine[delfí:n] *n.* 여자 이름.

del·phin·i·um[delfíniəm] *n.* (*pl.* ~**s, -i·a**[-iə]) 〔植〕 참제비고깔; 짙은 청색.

Del·phi·nus[defáinəs] *n.* 〔天〕 돌고래자리 (the Dolphin).

Del·phol·o·gy[delfálədʒi] *n.* (과학·기술 분야에서의) 미래 예측 방식의 연구.

*__del·ta__[déltə] *n.* **1** 델타《그리스어 알파벳의 넷째자 Δ, δ; 영어의 D, d에 해당》. **2** Δ자꼴의 물건;(특히 하구의) 삼각주;(the D-) 나일강 어귀의 삼각주;(D-) 미국의 인공 위성 발사 로켓. ⊕ deltáic *a.*

Délta Áir Línes 델타 항공《미국의 항공 회사》.

Délta blùes 델타 블루스《컨트리 뮤직》.

Délta Fórce 《미》 델타 테러 타격 부대.

del·ta·ic *a.* 삼각주의〔같은〕.

délta mètal 〔冶〕 델타 메탈《구리·아연·철의 합금》.

délta rày 〔物〕 델타선.
délta rhýthm 〔醫〕 델타 리듬(delta wave).
délta wàve 〔醫〕 (뇌파의) 델타파《깊은 수면 상태 때 보임》.
délta wìng (제트기의) 삼각 날개.
del·ta-winged *a.* 삼각 날개의 〈제트기 등〉.
del·ti·ol·o·gy [dèltiάlədʒi/-ɔ́l-] *n.* Ⓤ 그림 엽서 수집.
del·toid [déltɔid] *a.* 델타자(Δ) 모양의, 삼각형의, 삼각주 모양의. ── *n.* 〔解〕 삼각근 (=∠ **mùscle**)
delts [delts] *n. pl.* 《口》 〔解〕 삼각근(筋).
∗**de·lude** [dilú:d] [L] *vt.* 속이다, 착각하게 하다, 현혹하다; 속이어 …시키다:《Ⅲ *to* do》((*to* do)-Ⅲ (목)+전+명) He tried *to* ~ her *with* false hopes. 그는 부질없는 희망으로 그녀를 속이려고 했다/《Ⅲ (목)+전+명》 She ~*d* him *to* his ruin. 그녀는 속여서 그를 파멸시켰다/《Ⅴ (목)+전+-*ing*》 You won't ~ him *into* believ*ing* it. 너는 그가 그것을 믿도록 속이지는 않겠지. **delude oneself** 착각하다, 망상하다. ◇ delúsion *n.*: delúsive *a.*
∗**del·uge** [délju:dʒ] *n.* **1** 대홍수, 범람; 호우(豪雨); (the D-) 〔聖〕 노아의 대홍수《창세기 6-9》: a ~ of fire 불바다. **2** (편지·방문객 등의) 쇄도. **After me**〔**us**〕 **the deluge.** 다음에야 홍수가 지든 말든 무슨 상관이냐. ── *vt.* 범람시키다(flood); 밀어닥치다, 쇄도하다, 압도하다《*with*》: be ~*d with* applications 신청이 쇄도하다.
∗**de·lu·sion** [dilú:ʒən] *n.* **1** Ⓤ 현혹, 기만. **2** Ⓤ,Ⓒ 미혹, 환상, 잘못된 생각; 〔精醫〕 망상, 착각. **be**〔**labor**〕 **under a delusion** 망상에 시달리다. **delusion of persecution**〔**grandeur**〕 피해〔과대〕 망상. **~·al** *a.* ◇ delúde *v.*: delúsive *a.*
de·lu·sive [dilú:siv] *a.* 기만적인; 믿을 수 없는, 망상적인, 현혹적인, 착각하게 하는. **~·ly** *ad.* **~·ness** *n.* ◇ delúde *v.*
de·lu·so·ry [dilú:səri] *a.* = DELUSIVE.
de·luxe, de luxe [dəlúks, -lʌ́ks] [F] *a.* 호화로운, 사치스런: a ~ edition 호화판/articles ~ 사치품. ── *ad.* 호화롭게, 사치하게.
delve [delv] *vi.* **1** 〈서적·기록 등을〉 탐구하다, 깊이 파고들다. **2** 〈도로 등이〉 아래로 급경사지다. **3** 《古·詩》 파다. ── *vt.* 《古·詩》 〈땅을〉 파다(dig). ── *n.* 동굴(den); 움푹 팬 곳〔땅〕. **délv·er** *n.* 파는 사람; 탐구자.
dely. delivery. **dem.** demurrage. **Dem.** Democrat; Democratic.
dem- [di:m], **de·mo-** [dí:mou] 《연결형》 「대중, 민중, 인민」의 뜻《모음 앞에서는 dem-》.
de·mag·net·i·za·tion [di:mæ̀gnətizéiʃən] *n.* Ⓤ 소자(消磁).
de·mag·net·ize [di:mǽgnətàiz] *vt.* 자기(磁氣)를 없애다; 〈테이프의〉 녹음을 지우다. **-iz·er** *n.*
de·mag·ni·fy [di:mǽgnəfài] *vt.* (특히 보존을 위해) 축소하다, 마이크로화하다.
dem·a·gog [déməgɔ̀:g, -gὰg/-gɔ̀g] *n.* 《미》 = DEMAGOGUE.
dem·a·gog·ic, -i·cal [dèməgάdʒik, -gάgik/-gɔ́gik, -gɔ́dʒik], [-əl] *a.* 선동가의; 선동적인, 데마의.
dem·a·gog·ism [-izəm] *n.* = DEMAGOGUERY.
dem·a·gogue [déməgɔ̀:g, -gὰg/-gɔ̀g] [Gk] *n.* **1** 선동 정치가. **2** (옛날의) 민중〔군중〕 지도자. ── *vi.* demagogue로서 행동하다. ── *vt.* 과장해서 말하다.
dem·a·gogu·er·y [-əri] *n.* Ⓤ (민중) 선동; 선동 행위.
dem·a·gog·y [déməgòudʒi, -gɔ̀:gi, -gὰgi/-gɔ̀gi, -gɔ̀dʒi] *n.* **1** Ⓤ 민중 선동. **2** DEMAGOGUE에 의한 지배.
de·man [di:mǽn] *vi., vt.* 《영》 감원하다, 해고하다; 《미》 …의 사내다움을 없애다.
★**de·mand** [dimǽnd] [L] *vt.* **1** 요구〔요청〕하다 (ask for), 청구하다《*of, from*》: 《Ⅲ (목)》 The labors ~*ed* higher wages. 노무자들은 임금 인상을 요구했다《◇ demand는 사람을 목적어로 삼지 않음》/《Ⅲ (목)+전+명》 This ~*s* intellectual efforts *from* the critic. 이것은 비평가에게 지적 노력을 요구한다/You ~ too little *of* me. 네 요구는 너무 적다/《Ⅲ *to* do》 She ~*ed to be* satisfied. 그녀는 빚을 갚으라고 요구했다(=She ~*ed* satisfaction.) (◇ demand는《Ⅴ (목)+*to* do》의 형태로는 쓰지 않음)/《Ⅲ *that*(절)》 I ~*ed that* she (should) go there at once. 나는 그녀가 즉시 그곳으로 갈 것을 요구했다《◇ 《口》에서는 should를 쓰지 않는 경우가 많음》. **2** 〈사물이 숙련·인내·시일 등을〉 필요로 하다(need)(*cf.* REQUIRE): This matter ~*s* great caution. 이 일은 세심한 주의를 요한다. **3** 묻다, 힐문하다, 말하라고 다그치다: 《Ⅲ (목)》 He ~*ed* her business. 그는 그녀에게 무슨 용건인가를 물었다/《Ⅲ 전+명+*to* do》 He ~*ed from* her *to* give up her claim. 그는 그녀에게 그녀의 주장을 포기하겠다는 것을 말하라고 다그쳤다(=He ~*ed that* she should give up her claim.《Ⅲ *that*(절)》). **4** 〔法〕 소환하다, …에게 출두를 명하다.
── *n.* **1** 요구(claim); 청구(request); 요구되는 것, 요구 사항; 문의(問議); 강요《*for*》; 〔法〕 청구(권), 권리 주장: 《Ⅲ (목): *that*(절)》 His men made a ~ *that* he (should) permit them to taken a five minutes' break. 그의 부하들은 그에게 5분간 휴식을 허용해 달라고 요구했다. **2** Ⓤ 〔經〕 수요, 수요량, 판로(販路) 《*for, on*》. **be in demand** 수요가 있다. **demand and supply** = **supply and demand** 수요와 공급. **on demand** 요구〔수요〕가 있는 즉시.
de·mand·a·ble [-əbl] *a.* 요구〔청구〕할 수 있는.
de·man·dant [dimǽndənt, -mά:nd-] *n.* 요구자; 〔法〕 원고(原告).
demánd bìll〔**dràft**〕 = SIGHT DRAFT.
demánd bùs 《영》 요청 버스《일정 구역내의 이용자가 요청을 하면 태우러 오는 버스》.
demánd depòsit 요구불 예금.
de·mand·er *n.* 요구〔청구〕자.
demánd inflàtion = DEMAND-PULL.
de·mand·ing [dimǽndiŋ, -mά:nd-] *a.* 〈사람이〉 요구가 지나친, 지나친 요구를 하는; 〈일이〉 큰 노력을 요하는.
demánd lòan = CALL LOAN.
demánd nòte 일람불 약속 어음; 지불 청구서.
de·mand-o·ri·ent·ed [-ɔ́:rientid] *a.* 〔經〕 수요에 중점을 둔.
de·mand-pull [-pùl] *n.* 〔經〕 수요 과잉 인플레이션(=∠ **inflátion**)《수요가 공급을 초과할 때의 물가 상승》.
demánd-sìde *a.* 수요자측(중시)의 경제 이론〔정책〕의〔에 관한〕 (*cf.* SUPPLY-SIDE).
de·mánd-side económics 수요 중시의 경제학.
de-Mao·i·za·tion, -i·fi·ca·tion [di:màuizéiʃən], [-əfəkéiʃən] *n.* 탈(脫)모택동화(化), 모택동 색채의 일소.
de·mar·cate [dimά:rkeit, dí:mɑ:rkèit] *vt.*

한계를 정하다; 분리하다, 구별하다.

de·mar·ca·tion[dì:mɑ:rkéiʃən] [Sp] *n.* **1** 경계, 분계. **2** Ⓤ 경계(한계) 결정, 구분. **3** 《영》 〔勞〕 노동 조합간의 작업 관장 구분.

demarcátion dispùte 세력권(圈) 다툼.

dé·marche[deimá:rʃ] [F] *n.* (*pl.* ***-march·es*** [-mɑ́ərʃiz]) 수단, 조치; (특히 외교상의) 전환책(轉換策); (당국에 대한 시민의) 항의, 요구.

de·mar·ket·ing[di:mɑ́:rkitiŋ] *n.* 수요 억제를 위한 선전 활동.

de·mas·cu·lin·ize[di:mǽskjulənàiz] *vt.* …의 남성다움을 없애다.

de·mas·si·fy[di:mǽsifai] *vt.* (**-fied**) 비(非)대중화하다; 비집중화하다; 다양하게 하다.

de·ma·te·ri·al·ize[dì:mətíəriəlàiz] *vt., vi.* 비(非)물질화시키다(하다); 안 보이게 하다(되다).

deme[di:m] *n.* **1** 〔그리스史〕 (고대 Attica의) 시구(市區). **2** (현대 그리스의) 시(市), 지방자치체. **3** 〔生〕 딤《개군체(個群體)의 단위》.

de·mean¹ [dimí:n] *vt.* (보통 ～one*self*로) 〈신분·품위·명성을〉 떨어뜨리다. **demean oneself to do** 품격을 떨어뜨리고 …하다.

demean² *vt.* (～one*self*로)《文語》 행동하다, 처신하다(behave): ～one*self* well(ill, like a man) 훌륭하게(잘못, 남자답게) 처신하다.

∗**de·mean·or** | **-our**[dimí:nər] *n.* Ⓤ 처신, 거동, 행실, 품행; 태도(bearing)(⇨manner).

de·ment[dimént] *vt.* 《稀》 미치게 하다.

de·ment·ed[diméntid] *a.* 미친(mad); 치매가 된. **～·ly** *ad.* **～·ness** *n.*

dé·men·ti[deimɑ́:nti] [F] *n.* 〔外交〕 (소문 등에 대한) 공식 부인.

de·men·tia[diménʃiə] *n.* Ⓤ 〔精醫〕 백치, 치매: senile(precocious) ～ 노인성(조발성) 치매증.

deméntia práe·cox(**pré·cox**) [-prí:kɑks/-kɔks] 〔精醫〕 조발성 치매증.

Dem·e·rár·a (sùgar)[dèmərέərə] 황갈색 조당(粗糖).

de·merg·er[dimə́:rdʒər] *vt., vi.* 〈자회사 등을〉 분리하다.

de·mer·it[di:mérit] *n.* **1** 잘못, 과실; 단점, 결점(*opp.* merit). **2** 〔敎育〕 벌점(=∠ màrk). **the merits and demerits**[dí:merits] **of** …의 장단점, 득실, 공과(功過).

de·mesne[diméin, -mí:n] [F] *n.* **1** Ⓤ 〔法〕 토지의 점유. **2** 점유지, 소유지; 장원. **3** 저택에 따른 땅; (보통 *pl.*) 영지(estates); 사유지. **4** 지역(district); 활동 범위, 영역, 분야. **a demesne of the State** = **a State demesne** 국유지. **a royal demesne** = **a demesne of the Crown** 왕실 소유지(Crown lands). **hold estates in demesne** (토지)를 영유하다.

De·me·ter[dimí:tər] *n.* 〔그神〕 데메테르《농업·결혼·사회 질서의 여신; 〔로神〕 Ceres에 해당》.

dem·i-[démi] 《연결형》「반(半)…, 부분적…」의 뜻.

dem·i·god[démigɑ̀d/-gɔ̀d] *n.* **1** 반신반인(半神半人). **2** 숭배 받는 인물.

dem·i·god·dess *n.* DEMIGOD의 여성형.

dem·i·john[démidʒɑ̀n/-dʒɔ̀n] [F =Dame Jane] *n.* (채롱으로 싼) 목이 가는 큰 유리병《3-10갤런들이》.

de·mil·i·ta·ri·za·tion[di:mìlətərizéiʃən] *n.* Ⓤ 비무장화, 비군사화.

de·mil·i·ta·rize[di:mílətəràiz] *vt.* 비무장화하다, 〈원자력 등을〉 비군사화하다; 군정에서 민정으로 옮기다.

de·míl·i·ta·rized zóne 비무장 지대《略: DMZ》.

dem·i·lune[démilù:n] *n.* 반달; 〔築城〕 반월보(半月堡).

dem·i·min·i[démimìni] *a.* 초(超)미니의. ── *n.* 초미니 스커트(드레스).

dem·i·mon·daine[dèmimɑndéin/-mɔnd-] [F] *n.* 화류계 여자, 매춘부; 첩. ── *a.* 화류계의.

dem·i·monde[démimɑ̀nd/∸-mɔ́nd] [F] *n.* (the ～; 집합적) 화류계; 화류계 여자.

de·min·er·al·ize[di:mínərəlàiz] *vt.* …에서 광물질을 제거하다, 탈염(脫鹽)하다.

dem·i·of·fi·cial[dèmiəfíʃəl] *n.* 공사(公事)에 관한 사한(私翰).

de·mi·pen·sion[*F.* dəmipɑ̃sjɔ̃] [F] *n.* (하숙·호텔의) 1박 2식제(《영》 half-board); 그 요금.

dem·i·rep[démirèp] *n.* = DEMIMONDAINE.

de·mis·a·ble[dimáizəbəl] *a.* 양도할 수 있는.

de·mise[dimáiz] *n.* Ⓤ,Ⓒ **1** 붕어(崩御); 서거, 사망, 죽음(death). **2** 〔法〕 (유언 또는 임대차에 의한) 권리 양도(설정). **3** (왕위의) 계승, 양위. **4** 《익살》 소멸, 활동 정지. ── *vt.* 〔法〕 양도하다; 유증(遺贈)하다.

dem·i·sem·i·qua·ver[dèmisémikwèivər] *n.* 《영》 〔樂〕 32분 음표(《미》 thirty-second note).

de·mis·sion[dimíʃən] *n.* Ⓤ,Ⓒ 사직; 퇴위; 《稀》 해고, 면직.

de·mist[di:míst] *vt.* 《영》 (차의 창유리 등에서) 흐림을(서리를) 제거하다.

de·míst·er *n.* 흐림을(서리를) 제거하는 장치(=DEFROSTER).

de·mit[dimít] *vt., vi.* (～**·ted**; ～**·ting**) 사직하다.

dem·i·tasse[démitæ̀s, -tɑ̀:s] [F] *n.* (식후의 블랙 커피용) 작은 커피잔; 그 한 잔.

dem·i·tint[démitìnt] *n.* 〔美〕 간색(間色)(half tint); (그림의) 바림 부분.

dem·i·urge[démiə̀:rdʒ] *n.* (Plato철학에서) 조물주; (옛 그리스의) 행정관.

dem·i·ur·gic[dèmiə́:rdʒik] *a.* 조물주의; 세계 창조의, 창조력을 가진.

dem·i·volt(e)[démivòult] *n.* Ⓤ (말이 앞다리를 들고 하는) 반회전.

dem·i·world[démiwə̀:rld] *n.* 화류계.

dem·o[démou] *n.* (*pl.* ～**s**) **1** 데모, 시위 행진(demonstration). **2** 데모하는 사람. **3** 시청(試聽)용 음반(테이프); (자동차 등의) 선전용 견본.

Dem·o *n.* (*pl.* ～**s**)《미》 민주당원.

de·mo-[dí:mou] 《연결형》 =DEM-.

de·mob[di:mɑ́b/-mɔ́b] 《영口》 *n.* =DEMOBILIZATION. ── *vt.* (～**bed**; ～**·bing**) =DEMOBILIZE.

de·mo·bi·li·za·tion[di:mòubəlizéiʃən] *n.* Ⓤ 〔軍〕 동원 해제, 제대.

de·mo·bi·lize[di:móubəlàiz] *vt.* 〔軍〕 부대를 해산하다, 제대시키다(disband).

Dem·o·chris·tian[déməkrístʃən] *n.* (유럽의) 기독교 민주당원.

∗**de·moc·ra·cy**[dimɑ́krəsi/-mɔ́k-] [Gk] *n.* (*pl.* **-cies**) **1** Ⓤ 민주주의; 민주제, 사회적 평등, 민주 정치, 민주 정체; Ⓤ 민주주의국가. **2** (**D-**) 《미》 민주당(의 정강). **3** (the ～) 일반 국민, 민중, 서민.
⊕ demonocrátic *a.*; demócratize *v.*

∗**dem·o·crat**[déməkræ̀t] *n.* **1** 민주주의자(정

치론자). **2** (**D-**) ((미)) 민주당원.

⁑**dem·o·crat·ic** [dèməkrǽtik] *a.* **1** 민주정체〔주의〕의. **2** 평민적인; 사회적 평등을 존중하는. **3** ((미)) (**D-**) 민주당의. **-i·cal·ly** [-əli] *ad.* 민주적으로. ⇨ demócracy *n.*

Democrátic Párty (the ~) ((미)) 민주당 ((the Republican Party와 더불어 현재 미국의 2대 정당; ⇨ donkey)).

Dem·o·crát·ic-Re·púb·li·can Párty [-ripʌ́blikən-] (the ~)〔미史〕(19세기 초의) 민주 공화당.

de·moc·ra·tism [dimákrətìzəm/-mɔ́k-] *n.* Ⓤ 민주주의의 이론〔제도, 원칙〕.

de·moc·ra·ti·za·tion [dimàkrətizéiʃən/-mɔ̀k-] *n.* Ⓤ 민주화.

de·moc·ra·tize [dimákrətàiz/-mɔ́k-] *vt.* 민주화하다, 민주적〔평민적〕으로 하다.

De·moc·ri·tus [dimákritəs/-mɔ́k-] *n.* 데모크리토스(460?-370? B.C.)((그리스의 철학자)).

dé·mo·dé [dèimɔːdéi] [F] *a.* 시대〔유행〕에 뒤진, 낡은.

de·mod·ed [dimóudid] *a.* = DÉMODÉ.

de·mod·u·late [diːmádʒəlèit/-mɔ́djə-] *vt.* 〔通信〕 복조(復調)하다, 검파(檢波)하다.

De·mo·gor·gon [dìːməgɔ́ːrgən, dèmə-] *n.* (고대 신화의) 마왕, 마신(魔神).

de·mog·ra·pher [dimágrəfər/diːmɔ́g-] *n.* 인구 통계학자.

de·mo·graph·ic [dìːməgrǽfik] *a.* 인구 (통계)학의.

demográphic characterístics (잡지 독자의) 인구 통계적 특성.

de·mo·graph·ics [dìːməgrǽfiks] *n. pl.* (단수 취급) 인구 통계.

demográphic transítion 인구학적 추이 ((출생률·사망률의 주된 변화)).

de·mog·ra·phy [dimágrəfi/diːmɔ́g-] *n.* Ⓤ 인구통계학, 인구학.

dem·oi·selle [dèmwɑːzél] [F] *n.* **1** =DAMSEL. **2** 〔鳥〕 상모두루미((북아프리카산)); 〔昆〕 기생잠자리.

***de·mol·ish** [dimáliʃ/-mɔ́l-] [L] *vt.* **1** 〈건물을〉 헐다, 〈계획·지론 등을〉 뒤집다, 파괴하다, 분쇄하다; 〈제도 등을〉 폐지하다. **2** ((俗·익살)) 모조리 먹어 치우다. **~·er** *n.* **~·ment** *n.* = DEMOLITION. ⇨ demolítion *n.*

dem·o·li·tion [dèməlíʃən, dìː-] *n.* **1** Ⓤ 파괴; 〈특권 등의〉 타파. **2** (*pl.*) 폐허; (전쟁용) 폭약.

demolítion bòmb 대형 파괴 폭탄.

demolítion dèrby 자동차 파괴 경기.

***de·mon, dae-** [díːmən] [L] *n.* (*fem.* **~·ess**) **1** 악마, 마귀, 귀신(devil); 사신(邪神); 악의 화신, 귀신 같은 사람. **2** 귀재, 명인((*for, at*)): a ~ *for* work〔*at* golf〕 일의 귀신〔골프의 명수〕. **3** 〔宗〕 정령(精靈), 신령; 〔그神〕(gods와 men의 중간에 위치하는) 수호신. **the little demon (of a child)** 장난꾸러기.
⇨ demóniac, demónic *a.*; démonize *v.*

demon. 〔文法〕 demonstrative.

de·mon·e·ti·za·tion [diːmànətizéiʃən, -mʌ̀n-/-mɔ̀n-] *n.* Ⓤ (본위 화폐로서의) 통용〔유통〕 금지; 폐화(廢貨).

de·mon·e·tize [diːmánətàiz] *vt.* 본위 화폐로서의 자격을 잃게 하다; 〈화폐·우표 등의〉 통용을 폐지하다.

de·mo·ni·ac [dimóuniæ̀k, dìːmənáiæk] *a.* 귀신의〔같은〕; 마귀들린; 광란의, 흉포한.
── *n.* 마귀들린〔같은〕 사람.

de·mo·ni·a·cal [dìːmənáiəkəl] *a.* = DEMONIAC.

de·mon·ic [dimánik] *a.* **1** 악마의〔같은〕. **2** (종종 daemonic) 귀신들린; 흉포한.
-i·cal·ly *ad.*

de·mon·ism [díːmənìzəm] *n.* Ⓤ 귀신 숭배, 사신교(邪神教); 귀신학〔론〕. **-ist** [-ist] *n.*

de·mon·ize [díːmənàiz] *vt.* 악마처럼 만들다, 악마로 화하게 하다, 귀신붙게 하다.

de·mo·no- [díːmənou] ((연결형)) 「마귀, 귀신」의 뜻.

de·mon·oc·ra·cy [dìːmənákrəsi/-nɔ́k-] *n.* Ⓤ 마귀〔귀신〕의 지배.

de·mon·ol·a·try [dìːmənálətri/-nɔ́l-] *n.* Ⓤ 마귀〔귀신〕 숭배.

de·mon·ol·o·gy [dìːmənálədʒi/-nɔ́l-] *n.* Ⓤ 귀신학〔론〕, 악마 연구. **-gist** *n.*

dem·on·stra·bil·i·ty [demànstrəbíləti/-mɔ̀n-] *n.* Ⓤ 논증(論證) 가능성.

dem·on·stra·ble [démənstrəbəl] *a.* 논증할 수 있는. **-bly** *ad.* 논증할 수 있도록; 명백히, 논증에 의하여.

de·mon·strant [dəmánstrənt/-mɔ́n-] *n.* = DEMONSTRATOR.

***dem·on·strate** [démənstrèit] [L] *vt.* **1** …을 (토론·추론·사실·증거에 의해) 논증〔증명, 입증, 명백히〕하다(prove), 〈사물 이〉 …의 증거가 되다: ~ the law of gravitation 인력의 법칙을 증명하다/He ~*d that* the earth is round. 그는 지구가 둥글다는 것을 증명했다. **2** …을 (모형·표본·실례·실험·조작 등으로)(남에게) 설명〔명시〕하다, 〈제품을〉 (손님에게) 실제로 사용하여 설명하다, 실지 교수를 하다: ((Ⅲ (목))) He ~*d* the use of the new machine. 그는 그 새 기계의 사용법을 실제로 보여 주었다/((Ⅲ (목)+전+명)) He ~*d* the usefulness of the new machine *to* us. 그는 그 새 기계의 유용함을 (우리에게) 설명했다 (=He ~*d* (*to* us) *that* the new machine is useful.((Ⅲ (전+명+) *that*(절)))/((Ⅲ *that*(절))) He ~*d that* the new machine is very useful to us. 그는 그 새 기계가 우리에게 매우 유용하다는 것을 설명했다/((Ⅲ *wh. to do*)) He ~*d how to* use the new machine. 그는 그 새 기계의 사용법을 설명했다. **3** 〈상품을〉 실물로 선전하다: ((Ⅲ (목))) He ~*d* the new car. 그는 새 차를 실물로 선전했다. **4** …을 분명히 하다, 확실하게 보이다; 〈감정·의사 등을〉 표시하다, 내색하다: ((Ⅲ (목)+전+명)) We ~*d* our approval *by* loud applause. 우리는 크게 박수를 쳐서 찬성을 나타냈다.
── *vi.* **1** (집회·행진 등으로) 의사표시를 하다, (…에 찬성·반대의) 시위 운동〔데모〕을 하다((*for, against*)): ((Ⅰ 전+명)) ~ *against* a racial prejudice 인종 차별에 항의해서 시위하다/The crowd ~*d against* the rising cost of living. 군중은 생활비의 앙등에 항의해서 시위를 했다. **2** 실지 교수로〔실례를 들어〕 가르치다. **3** 〔軍〕 (위협·견제를 위해) 군사력을 과시하다, 양동(陽動) 작전을 하다.
⇨ demonstrátion *n.*; demónstrative *a.*

⁑**dem·on·stra·tion** [dèmənstréiʃən] *n.* Ⓤ,Ⓒ **1** 논증, 증명; 증거. **2** 실물〔실험〕 교수, 실연(實演). **3** (감정의) 표명. **4** 시위 운동, 데모. **5** 〔軍〕 군사력의 과시, 양동(陽動) 작전. **to demonstration** 명확하게, 결정적으로. **~·al** *a.* 시위 (운동)의. **~·ist** *n.* 시위 운동(참가)자.
⇨ démonstrate *v.*; demónstrative *a.*

***de·mon·stra·tive** [dimánstrətiv/-mɔ́n-] *a.* **1** 〔文法〕 지시의: a ~ adjective〔adverb, pronoun〕 지시형용사〔부사, 대명사〕. **2** 예증적인, 논증할 수 있는; 표현적인. **3** 분명히 나

타내는, 입증하는(*of*). **4** 시위적인. **5** 감정을 드러내는. — *n.* 〔文法〕 지시사(that, this 등). **~·ly** *ad.* 지시적으로, 논증적으로; 감정을 드러내어. **~·ness** *n.*
◇ démonstrate *v.*; demonstrátion *n.*

dem·on·stra·tor [démənstrèitər] *n.* **1** 논증자, 증명자. **2** 실지 교수자, (해부학의) 실지 수업의 조수; (상품·기계의) 실지 설명자〔선전원〕; 실지 선전용 제품〔모델〕(자동차 등). **3** 시위 운동자, 데모 참가자.

de·mor·al·i·za·tion [dimɔ̀ːrəlizéiʃən, -mɑ̀r-/-mɔ̀r-] *n.* Ⓤ 풍속 문란; 혼란; 사기 저하.

de·mor·al·ize [dimɔ́ːrəlàiz, -mɑ́r-/-mɔ́r-] *vt.* **1** …의 풍속을 문란시키다. **2** 사기를 꺾다 (*cf.* MORALE); 혼란시키다, 어리둥절하게 하다.

de·mos [díːmɑs/-mɔs] *n.* (*pl.* **~·es, -mi** [díːmai]) (고대 그리스의) 시민; 민중, 대중.

De·mos·the·nes [dimɑ́sθəniːz/-mɔ́s-] *n.* 데모스테네스(384?-322 B.C.)(고대 그리스의 웅변가·정치가).

De·mos·then·ic [dimɑsθénik, dèm-] *a.* 데모스테네스류(流)의, 애국적 열변의.

de·mote [dimóut] *vt.* (미) 계급〔지위〕을 떨어뜨리다; 강등시키다(*opp.* promote).

de·moth·ball [dimɔ́ːθbɔ̀ːl, -mɑ́θ-/-mɔ́θ-] *vt.* 〈전투를 위해 군함 등을〉 현역으로 복귀시키다.

de·mot·ic [dimɑ́tik/-mɔ́t-] *a.* (文語) **1** 민중의; 통속적인(popular). **2** (고대 이집트의) 민간용 문자의(*cf.* HIERATIC). — *n.* (**D-**) Ⓤ 현대 통속 그리스 말.

de·mot·ics [dimɑ́tiks/-mɔ́t-] *n. pl.* (단수 취급) 민중과 사회의 연구, 민중학.

de·mo·tion [dimóuʃən] *n.* Ⓤ 좌천; 강등, 격하.

de·mo·ti·vate [diːmóutəvèit] *vt.* …의 의욕〔동기〕을 잃게 하다.

de·mount [diːmáunt] *vt.* 떼어내다, 뜯어내다. **~·a·ble** *a.* 떼어낼 수 있는.

de·mul·cent [dimʌ́lsənt] 〔醫〕 *a.* 자극을 완화하는. — *n.* 진통제

*__de·mur__ [dimə́ːr] *vi.* (~**red**; ~·**ring**) 이의를 말하다, 반대하다(object)(*to, at, about*); 〔法〕 항변하다: ~ *to* a demand 요구에 반대하다. — *n.* Ⓤ 이의, 반대. **without**〔**with no**〕 **demur** 이의 없이. ◇ demúrral *n.*

de·mure [dimjúər] *a.* (**de·mur·er; -est**) **1** 얌전피우는, 새침한, 점잔빼는. **2** 차분한, 삼가는; 태연한. **~·ly** *ad.* 점잖게; 얌전한 체하며. **~·ness** *n.*

de·mur·ra·ble [dimə́ːrəbəl/-mʌ́r-] *a.* 〔法〕 항변할 수 있는; 이의를 제기할 수 있는.

de·mur·rage [dimə́ːridʒ/-mʌ́r-] *n.* Ⓤ **1** 〔商〕 초과 정박(碇泊); 일수(日數) 초과료. **2** (철도의) 화차〔차량〕 유치료(留置料).

de·mur·ral [dimə́ːrəl, -mʌ́r-] *n.* Ⓤ 이의(demur); 항변.

de·mur·rant [dimə́ːrənt, -mʌ́r-] *n.* 〔法〕 이의 신청자.

de·mur·rer [dimə́ːrər, -mʌ́rər] *n.* **1** 항변자, 이의 신청자. **2** 〔法〕 방소 항변(妨訴抗辯); (피고의) 항변; 이의 (신청). **put in a demurrer** 이의를 신청하다.

de·my [dimái] *n.* (*pl.* **-mies**) **1** 디마이판(判)(인쇄 용지는 (미) 16×21인치, (영) 17 1/2×22 1/2인치). **2** (영) (Oxford 대학 Magdalen College의) 장학생〔졸업생〕.

de·my·e·li·nate [dimáiələnèit] *vt.* (신경의) 수초를 제거〔파괴〕하다.

de·mys·ti·fy [diːmístəfài] *vt.* (**-fied**) …의 신비성을 제거하다; 계몽하다. **dè·mỳs·ti·fi·cá·tion** [-fikéiʃən] *n.*

de·myth·i·cize [dìːmíθəsàiz] *vt., vi.* …의 신화적 요소를 없애다, 비신화화(非神話化)하다. **dè·mỳth·i·ci·zá·tion** [-sizéiʃən] *n.* 비신화화.

de·myth·i·fy [diːmíθəfai] *vt.* =DEMYTHICIZE.

de·my·thol·o·gize [dìːmiθɑ́lədʒàiz/-θɔ́l-] *vt.* …의 신화성을 없애다, 〈기독교의 가르침·성서를〉 비신화화하다.

dè·my·thòl·o·gi·zá·tion [-dʒizéiʃən] *n.* (성서의) 비신화화.

*__*den__ [den] *n.* **1** (야수가 사는) 굴, 동굴; (동물원의) 우리. **2** 밀실, (도둑 등의) 소굴: a gambling ~ 도박꾼의 소굴 **3** (口) (남성의) 사실(私室)(서재·작업실 등). **4** (미) (Boy Scouts 중의) 유년단의 분대. — *v.* (**~ned; ~·ning**) *vi.* 굴에 살다(*up*). — *vt.* 〈동물을〉 굴에 몰아넣다(*up*).

Den. Denmark.

de·nar·i·us [dinɛ́əriəs] [L =of ten] *n.* (*pl.* **-nar·i·i** [-riài]) 옛 로마의 은화 (◇ 이의 약어 d.를 영국에서 구(舊) penny, pence의 약어로 대용했음; *cf.* £.S.D.).

de·na·ry [dénəri, díː-] *a.* 십진(十進)의(*cf.* BINARY): the ~ scale 십진법.

de·na·tion·al·ize [diːnǽʃənəlàiz] *vt.* **1** 독립국으로서의 자격을 박탈하다; 국제화하다. **2** 국민으로서의 특권을 박탈하다, 국적〔국민성〕을 박탈하다. **3** 비(非)국유화하다. **dè·nà·tion·al·i·zá·tion** [diːnæ̀ʃənəlizéiʃən] *n.*

de·nat·u·ral·ize [diːnǽtʃərəlàiz] *vt.* **1** 본래의 성질〔특질〕을 바꾸다, 변성(變性)시키다; 부자연하게 하다. **2** 귀화권〔국적, 시민권〕을 박탈하다. **dè·nàt·u·ral·i·zá·tion** [diː-nætʃə-rəlizéiʃən] *n.*

de·na·tur·ant [diːnéitʃərənt] *n.* 변성제(變性劑).

de·na·ture [diːnéitʃər] *vt.* **1** 〈에틸알코올·단백질·핵연료를〉 변성시키다. **2** …의 인간성을 빼앗다(dehumanize). — *vi.* 〈단백질이〉 변성하다. **dè·nà·tur·á·tion** *n.*

de·ná·tured álcohol 변성 알코올(마시지 못함).

de·na·zi·fy [diːnɑ́ːtsəfài, -nǽtsə-] *vt.* (**-fied**) 비(非)나치화하다. **dè·nà·zi·fi·cá·tion** [diːnɑ̀ːtsifikéiʃən, -nætsi-] *n.* Ⓤ 비나치화.

dén chìef (미) 유년단 분대(den)의 분대장.

dén dàd (미) 유년단 분대(den)의 감독.

dendr- [dendr], **den·dro-** [déndrou] (연결형) 「나무(tree)」의 뜻(모음 앞에서는 dendr-).

den·dri·form [déndrəfɔ̀ːrm] *a.* 수목상(樹木狀)의.

den·drite [déndrait] *n.* 〔鑛〕 모수석(模樹石); 〔化〕 수지상 결정(樹枝狀結晶); 〔解〕 (신경의) 수지상 돌기. **den·drit·ic** [dendrítik] *a.* 모수석(상)의.

den·dro·chro·nol·o·gy [dèndroukrənɑ́lədʒi/-ɔ́l-] *n.* Ⓤ 〔植〕 연륜(年輪) 연대학.

den·droid [déndrɔid] *a.* 수목상(樹木狀)의.

den·dro·lite [déndrəlàit] *n.* 나무의 화석.

den·drol·o·gy [dendrɑ́lədʒi/-drɔ́l-] *n.* Ⓤ 수목학(론).

den·drom·e·ter [dendrɑ́mitər/-drɔ́m-] *n.* 측수기(測樹器)(높이·지름을 잼).

-den·dron [déndrən] (연결형) 「나무(tree)」의 뜻: Rhodo*dendron*.

dene¹ [diːn] *n.* (영) (숲이 있는) 깊은 골짜기.

dene² *n.* (해안의) 모래톱, 사구(砂丘).

Den·eb[déneb, -əb] *n.* 〔天〕 데네브《백조자리의 α성》.

den·e·ga·tion[dènigéiʃən] *n.* U,C 부정(否定), 부인(否認), 거절.

de·ner·vate[di:nə́rveit] *vt.* 〔外科〕 (조직·신체 일부에서) 신경을 제거하다.

de·neu·tral·ize[di:njú:trəlàiz] *vt.* 〈국가·영토 등을〉 비(非)중립화하다.

D. Eng. Doctor of Engineering.

den·gue[déŋgi, -gei] *n.* U 〔醫〕 뎅그열(熱)(=∠ **fèver**)《뼈·근육이 아픔》.

Deng Xiao·ping[dʌ́ŋʃáupíŋ] *n.* 등소평(鄧小平)(1904-)《중국 공산당의 지도자》.

de·ni·a·bil·i·ty[dinàiəbíləti] *n.* 《미》 관련사실 부인권《대통령 등 정부 고관에게 불법활동과의 관계를 부인하는 것을 허용》; 진술 거부(권). **de·ni·a·ble**[dináiəbəl] *a.* 부인〔거부〕할 수있는.

*__de·ni·al__[dináiəl] *n.* U,C 부정, 부인; 거부, 부동의(不同意); 절제, 자제, 극기(克己)(self-denial). **give a denial to** =**make a denial of** …을 부정〔거부〕하다. **take no denial** 마다하지 못하게 하다. ◈ denу́ *v.*

de·nic·o·tin·ize[di:níkətinàiz] *vt.* 〈담배에서〉 니코틴을 없애다.

de·ni·er¹[dináiər] *n.* 부정〔거부〕자.

de·nier²[diníər] *n.* **1** 데니어《생사·레이온·나일론의 굵기를 재는 단위》. **2** 《古》 프랑스의 옛 화폐; 적은 액수.

den·i·grate[dénigrèit] *vt.* 검게 하다; 더럽히다; 모욕하다. 〈명예를〉 훼손하다; 헐뜯다. **dén·i·gra·tor** *n.* **dèn·i·grá·tion**[dènigréiʃən] *n.*

den·im[dénim] *n.* U 데님《두꺼운 무명; 작업복·운동복을 만듦》; (*pl.*) 데님제 작업복〔진(jeans)〕. **~ed** *a.* 데님제 옷〔진〕을 입은.

Den·is[dénis] *n.* **1** (St. ~) 성(聖) 드니《프랑스의 수호 성인》. **2** 남자 이름.

De·nise[dəní:z, -ní:s] *n.* 여자 이름.

de·ni·trate[di:náitreit] *vt.* 질산을 없애다. **dè·nì·trá·tion**[-ʃən] *n.*

de·ni·tri·fy[di:náitrəfài] *vt.* (**-fied**) 질소를 제거하다. **dè·nì·tri·fi·cá·tion**[di:nàitrəfikéiʃən] *n.* U 탈질(脫窒) (작용).

den·i·zen[dénəzən] *n.* **1** 주민; 공민. **2** (숲·공중에 사는) 동식물《새·짐승·나무 등》. **3** 《영》 (공민권을 부여받은) 거류민, 귀화외국인; 외래 동식물; 외래어. — *vt.* 귀화를 허가하다; 이식(移植)하다. **~·ship** *n.* U 공민권.

*__Den·mark__[dénmɑ:rk] [Dan] *n.* 덴마크《수도 Copenhagen》. ◈ Dánish *a.*; Dane *n.*

dén mòther 《미》 유년단 분대(den)의 여성 지도자.

Den·nis[dénis] *n.* **1** 남자 이름. **2** 데니스 John ~ (1657-1734)《영국의 비평가·극작가》.

Dénnis the Ménace 개구쟁이 데니스《미국의 만화 주인공》.

de·nom·i·nate[dinɑ́mənèit] *vt.* 명명(命名)하다(name); …이라고 일컫다, 부르다(call): ~ him an artist 그를 화가라고 부르다. — *a.* …이라는 특정한 이름의.

*__de·nom·i·na·tion__[dinɑ̀mənéiʃən/-nɔ̀m-] *n.* **1** U 명명; C 명칭, 명의(名義)(name, title). **2** 계급, 파(派), 종류; (화폐의) 금종(金種) 구분; 《특히》 종파, 교파(sect): clergy of all ~*s* 모든 종파의 성직자. **3** 〔數〕 단위명(單位名). **4** 액면 금액. **money of small denominations** 소액 화폐, 잔돈. ◈ denóminate *v.*; denoóminative *a.*

de·nom·i·na·tion·al[dinɑ̀mənéiʃənəl/-nɔ̀m-] *a.* 종파의, 종파적인, 교파의: a ~ school 종파가 경영하는 학교. **~·ism**[-ìzəm] *n.* U 종파심, 교파심; 분파주의. **~·ly** *ad.*

de·nom·i·na·tive[dinɑ́mənèitiv, -mənə-/-nɔ́m-] *a.* **1** 명칭적인. **2** 〔文法〕 명사〔형용사〕에서 나온. — *n.* 〔文法〕 명사〔형용사〕 유래어(由來語)《특히 동사: to *man, eye* 등》.

de·nom·i·na·tor[dinɑ́mənèitər/-nɔ́m-] *n.* **1** 명명자〔물〕. **2** 〔數〕 분모(*cf.* NUMERATOR). **3** 공통 요소. (**the least**) **common** ~ (최소) 공분모.

de·not·a·ble[dinóutəbəl] *a.* 표시할 수 있는.

de·no·ta·tion[dì:noutéiʃən] *n.* U,C **1** 표시, 지시; 표(mark), 상징; 명칭. **2** (말의) 명시적 의미; 〔論〕 외연(外延)(*opp.* connotation). **~·al** *a.*

de·no·ta·tive[dinóutətiv, dí:noutèi-] *a.* **1** 표시하는, 지시하는(*of*). **2** 〔論〕 외연적인(*opp.* connotative). **~·ly** *ad.*

*__de·note__[dinóut] *vt.* **1** 표시하다, 나타내다. **2** …의 표시〔상징〕이다; 의미하다. **3** 〔論〕 외연을 나타내다(*opp.* connote). **~·ment** *n.* U 표시. **de·nó·tive** *a.* 표시〔지시〕하는. ◈ denotátion *n.*; denótative *a.*

de·noue·ment[deinú:mɑ:ŋ] [F] *n.* **1** (연극 등의) 대단원. **2** (분쟁·시비 등의) 해결, 낙착.

*__de·nounce__[dináuns] [L] *vt.* **1** 비난하다; 탄핵하다; 고발하다:《Ⅴ(목)+*as*+명》 They ~*d* him *as* a cheat. 그들은 그가 사기꾼이라고 비난했다(=He was ~*d as* a cheat.《Ⅱ *be pp.*+*as*+명》)/《Ⅴ(목)+{전+명}+*as*+명》 They ~*d* him to the police as a cheat. 그들은 그가 사기꾼이라고 경찰에 고발했다. **2** 〈조약·휴전 등의〉 종결을 통고하다. **~·ment** *n.* =DENUNCIATION. ◈ denunciátion *n.*

de nou·veau[dənú:vou] [F] *ad.* =DE NOVO.

de no·vo[di:nóuvou] [L =from the new] *ad.* 처음부터, 새로(이), 다시(anew).

⁑**dense**[dens] [L] *a.* **1** a 밀집한, 빽빽한: a ~ forest 밀림. b 〈인구가〉 조밀한(*opp.* sparse): a ~ population 조밀한 인구. **2** 농밀한; 농후한, 짙은; 〔寫〕 〈음화가〉 불투명한: a ~ fog 짙은 안개. **3** 머리가 나쁜, 우둔한; 지독한 〈어리석음 등〉: ~ ignorance 지독한 무식. **4** 〈문장이〉 이해하기 힘든, 난해한. **dénse·ly** *ad.* 짙게, 밀집하여, 빽빽이. **dénse·ness** *n.* ◈ dénsify *v.*; dénsity *n.*

dénse páck 《미》 (전략 미사일의) 밀집 배치(방식).

den·si·fy[dénsəfài] *vt.* (**-fied**) 밀도를 높이다; (수지(樹脂)를 배어들게 하여) 〈목재를〉 치밀하게 하다. **-fi·er** *n.*

den·sim·e·ter[densímitər] *n.* 밀도〔비중〕계.

den·si·tom·e·ter[dènsətɑ́mitər] *n.* =DENSIMETER; 〔光〕 농도계.

*__den·si·ty__[dénsəti] *n.* U **1** 밀도, 농도, (안개 등의) 짙음; (인구의) 조밀도. **2** 〔寫〕 (음화의) 농도; 〔物〕 비중; 〔電〕 밀도. **3** 우둔함. **4** 〔컴퓨터〕 밀도《자기(磁氣) 디스크나 테이프 따위의 데이터 기억 밀도》. ◈ dense *a.*; dénsify *v.*

*__dent¹__[dent] *n.* 움폭 들어간 곳; 《비유》 때린 자국; (수량적인) 감소; (약화·감소시키는) 효과, 영향; 〈높은 콧대를〉 꺾기; (첫 단계의) 전진, 진보. **make a dent in** …을 움푹 들어가게 하다; …에 (경제적 등으로) 영향을 주다; …을 줄게 하다; (보통 부정문으로) 《口》 〈일 등〉에 돌파구를 마련하다; …을 다소 진척시키다. — *vt., vi.* 움폭 들어가(게 하)다; 손상시키다, 약화시키다.

dent² *n.* (톱니바퀴 등의) 이, (빗)살.

dent-[dent], **den·ti-**[dénti] 《연결형》「이」의 뜻(모음 앞에서는 dent).
dent. dental; dentist; dentistry.
*__den·tal__[déntl] *a.* **1** 이의; 치과(용)의. **2** 〔音聲〕 치음의. — *n.* 〔音聲〕 치음《자음 [t, d, θ, ð] 등》; 치음자《d, t 등》. **~·ly** *ad.*
déntal flòss 〔齒科〕 치간 청소용 견사(絹絲).
déntal hygíene 치과 위생.
déntal hygíenist 치과 위생사.
den·tal·ize[déntəlàiz] *vt.* 〔音聲〕 치음화(齒音化)하다.
déntal mechànic〔**technìcian**〕 치과 기공사.
déntal pláte 의치(義齒), 의치상(床).
déntal súrgeon 치과 의사(dentist), 《특히》 구강(口腔) 외과 의사.
déntal súrgery 치과(의학), 구강외과(학).
den·tate[dénteit] *a.* 〔動〕 이가 있는; 〔植〕 톱니 모양의. **~·ly** *ad.*
den·ta·tion[dentéiʃən] *n.* U,C 〔動〕 이 모양의 구조〔돌기〕; 〔植〕 톱니 모양.
den·ti-[dénti] 《연결형》 =DENT-.
den·ti·care[déntikὲər] *n.* 《캐나다》 (정부에 의한) 어린이 무료 치아 치료.
den·ti·cle[déntikəl] *n.* 작은 이; 이 모양의 돌기; 〔建〕 =DENTIL.
den·tic·u·lar[dentíkjələr] *a.* 작은 이 모양의.
den·tic·u·late[dentíkjəlit, -lèit] *a.* 〔植〕 작은 이 모양의; 〔建〕 이 모양의 장식이 있는.
den·tic·u·la·tion[dentìkjəléiʃən] *n.* U,C 작은 이의 돌기; 작은 이; 〔建〕 이 모양의 장식; (보통 *pl.*) 한 틀의 작은 이.
den·ti·form[déntəfɔ̀:rm] *a.* 이 모양의.
den·ti·frice[déntəfris] *n.* U 치분(齒粉), 치약(tooth powder, toothpaste).
den·tig·er·ous[dentídʒərəs] *a.* 이를 가진.
den·til[déntil] *n.* 〔建〕 이 모양의 장식.
den·ti·la·bi·al[dèntiléibiəl] 〔音聲〕 *a.* 이와 입술의. — *n.* 순치음(脣齒音)《[f, v]》.
den·ti·lin·gual[dèntilíŋgwəl] *a.* 〔音聲〕 설치음(舌齒音)의《[θ, ð] 등》.
den·tin, -tine[déntin], [-ti:n] *n.* U (이의) 상아질. **den·tin·al**[déntənl, dentí:nl] *a.*
*__den·tist__[déntist] *n.* 치과 의사.
dén·tist·ry *n.* U 치과 의술, 치과학.
den·ti·tion[dentíʃən] *n.* U,C **1** 이 나기, 치아 발생(의 경과). **2** 치열(齒列).
den·toid[déntɔid] *a.* 이 같은.
den·tu·lous[déntʃərəs] *a.* 이(齒)를 가진, 이가 난.
den·ture[déntʃər] *n.* (보통 *pl.*) 틀니, 의치(義齒), 《특히》 총의치. ◇ false teeth가 일반적임. **a full**〔**partial**〕 **denture** 총〔부분〕 의치.
den·tur·ist[déntʃərist] *n.* 의치 기공사.
de·nu·cle·ar·ize[di:njú:kliəràiz] *vt.* 비핵화(非核化)하다: a ~*d* zone 비핵무장 지대.
dè·nù·cle·ar·i·zá·tion[di:njù:kliərizéiʃən] *n.* U 비핵화.
de·nu·cle·ate[di:njú:klieit] *vt.* 〈원자·세포 등의〉 핵을 제거하다.
dè·nù·cle·átion[-éiʃən] *n.*
de·nu·da·tion[dì:nju(:)déiʃən, dèn-] *n.* U **1** 발가벗김; 발가숭이 (상태), 노출. **2** 〔地質〕 삭박(削剝), 표면 침식, 나지화(裸地化).
de·nude[dinjú:d] *vt.* **1** 발가벗기다, 노출시키다; 〈껍질을〉 벗기다(strip)《*of*》: ~ a person *of* one's clothing 아무의 옷을 벗기다. **2** 박탈하다(deprive)《*of*》: His father's death ~*d* him *of* all his hopes for the future. 그는 아버지의 사망으로 미래에 대한 희망을 완전히 잃어버렸다. **3** (땅에서) 나무를 베어 없애다, 나지화(裸地化)하다: ~ the land *of* trees 그 토지에서 나무를 없애다. **4** 〔地質〕 삭박(削剝)하다.
de·nun·ci·ate[dinʌ́nsièit, -ʃi-] *vt.* =DENOUNCE.
*__de·nun·ci·a·tion__[dinʌ̀nsiéiʃən, -ʃi-] *n.* U,C 탄핵, 공공연한 비난, 고발; 위협(threat), 경고적〔위협적〕 선언, (조약 등의) 폐기 통고.
de·nun·ci·a·tive[dinʌ́nsièitiv] *a.* =DENUNCIATORY.
de·nun·ci·a·tor[dinʌ́nsièitər, -ʃi-] *n.* 탄핵〔고발〕자, 비난자.
de·nun·ci·a·to·ry[dinʌ́nsiətɔ̀:ri, -ʃiə-/-təri] *a.* 비난의, 탄핵적인; 위협적인.
Den·ver[dénvər] *n.* 덴버《미국 Colorado주의 주도》.
Dénver bòot =FRENCH BOOT.
*__de·ny__[dinái] (**-nied**) *vt.* **1** 부인〔부정〕하다:《Ⅲ *that*(절)》She *denied that* he was a cheat. 그녀는 그가 사기꾼이었다는 것을 부인했다(=She *denied* him *to be* a cheat.《Ⅴ (목)+*to be*+명》)/《Ⅲ (목)+전+명》Peter *denied* Christ to the woman. 베드로는 그 여인에게 예수 그리스도를 부인했다(=Peter *denied* the woman Christ.《Ⅳ 명+(목)》)/《Ⅲ *-ing*(*g.*)》She *denied* hav*ing* said so. 그녀는 그런 말을 하지 않았다고 했다. **2** 〈요구 등을〉 거절하다, 〈…에게 줄 것을〉 주지 않다:《Ⅳ 대+(목)》He *denies* her nothing.(He never *denies* her anything.) 그는 그녀의 요구는 무엇이든지 들어 준다(=He *denies* nothing to her.《Ⅲ (목)+전+명》)/《Ⅲ *be pp.*+(목)》She was *denied* this request. 그녀는 이 요구를 거절당했다(=This request was *denied* (*to*) her.《Ⅰ *be pp.*+(전+대)》). **3** 〈방문객에게〉 (사람)을 만나게 해주지 않다, (사람)이 없다고 말하다《*to*》:《Ⅲ (목)+전+명》He *denied* her to any caller. 그는 어떤 방문객에게도 그녀를 만나게 해주지 않았다. **deny** (a person) **justice** (사람)을 공정〔공평〕하게 다루지 않다, 공정〔공평〕한 조치를 취하지 않다:《Ⅳ 대+(목)》He *denied* her *justice.* 그는 그녀를 공정하게 다루지 않았다. **deny knowledge of** …을 모른다고 말하다. **deny oneself** 극기〔자제〕하다; 〈쾌락 등을〉 멀리하다:《Ⅳ 대+(목)》He *denied* himself all luxuries. 그는 모든 사치를 멀리했다. **deny oneself for** 헌신하다, 희생하다:《Ⅲ (목)+전+명》He *denied* himself *for* his children. 그는 자기 자식들을 위해 자기 자신을 희생했다. **deny oneself to** (방문객에게) 면회를 거절하다:《Ⅲ (목)+전+명》She *denied* herself *to* all callers. 그녀는 모든 방문객에게 면회를 거절했다. **not deny** (**but**) **that** … …이 아니라고는 말하지 않다:《Ⅲ (부) *that*(절)》I did*n't* ~ (but) *that* the statement is true. 그 진술이 사실이 아니라고는 말하지 않았다. ◇ denial *n.*
de·o·dar[dí:ədà:r] *n.* 〔植〕 히말라야삼나무.
de·o·dor·ant[di:óudərənt] *a.* 방취(防臭)의 (효력 있는). — *n.* 방취제(deodorizer).
de·o·dor·ize[di:óudəràiz] *vt.* 냄새를 없애다. **dè·ò·dor·i·zá·tion**[di:òudərizéiʃən] *n.* U 냄새 제거 (작용).
de·o·dor·iz·er[di:óudəràizər] *n.* 방취제.
De·o gra·ti·as[dí:ou-gréiʃiæs] [L =thanks to God] *ad.* 천행으로(略: D.G.).
de·on·tol·o·gy[dì:ɑntálədʒi/-ɔntɔ́l-] *n.* U 〔哲〕 의무론. **-gist** *n.* 의무론자.
de·or·bit[di:ɔ́:rbit] *vt., vi.* 〈인공 위성 등〉

궤도에서 벗어나(게 하)다. — *n.* Ⓤ 궤도 이탈 (시키기).

De·o vo·len·te[déiou-voulénti, díː-] [L= God being willing] *ad.* 하늘〔하느님〕의 뜻이라면, 사정이 허락하면(略: D.V.).

de·ox·i·date[diːáksədèit/-ɔ́ks-] *vt.* =DEOXIDIZE.

de·ox·i·da·tion, de·ox·i·di·za·tion[diːàksədéiʃən/-ɔ̀ks-], [-daizéiʃən] *n.* Ⓤ 〔化〕 산소 제거, 환원.

de·ox·i·dize[diːáksədàiz/-ɔ́ks-] *vt.* 〔化〕 …에서 산소를 제거하다; 〈산화물을〉 환원하다. **-diz·er**[-ər] *n.* 탈(脫)산소제.

de·ox·y·gen·ate[diːáksədʒənèit/-ɔ́ks-] *vt.* **1** (유리(遊離)) 산소를 제거하다. **2** =DEOXIDIZE.

de·ox·y·ri·bo·nu·cle·ase[diːàksəràibounjúːklieis/-ɔ̀ks-] *n.* Ⓤ 디옥시리보뉴클레아제(DNA 분해 효소).

de·óx·y·ri·bo·nu·clé·ic ácid[dìːáksiràibounjuːklíːik-/-ɔ́ksiràibəunjuː-] 디옥시리보핵산(略 DNA).

de·ox·y·ri·bose[diːàksəráibous/-ɔ̀ks-] *n.* 디옥시리보스(디옥시리보핵산의 주요 성분).

dep. departed; department; depart(s); departure; dependency; deponent; deposed; 〔銀行〕 deposit; depot; deputy.

****de·part**[dipáːrt] *vi.* **1** 《文語》 〈열차·사람 등이〉 출발하다, 떠나다(start)(*from, for*): (Ⅰ 전+명) She ~*ed from* her home. 그녀는 집〔고향〕을 떠났다/He ~*ed* (from Chicago) *for* New York. 그는 시카고에서 뉴욕으로 떠났다/The plane ~*s* at 9:15 *for* London. 그 비행기는 9시 15분에 런던을 향해 출발한다/(Ⅱ It *v*Ⅱ+〈*to* do〉) Now, it's time *to* ~. 자 떠날 시간입니다. **2** 《미》 세상을 떠나다: (Ⅰ 전+명+형) (Invers.) Naked shall we ~ *from* the world. 인간은 빈 손으로 이 세상을 떠난다. **3** 〈상도(常道)·습관 등에서〉 벗어나다, 빗나가다(deviate)(*from*): ~ *from* one's usual way of working 늘 하던 작업 방식을 바꾸다. **depart from life** 죽다. **depart from one's word**〔**promise**〕 약속을 어기다. — *vt.* 《미》 출발하다(leave): ~ Korea *for* Washington 한국을 떠나 워싱턴으로 향하다. **depart this life** 이 세상을 하직하다, 이승을 떠나다. ⊕ depárture *n.*

***de·part·ed**[dipáːrtid] *a.* **1** 《완곡》 죽은(deceased); 지나간, 과거의. **2** (the ~; 명사적; 단수 취급) 고인(개인); (복수 취급) 죽은 사람 (전체).

de·part·ee[dipaːrtíː] *n.* 조국〔지역〕을 떠나는 사람; 《미俗》 연극의 막간에 가버리는 사람.

****de·part·ment**[dipáːrtmənt] *n.* **1** 부문, …부(部), (백화점의) …매장. **2** 《미》 (행정 조직의) 부(部); 《영》 국(局), 과(課); (프랑스의) 현(縣). **3** (대학의) 학부, 과: the literature ~ 문학부, 문과. **4** 〔軍〕 군관구(軍管區). **5** (보통 one's ~) 《口》 (지식·활동 등의) 분야, 영역. **the Department of State**〔**Education, Commerce, Defense, the Treasury**〕 《미》 국무〔교육, 상무, 국방, 재무〕부.

de·part·men·tal[dipaːrtméntl, dìːpaːrt-] *a.* 부문〔성, 국, 현〕의. **~·ìsm** *n.* Ⓤ 부문주의, 분과제(分課制); 《경멸》 관료적 형식주의, 관청식. **~·ly** *ad.*

de·part·men·tal·ize[dipaːrtméntlàiz, dìːpaːrt-] *vt.* 각 부문으로 나누다.

departméntal stòre 《영》 =DEPARTMENT STORE.

Depártment D[-díː] (옛 소련 KGB의) D기관(허위 보도로 다른 나라를 혼란시키는 기관).

★**depártment stòre** 백화점.

****de·par·ture**[dipáːrtʃər] *n.* Ⓤ,Ⓒ **1** 출발; 발차(*opp.* arrival): a ~ platform 발차 플랫폼. **2** (방침 등의) 새 발전: a new ~ 새발전〔시도〕, 신기축(新機軸). **3** 이탈, 배반(*from*). **4** Ⓤ 《古》 사망(death). **5** Ⓤ 〔海〕 (출발점에서의) 동서(東西) 거리, 경거(經距). **take one's departure** 출발하다, 떠나다. ⊕ depárt *v.*

de·pas·tur·age[dipǽstʃəridʒ, -páːs-] *n.* Ⓤ 방목(권).

de·pas·ture[dipǽstʃər, -páːs-] *vi.* 〈가축이〉 목초를 뜯어먹다(graze). — *vt.* 방목하다(pasture); 〈토지의〉 목초를 다 뜯어먹다; 〈토지가 가축에〉 목초를 공급하다.

de·pau·per·ate[diːpɔ́ːpərèit] *vt.* **1** 《古》 가난하게 하다(impoverish). **2** 빈약하게 하다; 쇠약하게 하다; 〈토지를〉 메마르게 하다. — *a.* 〔植〕 발육 부전의, 위축한.

de·pau·per·a·tion[-ʃən] *n.* Ⓤ 빈곤화; 쇠약; 〔植〕 발육 부전; 위축.

de·pau·per·ize[diːpɔ́ːpəràiz] *vt.* 가난하지 않게 하다, 가난뱅이를 없애다.

****de·pend**[dipénd] *vi.* **1** 의존하다, 의지하다(*on, upon*): (Ⅲ *v*Ⅰ+전+(목)+전+명) ~ *upon* another for help 타인의 원조에 의존하다/(Ⅲ *v*Ⅰ+전+-*ing*+전+명) They ~ *on* fish*ing for* a living. 그들은 생계를 위해 고기잡이에 의존하고 있다/(Ⅴ *v*Ⅰ+전+(목)+*to do*) You may ~ *on* me *to* help you. 너는 내가 너를 도우는데 의지해도 괜찮다. **2** 믿다, 신뢰하다(rely)(*on, upon*): (Ⅲ *v*Ⅰ+전+(목)) I ~ *on* your word. 나는 네 말을 믿는다/(Ⅲ *v*Ⅰ+전+*obj.*〔*pos.*〕+-*ing*) You may ~ *on* Jane〔Jane's〕be*ing* punctual. 너는 제인이 시간을 지킨다는 것을 믿어도 좋다/(Ⅲ *v*Ⅰ+전+-*it*+*that*(절)) You may ~ *on* it *that* it wont happen again. 너는 그런 일이 다시는 일어나지 않는다고 믿어도 좋다. **3** …나름이다(*on, upon*), …에 달려 있다: (Ⅲ *v*Ⅰ+전+(목)) (*no pass.*) ~ *on* the weather 날씨에 달려 있다/Much ~*s* upon you. 많은 것이 네게 달려있다/Men's happiness in life ~*s* mainly *upon* their equanimity of disposition. 인간들의 세상살이에서의 행복은 주로 그들의 성질의 평정 여하에 달려 있다. **4** 〈소송·의안 등이〉 미결이다(*cf.* PENDING). **5** 《古·詩》 매달리다(*from*): a lamp ~*ing from* the ceiling 천정에 매달려 있는 램프. **6** 〔文法〕 〈절·낱말이〉 종속하다(*on, upon*). **Depend upon it!** 틀림없다, 염려마라. **That**〔**It all**〕 **depends.** 그것은〔모두가〕 때와 형편에 달렸다(다음에 on circumstances가 생략된 상투 문구). ⊕ depéndence, depéndency *n.*; depéndent *a.*

de·pend·a·bil·i·ty[dipèndəbíləti] *n.* Ⓤ 의존할〔믿을〕 수 있음.

***de·pend·a·ble**[dipéndəbl] *a.* 의존할〔믿을, 신뢰할〕 수 있는. **~·ness** *n.* **-bly** *ad.* 믿음직하게.

***de·pen·dence, -dance**[dipéndəns] *n.* Ⓤ **1** 의뢰; 의존, 종속 상태. **2** 신뢰(in). **3** Ⓒ 의지하는 것, 믿는 데. **4** (인과 등의) 의존 관계. **5** 〔法〕 미결. **6** 〔醫〕 (마약) 의존(증). ⊕ depénd *v.*; depéndent *a.*

de·pen·den·cy, -dan·cy[dipéndənsi] *n.* (*pl.* **-cies**) **1** Ⓤ 의존 (상태). **2** 종속물; 부속 건물, 별관. **3** 속국, 보호령.

****de·pen·dent**[dipéndənt] *a.* **1** a 〈남에게〉 의지〔의존〕하는(*on, upon*): He is ~ *on* his

son *for* his living expenses. 그는 생활비를 삼촌에게 의존하고 있다. b 종속 관계의, 예속적인(*opp.* independent). **2** …에 좌우되는, …나름인《*on, upon*》: The harvest is ~ *upon* the weather. 수확은 날씨에 좌우된다. **3** 매달린. ── *n.* 남에게 의지하여 사는 사람, 하인, 종; 부양 가족; 의존〔종속〕물. **~·ly** *ad.* 남에게 의지하여, 의존〔종속〕적으로.
⊕ depénd *v.*: depéndence, depéndency *n.*

depéndent cláuse 〔文法〕 종속절(subordinate clause)(*opp.* principal clause).

depéndent váriable 〔數〕 종속 변수.

de·peo·ple[di:pí:pl] *vt.* …의 주민을 줄이다〔없애다〕.

de·per·son·al·ize[di:pə́:*r*sənəlàiz] *vt.* 비인격〔비인간〕화하다, 인격〔개성〕을 박탈하다.

dè·pèr·son·al·i·zá·tion[di:pə̀:*r*sənəlizéiʃən] *n.* 비개인화, 객관화.

de·phos·phor·ize[di:fásfəràiz/-fɔ́s-] *vt.* 〈광석에서〉 인분(燐分)을 제거하다.

***de·pict**[dipíkt] *vt.* 《文語》 (그림·조각으로) 그리다; (말로) 묘사〔서술〕하다. **de·píc·ter, -tor** *n.* ⊕ depíction *n.*: depíctive *a.*

de·pic·tion[-ʃən] *n.* Ⓤ,Ⓒ 묘사, 서술.

de·pic·tive *a.* 묘사적인.

de·pic·ture[dipíktʃə*r*] *vt.* =DEPICT.

dep·i·late[dépəlèit] *vt.* 털을 뽑다.

dep·i·la·tion[-ʃən] *n.* Ⓤ,Ⓒ 탈모(脫毛), (특히 동물 가죽의) 털 뽑기.

de·pil·a·to·ry[dipílətɔ̀:ri/-təri] *a.* 탈모의 (효능 있는). ── *n.* (*pl.* **-ries**) 탈모제.

de·plane[di:pléin] *vi., vt.* 《미口》 비행기에서 내리(게 하)다(*opp.* enplane, emplane).

de·plen·ish[dipléniʃ] *vt.* 비우다.

de·plete[diplí:t] *vt.* 비우다; 〈세력·자원 등을〉 고갈시키다; 〔醫〕 방혈(放血)하다.

de·ple·tion[diplí:ʃən] *n.* Ⓤ **1** 고갈, 소모. **2** 〔醫〕 방혈(放血); 체액 감소 (상태).

de·ple·tive[diplí:tiv] *a.* 고갈〔소모〕시키는, 혈액〔체액〕을 감소시키는.

de·ple·to·ry[diplí:təri] *a.* =DEPLETIVE.

de·plor·a·bil·i·ty[diplɔ̀:rəbíləti] *n.* Ⓤ 한탄스러움, 비통, 비참.

***de·plor·a·ble**[diplɔ́:rəbl] *a.* 통탄할, 한탄스러운; 슬픈, 비참한: 《Ⅱ *It v* Ⅱ +*for*+대+*to* do》 It's ~ for them *to* behave so nastily. 그들이 그렇게 비열하게 행동하는 것은 통탄할 일이다. **~·ness** *n.*

de·plor·a·bly *ad.* 한탄스럽게(도); 비통하게.

***de·plore**[diplɔ́:*r*] *vt.* 〈죽음·과실 등을〉 비탄하다, 개탄하다; 몹시 한탄〔후회〕하다.

de·ploy[diplɔ́i] 〔軍〕 *n.* Ⓤ 전개(展開), 배치. ── *vi., vt.* 전개하다〔시키다〕; (전략적으로) 배치하다. **~·ment** *n.* Ⓤ,Ⓒ 전개.

de·plume[diplú:m] *vt.* 깃털을 잡아 뜯다; 명예〔재산〕를 박탈하다. **dè·plu·má·tion** *n.*

de·po·lar·i·za·tion[di:pòulərizéiʃən] *n.* Ⓤ 〔電·磁〕 탈분극(脫分極), 복극(復極), 소극(消極)(한 것); 〔光〕 편광(偏光)의 소멸.

de·po·lar·ize[di:póulərаiz] *vt.* **1** 〔電·磁〕 복극〔소극〕하다; 〔光〕 편광을 소멸시키다. **2** 〈확신·편견 등을〉 뒤집다, 해소시키다. **-iz·er** *n.* 복극〔소극〕제(劑).

de·po·lit·i·cize[dì:pəlítəsàiz] *vt.* 정치색을 없애다, 비정치화하다.

de·pol·lute[dì:pəlú:t] *vt.* …의 오염을 제거하다.

de·pol·lu·tion[dì:pəlú:ʃən] *n.* Ⓤ 오염 제거.

de·pone[dipóun] *vt., vi.* 〔法〕 선서하고 증언하다.

de·po·nent[dipóunənt] *n.* **1** 〔法〕 선서 증인. **2** 〔文法〕 이태(異態)동사(=∠ **verb**)《그리스어·라틴어에서 형태는 수동이고 뜻은 능동인 동사》. ── *a.* 〔文法〕 이태의.

de·pop·u·late[di:pápjəlèit/-pɔ́p-] *vt.* 주민을 없애다〔줄이다〕. ── *vi.* 인구가 줄다.

de·pop·u·la·tion[-ʃən] *n.* Ⓤ 주민을 줄임; 인구 감소.

de·pop·u·la·tor[di:pápjəlèitə*r*/-pɔ́p-] *n.* 인구를 줄이는 것《사람·전쟁·기근 등》.

de·port¹[dipɔ́:*r*t] *vt.* **1** 국외로 추방하다, 유형에 처하다: They ~*ed* the criminals *from* their country. 그들은 범죄자들을 국외로 추방했다. **2** 운반하다, 이송〔수송〕하다.

deport² *vt.* 《文語》 (~ one*self* 로; 부사구와 함께) 처신하다, 행동하다(behave): ~ *oneself* prudently〔*with* dignity〕 신중히〔위엄있게〕 처신하다. **~·a·ble** *a.*

de·por·ta·tion[dì:pɔ:*r*téiʃən] *n.* Ⓤ 국외 추방; 이송, 수송: a ~ order 퇴거 명령.

de·port·ee[dì:pɔ:*r*tí:] *n.* 피추방자.

***de·port·ment**[dipɔ́:*r*tmənt] *n.* Ⓤ 태도, 거동, 처신(behavior); 행실, 품행; 《영》 (젊은 여성의) 행동 거지.

de·pos·a·ble[dipóuzəbəl] *a.* 폐할 수 있는; 증언할 수 있는.

de·pos·al[dipóuzəl] *n.* Ⓤ 폐위; 면직, 파면.

***de·pose**[dipóuz] *vt.* **1** 〈높은 지위에서〉 물러나게 하다, 〈국왕을〉 폐하다, 찬탈하다(dethrone). **2** 〔法〕 선서 증언하다, 진술(陳述)하다: 《Ⅲ *that*(절)》 She ~*d that* she had seen the man steal the money from the safe. 그녀는 그 남자가 금고에서 돈을 훔치는 것을 보았다고 증언했다. ── *vi.* 〔法〕 증언하다: 《Ⅲ *v* Ⅰ+전+*-ing*》((*-ing*)-Ⅴ (목)+*do*) The witness ~*d to* hav*ing* seen the man *steal* the money from the safe. 그 목격자는 그 남자가 금고에서 돈을 훔치는 것을 보았다고 증언했다. **de·pós·er**[-ə*r*] *n.* 면직〔퇴위〕시키는 사람; (선서) 증언자. ⊕ deposítion *n.*

****de·pos·it**[dipázit/-pɔ́z-] [L] *vt.* **1** 두다(place); 〈동전을〉 집어넣다《자동 판매기 등에》: *D*- a dime and dial your number. 10센트를 넣고 번호를 돌리시오. **2** 침전〔퇴적〕시키다. **3** 맡기다, 예금하다, 공탁하다《*in, with*》; 〔政〕 〈조약의 비준서를〉 기탁하다: ~ money *in* 〔*with*〕 a bank 은행에 예금하다/He ~*ed* papers *with* me. 그는 서류를 나에게 맡겼다. **4** 보증금을 주다. **5** 〈알을〉 낳다(lay), 〈새가〉 탁란(托卵)하다. ── *vi.* 침전〔퇴적〕하다, 가라앉다; 예금〔공탁〕되다.
── *n.* **1** 침전물, 퇴적물; 광상(鑛床), 매장물: oil ~*s* 석유 매장량. **2** 탁란된 알. **3** Ⓤ 맡김, 기탁. **4** (*pl.*) 적립금, 증거금, 기탁물, 전셋돈; 공탁금, 예금(액). **5** 《주로 미》 =DEPOSITORY 1, DEPOT 2. **current**〔**fixed**〕 **deposit** 당좌〔정기〕 예금. **deposit in trust** 신탁예금. **have**〔**place**〕 **money on deposit** (금전)을 맡고 있다〔맡기다〕. **make a deposit on** a house (집의) 계약금을 치르다.

depósit accòunt 《영》 저축 예금 구좌(《미》 savings account); 《미》 예금 구좌.

de·pos·i·tar·y[dipázitèri/-pɔ́zitəri] *n.* (*pl.* **-tar·ies**) 맡는 사람, 보관인, 수탁자, 피공탁자; 보관소.

depósitary recèipt (발행국 은행에 맡기는) 예탁 증권.

dep·o·si·tion[dèpəzíʃən, dì:p-] *n.* Ⓤ,Ⓒ **1** 관직 박탈, 파면; 폐위; (**D-**) 그리스도 강가(降架)《십자가에서 내려 놓음》, 그 그림〔조각〕. **2**

〔法〕 선서 증언〔증서〕; 조서(調書). **3** 내려놓기; 퇴적, 침전(물). **4** 공탁《유가 증권 등의》; 공탁물; 탁란(托卵).

depósit mòney 공탁금; 예금 화폐.

de·pos·i·tor[dipɑ́zitər/-pɔ́z-] *n.* **1** 예금〔공탁〕자. **2** 침전기; 전기 도금기.

de·pos·i·to·ry[dipɑ́zitɔ̀:ri/-pɔ́zitəri] *n.* (*pl.* **-ries**) **1** 공탁소, 수탁소, 보관소, 창고; 《비유》 보고(寶庫): a ~ of learning 지식의 보고. **2** 보관인, 수탁자(depositary).

depósitory lìbrary 《미》 정부 간행물 보관 도서관.

⁎**dep·ot**[dí:pou/dépou] [F] *n.* **1** 《미》 (철도)역(railroad station), 버스 터미널, 공항; 버스〔전차, 기관차〕 차고. **2** [dépou]《영》 저장소, 창고. **3** 〔軍〕 병참부, 《영》 연대 본부; 보충대; 포로 수용소. ── *vt.* depot에 두다〔넣다〕.

dépot shìp 모함(母艦)(tender).

depr. depreciation.

dep·ra·va·tion[dèprəvéiʃən, dì:prei-] *n.* Ⓤ 악화; 부패, 타락.

de·prave[dipréiv] *vt.* 나쁘게 만들다(debase), 악화시키다; 타락〔부패〕시키다.

de·praved[-d] *a.* 타락한, 저열한, 불량한.

de·prav·i·ty[diprǽvəti] *n.* (*pl.* **-ties**) **1** Ⓤ 타락, 부패. **2** 악행.

dep·re·cate[déprikèit] *vt.* **1** 비난〔반대〕하다: He ~*d* extend*ing* a helping hand *to* lazy people. 그는 게으른 사람들에게 원조의 손을 뻗쳐서는 안된다고 강력히 반대했다/He ~*d* his son's premature attempt *as* improvident. 그는 아들의 성급한 시도를 경솔하다고 비난했다. **2** 《古》 〈노여움 등을〉 면하기를 빌다. **3** 업신여기다.

-ca·tive[-kèitiv] *a.* =DEPRECATORY.

dep·re·cat·ing·ly[déprikèitiŋli] *ad.* 비난하듯이; 애원〔탄원〕조로.

dep·re·ca·tion[dèprikéiʃən] *n.* Ⓤ,Ⓒ 반대, 불찬성, 항의; 애원, 탄원.

dep·re·ca·to·ry[déprikətɔ̀:ri/-təri] *a.* **1** 사과〔변명〕하는: a ~ letter 변명하는 편지. **2** 비난〔불찬성〕의. **dèp·re·ca·tó·ri·ly** *ad.*

de·pre·ci·a·ble[diprí:ʃiəbl] *a.* 가격 인하가 되는; 《미》 감가 견적할 수 있는.

⁎**de·pre·ci·ate**[diprí:ʃièit] [L] *vt.* **1** (특히 시장) 가치를 저하〔감소〕시키다; 구매력을 감소시키다. **2** 얕보다. ── *vi.* (화폐 등의) 가치가 떨어지다, 값이 내리다(*opp.* appreciate).

-a·tor *n.* ⊕ depreciátion *n.*: deprécia-tive, depréciatory *a.*

de·pre·ci·at·ing·ly[-iŋli] *ad.* 얕보아, 경시하여.

⁎**de·pre·ci·a·tion**[diprì:ʃiéiʃən] *n.* Ⓤ,Ⓒ **1** 가치 하락, 가격의 저하. **2** 〔簿〕 감가 상각, 감가 견적. **3** 경시: in ~ 경멸하여. ⊕ depréciate *v.*

depreciátion insùrance 〔保〕 감가상각비 보험.

depreciátion resèrve 감가 상각 준비금.

de·pre·ci·a·tive[diprí:ʃièitiv] *a.* = DEPRECIATORY. ⊕ depréciate *v.*

de·pre·ci·a·to·ry[diprí:ʃiətɔ̀:ri/-təri] *a.* **1** 감가적(減價的)인, 하락 경향의. **2** 업신여기는, 깔보는. ⊕ depréciate *v.*

dep·re·date[déprədèit] *vt., vi.* 약탈하다.

-da·tor *n.* **dep·red·a·to·ry**[déprədətɔ̀:ri/-təri] *a.*

dep·re·da·tion[dèprədéiʃən] *n.* Ⓤ 약탈; (보통 *pl.*) 파괴의 흔적; 약탈 행위.

⁑**de·press**[diprés] [L] *vt.* **1** 기를 꺾다, 우울하게 하다. **2** 내리누르다. **3** 저하시키다; 〈목소리·정도·힘 등을〉 낮추다. **4** 쇠약하게 하다, 경기를 나쁘게 만들다, 부진하게 하다; 〈시세를〉 하락시키다: Business is ~*ed.* 경기가 나쁘다. ⊕ depréssion *n.*: depréssive *a.*

de·pres·sant[diprésənt] *a.* **1** 〔醫〕 진정〔억제〕 효과가 있는. **2** 의기소침하게 하는. **3** 경기를 침체시키는. ── *n.* 〔藥〕 진정제.

⁑**de·pressed**[diprést] *a.* **1** 억압된; 의기 소침한, 불경기의, 부진한; 〈주(株)가〉 하락한. **2** 내려앉은 〈노면 등〉; 움푹 들어간; 〈동·식물이〉 평평한. **3** 표준 이하의 〈학력 등〉. **4** 궁핍한, 생활난의.

depréssed área 불황(不況) 지역〔지방〕.

depréssed clásses (the ~) (인도의) 최하층민.

de·press·i·ble[-əbl] *a.* 저하시킬 수 있는.

de·press·ing[diprésiŋ] *a.* 억압적인; 침울하게 만드는, 울적한. **~·ly** *ad.*

⁑**de·pres·sion**[dipréʃən] *n.* **1** Ⓤ,Ⓒ 억압, 침하(沈下). **2** Ⓤ,Ⓒ 불경기, 불황, 불황기; (the D-) 대공황. **3** Ⓤ 의기 소침, 우울; 울병(鬱病): nervous ~ 신경 쇠약. **4** 〔樂〕 (반음) 내림; 〔測〕 (수평) 복각(伏角); 〔外科〕 (녹내장의) 압하(壓下)(수술); 〔生理〕 기능 저하. **5** Ⓤ,Ⓒ (지반(地盤)의) 함몰; Ⓒ 움푹한 땅. **6** 〔氣〕 저기압. **atmospheric**〔**barometric**〕 **depression** 저기압.
⊕ depréss *v.*: depréssive *a.*

de·pres·sive[diprésiv] *a.* =DEPRESSING. ── *n.* 울병 환자.

de·pres·sor[diprésər] *n.* 억압자; 〔醫〕 압저기(壓低器); 〔解〕 억제근; 〔生理〕 감압(減壓) 신경(=∠ **nèrve**); 〔藥〕 혈압 강하제.

de·pres·sur·ize[di:préʃəràiz] *vt.* 감압하다, …의 기압을 내리다.

de·priv·a·ble[dipráivəbəl] *a.* 빼앗을 수 있는.

de·priv·al[dipráivəl] *n.* Ⓤ,Ⓒ 박탈.

dep·ri·va·tion[dèprəvéiʃən] *n.* Ⓤ,Ⓒ **1** 박탈. **2** (상속인의) 폐제(廢除); (성직의) 파면. **3** 상실, 손실(loss), 부족(상태)《*of*》; Ⓤ 궁핍, 빈곤.

⁑**de·prive**[dipráiv] *vt.* **1** 《(사람에게서·물건에서)(사람·물건·권리 등)을》 빼앗다, 박탈하다《*of*》: 《Ⅲ (목)+전+명》 The gangster ~*d* her *of* her money. 그 불량배는 그녀에게서 돈을 빼앗었다/~ a man *of* his property 〔life〕 …에게서 재산〔생명〕을 빼앗다. **2** …에게 거절하다 〈…에게 권리 등의 행사를〉 허용하지 않다, 주지않다《*of*》: 《Ⅲ (목)+전+명》 She ~*d* him *of* food. 그녀는 그에게 먹을 것을 주지 않았다/《Ⅲ (목)+전+명+〈*to* do〉》 She ~*d* him *of* permission *to* enter her house. 그녀는 그가 그녀의 집에 들어가는 것을 허용하지 않았다. **3** 면직〔파면〕하다, 〈성직을〉 박탈하다. **be deprived of** …을 빼앗기다: 《Ⅰ *be pp.*+전+명》 He was ~*d* of his civic rights. 그는 시민권을 박탈당했다(=They ~*d* him of his civic rights.《Ⅲ (목)+전+명》) **deprive oneself of** …을 자제하다, 삼가다, 끊다. ⊕ deprivátion, deprival *n.*

de·prived[dipráivd] *a.* 가난한, 불우한: (the ~; 명사적; 복수 취급) 가난한 사람들.

de pro·fun·dis[dì:-prəfʌ́ndis] [L=out of the depths] *ad.* (슬픔·절망 등의) 구렁텅이에서. ── *n.* (슬픔·절망의) 구렁텅이에서의 외침〔절규〕; (the D-P-) 〔聖〕 시편 제130편.

de·pro·gram[dì:próugræm] *vt.* (~(m)ed; -gram·(m)ing) 신념〔신앙〕을 버리게 하다, 눈뜨게 하다. **~·mer** *n.*

dept. department; deputy.

‡depth[depθ] *n.* **1** U,C 깊이, 깊은 정도. **2** U,C (건물 등의) 깊숙함, 안길이. **3** (보통 *pl.*) 깊은 곳, 깊음, 구렁; 《文語》 심연(abyss), 심해(深海), 바다. **4** U (학문 따위의) 심원함(profundity); (인물·성격 등의) 깊은 맛; (감정의) 심각성, 강도. **5** (*pl.*) 깊숙이 들어간 곳, 오지: in the ~(*s*) of the forest 숲 속 깊숙이. **6** U 질음; 낮은 음조. **7** U 한창때, 한 가운데: in the ~ of winter 한겨울에. **be out of〔beyond〕 one's depth** (키가 닿지 않는) 깊은 구렁에 빠져 있다; 이해〔역량〕가 미치지 못하다. **from〔in〕 the depth of one's heart** 마음속에서. **in depth** 깊이는; 깊이 있게〔는〕, 철저히〔한〕. **plumb the depths** (슬픔불행 등의) 밑바닥에 빠지다. **to the depth of** …의 깊이까지; 마음속까지. **within one's depth** (물속의) 발이 닿는 곳에; 힘이 미치는 범위에서; 이해할 수 있을 정도로. ― *a.* 깊은, 철저한. ◈ deep *a.*; déepen *v.*

dépth chàrge〔bòmb〕 수중 폭뢰(爆雷).

dépth fìnder 〔海〕 음향 측심기(測深機).

dépth ìnterview 심층적 인터뷰《정해진 많은 질문을 자세히 물어봄》.

dépth of fìeld 〔光〕 초점 심도(深度)《카메라 렌즈의 광축(光軸)상에서 물체가 약간 이동해도 상(像)의 선명도는 지장이 없는 범위》.

dépth percèption 깊이 감각, 거리 감각《대상물과의 거리나 원근 관계의 지각》.

dépth psychòlogy 심층심리학.

dépth recòrder 〔海〕 자기(自記) 심도계.

dep·u·rant[dépjərənt] *n.* 청정제(淸淨劑).

dep·u·rate[dépjərèit] *vt., vi.* 정화하다.

dep·u·ra·tion[-ʃən] *n.* U 정화(淨化)〔정혈(淨血)〕 (작용).

dep·u·ra·tive[dépjərèitiv] *a.* 정화하는. ― *n.* 정화제.

dep·u·ra·tor[dépjərèitər] *n.* 정화기, 정화제.

de·purge[di:pə́:rdʒ] *vt.* 추방을 해제하다.

de·pur·gee[dì:pə:rdʒí:] *n.* 추방 해제자.

dep·u·ta·tion[dèpjətéiʃən] *n.* U 대리(행위), 대표, 대리 파견(delegation); C 대리 위원단, 대표단.

de·pute[dipjú:t] *vt.* 대리자로 삼다; 〈일·직권을〉 위임하다: I ~*d* him *to* take charge of the club while I was in America. 내가 미국에 있는 동안 그를 클럽 책임자로 위임했다.

dep·u·tize[dépjətàiz] *vi.* 대리하다(*for*). ― *vt.* 대리를 임명하다.

∗dep·u·ty[dépjəti] *n.* (*pl.* **-ties**) **1** 대리인, 대리역〔관〕, 부관. **2** (**D-**) (프랑스 등의) 하원 의원. ― *a.* 대리의, 부(副)의(acting, vice-): a ~ chairman 의장〔회장〕 대리, 부의장〔회장〕/ a ~ governor 부지사/a ~ judge〔procurator〕 예비 판사〔검사〕/a ~ premier〔prime minister〕 부수상, 부총리/a ~ mayor 부시장/the *D-* Speaker 《영》 (하원의) 부의장. **by deputy** 대리로. **the Chamber of Deputies** (이전의 프랑스의) 하원《지금은 the National Assembly》. ◈ depúte, députize *v.*

députy shériff 《미》 군(郡) 보안관 대리.

deque[dek] *n.* 〔컴퓨터〕 덱《양끝의 어느 쪽에서든 데이터의 출입이 가능한 데이터 행렬》.

De Quin·cey[di-kwínsi/də-] *n.* 드퀸시 Thomas ~《영국의 수필가(1785-1859)》.

der., deriv. derivation; derivative; derive(d).

de·ra·cial·ize[di:réiʃəlàiz] *vt.* 인종적 특징을 없애다.

de·rac·i·nate[diræ̀sənèit] *vt.* …을 뿌리뽑다, 근절시키다. **de·ràc·i·ná·tion**[-ʃən] *n.* U 근절.

de·rad·i·cal·ize[di:rǽdikəlàiz] *vt.* 과격주의〔사상〕를 버리게 하다.

de·rail[diréil] *vt.* (보통 수동형) 〈기차 등을〉 탈선시키다. **get〔be〕 derailed** 탈선하다: 《V (목)+전+*-ing*》 Only stiff punishment will deter the youth from *getting derailed.* 엄격하게 벌을 주어야만 아이들이 탈선을 안하게 될 것이다. ― *vi.* 탈선하다. ― *n.* 탈선기. **~·ment** *n.* U,C 탈선.

de·rail·leur[diréilər] *n.* (자전거의) 변속 장치; 변속 장치가 있는 자전거.

de·range[diréindʒ] *vt.* 흐트러뜨리다, 어지럽히다; 미치게 하다. **de·ránged**[diréindʒd] *a.* 혼란된; 미친. **de·range·ment** *n.* U 교란, 혼란; 발광: mental ~ 정신 착란.

de·rate[di:réit] *vt.* 감세(減稅)하다.

de·ra·tion[di:réiʃən] *vt.* 〈식품 등을〉 배급 제도에서 제외하다.

de·rat·i·za·tion[di:ræ̀təzéiʃən] *n.* 〔海〕 (특히 상선 안의) 쥐 잡기.

∗Der·by[də́:rbi/dɑ́:r-] *n.* (*pl.* **-bies**) **1** 더비 《영국 DERBYSHIRE의 주청 소재지》. **2** (the ~) 더비 경마《영국 Surrey주 Epsom에서 매년 6월에 거행》; 대경마《《미》에서는 Kentucky주 Churchill Downs에서 거행됨》; 대경쟁. **3** (**d-**) =DERBY HAT. **Dérby Dày** 더비 경마일.

Dérby dòg 경마장의 경기로를 헤매는 개; 거치적거리는 사람〔것〕.

Dérby hát 《미》 중산 모자(《영》 bowler).

Der·by·shire[də́:rbiʃər/dɑ́:r-] *n.* 더비셔 《영국 중부의 주》.

de·rec·og·nize[di:rékəgnàiz] *vt.* 〈국가에 대한〉 승인을 취소하다. **de·rèc·og·ní·tion** [-ʃən] *n.*

de·reg·is·ter[di:rédʒistər] *vt.* 등록을 취소하다. **de·règ·is·trá·tion**[-ʃən] *n.*

de rè·gle[dərégl] [F] *ad., a.* 규정대로(인).

de·reg·u·late[di:régjulèit] *vt.* 규칙을 폐지하다; 통제〔규제〕를 철폐하다.

dè·règ·u·lá·tion[di:règjəléiʃən] *n.*

de·re·ism[di:rí:izəm] *n.* U 〔心〕 비현실성.

dè·re·ís·tic[dì:ri:ístik] *a.*

Der·ek[dérik] *n.* 남자 이름《Theodoric의 애칭》.

der·e·lict[dérəlikt] *a.* **1** 유기〔포기〕된. **2** 《미》 의무 태만의, 무책임한. ― *n.* **1** 유기물 《특히 버려진 배》; 버림받은 사람, 낙오자. **2** 《미》 직무 태만자.

der·e·lic·tion[dèrəlíkʃən] *n.* U,C 포기, 유기; 태만; 〔法〕 바닷물이 빠져 생긴 땅.

de·re·press[dì:riprés] *vt.* 〔生〕 〈유전자를〉 활성화하다. **-pres·sion** *n.*

de·re·pres·sor[dì:riprésər] *n.* 〔生〕 유도자(inducer).

de·req·ui·si·tion[dirèkwəzíʃən] 《영》 *n.* U 접수 해제. ― *vt., vi.* 접수를 해제하다.

de·re·strict[dì:ristríkt] *vt.* …의 제한을 해제하다: ~ a road 도로의 속도 제한을 해제하다. **-stric·tion** *n.*

∗de·ride[diráid] *vt.* 비웃다, 조소〔조롱〕하다 (mock) (*cf.* ridicule). **de·ríd·er**[-ər] *n.* **de·ríd·ing·ly** *ad.* = DERISIVELY. ◈ derísion *n.*; derísive *a.*

de ri·gueur[dərigə́:r] [F] *a.* 예식상 필요한.

de·ris·i·ble[dirízəbəl] *a.* 웃음거리가 되는.

∗de·ri·sion[diríʒən] *n.* U 비웃음, 조소, 조롱(mockery); C 조소거리, 웃음거리. **be in derision** 조소받고 있다. **be the derision of** …에게서 조롱당하다. **bring** a person **into derision** …을 웃음거리로 만들다.

hold a person **in derision** …을 조롱하다. **in derision of** …을 조롱하여.
◈ deríde *v.*: derísive *a.*

de·ri·sive[diráisiv, -ziv/-ríziv, -rís-] *a.* 조소〔조롱〕하는; 비웃을 만한, 조소받을 (만한).

de·ri·sive·ly *ad.* 비웃으며, 조롱하여.

de·ri·so·ry[diráisəri] *a.* **1** =DERISIVE. **2** 아주 근소한; 아주 시시한: a ~ salary 쥐꼬리만한 봉급.

deriv. derivation; derivative; derived.

de·riv·a·ble[diráivəbəl] *a.* 끌어낼 수 있는, 추론할 수 있는《*from*》.

*__der·i·va·tion__[dèrəvéiʃən] *n.* Ⓤ,Ⓒ **1** (다른 것·근원에서) 끌어냄, 유도. **2** 유래, 기원. **3** 〔言〕 (말의) 파생, 어원; Ⓒ 파생어. **4** 파생(물). **~·al** *a.*

*__de·riv·a·tive__[dirívətiv] *a.* (근원에서) 끌어낸; 유도적인(*cf.* ORIGINAL); 〔言〕 파생적인. ── *n.* **1** 파생물; 〔言〕 파생어(*opp.* root). **2** 〔化〕 유도체; 〔數〕 도함수(導函數); 〔醫〕 유도제〔법〕. **~·ly** *ad.*

⁑**de·rive**[diráiv] [L] *vt.* **1** 〈다른 것·근원에서〉 …을 끌어내다, 얻다《*from*》; 〔化〕 유도하다: He ~*d* much money *from* the business. 그는 그 일에서 많은 돈을 벌었다. **2** 〈단어·관습 등의〉 유래를 더듬다(trace); (종종 수동형으로) …에 기원을 두다《*from*》; 추론〔추리〕하다: This word is ~*d from* Latin. 이 낱말은 라틴어에서 파생되었다. ── *vi.* 유래〔파생〕하다, 나오다《*from*》: The term ~*s from* Greek. 이 용어는 그리스어에서 유래한다.

de·rived[-d] *a.* 유래된, 파생된 〈단어〉.
◈ derivátion *n.*: derívative *a.*

derm-[dəːrm], **der·ma-**[dɔ́ːrmə] 《연결형》 「피부」의 뜻《모음 앞에서는 derm-》.

der·ma, derm[dɔ́ːrmə], [dəːrm] *n.* Ⓤ 〔解〕 진피(dermis); 피부(skin).

derm·a·bra·sion[dəːrməbréiʒən] *n.* 〔外科〕 피부 찰상법(擦傷法), 피부 박리술(剝離術).

der·mal, der·mat·ic[dɔ́ːrməl], [dəːrmǽtik] *a.* 피부에 관한, 피부의.

der·mat-[dɔ́rmət], **der·ma·to-**[dɔ́ːrmətou] 《연결형》「피부의」의 뜻《모음 앞에서는 dermat-》.

der·ma·ti·tis[dəːrmətáitis] *n.* Ⓤ 피부염.

der·mat·o·glyph·ics[dərmæ̀təglífiks, dɔ̀ːrmətə-] *n. pl.* **1** (복수 취급) (손발의) 피부(줄) 무늬, 피문(皮紋). **2** (단수 취급) 피문학(皮紋學).

der·ma·tol·o·gy[dəːrmətálədʒi/-tɔ́l-] *n.* Ⓤ 피부병학. **-gist** *n.* 피부과 전문의, 피부병학자.

der·ma·tome[dɔ́ːrmətòum] *n.* **1** 〔解〕 피(부)절(節). **2** 〔外科〕 피부절단기, 식피(植皮)칼《식피할 때 피부를 엷게 잘라내는 칼》. **3** 〔發生〕 피(부)판(板), 원시 피부 분절《태아의 중배엽성 원절(中胚葉性原節)의 일부로 머지않아 피부로 발달하는 부분》.

der·ma·to·path·i·a, der·ma·top·a·thy [dɔ̀ːrmətoupǽθiə, dəːrmæ̀tə-], [dɔ̀ːrmətápəθi/-tɔ́p-] *n.* Ⓤ 피부병.

der·mic[dɔ́ːrmik] *a.* =DERMAL.

der·mis[dɔ́ːrmis] *n.* Ⓤ 진피(眞皮).

der·moid[dɔ́ːrmɔid] *a.* 피부 모양의.

der·mo·tro·pic[dɔ̀ːrmətróupik, -tráp-/-trɔ́p-] *a.* 〈바이러스가〉 피부에 기생하는, 피부성의.

dern[dəːrn] *v., a., ad.* =DARN[2].

der·nier[dɔ́ːrniər][F] *a.* 최후의(last); 최근의.

der·nier cri[dɔ́ːrniərkríː] [F] *n.* 결정적〔최종적〕인 말; 최신 유행.

der·nier re(s)·sort[-rəsɔ́ːr] [F] *n.* 최후 수단.

de·ro[dérou] *n.* (*pl.* **~s**) 《오스俗》 낙오자; 부랑자; 《익살》 녀석, 사람(person).

der·o·gate[dérougèit] *vi.* **1** 〈명성·품위·가치 등을〉 훼손〔손상〕하다, 떨어뜨리다《*from*》: ~ *from* one's reputation 명성을 손상시키다. **2** 〈사람이〉 타락하다《*from*》.

der·o·ga·tion[-ʃən] *n.* Ⓤ (명예·가치 등의) 감손(減損), 손상, 훼손, 저하; 타락.

de·rog·a·tive[dirágətiv/-rɔ́g-] *a.* 가치〔명예〕를 훼손하는. **~·ly** *ad.*

de·rog·a·to·ry[dirágətɔ̀ːri/-rɔ́gətəri] *a.* 〈명예·품격·가치 등을〉 손상하는《*to*》; 경멸적인: ~ remarks 욕(설). **-ri·ness** *n.*

de·ròg·a·tó·ri·ly *ad.*

der·rick[dérik] *n.* **1** 데릭《배 등에 화물을 싣는 기중기》. **2** (석유 갱(坑)의) 유정탑(油井塔). **3** 〔空〕 이륙탑.

der·rière[dèriɛ́ər] [F] *n.* 《口》 엉덩이.

der·ring-do[déríŋdúː] *n.* (*pl.* **dér·rings-**) [daring to do의 전화(轉化)] 《古》 필사적인 용기, 대담한 행위.

der·(r)in·ger[dérindʒər] *n.* 데린저식 권총《구경이 크고 총신이 짧음》.

der·ris[déris] *n.* 데리스《동인도 제도산의 콩과(科)식물》; 그 뿌리에서 만든 살충제.

der·ry[1][déri] *n.* 《오스·뉴질》 혐오. **have a derry on** …을 혐오하다.

derry[2] *n.* (*pl.* **-ries**) 《俗》 폐옥(廢屋)《부랑자 등이 이용하는》.

de·rust[diːrʌ́st] *vt.* 녹을 제거하다.

derv[dəːrv] [*d*iesel-*e*ngined *r*oad *v*ehicle] *n.* Ⓤ 《영》 디젤 엔진용 연료.

der·vish[dɔ́ːrviʃ] *n.* (회교의) 금욕파의 수도사.

de·sa·cral·ize[diːséikrəlàiz/-sǽk-] *vt.* 비신성화(化)하다, 세속화하다(secularize).

de·sal·i·nate[diːsǽlənèit] *vt.* = DESALT.

de·sal·i·nize[diːsǽlənàiz, -séil-] *vt.*= DESALT.

de·salt[diːsɔ́ːlt] *vt.* 〈바닷물을〉 탈염하다.

de·scale[diːskéil] *vt.* 물때를 벗기다.

des·cant[déskænt] *n.* **1** 《詩》 가곡. **2** 〔樂〕 (정선율(定旋律의) 수창부(隨唱部), 수주(隨奏); (다성 악곡의) 최고 음부; 대위법의 초기 형식. **3** 상설(詳說), 논평. ── [deskǽnt, dis-] *vi.* **1** 상세하게 설명하다(dwell)《*on, upon*》. **2** 〔樂〕 (정선율에 맞추어) 노래〔연주〕하다.

Des·cartes[deikáːrt] *n.* 데카르트 René ~ 《프랑스의 철학자·수학자(1596-1650)》.

⁑**de·scend**[disénd] [L] *vi.* **1** 내려가다, 내리다(*opp.* ascend): ~ *from* a tree 나무에서 내려오다. **2** 내리받이가 되다, (아래로) 경사지다《*to*》: The path ~*s to* the river. 길은 강쪽으로 경사져 있다. **3** 〈사람이〉 계통을 잇다, 자손이다《*from*》; 〈토지·성질이〉 전해지다, 내림이다《*from, to*》: ~ *from* father *to* son 아버지로부터 아들에게 전해지다. **4** (높은 단계에서 낮은 단계로) 퍼지다, 미치다; (차례로) 감소〔축소〕하다; 〈소리가〉 낮아지다; (개론에서 각론으로) 옮아가다: Let's ~ *to* details. 세부로 옮겨가자. **5** 〈…할 만큼〉 타락하다, 비굴하게도 〈…까지〉 하다《*to*》: ~ *to* a fraud 비열한 수단으로 사기를 치다. **6** 〈집단이〉 습격하다; (갑자기) 몰려가다《*on, upon*》; 〈노염·정적 등이 사람·장소에〉 엄습하다《*on, upon*》: They ~*ed upon* the enemy soldiers. 그들은 적병을 급습했다. **7** 〔天〕 남〔지평선〕쪽으로 움직이다. **8** (어둠이) 찾아들다; (구름·안개 등

이) 낮게 드리우다. — *vt.* **1** 〈비탈·층계 등을〉 내려 가다(go down). **2** ((수동태로)) (자손으로서) 계통을 잇다: ((I *be pp.*+전+명)) He is ~*ed* from a respectable family. 그는 훌륭한 가문(家門) 출신이다.
⊕ descént, descéndant *n.*

‡**de·scen·dant** [diséndənt] *n.* 자손, 후예(*opp.* ancestor). — *a.*=DESCENDENT. ⊕ descénd *v.*

de·scend·ed [diséndid] *a.* 전해진, 유래한 (*from*). **be descended from** …의 자손이다.

de·scen·dent [diséndənt] *a.* 하행성(下行性)의, 강하〔낙하〕하는; 전해 내려오는, 세습의. ((◇ descendant와는 달리 형용사적 용법뿐임)).

de·scend·er [diséndər] *n.* **1** 내려가는 사람〔것〕. **2** 〔印〕 하행(下行) 문자((g, p, y 등)).

de·scend·i·ble [diséndəbəl] *a.* (자손에게) 전하여지는, 유전되는, 유증할 수 있는.

de·scend·ing [diséndiŋ] *a.* 내려가는, 강하하는, 하향의(*opp.* ascending).

descénding létter =DESCENDER 2.

descénding pówers 〔數〕 강멱(降冪), 내림차.

‡**de·scent** [disént] *n.* **1** U,C 강하(降下), 하락(*opp.* ascent). **2** 내리받이(길); U,C 전락. **3** U 가계, 출신, 혈통((*from*)): an American of Irish ~ 아일랜드계 미국인. **4** U 〔法〕 세습, 상속; 유전. **5** (계통 중의) 한 세대. **6** 급습, 급침입((*on, upon*)); (경관 등의) 돌연한 검색〔임검〕. **a man of high descent** 문벌이 좋은 사람. **lineal descent** 직계 비속(卑屬). **make a descent on** …을 급습〔검색〕하다.
⊕ descénd *v.*

de·school [dì:skú:l] *vt.* 〈사회에서〉 (전통적인) 학교를 없애다.

de·scrib·a·ble [diskráibəbəl] *a.* 묘사〔기술〕할 수 있는.

‡**de·scribe** [diskráib] [L] *vt.* **1** 〈특징 등을〉 (문자·말로) 서술〔기술〕하다, 묘사하다, 말로 설명하다, 말하다: ((Ⅲ (목))) Words cannot ~ the scene. 말로는 그 광경을 설명할 수 없다/((Ⅲ (목)+전+명)) Can you ~ the man to me? 그 남자의 모습을 내게 말해 주겠소/Announcer Johnson is *describing* the game to the TV viewers. 존슨 아나운서는 (지금) 그 경기 실황을 TV 시청자들에게 중계하고 있다/((Ⅱ *be pp.*+*as*+*-ing*)) The ruffian was ~*d as* wearing a tattered overcoat. 그 불량배는 너덜너덜하게 해어진 외투를 입은 것으로 묘사되었다. **2** …을 …이라고〔으로〕 평하다((*as*)): ((Ⅴ (목)+*as*+명)) He doesn't ~ himself *as* a virtuoso. 그는 자신을 (음악 분야에서) 거장으로 자처하지 않는다/I should ~ the attempt as a failure. 나는 그 시도를 실패라고 평할 수 있다/((Ⅱ *be pp.*+*as*+명)) She was ~*d as* a good-natured woman. 그녀는 너그러운 여자로 평해졌다. **3** 〈선·도형을〉 그리다(draw); 〈천체가〉 어떤 도형을 그리며 운행하다. **describe a circle** 원을 그리다.
⊕ descríption *n.*; descríptive *a.*

de·scri·er [diskráiər] *n.* 발견자.

‡**de·scrip·tion** [diskrípʃən] *n.* **1** U,C 기술(記述), 서술, 기재. **2** 서술적 묘사, 서사문(敍事文); (물품의) 설명서, 해설; 인상서(人相書); U 〔數〕 작도(作圖). **3** ((口)) 종류(kind), 등급(class). **be beyond description**=**beggar (all) description** 형용할 수 없다. **give 〔make〕 a description of** …을 기술〔묘사〕하다. **of every description〔all descriptions〕** 모든 종류의. **of worst description** 최악의 종류의. **food of some〔any〕 description** 어떤 종류의 (음식).
⊕ descríbe *v.*; descríptive *a.*

*__de·scrip·tive__ [diskríptiv] *a.* **1** 기술(記述)〔서술〕적인, 설명적인, 기사체(記事體)의. **2** 도형(圖形) 묘사의. **3** 〔文法〕 기술적인. **descriptive of** …을 묘사한. **~·ly** *ad.* 서술적으로. **~·ness** *n.*

descríptive geómetry 도형 기하학.

descríptive grámmar 기술 문법.

descríptive linguístics 기술 언어학.

de·scrip·tor [diskríptər] *n.* 〔컴퓨터〕 기술자(記述子)((정보의 분류·색인에 쓰는 어구)).

de·scry [diskrái] *vt.* (**-scried**) 어렴풋이〔멀리〕 알아보다, 발견하다; (관측·조사하여) 알아내다.

Des·de·mo·na [dèzdəmóunə] *n.* 데스데모나 ((셰익스피어작 *Othello*에서 Othello의 처)).

des·e·crate [désikrèit] *vt.* …의 신성을 더럽히다(*opp.* consecrate); 〈신성한 것을〉 속되게 쓰다. **-crat·er** *n.* =DESECRATOR.

des·e·cra·tion [-ʃən] *n.* U 신성 모독.

des·e·cra·tor [-ər] *n.* 신성 모독자.

de·seg·re·gate [di:ségrigèit] *vt., vi.* ((미)) (학교 등에서) 인종 차별 대우를 폐지하다.

de·seg·re·ga·tion [-ʃən] *n.* U 인종 차별 대우 폐지(*cf.* INTEGRATION, SEGREGATION).

de·se·lect [dì:silékt] *vt.* ((미)) …을 훈련 계획에서 제외하다, 연수 기간 중에 해고하다.

de·sen·si·ti·za·tion [di:sènsitəzéiʃən] *n.* **1** 감도를 줄이기. **2** 〔生理〕 민감성 제거, 탈감(脫感).

de·sen·si·tize [di:sénsətàiz] *vt.* 〔寫〕 감도를 줄이다; 〔生理〕 민감성을 줄이다; 과민성을 줄이다〔없애다〕. **-tiz·er** [-ər] *n.* 〔寫〕 감감제(減感劑).

‡**des·ert**[1] [dézərt] [L] *n.* 사막; 황야; 불모 지대; 불모 시대; (사막과 같은) 적막; 적막한 마음의 세계: the Sahara *D* ~ 사하라 사막.
— *a.* 사막 같은; 불모의(barren); 사는 사람 없는, 쓸쓸한: a ~ island 무인도.

de·sert[2] [dizə́:rt] *vt.* **1** 버리다, 유기하다, 저버리다; 〈선원·군인 등이〉 탈주〔탈영〕하다. **2** 〈신념 등이 사람에게서〉 없어지다: His courage ~*ed* him. 그는 용기를 잃었다. — *vi.* 의무〔직무〕를 버리다, (무단히) 지위〔자리〕를 떠나다; 〔軍〕 탈영하다((*from*)): ~ *from* barracks 탈영하다. ((◇ DESSERT와 동음 이의어)).
⊕ desértion *n.*

*__de·sert__[3] [dizə́:rt] *n.* **1** 상〔벌〕을 받을 만한 가치〔자격〕, 공과(功過); 공적, 장점(merit). **2** (종종 *pl.*) 당연한 응보, 상응한 상〔벌〕. **above one's deserts** 과분하게. **get〔meet with〕 one's (just) deserts** 응분의 상〔벌〕을 받다. ((◇ DESSERT와 동음 이의어)). ⊕ desérve *v.*

de·sert·ed [-id] *a.* **1** 사람이 살지 않는; 황폐한: a ~ street 사람의 왕래가 없는 거리. **2** 버림받은.

de·sert·er [-ər] *n.* 유기자; 직장 포기자, 도망자, 탈영병, 탈선(脫船)자, 탈당자.

de·ser·ti·fi·ca·tion [dizə̀:rtəfikéiʃən] *n.* 사막화.

*__de·ser·tion__ [dizə́:rʃən] *n.* U **1** 내버림; 유기, 직장 포기, 탈주, 탈함(脫艦), 탈당; 〔法〕 처자 유기. **2** 황폐 (상태). ⊕ desért[3] *v.*

de·sert·i·za·tion [dèzə:rtəzéiʃən] =DESERTIFICATION.

désert lòcust 〔昆〕 이집트 땅메뚜기((아시아 및 북아프리카에 분포; 큰 떼를 이루어 농작물에 큰 피해를 줌)).

‡**de·serve** [dizə́:rv] [L] *vt.* …할〔받을〕 만하다:

…할〔될〕 가치〔값어치〕가 있다《진행형 없음》: 《Ⅲ *to* do》 Their gentlemanship ~*s to be praised* indeed. 그들의 신사도는 정말 칭찬받을 만하다(=Their gentlemanship ~*s* prais*ing* indeed.《Ⅲ -*ing*》/Their gentlemanship ~*s that* we should praise their gentlemanship indeed.《Ⅲ *that*(절)》(◇ *that*(절)은 딱딱한 표현이기 때문에 보통은 부정사를 쓴다))/He ~*s to* have us help him. 그는 도움받을 자격이 있다(=He ~*s* help*ing*./He ~*s that* we should help him.)/《Ⅲ -*ing*+전+명》 Our orchestra ~*s* rank*ing with* the best in this country. 우리 관현악단은 우리 나라에서 최상의 순위를 받을 만하다《◇ 주어는 의미상 동명사의 목적어가 된다. deserve 뒤에 동명사가 오면 수동의 뜻으로 되고, 부정사가 오면 능동의 뜻으로 된다》. ── *vi.* 《文語》 값어치가 있다, …에 상당하다《*of*》: efforts *deserving of* admiration 칭찬을 받을만한 노력. **deserve well**〔**ill**〕 **of** …으로부터 상〔벌〕을 받을 만하다: He ~*s well of* his country. 그는 나라에 공로가 있다. ◈ desért² *n.*

de·served[dizə́:*r*vd] *a.* 당연한 〈상·벌·보상 등〉.

de·serv·ed·ly[-idli] *ad.* 당연히, 정당히.

de·serv·er[dizə́:*r*və*r*] *n.* 적격자, 유자격자.

de·serv·ing[dizə́:*r*viŋ] *a.* **1** 마땅히 …을 받을 만한《*of*》: 공적 있는: His conduct is ~ *of* the highest praise. 그의 행위는 최고의 칭찬을 받을 만하다. **2** 원조 받을 만한 〈학생 등〉. ── *n.* 당연한 상벌: 공과. **~·ly** *ad.* 공이 있어서, 당연히.

de·sex[di:séks] *vt.* 거세하다, …의 난소를 제거하다: 성적 매력을 없애다: 《미》 성차별적 표현을 없애다.

de·sex·u·al·ize[di:sékʃuəlàiz] *vt.*=DESEX.

dés·ha·billé[dèzəbí:*l*, -bíl] [F] *n.*= DISHABILLE.

des·i[dézi:][*desi*gnated hitter] *n.* 〔野〕 지명대타.

des·ic·cant[désikənt] *a.* 건조시키는 (힘이 있는). ── *n.* 건조제.

des·ic·cate[désikèit] *vt.* **1** 건조시키다, 〈식품을〉 물기를 빼서 건물(乾物)〔가루〕로 보관하다: ~*d* milk 분유. **2** 생기를 잃게 하다, 무기력하게 하다: a ~*d* woman 생기〔매력〕 없는 여자. ── *vi.* 마르다, 건조하다: 무기력하게 되다, 생기를 잃다. ── *n.* 건조제품《등》.

des·ic·ca·tion[-ʃən] *n.* Ⓤ 건조 (작용), 탈수: 마름.

des·ic·ca·tive[désikèitiv, disíkə-] *a.* = DESICCANT.

des·ic·ca·tor[désikèitə*r*] *n.* 건조자〔기〕.

de·sid·er·ate[disídərèit, -zíd-] *vt.* 소망하다, 바라다. **de·sìd·er·á·tion**[-ʃən] *n.*

de·sid·er·a·tive[disídərèitiv, -rə-] *a.* 소망하는, 바라는. ── *n.* 〔文法〕 (동사의) 희구법(希求法).

de·sid·er·a·tum[disìdəréitəm, -rá:-, -zid-] *n.* (*pl.* **-ta**[-tə]) 몹시 아쉬운 것: 절실한 요구.

★**de·sign**[dizáin] *n.* **1** Ⓤ,Ⓒ 디자인, 의장(意匠), 도안, 밑그림, 초벌그림: Ⓒ 무늬, 본, 모형(pattern). **2** Ⓤ 설계, (소설·극 등의) 구상, 착상, 줄거리. **3** 계획, 기도, 의도(*cf.* plan): 《Ⅰ 전+명》 I left *with* the ~ of returning a few days later. 나는 며칠 뒤에 돌아갈 의도로 출발했다. **4** (*pl.*) 꿍심, 속셈, 음모《*on, against*》. **by design** 고의로, 계획적으로(*opp.* by accident). **design for advertisement** 광고 도안. **have**〔**harbor**〕 **a design**〔**designs**〕 **upon**〔**against**〕 a person …에게 살의를 품다. **the art of design** 디자인술. ── *vt.* **1** 디자인하다, 밑그림〔도안〕을 만들다. **2** 설계하다. **3** 계획하다, 입안하다(plan). **4** 목적을 품다, 뜻을 품다(intend): He ~*ed to* study economics. 그는 경제학을 공부하기로 마음 먹었다/He is ~*ing that* he will study abroad. 그는 외국에서 공부하려고 생각하고 있다. **5** 〈어떤 목적을 위하여〉 의도하다, 예정하다(destine)《*for*》: 《Ⅴ (목)+전+명》/《Ⅴ (목)+*as*+명》 He ~*s* his son *for*〔*as*〕 a pilot. 그는 아들을 조종사로 만들 작정이다(《Ⅴ (목)+*to be*+명》=He ~*s* his son *to be* a pilot.)/《Ⅱ *be pp.*+*to do*》 The ship was ~*ed* to reach Busan early in the morning. 그 배는 아침 일찍 부산에 도착하기로 되어 있었다/《Ⅲ *that*(절)》I did not ~ that she should have gone there. 나는 그녀를 거기에 가게 할 생각은 아니었다. ── *vi.* 의장〔도안〕을 만들다, 디자이너 노릇을 하다: 설계하다: 뜻을 두다, …할 예정이다《*for*》: ~ *for* a new model of car 신형 자동차를 설계하다.

⁑**des·ig·nate**[dézignèit] [design과 같은 어원] *vt.* **1** (분명히) 나타내다, 가리키다, 지적하다: On this map red lines ~ main roads. 이 지도에서 붉은 선은 주요 도로를 나타내고 있다. **2** 지명하다, 지정하다, 선정하다: 임명하다《*as, to, for*》《◇ 종종 수동형으로 쓰임》: 《Ⅴ (목)+*as*+명》 He ~*d* his son *as* his successor. 그는 자기 아들을 후계자로 지명했다/The civil authorities ~*d* our cellar *as* a public shelter. 행정 당국은 우리 지하실을 공공 대피소로 지정했다/《Ⅴ (목)+전+명》 The municipal authorities ~*d* him *to*〔*for*〕 the civil affairs official. 시 당국은 그를 민원 담당관에 임명했다(=He was ~*d to*〔*for*〕 the civil affairs official.《Ⅱ *be pp.*+전+명》). **3** …을 …이라고 부르다, 명명하다, 칭하다(call): 《Ⅴ (목)+(*as*)+명》 They ~*d* him (*as*) an avaricious man. 그들은 그를 욕심쟁이라고 일컬었 다 (=He was ~*d* (*as*) an avaricious man.《Ⅱ *be pp.*+(*as*)+명》). ── [-nət] *a.* (명사 뒤에서) 지명을 받은, 지정된(designated): a bishop ~ 임명된 주교《아직 취임하지 않은》. **-na·tive**[-nèitiv, -nə-], **-na·to·ry**[dézignətɔ̀:ri, dèzignéitəri] *a.* ◈ designátion *n.*

des·ig·nat·ed[-nèitid] *a.* 지정된: 관선의.

désignated hítter 〔野球〕 지명 대타자《略: D.H.》.

des·ig·na·tion[-ʃən] *n.* **1** Ⓤ 지정, 지시. **2** 임명, 지명, 선임. **3** 《文語》 명칭, 호칭: 칭호(title): (명칭 등의) 의미.

des·ig·na·tor[-ə*r*] *n.* 지명〔지정〕인.

de·signed[dizáind] *a.* 계획적인, 고의의(intentional): 본을 뜬: 의장 도안에 의한.

de·sign·ed·ly[-nidli] *ad.* 고의로, 계획적으로(*opp.* accidentally).

des·ig·nee[dèzigní:] *n.* 지명된 사람, 피지명자.

⁑**de·sign·er**[dizáinə*r*] *n.* 디자이너, 의장도안가: 설계자: 음모자, 모사(plotter). ── *a.* 유명 디자이너에 의한〔의 이름이 든〕. **~·dom** *n.*

desígner brànd 유명 디자이너의 이름〔상표〕이 든 상품.

desígner drúg (원래의 마약의 화학 구조를 최소한 변경하여 제조한) 의사(疑似) 마약《약리 효과는 비슷함》.

de·sign·ing[dizáiniŋ] *n.* Ⓤ **1** 설계: 의장(意匠), 도안. **2** 음모(plotting). ── *a.* **1** 설

계의, 도안의. **2** 꿍심을 품은, 뱃속이 검은; 계획적인. **~·ly** *ad.*

de·silt[di:sílt] *vt.* 〈강 등을〉 준설(浚渫)하다.

de·sil·ver·ize[di:sílvəràiz] *vt.* … 에서 은을 제거하다.

des·i·nence[désənəns] *n.* **1** (시(詩)의) 끝, 끝 행. **2** 〔文法〕 어미, 접미어.

de·sip·i·ence[disípiəns] *n.* Ⓤ 《文語》 터무니 없음, 어처구니 없음.

de·sir·a·bil·i·ty[-∸əbíləti] *n.* (*pl.* **-ties**) Ⓤ,Ⓒ 바람직함.

⁑de·sir·a·ble[dizáiərəbəl] *a.* 바람직한, 탐나는, 호감이 가는 〈사람·물건〉; 〈여성이〉 매력적인; 타당한: 《Ⅱ *It v*Ⅱ +형+(*for*+대)+*to* do》 It's ~ (*for* her) *to* do so. (그녀가) 그렇게 하는 것은 바람직하다. — *n.* 호감이 가는 사람〔물건〕. **~·ness** *n.* **-bly** *ad.* 바람직하게, 탐나게.

★de·sire[dizáiər] [L] *vt.* **1** 몹시 바라다, 욕구하다; 원하다, 희망하다(*cf.* want): 《Ⅲ *to* do》 I ~ to stay here. 나는 이곳에 머물고 싶다/She ~*d* (*of* them) *that* the letters (should) be burnt after her death. 그녀는 (그들에게) 그녀의 사후에 편지를 모두 태워주기를 바랐다 《◇ should가 생략되는 것은 주로 미식 용법》. **2** 요구〔요망〕하다: I ~ *that* action (should) be postponed. 의결이 연기되기를 요망합니다 《◇ 《口》에서는 should를 잘 쓰지 않음》. **3** …와 성적 관계를 갖고 싶어하다. **It is desired that** … …함이 바람직하다. **leave much**〔**nothing**〕 **to be desired** 미진한 점이 많다〔전혀 없다〕.

— *n.* **1** 욕구, 원망(願望); 욕망, 갈망《*for*》: He has a〔no〕 ~ for fame. 그는 명성을 바라고 있다〔있지 않다〕/His ~ of returning to his family was natural. 그가 가족에게 돌아가고 싶은 그의 소망은 당연한 것이었다. **2** 식욕; 정욕. **3** Ⓤ 희망, 요구; Ⓒ 소망하는 것. **at one's desire** 희망에 따라, 희망대로. **by desire** 소망에 의해서. **to one's heart's desire** 흡족하도록. **de·sír·er**[-rər] *n.*

de·sired[dizáiərd] *a.* 바랐던, 희망했던, 옳은, 훌륭한: the long-~ success 오래 바랐던 성공/have the ~ effect. 바라던 대로 효과를 얻다. **desired ground zero** 〔軍〕 희망 0 지점.

∗de·sir·ous[dizáiərəs] *a.* 원하는, 바라는: 《Ⅱ 형+*to* do》 I am not ~ *to* know her. 나는 그녀와 알고 지내고 싶지 않다/《Ⅱ 형+전+-*ing*》 I am ~ *of* gett*ing* a suitable position in some college. 나는 어느 대학에 적당한 근무처를 얻고 싶다/He was ~ *that* nothing (should) be said about it. 그는 그것에 관해서 아무말도 없기를 바랐다《◇ 《口》에서는 should를 잘 쓰지 않음》. **~·ly** *ad.* **~·ness** *n.*

de·sist[dizíst] *vi.* 《文語》 그만두다, 단념하다《*from*》: 《Ⅰ 전+명》 He ~*ed from* mak*ing* further attempts. 그는 그 이상 시도하는 것을 단념했다. **de·sis·tance** *n.* 중지, 단념.

★desk[desk] *n.* **1** 책상, 공부〔사무〕 책상. **2** 악보대. **3** 《미》 설교단; (the ~) 성직(聖職). **4** (the ~) 사무, 문필직. **5** (the ~) 《미》 (신문의) 편집부, 데스크. **6** 《영》 (문방구 · 서한용) 서랍, 서랍용 문고. **be**〔**sit**〕 **at one's**〔**the**〕 **desk** 글을 쓰고 있다; 사무를 보다. **cylinder desk** =ROLLTOP DESK. **go to one's desk** 집무를 시작하다.

— *a.* 탁상용의; 사무의: a ~ fan〔telephone〕 탁상 선풍기〔전화기〕/a ~ lamp 탁상 전기 스탠드/a ~ dictionary (대형) 탁상판 사전/a ~ set 탁상의 문방구 한 벌/a ~ calculator 탁상 계산기/a ~ theory 탁상공론.

desk·bound[∸bàund] *a.* **1** 앉아서 일하는; 책상에 얽매인. **2** (전시에) 비전투원인.

désk clèrk 《미》 (호텔 등의) 접수계원.

désk còpy (채택 교재의 교수용) 증정본.

desk·ful[∸fùl] *n.* 책상에 가득한 것〔일〕.

de·skill[di:skíl] *vt.* 〈작업을〉 기능이 필요없는 단순 분업으로 하다; 〈노동자의〉 기능을 시대에 뒤지게 하다.

desk·man[déskmæ̀n, -mən] *n.* (*pl.*-**men** [-mèn]) (신문사의) 내근 기자; (기업체의) 관리 직원.

desk·mate[∸mèit] *n.* (교실에서의) 짝.

désktop públishing 마이크로 컴퓨터를 이용한 출판《편집, 조판, 도표 등을 컴퓨터로 하는; 略: DTP》.

désk òrganizer =ORGANIZER.

désk pàd 책상용 깔개《고무판 등》.

désk polìceman 내근 경관.

désk sécretary 《미》 (협회 등의) 내근 직원 (*cf.* FIELD SECRETARY).

désk stùdy 《영》 탁상 연구.

désk thèory 탁상 공론.

desk·top[∸tɑ̀p/∸tɔ̀p] *a.* 탁상용의, 소형의.

désktop cálculator 탁상용 계산기.

des·mo·some *n.* 〔解〕 데즈모 섬, 접착반(接着斑)《인접한 세포를 결합시키는》.

désk wòrk 책상에서 하는 일, 사무, 문필업.

D. ès L. *Docteur ès Lettres*[F] (=Doctor of Letters).

⁑des·o·late[désəlit] *a.* **1** 황량한, 황폐한, 사는 사람 없는; 적막한. **2** 내버려진, 처량한. **3** 쓸쓸한, 고독한. — [-lèit] *vt.* **1** 황폐시키다. **2** 쓸쓸〔적적〕하게 하다. **~·ly**[-litli] *ad.* ◈ desolátion *n.*

∗des·o·lat·ed[désəlèitid] *a.* 〈사람이〉 쓸쓸한, 외로운: She was ~ to hear the news. 그 소식을 듣자 그녀는 처량해졌다.

∗des·o·la·tion[dèsəléiʃən] *n.* Ⓤ **1** 황폐케함; Ⓒ 황량한 곳, 폐허(ruin). **2** 쓸쓸함, 처량함, 슬픔, 비참. ◈ désolate *v.*

des·o·lat·er, -la·tor[désəlèitər] *n.* 황폐시키는 것〔사람〕.

de·sorb[di:sɔ́:rb, -zɔ́:rb] *vt.* 〔物 · 化〕 〈흡수된 물질을〉 흡수제에서 제거하다.

⁑de·spair[dispέər] [L] *n.* **1** Ⓤ 절망; 자포자기(*opp.* hope). **2** 절망의 근원: He is my ~. 그는 가망 없는 친구다; 그에게는 나도 포기했다. **abandon oneself**〔**give oneself up**〕 **to despair** 자포자기하다. **drive** a person **to despair** =**throw** a person **into despair** …을 절망 상태로 몰아 넣다. **in despair** 절망하여, 자포자기하여. — *vi.* 절망하다, 단념하다《*of*》: 《Ⅲ *v*Ⅰ +전+-*ing*》 The doctor ~*ed of* sav*ing* her life. 의사는 그녀의 생명을 구해내는 것을 단념했다/《Ⅰ *be pp.*+전》 Her life is ~*ed of.* 그녀는 살아날 가망이 없다(=The doctor ~*ed of* her life.《Ⅲ *v*Ⅰ +전+(목)》). ◈ désperate *a.*: desperátion *n.*

de·spair·ing[dispέəriŋ] *a.* 절망적인, 자포자기한. **~·ly** *ad.*

des·per·a·do[dèspəréidou, -pərɑ́:-] *n.* (*pl.* ~(e)s) 불량자, 물불을 가리지 않는 무법자.

⁑des·per·ate[déspərit] *a.* **1** 자포자기의. **2** 목숨을 건, 죽살이치는, 필사적인; 몹시 탐나는; (…하고 싶어) 못 견디는《*for, to* do》: I was ~ *for* a glass of water. 물 한 잔 마시고 싶어서 죽을 지경이었다. **3** 절망적인, (좋아질) 가망이 없는. **4** 극도의, 지독한.

— *ad.* 《口 · 方》 =DESPERATELY. **~·ness** *n.*

◇ despáir *v.*: desperátion *n.*
‡**des·per·ate·ly**[déspəritli] *ad.* 절망적으로; 자포자기하여, 필사적으로; 생각다 못해; 《口》 몹시, 지독하게.
*__des·per·a·tion__[dèspəréiʃən] *n.* Ⓤ 절망, 자포자기(*cf.* despair); 필사적임, 죽살이침. **drive** a person **to desperation** 죽살이치게 하다; 《俗》 노발대발하게 하다. **in desperation** 필사적으로; 자포자기하여.
◇ despáir *v.*: désperate *a.*
de·spi·ca·ble[déspikəbəl, dispík-] *a.* 경멸할 만한, 비루한, 비열한. **~·ness** *n.* **-bly** *ad.* 천하게, 비루하게, 비열하게.
de·spin[di:spín] *vt., vi.* (**-spun; ~·ning**) …의 회전을 멈추다, 회전 속도를 추다.
‡**de·spise**[dispáiz][L] *vt.* 경멸하다, 멸시하다; 혐오하다, 몹시 싫어하다: 《Ⅲ (목)》 She ~*s* liars. 그녀는 거짓말쟁이들을 몹시 싫어한다/I ~ lunching alone. 혼자서 점심 먹는 것은 싫다. **de·spís·er** *n.*
‡**de·spite**[dispáit] *prep.* …에도 불구하고(◇ in spite of 보다 문어적). ── *n.* Ⓤ 무례; 위해(危害); 악의, 원한; 《古》 경멸. (**in**) **despite of** 《文語》 …을 무시하고; …에도 불구하고(◇ despite 또는 in spite of가 보통). **in my despite** 안된다고 하는데도(act). **in one's** (**own**) **despite** 《古》 본의 아니게 (하다).
◇ despíteful *a.*
de·spite·ful[dispáitfəl] *a.* 《古》 =SPITEFUL. **~·ly**[-li] *ad.*
de·spoil[dispɔ́il] *vt.* 약탈하다; 〈자연 환경 등을〉 파괴하다: ~ a person *of* right …에게서 권리를 박탈하다. **~·er**[-ər] *n.* **~·ment** *n.* Ⓤ 약탈.
de·spo·li·a·tion[dispòuliéiʃən] *n.* Ⓤ 약탈; (자연 환경의) 파괴.
de·spond[dispánd/-spɔ́nd] *vi.* 《文語》 낙심하다, 낙담하다(*of*). ── *n.* Ⓤ 《古》 낙담. **the Slough of Despond** ⇨ slough[1].
de·spon·den·cy, -dence[dispándənsi/-spɔ́nd-], [-əns] *n.* Ⓤ 낙담, 의기 소침.
de·spon·dent[dispándənt/-spɔ́nd-] *a.* 기가 죽은, 의기 소침한; 낙담한(*at, about, over*). **~·ly** *ad.*
de·spond·ing[dispándiŋ/-spɔ́nd-] *a.* = DESPONDENT. **~·ly** *ad.*
*__des·pot__[déspət, -pɑt/-pɔt][Gk] *n.* 전제 군주, 독재자; 폭군(tyrant). ◇ despótic *a.*
des·pot·ic, -i·cal[dispátik/despɔ́t-], [-əl] *a.* 전제〔독재〕적인; 횡포한. **be despotic to** 〔**toward**〕 …에 대해 횡포하다. **-i·cal·ly** [-ikəli] *ad.* 전제적으로; 포학하게.
despótic mónarchy 전제 군주제〔국〕.
des·po·tism[déspətìzəm] *n.* **1** Ⓤ 전제 정치, 독재제; 압제(tyranny), 독재자 행세. **2** 전제국; 전제 정부. **-tist** *n.* 전제론자.
des·qua·mate[déskwəmèit] *vi., vt.* 《病理》 〈표피가〉 벗겨지다; 벗기다.
des·qua·ma·tion[dèskwəméiʃən] *n.* Ⓤ (표피 따위의) 벗겨짐, 박리.
des res des·res 《영口》 크고 좋은 대저택; 비싼 주택(부동산 중개업자 등이 쓰는 말).
‡**des·sert**[dizə́:rt] [F] *n.* Ⓤ,Ⓒ 디저트(미국에서는 파이·푸딩·과자류·아이스크림 등, 영국에서는 원래 과일·과자류 등이 나왔는데, 지금은 거의 미국과 같음). ── *a.* 디저트용의: a ~ fork〔knife〕 디저트 포크〔나이프〕/~ raisin 디저트용 고급 건포도. ◇ DESERT[2, 3]와는 동음이의어.
dessért sèrvice 디저트용 식기 한 벌.
des·sert·spoon[dizə́:rtspù:n] *n.* 디저트스푼(teaspoon과 tablespoon의 중간 크기).
des·sert·spoon·ful[-fùl] *n.* (*pl.* **~s, -spoons·ful**) 디저트 스푼 하나의 분량.
dessért wìne 디저트 때나 식사 중에 마시는 달콤한 포도주.
de·sta·bi·lize[di:stéibəlàiz] *vt.* 불안정하게 하다, 동요시키다. **dè·stà·bi·li·zá·tion**[-lizéiʃən] *n.*
de·stain[di:stéin] *vt.* (현미경의 표본을) 탈색하다(보기 쉽게 하기 위하여).
de·sta·li·ni·za·tion, de-Sta-[di:stὰ:linizéiʃən/-nɑi-] *n.* Ⓤ (흐루시초프 시대의) Stalin 격하 운동.
de·sta·lin·ize, de-Sta[di:stά:linàiz] *vt.* 비(非)스탈린화하다.
de·ster·il·ize[di:stérəlàiz] *vt.* 〈유휴 물자를〉 활용하다; 《미》 금의 봉쇄를 해제하다.
de Stijl, De Stijl[dəstáil] *n.* 〔美〕 데스틸(1917년 네덜란드에서 일어난 추상미술 운동; 직사각형을 사용하며 원색에 회색과 흑색을 강조).
‡**des·ti·na·tion**[dèstənéiʃən] *n.* **1** 목적지, 행선지, 도착지〔항〕; 〔商〕 상품이 닿을 곳〔항구〕; 편지의 보낼 곳. **2** Ⓤ,Ⓒ 목적, 용도.
‡**des·tine**[déstin] *vt.* **1** 〈어떤 목적·용도로〉 예정해 두다(*for*): ~ the day *for* a reception 그 날을 환영회로 잡아 두다. **2** (운명으로) 정해지다, 운명짓다(doom)(◇ 보통 수동형으로 씀)(*cf.* destined): 《Ⅴ (목)+*to* do》 The fate may have ~*d* you and me *to* marry from birth. 당신과 나는 태어날 때부터 운명적으로 결혼하여 살게 될 것이 정해졌는지 모른다/《Ⅱ *be pp.*+*to* do》 You and I are ~*d to* marry from birth. 당신과 나는 태어날 때부터 결혼하여 살게 될 것이 운명지어졌다.
◇ déstiny, destinátion *n.*
des·tined[déstind] *a.* **1** 예정된; 운명지어진: one's ~ course of life 숙명적으로 정해진 인생 행로/《Ⅱ 형+*to do*》 I am ~ *to* do it. 나는 운명적으로 그 일을 하여야 한다. **2** 《文語》 〈목적지를〉 향하는(*for*): 《Ⅱ 형+전+명》 This ship is ~ *for* Italy. 이 배는 이탈리아행이다.
‡**des·ti·ny**[déstəni] *n.* Ⓤ **1** 운명, 숙명(⇨ fate). **2** (**D-**) 하늘(의 뜻)(Providence); (the Destinies) 운명의 3 여신(the Fates). **by destiny** 운명으로〔에 의해서〕. **the man of destiny** 운명을 지배하는 사람(나폴레옹 1세와 같은 사람). ◇ déstine *v.*
*__des·ti·tute__[déstətjù:t] *a.* **1** 빈곤한, 가난한; (the ~; 명사적; 복수 취급) 가난한 사람들. **2** 〈…이〉 결핍한, 없는(*of*). **be destitute of** …이 결여되어 있다, …이 없다.
◇ destitútion *n.*
des·ti·tu·tion[-ʃən] *n.* Ⓤ 결핍(상태); 극빈, 빈곤, 궁핍.
de·stress[di:strés] *vt.* 중압을 제거하다.
des·tri·er[déstriər] *n.* 〔史〕 군마(軍馬).
★**de·stroy**[distrɔ́i] [L] *vt.* **1** 파괴하다(*opp.* construct); 〈문서 등을〉 파기하다; 훼손하다. **2** 멸하다, 괴멸〔박멸〕하다, 구제(驅除)하다; 죽이다. **3** 소실(消失)시키다: be ~*ed* by fire 타 없어지다. **4** 논파하다, 무효로 하다. **5** 〈계획·희망 등을〉 망치다. **destroy itself** 〔**oneself**〕 자멸〔자살〕하다. ── *vi.* 파괴하다. **~·a·ble** *a.* ◇destrúction *n.*: destrúctive *a.*
*__de·stroy·er__[distrɔ́iər] *n.* 파괴〔파기〕자; 박멸자; 구축함(*cf.* TORPEDO-BOAT DESTROYER).
destróyer èscort 《미》 (대(對)잠수함용) 호위 구축함.
destróyer lèader 향도(嚮導) 구축함.

de·stróy·ing ángel[distrɔ́iiŋ-] 〔植〕 광대버섯《독버섯》.

de·struct[distrʌ́kt] *a.* 파괴용의: a ~ button (미사일을 공중 폭파시키는) 파괴 단추. ── *n.* (고장난 로켓의) 파괴, 공중 폭파. ── *vt.* 〈로켓 등을〉 파괴하다. ── *vi.* 〈로켓 등이〉 자동적으로 파괴되다, 자폭하다.

de·struc·ti·bil·i·ty[-təbíləti] *n.* Ⓤ (피)파괴성; 파괴력.

de·struc·ti·ble[distrʌ́ktəbəl] *a.* 파괴〔괴멸, 구제(驅除)〕할 수 있는.

*‡***de·struc·tion**[distrʌ́kʃən] *n.* Ⓤ **1** 파괴; (대량) 살인; (문서의) 파기(죄). **2** 절멸, 구제(驅除). **3** 멸망(ruin), 타파. **4** Ⓒ 파멸의 원인: Drink was his ~. 술 때문에 그는 신세를 망쳤다. **~·ist**[-ist] *n.* 파괴〔무정부〕주의자.
⊕ destróy *v.*: destrúctive *a.*

*‡***de·struc·tive**[distrʌ́ktiv] *a.* **1** 파괴적인, 해를 끼치는《*of, to*》. **2** 파괴주의적인. (*opp.* constructive). **~·ly** *ad.* **~·ness** *n.*
⊕ destróy *v.*: destrúction, destructívity *n.*

destrúctive distillátion 〔化〕 분해증류, 건류(乾溜).

destrúctive réad 〔컴퓨터〕 파괴성 판독《데이터를 끄집어 내어 읽으면 그 데이터가 파괴〔소거〕되는 내용》.

de·struc·tiv·i·ty[dìːstrʌktívəti] *n.* Ⓤ 파괴능력.

destrúct lìne (미사일의) 자폭선(自爆線).

de·struc·tor[distrʌ́ktər] *n.* **1** 《영》 폐물〔오물〕 소각로(爐). **2** (미사일의) 파괴 장치.

de·suete[diswíːt] *a.* 시대〔유행〕에 뒤진.

des·ue·tude[déswitjùːd] *n.* Ⓤ 《文語》 폐지(상태), 폐용(廢用), 불용. **fall**〔**pass**〕 **into desuetude** 안 쓰이게 되다, 스러지다.

de·sul·fur·ize, phur·ize[diːsʌ́lfjəràiz] *vt.* 탈황하다, 황을 제거하다.

des·ul·to·ri·ly[désəltɔ̀ːrəli] *ad.* 산만하게, 종작없이, 만연히, 띄엄띄엄.

des·ul·to·ry[désəltɔ̀ːri/-təri] *a.* 일관성 없는, 만연한, 산만한, 이랬다 저랬다 하는, 탈선적인(⇨random): a ~ talk 산만한 잡담/~ reading 난독(亂讀). **-ri·ness** *n.*

DET diethyltryptamine《속효성(速效性) 환각제》. **det.** detachment.

*****de·tach**[ditǽtʃ] [F] *vt.* **1** 떼다, 떼어내다《*from*》; 분리하다《*from*》: ~ a locomotive *from* a train 열차에서 기관차를 분리하다. **2** 〈군대·군함을〉 파견하다(dispatch): The soldiers were ~*ed to* guard the visiting princess. 내방한 공주를 경호하기 위해 병사들이 파견되었다/~ a ship *from* a fleet 함대에서 배를 한 척 파견하다. **detach oneself from** …에서 이탈하다〔벗어나다〕.
⊕ detáchment *n.*

de·tach·a·ble[-əbəl] *a.* 분리할 수 있는; 파견할 수 있는.

*****de·tached**[ditǽtʃt] *a.* **1** a 분리된, 고립된(isolated) 〈가옥이〉 한집 한가구인: a ~ house 독립 가옥, 독채/a ~ palace 별궁(別宮). b 파견된: a ~ force 분견〔파견〕대. **2** 초연한, 얽매이지 않은, 〈의견 등〉 사심 없는, 공평한: a ~ view 공평한 견해.

de·tach·ed·ly[-tǽtʃidli, -tʃtli] *ad.* 떨어져서, 고립하여; 사심 없이, 공평하게; 초연히.

detáched sérvice 〔軍〕 파견 근무.

*****de·tach·ment**[ditǽtʃmənt] *n.* Ⓤ **1** 분리, 이탈. **2** (세속·이해(利害) 등에 대해서) 초연함, 공평. **3** 파견; Ⓤ 파견(함)대.

*‡***de·tail**[díːteil, ditéil] [F] *n.* **1** 세부, 세목, 항목(item); 지엽적(枝葉的)인 일, 사소한 일(trifle). **2** (*pl.*) 상세한 설명〔기술〕; 상세: But that is a (mere) ~. (종종 비꼼) 하지만 그것은 사소한 일이잖아요. **3** Ⓤ,Ⓒ 〔建·美〕 세부(묘사); 〔建·機〕 상세도(=~ drawing). **4** 〔軍〕 행동 명령; 특별 임무(의 임명), (소수의) 특파 부대《미국에서는 경찰대·기자단에 대해서도 말함》, 선발대. **a matter of detail** 사소한 일. **beat in detail** 각개(各個) 격파하다. (**down**) **to the smallest**〔**last**〕 **detail** 아주 사소한〔마지막〕 세부에 이르기까지. **give a full detail of** …을 상세히 설명하다. **go**〔**enter**〕 **into details** 상세히 말하다. **in detail** 상세히; 세부에 걸쳐.
── *vt.* **1** …을 자세히 말하다, 상술(詳述)하다; 열거하다: 《Ⅲ (목)+전+명》 She ~*ed* the story to us. 그녀는 그 이야기를 우리에게 상세히 설명했다/《Ⅲ (전+명)+*wh.*(절)》 He ~*ed* (to us) how the accident happened. 그는 그 사고가 어떻게 발생했는가를 자세히 말했다. **2** 〔軍〕 파견하다, 분견하다, 특파하다: 《Ⅴ(목)+*to* do》 The commander ~*ed* two men *to* guard the entrance of the building. 그 지휘관은 그 건물의 입구를 감시하도록 두 사람을 파견하였다 (=Two men were ~*ed to* guard the entrance of the building.《Ⅱ *be pp.*+*to* do》).

detáil dràwing 〔建·機〕 상세도, 세부 설계도.

*****de·tailed**[díːteild, ditéild] *a.* 상세한, 세부에 걸친: a ~ report 상세한 보고.

de·tail·ed·ly *ad.*

detáil màn (제약 회사의) 판매 촉진원.

*****de·tain**[ditéin] *vt.* **1** …을 못가게 붙들다, 기다리게 하다; 보류〔억류〕하다: I was ~*ed* by rain. 비 때문에 늦어졌다. **2** 〔法〕 유치〔구류, 감금〕하다: The police ~*ed* him *as* a suspect. 경찰은 그를 용의자로서 유치시켰다.
~·ment *n.* =DETENTION. ⊕ deténtion *n.*

de·tain·ee[ditèiníː] *n.* (정치적 이유에 의한 외국인) 억류자, 구류자.

de·tain·er[ditéinər] *n.* Ⓒ,Ⓤ 〔法〕 **1** 불법 유치, 불법 점유. **2** 구금 연장 영장.

*‡***de·tect**[ditékt] [L] *vt.* **1** 〈나쁜 짓 등을〉 발견하다, 간파하다; 탐지하다, 인지하다: ~ a person (*in the act of*) steal*ing* …가 도둑질하는 현장을 보다. **2** 〔通信〕 검파하다; 〔化〕 검출하다. **~·a·ble, ~·i·ble**[-əbəl] *a.* 발견할 수 있는, 탐지할 수 있는.
⊕ detéction *n.*: detéctive *n., a.*

de·tec·ta·phone, de·tec·to-[ditéktəfòun] *n.* 《미》 전화 도청기.

de·tec·tion[ditékʃən] *n.* Ⓤ,Ⓒ 간파, 탐지, 발각《*of*》; 발견; 검출; 〔通信〕 검파.

detéction stàtion (핵실험의) 감시소.

*‡***de·tec·tive**[ditéktiv] *n.* 탐정, 형사: a private ~ 사립 탐정. ── *a.* 탐정의; 검출〔검파〕용의: a ~ agency 비밀 탐정사, 흥신소.
⊕ detéct *v.*: detéction *n.*

detéctive stòry〔**nòvel**〕 탐정 소설.

*****de·tec·tor**[ditéktər] *n.* **1** 탐지자, 발견자: a lie ~ 거짓말 탐지기. **2** 〔通信〕 검파기; 〔電〕 (누전(漏電)의) 검전기; 〔化〕 검출기: a crystal ~ 광석 검파기.

detéctor càr 〔鐵道〕 (선로의 균열을 찾아내는) 디텍터차(車).

de·tent[ditént] *n.* 〔機〕 (시계·기계 등을 멈추게 하는) 멈춤쇠.

dé·tente, de·tente[deitáːnt] [F] *n.* (국제 관계 등의) 긴장 완화.

de·ten·tion[diténʃən] *n.* Ⓤ **1** 붙잡아둠, 저지. **2** 구류, 유치, 구금; (벌로서) 방과후 학교

에 남게 함. **a house of detention** 미결감, 유치장. **under detention** 구류되어.

deténtion bàrrack 〔영軍〕 영창.

deténtion càmp 포로 수용소, 억류소.

deténtion cènter 《영》 단기 소년원; 강제 수용소.

deténtion hòme 《미》 소년원, 소년 구치소.

deténtion hòspital 격리 병원.

*__de·ter__[ditə́:r] *vt.* (**~red; ~·ring**) (겁먹어) 그만두게 하다, 단념시키다, (못하게) 막다(*from*): 《V(목)+전+-*ing*》 The fact that we have these big armies will ~ our enemies *from* attack*ing* us. 우리가 이런 대군을 가지고 있다는 사실 때문에 적이 우리를 공격하지 못할 것이다/Failure did not ~ him *from* try*ing* again. 실패를 했지만 그는 다시 노력했다.

de·terge[ditə́:rdʒ] *vt.* 〈상처 등을〉 깨끗이 하다.

de·ter·gen·cy[ditə́:rdʒənsi] *n.* Ⓤ 세정성(洗淨性), 정화력(淨化力).

de·ter·gent[ditə́:rdʒənt] *a.* 깨끗이 씻어내는. ── *n.* 세정제, 세제, 합성〔중성〕 세제.

*__de·te·ri·o·rate__[ditíəriərèit][L] *vt.* 나빠지게 하다; 열등하게 하다, 저하시키다.
── *vi.* 〈질이〉 나빠지다, 악화〔저하〕하다, 타락〔퇴폐〕하다; 〈건강이〉 나빠지다.
◇ deteriorátion *n.*: detériorative *a.*

de·te·ri·o·ra·tion[-ʃən] *n.* Ⓤ,Ⓒ 악화; 퇴보.

de·te·ri·o·ra·tive[-tiv] *a.* 악화하는 경향이 있는; 타락적인.

de·ter·ment[ditə́:rmənt] *n.* Ⓤ 제지〔저지〕; Ⓒ 제지물, 방해물(*to*).

de·ter·min·a·ble[ditə́:rmənəbəl] *a.* 확정〔결정〕할 수 있는; 〔法〕 종결지어야 하는.

de·ter·mi·nant[ditə́:rmənənt] *a.* 결정하는; 한정적인. ── *n.* 결정자〔물〕; 〔生〕 결정소(素); 〔論〕 한정사(限定辭); 〔數〕 행렬식.

de·ter·mi·nate[ditə́:rmənit] *a.* 한정된, 명확한; 확정된, 일정한; 결정적인, 결연한; 〔數〕 기지수의; 〔植〕 〈꽃차례가〉 유한의.
~·ly *ad.* 확정적으로. **~·ness** *n.*

__de·ter·mi·na·tion__[ditə̀:rmənéiʃən] *n.* Ⓤ **1 결심; 결단력; 결정; 결단: 《Ⅱ 형》((주)-명+*to* do) Her ~ *to* emigrate to Brazil is definite. 브라질로 이주하려는 그의 결심은 명확하다. **2** 〔法〕 판결; 종결. **3** 〔物〕 측정(법); 〔論〕 한정; 〔醫〕 (혈액 순환의) 편향(偏向). **with determination** 단호히. ◇ detérmine *v.*: detérminate, detérminative *a.*

de·ter·mi·na·tive[ditə́:rmənèitiv, -nətiv] *a.* 결정력이 있는, 확정적인; 한정적인.
── *n.* 결정〔한정〕 요인; 〔文法〕 한정사(determiner). **~·ly** *ad.*

__de·ter·mine__[ditə́:rmin][L] *vt.* **1 결심시키다: 《V(목)+*to* do》 My interest ~*d* me *to* major in English literature. 내가 취미가 있어서 나는 영문학을 전공하기로 결심했다/《Ⅲ (목)+전+명》 The letter ~*d* him *for*〔*against*〕 the plan. 그 편지를 읽고 그는 그 계획에 찬성〔반대〕하기로 결심했다/《Ⅱ *be pp.*+*to* do》 She was ~*d* *to* go abroad. 그녀는 외국으로 갈 결심이 되었다(=He was ~*d on* go*ing* abroad.《Ⅱ *be pp.*+전+-*ing*》). **2** 결심하다, 결의하다: 《Ⅲ (목)》 She ~*d* not *to* meet him again. 그녀는 그를 다시 만나지 않기로 결심했다/《Ⅲ *to* do》 I ~*d* *to* oppose her plan. 나는 그녀의 계획을 반대하기로 결심했다(=I ~*d* *that* I would oppose her plan.)/《Ⅲ *that*(절)》 I ~*d* *that* nothing (should) be changed. 하나도 바꾸지 않기로 결심했다(◇《미》에서는 흔히 should를 생략). **3** 결정하다, 단정하다(*cf.* decide): 《Ⅲ (목)》 Demand ~*s* prices. 수요가 가격을 결정한다/《Ⅲ *what to* do》 We have not yet ~*d* *what to* do. 우리는 무엇을 할 것인가를 아직 정하지 않았다/《Ⅲ *wh.*(절)》 ~ *which* is right 어느 쪽이 옳은지를 결정하다/《Ⅲ *whether*(절)》 Tomorrow we shall ~ *whether* we shall go abroad or not. 내일 우리는 외국에 가게 되느냐 안 되느냐를 결정하게 될 것이다. **4** 〈경계를〉 확정하다, 〈날짜 · 가격 등을 미리〉 정하다; 〔物〕 측정하다; 〔論〕 한정하다; 〔幾〕 위치를 결정하다; 〔法〕 판결〔종결〕하다. ── *vi.* **1** 결정하다; 결심하다(*on, upon*): 《Ⅲ *v*I+전+(목)》 He ~*d on* his course of future. 그는 장래의 방침을 결정했다/《Ⅲ *v*I+전+-*ing*》 She ~*d on*〔*upon*〕 go*ing* abroad. 그녀는 외국으로 갈 결심을 했다. **2** 〔法〕 〈효력 등이〉 끝나다(expire). ◇ determinátion *n.*: detérminate, detérminative *a.*

*__de·ter·mined__[ditə́:rmind] *a.* **1** 결연〔단호〕한(resolute); 굳게 결심한: She was ~ *to* make no mention of this. 그녀는 이 일에 대해 아무 말도 않기로 굳게 결심했다/The girl was firmly ~ *on* becom*ing* a nurse. 그 소녀는 간호사가 되기로 굳게 결심하고 있었다. **2** 결정〔확정〕된, 한정된. **-min·ed·ly** *ad.* 결연히, 단호히. **~·ness** *n.*

de·ter·min·er[ditə́:rminər] *n.* **1** 결정하는 사람〔것〕. **2** 〔文法〕 한정사(the, a, this, your 등 명사를 한정하는 말).

de·ter·min·ism[ditə́:rminìzəm] *n.* Ⓤ 〔哲〕 결정론. **-ist**[-ist] *n., a.* 결정론자(의).

de·ter·min·is·tic[ditə̀:rminístik] *a.* 결정론(자)적인.

de·ter·rence[ditə́:rəns, -tér-] *n.* Ⓤ **1** 제지, 저지. **2** 전쟁 억제(력).

de·ter·rent[ditə́:rənt, -tér-] *a.* 방해하는, 제지시키는, 기가 꺾이게 하는; 전쟁 억제의.
── *n.* **1** 방해물, 고장. **2** 전쟁 억제력; 《특히》 핵무기.

de·ter·sive[ditə́:rsiv] *a., n.* = DETERGENT.

*__de·test__[ditést][L] *vt.* 혐오하다, 몹시 싫어하다(abhor), 지독히 미워하다(*cf.* hate): 《Ⅲ (목)》 She ~*s* mice. 그녀는 쥐를 몹시 싫어한다/《Ⅲ -*ing*》 She ~*s* being alone. 그녀는 혼자 있는 것을 아주 싫어한다. **~·er**[-ər] *n.*
◇ detestátion *n.*

de·test·a·ble[ditéstəbəl] *a.* 혐오할 만한, 몹시 싫은: be ~ *to* …에게 미움받다.
~·ness *n.* **-bly** *ad.* 가증하게.

de·tes·ta·tion[dì:testéiʃən] *n.* **1** Ⓤ 아주 싫어함, 혐오, 증오(hatred). **2** 아주 싫은 것. **be in detestation** 미움받고 있다. **hold … in detestation** =**have a detestation of** …을 몹시 싫어하다.

de·throne[diθróun] *vt.* 〈왕을〉 폐위하다; 권위 있는 지위에서 몰아내다(*from*).
~·ment *n.* Ⓤ 폐위, 찬탈; 강제 퇴위.

de·tick *vt.* 진드기를 제거하다.

det·i·nue[détənjù:] *n.* Ⓤ 〔法〕 (동산의) 불법 점유; 불법 점유 동산 반환 소송.

det·o·nate[détənèit] *vt., vi.* 〈폭약을〉 폭발〔폭파〕시키다〔하다〕(explode): ~ dynamite 다이나마이트를 폭발시키다. **a detonating cap** 뇌관(雷管). **a detonating fuse** 폭발 신관(信管). **a detonating hammer** (총기의) 공이. **detonating gas** 폭명기. **detonating powder** 폭약.

det·o·na·tion[-ʃən] *n.* Ⓤ,Ⓒ 폭발; 폭음.

det·o·na·tor[-tər] *n.* 기폭 장치(뇌관 · 신관

등), (폭탄의) 기폭부(起爆部); 기폭약; 〔영鐵道〕 신호용 뇌관.
de·tour, dé·tour[díːtuər, ditúər] [F=turn aside] *n.* 우회(迂回); 에움길, 우회로(路). **make a detour** 우회하다. ── *vi., vt.* 돌아서 가다〔가게 하다〕(((*a*)*round*)).
de·tox[diːtάks] ((미)) *n.* 해독(detoxication) ((알코올〔마약〕 중독자의 치료에서)). ── *a.* 해독(용)의. ── *vt.* 해독하다.
de·tox·i·cant[dìːtάksəkənt] *a.* 해독성의. ── *n.* 해독제.
de·tox·i·cate[diːtάksikèit/-tɔ́k-] *vt.* …에서 독을 제거하다. **de·tòx·i·cá·tion**[-ʃən] *n.* 해독.
de·tox·i·fy[diːtάksəfài/-tɔ́k-] *vt.* (**-fied**) = DETOXICATE. **dè·tòx·i·fi·cá·tion** *n.*
de·tract[ditrǽkt] *vt.* **1** 줄이다, (가치·명성·아름다움 따위를) 떨어뜨리다, 손상시키다 ((*from*)) : ((Ⅲ (목)+전+명)) (◇ (목)-something, nothing, much, little 등) These lines ~ something *from* the value of the poem. 이 시행(詩行)들이 그 시의 가치를 다소 떨어뜨린다. **2** 〈주의를〉 딴 데로 돌리다(divert) ((*from*)) : ((Ⅲ *to* do)) ((*to* do)-Ⅲ (목)+전+명)) He tried to ~ her attention from the heart of the matter. 그는 그녀의 주의를 문제의 핵심으로부터 딴 데로 돌리려고 했다.
── *vi.* **1** 〈가치·명예가〉 떨어지다, 손상하다 ((*from*)) (*opp.* add to) : ((Ⅰ *be pp.*(*v*Ⅰ)+전)) Her merits shall not be ~*ed* from. 그녀의 공적이 손상되지는 않을 것이다. **2** 나쁘게 말하다, 헐뜯다, 비난〔비방, 중상〕하다((*from*)) : ((Ⅲ *v*Ⅰ+전+(목))) She ~*ed* from his reputation. 그녀는 그의 명성을 헐뜯었다.
de·trac·tion[ditrǽkʃən] *n.* Ⓤ,Ⓒ **1** 감손(減損)((*from*)). **2** 험담, 중상(slander), 비난.
de·trac·tive[ditrǽktiv] *a.* 험담하는, 비난하는, 욕하는. **~·ly** *ad.*
de·trac·tor[ditrǽktər] *n.* (명예 훼손을 꾀하여) 험담을 퍼뜨리는 사람.
de·trac·to·ry[ditrǽktəri] *a.* =DETRACTIVE.
de·train[diːtréin] *vi., vt.* ((文語)) 열차에서 내리(게 하)다(*opp.* entrain). **~·ment** *n.*
de·trib·al·ize [diːtráibəlàiz] *vt.* 종족의 인습에서 탈피시키다.
det·ri·ment[détrəmənt] *n.* Ⓤ 상해(傷害), 손해, 손실; Ⓒ 유해물, 손해의 원인. **to the detriment of** …에 손해를 주어. **without detriment to** …에 손해 없이.
det·ri·men·tal[dètrəméntl] *a.* 해로운, 불리한((*to*)). ── *n.* 해로운 사람〔것〕; ((俗)) 달갑지 않은 구혼자. **~·ly**[-təli] *ad.* 해롭게, 불리하게.
de·tri·tion[ditríʃən] *n.* Ⓤ 마멸(작용), 마모.
de·tri·tus[ditráitəs] *n.* (*pl.* ~) 〔地質〕 암설(岩屑); 파편(더미).
*__De·troit__[ditrɔ́it] *n.* 디트로이트((미국 Michigan주의 공업 도시; 자동차 공업으로 유명)).
de trop[dətróu] [F=too many〔much〕] *a.* 군더더기의, 쓸모 없는, 도리어 방해되는.
de·trude[ditrúːd] *vt.* 밀어내다; 밀치다.
de·trun·cate[ditrʌ́ŋkeit] *vt.* …의 일부를 잘라내다.
Deu·ca·lion[djuːkéiliən] *n.* 〔神〕 듀칼리온 ((Prometheus의 아들; 처 Pyrrha와 홍수에서 살아남은 인류의 조상; *cf.* NOAH)).
deuce[1] [djuːs] [F] *n.* **1** (카드의) 2의 패; 주사위의 2(점). **2** Ⓤ 〔競〕 듀스((테니스에서는 40대 40의 득점, 그후 연속해서 2점을 얻으면 이김)). **3** ((미俗)) 2달러; 겁쟁이. **deuce of clubs** ((미俗)) 두 주먹. ── *vt.* 〔競〕 〈경기를〉 듀스로 하다. **deuce it** ((미俗)) 두번째가 되다; 둘이서 하다, 약혼하다, 데이트하다.
deuce[2] [OE] *n.* ((古·口)) **1** Ⓤ 화(禍), 액운(bad luck); 재앙, 액귀(厄鬼); 악마(devil). **2** (the ~) (가벼운 욕으로서) 제기랄!, 망할 것!; (의문사의 강의어) 도대체; (부정) 전혀 않다〔없다〕(not at all). ((◇ 숙어에서는 devil을 대신 넣어도 같은 뜻)). **go to the deuce** 파멸하다; (명령법) 뒈져버려, 꺼져버려(be off). **like the deuce** 몹시, 맹렬한 기세로. **play the deuce with** …을 망쳐 버리다. (**the**) **deuce a bit** 조금도 …않다(not at all). **the deuce and all** 모조리; 하나도 〔신통한 것은〕 없다. (**The**) **deuce knows.** 아무도 알 수 없다. **the**〔**a**〕 **deuce of a ...** 굉장한…, 지독한…. **The deuce** it is〔you are, etc.〕! 그것이 〔자네가, …이〕 그렇다니 놀랍다〔심하다, 고약하다, 설마〕. **The deuce is in it if** I cannot. 내가 못한대서야((꼭 할 수 있다)). (**The**) **deuce take it!** 아뿔싸!, 아차!, 빌어먹을! There will be **the deuce to pay.** 후환이 (있을 걸). **The** (**very**) **deuce is in them!** 그놈들 정말 돌았군. **What**〔**Who**〕 **the deuce** is that? 도대체 그게 뭐냐〔누구냐〕. **Why**〔**Where**〕 **the deuce ...?** …은 도대체 왜 그래〔어디냐〕.
deuce-ace[djúːsèis] *n.* (주사위의) 2와 1 ((가장 나쁜 숫자)); ((古)) 불운(bad luck).
deuc·ed[djúːsid, djuːst] ((영口)) *a.* 정말 분한, 저주스러운; 굉장한: in a ~ hurry 굉장히 서둘러. ── *ad.* 굉장히, 몹시: a ~ fine girl 아주 예쁜 처녀. **~·ly**[-sidli] *ad.*
de·us ex ma·chi·na[díːəs-eks-mǽkinə][L] *n.* **1** 〔그리스劇〕 다급할 때 등장하여 돕는 신. **2** (소설가들이 쓰는) 다급할 때의 인위적이고 부자연스런 해결책.
Deut. Deuteronomy.
deu·ter-[djúːtər], **deu·te·ro-**[-rou] ((연결형)) 「제 2의; 재(再)」의 뜻((모음 앞에서는 deuter-)).
deu·ter·ag·o·nist[djùːtərάgənist] *n.* 〔그리스劇〕 주역(protagonist) 다음가는 역(*cf.* TRITAGONIST).
deu·ter·an·ope[djúːtərənòup] *n.* 제 2색맹 〔녹색맹〕인 사람. **dèu·ter·an·ó·pi·a**[djùːtərənóupiə] *n.* 제 2색맹.
deu·te·ri·um[djuːtíəriəm] *n.* Ⓤ 〔化〕 중수소(heavy hydrogen)((기호 D)).
deutérium óxide 〔化〕 산화중수소((중수(heavy water)의 하나)).
deu·ter·og·a·my[djùːtərάgəmi/-rɔ́g-] *n.* Ⓤ 재혼. **-mist**[-mist] *n.* 재혼자.
deu·ter·on[djúːtərὰn/-rɔ̀n] *n.* 〔物·化〕 중양자((deuterium의 원자핵)).
Deu·ter·on·o·my [djùːtərάnəmi/-rɔ́n-] *n.* 〔聖〕 신명기(申命記) 구약 성서 중의 한 책. **-mist** *n.* 신명기 작자〔편자〕.
Deu·ter·o·stome[dúːtərəstòum/djúː-] *n.* 〔動〕 신구(新口) 동물, 후구(後口) 동물((원구(原口)에서 분리되어 발달한 입을 가진)).
Deut·sche Mark, d- m-[dɔ́itʃəmὰːrk] [G] *n.* 독일 마르크((독일의 화폐 단위; 기호 DM; = 100 pfennigs)).
Deut·sches Reich[dɔ́itʃəsráik, -ráiç] [G] *n.* (제 2차 대전 전의) 독일 제국((국호)).
Deutsch·land[dɔ́itʃlɑːnt][G] *n.* 도이치란트((GERMANY의 독일어명)).
deut·zi·a[djúːtsiə] *n.* 〔植〕 말발도리나무.
deux-che·vaux[dəːʃəvóu] [F] *n.* (*pl.* ~)

(Citröen 사가 만든) 「2마력」 (짜리 소형 승용차).
Dev., Devon. Devonshire.
de·va[déivə] *n.* 〔힌두敎·佛敎〕 **1** (**D-**) 제파(提婆)《석가의 제자》. **2** 천신, 범천(梵天).
de·val·u·ate[di:vǽljuèit] *vt.* =DEVALUE.
de·val·u·a·tion[dì:væljuéiʃən] *n.* Ⓤ **1** 〔經〕 평가 절하(平價切下)(*opp.* revaluation). **2** 가치〔신분〕의 저하. **~·ist** *n.* 평가 절하론자.
de·val·ue[di:vǽlju:] *vt.* 가치를 감하다; 〔經〕〈화폐를〉 평가 절하하다(*opp.* revalue).
*****dev·as·tate**[dévəstèit] *vt.* 〈국토를〉 황폐시키다; 〈사람을〉 압도하다, 망연자실케 하다. ◈ devastátion *n.*
dev·as·tat·ing[dévəstèitiŋ] *a.* **1** 파괴적인, 참화를 가져 오는. **2** 《비유》 〈의론 등이〉 압도적인, 통렬한. **3** 《口》 훌륭한, 넋을 잃게 하는 〈매력〉. **4** 지독한, 형편없는. **~·ly** *ad.*
dev·as·ta·tion[dèvəstéiʃən] *n.* Ⓤ,Ⓒ 황폐하게 함, 유린; 황폐(상태); (*pl.*) 약탈의 자취, 참화, 참상.
dev·as·ta·tor[dévəstèitər] *n.* 약탈자; 파괴자.
★**de·vel·op**[divéləp] [F] *vt.* **1** 발달시키다, 발전〔발육〕시키다; 계발하다; 〈의론 등을〉 전개하다: ~ one's business 사업을 확장하다/~ an argument〔a theory〕 의론〔이론〕을 전개하다/Art ~*s* our sensibility. 예술은 감성을 함양한다. **2** 〈자원·기술·토지 따위를〉 개발하다, (택지를) 조성하다; (재능 따위의) 계발(啓發)하다: ~ natural resources 천연 자원을 개발하다. **3** (의론·사색 따위를) 전개하다, 진전시키다: ~ a theory of language learning 언어 학습 이론을 전개하다. **4** 〈경향·자질 등을〉 발현시키다; 〈취미·습관 등을〉 붙이다: You should ~ a reading habit. 너는 독서의 습관을 붙여야 한다. **5** 《미》 〈정신적·물질적으로 숨은 것을〉 나타나게 하다; 〈비밀을〉 밝히다(reveal, disclose). **6** 〈병을〉 발병시키다: ~ symptoms of cancer 암의 증상을 나타내다 (◇ He *developed* cancer. 와 같은 표현도 《미口》에서는 씀). **7** 〔數〕 전개하다; 〔樂〕 〈주제를〉 전개하다. **8** 〔寫〕 현상하다: ~*ed* colors 현색(顯色) 염료/~*ing* solution 현상액/~a roll of film 필름 한 통을 현상하다. **9** 〔軍〕 전개하다; 〈공격을〉 개시하다.
── *vi.* **1** 발육〔발달〕하다; 발전하다; 전개하다; 〔生〕 발생하다, 진화하다《*from, into*》: The situation ~*ed* rapidly. 국면이 급속히 진전되었다/Plants ~ *from* seeds. 식물은 씨에서 자란다/His cold ~*ed into* pneumonia. 그는 감기가 악화되어 폐렴이 되었다. **2** 〈사실 등이〉 밝혀지다; 〈숨었던 것이 밖으로〉 나타나다; 우연히 …을 알게 되다; 〔寫〕 〈사진의 상(像)이〉 나타나다, 현상되다: Symptoms of cancer ~*ed.* 암 증상이 나타났다/It has ~*ed* that .... …하다는 것이 밝혀 졌다. ◈ devélopment *n.*
de·vel·oped[divéləpt] *a.* 〈국가 등〉 고도로 발달한, 선진의: a ~ country 선진국.
de·vel·op·er[divéləpər] *n.* **1** 개발자. **2** 택지 개발〔조성〕업자. **3** 〔寫〕 현상제〔액〕.
de·vel·o·ping[divéləpiŋ] *a.* 발전 도상의《◇ underdeveloped 대신에 쓰임》: ~ countries 개발 도상국가.
⁑**de·vel·op·ment**[divéləpmənt] *n.* Ⓤ **1** 발달, 성장(growth); 발전, 진전: mental ~ 지성의 발육. **2** (자원·기술 등의) 개발; (재능 따위의) 계발(啓發). **3** Ⓤ (택지의) 조성, 개발; Ⓒ 단지. **4** 〔生〕 진화(evolution); 발생. **5** Ⓒ 발전의 소산; 진전된 새로운 단계; 새 사태〔사실〕: the latest news ~*s* from New York 뉴욕에서 보내는 최신 뉴스. **6** 〔數〕 전개; 〔樂〕 전개(부). **7** 〔寫〕 현상. **bring land under development** 토지를 개발〔개간〕하다. ◈ devélop *v.*; developméntal *a.*
de·vel·op·men·tal[-tl] *a.* 개발〔계발〕적인; 발달〔발육〕상의; 발생의.
developméntal biólogy 발생 생물학.
devélopment àrea 《영》 개발 촉진 지역.
devélopment thèory〔**hypòthesis**〕 〔生〕 (라마르크의) 진화론.
de·verb·al[di:və́:rbəl] *a., n.* 〔文法〕 동사에서 파생한 (말).
de·verb·a·tive[di:və́:rbətiv] *a.* 〔文法〕 동사에서 유래된〔파생한〕. ── *n.* 동사 유래어, 동사 파생어.
de·vi·ance, -an·cy[dí:viəns(i)] *n.* (성욕) 이상(의 행동).
de·vi·ant[dí:viənt] *a.* (표준에서) 벗어난, 정상이 아닌, 이상한. ── *n.* 사회의 상식〔습관〕에서 벗어난 사람, (특히 성적) 이상 성격자.
de·vi·ate[dí:vièit] *vi.* 빗나가다, 일탈하다, 벗어나다《*from*》: 《Ⅲ *v*I +전+(목)》 The ship ~*d from* her course. 그 배는 항로에서 일탈했다. ── *vt.* 빗나가게 하다, 일탈시키다(divert): 《Ⅲ (목)+전+명》 He ~ the ship *from* her course. 그는 그 배의 항로를 일탈시켰다. ── *n.* =DEVIANT; 〔心〕 (성적) 이상자.
-ator [-ər] *n.*
*****de·vi·a·tion**[dì:viéiʃən] *n.* Ⓤ,Ⓒ **1** 탈선, 일탈(행위)《*from*》. **2** (자침(磁針)의) 자차(自差); 편향; 〔生·統計〕 편차; 〔海〕 항로 변경. **~·ism** *n.* Ⓤ 편향; (공산당 등의 노선에서의) 이탈. **~·ist** *n.* (공산당 등의) 주류 이탈자.
⁑**de·vice**[diváis] *n.* **1** 고안; 계획, 방책. **2** 장치, 설비; 고안품, (어떤 목적에 맞도록 꾸며진) 구조《*for*》. **3** 방책, 의도; (종종 *pl.*) 《稀》 책략, 계책. **4** 상표, 의장(意匠), 도안, 무늬, 문장(紋章). **5** 제명(題銘), 명구(銘句). **6** (*pl.*) 의지, 소망, 생각(fancy). **leave** a person **to** his **own devices** …을 자기 생각대로 하게 내버려 두다《충고나 원조를 하지 않고》. **a safety device** 안전 장치. ◈ devíse *v.*
⁑**dev·il**[dévəl] [Gk] *n.* **1** 악마, 악귀, 마귀(⇨ demon); (보통 the D-) 마왕, 사탄(Satan). **2** 괴상한 우상, 사신(邪神). **3** 극악한 사람, (악덕·투지의) 화신, …광(狂): the ~ of greed 욕심 덩어리. **4** 《口》 저돌적인〔무모한〕 사람; 정력가, 정력이 절륜한 사람. **5** (보통 a poor ~) 불쌍한 놈. **6** (저술가 밑에서) 문필을 하청받아 일하는 사람; (인쇄소의) 사환; 변호사의 조수; 남에게 이용당하는 남자. **7** 〔機〕 절단기. **8** 〔料理〕 (매운 양념을 많이 친) 불고기. **9** (the ~) **a** (욕이나 놀람을 나타내어) 제기랄!, 빌어먹을!, 설마! **b** (의문사와 함께) 도대체: Who *the* ~ is he? 도대체 그 사람은 누구냐. **c** (강한 부정) 결코 …아니다: *The* ~ he is. 그는 결코 그런 사람이 아니다. 《◇ deuce 의 숙어에서는 (the) deuce 를 the devil 로 바꾸어 놓을 수 있음》. **a**〔**the**〕 **devil of a** … 굉장한, 어마어마한 …. **and the devil knows what** 기타 여러가지, 그밖에 많이. **as the devil hates holy water** 몹시 미워하여. **be a devil for** …광(狂)이다. **be between the devil and the deep** (**blue**) **sea** 진퇴양난이다. **be the devil** (**of it**) 야단나다, 죽을 지경이다, 못살겠다. **black as the devil** 시꺼먼. **devil a bit** 결코〔절대로〕 (…않다). **devil a one** 전무(全無). **devil on two sticks** =DIABOLO《옛 이름》. **devil's bones** 주사위(dice). **devil's brat** 악마의 새끼; 악동. **devil's** (**picture**) **books** 카

드패. **Devil take it!** 《口》 빌어먹을!, 제기랄! **Give the devil his due.** 아무리 보잘것 없는〔못마땅한〕 사람이라도 공평하게 대하라. **go to the devil** 몰락〔영락〕하다: (명령법) 뒈져라!, 꺼져 버려라. **have a devil of a time** (… 하는 데) 몹시 애먹다, 혼나다. **have the devil's own luck** 《口》 굉장히 운이 좋다. **in the devil** (강조: 의문사와 함께) 도대체. **It's the devil (and all).** 그거 골칫거리다. **like the devil** 맹렬히. **Needs must when the devil drives.** 《속담》 발등의 불을 끄기 위해선 못할 짓 없다. **paint the devil blacker than he is** 과장하여 악평하다. **play the devil with** 《口》 …을 엉망진창으로 만들다. **raise the devil** 대소동을 일으키다. **say the devil's paternoster** 투덜투덜 불평을 하다. **Talk of the Devil (and he will〔is sure to〕 appear).** 《속담》 호랑이도 제말 하면 온다. **tell the truth and shame the devil** 《口》 결단코 진실을 말하다. **the devil and all** 모든 악한 것. **the devil rebuking sin** 악마의 설법, 자기 잘못을 덮어 놓고 남을 탓하기. **the devil's own time〔job〕** 몹시 쓰라린 경험, 장기간의 악전 고투. **The devil take the hind(er) most.** 뒤떨어진 놈은 귀신에게나 잡아 먹혀라, 먼저 온 사람이 제일이다. **the devil to pay** 《俗》 앞으로 닥칠 큰 곤란; 《미口》 심한 벌. **the (very) devil** 《口》 몹시 어려운 (일), 괴로운 (일); 성가신 (일): *the* (*very*) *devil* of it 진짜 골칫거리. **There's the devil among the tailors.** 《영》 야단법석이다, 큰 싸움판이다.

── (**~ed**; **~·ing**|**~led**; **~·ling**) *vt.* **1** 《미口》 괴롭히다, 곯리다, 학대하다. **2** 〈고기 등에〉 고추〔후추〕를 많이 쳐서 굽다. **3** 절단기로 자르다. ── *vi.* (변호사·저술가의) 〈초고 쓰기, 하청(下請) 등의〉 일을 맡다《*for*》.

dev·il-dodg·er[dévldɑ̀dʒər/-dɔ̀dʒər] *n.* 《口》 (큰 목소리를 내는) 설교자.

dévil dòg 《미口》 미국 해병대원《별명》.

dev·il·dom[dévldəm] *n.* [U,C] **1** 마계(魔界), 악마의 나라. **2** 악마의 지배력〔신분〕.

dev·iled[dévld] *a.* 맵게 양념한.

dev·il·fish[dévlfìʃ] *n.* (*pl.* **~**, **~·es**) 〔魚〕 아귀; 낙지, 오징어; 쥐가오리《등》.

*__dev·il·ish__[dévliʃ] *a.* **1** 악마 같은; 흉악한, 극악 무도한. **2** 《口》 지독한, 극심한, 극도의 (extreme). ── *ad.* 《口》 지독하게, 엄청나게. **~·ly** *ad.* **~·ness** *n.* ◇ dévil *n.*

dev·il·ism[dévlìzəm] *n.* [U] **1** 마성(魔性); 악마 같은 짓. **2** 악마 숭배.

dev·il·kin[dévlkin] *n.* 작은 악마(imp).

dev·illed[dévəld] *a.* =DEVILED.

dev·il-may-care[dévlmeikέər] *a.* 물불을 가리지 않는, 무모한; 아주 태평스러운.

dev·il·ment[dévlmənt] *n.* [U,C] 악마의 행적; 나쁜 장난; [U] 명랑, 활기.

dev·il·ry[dévlri] *n.* (*pl.* **-ries**) [U,C] **1** 무모한 장난. **2** 극악 무도(한 짓); 악마의 소행, 마술; 악마학. **3** (집합적) 악마.

dévil's ádvocate **1** 반대를 위한 반대를 하는 사람, 결점만 보는 사람. **2** 〔가톨릭〕 시성(諡聖) 조사 심문 검사(檢事).

dévil's bónes 《俗》 주사위.

dévil's bóoks =DEVIL'S PICTURE BOOKS.

dévil's dárning nèedle 〔昆〕 잠자리.

dévil's dózen 《口》 13, 13개.

dévil's fòod (càke) (맛·색이 농후한) 초콜릿 케이크.

Devil's Ísland *n.* 악마의 섬, 일뒤디아블 (Ile du Diable)《프랑스령 Guiana 앞바다의 섬; 원래 유형도(流刑島)》.

dévil's pícture bòoks (the ~) 카드패.

dévil's tattóo 손가락〔발끝〕으로 책상을〔마루를〕 똑똑 두드리기《홍분·초조의 동작》.

Dévil's Tríangle (the ~) 마(魔)의 3각 수역 (*cf.* BERMUDA TRIANGLE).

dévil's-wálking-stìck *n.* =HERCULESCLUB.

dev·il·try[dévltri] *n.* (*pl.* **-tries**) =DEVILRY.

dévil wórship 악마〔마귀〕 숭배.

de·vi·ous[díːviəs] *a.* **1** 멀리 돌아가는, 구불구불한. **2** 정도를 벗어난, 사악한. **3** 솔직하지 않은; 속이려는. **~·ly** *ad.* **~·ness** *n.*

de·vis·a·ble[diváizəbl] *a.* **1** 궁리해 낼 수 있는. **2** 〔法〕 유증(遺贈)할 수 있는.

de·vis·al[diváizəl] *n.* [U] 연구, 궁리, 고안.

__de·vise__[diváiz] *vt.* **1 〈방법을〉 궁리하다, 고안〔안출〕 하다; 발명하다《*how, to* do》《◇ 명사는 DEVICE》. **2** 〔法〕 〈부동산을〉 유증하다《*to*》. ── *n.* [U] 〔法〕 (부동산) 유증; 유증 재산《부동산》; [C] 유언장의 증여 조항.

dev·i·see[divàizíː, dèvəzíː] *n.* 〔法〕 (부동산) 수증자(受贈者) (*opp.* devisor).

de·vis·er[diváizər] *n.* **1** 고안〔안출, 발명〕자, 계획자. **2** 〔法〕 =DEVISOR.

dev·i·sor[diváizər] *n.* 〔法〕 (부동산) 유증자.

de·vi·tal·i·za·tion[-lizéiʃən] *n.* [U] 활력〔생명〕을 빼앗기; 활력〔생명〕 상실.

de·vi·tal·ize[diːváitəlàiz] *vt.* …에서 생명〔활력〕을 빼앗다〔약화시키다〕.

de·vi·ta·min·ize[diːváitəminàiz] *vt.* …에서 비타민을 없애다.

de·vit·ri·fy[diːvítrəfài] (**-fied**) *vt.* …에서 투명성을 빼앗다, 〈유리를〉 불투명하게 하다. ── *vi.* 실투(失透)하다.

de·vit·ri·fi·ca·tion[diːvìtrəfikéiʃən] *n.*

de·vo·cal·ize[diːvóukəlàiz] *vt.* 〔音聲〕 =DEVOICE. **de·vò·cal·i·zá·tion**[-lizéiʃən] *n.*

de·voice[dìːvɔ́is] *vt.* 〈유성음을〉 무성음화하다.

*__de·void__[divɔ́id] *a.* 《文語》 결여된, …이 없는 《*of*》: (Ⅱ [형]) She is ~ of hope. 그녀에게는 희망이 없다/His speech was ~ of sense. 그의 진술〔연설〕에는 합리성이 없다.

de·voir[dəvwɑ́ːr, dévwɑːr][F] *n.* 본분, 의무; 직무; (*pl.*) 예의, 경의. **do one's devoir** 본분을 다하다. **pay one's devoirs to** …을 찾아가 경의를 표하다.

dev·o·lu·tion[dèvəlúːʃən/dìːv-] *n.* [U] **1** 상전(相傳); 〔法〕 (권리·의무·지위 등의) 상속인에의 이전. **2** (관직·권리·의무의) 이전; 〔議會〕 위원 위임. **3** 〔生〕 퇴화. ◇ devólve *v.*

de·volve[divɑ́lv/-vɔ́lv] *vt.* 〈권리·의무·직분을〉 양도하다, 맡기다, 지우다《*on, upon*》: 《Ⅲ (목)+[전]+[명]》 He ~*d* his duties *on* her. 그는 그의 직무를 그녀에게 맡겼다〔위임했다〕. ── *vi.* 〈일·임무 등이〉 옮겨지다, 맡겨지다; 〈재산이〉 이전되다, 유증되다《*on, upon, to*》; 귀속하다《*on, upon*》: 《Ⅲ *It v* I +[전]+(목)+*to* do》 (no pass.) It ~*d on* her *to* do something about it. 그것에 대하여 무엇인가 할 일이 그녀에게 맡겨졌다/《Ⅱ *v* I +[전]+(목)》 At his death the estate ~*d to*〔*on*〕 his niece. 그의 사후(死後)에 그 유산은 그의 질녀에게 유증되었다. **~·ment** *n.*

Dev·on[dévən] *n.* **1** =DEVONSHIRE. **2** 데번종(種)의 소《유육(乳肉) 겸용》.

De·vo·ni·an[dəvóuniən] *a.* **1** (영국) Devonshire의. **2** 〔地質〕 데본기(紀)〔계(系)〕의. ── *n.* **1** Devonshire 사람 **2** (the ~) 〔地質〕

데본기(紀)〔계(系)〕.

Dev·on·shire[dévənʃìər] *n.* 데번셔주(州)《영국 남서부의 주》.

‡**de·vote**[divóut] [L] *vt.* 〈몸·노력·시간·돈을〉 바치다, 쏟다, 기울이다, 오로지 …하다 《*to*》: 《Ⅲ (목)+전+명》 He ~*d* his life *to* charitable work. 그는 자선사업에 일생을 바쳤다(=His life was ~*d to* charitable work.)/She ~*d* her whole life *to* him to perfection. 그녀는 그에게 평생을 유감없이 다 바쳤다/《Ⅲ (목)+전+-*ing*》 He ~*d* his life *to* study*ing* history. 그는 역사를 연구하는 데에 일생을 바쳤다(=His life was ~*d to* study*ing* history.) **devote oneself to** …에 일신을 바치다, …에 전렴하다, …에 빠지다, 에 골몰〔몰두〕하다: 《Ⅲ (목)+전+명〔-*ing*〕》 He *devotes himself to* the study〔the study*ing*〕 of physics. 그는 물리학 연구에 전렴하고 있다(=He is *devoted to* the study〔the study*ing*〕 of physics. ⇨devoted) ◈ devótion *n.*

*****de·vot·ed**[divóutid] *a.* **1** 헌신적인, 몸을 바친. **2** 맹세한. **3** 열심인, 골몰하여〔하는〕, 전렴하여〔하는〕《*to*》: 《Ⅱ 형+전+명〔-*ing*〕》 He is *devoted to* the study〔the study*ing*〕 of physics. 그는 물리학 연구에 전렴하고 있다. **4** 열렬히 사랑하는, 애정이 깊은《*to*》. **5** (신에게) 헌납된. **6** 《古》 저주받은. **~·ly** *ad.* **~·ness** *n.*

dev·o·tee[dèvoutíː] *n.* **1** (광신적) 신봉자《*of*》. **2** 열성가, 열애자, 골몰하는 사람《*of*》.

‡**de·vo·tion**[divóuʃən] *n.* Ⓤ **1** 헌신, 전렴; 강한 애착, 헌신적 사랑《*for*》. **2** 귀의(歸依), 신앙. **3** (*pl.*) 기도: be at one's ~*s* 기도하고 있다. ◈ devóte *v.*; devótional *a.*

de·vo·tion·al[divóuʃənəl] *a.* 신앙의; 기도의; 헌신적인. ── *n.* (때로 *pl.*) 짧은 기도. **~·ism** *n.* 경건주의; 광신. **~·ist** *n.* 경건주의자; 광신가. **~·ly** *ad.*

‡**de·vour**[diváuər] [L] *vt.* **1** 〈사람·동물이〉 게걸스레 먹다, 탐식하다. **2** 〈질병·화재 등이〉 멸망시키다; 〈바다·어둠·시간·망각 등이〉 삼켜버리다. **3** 탐독하다; 뚫어지게 보다; 열심히 듣다. **4** (보통 수동형) 〈호기심·근심 등이〉 이성을 빼앗다, 열중시키다, 괴롭히다. **devour the way**〔**road**〕《詩》 길을 바삐 가다, 〈말이〉 빨리 달리다. **~·er** *n.*

de·vour·ing[diváuəriŋ] *a.* **1** 게걸스레 먹는. **2** 사람을 괴롭히는; 열중시키는; 맹렬한, 열렬한. **~·ly** *ad.*

*****de·vout**[diváut] *a.* **1** 믿음이 깊은, 독실한; 헌신적인. **2** 마음에서 우러나는, 열렬한. **3** (the ~; 명사적; 복수 취급) 독실한 신자들. **~·ly** *ad.* 독실하게; (hope, believe 등 동사와 함께) 충심으로, 절실히. **~·ness** *n.* ◈ devóte *v.*

‡**dew**[djuː] *n.* Ⓤ **1** 이슬. **2** 《詩》 신선함, 상쾌함(freshness)《*of*》; (눈물·땀의) 방울. **dew-lit eyes** 《詩》 눈물로 빛나는 눈. ── *vt., vi.* 이슬로 적시다〔젖다〕; 축이다, 눅눅하게 하다. **It dews.** 이슬이 내린다. **déw·less** *a.*

DEW Distant Early Warning(*cf.* DEW LINE).

de·wan[diwáːn, -wɔ́ːn] *n.* 《인도》 주(州) 재무장관; (인도 독립 주의) 수상.

Déwar vèssel[djúːər-] (액화 가스를 저장하는) 진공 병(의 일종); 보온병.

de·wa·ter[diwɔ́ːtər, -wát-] *vt.* …에서 물을 없애다〔빼다〕, 탈수〔배수〕하다. **~·er** *n.* 탈수기.

dew·ber·ry[djúːbèri, -bəri] *n.* (*pl.* **-ries**) 〔植〕 듀베리《나무딸기의 일종》.

dew·claw[∠klɔ̀ː] *n.* (개 발의) 며느리발톱; (소·노루 등의) 위제(僞蹄), 퇴화한 발굽.

dew·drop[djúːdràp/-drɔ̀p] *n.* **1** 이슬 방울. **2** 《영·익살》 콧물.

Dew·ey[djúːi] *n.* **1** 남자 이름. **2** 듀이 John ~ (1859-1952)《미국의 철학자·교육자》.

Déwey (décimal) classificàtion〔**system**〕 (the ~) 〔圖書館〕 듀이 도서 분류법《전 도서를 열 가지 주요 부문으로 나눔》.

dew·fall[djúːfɔ̀ːl] *n.* Ⓤ,Ⓒ 이슬이 내림〔맺힘〕; 이슬 맺힐 무렵《저녁때》.

dew·i·ly *ad.* 이슬처럼, 조용히, 덧없이.

dew·i·ness[djúːinis/djúː-] *n.* Ⓤ 이슬이 흠뻑 내린 상태, 이슬에 젖은 상태.

dew·lap[djúːlæ̀p] *n.* (소 등의) 목 밑에 처진 살; 《俗》 (살찐 사람의) 군턱.

déw-lapped[-t] *a.* 목 아랫살이 처진.

DÉW lìne[djúː-] (the ~) 듀라인《미국·캐나다의 원거리 조기 경계망; 북위 70°선 부근》.

de·worm *vt.* (개 따위로부터) 기생충을 구제하다; 구충〔살충〕하다.

déw pòint (the ~) 〔氣〕 (온도의) 이슬점, 노점(露點).

déw pònd 《영》 이슬 못《구릉 지방에서 이슬·안개의 수분을 모아 두는; 가축용》.

dew·ret[djúːrèt] *vt.* (~·**ted**; ~·**ting**) 〈삼 등을〉 비·이슬에 맞혀 부드럽게 하다.

DEWS[djuːz] Distant Early Warning System 《미》 원거리 조기 경보망(*cf.* DEW, BMEWS).

*****dew·y**[djúːi] *a.* (**dew·i·er; -i·est**) **1** 이슬 맺힌, 이슬 많은; 이슬 내리는; 이슬 같은. **2** 《詩》 눈물 젖은. **3** 상쾌한, 고요한 〈잠 등〉.

dew·y-eyed[djúːiàid] *a.* (어린이처럼) 천진난만한 (눈을 가진), 티 없는, 순진한.

dex[deks] *n.* 《俗》 덱스《dextroamphetamine의 알약》.

dexed[dekst] *a.* 《俗》 덱스에 취한.

Dex·e·drine[déksidrìːn, -drən] *n.* 덱서드린《dextroamphetamine의 상품명》.

dex·ie[déksi] *n.* 《俗》 =DEX.

dex·ter[dékstər] *a.* **1** 오른쪽의. **2** 〔紋〕 (방패 무늬 바탕의) 오른쪽의《마주 보아서 왼편》(*opp.* sinister). **3** 《古》 운이 좋은, 길조의.

*****dex·ter·i·ty**[dekstérəti] *n.* Ⓤ **1** 손재주 있음, 솜씨 좋음. **2** 재치; 민첩, 기민. **3** 《稀》 오른손잡이. ◈ déxterous *a.*

*****dex·ter·ous**[dékstərəs] [L] *a.* **1** 손재주가 있는, 솜씨 좋은; 교묘한《*in, at*》: be ~ *in*〔*at*〕 do*ing* …하는 데 재간이 있다/《Ⅱ 형+전+명》 He is ~ *at* repair*ing*. 그는 수선하는 데에 재주가 있다. **2** 민첩한, 영리한; 빈틈없는, 약삭빠른. **3** 《稀》 오른손잡이의. **~·ly** *ad.* **~·ness** *n.*

dextr-[dekstr], **dex·tro-**[dékstrou] 《연결형》 「오른쪽의; 오른쪽으로 도는」의 뜻《모음 앞에서는 dextr-》.

dex·tral[dékstrəl] *a.* (*opp.* sinistral) **1** 오른쪽의, 오른손잡이의. **2** 〈고둥이〉 오른쪽으로 감긴. **~·ly**[-i] *ad.*

dex·tran[dékstrən] *n.* Ⓤ 〔化〕 덱스트란《혈장(血漿) 대용품》.

dex·trin, -trine[dékstrin], [-tri(ː)n] *n.* Ⓤ 〔化〕 덱스트린, 호정(糊精).

dex·tro- 《연결형》 =DEXTR-.

dex·tro·am·phet·a·mine[dèkstrouæmfétəmìːn] *n.* 〔藥〕 덱스트로암페타민《각성제 및 식욕 억제약으로 씀; *cf.* DEX》.

dex·trorse[dékstrɔːrs, ─∠] *a.* 〔植〕 오른쪽으로 감아 올라가는《뿌리에서 보아》.

dex·trose[dékstrous] *n.* Ⓤ 〔化〕 우선당(右旋糖), 포도당.
dex·trous[dékstrəs] *a.* =DEXTEROUS.
dey[dei] *n.* 옛 알제리 지방 장관의 칭호(프랑스가 점령한 1830년까지의).
DF, D/F, D.F. direction finder 방위 측정 장치. **D.F.** Dean of Faculty 스코틀랜드 변호사 협회장; *Defensor Fidei*(L=Defender of the Faith). **D.F.C.** Distinguished Flying Cross 공군 수훈 십자 훈장. **D.F.M.** 〔空軍〕 Distinguished Flying Medal. **dft.** defendant; draft. **dg.** decigram(s). **D.G.** *Dei gratia* (L=by the grace of God); *Deo gratias*(L=thanks to God); Director General; Dragon Guards. **DH** designated hitter 〔野〕 지명타자; dirham(s).
dhal[dɑːl] *n.* 달콩(동인도산; 식용).
dhar·ma[dɑ́ːrmə, də́ːr-] [Sanskrit 「법」의 뜻에서] *n.* Ⓤ 〔힌두敎〕 덕(virtue); 〔佛敎〕 법(法)(law); (지켜야 할) 규범, 계율.
dho·bi(e)[dóubi] *n.* 《인도》 (하층 계급의) 세탁부.
dhóbie('s) ítch 〔病理〕 도비 완선(頑癬)(습진의 일종).
dhole[doul] *n.* 〔動〕 돌(인도의 사나운 들개).
dho·ti, dhoo·ti(e)[dúːti] *n.* 《인도》 (남자의) 허리에 두르는 천(*cf.* SARI).
d(h)ow[dau] *n.* 도우선(船)(인도양·아라비아해 등의 연안 무역 범선).
dow *n.* =DHOW.
Dow *n.* =DOW-JONES AVERAGE.
D.Hy. Doctor of Hygiene. **Di** 〔化〕 didymium. **DI** 《미》 Department of the Interior; diffusion index. 〔經〕 확산 지수; discomfort index 불쾌 지수.
di-[1] [diː] 《연결형》 〔주로 化〕 「둘의; 이중의」의 뜻: *di*acidic.
di-[2] *pref.* 「분리…」의 뜻(dis-의 단축형): *di*gest, *di*lute.
di-[3]**, di·a-** *pref.* 「…을 통해서; …을 가로질러서; …으로 이루어지는」의 뜻(과학 용어를 만듦; 모음 앞에서 di-): *di*optric.
di·a·base[dáiəbèis] *n.* Ⓤ 〔地質〕 휘록암(輝綠岩). **dì·a·bá·sic** *a.*
di·a·be·tes[dàiəbíːtis, -tiːz] *n.* Ⓤ 〔病理〕 당뇨병.
diabétes in·síp·i·dus[-insípidəs] 〔病理〕 요붕증(尿崩症)(略: DI).
diabétes mél·li·tus[-məláitəs, -mélə-] 〔病理〕 진성(眞性) 당뇨병.
di·a·bet·ic[dàiəbétik] *a.* 당뇨병의. ── *n.* 당뇨병 환자.
di·a·be·tol·o·gist[daiəbitɑ́lədʒist/-tɔ́l-] *n.* 당뇨병 전문 의사.
di·a·ble·rie, -ry[diɑ́ːbləri] *n.* (*pl.* **-ries**) **1** Ⓤ,Ⓒ 악마의 소행, 요술; 마력; (무모한) 장난. **2** Ⓤ 악마 연구〔전설〕. **3** Ⓤ 악마의 세계.
di·a·bol·ic, -i·cal[dàiəbɑ́lik/-bɔ́l-], [-ikəl] *a.* **1** 악마의〔같은〕, 마성의. **2** (보통 diabolical) 악마적인, 극악 무도한. **-i·cal·ly**[-ikəli] *ad.* 악마같이, 극악 무도하게. **-i·cal·ness** *n.*
di·ab·o·lism[daiǽbəlìzəm] *n.* Ⓤ **1** 마술, 마법(sorcery); 악마 같은 짓〔성질〕. **2** 악마주의〔숭배〕. **-list** *n.* 악마주의자, 악마 신앙가; 악마 연구가.
di·ab·o·lize[daiǽbəlàiz] *vt.* 악마화하다, 악마적으로 (표현)하다. **di·àb·o·li·zá·tion** *n.*
di·ab·o·lo[diːǽbəlòu] *n.* (*pl.* ～**s**) **1** Ⓤ 디아볼로, 공중 팽이 놀이. **2** 그 팽이.

di·a·chron·ic[dàiəkrɑ́nik/-krɔ́n-] *a.* 〔言〕 통시(通時)적인(언어 사실을 역사적으로 연구·기술하는 입장). **-i·cal·ly** *ad.* **～·ness** *n.*
di·ach·ro·ny[daiǽkrəni] *n.* (*pl.* **-ni·es**) **1** 〔言〕 언어체계의 통시적(通時的)변화. **2** (일반적으로) 역사적 변화.
di·ach·y·lon, -lum[daiǽkəlɑ̀n/-lɔ̀n], [-ləm] *n.* Ⓤ 〔藥〕 단연 경고(單鉛硬膏).
di·ac·id[daiǽsid] *a.* 〔化〕 이산(二酸)(성)의: a ～ base 이산 염기.
di·a·cid·ic[dàiəsídik] *a.* =DIACID.
di·ac·o·nal[daiǽkənəl] *a.* 〔基督敎〕 부제(副祭)〔집사〕(deacon)의.
di·ac·o·nate[daiǽkənit, -nèit] *n.* Ⓤ,Ⓒ 〔基督敎〕 **1** 부제(副祭)〔집사〕의 직분〔임기〕. **2** (집합적) 부제, 집사; 부제〔집사〕 단체.
di·a·crit·ic[dàiəkrítik] *a.* =DIACRITICAL. ── *n.* =DIACRITICAL MARK.
di·a·crit·i·cal[dàiəkrítikəl] *a.* 구별을 위한, 구별〔판별〕할 수 있는.
diacrítical márk〔**sígn**〕 발음 구별 부호(ā, ă, â의 ¯ ˘ ¨ ^, 또는 ç의 ç 등).
di·ac·tin·ic[dàiæktínik] *a.* 〔物〕 자외선을 통과시키는.
di·a·dem[dáiədèm] *n.* **1** 《文語》 왕관(crown); (동양의 왕·여왕의 머리에 감는) 띠, 리본. **2** 왕권(royal power), 왕위; 머리 위에 빛나는 영광. ── *vt.* 왕관으로 장식하다; …에게 왕관〔영예〕을 주다. **-demed**[-d] *a.* 왕관을 쓴.
díadem spìder 〔動〕 무당거미.
di·ad·ro·mous[daiǽdrəməs] *a.* (물고기가) 민물과 바닷물의 양 수역을 회유(回遊)하는.
di·(a)er·e·sis[daiérəsis] *n.*(*pl.* **-ses**[-sìːz]) **1** 〔文法〕 (음절의) 분절(分切). **2** 〔音聲〕 분음기호(coöperate처럼 문자 위에 붙이는 ¨의 부호). **3** 〔醫〕 절단.
diag. diagonal; diagram.
di·ag·nose[dáiəgnòus, ⌐–⌐] [diagnosis의 역성(逆成)] *vt., vi.* 〔醫〕 진단하다(사람은 목적어가 되지 않음): The doctor ～*d* her case *as* cancer. 의사는 그녀의 병을 암이라고 진단했다.
*****di·ag·no·sis**[dàiəgnóusis] [Gk] *n.* (*pl.* **-ses**[-siːz]) Ⓒ,Ⓤ 〔醫〕 진단(법); 〔生〕 특성; 식별. ◈ diagnose *v.*; diagnóstic *a.*
di·ag·nos·tic[dàiəgnɑ́stik/-nɔ́s-] *a.* **1** 〔醫〕 진단상의; 진단에 도움이 되는, 증상을 나타내는(*of*). **2** 〔生〕 특징적인. ── *n.* 특수 증상; 특징. **-ti·cal·ly**[-kəli] *ad.* 진찰〔진단〕에 의해서.
di·ag·nos·ti·cian[dàiəgnɑstíʃən/-nɔs-] *n.* 진찰 전문 의사; 진단자.
diagnóstic routìne 〔컴퓨터〕 진단 루틴(프로그램의 잘못·고장 부위를 찾아내는 프로그램).
di·ag·nos·tics[dàiəgnɑ́stiks/-nɔ́s-] *n. pl.* (단수 취급) 진단학.
di·ag·o·nal[daiǽgənəl] *a.* **1** 대각선의. **2** 비스듬한, 사선(斜線)의. **3** 〔紡〕 능직의. ── *n.* **1** 〔數〕 대각선. **2** 사선; 비스듬히 나가는 것. **3** 〔紡〕 능직(=⌐ **clòth**). **～·ly**[-əli] *ad.* 대각선으로; 비스듬하게.
di·ag·o·nal·ize[daiǽgənəlàiz] *vt.* 〔數〕 〈행렬을〉 대각선화하다. **-iz·a·ble** *a.*
****di·a·gram**[dáiəgræ̀m] *n.* **1** 도형; 도식; 도해. **2** 〔數·統〕 도표; 일람표. **3** (열차의) 다이어, 운행표. ── *vt.* (～**ed**; ～**·ing**| ～**med**; ～**·ming**) 그림〔도표〕으로 나타내다, 도해하다. ◈ diagrammátic *a.*; diagrámmatize *v.*
di·a·gram·mat·ic, -i·cal[dàiəgrəmǽtik], [-əl] *a.* 도표의, 도식의; 개략의, 윤곽만의. **-i·cal·ly**[-əli] *ad.* 도식으로.

di·a·gram·mat·ize[dàiəgrǽmətàiz] *vt.* 도표로 만들다, 도해하다.
di·a·graph[dáiəgræ̀f, -grɑ̀:f] *n.* 〔測〕 분도척(分度尺); 도면 확대기.
‡**di·al**[dáiəl] [L] *n.* **1** 다이얼, (시계 · 나침반 등의) 지침면, 문자판(=～ plate); (계량기 · 라디오 등의) 표시판; (전화기의) 숫자판. **2** (보통 sun ～) 해시계; 광산용 컴퍼스. **3** 《俗》 낯, 상판. — *vt.* (～ed; ～·ing|～led; ～·ling) **1** (다이얼을 돌려) 〈라디오 · 텔레비전의〉 파장에 맞추다. **2** 〈전화 · 라디오 등의〉 다이얼을 돌리다; 〈번호를〉 돌리다; …에 전화하다. **3** 다이얼로 계량〔표시〕하다; 광산 컴퍼스로 재다. — *vi.* 다이얼을 돌리다; 전화를 걸다.
dial. dialect(al); dialectic(al); dialog(ue).
di·al-a-[dáiələ] 《연결형》「전화 호출; 전화 응답」의 뜻.
di·al-a-bus *n.* 전화 호출 버스.
di·al-a-porn[dáiələpɔ̀:rn] *n.* 전화 포르노 《전화에 의한 외설적인 회화 서비스》.
*__di·a·lect__[dáiəlèkt] [Gk] *n.* **1** 방언; 지방 사투리. **2** 한 계급〔직업《등》〕 특유의 통용어. — *a.* 방언의. ◇ dialéctal *a.*
di·a·lec·tal[dàiəléktl] *a.* 방언의. **～·ly**[-əli] *ad.*
díalect átlas 방언 (분포) 지도.
díalect geógraphy *n.* =LINGUISTIC GEOGRAPHY.
di·a·lec·tic[dàiəléktik] *a.* **1** 〔哲〕 변증(법)적인; 논증을 잘하는. **2** =DIALECTAL. — *n.* **1** (종종 *pl.*) 논리(학); 논리적 토론술. **2** Ⓤ 〔哲〕 변증법.
di·a·lec·ti·cal[dàiəléktikəl] *a.* =DIALECTIC. **～·ly**[-əli] *ad.*
dialéctical matérialism 변증법적 유물론.
dialéctical theólogy 변증법적 신학.
di·a·lec·ti·cian[dàiəlektíʃən] *n.* 변증가; 논법가(logician).
di·a·lec·tol·o·gy[dàiələktálədʒi/-tɔ́l-] *n.* Ⓤ 방언학, 방언 연구. **-gist** *n.*
di·al·ing[dáiəliŋ] *n.* Ⓤ,Ⓒ **1** 다이얼을 돌림. **2** 해시계에 의한 시간 측정. **3** 광산 컴퍼스에 의한 측량. **4** 《미》 (전화의) 국번, 지역 번호.
díaling còde 《영》 (전화의) 국번.
díaling tòne 《영》 =DIAL TONE.
*__di·a·log__[dáiəlɔ̀:g, -lɑ̀g/-lɔ̀g] *n.* 《미》 ⇨DIALOGUE.
di·a·log·ic, -i·cal[dàiəlɑ́dʒik/-lɔ́dʒ-], [-əl] *a.* 대화(체)의, 문답(체)의. **-i·cal·ly** *ad.*
di·a·lo·gist[daiǽlədʒist] *n.* 대화자; 대화(극)작가.
di·al·o·gize[daiǽlədʒàiz] *vi.* 대화하다.
‡**di·a·logue,** 《미》 **-log**[dáiəlɔ̀:g, -lɑ̀g/-lɔ̀g] *n.* **1** 대화, 문답, 회화. **2** 의견 교환, 토론; 회담. **3** Ⓤ (극 · 이야기중의) 대화 부분. **4** 대화체의 작품. — *vi.* 대화하다. — *vt.* 대화체로 표현하다. ◇ dialógic *a.*
Díalogue Máss 〔가톨릭〕 대화 미사.
díal plàte (시계의) 문자판, (계기의) 지침〔표시〕판.
díal tèlephone 《미》 다이얼식 자동 전화.
díal tòne (전화) 발신음(《영》 dialing tone).
di·al-up[dáiəlʌ̀p] *a.* (컴퓨터 단말기 등과의 연결이) 전화 회선에 의한〔을 이용한〕.
di·a·lyse *vt.* 《영》 =DIALYZE.
di·al·y·sis[daiǽləsis] *n.* (*pl.* **-ses**[-sì:z]) Ⓤ,Ⓒ **1** 〔醫 · 化〕 투석(透析), 여막 분석(濾膜分析). **2** 분해, 분리.
di·a·lyt·ic[dàiəlítik] *a.* 〔化〕 투석(성)의; 투막성(透膜性)의.
di·a·lyze[dáiəlàiz] *vt.* 〔化〕 투석하다, 여막 분석하다. **-lyz·a·ble** *a.*
di·a·lyz·er, -lys·er[dáiəlàizər] *n.* **1** 투석기(透析器), 여막(濾膜) 분석기. **2** 〔醫〕 인공 신장.
diam. diameter.
di·a·mag·net[dáiəmæ̀gnit] *n.* 〔物〕 반자성체(反磁性體).
di·a·mag·net·ic[dàiəmægnétik] 〔物〕 *a.* 반자성의. — *n.* 반자성체. **-i·cal·ly**[-ikəli] *ad.*
di·a·mag·net·ism[dàiəmǽgnətìzəm] *n.* Ⓤ 〔物〕 반자성(反磁性)(학).
di·a·man·té[dì:əmɑ:ntéi] [F] **1** 디아망테이 《여성옷 장식용의 번쩍이는 금속조각이나 유리장식》. **2** 그것으로 장식된 의류.
‡**di·am·e·ter**[daiǽmitər] *n.* **1** 〔數〕 지름, 직경: 5 inches in ～ 지름이 5인치《◇ in ～은 관사 없음》. **2** …배《렌즈의 확대 단위》: magnify an object 3000 ～*s* 물체를 3000배로 확대하다. ◇ diámetral, diamétric *a.*
di·am·e·tral[daiǽmətrəl] *a.* 직경의.
di·a·met·ric, -ri·cal[dàiəmétrik], [-əl] *a.* **1** 직경의. **2** 정반대의, 완전히 대립하는.
di·a·met·ri·cal·ly[dàiəmétrikəli] *ad.* **1** 직경 방향으로. **2** 정반대로; 바로(exactly), 전혀. ◇ 보통 다음 구에서: ～ opposed 전연 반대인/～ opposite 정반대의.
‡**di·a·mond**[dáiəmənd] [L] *n.* **1** Ⓒ,Ⓤ 〔鑛〕 다이아몬드, 금강석; 다이아몬드 장신구. **2** 다이아몬드 모양, 마름모꼴. **3** 〔카드〕 다이아패; (*pl.*) 다이아 패 한 벌. **4** 〔野〕 내야; 야구장. **black diamonds** 검정 다이아《시추용》; 석탄(coal). **diamond in the rough** = **rough diamond** 천연 그대로의 금강석; (닦으면 빛날) 다듬어지지 않은 인물. **diamond of the first water** 광택이 잘 나는〔최고급〕 다이아몬드; 일류 인물. **It is diamond cut diamond.** 불꽃을 튀기는 듯한 〔막상막하의〕 경기〔대결〕이다. **small diamond** 〔카드〕 점수가 낮은 다이아 패. **the Diamond State** 미국 Delaware 주의 속칭 《면적이 작은 데서》. — *a.* 금강석(제)의, 다이아가 박힌; 마름모꼴의; 금강석이 (많이) 나는. — *vt.* 다이아(비슷한 것으)로 장식하다, 다이아를 박다.
díamond annivérsary (결혼 등의) 60주년 (때로는 75주년) 기념일.
di·a·mond·back[-bæ̀k] *a.* 등에 다이아몬드〔마름모〕 꼴 무늬가 있는 〈나방 등〉.
díamondback móth 〔昆〕 배추좀나방.
díamondback ráttlesnake 〔動〕 방울뱀.
díamondback térrapin 〔動〕 (북미산 식용) 후미남생이.
di·a·mond-cut[-kʌ́t] *a.* 마름모꼴로 다듬은 〔자른〕 〈보석 등〉.
di·a·mond-cut·ter[-kʌ̀tər] *n.* 금강석을 다듬는 사람.
díamond dríll (광산용) 검정 다이아 시추기(試錐機).
díamond dùst 다이아몬드 분말《연마용》.
di·a·mond-field *n.* 다이아몬드 채굴지〔산지〕.
Díamond Hèad *n.* 다이아몬드 헤드《하와이주 Oahu 섬 남동부의 곶을 이룬 사화산》.
di·a·mond·if·er·ous[dàiəməndífərəs] *a.* 다이아몬드가 있는〔산출되는〕.
díamond júbilee ((여)왕의 즉위) 60 또는 75주년 축전(*cf.* JUBILEE).
díamond làne (주로 버스나 승객 수송용 트럭을 위한) 고속도로, 큰 길《노면에 큰 다이아몬드 그림이 있음》.
díamond wédding (보통 one's ～) 다이

아몬드 혼식(婚式)《결혼 60주년 또는 75주년의 축하》.

Di·an[dáiən] *n.* 《詩》 =DIANA 2, 3.

Di·an·a[daiǽnə] *n.* **1** 여자 이름. **2** 〔로神〕 다이아나《달의 여신, 처녀성과 수렵의 수호신; 그리스 신화의 Artemis》. **3** 《詩》 달(moon). **4** 여자 사냥꾼; 독신을 지키는 여자; 용자(容姿)가 수려한 젊은 여자.

di·an·thus[daiǽnθəs] *n.* 〔植〕 패랭이속(屬)의 각종 식물.

di·a·pa·son[dàiəpéizən, -sən] *n.* **1** 〔樂〕 화성; 완전 협화음, 옥타브〔8도〕 음정. **2** (악기·음성의) 음역. **3** (오르간의) 다이어페이슨 음전. **4** 〔物〕 소리굽쇠, 음차. **5** Ⓤ 범위, 분야, 영역. **closed**〔**stopped**〕 **diapason** 폐구 음전(閉口音栓). **open diapason** 개구(開口) 음전.

di·a·per[dáiəpər] *n.* **1** Ⓤ 마름모꼴 무늬가 있는 천《보통 삼베》. **2 a** 마름모꼴 무늬 있는 냅킨〔수건〕. **b** 《미》 (아기의) 기저귀. **3** Ⓤ 〔紋〕 마름모꼴 (장식) 무늬, 기하학적 무늬.
— *vt.* **1** 마름모꼴 무늬로 장식하다. **2** 《미》 기저귀를 채우다.

dí·a·pered[dáiəpərd] *a.* 마름모꼴 무늬가 있는.

díaper còver 기저귀 커버.

díaper ràsh 《미》 기저귀로 인한 헌데.

díaper sèrvice 기저귀 대여업.

di·aph·a·nog·ra·phy[daiæ̀fənágrəfi/-nɔ́g-] *n.* Ⓤ 〔醫〕 투과(透過) 검사(법)《유방 등을 투시하여 이상을 발견하는 검사 방법》.

di·aph·a·nous[daiǽfənəs] *a.* 《특히》 〈천이〉 투명한; 내비치는; 영묘한; 〈가능성이〉 희박한. **~·ly** *ad.* **~·ness** *n.*

di·a·phone[dáiəfòun] *n.* **1** 무적(霧笛), 안개 고동. **2** 〔言〕 방언적인 이음(異音).

di·a·pho·re·sis[dàiəfəríːsis] *n.* Ⓤ 〔醫〕 (인위적인 다량의) 발한(發汗), 발한 요법.

di·a·pho·ret·ic[dàiəfərétik] 〔醫〕 *a.* 발한(성)의, 발한 효과가 있는. — *n.* 발한제.

di·a·phragm[dáiəfræ̀m] *n.* **1** 〔解〕 횡격막, 가로막. **2** 칸막이; (조개 내부의) 칸막이벽; (식물의) 격막, 막벽(膜壁); (기계류의) 격판(隔板), (전화기의) 진동판; 〔寫〕 (렌즈의) 조리개. **3** 페서리(pessary)《여성용 피임 기구》.

di·a·phrag·mat·ic[dàiəfrægmǽtik] *a.* 횡격막의; 격막의; 칸막이벽(모양)의.

di·a·pos·i·tive[dàiəpázətiv/-pɔ́z-] *n.* 〔寫〕 투명 양화〔포지〕《슬라이드 등》.

di·ar·chi·al[daiáːrkiəl] *a.* 양두(兩頭) 정치의.

di·arch·y[dáiɑːrki] *n.* (*pl.* **-arch·ies**) Ⓤ,Ⓒ 양두(兩頭) 정치(*cf.* MONARCHY).

di·ar·i·al[daiέəriəl] *a.* 일기(체)의.

di·a·rist[dáiərist] *n.* 일기를 쓰는 사람, 일지 담당자; 일기 작가.

di·a·ris·tic[dàiərístik] *a.* 일기식〔체〕의.

di·ar·rh(o)e·a[dàiəríːə] [Gk] *n.* Ⓤ,Ⓒ 〔醫〕 설사. **-rh(o)e·al** *a.* 설사의.

⋆**di·a·ry**[dáiəri] [L] *n.* (*pl.* **-ries**) 일기, 일지; 일기장: keep a ~ =write in one's ~ every day 일기를 적다. ◇ diárial *a.*

Di·as[díːəs] *n.* 디어스 Bartholomeu ~《포르투갈의 항해자(1466?-1500); 희망봉 발견자》.

di·a·scope[dáiəskòup] *n.* **1** (투명한 물건을 보는) 투영경(投影鏡). **2** 〔醫〕 유리 압진기(壓診器).

Di·as·po·ra[daiǽspərə] [Gk] *n.* (the ~) **1** (CAPTIVITY 후의) 유대인의 분산(*cf.* DISPERSION). **2** (집합적) (그와 같이 분산된) 전유대인; 분산된 장소, 이스라엘 이외의 유대인 거주지.

di·a·stase[dáiəstèis] *n.* Ⓤ 〔生化〕 디아스타제, 녹말 당화〔소화〕 효소.

di·a·stat·ic[dàiəstǽtik] *a.* 〔生化〕 디아스타제(성)의, 당화성의.

di·as·to·le [daiǽstəlìː(ː)] *n.* Ⓤ **1** 〔生理〕 심장 확장(기(期))(*cf.* SYSTOLE); 《비유》 확장기. **2** 〔詩學〕 (고전시의) 음절 연장(音節延長).

di·as·tol·ic[dàiəstálik/-tɔ́l-] *a.* 심장 확장(기)의.

diastólic préssure 〔醫〕 확장기 혈압《최소 혈압》.

di·as·tro·phism[daiǽstrəfìzəm] *n.* Ⓤ 〔地質〕 지각 변동, 지각 변형.

di·a·tes·sa·ron[dàiətésərɑ̀n/-rɔ̀n] *n.* (4복음서를 정리한) 공관(共觀) 복음서.

di·a·ther·man·cy, -ma·cy[dàiəθə́ːrmənsi], [-məsi] *n.* Ⓤ 〔物〕 투열성(透熱性), 열이 통함.

di·a·ther·ma·nous[-mənəs] *a.* 〔物〕 투열성의(*opp.* athermanous).

di·a·ther·mic[dàiəθə́ːrmik] *a.* **1** 〔醫〕 투열요법의. **2** 〔物〕 투열성의.

di·a·ther·my[dáiəθə̀ːrmi] *n.* (*pl.* **-mies**) **1** 〔醫〕 투열 요법. **2** 투열 요법 장치.

di·ath·e·sis[daiǽθəsis] *n.* (*pl.* **-ses**[-sìːz]) Ⓤ,Ⓒ **1** 〔醫〕 (병에 걸리기 쉬운) 소질, 체질, 소인. **2** (어떤 발달에 대한) 특성.

di·a·thet·ic[dàiəθétik] *a.* 〔醫〕 소질상의, 특이 체질의.

di·a·tom[dàiətəm] *n.* 〔植〕 규조〔돌말〕(식물).

di·a·to·ma·ceous[dàiətəméiʃəs] *a.* 〔植〕 규조〔돌말〕 무리의; 〔地質〕 규조토의.

di·a·tom·ic[dàiətámik/-tɔ́m-] *a.* 〔化〕 2원자(성)의; 이가(二價)의(divalent).

di·a·ton·ic[dàiətánik/-tɔ́n-] *a.* 〔樂〕 온음계(적)인: the ~ scale 온음계. **-i·cal·ly**[-ikəli] *ad*

di·a·treme[dáiətrìːm] *n.* 〔地質〕 다이어트림, 화도(火道)《암장(岩漿)속의 가스의 폭발로 생긴 분기공(噴氣孔)》.

di·a·tribe[dáiətràib] *n.* Ⓤ,Ⓒ 《文語》 통렬한 비난의 연설〔문장, 비평〕(*against*).

di·az·e·pam[daiǽzəpæ̀m] *n.* Ⓤ 〔藥〕 다이아제팜《진정제의 일종》.

di·a·zine[dáiəzìːn, daiǽzin] *n.* Ⓤ 〔化〕 다이아진.

di·az·o[daiǽzou, -éiz-] *a.* 〔化〕 2질소의; DIAZOTYPE의. — *n.* 디아조 화합물, 《특히》 디아조 염료; =DIAZOTYPE.

diázo dýe 〔化〕 디아조 염료《면·레이온용》.

di·az·o·type[daiǽzətàip] *n.* 〔寫〕 다이아조타이프《사진 인화법의 일종》.

dib[1] [dib] *n.* **1** (lawn bowling의) 표적용 작은 백구(白球)(jack). **2** 《영》 (카드의) 잭 놀이. **3** 《俗》 몫. **4** 《俗》 1달러.

dib[2] *vi.* (~bed; ~·bing) 미끼를 수면에 가볍게 띄워서 낚다.

di·ba·sic[daibéisik] *a.* 〔化〕 2염기(성)의: ~ acid 2염기산.

dib·ber[díbər] *n.* = DIBBL.

díbber bòmb 활주로 (파괴용) 폭탄.

dib·ble[díbəl] *n.* 구멍 파는 연장《파종·모종용》. — *vt., vi.* 구멍을 파다; 구멍을 파고 심다〔뿌리다〕.

dib·buk *n.* = DYBBUK.

di·bit[dáibit] *n.* 〔컴퓨터〕 쌍(雙)비트《두 개의 비트로 이루어지는 데이터》.

dibs[dibz] *n. pl.* 《俗》 (소액의) 돈; 《미俗》 요구, 청구권. — *int.* 《미·兒》 내 차례야《몫이야》.

⁎**dice**[dais] *n. pl.* (*sing.* **die**[dai]) **1 a** 주사

위. b (단수 취급) 주사위놀이, 도박. **2** 작은 입방체. **in the dice** 있을 것 같은, 일어날 것 같은. **load the dice against** … 《口》 〈사람·사물을〉 불리하게 하다, 불리한 입장에 서게 하다. **(It is) no dice.** (그것은) 소용없다, 헛수고다. **one of the dice** 주사위 하나(보통 a die 대신에 씀). **play (at) dice** 주사위놀이를 하다. — *vi.* **1** 주사위놀이를 하다; 노름하다(*with*). **2** (자동차 경주에서) 유리한 위치를 다투다. — *vt.* **1** 도박해서 잃다 (*away*): ~ *away* one's fortune 노름으로 재산을 탕진해 버리다. **2** 〔料理〕 〈고기를〉 주사위꼴로 자르다. **3** 주사위〔서양 장기판〕 꼴로 하다. **4** 《오스口》 거절하다, 포기하다. **dice oneself into debt** 노름으로 빚지다. **dice oneself out of** … 노름으로 …을 날리다. **dice with death** (목숨을 걸고) 큰 모험을 하다.

dice·box [ˊbɑ̀ks/ˊbɔ̀ks] *n.* 주사위통.

di·cen·tric [daiséntrik] *a.* (염색체가) 두개의 동원체(動原體)를 갖는.

di·ceph·a·lous [daiséfələs] *a.* 〔醫〕 쌍두의.

dice·play [ˊplèi] *n.* Ⓤ 주사위놀이; 도박.

dic·er [dáisər] *n.* 주사위놀이를 하는 사람, 노름꾼(gambler); 《미俗》 중산 모자; 《俗》 헬멧.

dic·ey [dáisi] *a.* (**dic·i·er; -i·est**) 《俗》 위험한, 아슬아슬한; 불확실한.

dich- [daik], **di·cho-** [dáikou] 《연결형》 「둘로 (나뉜)」의 뜻(모음 앞에서는 dich-).

di·chlor- [dàiklɔ́:r], **di·chlo·ro-** [-klɔ́:rou] 《연결형》 「염소 2원자를 함유한」의 뜻(모음 앞에서는 dichlor-).

di·chlo·ride, -rid [daiklɔ́:raid, -rid], [-rid] *n.* 〔化〕 2염화물.

di·chló·ro·phe·nox·y·a·cé·tic ácid [daiklɔ̀:roufinɑ̀ksiəsí:tik-/-nɔ̀k-] 〔化〕 디클로로페녹시아세트산(그 나트륨염은 제초제(除草劑); 2, 4-D 라고도 함).

di·cho- [dáikou] 《연결형》 =DICH-.

dich·ot·ic [daikóutik] *a.* (소리의 높이·세기가) 좌우의 귀에 다르게 들리는.

di·chot·o·mize [daikɑ́təmàiz/-kɔ́t-] *vt., vi.* 둘로 나누다〔나뉘다〕, 분기(分岐)시키다〔하다〕, 두 갈래로 갈라지다.

di·chót·o·miz·ing séarch [-màiziŋ-] 〔컴퓨터〕 =binary search.

di·chot·o·mous [daikɑ́təməs, di-] *a.* **1** 양분된; 2분법의. **2** 〔植〕 〈가지·잎맥이〉 두 갈래로 갈라진. **~·ly** *ad.*

di·chot·o·my [daikɑ́təmi/-kɔ́t-] [Gk] *n.* (*pl.* **-mies**) Ⓤ,Ⓒ **1** 〔哲·論〕 이분법, 양단법; 이분, 양분(*between*). **2** 〔植·生〕 (가지가) 두 갈래로 갈림. **3** 〔天〕 현월(弦月), 반달.

di·chro·ism [dáikrouìzəm] *n.* Ⓤ 〔結晶·化〕 2 색성(각도·농도에 따라 색이 달라 보이는).

di·chro·mate [daikróumeit] *n.* 〔化〕 중(重)크롬산염(酸鹽).

di·chro·mat·ic [dàikroumǽtik] *a.* 두 색을 가진, 2색성의; 〔動〕 2변색성의.

di·chro·mat·i·cism [-tisìzəm] *n.* =DICHROMATISM.

di·chro·ma·tism [daikróumətìzəm] *n.* Ⓤ 2색성; 〔動〕 2변색성; 〔眼科〕 2색형 색맹.

di·chro·mic [daikróumik] *a.* 〔化〕 중(重)크롬의, 중크롬산의, 중크롬산을 나타내는.

dic·ing [dáisiŋ] *n.* Ⓤ **1** =DICEPLAY: a ~ house 도박장. **2** 〔製本〕 (가죽 표지의) 마름모꼴 장식. **3** 주사위 모양으로 자름.

dick[1] [dik] *n.* 《俗》 형사, (사설) 탐정, 조사관.

dick[2] *n.* **1** 《영口》 놈, 녀석. **2** 《卑》 음경.

dick[3] *n.* 《俗》 사전(dictionary).

dick[4] *n.* 《영俗》 언명, 선언. **take one's dick** 《俗》 맹세하다(*to* it, *that* …). **up to dick** 《俗》 빈틈없는; 멋진.

Dick [dik] *n.* **1** 남자 이름(Richard의 애칭). **2** 남자의 일반적인 명칭.

dick·ens [díkinz] *n.* (the ~) 《口》 (놀라움·완곡한 비난을 나타내어) 제기랄, 망할 것! **like the dickens** 맹렬하게. **play the dickens with** …을 엉망으로 만들다. **The dickens!** 이런!, 빌어먹을! **The dickens of it is that** … 그것에 관해 가장 곤란한 것은 …이다. **What the dickens is it?** 대체 (뭐야).

Dick·ens [díkinz] *n.* 디킨즈 Charles ~(영국의 소설가(1812-70)). ⊕ Dickénsian *a.*

Dick·en·si·an [dikénziən] *a.* Dickens(류)의.

dick·er[1] [díkər] *vi.* 《口》 **1** 거래하다, 흥정하다. **2** 물물 교환하다. **3** (조건을 내걸고) 협상하다. — *n.* Ⓤ,Ⓒ **1** 작은 거래; 물물 교환. **2** 협상, (정치상의) 타협.

dicker[2] *n.* 〔商〕 10(ten); 털가죽 10장; 10개(한 벌); 약간의 수량.

dick·ey[1], **dick·y**[1], **dick·ie** [díki] *n.* (*pl.* **dick·eys, dick·ies**) **1** 뗄 수 있는 와이셔츠의 가슴판; (셔츠의) 높은 칼라. **2** (어린이용) 턱받이; (블라우스처럼 보이게 드레스 밑에 입는) 앞장식. **3** (마차 속의) 마부 자리; (2인승 자동차 뒤의) 임시 좌석. **4** 작은 새(참새 등). **5** 《영方》 (수)나귀.

dickey[2], **dicky**[2] [díki] *a.* (**dick·i·er; -i·est**) 《영口》 위태위태한, 약한, 미덥지 못한; 〈회사 등이〉 곧 망할 것 같은: very ~ *on* one's pins 다리가 휘청거려.

dick·ey·bird, dick·y- [díkibə̀:rd] *n.* 《영口·小兒》 작은 새; 《영口》 한마디 말. **not say a dickeybird** 한마디도 말하지 않다.

Dick·in·son [díkinsən] *n.* 디킨슨 **1** Emily ~(1830-81)(미국의 여류 시인). **2** John ~(1732-1808)(미국의 정치가·평론가).

Díck tèst 〔醫〕 딕 테스트(성홍열 피부 시험).

dick·ty [díkti] *a., n.* =DICTY.

di·cli·nous [daikláinəs, dáiklə-] *a.* 〔植〕 자웅 이화(雌雄異花)의, 암수 딴꽃의; 단성(單性)의.

di·cot·y·le·don [daikɑ̀təlí:dən, dàikɑtəl-/-kɔ̀t-] *n.* 〔植〕 쌍떡잎 식물. **~·ous** *a.*

di·cou·ma·rin, -rol [daikjú:mərin], [-mərɔ̀:l] *n.* 〔化〕 디쿠마린, 디쿠마롤(혈액 응고 방지제·혈전(血栓) 치료용).

dict. dictated; dictator; dictionary.

dic·ta [díktə] *n.* DICTUM의 복수.

dic·ta·belt [díktəbèlt] [*dicta*tion+*belt*] *n.* 구술 녹음기용 녹음 벨트.

dic·ta·graph *n.* =DICTOGRAPH.

Dic·ta·phone [díktəfòun] [*dicta*te+*phone*] *n.* 딕터폰, (속기용) 구술 녹음기(상표명).

****dic·tate** [díkteit, −ˊ] [L] *vt.* **1** 구술(口述)하다, 〈필기자 등에게〉 불러 주어 받아쓰게 하다 (*to*): (Ⅲ (목)+전+명) ~ a letter *to* a secretary 비서에게 편지를 받아쓰게 하다. **2** 〈강화(講和) 조건·방침 등을〉 지령〔명령〕하다 (*to*): (Ⅲ (목)+전+명) They ~*d* the terms *of* peace to the vanquished enemy. 그들은 항복한 적에게 강화 조건을 지령했다(=The terms of peace were ~*d* *to* the vanquished enemy. (Ⅰ *be pp.*+전+명)). **3** 〈사물이 …을〉 규정하다, 명하다, 요구하다: (Ⅰ *be pp.*+전+명) It is plainly ~*d* *by* common sense. 그것은 분명히 상식이 요구하는 것이다/(Ⅴ (목)+*do*) Don't let im-

pulse ~ your actions. 충동에 따라 행동하지 마라. — *vi.* **1** 글을 받아쓰게 하다, 요건을 구두로 일러주다(*to*): (Ⅰ 전+명) ~ *to* a stenographer 구술해서 속기사에게 받아쓰게 하다. **2** 지시[명령]하다(*to*): (Ⅲ *v*Ⅰ+전+(목)) No one shall ~ *to* me. 나는 누구의 지시도 받지 않겠다(=I won't be ~*d* *to*.(Ⅰ *be pp.*(*v*Ⅰ)+전)/=I will refuse *to be* ~*d to*.(Ⅲ *to do*)((*to* do)-Ⅰ *be pp.*(*v*Ⅰ)+전)).
— [díkteit] *n.* (종종 *pl.*) (권위 있는) 명령, 지령; (신·이성·양심 등의) 명하는 바, 지시: the ~*s* of conscience 양심이 명하는 바.
◇ dictátion *n.*; dictatórial *a.*

díctating machìne 구술(口述)녹음기.

⁑dic·ta·tion [diktéiʃən] *n.* **1** Ⓤ 구술(口述), 구수(口授); 받아쓰기. **2** 받아 쓴 것; 받아쓰기 시험. **3** Ⓤ 명령, 지시; 분부. **do** (something) **at the dictation of** …의 지시에 따라 (일을) 하다. **write from**[**under**] a person's **dictation** …의 말을 받아쓰다.
◇ díctate *v.*

＊dic·ta·tor [díkteitər, ─́─] *n.* (*fem.* **-tress**[-tris]) **1** 독재자, 절대 권력자. **2** 구술자, 받아쓰게 하는 사람. ◇ dictatórial *a.*

dic·ta·to·ri·al [dìktətɔ́:riəl] *a.* 독재자의, 독재적인; 전횡적(專橫的)인; 권세부리는, 오만한. **~·ly** *ad.* **~·ness** *n.*

＊dic·ta·tor·ship [díkteitərʃìp, ─́──] *n.* Ⓤ 절대[독재]권; 독재자의 직[임기]; 독재 정권[정부, 국가].

＊dic·tion [díkʃən] [L] *n.* Ⓤ **1** 용어 선택, 어법, 말씨: poetic ~ 시어(詩語)(법). **2** (미) 발성법, 화법((영) elocution). **~·al** *a.* **~·al·ly** *ad.*

★dic·tio·nar·y [díkʃənèri/-ʃənəri] [L] *n.* (*pl.* **-nar·ies**) 사전, 사서, 자전, 옥편; 특수 사전; 사전(事典): a Korean-English ~ 한영 사전. **walking**[**living**] **dictionary** 살아 있는 사전, 박식한 사람.

díctionary càtalog [圖書館] 사서체 목록 (저자·책명·건명 등 모든 기입(entry)과 참조를 알파벳 순으로 배열한 목록).

díctionary Ènglish 딱딱한 영어.

Dic·to·graph [díktəgræ̀f, -grɑ̀:f] *n.* 딕토그래프, 고감도 확성 송화기(도청 또는 녹음용; 상표명).

dic·tum [díktəm] [L=something said] *n.* (*pl.* **-ta** [-tə], ~**s**) **1** (전문가의) 의견, 언명(言明); [法] =OBITER DICTUM. **2** 격언, 금언.

dic·ty [díkti] (미俗) *a.* 고급의, 훌륭한; 상류인 체하는, 거만한. — *n.* 귀족, 부자.

dic·ty·o·some *n.* =GOLGIBODY.

Di·cu·ma·rol [daikjú:mərɔ̀:l] *n.* 디큐마롤 (DICOUMARIN의 상표명).

★did [did] *v.* DO¹의 과거.

DID densely inhabited district 인구 밀집 지구.

di·dact [dáidækt] *n.* 선생인 체하는 사람, 도학자(道學者).

di·dac·tic, -ti·cal [daidǽktik], [-əl] *a.* **1** 교훈적인, 설교적인. **2** 남을 가르치고 싶어하는, 교사인 체하는. **-ti·cal·ly** [-əli] *ad.*

di·dac·ti·cism [-tisìzəm] *n.* Ⓤ 교훈[계몽]주의, 교훈적 경향.

di·dac·tics [daidǽktiks] *n. pl.* (단수 취급) 교수법[학]; 교훈, 교의(敎義).

di·dap·per [dáidæ̀pər] *n.* [鳥] 농병아리.

did·dle¹ [dídl] *vt.* (口) 속이다, 속여 빼앗다 (*out of*); 몰락시키다; 〈시간을〉 낭비하다 (*away*): ~ a person *out of* his money …을 속여 돈을 빼앗다.

diddle² *vi., vt.* (口) 앞뒤로 심하게 움직이다 [움직이게 하다]; (口) 만지작거리다(*with*); (卑) …와 성교하다; 자위 행위를 하다.

díddy gòth =GOTH.

did·dly [dídli] *n.* (俗) 하찮은 것, 보잘것 없는 것: not worth ~ 한푼의 가치도 없는.

di·die, di·dy [dáidi] *n.* (*pl.* **-dies**) (미口) (아기의) 기저귀(diaper).

díd·ly-squàt, dóodly-squàt *n.* (俗) =DIDLY.

★did·n't [dídnt] did not의 단축형(⇨do¹).

di·do [dáidou] *n.* (*pl.* ~(**e**)**s**) **1** (미口) 까불기, 익살, 떠들기. **2** (俗) 하잘 것 없는 물건 (trinket). **3** (俗) 불평, 반대. **4** (미俗) 술. **cut**[**kick**] (**up**) **dido**(**e**)**s** 익살 부리다.

didst [didst] *v.* (古) DO¹의 2인칭 단수(thou) doest의 과거: thou ~ =you did(⇨do¹).

di·dym·i·um [daidímiəm] *n.* Ⓤ [化] 디디뮴(두 가지 희토류(稀土類) 원소 neodymium과 praseodymium의 혼합체).

★die¹ [dai] *v.* (**dy·ing**) *vi.* **1** 죽다; (식물이) 말라 죽다, 시들어 죽다: (Ⅰ 부+(주)+*v*Ⅰ) Fortunately he did not ~. 다행히도 그는 죽지 않았다/(Ⅰ 전+명) He ~*d during* the war. 그는 전쟁 중에 죽었다/~ *for* one's country 조국을 위해 죽다/~ *from* wounds[weakness] 부상[쇠약]으로 죽다/~ *of* disease[hunger, old age] 병[굶주림, 노령]으로 죽다(◇ 일반적으로 die *of*는 병·굶주림·노령 등으로, die *from*은 외상(外傷)·부주의로 인하여 죽는 것을 나타내지만, 이 경우 *of*를 쓰기도 함). **2** …한 상태로[모습으로] 죽다: (Ⅱ 형) His father ~*d* young. 그의 아버지는 젊어서 죽었다/~ rich[poor] 부자로[가난하게] 죽다/(Ⅱ 명) The priest ~*d* a martyr. 그 목사는 순교했다/~ a patriotic martyr 순국 열사로 순국하다/He ~*d* a beggar 그는 거지로 죽었다/(Ⅱ *as*+명) He ~*d as* a Christian. 그는 기독교 신자로 세상을 떠났다/(Ⅱ *-ing*(*p.*)) An emperor should ~ standing. 황제는 서서 죽어야 한다. **3** (고통·괴로움으로) 죽을 것 같다; [聖] 정신적으로 죽다, 죽을 괴로움을 맛보다: (보통 be dying) (口) 죽도록[몹시] 갖고 싶어[하고 싶어]하다, 애타다(*for*): I'm *dying for* that computer. 나는 저 컴퓨터가 몹시 갖고 싶다/She is *dying to* meet her father. 그녀는 아버지를 몹시 보고 싶어하고 있다. **4** 〈불·제도·예술·명성 등이〉 사라지다, 없어지다: The engine ~*d*. 엔진이 꺼졌다. **5** 영원히 멸망하다, 망각되다: (Ⅰ 전+명) His secret ~*d* with him. 그는 비밀을 밝히지 않고 죽었다. **6** 무감각해지다; 무관심해지다(*to*); 맥이 빠지다: ~ *to* shame 부끄러움을 잊다. **7** 〈소리·빛 등이〉 점점 작아지다, 희미해지다 (*away, down, off, out; into*): The wind slowly ~*d down*. 바람이 서서히 잤다. **8** [野] 아웃이 되다. — *vt.* (동족목적어를 취하여) …한 죽음을 하다: (Ⅲ (목)) He ~*d* a natural death. 그는 자연사했다/~ the death of a hero 영웅다운 죽음을 하다/~ a glorious death 명예롭게 죽다./~ a dog's death 비참하게 죽다. **die at** one's **post** 순직하다. **die away** 〈바람·소리 등이〉 점점 약해지다[사라지다]; 기절하다(faint). **die back** 〈초목이〉 뿌리만 남은채 시들어 죽다. **die by violence** (비명)에 죽다. **die down** 사라져 버리다(fade); 차차 진정되다; 〈초목이〉 말라 죽다. **die game** 용감하게 싸우다 죽다. **die hard** (완강하게 저항하여) 좀처럼 죽지 않다, 〈습관 등이〉 쉽사리 없어지지 않다. **die in battle** 전사하다. **die in harness** 분투하

다가 죽다, 현직에서 쓰러지다, 죽을 때까지 일하다. **die in** (one's) **bed** (병·노령 등으로) 집에서 죽다. **die in** one's **shoes**〔**boots**〕= **die with** one's **boots**〔**shoes**〕 **on** 횡사(橫死)하다; 교수형에 처해지다. **die in the last ditch** 죽을 때까지 싸우다. **die of laughing** 포복절도하다: 《Ⅰ 전+명》 I nearly *died of laughing.* 우스워서 죽을 뻔했다 **die off** 〈일가·종족 등이〉 죽어 멸망하다; 차례로 시들어 죽다. **die on** a person's **hand** 《미口》 …의 간호를 받으며 죽다. **die on** one's **feet** 급사하다. **die on the air** 〈종소리 등이〉 공중에 사라지다. **die on the vine** 열매를 맺지 않고 끝나다. **die out** 죽어 없어지다; 낡아 없어지다, 차차 소멸하다. **die standing up** 〔劇〕 (무대에서) 연기를 해도 박수를 못 받다. **die the death** 《古·익살》 사형되다. **die to self**〔**the world**〕 자기〔속세〕를 버리다. **die to shame** 염치를 잊다. **die unto sin** 죄악을 초월하다〔개의치 않다〕. **die with one** 〈비밀 등을〉 죽을 때까지 지키다. I thought I **should have died.** (우스워서) 죽을 뻔했다. **Never say die!** 낙담하지 마라, 비관 마라. **to one's dying day** 살아 있는 한. ◇ dead *a.*; death *n.*

die² [L] *n.* (*pl.* **dice**[dais]) **1** 주사위. **2** 주사위 도박, 주사위놀이(⇨dice). **3** 주사위꼴로 자른 것. **The die is cast**〔**thrown**〕. 주사위는 던져졌다, 사태는 이미 결정되었다《Caesar가 Rubicon 강을 건넜을 때 한 말》. **be upon the die** 위기에 처해 있다, 생사의 갈림길에 있다.

die³ *n.* (*pl.* **dice**[dais]) **1** (*pl.* ~**s**) 화인(火印), 음각(陰刻)틀, 형판(型板); 찍어내는 본. **2** 〔建〕 대동(臺胴)《주각(柱脚)의 네모 부분》. **3** 〔機〕 다이스틀《수나사 깎는 도구》. (**as**) **straight**〔**true, level**〕 **as a die** 똑바른, 결코 틀림 없는.

die·a·way[dáiəwèi] *a.* 힘 없는, 풀이 죽은. ── *n.* 〈소리 등이〉 차차 멀어 져감.

die-cast[dáikæ̀st] *vt.* 〔冶〕 DIE CASTING 방법으로 주조하다.

díe càsting 〔冶〕 다이 캐스팅, 압력 주조; 다이 주물(鑄物).

di·e·cious[daiíːʃəs] *a.* 〔生〕 =DIOECIOUS.

die-hard[dáihɑ̀ːrd] *a.* 끝까지 버티는; 완고한. **~·ism** *n.* Ⓤ 완고한 보수주의.

die·hard *n.* **1** 완강한 저항자; (정치상의) 완고한 보수주의자. **2** 《俗》 =SCOTTISH TERRIER.

die-in[ㅅìn] *n.* 다이인《참가자가 죽은 것처럼 드러눕는 시위 행동》.

diel·drin[díːldrin] *n.* Ⓤ 〔化〕 딜드린《살충제》.

di·e·lec·tric[dàiiléktrik] 〔電〕 *a.* 유전체(誘電體)의. ── *n.* 유전체. **-tri·cal·ly** *ad.*

Dien Bien Phu, Dien·bien·phu[djènbjènfúː] *n.* 디엔비엔푸《인도지나 전쟁에서의 프랑스군 기지; 1954년 월맹군에게 함락됨》.

di·el[dáiəl] *a.* 〔生態〕 하루 밤낮의, 1주야(晝夜)의《24시간》. ── *n.* 1주야.

díe-off, díe·off *n.* (생태계의) 종(種)의 자연적인 격감.

di·er·e·sis *n.* (*pl.* **-ses**) =DIAERESIS.

Die·sel[díːzəl] *n.* **1** 디젤 Rudolf ~(1858-1913)《디젤 기관을 발명(1892)한 독일인 기사》. **2** (**d-**) =DIESEL ENGINE; 디젤 기관차〔트럭, 선박《등》〕; 《口》 =DIESEL OIL. *a.* (**d-**) 디젤 엔진의. ── *vi.* (**d-**) 〈가솔린 엔진이〉 스위치를 끈 뒤에도 회전을 계속하다, 디젤링하다.

die·sel-e·lec·tric[díːzəlilèktrik] *a.* 〈기관차·배·자동차 등이〉 디젤 발전기의〔를 갖춘〕. ── *n.* 디젤 전기 기관차.

*****díesel èngine**〔**mòtor**〕 디젤 엔진〔기관〕.

die·sel·ing[díːzəliŋ, -səl-] *n.* (가솔린 엔진의) 디젤링《스위치를 꺼도 엔진내의 과열점에 의해 자기 점화하여 회전을 계속하는 일》.

die·sel·ize[díːzəlàiz, -səl-] *vt.* …에 디젤 엔진을 달다, 디젤화(化)하다.

dìe·sel·i·zá·tion[dìːzəlizéiʃən] *n.*

díesel òil〔**fùel**〕 디젤유.

die·sink·er[dáisìŋkər] *n.* 〔機〕 다이스 틀을 파는 사람, 금형공(金型工).

Di·es I·rae[díːeis-íːrei] [L=day of wrath] *n.* **1** (**d- i-**) 노여움의 날. **2** 최후의 심판 날.

di·e·sis[dáiəsis] *n.* (*pl.*-**ses**[-sìːz]) 〔印〕 = DOUBLE DAGGER.

di·es non (ju·ri·di·cus)[dáiiːz-nɑ́n-(juːrídikəs)] [L] *n.* 〔法〕 휴정일(休廷日); 휴업일《일수(日數) 계산에서 제외되는 날》.

die·so·hol[díːzəhɔ̀(ː)l, -hɑ̀l] [*dies*el+alc*ohol*] *n.* 디젤유와 알코올의 혼합물《디젤 엔진의 연료》.

di·es·trus[daiéstrəs] *n.* 〔動〕 발정 휴지기《발정기와 발정기 사이의》.

‡**di·et¹** [dáiət] [L] *n.* **1** Ⓒ,Ⓤ 일상의 음식물: a meat〔vegetable〕 ~ 육〔채〕식. **2** (치료·체중 조절을 위한) 규정식; 식이 요법; (병원 등의) 규정식 일람표(=ㅅ **shèet**). **be on a diet** 규정식을 취하고 있다. **take**〔**keep**〕 **diet** (섭생을 위해) 규정식을 취하다〔취하고 있다〕. ── *vt., vi.* 〈환자에게〉 규정식을 주다; 규정식을 취하다. **diet oneself** 식이 요법을 하다. ◇ dietétic, díetary *a.*

‡**di·et²** [L] *n.* (the D-) 국회, 의회《덴마크·스웨덴·헝가리·일본·옛 프로이센 등의; *cf.* PARLIAMENT, CONGRESS》. **~·al** *a.*

di·e·tar·y[dáiətèri/-təri] *a.* 음식물의; 규정식의; 식이 요법의: a ~ cure 식이 요법. ── *n.* (*pl.* **-tar·ies**) 규정식; (식사의) 규정량. ◇ díet¹ *n.*

díetary fíber 음식 섬유.

díetary làw 〔유대敎〕 음식 금기《돼지 고기 등을 먹지 않는 일》.

di·e·tet·ic, -i·cal[dàiətétik], [-əl] *a.* 식이(성)의, 영양(학)의. **-i·cal·ly**[-ikəli] *ad.*

di·e·tet·ics[dàiətétiks] *n. pl.* (보통 단수 취급) (응용) 영양학; 식이 요법학.

díet fòod 식이 요법 식품.

di·éthyl éther *n.* =ETHER.

di·et·ist[dáiətist] *n.* =DIETITIAN.

di·e·ti·tian, -ti·cian[dàiətíʃən] *n.* 영양학자, 영양사.

díet kìtchen (병원 등의) 규정식 조리실.

díet lìst (식이 요법용의) 규정식표.

díet pìll 《미》 〔藥〕 다이어트 정(錠)《호르몬·이뇨제 등의 체중 감량제》.

dif-[dif] *pref.* =DIS-《f 앞에 올 때》.

dif., diff. difference; different; differential.

‡**dif·fer**[dífər] [L] *vi.* **1** 다르다, 틀리다《*in, as to, from*》: 《Ⅰ 전+명》 The articles ~*s in* quality. 그 상품은 질이 다르다/《Ⅰ 전+*that*(절)》 The twins ~ *in that* one is a little taller than the other. 그 쌍둥이는 하나가 다른 하나보다 키가 조금 더 크다는 점에서 다르다. **2** 의견을 달리하다《*with, from*》: 《Ⅲ *v* Ⅰ +전+(목)+전+명》 (*no pass.*) I ~ *with* her *on* this point. 나는 이 점에서 그녀와 의견을 달리 한다. **3** 《古》 논쟁하다, 다투다《*with*》. **I beg to differ** (**from you**). 실례지만 내 의견은 다릅니다. ◇ dífference *n.*; dífferent *a.*

★**dif·fer·ence**[dífərəns] *n.* Ⓒ,Ⓤ **1** 다름,

상위, 차이, 차이점: 《I *There v* I +(주)+전+명》 There is a great ~ *between* Man and brutes in that he can think and speak. 인간과 짐승은 인간이 생각하고 말할 수 있다는 점에서 큰 차이가 있다. **2** (또는 a ~) 차액; (주가 변동의) 차액; 〔數〕 차; 〔論〕 차이. **3** (종종 *pl.*) 의견 차이(~(s) of opinion), 불화, 다툼; (국제간의) 분쟁. **bury the differences** 의견 차이를 없애다. **distinction without a difference** 소용 없는 구별. **make a〔no〕 difference** 차이가 생기다〔안 생기다〕, 효과〔영향〕가 있다〔없다〕, 중요하다〔하지 않다〕; 차별을 두다〔안두다〕《*between*》. **meet〔pay〕 the difference** 차액을 보상하다〔지불하다〕. **split the difference** 차액의 중간을 취하다; 〈쌍방이〉 양보하다, 절충하다, 타협하다. **That makes all the difference.** 그렇다면 이야기는 전연 달라진다. **What's the difference?** 무엇이 다른가; 《口》 괜찮지 않은가. — *vt.* 《稀》 = DIFFERENTIATE.
⊕ díffer, differéntiate *v.*; dífferent, differéntial *a.*

★**dif·fer·ent**[dífərənt] *a.* **1** 딴, (…와) 다른, 별개의; 같지 않은《*from*》: 《Ⅱ 형+전+대》 These two twins are ~ *from* each other. 이 두 쌍둥이는 서로 다르다/Those three twins are ~ *from* one another. 저 세 쌍동이는 서로 다르다/《Ⅱ 형+전+-*ing*》((주)-Gerund) Telephoning is ~ *from* meet*ing* in person. 전화로 이야기하는 것과 몸소 만나서 이야기하는 것은 다르다. **2** (복수 명사와 함께) 갖가지의(various). **3** 《미》 색다른, 독특한. 《◇ ~ from 이 보통이나 《영口》에서는 ~ to, 《미口》에서는 ~ than 이 되는 경우가 많음; 수식어는 much 〔very〕 ~》. **different people with the same name** 동명 이인. **It is a different matter.** 그것은 별문제다. **It's different when it comes to** education. (교육)에 대해서라면 이야기는 달라진다. **It's〔The case is〕 quite different with** us. (우리들)에 관해서는 사정이 전혀 다르다.
⊕ díffer, differéntiate *v.*; dífference *n.*

dif·fer·en·ti·a[dìfərénʃiə] *n.* (*pl.* **-ae**[-ʃiìː]) 차이점; 《특히》 본질적 차이; 〔論〕 종차(種差), 특이성.

*__dif·fer·en·tial__[dìfərénʃəl] *a.* **1** 차이〔구별〕의, 차이를 나타내는; 특이한. **2** 차별적인. **3** 〔數〕 미분의. **4** 〔物·機〕 차동(差動)의, 응차(應差)의. — *n.* **1** 〔商〕 협정 임률차(協定賃率差); 차별액. **2** 〔鐵道〕 운임차《같은 지점에 이르는 2가지 경로의》. **3** Ⓤ 〔數〕 미분. **4** 〔生〕 특이 형태. **5** 차동 장치. **~·ly**[-ʃəli] *ad.* 달리, 구별하여, 별도로.

dífferently àbled = ABLED.

differéntial ánalyzer 〔컴퓨터〕 미분 해석기《아날로그(analog) 계산기의 한 가지》.

differéntial cálculus (the ~) 〔數〕 미분학.

differéntial equátion 〔數〕 미분 방정식.

differéntial géar 〔機〕 차동 장치.

differéntial ráte(s) (철도 등의) 특정 운임률.

*__dif·fer·en·ti·ate__[dìfərénʃièit] *vt.* **1** 구별 짓다, 차별하다《*from*》: ~ man *from* brutes 인간을 짐승과 구별하다. **2** 변이(變異)시키다, 특수화〔분화〕시키다. **3** 〔數〕 미분하다. — *vi.* 구별이 생기다; 〈기관(器官)·종(種)·언어 등이〉 특수화〔분화〕하다《*into*》.
⊕ dífference, differentiátion *n.*

dif·fer·en·ti·a·tion[dìfərènʃiéiʃən] *n.* Ⓤ,Ⓒ **1** 차별(의 인정), 구별; 차별 대우. **2** 〔生〕 분화, 파생《*into*》. **3** 〔數〕 미분.

*__dif·fer·ent·ly__[dífərəntli] *ad.* **1** 다르게, 같지 않게《*from, to, than*》. **2** 따로, 별도로(otherwise).

dif·fi·cile[dìfisíːl] *a.* 남과 어울리지 않는, 성미가 까다로운(*cf.* DOCILE).

★**dif·fi·cult**[dífikʌ̀lt, -kəlt] *a.* **1** 곤란한, 어려운; …하기 어려운〔힘든〕; 알기〔풀기〕 힘든, 난해(難解)한《*of*》: 《Ⅱ 형+*to* do》 That problem is ~ *to* solve. 그 문제는 풀기 어렵다/《Ⅱ *It v* Ⅱ +형+(*for*+대)+*to* do》 It's ~ (*for* him) *to* get there within an hour. (그가) 1 시간 이내에 거기에 도착하기는 어렵다. **2** 〈사람이〉 까다로운, 완고한; 〈형편 등이〉 대처하기 어려운, (일이) 다루기 힘든: Don't be so ~. 그렇게 까다롭게 굴지 마라. **3** 불리한, 괴로운. **~·ly** *ad.*

★**dif·fi·cul·ty**[dífikʌ̀lti, -kəl-] [L] *n.* (*pl.* **-ties**) **1** Ⓤ 곤란, 어려움: I have ~ *in* remembering names. 남의 이름을 좀처럼 기억할 수가 없다. **2** Ⓒ (종종 *pl.*) 어려운 일, 난국. **3** (보통 *pl.*) 곤경, 《특히》 재정 곤란: be in *difficulties* for money 돈에 곤란을 겪고 있다. **4** 항의, 불평, 이의, 다툼, 말썽: labor *difficulties* 노동 쟁의. **be in difficulties for** money (돈)에 곤란을 받고 있다. **find difficulty in** understanding (이해)하기 어려움을 알다. **make a difficulty** = **make〔raise〕 difficulties** 고충〔애로〕을 말하다, 불평을 하다; 난색을 보이다; 이의를 제기하다: 《Ⅲ (목)+〈전+-*ing*〉》 She *made no difficulty* of coming to Detroit. 그녀는 불평을 하지 않고서 디트로이트로 왔다/《Ⅲ (목)+전+-*ing*》 He *made no difficulty* in granting the request. 그는 그 요청을 들어주는 데 이의를 제기하지 않았다. **the difficulty of** (do)**ing** …하는 것의 어려움. **with difficulty** 겨우, 간신히(*opp.* easily). **without** (**any**) **difficulty** (아무런) 어려움 없이, 수월히.

*__dif·fi·dence__[dífidəns] *n.* Ⓤ 자신이 없음(*opp.* confidence); 기가 죽음; 나서기 꺼림, 수줍음(shyness). **with nervous diffidence** 머뭇거리며, 주저하며. **with seeming diffidence** 얌전부리며. ⊕ díffident *a.*

*__dif·fi·dent__[dífidənt] [L] *a.* 자신 없는; 숫기 없는, 수줍은, 소심한. **~·ly** *ad.*

dif·flu·ence[dífluːəns] *n.* Ⓤ 유출(流出); 유동성; 용해, 융해.

dif·flu·ent[dífluːənt] *a.* 유출성의; 녹아 흐르는(fluid); 융해〔용화(溶化)〕의.

dif·fract[difrǽkt] *vt.* 분해하다; 〔物〕 〈광파·음파·전파 등을〉 회절(回折)시키다.

dif·frac·tion[difrǽkʃən] *n.* Ⓤ 〔物〕 회절.

diffráction gràting 〔光〕 회절 격자.

dif·frac·tive[difrǽktiv] *a.* 〔物〕 회절하는, 회절성의.

dif·fu·sate[difjúːzeit] *n.* 〔物〕 확산체; 〔化〕 투석물.

*__dif·fuse__[difjúːz] *vt.* **1** 흐트러뜨리다, 방산(放散)하다; 〈빛·열·냄새 등을〉 발산하다. **2** 퍼뜨리다, 보급시키다; (친절·행복 등을) 두루 베풀다〔미치게 하다〕: His fame is ~*d throughout* the city. 그의 명성은 시중에 널리 퍼져 있다. **3** 〔物〕 확산시키다. — *vi.* 퍼지다, 흩어지다; 〔物〕 확산하다. — *a.* 널리 퍼진, 흩어진; 〈문체 등이〉 산만한, 말 수가 많은.
⊕ diffúsion *n.*; diffúsive *a.*

dif·fused[difjúːzd] *a.* 확산된; 널리 퍼진: ~ light 산광(散光).

dif·fuse·ly[difjúːsli] *ad.* 산만하게, 장황하게; 널리 (보급하여).

dif·fuse·ness[difjú:snis] *n.* Ⓤ 산만, 장황; 확산(성).

dif·fus·er, -fu·sor[difjú:zər] *n.* **1** 유포[보급]시키는 사람. **2** (기체 · 광선 · 열 등의) 확산기, 방산기, 살포기.

dif·fus·i·bil·i·ty[difjù:zəbíləti] *n.* Ⓤ 보급[분산]력; 〔物〕 확산율[성].

dif·fus·i·ble[difjú:zəbəl] *a.* 퍼지는; 보급[확산]할 수 있는; 〔物〕 확산성의.

***dif·fu·sion** [difjú:ʒən] *n.* Ⓤ **1** 방산(放散), 보급《*of*》; (문체 등의) 산만. **2** 〔物〕 확산(작용)《*of*》; 〔寫〕 (초점의) 흐림.
◈ diffúse *v.*: diffúsive *a.*

diffúsion ìndex 〔經〕 확산 지수, 경기 동향 지수.

dif·fu·sion·ism *n.* 〔社會學〕 전파론(傳播論).

diffúsion pùmp 〔機〕 확산 (진공) 펌프《가스의 확산을 이용하여 높은 진공도를 만듦》.

dif·fu·sive[difjú:siv] *a.* 잘 퍼지는, 보급되기 쉬운, 보급력 있는; 확산성의; 산만한, 장황한; 〈아첨 등〉 지질한. **~·ly** *ad.* **~·ness** *n.*

‡**dig** [dig] (**dug**[-dʌg], 《古》 **~ged; ~·ging**) *vt.* **1** 〈땅 · 밭을〉 파다, 파헤치다, 〈굴 · 묘를〉 파다, 파내다, 〈광물을〉 채굴하다: ~ a hole 구멍을 파다/~ a grave open 무덤을 파헤치다/~ a field up 밭을 일구다/~ a tunnel *through* the hill 언덕에 터널을 파다. **2** (광물을) 채굴하다; (보물 따위를) 발굴하다; (감자 따위를) 캐다: ~ (*up*) potatoes 감자를 캐다. **3** 《口》 찌르다, 〈손가락 끝 · 칼 등을〉 찔러넣다, 꽂다《*in, into*》: ~ a fork *into* a pie 포크를 파이에 꽂다. **4** 〈사람을〉 손가락[팔꿈치]으로 쿡 찌르다. **5** 탐구하다, 찾아내다, 캐내다《*up, out*》; (흔히 명령형) (아무를) (뒷)조사하다: ~ *out* the truth 진실을 알아내다/~ (*out*) facts *from* books 책에서 사실을 찾아내다/*Dig* her. 그녀의 뒤를 캐어보아라. **6** 《俗》 이해하다, 양해하다. **7** 《俗》 …에 주목하다, 잘 보다. **8** 《미俗》 시험하다. ── *vi.* **1** (도구 · 손 등으로) 땅을 파다《*deep,* etc.》; 파내다《*against*》, (구멍 · 터널 등을) 파나가다《*into, through, under*》: ~ *for* gold[treasure] 금[보물]을 찾아 땅을 파다/~ *under* a mountain 산 밑에 터널을 파다. **2** 찔러넣다; 깊이 박히다《*in. into*》; (의사 등이) 환부를 절개하다. **3** 캐내다, 찾아내다《*against*》; 캐내려고 하다; 파내려고 하다《*for*》: ~ *for* information 정보를 얻으려고 하다. **4** 탐구[연구]하다《*for, into*》; 《口》 힘써 공부하다; …에 힘쓰다《*in, into, at*》. **5** 《口》 하숙하다, 셋방에 살다. **6** 《미俗》 급히 나가다. **dig a pit for** …을 잡으려고 함정을 파다. **dig down** 파내려가다; 파 무너뜨리다; 《미俗》 돈을 치르다. **dig down into** a person's **mind** …의 마음 속을 깊이 헤쳐보다. **dig down into one's pocket** 제 호주머니 돈을 쓰다. **dig in**[**into**] 파서 〈비료 등을〉 묻다, 섞다; 찔러 넣다, 들이박다; 파 들어가다; 굴[참호]을 파다; 《口》 파다, 열심히 공부하다. **dig in the ribs** 손가락[팔꿈치]으로 …의 옆구리를 꾹 찌르다. **dig** one's **way** 파헤쳐 나가다《*in, into*》, 파고 나가다《*out*》, 파 뚫다《*through*》. **dig** one**self in** 참호[굴]를 파서 몸을 숨기다; 《口》(취직하여) 자리잡다, 착실해지다. **dig open** 파헤치다; 〈무덤 등을〉 파젖히다. **dig out** 파내다; 찾아내다; 흙을 파서 몰아내다; 《미俗》 도망치다, 떠나다. **dig over** 파헤치고 찾다; 《口》 고쳐[다시] 생각하다. **dig up** (1) 〈황무지를〉 일구다, 개간하다; 파내다. (2) 발견하다; 명백히 드러내다. (3) 《口》 〈비용 등을〉 그러모으다.
── *n.* **1** 파기. **2** 《口》 꾹 찌르기; 《비유》 빈정대기《*at*》. **3** 《미口》 공부만 파는 학생; 근면한 사람. **4** (*pl.*) 《영口》 하숙. **5** 《미俗》 은닉처. **give** a person **a dig in the ribs** …의 옆구리를 찌르다.

dig. (책의) digest.

dig·a·mist[dígəmist] *n.* 재혼자.

di·gam·ma[daigǽmə] *n.* 다이개머[디감마] (F 와 비슷한 초기 그리스 문자; 음가(音價)는 영어의 [w]비슷한 음).

dig·a·mous[dígəməs] *a.* 재혼의.

dig·a·my[dígəmi] *n.* Ⓤ 재혼(*cf.* BIGAMY).

di·gen·e·sis[daidʒénəsis] *n.* Ⓤ 〔生〕 세대교번[교대](alternation of generations).

di·ge·net·ic[dàidʒənétik] *a.*

‡**di·gest** [didʒést, dai-] [L] *vt.* **1** 소화하다; 〈약 · 포도주가 음식의〉 소화를 돕다[촉진하다]. **2** 터득하다; 숙고하다; 〈의미를〉 음미하다, 잘 새겨 맛보다; 〈새 영토 등을〉 동화하다. **3** 정리[분류]하다, 간추리다, 요약하다. **4** 〔化〕 증해(蒸解)[침지(浸漬)]하다; 쪄서 부드럽게 하다. **5** 참다, 견디다. ── *vi.* 〈음식물이〉 소화되다, 삭다: This food ~*s well*[*ill*]. 이 음식은 소화가 잘 된다[안된다]. ── *n.* **1** 적요, 요약; (문학 작품 등의) 개요. **2** (법령의) 요람, 집성; (the D-) 유스티니안 법전.
◈ digéstion *n.*: digéstive *a.*

di·ges·tant[didʒéstənt] *n.* 〔醫〕 소화제(digestive).

di·gest·er[didʒéstər, dai-] *n.* **1** 소화자; 소화(촉진)제. **2** 〔料理〕 수프 끓이는 냄비, 찜통, 압력솥; 침지기(浸漬器). **3** 다이제스트 기자[편집인], 요약 정리자.

di·gest·i·bil·i·ty[didʒèstəbíləti, dai-] *n.* Ⓤ 소화성[율].

***di·gest·i·ble** [didʒéstəbəl, dai-] *a.* 소화할 수 있는, 삭이기 쉬운; 요약할 수 있는.

***di·ges·tion** [didʒéstʃən, dai-] *n.* Ⓤ,Ⓒ 소화(작용), 삭임, 소화력; (정신적인) 동화 흡수; 동화력; 〔化〕 침지(浸漬). ◈ digést *v.*

***di·ges·tive** [didʒéstiv, dai-] *a.* **1** 소화를 돕는, 소화력 있는: ~ organs[juice, fluid] 소화기관[액]. **2** 〔化〕 침지의. ── *n.* 소화제.
~·ly *ad.* 소화 작용으로.
◈ digést *v.*: digéstion *n.*

digéstive glànd 〔解〕 소화선(線), 소화샘.

digéstive system (the ~) 〔解〕 소화기 계통(입 · 위 · 장 등).

***dig·ger** [dígər] *n.* **1** 파는 사람[도구, 기계], (특히 금광의) 광부. **2** 《미口》 공부 벌레. **3** (때로 **D-**) 《俗》 호주[뉴질랜드] 사람[군인]. **4** 어이, 자네《부르는 말》. **5** 〔昆〕 나나니벌(=∠ **wàsp**). **6** (**D-**) 나무뿌리를 먹고 사는 북미 인디언(=**Dígger Índian**). **7** 《미俗》 소매치기.

dígger wàsp 〔昆〕 나나니벌.

dig·ging[dígiŋ] *n.* **1** Ⓤ 파기; 채굴, 채광; 〔法〕 발굴. **2** (*pl.*) 광산, 금광. **3** (*pl.*) 《영口》 하숙; 《口》 주거(住居), 거처.

dight[dait] *vt.* (~, ~·**ed**) (주로 *p.p.*) 《古 · 詩》 차리다《*with*》; 갖추다.

dig·it[dídʒit] [L] *n.* **1** (사람의) 손[발]가락(finger, toe), 〔動〕 발가락. **2** 손가락의 폭《약 $^3/_4$인치》. **3** 아라비아 숫자《0-9 중 하나; 본래 손가락으로 세었음》. **4** 〔天〕 식분(蝕分)《태양 · 달의 직경의 $^1/_{12}$》.

dig·i·tal[dídʒitl] *a.* 손가락(모양)의; 손가락이 있는; 숫자를 사용하는; 〔電子〕 〈녹음 등〉 디지털 방식의. ── *n.* **1** 《익살》 손가락. **2** (피아노 · 오르간의) 건(鍵). **3** 디지털 시계[온도계]. **~·ly** *ad.* 숫자로, 디지털 방식으로.

◇ dígit *n.*
dígital àudio tápe =DAT.
dígital clóck 디지털 시계.
dígital communicátions 〔컴퓨터〕 디지털 통신《디지털 신호를 사용하는 통신 체계》.
dígital compúter 〔컴퓨터〕 디지털〔계수형(計數型)〕(전자) 계산기(*cf.* ANALOG COMPUTER).
dig·i·tal·is[dìdʒitǽlis, -téi-] *n.* **1** 〔植〕 디기탈리스. **2** 디기탈리스 제제(製劑)《강심제》.
dig·i·tal·ize[dídʒitəlàiz] *vt.* 〔컴퓨터〕 디지털화하다, 계수화하다.
dígital recórding 디지털 녹음.
dig·i·tate[dídʒitèit] *a.* 〔動·植〕 손바닥〔손가락〕 모양의; 손가락이 있는. **~·ly** *ad.*
dig·i·ta·tion[dìdʒitéiʃən] *n.* Ⓤ,Ⓒ 〔生〕 지상(指狀) 분열; 지상 조직 〔돌기〕.
dig·i·ti-[dídʒəti, 미+-tə] 《연결형》「손가락(finger)」의 뜻.
dig·i·ti·form[dídʒitəfɔ̀ːrm] *a.* 손가락 모양의.
dig·i·ti·grade[dídʒitəgrèid] 〔動〕 *a.* 발가락으로 걷는. ── *n.* 지행(趾行) 동물《개·고양이 등》.
dig·i·tize[dídʒitàiz] *vt.* 〔컴퓨터〕 디지털화하다, 계수화하다. **dìg·i·ti·zá·tion**[-ʃən] *n.*
dig·i·tiz·er *n.* 컴퓨터《디지털〔계수〕화 장치》.
di·glos·si·a *n.* Ⓤ 〔言〕 두 언어 변종 사용. **-sic** *a.*
di·glot[dáiglɑt/-glɔt] *a.* 2개 국어로 쓰인〔말하는〕. ── *n.* 2개 국어판〔로 된 책〕.
*__dig·ni·fied__[dígnəfàid] *a.* 위엄 있는; 고귀한, 기품 있는(noble). **~·ly** *ad.*
*__dig·ni·fy__[dígnəfài] *vt.* (**-fied**) **1** 위엄있게 하다, 장엄하게 하다, 존귀〔고귀〕하게 하다(ennoble). **2** 점잖은 티가 나게 하다, 과칭(過稱)하다: ~ a school *with* the name of an academy 학교를 아카데미라는 그럴듯한 이름으로 부르다. ◇ dígnity *n.*
dig·ni·tar·y[dígnətèri/-təri] *n.* (*pl.* **-tar·ies**) 고위 인사, 고관; 《특히》 고위 성직자.
dig·ni·ty[dígnəti] [L] *n.* (*pl.* **-ties**) **1** Ⓤ 존엄, 위엄, 품위. **2** Ⓤ (태도 등의) 위풍, 장중: a man〔player〕 of ~ 관록 있는 사람〔선수〕. **3** 위계, 작위. **4** 《古》 고위 인사, 고관, 고승(高僧). **be beneath** one's **dignity** 체면 깎이는 일이다. **stand**〔**be**〕 **upon** one's **dignity** 점잔빼다, 뽐내다. **the dignity of labor**〔**the Bench**〕 노동〔법관〕의 존엄성. **with dignity** 위엄 있게; 점잔을 빼고.
◇ dígnify *v.*
dig·ox·in *n.* 〔化〕 디작신《강심 이뇨제로 쓰임》.
di·graph[dáigræf, -grɑːf] *n.* 〔音聲〕 한 소리를 나타내는 두 글자, 이중음자(二重音字)《*sh*[ʃ], *ea*[iː, e] 등》.
di·gress[daigrés, di-] *vi.* 〈이야기 등이〉 빗나가다; 본 줄거리를 떠나다, 지엽으로 흐르다 (*from*). **~·er** *n.*
di·gres·sion[daigréʃən, di-] *n.* 지엽으로 흐름, 여담, 탈선; 〔天〕 이각(離角). **to return from the dignity** 본론으로 되돌아가서. **~·al** *a.*
di·gres·sive[daigrésiv, di-] *a.* 본론을 떠난, 지엽적인. **~·ly** *ad.* **~·ness** *n.*
digs[digz] *n. pl.* 《영俗》 하숙.
di·he·dral[daihíːdrəl] *a.* 〔數·結晶〕 두 개의 평면의〔으로 된〕; 2면각의. ── *n.* 〔數〕 2면각; 〔空〕 상반각(上反角)(=∠ **ángle**).
di·hy·brid[daiháibrid] 〔生〕 *n.* **1** 양성(兩性)잡종. **2** 유전자 잡종. ── *a.* 양성 잡종의.
di·hydr-[dàiháidr], **di·hy·dro-**[-drou] 《연결형》 〔化〕「수소 원자 2개를 포함한」의 뜻《모음 앞에서는 dihydr-》.
di·hy·dro·strep·to·my·cin[daihàidroustrèptoumáisin] *n.* Ⓤ 〔化·藥〕 다이하이드로 스트렙토마이신《결핵 특효약》.
dik-dik[díkdìk] *n.* 〔動〕 작은 영양(羚羊)《아프리카산》.
dike[1] [daik] *n.* **1** 도랑(ditch); 《영方》 수로(watercourse). **2** 제방, 둑; 둑길(causeway). **3** 방벽(防壁); 방어 수단. **4** 〔地質〕 암맥(岩脈). ── *vt.* 제방으로 막다, …에 제방을 쌓다. ── *vi.* 제방을 쌓다.
dike[2] *n.* =DYKE[2].
dik·tat[diktɑ́ːt] *n.* (패자 등에 대한) 절대적 명령, 일방적 결정, 강권 정책.
dil. dilute.
Di·lan·tin[dailǽntin, di-] *n.* 〔藥〕 다일랜틴 (=∠ **Sodium**)《간질약; 상표명》.
di·lap·i·date[dilǽpədèit] *vt., vi.* 〈건물 등을〉 헐다, 헐어지다; 황폐케 하다〔해지다〕; 〈가산을〉 탕진하다; 낭비하다(squander). **-da·tor** *n.*
di·lap·i·dat·ed[dilǽpədèitid] *a.* 황폐한, 무너져 가는; 기울어진 〈집 등〉, 헐어 빠진 〈가구 등〉; 초라한 〈옷차림 등〉.
di·lap·i·da·tion[dilæ̀pədéiʃən] *n.* Ⓤ,Ⓒ 황폐(ruin), 무너짐, 사태; 허물어진 것《암석 등》; 낭비; 〔영法〕 (가구 딸린 셋집의) 손모료(損耗料).
di·lat·a·bil·i·ty[dailèitəbíləti, di-] *n.* 팽창력〔성, 률〕.
di·lat·a·ble[dailéitəbəl, di-] *a.* 부풀어 오르는, 퍼지는, 팽창성의.
di·lat·an·cy[dailéitənsi, di-] *n.* 〔物〕 다일레이턴시《입자가 강력한 외력에 의해서 액체를 흡수하여 부풀어 굳어지는 현상》.
di·lat·ant[dailéitənt, di-] *a.* 팽창성의, 확장성의(dilating); 〔物〕 다일레이턴시의〔를 나타내는〕. ── *n.* 팽창성의 것; 〔化〕 다일레이턴트; 〔外科〕 확장기(dilator).
dil·a·ta·tion[dìlətéiʃən, dàil-] *n.* Ⓤ 팽창, 확장; 〔醫〕 비대〔확장〕(증).
di·la·ta·tive[dailéitətiv, di-] *a.*=DILATIVE.
*__di·late__[dailéit, di-] [L] *vt.* 넓히다, 팽창시키다 (expand): 《Ⅲ (목)》 Certain drugs ~ the pupils of the eyes. 어떤 약들은 눈의 동공을 넓힌다. ── *vi.* **1** 넓어지다, 팽창하다(swell): 《Ⅰ 전+명》 Her eyes ~*d with* excitement. 그녀는 흥분해서 눈을 크게 떴다. **2** 《文語》 자세히 말하다〔쓰다〕, 부연하다《*on, upon*》: 《Ⅲ *v*I+전+(목)》 He ~*d on* his views. 그는 자기의 견해를 자세히 말했다. **with dilated**〔**dilating**〕 **eyes** 눈을 크게 뜨고. ◇ dilatátion *n.*; dilátive *a.*
di·la·tion[dailéiʃən, di-] *n.* **1** =DILATATION. **2** Ⓤ (몸 일부의) 팽창.
di·la·tive[dailéitiv, di-] *a.* 팽창성의.
dil·a·tom·e·ter[dìlətɑ́mitər/-tɔ́m-] *n.* 〔物〕 팽창계(計).
di·la·tor[dailéitər, di-] *n.* 확장〔팽창〕시키는 사람〔것〕; 〔生·外科〕 확장기(器); 〔醫〕 확장약; 〔解〕 확장근.
dil·a·to·ry[dílətɔ̀ːri/-təri] *a.* 느린, 더딘; 늦은(belated); 시간을 끄는: a ~ measure 지연책. **-ri·ness** *n.* Ⓤ 지연, 늑장, 꾸물거림, 완만. **dìl·a·tó·ri·ly**[-rili] *ad.* 느리게, 늑장부려.
dil·do(e)[díldou] *n.* (*pl.* ~**s**) 《卑》 음경 모양의 성구(性具); 《미俗》 바보, 얼간이.
di·lem·ma[dilémə] [Gk] *n.* **1** 〔論〕 양도 논법(兩刀論法). **2** 진퇴 양난, 딜레마, 궁지: be in a ~ 진퇴 양난이 되다, 궁지에 빠져 있다. **the horns of a dilemma** 딜레마의 뿔《어느

쪽을 택해도 불리한 양도 논법의 뿔): be on *the horns of a* ~ 진퇴 유곡에 빠지다.
⊕ dilemmátic *a.*

dil·em·mat·ic, -i·cal[dìləmǽtik], [-kəl] *a.* 딜레마의[같은], 진퇴 양난이 된; 양도 논법적인.

dil·et·tan·te[dìlətɑ́:nt, -tǽnti] [It] *n.* (*pl.* **~s, -ti**[-ti:]) 문학·예술의 애호가; 아마추어 평론가, 도락 예술가, 딜레탕트(*cf.* AMATEUR). — *a.* (전문적이 아닌) 도락의, 아마추어의.

dil·et·tant·ish, -tan·te·ish[-tiʃ], [-tiiʃ] *a.* 도락 기분의, 딜레탕트적인.

dil·et·tan·tism, -tan·te·ism[dìlətǽntizəm, -tɑ́:nt-], [-tiìzəm] *n.* Ⓤ 취미로 하는 일, 도락; 아마추어 예술; 얕은 지식.

⁑**dil·i·gence**[1] [dílədʒəns] *n.* Ⓤ 근면, 부지런함. ⊕ díligent *a.*

dil·i·gence[2] [díləʒɑ̀:ns, -dʒəns][F] *n.* (프랑스·스위스 등의) 합승 마차.

⁑**dil·i·gent** [dílədʒənt] [L] *a.* 근면한, 부지런한(*opp.* idle, lazy); 애쓴, 공들인 〈일 등〉《*at, in*》:《Ⅱ 형》He is most ~. 그가 가장 부지런하다/《Ⅱ 형+전+명》He is ~ *at* spoken German. 그는 독일어 회화에 열심이다/He is ~ *in* review and preview. 그는 복습과 예습을 열심히 한다. ⊕ díligence[1] *n.*

dil·i·gent·ly *ad.* 부지런히, 열심히, 애써.

dill[dil] *n.* 〔植〕 시라《미나리과(科), 열매나 잎은 향료; 성경에서 일컬어지는 anise》.

Díl·lon's Rúle[dílənz-] 〔미法〕 딜론의 원칙《지방 자치체의 권한은 주헌법 또는 법에 명기된 것에 한한다는 원칙》.

díll píckle 시라로 양념한 오이 피클.

dil·ly[díli] *n.* (*pl.* **-lies**) 《俗》 (같은 종류 중에서) 놀랄만한[훌륭한] 것[사람]; 비범한 것.

dílly bág 《오스口》 (음식을 담아 다니는) 망태기, 바구니《원래는 갈대·목피제》.

dil·ly·dal·ly[dílidæ̀li] *vi.* (**-lied**) 《口》 (결심이 서지 않아) 꾸물거리다(*cf.* DALLY 2).

dil·u·ent[díljuənt] *a.* 묽게 하는; 희석용의. — *n.* 〔醫〕 희석액[제].

di·lute[dilú:t, dai-] *vt., vi.* 묽게 하다, 희석하다, 희박하게 하다, 희박해지다; 〈노동력에〉 비숙련공의 비율을 늘리다. — *a.* 묽게 한, 희석한; 묽은, 심심한. **di·lú·tive** *a.*

di·lu·tee[dìlu:tí:, dài-] *n.* 임시로 숙련공의 일을 하는 비숙련공(*cf.* DILUTION 2).

di·lu·tion[dilú:ʃən, dai-] *n.* Ⓤ **1** 묽게 함, 희석; 희박, 희석도; 박약화; Ⓒ 희석물. **2** 《영》 노동 희석《과히 숙련이 필요없는 일에 임시로 비숙련공을 쓰는 일; *cf.* DILUTEE》.

di·lu·vi·a[dilú:viə] *n.* DILUVIUM의 복수.

di·lu·vi·al, -vi·an[dilú:viəl, dai-], [-viən] *a.* **1** (특히 Noah의) 대홍수로 생겨난. **2** 〔地質〕 홍적(洪積)층[기]의: *diluvial* formations 〔地質〕 홍적층.

dilúvial théory 〔地質〕 홍수설《노아의 홍수를 지구 역사상 최대의 사실로 보며 화석을 홍수로 사멸한 생물의 유체로 봄》.

di·lu·vi·um[dilú:viəm, dai-] *n.* (*pl.* **~s, -via**[-viə])〔地質〕 홍적층(層).

⁑**dim** [dim] *a.* (**~·mer; ~·mest**) **1** 〈빛·장소가〉 어둑한, 어스레한; 희미한:《Ⅱ It *v* Ⅱ+형+전+명》It's ~ *in* that hall. 그 홀은 어두컴컴하다. **2** 〈사물의 형태가〉 흐릿한, 희미한; 〈기억 등이〉 어렴풋한, 어슴푸레한: a ~ sound 희미한 소리. **3** 〈눈·시력이〉 희미해서 잘 안 보이는, 흐린, 침침한:《Ⅱ 형+전+명》My eyes were ~ *with* excitement. 내 눈은 흥분으로 침침했다. **4** 윤이 안 나는, 흐린(dull), 칙칙한. **5** 《口》 〈이해력·청력이〉 둔한. **6** 《口》 가망성이 희박한, 미덥지 못한. **take a dim view (of ...)**《口》 (…을) 비관[회의]적으로 보다; 찬성하지[탐탁하게 여기지] 않다.
— (**~med; ~·ming**) *vi.* 어스레해지다, 흐려지다, 눈이 침침해지다: ~ *with* tears 눈물로 흐려지다. **dim down** 〈조명을〉 차차 약하게 하다. **dim out** 《미》 전등을 어둡게 하다 (*cf.* DIMOUT). **dim up** 〈조명을〉 차차 강하게 하다. — *vt.* 어둑하게 하다; 흐리게 하다; 〈눈을〉 침침하게 하다.

dim. dimension; diminuendo; diminutive.

***dime** [daim] [L] *n.* **1** 10센트 경화: a ~ museum 간이 박물관; 값싼 구경거리. **2** (a ~; 부정문에서) 《미口》 단돈 한 닢. **a dime a dozen** 《미口》 흔해빠진, 평범한; 헐값인. **not care a dime** 조금도 마음에 두지 않다. **on a dime** 좁은 장소에서.

di·men·hy·dri·nate[daimenháidrəneit] *n.* 〔藥〕 디멘히드리나트《알레르기성 질환·멀미 치료제》.

díme nóvel 《미》 값싸고 선정적인 소설(책), 싸구려 소설(*cf.* 《영》 PENNY DREADFUL, SHILLING SHOCKER).

***di·men·sion** [diménʃən, dai-] [L] *n.* 《略: dim.》 **1** (길이·넓이·두께의) 치수. **2** (*pl.*) 넓이, 면적; 용적, 크기, 부피(bulk); 규모, 범위; 중요성: of great ~*s* 매우 큰, 매우 중요한. **3** (인격 등의) 특질. **4** 〔數·物〕 차원: of one ~ 1차원의, 선의/of two[three] ~*s* 2[3] 차원의/the fourth ~ of space 4차원 공간.
⊕ diménsional *a.*

di·men·sion·al[diménʃənəl] *a.* (종종 복합어를 이루어) 치수의; …차원의: three-~ picture 입체 영화(3-D picture)/four-~ space 4차원 공간. **~·ly** *ad.*

di·men·sion·less[diménʃənlis] *a.* 크기가 없는《길이도 폭도 두께도 없는「점」》.

di·mer[dáimər] *n.* 〔化〕 **1** 2분자체(二分子體). **2** 2량체(二量體).

dim·er·ous[dímərəs] *a.* 두 부분으로 갈라진[이루어진]; 〔植〕 〈꽃 등〉 이수성(二數性)의 기관을 가진; 〈곤충이〉 두 관절의 부절을 가진: a ~ flower 이수화.

díme stòre 《미》 10센트[싸구려] 잡화점《정식으로는 variety store, discount house[store]라고 함》.

dim·e·ter[dímitər] *n.*〔韻〕 이보구(二步句)《각운(脚韻) 두 개로 이루어지는 시행(詩行)》.

di·meth·yl·ni·tros·a·mine[daimèθil-naitróusəmi:n] *n.* 〔化〕 디메틸니트로사민《담배 연기 등에 함유된 발암 물질》.

di·mid·i·ate[dimídiit] *a.* 둘로 나뉜, 양분된, 절반의. — *vt.* 《古》 둘로 나누다.

dimin. 〔樂〕 diminuendo; diminutive.

⁑**di·min·ish** [dəmíniʃ] [L] *vt.* 줄이다, 감소하다(*opp.* increase; *cf.* DECREASE); 〔樂〕 반음 낮추다. — *vi.* 줄다, 감소[축소]되다; 〔建〕 끝이 가늘어지다(taper): ~ *in* speed 속도가 떨어지다/~ *in* population 인구가 감소되다.
~·a·ble *a.* 줄일 수 있는; 감소할 수 있는, 축소할 수 있는. **~·ment** *n.*
⊕ diminútion *n.*; dimínutive *a.*

di·min·ished[dimíniʃt] *a.* 감소[감손]된; 권위[위신]가 떨어진; 〔樂〕 반음 줄인.
hide one's diminished head 움츠려 몸을 숨기다.

dimínished responsibílity 〔法〕 한정 책임 능력《감형 대상이 되는, 정신 장애로 인한 판단력 감퇴 상태》.

dimínished séventh (chórd) 〔樂〕 감

(減) 칠화음.
di·min·ish·ing[dəmíniʃiŋ] *a.* 점감(漸減)하는. (**the law of**) **diminishing returns** 〔**utility**〕 〔經〕 수확〔효용〕 체감(의 법칙). **~·ly** *ad.*
di·min·u·en·do[dimìnjuéndou] [It] 〔樂〕 *ad., a.* 점점 약하게〔약한〕《기호〉: 略 dim.》. ── *n.* (*pl.* **~s**) 점차 약음; 점차 약음 악절.
*∗***dim·i·nu·tion**[dìmən*j*ú:ʃən] *n.* Ⓤ **1** 감소, 감손(減損), 축소; Ⓒ 감소량〔액〕. **2** 〔建〕 (기둥 등의) 끝이 가늘어짐; 〔樂〕 (주제의) 축소. ◇ diminish *v.*; diminutive *n.*
di·min·u·ti·val[dimìnjətáivəl] *a.* 축소적인, 지소사(指小辭)〔성〕의. ── *n.* 〔文法〕 축소형 어미.
*∗***di·min·u·tive**[dimínjətiv] *a.* **1** 소형의, 작은, 자그마한; 《특히》 아주 작은: She was of ~ stature. 그녀는 몸집이 작았다. **2** 〔文法〕 지소(指小)의. ── *n.* **1** 〔文法〕 지소어(語); 지소적 접미사《-ie, -kin, -let, -ing 등; *cf.* AUGMENTATIVE》. **2** 축소형(*of*); 애칭《Tom, Dick 등》. **3** 작은 사람〔물건〕. **~·ly** *ad.* 축소적으로, 지소사로서. ◇ dimínish *v.*; diminútion *n.*
dim·is·so·ry[díməsɔ̀:ri/-səri] *a.* 쫓아내는, 떠나게 하는; 떠나는 것을 허가하는.
dímissory létter 〔基督教〕 (감독이 내는) 목사의 전임(轉任) 허가장.
dim·i·ty[díməti] *n.* (*pl.* **-ties**) Ⓤ 돋을무늬로 짠 무명《침대·커튼·의류용》.
dim·ly[dímli] *ad.* 어스레하게, 어둑하게; 어렴풋이; 희미하게.
dim·mer[dímər] *n.* **1** 어스레하게 하는 사람〔물건〕. **2** (조명·자동차 전조등의) 조광기(調光器), 제광(制光) 장치. **3** (*pl.*) 《미》 (차의) 주차 (표시)등《parking light 쪽이 일반적》.
dim·mish[dímiʃ] *a.* 어스레한.
dim·ness *n.* Ⓤ 어스레함, 어둑함, 희미함.
di·mor·phic, -phous[daimɔ́:rfik], [-fəs] *a.* 〔生〕 동종 이형(同種二形)의; 〔結晶〕 동질이상(同質二像)의. **-phism**[-fizəm] *n.*
dim·out[dímàut] *n.* (등불을) 어둑하게 함; 경계 등화 관제(*cf.* BLACKOUT).
*∗***dim·ple**[dímpəl] *n.* 보조개; 옴폭 들어간 곳; 잔물결. ── *vi., vt.* 보조개를 짓다, 옴폭해지다; 잔물결을 일으키다. **dím·pled**[-pəld] *a.* 보조개가 생긴, 잔물결이 인.
dim·ply[dímpli] *a.* (**-plier;-pliest**) **1** 보조개〔옴폭한 곳〕가 있는. **2** 잔물결이 이는; 파문이 많은.
dim-sight·ed[dímsàitid] *a.* 시력이 약한.
dim sum[dím-sʌ́m][Chin] 밀가루 반죽으로 고기·야채 등을 싸서 찐 중국 요리-딤섬《点心》.
dim·wit[dímwìt] *n.* 《口》 멍청이, 얼간이.
dim-wit·ted[⌐wítid] *a.* 《口》 바보의.
din[din] *n.* Ⓤ,Ⓒ 소음, (쟁쟁·쾅쾅 하는) 시끄러운 소리. ── (**~ned; ~·ning**) *vt.* 소음으로 〈귀를〉 멍멍하게 하다; 큰 소리로 (되풀이해) 말하다: ~ one's ears *with* cries 큰 소리 쳐서 귀를 멍멍하게 하다/~ something *into* a person's ears …에게 …을 귀가 따갑게 일러주다. ── *vi.* (귀가 멍멍하도록) 울리다.
DIN *Deutsche Industrie Normen*《G=German Industry Standard》 독일 공업품 표준 규격.
din-[dain], **di·no-**[dáinou] 《연결형》「무서운」의 뜻《모음 앞에서는 din-》.
dino- 《연결형》 =DIN-
Di·nah[dáinə] *n.* 여자 이름.
di·nar[diná:r] *n.* **1** 디나르《1. 이라크, 2. 요르단, 3. 튀니지, 4. 유고슬라비아의 화폐 단위; 기호 1. ID, 2. JD, 3. D, 4. Din; 1. =1000 fils, 2. =1000 fils, 3. =1000 milliemes, 4. =100 paras》. **2** 디나르《7세기 말 이래 수세기 동안 회교국의 화폐 단위》.
dinch[dintʃ] *vt.* 〈담배를〉 비벼 끄다.
din-din *n.* 《小兒·口》 =DINNER.
*⁑***dine**[1][dain][OF] *vi.* 정찬을 먹다《◇보통 have dinner라고 함》. **dine forth** 식사하러 나가다. **dine on**〔**upon, off**〕 …을 식사로 먹다. **dine out**〔**in**〕 밖에서〔집에서〕 식사하다. **dine out on** (1) …의 일로〔…을 이야기해 주도록〕 식사에 초대되다. (2) …덕분에 사회적 명성을 얻다. **dine with Duke Humphrey** 식사를 거르다. ── *vt.* **1** 정찬〔만찬〕을 대접하다, 정찬〔만찬〕에 초대하다. **2** 〈방·테이블이〉 (몇 사람) 식사할 수 있다. ◇ dinner *n.*
dine[2] *n.* 《미俗》 =DYNAMITE.
din·er[dáinər] *n.* **1** 식사하는 사람, 정찬〔만찬〕의 손님. **2** 《미》 식당차; 《미·캐나다》 (도로변의) 식당차식의 간이 식당.
din·er-out[dáinəràut] *n.* (*pl.* **din·ers-**) 자주 (초대되어) 밖에서 식사하는 사람.
Díner's Clúb 다이너스 클럽《회원제 크레디트 조직》.
di·nette[dainét] *n.* 《미》(가정의) 작은 식당.
di·neu·tron[dain*j*ú:trɑn] *n.* 〔物〕 중중성자(重中性子).
ding[diŋ] *vt.* **1** 〈종 등을〉 땡땡 울리게 하다. **2** 《口》 …을 구구하게 타이르다. ── *vi.* 〈종 등이〉 땡땡 울리다. ── *n.* 땡땡《종소리》.
ding-a-ling[díŋəlìŋ] *n.* 《미俗》 괴짜, 미치광이, 별난 사람.
Ding an sich[díŋɑ:nzíç][G] *n.* (*pl.* **Dinge an sich**) 〔哲〕 물(物) 자체(thing-in-it*self*) 《Kant 용어》.
ding·bat[díŋbæ̀t] *n.* **1** 《미口》 …라고 하는 것〔사람〕, 거시기《불명하거나 잘모르는 것의 대용어》. **2** 《미俗》 바보, 미치광이. **3** 장치, 고안. **4** 〔印〕 장식 활자, 장식괘.
ding·dong[díŋdɔ̀(:)ŋ, -dɑ̀ŋ] *n.* 땡땡《종소리》. ── *ad.* 《口》 열심히, 부지런히 〈일하다 등〉. **go**〔**be, hammer away**〕 **at it ding-dong** 《口》 열심히 일하다. ── *a.* 땡땡 울리는; 격렬한, 격전의: a ~ race 막상막하의 경주.
dinge[dindʒ] *n., a.* 《俗》 흑인(의).
ding·er[díŋər] *n.* 《俗》 **1** 결정적 요소, 결정타; 〔野球〕 홈런. **2** 방랑자, 쓸모없는 인간; 아는 체하는 사람.
din·ghy[díŋgi] *n.* (*pl.* **-ghies**) 작은 배, 함재정(艦載艇); 작은 경주용 요트.
din·gi·ly[dídʒili] *ad.* 거무죽죽하게, 그을려.
din·gi·ness[dídʒinis] *n.* Ⓤ 구중중함, 거무죽죽함, 더러움.
din·gle[díŋgəl] *n.* 깊고 좁은 골짜기(dell).
din·go[díŋgou] *n.* (*pl.* **~es**) 〔動〕 (오스트레일리아산) 들개; 《미俗》 게으름뱅이; 《오스俗》 배반자, 비겁자.
din·gus[díŋ*g*əs] *n.* 《口》 고안, 장치; 거시기《이름을 알 수 없는 것》.
*∗***din·gy**[1][díndʒi] *a.* (**-gi·er;-gi·est**) **1** 거무죽죽한; 그을은, 때묻은. **2** 평판이 나쁜. **dín·gi·ly** *ad.* **-gi·ness** *n.*
din·gy[2][díŋgi] *n.* (*pl.* **-gies**) 《古》 =DINGHY.
din·ing[dáiniŋ] *n.* 식사, 정찬《오찬·만찬》.
díning càr 〔鐵道〕 식당차.
díning hàll (대학 등에서 정찬 때 쓰는) 큰 식당.
*★***díning ròom** 식당《가정·호텔의 정찬용》.
díning tàble 식탁(dinner table).
di·ni·tro·ben·zene[dainàitrou*b*énzi:n, -

benzí:n] *n.* Ⓤ 〔化〕 디니트로벤젠《매염제(媒染劑)》.
dink¹ [diŋk] *n.* 작은 모자《때때로 대학 1년생이 쓰는》; 모자(hat).
dink² *n.* 《卑》 음경.
dink³ *n.* (테니스의) 드롭숏(drop shot).
dink⁴ *n.* 《口·경멸》 베트공, (월남전에서의) 북월남인.
dink⁵ *n.* 《口》 (아이가 없는) 맞벌이 부부.
DINK, Dink, dink, Dinkie, Dinky [diŋk], [díŋki] [*D*ouble *I*ncome *N*o *K*ids] *n.* 《口》 직업을 갖고 아이가 없는 부부《풍족한 생활로 고급 고객으로 간주됨》.
din·key [díŋki] *n.* (*pl.* ~**s**) 《口》 작은 것; (구내 작업용) 소형 기관차, 소형 시가 전차.
din·kum [díŋkəm] 《오스口》 *a.* 진짜의, 믿을 수 있는; 훌륭한. ── *n.* Ⓤ 고된 노동(toil).
dínkum óil 《오스俗》 사실 그대로의 진상, 진실.
Dinky ⇨DINK.
dinky [díŋki] (**dink·i·er; -i·est**) 《口》 *a.* 자그마한, 하찮은; 산뜻한, 말쑥한. ── *n.* **1** = DINKEY. **2** =DINGHY.
din·ky·di(e) [díŋkidái] *n.* 《오스俗》 =DINKUM.
***din·ner** [dínər] *n.* **1** Ⓤ,Ⓒ 정찬《하루의 주된 식사》, (지금은 보통) 만찬; 오찬. **2** 공식 만찬〔오찬〕. **3** 정식(table d'hote). **ask a person to dinner** …을 정찬에 초대하다. **at 〔before〕 dinner** 식사중〔전〕에. **early 〔late〕 dinner** 오찬〔만찬〕. **give a dinner in his honor** 그를 주빈으로 만찬회를 열다. **have dinner** 식사하다. **make a good 〔poor〕 dinner** 흡족하게〔부족하게〕 식사를 하다. ⊕ dine *v.*
dínner càll 식사 신호; 《미》 (만찬 대접에 대한) 답례 방문.
dínner clòth 정찬용 식탁보.
dínner clòthes (정찬용) 정식 야회복.
dínner còat 《영》 =DINNER JACKET.
dínner drèss〔gòwn〕 (여자용) 약식 야회복《남자의 dinner jacket에 상당》.
dínner hòur 정찬 시각.
dínner jàcket (남자용) 약식 야회복; 그 상의(《미》 tuxedo).
dínner knìfe (식사의) 메인 코스용 나이프.
din·ner·less *a.* 정찬이 없는〔빠진〕; 단식하는(fasting).
dínner pàrty 만〔오〕찬회, 축하연.
dínner plàte 정찬용 접시《식사 때 주요한 음식을 담는 크고 편편한 접시》.
dínner sèrvice〔sèt〕 정찬용 식기 한 벌.
dínner tàble 식탁.
dínner thèater 디너 시어터, 극장식 식당.
dínner tìme 정찬 시각(dinner hour).
dínner wàgon (바퀴 달린) 이동 식기대.
din·ner·ware *n.* Ⓤ 식기류.
di·noc·er·as [dainásərəs] *n.* 〔古生〕 공각수(恐角獸).
***di·no·saur** [dáinəsɔ̀:r] *n.* **1** 〔古生〕 공룡. **2** 거대하여 다루기 힘든 것, 시대에 뒤떨어진 것. **dì·no·sáu·ric** *a.*
di·no·sau·ri·an [-riən] *n., a.* 공룡(의).
di·no·there [dáinəθìər] *n.* 〔古生〕 공수(恐獸)《제3기 신생대의 코끼리 비슷한 포유 동물》.
***dint** [dint] *n.* **1** Ⓤ 힘, 폭력. **2** 두들긴 자리, 움푹 들어간 곳; 상처. **3** 《古》 타격. ◇ (다음 성구로) **by dint of** …의 힘으로, …에 의해서. ── *vt.* (두들겨서) 움푹 들어가게 하다.
dioc. diocesan; diocese.
di·oc·e·san [daiásəsən/daiɔ́s-] *a.* 감독〔주교〕관구의. ── *n.* 교구 주교.
di·o·cese [dáiəsis, -sì:s] *n.* 〔基督教〕 감독〔주교〕 관구.
di·ode [dáioud] *n.* 〔電子〕 다이오드, 2극 진공관《정류기(整流器)로서 쓰임》.
di·oe·cious [daií:ʃəs] *a.* 〔生〕 자웅 이주〔체〕(雌雄異株〔體〕)의, 암수딴그루〔몸〕의. **~·ly** *ad.* **~·ness** *n.*
di·oe·cism [daií:sizəm] *n.* Ⓤ 〔生〕 자웅 이주, 암수딴그루.
di·oes·trum [daiéstrəm, -í:s-] *n.* 〔生〕 (동물, 특히 암컷의) 발정기.
Di·og·e·nes [daiádʒənì:z/-ɔ́dʒ-] *n.* 디오게네스(412?-323 B.C.)《옛 그리스 철학자》.
di·o·le·fin [daióuləfin] *n.* 〔化〕 공액 이중 결합이 2개인 화합물의 총칭(diene).
Di·o·mede, Di·o·me·des [dáiəmi:d], [dàiəmí:di:z] *n.* 〔그神〕 디오메데스《트로이 전쟁 때의 그리스의 용사》.
Di·o·ny·si·a [dàiəníʃiə, -siə] *n.* 〔옛그리스〕 디오니소스제(祭), 주신제(酒神祭).
Di·o·ny·si·ac, -si·an [-siæ̀k], [-ʃiən, -siən] *a.* DIONYSUS(제(祭))의, BACCHUS의.
Di·o·ny·si·us [dàiəníʃiəs, -siəs] *n.* 디오니시오스(430-367 B.C.)《Syracuse의 왕》.
Di·o·ny·sus, -sos [dàiənáisəs] *n.* 〔그神〕 디오니소스《술의 신; 〔로神〕의 Bacchus》.
di·o·phán·tine equátion [dàiəfǽntain-, -fǽntn-] 〔數〕 디오판투스 방정식, 부정(不定) 방정식《수학자 Diophantus에서》.
di·op·side [daiápsaid, -sid/-ɔ́psaid] *n.* Ⓤ 〔鑛〕 투휘석(透輝石)《준(準)보석》.
di·op·ter|-tre [daiáptər/-ɔ́p-] *n.* 〔光〕 디옵터《렌즈의 굴절률을 나타내는 단위; 略: D., d.》.
di·op·tric, -tri·cal [daiáptrik/-ɔ́p-], [-əl] *a.* **1** 굴절 광학의〔에 관한〕. **2** 광선 굴절 응용의, 시력 보정용(補正用)의 〈렌즈〉.
di·op·trics [daiáptriks/-ɔ́p-] *n. pl.* (단수 취급) 굴절 광학(*cf.* CATOPTRICS).
di·o·ra·ma [dàiərǽmə, -rá:mə] [G] *n.* **1** 디오라마, 투시화(透視畫)(*cf.* COSMORAMA). **2** (입체 소형 모형에 의한) 실경(實景). **3** 디오라마관(館). **4** (영화 촬영용) 축소 세트.
di·o·ram·ic [dàiərǽmik] *a.* 디오라마의〔적인〕, 투시화의.
di·o·rite [dáiəràit] *n.* Ⓤ 〔鑛〕 섬록암.
Di·os·cu·ri [dàiəskjúərai] *n.* (the ~) 〔그神〕 디오스쿠리.
***di·ox·ide** [daiáksaid, -sid/-ɔ́ksaid] *n.* 〔化〕 2산화물.
di·ox·in [dàiáksin/-ɔ́k-] *n.* Ⓤ 〔化〕 다이옥신《독성이 강한 유기염소 화합물; 제초제 등》.
***dip** [dip] (~**ped, dipt** [dipt]; ~·**ping**) *vt.* **1** (살짝) 담그다; 담가서 물들이다 ~ a dress 옷을 담가서 물들이다/~ the bread *in*〔*into*〕 the milk 빵을 밀크에 적시다. **2** …에게 침례를 베풀다. **3** 녹인 초에 심지를 넣어 〈양초를〉 만들다; 〈양(羊)을〉 살충액에 넣어 씻다. **4** 국자로 퍼내다, 접시에 담다(*up*): ~ hot water *from* a boiler *with* a dipper 국자로 솥에서 더운 물을 퍼내다. **5** 〈사건 등에〉 끌어들이다. **6** (보통 수동형) 《口》 빚지게 하다: be ~*ped* 빚이 있다. **7** 〈깃발 등을〉 잠시 내렸다 올리다 《신호 또는 경례로》; 머리를 가볍게 숙이다. **8** 《영》 헤드라이트를 약간 아래로 내리다(《미》 dim). **dip out〔up〕** 퍼내다〔퍼올리다〕.
── *vi.* **1** 살짝 잠기다; (물건을 건지려고〔꺼내려고〕) 손 따위를 쑥 넣다(*into*): ~ *into* the jar *for* something …을 꺼내려고 단지에 손을 넣었다. **2** 가라앉다, 내려가다, (아래로) 기울

다; 무릎을 살짝 굽히고 인사하다; 천천히 기울다; 〔地質〕 침하하다. **3** 급강하하다. **4** (흘긋흘긋) 엿보다《*in, into*》. **5** 대충 조사하다〔읽다〕; (장난삼아) 해보다《*in, into*》: ~ *into* speculation 투기를 좀 해보다. **dip deep into the future** 장래를 깊이 생각하다. **dip into one's pocket**〔**purse, money, savings**〕 (필요가 있어서) 돈을 내다〔저금 등에 손을 대다〕. — *n.* **1** 살짝 담금〔잠금〕, 물에 뛰어듦, 미역 감음: have〔take〕 a ~ *in* the sea 바닷물에 한번 들어가다. **2** 한 번 푸기〔퍼낸 양〕. **3** Ⓤ 담가 씻는 액체, 《특히》 양을 씻는 액체. **4** (푸딩에 치는) 소스. **5** (실 심지 넣은) 양초. **6** (토지·도로의) 침하; 경사, 움푹한 곳《*in*》; (전선(電線)의) 늘어진 정도. **7** (자침의) 복각(伏角); 〔測〕 (지평선의) 안고차(眼高差). **8** (깃발의) 길이. **9** 순간적 강하, 급강하; (물가의) 일시적 하락. **10** 《미俗》 소매치기. **11** 《口》 주정뱅이; 《미俗》 바보. **12** (평행봉에 의한) 팔의 굴신운동.

dip[2] *n.* 《俗》 어리석은 사람, 순진한 사람; 불쾌한 사람.

DIP 〔電子〕 dual in-line package. **Dip., dip** diploma. **Dip. A.D.** 《영》 Diploma in Art and Design.

di·phase[dáifèiz] *a.* 〔電〕 이상성(二相性)의 (two-phase).

di·pha·sic[dàiféizik] *a.* =DIPHASE.

di·phen·yl·hy·dan·to·in[daifénlhaidæntouin, -fi:n-] *n.* 〔藥〕 디페닐히단토인《백색·미(微)수용성의 분말 극약; 간질병 등의 경련 억제제(劑)》.

di·phos·gene[daifásdʒin] *n.* 〔化〕 디포스겐《질식성 액체; 1차 대전시 독가스로 사용》.

di·phos·phate[dàifásfeit/-fɔ́s-] *n.* 〔化〕 이인산염(二燐酸鹽).

***diph·the·ri·a**[difθíəriə, dip-] *n.* Ⓤ 〔病理〕 디프테리아. **-al, -an** *a.* ◈ diphtheritic *a.*

diph·the·rit·ic[dìfθərítik, dìp-], **diph·ther·ic**[-θérik] *a.* 〔病理〕 디프테리아성의; 디프테리아에 걸린 〈점막(粘膜) 등〉.

diph·thong[dífθɔ:ŋ, díp-/-θɔŋ] *n.* **1** 〔音聲〕 2중 모음, 복모음《[ai, au, ɔi, ou, ei, uə] 등》. **2** (한 모음을 나타내는) 겹자(digraph)《eat의 ea 등》. **3** 〔印〕 모음의 연자(連字)〔합자(合字)〕 (LIGATURE)《æ, œ 등》.

diph·thon·gal[difθɔ́:ŋgəl, dip-/-θɔ́ŋ-] *a.* 〔音聲〕 2중 모음(성)의.

diph·thong·ize[dífθɔ:ŋgàiz, díp-/-θɔŋ-] *vt.* 〔音聲〕 2중 모음화(化)하다.

dìph·thong·i·zá·tion[´-*g*izéiʃən] *n.*

di·phy·let·ic[daifailétik] *a.* 〔生〕 2계통 발생의, 선조가 2계통인.

dipl-[dipl], **dip·lo-**[díplou] 《연결형》「이중…; 복(複)…」의 뜻《모음 앞에서는 dipl-》.

dipl. diplomacy; diplomat; diplomatic.

di·plex[dáiplèks] *a.* 〔通信〕 이중 통신의, 이신(二信)의 (*cf.* DUPLEX): ~ operation〔transmission, reception〕 단향 이로(單向二路) 통신〔송신, 수신〕법.

dip·lo-[díplou] 《연결형》 =DIPL-.

dip·lo·coc·cus[dìpləkákəs/-kɔ́k-] *n.* (*pl.* **-ci**[-sai]) 〔細菌〕 쌍구균(雙球菌).

dip·loid[díplɔid] *a.* 2중의; 〔生〕 배수(倍數)의. — *n.* 〔生〕 배수 염색체.

***di·plo·ma**[diplóumə][G] *n.* (*pl.* ~**s**, 《稀》 ~**·ta**[-tə]) **1** 졸업 증서; (학위·자격) 증서. **2** 특허장(charter). **3** 공문서; 상장, 감사장; (*pl.*) (고고학상의) 고문서. **get one's di·ploma** 대학을 졸업하다. — *vt.* …에게 diploma를 주다.

***di·plo·ma·cy**[diplóuməsi] *n.* Ⓤ 외교(술); 외교적 수완; 절충의 재능(tact). ◈ díplomat *n.*; diplomatic *a.*

di·plo·ma'd, -maed[diplóuməd] *a.* DIPLOMA를 가진.

di·plo·ma·ism[diplóuməìzəm] *n.* Ⓤ 학력(學歷)주의, 학력 편중.

diplóma mìll 《미口》 학위 남발 대학, 삼류 대학.

***dip·lo·mat**[dípləmæ̀t] *n.* 외교관; 외교가.

diplóma tàx (옛 소련의) 고등 교육을 받은 시민에게 외국 이주시에 부과하는 세금.

dip·lo·mate[dípləmèit] *n.* (위원회로부터 인증을 받은) 자격 취득자, 전문가, 전문 의사.

***dip·lo·mat·ic**[dìpləmǽtik] *a.* **1** 외교상의; 외교적 수완이 있는; 교섭〔흥정〕에 능한; 외교관의. **2** 고문서학의; 원문대로의. **3** 면허장의. **-i·cal·ly**[dìpləmǽtikəli] *ad.*

diplomátic bág = DIPLOMATIC POUCH.

diplomátic còrps〔**bòdy**〕 외교단.

diplomátic immúnity 외교관 면책 특권《재판·수색·체포·과세 등의 면제 특권》.

diplomátic póuch (본국 정부와 재외 공관 간의) 외교 통신 문서낭, 외교 파우치.

diplomátic relátions 외교 관계: maintain ~ with 외교 관계를 유지하다.

dip·lo·mat·ics[dìpləmǽtiks] *n. pl.* (단수 취급) **1** 고문서학(古文書學). **2** 《古》 외교술.

diplomátic sèrvice 외교관 근무; (집합적) 공관원; (D- S-) 《영》 외교부.

diplomátic shúttle (왕복 외교에 있어서의) 왕복.

di·plo·ma·tist[diplóumətist] *n.* 《영》 = DIPLOMAT.

di·plo·ma·tize[diplóumətàiz] *vi.* 외교술을 쓰다, 외교적 수완을 발휘하다.

di·plo·pi·a[diplóupiə] *n.* 〔眼科〕 복시(複視)(증).

díp nèedle 경침(傾針)(dipping needle)《지자기의 복각(伏角)을 측정하는 자침(磁針)》; 〔測〕 복각계(伏角計).

dip·no·an[dípnouən] *a., n.* 〔魚〕 폐어류(肺魚類)의 (물고기).

di·po·lar[daipóulər] *a.* 〔電·化〕 2극성(極性)의 〈자석·분자 등〉.

di·pole[dáipòul] *n.* 〔電〕 이중극(二重極), 쌍극자(雙極子); 〔通信〕 2극 안테나.

***dip·per**[dípər] *n.* **1** 담그는 사람〔물건〕; (D-) 〔基督敎〕 침례교도. **2** 국자《등》; 푸는 기구. **3** 잠수하는 새《물까마귀·물총새 등》. **4** (the D-) 《미》 〔天〕 북두칠성(=the Big〔Great〕 D-)《큰 곰 자리의 일곱 개의 별》; 소(小)북두칠성(=the Little D-)《작은 곰 자리의 일곱 개의 별》.

díp·ping nèedle = DIP NEEDLE.

dip·py[dípi] *a.* (**-pi·er**; **-pi·est**) 《俗》 미친(mad), 환장한《*about, with*》; 멍청한, 바보 같은(silly).

dip·so[dípsou] 《口》 *n.* (*pl.* ~**s**) 알코올 중독자(dipsomaniac), 대주가. — *a.* 알코올 중독의.

dip·so·ma·ni·a[dìpsouméiniə] *n.* Ⓤ 〔病理〕 음주광(飮酒狂), 알코올 중독.

dip·so·ma·ni·ac[-niæ̀k] *n.* 〔病理〕 음주광, 알코올 중독자.

dip·stick[dípstìk] *n.* (자동차의 크랭크케이스 안의 기름을 재는) 계심봉(計深棒), 계량봉.

DIP swìtch 〔컴퓨터〕 딥 스위치, 이중 인라인 패키지 스위치(*cf.* DIP).
díp swìtch 《영》(자동차 헤드라이트의) 감광(減光) 스위치.
dipt *v.* DIP의 과거·과거분사.
Dip·ter·a[díptərə] *n. pl.* 〔昆〕 쌍시류(雙翅類).
dip·ter·al[díptərəl] *a.* **1** 〔昆〕=DIPTEROUS. **2** 〔建〕 이중 주랑(二重柱廊)의, 쌍복도의.
dip·ter·an[díptərən] *n., a.* 쌍시류(의).
dip·ter·os[díptərɑ̀s/-rɔ̀s] *n.* (*pl.* **-oi**[-tərɔ̀i]) 〔建〕 이중 열주당(二重列柱堂).
dip·ter·ous[díptərəs] *a.* 〔昆〕 쌍시(류)의, 날개가 둘 달린.
dip·tych[díptik] *n.* **1** 둘로 접힌 물건, (고대 로마의) 둘로 접힌 글판〔서책〕. **2** (제단 뒤에 세우는) 둘로 접힌 그림〔조각〕.
dir., Dir. director.
*__dire__ [daiər] *a.* **1** 무서운, 무시무시한(terrible): 비참한(dismal). **2** 〈필요·위험 등이〉 긴박한. **the dire sisters** 복수의 3여신 (the Furies). **díre·ly** *ad.*
★**di·rect** [dirékt, dai-] *vt.* **1** 지도하다, 지배하다; 감독하다, 지휘하다, 지시〔명령〕하다; (영화 등을) 감독하다:《Ⅲ(목)》He ~*ed* our work. 그가 우리의 일을 지도〔감독〕했다/Duty ~*s* my actions. 나는 의무가 명하는 바에 따라 행동한다/《Ⅲ *that*(절)》He ~*ed that* they (should) keep good order. 그는 그들에게 질서를 잘 지키라고 지시했다/《Ⅴ(목)+*to* do》The commander ~*ed* the soldiers to return to the camp. 그 지휘관은 병사들에게 귀대하라고 명령했다(=The commander ~*ed that* the soldiers (should) return to the camp.《Ⅲ *that*(절)》/=The soldiers were ~*ed to* return to the camp.《Ⅰ *be pp.*+*to* do》)/He ~*ed* the thing *to be done.* 그는 그 일이 이행되도록 지시했다. **2** 가리키다, 길을 대다, 안내하다《*to*》:《Ⅲ(목)+전+명》Could you ~ me *to* the station? 역으로 가는 길을 가리켜주시겠습니까/She ~*ed* us *to* our conference hall. 그녀는 우리를 회의장으로 안내했다. **3** 〈진로·눈·주의·말·노력·방침 등을〉 (어떤 방향 또는 목적물에) 돌리다, 향하게 하다, 기울이다, 쏟다; …에 영향을 미치다; …을 방향짓다《*against, at, to, toward*》; 〈걸음을〉 (…의 방향으로) 나아가게 하다《*toward*(*s*)》:《Ⅲ(목)+전+명》~ a gun *against* an enemy post 대포를 적의 주둔지로 향하게 하다/Nobody ~*ed* his attention *to* the fact. 아무도 그 사실에 주의를 기울이지 않았다/To whom did she ~ her remark? 그녀는 누구에게 말을 건네었는가/《Ⅰ *be pp.*+전+명》She has been ~*ed to* me *for* further information. 그녀는 나에게 더 자세한 정보를 알아보라는 말을 듣고 찾아왔다/《Ⅰ *be pp.*+전+*-ing*》His efforts were ~*ed to* keep*ing* his rivals down. 그의 노력은 자기의 적수들을 억누르는 데 경주(傾注)되었다/《Ⅲ(목)+전+명》She ~*ed* her steps *toward* home. 그녀는 집으로 발길을 돌렸다. **4** 〈물건을〉 (남에게) 보내다, 송신하다, …에 겉봉을 쓰다, 〈편지 등을〉 (…앞으로) 하다, 〈편지·소포의〉 수취인 주소 성명을 쓰다《*to*》:《Ⅲ(목)》~ a letter 편지의 겉봉을 쓰다/《Ⅲ(목)》*Direct* this letter *to* his business address. 이 편지 겉봉은 그의 사무실 앞으로 해주세요/《Ⅲ(목)+전+명》I ~*ed* the package *to* her home address. 나는 소포를 그녀의 집주소로 부쳤다. **as directed** 지시대로, 처방대로:《Ⅰ 접+*pp.*》He did *as directed.* 그는 지시대로 (행)했다(=He did *as* he was *directed.*《Ⅰ *as*(절)》).
— *vi.* 지도〔지휘〕하다, 감독하다, 명령하다:

안내역을 맡다:《Ⅰ *wh.*(절)》You cannot ~ *when* all pretend to know. 전원이 아는 체하면 너는 지도〔지휘〕할 수 없다. **directing post** 도표(道標). **direct one's remarks at** …에 빗대어 말하다.
— *a.* **1** 똑바른; 똑바로 나아가는, 직행의, 직통의, 직계의: a ~ descendant 직계 비속/a ~ train 직행 열차. **2** 직접의(immediate) (*opp.* indirect): a ~ hit 직격/a ~ shot 직격탄. **3** 정면의, 바로 맞은 편의: the ~ opposite 〔contrary〕 정반대. **4** 솔직한, 노골적인, 단도직입적인: a ~ question〔answer〕 솔직한 질문〔답변〕. **5** 진정한, 절대의. **6** 〔文法〕 〈인용·화법 등〉 직접의: ~ narration 직접 화법/a ~ object 직접 목적어. **7** 〔政〕 직접 투표의. **8** 〔電〕 직류의. **9** 〔天〕 (서에서 동으로) 순행(順行)하는. **10** 〔染色〕 매염제(媒染劑)를 쓰지 않은.
— *ad.* 곧장; 직접적으로; 직행하여《◇ **direct** 와 **directly** 양자를 같은 뜻으로 쓰는 것은 다음 경우에 한한다: (1) 직선적으로 움직일 때: go *direct*〔*directly*〕to Chicago 시카고로 직행하다. (2) 장애물이 개입되지 않을 때: *direct* 〔*directly*〕 from producer to buyer 직접 생산자로부터 구매자에게》.
◇ diréction *n.*: diréctive *a.*: diréctly *ad.*
diréct-access stórage devìce 〔컴퓨터〕 직접 접근 기억 장치《略 DASD》.
diréct áction 직접 행동《총파업 등》: 직접 작용.
diréct cúrrent 〔電〕 직류 《略 DC》(*opp.* alternating current).
diréct díscourse 《미》〔文法〕=DIRECT NARRATION.
di·rect·ed[diréktid] *a.* 유도된, 지시받은, 규제된: ~ economy 통제 경제.
di·réct·ed-én·er·gy wèapon[-énərdʒi-] 〔軍〕 (대(對)핵미사일용) 빔무기(beam weapon).
diréct évidence 〔法〕 (증인이 대는) 직접 증거.
diréct inítiative 〔政〕 직접 발의권.
★**di·rec·tion** [dirékʃən, dai-] *n.* **1** 지도, 지휘; Ⓤ 감독, 관리; (영화 등의) 감독, 연출: personal ~ 개별 지도. **2** (*pl.*) 지시, 명령; 지시서; (사용법) 설명: under the president's ~*s* 총재의 지시하에. **3** (편지 등의) 수취인 주소 성명. **4** C,U 방향, 방위. **5** 방면; 범위; 문제: from all ~*s* 각 방면으로부터. **6** 경향, 방침: a new ~ in school education 학교 교육의 새 경향. **7** 〔樂〕 악보상의 기호〔지시〕, 지휘. **8** =DIRECTORATE. **angle of direction** 방위각. **in all directions** = **in every direction** 사방으로, 각 방면으로. **in the direction of** …의 쪽으로. **under the direction of** …의 지도〔지휘〕 아래.
◇ diréct *v.*: diréctional, diréctive *a.*
di·rec·tion·al[dirékʃənəl, dai-] *a.* 방향〔방위〕(상)의; 〔通信〕 지향성(指向性)의, 방향 탐지의: ~ antenna 지향성 안테나.
diréction finder 〔通信〕 방향 탐지기, 방위 측정기《略: D.F.》.
diréction ìndicator 〔空〕 방향 지시기, 방향계.
di·rec·tive[diréktiv, dai-] *a.* **1** 지시하는; 〔通信〕 지향식의. **2** 지도〔지배〕적인.
— *n.* 지령(order). **~·ly** *ad.* **~·ness** *n.*
diréct líghting 직접 조명.
*__di·rect·ly__ [diréktli, dai-] *ad.* **1** 곧장, 똑바로, 일직선으로《*at, toward*(*s*), etc.》. **2** 직접. **3** 참으로, 전적으로, 바로(exactly): ~ opposite 정반대로. **4** 즉시로; 곧 이어, 이내.

— *conj.* 《영口》 …하자마자(as soon as).
diréct máil (회사·백화점에서) 직접 소비자에게 우송하는 광고 인쇄물(略: DM).
diréct méthod (the ~) (외국어의) 직접 교수법(외국어만으로 가르치며 문법 교육도 하지 않음).
diréct mótion 직진 운동: 〔天〕 순행.
diréct narrátion 〔文法〕 직접 화법(*cf.* INDIRECT NARRATION).
di·rect·ness *n.* Ⓤ 똑바름; 직접적임, 솔직함.
diréct óbject 〔文法〕 직접 목적어.
Di·rec·toire[dirèktwɑ́:r] *n., a.* (1795-99년 프랑스 혁명 정부의) 집정부(執政府)(시대의).
⁑**di·rec·tor**[diréktər, dai-] *n.* **1** 지도자, 지휘자. **2** 관리자; (고등 학교 정도의) 교장; 장관, 국장; 중역, 이사; 〔樂〕 지휘자; 〔映〕 감독; 《미》〔劇〕 연출가(《영》 producer). **3** (프랑스 혁명 정부의) 집정관(執政官). **4** 〔機〕 지도자(子); 〔外科〕 유구 탐침(有溝探針); 〔軍〕 (고사포 등의) 전기(電氣) 조준기. ⊕ directórial *a.*
di·rec·tor·ate[diréktərət, dai-] *n.* **1** Ⓤ DIRECTOR의 직. **2** (집합적) 이사, 중역회, 이사회(board of directors).
diréctor géneral 총재, 장관; (비영리 단체의) 회장, 사무총장.
di·rec·to·ri·al[direktɔ́:riəl, dàirek-] *a.* **1** 지휘〔지도〕상의; 지휘자〔이사, 중역, 중역회〕의. **2** (**D-**) (프랑스) 집정 내각의.
diréctor's chàir (캔버스제의) 접는 의자(영화 감독이 사용했다 해서).
di·rec·tor·ship[diréktərʃìp, dai-] *n.* Ⓤ DIRECTOR의 직〔임기〕.
*__di·rec·to·ry__[diréktəri, dai-] *a.* 지휘의, 지도적인; 〔法〕 훈령적(訓令的)인. — *n.* (*pl.* **-ries**) **1** 주소 성명록; 지령〔훈령〕집: a telephone ~ 전화 번호부. **2** (교회의) 예배 규칙서. **3** =DIRECTORATE. **4** (**D-**) 〔史〕 =DIRECTOIRE. **business directory** 상공 인명록.
diréct prímary 《미》 직접 예비 선거(당원의 직접 투표에 의한 후보자 지명).
diréct propórtion 〔數〕 정비례.
diréct rátio 〔數〕 정비, 정비례.
di·rec·tress *n.* DIRECTOR의 여성형.
di·rec·trix[diréktriks, dai-] *n.* (*pl.* **~·es, -tri·ces**[-trəsì:z]) **1** 《稀》 =DIRECTRESS. **2** 〔數〕 준선(準線). **3** 〔軍〕 주선(主線)(포화 사계의 중심선).
diréct spéech 〔文法〕 =DIRECT NARRATION.
diréct táx 직접세.
dire·ful[dáiərfəl] *a.* 《文語》 무서운; 비참한. **~·ly** *ad.* **~·ness** *n.*
dir·et·tis·si·ma[dìrətísəmə] [It] *n.* 〔登山〕 수직 등반.
díre wòlf (홍적세(洪積世) 기(紀)에 멸종된) 이리의 일.
dirge[də:rdʒ] *n.* 만가(挽歌), 장송가, 애도가.
dirge·ful[-fəl] *a.* 장송의, 구슬픈.
dir·ham, dir·hem[dirǽm, dírəm, dirhém] *n.* 디램(모로코 등의 화폐 단위; 기호 DH).
dir·i·gi·bil·i·ty[dìridʒəbíləti, dirídʒə-] *n.* Ⓤ 조종 가능(성).
dir·i·gi·ble[díridʒəbəl, dirídʒə-] *a.* 조종할 수 있는: a ~ balloon 비행선. — *n.* 기구(氣球), 비행선.
di·ri·gisme[diriʒísm, -zm] [F] *n.* 〔經〕 통제 경제 정책. ***-giste***[-dʒíst] *a.*
dir·i·ment[dírəmənt] *a.* 〔法〕 무효로 하는.
díriment impédiment 〔法〕 (혼인을 무효로 하는) 절대 장애.
dirk[də:rk] *n.* (스코틀랜드 고지인의) 단도, (해군 사관 후보생의) 단검. — *vt.* …을 단검으로 찌르다.
dirn·dl[də́:rndl] *n.* (티롤 농민식의) 여자옷; (던들식) 헐렁한 스커트(=∠ **skìrt**).
⁑**dirt**[də:rt] *n.* Ⓤ **1** 진흙(mud); 쓰레기, 먼지; 때, 오물; 《方》 흙, 《俗》 벽돌 흙. **2** 비열(한 행위). **3** 《미·오스》 욕설, 험담, 잡소리, 음담패설, 스캔들. **4** 《미俗》 금전. **5** 무가치한 것; 비열한 사람. **6** 〔鑛山〕 폐석, 버력흙. **(as) cheap as dirt** 《口》 매우 싼(dirt cheap). **cut dirt** 《미俗》 뛰다, 빼소니치다. **dirt under** one's **feet** 쓸모없는 것. **do** 〔**play**〕 a person **dirt** 《미俗》 …에게 비열한 짓을 하다. **eat dirt** 굴욕을 참다. **talk dirt** 추잡하게 말하다, 음담 패설을 하다. **throw** 〔**fling**〕 **dirt at** …에게 욕질하다. **yellow dirt** 《미俗》 돈. ⊕ dírty *a.*
dírt bèd 〔地質〕 이토층(泥土層).
dirt·bike[də́:rbàik] *n.* (비포장 도로용) 오토바이.
dírt chéap[də́:rttʃí:p] 《口》 아주 헐값의〔으로〕.
dirt-eat·er *n.* 흙을 먹는 사람.
dirt-eat·ing[də́:rtì:tiŋ] *n.* Ⓤ (야만인의) 흙을 먹는 풍습; 〔病理〕 (어린애의) 토식증(土食症).
dírt fàrm 《미口》 (낙농장 등에 대하여) 보통 농장, 밭.
dírt fàrmer 《미口》 (gentleman farmer에 대해서) 실제로 경작하는 농부, 자작농(自作農); (낙농부(酪農夫)에 대하여) 땅파는 농부.
dirt·heap[də́:rthì:p] *n.* 쓰레기 더미.
dirt·i·ly *ad.* 불결하게; 상스럽게; 비열하게.
dirti·ness *n.* Ⓤ 불결; 상스러움; 비열.
dírt pìe (아이들이 만든) 진흙떡.
dírt póor 몹시 가난한.
dírt róad 《미》 비포장 도로.
dírt tràck 진흙이나 석탄재 등을 깐 트랙(오토바이 등의 경주로).
dírt wàgon 《미》 청소차, 쓰레기 운반차(dust cart).
★**dirt·y**[də́:rti] *a.* (**dirt·i·er; -i·est**) **1** 더러운, 불결한. **2** 흙투성이의, 진창의 〈길 등〉. **3** (상처가) 곪은. **4** 〈빛깔이〉 흐린, 탁한. **5** 상스러운, 잡스러운; 〈행위 등이〉 부정한, 비열한: ~ gains 부정한 이득. **6** 〈날씨가〉 사나운(stormy). **7** 《미俗》 돈 많은. **8** 《미俗》 마약 중독의, 마약을 가진. **9** 유선형이 아닌; (항공기가) 착륙 장치를 내린 채의. **10** 《口》 〈핵무기가〉 방사능이 많은, 대기 오염률이 높은: ~ bomb 방사능이 많은 폭탄(*cf.* CLEAN BOMB). **11** 《俗》 대단한. **do the dirty on** 《俗》 …에게 비열한 짓을 하다. — *vt., vi.* (**dirt·ied**) 더럽히다, 더러워지다. ⊕ dirt *n.*
dírty dàncing =LAMBADA.
dírty dóg 《俗》 비열한 놈, 신용할 수 없는 자.
dírty línen 집안의 수치, 남부끄러운 일.
dírty lóok 《미口》 보기 흉한〔싫은〕 얼굴.
dir·ty-mind·ed[-màindid] *a.* 속마음이 더러운, 치사한, 앙큼한.
dírty móney 부정한 돈.
dírty óld mán 색골 영감, 호색 노인.
dírty póol 《俗》 치사한 행위, 부정한 방법.
dírty stóry 《미口》 음탕한 이야기.
dírty trìck 비겁한 짓; (*pl.*) (선거 운동 방해·정부 전복 등을 목적으로 한) 부정 공작.
dírty wásh =DIRTY LINEN.
dírty wórd 야비〔음란〕한 말; 입에 담을 수 없는〔담아서는 안 될〕 말.
dírty wórk 《俗》 사기, 속임수; 싫은〔구차스러운〕 일.

dis[dis] [*dis*respect] ⦅미俗⦆ (**-ss-**) *vt.* 불경한 태도를 보이다, 경멸하다, 깔보다(=DISS). ── *n.* 비난, 모욕, 깔봄.

Dis[dis] *n.* **1** 〔로神〕 디스⦅저승의 신; 〔그神〕의 Pluto⦆. **2** 하계(下界), 지옥.

dis-[1] *pref.* **1** (동사에 붙여서) 「반대 동작」의 뜻: *dis*arm; *dis*entangle. **2** (명사에 붙여서) 「없애다; 벗기다; 빼앗다」 등의 뜻의 동사를 만듦: *dis*mantle. **3** (형용사에 붙여서) 「…않게 하다」의 뜻의 동사를 만듦: *dis*able. **4** (명사·형용사에 붙여서) 「불(不)…; 비(非)…; 무(無)…」의 뜻: *dis*content; *dis*connection; *dis*agreeable. **5** 「분리」의 뜻: *dis*continue. **6** 부정의 뜻을 강조함: *dis*annul.

dis-[2] *pref.* di-[1]의 변형: *dis*syllable.

dis. discharge; disciple; discipline; discount; distance; distant; distribute.

*__dis·a·bil·i·ty__[dìsəbíləti] *n.* (*pl.* **-ties**) **1** Ⓤ,Ⓒ 무능, 무력; (법률상의) 행위 무능력, 무자격. **2** 〔醫〕 (신체 등의) 불리한 조건, 장애, 핸디캡.

*__dis·a·ble__[diséibəl] *vt.* **1** 무능〔무력〕하게 하다 ⦅*from, for*⦆: It ~*d* him *for* military service. 그 때문에 그는 군복무를 할 수 없었다. **2** 손상하다, 불구로 만들다(maim). **3** 〔法〕 무능력으로 만들다, 실격시키다. **4** 〈기계를〉 고장나게 하다; 〈배를〉 항해 불능으로 만들다; 〈적함을〉 격파하다. **5** 〔컴퓨터〕 (하드웨어·소프트웨어상의) 기능을 억제하다. **~·ment** *n.* Ⓤ 무능〔무력〕하게 함, 무능〔무력〕해짐; 무(능)력; 불구(가 됨). ⊕ disabílity *n.*

dis·a·bled *a.* **1** 불구가 된(crippled), 무능력해진: a ~ car 고장난 차/a ~ soldier 상이군인. **2** (the ~; 명사적; 집합적; 복수 취급) 신체 장애자들.

dis·a·blist, -ble·ist [diséiblist] *n.* 불구자에 대해 차별이나 편견을 갖는 사람.

dis·a·buse[dìsəbjú:z] *vt.* (그릇된 관념·미몽에서) 깨게 하다, 풀리게 하다(*of*): ~ him *of* superstition 그를 미신에서 깨어나게 하다.

di·sac·cha·ride[daisǽkəràid, -rid] *n.* 〔化〕 이당(류)⦅sucrose, lactose, maltose 등⦆.

dis·ac·cord[dìsəkɔ́:rd] *n.* 불화. ── *vi.* 일치〔화합〕하지 않다⦅*with*⦆.

dis·ac·cred·it[dìsəkrédit] *vt.* …의 자격을 뺏다, …에 대한 인정을 취소하다.

dis·ac·cus·tom[dìsəkʌ́stəm] *vt.* …에게 습관을 버리게 하다: be ~*ed* of rising late 늦잠 자는 버릇이 없어지다.

dis·a·dapt[dìsədǽpt] *vt.* 적응 못하게 하다.

*__dis·ad·van·tage__[dìsədvǽntidʒ, -vɑ́:n-] *n.* 불리; 불리한 처지, 불편; Ⓤ 손실. **at a disadvantage** 불리한 입장에(서). **sell goods to disadvantage** (물건)을 불리한 조건으로 〔밑지고〕 팔다. **take a person**〔**be taken**〕 **at a disadvantage** 불시에 공격을 가하다〔당하다〕. **to a person's disadvantage**=**to the disadvantage of** a person …에게 불리하도록. **under** (**great**) **disadvantage** (크게) 불리한 조건하에. ── *vt.* 〈사람을〉 불리하게 하다. ⊕ disadvantágeous *a.*

dìs·ad·ván·taged *a.* **1** 불리한 조건을 가진; (사회적·경제적으로) 혜택받지 못한. **2** (the ~; 명사적; 집합적; 복수 취급) 혜택받지 못한 사람들.

dis·ad·van·ta·geous[disæ̀dvəntéidʒəs, dìsæd-] *a.* **1** 불리한. **2** 형편상 나쁜, 불편한 ⦅*to*⦆. **~·ly** *ad.*

dis·af·fect[dìsəfékt] *vt.* 〈사람〉에게 불만〔불평〕을 품게 하다, (실망하여) 배반케 하다.

dis·af·fect·ed[-id] *a.* (정부 등에) 불평〔불만〕을 품은, 못마땅해하는, 이반(離反)한(disloyal)⦅*to, toward*(*s*)⦆. **~·ly** *ad.*

dis·af·fec·tion[-ʃən] *n.* Ⓤ 불평, (특히 정부에 대한) 불만, 민심 이탈.

dis·af·fil·i·ate[dìsəfílièit] *vt.* (단체에서) …을 제명하다. ── *vi.* (…와) 인연을 끊다, 탈퇴하다.

dis·af·firm[dìsəfə́:rm] *vt.* **1** 부정〔거부〕하다, (앞서 한 말을) 취소〔번복〕하다. **2** 〔法〕 부인하다, 〈전의 판결을〉 파기하다.

dìs·af·fír·mance[-əns], **dis·af·fir·ma·tion**[dìsæfərméiʃən] *n.* Ⓤ 거부, 부정(negation); 〔法〕 부인, 파기.

dis·af·for·est[dìsəfɔ́:rist, -fɑ́r-/-fɔ́r-] *vt.* **1** 〔영法〕 (삼림법의 적용을 해제하여) 보통 토지로 만들다. **2** 〈삼림지를〉 개척하다.

dis·af·for·es·ta·tion[-téiʃən] *n.* Ⓤ 〔영法〕 삼림법 적용 해제; 삼림 벌채.

dis·ag·gre·gate[disǽgrigèit] *vt., vi.* 〈집적물 등〉 성분〔구성 요소〕으로 분해하다〔되다〕.

*__dis·a·gree__[dìsəgrí:] *vi.* **1** 일치하지 않다, 다르다⦅*with, in*⦆: ⦅Ⅲ *v*Ⅰ+전+(목)⦆ (*no pass.*) His conduct ~*s* his words. 그의 언행은 일치하지 않는다. **2** 의견이 다르다〔맞지 않다〕 (differ); 사이가 나쁘다, 틀리다, 다투다(quarrel) ⦅*on, about, over; with*⦆: ⦅Ⅲ *v*Ⅰ+전+(목)⦆ (*no pass.*) They ~ *on*〔*about*〕 almost everything. 그들은 거의 모든 것에 대해서 의견이 맞지 않는다/She ~*s with* him. 그녀는 그와 의견이 맞지 않는다/⦅Ⅲ *v*Ⅰ+전+(목)⦆ (*no pass.*) She ~*s with* him on almost everything. 그녀는 거의 모든 것에 대해서 그와 의견이 맞지 않는다. **3** 〈풍토·음식 등이〉 맞지 않다, 적합하지 않다, 해가〔독이〕 되다, 〈음식이〉 식상(食傷)을 일으키다⦅*with*⦆: ⦅Ⅲ *v*Ⅰ+전+(목)⦆ (*no pass.*) City air ~*s with* me. 도시 공기는 적합하지 않다/Midnight snacks ~ *with* me. 밤참은 소화가 잘 안 된다/The onion always ~*s with* me. 양파는 내 체질에 맞지 않다/Overeating ~*s with* health. 과식하면 건강을 해친다.

agree to disagree 상대방의 다른 의견을 인정하여 다투지 않기로 하다: Let's *agree to disagree* and part friends. 의견 차이는 할 수 없는 일로 치고 의좋게 헤어집시다.

⊕ disagréeable *a.*; disagréement *n.*

*__dis·a·gree·a·ble__[dìsəgrí:əbəl] *a.* **1** 불(유)쾌한. **2** 마음에 안 드는, 싫은, 비위에 거슬리는. ── *n.* (보통 *pl.*) 불쾌한 일, 비위에 거슬리는 일: the ~*s* of life (이 세상의) 불쾌한 일. **~·ness** *n.* **-bly** *ad.*

*__dis·a·gree·ment__[dìsəgrí:mənt] *n.* 불일치, 의견 차이; 논쟁; (체질에) 안 맞음, 부적합.

dis·al·low[dìsəláu] *vt.* ⦅文語⦆ 허가〔인정〕하지 않다, 금하다; 〈요구 등을〉 각하하다(reject); 부인하다: ⦅Ⅳ 대+(목)+전+명⦆ He ~*ed* her the money for a new enterprise. 그는 그녀에게 새 사업을 위해 돈을 주지 않았다.

~·ance[-əns] *n.* 불허, 각하.

dis·am·big·u·ate[dìsæmbígjuèit] *vt.* 〈문장·서술 등의〉 애매한 점을 없애다, 명확하게 하다. **dìs·am·bìg·u·á·tion**[-ʃən] *n.*

dis·a·men·i·ty[dìsəménəti, -mí:n-] *n.* ⦅영⦆ (장소 등의) 불쾌, 불편.

dis·an·nul[dìsənʌ́l] *vt.* (**~led; ~·ling**) (전면적으로) 취소하다. **~·ment** *n.*

⁑**dis·ap·pear**[dìsəpíər] *vi.* **1** 사라지다, 안 보이게 되다(*cf.* vanish): ~ *in* the crowd 군중 속으로 사라지다. **2** 소멸〔소실〕하다(*opp.* appear); 〔法〕 실종하다.

dis·ap·pear·ance[dìsəpíərəns] *n.* Ⓤ 사라

짐, 소실, 소멸; 실종: ~ from home 가출.

*__dis·ap·point__[dìsəpɔ́int] *vt.* **1** 실망시키다: 《Ⅲ (목)》 He ~*ed* her. 그는 그녀를 실망시켰다/His misconduct ~*ed* her. 그의 방종은 그녀를 실망시켰다. **2** 〈기대·목적을〉 어긋나게〔헛되게〕 하다(baffle). **3** 〈계획을〉 좌절시키다(upset). ⊕ disappóintment *n.*

*__dis·ap·point·ed__[dìsəpɔ́intid] *a.* 실망한, 기대가 어긋난; 실연한: 《Ⅱ 형+전+명》 She was ~*ed in* him. 그녀는 그에게 실망했다/She was ~*ed at* his untidiness. 그녀는 그가 단정치 못함에 실망했다/She was ~*ed with* almost all his behaviour. 그녀는 그의 거의 모든 행동에 실망했다/《Ⅱ 형+전+-*ing*》 He was ~*ed in* gett*ing* only a small majority of votes. 그는 아주 작은 표차(票差)의 득표를 해서 실망했다/She was ~*ed at* not find*ing* him. 그녀는 그를 찾지 못해서 실망했다/《Ⅱ 형+*to* do》 She was ~*ed to* hear the news. 그녀는 그 소식을 듣고 실망했다/《Ⅱ 형+*that*(절)》 I was ~ *that* she had left. 그녀가 떠나버려서 실망했다/We were ~ *that* he should have failed us in such a way. 그가 그런 상태로 우리의 기대에 어긋나서 우리는 실망했다. **be agreeably disappointed** 기우에 그쳐서 기쁘다. **be disappointed in love** 실연하다. **be disappointed of** one's purpose (목적 달성의 기대)가 어긋나다. **~·ly** *ad.*

*__dis·ap·point·ing__[dìsəpɔ́intiŋ] *a.* 실망시키는, 기대에 어긋나는, 시시한. **~·ly** *ad.* **~·ness** *n.*

*__dis·ap·point·ment__[dìsəpɔ́intmənt] *n.* Ⓤ 실망, 기대에 어긋남; Ⓒ 실망의 원인, 생각보다 시시한 사람〔일, 물건〕. **to one's disappointment** 낙심 천만하게도. **to save disappointment** 실망하지 않도록.

dis·ap·pro·ba·tion[disæ̀proubéiʃən] *n.* 《文語》 =DISAPPROVAL.

dis·ap·pro·ba·tive[disǽproubèitiv] *a.* =DISAPPROBATORY.

dis·ap·pro·ba·to·ry[disǽprou*b*ətɔ̀:ri/-təri] *a.* 불만의 뜻〔비난〕을 나타내는, 찬성하지 않는, 못마땅해 하는.

*__dis·ap·prov·al__[dìsəprú:vəl] *n.* Ⓤ 안된다고 함; 불승인, 불찬성, 불만; 비난. ⊕ disappróve *v.*

*__dis·ap·prove__[dìsəprú:v] *vt.* …을 안된다고 하다, 불가하다고 하다; 불만을 나타내다, 비난하다; 승인〔인가〕하지 않다: 《Ⅲ (목)》 The High Court ~*d* the findings of the District Court. 고등법원은 지방법원의 사실인정을 불가하다고 했다/《Ⅰ *be pp.*》 Our plan was ~*d.* 우리의 계획은 승인되지 않았다. ── *vi.* 찬성하지 않다; 불가하다고 하다(*of*): 《Ⅲ *v*ɪ+전+(목)》 I ~ *of* your plan. 나는 당신의 계획에 찬성하지 않는다/《Ⅲ *v*ɪ+전+(*pos.*+)-*ing*》 I ~ *of* (your) drink*ing* brandy. 나는 (네가) 브랜디를 마시는 것을 찬성하지 않는다. **-próv·er** *n.*

dis·ap·prov·ing·ly[dìsəprú:viŋli] *ad.* 못마땅하여; 불찬성의 뜻을 나타내어; 비난하여.

*__dis·arm__[disɑ́:*r*m, diz-] *vt.* **1** 무기를 빼앗다, 무장을 해제하다(*cf.* REARM): ~ a person *of* weapon …에게서 무기를 빼앗다. **2** 〈위험·비평 등을〉 무력하게 하다; 〈노염·의심 등을〉 가시게 하다: ~ criticism 비평을 무력하게 하다. ── *vi.* 무장을 해제하다; 군비를 축소〔폐지〕하다. ⊕ disármament *n.*

*__dis·ar·ma·ment__[disɑ́:*r*məmənt, diz-] *n.* Ⓤ 무장 해제; 군비 축소(*cf.* REARMAMENT): a ~ conference 군축 회의.

dis·arm·ing[disɑ́:*r*miŋ, diz-] *a.* 홍분〔노염, 두려움, 적의 《등》〕을 가라앉히는; 천진한: a ~ smile (화도 가시게 하는) 다정한 미소. **~·ly** *ad.*

dis·ar·range[dìsəréindʒ] *vt.* 어지럽히다, 혼란시키다. **~·ment** *n.* Ⓤ 교란, 혼란; 난맥.

dis·ar·ray[dìsəréi] *n.* Ⓤ 혼란, 난잡; 단정치 못한 옷차림. ── *vt.* **1** =DISARRANGE. **2** 《古》 옷을 벗기다; 〈부속물을〉 빼앗다(*of*).

dis·ar·tic·u·late[dìsɑ:*r*tíkjəlèit] *vt., vi.* 관절이 어긋나(게 하)다; 해체하다.

dis·ar·tic·u·la·tion[-ʃən] *n.* Ⓤ (관절) 탈구.

dis·as·sem·ble[dìsəsémbəl] *vt.* 해체하다, 분해하다.

dìs·as·sém·bly *n.* Ⓤ 분해; 분해한 상태.

dis·as·so·ci·ate[dìsəsóuʃièit, -si-] *vt.* =DISSOCIATE.

dis·as·so·ci·a·tion[-ʃən] *n.* =DISSOCIATION. **disassociation of a personality** 인격의 분열.

dis·as·sór·ta·tive mát·ing 〔生〕 이류교배(異類交配).

‡__di·sas·ter__[dizǽstə*r*, -zɑ́:s-] [L] *n.* **1** Ⓤ 천재(天災), 재앙(calamity); 불행, 재난. **2** 《口》 큰 실패; 실패작. ⊕ disástrous *a.*

disáster àrea 《미》 재해 지역; (재해구조법이 적용되는) 비상 재해지구.

disáster film〔**mòvie**〕 대재해 영화.

*__di·sas·trous__[dizǽstrəs, -ɑ́:s-] *a.* 비참한, 재난의, 피해가 막심한; 《古》 불길한, 불운한. **~·ly** *ad.* ⊕ disáster *n.*

dis·a·vow[dìsəváu] *vt.* 《文語》 부인〔부정〕하다.

dis·a·vow·al[-əl] *n.* Ⓤ,Ⓒ 거부, 부인(*of*).

dis·band[disbǽnd] *vt.* **1** 해산하다. **2** 해대(解隊)하다; 〈군인을〉 제대시키다. ── *vi.* 해산하다. **~·ment** *n.* Ⓤ 해산, 해제, 제대.

dis·bar[disbɑ́:*r*] *vt.* (**~red; ~·ring**) 〔法〕 법조계에서 추방하다; 변호사(barrister)의 자격〔특권〕을 박탈하다. **~·ment** *n.*

*__dis·be·lief__[dìsbilí:f] *n.* Ⓤ 믿으려 하지 않음, 불신, 의혹(*in*); 불신앙(⇨unbelief).

dis·be·lieve[dìsbilí:v] *vt., vi.* 믿지 않다(*in*). **-líev·ing·ly** *ad.*

dis·be·liev·er[-ə*r*] *n.* 믿지 않는 사람, 회의하는 사람; 신앙을 부인하는 사람.

dis·bench[disbéntʃ] *vt.* 〔영法〕 법학원 간부(bencher)의 직〔자격〕을 빼앗다.

dis·ben·e·fit[disbénəfit] *n.* 이익이 없음, 불이익, 손실.

dis·bos·om[disbúzəm, -bú:z-] *vt.* 털어놓다, 고백하다.

dis·bound[disbáund] *a.* 〈책·원고 등〉 철이 파손되어 흐트러진.

dis·branch[disbrǽntʃ, -brɑ́:ntʃ] *vt.* **1** 나뭇가지를 치다. **2** 잘라내다(sever).

dis·bud[disbʌ́d] *vt.* (**~·ded; ~·ding**) (쓸데없는) 싹〔봉오리〕을 따다.

dis·bur·den[disbə́:*r*dn] *vt.* …에서 짐을 내리다(unload), 〈사람의 무거운 짐을〉 덜어주다(relieve), 무거운 짐을 풀다, …에서 부담을 제거하다; (마음의) 무거운 짐을 벗다; 해방시키다, 안심시키다; 〈남에게〉 (심중을) 토로하다; 〈남에게〉 (불만·노여움 등을) 털어놓다, 터뜨리다(*on, upon*): 《Ⅲ (목)+전+명》 She ~*ed* her heart *to* him. 그녀는 그에게 자기의 심중을 토로했다/She ~*ed* her discontent *on*〔*upon*〕 him. 그녀는 그에게 자기의 불만을 털어놓았다. **disburden one's mind**〔**oneself**〕 **of** (비밀 등을) 털어놓고 안도하다〔마음의 (무거운) 짐을 벗다〕: She *disburdened herself of* the secret. 그녀는 비밀을 털어놓고 안도했다. ── *vi.* 무거운 짐을 내리다: 마음의 짐을 덜다, 마음놓다, 한시름 놓다, 안심하다. **~·ment** *n.*

dis·burse[disbə́:rs] *vt., vi.* 지불하다(pay out).

dis·burse·ment *n.* **1** 지불, 지출. **2** 지불금, 출비: (종종 *pl.*) 〔法〕 영업비.

***disc**¹ *n., vt.* ⇨ DISK.

disc² *n.* 《口》 =DISCOTHEQUE.

disc-[disk], **dis·ci-**[dískə], **dis·co-**[dískou] 《연결형》「원반; 레코드」의 뜻《모음 앞에서는 disc-》.

disc. discount; discover(ed); discoverer.

dis·caire[diskɛ́ər] *n.* (디스코의) 레코드 담당자.

disc·al[dískəl] *a.* 원반 모양의.

dis·calced, dis·cal·ce·ate[diskǽlst], [-kǽlsiit, -èit] *a.* 〈수도사·수녀가〉 맨발의.

dis·cant[dískænt] *vi., n.* =DESCANT.

***dis·card**[diská:rd] *vt.* 버리다; 〔카드〕 〈불필요한 패를〉 버리다; 해고하다(discharge). ── *n.* **1** Ⓤ 포기; 해고: be in the ~ 버려져 있다. **2** 버려진〔버림 받은〕 사람〔물건〕. **3** Ⓤ 〔카드〕 가진 패를 버림; Ⓒ 버린 패. **go into the discard** 버림 받다, 폐기되다, 잊혀지다. **throw into the discard** 《미》 폐기하다.

dísc bràke 원판 브레이크, 디스크 브레이크.

‡**dis·cern**[disə́:rn, -zə́:rn] [L] *vt.* **1** 식별하다: ~ good *from*〔*and*〕 bad 선악을 분간하다. **2** (눈으로) 보고 분간하다, 알아보다. **3** 뚜렷하게 인식하다. ── *vi.* 차이를 알다, 분간하다, 식별하다: ~ *between* honesty and dishonesty 성실과 불성실을 식별하다. **~·er** *n.* ⇨ discérnment *n.*

dis·cern·i·ble[-əbəl] *a.* 보고 알 수 있는; 인식〔식별〕할 수 있는. **-bly** *ad.*

dis·cern·ing[-iŋ] *a.* **1** 통찰력〔식별력〕이 있는, 총명한. **2** (the ~; 명사적; 복수 취급) 식별력 있는 사람들. **~·ly** *ad.*

dis·cern·ment *n.* **1** 식별, 인식. **2** 통찰력, 안식(眼識).

dis·cerp·ti·ble[disə́:rptəbəl, -zə́:rp-] *a.* 분리할 수 있는.

‡**dis·charge**[distʃá:rdʒ] *vt.* **1** 〈배에서〉 짐을 부리다, 〈짐을〉 내리다, 양륙하다. **2** 〈물 등을〉 방출하다; 내뱉다. **3** 〈총포 를〉 발사하다. **4** 〔電〕 방전하다. **5** 배출〔배설〕하다(eject); 〈고름을〉 짜내다. **6** 〈속박·의무·근무 등에서〉 해방하다; 제대〔퇴원〕시키다; 〈죄수를〉 놓아 주다; 해고하다, 면직시키다(dismiss)《*from*》: ~ a prisoner *from* a jail 죄수를 출옥시키다/ ~ a patient *from* hospital 환자를 퇴원시키다/be ~*d* *from* his post. 해임되다. **7** 〈약속·채무를〉 이행하다(fulfill), 〈부채를〉 갚다; 〈직무 등을〉 수행하다(perform). **8** 〔染色〕 탈색하다. **9** 〔法〕 〈명령을〉 취소하다(cancel). **discharge itself into** 〈강이〉 …으로 흘러들다. **discharge oneself of one's duty** 의무를 다하다. ── *vi.* **1** 짐을 부리다, 양륙하다. **2** 〈강이〉 흘러들다《*into*》: The river ~*s into* a lake. 그 강물은 호수로 흘러 들어간다. **3** (눈물·고름 등이) 나오다; 배출되다. **4** 〈총포가〉 발사되다. **5** 〔電〕 방전되다. **6** 〈빛깔이〉 바래다. **7** 해방되다, 방면되다.
── *n.* **1** Ⓤ 짐부리기, 양륙: ~ afloat 해상에서 짐을 부림. **2** 발사, 발포. **3** a Ⓤ 〔電〕 방전; 내뱉음; 〔醫〕 객담(喀痰). b 방출, 유출; 배출물: a ~ *from* the ears〔eyes, nose〕 귀고름〔눈곱, 콧물〕. c Ⓤ 유출량〔률〕. **4** Ⓤ 해방, 면제《*from*》; 방면; 책임 해제; (채무·계약 등의) 소멸. **5** Ⓤ,Ⓒ 제대; 해직, 면직, 해고《*from*》; 해임장; 제대 증명서. **6** Ⓤ (의무의) 수행; (채무의) 이행, 상환. **7** Ⓤ 탈색; Ⓒ 탈색제(劑), 표백제. **8** 〔法〕 (명령의) 취소. **~·a·ble** *a.*

dis·charg·ee[dìstʃa:rdʒí:] *n.* DISCHARGE된 사람.

dischárge làmp 방전 램프《수은등 등》.

dis·charg·er[distʃá:rdʒər] *n.* **1** 짐 부리는 사람〔기구〕. **2** 사수(射手), 사출 장치; 방출자〔구〕; 〔電〕 방전자(放電子); 〔染色〕 탈색제; 표백제.

dischárge túbe 〔電〕 방전관.

dísc hàrrow 원판 써레《트랙터용》.

dis·ci-[dísk*i*] 《연결형》 =DISC-.

***dis·ci·ple**[disáipəl] [L] *n.* **1** 문하생, 문인(門人), 제자. **2** (때때로 D-) 그리스도의 12 사도(Apostles)의 한 사람. **the (twelve) Disciples** (예수의) 12 사도. **~·shìp** *n.* Ⓤ 제자의 신분〔기간〕.

Discíples of Chríst (the ~) 사도 교회《Alexander Campbell(1788-1866)이 아버지 Thomas와 함께 1809년 미국에서 조직한 기독교단》.

dis·ci·plin·a·ble[dísəplìnəbəl] *a.* 훈련할 수 있는; 징계해야 할 〈죄 등〉.

dis·ci·pli·nar·i·an[dìsəplənɛ́əriən] *n.* 규율이 엄한 사람, 엄격한 사람. ── *a.* 훈련적인, 훈련(상)의.

dis·ci·pli·nar·y[dísəplənèri/-nəri] *a.* **1** 훈련상의, 훈육의; 훈계의. **2** 규율상의; 징계의: a ~ committee 징계 위원(회)/~ punishment 징계 처분. **3** 학과의, 학과〔학문〕로서의.

‡**dis·ci·pline**[dísəplin] *n.* **1** Ⓤ,Ⓒ 훈련, 단련, 수양. **2** Ⓤ (단련으로 얻은) 억제, 자제(심), 극기(克己); 교련; 《古》 전술. **3** Ⓤ 기율, 기강, 질서. **4** Ⓤ 징계, 징벌; 〔基督教〕 고행. **5** 학과, 학문의 부문〔분야〕. **be under discipline** 규율이 바르다, 훈련이 잘 되어 있다. **keep** one's **passions under discipline** (정욕)을 억제하다. **military**〔**naval**〕 **discipline** 군기, 군율. ── *vt.* **1** 〈자제·정신을〉 훈련〔단련〕하다 **2** 징계하다: ~ one's son *for* dishonesty 정직하지 않다고 아들을 벌주다. **-plin·er**[-ər] *n.* ⇨ dísciplinary *a.*

dísc jòckey 디스크 자키《가벼운 화제·광고 방송 등을 사이에 끼운 레코드 음악 프로의 담당자; 略: D.J.; deejay라고도 함》.

dis·claim[diskléim] *vt.* **1** 〈권리 등을〉 버리다, 기권하다. **2** 〈관계·책임 등을〉 부인하다.

dis·claim·er *n.* **1** 〔法〕 기권, 부인(denial). **2** 부인〔거부, 포기〕자. **3** 포기〔부인〕 성명(서).

dis·cla·ma·tion[dìskləméiʃən] *n.* Ⓤ 부인(행위), 거부 (행위); (권리의) 포기.

dis·cli·max[diskláimæks] *n.* Ⓤ 〔生態〕 방해극상(妨害極相)《사람이나 가축의 끊임없는 방해를 받아 생물 사회의 안정이 무너짐》.

‡**dis·close**[disklóuz] *vt.* 드러내다, 노출시키다; 폭로〔적발〕하다; 〈비밀 등을〉 밝히다, 발표하다: 《Ⅲ (목)+전+명》 She ~*d* the secret *to* him. 그녀는 그에게 비밀을 밝혔다(=The secret was ~*d* (*to* him).《Ⅰ *be pp.*+(전+명)》)/《Ⅲ *that*(절)》 The doctor ~*d* *that* her illness was cancer. 의사는 그녀의 병이 암이라는 것을 밝혔다(=It was ~*d* *that* her illness was cancer.《Ⅰ *It be pp.*+*that*(절)》)/《Ⅱ *be pp.*+ *to be*+명》 The illness was ~*d* *to be* cancer. 그 병은 암으로 밝혀졌다. **dis·clós·er** *n.* ⇨ disclósure *n.*

*__dis·clo·sure__[disklóuʒər] *n.* Ⓤ 폭로, 발각; 발표; Ⓒ 발각된 일, 털어놓은 이야기.

__Disc·man__ *n.* 휴대용 Walkman《카세트 테입 대신 CD를 사용하는; Sony사가 개발; 상표명》.

__dis·co__[dískou] *n.* (*pl.* ~**s**) **1** 《口》 디스코 (discotheque). **2** Ⓤ 디스코 뮤직; 디스코 댄스; 디스코의 레코드 재생 장치. — *vi.* 디스코에서 춤추다.

__disco-__[dískou] 《연결형》 =DISC-.

__dis·cob·o·lus, -los__[diskɑ́bələs/-kɔ́b-] *n.* (*pl.* **-li**[-lài])(고대의) 원반 투수.

__disco-funk__ =FUNK.

__dis·cog·ra·phy__[diskɑ́grəfi/-kɔ́g-] *n.* (*pl.* **-phies**) **1** 수집가가 하는 레코드 분류 (기재법). **2** (작곡·연주가별) 취입 레코드 일람표. **3** 레코드 음악 연구〔해설, 역사〕. **-pher** *n.* **dis·co·graph·i·cal** *a.*

__dis·coid__[dískɔid] *a., n.* 원반 모양의(것).

__dísco jòckey__ 디스코 자키《디스코의 사회자·아나운서》.

__dis·col·or|-our__[diskʌ́lər] *vt., vi.* 변색〔퇴색〕시키다〔하다〕, 빛깔을 더럽히다〔이 더러워지다〕; 빛깔이 바래다.

__dis·col·or·a·tion|-our-__[diskʌ̀ləréiʃən] *n.* Ⓤ 변색, 퇴색; Ⓒ (변색으로 생긴) 얼룩.

__dis·col·or·ment|-our-__ *n.* =DISCOLORATION.

__dis·com·bob·u·late__[dìskəmbɑ́bjəlèit/-bɔ́b-] *vt.* 《미口》 혼란시키다, 당황하게 하다.

__dis·com·fit__[diskʌ́mfit] *vt.* **1** 《古》 무찌르다, 패주시키다. **2** 〈계획·목적을〉 뒤집어 엎다, 좌절시키다; 쩔쩔매게 하다, 당황케 하다.

__dis·com·fi·ture__[-fitʃər] *n.* Ⓤ,Ⓒ (계획 등의) 실패; 쩔쩔맴, 당황; 괴멸, 대패주(大敗走).

*__dis·com·fort__[diskʌ́mfərt] *n.* Ⓤ 불쾌, 불안; Ⓒ 귀찮은 일, 불편, 곤란. — *vt.* 불쾌〔불안〕하게 하다.

__discómfort ìndex__ 불쾌 지수(略: DI).

__dis·com·mode__[dìskəmóud] *vt.* 《文語》 불편〔부자유〕스럽게 하다; 폐를 끼치다, 괴롭히다.

__dis·com·mon__[diskɑ́mən/-kɔ́m-] *vt.* **1** 〔法〕 〈공유지를〉 울로 막아 사유지로 하다, 불하하다; …의 입회권을 빼앗다. **2** 《영》 (Oxford·Cambridge 대학교에서)〈상인에게〉 재학생과의 거래를 금하다.

__dis·com·pose__[dìskəmpóuz] *vt.* 《文語》〈마음의〉 안정을 잃게 하다, 불안하게 하다; 산란하게 하다.

__dìs·com·pósed__[-d] *a.* 침착〔평정〕을 잃은, 마음이 산란해진.

__dìs·com·pós·ed·ly__[-idli] *ad.* 침착〔평정〕을 잃고, 조바심하며.

__dìs·com·pós·ing·ly__[-ziŋli] *ad.* 마음이 뒤숭숭하게, 불안을 느끼도록.

__dis·com·po·sure__[dìskəmpóuʒər] *n.* Ⓤ 마음의 동요, 심란, 불안, 당황.

*__dis·con·cert__[dìskənsə́:rt] *vt.* **1** 당황하게〔쩔쩔매게〕 하다, 어쩔줄 모르게 하다. **2** 〈계획 등을〉뒤집다, 혼란시키다. ◈ disconcértment *n.*

__dis·con·cert·ed__[dìskənsə́:rtid] *a.* 당혹한, 당황한. **~·ly** *ad.* **~·ness** *n.*

__dis·con·cert·ing__[dìskənsə́:rtiŋ] *a.* 당황케 하는, 혼란케 하는; 불안하게 하는. **~·ly** *ad.*

__dis·con·cer·tion__[-sə́:rʃən] *n.* 교란; 혼란(상태), 당황; 좌절.

__dis·con·cert·ment__[-mənt] *n.* =DISCONCERTION.

__dis·con·firm__[dìskənfə́:rm] *vt.* …의 부당성을 증명하다; 〈명령을〉 거절하다. **dis·con·fir·ma·tion** *n.*

__dis·con·form·i·ty__[dìskənfɔ́:rməti] *n.* Ⓤ **1** 《古》 불일치, 불복종(*to, with*). **2** 〔地質〕 평행 부정합(不整合).

__dis·con·nect__[dìskənékt] *vt.* 연락을 끊다, 떼어놓다(separate)(*from, with*); 〈전화 등을〉 끊다: a ~*ing* gear 단절 장치.

__dis·con·nect·ed__[dìskənéktid] *a.* 따로따로 떨어진; 연락이 끊긴. **~·ly** *ad.* **~·ness** *n.*

__dis·con·nec·tion|-nex·ion__[dìskənékʃən] *n.* Ⓤ 단절; 연락 없음, 분리; 〔電〕 단선.

__dis·con·so·late__[diskɑ́nsəlit/-kɔ́n-] *a.* **1** 우울한, 서글픈, 위로할 수 없는. **2** 슬퍼서, 비탄에 잠겨(*about, at, over*). **~·ly** *ad.* **~·ness** *n.* **dis·còn·so·lá·tion** *n.* 마음에 위안이 없는 상태.

*__dis·con·tent__[dìskəntént] *n.* **1** Ⓤ 불만, 불평, 불유쾌. **2** 불만의 원인; Ⓤ 〔法〕 불복. — *a.* 불평〔불만〕이 있는(*with*). — *vt.* 불만〔불평〕을 품게 하다, 비위를 거스르다(displease)(*with*). ◈ disconténtment *n.*

*__dis·con·tent·ed__[dìskənténtid] *a.* 불만을 품은, 불만스러운, 불평스러운: be ~ *with* …에 불만을 품고 있다. **~·ly** *ad.* **~·ness** *n.*

__dis·con·tent·ment__[dìskənténtmənt] *n.* Ⓤ 불만, 불평.

__dis·con·tig·u·ous__[dìskəntígjuəs] *a.* 접촉해 있지 않은.

__dis·con·tin·u·ance__[dìskəntínjuəns] *n.* Ⓤ 정지, 중지, 단절; 〔法〕 (소송의) 취하, (점유의) 중단.

__dis·con·tin·u·a·tion__[dìskəntìnjuéiʃən] *n.* =DISCONTINUANCE.

*__dis·con·tin·ue__[dìskəntínju:] *vt.* 〈계속하기를〉 그만두다(do*ing*); 정지하다; 중지〔중단〕하다, (일시) 휴지하다; 〔法〕〈소송을〉 취하하다: (Ⅲ *-ing*) We ~*d* talk*ing* for a while. 우리는 잠시 이야기하는 것을 멈췄다. — *vi.* 중지〔휴지〕되다; 〈잡지 등이〉 폐간〔휴간〕되다. ◈ discontínuance, discontinuátion, discontinúity *n.*; discontínuous *a.*

*__dis·con·ti·nu·i·ty__[dìskɑntən*j*ú:əti/-kɔn-] *n.* (*pl.* **-ties**) **1** Ⓤ 불연속(성); 지리 멸렬; 〔氣〕 불연속선. **2** 《文語》 갈라진 금, 찢어진 데; Ⓤ 〔數〕 불연속점, 단속 함수.

__dis·con·tin·u·ous__[dìskəntínju:əs] *a.* 끊어진, 단절의, 비연속성의, 단속적인; 〔數〕 불연속의. **~·ly** *ad.* **~·ness** *n.*

__dis·co·phile__[dískəfàil] *n.* 레코드 애호〔수집, 연구〕가.

*__dis·cord__[dískɔ:rd] *n.* **1** Ⓤ 불일치, 불화; Ⓤ,Ⓒ 알력, 의견 충돌(*opp.* concord). **2** Ⓤ,Ⓒ 〔樂〕 불협화음(*opp.* harmony); Ⓤ 소음. **the apple of discord** ⇨apple. — *vi.* **1** 일치하지 않다, 불화하다(*with, from*). **2** 〔樂〕 협화하지 않다. ◈ discórdance *n.*; discórdant *a.*

__dis·cor·dance, -dan·cy__[diskɔ́:rdəns], [-i] *n.* Ⓤ **1** 불화, 부조화, 불일치. **2** 〔樂〕 불협화(음). **3** 〔地質〕 (지층의) 부정합(不整合).

__dis·cor·dant__[diskɔ́:rdənt] *a.* **1** 〈생각이〉 조화〔일치〕하지 않는; 사이가 나쁜. **2** 〈음성이〉 귀에 거슬리는. **3** 〔地質〕 부정합(不整合)의. **4** 〔樂〕 불협화음의. **~·ly** *ad.*

__dis·co·theque__[dískətèk] [F] *n.* 디스코테크《생연주나 레코드 음악에 맞추어서 춤을 추는 나이트 클럽·카바레 등》. — *vi.* 디스코테크에서 춤추다.

⁑__dis·count__[dískaunt] *n.* **1** 할인, (액면 이하의) 감가(減價); 〔商〕 할인액; 할인율; 할인〔공제〕 대차(貸借); (빚의) 선불 이자. **2** 참작, 작

량(酌量). **accept** a story **with discount** (이야기)를 에누리하여 듣다. **at a discount** (액면 이하로) 할인하여(below par: *opp.* at a premium): 값이 떨어져: 팔 곳이 없어: 얕뵈어. **banker('s) 〔cash〕 discount** 은행〔현금〕 할인. **give〔allow〕 a discount** 할인을 하다《*on*》.
— [⌐–, –⌐] *vt.* **1** 할인하다. **2** 〔商〕 〈어음을〉 할인하여 팔다〔사다〕. **3** 에누리하여 듣다〔생각하다〕: 신용하지 않다: 무시하다, 고려에 넣지 않다. **4** 가치〔효과〕를 줄이다, 감소시키다.
— *vi.* 이자를 할인하여 대부하다.

dis·count·a·ble[dískauntəbəl, –⌐əbəl] *a.* 할인할 수 있는.

díscount bròker 어음 할인 중개인.

***dis·coun·te·nance**[diskáuntənəns] *vt.* 언짢은 표정을 짓다, 찬성하지 않다: 무안을 주다. — *n.* Ⓤ 불찬성, 반대.

dis·count·er[dískauntər, –⌐–] *n.* **1** 할인하는 사람, 싸게 파는 사람. **2** DISCOUNT HOUSE의 경영자.

díscount hòuse 《영》 할인 상점《어음 할인점》: 《미》 싸구려 가게, 염매(廉賣) 상점.

díscount màrket 어음 할인 시장.

díscount ràte 〔金融〕 어음 할인율: 재할인율(rediscount rate).

díscount stòre〔shòp〕 할인 점포, 싸구려 가게(discount house).

***dis·cour·age**[diskə́:ridʒ, -kʌ́r-] *vt.* **1** 용기를 잃게 하다, 낙담시키다. **2** 방해하다, 훼방놓다: 〈계획·사업 등을〉 말리다, 단념시키다《*from*》: 《Ⅲ (목)+전+*-ing*》 I ~*d* her *from* climb*ing* the mountain without a guide. 나는 그녀가 안내인 없이 그 산을 올라가는 것을 그만두게 했다. **~·a·ble** *a.* **-ag·er** *n.*
⊕ discóuragement *n.*

dis·cour·aged[diskə́:ridʒd, -kʌ́r-] *a.* 낙담한, 낙심한: 《미俗》 술에 취한.

dis·cóur·age·ment *n.* **1** Ⓤ 낙담, 낙심, 실의(失意). **2** 기를 죽이는 것〔행위, 사정〕, 방해《*to*》. **3** Ⓤ 단념시킴, 반대.

dis·cóur·ag·ing[diskə́:ridʒiŋ, -kʌ́r-] *a.* 낙담시키는, 시원찮은, 신이 안 나는(dispiriting). **~·ly** *ad.*

***dis·course**[dískɔ:rs, –⌐] *n.* **1** 강화(講話), 강연《*on, upon*》. **2** 논설, 논문《*on, upon*》. **3** Ⓤ 〔言〕 담화(conversation): 〔文法〕 화법(narration). — [–⌐] *vi.* **1** 이야기하다, 말하다, 담화하다《*together*》: 《Ⅰ 부》 We ~*d* together. 우리는 함께 이야기했다. **2** 강연〔연설〕하다, 설교하다: (연설·논문 등에서) 논하다, 논술하다《*on, upon*》: 《Ⅲ *v*Ⅰ +전+(목)》 He ~*d on*〔*upon*〕 different subjects. 그는 다른 주제들을 논했다.

dis·cour·te·ous[diskə́:rtiəs] *a.* 실례의, 무례한, 버릇없는. **~·ly** *ad.* **~·ness** *n.*

dis·cour·te·sy[diskə́:rtəsi] *n.* (*pl.* **-sies**) **1** Ⓤ 무례, 실례(*opp.* courtesy): 예모 없음, 버릇없음(rudeness). **2** 무례한 언행.

★**dis·cov·er**[diskʌ́vər] *vt.* **1** 발견하다: 알다, 깨닫다: 《Ⅲ (목)》 Columbus ~*ed* America. 콜럼버스는 아메리카 대륙을 발견했다(=America was ~*ed* by Columbus./《Ⅰ *be pp.*+전+명》)/《Ⅴ (목)+*ing*(*p.*)》 She ~*ed* him tak*ing* a nap under a tree. 그녀는 그가 나무 밑에서 낮잠자고 있는 것을 발견했다/《Ⅲ (목)》 Time ~*s* truth. 시간이 진상을 밝혀준다/《Ⅲ (목)+전+명》 He ~*ed* the secret to her. 그는 그녀에게서 그 비밀을 알아냈다/《Ⅲ *wh.*(절)》 We could not ~ *who* did it. 우리는 누구가 그것을 했는지 알 수 없었다/He ~*d where* she lived. 그는 그녀가 어디에서 살고 있는지를 알아냈다/《Ⅴ (목)+*to* do》 We ~*ed* the powder *to* consist of harmless ingredients. 우리는 그 화장분이 무해 성분으로 이루어져 있음을 알았다(= The powder was ~*ed to* consist of harmless ingredients.《Ⅱ *be pp.*+*to do*》)/《Ⅴ (목)+*to be*+명》 She ~*ed* him *to be* an impostor. 그녀는 그가 협잡꾼이라는 것을 알았다(=She ~*ed that* he was an impostor.《Ⅲ *that*(절)》)/《Ⅲ (목)》 We ~*ed* a plot. 우리는 음모가 있다는 것을 알아챘다 **2** 《주로古》〈어려움 등을〉 내색하다: 〈비밀 등을〉 드러내다. **be discovered** 〔劇〕 막이 오르자 이미 무대에 나와 있다. **discover check** 〔체스〕 장군 부르다. **discover oneself to** a person …에게 자기 이름을 대다. ⊕ discóvery *n.*

dis·cov·er·a·ble[-kʌ́vərəbəl] *a.* 발견할 수 있는, 〈효과 등이〉 눈에 보이는.

Discóver América 《미》 미국을 발견하자 《국내 관광 진흥책으로 쓰는 표어》.

dis·cov·er·er[-rər] *n.* **1** 발견자. **2** (**D-**) 미국 공군의 인공 위성.

dis·cov·er·ist[diskʌ́vərist] *a.* 발견 학습법을 지지하는(*cf.* DISCOVERY METHOD).

dis·cov·ert[diskʌ́vərt] *a.* 〔法〕 남편 없는 신분의《미혼〔이혼〕 여성 또는 과부의》.

‡**dis·cov·er·y**[diskʌ́vəri] *n.* (*pl.* **-er·ies**) **1** Ⓤ 발견: Ⓒ 발견물(*cf.* INVENTION). **2** Ⓤ (연극 등의) 줄거리의 전개(unfolding). **3** 〔法〕 발표 요구 수속. ⊕ discóver *v.*

Discóvery Dày 《미》 =COLUMBUS DAY.

discóvery mèthod 발견 학습법《학생에게 자주적으로 지식 습득·문제 해결을 하도록 하는 교육 방식》.

***dis·cred·it**[diskrédit] *n.* Ⓤ **1** 불신, 불신임: 의혹(doubt). **2** 망신, 불명예: Ⓒ 망신거리: be a ~ *to* our family 가문에 수치가 되다. **bring discredit on oneself** 불신〔불명예〕을 초래하다. **bring … into discredit** 평판이 나빠지게 하다. **fall into discredit** 평판이 나빠지다. **suffer discredit** 의혹을 받다〔사다〕. **throw〔cast〕 on〔upon〕** …에게 의혹심을 품게 하다. — *vt.* **1** 의심하다, 신용하지 않다. **2** 평판을 나쁘게 하다: The divorce ~*ed* them *with* the public. 이혼으로 세상에 대한 그들의 체면이 손상됐다. **3** 믿을 수 없는 것으로 치다.

dis·cred·it·a·ble[diskréditəbəl] *a.* 신용을 떨어뜨리는, 평판이 나빠지게 하는, 망신스러운, 남부끄러운. **-bly** *ad.* 남부끄럽게(도).

***dis·creet**[diskrí:t] [L] *a.* 사려〔분별, 지각〕 있는: 〈언어·행동 등이〉 신중한. ◇ DISCRETE와는 동음 이의어. **~·ly** *ad.* **~·ness** *n.*
⊕ discrétion *n.*

dis·crep·ance[diskrépəns] *n.* 《稀》 =DISCREPANCY.

dis·crep·an·cy[diskrépənsi] *n.* (*pl.* **-cies**) Ⓤ 모순, 불일치, 어긋남《*between*》.

dis·crep·ant[diskrépənt] *a.* 서로 어긋나는, 모순된, 앞뒤가 안 맞는(inconsistent). **~·ly** *ad*

dis·crete[diskrí:t] *a.* **1** 분리된, 따로따로의: 불연속의. **2** 〔哲〕 추상적인. **3** 〔數〕 이산(離散)의: ~ quantity 분리〔이산〕량(量). ◇ DISCREET와는 동음 이의어. **~·ly** *ad.* **~·ness** *n.*

***dis·cre·tion**[diskréʃən] *n.* Ⓤ **1** 분별, 신중. **2** 행동〔판단, 선택〕의 자유, (자유) 재량, 수의(隨意): It is within your ~ *to* settle the matter. 그 문제의 해결은 너의 재량으로 할

수 있다. **at discretion** 임의로; 무조건: surrender *at discretion* 무조건 항복하다. **at the discretion of** …의 자유 재량으로. **Discretion is the better part of valor.** 《속담》 신중은 용기의 핵심 부분이다, 삼십 육계에 줄행랑이 제일《종종 비겁한 행위의 핑계》. **leave to the discretion of** …에게 일임하다. **the age〔years〕 of discretion** 분별 연령《〔영法〕에서는 14세》. **use** one's **discretion** 적절히 처리하다, 재량껏 처리하다. **with discretion** 신중하게. ◇ discréet *a.*

dis·cre·tion·al[-əl] *a.* = DISCRETIONARY.

dis·cre·tion·ar·y[diskréʃənèri/-əri] *a.* 《文語》 임의의, 자유 재량의: ~ orders 〔商〕 임의 주문/a ~ principle 독단주의. **discretionary powers to act** 임의로 행동할 수 있는 권한.

discrétionary accòunt 〔金融〕 매매 일임 계정《증권〔상품〕 시장에서의 매매를 대리업의 자유 재량에 일임하는 계정》.

discrétionary ìncome 〔經〕 재량 소득《가처분 소득에서 기본 생활비를 뺀 잔액》.

dis·crim·i·nance [diskrímənəns] *n.* 식별법, 판별 수단.

dis·crim·i·nant[diskrímənənt] *a.* = DISCRIMINATING.

***dis·crim·i·nate**[diskrímənèit] *vt.* 식별〔분간〕하다, 구별하다《*from*》: ~ one thing *from* another 갑과 을을 구별하다. ── *vi.* **1** 식별〔분간〕하다; 구별하다《*between*》: ~ *between* right and wrong 옳고 그른 것을 분간하다/~ *among* synonyms 동의어를 구별하다. **2** 차별하다, 차별 대우하다《*against*》: 《Ⅴ (목)+*to* do》 I will not allow colored people *to* be ~*d* against. 나는 유색 인종이 차별 대우받는 것을 방관하지 않겠다. **discriminate against〔in favor of〕** …을 냉대〔후대〕하다. ── *a.* 식별된, 명확한; 차별적인. **~·ly**[-nitli] *ad.* ◇ discriminátion *n.*; discríminative, discríminatory *a.*

dis·crim·i·nat·ing[diskrímənèitiŋ] *a.* **1** 구별할 수 있는; 식별력이 있는: a ~ palate 맛을 분간해 내는 미각. **2** 차별적인《discriminatory가 일반적》: a ~ tariff 차별 세율. **~·ly** *ad.*

***dis·crim·i·na·tion**[diskrìmənéiʃən] *n.* Ⓤ **1** 구별; 식별(력), 판별(력), 안식; Ⓒ 상위점. **2** 차별, 차별 대우: racial ~ 인종 차별. **~·al** *a.* ◇ discríminate *v.*; discríminative, discríminatory *a.*

dis·crim·i·na·tive[diskrímənèitiv, -nətiv] *a.* **1** 구별〔차별〕적인; 식별〔분간〕하는. **2** 구별을 나타내는, 특이한. **~·ly** *ad.* **~·ness** *n.*

dis·crim·i·na·tor[diskrímənèitər] *n.* **1** 식별〔차별〕하는 사람. **2** 〔電子〕 판별 장치《주파수 · 위상(位相) 등을 판별하는》.

dis·crim·i·na·to·ry[diskrímənətɔ̀:ri/-təri] *a.* **1** 차별적인. **2** 식별력이 있는.

dis·crown[diskráun] *vt.* …의 왕관을 빼앗다; 퇴위시키다.

disct. discount.

dis·cur·sive[diskə́:rsiv] *a.* **1** 〈제목 등〉 광범위한; 〈글 · 이야기 등〉 산만한, 종잡을 수 없는. **2** 추론〔논증〕적인(opp. intuitive). **~·ly** *ad.* 산만하게. **~·ness** *n.* Ⓤ 산만.

dis·cus[dískəs] *n.* (*pl.* **~es, -ci**[-kai/-kai]) (경기용) 원반; (the ~) 원반 던지기(=~ throw).

‡**dis·cuss**[diskʌ́s] [L] *vt.* **1** 토론〔논의〕하다; 상의하다, 의논하다; 음미〔검토〕하다, 〈책등에서 상세히〉 논하다: 《Ⅲ (목)+전+명》 She ~*ed* the problem with him. 그녀는 그와 그 문제를 논의했다《Ⅲ -*ing*》 We ~*ed* solv*ing* the problem to no one's disadvantage. 우리는 아무에게도 불리하지 않게 그 문제를 해결하도록 의논했다/《Ⅲ *wh. to* do》 We ~*ed how to* solve the problem. 우리는 그 문제를 어떻게 해결할 것인가를 의논했다(=We ~*ed* how we could solve the problem.《Ⅲ *wh.*(절)》)/《Ⅲ 전+명+*what to* do》 She ~*ed with* her sister *what to* do next. 그녀는 그녀의 언니와 다음에 무엇을 해야 할지 상의했다(=She ~*ed with* her sister *what* should be done next.)《◇《Ⅲ (전+명)+*that*(절)》사용은 불가》. **2** 《稀》 〈음식 술 등을〉 맛있게 맛보다, 상미(賞味)하다, 즐기며 먹다: 《Ⅲ (목)》 ~ a bottle of wine 포도주를 즐기며 마시다. **3** 〔大陸法〕〈주된 채무자로부터〉 채무의 상환을 받다: 〈채무자의〉 부동산에 앞서 동산을 강제 집행하다. ── *vi.* 토의하다, 상의하다: 《Ⅰ *v*Ⅰ/접 Ⅰ *v*Ⅰ》 She could talk, but she couldn't ~. 그녀는 말은 할 수 있었지만, 토의〔상의〕는 할 수 없었다.

dis·cus·sant[diskʌ́snt] *n.* (심포지움 · 토론회 등의) 토론(참가)자.

dis·cuss·er *n.* 논의하는 사람, 토론자.

dis·cuss·i·ble, -a·ble[-əbəl] *a.* 논의〔토론〕할 수 있는.

‡**dis·cus·sion**[diskʌ́ʃən] *n.* Ⓤ,Ⓒ **1** 토론, 토의, 검토, 심의《*about, on, of*》. **2** 논문, 논고《*on*》; 〔法〕 변론. **3** Ⓤ 《稀》 즐기며 먹음〔마심〕《*of*》. **be down for discussion** 토의 대상에 올라 있다. **beyond discussion** 논할 여지도 없는. a question **under discussion** 심의중인 (문제). **~·al** *a.* ◇ discuss *v.*

díscus thròw (the ~) 원반 던지기.

díscus thròwer 원반 던지기 선수.

***dis·dain**[disdéin] *vt.* **1** 경멸하다, 멸시하다(look down on): 《Ⅲ (목)+〈*to* do〉》 He ~*ed* my offer *to* help him. 그는 내가 그를 돕겠다는 제의를 경멸했다. **2** …할 가치가 없다고 생각하다, …하기를 떳떳지 않게 여기다, 치사하게 여기다: 《Ⅲ *to* do》 She ~*ed to* answer his question. 그녀는 그의 질문에 대답할 가치가 없다고 생각했다(=She ~*ed* answer*ing* his question.《Ⅲ -*ing*》)/The soldier ~*ed* shoot*ing* an unarmed enemy. 그 병사는 비무장의 적을 쏘는 것을 떳떳지 않게 여겼다. ── *n.* Ⓤ 경멸감, 모멸(하는 태도 · 기색); 거드름. ◇ disdáinful *a.*

dis·dain·ful[disdéinfəl] *a.* 거드름 부리는, 경멸적인: be ~ *of* 〈…을〉 경멸〔무시〕하다. **~·ly** *ad.* 경멸하여. **~·ness** *n.*

‡**dis·ease**[dizí:z] *n.* **1** Ⓤ,Ⓒ (사람 · 동식물의) 병, 질병, 질환(⇨illness): die of (a) ~ 병으로 죽다/catch〔suffer from〕 a ~ 병에 걸리다. **2** Ⓤ 〈정신 · 사회 상태 등의〉 불건전(한 상태), 병폐, 폐해. **3** Ⓤ (술의) 변질. **bad〔foul〕 disease** 나쁜 병《성병 등》. **family〔hereditary〕 disease** 유전병. **inveterate〔confirmed〕 disease** 난치병, 고질. **serious disease** 중병. ── *vt.* (보통 *pp.*) 병에 걸리게 하다.

dis·eased[-d] *a.* **1** 병에 걸린: the ~ part 환부. **2** 병적인(morbid): a ~ fancy 병적인 공상.

diséase gèrm 병원균.

dis·ec·o·nom·ics[disí:kənámiks, -èk-] *n.* 마이너스 경제 정책, 불경제 성장, 부(負)의 경제학.

dis·e·con·o·my[disikánəmi/-kɔ́n-] *n.* (*pl.* **-mies**) 불경제; 비용 증대(의 요인).

dis·edge[disédʒ] *vt.* …의 날을〔가장자리를〕 없애다.〈날카로운 것을〉 무디게 하다(blunt).
dis·em·bar·go[dìsembáːrgou] *vt.*〈선박의〉억류를 해제하다; 출항〔입항〕 금지를 해제하다; 통상을 재개하다.
dis·em·bark[dìsembáːrk] *vt., vi.*〈화물·승객 등을〉(배·비행기 등에서) 내리다, 양륙하다, 상륙하다〔시키다〕. **~·ment** *n.*
dis·em·bar·ka·tion[-kéiʃən] *n.* Ⓤ 양륙, 상륙; 하륙, 하선, 하차.
disembarkátion càrd (여행자 등의) 입국 카드.
dis·em·bar·rass[dìsembǽrəs] *vt.* **1** 곤란으로부터 해방하다(free), 〈걱정·짐 등을〉 벗겨주다(rid)《*of*》; …을 안심시키다:《Ⅱ *Itv*Ⅱ+형+*to* do》((*to* do)-Ⅲ(목)+전+명+전+명) It is impossible *to* ~ his parents of their responsiblility for his behavior. 그의 행동에 대해 그의 부모는 책임을 면할 수 없다. **2** (~ one*self* 로)〈걱정·무거운 짐 등을〉 벗다; 안심하다《*of*》:《Ⅲ(목)+*to* do》((*to* do)-Ⅲ(목)+전+명) I write this book *to* ~ myself *of* certain notions. 나는 어떤 엉뚱한 생각에서 벗어나기 위해서 이책을 쓴다.
dis·em·bar·rass·ment *n.* Ⓤ 해방, 이탈《*of*》.
dis·em·bod·ied[dìsimbádid/-bɔ́d-] *a.* **1** 육체가 없는, 육체에서 분리된; 실체 없는, 현실에서 유리된. **2**〈목소리 등이〉 모습이 안 보이는 사람에게서 나온.
dis·em·bod·y[dìsembádi, -im-/-bɔ́di] *vt.* (**-bod·ied**) **1**〈영혼 등을〉 육체로부터 분리시키다. **2**《稀》〈군대를〉 해산하다(disband). **-bód·i·ment** *n.*
dis·em·bogue[dìsembóug] *vt.*〈강이 물을 바다·호수로〉 흘려 보내다, 방출하다《*into*》: The river ~*s* itself〔its water〕 *into* the sea. 강은 바다로 흘러 들어간다. ── *vi.*〈강이 바다·호수 등으로〉 흘러 들어가다《*into*》. **~·ment** *n.*
dis·em·bos·om[dìsembúzəm, -búːz-] *vt.* (~ one*self* 로)〈비밀 등을〉 털어놓다《*of*》: ~ one*self of* a secret 비밀을 털어놓다.
dis·em·bow·el[dìsembáuəl] *vt.* (**~ed**; **~·ing** | **~led**; **~·ling**)〈동물 등의〉 내장을 꺼내다: ~ oneself 할복하다. **~·ment** *n.* Ⓤ 창자를 꺼냄; 할복.
dis·em·broil[dìsembrɔ́il] *vt.* …의 엉킨 것을 풀다, …의 혼란을 진정시키다.
dis·em·plane[dìsimpléin] *vi.* 비행기에서 내리다.
dis·em·ployed[dìsimplɔ́id] *a.* (기술·교육을 못받아) 직업이 없는, 미취업의.
dis·en·a·ble[dìsinéibəl] *vt.* 무능력하게 하다, 무력하게 하다(make unable); …에게서 자격을 박탈하다.
dis·en·chant[dìsentʃǽnt, -tʃáːnt] *vt.*〈사람을〉 마법에서 풀다;(보통 수동형) …의 미몽〔환상〕을 깨우다《*with*》: *be* ~*ed* 미몽에서 깨어나다. **~·er** *n.* 마법을 푸는 사람. **~·ment** *n.* Ⓤ 미몽에서 깨어남, 각성.
dis·en·cum·ber[dìsenkʌ́mbər] *vt.*〈…을 고생·방해물로부터〉 해방시키다, 풀어주다《*of, from*》.
dis·en·dow[dìsendáu] *vt.*〈특히 교회 등의〉 기부 재산〔기본 재산〕을 몰수하다. **~·ment** *n.*
dis·en·fran·chise[dìsenfrǽntʃaiz] *vt.* = DISFRANCHISE. **~·ment** *n.*
dis·en·gage[dìsengéidʒ] *vt.* **1**〈기계 등의〉 연결〔접속〕을 풀다;(…에서)〈…을〉 풀다, 떼다《*from*》. **2** (의무·속박에서)〈사람을〉 해방하다. **3**〈전투를〉 중지하다;〈부대를〉 교전을 중지하고 철수시키다;(~ one*self* 로) 교전을 중지하다, 철수하다. ── *vi.* **1**〈기계 등이〉 연결이 풀리다. **2** 교전을 중지하다, 철수하다.
dis·en·gaged[-d] *a.* **1**《文語》〈사람이〉 약속〔예약〕이 없는, 일없이 쉬고 있는, 한가한(free);〈장소가〉 비어 있는(vacant). **2** 풀린, 이탈한; 유리되어 있는.
dis·en·gage·ment[dìsengéidʒmənt] *n.* Ⓤ **1** 해방 상태, 자유, 여가; 해약, (특히) 혼약의 해소. **2** 해방; 이탈, 유리《*from*》.
dis·en·gág·ing àction〔軍〕교전 회피, 자발적 철수《때로 「퇴각」에 대한 완곡한 표현으로도 씀》.
dis·en·tail[dìsentéil] *vt.*〔法〕〈재산의〉 한정 상속 지정을 해제하다(free from entail).
dis·en·tan·gle[dìsintǽŋgl] *vt.*〈엉킨 것을〉 풀다《*from*》;〈혼란에서〉 풀어내다《*from*》;(~ one*self* 로)(분규·분쟁 등에서) 빠져나오다, 해방되다《*from*》. ── *vi.* 풀리다. **~·ment** *n.*
dis·en·thral(l)[dìsenθrɔ́ːl] *vt.* (**~led**; **~·ling**)〈노예 등을〉 해방하다(set free). **~·ment** *n.* Ⓤ 해방.
dis·en·throne[dìsenθróun] *vt.* =DETHRONE.
dis·en·ti·tle[dìsentáitl] *vt.* …에게서 권리〔자격〕를 박탈하다.
dis·en·tomb[dìsentúːm] *vt.* 무덤에서 파내다; 발굴하다(disinter). **~·ment** *n.*
dis·en·trance[dìsentrǽns, -tráːns] *vt.* …을 황홀〔몽환〕 상태에서 깨어나게 하다. **~·ment** *n.*
dis·en·twine[dìsentwáin] *vt., vi.* …의 꼬인 것을 풀다; 풀리다.
dis·e·qui·lib·ri·um[disiːkwəlíbriəm] *n.* (*pl.* **~s, -ri·a**[-riə]) Ⓤ,Ⓒ《文語》(특히 경제의) 불균형, 불안정.
dis·es·tab·lish[dìsistǽbliʃ] *vt.*〈제도·관습을〉 폐지하다; 관직에서 해직하다;〈교회의〉 국교제(國敎制)를 폐지하다. **~·ment** *n.*
dis·es·tab·lish·men·tar·i·an[dìsistæbliʃmentέəriən] *n.* (종종 **D-**) 국교제도 폐지론자. ── *a.* 국교제도 폐지론의.
dis·es·teem[dìsestíːm] *vt.* 얕보다, 경시하다(slight). ── *n.* Ⓤ 경멸, 냉대.
di·seuse[di(ː)zə́ːz] [F] *n.* (*pl.* **-seus·es**[–]) 여자 화술가〔낭송자〕.
dis·fa·vor | -vour[disféivər] *n.* Ⓤ《文語》**1** 탐탁찮게 여김, 냉대, 싫어함; 불찬성. **2** 눈 밖에 남, 총애를 잃음; 인기 없음. **be**〔**live**〕 **in disfavor** (**with** …) (…의) 미움을 받고 있다, 인기가 없다. **fall**〔**come**〕 **into disfavor** (**with** …) (…의) 인기를 잃다, 눈 밖에 나다. **to**〔**in**〕 **the disfavor of** …에 불리하게. ── *vt.* 탐탁찮게 여기다, 냉대하다.
dis·fea·ture[disfíːtʃər] *vt.* = DISFIGURE.
***dis·fig·ure**[disfígjər/-fígər] *vt.* …의 외관을 손상하다, 볼꼴사납게 하다; 가치를 손상하다. **~·ment, dis·fig·ur·á·tion** *n.* Ⓤ,Ⓒ 미관 손상, 흠《*to*》.
dis·flu·en·cy[disflúːənsi] *n.* 눌변; 말더듬.
dis·for·est[disfɔ́ːrist, -fár-/-fɔ́r-] *vt.* =DEFOREST.
dis·fran·chise [disfrǽntʃaiz] *vt.*〈개인의〉 공민권〔선거권〕을 빼앗다;〈법인 등의〉 특권을 박탈하다.
dis·fran·chise·ment *n.* Ⓤ 공민〔선거〕권 박탈.
dis·frock[disfrák/-frɔ́k] *vt.* = UNFROCK.
dis·func·tion[disfʌ́ŋkʃən] *n., vi.* =DYSFUNC-

TION.

dis·gorge[disgɔ́:rdʒ] *vt., vi.* 〈먹은 것을〉 토해 내다: 〈강 등이〉 흘러들다《*at, into*》: 〈부정한 이익 등을〉 게워 내다, 마지못해 내놓다.

dis·grace[disgréis] *n.* **1** Ⓤ 불명예, 망신, 치욕:《Ⅰ *There v* Ⅰ +(주)+전+*-ing*》 There is no ~ *in* be*ing* poor. 가난한 것이 치욕은 될 수 없다. **2** (a ~) 망신시키는 것《*to*》. **3** Ⓤ 눈 밖에 나 있음, 인기 없음. **be a disgrace to** …의 망신감이다. **bring disgrace on one's family** (가문)을 더럽히다. **fall into disgrace** …의 총애를 잃다《*with*》. **in disgrace** 망신하여: 〈특히 어린아이가 어른의〉 눈 밖에 나서. ― *vt.* **1** 〈…의〉 수치가 되다: 욕보이다, 〈이름을〉 더럽히다. **2** (보통 수동형) 총애를 잃게 하다; 〈관리 등을〉(벌로서) 면직〔파면〕하다. **disgrace oneself** 망신하다. ◈ disgráceful *a.*

dis·grace·ful[disgréisfəl] *a.* 수치스러운, 불명예스러운, 면목 없는. **~·ness** *n.*

dis·grace·ful·ly *ad.* 불명예스럽게(도), 면목 없게(도).

dis·grunt[disgrʌ́nt] *vt.* 내뱉듯이 말하다.

dis·grun·tle[disgrʌ́ntl] *vt.* 기분 상하게 하다, …에게 불만을 품게 하다. **~·ment** *n.*

dis·grun·tled[-d] *a.* 불만인; 뿌루퉁한, 심술난(moody)《*at, with*》.

dis·guise[disgáiz] *n.* Ⓤ,Ⓒ **1** 변장, 가장, 가면. **2** (사람 눈을 속이기 위한) 거짓 행동; 구실. **in disguise** 변장한〔하여〕. **in〔under〕 the disguise of** …을 구실로, …이라 속이고. **make no disguise of one's feelings** (감정)을 드러내다. **throw off one's disguise** 가면을 벗어버리다, 정체를 나타내다. **without disguise** 노골적으로.
― *vt.* **1** 꾸미다, 변장〔위장〕시키다:《Ⅲ (목)》~ one's voice 목소리를 꾸미다/《Ⅴ (목)+*as*+명》 We ~*d* little Tom *as* a dwarf. 우리는 어린 톰을 난쟁이로 변장시켰다(=Little Tom was ~*d as* a dwarf.《Ⅱ *be pp.*+*as*+명》)/《Ⅴ (목)+*as*+명》 The robber ~*d* himself *as* a beggar. 그 강도는 거지로 위장하였다(=The robber was ~*d as* a beggar.《Ⅱ *be pp.*+*as*+명》). **2** 〈사실 등을〉 (겉모습을 바꾸어〔겉을 꾸며〕) 속이다, 〈사실 등을〉 숨기다, 〈의도·감정을〉 감추다: ~ a fact *from* a person 사실을 …에게 감추다. **disguised in〔with〕 drink** 술김에. **~·ment** *n.*

dis·guised[-d] *a.* **1** 변장한; 속임수의. **2** 《미俗》 술취한. **~·ly** *ad.*

dis·gust[disgʌ́st] [L] *n.* Ⓤ (매우) 싫음, 메스꺼움, 혐오감, 질색, 넌더리《*at, for, toward, against, with*》. **in disgust** 싫증나서, 넌더리나서. **to one's disgust** 염증〔싫증〕나게도.
― *vt.* 메스꺼워지게 하다, 정떨어지게 하다, 넌더리나게 하다:《Ⅲ (목)》Her way of speaking ~*s* me. 그녀의 말하는 버릇에 정나미가 떨어진다/《Ⅰ *be pp.*+*to do*》I was ~*ed to* see him drunk. 나는 그가 술에 취한 것을 보고 넌더리 났다. **be〔feel〕 disgusted at〔by, with〕** …으로 메스꺼워지다; …에 넌더리나다:《Ⅰ *be pp.*+전+명》*I was disgusted at* his behavior. 나는 그의 행동에 넌더리났다.
◈ disgústful, disgústing *a.*

dis·gust·ed·ly *ad.* 메스꺼워져서; 넌더리나서.

dis·gust·ful[disgʌ́stfəl] *a.* 메스꺼운, 넌더리나는; 지긋지긋한. **~·ly** *ad.*

dis·gust·ing[disgʌ́stiŋ] *a.* 메스꺼운, 넌더리나는: a ~ smell 메스꺼운 냄새. **~·ly** *ad.*

dish[1] [diʃ] [L] *n.* **1** (우묵한) 큰 접시《전원(全員)의 요리를 담은 원형 또는 타원형의 큰 접시》, 주발, 사발; (the ~es) 식탁용 접시류《보통 은그릇·유리그릇은 포함하지 않음》: wash up *the ~es* = 《미》 do *the ~es* 설거지하다. **2** 한 접시(의 요리). **3** (접시에 담은) 요리, 음식, 식료품. **4** 접시 모양의 물건; 접시형 안테나(의 반사판)(=~ antenna); 《영古》 =CUP. **5** 《口》 미인, 귀여운 여자. **6** (one's ~) 《口》 좋아하는 것, 자신 있는 것. **7** 〔野〕 홈베이스. **a dish of gossip〔chat〕** 잡담. **a dish of tea** 《古》 차 한 잔; 마음에 드는 것〔사람〕; 일, 문제(matter). **made dish** (고기·야채 기타 여러 가지의) 모듬 요리. **standing dish** 늘 똑같은 요리; 틀에 박힌 화제.
― *vt.* **1** 〈요리를〉 사발〔접시〕에 담다《*up, out*》: ~ *up* the dinner 만찬을 대접하다. **2** 사발 모양으로 움푹 들어가게 하다《*up*》. **3** 〔政〕 정책을 가로채서 패배시키다: 《영口》 〈사람·계획·희망 등을〉 꺾다, 지우다, 해치우다; 파산시키다. ― *vi.* 사발 모양으로 움푹해지다; 《미俗》 잡담하다. **dish it out** 《미口》 벌주다, 호통치다, 꾸짖다. **dish out** (1) 《口》 (음식을) 접시에 담아 나누어주다; (일반적으로) 분배〔공급〕하다. (2) 《俗》 줄줄 지껄이다. (3) 《미》 접시 모양의 구멍을 파다. (4) 《口》 무턱대고 주다. **dish up** 음식을 내다, 음식을 접시에 담다; 〈이야기 등을〉 꺼내다, 그럴듯하게 꾸미다.

dish[2] =SATELLITE.

dis·ha·bille[dìsəbí:l] [F] *n.* Ⓤ **1** 실내복; 약장(略裝), 약복, 평복; 단정치 못한 복장. **2** 해이한 정신 상태. **in dishabille** 〈특히 여성이〉 단정치 못한 복장으로, 살을 드러낸 옷차림으로.

dis·ha·bit·u·ate[dìshəbítʃuèit] *vt.* …에게 (…한) 습관을 버리게 하다.

dis·hal·lu·ci·na·tion[dìshəlù:sənéiʃən] *n.* Ⓤ 착각〔환각〕 파괴; 환멸.

dísh antènna 〔通信〕 접시형 안테나.

dis·har·mo·ni·ous[dìshɑ:rmóuniəs] *a.* 조화되지 않는, 불협화의.

dis·har·mo·nize[dishɑ́:rmənàiz] *vt.* …의 조화를 깨뜨리다〔어지럽히다〕. ― *vi.* 조화가 깨지다.

dis·har·mo·ny[dishɑ́:rməni] *n.* (*pl.* **-nies**) Ⓤ,Ⓒ 불일치, 부조화; 불협화(음), 음조가 안 맞음(discord).

dish·cloth[díʃklɔ̀(:)θ, -klɑ̀θ] *n.* (*pl.* ~s) 《영》 (접시 닦는) 행주(《미》 dish towel).

díshcloth góurd 〔植〕 수세미외.

dish·clout *n.* 《영方》 =DISHCLOTH.

dísh còver 접시 뚜껑《금속 또는 사기로 된 것으로 음식을 안 식게 함》.

dis·heart·en[dishɑ́:rtn] *vt.* 낙심〔낙담〕시키다. **feel disheartened at** …을 보고〔듣고〕 낙심하다. **~·ment** *n.*

dis·heart·en·ing *a.* 낙심시키는 (듯한): ~ news 낙심시키는 소식. **~·ly** *ad.*

dished[diʃt] *a.* **1** 움푹 들어간, 꺼진. **2** 〔機〕 〈바퀴·핸들이〉 접시형인. **3** 〈차바퀴 한 쌍의 간격이〉 접지점보다도 위쪽이 더 넓은. **4** 《俗》 지쳐빠진.

di·shev·el[diʃévl] *vt.* (~**ed**; ~·**ing**|~**led**; ~·**ling**) **1** 〈머리카락을〉 부수수하게 늘어뜨리다; 〈물건을〉 난잡하게 하다, 흩뜨리다. **2** …의 옷차림〔머리카락〕을 흩뜨리다. **~·ment** *n.*

di·shev·eled|-elled[diʃévəld] *a.* **1** 〈머리카락이〉 흐트러진, 헝클어진, 빗질 안한(unkempt). **2** 단정치 못한 〈옷 차림〉.

dish·ful[díʃfùl] *n.* (한) 접시 가득(한 양)《*of*》.

‡**dis·hon·est**[disɑ́nist/-ɔ́n-] *a.* **1** 〈사람이〉 부정직한, 불성실한. **2** 〈행위 등이〉 부정한, 악랄한; 〈일 등〉 눈속임으로 한; 〈사상이〉 진실성이 없는: (Ⅱ *It v* Ⅱ+형+*to do*) It's ~ *to* pretend. 가장 행위는 부정한 것이다. **~·ly** *ad.* 부정직하게, 불성실하게.

dis·hon·es·ty[-isti] *n.* (*pl.* **-ties**) U 부정직, 불성실; C 부정(행위), 사기.

‡**dis·hon·or** | **-our**[disɑ́nər/-ɔ́n-] *n.* U **1** 불명예, 망신. **2** (또는 a ~) 수칫거리, 망신시키는 것(*to*): He is *a* ~ *to* his family. 그는 가족의 수치〔망신거리〕이다. **3** 굴욕, 치욕, 모욕. **4** 〔商〕〈어음의〉 인수〔지불〕 거절, 부도.
live in dishonor 수치스러운〔굴욕적인〕 생활을 하다. ── *vt.* **1** …의 명예를 손상시키다〔더럽히다〕; 창피를 주다. **2** (여자의) 정조를 범하다. **3** 〈약속 등을〉 어기다; 〔商〕〈은행이 어음·수표를〉 부도내다(*opp.* accept): a ~*ed* check 부도 수표.

dis·hon·or·a·ble[-rəbəl] *a.* **1** 〈행위가〉 불명예스러운, 망신스러운, 수치스러운. **2** 도의〔도리〕에 어긋난; 비열한. **-bly** *ad.* 불명예스럽게, 비열하게.

dis·horn[dishɔ́:rn] *vt.* 〈짐승의〉 뿔을 자르다.

dis·house[disháuz] *vt.* 〈거주자를〉 집에서 쫓아내다, 집에서 퇴거시키다.

dish·pan[díʃpæ̀n] *n.* (미) 접시 씻는 그릇, 개수통.

díshpan hánds (단수·복수 취급) (미) 취사·세탁 등으로 거칠어진 손.

dish·rag [∠ræ̀g] *n.* (미) =DISHCLOTH.

dísh tòwel (미) (씻은 접시를 닦는) 행주 ((영) dishcloth).

dish·ware[∠wɛ̀ər] *n.* 접시류, 식기류.

dish·wash[∠wɑ̀ʃ, ∠wɔ̀(:)ʃ] *n.* (古) =DISHWATER.

dish·wash·er[∠wɑ̀ʃər, ∠wɔ̀(:)ʃ-] *n.* **1** 접시 닦는 사람〔기계〕. **2** 〔鳥〕 할미새.

dish·wa·ter[∠wɔ̀:tər, -wɑ̀t-] *n.* U 개숫물; (식기를 닦고 난) 구정물; 멀건 수프(thin soup), 싱거운 차〔커피(등)〕, 맛 없어 보이는 음료; 내용 없는 이야기: (as) dull as ~ 몹시 지루한.

dish·y[díʃi] *a.* (**dishier**; **-iest**) (영구) 〈사람이〉 성적 매력 있는.

⁎**dis·il·lu·sion**[dìsilú:ʒən] *n.* =DISILLUSIONMENT. ── *vt.* **1** …의 환영〔환상, 미몽〕을 깨우치다. **2** 환멸을 느끼게 하다. ◈ disillúsionment *n.*; disillúsionize *v.*; disillúsive *a.*

dis·il·lu·sioned *a.* 환멸을 느낀: be〔get〕 ~ *at*〔*about, with*〕 …에 환멸을 느끼다.

dis·il·lu·sion·ize[-àiz] *vt.* =DISILLUSION.

dis·il·lu·sion·ment *n.* U,C 환멸(감).

dis·il·lu·sive[dìsilú:siv] *a.* 환멸적인.

dis·im·pas·sioned[dìsimpǽʃənd] *a.* 냉정한, 침착한.

dis·im·pris·on[dìsimprízən] *vt.* 〈감금에서〉 석방하다. **~·ment** *n.* U 석방, 출옥.

dis·in·cen·tive[dìsinséntiv] *a.*, *n.* 행동을 억제하는 (것); 의욕을 꺾는 (것); (특히) 경제 성장〔생산성 향상〕을 저해하는 (것).

dis·in·cli·na·tion[dìsinklinéiʃən, ∠∸∸∠∸] *n.* U (또는 a〔some〕 ~, one's ~) 싫증, 마음이 안내킴(*for; to -ing; to* do): with ~ 싫으면서, 마지못해/(Ⅲ (목)+〈전+명〉) He has a ~ *for* work of any kind. 그는 어떤 종류의 일이라도 일하기를 싫어한다/(Ⅲ (목))((주부)-명+〈전+-*ing*+전+명〉) His ~ *to* work*ing in* the office reached the explosion point. 사무실 안에서 일하는 것에 대한 그의 싫증은 폭발점에 이르렀다/(Ⅲ (목)+〈*to* do〉) He has a ~ *to* work in an office. 그는 사무실 안에서 일하는 것에 싫증을 낸다.

dis·in·cline[dìsinkláin] *vt.* 싫증이 나게 하다, 마음이 안 내키게 하다(*to* do; *for, to*). ── *vi.* 마음이 안 내키다, …하기 싫어지다 (*to* do).

dis·in·clined[dìsinkláind] *a.* …하고 싶지 않은, 내키지 않는(reluctant)(*to do; for, to*): be ~ *to* work 일할 마음이 내키지 않다.

dis·in·cor·po·rate[dìsinkɔ́:rpərèit] *vt.* …의 법인 조직을 해체하다〔소멸시키다〕; …에서 합동〔공동〕성을 빼앗다.

dis·in·fect[dìsinfékt] *vt.* (살균) 소독하다. **-féc·tor**[-ər] *n.* 소독자〔기구, 제(劑)〕.

dis·in·fec·tant[dìsinféktənt] *a.* 살균성의, 소독력이 있는. ── *n.* 살균〔소독〕제.

dis·in·fec·tion[dìsinfékʃən] *n.* U 소독, 살균 (작용).

dis·in·fest[dìsinfést] *vt.* 〈집 등에서〉 해충〔쥐 등〕을 구제하다. **dìs·in·fes·tá·tion** *n.*

dis·in·flate[dìsinfléit] *vt.* 〈물가의〉 인플레이션을 완화〔억제〕하다.

dis·in·fla·tion[dìsinfléiʃən] *n.* U 〔經〕 디스인플레이션(디플레이션을 초래하지 않을 정도의 인플레이션 완화). **~·ar·y** *a.* 인플레이션 완화에 도움이 되는; 디스인플레이션의.

dis·in·form[dìsinfɔ́:rm] *vt.* …에게 허위〔역〕 정보를 흘리다.

dis·in·for·ma·tion[disìnfərméiʃən, dìsin-] *n.* U 그릇된 정보 (특히 적의 첩보망을 속이기 위한).

dis·in·gen·u·ous[dìsindʒénju:əs] *a.* 솔직하지 않은; 음흉한; 부정직〔불성실〕한. **~·ly** *ad.* **~·ness** *n.*

dis·in·her·it[dìsinhérit] *vt.* 〔法〕 **1** 〈자식을〉 폐적(廢嫡)하다, 상속권을 박탈하다. **2** …의 기득의 특권을 빼앗다.

dis·in·her·i·tance[-əns] *n.* U 〔法〕 폐적.

dis·in·hi·bi·tion[disinhibíʃən, dìsin-] *n.* 〔心〕 (외부로부터의 자극에 의해) 일시적으로 억제가 중단되는 것.

dis·in·sect·i·za·tion, dis·in·sec·tion [dìsinsèktizéiʃən], [dìsinsékʃən] *n.* (항공기에서 하는) 곤충〔해충〕 구제, 구충.

dis·in·te·gra·ble[disíntigrəbəl] *a.* 붕괴할 수 있는, 분해할 수 있는.

dis·in·te·grant[disíntigrənt] *n.* 정제 분해물질, 붕괴제.

dis·in·te·grate[disíntigrèit] *vt.* 붕괴〔분해, 풍화〕시키다. ── *vi.* (…으로) 붕괴〔분해〕되다 (*into*). **-gra·tive** *a.*

dis·in·te·gra·tion[disìntigréiʃən] *n.* U,C 분해, 붕괴, 분열; 분산; 〔物〕 (방사성 원소의) 붕괴, 괴변(壞變); 〔地質〕 풍화작용.

dis·in·te·gra·tor[disíntigrèitər] *n.* **1** 분해〔붕괴〕시키는 것. **2** (원료 등의) 분쇄기, (제지용) 파쇄기(破碎機).

dis·in·ter[dìsintə́:r] *vt.* (~**red**; ~·**ring**) 〈시체 등을 무덤 등에서〉 발굴하다; 들추어내다, 드러내다.

dis·in·ter·est[disíntərist, -rèst] *n.* U 이해 관계가 없음, 무관심(indifference). ── *vt.* …에게 이해 관계〔관심〕를 없게 하다 (⇨disinterested). **disinterest oneself (from)** (…와) 손을 끊다; (외교적으로) 간섭 등의 의지〔권리〕를 버리다.

⁎**dis·in·ter·est·ed**[disíntəristid, -rèst-] *a.* **1** 사심 없는, 공평한(unselfish); 이해 관계 없는, 제3자적인. **2** 흥미 없는, 무관심한, 냉담

한(*in*) ((비표준적 용법이며 uninterested 쪽이 일반적임)). **~·ly** *ad.* **~·ness** *n.*
dis·in·ter·me·di·a·tion[disìntərmì:di-éiʃən] *n.* Ⓤ 〔미金融〕 (증권 시장에 직접 투자하기 위한) 은행 예금에서의 고액 인출.
-mé·di·ate[disìntərmí:dieit] *vt.*
dis·in·ter·ment *n.* Ⓤ 발굴.
dis·in·tox·i·cate[dìsintáksikeit/-tɔ́k-] *vt.* 술을 깨게 하다: (마약〔알코올〕 중독자의) 중독 증상을 고치다: 의존 상태에서 벗어나게 하다.
dìs·in·tòx·i·cá·tion *n.*
dis·in·vest[dìsinvést] *vt., vi.* 〔經〕(해외) 투자를 회수하다: 부(負)의 투자를 하다. **~·ment** *n.*
dis·in·vite[dìsinváit] *vt.* 초대를 취소〔반대〕하다.
dis·ject[disdʒékt] *vt.* …을 산란케 하다, 이산시키다: 〈사지(四肢) 등을〉 찢다.
dis·jec·ta mem·bra[disdʒéktə-mémbrə] [L] *n. pl.* (문학 작품 등의) (흐트러진) 단편; 단편적 인용.
dis·join[disdʒɔ́in] *vt., vi.* 분리하다.
dis·joint[disdʒɔ́int] *vt.* **1** …의 관절을 삐게 하다, 탈구시키다. **2** 여러 토막으로 풀어 헤치다, 해체하다. **3** (보통 수동형) 지리멸렬하게 하다. ── *vi.* 관절을 삐다: 해체되다.
dis·joint·ed[disdʒɔ́intid] *a.* 관절이 삔; 흐트러진, 뿔뿔이 된; 〈사상·문체 등〉 지리멸렬한. **~·ly** *ad.*
dis·junct[disdʒʌ́ŋkt] *a.* 분리된(disconnected); 〔樂〕 도약의; 〔昆〕 〈머리·가슴·배의 3 부분이〉 분리된, 분획된. ── *n.* 〔論〕 선언지(選言肢); 〔文法〕 이접사.
dis·junc·tion[disdʒʌ́ŋkʃən] *n.* Ⓤ,Ⓒ 분리, 분열; 〔論〕 선언(選言)〔이접(離接)〕 (명제).
dis·junc·tive[disdʒʌ́ŋktiv] *a.* 분리성(性)의; 〔文法〕 이접적인; 〔論〕 선언적인. ── *n.* 〔文法〕 이접적 접속사(*but, yet* 등); 〔論〕 선언 명제. **~·ly** *ad.* 분리적으로.
***disk, disc**[disk] *n.* **1** 편편한 원반(모양의 물건); (경기용) 원반; 〔植〕 화반(花盤); (보통 disc) (축음기의) 레코드, 디스크. **2** 평원형의 표면: the sun's ~ 태양면. **3** 〔解〕 원반; ((특히)) 추간 연골. **4** (터빈의) 날개 바퀴; (자동차의) 주차 시간 표시판. **5** 〔컴퓨터〕 디스크((원판 모양의 자성(磁性) 매체 위에 데이터를 기록하는 컴퓨터의 외부 기억 장치의 일종)). **flying disk** =FLYING SAUCER. ── *vt.* 평원형으로 만들다; (보통 disc) ((口)) 레코드에 취입하다, 녹음하다. ◇ díscal *a.*
dísk bràke =DISC BRAKE.
dísk drìve 〔컴퓨터〕 디스크 드라이브((컴퓨터에 장착되어 disk의 저장 데이터를 읽게 하는 장치)).
dísk càche 〔컴퓨터〕 디스크 캐시((주기억 장치와 자기 디스크 사이의 완충 기억 장치)).
disk·ette[diskét] *n.* 〔컴퓨터〕 =FLOPPY DISK.
dísk flòwer 〔植〕 (국화과(科) 식물의) 중심화.
dísk hàrrow 원판 써레((트랙터용 농구)).
dísk jòckey =DISC JOCKEY.
dísk óperating system 〔컴퓨터〕 =DOS.
dísk pàck 〔컴퓨터〕 디스크팩((뗐다 붙였다 할 수 있는 한 벌의 자기(磁氣) 디스크)).
‡**dis·like**[disláik] *vt.* 싫어하다, 좋아하지 않다 ((◇ 진행형 없으며, DETEST보다 뜻이 약함)): ((Ⅲ -*ing*)) She ~*s* gett*ing* up late. 그녀는 늦게 일어나는 것을 싫어한다/((Ⅴ (목)+*to* do)) Jealousy ~*s* the world to know it. 질투는 세상이 자기를 아는 것을 싫어한다((◇ *to* do는 드물게 쓰임)). ── *n.* Ⓤ,Ⓒ 싫어함, 혐오.
have a dislike to〔**of, for**〕 …을 싫어하다: ((Ⅲ *v*Ⅲ+명+전+(목))) We *have a dislike of*〔*for*〕 making a nuisance of ourselves. 우리는 남에게 폐를 끼치는 것을 싫어한다. **one's likes and dislikes** 호(好) 불호. **take a strong dislike to** …을 매우 싫어하게 되다.
dis·lik(e)·a·ble[disláikəbəl] *a.* 싫은.
dis·lik·ing[disláikiŋ] *n.* =DISLIKE.
dis·lo·cate[dísloukèit, ─∸─] *vt.* 탈구(脫臼)시키다: 〔地質〕 단층(斷層)이 지게 하다: 차례〔위치〕가 뒤바뀌게 하다: 혼란시키다, 뒤죽박죽이 되게 하다.
dis·lo·ca·tion[dìsloukéiʃən] *n.* Ⓤ,Ⓒ 탈구; 혼란 (기간): 전위(轉位): 〔地質〕 변위(變位), 단층. ◇ díslocate *v.*
dis·lodge[dislɑ́dʒ/-lɔ́dʒ] *vt.* 이동시키다; 제거하다: 〈적·상대 팀 등을〉 (진지·수비 위치 등에서) 몰아내다, 격퇴하다(*from*): They ~*d* the enemy *from* the hill. 그들은 적을 언덕에서 격퇴시켰다. ── *vi.* 숙사〔숙영지〕를 떠나다.
dis·lodg(e)·ment[-mənt] *n.*
***dis·loy·al**[dislɔ́iəl] *a.* 불충한, 불성실한, 신의 없는(*to*). **~·ist** *n.* 불충자(*to*). **~·ly** *ad.* ◇ dislóyalty *n.*
dis·loy·al·ty *n.* (*pl.* **-ties**) Ⓤ,Ⓒ **1** 불충실; 신의 없음. **2** 불충실한〔신의 없는〕 행위.
***dis·mal**[dízməl] [L] *a.* **1** 음침한, 음산한; 〈기분 등이〉 우울한, 침울한. **2** 〈경치 등이〉 쓸쓸한, 황량한; 무시무시한, 기분 나쁜 〈장소 등〉. **3** 비참한, 참담한. ── *n.* (the ~s) 우울; 음산한 것; ((미南部)) (해안의) 소택지; (*pl.*) ((廢)) 상복. **be in the dismals** 울적하다, 「저기압이다」. **~·ly**[-i] *ad.*
dísmal scíence (the ~) 음울한 학문((경제학의 별칭)).
Dísmal Swámp (the ~) *n.* 디즈멀 대습지 ((Virginia주 및 North Carolina주의 연안 습지대)).
dis·man·tle[dismǽntl] *vt.* **1** 장비를 떼어내다; 비품을 치우다; 〈지붕 등을〉 벗기다(*of*); 〈요새의〉 방비를 철거하다; 〈배의〉 의장품(艤裝品)을 제거하다; 옷을 벗기다. **2** 〈기계 등을〉 분해하다, 해체하다; 파괴하다, 소멸시키다. ── *vi.* 〈기계 등이〉 분해되다. **~·ment** *n.*
dis·mask[dismǽsk, -mɑ́:sk] *vt.* =UNMASK.
dis·mast[dismǽst, -mɑ́:st] *vt.* (종종 수동형) 〈폭풍이〉 돛대를 앗아 가다〔부러뜨리다〕, 돛대를 떼어 내다.
‡**dis·may**[disméi] [OF] *n.* Ⓤ 당황, 어찌할 바를 모름; 놀람, 질림. ── *vt.* 당황케 하다; 놀라게 하다, 질리게 하다.
dis·mem·ber[dismémbər] *vt.* **1** 팔다리를 절단하다. **2** 〈국토를〉 분할하다.
dis·mem·ber·ment *n.* Ⓤ **1** (팔다리의) 절단. **2** 국토 분할.
‡**dis·miss**[dismís] [L] *vt.* **1** 〈남을〉 떠나게〔가게〕 하다, 물러가게 하다; 퇴거시키다, 퇴거를 허락〔요청, 명령〕하다; 〈학급·집단 등을〉 해산시키다, 퇴장시키다: after school was ~*ed* 방과 후/((Ⅰ *be pp.*)) The class is ~*ed.* 수업은 이만 끝/((Ⅲ (목)+전+명)) The teacher ~*ed* the class at three p.m. 교사는 오후 3시에 그 학급을 해산시켰다/((Ⅰ *be pp.*)) You are ~*ed.* (군대 등에서) 해산!/((Ⅰ *be pp.*+전+명)) She was ~*ed after* questioning. 그녀는 심문 후 방면되었다. **2** 해고〔면직〕하다, 내쫓다(expel) (*from*): ((Ⅲ (목))) His master ~*ed* him. 그의 사용자가 그를 해고 시켰다(=He was ~*ed* by his master. ((Ⅰ *be pp.*+전+명)))/((Ⅲ (목)+전+명)) We ~*ed* the boy *from* (the) school. 그 학생을 퇴학시켰다(=The boy was ~*ed* (from)

(the) school.《 I *be pp.*+(전)+(명)》/He was ~*ed* (*from*) the army〔the service〕. 그는 군대에서 제대되었다(◇수동의 경우에는 종종 from이 생략됨). **3** 〈생각 등을〉 버리다:(깨끗이) 잊어버리다《*from*》: ~ an anxiety *from* one's thought 걱정을 아주 잊다. **4** 〈토의 중의 문제 등을〉 간단히 처리해 버리다, 걷어치우다: 〔法〕〈소송 사건을〉 각하하다. **5** 〔크리켓〕 〈타자·팀을〉 아웃시키다. — *vi.* 해산하다, 분산하다(disperse): 〔軍〕《口令》 해산!
— *n.* (the ~) 〔軍〕 해산, 퇴장.
◇ dismíssal, dismíssion *n.*

*__dis·miss·al__[dismísəl] *n.* Ⓤ **1** 해산, 퇴거. **2** 해방: 퇴학, 퇴회(退會). **3** 면직, 해고《*from*》. **4** 〔法〕 (소송의) 각하, (상소의) 기각. **dismissal from school** 퇴학 처분. ◇ dismíss *v.*

dis·miss·i·ble *a.* 해고할 수 있는.

dis·mis·sion[dismíʃən] *n.* 《古》=DISMISSAL.

dis·mis·sive[dismísiv] *a.* 각하하는, 거부하는(듯한): 물리치는, 그만두게 하는: 거만한, 경멸적인.

*__dis·mount__[dismáunt] *vi.* 〈말·자전거 등에서〉 내리다(*alight*)《*from*》. — *vt.* **1** 〈…을 말 등에서〉 내리게 하다: 〈사람을〉 낙마시키다. **2** 〈선반 등에서〉 아래로 내려 놓다: 〈대포를〉 포차(砲車)〔포좌(砲座)〕에서 내리다. **3** 〈그림 등을〉 틀에서 빼내다: 〈보석 등을〉 떼어내다. **4** 〈기계 등을〉 분해하다. — *n.* U,C 내리기, 하마(下馬), 하차: 분해. **~·a·ble** *a.*

Dis·ney[dízni] *n.* 디즈니 Walt(er) Elias ~ (1901-66)《미국의 만화 영화 제작자》.

Dis·ney·esque[dìzniésk] *a.* 〈사람·사물·태도 등이〉 디즈니(Disney) 만화〔유원지〕 같은.

Dis·ney·land[-lǽnd] *n.* 디즈닐랜드《Walt Disney가 Los Angeles에 만든 유원지》.

*__dis·o·be·di·ence__[dìsəbí:diəns] *n.* Ⓤ **1** 불순종, 불복종, 반항: 불효《*to*》(*opp.* obedience). **2** 〈명령·법률·규칙 등의〉 위반, 반칙《*to*》.
◇ disobéy *v.*: disobédient *a.*

*__dis·o·be·di·ent__[dìsəbí:diənt] *a.* **1** 순종하지 않는, 말을 안 듣는: 불효한. **2** 위반하는, 반항하는《*to*》. **~·ly** *ad.*
◇ disobéy *v.*: disobédience *n.*

*__dis·o·bey__[dìsəbéi] *vt., vi.* 〈분부·명령 등을〉 좇지 않다, 불복종하다, 반칙(反則)하다, 어기다. **~·er**[-ər] *n.*
◇ disobédient *a.*: disobédience *n.*

dis·o·blige[dìsəbláidʒ] *vt.* 《文語》 불친절하게 대하다, …의 뜻을 거스르다: 노하게 하다: 폐를 끼치다.

dis·o·blig·ing[dìsəbláidʒiŋ] *a.* 불친절한, 인정 없는. **~·ly** *ad.*

dis·op·er·a·tion[disɑ̀pəréiʃən/-ɔ̀p-] *n.* C,U 〔生態〕 상해(相害) 작용.

‡__dis·or·der__[disɔ́:rdər] *n.* U,C **1** 무질서, 혼란: 난잡. **2** (사회적·정치적) 불온, 소동, 소란. **3** 〈심신 기능의〉 부조(不調), 장애:(가벼운) 병. **be in disorder** 혼란 상태에 있다. **fall〔throw〕 into disorder** 혼란에 빠지다〔빠뜨리다〕. — *vt.* 〈질서 등을〉 어지럽히다, 혼란시키다: 〈심신이〉 탈나게 하다, 병들게 하다. ◇ disórderly *a.*

dis·or·dered *a.* 혼란된, 난잡한: 탈난, 병든: a ~ mind 정신 착란/a ~ digestion 소화불량.

dis·or·der·li·ness *n.* Ⓤ **1** 무질서, 혼란. **2** 난폭: 공안 방해.

*__dis·or·der·ly__[disɔ́:rdərli] *a.* **1** 무질서한, 혼란한. **2** 난폭한, 무법의, 난잡한. **3** 〔法〕 공안 방해의, 풍기 문란의.

disórderly cónduct 〔法〕 치안〔풍기〕 문란 행위(경범죄).

disórderly hóuse 매음굴, 도박굴.

dis·or·ga·ni·za·tion[disɔ̀:rgənizéiʃən] *n.* Ⓤ 해체, 분열: 혼란.

dis·or·ga·nize[disɔ́:rgənàiz] *vt.* 조직〔질서〕을 파괴〔문란케〕하다, …을 혼란시키다. **-niz·er** *n.*

dis·or·ga·nized *a.* 조직〔질서〕이 문란한: 엉터리의, 지리멸렬한.

dis·o·ri·ent[disɔ́:riənt, -ènt] *vt.* 〈교회를〉 성단이 동쪽을 향하지 않게 짓다:(보통 수동형) 〈사람의〉 방향 감각을 혼란시키다:(보통 p.p.)(낯선 상황에 처하게 하여) 갈피를 못 잡게 하다, 어리둥절하게 하다.

dis·o·ri·en·tate[disɔ́:riəntèit] *vt.*=DISORIENT.

dis·o·ri·en·ta·tion[disɔ̀:riəntéiʃən] *n.* Ⓤ **1** 방향 감각 상실. **2** 〔精醫〕 지남력(指南力) 장애.

dis·own[disóun] *vt.* 〈저작물 등을〉 자기 것이 아니라고 말하다: 자기와의 관계를 부인하다: 〈자식과〉 의절(義絶)하다: ~ one's son 자식과 인연을 끊다.

disp. dispensary.

dis·par·age[dispǽridʒ] *vt.* **1** 얕보다, 깔보다. **2** 헐뜯다, 험담하다, 비난하다. **~·ment** *n.* Ⓤ 경멸, 얕봄: 비난.

dis·par·ag·ing[dispǽridʒiŋ] *a.* 얕보는: 험담하는, 비난하는. **~·ly** *ad.*

dis·par·ate[díspərit, dispǽr-] *a.* (본질적으로) 다른, 공통점이 없는: 〔論〕 부동등(不同等)의, (전혀) 이종(異種)의. — *n.* (보통 *pl.*) 전혀 비교할 수 없는 것《언어 개념 등》. **~·ly** *ad.* **~·ness** *n.*

dis·par·i·ty[dispǽrəti] *n.* (*pl.* **-ties**) U,C 상이, 부동 부등(不等)(inequality), 불균형《*between, in, of*》.

dis·park[dispɑ́:rk] *vt.* 〈개인의 정원·수렵지를〉 개방하다.

dis·part[dispɑ́:rt] *vt., vi.* 분열하다, 분리하다, 분할하다〔되다〕.

dis·pas·sion[dispǽʃən] *n.* Ⓤ 냉정: 공평.

dis·pas·sion·ate[dispǽʃənit] *a.* 감정적이 아닌, 냉정한(calm): 공평한(impartial). **~·ly** *ad.* **~·ness** *n.*

‡__dis·patch, des-__[dispǽtʃ] *vt.* **1** 〈군대·특사 등을〉 급파〔특파〕하다: 〈급보를〉 발송하다《*to*》. **2** 재빨리 해치우다: 신속히 처리하다: 〈식사를〉 빨리 먹어치우다. **3** 없애버리다, 죽이다: 〈사형수 등을〉 처형하다. — *n.* **1** Ⓤ 급파, 특파, 파견: 급송, 발송, 발신: Ⓒ 속달편. **2** 급송 공문서: 〔新聞〕 급보, 특전. **3** Ⓤ (처리 등의) 신속: 신속한 조치. **4** U,C 죽여 해결하기, 죽이기: a happy ~ 할복 자살. **5** (속달 화물) 운송 대리점. **be mentioned in dispatches** 《영》 〈군인 등이〉 수훈(殊勳) 보고서에 이름이 오르다. **with dispatch** 지급으로, 신속히, 잽싸게.

dispátch bòat 공문서 송달용 쾌속선.

dispátch bòx〔càse〕 (공문서의) 송달함.

dis·patch·er[dispǽtʃər] *n.* (열차·버스·트럭 등의) 배차〔발차, 조차〕원, 발송 계원, 급파하는 사람: 《미俗》 조작해 놓은 한 쌍의 주사위.

dispátch mòney 에누리한 돈: 선적〔양륙〕 할인 환급료.

dispátch nòte (국제 우편의 소하물에 붙이는) 꼬리표.

dispátch rìder 전령, 급사(急使).

dispátch tùbe 기송관(氣送管)《압축 공기로

급한 서신을 보내는》.
*dis·pel [dispél] vt. (~led; ~·ling) 쫓아버리다, 〈근심·의심 등을〉 없애다; 〈안개 등을〉 헤쳐 없애다(disperse): Work ~s boredom. 일을 하면 지루한 줄 모른다.
dis·pens·a·ble [dispénsəbəl] a. **1** 없어도 되는(*opp.* indispensable). **2** 베풀어[나누어] 줄 수 있는. **3** 〔가톨릭〕 특별 면제할 수 있는, 관면할 수 있는. **~·ness** n.
dis·pèns·a·bíl·i·ty [-bíləti] n.
dis·pen·sa·ry [dispénsəri] n. (*pl.* **-ries**) (병원 등의) 약국, 조제실; (학교·공장 등의) 의무실, 양호실.
dis·pen·sa·tion [dìspənséiʃən, -pen-] n. [U,C] **1** 분배, 시여(施與); 분배품, 시여물. **2** (의약의) 조제, 처방. **3** 처리; (법 등의) 시행, 실시《*of*》. **4** 하늘이 내리는 것; 하늘의 뜻, (신의) 섭리. **5** 통치, 제도, 체제. **6** 〔神學〕 천계법(天啓法)(시대); 〔法〕 (법의) 적용 면제《어떤 행위·불행위의 면제》; 〔가톨릭〕 특면; 특면장. **7** 없는 대로 견딤, 없이 지냄《*with*》. **the Christian dispensation** 기독교 천계법(시대). **the Mosaic dispensation** 모세의 율법(시대). **~·al** [-ʃənəl] a.
dis·pen·sa·tor [díspənsèitər, -pen-] n. 《古》 **1** 조제자; 분배자(=DISPENSER). **2** 지배자.
dis·pen·sa·to·ry [dispénsətɔ̀ːri/-təri] n. (*pl.* **-ries**) **1** 약국방 해설서(書). **2** 《古》 =DISPENSARY.
*dis·pense [dispéns] [L] vt. **1** 분배[시여]하다; 〈법을〉 시행하다: 《Ⅲ (목)+전+명》 He ~*d* alms *to* the poor. 그는 의연금을 가난한 사람들에게 나누어 주었다/~ justice 법을 시행하다. **2** 〈약을〉 조제하다; 투여하다. **3** 〔가톨릭〕 특면하다; 〈의무를〉 면제하다《*from*》: 《Ⅲ (목)+전+명》 I ~ you *from* your obligations. 너의 의무를 면제한다. — vi. **1** 면제하다; 〔가톨릭〕 특면하다. **2** 〈약을〉 조제하다. **dispense with** (1) …을 특면하다. (2) 불필요하게 만들다, 하지 않아도 되게 하다: 《Ⅲ vⅠ+전+(목)》 Machinery ~*s* with much labor. 기계는 많은 인력을 덜어준다. (3) … 없이 해내다(do without): 《Ⅰ *be pp.*(vⅠ)+전》 You cannot be ~*ed with.* 너 없이는 해낼 수 없다. ◇ dispensátion n.
dis·pens·er [-ər] n. **1** 약사, 조제자. **2** 시여자, 분배자. **3** 자동 판매기; 디스펜서《휴지·종이컵 등을 빼내어 쓰게 된 용기》.
dis·péns·ing chémist 조제 약사.
dis·peo·ple [dispíːpəl] vt. …의 주민을 없애다, 인구를 감소시키다(depopulate).
dis·pers·al [dispə́ːrsəl] n. =DISPERSION.
*dis·perse [dispə́ːrs] vt. 흩뜨리다, 흩어지게 하다(scatter), 〈적을〉 패주시키다(rout); 〈군중을〉 해산시키다; 〈바람이 구름·안개 등을〉 흩어 없어지게 하다, 소산시키다; 〈환영 등을〉 쫓아 버리다; 〈군대·경찰 등을〉 분산 배치하다; 〈종자·병·지식 등을〉 퍼뜨리다, 전파시키다; 〔光〕 〈빛을〉 분산시키다. — vi. 〈군중 등이〉 흩어지다, 분산[해산]하다; 산재하다; 〈구름·안개 등이〉 흩어 없어지다, 소산하다: 《Ⅰ vⅠ》 The crowd ~*d.* 군중들은 흩어졌다. — a. 〔光〕 분산된.
◇ dispérsal, dispérsion n.; dispérsive a.
dis·persed [-t] a. 흩어진, 분산된.
dis·pers·ed·ly [-idli, -st-] ad. 분산하여, 뿔뿔이, 산산이 흩어져.
dis·per·sion [dispə́ːrʒən, -ʃən] n. [U] **1** 흩뜨림, 산포(散布); 분산; 흩어짐, 이산(離散); 산포도. **2** (the D-) 유대인의 이산(=DIASPORA). **3** 〔光〕 분산, 분광; 〔醫〕 (염증 등의) 소산(消散); 〔統計〕 분산.
dis·per·sive [dispə́ːrsiv] a. 흩어지는; 흩뜨리는, 분산적인; 전파성의. **~·ly** ad. **~·ness** n.
di·spir·it [dispírit] vt. …의 기를 꺾다, 낙담시키다.
di·spir·it·ed [dispíritid] a. 기가 꺾인, 풀죽은, 낙심한(disheartened). **~·ly** ad.
di·spir·it·ing a. 낙심[낙담]시키는.
dis·pit·e·ous [dispítiəs] a. 《古》 무자비한, 잔혹한.
*dis·place [dispIéis] vt. **1** 바꾸어 놓다, (원래의 장소에서) 옮겨 놓다《*from*》. **2** 대신 들어서다. **3** 〔化〕 치환(置換)하다. **4** 〈관리를〉 면직[해임]하다; 〈사람을 고국 등에서〉 강제 퇴거시키다《*from*》. **5** 〈배가 …의〉 배수량을 가지다; 〈자동차·엔진이 …의〉 배기량을 가지다: The ship ~*s* 30,000 tons. 그 배의 배수량은 30,000톤이다. **~·a·ble** [-əbəl] a.
◇ displácement n.
dis·pláced hómemaker (이혼·별거·남편의 사망·무능력 등으로) 생활 수단을 잃은 주부.
displáced pérson (전쟁·압제 때문에 고국에서 추방된) 난민, 유민(流民)《略 DP, D.P.》.
*dis·place·ment [displéismənt] n. [U] **1** 바꾸어 놓기, 전치(轉置); 〔化〕 치환; 이동; 배제; 퇴거; 〔物〕 변위. **2** 면직, 해임. **3** 〔藥〕 여과(濾過). **4** (선박의) 배수량[톤](*cf.* TONNAGE); (엔진의) 배기량: a ship of 20,000 tons ~ (배수 톤수) 2만톤의 배/a car of 1800cc ~ 배기량 1800cc의 차.
displácement tònnage 배수 톤수.
dis·plac·er [displéisər] n. (조제용) 여과기 (percolator); 배제하는 사람[물건].
⁑dis·play [displéi] [OF] vt. **1** 표시[표명]하다; 〈깃발·돛 등을〉 펼치다, 〈날개 등을〉 펴다. **2** 〈감정 등을〉 나타내다; 〈능력 등을〉 발휘하다; …을 드러내보이다; 과시하다. **3** 전시하다, 진열하다, 장식하다: ~ goods 상품을 전시하다/Various styles of suits are ~*ed in* the shopwindows. 여러 가지 스타일의 슈츠가 진열창에 진열되어 있다. **4** 〔印〕 〈특수 활자 등으로 어떤 말을〉 돋보이게 하다. **display oneself[itself]** 나타나다. — n. [U,C] **1** 전시, 진열; (집합적) 전시품: a ~ of fireworks 불꽃놀이. **2** 표명; 표시. **3** 드러내 보이기, 과시; (감정 등의) 표현. **4** 〔印〕 어떤 말이 《특히》 눈에 띄게 조판하기[한 것]. **5** 〔컴퓨터〕 디스플레이《브라운관에 문자·도형을 표시하는 장치》. **6** 〔動〕 (새 등의 위협·구애를 위한) 과시 행동. **make a display of** …을 드러내 보이다, 과시하다. **on display** 진열[전시]하여. **out of display** 보란 듯이. **~·er** n.
displáy àdvertising (신문·잡지의) 디스플레이 광고《주의를 끌도록 화려하게 인쇄한》.
displáy àrtist (실내·쇼 윈도의) 디스플레이 광고 제작자.
dis·played [dispIéid] a. 〔紋〕 〈새가〉 날개를 펴고 다리를 벌린.
displáy kèy 디스플레이 키《호텔 등의 객실용 키》.
displáy tỳpe 표제·광고용 활자.
displáy wìndow (정면) 진열창.
⁑dis·please [displíːz] vt. 불쾌하게 하다, …의 비위를 거스르다, 성나게 하다.
dis·pleased a. 불쾌한; 불만스러운, 화를 낸《*with*》; 못마땅한, 역정을 낸《*at*》: a ~ look 불쾌한 표정. **be displeased with** a person [**with, at, by** a thing] 사람[사물]을 불쾌하게[불만스럽게, 못마땅하게] 여기다; …에게 화

를 내다:(Ⅱ 형+전+명) She *is displeased with* you. 그녀는 너에게 화를 내고 있다/He *is displeased at* your behavior. 그는 너의 행동을 못마땅하게 여기고 있다. ◇ displéasure *n.*

dis·pleas·ing[displí:ziŋ] *a.* 불유쾌한, 화나는, 싫은(*to*). **~·ly** *ad.*

*__dis·plea·sure__[displéʒər] *n.* U 불쾌, 불만; 골, 화; C《古》불쾌한 일, 불만의 원인. **incur the displeasure of** …의 비위를 거스르다. **take (a) displeasure** 불쾌하게 생각하다, 화내다. ── *vt.*《古》=DISPLEASE.

dis·plume[displú:m] *vt.*《詩》…의 깃털을 뽑다; 허식을 없애다; …의 명예를 박탈하다.

dis·port[dispɔ́:rt] *vt.* (~one*self* 로) 흥겹게 놀다, 즐기다. ── *vi.* 흥겹게 놀다, 장난하다. ── *n.* U,C《古》오락, 놀이, 위안.

dis·pos·a·ble[dispóuzəbəl] *a.* **1** 처분할 수 있는, 마음대로 쓸 수 있는; 〈소득 등이〉(세금을 지불하고) 자유로이 쓸 수 있는. **2** 〈종이 제품 등이〉 사용 후 버릴 수 있는: ~ diapers [towels] 종이 기저귀[수건]. ── *n.* (종종 *pl.*) 사용 후 버리는 물건, 일회용 물품.

dispósable íncome 가(可)처분 소득.

‡**dis·pos·al**[dispóuzəl] *n.* U **1** (재산·문제 등의) 처분, 처리, 정리; 양도, 매각; (폐물 등의) 처리. **2** 처분의 자유; 처분권. **3** 배치, 배열. **be at[in] a person's disposal** …의 마음대로 처분할 수 있다, 임의로 쓸 수 있다. **disposal by sale** 매각 처분. **put[place, leave] something at a person's disposal** …의 임의 처분에 맡기다. ◇ dispóse *v.*

dispósal bàg (비행기·호텔 등에 비치한) 오물 처리 주머니.

‡**dis·pose**[dispóuz] *vt.* **1** 〈군대·함대를〉 배치하다, 배열하다(*for*). **2** 적소에 배치하다; (어떤 용도에) 충당하다, 배분하다; (사무·문제 등을) 처리하다, …의 결말을 짓다. **3** …할 마음이 나게 하다; 〈사람에게〉 …의 경향을 갖게 하다, 〈사람에게〉 …의 영향을 받기 쉽게 하다(*to*): (Ⅴ(목)+*to* do) The low salary does not ~ me *to* accept your job offer. 급료가 작아서 당신의 취업 제의를 받아들이고 싶지 않다/(Ⅲ(목)+전+명) The news ~*d* him favorably *to* our plan. 그 뉴스는 그가 우리의 계획에 호의적으로 동조하게 했다. **4**《古》준비하다, 처리하다. ── *vi.* 처리하다, 처치[처분]하다; 형세를 정하다, 일의 추세[성패]를 결정하다: (Ⅰ *v*Ⅰ) Man proposes, but God ~*s.* 일은 사람이 꾸미지만, 성패는 하늘이 결정한다(謀事在人, 成事在天). **dispose of** (1) …을 처분[양도]하다, 팔아 버리다; 처치하다; 결말을 짓다, 해결[처리]하다: (Ⅲ *v*Ⅰ+전+(목)) He *disposed of* his dwelling house. 그는 그의 주택을 처분했다 (=His dwelling house *was disposed of.*(Ⅰ *be pp.*(*v*Ⅰ)+전))/That *disposed of* your point. 그것으로 너의 주장이 해결된다. (2) 지우다, 해치우다, 죽이다. (3) …을 다 먹어[마셔] 버리다. **dispose of oneself** 거취[태도]를 (결)정하다, 처신하다; 자력으로 생계를 세우다: Man proposes, God ~*s.*《속담》계획은 사람이 꾸미되, 성패는 하늘에 달렸다. ◇ dispósal, disposítion *n.*

*__dis·posed__[dispóuzd] *a.* **1** …할 생각이 있는, 마음이 내키는; …의 경향[기질]이 있는: (Ⅱ 형+전+명) Are you ~ *for* a walk?(=Are you ~ *to* tak*ing* a walk?(Ⅱ 형+전+-*ing*)) 산책하고 싶습니까/(Ⅱ 형+*to* do) I am not ~ *to* accept your job offer. 나는 당신의 취업 제의를 받아들이고 싶지 않습니다/I am ~ *to* agree with you. 나는 당신한테 찬성하고 싶다. **2** a (합성어) …한 기분[감정]의, …한 성질의: well-[ill-]~ 호의[악의]를 가지고 있는, 성품[성질]이 좋은[나쁜]. **b** (well, ill 등 양태의 부사와 함께) (…에 대하여) …한 감정을 품은 (*to, toward*): 성품이 좋은[나쁜]: He is well [ill] ~ *to*[*toward*] her. 그는 그녀에게 호의[악의]를 가지고 있다/He is well[ill]. 그는 성품이 좋다[나쁘다]. **3** 배치된.

dis·pos·er[dispóuzər] *n.* **1** 처리자. **2** (부엌 싱크대에 부착된) 찌꺼기[쓰레기] 처리 장치 (⇨garbage disposer).

‡**dis·po·si·tion**[dìspəzíʃən] *n.* C,U **1** 배열, 배치; 작전 계획. **2** 처분, 매각, 정리(disposal); 《法》양도, 증여; 처분권, 처분의 자유. **3** 성질, 기질, 성벽; 〈…하는〉 경향, 성향; 〈…하고 싶은〉 생각, 의향; 《醫》소인(素因): He had a ~ *to* do gambling. 그는 노름하는 버릇이 있었다/She has a natural ~ *to* catch cold. 그녀는 감기에 잘 걸리는 체질이다. **at [in] a person's disposition** …의 마음대로[임의로]. **disposition of Providence** 하늘의 뜻, 신의 섭리. **God has the supreme disposition of all things.** 신은 만물의 최고 지배권을 가진다. **make one's dispositions** 만반의 준비를 하다. ◇ dispóse *v.*

dis·pos·sess[dìspəzés] *vt.*《文語》**1** …에게서 재산[사용권]을 빼앗다(*of*): ~ a person *of* his property …의 재산을 빼앗다. **2** 토지에서 퇴거시키다.

dis·pos·sessed[dìspəzést] *a.* **1** 쫓겨난. **2** 토지·가옥을 빼앗긴: (the ~; 명사적; 복수 취급) 토지·가옥을 빼앗긴 사람들. **3** 좌절한, 소외된: Modern man is spiritually ~. 현대인은 정신적인 파산자이다.

dis·pos·ses·sion[dìspəzéʃən] *n.* U 몰아내기; 강탈, 탈취; 《法》부동산 불법 점유.

dis·pos·ses·sor *n.* (토지) 침탈자(侵奪者).

dis·praise[dispréiz] *vt.* 헐뜯다, 나쁘게 말하다; 비난하다. ── *n.* U,C 헐뜯기; 비난. **speak in dispraise of** …을 헐뜯다, 비난하다.

dis·prize *vt.*《古》얕보다, 경시하다, 업신여기다.

dis·prod·uct[disprádəkt, -dʌkt/-prɔ́d-] *n.* (생산자의 태만에 의한) 유해 제품, 불량품.

dis·proof[disprú:f] *n.* U,C **1** 반증(反證)을 들기, 논박, 반박. **2** 반증(물건). ◇ disprόve *v.*

dis·pro·por·tion[dìsprəpɔ́:rʃən] *n.* U 불균형; C 불균형한 것. ── *vt.* …의 균형을 잃게 하다, 어울리지 않게 하다.

dis·pro·por·tion·al[dìsprəpɔ́:rʃənəl] *a.* 어울리지 않는, 불균형의. **~·ly**[-əli] *ad.*

dis·pro·por·tion·ate[dìsprəpɔ́:rʃənit] *a.* 불균형의, 어울리지 않는(*to*). **~·ly** *ad.* 불균형하게, 어울리지 않게.

*__dis·prove__[disprú:v] *vt.* (~**d**; ~**d**, **-prov·en** [-prú:vən]) …의 반증을 들다, 그릇됨을 증명하다, 논박하다. **dìs·próv·a·ble** *a.* ◇ dispróof *n.*

dis·put·a·ble[dispjú:təbəl] *a.* 논쟁[의문]의 여지가 있는; 의심스러운. **-bly** *ad.*
dis·pùt·a·bíl·i·ty *n.*

dis·pu·tant[dispjú:tənt] *n.*《文語》논쟁자; 논객. ── *a.* 논쟁의; 논쟁중인.

dis·pu·ta·tion[dìspjutéiʃən] *n.* U,C 논쟁, 쟁론; 토론.

dis·pu·ta·tious[dìspjutéiʃəs] *a.* 논쟁적인; 논쟁을 좋아하는. **~·ly** *ad.*

dis·pu·ta·tive[dispjú:tətiv] *a.*=DISPUTATIOUS.

‡**dis·pute**[dispjú:t] *vi.* **1** (…에 대해) 논의

하다(*about, on*): 논쟁하다; 언쟁하다(*with, against*): (Ⅰ *There* vⅠ+(주)+전+명) There is no *disputing about* tastes. 취미란 논의할 수 없는 것이다/(Ⅰ (구전)+*wh.*(절)) They ~*d as to who* is the greatest scientist. 그들은 누구가 가장 위대한 과학자인가를 논의했다/(Ⅰ *There* vⅠ +(주)+전+-*ing*) There is nothing to be gained *by disputing* with him. 그와 언쟁해봤자 득이 될 게 아무 것도 없다. **2** (…에 대해) 반론하다, 이의를 말하다(*against*): (Ⅲ vⅠ+전+(목))(*no pass.*) She ~*d against* his orders. 그녀는 그의 명령에 대해 이의를 말했다. — *vt.* **1** 논하다; 토의하다, 논의하다: He ~*d* the case. 그는 그 진상에 대해 논했다/(Ⅲ (목)+전+명) I ~*d* the possession *of* the land with him. 나는 그와 그 토지의 소유권을 논의했다/(Ⅲ *wh. to* do) We ~*d what to* do next. 다음에 무엇을 할 것인가를 논의했다/(Ⅲ *whether*(절)) We ~*d whether* the judgment is fair. 그 판단이 공정한지 어떤지에 대해 논의했다. **2** 〈제안 등을〉 논박하다, 반론하다: (Ⅲ (목)+〈(절)〉)He ~*d* every point I made. 그는 내가 제의한 모든 점에 대해 반론했다. **3** 〈사실 등에〉 의심을 품다, 이의를 제기하다: (Ⅰ *be pp.*) The fact cannot be ~*d.* 그 사실은 의심할 여지가 없다. **4** 항쟁(저항, 저지)하다: (Ⅲ (목)+전+명) They ~*d* the landing *by* the enemy. 그들은 적의 상륙을 저지하려했다. **5** 〈우위(優位)·승리 등을〉 겨루다, 얻으려고(잃지 않으려고) 다투다: (Ⅲ (목)+전+명) He ~*d* the first prize *with* her. 그는 그녀와 일등상을 다투었다/(Ⅲ (목)) We ~*d* every inch of ground. 우리는 한 치의 땅도 잃지 않으려고 싸웠다. **6** 의론하여 …하게 하다: (Ⅴ (목)+전+명) We must ~ them *into* agreement. 우리는 의론하여 그들이 동의하게 해야한다/(Ⅴ(목)+(구전)+명) They ~*d* us *out of* our religion. 그들은 의론하여 우리가 우리의 종교에서 이탈하게 했다/(Ⅴ(목)+부) He ~*d* her down. 그는 그녀를 논파(論破)했다.
dispute with(**against**) a person **about**(**on, over**) something 어떤 일로 아무와 논쟁하다: (Ⅲ vⅠ +전+(목)+전+명) (*no pass.*) He *disputed with* her *about*(*on*) the plan. 그는 그 계획에 대해 그녀와 논쟁했다.
— *n.* **1** 논쟁, 논의. **2** 분쟁, 쟁의, 항쟁; 언쟁, 싸움(*about, on*): a border ~ 경계(국경) 분쟁/a labor ~ 노동 쟁의. **beyond**(**past, without, out of**) (**all**) **dispute** 논쟁(의문)의 여지 없이, 분명히. **in**(**under**) **dispute** 논쟁중의(에), 미해결의(로): a point *in* ~ 논쟁점. **dis·pút·er** *n.* 논쟁자.
⊕ disputátion *n.*: disputátious, dispútative *a.*

dis·qual·i·fi·ca·tion[diskwɑ̀ləfikéiʃən/-kwɔ̀l-] *n.* **1** Ⓤ 자격 박탈; 무자격, 불합격, 실격. **2** 실격(결격) 사유(조항)(*for*).

dis·qual·i·fied[diskwɑ́ləfàid/-kwɔ́l-] *a.* 자격을 잃은, 실격(결격)이 된: (Ⅱ 형+전+-*ing*)He was ~ *from* join*ing* the military service for his weak eyesight. 그는 시력이 약해서 군 복무에 실격되었다.

dis·qual·i·fy[diskwɑ́ləfài/-kwɔ́l-] *vt.* (-**fied**) 실격시키다, 실격자(부적임자)로 판정하다; 〈병 등이〉 무능력자로 만들다(disable); (법률상) 결격자라고 선고하다; 스포츠 출장 자격을 박탈하다(*for, from*): (Ⅲ (목)+전+명) His weak eyesight *disqualified* him *for* the military service. 그는 시력이 약해서 군 복무에 실격되었다(=His weak eyesight *disqualified* him *from* join*ing* the military service.(Ⅴ (목)+전+-*ing*) (*cf.* disqualified)). **-fi·a·ble** *a.*

dis·qui·et[diskwáiət] *vt.* …의 마음의 평온을 잃게 하다, 〈가슴을〉 두근거리게 하다; …을 불안하게 하다. — *n.* Ⓤ **1** 사회적 불안, 동요. **2** 마음의 불안, 걱정. **~·ly** *ad.*

dis·qui·et·ing *a.* 불안하게 하는, 걱정하게 하는.

dis·qui·e·tude[diskwáiət*j*ù:d] *n.* Ⓤ 불안한 상태, 불온, 동요; 걱정.

dis·qui·si·tion[dìskwəzíʃən] *n.* **1** (古) (조직적인) 탐구(*into*). **2** (장황한) 논문, 논고(論考)(*on*). **~·al** *a.*

Dis·rae·li[dizréili] *n.* 디즈레일리 Benjamin ~(1804-81)(영국의 정치가·소설가).

dis·rate[disréit] *vt.* 〔海〕 (사람·배 등의) 등급을 낮추다.

***dis·re·gard**[dìsrigɑ́:rd] *vt.* 무시(경시)하다, 소홀히 하다. — *n.* Ⓤ,Ⓒ 무시, 경시(*of, for*). **with disregard** 소홀하게. **~·ful**[-fəl] *a.*

dis·rel·ish[disréliʃ] (文語) *n.* Ⓤ 싫음, 혐오(*for*). — *vt.* 싫어하다, 혐오하다(dislike).

dis·re·mem·ber[dìsrimémbər] *vt.* (미口) 잊다(forget), 생각이 안 나다.

dis·re·pair[dìsripέər] *n.* Ⓤ (손질·수리 부족에 의한) 파손 (상태), 황폐: *in* ~ 황폐하여.

dis·rep·u·ta·ble[disrépjətəbəl] *a.* **1** 평판이 좋지 않은, 불명예스러운, 창피한(*to*). **2** (더러워지거나 낡아서) 보기 싫은, 초라한. **~·ness** *n.* **-bly** *ad.* **dis·rèp·u·ta·bíl·i·ty** *n.* Ⓤ 악평.

dis·re·pute[dìsripjú:t] *n.* Ⓤ 나쁜 평판, 악평: fall *into* ~ 평판이 나빠지다.

dis·re·spect[dìsrispékt] *n.* Ⓤ,Ⓒ 무례, 실례, 경시, 경멸(*for*); 실례되는 말(행위). — *vt.* 경시(경멸)하다.

dis·re·spect·a·ble[dìsrispéktəbl] *a.* 존경할 가치가 없는. **~·ness** *n.* **-bly** *ad.*

dis·re·spect·ful[dìsrispéktfəl] *a.* 무례한, 실례되는, 경멸하는(*of*). **~·ly** *ad.* 무례하게도, 경멸하여. **~·ness** *n.*

dis·robe[disróub] *vt.* **1** …의 옷(제복)을 벗기다. **2** …에서 …을 박탈하다, 빼앗다(*of*). — *vi.* 옷을 벗다.

dis·root[disrú:t, -rút] *vt.* 뿌리 뽑다(uproot); 제거하다(remove), 근절시키다.

***dis·rupt**[disrʌ́pt] *vt.* **1** 〈제도·국가 등을〉 붕괴시키다; 분열시키다. **2** 〈파티 등을〉 (일시적으로) 혼란시키다; 〈교통·통신 등을〉 혼란시키다; (일시) 불통으로 만들다, 중단(두절)시키다. **3** 〈물건을〉 분쇄하다, 파열하다. — *vi.* (稀) 분쇄되다. — *a.* 분열한, 분쇄된. **~·er** *n.*

***dis·rup·tion**[disrʌ́pʃən] *n.* Ⓤ **1** 붕괴; 분열; 중단, 두절; 혼란. **2** 파열. **3** (the D-) 스코틀랜드 교회 분열(1843년 국교로부터 독립하여 자유 교회를 조직함).

dis·rup·tive[disrʌ́ptiv] *a.* 분열(붕괴)적인; 혼란을 일으키는, 파괴적인; 분열로 일어난. **~·ly** *ad.*

diss. dissertation.

diss[dis] *vt.* =DIS *vt.*

***dis·sat·is·fac·tion**[dissæ̀tisfǽkʃən] *n.* Ⓤ 불만(족), 불평; Ⓒ 불만의 원인.
⊕ dissátisfy *v.*: dissatisfáctory *a.*

dis·sat·is·fac·to·ry[dissæ̀tisfǽktəri] *a.* 불만(족)스러운(unsatisfactory).

dis·sat·is·fied[dissǽtisfàid] *a.* 불만스러운, 불만을 나타내는. **be dissatisfied with**(**at**) …에 불만을 갖다.

***dis·sat·is·fy**[dissǽtisfài] *vt.* (-**fied**) 불만을 느끼게 하다, 불평을 갖게 하다.

⊕ dissatisfáction *n.*: dissatisfáctory *a.*
dis·save[disséiv] *vi.* (저금·자본금을 인출하여) 수입 이상의 돈을 쓰다.
dis·seat[dissíːt] *vt.* =UNSEAT.
*__dis·sect__[disékt, dai-] *vt.* **1** 절개하다; 해부하다. **2** 상세히 분석[비평]하다. — *vi.* 해부하다. ⊕ disséction *n.*
dis·sect·ed[-id] *a.* **1** 절개[해부]한. **2** 〖植〗 전열(全裂)의; 〖地質〗 개석(開析)된.
dis·sect·ing *a.* 해부의, 절개용의: a ~ knife [room] 해부도(刀)[실].
dis·sec·tion[disékʃən, dai-] *n.* Ⓤ **1** 절개; 해부, 해체. **2** Ⓒ 해부체[모형]. **3** 정밀한 분석[음미]. **4** 《영》 〖商〗 (상품의) 분류 구분. **5** 〖地質〗 개석(開析).
dis·sec·tor[diséktər] *n.* 해부(학)자; 해부기구.
dis·seise, -seize[dissíːz] *vt.* 〖法〗 〈사람에게서〉 (부동산의) 점유권을 침탈하다.
dis·sei·sin, -zin[dissíːzən] *n.* Ⓤ 〖法〗 (부동산의) 점유 침탈.
dis·sem·blance[1] [disémbləns] *n.* Ⓤ,Ⓒ 《古》 닮지 않음, 상이.
dissemblance[2] *n.* Ⓤ 시치미뗌, 속임, 위장.
dis·sem·ble[disémbəl] *vt.* **1** 〈성격·감정 등을〉 숨기다. **2** …을 가장하다. **3** 못 본 체하다, 시치미떼다, 모른 체하다. — *vi.* 진의를 숨기다, 시치미떼다, 모른 체하다.
dis·sem·bler *n.* 위선자, 시치미떼는 사람.
dis·sem·i·nate[disémənèit] *vt.* **1** 〈씨를〉 흩뿌리다. **2** 〈주장·의견을〉 퍼뜨리다.
dis·sem·i·na·tion[-ʃən] *n.* Ⓤ 씨 뿌리기, 산포; 보급, 선전(propagation).
dis·sem·i·na·tive *a.* 파종성의.
dis·sem·i·na·tor *n.* 씨 뿌리는 사람; 퍼뜨리는 사람, 선전자; 살포기.
dis·sem·i·nule[disémənjuːl] *n.* 〖植〗 살포체(撒布體).
*__dis·sen·sion__[disénʃən] *n.* Ⓤ,Ⓒ **1** 불일치, 의견의 차이. **2** 의견의 충돌, 불화(의 원인), 알력, 분쟁. ⊕ dissént *v.*
*__dis·sent__[disént] [L] *vi.* **1** 의견을 달리하다, 이의를 말하다 《*from*》 (*opp.* consent): ~ *from* the opinion 그 의견에 불찬성이다. **2** 《영》 국교에 반대하다. — *n.* Ⓤ **1** 불찬성, 의견 차이, 이의 《*from*》. **2** (보통 D-) 《영》 국교 반대(Nonconformity); (집합적) =DISSENTER. **3** 《미》 (판결에서 재판관의) 다수 의견에 반대하는 의견.
⊕ dissénsion *n.*: disséntient *a., n.*
dis·sent·er *n.* **1** 반대자. **2** (보통 D-) 《영》 국교 반대자(*opp.* Conformist); 비국교도(Nonconformist).
dis·sen·tient[disénʃiənt] *a., n.* 다수 의견에 반대하는(사람).
dis·sent·ing[diséntiŋ] *a.* **1** 이의 있는, 반대 의견의. **2** 《영》 국교에 반대하는. **pass without a dissenting voice** 한 사람의 이의도 없이 통과하다. **~·ly** *ad.*
disséntiŋg opínion 〖法〗 반대[소수] 의견.
dis·sep·i·ment[disépəmənt] *n.* 〖動·植〗 격막(隔膜), 격벽(隔壁), 씨방의 중격(中隔).
dis·sèp·i·mén·tal[-méntl] *a.*
dis·sert, dis·ser·tate[disə́ːrt], [dísərtèit] *vi.* 논하다, 논문을 쓰다. **-ta·tor** *n.*
dis·ser·ta·tion[dìsərtéiʃən] [L] *n.* (보통 긴) 학술 논문; 《특히》 학위 논문; 논설, 논술 (*cf.* THESIS). **~·al** *a.*
dis·serve[dissə́ːrv] *vt.* …에게 해로운 짓을 하다, 해를 입히다.
dis·ser·vice[dissə́ːrvis] *n.* Ⓤ (또는 a ~) 해, 폐, 구박, 모진 짓.
dis·sev·er[disévər] *vt.* 분리하다; 분할하다. **~·ment** *n.* Ⓤ 분리.
dis·sev·er·ance[-sévərəns] *n.* Ⓤ 분리, 분할.
dis·si·dence[dìsədəns] *n.* Ⓤ 〈의견·성격 등의〉 차이, 불일치; 불찬동, 이의.
dis·si·dent[dísədənt] *a.* (…와) 의견을 달리하는 《*from*》; 반체제의. — *n.* 의견을 달리하는 사람; 반체제자; 비국교도. **~·ly** *ad.*
dis·sim·i·lar[dissímələr] *a.* …와 비슷하지 않은 《*to, from*》. **~·ly** *ad.*
dis·sim·i·lar·i·ty[dissìmələ́rəti] *n.* (*pl.* **-ties**) Ⓤ 비슷하지 않음; 부동성(不同性); Ⓒ 차이점(difference).
dis·sim·i·late[disímәlèit] *vt., vi.* 같지 않게 하다[되다]; 〖音聲〗 이화시키다[하다] (*opp.* assimilate). **-la·tive**[-lèitiv, -lət-] *a.*
dis·sim·i·la·tion[-ʃən] *n.* Ⓤ,Ⓒ 〖音聲〗 부동화(不同化), 이화(異化)(작용)(*opp.* assimilation).
dis·si·mil·i·tude[dissimílətjùːd] *n.* Ⓤ 같지 않음, 부동(不同); 차이; Ⓒ 차이점.
dis·sim·u·late[disímjəlèit] *vt.* 〈의사·감정 등을〉 숨기다, 그렇지 않은 체하다. — *vi.* 시치미떼다.
dis·sim·u·la·tion[-ʃən] *n.* Ⓤ,Ⓒ 시치미뗌, (감정의) 위장; 위선.
dis·sim·u·la·tor *n.* 위선자, 시치미떼는 사람(dissembler).
*__dis·si·pate__[dísəpèit] *vt.* **1** 〈구름·안개 등을〉 흩뜨리다; 〈슬픔·공포 등을〉 가시게 하다, 없애다. **2** 〈시간·재산 등을〉 낭비[탕진]하다(waste). **3** (종종 수동형) 〈열 등을〉 방산(放散)하다. — *vi.* **1** 〈구름 등이〉 흩어져 없어지다. **2** 난봉부리다, 낭비하여 재산을 없애다. **3** 〈열 등이〉 방산(放散)하다.
-pat·er, -pa·tor[dísəpèitər] *n.*
⊕ dissipátion *n.*: díssipative *a.*
dis·si·pat·ed[dísəpèitid] *a.* 방탕한, 난봉부리는; 낭비된; 소산(消散)된. **~·ly** *ad.* **~·ness** *n.*
dis·si·pa·tion[dìsəpéiʃən] *n.* Ⓤ **1** 소산(消散), 소실 《*of*》. **2** 낭비 《*of*》, 산재(散財). **3** 난봉, 방탕; 유흥.
dis·si·pa·tive[dísəpèitiv] *a.* 소산적인; 낭비적인; 〖物〗 에너지 산일(散逸)의.
dis·so·cia·ble[disóuʃiəbəl, -siə-] *a.* **1** 분리할 수 있는. **2** 조화[화해]하지 않는. **3** 비사교적인.
dis·so·cial[disóuʃəl] *a.* 사회적이 아닌(unsocial); 비사교적인, 제멋대로 구는.
dis·so·cial·ize[disóuʃəlàiz] *vt.* 비사교적[이기적]으로 만들다, 교제를 싫어하게 하다.
dis·so·ci·ate[disóuʃièit] *vt.* **1** 떼어 놓다, 분리하다; 분리하여 생각하다 《*from*》 (*opp.* associate). **2** 〖心〗 〈의식·인격을〉 분열시키다. **3** 〖化〗 해리(解離)하다. **dissociate oneself from** …와 관계를 끊다. **dissociated personality** 분열 인격. — *vi.* 교제를 끊다; 분리[해리]하다. — *a.* 분리[분열]된.
dis·so·ci·a·tion[disòusiéiʃən] *n.* Ⓤ 분리(작용·상태); 〖心〗 (의식·인격의) 분열; 〖化〗 해리.
dis·so·ci·a·tive[disóusièitiv] *a.* 분리적인, 분열성의; 〖化〗 해리적인.
dis·sol·u·bil·i·ty[disɑ̀ljubíləti] *n.* Ⓤ 분리[융해]성; 해소할 수 있음.
dis·sol·u·ble[disɑ́ljəbəl/-sɔ́l-] *a.* **1** 분해할 수 있는, 융해성의. **2** 해산할 수 있는; 해제

〔해소〕할 수 있는. **~·ness** *n.*
dis·so·lute [dísəlùːt] *a.* 방종한, 타락한; 방탕한, 난봉부리는. **~·ly** *ad.* **~·ness** *n.*
＊dis·so·lu·tion [dìsəlúːʃən] *n.* U,C **1** (의회·단체·조합 등의) 해산; (결혼 등의) 해소. **2** (기능의) 소멸, 사멸. **3** 분리, 분해. **4** 〔物〕 용해, 융해. ⊕ dissólve *v.*
dis·solv·a·ble *a.* **1** 분해할 수 있는. **2** 해산〔해제, 해소〕할 수 있는.
⁑dis·solve [dizálv] *vt.* **1** 〈물건을 액체로〉 용해하다; 〈물질·물체 등을〉 분해하다: Water ~*s* sugar. 물은 설탕을 녹인다/~ salt *in* water 소금을 물에 녹이다. **2** 〈의회·단체 등을〉 해산하다, 해체하다: ~ Paliament 《법》 의회를 해산하다. **3** 〈계약·속박 등을〉 풀다, 해제하다(undo); 〈결혼·관계 등을〉 종료시키다, 해소하다, 취소하다. **4** 〈마력 등의〉 효력을 무력하게 풀어버리다. **5** 〔映·TV〕 〈화면을〉 디졸브시키다. ― *vi.* **1** (…으로) 용해하다(*in*); (…으로) 분해하다(*into*): Sugar ~*s in* water. 설탕은 물에 녹는다. **2** 《영》 〈의회·단체 등이〉 해산(을 선언)하다. **3** 〈결혼·관계 등이〉 해소되다. **4** 〈힘이〉 약해지다; 〈환영이〉 차차 희미해지다: His courage ~*d in* the face of the danger. 위험에 직면하여 그의 용기는 꺾였다. **5** 〔映·TV〕 (화면을) 디졸브〔오버랩〕하다. **dissolve in** 〈영화 화면이〉 차차 밝아지다(fade in). **dissolve**〔**be dissolved**〕 **in**〔**into**〕 **tears** 하염없이 울다. **dissolve itself into** … 녹아서 …으로 되다, 결국 …로 귀착되다. **dissolve out** 〈영화 화면이〉 차차 어두워지다(fade out). **dissolving views** 디졸브 화면.
― *n.* U 〔映·TV〕 디졸브, 오버랩(overlap) 《한 화면 위에 다른 화면이 겹치면서 먼저 화면이 차차 사라지게 하는 장면 전환 기법》.
dis·sól·ver *n.*
⊕ dissolútion *n.*; dissólvent *a.*
dis·sólved gás [dizálvd-] 유용성 가스《원유에 용해하여 존재하는 천연 가스》.
dis·sol·vent [dizálvənt/-zɔ́l-] *a., n.* =SOLVENT.
dis·so·nance [dísənəns] *n.* (*pl.* **-nanc·es**) U,C **1** 〔樂〕 불협화(음)(*opp.* consonance); 〔物〕 비공진(非共振). **2** 불일치, 부조화, 불화.
dis·so·nan·cy [-i] *n.* (*pl.* **-cies**) =DISSONANCE.
dis·so·nant [dísənənt] *a.* 〔樂〕 불협화의; 조화되지 않은. **~·ly** *ad.*
＊dis·suade [diswéid] *vt.* (설득하여) 그만두게 하다, 말리다, 단념시키다, (…하지 않도록) 권하다(*from*)(*opp.* persuade): ~ a person *from* do*ing* 아무를 설득하여 …하는 것을 단념시키다.
dis·sua·sion [diswéiʒən] *n.* U 그만두게 함, 말림(*opp.* persuasion).
dis·sua·sive [diswéisiv] *a.* 말리는, 말리기 위한. **~·ly** *ad.* **~·ness** *n.*
dis·syl·lab·ic *a.* =DISYLLABIC.
dis·syl·la·ble *n.* =DISYLLABLE.
dis·sym·met·ri·cal [dìssimétrikəl] *a.* **1** 균형이 안 잡힌, 〈크기·모양이〉 안 어울리는. **2** 반대〔좌우〕 대칭(對稱)의. **~·ly** *ad.*
dis·sym·me·try [dìssímətri] *n.* (*pl.* **-tries**) U,C 불균형, 비대칭(非對稱); 반대〔좌우〕 대칭(*opp.* symmetry).
dist. distant; distinguish(ed); district.
dis·taff [dístæf, -tɑːf] *n.* (*pl.* **~s** [-fs, -vz]) 실톳대, 실패; (물레의) 가락; (the ~) 물레질, 여자의 일〔분야〕; (집합적) 여성; 모계, 어머니 쪽. ― *a.* 여자의, 여성의, 《특히》 모계의.
dístaff sìde (the ~) 모계(母系), 어머니 쪽, 외가(*cf.* SPEAR SIDE): on the ~ 외가〔모계〕의.
dis·tain [distéin] *vt.* 《古》 변색시키다; 더럽히다; 명예를 손상하다〔더럽히다〕.
dis·tal [dístəl] *a.* 〔解·植〕 말초(부)의, 말단의(terminal)(*opp.* proximal); 〔齒科〕 원심(遠心)의(*opp.* mesial). **~·ly** *ad.*
★dis·tance [dístəns] *n.* U,C **1** 거리; 간격; 노정(路程). **2** (*sing.*) 먼 거리, 먼 곳; 〔競馬〕 240 야드의 거리; 〔畫〕 원경(遠景): a great〔good〕 ~ *away*〔*off*〕. 상당히 떨어져서. **3** (*sing.*) (시간의) 간격, 동안, 사이, 경과. **4** (보통 *pl.*) 공간, 넓이; 구역. **5** (혈연·신분 등의) 차이, 현격(*between*); (태도의) 소원, 격의, 서먹함. **6** 〔樂〕 음정. **7** 〔미競馬〕 주정(走程) 거리; 〔競〕 장거리; 주로(走路). **at a distance** 어떤 거리를 두고, 좀 떨어져: *at a distance* of 5 meters 5미터 떨어져. **at this distance of time** 시일이 지난 지금에 와서는〔도〕. **be some**〔**no**〕 **distance** 좀 멀리〔바로 가까이〕 있다. **from a distance** 멀리서. **go**〔**last**〕 **the distance** (1) 끝까지 해내다. (2) 〔野〕 〈투수가〉 완투하다. **in the** (**far**) **distance** 먼 곳에(far away). **keep** a person **at a distance** (쌀쌀하게 굴어) 멀리하다. **Keep at a distance!** 가까이 오지 마라. **keep** one's **distance** (사람과의 사이에) 거리를 두다, 가까이 하지 않다: make him *keep his distance* 그를 허물없이 대하지 못하게 하다. **know** one's **distance** 제 분수를 알다〔지키다〕. **take distance** 《미俗》 먼 데로 가다. **to a distance** 먼 곳으로. **within striking**〔**hailing, hearing, walking**〕 **distance** 때리면 손이 닿을〔부르면 들리는, 걸어갈 수 있는〕 곳에. ― *vt.* **1** 간격을 두다; 멀리 떼어 두다, 멀리 하다. **2** (경주·경쟁에서) 앞서다, 멀리 떼어 놓다. **be distanced** (경쟁에서) 뒤떨어지다. ⊕ distant *a.*
dístance pòle〔《영》 **pòst**〕 〔競馬〕 주정표(走程標).
★dis·tant [dístənt] [L] *a.* **1** 〈거리가〉 먼, 원격의(far-off); 멀리서 온; 멀리 가는; 거리가 …인, …떨어져 (있는)(*from*): a ~ view 원경(遠景)/The place is ten miles ~〔is ~ ten miles〕 *from* the sea. 그 곳은 해안에서 10마일 떨어져 있다. **2** (시간적으로) 먼, 아득한. **3** 〈친척 등이〉 혈연이 먼. **4** 〈닮은 정도·관계 등이〉 먼, 어렴풋한. **5** 〈태도 등〉 거리를 두는, 경원하는, 쌀쌀한(*toward*(*s*)); 에둘러 말하는: a ~ air 냉랭한 태도. **6** 〈눈매 등이〉 먼 데를 보는 듯한, 꿈꾸는 듯한. **at no distant date** 멀지 않아서. **~·ness** *n.*
⊕ distance *n.*; distantly *ad.*
Dístant Éarly Wárning lìne =DEW LINE.
dis·tant·ly [dístəntli] *ad.* **1** 멀리, 떨어져서. **2** 쌀쌀하게, 냉담하게. **3** 희미하게. **4** 〈친척 관계 등이〉 멀리. **5** 에둘러, 간접적으로.
dístant sígnal 〔鐵道〕 원거리 신호기.
＊dis·taste [distéist] *n.* U (음식물에 대한) 싫증, 염증, 혐오; 《일반적으로》 싫음, 혐오. **have a distaste for music**〔**work,** etc.〕 음악〔일 《등》〕을 싫어하다. ⊕ distásteful *a.*
dis·taste·ful [distéistfəl] *a.* 맛 없는; 싫은(*to*). **~·ly** *ad.* **~·ness** *n.*
Dist. Atty. District Attorney.
dis·tem·per¹ [distémpər] *n.* U **1** 디스템퍼《개 특히 강아지의 급성 전염병》. **2** (심신의) 병, 이상, 부조; 불쾌. **3** 《古》 사회적 불안, 소란. ― *vt.* (보통 *pp.*) 병적으로 되게 하다, 〈심신이〉 탈나게 하다: a ~*ed* fancy 병적 공상.
distemper² *n.* U **1** 디스템퍼《아교풀·달걀

등에 갠 채료), 수성 도료(水性塗料). **2** 디스템퍼 화법. **3** Ⓒ 템페라 그림(tempera).
— *vt.* **1** …에 디스템퍼를 칠하다: …을 디스템퍼로 그리다. **2** ((영)) 〈벽 · 천장 등에〉 수성 도료를 칠하다.

dis·tem·per·a·ture [distémpərətʃər] *n.* (심신의) 부조(不調): ((古)) 절제〔중용〕의 결여.

dis·tend [disténd] *vt., vi.* 넓히다, 넓어지다: (내부 압력에 의해) 팽창시키다〔하다〕: 과장하다.

dis·ten·si·bil·i·ty [distènsəbíləti] *n.* Ⓤ 팽창성.

dis·ten·si·ble [disténsəbəl] *a.* 팽창시킬 수 있는, 팽창성의.

dis·ten·sion, -tion [disténʃən] *n.* Ⓤ 팽창, 확대.

dis·tich [dístik] *n.* ((詩)) 2행 연구(聯句), 대구(對句).

dis·ti·chous [dístikəs] *a.* 〔植〕 마주나기〔대생(對生)〕의. **~·ly** *ad.*

***dis·till** | **-til** [distíl] [L] (**-tilled**; **-till·ing**) *vt.* **1** 〈…에서 …을〉 증류하다, 〈…을〉 증류하여 …으로 만들다((*into*)) (*cf.* BREW) : ((Ⅲ (목)+전+명)) They ~ freshwater *from* seawater 그들은 바닷물을 증류해서 민물로 만든다(=They ~ seawater into freshwater((Ⅴ (목)+전+명))). **2** 증류하여 〈불순물을〉 제거하다, 순화하다((*off, out*)) : ~ *off* the impurities 증류하여 불순물을 없애다. **3** …의 정수(精粹)를 빼내다, 추출(抽出)하다; 발산하다 : ((Ⅰ *It be pp.*+*that*(절)) (*that*(절)-Ⅴ(목)+전+명)) It is said *that* he ~*s* these plants into medicines. 그는 이 식물들의 정수를 빼내서 의약품을 만든다고 한다. **4** …을 …에 방울방울 듣게 하다((*into*)). **5** (문체 따위를) 다듬다. — *vi.* **1** 증류되다. **2** 방울방울 듣다; 스며〔배어〕 나오다.
⊕ distillátion, dístillate *n.*: distíllatory *a.*

dis·til·late [dístəlit, -lèit, distílit] *n.* **1** 증류된 물질; 증류액. **2** 석유 제품. **3** 진수, 정수.

dis·til·la·tion [dìstəléiʃən] *n.* Ⓤ 증류(법); Ⓤ,Ⓒ 증류물; 정수: dry〔destructive〕~ 건류(乾溜)〔분해 증류〕.

dis·til·la·to·ry [distílətɔ̀:ri/-təri] *a.* 증류(용)의.

dis·tilled [distíld] *a.* 증류한, 증류〔추출〕하여 얻은, …의 정수(精粹)를 빼내서 얻은: ((Ⅱ 형+전+명)) The medicine is ~ of blessed herbs. 그 의약은 고마운 약초들의 정수를 빼내서 만들어진 것이다.

distílled wáter 증류수.

dis·till·er [distílər] *n.* **1** 증류하는 사람. **2** 증류주(酒) 제조업자. **3** 증류기: (증류 장치의) 응결기.

dis·till·er·y [-əri] *n.* (*pl.* **-er·ies**) 증류소: (특히 위스키 · 진 등의) 증류주 제조소.

dis·till·ment, -til- *n.* ((古)) =DISTILLATION.

⁑**dis·tinct** [distíŋkt] *a.* (~·**er**; ~·**est**) **1** 별개의, 독특한; …와는 성질〔종류〕이 다른((*from*)). **2** 뚜렷한, 똑똑한, 명료한: 명확한, 틀림없는 (*opp.* vague). **3** ((詩)) 장식된: 여러 가지 색깔의. **~·ness** *n.*
⊕ distínction *n.*: distínguish *v.*: distínctly *ad.*

⁑**dis·tinc·tion** [distíŋkʃən] *n.* **1** Ⓤ 구별, 차별: 식별, 판별: (… 와의) 차이. **2** Ⓤ (구별되는) 특질, 특징, 특이성. **3** Ⓤ (정신 · 태도 · 성격 등의) 우수성, 탁월. **4** Ⓤ,Ⓒ 수훈(殊勳), 훌륭한 성적: 영예, 특별 대우. **5** Ⓤ 저명, 고귀. **6** Ⓤ (문체의) 특징, 개성, 인격의 높이. **7** Ⓤ (텔레비전의) 선명도. **a distinction without a difference** 차이〔쓸데〕 없는 구별. **draw a distinction**〔**make no distinction**〕 **between** …사이에 구별을 짓다〔짓지 않다〕((◇ 대상이 셋 이상일 경우에도 among이 아니라 between을 씀)). **gain**〔**win**〕 **distinction** 수훈을 세우다, 이름을 빛내다. **in distinction from** …와 구별하여. **of distinction** 탁월한, 저명한. **with distinction** 뛰어난 성적으로. **without distinction of rank** (신분의) 차별 없이.
⊕ distínct, distínctive *a.*: distínguish *v.*

***dis·tinc·tive** [distíŋktiv] *a.* 차이〔차별〕를 나타내는, 구별이 있는; 특유의, 특이한, 특색 있는. **~·ness** *n.* Ⓤ 특수성.

distínctive féature 〔言〕 시차적 특징((한 언어의 발음체계내에서 임의의 2음소간의 대조적인 판별에 도움이 되는 특징: 양순음 · 유성음 · 비음 따위)).

dis·tinc·tive·ly *ad.* (다른 것과) 구별하여; 독특하게: 특징적으로: 〔言〕 판별적으로; 차이를 나타내어.

⁑**dis·tinct·ly** *ad.* 뚜렷하게, 명백하게: 의심할 나위 없이; ((口)) 정말로, 참으로.

dis·tin·gué [dìstæŋgéi, ─́─] [F] *a.* 〈태도 · 용모 · 복장 등이〉 기품 있는, 고귀한, 뛰어난.

⁑**dis·tin·guish** [distíŋgwiʃ] [L] *vt.* **1** 구별하다, 식별〔분간〕하다; 구분하다, 분류하다((*into*)): ~ colors 색깔을 식별하다/~ good *from* evil 선악을 분간하다/~ mankind *into* races 인류를 인종으로 분류하다. **2** 〈특징 등의〉 …의 구별이 되다((*from*)); 〈성질이 사람 등의〉 특색을 나타내다, 특징을 이루다: His style is ~*ed* by verbiage. 장황한 것이 그의 문체의 특징이다/Reason ~*es* man *from* the animals. 이성에 의하여 인간과 동물이 구별된다. **3** (보통 ~one*self*로) 두드러지게 하다, 저명하게 하다((*by, for, in*)) (⇨distinguished) : ~ *oneself in* literature 문학으로 유명해지다/~ *oneself by* bravery 용맹을 떨치다.
— *vi.* 구별〔식별, 판별〕하다((*between*)): ~ *between* good and evil 선악을 구별하다.

dis·tin·guish·a·ble [-əbəl] *a.* 구별할 수 있는: 분간할 수 있는. **-bly** *ad.*
⊕ distínct, distínctive *a.*: distínction *n.*

⁑**dis·tin·guished** [distíŋgwiʃt] *a.* **1** 현저한, 두드러진, 발군의: 저명한((*for, as*)): 뛰어난, 수훈(殊勳)이 있는. **2** 〈태도 등이〉 고귀한.

Distínguished Sérvice Mèdal 〔미軍〕 (군인 일반에 대한) 수훈장: 〔영海軍〕 (하사관 이하의 해군 병사에 대한) 수훈장((略: D.S.M.)).

Distínguished Sérvice Òrder 〔영軍〕 수훈장((略: D.S.O.)).

dis·tin·guish·ing [distíŋgwiʃiŋ] *a.* 다른 것과 구별되는, 특색 있는.

distn. distillation.

dis·to·ma [dístəmə] *n.* 〔動〕 디스토마.

***dis·tort** [distɔ́:rt] *vt.* **1** (종종 수동형) 〈얼굴 등을〉 찌푸리다, 〈손발 등을〉 비틀다, 뒤틀다 ((*by, with*)). **2** 〈사실 · 진리 등을〉 왜곡하다: 곡해하다. **3** 〈라디오 · 텔레비전 등이 소리 · 화상을〉 일그러뜨리다. **~·er** *n.* ⊕ distórtion *n.*

dis·tort·ed [distɔ́:rtid] *a.* 비뚤어진; 곡해된, 왜곡된: ~ views 편견/~ vision 난시. **~·ly** *ad.* 비뚤어져, 곡해하여.

dis·tor·tion [distɔ́:rʃən] *n.* Ⓤ,Ⓒ **1** (모양을) 찌그러뜨림: 찌그러진 상태〔부분〕: 왜곡한 이야기: 〔物〕 (상의) 뒤틀림: (신체 · 골격 등의) 만곡(彎曲): (라디오 · 텔레비전의) 소리 · 화상의 일그러짐. **2** (사실 등의) 왜곡, 곡해.

dis·tor·tion·al [-ʃənəl] *a.* 찌그러진, 변형의.

dis·tor·tion·ist [distɔ́:rʃənist] *n.* 만화가

(caricaturist): =CONTORTIONIST.
distr. distribute; distribution; distributor.
*__dis·tract__[distrǽkt] [L] *vt.* **1** 〈마음·주의를〉 빗가게 하다, 흩뜨리다, 딴데로 돌리다, 전환시키다(*from*) (*opp.* attract): The noise *~ed* his attention *from* study*ing*. 그 소음 때문에 그는 공부에 주의를 집중하지 못했다. **2** 〈마음을〉 괴롭히다, 산란하게 하다: 〈정신을〉 혼란시키다: He was *~ed between* hope and fear. 그는 희망과 불안 사이에서 괴로워했다.
◇ distráction *n.*: distráctive *a.*
dis·tract·ed[distrǽktid] *a.* 〈주의 등이〉 빗나간, 산만한: 미친 듯한(*with, by, at*). **drive a person distracted** …의 마음을 산란하게 하다, …을 (반)미치게 하다. **~·ly** *ad.* 마음이 산란해져, 미친 듯이.
dis·tract·er, -trac·tor *n.* (선다형 시험에서) 정답 이외의 선택지(肢).
dis·tract·ing·ly *ad.* **1** 마음 산란하게. **2** 미치도록.
*__dis·trac·tion__[distrǽkʃən] *n.* **1** Ⓤ 정신이 흩어짐, 주의 산만. **2** 기분 전환, 오락. **3** Ⓤ 마음이 혼란, 심란, 정신착란(madness). **4** 불화: 소동. **to distraction** 미친 듯이.
◇ distráct *v.*
dis·trac·tive *a.* 주의〔정신〕를 산만하게 하는: 미치게 하는.
dis·train[distréin] *vt., vi.* 〔法〕 〈동산을〉 압류하다(*on, upon*). **~·a·ble** *a.*
dis·train·ee[dìstreiníː] *n.* 〔法〕 피압류인.
dis·train·er, -trai·nor[-ər] *n.* 〔法〕 (동산) 압류인.
dis·train·ment[-mənt] *n.* Ⓤ,Ⓒ 〔法〕 (동산) 압류(행위).
dis·traint[distréint] *n.* Ⓤ 〔法〕 동산 압류.
dis·trait(e)[distréi(t)] [F] *a.* (불안·근심으로) 멍한, 넋나간(absent-minded).
dis·traught[distrɔ́ːt] *a.* **1** (…으로) 정신이 혼란하여(*with*). **2** 미친.
‡__dis·tress__[distrés] *n.* Ⓤ **1** 고뇌(worry), 비통, 비탄(grief), 고민, 걱정: Ⓒ 고민거리(*to*). **2** 고통(pain): 피로. **3** 빈곤, 곤궁. **4** 고난, 재난, 〔海〕 조난. **5** 〔法〕=DISTRAINT. **in distress** (1) 곤란 받고(*for*). (2) 조난하여: a ship *in* ~ 조난〔난파〕선. **signal of distress** 조난 신호. ── *vt.* **1** 괴롭히다, 고민하게 하다, 슬프게 하다: (종종 ~ one*self*로) 괴로워하다, 슬퍼하다(*at, about*): Don't ~ *yourself*. 상심하지 마시오. **2** 괴롭혀서 …시키다, 강제하다(*into*): His poverty *~ed* him *into* committ*ing* theft. 가난이 그로 하여금 도둑질을 하게 했다. **3** 곤궁하게 하다. **4** (긴장·중압으로) 지치게 하다. **5** 〔法〕 압류하다(*for*).
◇ distréssful *a.*
distréss càll 조난 호출〔신호〕(SOS 등).
dis·tressed[distrést] *a.* **1** 고민하는, 괴로운, 곤란받는: 궁핍한: She was ~ *at* the sight. 그녀는 그 광경을 보고 괴로웠다/He is ~ *for* money. 그는 돈에 쪼들리고 있다. **2** 투매의: 〈가구 등〉 흠을 내어 오래된 것처럼 꾸민.
distréssed área 1 (미) (홍수 등의) 자연 재해 지역. **2** (영) (실업자가 많은) 빈민 지역.
distréss flàg 조난 신호기(마스트 중간에 달거나 거꾸로 닮).
dis·tress·ful[distrésfəl] *a.* 고민이 많은, 괴로운, 비참한. **~·ly** *ad.* 괴롭게, 비참하게. **~·ness** *n.*
distréss gùn 〔海〕 조난 신호포.
dis·tress·ing[distrésiŋ] *a.* 괴로움을 주는, 비참한: 애처로운. **~·ly** *ad.*
distréss mèrchandise (미) 투매 상품.
distréss ròcket 〔海〕 조난 신호의 불꽃.
distréss sèlling 출혈 투매.
distréss sìgnal 조난 신호.
distréss wàrrant 압류 영장.
dis·trib·ut·a·ble[-tríbjutəbəl] *a.* 분배〔배부〕할 수 있는: 구분할 수 있는.
dis·trib·u·tar·y[distríbjutèri/-təri] *n.* (*pl.* **-tar·ies**) 지류(支流) (*cf.* TRIBUTARY).
‡__dis·trib·ute__[distríbjuːt] [L] *vt.* **1** 분배하다, 배분하다, 배당하다: 배포하다, 배급하다(*to, among*): 〈우편물·신문 등을〉(…에게) 배달하다: (Ⅲ (목)+전+명) She ~*d* toys *to*〔*among*〕 the children. 그녀는 그 아이들에게 장난감을 나누어주었다. **2** 살포하다(*at*), 분포시키다(*over*), (골고루) 퍼뜨리다, 뿌리다(*over, through*): ~ ashes *over* a field 밭에 재를 뿌리다. **3** 분류하다(classify), (분류) 배치하다(*into*): ~ plants *into* twenty-two classes 식물을 22강으로 분류하다. **4** 〔論〕 확충〔주연(周延)〕시키다. **5** 〔印〕 해판하다.
◇ distribútion *n.*: distríbutive *a.*
dis·trib·ut·ed[distríbjutid] *a.* 〔統〕 분포된.
dis·trib·u·tee[distrìbjutíː] *n.* 〔法〕 (유언 없는 사망자의) 유산 상속권자.
dis·trib·ut·ing[distríbjutiŋ] *a.* 분배의, 배급의, 분포의: a ~ board 배전반(配電盤)/a ~ center (생산물의) 집산지/a ~ station 배전소: 배급소.
‡__dis·tri·bu·tion__[dìstrəbjúːʃən] *n.* Ⓤ **1** 분배, 배급, 배포, 배달: Ⓒ 배급품, 몫: the ~ of wealth〔a profit〕 부〔이익〕의 분배. **2** 살포. **3** 구분, 분할, 분류(*of*). **4** (동식물 등의) 분포(상태): Ⓒ 분포 구역: a ~ chart 분포도. **5** 배열: 배치 (상태). **6** 〔法〕 (재산의) 분배, 유산 분배. **7** 〔經〕 (부의) 분배: (상품의) 유통: the ~ structure 유통 기구. **8** 〔統〕 분포. **9** 〔論〕 주연, 확충. **10** 〔言〕 분포. **11** 〔印〕 해판. **12** 〔電〕 배전. **~·al** *a.* (동식물) 분포상의.
◇ distríbute *v.*: distríbutive *a.*
distribútion cùrve 〔統〕 분포 곡선.
distribútion fùnction 〔統〕 분포함수.
distribútion sàtellite 배급 위성(지상국에 신호를 재발송하기 위한 소형 통신 위성).
dis·trib·u·tive[distríbjətiv] *a.* **1** 분배의〔에 관한〕. **2** 〔文法〕 배분적인. **3** 〔論〕 주연(周延)〔확충〕적인. **the distributive law** 〔物〕 (원소 통합의) 분배 법칙. ── *n.* 〔文法〕 배분사(詞), 배분 대명사〔형용사〕(each, every 등). **~·ly** *ad.* 분배적으로, 따로따로, 제각기.
distríbutive educátion 직업 실습 교육(학교 수업과 현장 실습을 병행).
distríbutive prónoun 〔文法〕 배분〔개별〕대명사(each, every, either, neither 등).
*__dis·trib·u·tor, -ut·er__[distríbjətər] *n.* **1** 분배〔배급, 배포, 배달〕자: 영화 배급업자. **2** 〔經〕 (상품의) 배급자, 판매자, 판매 대리점, (특히) 도매업자. **3** 〔機〕 (엔진의 스파크 플러그에 점화순으로 전류를 전달하는) 배전기, 디스트리뷰터. **4** 〔印〕 해판공, (linotype의) 자동 해판 장치: 〔電〕 분배기(器). **5** (하수 처리의) 살수(撒水) 장치.
‡__dis·trict__[dístrikt] *n.* **1** 지구, 구역(행정·사법·선거·교육 등의), 관구, 행정구, 시〔군〕의 한 구역(*cf.* area). **2** (미) (하원의원·주의회 의원의) 선거구. **3** (일반적으로) 지방, 지역(region, area): the Lake *D*~ 호수 지방(영국 북서부)/the coal〔fen〕 ~ 탄광〔소택〕 지방. **4** (도시의) 지구: the business ~ 상업 지구. **5** (영) 교구(parish)의 한 구역(DISTRICT VISI-

TOR가 담당하는)：《영》 주(州) 자치구(COUNTY를 세분한 행정구로서 DISTRICT COUNCIL을 가지는 것). — *vt.* 지구〔관구〕로 나누다.

dístrict attórney 《미》 지방 검사(略:D.A.).

dístrict cóuncil 《영》 지방 자치구〔준 자치 도시〕 의회.

dístrict cóurt 《미》 지방 법원.

dístrict héating 지역 난방.

dístrict júdge 《미》 지방법원 판사.

dístrict léader 《미》 (정당의) 지방 지부장.

dístrict núrse 《영》 지구 간호사, 보건원(특정 지구에서 환자의 가정을 방문함).

Dístrict of Colúmbia *n.* (the ~) 《미》 컬럼비아 특별구(미국 연방 정부 소재지：略:D.C.：일반적으로는 Washington, D.C. 라고도 함).

dístrict superinténdent (감리 교회의) 교구 감독(자).

dístrict vísitor 《영》 교구 목사보(여성).

di·strin·gas[distríŋgæs] *n.* **1** 〔法〕 (전에 sheriff에게 개인 소유물을 압류하도록 명하는) 간접 강제적 압류 영장. **2** 〔商〕 =STOP ORDER.

***dis·trust**[distrʌ́st] *vt.* 신용하지 않다, 믿지 않다：의심하다：~ one's own eyes 자기의 눈을 의심하다. — *n.* (종종 a ~) 불신：의혹, 의심. **~·er** *n.* ◇ distrústful *a.*

dis·trust·ful[dístrʌ́stfəl] *a.* **1** 의심 많은, (쉽게) 믿지 않는, …에 자신이 없는(*of*). **2** 의심스러운. **~·ly** *ad.* 의심스러운 듯이. **~·ness** *n.*

****dis·turb**[distə́:rb] [L] *vt.* **1** 〈마음·일 등을〉 방해하다, 어지럽히다, 교란하다：폐를 끼치다：~ the peace 평화를 깨뜨리다〔치안을 어지럽히다〕/ ~ a person *in* his work〔sleep〕 …의 일〔수면〕을 방해하다. **2** 교란하다, 휘저어 놓다. **3** 소란하게 하다, 불안하게 하다. **4** 〈행위·상태를〉 저해하다, 막다. **5** 〈권리를〉 침해하다. **Don't disturb yourself.** 그대로 계십시오(일을 계속하시오). — *vi.* 어지럽히다：〈수면·휴식 등을〉 방해하다. **Do not disturb!** 입실 사절, 깨우지 마시오(호텔 등의 방문에 거는 팻말의 문구). **~·er** *n.* ◇ distúrbance *n.*

dis·tur·bance[distə́:rbəns] *n.* Ⓤ,Ⓒ **1** 소란, 소동, 어지럽힘, 교란：불안, 근심：방해, 장애：cause〔make, raise〕 a ~ 소동을 일으키다/ the ~ of public peace 평화 교란〔치안 방해〕. **2** Ⓒ 교란시키는 것, 소동의 원인. **3** 〔法〕 (권리 등의) 침해. ◇ distúrb *v.*

dis·turbed[distə́:rbd] *a.* **1** 교란된, 동란의. **2** 〈마음이〉 산란한, 동요한, 불안한. **3** 정신〔정서〕 장애가 있는. **4** (the ~：명사적：복수 취급) 정신〔정서〕 장애자.

dis·turb·ing[distə́:rbiŋ] *a.* 불안하게 하는：불온한, 교란시키는.

di·sul·fide, -phide[daisʌ́lfaid] *n.* 〔化〕 2황화물.

dis·un·ion[disjú:njən] *n.* Ⓤ **1** 분리, 분열. **2** 불통일：내분, 알력, 불화.

dis·u·nion·ist *n.* 분리주의자：(특히 남북 전쟁 때의) 합중국 분리주의자.

dis·u·nite[dìsju:náit] *vt., vi.* 분리〔분열〕시키다〔하다〕：불화하게 하다〔되다〕.

dis·u·ni·ty[disjú:nəti] *n.* Ⓤ 불통일(disunion)：불화.

***dis·use**[disjú:s] *vt.* …의 사용을 그만두다. — *n.* Ⓤ 쓰지 않음, 불사용：폐지. **fall**〔**come**〕 **into disuse** 쓰이지 않게 되다.

dis·used[-jú:zd] *a.* 《영》 (이제는) 사용되지 않는：a ~ meaning 안 쓰게 된 뜻.

dis·u·til·i·ty[dìsju:tíləti] *n.* 해〔불편, 불쾌, 고통〕를 가져오는 것〔성질〕, 불편：비효용.

dis·val·ue[disvǽlju:] *n.* (가치의) 부인：경시, 무시. — *vt.* 경시하다, 얕보다.

di·syl·lab·ic[-bǽbik] *a.* 2음절의.

di·syl·la·ble[dáisiləbəl, disíl-] *n.* 2음절어.

dit[dit] *n.* 딧, 돈(모르스 신호 등의 단음(短音)：*cf.* DAH[2]).

****ditch**[ditʃ] *n.* **1** (U 또는 V자형의) 도랑, 배수구(溝), 천연의 수로. **2** (the D-) 《영空軍俗》 영국 해협：북해(北海). **be driven to the last ditch** 궁지에 몰리다. **die in a ditch** 거지꼴로 객사하다, 행려사망하다. **die in the last ditch** 최후까지 분투하다가 죽다. — *vt.* **1** 도랑을 파다, 해자로 두르다(*in, up*)：~ a city *around*〔*about*〕 도시를 해자로 두르다. **2** 〈도랑을〉 치다, 수축(修築)하다. **3** 도랑에 떨어뜨리다：〈자동차 등을〉 길에서 벗어나게 하다, 도랑〔개천〕에 빠지게 하다：《미》 〈기차를〉 탈선시키다：《미·비유》 몰락시키다(ruin). **4** 〈육상 비행기를〉 (불시) 착수(着水)시키다. **5** 《俗》 〈물건을〉 버리다：〈사람을〉 따돌리다：〈일·책임 등에서〉 꽁무니 빼다, 도망치다. (**get away from**) **be ditched** 《영口》 어찌할 바를 모르다. — *vi.* 도랑을 파다：도랑을 치다〔수축하다〕：〈비행기가〉 불시 착수하다. **hedging and ditching** 울타리와 도랑의 수리.

ditch·dig·ger[dítʃdìgər] *n.* 도랑을 파는 사람〔일꾼〕：중노동자：도랑 파는 기계(ditcher).

ditch·er[dítʃər] *n.* 도랑 파는 사람〔일꾼〕, 도랑 치는 사람：도랑 파는 기계.

ditch·wa·ter[dítʃwɔ̀:tər, -wɑ̀t-] *n.* Ⓤ 도랑에 괸 물. (**as**) **dull as ditchwater** 침체할 대로 침체하여：〈사람·물건이〉 아주 시시한〔따분한〕.

di·the·ism[dáiθiìzəm] *n.* Ⓤ (선악) 이신론(二神論). **dì·the·ís·tic** *a.*

dith·er[díðər] *vi.* (걱정·흥분으로) 벌벌 떨다, 안절부절 못하다, 당황하다(*about*). — *n.* (a ~：《영》 the ~s) 떨림, 당황(한 상태). **all of a dither** 벌벌 떨며. **~y**[-ri] *a.*

dith·y·ramb[díθəræ̀mb] *n.* **1** 〔古그〕 주신(酒神)(Bacchus)을 찬양하는 합창곡. **2** 열광적인 시가(詩歌)〔연설, 문장〕.

dith·y·ram·bic[dìθərǽmbik] *a.* 주신(酒神) 찬가의：열광적인. — *n.* =DITHYRAMB. **-bi·cal·ly** *ad.*

di·tran·si·tive[daitrǽnsitiv, -trǽnz-] *n., a.* 수여동사(의)(간접 목적어와 직접목적어를 함께 취하는 give 등).

dit·sy, dit·zy[dítsi] *a.* 《俗》 어리석은, 바보의：침착하지 못한.

dit·ta·ny[dítəni] *n.* (*pl.* **-nies**) 〔植〕 꽃박하.

dit·tied[dítid] *a.* 소가(小歌)(ditty)로 작곡된〔노래하는〕.

dit·to[dítou] [It] *n.* (*pl.* ~(**e**)**s**) **1** Ⓤ 동상(同上), 위와 같음, 동전(同前)(the same)(略：do., d°, 일람표 등에서는 〃(ditto mark) 또는 — 를 대용함). **2** 《俗》 꼭 닮은 것(close copy). **3** 사본(copy), 복제(duplicate). **a suit of dittos** =**a ditto suit** 아래 위 한벌의 옷. **be in dittos** 아래위 같은 감의 옷을 입고 있다. **say ditto to** 《口》 …의 의견에 전적으로 동의하다. — *a., ad.* 《俗》 (앞의 것과) 같은〔같게〕, 마찬가지로. — *vt., vi.* 복사하다：되풀이하다.

dit·to·graph[dítougræ̀f, -grɑ̀:f] *n.* (실수로) 중복해서 쓴 글자〔문구〕, 중복 어구.

dit·to·graph·ic[dìtəgrǽfik] *a.* 실수로 중복

해서 쓴.

dit·tog·ra·phy[ditágrəfi/-tɔ́g-] *n.* U,C 중복 오사(誤寫)《literature를 literatature로 하는 등》.

dítto machìne 복사기.

dítto màrk〔**sìgn**〕 중복 부호(〃).

dit·ty[díti] *n.* (*pl.* **-ties**) 소(가)곡, 단가, 단시; 민요(folk song).

dítty bàg (선원이 바늘·실·세면 도구 등을 넣는) 잡낭(雜囊).

dítty bòx (선원의 도구용) 작은 상자, 손궤

ditz *n.* 《俗》 바보, 천치.

di·u·re·sis[dàijuəríːsis] *n.* U 〔醫〕 이뇨(利尿).

di·u·ret·ic[dàijuərétik] *a.* 이뇨의, 오줌 잘 나오게 하는. ── *n.* U,C 이뇨제.

di·ur·nal[daiə́ːrnəl] *a.* 낮의, 주간의(*opp.* nocturnal); 〔植〕 낮에 피는; 〔動〕 낮에 활동하는, 주행성의; 《古·詩》 날마다의(daily); 〔天〕 일주(日周)의. **~·ly**[-nəli] *ad.*

di·u·ron[dáiərɑ̀n, djúr-/djúərɔ̀n] *n.* 〔化〕 디우론《백색 결정체: 제초제로 쓰임》.

div. divergence; diversion; divide(d); dividend; divine; divinity; division; divisor; divorced.

di·va[díːvə] [It] *n.* (*pl.* **~s, -ve**) (가극의) 프리마돈나, 주연 여가수.

di·va·gate[dáivəgèit] *vi.* 《文語》 **1** 헤매다. **2** 〈이야기 등이〉 본론에서 벗어나다, 일탈하다《*from*》. **dì·va·gá·tion**[dàivəgéiʃən] *n.* U 방황; U,C 여담(으로 흐르기).

di·va·lent[daivéilənt] *a.* 〔化〕 2가(價)의 (bivalent). **-lence**[daivéiləns] *n.*

di·van[daivǽn, di-] *n.* **1** (벽에 붙여 놓는 등·팔걸이 없는) 긴 의자; 침대 의자, 소파 겸 침대(=∠ **bèd**). **2** (그런 의자가 있는) 끽다실〔점〕, 흡연실. **3** (터키·이란의) 추밀원(樞密院); 회의실; 알현실; 회의, 위원회(council). **4** (아라비아 등의) 시집.

di·var·i·cate[daivǽrikèit, di-] *vi.* 두 갈래로 갈라지다, 분기되다. ── *a.* 분기된; 가지가 갈라져 나온.

di·var·i·ca·tion[-ʃən] *n.* U,C 분기(점); 의견의 차이.

⁑**dive**[daiv] *vi.* (**~d,** 《미口》 **dove**[douv]) **1** (물 속으로) 뛰어들다; 물 속에 잠기다; (…을 찾아) 잠수하다《*for*》; 〈잠수함 등이〉 잠수하다: ~ *into* a river 강물에 뛰어들다. **2** 갑자기 안 보이게 되다, 〈덤불 등에〉 들어가 숨다《*into*》: ~ *into* bushes 덤불 속으로 숨어들다. **3** 손을 찔러 넣다《*into*》: ~ *into* a bag 자루에 손을 찔러 넣다. **4** 〈비행기·새가〉 급강하하다. **5** 〈연구·사업·오락 등에〉 몰두하다, 전렴하다《*in, into*》: ~ *into* a mystery 신비를 파고 들다. ── *vt.* **1** 〈손 등을〉 찔러 넣다. **2** 〈잠수함 등을〉 잠수시키다. **3** 〈비행기 등을〉 급강하시키다. **dive in** 《口》 마구 먹기 시작하다. **dive into** 〈음식〉을 마구 먹기 시작하다. ── *n.* **1** 잠수; (수영에서) 물 속에 뛰어들기, 다이빙: a fancy ~ 곡예 다이빙. **2** 〔空〕 급각도의 강하: a nose〔steep〕 ~ 급강하. **3** (음식점·여관 등의) 지하실; 특수한 물건을 파는 지하층. **4** 《미俗》 값싼 음식점, 싸구려 술집, 하급 유흥장: an opiumsmoking ~ 아편굴. **5** 《俗》 (권투에서) 짜고 하는 녹아웃: take a ~ 녹아웃된 체하다. **6** (매상 등의) 격감《*in*》. **7** 몰두, 탐구. **make a dive for** …을 잡으려고 하다. **take a dive** 《拳鬪俗》 (서로 짜고) 녹아웃 당한 체하다.

dive-bomb[∠bɑ̀m/∠bɔ̀m] *vt., vi.* 급강하 폭격을 하다.

díve bòmber 급강하 폭격기.

díve bòmbing 급강하 폭격.

div·er[dáivər] *n.* **1** 물에 뛰어드는〔잠수하는〕 사람, 다이빙 선수; 잠수부; 해녀. **2** 〔鳥〕 물에 뛰어드는 새《아비(loon) 등》. **3** 《俗》 잠수함; 〔空〕 급강하 폭격기. **4** (문제 등의) 탐구자, 연구자《*into*》. **5** 《영俗》 소매치기.

*****di·verge**[divə́ːrdʒ, dai-] *vi.* **1** 〈길·선 등이〉 분기(分岐)하다, 갈라지다. **2** 빗나가다; 보통 모양〔상태〕에서 벗어나다《*from*》. **3** 〈의견 등이〉 갈라지다《*from*》. **4** 〔物·數〕 (급수 따위가) 발산하다(*opp.* converge). ── *vt.* 빗나가게 하다. ⊕ divérgence *n.*; divérgent *a.*

di·ver·gence, -gen·cy[divə́ːrdʒəns(i), dai-] *n.* (*pl.* **~s; -cies**) U,C 분기; 일탈(逸脫); (의견 등의) 차이; 〔數·物〕 발산; 〔心〕 확산; 〔植〕 잎과 잎 사이의 거리; 방산〔발산〕성.

di·ver·gent[divə́ːrdʒənt, dai-] *a.* **1** 분기하는; 발산하는, 산개(散開)하는, 끝이 퍼지는 (*opp.* convergent). **2** 〈의견 등이〉 다른: ~ opinions 이론(異論). **~·ly** *ad.*

di·verg·er[divə́ːrdʒər, dai-] *n.* DIVERGE하는 사람〔것〕; 〔心〕 확산적 사고형의 사람, 상상력이 풍부한 사람.

di·verg·ing[divə́ːrdʒiŋ, dai-] *a.*=DIVERGENT.

divérging léns 〔光〕 발산 렌즈.

*****di·vers**[dáivəːrz] *a.* 몇 개의; 여러 가지의. ── *pron.* (복수 취급) 몇 개, 몇 사람.

*****di·verse**[divə́ːrs, dai-, dáivəːrs] *a.* 다른 종류의, 다른(different)《*from*》; 여러 가지의, 다양한(varied). ⊕ divérsity *n.*

di·verse·ly *ad.* 여러 가지로, 다양하게.

di·ver·si·fi·ca·tion[divə̀ːrsəfikéiʃən, dai-] *n.* **1** U 다양화, 다양성, 잡다한 상태. **2** U,C 변화, 변형. **3** U,C 〔經〕 (사업의) 다각화, (투자 대상의) 분산.

di·ver·si·fied[divə́ːrsəfàid, dai-] *a.* 변화가 많은, 여러 가지의(varied), 다각적인.

di·ver·si·form[divə́ːrsəfɔ̀ːrm, dai-] *a.* 다양한, 여러 가지 모양의.

di·ver·si·fy[divə́ːrsəfài, dai-](**-fied**) *vt.* 여러 가지로 변화시키다〔만들다〕, 다양화하다; 〈투자 대상을〉 분산시키다; 〈사업을〉 다각화하다. ── *vi.* 다양화하다, 다각화하다.

*****di·ver·sion**[divə́ːrʒən, -ʃən, dai-] *n.* U,C **1** 딴데로 돌림, 전환; 분수(分水); (자금의) 유용. **2** C 기분 전환, 오락, 유희. **3** 〔軍〕 견제〔양동〕(작전). **4** 《영》 (통행 금지시의) 우회로. **5** 〔空〕 (항공기가) 예정 비행장을 바꾸어 착륙함. ⊕ divért *v.*; divérsionary *a.*

di·ver·sion·ar·y[divə́ːrʒənèri, -ʃən-, dai-/-nəri] *a.* **1** 〔軍〕 견제적인, 양동의. **2** 주의를 딴데로 돌리는.

di·ver·sion·ist *n.* (정치적) 편향〔일탈〕자, (공산주의자의 용법으로) 파괴〔반정부〕 활동가; 양동 작전가.

*****di·ver·si·ty**[divə́ːrsəti, dai-] *n.* (*pl.* **-ties**) **1** U 상이; C 상이점; U,C 다양성, 변화(variety). **2** (a ~) 여러 가지, 잡다《*of*》. ⊕ divérse *a.*; divérsify *v.*

⁑**di·vert**[divə́ːrt, dai-] *vt.* **1** 〈…을 …으로〉 전환하다, 딴 데로 돌리다《*from; to, into*》; 유용〔전용〕하다; 《영》 〈교통을〉 우회시키다: 《Ⅲ (목)+〈전+명〉》 ~ the course of a river 강의 흐름을 바꾸다(= ~ a river from its course《Ⅲ (목)+전+명》). **2** 다른 대상을 향하게 하다, 〈주의를〉 딴 곳으로 돌리다《*from, to*》; 〔軍〕 견제하다. **3** 기분 전환을 시키다, 즐겁게 해주다: 《Ⅰ *be pp.*》 Children are easily ~*ed*. 어린아이들은 쉽게 기분이 전환된다. **be diverted by**

…을 즐기다, …에 흥겨워하다: ⦅Ⅰ *be pp.*+[전]+[명]⦆ She *is diverted by* a play. 그녀는 연극을 즐긴다. **divert oneself in**〔**with**〕 …을 즐기다, …으로 기분을 풀다: ⦅Ⅲ (목)+[전]+*-ing*⦆ He *diverts himself in* fishing. 그는 낚시질을 즐긴다/⦅Ⅲ (목)+[전]+[명]⦆ She often *diverts herself with* a violin. 그녀는 종종 바이올린을 켜면서 기분을 푼다. ⊕ divérsion *n.*

di·ver·ti·men·to[divə̀ːrtəméntou, -vɛ̀ərt-] [It] *n.* (*pl.* ***-ti***[-ti]) 〔樂〕 희유곡(嬉遊曲).

di·vert·ing[daivə́ːrtiŋ, di-] *a.* 기분 전환이 되는, 즐거운, 재미있는. **~·ly** *ad.*

di·ver·tisse·ment[divə́ːrtismənt] [F] *n.* **1** 오락, 연예. **2** (연극·오페라에서 줄거리와 관계 없는) 막간의 여흥⦅짤막한 발레·무곡 등⦆.

di·ver·tive[divə́ːrtiv, dai-] *a.* ⦅古⦆ =DIVERTING.

Di·ves[dáiviːz] *n.* 〔聖〕 부자(富者).

Díves còsts ⦅영⦆ 통상적 소송 비용(*opp.* pauper costs).

di·vest[divést, dai-] *vt.* **1** 〈…의〉 (옷을) 벗기다(strip)⦅*of*⦆: ~ a person *of* his coat …의 코트를 벗기다. **2** 〈권리·계급 등을 …에게서〉 빼앗다(deprive)⦅*of*⦆; 제거하다(rid)⦅*of*⦆; 〔法〕 〈권리·재산 등을〉 박탈하다: ~ a person *of* his rights …의 권리를 빼앗다. **be divested of** …을 빼앗기다, 상실하다. **divest oneself of** …을 벗(어 던지)다, 떨쳐없애다; 〈재산 등을〉 포기하다, 버리다. **~·ment** *n.* = DIVESTITURE. **di·vés·ti·ble**[-əbəl] *a.*

di·ves·ti·ture[divéstitʃər, dai-] *n.* Ⓤ 박탈.

div·i *n.* =DIVVY.

di·vid·a·ble *a.* =DIVISIBLE.

★**di·vide**[diváid] [L] *vt.* **1** 나누다, 쪼개다, 분할하다⦅*into*⦆⦅◇ *in* two〔half〕에서만 in이 쓰임⦆: *D-* it *into* two equal parts. 그것을 2등분하시오/How did they ~ the profits *up*? 그들은 이익을 어떻게 분할했는가. **2** 〔數〕 〈어떤 수를 다른 수로〉 나누다⦅*by*⦆; 〈어떤 수로 다른 수를〉 나누다⦅*into*⦆; (우수리 없이) 나뉘어 떨어지게 하다: *D-* 9 by 3〔*D-* 3 *into* 9〕, and you get 3. =9 ~*d by* 3 is〔equals, gives〕 3. 9 나누기 3은 3이다/4 ~*s* 36. 36은 4로 나누어 떨어진다. **3** 분배하다; 〈시간 등을〉할당하다, 배분하다⦅*among, between*⦆; 가르다, 나누어 갖다(share)⦅*with*⦆: ~ profits *with* workmen 이익을 근로자와 나누다/He ~*d* his property *among*〔*between*〕 his three sons. 그는 재산을 세 아들에게 나누어 주었다. **4** 〈도로·하천 등이〉 가르다(part): The river ~*s* my land *from* his. 강이 내 땅을 그의 땅과 갈라놓고 있다. **5** 가려내다: ⦅Ⅲ (목)+[전]+[명]⦆ He will ~ his wheat *from* the chaff. 그는 밀(알곡)과 쭉정이를 가려낼 것이다. **6** 분류하다 ⦅*into*⦆: The subject may be ~*d into* two branches. 문제는 두 부분으로 분류될 수 있을것이다. **7** 〈사람들의〉 사이를 갈라놓다; 〈의견·관계 등을〉 분열시키다⦅*on*⦆: Jealousy ~*d* the girls. 질투 때문에 소녀들은 사이가 틀어졌다/Opinions are ~*d on* the issue of taxes. 과세 문제로 의견이 갈리어 있다/They were ~*d in* opinion. 그들은 의견을 달리했다. **8** 분리하다; 격리하다⦅*from*⦆: ~ the sick *from* the others 환자를 격리시키다. **9** 〈마음을〉 분열시키다. **10** 〈의회·회의를〉 두 파로 나누어 찬부를 표결(表決)하다⦅*on*⦆: ~ the House *on* the point 그 항목을 의회의 표결에 부치다. **11** 〔機〕 도수〔눈금〕를 그어 넣다. **be divided against itself** 〈단체·국가가〉 내분이 일어나 있다. **divide up** 〈나라를〉 분할하다. — *vi.* **1** 갈라지다, 쪼개지다; 〈강·길 등이〉 둘로 갈리다⦅*into*⦆: They ~*d* (*up*) *into* small groups. 그들은 작은 그룹으로 갈라졌다. **2** (…에 관하여) 의견이 갈라지다⦅*on, over*⦆. **3** 표결(表決)하다⦅*on*⦆. **4** 나눗셈하다; (우수리 없이) 나뉘어 떨어지다. **Divide! Divide!** 표결이요! 표결!

— *n.* **1** 분할. **2** 분계(分界); ⦅미⦆ 분수령, 분수계. **3** 분배. **4** 나눗셈. **divide and rule** 분할 통치(정책), 각개 격파. **the Great Divide** 이승과 저승과의 경계⦅죽음⦆; (운명의) 갈림길; ⦅미⦆ 대분수령⦅로키 산맥⦆.

di·vid·ed[diváidid] *a.* **1** 분할된, 갈라진; 분리된: ~ ownership (토지) 분할 소유/~ payments 분할 지불. **2** 〈의견 등이〉 각기 다른, 분열한. **3** 〔植〕 열개(裂開)한.

⊕ divíde *v.*: divísional *a.*

divíded híghway ⦅미⦆ 중앙 분리대가 있는 고속 도로.

divíded skírt (여자 승마용의) 바지 치마 (culottes).

divíded úsage 분할 어법⦅catalog와 catalogue; sing의 과거가 sang, sung 처럼 동일 레벨에 다른 철자·발음·구문이 있는 것⦆.

＊**div·i·dend**[dívidènd] [L] *n.* **1** 〔數〕 피제수(被除數), 나뉨수(*opp.* divisor). **2** 공채 이자; (주식·보험의) 이익 배당, 배당금; (파산 청산의) 분배금⦅*in*⦆. **dividend on**〔**off**〕 ⦅미⦆ 배당이 있는〔없는〕(cum〔ex〕 dividend).

dívidend accòunt 배당금 계정.

dívidend chèck〔⦅영⦆ **chèque**〕 배당 수표, 배당권.

dívidend strìpping 〔영稅法〕 (납세자와 과세자가 공모해서 하는) 배당 과세 면제.

dívidend wàrrant 배당금 지불증.

di·vid·er[diváidər] *n.* **1** 분할자, 분배자. **2** 분열의 원인; 이간자. **3** (*pl.*) 분할기, 디바이더: a pair of ~*s* 분할 컴퍼스.

di·vid·ing[diváidiŋ] *a.* 나누는, 구분적인: ~ bars 창살/a ~ ridge 분수령.

di·vi·di·vi[dìvidívi] *n.* (*pl.* **~, ~s**) 〔植〕 열대 아메리카산 콩과(科)식물(의 꼬투리) ⦅무두질에 씀⦆.

di·vid·u·al[divídʒuəl] *a.* ⦅古⦆ 분리된, 분할할 수 있는.

Di·vi·na Com·me·dia[divíːnəkɑmméidjə] [It] *n.* (La ~) 신곡(神曲)⦅Dante 작의 장편 서사시⦆.

div·i·na·tion[dìvənéiʃən] *n.* **1** Ⓤ,Ⓒ 점(占), 점침. **2** (종종 *pl.*) 예언; 예견, 선견지명.

di·vin·a·to·ry[divínətɔ̀ːri, -vái, dívənə-/ divínətəri] *a.* 점의; 예견적인; 직관적 인지(認知)의, 본능적 예지(豫知)의.

⁑**di·vine**[diváin] *a.* (**di·vin·er; -est**) **1** 신의; 신성(神性)의, 신학상의; 신이 준, 하늘이 내린: ⦅Ⅰ [형]⦆ To forgive is ~. 용서함은 신성(神性)이다/the ~ Being〔Father〕 하느님, 천주(天主)/~ grace 신의 은총/~ nature 신성(神性)/a ~ power 신통력. **2** 신성한(holy); 종교적인; 신에게 바친. **3** 신 같은; 성스러운: ~ beauty〔purity〕 성스러운 아름다움〔순결〕. **4** 비범한; ⦅口⦆ 아주 훌륭한, 멋진⦅주로 여성이 쓰는 강조어⦆. — *n.* ⦅稀⦆ 신학자; 성직자, 목사. — *vt.* **1** 점치다, 미리 알다, 예언하다, (본능적으로) 예지하다; 예측하다, 알아맞히다, 〈남의 생각 등을〉 알아채다. **2** 점 막대기(divining rod)로 〈수맥·광맥을〉 찾아내다.

— *vi.* **1** 점치다. **2** 점 막대기로 (수맥·광맥을) 찾다⦅*for*⦆.

⊕ divínity, divinátion *n.*: divínatory *a.*

Divíne Cómedy *n.* (The ~) =DIVINA COMMEDIA.
di·vine·ly[diváinli] *ad.* 신의 힘〔덕〕으로; 신처럼, 거룩하게; 《口》 아주 훌륭하게, 멋지게.
di·vin·er[diváinər] *n.* **1** 점쟁이. **2** (점 막대기로) 수맥(水脈)·광맥을 찾아내는 사람.
divíne ríght 〔史〕 (백성과 관계 없는) 신수(神授) 왕권; 《일반적으로》 신수권리. **the divine right of kings** 왕권 신수〔제왕 신권〕(설).
divíne sérvice 예배식, 전례(典禮).
⁑**div·ing**[dáiviŋ] *n.* Ⓤ 잠수; 〔水泳〕 다이빙. ── *a.* 물 속에 들어가는; 잠수(용〔성〕)의; 강하〔침하(沈下)〕용의.
díving bèetle 〔昆〕 물방개.
díving bèll 잠수 종《종모양의 잠수기》.
díving bòard (수영장 등의) 다이빙 대.
díving hèlmet 잠수모.
díving sùit〔**dress**〕 잠수복.
di·vin·ing *n.* Ⓤ, *a.* 점(占)(의).
divíning ròd (수맥·광맥을 찾는) 점 막대기, 신장대《끝이 갈라진》(*cf.* DOWSE²).
*__di·vin·i·ty__[divínəti] *n.* (*pl.* **-ties**) Ⓤ **1** a (the D-) (일신교의) 신(=DEITY, GOD). b Ⓒ (종종 D-) (이교(異教)의) 신. **2** 천사; 거룩한 사람. **3** 신성(神性); 신격(神格). **4** 신의 힘〔덕〕. **5** 신학(theology); (대학의) 신학부. **Doctor of Divinity** 신학 박사《略: D.D.》. ⇨ divíne *a.*
divínity càlf 암갈색의 송아지 가죽《신학책 표지용》.
divínity schòol 신학교.
div·i·nize[dívənàiz] *vt.* 신격화하다; 신으로 모시다, …에 신성을 부여하다.
di·vis·i·bil·i·ty[divìzəbíləti] *n.* Ⓤ 나눌 수 있음, 가분성; 〔數〕 나뉘어 떨어짐.
di·vis·i·ble[divízəbəl] *a.* 나눌 수 있는, 가분의; 〔數〕 (우수리 없이) 나뉘어 떨어지는(*by*). **-bly** *ad.* 나눌 수 있게; 나뉘어 떨어지게.
⁑**di·vi·sion**[divíʒən] *n.* **1** Ⓤ,Ⓒ 분할; 분배, 구획, 배분; 〔生〕 분열; 〔園藝〕 포기가름, 포기. **2** 나누기; Ⓤ 〔數〕 나눗셈, 제법(除法)(*opp.* multiplication). **3** (분할된) 구분, 부분; 구, 부, 단(段), 절(節). **4** 경계선; 칸막이, 격벽; (저울·온도계 등의) 눈금. **5** 분류; 〔生〕 (유(類), 과(科), 속(屬) 등의) 부문; 〔植〕 (식물 분류상의) 문(門)(*cf.* CLASSIFICATION). **6** Ⓤ,Ⓒ (의견 등의) 불일치, 불화, 분열. **7** 《영》 (찬부 양파로 갈라지는) 표결(表決)(*on*)(《영》 roll call). **8** 〔陸軍〕 사단; 〔미空軍〕 (항공) 사단; 〔海軍〕 분(함)대(分(艦)隊), 전대(戰隊). **9** (학교·교도소 등의) 반, 조(class): 1st〔2nd, 3rd〕 ~ 《영》 교도소의 미죄(微罪)〔경죄, 중죄〕반. **10** 《미》 (관청·회사 등의) 부, 국, 과; (대학의) 학부. **11** 《영》(선거구로서의) 주〔자치 도시〕의 일부(《미》 district). (**the**) **division of labor** 분업. **division of powers** 〔政〕 (입법·행정·사법의) 3권 분립; 〔미政〕 (중앙·지방의) 주권(主權) 분립. **long**〔**short**〕 **division** 장〔단〕제법《13 이상〔12 이하〕으로 나누는》. **second division** 《영》 전체 하급 문관. ⇨ divíde *v.*; divisional *a.*
di·vi·sion·al[divíʒənəl] *a.* **1** 분할상의, 구분적인; 〔數〕 나눗셈의. **2** 부분적인. **3** 〔軍〕 사단의; 전대(戰隊)의: a ~ commander 사단장. **~·ly** *ad.* 분할적으로, 구분적〔부분적〕으로; 나눗셈으로.
di·vi·sion·ar·y[divíʒənèri/-əri] *a.* =DIVISIONAL.
divísion bèll (영국 의회의) 표결 신호종.
Di·vi·sion·ism, d-[divíʒənìzəm] *n.* 〔美〕 분할 묘법(描法)(*cf.* POINTILLISM). **-ist** *n., a.*
divísion lóbby 〔영議會〕 표결 대기 로비.
divísion sìgn〔**màrk**〕 〔數〕 나눗셈 부호 《÷》; 분수를 나타내는 사선《/》.
di·vi·sive[diváisiv] *a.* 구분〔분할〕하는; 분열하는〔시키는〕; 불화를 일으키는. **~·ly** *ad.* **~·ness** *n.* ⇨ divíde *v.*
*__di·vi·sor__[diváizər] *n.* 〔數〕 제수(除數), 나눗수(*opp.* dividend); 약수: a common ~ 공약수.
⁑**di·vorce**[divɔ́:rs] [L] *n.* **1** Ⓤ,Ⓒ (법원 판결에 따른 법률상의) 이혼, 결혼 해소. **2** 분리, 절연. ── *vt.* **1** 〈재판관이 부부를〉 이혼시키다(*from*); 〈아내·남편과〉 이혼하다: 《Ⅲ (목)》 He ~*d* his wife. 그는 아내와 이혼했다《그가 제의하여 이혼했다》(≒He ~*d* oneself *from* his wife.《Ⅲ (목)+전+명》)/≒ He was ~*d from* his wife.(《Ⅰ *be pp.*+전+명》)(어느 쪽이 제의했는지 불분명함)). **2** 〈밀접한 것을〉 분리시키다(separate)(*from*): ~ education *from* religion 교육과 종교를 분리하다. ── *vi.* 이혼하다. ⇨ divórcement *n.*
di·vor·cé[divɔ:rséi, ─́─] [F] *n.* 이혼한〔당한〕 남자.
divórce còurt 이혼 재판소.
di·vor·cée, -cee[divɔ̀:rséi] [F] *n.* 이혼한〔당한〕 여자.
di·vorce·ment *n.* Ⓤ,Ⓒ 이혼; 분리.
div·ot[dívət] *n.* **1** 《스코·영北部》 (한 조각의) 잔디, 뗏장(sod). **2** 골프 (클럽에 맞아서) 뜯긴 잔디의 한 조각.
di·vul·gate[divʌ́lgeit] *vt.* 〈비밀을〉 누설하다(*to*); 폭로하다(that ...).
di·vul·ga·tion[dìvəlgéiʃən] *n.*
di·vulge[divʌ́ldʒ, dai-] *vt.* 〈비밀 등을〉 누설하다(reveal); …을 폭로하다: 《Ⅲ (목)+전+명》 Don't ~ the secret to anybody. 아무에게도 비밀을 누설하지 말라. **di·vúlg·er** *n.*
di·vul·gence[divʌ́ldʒəns, dai-], **-vulge·ment**[-dʒmənt] *n.* Ⓤ,Ⓒ 비밀 누설; 폭로.
di·vul·sion[divʌ́lʃən, dai-] *n.* Ⓤ 잡아 찢음; 〔外科〕 열개(裂開).
div·vy[dívi] *n.* (*pl.* **-vies**) 《口》 몫, 배당. ── *vt., vi.* 《口》 분배하다(*up; between*).
di·wan[diwɑ́:n, -wɔ́:n] *n.* =DEWAN.
dix·ie[díksi] *n.* (야영용) 큰 냄비, 반합(飯盒).
Dix·ie[díksi] *n.* 《미》 **1** 남부 여러 주의 별명. **2** 딕시《남북 전쟁 때 남부에서 유행한 쾌활한 노래》. ── *a.* 미국 남부 여러 주의.
Dix·i·can[díksikən] *n.* 《미》 남부 출신의 공화당원.
Dix·ie·crat[díksikræ̀t] *n.* 《미》 미국 남부의 민주당 탈당파(의 사람).
Díxie Cùp 딕시컵《음료·아이스크림용 종이컵; 상표명》.
Díxie Lànd =DIXIE 1.
Dix·ie·land[díksilæ̀nd] *n.* Ⓤ **1** =DIXIE 1. **2** 재즈 음악의 한 형식 =(∠ **jazz**).
dix·y[díksi] *n.* (*pl.* **dix·ies**)=DIXIE.
D.I.Y. 《영》 do-it-yourself.
di·zen[dáizn, dízn] *vt.* 《古》 성장(盛裝)하다(deck)(*out, up*).
di·zy·got·ic[dàizigátik/-gɔ́t-], **di·zy·gous**[daizáigəs] *a.* (이란성 쌍둥이처럼) 두개의 수정란에서 자란.
diz·zi·ly[dízəli] *ad.* 현기증나게, 어지럽게.
diz·zi·ness[dízənis] *n.* Ⓤ 현기증.
*__diz·zy__[dízi] *a.* (**-zi·er**; **-zi·est**) **1** 현기증 나는, 어지러운; 아찔한. **2** 《口》 지각 없는, 어리석

은. — *vt.* (**-zied**) 현기증 나게 하다, 현혹시키다.

diz·zy·ing[díziiŋ] *a.* 현기증이 날 것 같은. **~·ly** *ad.*

D.J., DJ disk jockey; District Judge; *Doctor Juris*(L = Doctor of Law).

Dja·kar·ta[dʒəkɑ́:rtə] *n.* =JAKARTA.

Dji·bou·ti, Ji·b(o)u-[dʒibú:ti] *n.* 지부티(아프리카 동부의 공화국; 수도 Djibouti).

djin(n), djin·ni[dʒin], [dʒíni] *n.* =JINN.

dk. dark; deck; dock. **D.K.** don' t know. **dkg.** decagram(s). **dkl.** decaliter(s). **dkm.** decameter(s). **dks.** decastere(s). **dl, dl.** deciliter(s). **DL** Delta Air Lines. **D.L.** Deputy Lieutenant; Doctor of Law. **D / L** demand loan; 〔컴퓨터〕 data link.

D làyer[dí:-] 〔通信〕 D층(이온권의 최하층).

D.L.F. Development Loan Fund ((미)) 정부 개발 차관 기금. **D.L.I.** Durham Light Infantry. **D.Lit(t).** Doctor Let(t)erarum(L = Doctor of Letters〔Literature〕). **DLM** 〔樂〕 double long meter. **D.L.O.** Dead Letter Office 배달 불능 우편물계. **DLP** ((오스)) Democratic Labor Party. **dlr.** dealer. **D.L.S.** Doctor of Library Science. **dlvy.** delivery. **dm., dm** decameter(s); decime-ter(s). **DM.** Deutsche mark(s). **D.M.** Doctor of Medicine; Daily Mail; Doctor of Mathematics. **DMA** 〔컴퓨터〕 direct memory access; Doctor of Musical Arts. **D.M.D.** Dentariae Medicinae Doctor(L = Doctor of Dental Medicine). **D.M.I.** Director of Military Intelligence. **D.M.L.** Doctor of Modern Languages. **DMN, DMNA** 〔化〕 dimethylnitrosamine. **D.M.S.** ((영)) Diploma in Management Studies; Doctor of Medical Science(s). **DMSO** dimethyl sulfoxide. **DMT** dimethyltryptamine(환각제). **D. Mus.** Doctor of Music. **DMZ** demilitarized zone 비무장 지대. **D.N.** Daily News. **D/N** debit note 차변표(借邊票).

d–n[dæm, di:n] *v.* =DAMN(*cf.* D–, D–D) (damn이란 말을 넌지시 표현할 때 쓰임).

DNA[dì:ènéi] [*d*eoxyribo *n*ucleic *a*cid] *n.* Ⓤ 〔生化〕 디옥시리보 핵산(核酸)(*cf.* RNA).

DNA fingerprinting (범인의 신분 감식을 위해 유전자 대조 등의) DNA 소식자 사용.

DNA polymerase 〔生化〕 DNA 폴리메라아제(DNA의 복제 및 수복(修復)을 촉매하는 효소).

DN·ase, DNA·ase[dì:énèis, -z], [dì:-ènéièis, -z] *n.* Ⓤ 〔生化〕 DN(A) 분해 효소(deoxyribonuclease).

DNB, D.N.B. Dictionary of National Biography 영국 인명 사전. **DNC** 〔컴퓨터〕 direct numerical control 직접 수치 제어. **DNF** did not finish.

Dnie·per[dní:pər] *n.* (the ~) 드네프르강 (소련 서부의 강; 흑해로 흐름).

D nòtice[dí:-] [D< *d*efence] ((영)) (정부가 기밀 유지를 위해 보도 기관에 보내는) 보도금지 요청.

★**do**[1] [du:, 弱du, də] *v.* (현재 **do**, 직설법 현재 3인칭 단수 **does**[dʌz, 弱dəz]; 과거 **did**[did]; 현재분사 **do·ing**[dú:iŋ]; 과거분사 **done**[dʌn] ((古)) (1) 2인칭 단수 현재(thou) **do·est**[dú:ist], **dost**[dʌst, 弱dəst]; 과거(thou) **didst**[didst]; (2) 3인칭 단수 직설법 현재 **do·eth**[dú:iθ], **doth**[dʌθ, 弱dəθ]) (do는 조동사 · 대동사 · 본동사 · 명사의 용법이 있다).

aux. v. **1** (긍정의문문) ((일반동사 · have 동사와 함께 do의 여러 형태는 약하게 발음되는 때가 많음)): *Does* it rain every day in June? 6월에는 매일 비가 옵니까?/*Did* Lucy catch cold last week? 루시는 지난주 감기에 걸렸습니까?/((미)) *Do* you have (any) money? 돈이 있느냐(◇ be, have 이외의 동사(((미))에서는 have도 포함)의 의문문에 쓴다).

2 (부정문: 평서 · 의문 · 명령)((1) 부정의 단축형 **don't**, **doesn't**, **didn't**. (2) 부정사 · 동명사 · 분사의 부정: not to go, not going으로 함. (3) be, have 이외의 동사(((미))에서는 have도 포함)의 부정문을 만든다. (4) be 동사는 부정의 명령법에서만 do를 씀): I *do not* shop at the supermarket. 나는 그 슈퍼마켓에서 물건을 사지 않는다/I *don't* know what you mean. 당신이 무슨 말씀을 하시는지 모르겠습니다/((미)) I *don't* have a brother. 난 형제가 없다/*Don't* you think so? 그렇게 생각하지 않으세요?/*Don't* waste your time. 시간을 낭비하지 마라/*Don't* be in such a hurry. 그렇게 허둥대지 마라(◇ be동사의 경우에 Be not은 문어적이며, 일반적으로는 Don't be를 사용한다).

3 (긍정문을 강조) 정말, 꼭, 확실히, 역시: *Do* try to behave like a gentleman. 제발 신사답게 처신해 주기를 바란다/This pearl *does* look real, but it's not. 이 진주는 정말 진짜같이 보이지만 아니다(◇ do에 강세가 있다).

4 (도치법): *Happily did* they live together. 행복하게 그들은 함께 살았다(◇ happily, little, never, not, only, well 등의 부사를 강조하기 위해 문두에 둘 때 do를 써서 'do+주어+본동사'의 어순을 만든다) (*cf.* I do not borrow, *nor do* I lend. 나는 빌려 쓰지도 않으며, 또한 빌려 주지도 않는다).

— *pro-verb*(대동사) **1** (be, have 이외의 동사(구)의 반복을 피하기 위하여 사용): He *did*n't go. No, he *did*n't. 그는 가지 않았다. 예, 가지 않았어요/Does she love you? Yes, she *does.* 그녀는 너를 좋아하니? 예, 그렇습니다/Shall we dance? Yes, *do.* 우리 춤출까요? 예, 그러세요(의문문에 대한 대답 중에서 흔히 do에 강세)/He runs fast. So he *does.* 그는 빠르다. 그렇군요/I like raw fish. So *do* I. 나는 생선회를 좋아한다. 나도 그래/I *do*n't like oyster. Neither *do* I. 나는 굴을 좋아하지 않는다. 나도 또한 좋아하지 않소/I respect him more than you *do.* 당신보다 내가 그분을 더 존경합니다.

2 (do so, do it, do that, which ... do 등의 형태로 사용): People who deceive us once are capable of *doing so* again. 한 번 속인 자들은 두 번 속일 가능성이 있다/If you want to surrender, *do it* quickly 항복하려거든 빨리 해라.

3 (부가의문문 중에서 사용) …이죠〔그렇죠〕, …라던데요(확인의문일 때에는 내림조, 반복의 문일 때에는 올림조): You don't like fish, *do* you? 당신은 생선을 좋아하지 않지요?/Everybody come in their own car, *don't* they? 모두 자기 차로 오지요(부가의문문에서는 종속절은 주절이 긍정이면 부정, 주절이 부정이면 긍정문이 된다).

4 (-ing as+주어+do)…하므로: Living as I *do* in the country, I rarely have visitors. 시골에 살고 있어 좀처럼 방문객이 없다.

— *vt.* **1 a** …을 하다, 행하다: *do* repairs 수리하다/*do* something wrong 어떤 나쁜 짓을 하다/*do* research on history 역사의 연구를 하다/What are you do*ing*? 무엇을 하고 있는

가/What does he do? 그는 무엇을 하나《그의 직업은 무엇인가》/I have nothing *to* do. 나는 아무 것도 할 일이 없다/We must *do* something about it.(=Something must be *done* about it.) 거기에 어떤 손을 쓰지 않으면 안 된다/What can I *do for* you? (점원이 손님에게) 무엇을 드릴까요:(의사가 환자에게) 어디가 편찮으십니까/《Ⅲ (목)+전+명》He *did* it *in* secret. 그는 남몰래 그것을 했다.
b 〈일·의무 등을〉 다하다, 수행〔실행, 이행〕하다: 전력하다: *Do* your duty. 본분〔의무〕을 다하라/《Ⅲ (목)》He always ~*es* his best 〔utmost〕. 그는 항상 최선〔전력〕을 다한다/I've *done* all I can. 내 힘껏은 했다/*do* one's military service 병역에 복무하다/*do* business with …와 거래하다/You *did* the right〔proper〕thing. 너 참 잘했다《너는 옳은 〔타당한〕 일을 했네》/You should *do* the honorable thing and resign. 너는 (염치가 있으면) 깨끗이 사임해야 해야 된다.
c (보통 the, any, one's, much, some을 수반하는 -*ing*를 목적어로 하여) 〈…의 행위를〉 하다: *do the* wash*ing*〔shopp*ing*〕 세탁〔쇼핑〕을 하다《*cf.* 'go shopping'은 the가 붙지 않음》/She *did* almost all *the* talk*ing*. 그녀는 혼자서 거의 내내 지껄여댔다《이야기를 독차지 했다》/I wanted *to do some* telephon*ing*. 전화를 좀 걸고 싶었다.
d (직업으로서) …을 하다: *do* lectur*ing* 강의를 하다/*do* teach*ing* 교직 생활을 하다《◇ do의 목적어로 동명사가 많음》.
e (보통 have done, be done의 형태로) 해버리다: I've *done* it〔my work〕. 끝냈어, 해치웠어, 해냈어〔나는 일을 마쳤다〕《(口)에서는 have가 생략될 때가 있음》/Now you've *done* it. 《口》 저런, 실수를 했군/The work is *done*. 일이 끝났다《주로 결과로서의 상태를 나타냄》《◇ The work has been *done*.은 완료를 강조》/《Ⅲ -*ing*/접 Ⅰ 부》I have *done* my shopping and I am going home now. 쇼핑을 하고 집으로 가는 중이다.
2 주다 a 〈…에게 이익·손해 등을〉 주다, 끼치다, 입히다《*to*》:《Ⅳ 대+(목)》The fresh air will ~ you good. 신선한 공기는 너에게 도움이 될 것이다/Good intentions can ~ (us) great harm. 선의로 한 일이라도 (우리에게) 큰 해를 끼칠 수가 있다/The medicine will ~ you good. 그 약을 먹으면 나을 겁니다/The bad weather has *done* great damage *to* the crops. 악천후가 곡물에 큰 피해를 입혔다.
b 〈…에게 명예·경의·옳은 평가 등을〉 보이다, 베풀다, 주다《*to*》: ~ a person a service …의 시중을 들다/~ honor *to* a person=~ a person honor …에게 경의를 표하다《⇨ HONOR》/《Ⅳ 대+(목)+{*to* do}》She *did* him a kindness *to* repay his obligation. 그녀는 그의 은혜에 보답하려고 친절한 행위 한 가지를 했다. c 〈…에게 은혜·부탁하는 바를〉 베풀다, 〈…의 부탁 등을〉 들어 주다《*for*》:《Ⅲ (목)+전+명》*Do* a favor *for* me. 부탁합니다(=*Do* me a favor.《Ⅳ 대+(목)》)/《Ⅲ (목)+전+명》Would you ~ a favor *for* me? 저의 부탁을 좀 들어주시겠습니까(=Would you ~ me a favor?《Ⅳ 대+(목)》).
3 (어떤 방법으로) 처리하다 a (답장을 써서) 〈편지의〉 처리를 하다: ~ one's correspondence 편지 답장을 쓰다. b 〈방·침대 등을〉 치우다, 청소하다, 정리하다; 〈접시 등을〉 닦다: ~ the room 방을 청소하다/~ one's teeth 이를 닦다/~ the dishes 접시를 닦다. c 꾸미다: 꽃꽂이를 하다: 〈머리를〉 손질하다: 〈얼굴을〉 화장하다: ~ the flowers 꽃꽂이하다/~ one's hair 머리를 빗다〔감다〕/~ one's nails 손톱을 깔끔히 하다/~ one's face 화장하다. d 〈학과를〉 공부〔전공, 준비〕하다/He is *doing* economics at Columbia (University). 그는 컬럼비아 대학교에서 경제학을 전공하고 있다.
e 〈문제·계산을〉 풀다(solve): Will you ~ this sum for me? 이 계산을 해 주시겠습니까? f 〈작품 따위를〉 만들다; 〈책을〉 쓰다; 〈그림을〉 그리다; 〈영화를〉 제작하다: ~ a portrait 초상화를 그리다/~ a movie 영화를 제작하다. g 〈…을 위해서 복사·리포트 등을〉 하다; 〈번역을〉 하다《*for*》: ~ three copies of it 그것의 복사를 3부 만들다/We asked her *to do* us a translation. =We asked her *to do* a translation *for* us. 그녀에게 번역을 해 달라고 부탁했다.
4 a (고기야채 따위를) 요리하다; (요리를) 만들다: They ~ fish very well here. 이 집은 생선 요리를 잘한다. b 〈육류 등을〉 …하게 요리하다, 굽다: ~ meat brown 고기를 갈색이 되게 굽다/This steak has been *done to* a turn. 이 스테이크는 알맞게 구워졌다(*cf.* well-done, overdone, underdone).
5 a …의 역을 하다〔연기하다〕: He *did* Macbeth well. 그는 맥베스역을 잘했다/She always *does* the hostess admirably 〔very well〕. 그녀는 언제나 여자 주인 역을 잘 해낸다. b (do a …) …처럼 행동하다, …인 체하다: …을 흉내내다: ~ a Chaplin 채플린의 흉내를 내다/Can you ~ a frog? 너는 개구리 흉내를 낼 수 있니. c ('the+형용사'를 목적어로 하여) 《口·古》 …하게 행동하다: ~ the agreeable〔amiable〕 귀엽게 행동하다.
6 (will과 함께) …에게 도움이 되다, 쓸 만하다, 소용에 닿다, 충분하다《수동형은 불가》: Will thirty dollars ~ you?—That will ~ me very well. 30달러면 되겠느냐?—그것이면 나는 충분하다.
7 《영口》 a 〈손님의〉 볼일을 봐 주다, 서비스를 제공하다《보통 수동형은 불가》: I'll ~ you now〔next〕, sir. (이발관 등에서) 자 앉으시죠〔다음 손님 앉으시죠〕. b (보통 well과 함께) …을 (잘) 대접하다《보통 수동형·진행형은 불가》: They ~ you very well at that hotel. 저 호텔은 서비스가 아주 그만이다. c (~ one*self*로: well 등과 함께) 사치를 하다 《수동형은 불가》: He *does* himself fairly well. 그는 꽤 사치를 한다.
8 《口》 …을 구경〔참관〕하다: ~ the sights (of …) (…의) 명승지를 구경하다/Have you *done* the Tower (of London) yet? 런던 탑 구경을 벌써 하셨습니까.
9 a 〈어떤 거리를〉 답파하다; 여행하다: We 〔Our car〕 *did* 60 miles in an hour. 우리〔우리 차〕는 1시간에 60마일을 달렸다. b 〈…의 속도로〉 달리다, 가다: This car *does* 100 m.p.h. 이 차는 시속 100마일로 달린다.
10 《口》 a …을 속이다: I've been *done*. 나는 속았다. b 〈…에게서〉 …을 속여서 빼앗다, 사취하다《*out of* 》: He once *did* me *out of* a large sum of money. 그는 전에 내게서 큰 돈을 속여 빼앗었다〔사취했다〕.
11 《口》 〈형기를〉 복역하다, 징역을 살다: ~ time (in prison) 복역하다/He *did* two years *for* assault. 그는 폭행죄로 2년형을 살았다.
12 《영口》 …을 혼내주다; …을 죽이다.
13 《口》 (여행운동 등이) 지치게 하다.

14 …을 기소〔고소〕하다: …에게 유죄를 선고하다.
15 ⦅영俗⦆ (점포 따위에) 침입하다, …을 털다(rob).
16 ⦅俗⦆ 성교하다: (마약을) 쓰다.
— *vi.* **1** 하다. a 행하다, 활동하다: (Ⅰ 부+전+명) He *did* so from necessity. 그는 필요해서 그렇게 했다. b (well, right 등의 양태의 부사 또는 부사절과 함께) 행하다, 행동하다: 처신하다, 거동하다: You *did well*〔*right*〕 in telling it to me. 그것을 내게 말해 주기를 잘했어/*Do as* I tell you. 내가 말하는 대로 하세요/*Do* in Rome *as* the Romans ~. ⦅속담⦆ 로마에 가면 로마의 풍습을 따르라.
2 (well, badly, how 등과 함께) a 〈사람의 형편·건강 상태·성적 등이〉 …한 형편이다: 〈일이〉 (잘) 되어 가다(get along): He is *doing* splendidly〔poorly〕 at school. 그는 학교 성적이 훌륭하다〔좋지 않다〕/Mother and child are both *doing well*. 모자가 다 건강하다/He ~*es* fairly *well* for himself. 그는 곧잘 처세하고 있다. b 〈식물이〉 자라다(grow): Flax ~*es well* after wheat. 밀 다음으로는 아마가 잘 된다.
3 (보통 will, won't와 함께) a …에 도움이 되다, 쓸만하다: 충분하다(*for*): This box will ~ *for* a seat. 이 상자는 의자로 쓸만하다. b 〈아무가 …하는 데〉 충분하다, 족하다: This bench will ~ *for* three people *to* sit on. 이 벤치는 세 사람이 앉아도 충분하다. c 좋다, (…면, …으로) 되다: Will $5 ~? 5달러면 되겠지/That will ~. 그것이면 돼: 이제 됐으니 그만해 둬/That won't〔doesn't〕 ~. 그건 안 돼〔못써〕/(Ⅰ *It v*Ⅰ+*to* do) It won't ~ *to* sit up too late. 너무 늦게까지 자지 않는 것은 좋지 않다.
4 (현재 분사형으로) 일어나(고 있)다(happen, take place): What's *doing* here? 어찌된 일이야.
5 (완료형으로) (행동·일 따위를) 끝내다, 마치다(finish)(⇨ *have done with*): I'*ve done*. 나는 끝냈습니다/*Have done*! 끝내 버려: 그만 둬/*Have done* (crying). (우는 것은) 그만 그쳐라.
be done with … ⇨done *a*. **do again** 〈물건을〉 재생하다: 〈일을〉 다시 하다, 반복하다. **do a job on** ⇨job *n*. **do away with**(◇ 수동형도 씀) (1) …을 없애다, 폐지하다: (Ⅲ *v*Ⅰ+부+전+*-ing*) You should *do away with* belching. 너는 트림을 하는 습관을 없애야 한다. (2) 〈사람 등을〉 죽이다. **do badly**〔**well**〕 **for** ⦅口⦆ …의 비축이 충분치 않다〔충분하다〕, …을 조금〔충분히〕 얻다. **do by** …에게 대하다, …을 접대하다: He *does* well *by* his friends. 그는 친구들에게 잘한다/Do as you would be done by. 남에게 대접을 받고자 하는 대로 너희도 남을 대접하라(⇨GOLDEN RULE) (마태복음 7:12, 누가복음 6:31). **do down** ⦅영口⦆ (1) …을 속이다. (2) …에게 창피를 주다. (3) 〈그 자리에 없는 사람의〉 욕을 하다. **do for** … (1) *vi*. 3 a. (2) ⦅영口⦆ …을 위해 주부 노릇〔가정부역〕을 하다: Nancy *does for* her father and brother. 낸시는 아버지와 오빠를 위해 살림을 맡아 주고 있다. (3) ⦅口⦆ …을 피로하게 하다: 〈물건을〉 못쓰게 만들다(보통 수동형으로 씀): I'm afraid these gloves are *done for*. 아무래도 이 장갑들은 못쓰게 된 것 같다. I'm *done for*. 이젠 글렀다: 이제 녹초가 됐다: 손들었다/(Ⅰ *It v*Ⅰ/접 Ⅰ *be pp*.(*v*Ⅰ)+전) It has been raining and my new dress is *done for*. 비가 내려서〔비를 맞아서〕 내 새 정장이 망쳐졌다. **do in** (1) ⦅口⦆ …을 기진하게 하다: I'm really *done in*. 난 정말 지쳤다. (2) ⦅口⦆ 〈사람을〉 파멸시키다, 못쓰게 만들다. (3) ⦅俗⦆ 〈사람을〉 죽이다, 없애다. **do it** 해치우다. **do it all** ⦅俗⦆ 종신형을 살다. **do much** …에 진력하다(*for*). **do one's head**〔**nut**〕 ⦅영俗⦆ 허둥대다, 흥분하다, 발끈하다. **do** (one's) **homework** (1) 숙제를 하다. (2) ⦅영口⦆ 〈문제를〉 숙고하다, 〈사실을〉 알다. **do** (one's) **sums** ⦅영口⦆ 명료하게 생각하다, 추론하다. **do** (one's) **whack** ⦅영口⦆ 할당분을 마치다. **do one's worst** ⦅미⦆ 악랄한 수단을 다하여 …하다. **do or die** (원형을 써서) (1) (성공하기 위해) 죽을 각오로 하다, 진력하다(*cf*. DO-OR-DIE): We must *do or die*. 우리는 사력을 다해야 한다. (2) (형용사구적으로 써서) 필사의 각오로, 죽기 아니면 살기로. **do out** ⦅口⦆ 〈방 등을〉 깨끗이 치우다〔청소하다〕. **do over** (1) 〈방·벽 등을〉 새로 칠하다: 개장하다: Her room was *done over* in pink. 그녀의 방은 핑크색으로 새로 칠해졌다〔꾸며졌다〕. (2) ⦅미⦆ …을 되풀이하다: 다시 하다, 다시 만들다. (3) =DO¹ out. (4) ⦅俗⦆ …을 혼내 주다, 두들겨 패다. **do thing for**〔**to**〕 …을 보다 돋보이게 하다, 더 보기 좋게 하다. **do up** (1) …을 수리하다, 손질하다: This house must be *done up*. 이 집은 수리를 해야 한다. (2) 〈머리를〉 손보다, 다듬다, 땋다: *do up* one's hair 머리를 매만지다. (3) (*do* oneself *up*으로) 모양내다: 화장하다, 차려 입다. (4) 〈물건을〉 싸다: 꾸리다: *do up* a parcel 소포를 꾸리다〔싸다〕. (5) …의 단추〔훅 등〕를 잠그다(*opp*. undo): She *did up* the zip on her dress. 그녀는 옷의 지퍼를 잠갔다. (6) ⦅口⦆ …을 기진맥진하게 만들다(보통 수동형으로 씀): I'm *done up*. 난 기진맥진했다. (7) 〈옷이〉 단추(훅)로 잠가지다: My dress *does up* at the back. 내 옷은 등에서 단추로 잠그게 되어 있다. **do a person's worst** 될 수 있는 대로 몹쓸 짓을 하다. **do with** … (1) (의문대명사 what을 목적어로 하여) (어떻게) …을 처리하다: *What* did you *do with* my book? 내 책을 어떻게 했니/I don t know *what to do with* her. 그녀하고 어떻게 사귀면 좋을지 모르겠다(사귀기 힘든 사람이다). (2) (can, could와 함께: 부정문·의문문에서) …으로 우선 때우다, 견뎌 내다: *Can* you *do with* cold meat for dinner? 저녁 식사는 냉육으로 괜찮으시겠어요. (3) (could와 함께) ⦅口⦆ …이 있으면 싶다, …이 바람직하다: I *could do with* a good night s rest. 하루 저녁 푹 자면 좋겠는데/I *could do with* a drink. 한 잔 했으면 싶다. **do without** … (1) …없이 지내다: I can't *do without* this computer. 이 컴퓨터 없이는 배길 수 없다. (2) …없이 견디다, 참다: The store hasn't any; so you will have to *do without*. 가게에서도 팔지 않으니까, 참는 수밖에 없어요. **have done it** ⦅口⦆ 실수했다. **have done with** (1) …을 마치다, 끝내다: *Have* you *done with* the newspaper? 신문을 다 보셨습니까. (2) …와 관계를 끊다〔이제 관계가 없다〕: …에서 손을 떼다: I *have done with* her. 그녀와는 절교했다/Let's *have done with* it. 이제 그 일은 치웁시다. **have something**〔**nothing, little,** etc.〕 **to do with** …와 조금 관계가 있다〔전혀, 거의 (등) 관계가 없다〕: He *has something*〔*nothing*〕 *to do with* the firm. 그는 그 회사와 어떤

관계가 있다〔전혀 관계가 없다〕/This kind of specialized knowledge *has* very *little to do with* wisdom. 이런 종류의 전문 지식은 지혜와는 거의 관계가 없다/Smoking *has a great deal*〔*quite a lot*〕 *to do with* cancer. 흡연은 암과 큰 관계가 있다. **have to do with** (1) …와 관계가 있다: What do you *have to do with* the matter? 당신은 그 문제와 무슨 관계가 있나요. (2) …을 다루다: A doctor *has to do with* all sorts of people. 의사는 온갖 사람들을 다룬다. **How are you doing?** (친한 사이의 인사로서) 《미口》 재미 좋아. **How do you do?** (정중한 초대면의 인사로서) 처음 뵙겠습니다《그 말을 받는 사람도 같은 말을 함: 그 다음의 인사는 How are you? 등을 씀》. **make do with**〔**on**〕 ⇨make. **That does it!** 《口》 그건 너무하다, 더는 못 참겠다. **That's done it!** 《口》 (1) 다 글렀다, 끝장이다. (2) 됐다, 잘했다. **That will do!** (1) 그거면 됐어. (2) 이제 그만. **to do with** … (보통 something, nothing, anything 등의 형용사구의 뒤에 두어) …에 관계하다: His job is〔has〕 something *to do with* banks. 그의 일은 은행과 어떤 관계가 있다/I want nothing *to do with* him. 그 사람하고는 상관하고 싶지 않다. **up and doing** ⇨up *ad.* **What**〔《영》 **How**〕 **will you do for …?** …의 수배는 어떻게 하는가: *What will you do for* food while you're climbing the mountain? 등산중의 식량의 수배는 어떻게 하는가.

— [du:] *n.* (*pl.* **~s, ~'s**) Ⓒ **1** 사기, 기만: It's all a *do.* 그건 순전히 사기다. **2** 전투. **3** 《영口》 축하연, 잔치, 경사의 모임. **4** (*pl.*) 해야〔지켜야〕 할 것, 명령 사항: *do*'s and don'ts 지켜야 할 사항, 주의사항(*cf.* DON'T *n.*). **5** (*pl.*) 행위; 분배. **6** 《때로 익살》 법석, 대소동. **7** 《미俗》 머리형(型)(hairdo). **8** 《俗》 배설물. **9** 《오스》 성공. **do one's do** 할 일을 다하다, 본분〔직분〕을 다하다. **Fair dos**〔**do's**〕**!** 공평히 (나눠라)(Play fair!).

do² [dou] *n.* (*pl.* **~s**) 〔樂〕 (도레미파 음계의) 「도」, 기음(基音)(*cf.* SOLMIZATION).

do., d⁰ [dítou] ditto. **D/O, d.o.** delivery order. **D.O.A.** 〔病院〕 dead on arrival.

do·a·ble [dú:əbəl] *a.* (행)할 수 있는.

do-all [dú:ɔ:l] *n.* 허드레꾼(factotum).

doat [dout] *vi.* =DOTE. **dóat·er** *n.*

dob [dab/dɔb] *vt.* (**~bed; ~·bing**) 《오스俗》 배반하다, 밀고하다《*in*》.

Dob *n.* 남자 이름《Robert의 애칭》.

DOB date of birth.

dob·ber [dábər/dɔ́bər] *n.* **1** 《미方》 낚시찌(bob). **2** 《오스俗》 =DOBBER-IN.

dob·ber-in [dábərìn/dɔ́b-] *n.* 《오스俗》 밀고자, 배반자.

dob·bin [dábin/dɔ́bin] *n.* **1** 농사 말, 짐말, 복마(卜馬). **2** (**D-**) =DOB.

do·be, -bie, -by [dóubi] *n.* 《미口》 =ADOBE.

Do·ber·man (pin·scher) [dóubərmən(pínʃər)] *n.* 도베르만 (핀셔)《군용·경찰견: 독일 품종의 큰 개》.

Do·bro [dóubrou] *n.* (*pl.* **~s**) 도브로《금속의 반향판이 달린 음향 기타; 상표명》.

dob·son [dábsn/dɔ́b-] *n.* =HELLGRAMMITE.

dob·son·fly [-flài] *n.* (*pl.* **-flies**) 〔昆〕 뱀잠자리.

doc¹ [dak/dɔk] *n.* 《口》 =DOCTOR.

doc² [dak/dɔk], **docu** [dákju/dɔ́k-] 《복합어》: *docu*drama〔drama*doc*〕, *docu*tainment 실제 기록을 근거로 하는 영화나 흥행물.

do·cent [dóusənt, dousént] [G] *n.* 《미》 (대학의) 시간 강사; (미술관·박물관의) 안내원.

doc·ile [dásəl/dóusail] [L] *a.* 온순한, 유순한; 〈사람이〉 다루기 쉬운, 가르치기 쉬운(학생): the ~ masses 다루기 쉬운 대중. **~·ly** *ad.*

do·cil·i·ty [dasíləti, dou-] *n.* Ⓤ 온순, 유순; 다루기〔가르치기〕 쉬움.

dock¹ [dak/dɔk] *n.* **1** 독, 선거(船渠). **2** 《미》 선창, 부두, 안벽(岸壁), 잔교(pier). **3** 〔영鐵道〕 (선로의 종점으로 3면이 플랫폼으로 되어 있는) 독; 《미》 (트럭·화차 따위의) 짐부리는 장소. **4** (보통 *pl.*) 조선소. **5** 〔空〕 격납고. **6** (극장의) 배경 도구 창고. **dry**〔**graving**〕 **dock** 건선거(乾船渠)《보통 「독」이라 하는 것》. **floating dock** 부선거(浮船渠). **in dock** 《海軍俗》 입원하여. **in dry dock** 《俗》 실직하여. **wet dock** 계선거(繫船渠).

— *vt.* **1** (수리하기 위해) 〈배를〉 독에 넣다; (하역·승하선하기 위해) 〈배를〉 부두에 대다. **2** 독을 설치하다. **3** 〈우주선을〉 다른 우주선과 도킹시키다《*with*》. — *vi.* 〈배가〉 독에 들어가다; 부두에 들어가다; 부두에 닿다; 〈우주선이〉 도킹하다《*with*》.

dock² *n.* (the ~) (형사 법정의) 피고석: be in〔on〕 *the* ~ 피고석에 앉아 있다; 비난〔심판〕 받고 있다.

dock³ *n.* **1** (짐승) 꼬리의 심. **2** 자른 꼬리. — *vt.* **1** 〈꼬리·털 등을〉 짧게 자르다. **2** 절감하다; 〈임금을〉 삭감하다《*off*》; 〈어느 부분을〉 감하다《*of*》. **3** (결근·지각 등의 벌로서) 감봉하다. **4** 〈목숨을〉 단축하다, 감수하다.

dock⁴ *n.* 〔植〕 수영·소루쟁이 등의 식물.

dock·age¹ [dákidʒ/dɔ́k-] *n.* **1** Ⓤ 독〔선거(船渠)〕 설비. **2** Ⓤ,Ⓒ 독 사용료.

dockage² *n.* Ⓤ 절감(節減), 삭감.

dóck chàrges〔**dùes**〕 독 사용료.

dock·er [dákər/dɔ́k-] *n.* 《영》 독〔부두〕 노동자, 항만 노동자(longshoreman).

dock·et [dákit/dɔ́k-] *n.* **1** 〔法〕 소송 명부; 판결 결정〔명령〕의 초본; 《미》 (미결) 소송 사건 일람표. **2** (서류·소포에 붙이는) 내용 적요(摘要), 명세서, 부전(附箋). **3** 《미》 (사무상의) 처리 예정표; (회의 등의) 협의 사항. **4** 꼬리표(label). **5** 관세 지불 증명서. **6** 《영》 (통제 물자의) 구입 허가증. **on the docket** 《미俗》 고려중(인); 수행〔실시〕되어. — *vt.* **1** 〈판결 등을〉 요약서〔사건표〕에 기입하다. **2** 〈문서에〉 내용 적요를 달다; 〈소포에〉 꼬리표를 붙이다.

dóck glàss [dákglæ̀s, -glà:s/dɔ́k-] 시음용 큰 술잔.

dock·ing [dákiŋ/dɔ́k-] *n.* Ⓤ 독에 들어감, 독에 넣음; 두 우주선의 결합, 도킹. — *a.* 독에 들어가는〔넣는〕; 우주선 결합의.

dócking adàpter 도킹한 두 우주선의 연결 통로.

dock·ize [dákaiz/dɔ́k-] *vt.* 〈하천·항만 등에〉 선거(船渠)를 설비하다.

dock·land [dáklæ̀nd/dɔ́k-] *n.* (종종 **D-**) 《영》 선창 지역; 그 부근의 주택 지구.

dock·mas·ter [dákmæ̀stər, -mà:s-] *n.* 선거(船渠) 현장 주임.

dock·o·min·i·um *n.* 선거(船渠), 보트대(臺)《부동산으로 팔고 살 수 있는》.

dock·side [dáksàid/dɔ́k-] *n., a.* 선창(부근)(의).

dock-tailed [´tèild] *a.* 꼬리를 자른.

dock-wal·lop·er [´wàləpər/´wɔ̀l-] *n.* 《미俗》 독〔부두〕의 임시 노동자, 부두〔선창〕 부랑자.

dóck wàrrant 《영》 항만 창고 증권.

dock·yard[∠jà:rd] *n.* **1** 조선소. **2** 《영》 해군 공창(工廠)(《미》 navy yard).

doc(s). document(s).

★**doc·tor** [dáktər/dɔ́k-] [L] *n.* **1** (호칭으로 쓰여]) 의사. 《◇ 《영》에서는 보통 내과의사(physician)에, 《미》에서는 외과의사(surgeon), 치과의사(dentist), 수의사(veterinary) 등에도 씀; 《口》에서는 doc.이라고도 함》. **2** 박사, 의학 박사(略: D., Dr.); 박사 학위, 박사 칭호: a Doctor of Law〔Divinity, Theology, Medicine〕 법학〔명예 신학, 신학, 의학〕 박사. **3** 《古》 학자. **4** (보통 수식어와 함께) 《口》 수리하는 사람: a car ~ 자동차 수리가. **5** 조절〔보정(補正)〕기(器). **6** 암녹색의 제물 낚시. **7** 《海俗》 배의 요리사. **be under the doctor** 의사의 치료를 받고 있다. **(just) what the doctor ordered** 《口》 (바로) 필요한 것, (바로) 갖고 싶었던 것. **see a doctor** 의사의 진찰을 받다. **the Doctors of the Church** 교회 박사《기독교 초기의 학덕 높은 교부·신학자의 칭호》. **You're〔You are〕 the doctor.** 《口》 당신한테 달려 있다; 지당한 말씀이다. ── *vt.* **1** 진료하다, 치료하다: We'll ~ him *up.* 그의 치료를 마칩시다. **2** 〈기계 등을〉 손질〔수선〕하다(mend). **3** 〈음식물 등에〉 다른 것을 섞다《*with*》; (종종 ~ up) 〈음식물에〉 마취제를 넣다. **4** 〈보고서·증거 등을〉 변조하다, 〈…을〉 함부로 바꾸다《*up*》; 연극 등을〉 개작하다. **5** 〈동물을〉 거세하다. **doctor oneself** 스스로 치료하다. **doctor up** 《미口》 치료하다; (양념 등으로) 버무리다; 속이다. ── *vi.* **1** 의사 노릇을 하다, 병원을 개업하다. **2** 약을 먹다, 치료를 받다.

doc·tor·al[dáktərəl/dɔ́k-] *a.* 박사의; 대학자의; 권위 있는(authoritative). **~·ly** *ad.*

doc·tor·ate[dáktərit/dɔ́k-] *n.* 박사호; 박사 학위.

dóctor bòok 가정용 의학서.

doc·to·ri·al[daktɔ́:riəl] *a.* =DOCTORAL.

Dóctor of Philósophy 박사 학위《법학·신학·의학을 제외한 학문의 최고 학위》; 박사《略: Ph. D., D. Phil.》《◇ 「철학 박사」는 Ph. D. in philosophy라 함》.

Dóctors Cómmons (런던시의) 민법 박사회관《1857년까지 유언 검증·결혼 허가·이혼 사무 등을 다루었음》.

dóctors degrée 박사 학위(doctorate); 명예 박사 학위.

doc·tor·ship[-ʃìp] *n.* =DOCTORATE; 《古》 DOCTOR의 지위〔자격〕.

dóctor's stùff 《경멸》 약(藥).

doc·tress[dáktris/dɔ́k-] *n.* 《稀》 여의사; 여박사.

doc·tri·naire[dàktrənέər/dɔ̀k-] *a.* 순이론적인; 공론의, 교조적인; 이론 일변도의. ── *n.* 순이론가, 공론가. **-náir·ism**[-nέərizəm] *n.* Ⓤ 공리 공론, 교조주의.

doc·tri·nal[dáktrənəl] *a.* 교의상(敎義上)의; 학리상의. **~·ly** *ad.*

doc·tri·nar·i·an[dàktrənέəriən/dɔ̀k-] *n.* =DOCTRINAIRE.

*̲**doc·trine** [dáktrin/dɔ́k-] [L] *n.* ⓊⒸ **1** 교의(敎義), 교리. **2** (종교·정책·학문상의) 주의; 공식 (외교) 정책; 원칙, 학설(*cf.* THEORY). **the Monroe Doctrine** 먼로주의(Monroeism). ⊕ dóctrinal *a.*

doc·trin·ism[-ìzəm] Ⓤ 교리 지상주의.

doc·u·dra·ma[dákjədrà:mə, -drǽmə/dɔ́k-] [*docu*mentary+*drama*] *n.* 다큐멘터리 드라마.

docu ⇨**doc**[2]

*̲**doc·u·ment** [dákjəmənt/dɔ́k-] [L] *n.* **1** (증거·기록이 되는) 문서, 서류, 조서, 기록, 문헌; 증서; 증권 an official〔a public〕 ~ 공문서. **2** 기록 영화. **a human document** 인간 기록. **classified documents** 〔軍〕 기밀 서류. **document of annuity〔obligation〕** 연금〔채권〕 증서. **document of shipping** 선적 서류. ── [-mènt] *vt.* **1** 증거 서류를 제공〔첨부〕하다; 증서〔증권〕를 교부하다. **2** 문서〔증거 서류〕로 증명하다; 〈저서·논문 등에〉 문헌을 부기하다. **3** 상세히 보도〔기록〕하다. ⊕ documéntary *a.*; documentátion *n.*

doc·u·men·tal[dàkjəméntl/dɔ̀k-] *a.* =DOCUMENTARY.

doc·u·men·tar·i·an[dàkjəmentέəriən/dɔ̀k-] *n.* (특히 사진·영화 등에서) 다큐멘터리적 수법을 주창하는 사람.

*̲**doc·u·men·ta·ry** [dàkjəméntəri/dɔ̀k-] *a.* **1** 문서의, 서류〔증서〕의: ~ evidence 〔法〕 증거 서류, 서증(書證). **2** 〔映·文學〕 사실을 기록한. ── *n.* (*pl.* **-ries**) 기록한 것; 기록 영화, 다큐멘터리(=∠ **film**); 〔라디오·TV〕 기록물.

dòc·u·men·tár·i·ly[-məntérili, -men-, ∠--∖--/dɔ̀kjumèntərili] *ad.* ⊕ dócument *n.*

documéntary bíll〔dráft〕 화환(貨換) 어음.

doc·u·men·ta·tion[dàkjəmentéiʃən, -mən-/dɔ̀k-] *n.* Ⓤ **1** 문서〔증거 서류〕 조사; 증거 서류 제출. **2** 증거 자료, 고증. **3** 문서 자료의 분류 정리, 문서화. **4** (선박의) 선적 서류 비치(備置).

dócument pròcessing 〔컴퓨터〕 도큐멘트 프로세싱, 문서 처리.

DOD Department of Defense 《미》 국방부.

do·dad[dú:dæ̀d] *n.* 《미俗》 =DOODAD.

dod·der[1][dádər/dɔ́d-] *vi.* 《口》 (중풍이나 노령으로) 떨다, 비틀거리다; 비틀거리며 걷다. **dodder along** 비틀비틀 걷다.

dodder[2] *n.* 〔植〕 실새삼.

dod·dered[-d] *a.* 〈고목이〉 웃동〔가지 끝〕이 떨어져 없는; 늙어빠진.

dod·der·ing *a.* 비틀거리는, 비칠거리는. **~·ly** *ad.*

dod·der·y[dádəri/dɔ́d-] *a.* =DODDERING.

dod·dle[dádl/dɔ́-] *n.* 《영口》 손쉬운 일.

do·dec(·a)-[doudék(ə)] 《연결형》 「12」의 뜻 《모음 앞에서는 dodec-》.

do·dec·a·gon[doudékəgàn/-gɔn] *n.* 12변형, 12각형. **do·de·cag·o·nal**[dòudəkǽgənəl] *a.*

do·dec·a·he·dron[doudèkəhí:drən, dòudek-] *n.* (*pl.* **~s, -dra**[-drə]) 〔結晶〕 12면체(體).

do·dec·a·pho·ny[doudékəfòuni, dòudikǽfə-] *n.* Ⓤ 〔樂〕 12음 음악〔기법〕. **do·dèc·a·phón·ic**[dòudekəfánik, doudèkə-/-fɔ́n-] *a.*

do·dec·a·syl·la·ble[doudékəsìləbl] *n.* 〔韻〕 12음절의 시행〔단어〕.

*̲**dodge** [dadʒ/dɔdʒ] *vt.* **1** (재빨리) 피하다, 날쌔게 비키다(avoid). **2** 《口》 〈질문·의무 등을〉 교묘히 회피하다〔받아 넘기다〕. ── *vi.* **1** 몸을 홱 피하다, 살짝 비키다《*round, about, behind, between, into*》. **2** 말꼬리를 안 잡히다, 교묘하게 둘러대다, 얼버무리다, 속이다《*about*》. **dodge about** 요리조리 피하다. **dodge behind** …뒤에 숨다. ── *n.* **1** 몸을 홱〔살짝〕 비킴. **2** 속임수, 발뺌: That's a ~ *to* win your confidence. 그것은 당신의 신용을 얻으려는 속임수입니다. **3** 꾀, 묘안《*for*》;

신안(新案), 신안 기구: a ~ *for* catching flies 파리 잡는 기구. **make a dodge** 몸을 비키다. **on the dodge** 《口》 (소매치기·절도 등) 부정한 짓을 하고. ◇ dódgy *a.*

Dodge[dɑdʒ/dɔdʒ] *n.* 다지《미국제 승용차; Chrysler사의 한 부분인 Dodge 사업부가 제조하는 중급 승용차》.

dódge bàll 도지볼《게임》.

dodg·em[dádʒəm/dɔ́-] [*dodge*+*them*] *n.* (종종 *pl.*) 유원지 등에서 작은 전기 자동차(~ car)를 타고 부딪치는 놀이.

dodg·er[dádʒər/dɔ́-] *n.* **1** a 몸을 홱 비키는 사람. b 속임수[발뺌]를 잘하는 사람; 협잡꾼. **2** (배의 브리지의) 파도막이. **3** 《미·오스》 삐라, 전단. **4** 《미南部》 =CORN DODGER.

dodg·y[dádʒi/dɔ́dʒi] *a.* (**dodg·i·er; -i·est**) **1** 잽싸게 몸을 비키는, 교묘하게 빠져나가는. **2** 《영口》 〈사물이〉 위태로운, 위험한; 곤란한; 〈기구 등이〉 안전하지 않은, 위험한. **3** 〈사람이〉 교활한, 방심할 수 없는.

do·do[dóudou] *n.* (*pl.* ~(**e**)**s**) 〔鳥〕 도도《17세기 말에 절멸한 거위만한 날지 못하는 새》. **as dead as a dodo** 완전히 죽어; 완전히 쇠퇴하여.

doe[dou] *n.* (*pl.* ~**s**, ~) 암사슴 《fallow deer의 암컷》; (토끼·양·염소·쥐 등의) 암컷 (*opp.* buck).

Doe[dou] *n.* ⇨John Doe.

D.O.E. 《영》Department of the Environment; Department of Energy《미》에너지부(部).

doek[duk] *n.* 《南아口》 두크《여자가 머리에 쓰는 4각형 두건》.

*__do·er__[dú:ər] *n.* **1** 행하는 사람, 행위자(actor, performer), 실행가. **2** 발육하는 동물[식물]: a good[bad] ~ 발육이 좋은[나쁜] 동물[식물]. **a hard doer** 《오스》 괴짜.

★**does**[强 dʌz, 보통은 弱 dəz] *v.* DO[1]의 3인칭 단수 현재형.

doe·skin[dóuskìn] *n.* U,C **1** 암사슴 가죽; 무두질한 암사슴 가죽. **2** 도스킨《암사슴 가죽 비슷한 나사(羅紗)》.

⁑**does·n't**[dʌ́znt] does not의 단축형 ⇨do[1].

do·est[dú:ist] *v.* 《古·詩》 DO[1]의 2인칭 단수 직설법 현재형: thou ~ =you do.

do·eth[dú:iθ] *v.* 《古·詩》 DO[1]의 3인칭 단수형: he[she] ~ =he[she] does.

doff[dɑf, dɔ(:)f] [*do*+*off*] *vt.* 《古》 **1** 〈옷·모자 등을〉 벗다(*opp.* don[2]). **2** 〈풍습 등을〉 버리다, 폐지하다(abandon).

do·fun·ny[dú:fʌ̀ni] *n.* 《미口》 싸구려; 부속품, 장치(gadget).

★**dog**[1][dɔ(:)g, dɑg] *n.* **1** 개, 개과(科) 중의 몇 종류《늑대·들개 등》. **2** (개과 동물의) 수컷, 수캐(*opp.* bitch): a ~-wolf 이리의 수컷. **3** 쓸모없는 인간; 매력없는 남자; 못생긴 여자; 〔욕으로〕 빌어먹을 놈; (보통 cunning, jolly, lucky, sad, sly 등의 형용사와 함께) 놈, 녀석(fellow); 《미俗》 쓸모없는 것: a sad[jolly] ~ 딱한[유쾌한] 놈. **4** 《口》 겉치레, 허세. **5** 쇠갈고리, 꺾쇠, 쇠로 된 집게; (*pl.*) =ANDIRON. **6** (*pl.*) 《미口》 핫도그(hot dog). **7** 《口》 (the ~s) 개 경주(dog racing). **8** (*pl.*) 《俗·익살》 발(feet). **9** (the ~) 〔天〕 큰개자리(the Great Dog); 작은개자리(the Little Dog); 시리우스 별(dogstar, Sirius). **10** 〔動〕 바다표범(sea dog)《북미산》. **11** 〔氣〕 환일(幻日), 안개 무지개(fogbow). **a dead dog** 무용지물; 《미俗》 권위를 잃은 사람. **(as) sick as a dog** 기분이 매우 언짢은. **die a dog's death**[**the death of a dog**] 창피한[비참한, 개] 죽음을 하다. **dirty dog** 망나니. **dressed up like a dog's dinner** 《영口》 야하게 차려 입고[치장하고]. **dog eat dog** 동족 상잔(의 경쟁). **dog in a blanket** 건포도 단자, 잼을 넣은 푸딩. **dog in the manger** 《口》 (자기에게 소용없는 것도 남이 쓰려면 방해하는) 심술쟁이《이솝 이야기에서》. **dog my cats** 《미俗》 야! 《놀람을 나타내는 소리》. **eat dog** 《미》 굴욕을 참다(eat dirt). **Every dog has his day.** 《속담》 쥐구멍에도 볕들 날이 있다. **Give a dog a bad name and hang him.** 《속담》 (개를 잡으려면 그 개가 미쳤다고 하라는 뜻에서) 악명의 힘은 무서운 것이다, 한번 낙인 찍히면 끝장이다. **go to the dogs** 《口》 영락[몰락]하다, 파멸하다; 타락하다. **help a** (**lame**) **dog over a stile** 남이 곤경에 처해 있을 때 도와 주다. **lead** [**lead** a person] **a dog's life** 비참한 생활을 하다[시키다]. **Let sleeping dogs lie.** 《속담》 긁어 부스럼 만들지 말라. **like a dog with two tails** 기꺼이. **Love me, love my dog.** 《속담》 나를 사랑한다면 내 개도 사랑하라. **There is not a dog's chance.** 기회라곤 전혀 없다. **put on the dog** 《미口》 젠체하다, 으스대다. **teach an old dog new tricks** 노인에게 새로운 사상[방법]을 가르치다《지금 새삼 그런 일을 할 수는 없다》. **the dogs of war** 전쟁의 참화. **throw**[**give**] ... **to the dogs** 내버리다; 희생시키다. **treat a person like a dog** …을 소홀히 대하다.

— *vt.* (~**ged**; ~·**ging**) **1** 미행하다, 귀찮게 따라다니다(shadow). **2** 〈재난·불행 등이〉 끝없이 따라다니다. **3** 〔機〕 쇠갈고리로 걸다. **dog it** 《口》 농땡이부리다, 〈일을〉 날리다; 《미俗》 뽐내다, 허세부리다; 도피하다. **dog out**[**up**] 《미俗》 잔뜩 옷치장하다. — *ad.* (복합어를 이루어) 아주(utterly): ~-tired 지쳐빠진. ◇ dóggish, dóggy *a.*

dóg àpe =BABOON.

do·gate[dóugèit] *n.* U DOGE 의 직(職).

dog·bane[dɔ́(:)gbèin, bág-] *n.* 〔植〕 개정향풀.

dog·ber·ry[dɔ́(:)gbèri, -bəri, dág-] *n.* (*pl.* **-ries**) 〔植〕 말채 나무(열매)《식용에 부적》.

Dog·ber·ry *n.* 도그베리《Shakespeare작의 *Much Ado about Nothing* 중에 나오는 어리석은 경관》; (**d-**) 어리석은[실수하는] 관리.

dóg bìscuit 도그 비스킷《개 먹이》; 《미俗》 야전용 비스킷.

dóg bòx 《영》 개 수송용 화차.

dog·cart[dɔ́(:)gkà:rt, dág-] *n.* 개 수레; 경장(輕裝) 2륜[4륜] 마차《등을 맞댄 두 개의 좌석이 있고, 전에는 좌석 밑에 사냥개를 태웠음》.

dog·catch·er[⌐kæ̀tʃər] *n.* 《미》 들개 포획인.

dog-cheap[⌐tʃí:p] *a., ad.* 《미》 터무니없이 싼[싸게], 개값의[으로].

dóg clùtch 〔機〕 맞물리는 클러치.

dóg còllar 1 개목고리. **2** 《익살》 (목사 등의) 빳빳이 세운 칼라. **3** 《口》 (꼭 끼는) 여자 목걸이(necklace).

dóg dàys 복중(伏中), 삼복《북반구에서 7월 초에서 8월 중순 경까지의 무더운 시기; the Dog Star가 태양과 함께 출몰하는 시기》; 침체[정체]기; (여성의) 생리 기간.

doge[doudʒ] *n.* 〔史〕 (고대 Venice, Genoa 공화국의) 총독.

dog-ear[dɔ́(:)gìər, dág-] *n.* 책장 모서리의 접힌 부분. — *vt.* 〈책장〉 모서리를 접다.

dog-eared[⌐ìərd] *a.* **1** 책장 모서리가 접

힌. **2** 써서 낡은; 초라한.
dog-eat-dog[ˊìːtˊ] *a.* (골육 상쟁하듯) 치열하게 다투는, 냉혹하게 사리사욕을 추구하는, 인정사정 없는: It's a ~ world. 먹느냐 먹히느냐의 세상이다. ― *n.* 골육상쟁, 냉혹한 사리사욕 추구.
dóg ènd 《俗》 담배 꽁초(cigarette end).
dog·face[dɔ́(ː)gfèis, dɑ́g-] *n.* 《미俗》 (육군) 병사, 보병.
dog·fall[ˊfɔ̀ːl] *n.* 〔레슬링〕 무승부, 비김.
dóg fàncier 애견가; 개 전문가; 개장수.
dóg fènnel 〔植〕 개꽃의 일종.
dog·fight[ˊfàit] *n.* 개싸움; 치열한 싸움(*cf.* CATFIGHT); 〔軍〕 전투기의 공중전, 혼전(混戰). ― *vt., vi.* (**-fought**) 혼전을 벌이다.
dog·fish[ˊfìʃ] *n.* (*pl.* ~, ~**·es**) 〔魚〕 돔발상어(의 무리).
dóg fòod 개의 먹이.
dog·foot[ˊfùt] *n.* 《미軍俗》 보병.
dóg fòx 수여우.
***dog·ged**[dɔ́(ː)gid, dɑ́g-] *a.* 완고한, 끈덕진. **It's dogged (as〔that〕) does it.** 《속담》 끈덕지게 버티어야 성사한다. **~·ly** *ad.* **~·ness** *n.*
dog·ger[dɔ́(ː)gər, dɑ́g-] *n.* 네덜란드의 쌍돛대 어선.
Dógger Bánk *n.* (the ~) 도거 뱅크《영국 북쪽 북해 중앙부의 해역; 세계 유수의 대어장》.
dog·ger·el[dɔ́(ː)gərəl, dɑ́g-] *n.* Ⓤ (운율이 맞지 않는) 광시(狂詩), 졸렬한〔엉터리〕 시. ― *a.* 우스꽝스러운(comic); 서투른; 조잡한.
dog·ger·y[dɔ́(ː)gəri, dɑ́g-] *n.* (*pl.* **-ger·ies**) **1** Ⓤ 개 같은〔비열한〕 행동. **2** Ⓤ (집합적) 개; 하층민(rabble). **3** 《미俗》 대폿집.
dog·gie[dɔ́(ː)gi, dɑ́g-] *n.* 강아지; 《兒》 멍멍.
dóggie bàg (식당에서 손님이 먹다 남은 것을 넣어 주는) 봉지.
dog·gi·ness[dɔ́(ː)ginis, dɑ́g-] *n.* Ⓤ **1** 개 같음; 개를 좋아함. **2** 개 냄새.
dog·gish[dɔ́(ː)giʃ, dɑ́g-] *a.* **1** 개의. **2** 개 같은; 심술궂은, 딱딱거리는. **3** 《口》 멋 부리기 좋아하는.
dog·go[dɔ́(ː)gou, dɑ́g-] *ad.* 《俗》 숨어서. **lie doggo** 꼼짝 않고 있다, 숨어 있다.
dog·gone[dɔ́(ː)ggɔ́(ː)n, -gɑn, dɑ́g-] 《미俗》 *a.* 저주할, 괘씸한, 비참한. ― *ad.* 괘씸하게, 지긋지긋하게. ― *vt.* 저주하다.
dog·goned[dɔ́(ː)ggɔ́(ː)nd, -gɑ́nd, dɑ́g-] *a., ad.* 《미俗》 =DOGGONE.
dóg gràss 〔植〕 =COUCH GRASS.
dog·gy[dɔ́(ː)gi, dɑ́g-] *a.* (**-gi·er; -gi·est**) **1** 개의〔같은〕. **2** 개를 좋아하는. **3** 《미俗》 젠체하는; 멋 부리는. ― *n.* (*pl.* **-gies**) =DOGGIE.
dog·hole[dɔ́(ː)ghòul, dɑ́g-] *n.* 개구멍; 누추한 곳〔집〕; 《미俗》 (탄광 등의) 작은 구멍.
dog·hood[dɔ́(ː)ghud, dɑ́g-] *n.* Ⓤ 개임, 개의 성질.
dog·house[dɔ́(ː)ghàus, dɑ́g-] *n.* (*pl.* **-hous·es**[-hàuziz]) 《미》 개집; 개구멍. **in the doghouse** 《口》 인기가 떨어져, 체면을 잃고; 노여움을 사서.
dog·hutch[ˊhʌ̀tʃ] *n.* 개집; 누추한 곳.
do·gie[dóugi] *n.* 《미西部》 (목장의) 어미 없는 송아지.
dóg Látin 엉터리〔부정확한〕 라틴말.
dóg lèad[ˊlìːd] 개줄, 개사슬.
dog·leg[dɔ́(ː)glèg, dɑ́g-] *n.* (개의 뒷다리처럼) 굽은 것(「く」 모양), 비틀린 것(kink); 비행기 진로의 갑작스러운 변경; (도로 등의) 급커브; 《미》 질이 나쁜 담배. ― *a.* =DOG-LEGGED. ― *vt.* (~**ged;** ~**·ging**) 지그재그로 나아가다.
dog·leg·ged[ˊlègid] *a.* (개의 뒷다리처럼) 굽은(crooked): a ~ staircase 「く」 모양으로 굽은 계단.
dóg lètter[ˊlètər] =DOG'S LETTER.
dog·like[ˊlàik] *a.* 개 같은; 충실한.
dóg lòuse 〔昆〕 개이《기생충》.
***dog·ma**[dɔ́(ː)gmə, dɑ́g-] *n.* (*pl.* ~**s,** ~**·ta**[-mətə]) Ⓤ,Ⓒ **1** 교의, 교리(doctrine); 교조(教條), 신조. **2** 정설, 정칙(定則), 정론. **3** 독단 적 주장〔견해〕. **substructure of dogma** 교의의 기초.
◇ dogmátic *a.*; dógmatize *v.*
***dog·mat·ic, -i·cal**[dɔ(ː)gmǽtik, dɑg-], [-əl] *a.* **1** 교의상의, 교리에 관한. **2** 〔哲〕 독단주의의(*cf.* SKEPTICAL). **3** 독단적인. ― *n.* 독단가. **-i·cal·ly**[-əli] *ad.*
◇ dógma, dogmátics *n.*; dógmatize *v.*
dog·mat·ics[dɔ(ː)gmǽtiks, dɑg-] *n. pl.* (단수 취급) 〔基督教〕 교리〔신조〕론, 교의학(教義學).
***dog·ma·tism**[dɔ́(ː)gmətìzəm, dɑ́g-] *n.* Ⓤ 독단론; 독단주의, 독단적인 태도; 교조주의. **-tist** *n.* 독단가; 독단론자.
dog·ma·tize[dɔ́(ː)gmətàiz, dɑ́g-] *vi.* 독단적인 주장을 하다《*on*》. ― *vt.* 〈주의 등을〉 교리로 나타내다. **-tiz·er**[-tàizər] *n.*
dòg·ma·ti·zá·tion[-tizéiʃən] *n.*
dog·nap[dɔ́(ː)gnæ̀p, dɑ́g-] [*dog*+kid*nap*] *vt.* (~(**p**)**ed;** ~**·**(**p**)**ing**) (실험용으로 팔기 위해) 개를 훔치다.
do-good[dúːgùd] *a.* 《口·경멸》(공상적인) 사회 개량을 꾀하는〔지향하는〕. **~·er** *n.* 공상적인 사회 개량가. **~·ing** *a., n.*
do-good·ism[-izəm] *n.* Ⓤ 《口·경멸》(공상적) 사회 개량주의.
dóg pàddle 〔水泳〕 개헤엄.
dog-poor[dɔ́(ː)gpúər, dɑ́g-] *a.* 몹시 가난한.
dóg ràcing〔**race**〕 개 경주.
dóg ròse 〔植〕 들장미의 일종.
dóg's àge (a ~) 《口》 오랫동안(*cf.* DONKEY'S YEARS).
dog's-bane[dɔ́(ː)gzbèin, dɑ́gz-] *n.* =DOGBANE.
dog(')s·bod·y[dɔ́ːgzbɑ̀di, dɑ́gz-/dɔ́gzbɔ̀di] *n.* 《영口》 졸자, 빼빠지게 일하는 사람.
dóg's brèakfast 《口》 뒤죽박죽, 엉망.
dóg's dìnner 《口》 먹다 남은 음식; 엉망 진창(mess). **like a dog's dinner** 멋 부려, 화려하게.
dog's-ear[dɔ́(ː)gzìər, dɑ́gz-] *n.* =DOG-EAR.
dog's-eared[-d] *a.* =DOG-EARED.
dog's gràss =COUCH GRASS.
dog·shore[dɔ́(ː)gʃɔ̀ːr, dɑ́g-] *n.* 〔造船〕 (진수할 때까지 배를 떠받치는) 버팀 기둥.
dog·show 개 전람회.
dog-sick[ˊsík] *a.* 몹시 편찮은(very sick).
dog·skin[ˊskìn] *n.* Ⓤ,Ⓒ 개가죽; 무두질한 〔모조의〕 개가죽.
dóg slèdge〔**slèd**〕[ˊslèd] 개썰매.
dog·sleep[ˊslìːp] *n.* Ⓤ,Ⓒ 선잠; 풋잠.
dóg's lètter 견음 문자(犬音文字)《R 자》.
dóg's mèat 개에게 주는 고기《말고기 등》.
dóg's nòse 맥주와 진(gin)과의 혼합주.
dógs·tail (gráss)[dɔ́(ː)gztèil-, dɑ́gz-] 〔植〕 왕바랭이 무리.
Dóg Stàr *n.* (the ~) =SIRIUS.
dog's-tongue[dɔ́(ː)gztʌ̀ŋ, dɑ́gz-] *n.* 〔植〕 큰꽃마리(hound's-tongue).
dóg's-tooth víolet[dɔ́(ː)gztùːθ-, dɑ́gz-] = DOG-TOOTH VIOLET.
dóg tàg 개목고리의 쇠붙이 패《소유자의 주

소·성명 등이 적힌 것); 《軍俗》 개표, 인식표.
dog·tail[dɔ́(:)gtèil, dάg-] *n.* **1** =DOGSTAIL (GRASS) **2** 벽돌용 흙손(=∠ **trówel**)(하트형).
dóg tìck 〔動〕 개진드기.
dog-tired[∠tάiərd] *a.* 《口》 녹초가 된.
dog·tooth[∠tù:θ] *n.* (*pl.* **-teeth**[-tì:θ]) **1** 송곳니. **2** 〔建〕 송곳니 장식. ── *vt.* 〔建〕 송곳니 장식으로 꾸미다.
dógtooth víolet 〔植〕 얼레지속(屬)의 식물.
dóg tòur 〔劇〕 지방 순회 공연.
dóg tràin 《캐나다》 (한 떼가 끄는) 개 썰매.
dog·trot[∠trὰt/∠trɔ̀t] *n.* 종종 걸음.
dóg vìolet 〔植〕 향기 없는 야생 제비꽃.
dóg wàgon 전차〔버스〕를 개조한 식당.
dog·watch[∠wὰtʃ/∠wɔ̀tʃ] *n.* 〔海〕 반당직(半當直)《오후 4시-6시 또는 6시-8시의 2시간 교대》; 밤 당번.
dog-wea·ry[∠wíəri] *a.* 아주 지친.
dog whip 개 채찍.
dog·wood[∠wùd] *n.* 〔植〕 층층나무.
do·gy *n.* (*pl.* **-gies**) = DOGIE.
doh *n.* =DO³.
Do·ha[dóuhα:] *n.* 도하《Qatar의 수도》.
doi·ly[dɔ́ili] *n.* (*pl.* **-lies**) (레이스 등으로 만든) 탁상용 작은 그릇을 받치는 깔개.
***do·ing**[dú:iŋ] *n.* **1** Ⓤ 함, 하기, 행함, 수행. **2** (*pl.*) 《口》 행동, 행위; 소행; 거동. **3** (the ~s) (이름이 생각나지 않는) 작은 그것. **4** 《영口》 꾸지람, 야단침. **be of** a person's **doing** …의 탓이다. **take**〔**want**〕 **some**〔**a lot of**〕 **doing** 《口》 꽤 어렵다; 대단한 노력이 필요하다.
doit[dɔit] *n.* (네덜란드의 옛날의) 작은 동전. **not care a doit** 조금도 개의치 않다. **not worth a doit** 한푼의 가치도 없는.
doit·ed[dɔ́itid] *a.* 《스코》 노망한(senile).
do-it-your·self[dù:ətʃərsélf] *a.* (수리·조립 등을) 스스로〔손수〕 하는, 자작(自作)의. ── *n.* Ⓤ (수리 등을 남에게 부탁 않고) 손수 함, 손수 만드는 취미(略: D.I.Y.). **~·ism** *n.*
do-it-your·self·er *n.* 손수 만드는 사람.
-er·y *n.* Ⓤ 손수 하기.
Dol[dαl/dɔl] *n.* 여자 이름《Dorothea, Dorothy의 애칭》.
dol. dollar(s).
Dol·by[dɔ́:lbi, dóul-] *n.* 《口》 DOLBY SYSTEM 《상표명》. ── *a.* 돌비 방식〔녹음〕의.
Dol·by·ize[dɔ́:lbàiz, dóul-] *vt.* 돌비 (방식으로) 녹음하다.
Dol·by·ized[dɔ́:lbàizd, dóul-] *a.* 돌비 방식의.
Dól·by Sỳstem 돌비 방식《녹음 재생 때의 잡음 감소 방식; 상표명》.
dol·ce[dóultʃei/dɔ́ltʃi] [It] *a.* 〔樂〕 달콤한, 감미로운.
dol·ce far nien·te[dóultʃifὰ:rniénti/dɔ́ltʃifὰ:-] [It=sweet doing nothing] *n.* 안일, 일락(逸樂).
dol·ce vi·ta[dóultʃiví:tα:] [It=sweet life] *n.* (the ~, la ~) 나태하고 방종한 생활, 달콤한 생활.
dol·drums[dóuldrəmz-, dάl-, dɔ́(:)l-] *n. pl.* **1** 〔海〕 (특히 적도 부근의) 열대 무풍대; 무풍 상태. **2** 답답함; 우울, 침울; 정체 상태〔기간〕. **be in the doldrums** 〈배가〉 무풍지대에 들어가 있다; 《口》 침울해 있다; 침체 상태에 있다, 불황이다.
***dole¹**[doul] *n.* **1** 시주, 구호품, 의연품; 분배물; 얼마 안 되는 것. **2** 《영口》 실업수당. **3** 《古》 운(destiny). **be on the dole** 《영口》 실업수당을 받고 있다(《미》 be on welfare). **go on**〔**draw**〕 **the dole** 실업 수당을 받다. **Happy man be his dole!** 그에게 행복이 있기를. ── *vt.* …을 나누어 주다, 베풀다; 조금씩 나누어 주다(*out*): The small meal was ~*d out to* the hungry crew. 아주 적은 식사가 굶주린 승무원에게 조금씩 분배되었다.
dole² *n.* Ⓤ 《詩》 슬픔(woe), 비탄. **make one's dole** 비탄하다.
dole-draw·er[∠drɔ̀:ər] *n.* 실업 수당을 받는 사람.
***dole·ful**[dóulfəl] *a.* 서글픈, 슬픈(sad), 수심에 잠긴; 음울한. **~·ly**[-i] *ad.* **~·ness** *n.* ◇ dole² *n.*
dol·er·ite[dάlərὰit/dɔ́l-] *n.* Ⓤ 〔鑛〕 조립현무암(粗粒玄武岩). **dòl·er·ít·ic**[dὰlərítik/dɔ̀l-] *a.*
doles·man[dóulzmən] *n.* (*pl.* **-men**) 구호품을 받는 사람.
dole·some[dóulsəm] *a.* 《文語》=DOLEFUL.
dol·i·cho·ce·phal·ic[dὰlikousəfǽlik/dɔ̀l-] *a.* 〔人類〕 장두(長頭)의(*opp.* brachycephalic).
do·li·ne[dəlí:nə] *n.* 〔地質〕 돌리네(sinkhole)《석회암 지대의 움푹 패인 땅》.
do·lit·tle[dú:lìtl] 《口》 *n.* 게으름뱅이, 나태한 사람. ── *a.* 게으른.
★doll[dαl, dɔ(:)l] *n.* **1** 인형; 아름다우나 지성〔표정〕이 없는 여자〔어린이〕; 《俗》 소녀, 여학생. **2** 《미口》 친절한 〔마음씨 좋은〕 사람. **cutting out** (**paper**) **dolls** 《俗》 미쳐서. ── *vt.* 《口》 예쁘게〔화려하게〕 차려 입다(*up*): ~ oneself *up* =be ~*ed up* 성장(盛裝)하다. ── *vi.* 《口》 한껏 차려 입다〔모양내다〕(*up*).
Doll[dαl, dɔ(:)l] *n.* 여자 이름《DOROTHY의 애칭》.
★dol·lar[dάlər/dɔ́lər] *n.* **1** 달러《1. 미국, 캐나다, 라이베리아, 2. 오스트레일리아, 3. 홍콩, 4. 싱가포르 등의 화폐 단위; 기호 1. $, 2. $A, 3. HK$, 4. S$; =100 cents》; 1달러 화폐. **2** 《영俗》 5실링 은화(crown). **3** (the ~s) 금전(money), 부(富). **4** 〔物〕 달러《원자로의 반응도의 차》. **British dollar** (전에 영국 영토에서 쓰이던) 영국 달러. **dollars to doughnuts** 《口》 (1) 아주 확실함. (2) 비교도 안됨, 천양지차. **like a million dollars** 《미口》 최고로 컨디션〔기분〕이 좋은; 멋진, 훌륭한. **Mexican dollar** 멕시코 달러, 페소.
dóllar àrea 〔經〕 달러 지역.
dóllar-a-ỳear man[dάlərəjíər-/dɔ́l-] 《미》 원달러맨《거의 무보수로 연방 정부에서 일하는 민간인》.
dól·lar (**còst**) **àveraging** 〔證券〕 정액 정기 매입《시세와 관계 없이 정기적으로 일정 총액의 증권을 사는 투자법》.
dóllar crìsis 〔經〕 (수입초과로 인한) 달러 위기.
dóllar dày (특정 상품을) 1달러 혹은 그 이하로 파는 날; 달러 균일 특매일.
dóllar diplòmacy 달러 외교; 금력 외교.
dóllar gàp〔**shòrtage**〕 〔經〕 달러 부족.
dóllar impèrialism 달러 제국주의.
dol·lar·i·za·tion[dὰlərizéiʃən/dɔ̀lərai-] *n.* 한 국가의 화폐를 미국 달러로 환산하는 것.
dol·lars-and-cents *a.* 금전의, 금전만을 고려한.
dóllar sìgn 달러 기호($ 또는 $).
dóllar spòt 〔植〕 달러 스폿《갈색 부분이 서서히 퍼져 가는 잔디의 병》.
dol·lar-watch·er *n.* 검약가.
dol·lar·wise[dάlərwὰiz/dɔ́lər-] *ad.* 달러

로, 달러로 환산하여: 금전〔재정〕적으로.
dóll càrriage 인형의 탈것.
doll·house[dálhàus, dɔ́(:)l-] *n.*(*pl.*-**houses**[-hàuziz]) 《미》 인형의 집; 조그마한 집(《영》 doll's house).
doll·ish[dáliʃ, dɔ́(:)l-] *a.* 인형 같은, 새침한, 아름다우나 표정이 없는. ◇ doll *n.*
dol·lop[dáləp/dɔ́l-] *n.*(치즈·버터같이 말랑말랑한) 덩어리; 소량;(유머 등의) 조금《*of*》.
dóll's hòuse 《영》 =DOLLHOUSE.
*****dol·ly**[dáli/dɔ́li] *n.* (*pl.* **-lies**) **1** 《兒》 인형《애칭》; =DOLLYBIRD. **2** (짐 나르는) 바퀴 달린 작은 수레; 〔映·TV〕 이동식 촬영기대(臺). **3** 《영》(세탁물의) 휘젓는 방망이;(광물을 부수는) 절굿공이;(말뚝 박을 때 쓰는) 이음 말뚝;(철공용의) 형철(型鐵). ── *vt., vi.* (**-lied**) 〔映·TV〕 〈카메라를〉 dolly에 얹어서 이동시키다.
Dol·ly[dáli/dɔ́li] *n.* =DOLL.
dólly bìrd 《영口》 젊고 매력적인 여자.
dólly dàncer 《미軍俗》 장교의 환심을 사서 편한 자리를 얻는 병사.
dólly shòp(뱃사람 상대의) 고물상 겸 전당포.
dólly shòt 〔映·TV〕 DOLLY에서의 촬영.
Dólly Vár·den[-vá:*r*dn] 꽃무늬의 여자용 사라사옷과 모자《19세기 스타일》.
dol·man[dóulmən, dál-/dɔ́l-] *n.*(*pl.* ~**s**) **1** 케이프식 소매가 달린 여성용 망토. **2** 터키의 외투. **3** 경기병(hussar)용 재킷.
dólman sléeve 돌먼 슬리브《소맷부리쪽에서 좁아지는 헐렁한 소매》.
dol·men[dóulmen, dálmən/dɔ́l-] *n.*〔考古〕 고인돌, 지석묘(支石墓)(*cf.* CROMLECH).
do·lo·mite[dóuləmàit, dálə-/dɔ́lə-] *n.* Ⓤ 〔鑛〕 백운석〔암〕(白雲石〔岩〕).
dò·lo·mít·ic[dàləmítik/dɔ̀lə-] *a.*
Do·lo·mites *n. pl.* (the ~) 돌로미테 알프스(=∠ **Álps**)《이탈리아 북부의 산맥》.
do·lor | **do·lour**[dóulə*r*] *n.* Ⓤ 《詩》 슬픔, 비탄(grief). **the dolors of Mary**〔**the Virgin**〕〔가톨릭〕 성모 마리아의 (7가지) 슬픔.
Do·lo·res[dəlɔ́:rəs] *n.* 여자 이름.
do·lo·rim·e·ter[dòulərímitə*r*] *n.* 〔醫〕 통각계(痛覺計).
do·lo·rim·e·try[dòulərímitri, dàl-/dɔ̀l-] *n.* 〔醫〕 통각 측정.
do·lo·rol·o·gy[dòulərálədʒi/-rɔ́l-] *n.* 통각학, 동통학(疼痛學).
do·lor·ous[dálərəs, dóulə-/dɔ́lə-] *a.* 《詩》 슬픈, 비통한; 고통스러운.
*****dol·phin** [dálfin, dɔ́(:)l-] *n.* **1** 〔動〕 돌고래; 〔魚〕 =DORADO. **2** (배의) 계선(繫船) 말뚝. **3** (the D-) 〔天〕 돌고래자리.
dol·phi·nar·i·um[dàlfinέəriəm, dɔ̀(:)l-] *n.* 돌고래 수족관(水族館).
dólphin kíck 〔水泳〕 버터플라이의 발놀림.
dólphin strìker 〔海〕 돛단배 이물에 붙인 창모양의 원재(圓材).
dols. dollars.
dolt[doult] *n.* 얼뜨기, 멍청이.
dolt·ish[dóultiʃ] *a.* 우둔한. **~·ly** *ad.*
Dom[dam/dɔm] *n.* **1** 베네딕트회 등의 수도사의 존칭. **2** 돈《포르투갈이나 브라질의 귀인·고위 성직자의 세례명 앞에 붙이던 경칭》.
dom. domain; domestic; dominion.
-dom[dəm] *suf.* **1** 「…으로서의 지위·위계; …권; …의 세력 범위, …령, …계」의 뜻: Christen*dom,* earl*dom,* king*dom.* **2** (추상적 관념): free*dom,* martyr*dom.* **3** (「…사회」, 그 사회의 「습성, 기질」; 대개 경멸적): official*dom,* squire*dom.*

*****do·main**[douméin][L] *n.* **1** 영토, 영지; 세력 범위. **2** (개인의) 소유지. **3** (학문·사상·활동 등의) 범위, 분야, …계(sphere). **4** 〔數〕 변역(變域); 〔論〕 영역; 〔物〕 자구(磁區). **be out of one's domain** 전문(분야)밖이다; 전문 분야가 다르다. **domain of use** 〔法〕 지상권. **in the domain of** …분야〔계〕에서. **in the public domain** (저작권특허권이) 권리 소멸 상태인. **public domain** 공유지. (**right of**) **Eminent Domain** 〔國際法·미法〕 토지 수용권(收用權). ◇ dománial *a.*
do·ma·ni·al[-niəl] *a.* 영지의; 소유지의.
*****dome**[doum][It] *n.* **1** 둥근 천장(vault);(반구 모양의) 둥근 지붕. **2** 둥근 지붕 모양의 물건;(산·숲 등의) 둥그런 꼭대기; 반구형의 건물; 종 모양의 덮개;(기관차·보일러의) 종 모양의 증기실. **3** 《俗》 머리. **4** 〔結晶〕 비면(庇面). **5** 《詩》 웅장한 건물, 큰 저택.
── *vt.* **1** 둥근 지붕으로 덮다. **2** 반구형으로 만들다. ── *vi.* 반구형으로 부풀다.
dóme·lìke *a.* ◇ dómy *a.*
dóme càr 〔鐵道〕 전망차《유리 천장의》.
domed *a.* 둥근 지붕의〔으로 덮은〕, 둥근 천장의; 반구형의.
dóme lìght 차내등.
domes·day[dú:mzdèi, dóumz-] *n.* 《古》 =DOOMS-DAY.
Dómesday Bòok (the ~) (중세 영국의) 토지 대장《영국왕 William I가 1086년에 만들게 한 것으로 라틴말로 쓰여 있음; 略: D.B.》.
*****do·mes·tic**[douméstik] *a.* **1** 가정의, 가사의: ~ affairs 가사/~ dramas 가정극, 홈드라마/~ industry 가내 공업. **2** 가정적인, 살림꾼인. **3** 길든(tame; *opp.* wild): ~ animals 가축/a ~ duck 집오리(⇨duck[1]). **4** 국내의(*opp.* foreign); 자국의, 국산의, 자가제의(homemade): a ~ airline 국내 항공(로)/~ postage〔mail〕 국내 우편료〔우편물〕/~ production 가내〔국내〕 생산. ── *n.* **1** (가정의) 하인, 종, 하녀. **2** (*pl.*) 《미》 국내〔가내〕 제품; 집에서 짠 천〔리넨〕.
◇ domestícity *n.*; doméstìcate *v.*
do·mes·ti·ca·ble[-əbəl] *a.* 길들이기 쉬운; 가정에 정들기 쉬운.
do·mes·ti·cal·ly[-kəli] *ad.* 가정적으로, 가사상; 국내에서; 국내 문제에 관해서.
*****do·mes·ti·cate**[douméstəkèit] *vt.* **1** 〈동물을〉 길들이다. **2** 〈사람을〉 가정〔고장〕에 정들게 하다; 〈야만인을〉 교화하다. **3** 자기 집안〔국내〕에 받아들이다. **-cat·ed**[-kèitid] *a.* 《영》 가정적인 〈여자〉.
◇ doméstic *a.*; domesticátion *n.*
do·mes·ti·ca·tion[-ʃən] *n.* Ⓤ 길들임; 교화.
do·més·tic-con·tent bíll[douméstikkàntent-/-kɔ̀n-] 《미》 국내 부품 조달 (의무화) 법안.
doméstic demánd 국내수요, 내수.
doméstic ecónomy 가정(家政).
doméstic fówl 가금(家禽), 《특히》 닭.
do·mes·tic·i·ty[dòumestísəti] *n.*(*pl.*-**ties**) Ⓤ,Ⓒ **1** 가정 생활; 나들이를 싫어함. **2** 가정적임. **3** 가정에의 애착; (*pl.*) 가사(家事).
doméstic relátions còurt 《미》 가정 법원.
doméstic scíence 가정학(家政).
doméstic sérvice (집에서의) 하인의 임무〔일〕.
doméstic sỳstem 가내 공업 제도(*opp.* factory system).
doméstic vìolence 〔社〕 가정내 폭력.
dom·ic, -i·cal[dóumik], [-əl] *a.* 둥근 지붕

〔천장〕식의, 돔(dome)이 있는.
dom·i·cile, -cil[dáməsàil, -səl, dóum-/dɔ́m-] *n.* **1** 《文語》 처소, 집: 〔法〕 주소(abode). **2** 〔商〕 어음 지불 장소. **domicile of choice** 〔**origin**〕 〔法〕 기류〔본적〕지. — *vt.* **1** (종종 수동형) 《文語》 …의 주소를 정하다《*in, at*》. **2** 〈어음의〉 지불 장소를 지정하다《*at*》. — *vi.* 주소를 정하다, 살다.
dom·i·ciled *a.* 지불지 지정의: a ~ bill 타처 지급〔지급지 지정〕 어음.
dom·i·cil·i·ar·y[dàməsílièri/dɔ̀m-] *a.* 주소의, 가택의: 어음 지불지의.
domicíliary règister 호적.
domicíliary séarch〔**vísit**〕 〔法〕 가택 수색.
dom·i·cil·i·ate[dàməsílièit, dòum-/dɔ̀m-] *vt.* =DOMICILE. — *vi.* 살다, 정주하다.
dom·i·cil·i·a·tion[-ʃən] *n.* Ⓤ 주소를 정함, 정주.
dom·i·nance, -nan·cy[dámənəns/dɔ́m-], [-i] *n.* Ⓤ 우월: 권세: 지배: 우세: 〔生〕 우성(優性): 〔生態〕 (식물 군락에 있어서) 우점도(優占度), (동물 개체간에서의) 우위.
*__dom·i·nant__[dámənənt/dɔ́m-] *a.* **1** 지배적인, 권력을 장악한: 가장 유력한, 우세한: the ~ party 제일〔다수〕당. **2** 우위를 차지하고 있는, 두드러진: 〔生〕 우성의(*cf.* RECESSIVE). **3** 월등히 높은, 우뚝 솟은: a ~ peak 우뚝 솟은 봉우리. **4** 〔樂〕 (음계의) 제5도의, 속음(屬音)의. — *n.* **1** 주요〔우세〕한 물건. **2** 〔生〕 우성(형질). **3** 〔樂〕 (음계의) 제5음.
⟡ dóminate *v.*: dóminance *n.*
dóminant chàracter 〔生〕 우성 형질.
dóminant géne 〔生〕 우성 유전자.
***dom·i·nate**[dámənèit/dɔ́m-] [L] *vt.* **1** 지배〔위압〕하다. **2** 〈격정 등을〉 억누르다, 조절하다. **3** 우위를 차지하다, 좌우하다. **4** 〈산이〉 빼어나게 솟다, 내려다보다. — *vi.* **1** 지배력을 발휘하다, 위압하다, 우위를 차지하다《*over*》. **2** 우뚝 솟다, 탁월하다.
⟡ dóminant *a.*: dóminance *n.*
*__dom·i·na·tion__[dàmənéiʃən/dɔ̀m-] *n.* **1** Ⓤ 통치, 지배《*over*》. **2** Ⓤ 우세. **3** (*pl.*) 〔神學〕 천사의 제4계급. ⟡ dóminate *v.*
dom·i·na·tive[-nèitiv] *a.* 지배적인, 우세한.
dom·i·na·tor[-nèitər] *n.* 지배자.
dom·i·neer[dàməníər/dɔ̀m-] *vi.* **1** 권세를 부리다, 뻐기다, 압제하다《*over*》. **2** 높이 솟다(tower)《*over, above*》. — *vt.* …에게 위세 부리다, 좌지우지하다: …위에 솟다.
dom·i·neer·ing[dàməníəriŋ/dɔ̀məníər-] *a.* 횡포한, 거만한(arrogant). **~·ly** *ad.*
Dom·i·nic[dámənik/dɔ́m-] *n.* **1** 남자 이름. **2** 도미니크 Saint ~(1170-1221)《도미니코 (수도)회(Dominican Order)의 창립자》.
Dom·i·ni·ca[dàməní:kə, dəmínəkə/dɔ̀məní:kə] *n.* **1** 여자 이름《Dominique 라고도 함》. **2** 도미니카(the Commonwealth of ~)《서인도 제도의 영연방의 섬나라: 수도 Roseau》.
do·min·i·cal[dəmínikəl] *a.* 주〔그리스도〕의 (Lord's): the ~ day 주일, 일요일.
domínical létter 주일 문자《교회력에서 일요일을 표시하는 A-G의 일곱자 중 하나》.
domínical year 서력, 서기(西紀).
Do·min·i·can[dəmínikən] *a.* **1** 성(聖)도미니코의: 도미니코 회의. **2** 도미니카 공화국의. — *n.* 도미니코 회의 수도사(Black Friar): 도미니카 공화국 사람.
Domínican Órder (the ~) 도미니코 수도회《로마 카톨릭 소속》.
Domínican Repúblic *n.* (the ~) 도미니카 공화국《서인도 제도의 Hispaniola 섬 동부의 국가: 수도 Santo Domingo》.
dom·i·nie[dámәni/dɔ́m-] *n.* **1** 《주로 스코》 교사, 선생. **2** 《미方》 성직자, 목사.
*__do·min·ion__[dəmínjən] *n.* **1** Ⓤ 지배〔통치〕권〔력〕, 주권. **2** Ⓤ,Ⓒ 지배, 통제: Ⓤ 〔法〕 소유〔영유〕권. **3** (종종 *pl.*) 영토. **4** (the D-) (영연방의) 자치령. **5** (*pl.*) 주품(主品) 천사(=DOMINATION). **exercise dominion over** …에 지배권을 행사하다. **the Dominion (of Canada)** 캐나다 자치령. **the Dominion of New Zealand** 뉴질랜드 자치령. **the Old Dominion** 《미》 Virginia 주《통칭》.
Domínion Dày (캐나다의) 자치 기념일《7월 1일》.
Dom·i·nique[dàməní:k/dɔ̀m-] *n.* **1** 여자 이름《Dominica 라고도 함》. **2** [←→] 도미니크종(種)《미국산 닭의 일종》.
dom·i·no[dámənòu/dɔ́m-] *n.* (*pl.* ~(**e**)**s**) **1** 도미노 가장복《무도회 등에서 입는 두건과 작은 가면이 달린 헐렁한 옷》, 그것을 입은 사람: (얼굴의 상반부를 가리는) 도미노 가면. **2** 도미노 패《뼈 혹은 상아로 만든 직사각형의 패》: (*pl.*: 단수 취급) 도미노 놀이《28개의 패를 가지고 하는 점수 맞추기》. **3** 하나가 쓰러지면 연달아 쓰러지는 것: 《俗》 타도의 일격. **4** (*pl.*) 《미俗》 각설탕(cube sugar). **5** 《미俗》 흑인, 깜둥이. **6** (*pl.*) 《俗》 피아노 건반: 《口》 (연주 중의) 실수. **It's all domino with him.** 《俗》 (그는) 이제 아주 글렀다〔가망이 없다〕. — *vt.* 연쇄 반응을 일으키게 하다.
dom·i·noed[dámənòud/dɔ́m-] *a.* 도미노 가장복을 입은〔가면을 한〕.
dómino effèct 도미노 효과《한 가지 사건이 다른 곳에도 연쇄적으로 사건을 일으키는 누적적 효과》.
dómino pàper 대리석 무늬 종이《벽지 등》.
dómino theory 도미노 이론《한 나라가 공산화되면 인접 국가들도 공산화된다는》.
dom·sat[dóumsæ̀t, dám-] [*dom*estic *sat*ellite] *n.* 국내(용) 통신 위성.
dom·y[dóumi] *a.* 돔(dome)(모양)의.
don[1] [dan/dɔn] [Sp] *n.* **1** (**D-**) 님, 씨《스페인에서 남자의 세례명 앞에 붙이는 경칭, 본래는 귀인의 존칭》: *Don* Quixote 돈키호테. **2** 스페인 신사: 《일반적으로》 스페인 사람(Spaniard). **3** 명사, 요인: 《俗》 명수《*at*》. **4** (영국 대학에서) COLLEGE의 학장: 학생감(監), 개인 지도 교수, 특별 연구원(fellow).
don[2] *vt.* (~**ned**; ~·**ning**) 《古》 〈옷·모자 등을〉 입다, 쓰다(put on)(*opp.* doff).
Don[dan/dɔn] *n.* **1** 남자 이름《Donald의 애칭, Donnie 라고도 함》. **2** (the ~) 돈 강《러시아 중부에서 발원하여 Azov해로 흘러 들어가는 강》.
do·na[dóunə] [Port] *n.* =DONA.
do·ña[dóunjɑ:] [Sp =lady] *n.* 귀부인: (**D-**) …부인(Lady, Madam).
do·na(h)[dóunə] *n.* 《영俗》 여자: 애인.
Don·ald[dánəld/dɔ́n-] *n.* 남자 이름《애칭 Don》.
Dónald Dúck 도널드 덕《Walt Disney의 만화 영화에 등장하는 집오리》.
Dónald Dúck effèct 〔宇宙〕 도널드 덕 효과《우주 비행중의 음성의 고음화 현상》.
do·nate[dóuneit, dounéit] *vt.* 《주로 미》 (자선 사업·공공 기관에) 기부〔기증〕하다《*to*》: 증여하다: ~ blood 헌혈하다《영국에서는 과장된 말이라고 해서 피하고 bestow, present, give 등을 사용하는데, 미국에서는 흔히 쓰인다》.

— *vi.* 기부〔기증〕하다.
do·nát·ed émbryo bàby 수정란 이식아 (egg transfer baby).
do·na·tion[dounéiʃən] *n.* **1** Ⓤ 기부, 기증; Ⓒ 기증물, 기부금. **2** (미) =DONATION PARTY. ◈ dónate *v.*; dónative *a., n.*
donátion párty (미) 손님이 선물을 주는 파티.
do·na·tive[dóunətiv, dán-] *n.* 기증물, 기부금. — *a.* 기증의〔을 위한〕.
do·na·tor[dóuneitər, dounéi-] *n.* 기부〔기증〕자.
Do·nau *n.* (the ~) 도나우강(DANUBE 강의 독일어명).
Don·cas·ter *n.* 잉글랜드 중부의 도시.
★**done**[dʌn] *v.* DO[1]의 과거 분사. **Easier said than done.** ⇨say. **No sooner said than done.** ⇨soon. — *a.* **1** 끝난, 마친. **2** (보통 복합어를 이루어) 〈음식이〉 익은, 구워진: half-~ 설구워진〔익은〕, over-~ 너무 구워진〔익은〕, under-~ 덜 구워진〔익은〕. **3** 망쳐진, 망한; 속은; (口) 기진맥진한(exhausted); 다 써버린, 소모된. **4** (대개 부정문에서) 〈행위가〉 예의바른, 관습에 따른: That is*n't* ~〔the ~ thing〕. 그것은 버릇 없는 짓이다. — *ad.* (方) 완전히, 벌써: I've ~ made up my mind. 아주〔이미〕 결심해 버렸다. **be done for** (口) 못 쓰게 되다; 결판나다; 지쳐 있다; 다 죽어가다: I *am* ~ *for*. 나는 이제 다 글렀다. **be done with** 끝나다, 마치다. **Done!** 좋다(Agreed!)(내기에 응하여). **done brown** 갈색으로 구워진; 홀딱 속아 넘어가(*cf.* do BROWN). **done in** (미口) 지쳐서 (tired). **done to a turn** 알맞게 익은. **done up** 녹초가 되어(*cf.* DO up). **done with** (俗) 완료되어. **Well done!** 용하다, 잘했다, 훌륭하다.
do·nee[douníː] *n.* 증여받는 사람; 구호받는 사람(*opp.* donor).
done·ness[dʌ́nnis] *n.* Ⓤ 음식이 알맞게 요리된 상태, (요리의) 만듦새.
dong[1][dɔ(ː)ŋ, daŋ] *n.* 큰 종이 뎅하고 울리는 소리; (오스口) 강타; (미卑) 음경. — *vi.* 뎅하고 울리다. — *vt.* (오스口) 강타하다.
dong[2] *n.* (*pl.* ~) 동(베트남의 화폐 단위; =10 hao; 기호: D).
don·ga[dáŋgə, dɔ́(ː)ŋ-] *n.* (남아프리카의) 협곡, 산협(ravine, gully).
don·jon[dʌ́ndʒən, dán-/dɔ́n-] *n.* (성의) 아성, 내성(內城).
Don Ju·an[dàndʒúːən, dànwán/dɔ̀ndʒú(ː)ən] *n.* **1** 돈환(스페인의 전설적 방탕자). **2** 방탕자, 엽색가.
*⁑***don·key**[dáŋki, dɔ́(ː)ŋ-, dʌ́ŋ-] *n.* **1** 〔動〕 당나귀(ass)(◇ (1) 미국에서는 만화화하여 민주당의 상징으로 씀(*cf.* ELEPHANT). (2) ass는 「궁둥이」란 뜻이 있어서, donkey 쪽을 일반적으로 씀). **2** 바보, 얼간이. **3** =DONKEY ENGINE. — *a.* 〈기계가〉 보조의.
dónkey bòiler 〔機〕 보조 보일러.
dónkey èngine 〔機〕 보조 엔진.
dónkey jàcket 두꺼운 방수 작업복.
don·key·man *n.* (*pl.* **-men**[-mən]) 동키맨 (DONKEY ENGINE의 조작자).
dónkey's yèars〔**èars**〕 (영俗) 아주 오랫동안 (*cf.* DOG'S AGE).
don·key·work *n.* Ⓤ (영口) 지루하고 힘든 일.
don·na[dánə/dɔ́nə] [It=lady] *n.* (*pl.*-**ne**[-nei]) (이탈리아에서) 귀부인; (**D-**) …부인(이탈리아에서 여자 이름 앞에 붙이는 경칭).

Donne *n.* 던 John ~(1572-1631)(영국의 형이상학파 시인·목사).
Don·nie *n.* 남자 이름(=Don).
don·nish[dániʃ/dɔ́n-] *a.* 학생감 같은〔다운〕; 지나치게 근엄하게 구는. **~·ly** *ad.*
don·ny·brook[dánibrùk/dɔ́n-] *n.* (종종 **D-**) 떠들썩한〔거친〕 언쟁, 드잡이, 난투(=**D** ∠ **Fáir**).
do·nor[dóunər] *n.* **1** 기증자, 시주(*opp.* donee); 〔醫〕 혈액〔조직, 장기〕 제공자. **2** 〔電子〕 도너(=∠ **impurity**)(반도체에 혼입하여 자유 전자를 증가시키는 불순물).
dónor càrd (혈액·장기 제공자가 휴대하는) 제공자 카드.
do-noth·ing[dúːnʌ̀θiŋ] *a.* 아무 일도 안하는, 태만한(idle). — *n.* 게으름뱅이(idler). **~·er** *n.* **~·ìsm** *n.* Ⓤ 태만한 버릇; 무위 무책주의.
Don Quix·o·te[dànkihóuti, -kwíksət/dɔ̀n-kwíksət] *n.* **1** 돈키호테(스페인의 작가 Cervantes가 쓴 풍자 소설, 그 주인공(*cf.* SANCHO PANZA)). **2** 현실을 무시한 이상가.
★**don't**[dount] do not의 단축형: You know that, ~ you? 너는 알고 있지 (안 그래)(◇ (口)에서 doesn't 대신에 쓰기도 하지만 비표준 용법임). **Oh, don't!** 아, 안돼 (그러지 말게). **Don't give me that!** (미俗) 그럴 리가 있나, 나는 안 믿네. — (*pl.* **~s**) (익살) *n.* 금지, (*pl.*) '금지 조항' 집(集).
don't-care[dóuntkɛ̀ər] *n.* 부주의한 사람, 무관심한 사람.
don't-know[dóuntnóu] *n.* (앙케트 조사에서)모른다고 대답하는 사람, 태도 보류자.
don·to·pe·dal·o·gy[dàntoupedǽlədʒi/dɔ̀n-] *n.* 경솔한 말을 하는 버릇.
do·nut[dóunʌ̀t] *n.* =DOUGHNUT.
do·nut·ting =DOUGHNUTTING.
doob·ie[dúːbi] *n.* (미俗) 대마초 담배.
doo·dad[dúːdæ̀d] *n.* (미口) 하찮은 장식품, 값싼 것; 장치; =DOOHICKEY.
doo·dah[dúːdə] *n.* (俗) 흥분, 당황. **all of a doodah** 당황하여, 흥분하여.
doo·dle[dúːdl] *n.* **1** 낙서. **2** 바보. — *vt., vi.* **1** (딴 생각하면서) 낙서하다; 빈둥거리다. **2** (口) 멋대로 연주하다. **~·ìsm** *n.* 낙서벽.
dóo·dler *n.*
doo·dle·bug[dúːdlbʌ̀g] *n.* **1** (미)〔昆〕 개미귀신(ant lion); 그 유충. **2** (미口) 비과학적인 광맥〔수맥〕 탐지기. **3** (미口) 소형 경주용 자동차. **4** (口) 폭명탄(爆鳴彈)(buzz bomb).
doo·dly-squat *n.* (俗) =DIDDLY.
doo·doo, -die, -dy[dúːdúː], [-díː] *n.* (兒) 응가.
doo·fun·ny[dúːfʌ̀ni] *n.* =DOFUNNY.
doo·fus[dúːfəs] *n.* (미俗) 바보.
doo·hick·ey[dúːhìki] *n.* (미口) 뭐라고 하는 것, 거시기(그 물건의 이름을 모르 때나 잊었을 때의 대용어; *cf.* THINGUMBOB).
doo·jee[dúːdʒìː] *n.* (미俗) 헤로인(마약).
doo·jig·ger[dúːdʒìgər] *n.* (미俗) 자질구레한 물건, 싼 물건, 싸구려.
doo·lie[1] [dúːli] *n.* (미俗) (공군 사관학교) 1 학년생.
doo·ly, -lie[2] *n.* (*pl.* **-lies**) 인도 간이 들것.
⁑**doom**[duːm] [OE] *n.* Ⓤ **1** (보통 나쁜) 운명, 파멸. **2** (古) 재판, 판결. **3** (신이 내리는) 최후의 심판. **4** 〔史〕 법령. **meet**〔**go to**〕 **one's doom** 망하다, 죽다. **the day of doom** =DOOMSDAY. — *vt.* **1** (보통 수동형) (보통 나쁘게) 운명짓다(fate), 운명을 정하다

(destine)《*to*》:《Ⅱ *to* do》We are ~*ed to* die from the birth. 우리는 태어나면서부터 죽을 운명이 지어진다(=God ~*s* us *to* die from the birth.《Ⅴ(목)+*to* do》): The plan was ~*ed to* failure〔~*ed to* fail〕. 그 계획은 결국 실패하게 돼 있었다. **2** 〈유죄로〉판정하다, 〈형을〉 선고하다: ~ a person *to* death〔*to* die〕 …에게 사형을 선고하다.

dóom and glòom =GLOOM AND DOOM.

doomed *a.* 운이 다한, 불운한.

doom·say·er[dú:msèiər] *n.* (큰 재난 등) 불길한 일을 예언하는 사람.

dooms·day[dú:mzdèi] *n.* **1** 최후의 심판일, 세상의 마지막날(the Last Judgment). **2** 판결날, 운명이 결정되는 날. **till doomsday** 세상이 다할 때까지 영원히.

Dóomsday Bòok (the ~) =DOMESDAY Book.

dooms·day·er[dú:mzdèiər] *n.*=DOOMSAYER.

Dóomsday Machìne 인류 파멸의 흉기《핵에 의한 파괴를 작동시키는 가상의 장치》.

dóomsday scenário 〔軍〕 지구 최후의 날의 시나리오《미·소의 핵전쟁 계획》.

doom·ster[dú:mstər] *n.* **1** 재판관. **2** = DOOMSAYER.

doom·watch[dú:mwàtʃ,-wɔ̀:tʃ/wɔ̀tʃ] *n.* 환경 파괴 방지를 위한 감시; 환경 멸망론. **~·er** *n.* **~·ing** *n.*

★**door**[dɔ:r] *n.* **1** 문, 문짝. **2** 문간, (문 짝이 달린) 출입구: the front ~ 현관문/*at* the ~ 문간에서/*in* the ~ 출입구에서, 문간에서/ There is someone *at* the ~. 현관〔문간〕에 누가 (와) 있다. **3** 한 집, 1호(戶): 한 방. **4** 문호, …에 이르는 길〔관문〕《*to*》: a ~ *to* success 성공으로의 길. **answer the door**《口》현관으로 손님 맞으러 나가다. **at a person's door** (집)바로 가까이에, 근처에(close by); …의 책임〔탓〕으로. **at the door of** …의 책임〔탓〕으로. **be at death's door** 빈사 상태에 있다. **be on the door** (개찰 등) 출입구의 업무를 보고 있다. **by the back door** 비밀로, 몰래, 비공식 수단으로. **close**〔**shut**〕 **the door on**〔**upon, to**〕 문을 닫아 …을 들여 놓지 않다; …에의 길을 막다. **close one's**〔**its**〕 **doors** 문호를 닫다, 들이지 않다《*to*》; 가게를 걷어치우다, 폐업하다. **from door to door** 집집마다. **in doors** 옥내에(서). **lay**〔**lie**〕 **at the door of** …의 탓으로 돌리다〔탓이다〕. **leave the door open for** …의 여지〔가능성〕를 남겨두다. **next door** 이웃(집)에. **next door but one** 한 집 건너 이웃 집. **next door to** …의 이웃에; …에 아주 가까이〔다가와, 임박해〕, 거의 …이라고 할 만한: be *next* ~ *to* death 죽음에 임박해 있다. **open a**〔**the**〕 **door to**〔**for**〕 …에 문호를 개방하다, 편의〔기회〕를 주다(*cf.* OPENDOOR). **out of doors** 옥외에서(*cf.* OUT-OF-DOOR(S)). **show a person the door** 문을 가리켜 사람을 (문 밖으로) 쫓아내다. **show** a person **to the door** …을 현관까지 배웅하다. **turn** a person **out of doors** 내쫓다. **within**〔**without**〕 **doors** 옥내〔외〕에(서).

dóor alàrm 현관의 경보 장치.

*__door·bell__[dɔ́:rbèl] *n.* 문간의 벨〔초인종〕.

door·case[dɔ́:rkèis] *n.* 문틀, 문얼굴.

dóor chàin 도어 체인《방범용 문의 쇠사슬》.

dóor chèck〔**clòser**〕 도어체크《문이 천천히 닫히게 하는 장치》.

do-or-die[dú:ərdái] *a.* **1** (목적을 위해) 결사적인, 총력을 다한. **2** 위기에 처한.

door·frame[dɔ́:rfrèim] *n.* =DOORCASE.

dóor hàndle《영》=DOORKNOB.

door·jamb[dɔ́:rdʒæ̀m] *n.* 문설주.

door·keep·er[dɔ́:rkì:pər] *n.* 문지기, 수위.

dóor-key chìld[dɔ́:rkì:-] 부모가 맞벌이하는 집안의 아이.

door·knob[dɔ́:rnàb/-nɔ̀b] *n.* 문 손잡이.

door-knock·er[ˊnàkər/ˊnɔ̀k-] *n.* 노커《방문객이 두들겨 알리는 문에 달린 쇠》.

door·less[dɔ́:rlis] *a.* 문 없는.

door·man[ˊmən,ˊmæ̀n] *n.* (*pl.*-**men** [ˊmən, ˊmèn])(호텔·백화점 등의 짐 나르기·택시 부르기 등을 맡는) 현관 안내인.

door·mat[ˊmæ̀t] *n.* (문 앞의) 구두 흙털개, 도어매트.

dóor mìrror (자동차의) 도어〔사이드〕 미러.

dóor mòney 입장료.

door·nail[dɔ́:rnèil] *n.* (옛날 문의) 징 모양의 큰 못. (**as**) **dead as a doornail**《口》 아주 죽은; 작동하지 않는.

door·o·pen·er *n.* **1** 잠겨진 문을 여는 기구. **2**《口》호별 방문 외판원이 집에 들어가기 위해 하는 선물.

door·plate[ˊplèit] *n.* (금속제의) 문패.

door·post[ˊpòust] *n.* =DOORJAMB.

dóor prìze《미》참가자 상《입장 때 받은 표로 당첨된 상품》.

dóor ròller (미닫이의) 호차(戶車).

door·scrap·er[dɔ́:rskrèipər] *n.* (현관문 밖에 두는 금속제) 흙긁개.

door·sill[dɔ́:rsìl] *n.* 문지방(threshold).

dóor stàrter (유개 화차의) 도어 시동 장치.

*__door·step__[dɔ́:rstèp] *n.* 현관의 층층대:《俗》두껍게 썬 빵. **at a person's doorstep** =at a person's DOOR. **on** one's〔the〕 **doorstep** …에게 다가와, 가까이에. ── *a.* 호별 방문의. ── *vi.* 호별 방문하다;(감시를 위해) 현관 층층대에서 기다리다.

door·step·ping[dɔ́:rstèpiŋ] *a.* (기사 거리를 위해) 집요하게 찾아 다니는.

door·stone[ˊstòun] *n.* 문 앞의 섬돌.

door·stop(**·per**)[ˊstàp(ər)/ˊstɔ̀p-] *n.* 문짝이 열려 있도록 하는 것《쐐기꼴 멈추개》;(문의 바깥벽·바닥에 대는) 문버팀 쇠.

door-to-door[dɔ́:rtədɔ́:r] *a.* 집집마다의, 호별의; 집집마다 배달해주는: ~ canvassing〔poll〕 호별 방문 선거 운동〔여론 조사〕. ── *ad.* 집집마다, 호별로; 집에서 집까지.

dóor tràck 미닫이의 레일.

⁑**door·way**[dɔ́:rwèi] *n.* 문간, 현관, 출입구; (…으로의) 문호《*to*》.

door·yard[dɔ́:rjà:rd] *n.*《미》문〔현관〕의 앞마당.

doo-wop[dú:wàp/-wɔ̀p] *n.* 두왑《연주에 맞추어 코러스가 뒤얽히는 팝스》.

doo·zer[dú:zər], **-zy, -zie**[-zi] *n.* (*pl.* ~**s**; **-zies**; ~**s**)《미俗》출중한 것.

D.O.P. developing-out paper 〔寫〕현상 인화지.

do·pa[dóupə, -ɑ:] *n.* 〔生化〕 도파《아미노산 중의 하나; 파킨슨병 치료약》.

do·pa·mine[dóupəmì:n] *n.* Ⓤ 〔生化〕 도파민《뇌 안의 신경 전달 물질》.

do·pa·mi·ner·gic *a.*〔生化〕 도파민 작용성(性)의, 도파민에 민감한.

dop·ant[dóupənt] *n.* 〔化〕 DOPING을 위해 반도체에 첨가하는 불순물.

dope[doup] *n.* Ⓤ **1**《俗》마약(narcotic); (선수·말에 먹이는) 흥분제. **2** 진한〔풀 같은〕 액체; 기계 기름; 도프 도료《비행기 날개 등에 칠하는 일종의 와니스》. **3**《俗》내부 소식, 이

길 말의 예상; 《일반적으로》 (비밀) 정보. **4** Ⓒ 《미俗》 마약 중독자; 《口》 멍청이. **spill the dope** (경마 등에서) 정보를 누설하다. **straight dope** 진실; 확실한 정보; 비밀 정보. ― *vt.* **1** 진한 액체로 처리하다; 도프 도료를 칠하다. **2** 《俗》 마약〔아편〕을 먹이다; (경주마 등에) 흥분제를 먹이다: ~ oneself *with* cocaine 코카인을 음용하다. **3** 속여 넘기다. **4** 《미》 〈경마 결과 등을〉 예상하다. **5** 〔物〕 〈반도체 등에〉 불순물을 첨가하다. ― *vi.* 마약을 상용하다. **dope off** 실수하다. **dope out** 《俗》 추측하다, 알아내다; 날조하다. 《미俗》 (경마 등에서) 예상하다.

dópe àddict 《俗》 마약 사용자.

dópe chèck (선수의) 흥분제〔약물〕 검사.

dópe fìend 《미俗》 마약 상용자(drug addict).

dope·nik[dóupnìk] *n.* 마약 상용자.

dópe pùsher〔pèddler〕 《미俗》 마약 밀매자.

dop·er *n.* 마약 상용자.

dope·sheet[dóupʃìːt] *n.* 《俗》 경마 신문, (경마 등의) 예상지; 《放送俗》 도프시트《촬영을 위한 상세한 지시서》.

dope·ster[dóupstər] *n.* 《미俗》 (선거·경마의) 예상가.

dópe stòry =THINK PIECE 1.

dop·ey[dóupi] 《俗》 *a.* (**dop·i·er; -i·est**) 마취된 것 같은, 멍한; 멍청한. ― *n.* 게으름뱅이; 멍청이.

dop·ing[dóupiŋ] *n.* 〔物〕 도핑《반도체에 불순물을 첨가하여 전기적 특성을 얻기》; 〔스포츠〕 도핑, 금지 약물 복용.

dóping tèst 금지 약물 검사(dope check).

Dop·pel·gäng·er, -gang-[dápəlgæ̀ŋər/dɔ́p-] [G] *n.* (때로 **d-**) 살아 있는 사람의 유령; (본인에게만 보이는) 생령(生靈).

Dóppler effèct[dáplər-/dɔ́p-] 〔物〕 도플러 효과.

Dóppler Lídar Sỳstem 도플러 효과를 이용한 광학식 속도계《상표명》.

Dóppler shíft 〔物〕 도플러 편이(偏移).

Dopp·ler-shift, Dopp·ler·shift[-ʃìft] *vt.* 〔物〕 〈주파수 등에〉 도플러 편이를 일으키다.

dop·y[dóupi] *a.* (**dopier; -iest**) =DOPEY.

dor[dɔːr] *n.* 〔昆〕 붕붕거리며 나는 곤충.

Do·ra[dɔ́ːrə] *n.* 여자 이름《Dorothea, Theodora의 애칭》.

D.O.R.A., DORA 〔영法〕 Defence of the Realm Act《1914년》.

do·ra·do[dərάːdou] *n.* (*pl.* **~s**, ~) **1** 〔魚〕 만새기. **2** (**D-**) 〔天〕 황새치자리.

dor·bee·tle[dɔ́ːrbìːtl] *n.* 〔昆〕 =DOR.

Dór·cas socìety[dɔ́ːrkəs-] 도커스회《빈민에게 옷을 지어 주는 자선 여성 단체》.

Dor·ches·ter[dɔ́ːrtʃèstər, -tʃəs-] *n.* 잉글랜드 Dorset주의 주도.

do-re-mi[dòureimíː] *n.* 《미俗》 돈.

Do·ri·an[dɔ́ːriən] *a.* **1** 고대 그리스의 DORIS (사람)의. **2** 검소하고 건실한. ― *n.* 도리스 사람.

Dor·ic[dɔ́(ː)rik, dάr-] *a.* **1** 도리스(Doris) 지방의, 도리스 사람의(Dorian). **2** 〔建〕 도리스식의(*cf.* CORINTHIAN, IONIAN). ― *n.* Ⓤ **1** (고대 그리스의) 도리스 지방어(語) **2** (영어의) 시골 사투리, 방언. **3** 〔建〕 도리스 양식. **in broad Doric** 순 시골 사투리로. **the Doric order** 〔建〕 도리스 양식《가장 오래된 그리스식 건축 양식》.

Dor·is[dɔ́(ː)ris, dάr-] *n.* **1** (그리스의) 도리스 지방. **2** 여자 이름.

dork[dɔːrk] *n.* **1** 《미卑》 음경(penis). **2** 《俗》 유행에 뒤진 사람, 촌뜨기. **3** 《俗》 바보.

Dor·king[dɔ́ːrkiŋ] *a., n.* 도킹종(種)의 (닭).

dork·y[dɔ́ːrki] *a.* 《俗》 **1** 바보의, 어리석은, 천치의. **2** 꼴사나운, 모양없는. **3** 구식의, 낡은.

dorm[dɔːrm] *n.* 《미口·영學俗》=DORMITORY 1.

dor·man·cy[dɔ́ːrmənsi] *n.* Ⓤ (동·식물의) 휴면 (상태); 비활동 상태, 휴지, 정지.

*__dor·mant__[dɔ́ːrmənt] [L] *a.* **1** 잠자는 (것 같은); 수면 상태의; 〈싹·씨 등이 겨울에〉 발육 정지중인. **2** 휴지 상태에 있는(*opp.* active); 잠복중인: a ~ volcano 휴화산. **3** 움직이지 않는, 고정적인, 〈자금 등이〉 유휴 상태의, 놀고 있는, 〈권리 등이〉 미발동의. **lie dormant** 동면〔하면〕중이다; 정지〔잠복〕하고 있다; 사용되지 않고 있다, (권리 등이) 행사되지 않고 있다.

dórmant pártner =SILENT PARTNER.

dórmant wíndow 《方》 =DORMER.

dor·mer[dɔ́ːrmər] *n.* 지붕창(= window).

dor·meuse[dɔːrmɔ́ːz] [F =sleeper] *n.* 《영》 침대차.

dor·mice[dɔ́ːrmàis] *n.* DORMOUSE의 복수.

dor·mie[dɔ́ːrmi] *a.* 〔골프〕 (매치 플레이에서) 남은 홀(hole)수만큼 이기고 있는.

⁑**dor·mi·to·ry**[dɔ́ːrmətɔ̀ːri/-təri] [L] *n.* (*pl.* **-ries**) **1** 공동 침실; 기숙사. **2** (도시에 통근하는 사람들의) 교외 주택지(=~ suburb〔town〕).

dórmitory càr (승무원용) 침대차.

dórmitory shìp (단체 학생 등을 위한) 숙박 시설을 갖춘 배.

dórmitory sùburb〔tòwn〕 =DORMITORY 2.

Dor·mo·bile[dɔ́ːrmoubìːl] *n.* 《영》 도모빌 《생활 설비가 있는 여행용 차; 상표명》.

dor·mouse[dɔ́ːrmàus] [F] *n.* (*pl.* **-mice**[-màis]) **1** 〔動〕 겨울잠쥐. **2** 《비유》 잠꾸러기 《사람》.

dor·my[dɔ́ːrmi] *a.* =DORMIE.

do·ron[dɔ́ːrɑn/-rɔn] *n.* 유리 섬유제 방탄복.

Dor·o·the·a[dɑ̀rəθíːə, dɔ̀(ː)r-], **Dor·o·thy**[dάrəθi, dɔ́(ː)r-] *n.* 여자 이름《애칭 Doll, Dolly, Dora, Dotty》.

Dórothy bàg 《영》 아가리를 끈으로 죄는 여자용 핸드백《손목에 걺》.

dorp[dɔːrp] *n.* 《南아》 작은 부락, 소촌락.

Dors., Dorset. Dorsetshire.

dor·sal[dɔ́ːrsəl] 〔解·動〕 *a.* 등(부분)의; 등 모양의. ― *n.* 등 지느러미; 척추. **~·ly** *ad.* 등(부분)에〔으로〕.

dórsal fín 〔魚〕 등지느러미.

dórsal vértebra 〔解〕 흉추.

d'or·say[dɔ́ːrsei, -zei] *n.* 도르세이《여성용 펌프스(pump)》.

Dor·set(·shire)[dɔ́ːrsit (ʃìər, -ʃər)] *n.* 《영》 국 남부의 주《주도 Dorchester》.

dors-[dɔərs/dɔːs], **dor·si-**[dɔ́ərsə/dɔ́ː-], **dor·so-**[dɔ́ərsou/dɔ́ː-] 《연결형》「등; 등의; 등에」의 뜻《모음 앞에서는 dors-》.

dor·sum[dɔ́ːrsəm] *n.* (*pl.* **-sa**[-sə]) 〔解·動〕 등, 등 부분; 〔音聲〕 혀의 등.

dor·ter, -tour[dɔ́ːrtər] *n.* 《古》 (수도원 등의) 합숙소.

do·ry[1][dɔ́ːri] *n.* (*pl.* **-ries**) (대구잡이용) 평저(平底) 어선.

dory[2] *n.* (*pl.* **-ries**) 〔魚〕 달고기류(John Dory).

DOS 〔컴퓨터〕 disk operating system.

dos-à-dos[dóuzədóu, -siː-] [F] *ad.* 등을 맞대고. ― *n.* (*pl.* ~) 등을 맞대고 앉는 차〔긴 의자〕; 《미》 등을 맞대고 둘이서 추는 댄스.

dos·age[dóusidʒ] *n.* **1** Ⓤ 투약, 조제. **2**

U,C 〔醫〕 1회분의 투약〔복용〕량, 적량; (전기·X선 등의) 조사(照射) 적량. **3** U (포도주 등에) 합성물을 섞는 방법.

∗**dose**[dous] *n.* **1** (약의) 1회의 분량, 복용량. **2** (형벌·고역 등의) 1회 분량, 소량: give a person a ~ *of* flattery …에게 약간 아첨하다. **3** (방사능의) 조사량(照射量). **4** 《俗》 성병, 《특히》 임질. **have a regular dose of** …을 너무 마시다; …이 지나치다. **like a dose of salts** 《俗》 굉장한 속도로, 눈 깜짝할 사이에. — *vt.* **1** 투약하다, 복용시키다 《*with*》: ~ pyridine *to* a person =~ a person *with* pyridine …에게 피리딘을 복용시키다/~ *up* a person …에게 여러 가지 약을 먹이다. **2** 〈약을〉 조제하다, 적량으로 나누다: ~ *out* aspirin *to* a person …에게 아스피린을 지어주다. **3** 〈포도주 등에〉 합성물을 섞다 《*with*》: ~ wine〔champagne〕 *with* sugar 포도주〔샴페인〕에 설탕을 섞다. — *vi.* 약을 먹다. **dose oneself with** …을 복용하다.

dóse-respònse cùrve 용량 작용 곡선《투여된 약의 용량과 그 생리학적 효과의 관계를 나타내는》.

do·sim·e·ter[dousímitər] *n.* **1** 〔藥〕 약량계(藥量計). **2** 〔物·醫〕 (방사선) 선량계(線量計).

do·sim·e·try[-tri] *n.* U 약량 측정; (방사선의) 선량 측정.

Dos Pas·sos[dəs-pǽsəs] *n.* 도스 패소스 John ~(1896-1970)《미국의 작가; 대표작 *U.S.A.*》.

doss[dɑs/dɔs] 《영俗》 *n.* (여인숙의) 침대; (a ~) 잠. — *vi.* (여인숙에서) 자다.

dos·sal, -sel[dásəl/dɔ́s-] *n.* (제단 뒤쪽 또는 목사 자리 옆의) 휘장, 장막.

dos·ser[dásər/dɔ́s-] *n.* 등에 메는 짐바구니, (말 등에 얹는) 옹구; (의자 등받이의) 장식.

dóss hòuse 《영俗》 값싼 여인숙.

dos·si·er[dásièi, dɔ́(:)si-] [F=bundle of papers] *n.* 일건 서류; 사건 기록.

dos·sy[dási/dɔ́si] *a.* (**-si·er; -si·est**) 《영俗》 맵시있는.

∗**dost**[dʌst, dəst] *v.* 《古》 DO¹의 제2인칭·단수·직설법·현재형《주어 thou일 때》.

Dos·to·ev·ski[dàstəjéfski/dɔ̀s-] *n.* 도스토예프스키 Feodor ~(1821-81)《러시아의 소설가; *Crime and Punishment*의 저자》.

⁑**dot**¹ [dɑt/dɔt] *n.* **1** (작고 둥근) 점《i나 j의 점; 모르스 부호의 점 등》; 소수점《단, 읽을 때는 point라 함》; 〔樂〕 (음표나 쉼표의 오른쪽에 붙여 1/2만큼 음을 길게 함을 표시하는) 부점(符點); 〔服飾〕 물방울 무늬. **2** 점같이 작은 것, 꼬마: a mere ~ of a child 조그만 아이. **off one's dot** 《俗》 얼뜬, 미친. **on the dot** 《口》 꼭 제시간에, 정각에. **to a dot** 《口》 완전히, 철저히, 아주. **to the dot of an i** (어디까지나) 완전히. — *vt.* (~·**ted**; ~·**ting**) **1** …에 점을 찍다, 점점으로 표시하다: ~ an 'i' i에 점을 찍다. **2** (보통 수동형) 점점이 산재시키다《*with*》: a field ~*ted with* sheep 양이 여기저기 흩어져 있는 들. **3** 적어두다《*down*》: He ~*ted down* what I said. 그는 내가 말한 것을 적어 두었다. **dot and carry one** (가산하여 10이 되면) 점을 찍어 한 자리 올리다: =DOT and go one. **dot and go one** 절름거리다; (형용사·부사적으로) 절름거리는, 절름거리며. **dot down** 조금 적어 넣다. **dot a person one in the eye** 《영俗》 …의 눈을 탁 때리다. **dot one's i's** 하는 짓이 신중하다. **dot the**〔**one's**〕 **i's and cross the**〔**one's**〕 **t's** 상세히 표시하다, 명확히 설명하다. ⊕ **dótty**¹ *a.*

dot² *n.* 아내의 지참금(dowry).

Dot *n.* 여자 이름《Dorothea, Dorothy의 애칭》.

DOT 《미》 Department of Transportation.

dot·age[dóutidʒ] *n.* U **1** 망령, 노망(senility)(*cf.* ANECDOTAGE). **2** 맹목적 애정. **be in**〔**fall into**〕 **one's dotage** 노망해 있다〔하다〕.

dot-and-dash[dátəndǽʃ/dɔ́t-] *a.* 점과 선으로 된, 모스(Morse)식 부호의.

dot·ard[dóutərd] *n.* 노망한 늙은이.

dote[dout] *vi.* **1** 망령들다. **2** 맹목적으로 사랑하다, …에 홀딱 빠지다《*on, upon*》: 《Ⅲ *v*I+전+(목)》She ~*s* on〔upon〕 her grandson. 그녀는 손자를 맹목적으로 사랑한다. ⊕ **dótage** *n.*

doth[dʌθ, dəθ] *v.* 《古》 DO¹의 제3인칭·단수·직설법·현재형(*cf.* DOETH).

dot·ing[dóutiŋ] *a.* **1** 맹목적으로 사랑하는, 〈자식을〉 지나치게 귀여워하는. **2** 노망한. **~·ly** *ad.*

dót mán 《미俗》 **1** (캐나다의) 운수성 공무원 《트럭을 정차시켜 점검을 하고는 위반차에 소환장을 발부함》. **2** 적재량 계측소.

dót (mátrix) prìnter 〔컴퓨터〕 도트 프린터 《점을 짜맞춰 문자를 표현하는 인쇄장치》.

dót pàttern 망점(網點)《사진·도판의》.

dót pròduct =INNER PRODUCT.

dot·ted[dátid/dɔ́t-] *a.* 점이 찍힌; 점선이 든: ~ crotchet 〔樂〕 부점 4분 음표(½만큼 음이 길어짐).

dótted líne **1** 점선(…); (the ~) (서명〔회답〕난을 나타내는) 점선. **2** (지도에 적어 넣은) 예정 코스; 《비유적》 예정 행동. **sign on the dotted line** 문서에 서명하다; 《口》 무조건 동의하다.

dótted swíss 스위스 모슬린(Swiss muslin) 《얇게 비치는 부드러운 면 모슬린; 주로 커튼이나 여성의 여름 옷에 쓰임》.

dot·tel *n.* =DOTTLE.

dot·ter[dátər/dɔ́t-] *n.* **1** 점 찍는 기구, 《특히》 점묘(點描) 기구. **2** 〔砲術〕 (조준 연습 장치의) 점적기(點的器).

dot·ter·el, dot·trel[dátərəl/dɔ́t-] *n.* **1** 〔鳥〕 물떼새(plover)의 일종. **2** 《영方》 바보.

dot·tle[dátl/dɔ́tl] *n.* (파이프에 남은) 담배 찌꺼기.

dot·ty¹[dáti/dɔ́ti] *a.* (**-ti·er; -ti·est**) 점이 있는; 점 같은; 점점이 산재하는.

dotty² *a.* (**-ti·er; -ti·est**) 《영口》 **1** 〈걸음이〉 휘청휘청한, 연약한. **2** 머리가 모자라는, 멍청한; 머리가 돈. **3** 열중한, 반한《*about*》. **be dotty on one's legs** 다리가 휘청거리다.

Dot·ty[dáti/dɔ́ti] *n.* 여자 이름《Dorothea, Dorothy의 애칭》.

dót whèel 점선 내는 기구《바퀴식의》.

dot·y[dóuti] *a.* (**dot·i·er; -i·est**) **1** 〈나무가〉 썩어 가는, 썩은. **2** 《미南部》 늙어빠진.

dou·ane[du:ɑ́:n] [F] *n.* (*pl.* ~**s**[-z]) (국경의) 세관.

Dou·áy Bíble〔**Vérsion**〕 (the ~) 두에 성서《벌게이트 성서(Vulgate)를 프랑스에서 영역한 성서; 신약은 1582년, 구약은 1610년에 출판》.

⋆**dou·ble**[dʌ́bəl] *a.* **1** 〈수량이〉 두 곱의, 갑절의, 두 배의; 〈질이〉 두 배의 가치〔성능, 농도, 세기《등》〕가 있는: a ~ portion 두 배의 몫/~ pay 두 배의 급료/do ~ work 갑절의 일을 하다. **2** 2중의, 겹의(twofold); 쌍의; 둘로 접은, 두 장을 겹친, 겹으로 칠한: a ~ blanket 두 겹으로 이어진 담요/a ~ edge 양날/a ~

lock 이중 자물쇠/~ windows 이중 창. **3** 〈방·침대 등〉 2인용의; 1인 2역의: a ~ sleeping bag 2인용 침낭/a ~ room (호텔 등의) 2인용 방. **4** 표리〔딴 마음〕가 있는, 음흉한; 〈의미가〉 두 가지로 새길 수 있는, 애매한: live a ~ personality〔character〕 이중 인격. **5** 〈꽃 등〉 겹의, 중판(重瓣)의(*opp.* single): a ~ daffodil 겹꽃 수선화. **6** 〈위스키 등〉 더블의, 양〔세기〕이 두 배인. **7** 1옥타브 낮은 음을 내는; 2박자의. **do〔get〕 a double take** ⇨ DOUBLE TAKE. **wear a double face** 표리가 있다, 얼굴과 마음이 다르다. **work double tides〔shifts〕** 밤낮으로 일하다. — *ad.* 곱절로; 이중으로, 겹으로, 두 가지로; 쌍으로. **play double** 양쪽에 충성을 다하다, 두 가지로 행동하다. **ride double** (둘이서) 같이 타다. **see double** (취하여) 물건이 둘로 보이다. **sleep double** 둘이 같이 자다. — *n.* **1** 두 배(의 수·양), 곱, 갑절; (걸음의) 구보. **2** 이중; 중복, 겹친 것, 접힌 주름(fold); 〔印〕 이중 인쇄. **3** (…와) 꼭같이 닮은 사람〔것〕, 영상; 생령(生靈); 〔映〕 대역(주역 대신 위험한 연기를 맡아하는). **4** (*pl.*) 〔競〕 더블스, 복식경기(*cf.* SINGLES); 〔商〕 (피륙의) 길이·폭이 큰 필. **5** 〔野〕 2루타; 〔카드〕 (점수의) 배가; 〔競馬〕 복식. **6** (몰린 짐승·강물살의) 급회전, 돌아서 뛰어감. **7** ((영)) 더블(화살 던지기 놀이(darts)에서 목표판의 바깥쪽 두 원 사이를 맞히기). **8** (양·세기가) 더블(의 위스키(등)). **9** 〔樂〕 변주곡. **10** 〔가톨릭〕 복송의 축일. **11** 〔軍〕 속보(速步). **at the double** 〈군인들이〉 구보로; =on the DOUBLE. **be a person's double** …를 쏙 닮다, 빼쏘다. **double or nothing〔quits〕** (1) 져서 배로 손해보거나 이겨서 본전이 되느냐 하는 내기; 죽기 아니면 살기의 승부. (2) (부사적으로) 흥하느냐 망하느냐로, 이판새판으로. **make a double** (2연발총으로) 두 마리를 한꺼번에 맞히다. **mixed doubles** 〔競〕 남녀 혼합 복식 경기. **on the double** ((口)) 황급히, 신속히.

— *vt.* **1** 두 배로 하다: I will ~ your salary. 봉급을 배로 올려주겠다. **2** 이중으로 하다, 겹치다; 둘로 접다; 〈주먹을〉 쥐다; 〈실 등을〉 두 겹으로 꼬다: ~ one's fist 주먹을 쥐다/I ~*d over* a leaf. 나는 책 갈피를 접었다. **3** (1인) 2역을 하다. **4** 〔海〕 〈갑(岬)을〉 돌아가다, 회항하다. **5** 〔野〕 〈주자를〉 2루타로 진루시키다; 2루타로 〈득점을〉 올리다; 〈주자를〉 더블 플레이의 두 번째로 아웃시키다. **6** 〔撞球〕 되튀어 오게 하다; 〔카드〕 〈상대방의 점수를〉 배가시키다. — *vi.* **1** 두 배가 되다; 갑절의 힘을 내다. **2** (내깃돈을) 배가하다. **3** 〔軍〕 구보로 가다, 뛰다. **4** (둘로) 접히다; (통증 등으로) 몸을 구부리다: He ~*d over*〔*up*〕 with pain. 그는 고통 때문에 몸을 구부렸다. **5** 뒤로 되돌아오다; 〈토끼 등이 추적자를 피하려고〉 급각도로 몸을 비키다: ~ ***upon*** one's steps 오던 방향으로 되돌아가다/upon the enemy 갑자기 되돌아 적에게 달려들다/The fox ~*d back.* 여우는 급회전했다. **6** 〔撞球〕 되튀어 오다. **7** 2역을 하다, 겸용이 되다((*as*)). **8** 〔野〕 2루타를 치다. **double back** 뒤로 접다; 급히 몸을 돌이켜 뛰다. **double for** …의 대역을 하다, 대용이 되다. **double in** (안쪽으로) 접어 넣다. **double in brass** ((미俗)) 부업을 하다〔하여 수입을 얻다〕. **double itself** 배가 되다. **double over** 접어서 겹치다. **double the parts of** …의 2역을 하다. **double up** 둘로 접다〔접히다, 접어 개다〕; 〈고통 등이〉 몸을 구부리게 하다; 〈슬픔 등이 사람을〉 서지 못하게 하다; 몸을 (거의) 접힐 만큼 굽히다; 〔野〕 병살하다; 〈다른 사람과 방·잠자리 등을〉 같이 쓰다((*with*)). **double upon the enemy** 급회전하여 적에게로 향하다.

dou·ble-act·ing[-ǽktiŋ] *a.* 〔機〕 복동(複動)(식)의: a ~ engine 복동 기관.

dóuble ágent 이중 간첩.

dóuble áx 양날 도끼.

dou·ble-bag·ger[-bǽgər] *n.* ((미俗)) 추녀, 추남.

dou·ble-bank[-bǽŋk] *vt.* 〔海〕 〈보트를〉 쌍좌(雙座)에서 젓다; 〈밧줄을〉 양쪽에서 잡아당기다.

dou·ble-banked[-bǽŋkt] *a.* 〔海〕 **1** 쌍좌(雙座)의 〈보트〉. **2** 〈frigate가〉 2단식의.

dóuble bár 〔樂〕 (악보의) 겹세로줄.

dou·ble-bar·rel[-bǽrəl] *n.* 2연발총.

dou·ble-bar·reled|-relled[-bǽrəld] *a.* **1** 2연발식의; 쌍통식(雙筒式)의 〈쌍안경〉: a ~ shotgun 2연발식 산탄총. **2** 〈진술 등〉 이중 목적의; 애매한. **3** ((영口)) 〈성이〉 둘 겹친(예컨대 Forbes-Robertson).

dóuble báss[-béis] 〔樂〕 =CONTRABASS.

dóuble bassóon 〔樂〕 =CONTRABASSOON.

dóuble béd 더블베드, 2인용 침대.

dou·ble-bed·ded[-bédid] *a.* 침대가 2개 있는; 2인용 침대가 있는: a ~ room 2인용 침대가 있는 방.

dóuble bíll 〔映〕 2편 동시 상영.

double-bill *vt.* **1** (같은 청구액에) 다른 계산서로 지불하다. **2** (영화를) 2본 동시 상영하다.

dóuble bínd 〔精醫〕 이중 구속〔속박〕((어린이 등이 2개의 모순된 명령·요구를 받은 경우)); 딜레마.

dou·ble-blind[-bláind] 〔醫〕 *a.* (약의 효과를 판정하는 방법에서) 이중 맹검(二重盲檢)의 (*cf.* SINGLE-BLIND). — *n.* 이중 맹검법(=∠ tèst).

dóuble blùff 이중 속임수((누구를 속이기 위해 사람들에게 사실을 말하여 그가 거짓말 할 것이라고 생각케 하는)).

dóuble bógey[-bóugi:] 〔골프〕 더블보기 (기준 타수(par)보다 2타 더 쳐서 홀에 넣기) (⇨par).

dou·ble-bo·gey *vt.* 〔골프〕 〈어떤 홀을〉 더블보기로 오르다.

dóuble bóiler 이중 냄비〔솥〕.

dóuble bónd 〔化〕 이중 결합.

dou·ble-book[-búk] *vt.* (호텔에서 취소에 대비하여) 〈한 방에〉 이중으로 예약을 받다.

dóuble bóttom (상자·배 등의) 겹바닥.

dou·ble-breast·ed[-bréstid] *a.* (앞가슴에) 두 줄의 단추가 달린, 더블의.

dóuble bréasting (특히 독립부서의 고소득의 조합원을 보충하기 위하여) 비조합원을 고용하는 것.

dóuble búrden 〔社會〕 이중 부담((여성의 가사 책임과 직업인으로서의 책무 등)).

dóuble cháracter 이중 인격.

dou·ble-check[-tʃék] *vt., vi.* 재확인하다.

dóuble chín 이중 턱.

dou·ble-chinned[-tʃínd] *a.* 이중 턱의.

dou·ble-click[dʌ́blklík] *vt.* 컴퓨터 딸깍딸깍하다 다람쥐〔마우스〕나 (저장)테의 단추를 두 번 눌러 고르는 일.

dóuble clóth 겹으로 짠 피륙, 이중직.

dou·ble-clutch[-klʌ́tʃ] *vi.* ((미)) (자동차에서) 더블 클러치를 밟다. **~·er** *n.*

dóuble cónsonant 〔音聲〕 이중 자음.

dou·ble-cov·er[-kʌ́vər] *vt.*=DOUBLE-TEAM.
dóuble créam 《영》 농도 높은 크림.
dou·ble-crop[-kráp/-krɔ́p] *vt., vi.* (~**ped**; ~·**ping**) 이모작(二毛作)하다.
dóuble cróss 1 《口》 져 주겠다고 약속해 놓고 이김, 배반(betraying). **2** 〔生〕 이중 교잡(交雜).
dou·ble-cross[--krɔ́(:)s, -krás] *vt.* 《口》 져주겠다는 약속을 어기고 〈사람을〉 이기다; 배반하다. ~·**er**[-ər] *n.* 배반자.
dóuble dágger 〔印〕2중 단검표(diesis)(‡).
dóuble dáte 《미口》 남녀 두 쌍의 데이트.
dou·ble-date[-déit] *vi., vt.* 《미口》(…와) 더블 데이트를 하다.
dou·ble-deal[-dí:l] *vi.* (**-dealt**[-délt]) 속이다.
dou·ble-deal·er[-dí:lər] *n.* 언행에 표리가 있는 사람, 딴 마음을 가진 사람.
dou·ble-deal·ing[-dí:liŋ] *n.* Ⓤ,Ⓒ 표리〔딴 마음〕가 있는 언행; 속임수. — *a.* 표리〔딴 마음〕가 있는.
dou·ble-deck[-dék] *a.* 2층 갑판의; 2층으로 된: a ~ bed 2단 침대.
dou·ble-deck·er[-dékər] *n.* **1** 2층 버스〔전차, 여객기〕. **2** 〔海〕 2층선〔함〕. **3** 《미口》 (빵 3쪽의) 이중 샌드위치. **4** 《미俗》 =DOUBLEHEADER 1.
dou·ble-de·clutch[-diklʌ́tʃ] *vi.* 《영》 = DOUBLE-CLUTCH.
dóuble decomposítion 〔化〕 복분해.
dou·ble-dig·it[-dídʒit] *a.* 〈인플레이션 · 실업률 등이〉 2자리 수의.
dou·ble-dip[-díp] *vi.* 《미口》 〈퇴역 군인 등이〉 이중 벌이를 하다《연금을 받으면서 별도로 정부 기관의 일을 하며 급료를 받기》. ~·**per** *n.* ~·**ping** *n.*
dou·ble-dome *n.* 《미俗》 = EGGHEAD.
dóuble dóor 양쪽으로 여는 문.
dóuble Dútch 《口》 통 알아들을 수 없는 말.
dóuble dúty 두 가지 임무〔역할〕.
dou·ble-du·ty[-djú:ti] *a.* 두 가지〔역할〕를 가진.
dou·ble-dyed[-dáid] *a.* **1** 두 번 염색한. **2** 악에 깊이 물든; 철저한 〈악한 등〉.
dóuble éagle 1 〔紋〕 쌍두의 독수리. **2** 《미》 20달러 금화. **3** 〔골프〕 더블 이글.
dou·ble-edged[-édʒd] *a.* **1** 쌍날의. **2** 〈논의 등이〉 두 가지로 이해되는; 상반된 목적〔효과〕을 가진.
dou·ble-end·ed[-éndid] *a.* 양 끝이 닮은; 양 끝이 앞이 되는, 앞뒤가 없는〈배 · 전차〉.
dou·ble-end·er *n.* 앞뒤가 없는 것, 양두 기관차〔배〕.
dou·ble en·ten·dre[dú:bla:ntá:ndrə, dʌ́bl-] [F] *n.* 두 뜻으로 해석되는 말《그 중 하나는 상스러운 뜻임》.
dóuble éntry 〔簿〕 복식 기장법(*cf.* SINGLE ENTRY).
dóuble expósure 〔寫〕 이중 노출.
dou·ble-faced[-féist] *a.* **1** 양면이 있는; 안팎이 다 겉으로 쓰이게 짠 〈피륙 등〉. **2** 딴 마음이 있는, 위선적인.
dóuble fáult 〔庭球〕 더블 폴트《서브를 두번 연속해서 실패하기》.
dou·ble-fault *vi.* 〔庭球〕 더블폴트하다.
dóuble féature 〔映〕 두 편 동시 상영.
dou·ble-fig·ure[-fígjər] *a.* 《특히 영》 = DOUBLE-DIGIT.
dóuble fígures 두 자리 수《10~99》.
dóuble fírst 〔영大學〕 (졸업 시험의) 2과목 최고 득점(자).
dóuble flát 〔樂〕 겹내림표(♭♭).
dou·ble-gait·ed[-géitid] *a.* 《미俗》 양성(애)의, 남녀 양용의.
dou·ble-gang·er[-gæ̀ŋər] *n.* =DOPPELGÄNGER.
dou·ble-glaze *vt.* 〈창문에〉 이중 유리를 끼우다.
dou·ble-glaz·ing *n.* Ⓤ 이중 유리.
dóuble hárness 1 쌍두 마차용 마구. **2** 공동, 협력; 결혼 생활(matrimony). **in double harness** 둘이서 협력하여; 결혼하여.
dou·ble·head·er[-hédər] *n.* 《미》**1** 〔野〕 더블헤더《두 팀이 하루 두번 하는 시합》. **2** 기관차가 2대 달린 열차. **3** 꽃불의 일종.
dou·ble-heart·ed[-há:rtid] *a.* 두 마음〔표리〕이 있는.
dou·ble-hel·i·cal[-hélikəl] *a.* 〔生化〕 (DNA의) 이중 나선의.
dóuble hélix 〔生化〕 (염색체의 DNA 분자 내의) 이중 나선(구조).
dóuble hóuse 《미》 현관 양옆에 방이 있는 집; 2세대 연립주택.
dou·ble-hung[-hʌ́ŋ] *a.* 내리닫이의 〈창문〉.
dóuble ímage 이중상(像)《산이 잠자는 사자로 보이는 등》.
dóuble indémnity 보험금 배액보상《돌연사의 발생시 액면가의 두배로 보험금 지불을 한다는 조항》.
dóuble insúrance 〔保〕 중복 보험.
dóuble jéopardy 〔法〕 이중의 위험《동일 범죄로 피고를 재차 재판에 회부하는 일》. **prohibition against double jeopardy** 일사 부재리.
dóuble jóbber[-dʒábər/-dʒɔ́bər] 《영》(봉급에 보태기 위해) 부업을 하는 사람.
dou·ble-jóint·ed[-dʒɔ́intid] *a.* (전후 좌우 자유로이 움직이는) 이중 관절을 가진.
dóuble knít 겹으로 짠 천.
dou·ble-lead·ed[-lédid] *a.* 〔印〕 이배 행간으로 한.
dóuble létter 〔印〕 합자(合字)(æ).
dou·ble-lock[-lák/-lɔ́k] *vt.* 이중으로 자물쇠를 채우다, 단단히 문단속하다.
dóuble méaning 모호한 뜻; =DOUBLE ENTENDRE.
dou·ble-mind·ed[-máindid] *a.* 결단을 못 내리는; 딴 마음을 가진(deceitful).
dóuble négative 〔文法〕이중 부정(보기: (완곡한 긍정) *not im*possible(=possible): (속어체에서 부정의 강조) I do*n't* know *no*thing.(=I know *no*thing.)).
dou·ble·ness[dʌ́blnis] *n.* Ⓤ **1** 중복성. **2** 이중, 2배 크기. **3** (행동의) 표리(duplicity).
dóuble níckel 《미俗》 시속 55마일《제한 속도》.
dóuble nóte 〔樂〕 배온음표.
dou·ble-o, O[-óu] *n.* (*pl.* ~**s**) 《미俗》 엄중한 조사; 시찰 여행.
dóuble (òrgan) tránsplant 〔醫〕(동시) 이중 장기 이식《가령 심장과 간장의》.
dou·ble-packed *a.* 〈식품 등이〉 이중으로 포장된: ~ food 이중 포장된 식품.
dou·ble-page[-pèidʒ] *a.* 두 페이지 크기의. **double-page spread** 두 페이지 크기의 지면〔광고〕.
dou·ble-park[-pá:rk] *vt.* 〈자동차를〉 다른 자동차와 나란히 주차시키다《불법 주차》. — *vi.* 이중 주차하다. ~·**ing** *n.*
dóuble personálity 〔心〕 이중 인격.

dóuble pláy 〔野〕 병살, 더블 플레이.
dóuble pneumónia 〔醫〕 양측 폐렴.
dóuble posséssive 〔文法〕 이중 소유격(a friend of father's의 of father's 등).
dóuble precísion 〔컴퓨터〕 2배 정밀도(한 수를 나타내기 위해 컴퓨터의 두 워드를 쓰기).
dou·ble-quick[-kwìk] *a., ad.* (口) 매우 급한〔하게〕. ── *n.* = DOUBLE TIME 1.
dóuble quótes 〔印〕 이중 인용 부호(" ").
dóuble réed 〔樂〕 더블 리드(오보에·바순처럼 혀(reed)가 두 개 달린 악기).
dou·ble-reed[-rí:d] *a.* 〔樂〕 더블 리드의.
dou·ble-re·fine[-rifáin] *vt.* 〔冶〕 두 번 정련하다.
dóuble refráction 〔光〕 복굴절.
dóuble revérse 〔미蹴〕 더블 리버스(reverse를 두 번 하는 공격측 트릭 플레이).
dóuble rhýme 〔韻〕 이중 압운(押韻)(행끝의 두 음절이 압운되는 경우: *anothe*와 *brother, inviting*과 *exciting* 따위).
dóuble rhýthm 〔韻〕 더블 리듬(약음부가 강음부의 2배 길이의 운율).
dóuble rífle 복식 라이플총.
double-ring *a.* (결혼식에서 신랑신부가) 서로 반지를 교환하는.
dou·ble-rip·per, -run·ner[dʌ́bəlrípər], [-rʌ́nər] *n.* (미) 2대의 연결 썰매.
dóuble róle 〔映〕 1인 2역.
dóuble róom (호텔 등의) 2인용 방.
dóuble sált 〔化〕 복염(複鹽).
dou·ble-seat·er[dʌ́bəlsí:tər] *n.* 〔空〕 복좌식(複座式) 비행기.
dou·ble sharp 〔樂〕 겹올림표(× 또는 ✕).
dou·ble-space[dʌ́bəlspéis] *vi., vt.* (타자할 때) 한 행씩 띄어 치다.
dou·ble-speak[dʌ́bəlspì:k] *n.* = DOUBLE-TALK.
dou·ble-spread *n.* (신문 등의) 2페이지 크기의 광고, 양면 광고.
dóuble stándard 이중 표준(남녀의 구별을 둔 도덕 표준); 〔經〕 =BIMETALLISM.
dóuble stár 〔天〕 이중성(한 별처럼 보이는).
dóuble stéal 〔野〕 더블스틸, 중도(重盜).
dóuble stém 〔스키〕 속력을 늦추기 위해 양쪽 스키의 뒤쪽을 벌리는 자세.
dou·ble-stop[-stáp/-stɔ́p] *vi., n.* 〔樂〕 (현악기의) 2현을 동시에 누르고 켜다〔켜기〕.
dóuble súicide 정사(情死).
dóuble súmmer tìme (영) 이중 서머타임(표준시보다 2시간 빠른).
dou·blet[dʌ́blit] *n.* **1** 허리가 잘쏙한 남자의 웃옷(15-17세기 남자의 경장(輕裝)). **2** 아주 닮은 물건의 한쪽; 쌍을 이루는 한쪽; (*pl.*) 쌍둥이. **3** 쌍으로 된 것(pair, couple); (특히) 접합 렌즈, 이중 렌즈; 이중선(線); 이중항(項); 〔印〕 무의식적인 중복. **4** 〔言〕 이중어(같은 어원이면서 꼴이나 뜻이 분화된 말: 보기: bench-bank; fragile-frail). **5** (*pl.*) 2연발총으로 쏘아 떨어뜨린 두 마리의 새; (함께 던져) 같은 점수가 나온 두 주사위. **6** 다른 종류의 것을 접합해 만든 모조 보석; 가짜, 모조품.
dóuble táckle 이중 도르래.
dóuble tàke (희극 배우가) 처음엔 웃음으로 받아넘겼다가 다음에 깜짝 놀란 체하는 짓; 다시 보기(second look). **do a double take** 깜짝 놀라며 다시 보다.
dou·ble-talk[-tɔ̀:k] (口) *n.* Ⓤ 남을 어리벙벙하게 하는 허튼 소리; 앞뒤가 안 맞는 이야기, 애매모호한 말. ── *vi., vt.* double-talk를 하다.
dou·ble-team[-tì:m] *vt.* 〔미蹴·籠〕 2명이 1명의 상대방 선수를 동시에 방해하다.
Dóuble Tén〔**Ténth**〕 (the ~) (중화민국의) 쌍십절(雙十節)(건국 기념일: 10월 10일).
dou·ble-think[-θìŋk] [G. Orwell이 1984에서 사용한 조어] *n.* 이중 신념(모순된 두 생각을 동시에 용인하는 능력).
dóuble tìme 1 〔軍〕 구보. **2** (휴일 근무자에 대한 급여의) 2배 지급.
dou·ble-time[-tàim] (미) *a.* 구보의. ── *vt., vi.* 구보시키다〔하다〕.
dou·ble·ton[dʌ́bəltən] *n.* 〔카드〕 두 장만 짝이 맞는 손에 잡은 패(*cf.* SINGLETON).
dou·ble-tongue[-tʌ̀ŋ] *vi., vt.* 〔樂〕 (취주 악기로) 〈빠른 템포의 스타카토 악절을〉 복절법(複切法)으로 연주하다.
dou·ble-tongued[-tʌ́ŋd] *a.* 일구 이언하는, 거짓말의.
dou·ble track[-trǽk] 〔鐵道〕 복선; 〔空〕 더블 트랙(한 노선에 복수 항공사가 경합하기).
dou·ble-track *vt.* 〔鐵道〕 복선으로 하다.
dou·ble·tree[-trì:] *n.* 수레·쟁기 등의 가로대.
dóuble trúck 좌우 양면 기사〔광고〕.
dóuble wédding 두 쌍의 합동 결혼식.
dóuble wíng(**back formàtion**) 〔미蹴〕 더블 윙(백 포메이션)(양쪽 윙에 백을 한 사람씩 배치한 공격 진형).
dou·bling[dʌ́bliŋ] *n.* Ⓤ,Ⓒ **1** 배가, 배증(倍增). **2** 이중으로 하기; 접어 넣기, 겹치기; 접힌 주름; (*pl.*) (의복 등의) 안, 속; 〔紡織〕 한데 꼬기. **3** (추적을 피하기 위한) 급회전; 회항, 주항(周航).
dou·bloon[dʌblú:n] *n.* (옛날의) 스페인 금화.
***dou·bly**[dʌ́bəli] *ad.* 두 곱으로; 2중으로.
★**doubt**[daut] [L] *vt.* **1** 의심하다, 수상히 여기다, 의혹을 품다: (Ⅲ (목)) I ~ her honesty. 나는 그녀의 정직성을 의심한다/(Ⅴ (목)+*to be*+형) I ~ it *to be* true. 나는 그것이 사실이라는 것을 의심한다. **2** (古·方) 염려하다, …이 아닐까 생각하다. ── *vi.* 의심하다, 의혹을 품다, 미심쩍게 생각하다(*about, of*): I don't ~ *of* your success. 나는 당신의 성공을 확신한다/ He ~*s about* everything. 그는 무엇이나 의심부터 한다. ── *n.* **1** 의심, 회의(懷疑), 의혹; 불신: (Ⅱ 전+명+(구전)+*pos.*+-*ing*) We are *in* ~ *as to* his be*ing* guilty. 우리는 그가 유죄라는 것에 대해서는 회의적이다/(Ⅰ *There v* Ⅰ+(주)+(구전)+*whether*(절)) There is some ~ (*as to*) *whether* he is guilty. 그의 유죄 여부는 다소 분명치 않다. **2** (결과 등이) 의심스러움, 불확실함: (Ⅰ *There v* Ⅰ+(주)+(구전)+*whether*(절)) There is some ~ (*as to*) *whether* he will be elected. 그가 당선될 지 어떨 지 다소 불확실하다(◇ whether 앞의 as to나 about 등 (구)전치사는 흔히 생략됨). **beyond**〔**out of**〕 **doubt** 의심할 여지 없이, 물론. **have**〔**make**〕 **no doubt of**〔**that** …/**but that** …〕 …을 조금도 의심치 않다, 확신하다: She *had no doubt* (*but*) *that* he would try to frustrate her plans. 그가 그녀의 계획을 좌절시키려고 했다는 것을 그녀는 조금도 의심치 않았다. **have one's doubts about** … …이 과연 정말〔현명한 일〕인지 의심스럽게 생각하다. **in doubt** 의심하여, 미심쩍어; 어정쩡하여. **no doubt** (1) 의심할 바 없이, 물론. (2) 필시, 아마도 (probably). **throw doubt on** …에 의심을 두다. **without** (**a**) **doubt** =no DOUBT (1).
doubt·a·ble *a.* 의심할 여지가 있는; 불확실한.
⁑**doubt·ful**[dáutfəl] *a.* **1** 〈사람이〉 의심〔의혹〕을 품고(있는), 확신이 없는, 확실치 않은, (마

음·의견이) 정해지지 않은, 미결정의, 망설이는, 결단을 못내리는 (of, about) (◇ 전치사 뒤에는 명사, 동명사, *wh.to* do, *wh.*(절), *whether*(절)): (Ⅱ 형+전+명) She was ~ *of* the outcome. 그녀는 그 결과에 자신이 없었다/(Ⅱ 형+전+-*ing*) He is ~ *about* keep*ing* his promise. 그는 그가 한 약속을 지킬지 어떨지는 확실치 않다/(Ⅱ 형+(전+) *what*(절)) I am〔feel〕~ (*about*) *what* I ought to do. 무엇을 해야 할 것인가 망설이고 있다(≒I am ~ *what to* do.(Ⅱ 형+(전+) *what to do*))/(Ⅱ 형+(전+) *whether*(절)) She was ~(*about*) *whether* she should go or stay. 그녀는 가야할지 머물러야 할지 결단을 못내렸다. **2** 〈사물이〉 의심스러운, 미심쩍은, 어정쩡한: (Ⅱ *It v*Ⅱ +형+*if*(절)) It is ~ *if* he will succeed in the exam. 그가 시험에 합격할지가 의심스럽다(=It is ~ *whether* he will succeed in the exam.(Ⅱ *It v*Ⅱ +형+ *whether*(절)))/(Ⅱ *It v*Ⅱ+형+*whether*(절)) It is ~ *whether* he will succeed in the exam or not.(=It is ~ *whether* or not he will succeed in the exam.) 그가 시험에 합격할지 못할지가 의심스럽다. **3** 〈결과 등〉 불안한, 어찌 될지 (모르는): (Ⅱ 형) The outcome is ~. 결과는 어찌 될지 모른다. **4** 〈인물 등〉 못 미더운, 수상쩍은: a ~ character 수상쩍은 인물/ in ~ taste 야비하게. **~·ly**[-i] *ad.* **~·ness** *n.*

doubt·ing[dáutiŋ] *a.* 의혹을 품고 있는, 불안한. **~·ly**[-li] *ad.*

dóubting Thómas (증거가 없으면) 무엇이나 의심하는 사람.

‡doubt·less[dáutlis] *a.* 의심 없는, 확실한. — *ad.* 의심할 여지 없이, 확실히, 틀림 없이; 물론, 아마: I shall ~ see you tomorrow. 내일은 아마 만나 뵐 수 있겠지요. **~·ly** *ad.*

douce[du:s] *a.* (주로 스코) 조용한, 침착한, 착실한.

dou·ceur[du:sɔ́:r] [F] *n.* 팁; 뇌물.

douche[du:ʃ] *n.* **1** (의료상의) 주수(注水), 관주(灌注)(법); 관수욕(灌水浴). **2** 관수기(器). — *vt., vi.* 주수하다. **(like) a cold douche** (口) 찬물 벼락을 맞은 (듯이)(갑작스런 놀람·낙담 등을 나타냄).

Doug[dʌg] *n.* 남자 이름(Douglas의 애칭).

***dough**[dou] *n.* Ⓤ **1** 가루 반죽; 굽지 않은 빵: a ~-brake〔-kneader, -mixer〕 반죽 기계. **2** (밀가루 반죽 같은) 연한 덩어리. **3** (미俗) 돈, 현금. **My cake is dough.** 계획은 실패야.

dough·boy[⌐bɔ̀i] *n.* **1** (영口) 찐빵〔만두〕. **2** (미口) 보병(infantryman).

dough·face[⌐fèis] *n.* (미口) 줏대〔패기〕 없는 사람.

dough-faced[⌐fèist] *a.* (미口) 얼굴이 핏기 없고 푸석푸석한; 줏대〔패기〕 없는.

dough·foot[⌐fùt] *n.* (*pl.* **-feet**[-fì:t], **~s**) (미軍俗) 보병(infantryman).

dough·head[⌐hèd] *n.* (미俗) 바보, 멍청이.

***dough·nut**[⌐nət, ⌐nʌ̀t] *n.* 도넛; 도넛 모양의 것; (口·俗) 자동차 타이어.

dóughnut fòundry (미俗) 값싼 음식점; 공짜로 식사할 수 있는 곳.

dough·nut·ting (의회의 TV 토론 등에서) 화면에 잘 나타나 보이도록 하는 것.

dough·ty[dáuti] *a.* (**-ti·er; -ti·est**) (古·익살) 대담한(bold), 용맹스러운. **-ti·ly** *ad.* **-ti·ness** *n.*

dough·y[dóui] *a.* (**dough·i·er; -i·est**) **1** 가루 반죽〔굽지 않은 빵〕 같은; 설 구운(half-baked). **2** (口) 창백한; 〈지능이〉 둔한.

Doug·las[dʌ́gləs] *n.* 남자 이름(애칭 Doug).

Dóuglas fír〔sprúce, píne〕 (the ~) 미송(美松)(미국산 커다란 소나무).

Dou·kho·bor[dú:kəbɔ̀:r] *n.* (*pl.* **~s, ~·tsy**[-tsi]) 영혼의 전사(戰士), 두호보르(파)(18세기 후반 남러시아의 무정부주의적·무교회적 기독교도).

Dou·ma[dú:mə] *n.* =DUMA.

dóum pàlm[dú:m-] 〔植〕 이집트 종려.

dour[duər, dauər] *a.* **1** 음울한, 뚱한, 시무룩한(sullen). **2** (스코) 엄한; 완고한. **dóur·ly** *ad.*

dou·rou·cou·li[dùrəkú:li, dù:ru:-] *n.* 〔動〕 (열대 아메리카산) 밤원숭이(night ape).

douse¹[daus] *vt.* **1** 〈물속에〉 처박다(*in*). **2** 〈물을〉 끼얹다(*with*). **3** 〔海〕〈돛을〉 내리다; 〈현창(舷窓)을〉 닫다. **4** (口) 〈등불을〉 끄다. **douse the glim** (口) 등불을 끄다.

douse²[daus] *vi.* =DOWSE².

doux *a.* (샴페인이) 맛이 달콤한.

‡dove¹[dʌv] *n.* **1** 비둘기; (the D-) 〔天〕 비둘기자리. **2** (평화·천진난만·유순·온화 등의 상징으로서의) 비둘기, 평화의 사자: a ~ of peace 〔聖〕 평화의 비둘기. **3** 순결한〔천진난만한, 유순한〕 사람; 귀여운 사람(종종 애칭으로); 비둘기파(의 사람), 온건 평화주의자. **4** (the ~) 성령. (◇ pigeon과 같은 뜻이나 특히 작은 종류를 가리킬 때가 많음). **(as) gentle as a dove** 지극히 유순한〔상냥한〕.

dove²[douv] *v.* (미口) DIVE의 과거.

dóve còlor 비둘기색(엷은 홍회색).

dove-col·ored[dʌ́vkʌ̀lərd] *a.* 비둘기색의.

dove·cote, -cot[dʌ́vkòut], [-kɑ̀t/-kɔ̀t] *n.* 비둘기장. **flutter〔cause a flutter in〕 the dovecotes** 조용히 있는 사람들을 동요시키다, 공연히 벌집을 쑤셔 놓다.

dove-eyed[dʌ́vàid] *a.* 눈매가 부드러운.

dove·house[dʌ́vhàus] *n.* (*pl.* **-hous·es**[-hàuziz]) 비둘기장.

dove·let[dʌ́vlit] *n.* 작은〔어린〕 비둘기.

dove·like[dʌ́vlàik] *a.* 비둘기 같은; 온화한, 유순한.

***Do·ver**[dóuvər] *n.* 도버(영국 동남부의 해항). **the Strait(s) of Dover** 도버 해협.

Dóver's pówder 〔藥〕 도버산(散), 아편 토근산(吐根散)(진통·발한제).

dove's-foot[dʌ́vzfùt] *n.* (*pl.* **~s**) 〔植〕 매발톱꽃무리(야생 식물).

dove·tail[dʌ́vtèil] *n.* 〔木工〕 열장장부촉. — *vt., vi.* 〔木工〕 열장이음으로 하다(*in, into, to*) 꼭 맞추다 (긴밀하게) 서로 연계하다, 꼭 들어맞다(*in, into*).

dóvetail jòint 〔木工〕 열장이음.

dove·ward *ad.* 비둘기파 쪽으로.

dov·ish[dʌ́viʃ] *a.* 비둘기 같은; (口) 비둘기파와 같은, 온건 평화파의(*opp.* hawkish). **~·ness** *n.*

Dow[dau] *n.* =DOW-JONES AVERAGE.

Dow., dow. dowager.

dow·a·ger[dáuədʒər] *n.* **1** 〔法〕 죽은 남편의 칭호·재산을 계승한 과부. **2** (口) 기품 있는 귀부인. **a dowager duchess** (영국의) 공작 미망인. **a queen dowager** (왕국의) 태후. **an empress dowager** 황태후.

dow·dy¹[dáudi] *a.* (**-di·er; -di·est**) 상스러운, 단정치 못한; 초라한; 〈의복이〉 시대에 뒤떨어진, 촌스러운; (미) 야한. — *n.* (*pl.* **-dies**) (옷차림이) 초라한〔단정치 못한〕 여자. **-di·ly** *ad.* **-di·ness** *n.*

dow·dy²*n.* (*pl.* **-di·es**) =PANDOWDY.

dow·dy·ish[-diiʃ] *a.* 볼품 없는, 헙수룩한.
dow·el[dáuəl] 〔木工〕 *n.* 은못. ─ *vt.* (**~ed;** **~·ing** | **~led; ~·ling**) 은못으로 맞추다.
dow·er[dáuər] *n.* Ⓤ,Ⓒ **1** 〔法〕 과부산(産) (과부가 살아 있는 동안 분배받는 망부(亡夫)의 유류(遺留) 부동산). **2** 《古·詩》 =DOWRY 1. **3** 천부의 재능, 타고난 자질. ─ *vt.* **1** 《文語》 과부산을 주다(*with*). **2** 〈재능을〉 부여하다 (*with*).
dow·itch·er[dáuitʃər] *n.* 〔鳥〕 큰부리도요 (도요새 비슷한 새: 북미 동해안산).
Dów-Jónes áverage〔**índex**〕[dáudʒóunz-] (the ~) 〔證券〕 다우 존스 평균(주가)〔지수〕: on the ~ 다우 존스 평균 주가로(는).
Dów-Jónes indústrial áverage (the ~) 다우 존스 공업주(株) 평균.
dow·las[dáuləs] *n.* Ⓤ 《영》 올이 굵은 옥양목의 일종.
★**down**[1] [daun] [OE] *ad.* (*opp.* up). (◇ be 동사와 결합한 경우에는 *a.*로도 간주됨). **1 a** (높은 위치에서) 낮은 쪽으로, 아래로〔에〕: climb ~ 수족을 써서 내려오다/look ~ 내려다 보다. **b** (책상 위 등에) 내려 놓아: He put〔laid〕his bag ~ *on* the table. 그는 탁자 위에 가방을 내려 놓았다〔놔두었다〕. **c** 바닥에, 지면에: fall ~ 넘어지다, 떨어지다/get ~ (차 등에서) 내리다/pull ~ 끌어 넘어뜨리다/knock ~ 때려 눕히다. **d** (위층에서) 아래층으로: come ~ 아래로 내려오다. **e** (먹은 것을) 삼키어: swallow a pill ~ 알약을 삼키다. **f** (be의 보어로 써서) 넘어져서, 엎드려서: be ~ *on* one's back 자빠져 있다. **g** (be의 보어로 써서) 〈기 등이〉 내려져, 〈셔터문 등이〉 내려져: 〈사람이〉 (위층에서) 내려와서: The picture is ~ *on* the right side. 그 그림은 우측이 처져 있다/All the blinds were ~. 블라인드는 전부 내려져 있었다/He is not ~ yet. 그는 아직 (침실에서) 아래층으로 내려오지 않았다.
2 (종종 be의 보어로 써서) 〈천체가〉 져서: (Ⅱ 早) The sun is ~. 해가 넘어간다.
3 a 드러누워서, 앉아서: sit ~ 앉다/lie ~ 드러눕다. **b** (동사를 생략하여 명령문으로) 내려!, 앉아!: *Down!* (사람에게 앞다리를 걸치(려)거나, 덤벼드는 개를 보고) 그만, 그쳐(◇ 「앉아」는 Sit!)/*Down* oars! 노젓기 그만.
4 a (북쪽에서) 남쪽으로〔에〕: go ~ *to* London *from* Edinburgh 에딘버러에서 런던으로 내려가다/~ South 《미》 남부 여러 주로〔에서〕. **b** (내·강의) 하류로.
5 a (특정한 장소·화자(話者)가 있는 데서) 떨어져서: go ~ *to* the station 역까지 가다/go ~ *to* one's office in the city 시내의 사무실로 가다. **b** 《영》 (수도·옥스퍼드·케임브리지 대학교 등에서) 떠나서, 귀성하여, 졸업하여, 퇴학하여(*cf.* GO down): He has come ~ (*from* the University). 그는 (대학교에서) 고향에 돌아와 있다/He was sent ~. (근신 등으로) 그는 학교에서 귀가 조치를 당했다.
6 (종종 be의 보어로 써서) **a** 〈물가 등이〉 내려서: 〈질이〉 저하하여: bring ~ the price 값을 내리다 (Ⅱ 早)Prices are ~. 물가가 내렸다/The stocks are ~. 주가가 내렸다/Exports have gone ~ this year. 수출이 금년에는 줄었다. **b** 〈신분·지위·인기 등이〉 내려가서; 영락하여: come ~ in the world 영락하다/He was ~ *to* his last penny. 그는 무일푼이 될만치 영락했다.
7 a 〈양이〉 적어질 때까지, 진해질 때까지, 묽어질 때까지: boil ~ 졸이다/water ~ the whiskey 위스키에 물을 타다. **b** 발견할 때까지: hunt ~ 끝까지 추적하다. **c** 그칠 때까지: The wind has gone〔died〕~. 바람이 잔잔해졌다〔그쳤다〕.
8 a (위는 …으로부터) 아래는 …에 이르기까지: *from* the commander ~ *to* the private 위는 사령관에서 아래는 병사(에 이르기)까지. **b** (이른 시기에서) 후기로; (후대로) 계속해서, (초기부터) 내리, 줄곧: *from* Chaucer's time ~ *to* the time of Elizabeth 초서 시대부터 아래로 엘리자베스 시대까지.
9 (종종 be 등의 보어로 써서) **a** 〈사람이〉 쇠약해져서, 〈건강이〉 나빠져서: 〈풀기가〉 죽어서: She is ~ *with* influenza〔flu〕. 그녀는 감기가 들어 (병석에 누워) 있다/You seem rather ~. 안색이 좋지 않구나/He felt a bit ~ *about* his failure. 그는 실패로 해서 좀 풀이 죽어 있었다. **b** 〈힘·기세 등이〉 약해져서: slow ~ 속도를 떨구다/The fire is ~. 불이 꺼져 가고 있다.
10 a 완전히(completely): ~ *to* the ground 철저하게. **b** (tie, fix, stick 등의 동사와 함께) 꽉, 단단히: fix a thing ~ 물건을 단단히 고정시키다. **c** 말짱하게, 깨끗하게: wash ~ a car 차를 깨끗이 씻다.
11 a 《口》 완료하여, 마치고: Two problems ~, one to go. 두 문제는 마치고 나머지가 하나. **b** 〔野〕 아웃이 되어(out): one〔two〕~ 1사〔2사〕에.
12 (be의 보어로 써서) (내기에서) 져서; (돈내기에서) 잃어: He is ~ (*by*) 20 dollars. 그는 20달러 잃었다.
13 (종이에) 씌어져, 기록되어: write ~ the address 주소를 적어 놓다.
14 현금으로, 계약금조로: (no) money ~ 계약금(없음)/⇨PAY down.
be down for (경기의 출전자·파티의 역할 등의) 리스트에 이름이 있다. **be down on ...** 《口》 …에게 원한을 품고 있다; …을 미워하고 있다: He is very ~ *on* me. 그는 나를 몹시 미워하고 있다. **be down with it** 《俗》 잘 알고 있다. **come down on** …을 되게 꾸짖다. **down and out** (1) 영락하여, 빈털터리가 되어(*cf.* DOWN-AND-OUT). (2) 〔拳〕 녹다운되어. **down in the mouth** 《口》 슬픈 표정으로, 기〔풀〕가 죽어서. **down on the nail** 《口》 즉석에서 (지불되는), 맞돈으로. **down under** (1) 《口》 오스트레일리아〔뉴질랜드〕에서. (2) (영국에서 보아 지구의) 정반대 쪽에. **down with** … (1) 건강이 나빠져서. (2) (명령법으로) …을 타도하라: *Down with* the tyrant! 폭군 타도. **get down to earth** 현실 문제에 파고 들다. **get down to work** 본격적으로 일에 착수하다. **up and down** ⇨up *ad.*
─ *prep.* **1** (이동을 나타내어) **a** (높은 데서) 내려가서, …의 아래쪽으로: come ~ a hill 언덕을 내려오다/fall ~ the stairs 계단에서 굴러 떨어지다. **b** (어떤 지점에서) …을 따라: drive〔ride, run, walk〕~ a street 거리를 차로〔말을 타고, 뛰어, 걸어〕 지나가다. **c** 〈흐름·바람을〉 따라, …을 타고; …을 남하하여: ~ (the) wind 바람 불어가는 곳〔방향〕에/sail ~ the East Sea 동해를 남하하다/~ the Thames 템스 강을 하류로/further ~ the river 강을 훨씬 내려간 데에. **2** 에(서): ~ home 집에서. **3** (지배되는 명사는 관사 없이) …쪽으로 (내려가): He has gone ~ town. 그는 중심가로 갔다. **4** (시간을 나타내어) …이래(줄곧): ~ the ages〔years〕 태고 이래. **down town** =

downtown *ad.*
— (최상급 **down·most**[dáunmòust]) *a.* **1** a 아래쪽으로의: a ~ leap 뛰어내림. b 내려가는, 내리받이의: the ~ escalator[elevator] 내려가는 에스컬레이터.
2 〈열차 등이〉 하행의: a ~ train 하행 열차/ the ~ platform 하행선 플랫폼.
3 (현금 구입 등에서) 계약금의: (a) ~ payment 계약금 지불. **4** 누인, 눕혀진: ~ timber 벌채 끝난 목재. **5** 《俗》 의기 소침한, 우울한; 병약한. **6** (바람이) 가라앉은; 고요한. **7** 《口》 옥중의; 《미俗》 완강한. **down and dirty** 《俗》 (하는 짓이) 더러운.
— *vi.* 내리다, 내려가다[오다]; (개 따위가) 앉다; 《俗》 진정제를 먹다.
— *vt.* **1** (을) 내려놓다; 내리다. **2** 〈사람을〉 때려 눕히다; 지우다. **3** (비행기 등을) 격추시키다. **4** 〈액체 등을〉 삼키다, 마시다; 탐식하다: He ~ *ed* the medicine *at* one swallow. 그는 그 약을 단숨에 삼켰다. **5** 《영口》 〈사람을〉 멸시하다; 헐뜯다. **6** 〔미蹴〕 〈볼을〉 다운하다: ~ the ball *on* the 20-yard line 20야드 라인에 볼을 다운하다. **down tools** 《영》 스트라이크에 들어가다; 일을 (일시) 그만두다. **down with it** 《俗》 이해하다, 알다.
— *n.* **1** 내림, 하강. **2** (*pl.*) 불운, 쇠퇴, 쇠운, 내리막(*cf.* UPS and downs *n.*). **3** 〔미蹴〕 다운《1회의 공격권을 구성하는 4회 공격의 하나》. **4** (a ~) 원한; 증오. **5** 《俗》 진정제. **6** 〔컴퓨터〕 고장. **have a down on** a person 《영口》 〈사람에게〉 반감[증오감]을 품다; 사람을 싫어하다; …에게 화를 내다.

down[2][daun] *n.* Ⓤ **1** (새의) 솜털. **2** 부드러운 털; 잔털; (민들레·복숭아 등의) 솜털, 관모(冠毛). **bed of down** 새털 이불.

down[3] *n.* **1** (보통 *pl.*) (넓은) 고원지; (the D-s, ~s) (남부 잉글랜드의 수목 없는) 언덕진 초원지(*cf.* DOWNS 1). **2** (보통 *pl.*) 《古》 모래 언덕(dune).

Dówn[Dówn's] sỳndrome 〔病理〕 다운 증후군《21개 이상의 염색체가 결합된 염색체 이상(異常)으로 생기는 선천성 정신 박약의 일종; trisomy 21라고도 함; 옛 이름 mongolism》.

down-[daun] 《연결형》 down[1]의 뜻을 나타냄.

down-and-dirt·y[ˊəndə́ːrti] *a.* 〈성·정치 등이〉 타락하고 더러운, 부도덕한.

down-and-out[ˊəndáut] *a., n.* 아주 몰락[쇠약]해 버린 (사람); 녹아웃된 (권투 선수). **~·er** *n.*

down-at-(the-)heel(s)[ˊət (ðə) híːl (z)] *a.* 《口》 구두 뒤축이 닳아빠진; 가난한, 초라한.

down·beat[ˊbìːt] *n.* **1** 〔樂〕 강박(强拍), 하박(下拍)《지휘봉을 위에서 밑으로 내려 지시하는》. **2** 감퇴, 쇠퇴. — *a.* 《미口》 비관적인, 음울한, 비참한.

∗**down·cast**[1][ˊkæ̀st, ˊkɑ̀ːst] *a.* 〈눈을〉 내리뜬; 풀이 죽은, 기가 꺾인. — *n.* Ⓤ,Ⓒ **1** 파멸, 멸망. **2** 눈을 내리뜨기; 우울한 표정.

downcast[2] *n.* **1** 〔鑛山〕 세로의 통기갱(通氣坑)(*opp.* upcast). **2** 〔地質〕=DOWNTHROW.

down·com·er[ˊkʌ̀mər] *n.* 〔機〕 물건을 아래로 보내는 파이프.

down·cy·cle[ˊsàikl] *n.* (경기 순환의) 하강기, 하강 사이클.

down-draft|-draught[ˊdræ̀ft, ˊdrɑ̀ːft] *n.* (굴뚝 등으로) 불어 내리는 바람.

dówn éast (종종 **D- E-**)《미口》 동부 연안 지방으로[에서, 의], 《특히》 Maine 주로[에서, 의].

dòwn éaster (종종 **D- E-**) 《미口》 뉴잉글랜드 사람, 《특히》 Maine 주 사람.

downed *a.* 《미俗》(진창·눈 속 등에) 빠져(든).

down·er[dáunər] *n.* **1** 《俗》 진정제. **2** 지겨운 경험[사람].

∗**down·fall**[ˊfɔ̀ːl] *n.* Ⓤ,Ⓒ **1** (급격한) 낙하, 전락(轉落). **2** 〈비·눈 등이〉 쏟아짐. **3** 몰락, 실각, 멸망, 실패; 몰락의 원인. **4** 《미》 함정(trap)의 일종.

down·fall·en[ˊfɔ̀ːlən] *a.* 몰락[실각]한; 〈집 등〉 무너진, 황폐한.

down·field[ˊfìːld] 〔미蹴〕 *n.* 다운필드《공격측에서 보아 수비측이 위치한 온 구역》.
— *ad., a.* 다운필드로[의].

down·grade[ˊgrèid] *n., a.* 《미》 내리받이(의); 《비유》 내리막길(의), 운이 기움[기운]. **on the downgrade** 몰락하기 시작한, 망해가는. — *vt.* 품질[지위]을 떨어뜨리다; 강등[격하]시키다.

down·haul[ˊhɔ̀ːl] *n.* 〔海〕 (돛) 내림밧줄.

down·heart·ed[ˊhɑ́ːrtid] *a.* 낙담한: Are we ~! 《俗》 우리가 기가 죽다니. **~·ly** *ad.* **~·ness** *n.*

∗**down·hill**[ˊhìl] *n.* 내리막 길; 몰락; 〔스키〕 활강 경기. **the downhill (side) of life** 인생의 내리막길《만년》. — *a.* **1** 내리막(길)의; 더 나빠진(worse). **2** 〔스키〕 활강(경기)의. **3** 수월한, 쉬운. — *ad.* 내리받이로, 기슭쪽으로. **go downhill** 내리막을 내려가다; 더 나빠지다, 기울다(*in*).

down·hill·er[ˊhílər] *n.* 〔스키〕 활강 선수.

down·hold[ˊhòuld] *n., vt.* 《미》 삭감(하다); 억제(하다).

down·hole[ˊhòul] *ad.* 땅 속에; 파 내려가고.

dówn hóme 《미口》 남부 (기질); 시골.

down-home[ˊhóum] *a.* 《미口》 남부(특유)의, 남부적인; 시골풍의, 소박한; 싹싹한.

down·i·ness *n.* Ⓤ 솜털 같음; 유모질(柔毛質), 폭신함, 부드러움.

Dów·ning Strèet *n.* 다우닝가《수상·재무장관의 관저가 있는 런던의 거리》; 영국정부. **find favor in Downing Street** 영국 정부의 환심을 사다[비위를 맞추다]. **No. 10 Downing Street** 영국 수상 관저(의 번지).

dówn jàcket 다운[오리털] 재킷《솜털을 속에 넣어 누빈 재킷》.

down·land[dáunlæ̀nd] *n.* **1** 넓은 고지. **2** 경사진 목초지, (특히 오스트레일리아·뉴질랜드의) 기복이 있는 초원.

down-lead[ˊlìːd] *n.* 〔通信〕 안테나의 실내 도입선.

down·link[dáunlìŋk] *n.* 다운링크《우주선·위성 등으로부터 지구에의 데이터[정보] 송신》 ~ data 다운링크 데이터.

down·load[dáunlòud] *vt.* 〔컴퓨터〕 데이터를 대용량의 컴퓨터로부터 보다 적은 용량의 컴퓨터로[멀리 있는 컴퓨터로부터 가까이 있는 컴퓨터로, 한 컴퓨터로부터 말단 장치로] 전송(轉送)하다.

down·load·a·ble[ˊlóudəbəl] *a.* 〔컴퓨터〕 데이터를 대용량의 컴퓨터로부터 보다 적은 컴퓨터로 전송(轉送) 가능한.

down-mar·ket[ˊmɑ̀ːrkit] *a., ad.* 《영》 저소득자용의[으로], 대중용의[으로]; 싼[싸게].

dówn páyment (분할불의) 계약금, 첫 불입금.

down·pipe[ˊpàip] *n.* 《영》 수직 낙수 홈통(《미》 downspout).

down·play[ˊplèi] *vt.* 《미口》 줄잡다, 경시하다.

down·pour[ˊpɔ̀ːr] *n.* 억수 (같은 비): get caught *in* a ~ 억수 같은 비를 만나다.

down·press[´près] *vt.* 억압하다, 종속 상태에 두다.
down·price *vt.* 가격 인하하다, 값을 내리다.
down·range[´réindʒ] 《미》 *ad.* 〈미사일 등이〉 사정(射程)을 따라. — *a.* (미사일의) 사정 지역의.
down·rank·ing[dàunræ̀ŋkiŋ] *n.* 격하.
down·rate[´rèit] *vt.* 중시하지 않다, 경시하다, 낮추어 보다.
*__down·right__[´ràit] *a.* **1** 〈사람·성격 등〉곧은, 솔직한, 노골적인: a ~ sort of man 솔직한 성격의 사람. **2** 〈악행·거짓말 등〉철저한, 순전한, 진짜의: ~ nonsense 아주 터무니없는 소리/a ~ lie 새빨간 거짓말. — *ad.* 철저하게, 아주, 완전히. **~·ness** *n.* 솔직; 철저함.
Downs[daunz] *n. pl.* (the ~) **1** 잉글랜드 남부 및 동남부의 구릉지대. **2** (영국 Kent주 동해안에 있는) 다운스 정박지.
down·scale[´skéil] *vt.* 규모를 축소하다. — *n., a.* 저소득층(의), 하층 그룹(의).
down·shift[´ʃìft] *n., vi., vt.* (자동차 운전에서) 저속 기어로 전환(하다).
down·side[´sàid] *n.* 아래쪽: (그래프 등의) 하강 부분. — *a.* 아래쪽의; 하강의.
down·size[´sàiz] *vt.* 〈차를〉 소형화하다. — *n., a.* 소형(의). **-sized** *a.*
down·slide[´slàid] *n.* 저하, 하락.
dówn sóuth〔**Sóuth**〕 《미》 《일반적으로》 남부 제(諸)주(에).
down·spin[´spìn] *n.* 급락(急落).
down·spout[´spàut] *n.* 《미》 수직 낙수 홈통; 《영》 전당포.
Dówn's sýndrome 〔病理〕 다운 증후군, 몽골증(Mongolism).
down·stage[´stéidʒ] *ad.* 무대의 앞쪽에. — *a.* 무대 앞쪽의. — [´´] *n.* Ⓤ 무대 앞쪽(*opp.* upstage).
down·stair[´stέər] *a.* =DOWNSTAIRS.
⁑**down·stairs**[´stέərz] *ad.* 아래층으로〔에〕: go ~ 아래층에 내려가다. — *a.* 아래층의. — *n. pl.* (단수·복수 취급) 아래층; 《미》 극장의 1층(*opp.* upstairs).
down·state[´stéit] 《미》 *n.* 주(州)의 남부. — *a., ad.* 주남부의〔에〕. **-stát·er** *n.*
*__down·stream__[´strí:m] *a., ad.* 하류의〔에〕, 강 아랫녘의〔에〕; (석유 산업의) 하류 부문의〔에서〕 《수송·정제·판매 단계의〔에서〕》.
down·stroke[´stròuk] *n.* **1** (피스톤 등의) 위에서 밑으로의 작동. **2** 아래로의 운필.
down·sweep[´swì:p] *vt., vi.* (**-swept**[-swèpt]) 아래로 커브시키다〔하다〕.
down·swing[´swìŋ] *n.* (경기 등의) 하강; 〔골프〕 다운스윙.
down-the-line[´ðəláin] *a., ad.* 완전한〔히〕, 전면적인〔으로〕, 철저한〔히〕.
down·throw[´θròu] *n.* **1** 〔地質〕 (단층에 의한 지반의) 침강, 저하(*opp.* upthrow). **2** 타도, 전복, 전도; 패배(*cf.* OVERTHROW).
down-thumb[´θʌ́m] *vt.* 거부하다.
down·time[´tàim] *n.* Ⓤ 휴지(休止)〔중단〕 시간《사고·수리 등으로 인한 공장·기계의》; 〔컴퓨터〕 고장 시간.
down-to-earth[´tuə́:rθ] *a.* 철저한, 더할 나위 없는; 현실적인, 실제적인.
⁑**down·town**[´táun] 《미》 *ad.* 도심지에서〔로〕; 도시의 중심가〔상가〕에〔로〕. — *a.* 도심(지)의, 중심가〔상가〕의. — *n.* 상가, 상업 지구(*opp.* uptown).
down·town·er[´táunər] *n.* 《미》 상가〔도심지〕의 사람.

down·train[´trèin] *n.* 하행 열차.
down·trend[´trènd] *n.* (경기의) 하향 추세(downward tendency).
down·trod[´trɑ̀d/´trɔ̀d] *a.* 《古》 =DOWNTRODDEN.
down·trod·den [´trɑ̀dn/´trɔ̀dn] *a.* 짓밟힌; 학대받는(oppressed).
down·turn[´tə̀:rn] *n.* (경기 등의) 하강, 하향(decline); 침체, 불활발.
dówn únder 《俗》 *n.* 호주, 뉴질랜드; 호주와 뉴질랜드 지역; 대척지(antipode). — *ad.* 호주〔뉴질랜드〕에서〔로〕.
⁑**down·ward**[dáunwərd] *a.* **1** 아래쪽으로의, 아래로 향한; 내려가는; 〈시세 등이〉 하향의; 《비유》 내리막의. **2** 쇠퇴하여, 타락하여. **3** …이후의(later). **start on the downward path** 타락〔하락〕하기 시작하다. — *ad.* 아래쪽으로, 아래로 향하여; 떨어져, 타락하여; …이후, 이래.
⁑**down·wards**[dáunwərdz] *ad.* =DOWNWARD.
down·warp[´wɔ̀:rp] 〔地質〕 *n.* 하향 요곡(撓曲); 향사(向斜). — *vi.* 하향 요곡하다.
down·wash[´wɑ̀ʃ, ´wɔ̀(:)ʃ] *n.* **1** 〔空〕 내려씻음, 세류(洗流)《날개가 아래로 내리미는 공기》. **2** (산에서) 내려씻기는 토사.
down·wind[´wínd] *a.* 바람 불어가는 쪽으로 향한, 순풍의(leeward).
*__down·y__¹[dáuni] *a.* (**down·i·er; -i·est**) **1** 솜털 같은, 부드러운; 폭신폭신한; 부드러운 털이 든: a ~ couch 폭신폭신한 침대. **2** 《俗》 마음 놓을 수 없는; 만만찮은.
downy² *a.* 언덕이 많은; 기복(起伏)하는.
dówny míldew 〔植〕 노균병(露菌病).
dow·ry[dáuəri] *n.* (*pl.* **-ries**) **1** (신부의) 결혼 지참금, 가자(嫁資). **2** 천부의 재능.
dówry dèath 《인도》 지참금 살인《지참금 지불 불이행을 이유로 신부를 죽임》.
dowse¹[dauz] *vt.* =DOUSE¹.
dowse²[dauz] *vi.* 점지팡이로 수맥〔광맥〕을 찾다. **dóws·ing** *n.*
dows·er *n.* 수맥〔광맥〕을 점쳐 찾는 사람.
dóws·ing ròd[dáuziŋ-] =DIVINING ROD.
Dów thèory[dáu-] 다우 이론《시장의 가격 변동에 입각한 증권 시세의 예상법》.
dox·ol·o·gy[dɑksɑ́lədʒi/dɔksɔ́l-] *n.* (*pl.* **-gies**) 〔基督教〕 송영(頌詠), 찬가; 《특히》 영광송(榮光頌)《Glory be to the Father의 구로 시작되는》. **dox·o·lóg·i·cal**[dɑ̀ksəlɑ́dʒikəl/dɔksəlɔ́dʒ-] *a.*
dox·y¹[dɑ́ksi/dɔ́k-] *n.* (*pl.* **dox·ies**) 《口》 (특히 종교상의) 설(說), 교리.
doxy² *n.* (*pl.* **dox·ies**) 《古俗》 정부(情婦), 갈보, 행실이 나쁜 여자.
doy·en[dɔ́iən] [F] *n.* (단체의) 고참자, 원로; 수석자(*of*).
doy·enne[dɔién, dɔ́iən][F] *n.* DOYEN의 여성형.
Doyle[dɔil] *n.* 도일 Sir Arthur Conan ~《영국의 추리 소설가(1859-1930): 명탐정 Sherlock Holmes를 창조》.
doy·ley[dɔ́ili] *n.* (*pl.* **~s**) =DOILY.
doz. dozen(s).
*__doze__¹[douz] *vi.* **1** 선잠자다. **2** 꾸벅꾸벅 졸다(*off*): ~ off 깜박 졸다/~ *over* one's work 일하면서 졸다. — *vt.* 졸면서 지내다《시간 보내다》(*away, out*): ~ *away* one's time = ~ one's time *away* 꾸벅꾸벅 졸면서 시간을 보내다. — *n.* 선잠, 겉잠, 졸기. **fall**〔**go off**〕 **into a doze** (저도 모르게) 깜박 졸다.
doze² *vt.* 《口》 =BULLDOZE.

*⁎***doz·en**[dʌ́zn][L] *n.* (*pl.* ~s, ~)《略: doz., dz.》(동류의 물건의) 다스, 타(打), 12개. **a baker's〔devil's, long, printer's〕dozen** 13개. **a round〔full〕dozen** 에누리 없는 1다스. **by the dozen(s)** 수 십(개)씩이나. **dozens of people〔times〕** 수십(명〔번〕). **in dozens** 한 다스씩(으로). **talk〔speak〕thirteen〔nineteen, twenty, forty〕to the dozen**《영》쉴 새 없이 지껄이다.《◇ (1) a ~ of eggs 보다는 a ~ eggs와 같이 형용사로 사용하는 것이 일반적이다. (2) some 이외의 수사나 그 상당어의 뒤에 형용사적으로나 명사로 쓰일 때에는 단·복수 동형임(단 many, several 뒤에서는 dozens of를 쓴다): two〔several〕~ eggs 2〔몇〕 다스의 달걀/five ~ of these eggs 이 연필 5다스/some ~s of eggs 달걀 몇 다스》. — *a.* 다스의, 12(개, 명)의: a ~ apples 1다스의 사과/half a ~〔a half ~〕bottles 6개의 병.

doz·ens[dʌ́znz] *n. pl.* (the ~)《미俗》상대방 가족에 대한 농담을 하는 게임《흑인의 게임》.

doz·enth[dʌ́znθ] *n.*《俗》=TWELFTH.

doz·er[dóuzər] *n.*《口》=BULLDOZER.

doz·y[dóuzi] *a.* (**dozier; -iest**) **1** 졸음이 오는, 졸리는. **2**《영口》어리석은. **dóz·i·ly** *ad.* **-i·ness** *n.*

DP, D.P.[dí:pí:] *n.* (*pl.* ~'s, ~s) =DISPLACED PERSON.

DP, D.P. data processing; degree of polymerization〔化〕중합도(重合度). **DPA** Deutsche Presse-Agentur《독일의 통신사》. **D.Ph.** Doctor of Philosophy. **D.P.H.** Diploma in Public Health〔醫〕공중위생면허장; Doctor of Pubic Health. **D phil** [*D*octor of *Phil*osophy] *n.*=Ph.D. **D.P.I.** Director of Public Instruction. **D.P.M.** disintegration per minute〔物〕(방사성 원소의) 1분간의 붕괴수. **dpt.** depart-ment; deponent. **dr.** debit; debtor; drachm(s); dram(s); drawer. **Dr.** Drive. **D.R., D/R, d.r.** dead reckoning; deposit receipt.

★**Dr., Dr**[dáktər/dɔ́k-] Doctor의 약어: Dr. Smith 스미스 박사: (의사인) 스미스 선생님.

drab¹[dræb] *n.* Ⓤ 단조로움: 칙칙한 황갈색. — *a.* (~·**ber**; ~·**best**) 단조로운; 칙칙한 황갈색의. **dráb·ly** *ad.* **dráb·ness** *n.*

drab² *n.* 단정치 못한 여자, 매춘부. — *vi.* (~**bed**; ~·**bing**) 매춘부와 관계하다.

drab·bet[drǽbit] *n.*《영》갈색 즈크천.

drab·ble[drǽbəl] *vi.* 흙탕물을 튀기다, 흙탕물에 젖다; 흙탕물을 튀기며 나아가다《*along*》. — *vt.* 〈옷 등을〉 질질 끌어 흙탕물로 더럽히다(draggle).

dra·cae·na[drəsí:nə] *n.*〔植〕용혈수.

drachm[dræm] *n.* **1** =DRACHMA. **2** =DRAM.

drach·ma[drǽkmə] *n.* (*pl.* ~**s**, **-mae**[-mi:]) **1** 드라크마《현대 그리스의 화폐 단위; 기호 d., D., dr., Dr.: =100 lepta.》. **2** (고대 그리스의) 드라크마 은화.

Dra·co¹[dréikou] *n.*〔天〕용자리(the Dragon);〔動〕날도마뱀.

Draco², **Dra·con**[dréikan/-kɔn] *n.* 드라콘《기원전 7세기 말의 Athens의 입법가; 그의 법률은 매우 가혹했음》.

Dra·co·ni·an, d-[dreikóuniən] *a.* 드라콘(Draco)식의, 엄격한(rigorous), 가혹한(cruel). ~·**ìsm**[-ìzəm] *n.* Ⓤ 엄격주의.

Dra·con·ic[dreikánik/-kɔ́n-] *a.* **1** =DRACONIAN. **2**〔天〕용자리(Draco)의.

Drac·u·la[drǽkjələ] *n.* 드라큘라《B. Stoker의 소설명 및 주인공인 흡혈귀 백작》.

draff[dræf] *n.* **1** 찌끼, (특히 맥주의) 재강. **2** (돼지에게 주는) 음식 찌꺼기. **draff·y** *a.* 찌꺼기의; 가치없는.

*⁎***draft, draught**[dræft, drɑ:ft] *n.* **1** 도안; 설계도. **2** 초벌 그림; 초고; 초안;〔컴퓨터〕초안. **3** (저축·예금 따위를) 찾기. **4**《영》분견대, 특파 부대. **5**《오스》떼에서 분리한 가축 무리. **6**《미》징병, 징모, 모병. **7** 틈새기 바람, 외풍; 통풍; 통풍 장소〔장치〕, 통풍구. **8** (차·짐 등을) 끌기; 견인량(量). **9** (보통 draught) 한 그물의 어획량. **10** Ⓤ (보통 draught) (그릇에서 그릇으로) 따르기, (술을) 통에서 따라 내기. **11**〔商〕어음 발행, 환으로 만들기; 환어음, 수표《특히》은행의 한 지점에서 다른 은행 앞으로 보내는, 지불 명령서; 어음 등에 의한 환금(換金); (상품 화물의) 총량에 대한 감량. **12** Ⓤ,Ⓒ〔海〕(배의) 흘수(吃水). **13** (보통 draught) 흡인(吸引), 한 모금, (물약 등의) 1회분; (들여 마신) 한 모금의 공기〔연기《등》〕. **14** (draughts)《영》체스의 일종(*cf.* CHECKERS). **15** (the ~)〔스포츠〕신인 선수 선택 제도, 드래프트제.《◇《영》에서도 2,4,11의 뜻으로는 보통 draft를 씀》. **a beast of draft** 짐수레 끄는 소〔말〕. **draft on demand** 요구〔일람〕불 환어음. **drink at a draft** 단숨에 들이마시다. **feel a draft**《俗》냉대〔미움〕받고 있다고 느끼다, 〈흑인이〉 자기에 대한 인종적 편견을 느끼다. **feel the draft**《口》(돈에) 궁하다, 주머니가 비어 있다. **make a draft on〔upon〕** (1) (은행)에서 자금을 끌어내다. (2)《비유》(신뢰·우정 등)을 강요하다. **make out a draft of** …의 초안을 잡다. **on draft** 직접 통에서 따른〔따라〕; 통에서 따를 수 있게 한. — *a.* **1** 견인용의. **2** 통에서 따른. **3** 기초된; 초안의: a ~ bill (법안의) 초안.

— *vt.* **1** 기초〔기안〕하다; 〈설계도·그림 등의〉 초벌 그림을 그리다;〔石工〕초벌 새김을 하다. **2** 선발하다; 징병하다; 〈군대의 일부를〉 선발 파견〔특파〕하다: ~ a person *to* a post …을 어떤 지위에 발탁하다/He was ~*ed into* the army. 그는 군대에 징집당했다. **3**《일반적으로》끌다, 뽑다. — *vi.* 제도공으로서 기술을 연마하다; (자동차 경주에서 바람을 덜 받기 위해) 앞차의 바로 뒤에 달리다.

draught *n.* =DRAFT.

dráft allòwance (운반중의) 상품 감량에 대한 공제.

dráft bèer 생맥주.

dráft bòard《미》(자치체의) 징병 위원회.

dráft càrd《미》징병 카드.

dráft chàir =WING CHAIR.

dráft dòdger《미》징병 기피자.

dráft·ee[dræftí:, drɑ:ftí:] *n.*《미》징집된 사람.

dráft èngine (광산의) 배수 기관.

draft·er[drǽftər, drɑ́:ftər] *n.* (문서의) 기안자; 밑그림 그리는 사람.

draft·ette[dræftét/drɑ:ft-] *n.*《미口》여자 군인.

dráft fùrnace 통풍로.

dráft gèar〔鐵道〕(차량의) 연결기.

dráft hòrse 복마, 짐수레 말.

draft·ing[drǽftiŋ, drɑ́:ft-] *n.* **1** Ⓤ,Ⓒ 기안〔기초〕(방법): a ~ committee 기초 위원회. **2** Ⓤ 제도. **3** Ⓤ《미》(징병의) 선발.

dráfting ròom《미》제도실(《영》drawing room).

dráft nèt 예망(曳網), 예인망.

draft·nik *n.* 징병 반대족.

drafts·man[drǽftsmən, drɑ́:fts-] *n.* (*pl.* **-men**[-mən]) **1** 제도공; 도안가. **2** 기초〔기안〕자; 데생(에 뛰어난) 화가. **~·shìp**[-ʃìp] *n.* Ⓤ 제도공〔기안자〕의 기술〔솜씨〕.

dráft tùbe (물 터빈의) 흡출관(吸出管).

draft·y[drǽfti, drɑ́:fti] *a.* (**draft·i·er; -i·est**) 외풍이 있는; 통풍이 잘 되는. **draft·i·ness** *n.*

‡**drag**[dræg] (**~ged; ~·ging**) *vt.* **1** 〈무거운 것을〉 끌다; 〈발·꼬리 등을〉 질질 끌다. **2** (닻·예인망을 끌어) 찾다, 〈물 밑바닥을〉 훑다; 소해(掃海)하다: ~ a pond *for* fish 물고기를 잡기 위해 못을 훑다. **3** (써레로) 고르다. **4** 〈바퀴를〉 제동기로 멈추다. **5** 무리하게 끄집어 내다, 쳐들다, 끌어넣다(*in,into*); 오래 끌다(*on, out*): He always ~*s* his Ph. D. *into* a discussion. 그는 어떤 토론에서든 자기 박사 학위를 들먹거린다/~ a country *into* a war 나라를 전쟁으로 끌어들이다. **6** 〔野〕 (배트를 당기듯하여) 〈번트를〉 치다. **7** 을 몹시 싫증나게 하다. — *vi.* **1** 〈닻·사슬 등이〉 질질 끌리다; 〈배의 닻이〉; 걸리지 않다. **2** (질질 끌려 가듯이) 괴롭다; 빡빡하다: The door ~*s.* 문짝이 빡빡하다/anxiety ~*ging at* one's heart-strings 가슴이 죄어드는 듯한 근심. **3** 느릿느릿〔발을 질질 끌며〕 걷다; 질질 오래 끌리다. **4** 〔藥〕 소리를 낮게 끌다; 박자가 느려지다. **5** 〈그물 등으로〉 물 바닥을 훑다. **6** 《俗》 담배를 피우다(*on, at*); 《미俗》 동반해서 파티에 가다. **drag along** 느릿느릿 나아가다. **drag behind** 지체하여〔꾸물거려〕 (남보다) 늦어지다. **drag by** 〈시간이〉 지리하게 가다. **drag down** 끌어내리다; 〈사람을〉 쇠약시키다; 영락〔타락〕시키다. **drag ged out** 《미口》 기진 맥진하여. **drag her anchor** 〈배가 바람이나 해류 등 때문에〉 닻을 끌며 이동하다. **drag in by the head and shoulders** 〈쓸데 없는 일을〉 억지로 끄집어 내다. **drag in**(**to**) 질질 끌어넣다; (쓸데 없는) 일을 어거지로 끄집어 대다. **drag in your rope** (명령형으로) 닥쳐, 조용히 해. **drag it** 《미俗》 (일·이야기 등을) 그만두다; 교제를 끊다. **drag** (**off**) (**to** …) 《口》 억지로(영화·모임 등에) 데리고 가다. **drag on** 지리하게 계속하다, 질질 오래 끌다. **drag** one's **brains** 지혜를 짜내다(*for*). **drag** oneself **along** 발을 질질 끌며 걷다. **drag** one's **feet**〔**heels**〕 발을 질질 끌며 걷다; 《미俗》 일부러 늑장부리다〔꾸물거리다〕. **drag out** 질질 끌어내다; 오래 끌게 하다; 〈말을〉 오래 끌다. **drag through** 겨우 끝내다. **drag up** 〈화제를〉 억지로 끄집어 내다; 《영口》 〈아이를〉 되는 대로 마구 기르다. — *n.* **1** 견인; 끌리는 물건. **2** 네 갈고리 닻; 예인망(dragnet); 큰 써레(heavy harrow); 튼튼한 썰매(sledge); (안과 위에 좌석이 있었던) 자가용 4륜마차. **3** (바퀴의) 철제 제동 장치; 방해물, 거치적거리는 것(burden): a ~ *to* a person …에게 짐이 되는 것/a ~ *on* person's career〔development〕 …의 출세〔발달〕에 방해가 되는 것. **4** 〔사냥〕 (여우 등의) 냄새 자국; 인공적인 냄새 자국(*cf.* DRAG HUNT). **5** 《미俗》 영향력, 세력; 연고, 총애: have〔enjoy〕 a ~ *with* one's master 주인 마음에 들고 있다. **6** 《미》 (특히 hot rods에 의한) 자동차 스피드 경주(=~ race). **7** 《미俗》 거리, 도로(street, road): the main ~ 중심가, 번화가. **8** 《俗》 여자 친구, 연인(girlfriend); 이성의 복장, (특히 호모의) 여자 복장; 여장 파티; 댄스 파티; 《일반적으로》 의복. **9** (담배를) 빨기(puff). **10** 〔컴퓨터〕 끌기(마우스 버튼을 누른 상태에서 마우스를 끌고 다니는 것). **11** 〔物〕 저항; 〔空〕 항력(抗力).

drág ànchor =DRIFT ANCHOR.

drág bùnt 〔野〕 드래그 번트.

drág chàin 1 〔機〕 바퀴 멈추는 쇠사슬; (차량의) 연결 사슬. **2** 《비유》 장애물, 방해물.

dra·gee[dræʒéi] [F] *n.* 사탕, 당과; (케이크 장식에 쓰이는) 은빛의 작은 알; 당의정(糖衣錠).

drag·ging[drǽgiŋ] *a.* **1** 질질 끄는. **2** 〈시간·일·행사 등이〉 오래 걸리는.

drag·gle[drǽgəl] *vt.* 질질 끌어 더럽히다. — *vi.* **1** 옷자락을 질질 끌다. **2** 터벅터벅 걸어가다. **drág·gled** *a.* 질질 끌린; 더러운.

drág·gle·tàil[-tèil] *n.* 치맛자락을 질질끄는 (단정치 못한) 여자; (*pl.*) 질질 끌리는 긴 치마.

drag·gle·tailed[-d] *a.* **1** 〈여자가〉 옷자락을 질질 끄는 **2** 행실 나쁜.

drag·gy[drǽgi] *a.* (**-gi·er; -gi·est**) 《口》 느릿느릿한, 활기 없는; 지루한.

drág hùnt 인공적인 냄새를 사용하는 사냥.

drag·line[⌐làin] *n.* **1** =DRAGROPE. **2** 드래그라인(버킷 달린 토사 굴착기).

drag·net[drǽgnèt] *n.* 저인망, 예인망, 후릿그물; (경찰의) 수사망; 대량 검거.

drag·o·man[drǽgəmən] *n.* (*pl.* **~s, -men**[-mən]) (아라비아·터키 등지의) 통역.

‡**drag·on**[drǽgən] [Gk] *n.* **1** 용(龍); (the D-) 〔天〕 용자리(Draco). **2** 〔紋〕 용문(龍紋); 용문기(旗). **3** 사나운 사람(fierce person). **4** (젊은 여자의) 엄중한 (여)감시인, 엄격한 샤프롱(stern chaperon). **5** 〔動〕 날도마뱀(=flying ~); 비둘기의 한 변종. **6** 《軍俗》 장갑 트랙터. **7** (the (old) D-) 마왕(Satan). **8** 동아시아의 신흥 공업국(한국·대만·싱가포르). **chase the dragon** 마약 (특히 헤로인)을 쓰다.

drag·on·et[drǽgənit, dræ̀gənét] *n.* **1** 작은 용, 용새끼. **2** 〔魚〕 동갈양태과(科)의 물고기.

***drag·on·fly**[drǽgənflài] *n.* (*pl.* **-flies**) 〔昆〕 잠자리.

drágon làdy [미국 만화 *'Terry and the Pirates'*의 인물에서] (종종 **D- L-**) 무자비하고 사악한 힘을 행사하는 글래머 여성.

Drágon lìzard *n.* =KOMODO DRAGON 코모도큰도마뱀(코모도섬 및 인접한 Indonesia 제도산(産)의 세계 최대의 도마뱀; 길이 3m).

drag·on·nade[dræ̀gənéid] *n.* **1** (보통 *pl.*) 〔史〕 (Louis XIV의 신교도에 대한) 용기병(龍騎兵)의 박해. **2** 무력 박해. — *vt.* 무력으로 박해하다.

drágon's blòod 기린혈(麒麟血)(용혈수(dragon tree)의 열매에서 채취한 수지(樹脂); 와니스 등의 착색제).

dragon's mòuth 〔植〕 난초과(科) 식물의 총칭.

drágons tèeth 1 분쟁의 씨〔원인〕: sow ~ 분쟁의 씨를 뿌리다. **2** 《영口》 (쐐기꼴 콘크리트로 된) 대(對)전차 방위 시설.

dra·goon[drəgú:n] *n.* **1** (영국 중기병 연대 소속의) 기병; 〔史〕 용기병(기총(騎銃)을 가진 기마 보병). **2** 사나운 사람. — *vt.* **1** 용기병〔무력〕으로 박해하다. **2** 박해를 가하여 …시키다(*into*): ~ a person *into* working …을 강압적으로 일하게 하다.

drág párachute 〔空〕 (비행기 등의) 감속 낙하산.

drág pàrty 《미俗》 이성 복장으로 벌이는 파티; 호모의 파티.

drág quèen 《미俗》 (여자 차림을 좋아하는) 남자 동성애자, 여장 남자.

drág ràce 《俗》(HOT ROD에 의한) 자동차의 가속 경주(1/4마일의 직선 코스).
drag·rope[drǽgròup] *n.* (포차(砲車)·기구를) 끄는 줄, 유도 로프.
drag·ster[drǽgstər] *n.* 《미俗》 DRAG RACE용 자동차; 드래그레이스 참가자.
drág strìp DRAG RACE용 직선 코스.
drags·ville[drǽgzvil] *n.* Ⓤ 《俗》 지루한 것.
drail[dreil] *n.* 《미》 (낚시용의) 굴림낚시; 쟁기의 성에에 나와 있는 쇠로 된 돌기(말을 맴).
****drain**[drein] *vt.* **1** 배수[방수]하다; 〈토지에〉 배수 시설을 하다: a well-~*ed* city 배수 시설이 잘된 도시. **2** 〔醫〕 고름을 짜다. **3** 〈물을〉, 빼어 말리다: ~ the land dry 토지를 완전히 배수하다. **4** 쭉 마셔버리다; 비우다: ~ a jug dry 주전자의 물을 비우다. **5** 〈재물·힘 등을〉 차츰 소모시키다(exhaust), 고갈시키다: ~ a country *of* its resources 한 나라의 자원을 고갈시키다/That ~*ed* him dry. 그것 때문에 그는 정력 다 소모했다. **6** 〈재물·인재를〉 국외로 유출시키다(*away, off*): ~ *away* the best brains *to* America 가장 우수한 두뇌들을 미국으로 유출시키다. **7** 여과(濾過)하다. — *vi.* **1** 〈액체가〉 흘러나가다, (흘러) 빠지다(*off, away*): The water ~*ed through* a small hole. 물은 작은 구멍에서 줄줄 흘러 나왔다/The water soon ~*ed away.* 물은 곧 빠졌다. **2** 〈땅이〉 배수되다; 〈늪 등이〉 말라버리다; 〈젖은 해면·천 등이〉 물기가 가시고 마르다: The plain ~*s into* the lake. 이 들판의 물은 그 호수로 흘러든다. **3** 〈체력 등이〉 차츰 쇠진하다(*away, off*); 〈핏기 등이 얼굴에서〉 가시다(*from, out of*): see the color〔blood〕 ~ *from* one's face. 얼굴에서 핏기가 가시는 것을 볼 수 있다. **4** 〈재물·인재가 해외로〉 유출되다(*away, off*): Most of our gold reserves have ~*ed away to* foreign country. 우리 나라의 금준비의 대부분이 해외로 유출되었다. **drain away** 〈물이〉 빠지다; 유출시키다[되다]; 〈생명이〉 서서히 쇠진하다. **drain (...) dry** 물기를 빼어 말리다, (물기가 빠져) 마르다; 〈잔을〉 다 마셔버리다; …에게서 활력[감정]을 고갈시키다.
— *n.* **1** 배수로, 방수로, 수채; (*pl.*) 하수(시설). **2** 배수(관); 〔醫〕 배농관(排膿管). **3** 배출; (화폐 등의) 끊임 없는[점차적] 유출; 고갈(의 원인)(*on*), 낭비, 출비: a ~ *on* the national resources 국가의 자원을 고갈시키는 것/the ~ *of* specie *from* a country 정화(正貨)의 국외 유출. **4** 《俗》 (술의) 한 모금; (*pl.*) (잔 속의) 마시다 남은 것, 찌꺼기. **5** 〔電子〕 드레인(전기장(場) 효과 트랜지스터). **go down the drain** 《口》 소실되다; 낭비되다, 수포로 돌아가다. **laugh like a drain** 《영俗》 크게 웃다, (바보같이) 큰 소리로 웃다.
***drain·age**[dréinidʒ] *n.* **1** Ⓤ 배수(draining), 배수법; 〔外科〕 배액(排液)(법): ~ work 배수 공사. **2** 배수 장치; 배수로, 하수구, 배수 구역[유역]. **3** 하수, 오수(汚水).
dráinage bàsin〔**àrea**〕(하천의) 배수 분지[지역], 유역.
dráinage tùbe 〔外科〕 배액관.
drain·board[dréinbɔ̀ːrd] *n.* 《미》 (개수대 옆의) 그릇 건조대.
dráin còck 〔機〕 (보일러의) 배수 꼭지.
dráined wèight[dréind-] (통조림 등의) 수분 제외 중량, 고형[고체]량.
drain·er[dréinər] *n.* 하수(배관) 공사하는 사람; 배수기(器); 배수구(溝)(drain).
drain·ing[dréiniŋ] *n.* Ⓤ 배수(작용[공사]).
dráining bòard 《영》 =DRAINBOARD.
drain·less[dréinlis] *a.* 배수 설비가 없는; 《詩》 마르는 일이 없는(inexhaustible).
drain·pipe[dréinpàip] *n.* **1** 배수관, 하수관. **2** (*pl.*) 《口》 꼭 끼게 통이 좁은 바지(=∠ **tròusers**).
dráin pùmp 배수 펌프.
dráin tràp (수채의) 냄새 막는 뚜껑.
****drake**[1][dreik] *n.* 수오리(male duck)(*cf.* duck[1]). **duck(s) and drake(s)** ⇨ *cf.* duck[1].
drake[2] *n.* **1** 〔昆〕 하루살이(mayfly); 하루살이꼴 제물낚시. **2** (17-18세기의) 소형 대포.
Drake *n.* 드레이크 Sir Francis ~(1540?-96) (영국의 제독).
dram[dræm] *n.* **1** 〔常衡〕 1/16 상용(常用)온스(1.772 그램); 《미》 〔藥局衡〕 1/8 약용온스(3.887 그램). **2** 1/8 액량(液量) 온스 (0.0037 lit.). **3** (위스키 등의) 적은 양, 한 모금; 《일반적으로》 소량. **4** 음주. **be fond of a dram** 술을 즐기다. **have not one dram of learning** (배운 것)이 조금도 없다.
DRAM[dræm] 〔電子〕 dynamic random access memory.
dram. dramatic; dramatist.
****dra·ma**[dráːmə, drǽmə] [Gk] *n.* **1** 희곡, 극시(劇詩), 각본; Ⓤ 연극, 극. **2** Ⓤ (the ~) 극문학, 극: *the* historical〔musical〕 ~ 사극[음악극]. **3** 극적인 사건; Ⓤ 극적인 상태[효과](*of*). ⊕ dramátic *a.*; drámatize *v.*
drama·doc =DOC, DOCU-.
Dram·a·mine[drǽməmìːn] *n.* 드라마민(항(抗)히스타민제, 뱃멀미 예방약; 상표명).
****dra·mat·ic**[drəmǽtik] *a.* **1** 희곡의, 각본의; 연극의[에 관한]: a ~ performance (연극의) 상연/a ~ piece 한편의 희곡[각본]/~ presentation〔reproduction〕 상연. **2** 극적인; 연극 같은: a ~ event 극적인 사건.
dra·mat·i·cal·ly[-ikəli] *ad.* 희곡[연극]적으로; 극적으로.
dramátic írony 〔劇〕 극적 아이러니(관객은 알고 있는데 등장 인물은 모르고 행동함으로써 생기는 아이러니).
dramátic mónologue 〔文學〕 극적 독백.
dra·mat·ics[drəmǽtiks] *n. pl.* **1** (단수 취급) 연출법, 연기. **2** (복수 취급) 아마추어 연극, 학생 연극. **3** (복수 취급) 과장된 표현[태도].
dramátic únities (the ~) 〔劇〕 (때·장소·행동의) 3일치.
dra·ma·tis per·so·nae[drǽmətis-pərsóuniː, dráːmətis-pəːrsóunai, -ni] [L =persons of the drama] *n. pl.* (the ~) 등장 인물; (단수 취급) 배역표(略: dram. pers.).
***dram·a·tist**[drǽmətist] *n.* 극작가, 각본 작가(playwright).
dram·a·ti·za·tion[drӕ̀mətizéiʃən] *n.* Ⓤ 각색, 극화.
***dram·a·tize**[drǽmətàiz] *vt.* **1** 〈시간·소설 등을〉 극으로 만들다, 각색하다, 극화하다. **2** 극적으로 표현하다. — *vi.* 극이 되다, 각색되다; 연기하다, 연극적인 태도를 취하다.
dramatize oneself 연극적인 태도를 취하다, 연기하다. **-tiz·a·ble** *a.*
dram·a·turge[drǽmətə̀ːrdʒ], **-tur·gist**[-dʒist] *n.* DRAMATIST.
dram·a·tur·gic, -gi·cal[drӕ̀mətə́ːrdʒik], [-əl] *a.* 극작의, 희곡[각본] 연출상의.
dram·a·tur·gy[drǽmətə̀ːrdʒi] *n.* Ⓤ **1** 극작술[법]. **2** (각본[극]의) 상연[연출]법.
drám drìnker (술을) 조금씩 마시는 사람.
dram. pers. 〔劇〕 dramatis personae.

dram·shop[drǽmʃɑ̀p/-ʃɔ̀p] *n.* 《古》 술집.
drámshop làw 〔미法〕 주류 제공자 책임법 《음주자가 교통 사고 등을 낸 경우에 대한》.
★**drank**[dræŋk] *v.* DRINK의 과거.
*__drape__[dreip] [L] *vt.* **1** 〈의류·포장 등으로〉 낙낙하게 덮다, 꾸미다, 〈옷 등을〉 우아하게 걸치다, 〈포장 등을〉 치다: ~ a robe *around* a person's shoulders …의 어깨에 겉옷을 걸쳐 주다. **2** 〈팔을〉 아무렇게나 얹다, 〈다리를〉 축 늘어뜨리다, 척 걸치다, 〈몸을〉 아무렇게나 기대다 《*over,* (*a*)*round, against*》: He ~*d* his arm *round*〔*over*〕 her shoulders. 그는 그녀의 어깨에 팔을 척 얹었다. **3** 〈스커트 등을〉 주름잡아 낙낙하게〔우아하게〕하다. **4** (one*self* 또는 수동태) 싸다(*in*). **drape** oneself 천〔가운(등)〕을 걸치다.
— *n.* **1** 덮는 천, 포장: (*pl.*) 《미》 (얇은 커튼 위에 치는) 커튼. **2** Ⓤ (스커트 등의) 드러워진 모양, 드레이프. **3** 《俗》 웃옷이 긴 슈트.
dráp·a·ble, drápe·a·ble *a.*
drap·er[dréipər] *n.* 《주로 영》 포목상, 복지점. **draper's** (**shop**) 《영》 포목점 (《미》 dry good store).
*__drap·er·y__[dréipəri] *n.* (*pl.* **-er·ies**) **1** Ⓤ (종종 *pl.*) (포장·장막 등의) 부드러운 피륙의 우아한 주름(graceful folds). **2** Ⓤ,Ⓒ (주름잡힌) 포장〔장막, 옷(등)〕, 《미》 (두꺼운) 커튼 천. **3** Ⓤ,Ⓒ 피륙, 직물(textile fabrics), 복지: Ⓤ 포목점(draper's shop). **4** Ⓤ 《영》 직물업, 포목상(draper's trade): Ⓒ (그림·조각에서 인물의) 걸친 옷; 그 미술적 수법.
drápe sùit 《俗》 드레이프 수트《긴 상의와 좁은 바지》.
*__dras·tic__[drǽstik] *a.* 〈치료·변화 등〉 격렬한, 맹렬한; 〈수단 등〉 철저한, 과감한, 발본적(拔本的)인: a ~ measures 발본책(拔本策)/apply ~ remedies 과격한〔거친〕 치료를 하다.
dras·ti·cal·ly[-kəli] *ad.* 철저하게, 과감하게.
drat[dræt] [God rot의 전와형(轉訛形)] *vt. vi.* (~·**ted**; ~·**ting**) 《俗》 저주하다(◇ confound, bother, dash와 마찬가지로 가벼운 저주). **Drat it!** 젠장! 빌어먹을! **Drat you!** 귀찮다! 이 자식아!
drat·ted[-id] *a.* 《口》 지긋지긋한.
*__draught__ *n.* =DRAFT.
draught·board[drǽftbɔ̀ːrd, drɑ́ːft-] *n.* 《영》 =CHECKERBOARD
draughts[dræfts, drɑːfts] *n. pl.* (단수 취급) 《영》 =CHECKERS.
draughts·man[drǽftsmən] *n.* (*pl.* **-men**) 《영》 =DRAFTSMAN.
draught·y[drǽfti/drɑ́ːfti] *a.* (**draughti·er; -i·est**) 《영》 =DRAFTY.
drave[dreiv] *v.* 《古》 DRIVE의 과거.
Dra·vid·i·an[drəvídiən] *a.* 드라비다 사람의. — *n.* 드라비다 사람《남인도에 사는 비(非)아리안계 종족》: Ⓤ 드라비다 말.
Dra·vid·ic[drəvídik] *a.* =DRAVIDIAN
★**draw**[drɔː] (**drew**[druː]; **drawn**[drɔːn]) *vt.* **1 a** 당기다, 끌다; 끌어당기다; 끌어당겨서 …하다(⇨pull): ~ a cart 짐마차를 끌다/~ a person *aside* …을 한쪽으로 끌고 가다/~ the chairs *around*〔*round*〕 …의 둘레에 의자를 당겨 둘러 앉다. **b** 〈기관차 등이〉 끌고 가다(drag), 잡아끌다(haul), 끌어〔당겨〕들이다: 〈고삐·재갈 등을〉 잡아채다: ~ a belt tighter 더 혁대를 졸라매다. **c** 〈활을〉 당기다: ~ one's bow 활을 당기다. **d** 끌어내다, 끌어내리다〔올리다, 당기다, 넣다, 내다〕《*over, up, aside, into, out*》: ~ a curtain *over* a window 창에 커튼을 치다.
2 〈물건을〉 잡아빼다, 〈이빨 등을〉 뽑다, …을 꺼내다; 〈칼·권총 등을〉 빼다, 〈칼집에서〉 뽑다《*at, against*》; 〈카드 패·제비 등을〉 뽑다; 〈내장을〉 꺼내다: ~ a cork *from* the bottle 병마개를 빼다/~ a sword 칼을 뽑다/~ lots 제비를 뽑다.
3 〈두레박으로〉 길어올리다; 〈그릇에서 액체를〉 따르다: ~ water *from* a well 우물에서 물을 긷다.
4 〈결론 등을〉 내다(deduce); 〈이야기에서 교훈을〉 얻다; 《口》(넘겨짚어) 알아내다《*out of*》; 〈근원에서〉 끌어내다, 얻다; 〈급료·공급을〉 받다: ~ a conclusion 결론을 내다.
5 〈숲에서 사냥감을〉 몰이하다: ~ a covert *for* a fox 덤불에서 여우를 몰이해 내다.
6 〈은행·구좌에서〉 돈을 찾다: (Ⅲ (목)+전+명) She *drew* some money *from* the bank. 그녀는 은행에서 돈을 좀 인출했다.
7 빨아당기다; 〈자석 등이〉 당기다; 〈금속이 열을〉 띠다〔흡수하다〕, 녹슬다, 빨아들이다; 〈결과 따위를〉 초래하다《*upon oneself*》; 〈이자를〉 낳다, 〈이자가〉 붙다: ~ one's own ruin 파멸을 자초하다.
8 〈남의 마음·주의·이목 등을〉 끌다(attract) 《*to*》; 〈손님을〉 끌다, …의 인기를 끌다《*to*》; 유인하다(entice)《*to, into, from*》; 끌어넣어 …시키다(induce): ~ an audience 청중을 끌다/feel *drawn to* …에 마음이 끌리다/~ a person's attention *to* …로 …의 주의를 돌리게 하다/endeavor *to* ~ one's child *to* study 아이에게 공부시키려고 애쓰다.
9 유도하다; 〈눈물을〉 자아내다; 〈탄식·신음 소리를〉 내게 하다, 〈갈채를〉 받다; 〈피를〉 흘리다, 흘리게 하다; 〔醫〕〈고약 등이 피·고름 등을〉 빨아내다, 빨리 곪게 하다; 〈물을〉 빠지게 하다: ~ tears *from* one 아무의 눈물을 자아내게 하다/No blood has been *drawn* yet. 아직 한 방울의 피도 흘리지 않았다.
10 〈선을〉 긋다, 베끼다; 〈말로〉 묘사하다; 〈그림을〉 그리다: ~ animals *from* life 동물을 사생하다.
11 〈문서를〉 작성하다《*up, out*》; 〔商〕〈어음 등을〉 발행하다《*on*》: ~ a bill of exchange 환어음을 발행하다/~ a bill *on* a person …에게 어음을 발행하다.
12 〈숨을〉 들이쉬다(inhale)《*in*》; 〈바람을〉 통하게 하다: ~ (in) a (deep) breath (심)호흡하다/~ a long sigh 긴 한숨을 쉬다.
13 〈승부·시합을〉 비기게 하다: The game was *drawn*. 경기는 비겼다.
14 잡아늘이다; 〈실을〉 뽑다; 〈금속을 잡아늘여서 철사를〉 만들다; 〈금속을〉 두들겨 펴다; 길게 늘이다: ~ wire 철사를 만들다.
15 〈차를〉 달이다, 끓이다: ~ tea 차를 달이다.
16 오므리다; 〈얼굴을〉 찡그리다(distort): a *drawn* look 찡그린 얼굴.
17 〈배의〉 흘수가 …이다: a ship ~*ing* 15 feet of water 흘수가 15피트인 배.
18 비교〔구별〕하다《*between*》: ~ a distinction 구별하다/~ a comparison *between* A and B A와 B를 비교하다.
19 〔撞球〕〈자기 공을〉 끌다; 〔골프〕〈공을〉 너무 왼쪽으로 가게 하다; 〔크리켓〕〈공을〉 왼편으로 비스듬히 날리다.
— *vi.* **1** 끌다, 끌어당기다(pull); 끌리다: This horse ~*s* well. 이 말은 〈짐을〉 잘 끈다.
2 칼을 뽑다; 권총을 빼다; 〈이빨 등이〉 빠지다: He *drew on* her. 그는 느닷없이 그녀를 향해 총을 빼들었다.

3 제비를 뽑다(*for*): ~ *for* prizes 상품을 타려고 제비를 뽑다/~ *for* partners 상대를 제비를 뽑아 정하다.
4 청하다, 부탁하다, 요구하다(*on, upon*): ~ *on* a person *for* help …에게 도움을 청하다.
5 (well, badly 등의 양태 부사와 함께) 남의 눈〔주의〕을 끌다, 인기를 끌다: The new play is ~*ing* well. 그 새 연극은 인기를 끌고 있다.
6 다가가다, 모여들다(*about, around, near, off, on, round, to,* etc.); 〈때가〉 가까워지다(*to, toward(s)*): The summer vacation is ~*ing* near. 여름 방학이 다가오고 있다/Like ~*s to* like. 《속담》 유유상종.
7 〈물이〉 빠지다: (well, badly 등의 양태 부사와 함께) 〈파이프 등이〉 바람이 통하다: 〈(엽)궐련·굴뚝 등의〉 연기가 통하다: The chimney ~*s* well. 그 굴뚝은 연기가 잘 빠진다.
8 〈차 등이〉 우러나다: This tea ~*s* well. 이 차는 잘 우러난다.
9 (새끼줄이 당겨져) 팽팽해지다; 〈돛이〉 펴지다; 줄어들다; 오므라지다, 〈피부가〉 당기다: Her shoes *drew.* 그녀의 신이 작아졌다.
10 그리다; 선을 긋다; 묘사하다; 제도하다: ~ *with* crayons 크레용으로 그리다.
11 어음을 발행하다(*on*); (예금에서) 돈을 찾다; (경험·사담 등에) 의존하다(*on, upon*); 〈자금 등을〉 이용하다: ~ *on* one's savings 예금을 찾다.
12 〔醫〕 〈고약 등이 고름을〉 빨아내다.
13 〈승부·시합이〉 비기다.
14 〈배의〉 흘수가 …이다, 〈배가〉 흘수하다.
draw a bow at a venture 우연히 알아맞히다. **draw** a person **on** …에 관하여 …에게 의견을 말하게 하다. **draw ... after** …을 뒤에 끌다〔가져오다〕. **draw along** 질질 끌다. **draw apart** 당겨서 떼어놓다; 소원해지다. **draw away** (경주 등에서) 앞서다, 따돌다; 〈내민 손을〉 빼다, 〈몸을〉 뒤로 빼다(*from*). **draw back** 되돌리다; 〈관세 등을〉 환불받다; 물러나다; 후퇴하다; 손을 떼다; 〈쳤던 막을〉 열어젖히다. **draw bit**〔**bridle**〕 고삐를 당겨 말을 멈추다; 몸을 긴장시키다. **draw breath** 숨을 쉬다. **draw down** 〈막 등을〉 내리다; 〈비난·노여움을〉 초래하다; 〈음식을〉 졸이다; 〈돈을〉 까먹다. **draw fire** 《미口》 공격의 표적이 되다. **draw first blood** 최초의 공격을 하다. **draw forth** 끌어내다. **draw in** 〈비용을〉 삭감하다, 절감하다; 빨아들이다; 꾀어들이다; 〈해가〉 짧아지다; 〈날이〉 저물어 가다; 〈기차가〉 역에 도착하다, 〈차가〉 길가에 서다; 〈고삐를〉 죄다, 〈뿔 등을〉 감추다: (Ⅰ 부+부) The days *draw in* gradually. 낮이 점점 짧아진다. **draw it fine** 까다롭게 따지다. **draw it mild(!)** 온건하게 말하라; 허풍떨지 말아. **draw it strong** 과장하여 말하다. **draw level with** a person (…와) 대등해지다; 〈경쟁에서〉 따라잡다. **draw near**〔**nigh**〕 다가오다. **draw off** 〈액체를〉 빼다, 빠지게 하다; 〈증류하여〉 빼다; 선발하다; 〈군대 등〉 철수하다〔시키다〕; 〈주의를〉 딴 데로 돌리다; 〈장갑·구두 등을〉 벗다. **draw on** 〈장갑·구두 등을〉 끼다, 신다; 꾀다; …을 일으키다; 〈근원을〉 …에 의존하다; 〈어음을〉 발행하다; 〈겨울·밤이〉 가까워지다; 다가오다. **draw oneself up** 꼿꼿이 서다; 앉은 자세를 고치다. **draw one's first**〔**last**〕 **breath** 이 세상에 태어나다〔마지막 숨을 거두다〕. **draw out** 끌어내다, 뽑아내다(extract)(*from*); 〈돈을〉 찾다; 꾀어내다; (넘겨짚어) 입을 열게 하다; 잡아늘이다; 〈금속을〉 두들겨 늘이다; 오래 끌게 하다; 〈문서를〉 작성하다; 그리다, 묘사하다, 〈안을〉 세우다; 〈낮·이야기가〉 길어지다; 〈군대를〉 파견하다; 정돈하다; 〈기차가〉 플랫폼을 떠나다: (Ⅰ 부+부) The nights *draw out* gradually. 밤이 점점 길어진다. **draw over** 끌어내려 덮다; 증류하여 얻다. **draw rein** =DRAW bit. **draw round** 주위에 모여들다. **draw short and long** 길고 짧은 제비를 뽑다. **draw the cloth** 《古》 (식후, 특히 dessert 전에) 식탁보를 걷어치우다. **draw the pen**〔**quill**〕 **against** …에게 성토〔공격〕의 글을 쓰다. **draw the teeth of** …의 무기를 압수하다. **draw to** …에 가까워지다. **draw together** 모여들다; 단결하다. **draw up** 끌어올리다; 바치다; 정렬시키다〔하다〕; 〈문서를〉 작성하다; 박두하다, 다가오다(*to*), 따라잡다(*with*); 〈마차 등〉 멈추다, 세우다. **draw ruin upon oneself** 자신에게 (파멸을) 가져오다.
— *n.* **1** 끌어당김, 끌기; 잡아 뽑음; 권총을 뺌; 파이프·담배의 한모금: quick on the ~ 권총 빼 드는 것이 재빠른. **2** 《口》 이해가 빠른. **3** (사람을) 끄는 것, 이목을 끄는 것, 인기를 끄는 것. **4** (승부 등의) 비김: end in a ~ 동점으로 끝나다. **5** 제비(뽑기), 복권 판매. **6** 《미》 (도개교(跳開橋)의) 개폐부(*cf.* DRAWBRIDGE). **7** 잡아늘이기. **8** 〔撞球〕 공끼리 맞아 뒤로 오는 공; 〔골프〕 왼쪽으로 구부러져 가는 공. **9** (the ~) 우위, 우세. **10** 〔地〕 마른 골짜기, (자연히 생긴) 배수로. **beat a person to the draw** …을 앞지르다, 기선을 제하다.

draw-and-fire[drɔ́:ən*d*fáiə*r*] *n.* 《미口》 (권총) 속사.

∗**draw·back**[drɔ́:bæ̀k] *n.* **1** 결점, 약점(*in*); 장애, 고장(*to*). **2** Ⓤ,Ⓒ 공제(*from*). **3** 환불금, 환불 세금, 관세 환급(還給): ~ cargo 관세 환급 화물. **4** 철거; 철회.

dráwback lòck 노브식 자물쇠(밖에서는 열쇠로 열고 안에서는 손잡이로 여는).

draw·bar[drɔ́:bɑ̀:*r*] *n.* 〔鐵道〕 차량 연결봉; 트랙터의 연결봉.

draw·bridge[drɔ́:brìdʒ] *n.* 도개교(跳開橋); (성의 해자에 걸쳐 놓은) 현교(懸橋)〔조교(弔橋)〕.

Draw·can·sir[drɔ:kǽnsə*r*] *n.* **1** 드로캔서 (G. Villiers 작 희극 *The Rehearsal*(1672)에 나오는 인물). **2** 적에게나 자기편에게나 강한 인물; 몹시 거만하게 구는 사람.

dráw cùrtain (좌우로) 당기는 커튼.

draw·down[drɔ́:dàun] *n.* 《미》 삭감, 축소; 수위의 저하.

draw·ee[drɔ:í:] *n.* 〔商〕 (환)어음 수취인 (*opp.* drawer).

⁑**draw·er**¹[drɔ́:ə*r*] *n.* **1** DRAW하는 사람〔것〕; (특히) 제도사. **2** 〔商〕 어음 발행인(*opp.* drawee). **refer to drawer** ⇨refer.

drawer² *n.* **1** 서랍. **2** (*pl.*) 장롱. **a chest of drawers** 옷장 한 개. **out of the bottom drawer** 최하등의. **out of the top drawer** 양가 출신의.

drawers[drɔ:rz] *n. pl.* 드로어즈, 속옷; 속바지: a pair of ~ 드로어즈 한 벌.

⁑**draw·ing**[drɔ́:iŋ] *n.* **1** (연필·펜·숯 등으로 그린) 그림, 데생, 스케치; Ⓤ 제도. **2** Ⓤ (금전의) 인출; 〔商〕 (수표·어음의) 발행; (*pl.*) 《영》 (상점의) 매상고. **3** Ⓤ 〈철사 등을〉 잡아늘이기. **4** Ⓤ 칼을 빼기; 〈카드 패를〉 뽑기; 제비 뽑기. **5** Ⓤ 〈차 등을〉 달이기. **6** Ⓤ 칼을 빼기. **drawing in** (은행권 등의) 회수. **drawing in blank** (어음의) 백지 발행. **drawing out** 〈예금을〉 찾음. **free-hand drawing** 자재화(自在畵). **instrumental**

〔mechanical〕 **drawing** 용기화(用器畫). **line drawing** 선화(線畫). **make a drawing** 그림을 그리다, 베껴 그리다. **out of drawing** 잘못 그려서; 조화되지 못하여.

dráwing accòunt 〔商〕 인출금 계정; (세일즈맨의) 선불액 계정; ((미)) =CURRENT ACCOUNT.

dráwing blòck 떼어 쓰는 도화지첩, 스케치북.

dráwing bòard 화판, 제도판. **go back to the drawing board** ((口)) (실패 후에) 처음부터 다시 시작하다. **on the drawing board** 계획 단계에서.

dráwing càrd 인기 연예인〔강연자, 프로그램〕; 인기인, 인기 품목; 이목을 끄는 광고; (야구의) 멋진 대전.

dráwing cònpasses 제도용 컴퍼스.

dráwing ìnstruments 제도 기계.

dráwing knìfe =DRAWKNIFE.

dráwing màster 미술 교사.

dráwing pàper 도화지, 제도 용지.

dráwing pèn (제도용) 펜, 오구.

dráwing pìn ((영)) 압정, 제도용 핀(((미)) thumbtack).

dráwing rìght 〔經〕 인출권. **special drawing rights** (IMF의) 특별 인출권(略: SDR, SDRs).

‡**dráwing ròom**[∠rù(:)m/drɔ́iŋrum] **1** (아파트·개인 주택의) 응접실; 객실(현재는 living room이 일반적); (집합적) 손님들. **2** ((미)) (열차의) 특별 객실(침대 셋과 화장실이 딸린). **3** (정식) 회견, 접견(*cf.* LEVEE[2]). **4** ((영)) 제도실(((미)) drafting room). **hold a drawing room** 공식 회견을 하다.

***draw·ing-room**[drɔ́:iŋrù(:)m] *a.* 상류사회에 적합한〔를 다룬〕, 고상한; 객실의: ~ car ((미)) 특별 객차(parlor car); 개인실식 침대차.

dráwing strìng =DRAWSTRING.

dráwing tàble 제도용 책상.

draw·knife[drɔ́:nàif] *n.* (*pl.* **-knives**[-nàivz]) 앞으로 당겨 깎는 칼(양쪽에 손잡이가 있음).

drawl[drɔ:l] *vi., vt.* 느리게 말하다, 점잔빼어 말하다(*out*). ── *n.* 느린 말투. **Southern drawl** ((미)) 남부 사람의 독특한 느린 말투. **dráwl·er**[-ər] *n.* **drawl·y** *a.*

drawl·ing[drɔ́:liŋ] *a.* 느리게 질질 끄는, 우물쭈물하는, 뜸직뜸직한. **~·ly** *ad.*

draw·man[drɔ́:mən] *n.* (*pl.* **-men**[-mən]) 플라스틱 성형 조립공.

***drawn**[drɔ:n] *v.* DRAW의 과거분사. ── *a.* **1** (칼집에서) 빼낸, 뽑은. **2** 비긴, 무승부의: a ~ game 비긴 경기. **3** 〈물고기 등이〉 내장을 따낸. **4** 그어진. **5** 잡아당겨 늘어진〔일그러진〕: a ~ face〔look〕 찡그린 얼굴〔표정〕.

dráwn bútter (소스용의) 녹인 버터.

draw·net *n.* 후릿그물; (그물코가 성긴) 새잡이 그물.

dráwn gláss 압연한 판유리.

dráwn-thréad[drɔ́:nθréd] *a.* 실을 뽑아 얽어 만든: ~ work =DRAWNWORK.

dráwn·wòrk *n.* 〔服〕 드론워크(레이스의 일종).

dráw·plàte[drɔ́:plèit] *n.* (철사 제조용의) 다이스 철판.

dráw plày 〔미蹴〕 드로 플레이.

draw·shave[drɔ́:ʃèiv] *n.* =DRAWKNIFE.

draw·string[drɔ́:strìŋ] *n.* 〈자루·옷자락 등을〉 졸라매는 끈.

dráw wèll 두레 우물.

dray[drei] *n.* (나지막한 네 바퀴의) 큰 짐마차; ((미)) 썰매(sledge); 화물 자동차. ── *vt., vi.* dray로 운반하다; dray를 끌다.

dray·age[dréiidʒ] *n.* Ⓤ 짐마차 운반(삯).

dráy hòrse 짐마차 말.

dray·man[dréimən] *n.* (*pl.* **-men**[-mən]) 짐마차꾼.

‡**dread**[dred] *vt.* 무서워하다, 두려워하다, 겁먹다; 싫어하다; 걱정하다: ((Ⅲ (목))) The burnt child ~*s* the fire. ((속담)) 불에 덴 아이는 불을 두려워한다/((Ⅲ *to* do)) She ~*s to* think of being laughed at again. 그녀는 다시 비웃음을 살까하고 생각하는 것을 싫어한다/((Ⅲ *-ing*)) He ~*ed* go*ing to* a dentist's. 그는 치과 의사에게 가는 것을 두려워했다. ── *vi.* 두려워하다; 우려하다(feel dread).

── *n.* **1** Ⓤ 공포; 불안; 우려. **2** 무서운 사람〔물건〕, 공포〔위구〕의 대상〔원인〕. **be〔live〕 in dread of** …을 늘 무서워하고 있다. **have a dread of** …을 두려워하다.

── *a.* ((文語)) **1** 대단히 무서운. **2** 외경심을 일으키는, 황공한. ◇ dréadful *a.*

‡**dread·ful**[drédfəl] *a.* **1** 무서운, 두려운, 무시무시한. **2** ((口)) 몹시 불쾌한, 지겨운; 따분한; 참으로 지독한: a ~ bore 몹시 따분한 사나이. ── *n.* ((영)) 스릴러, 선정적인 소설〔잡지〕(=penny ~). **~·ness** *n.*

dread·ful·ly *ad.* **1** 무섭게, 무시무시하게; 겁에 질려. **2** ((口)) 몹시, 지독히: a ~ long speech 지독히 긴 연설.

dread·locks[drédlɑ̀ks] *n. pl.* (자메이카 흑인이 하는) 여러가닥의 로프모양으로 땋아 내린 머리 모양, 라스타 파리안(Rastafarian)헤어스타일.

dread·nought, -naught[drédnɔ̀:t] *n.* **1** 용감한 사람. **2** (**D-**) 〔軍〕 드레드노트형 군함; 노급함(弩級艦). **3** 두터운 천의 방한 외투; 그 천.

★**dream**[dri:m] *n.* **1** 꿈, 꿈결(*cf.* reverie); 꿈길을 더듬음: ((Ⅱ 부+명)) Life is but an empty ~. 인생이란 일장춘몽일 뿐이다. **2** 몽상, 백일몽(의 상태)(daydream). **3** 포부, 희망, 이상, 「꿈」: ((Ⅱ 형))((주)-명+전+*-ing*) His ~ *of* becom*ing* a famous actor came true. 유명한 배우가 되려는 그의 꿈은 실현되었다. **4** ((口)) 꿈인가 싶은〔훌륭한, 아름다운, 매력 있는〕 것〔사람〕. **be〔live, go about〕 in a dream** 꿈결같이 지내다. **go to one's dream** ((詩)) 꿈나라에 들어가다, 잠들다. **have a (bad) dream** (나쁜) 꿈을 꾸다. **like a dream** ((口)) 쉽게, 간단히; 완전히, 완벽하게. **read a dream** 해몽하다. **sweet dreams!** 안녕히 주무십시오! **the land of dreams** 꿈나라, 잠. **waking dream** 백일몽(白日夢)(daydream), 몽상, 공상.

── (~**ed**[-d/dremt], **dreamt**[dremt]) (◇ ((미))에서는 **dreamed**가 일반적). *vi.* **1** 꿈을 꾸다, 꿈에 보다(*of, about*): ((Ⅰ 전+명)) ~ *of* 〔*about*〕 home 고향의 꿈을 꾸다. **2** 꿈꾸듯 황홀해지다; 몽상하다, 환상에 잠기다(*of*); (부정문에서) 꿈에도 생각하지 않다(*of*) (◇ of 뒤에는 보통 *-ing*가 옴): ((Ⅲ *v*Ⅰ+전+*-ing*)(*no pass.*) He *dreamt* of becoming a pilot. 그는 조종사가 되겠다는 꿈을 꾸고 있었다/((Ⅲ *v*Ⅰ+전+*-ing*)) I little〔never〕 ~*ed* *of* see*ing* you here. 여기서 너를 만나리라고는 꿈에도 생각지 않았다. ── *vt.* **1 a** 꿈꾸다; 몽상하다: He always ~*s that* he will be a statesman. 그는 언제나 정치가가 되겠다고 꿈꾸고 있다. **b** ((동족 목적어와 함께)) …한 꿈을 꾸다: ((Ⅲ (목))) She *dreamed* a beautiful *dream.* 그녀는 아름다운 꿈을 꾸었다/~ a (dreadful) dream (무서운) 꿈을 꾸다(◇형용사가 따르지 않을 때에는 보통 have a dream을 쓴다. 단, 시·성서에서는 dream *n.* 을 동족 목적어로 하는 dream a dream, dream dreams와 같은 형태도 볼 수 있다). **2** 꿈결처럼[멍하니] 세월을 보내다, 취생 몽사하다 (*away, out*): ~ *away*[*out*] one's time[life] 흐리멍덩하게 시간[생애]을 보내다. **go about dreaming** 꿈길을 더듬다. **dream up** (俗) …을 문득 생각해내다; 만들어내다, 창작하다. — *a.* **1** 꿈의, 꿈 속에서처럼 멋들어진: a display of ~ cars 멋진 차의 전시. **2** 환상의, 비현실적인: ~ children 환상 속의 아이들, 죽은 아이들의 환영.

dréam anàlysis (精神分析) 꿈 분석.

dream·boat[drí:mbòut] *n.* (口) 차지하고 싶은 이성; 욕심나는 것, 아주 좋은것.

***dream·er**[drí:mər] *n.* 꿈꾸는 사람; 공상가.

dréam fàctory 영화 스튜디오; 영화 산업.

dream·ful[drí:mfəl] *a.* 꿈 많은.

dream·i·ly[drí:mili] *ad.* 꿈결같이.

dream·i·ness[drí:minis] *n.* Ⓤ 꿈꾸듯 황홀함, 어렴풋함.

dream·land[drí:mlæ̀nd] *n.* Ⓤ,Ⓒ **1** 꿈나라(land of dream), 유토피아. **2** Ⓤ (익살·文語) 잠(sleep).

dream·less[drí:mlis] *a.* 꿈이 없는, 꿈꾸지 않는. **~·ly** *ad.* 꿈꾸지 않고.

dream·like[⌐làik] *a.* 꿈같은, 어렴풋한.

dréam machìne 텔레비전(방송) 산업.

dréam rèader 해몽가.

dream·scape[⌐skèip] *n.* 꿈과 같은[초현실적인] 정경(의 그림).

dream-stick[⌐stìk] *n.* (미俗) 아편 정제.

***dreamt**[dremt] *v.* DREAM의 과거·과거분사.

dream·world[drí:mwə̀:rld] *n.* 꿈[공상]의 세계.

***dream·y**[drí:mi] *a.* (**dream·i·er; -i·est**) **1** 꿈 많은. **2** 꿈꾸는 듯한, 환상에 잠기는, 아름다운. **3** 꿈같은, 덧없는, 어렴풋한.

drear[driər] *a.* (詩) =DREARY.

drear·i·ly[dríərili] *ad.* 쓸쓸하게, 황량하게, 적막하게.

drear·i·some[dríərisəm] *a.* (方) =DREARY.

‡**drear·y**[dríəri] *a.* (**drear·i·er; -i·est**) **1** 〈풍경·날씨 등〉 쓸쓸한, 적막한, 음울한(gloomy); 황량한. **2** 〈시간 등〉 지루한(dull), 〈이야기 등〉 따분한. **dréar·i·ness** *n.*

dreck[drek] *n.* (卑) 똥; (俗) 쓰레기, 잡동사니; 넝마. — *int.* 젠장, 시시해.

dredge[1][dredʒ] *n.* **1** 준설기[선]. **2** (물 밑을 훑는) 반두 (그물). — *vt.* **1** 준설하다, 물 밑바닥을 훑다, 가래 등으로 치다(*up*). **2** 〈반두로〉 훑어 잡다(*up*); (口) 〈스캔들·기억 등을〉 새삼스럽게 생각해내다(*up*). — *vi.* 물 밑바닥을 치다; 반두로 잡다.

dredge[2] *vt.* 〈밀가루 등을〉 뿌리다(sprinkle) (*over*), 〈밀가루를〉 묻히다(*with*).

dredg·er[1][drédʒər] *n.* **1** 준설 인부; 준설기[선]. **2** 반두 그물 어부. **3** 굴 채취선, 굴 따는 사람.

dredger[2] *n.* 밀가루[설탕] 뿌리는 기구[용기].

drédg·ing ma·chìne 준설기(dredge).

dree[dri:] *vt., vi.* (스코·古) 참다: ~ one's weird 운명을 달게 받다. — *a.* (스코) =DREICH.

dreep[dri:p] *n.* (口) 칠칠치 못한 사람.

dreg[dreg] *n.* **1** (보통 *pl.*) 잔재, 찌꺼기, 앙금; 하찮은 것, 쓰레기: the ~*s* of society 사회의 쓰레기. **2** 미량; 적은 분량의 나머지(물건). **drink**[**drain**] **... to the dregs** …을 남김없이 마시다; 〈세상의 쓴맛·단맛을〉 모조리 맛보다. **not a dreg** 조금도 …없다[않다].

dreg·gy[drégi] *a.* (**-gi·er; -gi·est**) 찌꺼기가 있는; 찌꺼기가 많은; 탁한, 더러운.

D̗ règion[dí:-] (通信) D층(이온권의 최하층; D LAYER 영역).

dreich, dreigh[dri:x, dri:ç] *a.* (스코) 쓸쓸한, 침울한; 오래 끄는, 시간이 걸리는, 지루한; 태만한.

Drei·ser[dráisər, -zər] *n.* 드라이저 Theodore ~(1871-1945)(미국의 소설가; 대표작 *An American Tragedy*(1925)).

drek *n.* =DRECK.

‡**drench**[drentʃ] [OE] *vt.* **1** 흠뻑 물에 적시다(soak); 액체에 담그다. **2** 〈마소에〉 물약을 먹이다. **be drenched to the skin** 흠뻑 젖다. — *n.* **1** 흠뻑 젖음[젖게 함]; 호우, 폭우: a ~ of rain 억수로 퍼붓는 비. **2** (마소에게 먹이는) 물약; 흠뻑 마시기; 무두질 액.

drench·er[-ər] *n.* **1** (口) 호우, 폭우. **2** (마소용의) 물약 먹이는 기구.

drench·ing[dréntʃiŋ] *n.* 흠뻑 젖음: get a (good) ~ 흠뻑 젖다. — *a.* 흠뻑 적시는, 억수로 쏟아지는: a ~ rain 억수로 쏟아지는 비. **~·ly** *ad.*

Dres·den[drézdən] *n.* 드레스덴(독일 동부의 도시).

Drésden pòrcelain[**chìna, wàre**] 드레스덴 도자기.

★**dress**[dres] *n.* **1** Ⓤ 의복, 옷, 복장, 의상; 정장, 예복, 야회복. **2** (원피스의) 여성복, 드레스, (원피스의) 아동복. **3** Ⓤ,Ⓒ (새의 깃, 수목의 가지나 잎 등의) 외형, 단장. **4** (책의) 장정. **dress for sale** (미俗) 매춘부. **dress length** (服) 드레스 한 벌 감의 길이. **evening dress** 야회복, 연미복 정장, 예복. **full dress** 정장, 예복. **morning dress** 보통 예복. **"No dress."** 정장이 아니라도 무방합니다(초대장에 쓰는 글귀). — *a.* **1** 드레스(용)의. **2** 예복용의 〈옷〉; 예복을 입어야 할: a ~ affair 예복이 필요한 행사[모임].

— (**~ed,** (古·詩) **drest**[drest]) *vt.* **1** 옷을 입히다, 옷을 사 주다(*in*); 정장시키다; 몸치장하다: ~ a baby 아기에게 옷을 입히다. **2** 〈머리를〉 손질하다, 땋다. **3** 아름답게 장식하다(*with*): ~ *up* a shopwindow 가게의 진열창을 (상품으로) 장식하다/~ one's hair *with* flowers 머리를 꽃으로 꾸미다. **4** 〈말의〉 털을 빗겨주다. **5** (軍) 정렬시키다. **6** 〈상처·부상자를 붕대·고약 등으로〉 처매다. **7** 〈가죽·직물·석재·목재 등을〉 다듬어 곱게 하다: ~ leather 가죽을 무두질하다. **8** 〈음식을〉 요리하다, 〈흰 소스 등을 쳐서〉 맛을 내다; (털·내장을 뽑아) 〈새·생선 등을〉 요리감으로 손보다: /~ food *for* the table 식탁에 내놓을 음식을 조리하다. **9** 〈정원수 등을〉 전지하다; 〈땅을〉 갈다, 거름을 주다. **10** 〈광석을〉 선별하다, 선광하다. **be dressed up** 성장하고 있다. **dress down** 〈말의〉 털을 빗겨 주다; 꾸짖다, 매질하다; 허름한 옷을 입다. **dress in** (미俗) 투옥하다. **dress oneself** 옷을 입다; 옷단장하다; 정장하다(*for*). **dress out** 치장하다; 〈상처를〉 처매다. **dress the house** (劇場) 할인표(등)으로 관객을 늘이다; =PAPER the house. **dress up** 성장[분장]시키다; 〈부대를〉 정렬시키다.

— *vi.* **1** 옷을 입다[입고 있다], 옷차림을 하다: ~ well[badly] 옷차림이 좋다[나쁘다]. **2** 정장하다, 야회복을 입다(*up*): ~ *for* dinner. 만찬용 야회복을 입다. **3** (軍) 정렬하다: ~ *back*[*up*] 정렬하기 위하여 뒤로 물러서다[앞으로 나서다]. **dress out** 차려 입다. **dress to**[**by**] **the right**[**left**] 우[좌]로 나란

히 서다. **dress up** 성장(정장)하다; 차려 입다. **Right— dress!** 《口令》 우로—나란히!
dres·sage[drəsɑ́:ʒ, dres-] [F] *n.* [U] 말을 길들임, 조마(調馬); 마장 마술.
dréss càp 〔軍〕 정장용 군모.
dréss círcle 극장의 특등석《2층 정면석》.
dréss cóat 연미복.
dressed[drest] *v.* DRESS의 과거 · 과거분사.
— *a.* **1** 옷을 입은:《Ⅱ 형+전+명》She is ~ *in* white. 그녀는 흰 옷을 입고 있다. **2** 손질(화장)을 한: ~ brick 장식 벽돌/~ skin 무두질한 가죽. **3** 요리 준비가 된 〈닭 등〉. **be dressed in** one's **(Sunday) best** 나들이옷을 입고 있다.
*__dress·er__[1] [drésər] *n.* **1** 옷 입히는 사람, (극장의) 의상 담당자; (진열장) 장식자. **2** (형용사와 함께) 옷차림이 …한 사람: a smart ~ 맵시꾼, 멋쟁이. **3** 《영》 붕대(처치) 담당자, (외과 수술의) 조수; 조정자. **4** 마무르는 직공; 마무리용 기구.
dresser[2] *n.* **1** 《미》 경대, 화장대(dressing table). **2** 찬장, 조리대.
drésser sèt 화장 도구 세트《빗 · 거울 등》.
dréss fòrm (양재용) 인체 모형.
dréss gòods (여성 · 아동용) 옷감.
dréss guàrd (여성용 자전거 등의) 의복 보호 장치.
dréss impròver 《영》 (여성복의) 허리받이.
dress·i·ness[drésinis] *n.* [U] 옷치장을 좋아함; 〈복장이〉 맵시있음, 화려함.
*__dress·ing__[drésiŋ] *n.* **1** [U,C] 끝손질; (직물의) 끝손질하는 풀; (도로 포장의) 마무리 재료; 〔建〕 화장 석재(石材); [U] 〔鑛山〕 선광. **2** [U,C] 〔料理〕 드레싱, 소스; 《미》 (조류 요리의) 소, 속(stuffing). **3** [U,C] (외과의) 처치용품, 연고, 붕대, 깁스. **4** [U] 비료(manure). **5** [U] 옷입기, 몸단장; 의복, 의상. **6** [U,C] (장식을 위한) 손질. **7** 《口》 =DRESSING DOWN.
dréssing bèll〔**gòng**〕 (만찬 등을 위해) 몸치장할 것을 알리는 종.
dréssing càse〔**bàg**〕 화장 도구 상자(가방).
dréssing dówn[drésiŋdáun] 《口》 엄한 질책, 꾸지람; 구타. **give** a person **a good dressing down** …을 호되게 꾸짖다(때리다).
dréssing gówn 화장복《잠옷 위에 입음; *cf.* BATHROBE》.
dréssing jàcket 《영》 =DRESSING SACK.
dréssing màid 화장을 맡아보는 시녀.
dréssing ròbe =DRESSING GOWN.
dréssing ròom 화장실《침실 옆》, 옷 갈아입는 방; (연극 배우 등의) 분장실.
dréssing sàck〔**sàcque**〕 《미》 (여성용의) 짧은 화장복.
dréssing stàtion 〔軍〕 응급 치료소.
dréssing tàble 화장대, 경대.
*__dress·mak·er__[drésmèikər] *n.* 양재사, 양장점(*cf.* TAILOR). — *a.* 〈여성복이〉 모양 있고 공들인(*cf.* TAILOR-MADE).
*__dress·mak·ing__[drésmèikiŋ] *n.* [U] 여성복 제조(업), 양재: a ~ school 양재 학교.
dréss paràde 〔軍〕 정장 열병식.
dréss rehéarsal 〔劇〕 (무대 의상을 입고 정식으로 하는) 총연습, 정식 무대 연습.
dréss shìeld〔**presèrver**〕 땀받이《여성의 속옷 겨드랑이 밑에 대는》.
dréss shírt 예복용 와이셔츠.
dréss shóe 예복용 구두.
dréss súit (남자용) 예복, 야회복.
dréss swórd 예복에 차는 칼.
dréss tíe 예복용 넥타이.
dréss úniform 〔軍〕 정장용 군복(*cf.* SERVICE UNIFORM).
dress-up[drésʌ̀p] *a.* 정장을 요하는, 정식의: a ~ dinner 정장 만찬회.
dress·y[drési] *a.* (**dress·i·er; -i·est**) 《口》 **1** 곱고 멋진 옷을 좋아하는, 의상 도락의. **2** 옷차림이 맵시 있는. **3** 〈의복 · 몸차림이〉 말쑥하게 어울리는; 멋진, 멋쟁이의.
drest[drest] *v.* 《古 · 詩》 =DRESSED.
★**drew**[dru:] *v.* DRAW의 과거.
Drew[dru:] *n.* 남자 이름.
drey[drei] *n.* 다람쥐 집.
Dr. Féelgood 각성제를 정기적으로 먹여 환자를 기분 좋게 만드는 의사.
drib[drib] *n.* (보통 *pl.*) 《方》 한 방울; 소량. **dribs and drabs** 《口》 소량.
drib·ble[dríbəl] *vt.* **1** 〈물방울 등을〉 똑똑 떨어뜨리다, 〈침을〉 흘리다. **2** 〔球技〕 공을 드리블하다; 〔撞球〕 〈공을〉 포켓에 굴려 넣다.
— *vi.* **1** 〈물방울 등이〉 똑똑 떨어지다. **2** 침을 흘리다. **3** 〔球技〕 공을 드리블하다; 〔撞球〕 공이 포켓에 굴러 들어가다.
— *n.* **1** 〈물방울 등이〉 똑똑 떨어짐; 소량, 조금; 가랑비. **2** 〔球技〕 드리블; 〔排球〕 두 번 이상 동일 경기자의 몸에 공이 닿기.
drib·bler[-ər] *n.* DRIBBLE하는 사람.
drib·(b)let[dríblit] *n.* 작은 물방울(*of*); 소량, 소액, 근소. **by**〔**in**〕 **drib(b)lets** 조금씩.
⁑**dried**[draid] *v.* DRY의 과거 · 과거분사.
— *a.* 건조한: ~ eggs 건조란/~ goods 말린 식품.
dríed béef **1** 말린 쇠고기, 육포. **2** 《미》 진부한 글귀.
dríed mílk =DRY MILK.
dried-out[´áut] *a.* 《俗》 마약을 완전히 끊은.
dried-up[´ʌ́p] *a.* **1** 바싹 마른: a ~ pond 말라버린 연못. **2** (늙어서) 쭈글쭈글한.
dri·er[dráiər] *n.* **1** 말리는 사람. **2** 건조기, 드라이어; 헤어드라이어; =SPIN DRIER. **3** 건조제, 속건제.
⁑**drift**[drift] *n.* [U,C] **1** 표류(drifting), 떠내려감; 흐름의 방향; 이동, 방랑. **2** 표류물; 〔地質〕 표적물(漂積物); (the D-) =DILUVIUM; (눈 · 비 · 토사 등의) 불어 쌓임. **3** =DRIFT CURRENT; (조류 · 기류의) 이동률; 표류 거리; 〔海〕 (보통 ~ current) 편류(偏流); 〔空〕 편류, 드리프트; (나선형으로 뱅뱅 돌아가는 탄환의) 탄도 편차(偏差); (차의) 옆으로 밀림. **4** [U] 되는 대로 내버려 둠: a policy of ~ 방임책, 미봉책. **5** [U,C] (자연의) 경향, 동향, 대세(tendency) (*of*); (*sing.*) (담화의) 주의(主意), 취지. **6** 〔鑛山〕 갱도; 〔機〕 〈금속에 구멍을〉 뚫는 기구, 드리프트. **7** 《南아》 물이 얕은 데(ford). **8** 《영》 몰아 모으기《방목 가축의 소유자를 결정하기 위한》; 가축의 떼. **9** 〔言〕 정향(定向) 변화. **10** 〔電子〕 드리프트《어떤 원인에 의한 특성 변화》; 〔物〕 드리프트《전장내(電場內)의 하전(荷電) 입자의 이동》. **on the drift** 표류하여; 방랑하여. **the drift of a current** 물의 속력, 유속(流速).
— *vt.* **1** 표류시키다, …을 떠내려 보내다: be ~*ed into* war 전쟁에 휘말려 들다/The boat was ~*ed away.* 보트는 떠내려 가버렸다. **2** (정처없이) 떠돌게(헤매게) 하다. **3** 〈기류가〉 불어 보내다, 불어치다, 〈벌판 · 길을〉 불어치는 눈 · 낙엽《등》으로 덮다: the back garden ~*ed with* fallen leaves 낙엽이 날려서 쌓인 뒤뜰. **4** 〈물의 작용이〉 퇴적시키다.
— *vi.* **1** 표류하다, 떠가다(*with, on, down*): ~*ing* clouds 뜬구름/~ *with* the current 물

이 흐르는 대로 떠돌다. **2** 무작정 나아가다, 되는 대로 지내다; 부지중에 빠지다(*into, toward*); 방랑하다, 전전하다. 《口》 어슬렁거리다: be merely ~*ing* 무작정 나아가다/~ *toward* bankruptcy〔ruin〕 부지중에 파산하다〔서서히 파멸로 향하다〕. **3** (바람에) 불리어 쌓이다. **4** 구멍을 뚫다〔넓히다〕. **5** 〈차가〉 슬립하다; 〈동력이 끊긴 뒤〉 타력으로 가다. **6** 《미俗》 출발하다. **drift along** 표류하다; 정처 없이 떠돌다; 엄벙덤벙 지내다. **drift** (**along**) **through life** 일생을 엄벙덤벙 지내다, 허송세월하다. **drift apart** 표류하여 흩어지다; 소원해지다. **let things drift** 일을 되는 대로 내버려 두다.

drift·age[-idʒ] *n.* Ⓤ **1** 표류 작용. **2** 밀려 내려가는 거리, (선박의) 표정(漂程); (바람에 의한 탄알의) 편차(windage). **3** Ⓒ 표류〔표적〕물.

dríft ànchor =SEA ANCHOR.

dríft àngle 〔空〕 편류각, 편차각(항공기의 전후 축과 비행 방향이 이루는 각).

dríft bòttle 표류〔해류〕병(해류 연구자나 표류자의 통신문을 넣은).

dríft cùrrent 풍조(風潮)(풍력 때문에 생기는 조류).

drift·er[dríftər] *n.* **1** 표류자〔물〕. **2** 유망(流網)어선; (유망이 달린) 소해선(掃海船). **3** 유랑 노동자.

dríft ìce 유빙(流氷).

dríft ìndicator〔**mèter**〕 〔空〕 편류계.

dríft·ing míne 〔海軍〕 부류(浮流) 기뢰.

dríft nèt 유망(流網).

dríft sànd 〔土木〕 유사(流砂), 표사(漂砂).

drift·way[dríftwèi] *n.* 〔鑛山〕 갱도; 〔海〕 편류; 《영·미方》 가축을 모는 길.

drift·weed[∠wìːd] *n.* 표류 해초(다시마 등).

drift·wood[∠wùd] *n.* Ⓤ 부목(浮木), 유목(流木).

drift·y[drífti] *a.* (**drift·i·er; -i·est**) 표류성의, 떠내려 가는; 표적물의; 〈눈 등이〉 바람에 날려 쌓인, 눈더미의.

‡drill[1] [dril] *n.* **1** 송곳, 천공기; 착암기. **2** Ⓤ,Ⓒ 엄격한 훈련〔연습〕, 드릴, 반복 연습(*in*); 교련; Ⓒ 《俗》 =DRILLMASTER. **3** 바다달팽이(굴을 해침). **4** (the ~) 《영口》 정식의 방법: What's the ~? 어떻게 하는 겁니까. — *vt.* **1** 구멍을 뚫다. **2** 교련하다. **3** 반복 연습시켜 가르치다, 철저히 주입시키다(*in*): ~ the pupils *in* English 학생들에게 영어를 철저히 가르치다. **4** 《미口》 〈공을〉 강타하다, 라이너를 날리다; 《미口》 총알로 꿰뚫다, 쏴 죽이다. — *vi.* **1** 구멍을 뚫다(*through*); 〈총알·공 등이〉 빨리 직진하다. **2** 〔軍〕 교련을 받다. **3** 반복 연습을 하다, 맹연습을 하다. **dríll·er** *n.*

drill[2] *n.* 〔農〕 **1** 조파기(條播機): ~ husbandry 조파법. **2** (씨를 뿌리는) 작은 두렁; 이랑(에 심은 농작물의 줄). — *vt.* 이랑에 씨를 뿌리다〔심다〕.

drill[3] *n.* Ⓤ 능직(綾織)의 튼튼한 무명.

drill[4] *n.* 〔動〕 드릴개코원숭이(서아프리카산; mandrill보다 작음).

dríll bìt 〔機〕 드릴에 끼우는 날.

dríll bòok **1** 〔軍〕 교련 교범(教範). **2** 연습장.

dríll còrps =DRILL TEAM.

dríll gròund 연병장.

drill·ing[1] [dríliŋ] *n.* Ⓤ **1** 교련; 훈련, 연습. **2** 송곳질, 구멍 뚫기; (*pl.*) 송곳밥.

drilling[2] *n.* Ⓤ (씨의) 조파법.

dril·ling[3] *n.* =DRILL[3].

dríllíng machìne 드릴링 머신, 보르반, 천공기; 시추기.

dríllíng rìg 〔海洋工學〕 드릴링 리그(해양 석유의 굴착〔시추〕 장치).

dril·lion[dríljən] *n., a.* 《미俗》 막대한 수(의).

drill·mas·ter[drílmæ̀stər, -mɑ̀ːs-] *n.* 군사 훈련 교관; (군대식) 체육 교사; 엄하게 가르치는 사람.

dríll prèss 〔機〕 드릴 프레스, 천공반(盤).

dríll sèrgeant 〔軍〕 훈련담당 하사관, 조교.

drill·ship[∠ʃìp] *n.* 해저 굴착선, 시추선.

dríll tèam 〔軍〕 시범 부대.

dri·ly[dráili] *ad.* =DRYLY.

drin·a·myl[drínəmìl] *n.* 《영》 〔藥〕 드리나밀(합성 마취약·각성제; 속칭은 purple heart).

★drink[driŋk] (**drank**[dræŋk]; **drunk**[drʌŋk], 《詩》 **drunk·en**[drʌ́ŋkən]) *vt.* **1** 〈물·술 등을〉 마시다; 쭉 마셔 비우다: ~ a glass of milk 우유 한 잔을 마시다/~ wine *out of* a glass 잔으로 포도주를 마시다. **2** (수분을) 빨아들이다, 흡수하다: ~ water like a sponge 스펀지처럼 물을 빨아들이다. **3** 〈임금·급료 등을〉 마셔 없애다, 술로 없애다(*away*): ~ all his earnings 수입 전부를 술을 마셔 없애버리다. **4** …을 위해 축배〔건배〕를 들다(*to*): (Ⅲ (목)+전+명) I will ~ success *to* you. 당신의 성공을 빌며 축배를 들겠습니다. **5** 〈지식 등을〉 흡수하다; …에 정신이 팔리다(*in*); 〈사람·동물이 공기를〉 깊이 들이마시다(breathe in)(*into*). **6** (종종 ~ one*self*로) 마시어 …상태에 이르게 하다: ~ one*self* drunk 술을 마셔 취하다.

— *vi.* **1** 음료를 마시다(특히 알코올류); 〈샘에서〉 물을 마시다(*from, out of*): (Ⅰ *v* Ⅰ) I didn't ~ or smoke. 나는 음주나 흡연을 안했다/eat and ~ 먹고 마시다/~ *out of* a jug 주전자로 물을 마시다. **2** (상습적으로) 술을 많이 마시다; 취해 버리다: I'm sure he ~*s.* 틀림없이 그는 술꾼이다. **3** (보어와 함께) 마시면 …맛이 나다: This wine ~*s* flat. 이 포도주는 통 맛이 없다〔김빠진 맛이다〕/This cocktail ~**s** sweet. 이 칵테일은 마실 만하다〔괜찮다〕. **4** 건배하다, 축배를 들다(*to*): Let's ~ *to* his success〔health〕. 그의 성공〔건강〕을 위해 건배합시다. **drink away** 술 때문에 〈이성·재산을〉 잃다; 술을 마시며 허송세월하다. **drink deep** 흠씬 마시다(*of*); 술고래이다. **drink down** (1) 〈슬픔·걱정 등을〉 술로 잊다. (2) 〈술마시기를 겨루어 상대편을〉 곯아떨어지게 하다. **drink hard**〔**heavily**〕=DRINK deep. **drink in** 빨아들이다; 〈깊은 인상 등을〉 받다, 정신 없이 듣다〔바라보다〕. **drink it** 《俗》 실컷 마시다. **drink off** (단숨에 죽) 들이키다. **drink one's beer** 《미俗》 침묵을 지키다. **drink** one**self out of a situation** 술로(지위를) 잃다. **drink** one**self to death** 술로 죽다. **drink success**〔**long life**〕 **to** a person …의 성공〔장수〕을 빌어 축배하다. **drink the cup of joy**〔**pain, agony, sorrow**〕 기쁨〔아픔, 번민, 슬픔〕의 잔을 마시다. **drink the night away** 술로 밤을 새우다. **drink** a person **under the table** =DRINK down. (2). **drink up** 마셔 버리다; 빨아올리다. **I could drink the sea dry.** 몹시 목이 마르다.

— *n.* **1** Ⓤ,Ⓒ 마실 것, 음료; 주류: food and ~ 먹을 것과 마실 것, 음식물. **2** (마실 것의) 한 모금〔잔〕. **3** Ⓤ 음주, 호주(豪酒), 폭주. **4** (the ~) 《口》 큰 강, 《특히》 큰 바다. **be given**〔**addicted**〕 **to drink** 술에 빠져 있다. **be on the drink** 노상 술을 마시고 있다.

have〔**take**〕**a drink** 한잔하다. **in drink** 술에 취하여. **soft**〔**small**〕**drink** (알코올분이 없는) 청량 음료. **take to drink** 술꾼이 되다.

drink·a·ble[dríŋkəbəl] *a.* 마실 수 있는, 마시기에 적합한. ── *n.* (보통 *pl.*) 음료, 마실 것. **eatables and drinks** 음식물.

****drink·er**[dríŋkər] *n.* 마시는 사람; (특히 상습적인) 술꾼; (가축용) 급수기: a hard〔heavy〕～ 대주가.

Drínker réspirator 〔醫〕 드링커 호흡 보호기, 철폐(鐵肺)(iron lung).

****drink·ing**[dríŋkiŋ] *n.* Ⓤ **1** 마심, 흡입. **2** (특히 상습적·과도한) 음주: a ～ companion 술친구. ── *a.* 음용의, 마시기에 알맞은; 술을 좋아하는/a ～ driver 음주 운전자.

drínking bòut 주연; 술 마시기 내기.

drínking cùp 술잔.

drínking fòuntain 분수식 물마시는 곳.

drínking hòrn 뿔잔.

drínking sòng 주연〔연회석〕의 노래.

drínk·ing-úp tìme[dríŋkiŋʌ́p-] 마지막 잔 시간《폐점 후의 짧은 영업 연장 시간》.

drínking wàter 음료수, 음용수.

drínk mòney〔**pènny**〕《古》 술값, 술밑천.

drínk òffering 제주(祭酒).

****drip** [drip] (*cf.* DROP)(～**ped, dript**[dript]) *vi.* **1** 〈액체가〉 듣다, 똑똑 떨어지다《*from*》: The rain was ～*ping from* the eaves. 빗방울이 처마에서 똑똑 떨어지고 있었다. **2** (흠뻑 젖어서) 물방울이 떨어지다, 흠뻑 젖다《*with*》. **3** (…로) 넘치다《*with*》. ── *vt.* 물방울을 듣게 하다, 똑똑 떨어뜨리다. ── *n.* **1** (*sing.*) 똑똑 떨어지기, 듣기, 적하(滴下); 〔醫〕 점적약, 점적 장치. **2** (종종 *pl.*) 듣는 방울; (불고기 등에서) 방울방울 맺히는 기름. **3** 똑똑 떨어지는 물방울 소리. **4** 〔建〕 =DRIPSTONE. **5** 《미俗》 미련한〔사교성 없는〕 사람; 군소리, 실없는 말. **in a drip** 똑똑 떨어져, 젖어서. **in drips** 방울져.

dríp còffee 드립커피《드립식으로 뺀 커피》.

drip-drip, -drop[drípdrìp], [ˊdrɑ̀p/ˊdrɔ̀p] *n.* 낙숫물, 물방울.

drip-dry[drípdrái, ˊˊ] (**-dried**) *vi.* 〈나일론 등〉구김살 없이 곧 마르다. ── *vt.* 젖은 채로 널어 말리다. ── *a.* 구김살 없이 곧 마르는 천으로 만든: a ～ suit 드립드라이의 수트.

drip-feed[drípfi:d] 《영》 〔醫〕 *n., a.* 점적(點滴)(의), 점적 주입〔주사〕(의). ── *vt.* 〈환자에게〉 점적 주입하다.

dríp grìnd 드립 커피용으로 간 고운 커피.

dríp irrigàtion =TRICKLE IRRIGATION.

dríp jòint 〔建〕 〈지붕을〉 단을 지어 이기.

dríp màt 컵 받침, 코스터(coaster).

Drip·o·la·tor[drípəlèitər] [*drip*+per*co-lator*] *n.* 드립식 커피 끓이개《상표명》.

dríp pàinting 〔畫〕 드립 페인팅《그림물감을 흘리거나 튀겨서 그리는 액션 페인팅》.

dríp pàn 1 (떨어지는) 액체받이, 기름받이. **2** =DRIPPING PAN.

****drip·ping**[drípiŋ] *n.* Ⓤ **1** 뚝뚝 떨어짐, 적하. **2** 듣는 것, 물방울; (종종 *pl.*) (불고기 등에서) 떨어지는 기름 방울. ── *a.* **1** 빗물이 떨어지는. **2** 흠뻑 젖은; (부사적으로) 흠뻑 젖을 만큼. **be dripping wet** 흠뻑 젖어 있다.

drípping pàn 고기 굽는 냄비; (불고기의) 기름받이.

drip·py[drípi] *a.* (**-pi·er; -pi·est**) 물이 똑똑 떨어지는 〈수도꼭지〉; 축축히 비가 오는 〈날씨〉; 《口》 눈물을 강요하는, 감상적인, 데데한.

drip·stone[drípstòun] *n.* Ⓤ 〔建〕 (문·창위 등의) 빗물받이 돌; 〔化〕 (종유석·석순 모양의) 점적석〔탄산칼슘〕.

dript[dript] *v.* DRIP의 과거·과거분사.

★**drive**[draiv] (**drove**[drouv]; **driv·en**[drívən]) *vt.* **1** 몰다, 쫓다 《*away, forward, back, in, out, to, into, from, out of, through*》: 〈마소를〉 몰다, 쫓다, 〈새·짐승·적을〉 몰아대다, 몰아내다; 몰아넣다《*into*》; 〈펜 등을〉 휘두르다: 《Ⅲ 부+(목)》 Bad money ～*s out* good money. 악화(惡貨)는 양화(良貨)를 구축한다/～ one's cattle *to* the pasture 소를 목장으로 몰아가다/～ a person *out of* a country …을 국외로 추방하다/～ the dog *away* 개를 쫓아버리다/～ a pen 펜을 (빨리) 놀려서 쓰다. **2** 드라이브하다; 〈차 등을〉 몰다, 운전〔조종〕하다; 〈마차의 말을〉 부리다; 태워 가다: 《Ⅲ (목)》 What car are you *driving*? 지금 무슨 차를 몰고 있습니까《◇ drive는 탈 것에 타고 운전하다. ride는 자전거·말 등을 타다》. **3** 《보통 hard와 함께》 혹사하다: ～ a person hard …을 혹사하다. **4** 〈남을〉 몰아 (어떤 상태에) 이르게 하다, …한 상태에 빠뜨리다; 무리하게 (…에) 이르게 하다(force), 하는 수 없이〔억지로〕 …하게 하다(compel)《*to, into, out of*》《◇ 사물(특히 추상명사)이 주어로 쓰이는 경우가 많다》: 《Ⅴ (목)+형》 The pain *drove* her almost mad. 그녀는 아파서 거의 미칠 것만 같았다《◇ 주로 angry, mad, crazy, insane 등을 목적격 보어로 씀》/《Ⅴ (목)+전+명》 Poverty *drove* her *to* despair〔suicide〕. 가난하여 그녀는 절망〔자살〕했다/《Ⅴ (목)+전+-*ing*》 They *drove* the Government *to* print*ing* more money. 그들은 정부에 화폐를 더 많이 발행하도록 했다/《Ⅴ (목)+*to* do》 Hunger *drove* him *to* steal. 배가 고파서 그는 도둑질을 하였다(=He was *driven* to steal by hunger.《Ⅱ *be pp.*+*to* do》)/《Ⅱ *be pp.*+*to* do》 I was *driven to* resign. 사직해야 할 처지에 몰렸다. **5** (보통 수동형으로) 〈증기·전기 등이 기계를〉 운전시키다, 작동시키다; 추진시키다: Water ～*s* the mill. 물이 물레방아를 회전시킨다/The machine is *driven* by electricity〔compressed air〕. 그 기계는 전기〔압축공기〕로 움직인다. **6** 〈바람이 구름·눈·비를〉 불어 보내다; 〈물이〉 떼밀어 보내다: Clouds are *driven* by the wind. 구름이 바람에 흩날린다/The storm *drove* the ship *out of* its course. 폭풍 때문에 그 배는 항로에서 벗어났다. **7** 〈못·말뚝 등을〉 박다; 〈지식 등을〉 주입하다《*into*》; 〈터널·굴을〉 뚫다, 〈우물을〉 파다(bore)《*through*》, 〈철도를〉 관통시키다, 부설하다:/～ piles *into* the ground 말뚝을 땅에 박다. **8** 〔印〕 〈낱말·행(行) 등을 별행, 다른 스페이스로〉 보내다: ～ a line *over to* the next page 다음 면으로 1행을 넘기다. **9** 〈장사 등을〉 해내다, 경영하다, 〈거래 등을〉 성립시키다: ～ a good〔bad〕 bargain 유리〔불리〕한 흥정을 하다/～ a roaring trade 장사가 번창하다. **10** 〈공을〉 강타하다; 〔庭〕 드라이브를 넣다; 〔野〕 〈안타·희생 플라이를 쳐서 주자를〉 진루시키다; 〔골프〕 〈보통 드라이버로 공을〉 tee에서 멀리 치다: The batter *drove* the ball into the bleachers. 타자는 공을 외야 관람석으로 날려 보냈다. **11** 〈시간·날짜 등을〉 물리다(defer): ～ it *to* the last minute 끝까지 질질 끌다.

── *vi.* **1** 차를 몰다〔부리다, 운전하다〕; 차를 타고 가다, 드라이브하다; 〈차가〉 가다《*across, along, around, by, through, into, to, etc.*》: 《Ⅰ *There* vⅠ+(주)+전+명》 ((주)-*g.*) There is no driv*ing on* the dirt road. 그 비포장 도로에서는 도저히 드라이브할 수 없다/Will you

walk or ~? 걷겠습니까, 차로 가겠습니까/~ in a taxi 택시로 가다/~ *through* a park 공원 속을 차로 지나가다. **2** 질주〔돌진〕하다: 〈구름이〉 날아가다: 〈비 등이〉 세게 부딪치다 (*against*): The rain was driv*ing against* the windows. 비가 창에 세차게 몰아치고 있었다. **3** (보통 진행형으로) 《口》 (…을) 의도하다, 꾀하다, 노리다, (…을 할) 작정이다(*at*): What is he driv*ing at*? 그는 대체 어쩌자는 것인가. **4** (목표를 향해) 열심히 노력하다. **5** 공을 쳐 보내다: 속구를 던지다: 〔골프〕 DRIVER로 힘껏 치다: 저격하다(*at*). **6** 〔鑛山〕 갱도를 파다. **7** 방목 가축을 몰아모으다.
Drive ahead! 전진. **drive along** 몰고 나아가다: 〈바람이〉 휘몰아치다. **drive at** ⇨*vi.* 3. **drive away** 몰아내다, 구축하다: 〈번거로움 등을〉 없애다: 차를 몰고 가버리다. **drive away at** 《口》 부지런히 일하다. **drive back** 되몰아내다, 물리치다. **drive hard** ⇨*vt.* 3. **drive ... home** (1) 〈못 등을〉 단단히 박다. (2) 〈사리·사실을〉 납득〔통감〕시키다. (3) 차로 보내주다. **drive in** 몰아〔떼밀어〕 넣다: 때려 박다: 차를 몰고 들어가다: 〔野〕 히트를 쳐서 주자를 홈인시키다. **drive into** 몰아넣다: 〈바람이 눈 등을〉 날려 모아 쌓이게 하다: 〈학과 등을〉 머리에 주입시키다. **drive off** 쫓아내다, 물리치다: 〈차 등이〉 가버리다: 〔골프〕 제1타를 치다. **drive on** 차를 몰고 나아가다. **drive on the horn** 《口》 (자동차) 운전중 불필요하게 경적을 울리다. **drive out** 쫓아내다, 배격하다: 드라이브 가다. **drive to** …으로 차를 달리다: ⇨*vt.* 4: *drive to* one's wit's〔wits'〕 end 어찌할 바를 모르게 하다. **drive under** 억압하다. **drive up** 말을〔차를〕 타고 오다, 말을〔차를〕 들이대다(*to*): 〈차·말을 몰고 길을〉 달려 오다: 값을〉 올리다. **let drive** 쳐〔던져〕 보내다, 쏘다, 달려 들다, 겨누어 …에 던지다(*at*): He *let drive at* me *with* a book. 그 녀석이 나한테 책을 던졌다.
— *n.* **1** Ⓤ 몰아냄, 몰기, 쫓기, 몰이. **2** Ⓤ 〈차를〉 몰기: Ⓒ (자동차 등의) 드라이브: take 〔go *for*〕 a ~ 드라이브하(러 가)다. **3** 드라이브 길: 《영》 차도, (큰 저택의 대문에서 현관의 차 대는 데까지의) 사설 차도(《미》 DRIVE-WAY): 공원 안〔수풀 속〕의 차도. **4** 〈마차·자동차로 가는〉 거리: an hour's ~ 차로 1시간 걸리는 거리. **5** 〔心〕 동기, 동인(動因), 충동, 본능적 욕구. **6** Ⓤ,Ⓒ 박력, 추진력, 정력. **7** (군대의) 대공세. **8** 〔商〕 (시장 가격을 내리려고 하는) 염가 방매: 《원래 미》 (기부금 모집 등의) 운동 (campaign): 대선전: 〔카드〕 경기 대회: a Red Cross ~ 적십자 모금 운동. **9** Ⓤ (시대 조류 등의) 흐름, 경향. **10** 〔球技〕 드라이브, 장타, 강타: 〔골프〕 드라이버 쇼트: 〔庭〕 속구 치는 법: 〔크리켓〕 공을 침: 〔野〕 직구(liner). **11** Ⓤ 〔機〕 구동(驅動) 장치, 전동(傳動): (자동차의 자동 변속기의) 드라이브 위치: 〔컴퓨터〕 구동 장치. **12** 《미俗》 (특히 마약을 써서) 기분좋은 상태, 쾌감, 약동감. **full drive** 전속력으로(at full speed). — *a.* 구동(장치)의.

driv(e)·a·bil·i·ty[dràivəbíləti] *n.* (차의) 운전 안이도, 조종〔안정〕성.

drive-by[dráivbài] *n.* (*pl.* **-bys**) 《미》 (주로 틴에이지 폭력단들이 하는) 차를 타고 가며 상대방을 사격하는 것.

***drive-in**[dráivìn] *n.* 《미》 드라이브인(차에 탄 채 이용할 수 있는 영화관·은행·백화점·간이 식당 등). — *a.* 드라이브인 식의: a ~ bank〔theater〕 드라이브인 은행〔극장〕.

driv·el[drívəl] (~**ed**; ~**·ing**|~**led**; ~**·ling**) *vi.* **1** 침을 흘리다, 코를 흘리다. **2** 철부지 소리를 하다. — *vt.* **1** 〈시간 등을〉 낭비하다. **2** 바보 소리를 하다. **drivel away** 〈시간을〉 허비하다. **driveling idiot** 천치. — *n.* **1** 《稀》 군침, 콧물. **2** 어리석은 소리, 철부지 소리.

drive·line[dráivlàin] *n.* 〔自動車〕 동력 전달 장치.

driv·el·(l)er[drívələr] *n.* 침을 흘리는 사람, 코흘리개: 철없는 소리를 하는 사람, 천치.

****driv·en**[drívən] *v.* DRIVE의 과거분사. — *a.* 〈눈 등이〉 날리어 쌓인. **(as) white as driven snow** 눈보라처럼 새하얀.

dríven wéll 《미》 깊이 판 우물.

drive-on[dráivɑ̀n/-ɔ̀n] *a.* **1** 〈배가〉 차를 타고 하는 선적 방식의. **2** 〈배가〉 차에 탄 채 승선할 수 있는.

****driv·er**[dráivər] *n.* **1** 운전사, 마부: (기계의) 조종자: 《영》 기관사. **2** 소〔말〕몰이꾼, 가축 상인(drover). **3** (노예·죄수 등의) 감독. **4** 〔機〕 동력 전달부: (기관의) 동륜(動輪)(driving wheel). **5** 〔골프〕 드라이버, 1번 우드 클럽. **6** 〈말뚝 등을〉 박는 기계.

dríver ànt 〔昆〕 군대개미(ARMY ANT)(아프리카산).

driv·er·less *a.* 운전사가 (필요) 없는.

dríver's lìcense 《미》 운전 면허(증)(《영》 driving licence).

dríver's sèat **1** 운전석. **2** 권좌(權座), 권력의 자리, 지배적인 입장.

dríve shàft =DRIVING SHAFT.

drive-through[dráivθrù:] *a.* 차에 탄 채 지나가며 보는 식의 〈동물원 등〉: 차에 탄 채 주문하고 식사를 받는 식의 〈식당〉.

dríve tràin (자동차의) 회전력 전달 장치.

drive-up *a.* 《미》 〈은행 창구 등이〉 드라이브인 식의 고객용의(*cf.* DRIVE-IN).

dríve-up wíndow 드라이브인 식의 창구(상점·은행 등의).

***drive·way**[dráivwèi] *n.* **1** 《미》 드라이브 길, (도로에서 현관까지의) 차도(《영》 drive), 자동차 길: 캐나다(경치 좋은 간선 도로). **2** 가축을 몰고 가는 길.

dríve whèel =DRIVING WHEEL.

****driv·ing**[dráiviŋ] *a.* **1** 추진하는: 동력 전도(傳導)의: ~ force 추진력. **2** 운전용의, 조종용의. **3** 사람을 혹사하는. **4** 정력적인: a ~ personality 정력적가. **5** 〈바람이〉 휘몰아치는, (바람에 날려) 질주하는, 맹렬한: a ~ rain 휘몰아치는 비. — *n.* Ⓤ **1** 몰이. **2** 운전(법), 조종(법). **3** 추진: (차바퀴의) 전동력(傳動力). **4** 〈못 등을〉 박(아넣)기. **5** 〔골프〕 tee에서 멀리 치기.

dríving àxle 〔機〕 (기관차 등의) 구동축.

dríving bànd〔**bèlt**〕 동력 전달 벨트.

dríving bòx 마부석: 〔機〕 동륜축함(函).

dríving clòck 조속기(調速機)(시계 등의): 운동 시계(적도의(赤道儀) 장치).

dríving gèar (기관의) 구동 장치.

dríving ìron 〔골프〕 낮은 장타용의 아이언 클럽, 1번 아이언(클럽)(No.1〔number one〕 iron).

dríving lìcence 《영》 =DRIVER'S LICENSE.

dríving mìrror 《영》 백미러(rearview mirror).

dríving rànge 골프 연습장.

dríving schòol 자동차 운전 학원.

dríving shàft 〔機〕 구동축(驅動軸), 운전축.

dríving tèst 운전 면허 시험.

dríving whèel 〔機〕 동륜: (기관차·자동차 등의) 구동륜(驅動輪).

‡driz·zle[drízl] *n.* Ⓤ 이슬비, 가랑비, 보슬비. — *vi.* (종종 it를 주어로 하여) 이슬비〔가랑비〕가 내리다: It ～*d* on and off. 이슬비가 왔다 멈췄다 했다.

driz·zly[drízli] *a.* 이슬비〔가랑비〕 내리는, 가랑비가 내릴 듯한.

dro·gher[dróugər] *n.* 드로거《서인도제도의 느린 돛배》.

drogue[droug] *n.* **1** (고래잡이) 작살 줄에 달린 부표. **2** (비행장의) 풍향 기드림(wind sock); =DROGUE PARACHUTE. **3** 〔空〕 (비행기가 끌고 가는) 사격 연습용 표적. **4** 〔空〕 드로그《비행기의 공중 급유용의 원통형 기구》. **5** =SEA ANCHOR.

drógue párachute (착륙 때의) 감속용 소형 보조 파라슈트;(전투기 등의 사출 좌석에서 사출후 공중에서 펴지는) 안정 파라슈트.

droit[drɔit, drwaː] [F] *n.* 〔法〕 **1** 권리(legal right); 소유권. **2** 법률. **3** (*pl.*) 세금(dues), 관세(customs duties).

droit du sei·gneur[drwɑ́ːduːseinjə́ːr] [F] **1** (신하의 신부(新婦)에 대한) 영주의 초야권. **2** 《비유》 강력〔불합리〕한 권리.

droll[droul] *a.* 익살 떠는, 우스꽝스러운. — *n.* 익살꾸러기, 어릿광대; 익살. — *vi.* 익살떨다; 농을 하다(jest)《*with, at, on*》. **dróll·ness** *n.* **dról·ly** *ad.*

droll·er·y[dróuləri] *n.* (*pl.* **-eries**) Ⓤ,Ⓒ 익살떠는 거동; 농담, 해학.

drome[droum] *n.* 《口》 =AIRDROME.

-drome[drðum] 《연결형》 **1** (명사형 어미) 「경주로; 넓은 시설」의 뜻: air*drome*, hippo*drome*. **2** (형용사형 어미) 「달리는」의 뜻: homo*drome*.

drom·e·dar·y[drámidèri, drʌ́m-/drɔ́m-] *n.* (*pl.* **-dar·ies**) 단봉(單峰)낙타《등의 혹이 하나; 아라비아산; *cf.* BACTRIAN CAMEL》.

drom·ond[drámənd, drʌ́m-/drɔ́m-] *n.* (중세에 주로 지중해에서 사용되던) 대형 쾌속범선.

***drone¹** [droun] *n.* **1** (꿀벌의) 수펄(*cf.* WORKER). **2** 게으름뱅이(idler). — *vi., vt.* 빈둥거리며 지내다(idle)《*away, on*》.

drone² *n.* **1** 윙윙거리는 소리, 단조로운 저음; 〔樂〕 BAGPIPE의 지속 저음(관). **2** (무선 조종의) 무인 비행기〔선박, 미사일〕. — *vi., vt.* 윙윙거리다; 낮은 소리로 단조롭게 노래하다〔이야기하다, 말하다〕.

dróne béetle 〔昆〕 풍이.

dron·go[drάŋgou/drɔ́ŋ-] *n.* (*pl.* ～(**e**)**s**) **1** 〔鳥〕 오추(烏秋), 바람가마귀(=∠ **shrìke**). **2** 《오스俗》 얼간이. — *a.* 《오스俗》 얼간이의, 멍청한.

dron·ing·ly[dróuniŋli] *ad.* **1** 낮은 소리로 단조롭게, 나른하게. **2** 게으름 피우며.

droob[druːb] *n.* 《오스俗》 감상적인 사람.

droog[druːg] *n.* 갱의 일원(gangster).

droog·ie[drúːgi] *n.* 갱 소년, 비행 소년.

drool[druːl] *n., vi.* 《주로 미》 =DRIVEL.

drool·y[drúːli] *a.* (**drool·i·er; -i·est**) **1** 《口》 침을 흘리는. **2** 《미俗》 굉장히 매력적인; 《미俗》 〈옷·차 등이〉 군침이 날 정도의. — *n.* 《미俗》 인기 있는 남자《10대들의 용어》.

‡droop[druːp] *vi.* **1** 수그러지다, 처지다. **2** 〈눈을〉 내리깔다, 〈고개를〉 숙이다. **3** 〈사람이〉 힘이 없어지다, 약해지다; 풀이 죽다, 맥이 풀리다; 〈초목이〉 시들다: ～ *with* sorrow 슬퍼서 의기 소침하다/Plants ～ *from* drought. 식물이 가뭄으로 시든다. **4** 《詩》 〈해 등이〉 지다, 기울다; (날·한 해가) 저물다. — *vt.* 〈고개·얼굴 등을〉 수그리다, 숙이다, 〈눈을〉 내리깔다. — *n.* **1** 축 늘어짐, 수그러짐; 시듦, 의기 소침. **2** 〈가락이〉 처짐(fall).

droop·ing[drúːpiŋ] *a.* 늘어진; 눈을 내리깐; 풀이 죽은.

droop·ing·ly *ad.* 맥이 빠져, 힘없이.

dróop nòse 〔空〕 (초음속기 등의 착륙시 시야를 넓히기 위해) 숙일 수 있는 기수(機首).

droop snoot 《口》 =DROOP NOSE(의 비행기).

droop·y[drúːpi] *a.* (**droop·i·er; -i·est**) 축 늘어진, 수그린; 《口》 지친, 의기 소침한.

★drop[drαp] *n.* **1** (액체의) 방울. **2** 한 방울의 분량;(물약의) 적량(滴量); (*pl.*) 점적약(點滴藥), 적제(滴劑), 방울을 단위로 계량하는 약; (a ～; 부정문에서) 미량, 소량; 《口》 소량〔한 잔〕의 술: a ～ of fever 미열/not a ～ of kindness 친절이라고는 조금도 없는/take a ～ 술을 한 잔 마시다. **3** 물방울 모양의 것; 늘어뜨린 장식(pendant)에 박은 보석《진주 등》, 펜던트가 달린 귀고리; 〔建〕 물방울 장식; 〔家具〕 이슬방울 장식; 〔菓子〕 드롭스. **4** 방울져 떨어짐(dropping); 급강하. **5** 몰락《*in*》, (가격·주 등의) 하락《*in*》. **6** (온도의) 강하《*in*》. **7** 〔軍〕 (낙하산에 의한) 공중 투하, 낙하산 강하, 낙하산 부대; 낙하 거리, 낙차;(지면의) 함몰(의 깊이); 〔蹴〕 =DROPKICK; 〔野〕 드롭. **8** 떨어지는 장치, 함정;(교수대의) 발판;(우체통의) 넣는 구멍, 투입구;(극장의) 현수막(=～ curtain), 배경막;(문·서랍 등의) 열쇠 구멍 덮개. **9** 《俗》 비밀 정보〔장물, 밀수품〕 은닉 장소. **10** 급경사, 가파른 비탈;(파이프 등의) 급경사 부분. **11** 암거래소. **12** 〔植〕 (야채의) 균핵병.

a drop in the〔**a**〕 **bucket**〔**the ocean**〕 바닷물 한 방울, 구우일모(九牛一毛). **at the drop of a hat** 신호가 있자마자; 곧; 기꺼이(willingly). **drop by drop** 한 방울씩, 조금씩. **have a drop in one's**〔**the**〕 **eye** 얼근히 취해 있다. **have**〔**get**〕 **the drop on** a person 《미俗》 상대편보다 먼저 권총을 들이대다; …에게 선수치다. **take a drop too much** 술을 너무 마시다, 취하다. **to the last drop** 마지막 한 방울까지.

— (～**ped, dropt**[drαpt/drɔpt]; ～·**ping**) *vi.* **1** 듣다, 방울져 떨어지다, 뚝뚝 떨어지다: Tears ～*ped from* her eyes. 그녀의 눈에서 눈물이 흘러내렸다. **2** 〈과일 등이〉 떨어지다(fall)《*from*》, 〈꽃이〉 지다; 〈해가〉 지다(sink); 〈막 등이〉 내리다; 〈말이〉 무심결에 불쑥 나오다: It was so quiet (*that*) you might hear a pin ～. 핀이 떨어지는 소리도 들릴만큼 조용하다/An apple ～*ped from* the tree. 사과 한 개가 나무에서 떨어졌다/The book ～*ped from* his hand. 그의 손에서 책이 떨어졌다/Tears ～*ped from* her eyes. 그녀의 눈에서 눈물이 흘러내렸다/The sun was ～*ping toward* the west. 해가 서쪽으로 기울고 있었다/The curtain ～*ped* (*at* the end of the play). (연극이 끝나고) 막이 내렸다/A sigh ～*ped from* his lips. 그의 입에서 한숨이 불쑥 새어 나왔다. **3** 푹 쓰러지다, 지쳐서 쓰러지다; 상처를 입고 쓰러지다; 죽다(die): ～ *with* fatigue 피로로 쓰러지다. **4** 〈차츰 어떤 상태에〉 빠지다, 〈어떤 상태가〉 되다《*into*》: He ～*ped into* the habit of smoking. 그는 담배를 피우는 습관이 생겼다/He soon ～*ped* asleep. 그는 곧 잠들었다. **5** 훌쩍 내리다; 〈언덕·강 등을〉 내려가다《*down*》: ～ *from* the window *to* the ground 창문에서 훌쩍 땅으로 뛰어내리다/The boat ～*ped down* the river. 보트는 강을 내려갔다. **6** 〈경첩·턱 등이〉 덜컥 내려지다, 처지다. **7** 〈바람이〉 자다; 〈h음 등이〉 탈락되다.

없어지다: 〈편지 왕래 등이〉 끊어지다: 〈일이〉 중단되다: 〈가격이〉 내리다, 〈지위가〉 떨어지다: 〈온도·생산고가〉 내려가다, 〈소리가〉 약해지다: 〈모습 등이〉 사라지다, 안 보이게 되다. **8** 뒤떨어지다, 낙후하다; 탈락하다, 중퇴하다, 그만두다(*behind, out of, to*): ~ *behind* 낙오되다/~ *out of* the line 전열에서 낙오되다. **9** 《口》 〈사람이〉 우연히 들르다(*by, in, into*); 우연히 만나다(*across*): ~ *by* at one's office 사무실에 들르다. **10** 〈사냥개가〉 사냥감을 보고 웅크리다.

— *vt.* **1** 똑똑 떨어뜨리다, 방울져 듣게 하다, 엎지르다, 흘리다: ~ sweat 땀을 흘리다/~ a tear *over* a matter 어떤 일에 눈물을 흘리다. **2** 〈물건을〉 떨어뜨리다, 손에서 떨어뜨리다; 낙하산으로 공중 투하하다; 투함(投函)하다, 〈짧은 편지를〉 써보내다; 〈지갑 등을〉 잃어버리다; 〔球技〕 〈공을〉 …에 고의로 떨어뜨리다; 〔럭비〕 〈dropkick으로 공을〉 골에 넣다, 〈점수를〉 올리다; 〔골프〕 드롭하다: ~ bombs *on* a fortress 요새에 폭탄을 투하하다/《Ⅳ 대+(목)》 I ~*ped* her a line. 나는 그녀에게 한 자 적어 보냈다(=I ~*ped* a line to her.《Ⅲ (목)+전+명》). **3** (가치·정도 따위를) 떨어뜨리다, 하락시키다; 〈수·양을〉 줄이다, 〈질을〉 낮추다; (소리를) 낮추다: ~ one's voice 목소리를 낮추다. **4** (거래에서) 손해를 보다; 《俗》 (도박·투기 등에서) 〈돈을〉 잃다, 날리다; 〈내기에서〉 지다: 《Ⅲ (목)+전+명》 ~ money over a transaction 거래에서 손해를 보다. **5** 《口》 〈여객·짐을 도중에서〉 내려놓다: *Drop* me at the next stop, please. 다음 정거장에서 내려 주세요. **6** 〈닻·막 등을〉 내리다, 드리우다; 〈눈길을〉 떨어뜨리다, 〈눈을〉 내리깔다: ~ a line 낚싯줄을 드리우다. **7** 무심코 입밖에 내다, 암시하다; 〈한숨·미소를〉 짓다: ~ a hint 암시를 주다, 넌지시 시사하다/《Ⅳ 대+(목): *that*(절)》 His movement ~*ped* us a possibility *that* he could win with ease. 그의 몸 움직임은 그가 쉽게 이길 수 있으리라는 가능성을 우리에게 비쳐주었다. **8** 《미》 퇴학〔해고, 탈퇴〕시키다(*from*): The company is ~*ping* some 150 employees. 회사는 약 150명의 종업원을 해고하려고 한다/~ a person *from* the membership …을 회원에서 제명하다. **9** 〈도중에서〉 …와 헤어지다. **10** 〈습관 등을〉 버리다; 〈의논 등을〉 중단하다, 그만두다; 절교하다: ~ a bad habit 나쁜 습관을 버리다. **11** 〈소·말·양 등이 새끼를〉 낳다. **12** 도끼로 찍어 눕히다, 쳐서〔쏘아〕 쓰러뜨리다, 〈새를〉 쏘아 떨어뜨리다. **13** 《口》 〈달걀을〉 끓는 물에 넣어 요리하다(poach). **14** 《俗》 죽이다. **15** 〈h음이나 ng의 g등을〉 빠뜨리다(omit)《이를테면 hot를 'ot', singing을 'singin' 이라고 하는 것》.

drop across 〈사람을〉 우연히 만나다, 〈물건을〉 우연히 보게 되다; 꾸짖다; 벌주다. **drop around** 잠깐 들르다. **drop asleep** 잠들다. **drop away** 한 사람씩 가버리다, 없어지다, (어느 틈에) 가버리다. **drop back** 뒤지다, 후퇴하다, (도중에) 되돌아오다. **drop behind** 뒤떨어지다. **drop by** 《口》 불쑥〔비공식적으로〕 들르다. **drop dead** 푹 쓰러져 죽다, 급사하다; (명령법으로) 《俗》 꺼져; 뒈져라. **drop down** 쓰러지다; 〈바람 등이〉 갑자기 멎다; 강을 따라 내려가다. **drop from the sight**〔**notice**〕 안보이게 되다. **drop in** (1) (한 사람씩) 들어가다. (2) 《口》 잠깐 들르다, 불시에 찾아가다: 《Ⅰ 부+{*to* do}》 She *dropped in to* see him. 그녀는 그를 만나러 잠깐 들렀다. (3) 우연히 만나다. (4) 〈동전 등을〉 속에 넣다. **drop in on**〔**upon/at**〕 《口》 잠깐 들르다, 불시에 찾아가다(◇「사람」에는 *on*,「집」에는 *at*을 씀): 《Ⅲ 부+전+(목)》 She would *drop in on* me〔*at* my house〕. 그녀는 곧잘 내게〔우리 집에〕 들르곤 했다. **drop into** 들르다, 기항(寄港)하다; 〈습관에〉 빠지다. **Drop it!** 《口》 그만두게! **drop like a hot potato** 《미口》 〈사람·물건을〉 사정 없이 버리다. **drop money** 돈을 잃다. **drop off** 차츰 없어지다, 줄다; 〈단추 등이〉 떨어지다, 빠지다; 사라져 가다; 잠들다; 쇠약해지다; 죽다; 〈차 등에서〉 하차하다〔시키다〕. **drop on**〔**upon**〕 《口》 우연히 만나다; 갑자기 방문하다; 꾸짖다. **drop on** one's **knee**(**s**) 무릎을 꿇다. **drop on** (**to**) 호되게 꾸짖다. **drop out** 떠나다; 사라지다; 빠지다, 없어지다; 〔럭비〕 드롭아웃하다; 〈선수가 경기에〉 결장하다, 빠지다; 낙오하다, 중퇴하다. **drop out of** … 에서 손을 떼다; 〈학교 등을〉 그만두다; 뒤떨어지다. **drop over** (**to**) 《미口》 우연히 들르다, 예고 없이 들르다: 《Ⅰ 부+전+명》 She *dropped over to* our house〔to me〕. 그녀가 우연히〔예고 없이〕 우리 집에〔내게〕 들렀다. **drop short** 부족해지다(*of*); 《俗》 갑자기 죽다. **drop through** 아주 형편없이 되다, 결딴나다. **fit**〔**ready**〕 **to drop** 녹초가 되어. **let drop** 〈말 등을〉 무심코 하다; 〈이야기 등을〉 중단하다.

drop-by [drápbai/drɔ́p-] *n.* 《미》 (정치가·의원 등을 초대하는) 접대회.

dróp càke〔**còoky, còokie**〕 반죽을 스푼으로 철판 위에 떨어뜨려 구운 쿠키.

dróp clòth (페인트칠 등을 할 때 바닥·가구 등을 덮는) 페인트받이 천〔시트, 종이《등》〕.

dróp cùrtain (무대의) 현수막(drop scene).

dróp fòlio 〔印〕 아래쪽 페이지 숫자.

dróp fòrge 〔機·建〕 낙하 단조 장치, 낙하 해머.

drop-forge [ˊfɔ̀ːrdʒ] *vt.* 〔冶〕 낙하 단조하다.

dróp fòrging 〔冶〕 DROP HAMMER 단조.

dróp frónt (책장의 덮개로 앞으로 내리면 책상의 윗판이 되는) 접는 판자.

dróp gòal 〔럭비〕 골을 겨누어 찬 DROPKICK의 성공, 드롭골.

dróp hàmmer 〔機〕 (단조용의) 낙하 해머.

drop·head [drápĥèd/drɔ́p-] *n.* 《영》 (차의) 접는 포장.

drop-in [ˊìn] *n.* 《口》 불쑥 들르는 사람〔장소〕.

drop-kick [ˊkìk] *vt., vi.* 〔럭비〕 드롭킥하다. **~·er** *n.*

drop·kick *n.* 〔럭비〕 드롭킥《공을 땅에 떨어뜨려 튀어 오를 때 차는 방법; *cf.* PUNT[3]》.

dróp lèaf [ˊlìːf] 책상에 경첩으로 달아 접게 되어 있는 보조판. **dróp-lèaf** *a.*

drop·let [ˊlit] *n.* 작은 물방울.

dróplet inféction 〔醫〕 비말(飛沫) 감염.

dróp lètter 《미》 접수국 구역내 배달 편지.

drop·light [ˊlàit] *n.* (이동식) 현수등.

drop-off [ˊɔ̀(ː)f, ˊàf] *n.* **1** 급경사면, 절벽. **2** 감소, 하락, 쇠퇴. **3** 〔럭비〕 =DROPOUT 3.

dróp-óff pòint **1** 배달품 전달 장소. **2** (유괴 사건 등에서) 몸값을 두고 가는 장소.

drop·out [ˊàut] *n.* **1** 낙후, 탈락; 《口》 기성 사회로부터의 탈락자; 중퇴자. **2** 옛 소련에서 이스라엘 대신 미국 등지로 이주하는 유대인. **3** 〔럭비〕 드롭아웃(dropkick으로 차기 시작하기). **4** 〔컴퓨터〕 드롭아웃《자기 테이프의 데이터 소실부》; 〔印〕 하이라이트판.

dróp oùt 〔컴퓨터〕 드롭아웃《녹음 테이프자기 디스크의 신호의 일부가 표면에 낀 먼지나 자성체(磁性體)의 결함 등으로 결락(缺落)되는 일》.

drópped séat 앉는 자리가 우묵한 의자.
drópped shòulder 〔服飾〕 진동을 보통 위치보다 팔 쪽으로 처지게 붙이기.
drop·per[drápər/drɔ́pər] *n.* 떨어뜨리는 사람〔물건〕; (안약 등의) 점적기(點滴器).
drop·per-in[drápərìn/drɔ́p-] *n.* (*pl.* **droppers-**) (俗) 불쑥 들르는 사람.
drop·ping[drápiŋ/drɔ́p-] *n.* U,C **1** 적하(滴下); 낙하, 투하. **2** (*pl.*) 방울져 떨어지는 것, 촛농; 낙하물, 탈모(脫毛), (새·짐승의) 똥.
drópping gròund〔**zòne**〕 =DROP ZONE.
dróp prèss =DROP HAMMER.
dróp scène 1 무대의 현수막(drop curtain). **2** 대단원, 끝장면(finale).
drop·shot *n.* 〔庭球〕 드롭쇼트; 〔冶〕 녹은 금속의 방울을 물에 떨어뜨려서 알맹이로 만든 것.
dróp shùtter 〔寫〕 초기의 카메라의 셔터.
drop·si·cal[drápsikəl/drɔ́p-] *a.* 〔病理〕 수종(水腫)의. **~·ly** *ad.* 수종처럼.
drop·sied[drápsid/drɔ́p-] *a.* =DROPSICAL.
drop·sonde[drápsànd/drɔ́psɔ̀nd] *n.* 〔氣〕 투하〔낙하〕 존데(*cf.* RADIOSONDE).
drop-sul·fur[drápsʌ́fər/drɔ́p-] *n.* 〔化〕 입자꼴 유황(녹여서 물에 떨어뜨려 작은 낟알처럼 된).
drop·sy[drápsi/drɔ́p-] *n.* U 〔病理〕 수종(水腫)(증).
dropt[drapt/drɔpt] *v.* DROP의 과거·과거분사.
dróp tàble (벽에 고정시킨) 접탁자(쓰지 않을 때는 접어서 벽에 붙여 둠).
dróp tèst 낙하 시험〔테스트〕.
drop-test[dráptèst/drɔ́p-] *vt.* 낙하 테스트를 하다.
dróp tìn 〔冶〕 입자꼴 주석(녹여서 물에 떨어뜨려 알맹이가 된).
drop·wort[drápwə̀ːrt/drɔ́p-] *n.* 〔植〕 참터리풀, 독미나리 무리.
dróp zòne 〔軍〕 (낙하산) 투하〔강하〕 지역.
drosh·ky, dros·ky[dráʃki, drɔ́ːʃ-/drɔ́ʃ-], [dráski/drɔ́s-] *n.* (*pl.* **-kies**) **1** (러시아의) 무개 4륜 마차. **2** (옛 독일의) 역마차.
dro·soph·i·la[drousáfilə/-sɔ́f-] *n.* (*pl.* **~s, -lae**[-liː]) 〔昆〕 초파리.
dross[drɔːs, dras/drɔs] *n.* U **1** 〔冶〕 쇠똥, 광재(鑛滓); (특히) 떠 있는 찌꺼기, 불순물. **2** 쓸모 없는 것. **dross·y** *a.*
*__drought__[draut] *n.* C,U **1** 가뭄, 한발; (장기간의) 부족, 결핍. **2** (古) 건조; (古·方) 목마름, 갈증.
drought·y *a.* (**drought·i·er; -i·est**) 가문, 한발의; 모자라는; (古·方) 목마른.
dróught·i·ness *n.*
drouth[drauθ] *n.* (영古·미) =DROUGHT.
drouth·y[dráuθi] *a.* (영古·미) =DROUGHTY.
__drove__[1][drouv] *v.* DRIVE의 과거.
drove[2] *n.* **1** (소·돼지·양의) 떼지어 가는 무리(⇨group); 몰려 움직이는 인파. **2** (석수가 쓰는) 굵은 정(=∠ **chìsel**); (돌의) 거칠게 다듬은 면(=∠ **wòrk**). **in droves** 떼를 지어; 함께 몰려. ― *vt.* (영) 〈가축의 무리를〉 몰고 가다.
dro·ver[dróuvər] *n.* 가축을 시장으로 몰고 가는 사람, 가축 상인.
dróve ròad〔**wày**〕 가축을 몰고 가는 길.
__drown__[draun] *vt.* **1** a 물에 빠져 죽게 하다, 익사시키다: ~ kittens 고양이 새끼를 물에 빠뜨려 죽이다. b (~ one*self* 로) 투신(자살)하다: (Ⅲ (목)+전+명) A woman ~*ed* herself *in* the river. 한 여자가 그 강에 투신했다. **2** (종종 수동형) 물바다가 되게 하다, 침수시키다(*by, in*): Her eyes were ~*ed in* tears. 그녀의 눈은 눈물에 젖어 있었다. **3** 〈식품에〉 …을 잔뜩 치다(*with*). **4** 〈시끄러운 소리가 작은 소리를〉 안 들리게 하다(*out*). **5** 〈근심·걱정을〉 잊게 하다(*in*): He tried to ~ his trouble *in* drink. 그는 괴로움을 술로 달래려고 했다. **6** (~ one*self* 로) …에 몰두하다, …에 전렴하다(*in*): He ~*ed* himself *in* work. 그는 일에 몰두했다. **drown oneself in drink** 술에 빠지다. **drown out** 떠내려 보내다; (미口) 〈소리를〉 안 들리게 하다. ― *vi.* 물에 빠져 죽다, 익사하다. (◇ (미)에서는 *vt.* 1보다 *vi.*를 쓰는 것이 일반적임): (Ⅲ *v*Ⅰ+전+(목)) ((주)-*ing*(*p.*)+명) A ~*ing* man will catch at a straw. (속담) 물에 빠진 사람은 지푸라기라도 붙잡는다.
drowned *a.* **1** 물에 빠져 죽은: a ~ body 익사체. **2** …에 빠진, 몰두하고 있는: be ~ in sleep 깊이 잠들어 있다.
drown·ing[dráuniŋ] *a.* 물에 빠져 있는; (미俗) 혼란한, 이해할 수 없는.
drown·proof·ing[∠prùːfiŋ] *n.* U 〔水泳〕 익사 방지 부유법(浮遊法).
drowse[drauz] *vi., vt.* 꾸벅꾸벅 졸다, 깜박 졸다; 졸게 하다, 졸며 〈시간을〉 보내다, 취생몽사하다(*away*). ― *n.* U 졸음, 선잠.
drows·i·head[dráuzihèd] *n.* (古) =DROWSINESS.
drows·i·ly *ad.* 졸린듯이, 꾸벅꾸벅, 잠결에; 나른하게.
drows·i·ness *n.* U 졸음; 나른.
*__drows·y__[dráuzi] *a.* (**drows·i·er; -i·est**) **1** 졸리는; 잠오는 듯한, 꾸벅꾸벅 조는. **2** 나른한, 졸음을 자아내는. **3** 조는 듯한, 〈거리 등이〉 활기가 없는.
drows·y-head[-héd] *n.* 졸리는〔깨나른한〕 듯한 사람, 잠꾸러기.
Dr. Strángelòve =STRANGELOVE.
drub[drʌb] *vt., vi.* (**~bed; ~·bing**) (몽둥이 등으로) 때리다, 치다(beat); 〈발을〉 구르다(*with*); 〈생각을〉 강압적으로 주입하다(*into*), 〈생각을〉 나무라서 버리게 하다(*out of*); 지게 하다, 압승하다. **drúb·ber** *n.*
drub·bing[drʌ́biŋ] *n.* U,C 몽둥이로 때림, 구타; 대패(大敗).
drudge[drʌdʒ] *n.* 〈단조롭고 힘든 일을〉 지멸있게 하는 사람. ― *vt.* 〈싫은〔괴로운〕 일을〉 꾸준히 하다, 악착스럽게 일하다(toil) (*at*).
drúdger[drʌ́dʒər] *n.*
drudg·er·y[drʌ́dʒəri] *n.* U (단조로운) 천역, 고된 일(*cf.* SLAVERY).
drudg·ing·ly[drʌ́dʒiŋli] *ad.* 꾸준히 일하여; 노예처럼, 고되게; 단조롭게.
__drug__[drʌg] *n.* **1** 약, 약제, 약품(주로 「마약」의 뜻으로 많이 씀)(⇨medicine); (*pl.*) (미) (치약 등) 위생 약품. **2** 마약, 마취제(narcotic). **a drug on**〔**in**〕 **the market** 체화, 안 팔리는 상품. **the drug habit** 마약을 상용하는 버릇. ― (**~ged; ~·ging**) *vt.* **1** …에 약을 타다; 〈음식물에〉 독약을〔마취제를〕 넣다. **2** 약을〔특히 마취제를〕 먹이다. **3** 싫증나게 하다(cloy). ― *vi.* 마약을 상용하다.
drúg àddict〔**fìend**〕 마약 중독자.
drúg bùster (미) 마약 단속관.
drúg desìgn 〔藥〕 약제 설계(유효성을 높이기 위한 종합적 개발 검토).
drug·get[drʌ́git] *n.* (인도산의) 거친 융단, 옛날의 나사(羅紗)의 일종.
*__drug·gist__[drʌ́gist] *n.* (주로 미·스코) 약제사((영) chemist); 약종상, 매약업자((영)

chemist); 드러그스토어의 주인.
drug·gy[drʌ́gi] ⦅미⦆ *n.* (*pl.* **-gies**) 마약 중독자. ── *a.* 마약(상용)의.
drúg interáction 〔藥〕 약물 상호 작용.
drug·maker *n.* 약제사; 제약업자.
drug·o·la[drəgóulə] *n.* ⦅미俗⦆ (경찰이나 당국에 바치는) 마약 판매 묵인 청탁 뇌물.
drúg pùmp 〔醫〕 약 펌프⦅혈관 주사용⦆.
drug·push·er[drʌ́gpùʃər] *n.* ⦅口⦆ 마약 밀매(密賣)자.
drug·ster[drʌ́gstər] *n.* 마약 중독자.
⁑**drug·store**[drʌ́gstɔ̀ːr] *n.* ⦅미⦆ 드러그스토어(⦅영⦆ chemist's shop)⦅◇ 미국에서는 약품류 이외에 일용 잡화·화장품·담배·책·소다수·커피 등도 판다⦆.
drúgstore cówboy ⦅미俗·캐나다俗⦆ 옷차림만의 카우보이; 드러그스토어에서나 어정거리는 건달.
dru·id[drúːid] *n.* **1** (종종 **D-**) 고대 Gaul 및 Celt 족의 드루이드교의 사제(司祭)⦅예언자·시인·재판관·마법사 등을 포함⦆. **2** (고대 Wales의) 예술제(eisteddfod)의 임원. **3** (**D-**) 드루이드 공제 조합 회원.
dru·id·ic, -i·cal[-ik], [-əl] *a.* DRUID의.
dru·id·ism *n.* Ⓤ 드루이드교.
⁑**drum**[1] [drʌm] *n.* **1** 북, 드럼(*cf.* SNARE DRUM); (*pl.*) (오케스트라·악대의) 드럼부; 〔軍〕 고수(=DRUMMER). **2** 북소리, 북소리 비슷한 소리; 알락해오라기의 울음소리. **3** 〔解〕 (귀의) 중이(中耳), 고실(鼓室), 고막; 〔動〕 고상(鼓狀)기관. **4** (기계의) 몸통; 원통형 용기, 드럼통; 돔 지붕을 받치는 원통형 구조물; (연발총의) 원반형 탄창. **5** ⦅영俗⦆ 집, 하숙집; 방; 매춘굴; ⦅미俗⦆ 술집, 바, 나이트 클럽. **6** ⦅오스俗⦆ 경보, 정보, 예상. **7** 〔컴퓨터〕 자기 드럼. **bass** 〔**side**〕 **drum** (오케스트라 용) 큰〔작은〕 북. **beat the drum** ⦅口⦆ 요란하게 선전〔지지〕하다, 뽐내다⦅*for*⦆. **double drum** 양면 북. **with drums beating and colors flying** 북을 치고 깃발을 휘날리며 〈입성하다 등〉. ── (**~med**; **~·ming**) *vi.* **1** 북을 치다. **2** 둥둥〔쿵쿵〕 치다〔때리다, 발을 구르다〕⦅*with, on, at*⦆: ~ *on* the piano〔*at* the door〕 피아노를〔문을〕 쾅쾅〔탕탕〕 치다/~ *on* a table with one's fingers 손가락으로 테이블을 탕탕 치다. **3** 북을 쳐서 모으다; 선전하다, 팔러 돌아다니다⦅*for*⦆: ~ *for* a new model 신제품을 선전하다/~ *for* new subscribers 신규 구독자를 모으러 다니다. **4** 〈새·곤충이〉 윙윙 날개 소리를 내다. ── *vt.* **1** 〈곡을〉 북을 쳐서 연주하다. **2** 등등〔쿵쿵〕 소리를 내다⦅*with*⦆. **3** 북을 쳐서 모으다. **4** (귀가 따갑도록) 되풀이하여 …하게 하다⦅*into*⦆, 강압적으로 주입하다, 〈머리에〉 쑤셔넣다⦅*into*⦆: ~ an idea *into* a person …에게 어떤 생각을 주입시키다/~ a person *into* apathy 잔소리를 자꾸 하여 …을 무관심하게 만들다. **5** ⦅미俗⦆ 선전하며 돌아다니다, 장려하다. **drum down** 침묵시키다. **drum** a person **out of** ⦅원래⦆ 북을 쳐서 …을 군대에서 추방하다; (불명예 등으로) …을 …에서 추방〔제명〕하다: be *drummed out of* school 퇴학당하다. **drum up** 북을 쳐 불러 모으다; ⦅미口⦆ …을 선전하다, 권유하며 다니다.
drum[2] *n.* =DRUMLIN.
drum·beat[ˊbìːt] *n.* 북소리; 북을 한번 치기〔두드리기〕; 요란히 창도하는 주의〔정책〕.
drum·beat·er[ˊbìːtər] *n.* ⦅口⦆ 광고〔선전〕 담당자(advertiser); (주의·정책 등의) 열성적 창도자; 〔라디오·TV〕 광고 아나운서.
drum·beat·ing[ˊbìːtiŋ] *n.* ⦅口⦆ 요란하게 주장하는 일; 선전, 광고.
drúm còrps 고수대(鼓手隊), 군악대.
drum·fire[ˊfàiər] *n.* Ⓤ (북의 연타에 의한) 맹렬한 집중 포화; (질문·비판·선전 등의) 집중 공격.
drum·fish[ˊfìʃ] *n.* (*pl.* **~, ~·es**) 〔魚〕 민어과(科)의 물고기⦅미국산; 북소리 같은 소리를 냄⦆.
drum·head[ˊhèd] *n.* **1** 북 가죽. **2** 〔解〕 고막(eardrum). **3** 〔海〕 캡스턴(capstan)의 머리 부분.
drúmhead cóurt-martial 〔軍〕 전지 (임시) 군법 회의.
drum·lin[drʌ́mlin] *n.* 〔地質〕 빙퇴구(氷堆丘) ⦅표적물(漂積物)로 된 타원형의 구릉⦆.
drúm májor 군악대장, 고수장, 악장.
drúm majorétte (군악대의) 여자 악장(baton twirler).
∗**drum·mer**[drʌ́mər] *n.* **1** (특히 군악대의) 고수, 드러머. **2** ⦅미⦆ 지방 순회 상인⦅원래 북으로 고객을 끌었음⦆, 출장 판매인, 외판원(⦅영⦆ commercial traveler); ⦅俗⦆ 도둑.
drúm prìnter 〔컴퓨터〕 드럼식 인쇄 장치.
drum·roll[ˊròul] *n.* 〔樂〕 드럼 트레몰로.
drum·stick[ˊstìk] *n.* **1** 북채. **2** 〔料理〕 닭·오리 등의 다리⦅북채와 비슷하여⦆.
drúm tàble 서랍 달린 회전식 둥근 테이블.
★**drunk**[drʌŋk] *v.* DRINK의 과거분사. ── *a.* **1** (술에) 취한(intoxicated; *cf.* DRUNKEN)⦅◇ '그는 취해 있었다'는 He was drunk.로 씀. *He was drunken.이라고는 하지 않음⦆. **2** 도취된⦅*with*⦆. (**as**) **drunk as a fiddler**〔**lord, fish**〕 만취하여. **be drunk** 취해 있다. **dead** 〔**beastly, blind**〕 **drunk** 곤드레만드레 취하여. **get drunk** 취하다. ── *n.* ⦅口⦆ **1** 술주정뱅이; 술 사고. **2** 술좌석, 주연.
∗**drunk·ard**[drʌ́ŋkərd] *n.* 술고래, 주태백이.
∗**drunk·en**[drʌ́ŋkən] *v.* DRINK의 과거분사. ── *a.* 술취한, 만취한(*opp.* sober; *cf.* DRUNK), 술주정뱅이의; 술로 인한: ~ driving 음주운전. **~·ly** *ad.* 취해서, 술로 인하여. **~·ness** *n.*
drunk·om·e·ter[drʌŋkámitər/-kɔ́m-] *n.* ⦅미⦆ 취도(醉度) 측정기(⦅영⦆ Breathalyzer).
drúnk tànk ⦅미俗⦆ 주정뱅이 유치장.
dru·pa·ceous[druːpéiʃəs] *a.* 〔植〕 핵과(核果)성의, 다육과(多肉果)의; 핵과를 맺는.
drupe[druːp] *n.* 〔植〕 핵과, 다육과(plum, cherry 등).
drupe·let, drup·el[drúːpəlit], [-əl] *n.* 〔植〕 소(小)핵과.
Drú·ry Láne (Théatre) (the ~) 런던의 유명한 극장⦅17세기 창립⦆.
Druse[druːz] *n.* 드루즈파⦅회교의 과격파⦆.
druth·ers[drʌ́ðərz] *n.* ⦅미方·口⦆ 선택, 좋아함.
dru·zhin·nik[druːʒíːnik] [Russ] *n.* (*pl.* **-*ni·ki***[-niki]) (소련의) 민간 경비대원.
DRX drachma〔drachmas, drachmae〕.
★**dry**[drai] *a.* (**drí·er**; **-est**) **1** 마른, 물기 없는(*opp.* wet); 말린 〈목재 등〉; 마른 것으로 만든; 건성(乾性)의, 건질의, 가래가 나오지 않는: a ~ house 습기 없는 집/a ~ cough 마른 기침. **2** 가문; 건조성의; 갈수(渴水)의, 말라붙은; 고체의(*cf.* LIQUID): a ~ season 건조기, 갈수기. **3** 물〔젖〕이 안 나는 〈우물·젖소 등〉; 목마른. **4** 눈물을 흘리지 않는, 눈물나게 하지 않는, 정다운 맛이 없는, 냉담한; 무미건조한. **5** 〈사실 등이〉 적나라한, 노골적인; 무뚝뚝한; 편견이 섞이지 않은; 욕심에 사로잡히

지 않은; 〔美〕 아취(雅趣)가 없는. **6** 〈술이〉 맛이 쓴〔산뜻한〕, 톡 쏘는 풍미의, 달콤한 종류가 아닌(*opp.* sweet). **7** 《미口》 금주의, 금주법을 실시〔찬성〕하는, 금주파의, 술을 내지 않는 〈파티〉(*opp.* wet) : a ~ town 금주 도시. **8** 《軍俗》 실탄을 사용하지 않는: 연습의. **9** 버터를 바르지 않은: ~ bread 〔toast〕 버터 바르지 않은 빵〔토스트〕. **10** 얻는 것이 없는: a ~ press conference 수확이 없는 기자 회견. **die a dry death** (익사나 유혈이 아니라) 천수를 다하여 죽다. **dry as a bone** 바싹 마른. **dry behind the ears** 《미口》 다 자란, 버젓한, 경험을 쌓은. **dry cup** (의료용의) 흡각(吸角). **dry fruit** 말린 과일, 〔植〕 건과(乾果). **dry humor** 정색을 하고 하는 농담. **dry light** 그림자가 없는 광선; 편견 없는 견해. **dry lodging** 잠만 자는 하숙. **dry money** (소규모 연극 등의) 현금 수입액. **dry thanks** 빈 인사. **dry wares** 잡곡류. **go dry** 금주법을 시행하다; 술 없이 지내다. **not dry behind the ears** 미숙한, 풋내기의. **run dry** 〈물〔젖〕이〉 마르다.

— (**dried**) *vt.* **1** 말리다, 널다; 탈수하다. **2** 닦아 말리다; 〈눈물을〉 닦아내다, 훔치다: ~ oneself 몸의 물기를 닦다/~ one's hand *on* a towel 타월로 손을 닦다. **3** 〈식품을 보존하기 위해〉 말리다(*cf.* DRIED). — *vi.* 마르다, 물기가 빠지다; 고갈되다, 바싹 마르다. **dry off** 바싹 말리다〔마르다〕. **dry out** (완전히) 말리다, 마르다; 《口》 〈중독자가〉 금단 요법을 받다〔받게 하다〕; 알콜〔마약〕 의존에서 탈피하다. **dry** one's **tears** 눈물을 닦다; 한탄을 그치다. **dry up** (1) 바싹 말리다〔마르다〕, 물기를 닦다. (2) 사상이 고갈되다. (3) 《口》 말을 그치다, 입을 다물다; 말이 그치다: *Dry up!* 입 다물어!, 떠들지 마라! (4) 〔劇〕 대사를 잊다.

— *n.* **1** (*pl.* **dries**) 가뭄, 한발(drought); 건조 상태(dryness): in the ~ 젖지 않고. **2** 〔氣〕 건조기. **3** (*pl.* ~**s**) 《미口》 금주(법 찬성)론자(*opp.* wet). **drý·a·ble** *a.*

dry·ad[dráiəd, -æd] *n.* (*pl.* ~(**e**)**s**) 〔그神〕 드리아드《나무·숲의 요정》(*cf.* NAIAD, OREAD). **dry·ad·ic**[-ǽdik] *a.*

drý área 〔建〕 드라이 에어리어《지하실의 환기·채광을 위하여 만들어 놓은 도랑》.

dry·as·dust[dráiəzdʌ̀st] *a.* 무미건조한. — *n.* (종종 **D-**) 너무 학구적·현학적이며 인간미 없는 학자《고고학자·통계학자 등》.

drý ávalanche (지진·사태 등으로 인한) 토석류(土石流), 암설류(岩屑流).

drý bàttery 〔電〕 건전지.

drý bòb[ˊbɑ̀b/ˊbɔ̀b] 《영俗》 (Eton 교의) 크리켓〔럭비〕부원(*cf.* WET BOB).

dry-boned[ˊbòund] *a.* 뼈와 가죽만 남은, 바짝 마른.

dry-bones[ˊbòunz] *n. pl.* (단수 취급) 바짝 마른 사람, 말라깽이.

dry·brush[dráibrʌ̀ʃ] *n.* 드라이브러시《안료나 그림 물감을 조금 칠한 브러시로 문질러 그리는 그림 작법의 하나》.

dry-bulb[ˊbʌ̀lb] *a.* 건구식(乾球式)의.

drý-bulb thermómeter 건구식 온도계.

drý cèll 〔電〕 건전지《단체(單體)》.

dry-clean[ˊklíːn] *vt.* 드라이클리닝하다. — *vi.* 드라이클리닝되다.

drý cléaner 드라이클리닝 약품《벤진·나프타 등》; 드라이클리닝업자.

drý cléaning 드라이클리닝(한 세탁물).

dry-cleanse[ˊklénz] *vt.* = DRY-CLEAN.

dry-cure[ˊkjúər] *vt.* 〈고기·물고기 등을〉 소금에 절여 말리다, 포(脯)로 하다, 말려 저장하다(*cf.* PICKLE).

*****Dry·den**[dráidn] *n.* 드라이든 John ~《영국의 시인·극작가·비평가(1631-1700)》.

drý distillátion 〔化〕 건류(乾溜).

drý dòck 〔海〕 건(乾)독, (보통 말하는) 독, 건선거(乾船渠): in ~ 《口》 실업하여; 입원하여.

dry-dock[ˊdɑ̀k/ˊdɔ̀k] *vt., vi.* 건독에 넣다〔들어가다〕.

drý dýeing (섬유의) 건식 염색.

dry·er[dráiər] *n.* = DRIER.

dry-eyed[dráiàid] *a.* 울지 않는, 냉정한.

drý èyes 〔醫〕 건조성 각(角)결막염, 건각결막염.

drý fàrm (건조지의) 건지(乾地) 농장.

dry-farm[ˊfɑ̀ːrm] 《미·캐나다》 *vt.* 〈토지·작물을〉 건지 농법으로 경작〔재배〕하다. — *vi.* 건지 농법을 쓰다.

dry-farmýer *n.* 《미·캐나다》 건지 농법을 쓰는 사람〔농가〕.

drý fárming 《미·캐나다》 건지(乾地) 농법 《수리 시설이 없거나 비가 적은 토지의 경작법》.

drý-fly físhing[dráiflài-] 물 위에 띄워서 낚는 제물 낚시질(*opp.* wet-fly fishing).

drý fóg 〔氣象〕 건무(乾霧).

dry-foot[ˊfùt] *ad.* 발을 적시지 않고.

drý gòods 《미·캐나다》 직물, 포목, 의류; 《영》 곡물, 건물류: a ~ store 포목점, 피륙점.

dry gulch[ˊgʌ̀ltʃ] *vt.* **1** 《미》 죽이기 위해서 숨어 기다리다. **2** 《미口》 갑자기 태도를 바꾸어 배반하다.

dry·house[ˊhàus] *n.* (*pl.*-**hous·es**[-hàuziz]) (공장 등의) 건조실(drying room).

drý íce 드라이아이스.

dry·ing[dráiiŋ] *n.* Ⓤ 건조. **summer drying** (옷·가구 등의) 한여름에 볕 쬐기. — *a.* 건조용의; 건조성의: a ~ house 건조장〔실〕/a ~ machine 건조기/a ~ wind 세탁물이 잘 마르는 바람.

dry·ish[dráiiʃ] *a.* 덜 마른.

drý kíln (목재의) 건조로(爐).

drý lánd (강수량이 적은) 건조 지역; (바다 등에 대하여) 육지.

drý·land fàrming 건지 농법《강우량이 적은 지역에서 하는 경작법의 하나》.

*****dry·ly**[dráili] *ad.* 건조하여; 무미건조하게; 냉담하게.

drý másonry (돌담을 시멘트·모르타르 없이) 돌로만 쌓기.

drý méasure 건량(乾量)《건조된 곡물·과실 등의 계량; *cf.* LIQUID MEASURE》.

drý mílk 분유《dried milk, milk powder, powdered milk 라고도 함》.

drý mòp (방바닥 등을 닦는) 자루 달린 걸레.

dry·ness[dráinis] *n.* 건조(한 상태); 무미건조; 냉담, 정열이 없음; 금주.

drý nùrse 1 (젖을 먹이지 않는) 보모(*cf.* WET NURSE). **2** 《口》 (미숙한 상관의) 보좌역.

dry-nurse[ˊnə̀ːrs] *vt.* 〈유아를〉 보육하다.

drý plàte 〔寫〕 건판.

dry·point[ˊpòint] *n.* 드라이포인트《동판 조각 바늘》; 드라이포인트 요판화; Ⓤ 드라이포인트 동판 기법, 요판(凹版) 조각법.

drý rót 1 (균류에 의한) 마른 목재의 부패. **2** (도덕적·사회적) 퇴폐, 부패(*in*).

dry-rot[ˊrɑ́t/ˊrɔ́t] *vt.* (~·**ted**; ~·**ting**) **1** 건조 부패시키다. **2** 〈사회 등을〉 부패〔타락〕시키다.

drý rún *n.* **1** 〔軍〕 실탄 없이 하는 사격〔폭격〕 연습. **2** 《口》 예행 연습, 리허설; 시운전.

3 《卑》 피임기구를 사용하는 성교. — *vt.* 《口》 …의 예행〔사격〕 연습을 하다.
dry-salt[╰sɔ̀:lt] *vt.* =DRY-CURE.
dry·salt·er[╰sɔ̀:ltər] *n.* 《영》 건물(乾物) 장수 《절임·통조림·약품·염료·기름 등을 파는》.
dry·salt·er·y[-təri] *n.* U,C 《영》 건물상(乾物商)(《미》 grocery); 건물류(《미》 dry-cured foods).
dry-shod[╰ʃɑ̀d/╰ʃɔ̀d] *a., ad.* 신〔발〕을 적시지 않는〔않고〕.
drý sìnk (19세기의) 목재 부엌 싱크《위에 금속제의 물받이 통이 있고 아래에 찬장이 붙음》.
dry-ski[╰skí] *a.* 옥내〔인공설면〕에서 스키 연습을 하는.
drý skíd (자동차 등의) 건조한 도로면에서의 슬립, 타이어의 미끄러지기.
dry-skid[╰skìd] *vi.* 〈자동차 등이〉 건조한 도로상에서 슬립하다.
dry-snap[╰snæ̀p] *vt.* 〈권총으로〉 공포 사격하다, 탄창이 비었을 때 방아쇠를 당기다.
drý stóve (선인장 등의) 건조 식물용 온실.
dry-up *n.* 〔劇〕 **1** 대사를 잊음. **2** 각본에 없는 말이나 우스운 짓으로 상대역을 웃기어 연극의 진행을 중단시킴.
drý wáll 〔建〕 (시멘트·모르타르 없이 쌓은 자연석의) 돌담; 《미》 건식 벽체(壁體)《회반죽을 쓰지 않고 벽판이나 플라스틱 보드로 만든 벽》. **dry·wall**[╰wɔ̀l] *a.* 건식 벽체의.
drý wàsh 아직 다리지 않은 마른 세탁물.
drý wéight 〔宇宙〕 건조 중량《연료·승무원·소모품을 제외한 우주선·로켓의 중량》.
DS depositary shares 〔證券〕 예탁주식. **d.s.** days after sight 〔商〕 일람후 …일; document signed. **D.S.** Doctor of Science; Dental Surgeon; dal segno. **D. Sc.** Doctor of Science. **D.S.C.** Distinguished Service Cross 〔軍〕 청동수훈 십자장. **DSL** deep scattering layer 〔地質〕 심해 산란층. **D.S.M.** 〔軍〕 Distinguished Service Medal. **DSN** 〔宇宙〕 deep space network. **D.S.O.** Distinguished Service Order 〔영軍〕 수훈장(殊勳章). **d.s.p.** *decessit sine prole*(L=died without issue). **DSS** 〔컴퓨터〕 decision support system. **D.S.T.** Daylight Saving Time.
'dst[dst] wouldst, hadst의 단축형.
d.t., D.T. *delirium tremens.*
d.t.s, D.T.s *n. pl.* (보통 the ~) 《口》 = DELIRIUM TREMENS.
D.Th. Doctor of Theology. **Du.** Duke; Dutch.
du·ad[djú:æd] *n.* 한 쌍, 2개 1조; 〔化〕 2가(價) 원소(*cf.* DYAD).
*__du·al__[djú:əl] [L] *a.* **1** 둘의; 둘을 나타내는, 양자의. **2** 이중의(double, twofold); 두 부분으로 된; 이원적(二元的)인: a ~ character〔personality〕 이중 인격/~ nationality 이중 국적. **3** 〔文法〕 양수(兩數)의. — *n.* 〔文法〕 양수(형)《옛 영어의 *wit*(=we two) 등》. **~·ly** *ad.*
dúal cárriageway 《영》 =DIVIDED HIGHWAY.
dúal cítizenship 이중 시민권(dual nationality)《두 나라 이상의》.
dúal contról 이중 관할, 양국 공동 통치; 〔空〕 이중 조종 장치.
du·al·in, -ine[djú:əlin], [-lì:n, -lin] *n.* 듀얼린《초석·니트로글리세린·톱밥을 섞어 만든 폭약》.
du·al·ism[djú:əlìzəm] *n.* **1** 이중성, 이원(二元)성. **2** 〔哲〕 이원설〔론〕(*cf.* MONISM, PLURALISM); 〔宗〕 이원교; 〔神學〕 그리스도 이성론(二性論). **-ist** *n.* 이원론자.
du·al·is·tic[djù:əlístik] *a.* 이원적인, 이원론의: the ~ theory 이원설.
du·al·i·ty[dju:ǽləti] *n.* (*pl.* **-ties**) U,C 이중〔이원〕성; 〔數·論〕 쌍대성(雙對性).
du·al·ize[djú:əlàiz] *vt.* 이중으로 하다, 겹치다, 이원적이라고 간주하다.
Dúal Mónarchy (the ~) 〔史〕 이중 군주국 《1867-1918년의 오스트리아-헝가리 제국》.
dúal númber 〔文法〕 양수(兩數)《둘 또는 한 쌍을 표시함; *cf.* SINGULAR, PLURAL》.
dúal personálity 〔心〕 이중 인격.
dúal prícing (포장 상품에 제품 가격과 단위 중량당 가격을 표시하는) 2중 가격 표시.
dúal pùmp 복식 펌프.
du·al-pur·pose *a.* 이중 목적의(*cf.* MULTIPURPOSE).
dúal slálom =PARALLEL SLALOM.
dub[1] [dʌb] *vt.* (~**bed**; ~**·bing**) **1** 《文語·古》 (국왕이 칼로 어깨를 가볍게 치고) KNIGHT 작위를 주다: (《V (목)+명》) The king ~*bed* him (a) knight〔Knight〕. 국왕은 그에게 나이트 작위를 수여했다/(《Ⅱ *be pp.*+명》) He was ~*bed* a knight. 그는 나이트 작위를 받았다. **2** 〈새 이름·별명·명칭을〉 주다, 붙이다, 〈…을 …이라고〉 부르다: (《V (목)+명》) They ~*bed* him a quack. 그들은 그를 돌팔이 의사라고 불렀다. **3** (두들기거나 문지르거나 다듬어서) 마무르다. **4** 〈파리 낚시의 파리를〉 달다. **5** 〈가죽에〉 기름 칠을 하다, 〈목재 등을〉 매끄럽게 하다. **6** 《俗》 〈골프 공을〉 잘못치다; 《俗》 실수하다. **dub out** 〈판자 등의 울퉁불퉁한 면을〉 평평하게 하다. **dúb·ber**[1] *n.*
dub[2] double의 단축형 *vt.* (~**bed**; ~**·bing**) **1** 〔映·TV〕 〈필름에〉 새로이 녹음하다, 재녹음하다, 더빙하다, 〈필름·테이프에〉 음향 효과를 넣다. **2** 〈복수의 사운드 트랙을〉 합성하다. **3** 〈대사를〉 다른 나라 말로 필름에 다시 녹음하다. — *n.* 재녹음, 더빙. **dúb·ber**[2] *n.*
dub[3] *vt., vi.* (~**bed**; ~**·bing**) 찌르다(*at*), 쪼다; 〈북을〉 치다. — *n.* 찌르기, 쪼기; 북치기, 북소리.
dub[4] *vi.* (다음 성구로). **dub in**〔**up**〕 〈돈을〉 전부 치르다, 기부하다.
dub[5] *n.* 《俗》 서투른〔손재주 없는〕 사람; 신참자. **flub the dub** 《미俗》 꾀피우다; 《미俗》 실수하다.
dub[6] *n.* 《영北部·方》 웅덩이(pool), 수렁.
dub[7] *n.* 〔樂〕 더브《록이나 punk에 쓰이는 사운드의 일종》.
dub. dubious. **Dub.** Dublin.
dub-a-dub[dʌ́bədʌ̀b] *n.* =RUB-A-DUB.
Du·bai[du:bái] *n.* 두바이《아랍 에미리트 연방의 주요 구성국의 하나》.
dub·bin[dʌ́bin] *n.* U, *v.* 가죽 방수유(油)(를 바르다).
dub·bing[1] [dʌ́biŋ] *n.* U **1** KNIGHT 작위 수여. **2** =DUBBIN. **3** =제물 낚시용 털.
dubbing[2] *n.* U 〔映〕 더빙, 재녹음.
Dub·cek *n.* 두브체크 Alexander ~ (1921-) 《체코슬로바키아의 정치가》.
du·bi·e·ty[dju(:)báiəti] *n.* (*pl.* **-ties**) U 《文語》 의혹, 의아스러움; C 의심스러운 것〔일〕.
du·bi·os·i·ty *n.* (*pl.* **-ties**) =DUBIETY.
*__du·bi·ous__[djú:biəs] *a.* **1** 〈사람이〉 의심을 품은, 반신반의하는(*of, about*). **2** 의심스러운, 수상쩍은: a ~ character 믿지 못할 인물, 수상쩍은 사람. **3** 〈말 등〉 진의가 분명치 않은, 모

호한, 애매한: a ~ answer 모호한 답변. **4** 〈결과 등이〉 미덥지 않은, 마음놓을 수 없는, 불안한: The result remains ~. 결과는 여전히 마음놓을 수 없다. **~·ly** *ad.* **~·ness** *n.*

du·bi·ta·ble[djú:bətəbəl] *a.* 의심스러운.

du·bi·ta·tion[djù:bətéiʃən] *n.* U,C 의심(doubt): 주저.

du·bi·ta·tive[djú:bətèitiv] *a.* 의심스러운 듯한, 의심을 표시하는, 주저하는.

*__Dub·lin__[dʌ́blin] *n.* 더블린(아일랜드 공화국의 수도: 略: Dub(l).).

du·cal[djú:kəl] *a.* 공작(duke)의: 공작다운, 공작령(領)(dukedom)의.

duc·at[dʌ́kət] *n.* **1** (옛날 유럽 대륙에서 사용한) 금화, 은화. **2** (*pl.*) 금전. **3** 《미俗》 표: 입장권: 《미俗》 조합원증.

du·ce[dú:tʃei/-tʃi] [It] *n.* **1** 수령(chief), 당수, 우두머리. **2** (Il D-, the D-) 총통(Benito Mussolini의 칭호)(*cf.* FUHRER).

Du·chénne dystrophy[du:ʃén-] 〔醫〕 뒤센형 근(筋)위축증(근 디스트로피의 일종).

duch·ess *n.* **1** 공작(duke)부인〔미망인〕. **2** 여공작(女公爵), (공국(公國)의) 여공(女公). **3** 풍채·태도가 당당하고 화사한 부인. **4** 《영俗》 행상〔도붓장수〕의 아내(dutch). **5** 편지지의 크기의 하나(5 3/4×4 3/3 인치).

du·chésse potátoes 달걀과 뒤섞은 으깬 감자(굽거나 튀김).

duch·y[dʌ́tʃi] *n.* (*pl.* **duch·ies**) **1** 공국, 공작령(dukedom)(duke, duchess의 영지). **2** 영국 왕실의 영지(Cornwall및 Lancaster).

__duck__¹ [dʌk] [OE] *n.* (*pl.* **~s, (집합적) ~) **1** 오리, 집오리: 오리〔집오리〕의 암컷(*opp.* drake): U 오리 고기, 물오리. **2** (~(s)) 《영俗》 사랑스러운 사람, 귀여운 것〔사람〕(darling)(애칭·호칭). **3** 〔크리켓〕 =DUCK'S EGG. **4** =LAME DUCK. **5** 《俗》 바보, 괴짜. **a fine day for young ducks** 비오는 날. **break one's duck** (스포츠에서) 맨처음 득점하다. **duck(s) and drake(s)** 물수제비뜨기. **in two shakes of a duck's tail** 곧, 별안간. **like a (dying) duck in a thunderstorm** 대경 실색하여, 허겁지겁. **like water off a duck's back** 아무런 감명도 주지 않고, 별 효과도 못 거두고, 마이 동풍격으로. **make ducks and drakes of money** =**play ducks and drakes with money** 돈을 물 쓰듯 하다. **pour water over a duck's back** 헛수고하다. **take to ... like a duck to water** 극히 자연스럽게 …에 착수하다: …을 좋아하다.

duck² *vi.* **1** 물 속으로(쑥)들어가다, 머리를 갑자기 물 속에 처박다: 무자맥질하다. **2** 머리를 홱 숙이다, 몸을 확 꾸부리다(*at*): 몸을 굽실 꾸부리고 달아나다: 《口》 꾸벅 절하다. **3** 《口》 〈책 임·의무·타격 등을〉 피하다, 회피하다(*out of*). ── *vt.* **1** 〈머리를〉 들었다 숙였다 하다(bob). **2** 〈남의〉 머리를 물 속에 집어넣다, 〈사람 등을 물속에〉 텀벙 밀어넣다(*in*), 살짝 물에 담그다. **3** 《口》 피하다, 회피하다: 〈타격 등을〉 피하다. ── *n.* **1** 머리〔전신〕를 숙임〔구부림〕. **2** 물 속으로 쑥 들어감.

duck³ *n.* U 면 또는 황마(黃麻)로 짠 두꺼운 천: (*pl.*) 《口》 즈크 바지.

duck⁴ [암호 DUKW에서] *n.* 《口》 수륙 양용 트럭(제2차 세계대전 때 사용).

dúck àss〔**àrse**〕 《俗》 =DUCKTAIL.

duck·bill[∠bìl] *n.* 〔動〕 오리너구리.

duck·billed[-d] *a.* 오리너구리와 같은 주둥이를 가진.

dúckbilled plátypus =PLATYPUS.

duck·boards[∠bɔ̀:rdz] *n. pl.* (진창길 등에 건너지른) 널빤지길.

dúck còurse 《미學生俗》 학점을 쉽게 딸 수 있는 대학의 수업 과목.

duck·er¹ [dʌ́kər] *n.* **1** 잠수하는 사람. **2** 잠수하는 새, 《특히》 농병아리.

ducker² *n.* 오리 치는 사람: 오리 사냥꾼.

dúck hàwk 〔鳥〕 **1** 《미》 매. **2** 《영》 개구리매.

dúck hòok 〔골프〕 *n.* 덕훅(코스에서 많이 벗어나는 훅). ── *vi., vt.* 덕훅으로 치다.

duck·ing¹ [dʌ́kiŋ] *n.* U 물오리 사냥.

ducking² *n.* U,C 물 속에 처박음: 머리〔몸통〕를 갑자기 숙임〔구부림〕: 〔拳鬪〕 밑으로 빠져 나옴, 더킹. **get a good ducking** 흠뻑 젖다. **give** a person **a ducking** …을 물 속에 처박다.

dúcking pònd 오리 사냥 못: 물고문 못.

dúcking stòol 물고문 의자(옛날에 말썽 많은 여자 등을 징계하는데 사용).

duck·leg·ged[dʌ́klégid/-légd] *a.* (짧은 다리로) 아장아장 걷는: 다리가 짧은.

duck·ling[dʌ́kliŋ] *n.* **1** 오리새끼(때로는 경멸적: *cf.* -LING 1)(*cf.* duck¹). **2** 오리새끼 고기.

duck·mole[dʌ́kmòul] *n.* =DUCKBILL.

duck·pin[dʌ́kpìn] *n.* 《미》 **1** 덕핀(일종의 십주희(十柱戲)용 핀). **2** (*pl.*: 단수 취급) 덕핀 볼링(*cf.* NINEPIN, BOWLING).

dúck's àss〔**àrse**〕 =DUCK ASS.

dúck's disèase 《익살》 짧은 다리.

dúck's ègg 《영口》 〔크리켓〕 (타자의) 영점(no runs)(영(0)이 오리 알과 같은 데서: 《미口》 goose egg).

dúck shòt 오리 사냥의 총알.

dúck sóup 《미俗》 힘들지 않는 일, 편하고 유리한 일(cinch).

duck·tail[dʌ́ktèil] *n.* 《口》 덕테일(10대 소년들이 양편 머리를 길게 해서 뒤로 돌려 합친 머리 모양).

duck·weed[dʌ́kwì:d] *n.* 〔植〕 개구리밥 무리.

duck·y[dʌ́ki] 《口》 *n.* (*pl.* **duck·ies**) 《영》 = DARLING. ── *a.* (**duck·i·er; -i·est**) 귀여운: 유쾌한, 즐거운.

duct[dʌkt] *n.* **1** 송수관(送水管). **2** 〔生理〕 도관(導管), 수송관: 〔植〕 도관, 맥관. **3** 〔建〕 암거(暗渠): 〔電〕 선거(線渠), 덕트.

-duct[dʌkt] 《연결형》 「…관(管)」의 뜻: aque*duct*, via*duct*.

duc·tile[dʌ́ktil] *a.* **1** 〈금속이〉 두들겨 펼 수 있는, 연성(延性)이 있는. **2** 〈진흙 등이〉 어떤 모양으로도 되는, 유연한. **3** 양순한, 유순한, 고분고분한.

duc·til·i·ty[dʌktíləti] *n.* **1** 연성(延性), 전성(展性): (아스팔트의) 신도(伸度). **2** 유연성. **3** 양순한 성품(docility).

duct·less[dʌ́ktlis] *a.* 도관이 없는.

dúctless glánd 〔解〕 내분비선(갑상선·뇌하수체·생식선 등).

duct·work *n.* (환기·난방 따위의) 덕트라인.

dud[dʌd] 《俗》 *n.* 쓸모없는 것〔사람〕: 불발탄: 실패, 실망: (보통 *pl.*) 의복, 헝겊, 누더기(rags): (*pl.*) 소지품(belongings). ── *a.* 쓸모없는, 가짜의, 무익한: ~ coin 《미》 위조 화폐.

dude¹ [dju:d] *n.* **1** 《미俗·稀》 젠체하는 사람: 멋쟁이(dandy). **2** 《미西部》 동부의 도회지 사람: 《특히》 서부의 목장에 놀러 오는 동부의 관광객. ── *vi.* 《미口》 성장(盛裝)하다(*up*).

dude² *n.* 《미俗》 친구: 사람: (호칭으로써) 벗: 패거리.

dúde rànch 《미》 (휴가 이용객을 상대로 하

는) 관광 목장.

dud·geon¹[dʌ́dʒən] *n.* Ⓤ (또는 a ~) 노여움, 분격. ◇다음 성구로. **in (a) high〔great, deep〕 dudgeon** 몹시 화를 내어.

dudgeon² *n.* 《古》 (회양목 등의) 나무 자루가 있는 단도; 《廢》 그 목재, 그 자루.

du·d(h)een[du:dí:n] *n.* 《아일》 짧은 사기 담배 파이프.

dud·ish[djú:diʃ] *a.* 《미俗》 멋쟁이의, 멋부리는.

***due**[dju:] *a.* **1** 지불 기일이 된, 당연히 치러야 할: ~ date (어음의) 만기일/This bill is ~. 이 어음은 만기가 되었다. **2** 응당 받아야 할 《*to*》: 마땅한, 당연한, 충분한, 적당한, 정당한: (Ⅱ 형+전+명) The business is ~ *to* the work being stopped. 그 일은 작업을 그만두어야 마땅하다/by ~ process of law 정당한 법절차에 따라. **3** 〈원인을 …에〉 돌려야 할《*to*》 The accident was ~ *to* the driver's failing to give a signal. 사고는 운전사가 신호를 하지 못했기 때문에 일어난 것이다. **4** 도착할 예정인; (부정사와 함께) 〈언제〉 …하기로 되어 있는: (Ⅱ 형+전+명) The train is ~ in New York at 7:10 p.m. 그 열차는 오후 7시 10분에 뉴욕에 도착할 예정이다(≒The train is ~ *to* arrive in New York at 7:10 p.m.(Ⅱ 형+*to* do))/He is ~ *to* speak tonight. 그는 오늘 밤에 연설할 예정이다. **after〔upon〕 due consideration** 충분히 고려한 뒤에. **become〔fall〕 due** 〈어음 등이〉 만기가 되다. **due to** (1) …에 기인하는, 때문인(◇ due to 보다는 owing to, because of가 더 일반적이지만, 《미口》에서는 구전치사로서 사용됨). (2) …에게 치러야〔주어야, 다해야〕 할: 〈…하는 것은〉 당연한; …할 예정인; …에 돌려야 할. **in due (course of) time** (언젠가) 때가 오면, 적당한 때에, 머지 않아.

— *n.* 당연히 지불되어야〔주어져야〕할 것, 당연한 권리; (보통 *pl.*) 부과금, 세금, 요금, 수수료, 사용료: club ~*s* 클럽의 회비. **by〔of〕 due** 《古·詩》 마땅히, 당연히. **for a full due** 〔海〕 영구히, 충분히, 전적으로. **give a person his due** …을 공정하게 다루다. **pay one's dues** 《미俗》 (1) (근면·희생 등으로) 어떤 존경〔권리, 특권(등)〕을 얻다; 책임을 다하다; 경험을 쌓다. (2) (잘못·부주의 등의) 응보를 받다. (3) 형기를 무사히 다 마치다.

— *ad.* (방위의 이름 앞에 붙여서) 정(正)〔바로〕 …(exactly): go ~ south 정남으로 가다.

dúe bìll 《미》 〔商〕 차용 증서.

***du·el**[djú:əl] [L] *n.* **1** 결투; (the ~) 결투법. **2** 투쟁; (양자 간의) 싸움; 《미》 운동 경기, 시합. — *vi., vt.* (~**ed**; ~·**ing**|~**led**, ~·**ling**) 결투하다. **~·(l)er, ~·(l)ist**[-ist] *n.* 결투자, 투쟁자. **~·(l)ing**[-iŋ] *n.* 결투(술).

dúel cítizenship 2개국 이상의 시민권을 가진 사람(의 신분).

du·en·de[du:éndei] [Sp] *n.* Ⓤ 불가사의한 매력, 마력.

du·en·na[dju:énə] *n.* **1** (스페인·포르투갈 등에서) 소녀를 감독·지도하는 부인. **2** 입주 여자 가정 교사.

dúe prócess〔cóurse〕 (of láw) 〔法〕 정당한 법의 절차(미국 헌법 제5조, 제14조).

***du·et**[djuét] *n.* **1** 〔樂〕 이중창, 이중주, 이중창〔주〕곡(*cf.* DUO), 듀엣(⇨solo); 〔舞〕 듀엣 무곡(舞曲). **2** 《익살》 두 사람만의 대화. **3** 한 쌍, 짝(pair).

du·et·tist *n.* 이중주〔이중창〕하는 사람.

du·et·to[dju:étou] [It] *n.* (*pl.* ~**s**, **-ti**[-ti:]) =DUET.

duff¹[dʌf] *n.* **1** 《영方》 =DOUGH. **2** (자루에 밀가루를 넣어서 찐) 푸딩. **3** Ⓤ 분탄(粉炭)(coal dust). **4** Ⓤ 〔生態〕 (숲 속의 땅에) 수북이 쌓인 썩은 낙엽·마른 가지(=forest ~).

duff² *n.* 《俗》 궁둥이; 자리, 좌석.

duff³ *vt.* 《俗》 〈물품을〉 속이다, 〈헌 것을〉 새 것처럼 보이게 하다(fake up); 〈골프채가 공을〉 헛치다; 《영》 때리다. — *a.* 《口》 〈품질이〉 하등인, 보잘것 없는, 가짜의. — *n.* 쓸데없는 것; 가짜, 위조품.

duf·fel, -fle[dʌ́fəl] *n.* **1** Ⓤ 두텁고 거친 나사의 일종. **2** (나사로 만든) 갈아 입을 옷; (보통 duffle) 캠핑 용구 한 벌.

duf·fel〔dúffle〕 bàg (군대·캠프용) 즈크제 원통형 낭(雜囊).

duf·fer[dʌ́fər] *n.* **1** 《口》 바보, 우둔한 사람. **2** 가짜, 가짜 돈, 가짜 그림; 쓸데 없는 것; 《오스俗》 광물이 나오지 않는 광산; 《오스俗》 소 도둑. **3** 《영》 사기꾼; 악덕상인; 행상인.

dúffle〔dúffel〕 còat 더플코트(후드가 달린 무릎까지 내려오는 코트).

***dug¹**[dʌg] *v.* DIG의 과거·과거분사.

dug² *n.* (어미 짐승의) 젖통이; 젖꼭지(teat).

du·gong[dú:gɑŋ, -gɔ:ŋ] *n.* (*pl.* ~, ~**s**) 〔動〕 듀공(sea cow)(인도양산 바다소목(目); 소위 「인어」).

***dug·out**[dʌ́gàut] *n.* **1** 움집; 참호; 〔軍〕 방공〔대피〕호; 〔野〕 더그아웃(야구장의 선수 대기소). **2** 마상이(canoe). **3** 《영俗》 (재소집된) 퇴역 장교. **4** 《미俗》 냉장고.

D.U.I. driving under the influence 음주 운전.

dui·ker(·bok)[dáikər (bɑ̀k/bɔ̀k)] *n.* 〔動〕 영양의 일종(남아프리카산).

du·ka·wal·lah[dú:kəwɑ̀lə/-wɔ̀lə] *n.* DU(K)KA 의 주인.

du(k)·ka[dú:kə] *n.* (케냐·아프리카 동부의) 작은 매점, 가게.

***duke**[dju:k/dju:k] [L] *n.* **1** 《영》 공작(*fem.* DUCHESS). **2** 〔史〕 (유럽의 공국(公國) 또는 소국(小國)의) 군주, 공(公); 대공(大公). **3** 〔植〕 듀크종의 버찌. **4** (*pl.*) 《俗》 주먹(fists), 손. **royal duke** 왕족의 공작. **the Iron Duke** = First Duke of WELLINGTON.

Duke[dju:k/dju:k] *n.* 남자 이름.

duke·dom[-dəm] *n.* **1** 공작령(領), 공국(duchy). **2** Ⓤ 공작의 지위〔신분〕.

duke-out[djúkàut] *n.* 《미俗》 서로 치고받기.

dukes-up[djú:ksʌ̀p] *a.* 《미俗》 걸핏하면 싸우는, 호전적인.

Du·kho·bor *n.* =DOUKHOBOR.

DUKW, Dukw *n.* (*pl.* ~**s**) 〔미軍〕 =DUCK⁴.

Dul·ce[dʌ́lsi] *n.* 여자 이름.

dul·cet[dʌ́lsit] *a.* 《文語》 〈듣기·보기에〉 상쾌한, 〈특히 음색이〉 아름다운, 감미로운(sweet). **~·ly** *ad.*

Dul·cie[dʌ́lsi] *n.* DULCE의 애칭.

dul·ci·fy[dʌ́lsəfài] *vt.* (**-fied**) **1** 〈기분 등을〉 상쾌〔평온〕하게 하다, 누그러뜨리다. **2** 〈맛 등을〉 감미롭게 하다.

dùl·ci·fi·cá·tion[⌐–fikéiʃən] *n.*

dul·ci·mer[dʌ́lsəmər] *n.* 〔樂〕 덜시머(세모꼴의 현(弦)이 달린 타악기의 일종; 피아노의 전신).

Dul·cin[dʌ́lsin] *n.* 둘신(감미료의 상표명).

dul·cin·e·a[dʌ̀lsiníə, dʌlsíniə] [Sp] *n.* (이상적인) 애인, 연인(Don Quixote가 동경한 시골 처녀의 이름에서).

dul·ci·tol[dʌ́lsitɔ̀(:)l, -tɑ̀l] *n.* Ⓤ 〔化〕 둘시

톨(6가의 알코올: 감미료).
*dull [dʌl] [OE] a. 1 〈칼날 등이〉 무딘. 2 〈색·빛·음색 등이〉 분명〔똑똑〕치 않은. 3 〈마음이〉 둔한, 우둔한: 멍청한. 4 예민하지 못한: 감각이 전혀 없는 〈무생물〉. 5 〈고통 등이〉 둔하게〔무지근하게〕 느껴지는: a ~ pain 무지근한 아픔. 6 〈날씨가〉 우중충한, 흐린, 후덥지근한. 7 단조롭고 지루한, 흥이 없어진, 재미 없는. 8 〈장사·사람·동물이〉 활기가 없는, 침체된, 나른한, 행동이 느린: 음울한. 9 〈상품·재고품이〉 잘 팔리지 않는: Trade is ~. 거래가 한산하다. **be dull of hearing** 잘 듣지 못하다(◇ 《미》에서는 be hard of hearing을 씀). **never a dull moment** 지루한 시간이 전혀 없는〔없이〕: 늘 무척 바쁜.
— *vt.* 1 둔하게 하다: 무디게 하다. 2 〈고통 등을〉 덜다. 3 흐리게 하다, 희미하게 하다. 4 〈지능·시력 등을〉 우둔하게 하다. 〈격한 감정 등을〉 누그러지게 하다. **dull the edge of** … 의 날을 무디게 하다: …의 감도〔쾌감〕를 덜하게 하다. — *vi.* 둔해지다.
dull·ard [dʌ́lərd] *n.* 느림보, 굼벵이, 멍청이.
dull-brained [dʌ́lbrèind] *a.* 머리가 둔한.
dull-eyed [dʌ́làid] *a.* 눈에 총기가 없는, 눈이 흐릿한.
dull·ish [dʌ́liʃ] *a.* 좀 둔한: 좀 멍청한〔모자라는〕: 흥이 없어진 듯한.
dull·ness, dul- *n.* Ⓤ 1 둔함: 둔감: 멍청함, 아둔함. 2 불경기: 느림. 3 지루함: 답답함: 침울.
dulls·ville [dʌ́lzvil] 《미俗》 *n.* (종종 D-) 지루한〔따분한〕 것〔일, 장소〕: 지루함, 따분함. — *a.* 몹시 지루한〔따분한〕.
dull-wit·ted [´-wìtid] *a.* = DULL-BRAINED.
*dul·ly [dʌ́li] *ad.* 둔하게, 멍청하게(stupidly), 활발치 못하게: 지루하게, 느릿느릿.
du·lo·sis *n.* (개미의) 노예 공생(개미의 집단이 다른 종류의 개미에 의해 노예 상태가 되는 것).
dulse [dʌls] *n.* 〔植〕 덜스(식용 홍조류(紅藻類)).
*du·ly [djúːli] *ad.* 1 정식으로: 온당하게: 정당하게, 당연히, 적당히. 2 충분히(sufficiently). 3 때에 알맞게: 기일〔시간〕대로(punctually). **duly to hand** 〔商〕 틀림없이 받음. ⊕ due *a.*
du·ma [dúːmə] *n.* 1 (보통 D-) (러시아 연방 의회의) 하원(또는 **Státe** ∠). 2 (the D-) (제정 러시아의)의회((1905-17년)).
Du·mas [djuːmɑ́ː] *n.* 뒤마 Alexandre ~ (1802-70: 1824-95)(프랑스의 같은 이름의 소설가·극작가 부자(父子)).
*dumb [dʌm] *a.* 1 벙어리의(mute), 말못하는: 벙어리와 다름없는: the ~ millions (정치적 발언권이 없는) 무언의 대중, 민중. 2 (the ~: 명사적: 복수 취급) 말 못하는 사람들: the deaf and ~ 농아자. 3 말을 하지 않는, 말 없는. 4 〈놀람 등 때문에〉 말문이 막힌〔막힐 정도의〕: 말로 표현할 수 없는. 5 소리 없는, 소리 나지 않는. 6 《미口》 우둔한(stupid). 7 〔海〕 〈배가〉 자력 추진식이 아닌. **strike** a person **dumb** …을 말문이 막히게〔깜짝 놀라게〕 하다. — *vt.* 침묵시키다. — *vi.* 잠자코 있다. — *n.* 바보: 어처구니없는 실수.
dúmb bárge = DUMB CRAFT.
dumb·bell [dʌ́mbèl] *n.* 아령: 《미俗》 바보, 멍청이.
dúmb blónde 머리가 나쁜 금발 미인.
dúmb clúck 《俗》 바보, 멍청이.
dúmb cráft 《영》 돛 없는 배, 무동력선.
dumb·er [dʌ́mər] *n.* 《미俗》 바보.
dumb·found(·er) [dʌ̀mfáund], [-ər] *vt.* 말문이 막히게〔깜짝 놀라게〕 하다, 어쩔 줄 모르게 하다.
dumb·head [dʌ́mhèd] *n.* 《미俗·스코俗》 = BLOCKHEAD.
dúmb íron (자동차의) 스프링 받침.
dumb·ly *ad.* 말없이, 묵묵히.
dumb·ness *n.* Ⓤ 1 벙어리임(muteness). 2 무언, 침묵(silence).
dum·bo [dʌ́mbou] *n.* (*pl.* ~s) 《미俗》 바보, 얼간이: (바보스러운) 실수, 잘못.
Dum·bo *n.* 《미海軍俗》 구명〔수색〕기 (특히) 비행정.
dúmb óx 《口》 (덩치가 큰) 바보.
dúmb piáno (손가락 연습용) 무음 피아노.
dúmb shòw 무언극: 무언의 손짓〔몸짓〕.
dumb·struck, -strick·en [dʌ́mstrʌ̀k], [´-strìkən] *a.* 놀라서 말도 못하는.
dumb·wait·er [dʌ́mwèitər] *n.* 《미》 식품·식기 운반용 엘리베이터(《영》 foodlift): 소형 화물 엘리베이터: 《영》 = LAZY SUSAN.
dúmb wéll 하수 처리용 우물.
dum·dum [dʌ́mdʌ̀m] *n.* 1 덤덤탄(彈)(= ∠ **búllet**)(명중하면 상처를 확대시킴). 2 《미俗》 바보.
du·met [dúːmet] *n.* 두멧선(線)(진공관·백열 전구의 봉입부재(封入部材)용 동(銅) 피막선).
dum·found(·er) [dʌmfáund(ər)] *vt.* = DUMBFOUND(ER).
Dum·fries *n.* 덤프리스(스코틀랜드의 옛 주: 그 주도). **Dumfries and Galloway** 스코틀랜드 남서부의 주(옛 주 Dumbfries에 대신하여 1975년에 신설).
*dum·my [dʌ́mi] *n.* (*pl.* **-mies**) 1 (양복점의) 인체 모형, 마네킨, (옷을 입힌) 장식용 인형, (머리 모양의) 모조대(block): (연습용) 표적 인형. 2 (사격권투미식 축구 따위의) 연습용 인형, 표적 인형. 3 모조품, 가짜: 〔映〕 대역 인형: 《영》 (젖먹이의) 고무 젖꼭지(《미》 pacifier): 〔印〕 가(假)제본된 부피 견본(pattern volume): 견본. 4 《俗》 바보, 멍청이. 5 명의〔표면〕상의 대표자, 「허수아비」, 로봇, (남의) 앞잡이: 유령 회사: 《경멸》 「벙어리」, 과묵한 사람(dumb person). 6 〔카드〕 더미, 공석(空席)(whist나 bridge에서 declarer의 파트너로, 자기의 패를 보여주고 파트너에게 게임을 맡기는 사람): 그가 가지고 있는 패. 7 〔軍〕 공포(空砲). 8 《미》 (옛날의) 무음 기관차. 9 〔컴퓨터·言〕 의사(擬似), 가상, 더미(기호)(사상(事象)과 외관은 같으나 기능은 다른 것). **double dummy** 2인 공석의 whist. **sell** 〔**give**〕 **the dummy** 〔럭비〕 공을 패스하는 체하며 상대편을 속이다. — *a.* 1 가짜의, 모조의(sham): 앞잡이의, 명의만의, 가상의: a ~ director 명목만의 중역/a ~ cartridge 공포(空包)/a ~ horse 목마. 2 〔카드〕 공석의. 3 말이 없는. — (**-mied**) *vt.* 〔製本〕 부피 견본을 만들다(*up*). — *vi.* 《俗》 입을 열지 않다(*up*).
dúmmy héad 더미 헤드(귀 부분에 마이크를 설치한 사람 머리 모양의 녹음 장치).
dúmmy rún 《영口》 공격〔상륙〕 연습, 예행 연습: 시행, 실험.
*dump[1] [dʌmp] *vt.* 1 〈짐 따위를〉 와르르 쏟아버리다: 쾅 떨어뜨리다: 쌓아 두다: 〈용기·차 등에서〉 비우다, 버리다: 〈쓰레기를〉 내버리다: ~ *out* the gravel 자갈을 와르르 쏟아 버리다/The truck ~*ed* the coal *on* the sidewalk. 트럭이 석탄을 보도에 쏟아 놓았다. 2 〔商〕 외국 시장에 헐값으로 팔다, 덤핑하다. 3 〈과잉 인구를〉 외국으로 내보내다. 4

《口》(무책임하게) 버리다. ── *vi.* **1** 털썩 떨어지다. **2** 헐값으로 팔다, 투매〔덤핑〕하다. ── *n.* **1** 덤프카, 덤프식 (손)수레(dumpcart). **2** 《미》 쓰레기 버리는 곳, 쓰레기 무더기; 버린 돌의 무더기; 〔軍〕(식량·탄약 등의) 임시 집적소. **3** 털썩, 쾅, 와르르, 찰싹(소리). **4** 《미俗》 지저분한 집〔도시, 아파트, 극장(등)〕; 건물; 《俗》 교도소; 《卑》 배변(排便). **5** 〔컴퓨터〕 (메모리) 덤프(컴퓨터에 기억시킨 정보가 인쇄된 리스트). **6** 《미俗》 뇌물을 받고 져 주는 시합; 《俗》 작은 경화; 적은 양. **7** 《미俗》 뇌물을 받고 져주는 시합. **do not care a dump** 조금도 상관치 않다.

dump² *n.* (*pl.*) 《口》 우울, 침울, 의기소침. **in the dumps** 우울하여, 울가망하여.

dúmp càr 〔鐵道〕 경사대가 달린 화차, 덤프 화차.

dump·cart[dʌ́mpkɑ̀ːrt] *n.* 《미》 덤프식 (손)수레(외바퀴 또는 두바퀴).

dump·er[dʌ́mpər] *n.* **1** 쓰레기 치우는 사람, 청소부. **2** =DUMPCART; 《미》 =DUMP TRUCK. **3** 투매자. **4** 《오스·南아》 〈파도타기나 수영을 하고 있는 사람을〉 밀어 던지는 큰 파도.

dump·i·ness *n.* Ⓤ 짧고 굵음, 뭉뚝함.

dump·ing[dʌ́mpiŋ] *n.* Ⓤ **1** 〈쓰레기 등을〉 쏟아버림: a ~ ground 쓰레기 처리장. **2** 투매, 덤핑: a ~ field 덤핑 시장, 투매 시장.

dump·ish[dʌ́mpiʃ] *a.* 우울한, 침울한, 슬픈. **~·ly** *ad.* **~·ness** *n.*

dump·ling[dʌ́mpliŋ] *n.* **1** 덤플링, 고기만두; 과일 푸딩(디저트). **2** 《口》 땅딸보.

dúmp trùck 《미》 덤프트럭, 투하식 트럭.

dump·y¹[dʌ́mpi] *a.* (**dump·i·er; -i·est**) 땅딸막한, 뭉툭한. ── *n.* (*pl.* **dump·ies**) (스코틀랜드 원산의) 다리가 짧은 닭.

dumpy² *a.* 뚱한, 우울한, 시무룩한.

dúmpy lèvel 〔測〕 망원경이 달린 수준기.

dun¹[dʌn] *vt.* (**~ned; ~·ning**) 빚독촉을 하다; 재촉하다, 괴롭히다. ── *n.* **1** 빚 독촉(장). **2** 독촉하는 사람, 빚 독촉(하는 채권)자.

dun² *a.* **1** 암갈색의. **2** 《詩》 어둠침침한, 우울한(gloomy). ── *n.* Ⓤ **1** 암갈색. **2** 〔昆〕 = MAYFLY. **3** 〔낚시〕 =DUN FLY. **4** 암갈색〔밤색〕 말, 구렁말, 자류마.

dun³ *n.* (특히 성이 있는) 언덕(hill).

Du·nant 뒤낭 Jean Hen·ry(1828~1910) 스위스의 자선 사업가; 적십자의 창립자.

Dun·can¹[dʌ́ŋkən] *n.* 남자 이름.

Duncan² *n.* 덩컨 Isadora (1878-1927)(미국의 무용가).

***dunce**[dʌns] *n.* 열등생, 저능아.

dúnce('s) càp 원추형의 종이 모자(열등생이나 게으른 학생에게 벌로 씌우는).

dun·der·head[dʌ́ndərhèd] *n.* 바보. **-héad·ed** *a.* 머리가 나쁜, 투미한.

dun·der·pate[-pèit] *n.* = DUNDERHEAD.

dun·dréar·y whískers[dʌndríəri-] (종종 D-) 《古》 (턱수염이 없는) 긴 구레나룻.

dune[djuːn] *n.* (해변 등의) 모래 언덕.

dúne bùggy 모래 언덕·모래밭 주행용 소형차.

dune·mo·bile[djùːnmóubəl] *n.* = DUNE BUGGY.

dún flỳ 〔낚시〕 거무스름한 파리낚시의 털바늘.

dung[dʌŋ] *n.* Ⓤ (마소 등의) 똥; 똥거름(manure). ── *vt.* 거름을 주다.

dun·ga·ree[dʌ̀ŋgəríː] *n.* Ⓤ 덩거리천(동인도산 거친 무명); (*pl.*) 그것으로 만든 바지(노동복).

dúng bèetle〔**chàfer**〕 〔昆〕 쇠똥구리.

dúng càrt 분뇨(운반)차.

Dún·ge·ness cráb *n.* (소형의) 식용게(북미 태평양 연안산(産)).

***dun·geon**[dʌ́ndʒən] *n.* **1** (성내의) 지하 감옥. **2** 《古》 (성곽의) 누각, 장대(將臺)(donjon). ── *vt.* 지하 감옥에 가두다(*up*).

dúng flỳ 〔昆〕 똥파리.

dúng fòrk 똥거름 젓는 갈퀴, 쇠스랑.

dung·hill[dʌ́ŋhìl] *n.* **1** 똥〔거름〕의 더미, 퇴비. **2** 쓰레기통; 지저분한 곳〔사람〕. **a cock on his**〔**its**〕 **own dunghill** (가정이나 교구(敎區)에서) 활개치는 사람, 골목대장.

dúnghill cóck〔**hén**〕 보통 닭(game fowl과 구별하여).

dung·y[dʌ́ŋi] *a.* (**dung·i·er; -i·est**) 똥 같은; 지저분한, 더러운.

du·nie·was·sal[dùːniwɑ́səl/-wɔ́s-] *n.* 《스코》 중류 신사; 명문 집안의 차남 이하의 아들.

dunk[dʌŋk] *vt., vi.* 〈빵 등을〉 커피〔홍차〕에 적시다〔담그다〕(dip); 〔籠〕 덩크 샷하다.

Dun·kirk[dʌ́nkəːrk] *n.* **1** 덩케르크(프랑스 북부의 항구 도시). **2** 필사적인 철수, 위기, 긴급 사태(제 2차 대전 때 영·불군이 이 곳에서 후퇴한 데서). ── *vi., vt.* 필사적인 철수를 하다〔시키다〕.

Dúnkirk spírit (the ~) 덩케르크 정신(위기에 처했을 때의 불굴의 정신).

dúnk shòt 〔籠〕 덩크 샷(바스켓 위로부터 꽂아넣는 샷).

dun·lin[dʌ́nlin] *n.* (*pl.* ~, ~**s**) 〔鳥〕 민물도요.

Dun·lop¹ [dʌnlɑ́p, ⌐-/dʌnlɔ́p] *n.* **1** 던롭 John Boyd ~(1840-1921)(스코틀랜드의 발명가; 공기 주입 타이어를 발명). **2** 던롭 고무 타이어(=⌐ **tíre**).

Dunlop² *n.* 던롭치즈(=⌐ **chéese**)(스코틀랜드의 Dunlop 지방 원산).

dun·nage[dʌ́nidʒ] *n.* Ⓤ **1** 《口》 수하물, 휴대품(baggage). **2** 〔海〕 짐 깔개(적하물 밑에 깔거나 사이에 끼우는 것).

dun·ner[dʌ́nər] *n.* =DUN¹ *n.* 2.

dunn·ite[dʌ́nait] *n.* 〔軍〕 고성능 D폭약.

dun·no[dʌnóu] *vt., vi.* 《口》 = (I) don't know.

dun·nock[dʌ́nək] *n.* 《영方》 =HEDGE SPARROW.

dun·ny[dʌ́ni] *n.* (*pl.* **-nies**) 《오스俗》 (옥외) 변소.

dúnny càrt 《오스》 분뇨(운반)차(night cart).

dunt[dʌnt] *n.* 〔空〕 수직 기류와의 급격한 충돌에 의한 충격.

du·o[djúːou] [It] *n.* (*pl.* ~**s, dui**[djúːi]) **1** 〔樂〕 이중주(곡)(2개의 다른 악기를 위한 악곡; 2개의 동일 악기를 위한 작품은 duet); 2부곡. **2** (연예인 등의) 짝; 콤비, 2인조. **comedy duo** 희극 2인조.

duo-[djúːou/djúː-] 《연결형》 「둘」의 뜻.

du·o·dec·i·mal[djùːoudésəməl] [L] *a.* 12분산(分算)의; 〔數〕 12진법의: the ~ system〔scale〕(of notation) 12진법. ── *n.* **1** 12분의 1. **2** (*pl.*) 〔數〕 12진법. **~·ly** *ad.*

du·o·dec·i·mo[djùːoudésəmòu] *n.* (*pl.* ~**s**) **1 a** Ⓤ 12절판(折判)(각 페이지 약 7 1/2×4 1/2 인치 크기; 略: 12mo, 12°), (흔히 말하는) 사륙판(四六判), B 6판. **b** 사륙판 책(*cf.* FOLIO). **2** 《古》 작은 사람〔것〕, 꼬마.

du·o·de·nal[djùːədíːnəl, djuːɑ́dnəl] *a.* 십이지장의.

du·o·den·a·ry[djùːədénəri, -díːn-] *a.* 〈한 단위가〉 12의; 12진법의.

du·o·de·ni·tis[djùːoudináitis] *n.* Ⓤ 〔病理〕 십이지장염.
du·o·de·num[djùːoudíːnəm, djuːɑ́dənəm] *n.* (*pl.* **-na**[-nə]) 〔解〕 십이지장.
du·o·graph[djúːəgræ̀f, -grɑ̀ːf] *n.* 〔印〕 = DUOTONE.
du·o·logue[djúːəlɔ̀(ː)g, -lɑ̀g] [*duo*+mono*logue*] *n.* (두 사람의) 대화(*cf.* MONOLOGUE); 대화극.
duo·mo[dwóumou] [It] *n.* (*pl.* **~s, -mi** [-mi]) 대교회당, 대성당.
du·op·o·ly[djuːɑ́pəli/-ɔ́p-] *n.* (*pl.* **-lies**) 〔經〕 복점(複占)《두 회사에 의한 판매 시장의 독점》; 〔政〕 양대 강국에 의한 패권.
du·o·rail[djúːourèil] *n.* 이궤(二軌) 철도.
du·o·tone[djúːətòun] 〔印〕 *n.* 2색 그림, 2색 망판, 더블톤; 더블톤 인쇄물. **—** *a.* 2색의.
dup. duplicate.
dup·a·ble[djúːpəbəl] *a.* 속기 쉬운.
dupe[djuːp] *n.* 잘 속는 사람, 얼뜨기, 얼간이, '봉'; 앞잡이, 괴뢰. **—** *vt.* 속이다.
dúp·er *n.*
dup·er·y[djúːpəri] *n.* (*pl.* **-er·ies**) Ⓤ,Ⓒ 사기.
du·ple[djúːpəl] *a.* 2배의(double).
dúple tìme 〔樂〕 **1** 2박자. **2** 《미》 짝수 박자.
du·plex[djúːpleks] *a.* **1** 이중의, 두 부분으로 된: a ~ hammer 양면 망치. **2** 〔機〕 복식의. **3** 〔電子〕 2중 통신 방식의: ~ telegraphy 2중 전신(법). **—** *n.* **1** =DUPLEX APARTMENT. **2** 《미》 =DUPLEX HOUSE. **3** 〔樂〕 2중 음표.
dù·pléx·i·ty *n.*
dúplex apártment 복식 아파트《상·하층을 한 가구가 쓰게 된 중층형(重層型)》.
dúplex hóuse 《미》 (두 세대용) 연립 주택 (《영》 semidetached).
dúplex sỳstem 〔컴퓨터〕 복식 시스템《2대의 컴퓨터를 설치하되 하나는 예비용》.
*__du·pli·cate__[djúːpləkit] [L] *a.* **1** 중복의; 이중의; 두 배의; 한 쌍의. **2** 똑같은, 꼭 닮은, 짝의: a ~ key 여벌 열쇠(*cf.* PASSKEY). **3** 복제의, 사본〔복사〕의: a ~ copy 부본, 사본; (그림의) 복제품. **4** 〔카드〕 다른 사람과 같은 패의. **—** *n.* **1** (동일물의) 2통 중의 하나, 부본, 사본; 복사, 복제, 복제품. **2** 짝을 맞추는〔이루는〕 한 쪽의 표, 전당표. **3** 동의어. **4** 〔카드〕 듀플리케이트 게임. **done**〔**made**〕 **in duplicate** 정부(正副) 2통으로 작성된. **—** *vt.* **1** 이중으로〔2배로〕 하다. **2** 복사〔복제〕하다(reproduce), 정부 2통으로 만들다. **3** 〔컴퓨터〕 복사하다.
dú·pli·cat·ing machìne 복사기(duplicator).
*__du·pli·ca·tion__[djùːpləkéiʃən] *n.* Ⓤ **1** 2배, 이중, 중복. **2** 복제, 복사; Ⓒ 복제〔복사〕품.
du·pli·ca·tor[djúːpləkèitər] *n.* **1** 복사기. **2** 복제자.
du·plic·i·ty[djuːplísəti] *n.* Ⓤ **1** 이랬다 저랬다 두 말을 함, 표리 부동, 겉 다르고 속 다름, 사기; 불성실. **2** 《古》 이중성, 중복.
du·ra·bil·i·ty[djùərəbíləti] *n.* Ⓤ 내구성, 내구력.
*__du·ra·ble__[djúərəbəl] *a.* 영속성 있는, 항구성의; 오래 견디는, 튼튼한. **—** *n.* (*pl.*) 내구(소비)재(=∠ **góods**)《주택·가구·차 등: *opp.* nondurable (goods)》. **~·ness** *n.* **-bly** *ad.* 영속〔항구〕적으로.
dúrable préss 〔紡織〕 형태 고정 가공《의복의 주름 등을 영구 가공하는 방법; 略: DP》.
du·ral[djúərəl] *n.* =DURALUMIN.
du·ral·u·min[djuərǽljəmin] *n.* Ⓤ 〔冶〕 듀랄루민《알루미늄 합금; 항공기 자재》.
du·ra ma·ter[djúərə-] [L] 〔解〕 경뇌막(硬腦膜)(*cf.* PIA MATER).
du·ra·men[djuəréimin] *n.* Ⓤ 중심 목질(木質), 목심(木心), 심재(心材), 적목질(赤木質).
du·rance[djúərəns] *n.* Ⓤ 《古》 감금, 수감. **in durance** (**vile**) (부당) 감금되어.
*__du·ra·tion__[djuəréiʃən] [L] *n.* Ⓤ **1** 계속, 지속; 존속. **2** 계속〔존속〕 기간. **for the duration** 전쟁이 끝날 때까지; (굉장히) 오랜 동안. **of long**〔**short**〕 **duration** 장기〔단기〕의. **the duration of flight** 〔空〕 항속〔체공(滯空)〕 시간.
du·ra·tive[djúərətiv] 〔文法〕 *a.* 계속상(繼續相)의《keep, love, remain, go on 등과 같이 어떤 동작·상태가 얼마 동안 계속되는 것을 나타내는 동사의 상(aspect)》. **—** *n.* 계속상(의 동사).
dur·bar[dəːrbɑːr] *n.* (인도 제후·총독 등의) 공식 접견(실).
du·ress(e)[djuərés, djúəris] *n.* Ⓤ **1** 구속, 감금. **2** 〔法〕 협박. **duress(e) of imprisonment** 감금하겠다는 협박. **under duress(e)** 협박을 받아.
dur·ex[djúəreks] *n.* 《영》 **1** (종종 **D-**) =CONDOM《상표명》. **2** 《오스》 =SELLOTAPE.
dur·gah[dúərgɑː] *n.* =DARGAH.
Dur·ham[dəːrəm, dʌ́r-] *n.* **1** 더럼《영국 북동부의 주, 그 주도; 略: Dur(h).》. **2** 더럼종의 육우.
du·ri·an, -on[dúəriən, -ɑ̀ːn] *n.* 〔植〕 듀리언《말레이 군도산의 나무 및 그 맛있는 열매》.
*__dur·ing__[djúəriŋ] *prep.* **1** (특정 기간의) …동안(내내). **2** (특정 기간) …사이에, …하는 중에 (◇ during은 특정한 기간 동안에 관하여 쓰고, for는 불특정의 기간에 관해서 씀): ~ life 〔the winter〕 평생 동안〔겨울 내내〕/He came ~ my absence. 그는 내가 없을 때에 왔다.
durn[dəːrn] *v., a., ad., n.* 《미口》 =DARN[2].
Du·roc-Jer·sey[djúərɑk-dʒə́ːrzi/-rɔk-] *n.* 미국산 듀록 저지종의 돼지《성장이 빠르고 강건함》.
dur·ra[dúərə] *n.* 〔植〕 수수의 일종.
durst[dəːrst] *v.* DARE의 과거.
du·rum[djúərəm] *n.* Ⓤ 〔植〕 (마카로니 등의 원료가 되는) 밀의 일종(=∠ **whéat**).
*__dusk__[dʌsk] *n.* Ⓤ **1** 어스름, 땅거미, 황혼(twilight)《darkness가 되기 전》. **2** 그늘(shade), 어둠(gloom). **at dusk** 해질 무렵에. **—** *a.* 《詩》 =DUSKY. **—** *vi., vt.* 《詩》 어둑해지다〔하게 하다〕, (날이) 저물어가다.
dúsk·ish *a.* ◇ dúsky *a.*
*__dusk·y__[dʌ́ski] *a.* (**dusk·i·er; -i·est**) **1** 어스레한, 어둑어둑한, 희미한. **2** (피부가) 거무스름한(*cf.* SWARTHY). **3** 음울한(sad, gloomy).
dúsk·i·ly *ad.* 어둑어둑하게, 음울하게.
-i·ness *n.*
Düs·sel·dorf[djúsəldɔ̀ːrf] *n.* 뒤셀도르프《서독 라인 강가의 항구》.
‡**dust**[dʌst] *n.* Ⓤ **1** 먼지, 티끌; (a ~) 자욱한 먼지, 흙먼지; 황진; (광산에서의) 진폐증(塵肺症). **2** 가루, 분말; 꽃가루; 《古》 입자: ~ tea 가루차. **3** 사금(=gold ~). **4** (a ~) 《文語》 흙, 땅. **5** (the ~) 《詩·文語》 시체(dead body); 인체; 인간(man). **6** 《영》 재, 쓰레기, 폐물. **7** 무가치한 것. **8** 소란, 소동, 혼란. **9** 《古俗》 돈, 현금. **10** 《미俗》 담배; 가루 마약, 코카인. **11** 〔天〕 더스트《혜성에 함유되어 있는 고체 미립자》. **after**〔**when**〕 **the dust settles** 《口》 혼란〔소동〕이 가라앉은 후에. **bite**〔**eat,**

lick, kiss〕 the dust 《口·익살》 (1) (부상 등으로) 넘어지다; 죽다, 《특히》 전사하다. (2) 패배하다, 실패하다; 굴욕을 참다. **Down with the dust!** 《俗》 돈을 내놔라. **(as) dry as dust** 《口》 무미 건조한. **dust and ashes** 깜짝 놀라게 하는 것, 실망거리. **Dust thou art, and unto dust shalt thou return.** 〔聖〕 너는 흙이니 흙으로 돌아갈 것이니라. **honored dust** 유해. **humbled in〔to〕 the dust** 굴욕을 받고. **in dust and ashes** =in SACKCLOTH and ashes. **in the dust** 죽어서; 굴욕 속에. **kick up〔make, raise〕 a dust** 소동을 일으키다. **lay the dust** 〈비가〉 먼지를 가라앉히다. **make the dust fly** 기운차게 활동하다; 싸움을 시작하다. **out of dust** 먼지 속에서; 굴욕적인 처지에서. **shake the dust off** one's **feet** =**shake off the dust of** one's **feet** 자리를 박차고 (분연히) 가버리다 《마태복음 10:14》. **throw dust in** a person's **eyes** …을 속이다.
— *vt.* **1** 〈먼지를〉 털다 (*off*): ~ (*off*) a table 테이블의 먼지를 털다. **2** 〈먼지 등을〉 뿌리다, 흩뿌리다, 끼얹다 (*with*): ~ a cake *with* sugar = ~ sugar *on to* a cake 케이크에 설탕을 뿌리다. **3** 〈살충제를〉 뿌리다, 《미口》 공중 살포하다 (sprinkle) 《*with*》: ~ plants *with* insecticide 식물에 살충제를 뿌리다. **dust back** 〔野〕 (타자를) 흠칫 몸을 젖히게 하다. **dust off** (1) 먼지를 털다 (=*vt.* 1). (2) 〈간수해둔 것을 쓰려고〉 다시 꺼내다. (3) 《野球俗》 〈투수가〉 타자(가까이)를 겨누어 투구하다. (4) 《미俗》 때리다; 지게 하다; 죽이다. **dust** a person's **jacket〔coat〕** (for him) 《俗》 두들겨 주다. **dust** a person's **pants〔trousers〕** 어린이의 궁둥이를 때리다. **dust out** 깨끗이 청소하다. **dust the eyes of** …을 속이다. **hair dusted with gray** 백발이 성성한 머리. — *vi.* **1** 〈새가〉 사욕(砂浴)을 하다, 먼지를 뒤집어 쓰다; 가루를 흩뿌리다 《*with*》: ~ *with* insecticide 살충제를 뿌리다. **2** 먼지를 털다. **3** (종종 ~ it) 《미俗》 (먼지를 털고) 황급히 가버리다. ◇ dústy *a.*
dúst bàg (전기 청소기의) 먼지 주머니.
dúst bàth (새의) 모래 덮어 쓰기, 토욕.
dust·bin[∠bìn] *n.* 《영》 쓰레기통 (《미》 trash can, garbage can).
dust·bin·man[-mən] *n.* (*pl.* **-men**) 《영》 쓰레기 수거인, 청소업자.
dúst bòwl 먼지 바람이 부는 지역, 황진지대 《미시시피 서부의 평원지대: John Steinbeck의 *The Grapes of Wrath*에서》.
dúst bòx 쓰레기통.
dust·brand[dʌ́stbrǽnd] *n.* 〔植〕 (보리의) 깜부기병, 흑수병(黑穗病).
dúst càp (망원경·카메라의) 렌즈 커버.
dúst càrt 《영》 쓰레기차 (《미》 garbage truck).
dúst chìldren 쓰레기 애들 《동남 아시아의 현지 여성과 미군 사이의 혼혈아》.
dúst chùte 건물의 쓰레기 투하 장치.
dust-cloak[∠klòuk] *n.* 《영》 =DUST-COAT.
dust·cloth[∠klɔ̀(:)θ, ∠klɑ̀θ] *n.* (*pl.* ~**s**) 걸레; (가구 등의) 먼지 막이 커버 (dust cover).
dust-coat[∠kòut] *n.* 《영》 =DUSTER 3.
dust-col·or *n.* 뿌연 갈색.
dúst còunter 계진기(計塵器).
dúst còver 1 (가구 등의) 먼지 방지용 커버. **2** =DUST JACKET.
dúst dèvil (열대 사막의) 회오리 바람.
dúst disèase 《口》 =PNEUMOCONIOSIS.

*__dust·er__[dʌ́stər] *n.* **1** 먼지 터는 사람, 청소부. **2** 먼지떨이, 총채, 먼지 소제기; 먼지 닦는 헝겊, 걸레, 《영》 칠판 지우개. **3** 《미》 먼지 막이 덧옷 (《영》 dust-coat). **4** 〔海軍〕 군함기(旗) (ensign). **5** (분말 살충제 등의) 살포기: a DDT ~ DDT살포기. **6** 《野球俗》 타자 몸 가까이를 지나는 투구 (*cf.* BEAN BALL). **7** 《미》 마른 우물. **8** 《미》 (여성의 가볍고 헐렁한) 여름 가정복. **the red duster** 《俗》 (상선의) 붉은 기.
dust-guard *n.* 방진 장치, (자전거 등의) 흙받기.
dúst hèad 《미俗》 합성 헤로인 상용자.
dust-hole *n.* 《영》 쓰레기 버리는 곳〔구멍〕.
dust·i·ly[dʌ́stili] *ad.* 먼지투성이가 되어.
dust·i·ness *n.* Ⓤ 먼지투성이; 무미 건조.
dust·ing[dʌ́stiŋ] *n.* **1** Ⓤ 먼지 털기. **2** 《俗》 구타; Ⓤ,Ⓒ 《俗》 폭풍우(로 인한 배의 요동). **3** Ⓤ 가루 살포; 소량; (화약을) 체로 거름.
dúst jàcket 책 커버 (book jacket).
dust·man[dʌ́stmən] *n.* (*pl.* **-men**) **1** 《영》 쓰레기 청소〔운반〕부 (《미》 garbage collector). **2** 《口》 졸음의 요정 (*cf.* SANDMAN); 졸음. **3** 《海軍俗》 화부(火夫).
The dustman's coming. 아이 졸려.
dúst mòp =DRY MOP.
dust·off[∠ɔ̀(:)f, ∠ɑ̀f] *n.* 《미軍俗》 사상자후송 헬리콥터.
dus·toor, -tour[dəstúər] *n.* =DASTUR.
dust·pan[dʌ́stpæ̀n] *n.* 쓰레받기.
dust·proof[dʌ́stprùːf] *a.* 먼지를 막는, 방진의.
dúst shèet 먼지 방지용 천.
dúst shòt 최소 산탄(霰彈).
dúst stòrm (건조지의) 모래바람.
dúst tàil 〔天〕 (혜성의) 더스트의 꼬리.
dust·trap *n.* 먼지 제거 장치, 집진기.
dust·up[dʌ́stʌ̀p] *n.* 《口》 소동, 난투, 싸움.
dúst wràpper (책의) 커버, 재킷.
⁑**dust·y**[dʌ́sti] *a.* (**dust·i·er; -i·est**) **1** 먼지투성이의, 먼지가 많은. **2** 먼지빛의, 회색의 (gray); 〈술이〉 탁한. **3** 가루 모양의 (powdery). **4** 메마른, 무미 건조한; 하찮은, 시시한. **5** 《영》 모호한, 애매한: a ~ answer 모호한 대답. **(It's) not〔none〕 so dusty.** 《영口》 과히 나쁘지는 않다, 꽤 좋은 편이다 (not so bad): The pay is *not so dusty.* 급료는 과히 나쁘지 않다. ◇ dust *n.*
dústy míller 1 〔植〕 앵초의 일종. **2** 제물낚시의 일종. **3** 《미》 〔昆〕 부나방의 일종.
dutch[dʌtʃ] *n.* 《俗》 체격이 당당한 여자〔어머니, 아내〕: my old ~ 우리 마누라.
⁑**Dutch**[dʌtʃ] *a.* **1** 네덜란드의. **2** 네덜란드 사람〔말〕의; 《古·俗》 독일(사람)의. **3** 네덜란드제〔산〕의. **4** 네덜란드풍〔류〕의, 《종종 비꼼·경멸》 네덜란드 사람식〔류〕의. **go Dutch** 《口》 각추렴하다, 비용을 각자 부담하다 (*cf.* Dutch treat): Let's *go Dutch.* 비용은 각자가 부담하자 (◇ Let's go fifty-fifty., Let's split the bill between us.를 더 잘 씀). **talk like a Dutch uncle** ⇨ Dutch uncle.
— *n.* **1** Ⓤ 네덜란드 말, 《古·俗》 독일 말 ⇨ PENNSYLVANIA DUTCH; DOUBLE DUTCH. **2** (the ~) 네덜란드 사람〔국민〕 (◇ 한 사람은 Dutchman). **3** 《古·俗》 독일 사람. **That beats the Dutch.** 《口》 그것 참 놀랍군. **get in Dutch** 창피를 당하다; 난처하게 되다, …에게 나쁜 인상을 주다 《*with*》. **High Dutch** 고지〔남부〕 독일 말 《지금의 독일 말》. **in Dutch** 《미口》 면목을 잃어, 곤경에 있어.

Low Dutch 저지〔북부, 북서부〕 독일 말.
Dútch áct (the ~) 《미俗》 자살 (행위): do the ~ 자살하다.
Dútch áuction 값을 깎아 내려가는 경매.
Dútch bárgain 《口》 한 잔 마시며 맺는 매매 계약.
Dútch bárn 기둥과 지붕만 있고 벽이 없는 건초 헛간.
Dútch bútter 인조 버터.
Dútch cáp **1** 더치캡(좌우의 테 부분에 삼각형의 날개 같은 것이 붙은 여성용 레이스 모자). **2** (피임용) 페서리의 일종.
Dútch chéese (네덜란드 명산의) 붉고 둥근 치즈.
Dútch clínker〔**brick**〕 네덜란드 벽돌, 경질(硬質) 벽돌.
Dútch clóver 〔植〕 토끼풀.
Dútch Colónial *a.* (집이) 2단 박공 지붕의 (New York New Jersey의 네덜란드 정착민의 건축 양식).
Dútch cómfort〔**consolátion**〕 《口》 별로 고맙지 않은 위로.
Dútch cóncert 《口》(네덜란드식의) 혼성합창.
Dútch cóurage 《口》 술 김의 허세.
Dútch dóll 이음매가 있는 나무 인형.
Dútch dóor **1** 상하 2단식 도어(따로따로 여닫는). **2** (잡지의) 접어 끼운 광고.
Dútch Èast Índies *n.* (the ~) 네덜란드령 동인도 제도(Netherlands East Indies)(현재의 인도네시아공화국).
Dútch élm disèase 〔植〕 세균성의 느릅나무병.
Dútch fóil〔**léaf**〕 =DUTCH METAL.
Dútch líquid 염화 에틸렌.
Dútch lúnch 각자 비용 부담의 점심 회식.
*__Dutch·man__ [dʌ́tʃmən] *n.* (*pl.* **-men** [-mən]) **1** 네덜란드 사람(Hollander, Netherlander) (*cf.* DUTCH *n.* 2). **2** 네덜란드 배. **3** 《영古·미俗》 독일 사람. **4** (이음매의) 틈메우는 나무. **I'm a Dutchman.** 《口》 (단언할 때 쓰는 말): It is true, or *I'm a Dutchman.* 절대로 그렇다니까/*I'm a Dutchman* if it's true. 절대 아니다. **the Flying Dutchman** (전설의) 유령선: 유령선의 선장.
Dutch·man's-breech·es [dʌ́tʃmənzbrítʃiz] *n.* (*pl.* ~) 〔植〕 앵속과(科)의 풀(미국산).
Dútch métal〔**góld**〕 네덜란드 금박(구리 11푼과 아연 2푼을 섞어 만든 모조 금박).
Dútch óven 고기 굽는 그릇〔냄비〕.
Dútch schóol 〔美〕 네덜란드 화파(畫派).
Dútch súpper 각자 비용 부담의 저녁 회식.
Dútch tréat〔**párty**〕 《口》 회비를 각자가 부담하는 연회.
Dútch úncle 《口》 (어른이나 손위 사람처럼 행세하여) 가차 없이 엄하게 충고하거나 꾸짖는 사람: talk〔treat〕 to a person like a ~ …을 엄하게 충고하다〔꾸짖다〕.
Dútch whíte 〔顏料〕 네덜란드백(白)(흰 물감: 연백(鉛白)+중정석(重晶石)).
Dútch wífe 죽부인(竹夫人)(열대 지방에서 손발을 얹어 쉴 수 있게 만든 대나무 기구).
Dutch·wom·an [dʌ́tʃwùmən] *n.* (*pl.* **-wom·en** [-wìmin]) 네덜란드 여자.
du·te·ous [djúːtiəs] *a.* 《文語》 본분을 지키는, 착한(dutiful). **~·ly** *ad.* 본분을 지켜서. **~·ness** *n.*
du·ti·a·ble [djúːtiəbəl] *a.* 세금을 부과해야 할, 유세(有稅)의(*cf.* DUTY-FREE): ~ goods 과세품, 유세품.
du·ti·ful [djúːtifəl] *a.* 의무를 다하는, 본분을 지키는〔다하는〕, 충성된, 착실한: 예의 바른: ~ respect 공경. **~·ly** *ad.* 충성되게, 공손히. **~·ness** *n.*
‡**du·ty** [djúːti] [OF] *n.* (*pl.* **-ties**) **1** Ⓤ 의무, 본분, 의리(*cf.* responsibility): She shirked her ~ *of* support*ing* her child. 그녀는 자기 자식을 부양해야 하는 의무를 회피했다/ He fulfilled his ~ *to* serve his country. 그는 조국에 봉사해야 하는 자기의 의무를 다했다/He fulfilled his ~ *to* the king. 그는 왕에게 자기의 본분을 다했다. **2** (종종 *pl.*) Ⓤ,Ⓒ 임무, 직무, 직책, 직분: 〔軍〕 군무: Ⓤ (교회의) 교직(教職), 예배 등의 집행. **3** Ⓤ 《文語》 존경, 경의(*to*). **4** (종종 *pl.*) 세금, 관세(*cf.* TAX). **5** Ⓤ〔機〕 (연료 소비량에 대한) 기관의 효율: 〔農〕 관개율: the ~ of water 1에이커의 관개에 필요한 물의 양. **6** 《口》 Ⓤ (특히 갓난아기의) 똥누기. **as in duty bound** 의무상. **be (in) duty bound to do** …할 의무가 있다. **do duty as**〔**for**〕 <사물이> …의 역할을 하다, …을 대신하다. **do**〔**perform**〕 **one's duty** 본분을 다하다. **duty call** 의리상의 방문. **excise duties** 소비세, 물품세. **fail in one's duty** 본분을〔의무, 직무를〕 게을리하다. **military duty** 병역 의무. **off**〔**on**〕 **duty** 비번〔당번〕의〔으로〕. **pay**〔**send, present**〕 **one's duty to** …에게 삼가 경의를 표하다. **take a person's duty** …의 일을 대신해서 하다. ◇ dútiful *a.*
du·ty-free [-fríː] *a., ad.* 관세가 없는〔관세 없이〕, 면세의〔로〕.
du·ty-paid [-péid] *a., ad.* 납세 완료한〔하여〕, 납세필의〔로〕.
du·um·vir [djuːʌ́mvər] *n.* (*pl.* **~s** [-z], **-vi·ri** [-vəràì]) 〔로마史〕 (연대 책임하의) 양두(兩頭) 정치가 중의 한 사람.
du·um·vi·rate [djuːʌ́mvərit] *n.* **1** (고대 로마의) 2인 연대직(職)(의 임기). **2** 양두 정치.
du·vay [duːvéi] *n.* 《영》 깃털 이불.
du·vet [djuːvéi] [F] *n.* 깃털 이불.
du·ve·tyn(e) [djúːvətìːn] *n.* Ⓤ 듀베틴(보풀이 선 비로드 비슷한 천).
D.V. *Deo volente*(L=God willing).
D.V. M.(S.) Doctor of Veterinary Medicine (and Surgery).
Dvo·rák [dvɔ́ːrʒɑːk, -ʒæk] *n.* 드보르작 Anton ~(1841-1904)(체코슬로바키아의 작곡가).
d.w., d/w, D/W dust wrapper.
dwale [dweil] *n.* 〔植〕 =BELLADONNA.
‡**dwarf** [dwɔːrf] *n.* (*pl.* **~s, dwarves** [-vz]) **1** 난쟁이(pygmy). **2** 보통보다 작은 동물〔식물〕, 분재: 꼬마. **3** 〔北歐神〕 난쟁이 금속세공인. **4** 〔天〕=DWARF STAR. — *a.* 자그마한, 소형의, 꼬마의(*opp.* giant): (식물 이름에 붙여서) 특별히 작은, …왜성(矮性)의: 위축된. — *vt.* …을 작게 하다: 성장을 방해하다, 위축시키다: …을 작아 보이게 하다: a ~*ed* tree 화분에 기른 나무, 분재. — *vi.* 작아지다, 위축되다. ◇ dwárfish *a.*
dwarf·ish [dwɔ́ːrfiʃ] *a.* **1** 난쟁이 같은: 유난히 작은(pygmish), 오그라져서 작은(stunted). **2** <지능이> 위축된. **~·ly** *ad.* **~·ness** *n.*
dwarf·ism [dwɔ́ːrfìzəm] *n.* Ⓤ 위축: (동식물의) 왜소성: 〔醫〕 왜소발육증, 주유(侏儒)증, 소인증.
dwárf stár 〔天〕 왜성(矮星).
dweeb *n.* 《俗》 얼간이: 겁쟁이.
‡**dwell** [dwel] *vi.* (**dwelt** [dwelt], **~ed** [-d, -t]) **1** 《文語》 살다, 거주하다(*at, in, near, on, among*) (◇ 지금은 live가 일반적): ~ at home 국내에

거주하다. **2** (어떤 상태에) 머무르다, 못떠나다 《*in*》: ~ *in* one's mind 마음에 남다. **3** 〈말이〉 발을 올리는 것이 더디다, 목책을 넘기 전에 잠깐 주저하다. **dwell on**〔**upon**〕 (1) …에 유의하다: …을 (곰곰이) 생각하다, 우물쭈물하다. (2) 자세히 설명하다: 강조〔역설〕하다. (3) 머뭇거리다: 얘기를 길게 늘어놓다: 길게 늘여 발음하다, 〈가수가 음역의 음을〉 길게 뽑다. ── *n.* **1** (기계의) 가동 과정에서의 운전 휴지(休止). **2** (말이 뛰어넘기 전의) 주저.

*dwell·er [dwélər] *n.* **1** 거주자, 주민. **2** 머뭇거리는 말《목책 같은 것을 뛰어넘을 때》.

‡**dwell·ing** [dwéliŋ] *n.* Ⓤ 거주: Ⓒ 주거, 주소, 사는 집.

dwélling hòuse 주택.

dwélling plàce 주소.

‡**dwelt** [dwelt] *v.* DWELL의 과거·과거분사.

D.W.I. driving while intoxicated; Dutch West Indies.

Dwight [dwait] *n.* 남자 이름.

***dwin·dle** [dwíndl] *vi.* **1** 점차 감소하다(diminish), 점점 작아〔적어〕지다: The population is *dwindling.* 인구가 점점 줄어들고 있다/The airplane ~*d to* a speck. 비행기는 점점 작아지다가 하나의 점이 되었다. **2** 여위다: 〈명성 등이〉 떨어지다: 〈품질이〉 저하하다, 타락하다. **dwindle away into nothing** 점점 줄어서 없어지다. **dwindle down to** …에까지 감퇴하다. ── *vt.* …을 작게〔적게〕하다: 축소〔감소〕하다: The failure ~*d* his reputation *to* nothing. 그 실패는 그의 명성을 무로 만들어버렸다.

dwin·dler [dwíndlər] *n.* (영양 실조로) 성장이 나쁜 사람〔동물〕.

dwt, d.w.t. deadweight ton(nage).

dwt. denarius weight(=pennyweight: *cf.* PWT.).

DX, D.X. [dí:éks] *n., a.* 〔通信〕 장거리(의) (distance; distant): (해외 방송 등의) 원거리 수신(의). ── *vi.* 《俗》 상업 방송을 듣다.

DX·er [dí:éksər] *n.* 해외 방송 수신자〔애호가〕.

Dy 〔化〕 dysprosium.

d'ya [djə] do you의 단축형.

dy·ad [dáiæd] *n.* **1** (한 단위로서의) 둘: 2개군(群): 〔數〕 다이애드《두 벡터(vector) a와 b를 나란히 쓴 *ab*》. **2** 〔化〕 2가 원소(*cf.* MONAD): 〔生〕 2분 염색체(*cf.* TETRAD). **3** 〔社〕 양자(兩者)관계: 두 사람〔그룹〕사이의 뜻 있는 대화〔만남〕.

dy·ad·ic [daiǽdik] *a.* 2수(數)의: 〔化〕 2가 원소의.

Dyak *n.* =DAYAK.

dy·ar·chy [dáiɑ:rki] *n.* (*pl.* **-chies**) =DIARCHY.

dyb·buk [díbək] [Heb] *n.* 〔유대傳說〕 (사람에게 들어가는) 사망자의 악령.

‡**dye** [dai] *n.* Ⓤ,Ⓒ **1** 염료, 물감. **2** 물든 색, 색조, 빛깔. **crime**〔**scoundrel**〕 **of the blackest**〔**deepest**〕 **dye** 극악무도한 죄〔자〕, 극악죄〔인〕. **mordant**〔**synthetic**〕 **dyes** 매염(媒染)〔합성〕 염료. ── (**dyed; ~·ing**) *vt.* 물들이다, 염색〔착색〕하다: 《Ⅴ (목)+형》 She never ~*s* her hair black. 그녀는 결코 머리를 검게 염색하지 않는다/ ~ a green *over* a white 흰 바탕에 녹색물을 들이다. ── *vi.* 염색되다: …하게 물들다: This cloth ~*s well*〔*badly*〕 이 옷감은 물이 잘 든다〔잘 들지 않는다〕. **dye in** (**the**) **grain** =《미》 **dye in the wool** (짜기 전에) 실에 염색하다: 《비유》 철저하게 물들이다.

dye·bath [⊿bæθ] *n.* 〔染色〕 염욕(染浴)《염색용 용액》.

dyed [daid] *a.* 물들인, 염색된.

dyed-in-the-wool [dáidinðəwúl] *a.* **1** (짜기 전에) 실에 염색한. **2** 《경멸》 철저한, 변함없는, 골수의, 순수한.

dye·house [⊿hàus] *n.* (*pl.* **-hous·es** [-hàuziz]) 염색소, 염색 공장.

dye·ing [dáiiŋ] *n.* Ⓤ 염색(법): 염색업.

dy·er [dáiər] *n.* 염색업자, 염색소.

dýer's bróom 〔染色〕 녹황색.

dy·er's-broom [⊿zbrú:m] *n.* 〔植〕 금작화의 일종.

dýer's bùgloss 〔植〕 우설초(牛舌草).

dy·er's-weed [dáiərzwì:d] *n.* 염료의 원료가 되는 식물의 총칭.

dye·stuff, dye·ware [dáistʌ̀f], [-wὲər] *n.* 물감, 염료.

dye·wood [dáiwùd] *n.* Ⓤ 염료가 되는 각종 목재.

dye-works [⊿wə̀:rks] *n.* (*pl.* ~) 염색 공장, 염색소.

‡**dy·ing** [dáiiŋ] *a.* **1** 죽어가는, 빈사 상태의: 임종의, 죽을 때의: a ~ swan 빈사의 백조《죽음에 임해서 비로소 노래를 부른다고 함》. **2** 죽을 운명의(mortal), 멸망해야 할(perishable). **3** (금방) 꺼지려고 하는, 사라지려는, 멸망에 직면한: 〈날·한 해가〉(막) 저물어가는. **4** 《口》 매우〔간절히〕 …하고 싶어하는, (…을) 애타게 그리는《*to* do: *for*》: 《Ⅱ 형+*to* do》 He is ~ *to* see his son. 그는 자기 아들을 몹시 만나고 싶어한다/《Ⅱ 형+전+명》 I'm simply ~ *for* a smoke. 나는 몹시 담배를 피우고 싶다. **one's dying bed**〔**wish, words**〕 임종의 자리〔소원, 유언〕. **till**〔**to**〕 **one's dying day** 죽는 날까지. ── *n.* Ⓤ 사망, 죽음(death): 《Ⅰ *-ing*(*g.*)》 *Dying* is sleeping. 죽음은 잠드는 것이다.

dyke[1] [daik] *n.* =DIKE[1].

dyke[2] *n.* 《俗》 동성애의 여자《특히 남성적인 여자》. **dýk·ey** *a.*

dy·na·graph [dáinəgræ̀f, -grɑ̀:f] *n.* 궤도 시험기.

dy·nam- [dáinəm], **dy·na·mo-** [-nəmou] 《연결형》 「힘, 동력(power)」의 뜻《모음 앞에서는 dynam-》.

dyn(am). dynamics.

dy·nam·e·ter [dainǽmitər] *n.* 〔光〕 (망원경의) 배율계(倍率計).

***dy·nam·ic** [dainǽmik] [Gk] *a.* **1** 동력의, 동적인(*opp.* static): ~ density (인구의) 동적 밀도. **2** 역학(力學)(상)의: ~ engineering 기계공학. **3** 동태(動態)의, 동세적(動勢的)인 (*cf.* POTENTIAL): 에너지〔원동력, 활동력〕를 내는, 기동(起動)적인: 유력한: 〈성격이〉 정력적인, 활동적인: ~ economics 동태 경제학. **4** 〔醫〕 기능적인(functional)(*cf.* ORGANIC). **5** 〔哲〕 역본설(力本說)의. **6** 〔樂〕 강약(법)의. **7** 〔컴퓨터〕 동적(動的)인. ── *n.* (원)동력: 〔樂〕 강약법: 변천〔발달〕의 형.

dy·nam·i·cal [-əl] *a.* =DYNAMIC.

dynámic allocátion 〔컴퓨터〕 동적 할당.

dy·nam·i·cal·ly [-əli] *ad.* 동력학적으로, 역학상: 정력적으로, 다이내믹하게.

dynámic electrícity 〔電〕 동전기, 전류.

dynámic immobílity (주로 정치계에서) 동적인 무활동 상태, 적극적 정관 태도.

dynámic mémory 〔컴퓨터〕 동적(動的) 기억 장치《동적 램(DRAM)으로 구성한 기억 장치》.

dynámic meteorólogy 기상 역학.

dynámic obsoléscence (자동차 디자인의) 계획적 폐용(廢用).

dynámic píckup 다이내믹 픽업(마그넷을 고정하여, 바늘이 코일을 움직이는 픽업).
dynámic posítioning 〔海〕(컴퓨터에 의한) 자동 위치 제어, 자동 정점(定點) 유지.
dynámic préssure 〔物〕 동압(動壓)(로켓이 대기 속을 날 때 받는 압력).
dynámic psychólogy 〔心〕 역학적〔역동적〕 심리학.
dynámic RÁM [-rǽm] 〔電子〕 다이내믹 램(컴퓨터의 기억소자의 일종).
*__dy·nam·ics__ [dainǽmiks] *n. pl.* **1** (단수 취급) 〔物〕 역학; 동력학; 역학 관계: rigid ~ 강체(剛體) 역학. **2** 원동력; 힘, 활력, 에너지, 박력; 정신 역학. **3** 〔樂〕 강약법. **4** 변천〔발달〕의 형.
dy·na·mism [dáinəmìzəm] *n.* **1** Ⓤ 〔哲〕 역본설(力本說). **2** =DYNAMICS². **-mist** [-mist] *n.*
dy·na·mi·tard [dáinəmitɑ̀:rd] *n.* (특히 폭력적·혁명적인) 다이너마이트 사용자.
*__dy·na·mite__ [dáinəmàit] *n.* Ⓤ **1** 다이너마이트. **2** 《口》 성격이 격렬한 사람, 위험 인물, 위험물; 놀라운〔굉장한〕 것〔사람〕; 《俗》 마약.
— *vt.* 다이너마이트로 폭파하다, 다이너마이트를 장치하다; 전멸시키다.
— *a.* 《미俗·캐나다俗》 최고의, 발군의, 굉장한; 《미俗》 스캔들이 될 듯한.
— *int.* 《미俗》 (흥분·환희를 나타내어) 최고다!, 굉장하다!, 멋지구나!
dy·na·mit·er [-ər] *n.* =DYNAMITARD; 《미》 적극적 야심가; 《미俗》 과속 트럭 운전자.
dy·na·mit·ic [dàinəmítik] *a.* 다이너마이트적인〔성(性)의〕.
dy·na·mit·ism [dáinəmàitizəm] *n.* Ⓤ (다이너마이트를 사용하는) 급진적 혁명주의.
*__dy·na·mo__ [dáinəmòu] *n.* (*pl.* ~s) 〔電〕 발전기, 다이너모; 《口》 정력가. **alternating〔direct〕 current dynamo** 교류〔직류〕 발전기.
DYNAMO [*dyna*mic *mo*dels] *n.* 〔컴퓨터〕 다이너모(시뮬레이터의 일종).
dy·na·mo- [dáinəmou] 《연결형》 =DYNAM-.
dy·na·mo·e·lec·tric, -tri·cal [dàinəmouiléktrik], [-trikəl] *a.* 역학적 에너지와 전기적 에너지의 변환에 관한.
dy·nam·o·graph [dáinəmougrӕf, -grɑ̀:f] *n.* 역량(力量) 기록기, 자기(自記) 역량계.
dy·na·mom·e·ter [dàinəmɑ́mitər/-mɔ́m-] *n.* **1** 검력계(檢力計); 악력(握力)계; 역량계, 동력계; 액압(液壓)계. **2** (망원경의) 배율계.
dy·na·mom·e·try *n.* Ⓤ 동력 측정법.
dy·na·mo·tor [dáinəmòutər] *n.* 〔電〕 직류 발전동기(發電動機).
dy·nap·o·lis [dainǽpələs] *n.* 기능 도시(간선 도로를 따라 잘 계획된 도시).
dy·nast [dáinæst, -nəst/dínæst] [Gk] *n.* (세습적인) 주권자, (역대의) 군주.
dy·nas·tic, -ti·cal [dainǽstik/di-], [-əl] *a.* 왕조의, 왕가의. **-ti·cal·ly** [-tikəli] *ad.* 왕조에 관하여, 왕통에 의하여.
*__dy·nas·ty__ [dáinəsti/dí-] *n.* (*pl.* **-ties**) 왕조, 왕가: the Tudor ~ 튜더 왕조.
dy·na·tron [dáinətrɑ̀n/-trɔ̀n] *n.* **1** 〔電〕 다이너트론(2차 방전 이용 4극 진공관). **2** 〔物·化〕 =MESON¹.
dyne [dain] *n.* 〔物〕 다인(힘의 단위).
Dy·nel [dainél] *n.* Ⓤ 다이넬(털 모양의 화학 섬유; 상표명).
d'you [dʒu] 《視覺方言》 =do yo.
dyp·so [dípsou] *n., a.* =DIPSO.
dys- [dis] *pref.* 「악화; 불량; 곤란」 등의 뜻.
dys·ba·rism [dísbərìzəm] *n.* Ⓤ 〔病理〕 감압증(減壓症)(기압의 변화로 인한 증상).
dys·en·ter·y [dísəntèri] *n.* Ⓤ 〔病理〕 이질. **dỳs·en·tér·ic** *a.*
dys·func·tion [disfʌ́ŋkʃən] *n.* Ⓤ,Ⓒ 〔病理〕 기능 장애; 〔社〕 역기능. — *vi.* 기능 장애를 일으키다; 고장나다. **~·al** *a.*
dys·gen·ic [disdʒénik] *a.* 〔生〕 역도태(逆陶汰)의, 역(逆)선택의; 열생학(劣生學)의(*opp.* eugenic).
dys·gen·ics [disdʒéniks] *n. pl.* (단수 취급) 〔生〕 열생학(劣生學)(*opp.* eugenics).
dys·lex·i·a [disléksiə] *n.* Ⓤ 〔病理〕 실독증(失讀症), 난독증(難讀症), 독서 장애.
dys·lex·ic *a.* 독서 장애의, 실독증의.
— *n.* 독서 장애자, 실독증 환자.
dys·lo·gis·tic [dìslədʒístik] *a.* 비난의, 욕설의(*opp.* eulogistic). **-ti·cal·ly** *ad.*
dys·men·or·rhe·a [dìsmenərí:ə] *n.* 〔醫〕 월경 곤란〔불순〕.
dys·met·ri·a [dismétriə] *n.* 〔醫〕 운동 측정 장애;(소뇌성) 운동 조절 실조.
dys·mor·pho·lo·gy [dìsmɔ:rfɑ́lədʒi/-fɔ́-] *n.* 〔醫〕 기형학(기형의 연구·치료).
dys·pa·thy *n.* =ANTIPATHY.
dys·pep·si·a, -pep·sy [dispépʃə, -siə], [-si] *n.* Ⓤ 〔病理〕 소화 불량, 위약(*opp.* eupepsia).
dys·pep·tic [dispéptik] *a.* 소화 불량(성)의; 우울하고 화를 잘 내는. — *n.* 소화 불량인〔위가 약한〕 사람.
dys·pha·si·a [disféiʒiə, -ziə] *n.* 〔病理〕 (대뇌 장애로 인한) 부전 실어증(不全失語症).
dys·phe·mism [dísfəmìzəm] *n.* 〔修〕 위악(僞惡) 어법(green salad 대신 rabbit food 라 하는 등); 위악 어구.
dys·pho·ni·a [disfóuniə] *n.* Ⓤ 〔病理〕 발음 곤란, 언어 장애. **-phon·ic** [-fɑ́nik/-fɔ́n-] *a.*
dys·pla·sia [displéiʒə] *n.* 〔病理〕 형성(形成)이상, 형성 장애.
dys·pn(o)e·a [dispní:ə] *n.* Ⓤ 〔病理〕 호흡 곤란.
dys·pn(o)e·ic [dispní:ik] *a.* 호흡 곤란의.
— *n.* 천식.
dys·pro·si·um [dispróusiəm, -ʃiəm] *n.* Ⓤ 〔化〕 디스프로슘(자성이 강한 희토류 원소; 기호: Dy, 번호 66).
dys·to·pi·a [distóupiə] [*dis*+U*topia*] *n.* 《俗》 결함 사회, 살기 힘든 곳. **-an** *a.*
dys·tro·phi·ca·tion [dìstrəfikéiʃən] *n.* Ⓤ,Ⓒ 〔生態〕 (호수·하천 등의) 영양 오염.
dys·tro·phy, -tro·phi·a [dístrəfi], [distróufiə] *n.* Ⓤ 〔病理·生〕 영양 실조〔장애〕.
dys·u·ri·a [dìsjuəríə, disjúriə] *n.* Ⓤ 〔病理〕 배뇨(排尿) 곤란.
dz. dozen(s).
Dzer·zhín·sky Squáre *n.* 제르진스키 광장(모스크바의 KGB 소재지).

E e

e, E[iː] *n.* (*pl.* **e's, es, E's, Es**[-z]) **1** 이 영어 알파벳의 제 5자. **2** E자형(의 것). **3** 〔樂〕 마음(音): 마조(調): 〔論〕 전칭 부정(全稱否定). **4** 《미》 (학업 성적에서) 조건부 급제, 낙제. **5** (부호로서) 다섯번째의 것: vitamine E 비타민 E. **6** (Lloyd's의 상선 등급의) 제 2등급. **7** 《미》 E자기(旗)《2차 대전시 관청이 우수 산업 단체에 수여》. **8** (중세 로마 숫자의) 250. **9** 〔컴퓨터〕 16진수의 E《10진법의 14》. **E for Edward** Edward의 E《국제 전화 통화 용어》.

e 〔天〕 eccentricity; 〔物〕 erg; 〔數〕 *e*《자연 대수의 밑; ≒2.71828》. **e.** eldest; engineer(ing): 〔劇〕 entrance; 〔野〕 errors; export. **E, E.** East; Easter; east(ern); English. **E.** Earl; earth; Engineer; excellent. **E°** (칠레) escudo(s).

e-[i, iː] *pref.* =EX-[2](EX-의 변형) ◇ e-는 《미》에서는 종종 [ə]《특히 1 앞에서》: elect[ilékt, əlékt].

ea. each. **E.A., EA** educational age 〔教育〕 교육 연령; enemy aircraft. **EAC** East African Community 동아프리카 공동체.

★**each**[iːtʃ] *a.* (단수명사를 수식하여) 각자의, 각각〔각기〕의, 개개의, 각…《◇ each 앞에 the, one's나 기타의 수식어를 사용치 않음》: at 〔on〕 ~ side of the road 길 양쪽에《at〔on〕 both sides of the road로 바꾸어 쓸 수 있음》/ *Each* student has a desk. 학생들은 제각기 책상이 있다/ *Each* one of us has his〔her〕 duty. 우리들에게는 각자 의무가 있다《단수 취급을 원칙으로 하지만, 《口》에서는 *Each* one of us *have our* duties.로 복수 취급이 되는 경우도 있음: *cf. pron.* 1.》. **bet each way** 〔경마〕 연승식(連勝式)으로 걸다, 우승과 등수 양쪽에 걸다. **each and every** (each 또는 every의 강조형으로) 각기〔각자〕 모두: *Each and every* member has his duty. 회원은 각자 모두 자기의 의무가 있다. **each time** (1) 매번, 그 때마다, 언제나: He tried many times and ~ *time* he failed. 그는 여러 차례 시도하였으나 그 때마다 실패하였다. (2) (접속사적으로) …할 때마다: She smiled ~ *time* she met me. 그녀는 나와 만날 때마다 미소를 지었다. **each way** 《영》 《경마》 우승과 2, 3등 어느 쪽에나. **on each occasion** 일이 있을 때마다, 매번. ── *pron.* **1** (흔히 ~of+(대)명사) 각자, 저마다, 각각, (제)각기《◇ 부정문에서는 each를 쓰지 않고 no one이나 neither를 씀》: *Each of us has his* opinion. 우리들은 각기 자기 의견을 가지고 있다《◇ 단수 취급을 원칙으로 하나 《口》에서는 *Each of us have our* opinions.와 같이 복수 취급이 되는 경우도 있음》. **2** (복수(대)명사의 동격으로 써서) 각자, 제각각, 각기: We ~ have our opinions. 우리들은 각자 자기의 의견을 갖고 있다《이 경우에는 주어에 일치시켜 복수 취급》. **each and all** 각자가 모두, 제각기. **each other** (목적어·소유격으로만 써서) 서로, 상호간에《◇ each other는 주어로 쓸 수가 없으므로 each와 the other로 나누어서 배치됨: We *each* know what *the other* wants〔*the others* want〕.=*Each of us* knows what *the other* wants〔*the others* want〕. 서로 상대방의(각자가 다른 사람들의) 요구를 알고 있다》/ They love ~ *other.* 그들은 서로 사랑하고 있다/He and I are studying ~ *other's* native language. 그와 나는 서로의 모국어를 배우고 있다. ── *ad.* (제)각기, 각각, 한 사람〔개〕마다, 한 개에 대해: They sell apples, 700 won ~. 사과는 1개에 700원에 팔리고 있다.

EAEC European Atomic Energy Community (⇨ Euratom); East African Economic Community 동아프리카 경제 공동체.

‡**ea·ger**[íːgər] [L] *a.* (~·**er;** ~·**est**) **1** 열망〔갈망〕하는(*for, after, about*); (부정사와 함께) 간절히 …하고 싶어하는(impatient): 《Ⅱ 형+*to* do》 They are ~ *to* learn. 그들은 배움을 갈망하고 있다. **2** …에 열성적인, 열심인(*in*): He is very ~ *in* his studies. 그는 공부에 매우 열심이다. **3** 《古》 〈추위가〉 심한.

eager[2] ⇨**eagre**

éager béaver[-bíːvər] 《口》 일벌레, 노력가.

ea·ger·ly *ad.* 열망하여; 열심히; 간절히.

‡**ea·ger·ness**[íːgərnis] *n.* Ⓤ 열심, 열의, 열망: She said so in her ~ *to* see him. 그녀는 그를 만나고 싶은 나머지 그렇게 말했다. **be all eagerness to** do …하고 싶어서 못견디다. **with eagerness** 열심히.

‡**ea·gle**[íːgəl] *n.* **1** 독수리. **2** 독수리 표《미국의 국장(國章)》; 독수리 표의 군기〔문장(紋章)〕; 《미》 해군 대위〔육군 대령〕의 금장(襟章). **3** 〔골프〕 표준보다 두 타수 적은 타수(*cf.* par). **4** (미국의) 옛 10달러 금화. **5** (the E-) 〔天〕 독수리 자리(Aquila).

éagle dày 《미軍俗》 봉급날.

Éagle defénse 〔미蹴〕 이글 디펜스《수비 대형의 하나》.

éagle èye 날카로운 눈; 눈이 날카로운 사람; 탐정.

ea·gle-eyed[-àid] *a.* 눈이 날카로운; 시력이 뛰어난; 형안의.

éagle frèak 《미俗》 (종종 경멸적) 자연〔환경〕 보호주의자, 야생동물 보호주의자; (특히 천연자원 등의) 보호론자.

ea·gle-hawk *n.* 〔鳥〕 수리매《남미산》.

éagle òwl 〔鳥〕 수리부엉이《유럽산》.

éagle rày 〔魚〕 매가오리.

éagle scout 《미》 21개 이상의 공훈 배지를 받은 보이 스카우트 단원.

ea·glet[íːglit] *n.* 독수리 새끼.

ea·gre, -ger[2][íːgər, éi-] *n.* 해소(海嘯)《특히 영국 Humber, Trent, Severn 강 하구의》.

EAL Eastern Air Lines 《미》 동부 항공사.

Éames chàir[íːmz-] [미국의 디자이너 Charles Eames의 이름에서] (합판·플라스틱 제의) 몸에 맞게 디자인된 의자.

E. & O.E. errors and omissions excepted 오기(誤記)와 누락은 별도. **E. and P.** extraordinary and plenipotentiary 특명 전권의.

★**ear**[1] [iər] *n.* **1** 귀; 《특히》 외이(外耳), 귓바퀴: the external〔internal, middle〕 ~외〔내, 중〕이. **2** 귀 모양의 것. **3** 청각, 청력; 소리를 들어서 분간하는 힘: a keen〔nice〕 ~ 예민한 청력/a good ~ 좋은 음감(音感). **4** 경청, 주의. **5** (찻잔·주전자 등의) 손잡이, (종 등의) 꼭지. **6** (신문의) 제자(題字) 옆 스페이스. **7** (*pl.*)《CB俗》 무선기. **A word in your**

ear. 잠깐 할 말이 있어. **be all ears** 《口》 열심히 귀를 기울이다. **be by the ears** 사이가 나쁘다. **bend an ear** 귀를 기울여 듣다. **bend** a person**'s ear** 《俗》 …에게 진저리나도록 지껄여대다. **bow down**〔**incline**〕 one**'s ears to**=**lend an**〔one's〕 **ear to** …에 귀를 기울이다, 귀담아 듣다. **bring a storm about** one**'s ears** 주위에서 떠들썩한 비난을 받다. **by ear** 〔樂〕 악보를 안 보고. **catch**〔**fall on, come to**〕 one**'s ears** 귀에 들어오다, 들리다. **easy on the ear** 《口》 듣기 좋은. **fall down about** a person**'s ears** (조직, 새로운 계획 등이) 완전히 무너지다. **fall on deaf ears** 주의를 끌지 못하다, 무시당하다. **fall together by the ears** 드잡이〔싸움〕를 시작하다. **from ear to ear** 입을 크게 벌리고. **gain the ear of** …의 경청하는 바가 되다, …이 귀담아 들어주다. **give ear to** 《文語》 …에 귀를 기울이다. **go in** (**at**) **one ear and out** (**at**) **the other** 한쪽 귀로 듣고 한쪽 귀로 흘려버리다; 깊은 인상〔감명〕을 주지 못하다. **have an**〔**no**〕 **ear for music** (음악)을 알다〔모르다〕. **have**〔**keep**〕 **an ear to the ground** 여론의 동향에 귀를 기울이다. **have**〔**win, gain**〕 a person**'s ear** …의 주의를 끌다, …에게 듣게 하다. **I would give my ears**《*for, to*》(…을 얻을〔할〕 수 있다면) 어떠한 희생도 치르겠다. **on** one**'s ear** 분개한 상태에, 분격하여; 버릇 없이. **out on** (one's) **ear** 《俗》 갑자기 직장〔학교, 조직〕에서 쫓겨나서. **over** (**head and**) **ears** =**up to the ears** 〈연애〔음모〕에〉 열중하여 《*in*》; 〈빚 때문에〉 꼼짝 못하여《*in*》. **pin back** one**'s ear** (종종 명령형으로) 《영口》 주의해서 듣다. **pin** one**'s ears back** 《미口》 완전히 패배시키다. **play**〔**sing**〕 **by ear** 악보 없이 연주〔노래〕하다. **play it by ear** 《口》 임기 응변으로 처리하다. **prick up** one**'s ears to** …에 귀를 기울이다. **set** persons **by the ears** …들에게 싸움을 붙이다. **sleep upon both ears** 안면(安眠)하다. **stop**〔**close**〕 one**'s ears to** …에 귀를 기울이지 않다, …을 들으려고 하지 않다. **throw** a person **out on his ear** 《俗》 …을 내쫓다. **to the ears** 한도까지, 실컷, 가득. **warm** one**'s ear** 《俗》 …에게 유창하게〔흥분해서〕 이야기하다. **wet behind the ears** 《俗》 미숙한, 풋내기의.

*__ear²__[iər] *n.* (보리 등의) 이삭; 옥수수 알. **be in** (**the**) **ear** 이삭이 패어 있다. — *vi.* 이삭이 패다《*up*》.

ear·ache[íərèik] *n.* U,C 귀앓이.

ear·bash[íərbæʃ] 《오스俗》 *vt.* …에게 계속 지껄여 대다. — *vi.* 계속해서 지껄이다.

ear·bend·er[ˊbèndər] *n.* 《미口》 쉴새없이 지껄이는 사람, 수다쟁이.

éar càndy 《俗》 유쾌한 선율의 팝 음악.

ear·cap[íːrkæ̀p] *n.* 《영》 (방한용) 귀덮개.

ear-catch·er[ˊkæ̀tʃər] *n.* 소리로 남의 주의를 끄는 것; 외기 쉬운 곡〔가사〕.

ear·deaf·en·ing[ˊdèfəniŋ] *a.* 귀청이 떨어질 것 같은.

ear·drop[ˊdrɑ̀p/ˊdrɔ̀p] *n.* **1** (특히 펜던트가 달린) 귀고리(earring). **2** (*pl.*) (액체 상태의) 귀약.

ear·drum[ˊdrʌ̀m] *n.* 귀청, 고막.

eared¹[iərd] *a.* (종종 복합어를 이루어) 귀(모양의 것이) 있는, 귀가 달린; …의 귀가 있는: long-～ 귀가 긴.

eared² *a.* (종종 복합어를 이루어) 이삭이 팬; …의 이삭이 있는: golden-～ 황금빛 이삭이 팬.

ear·flap[íərflæ̀p] *n.* **1** (*pl.*) 방한모의 귀덮개. **2** 〔解〕 귓바퀴, 귓불.

ear·ful[íərfùl] *n.* (an ～) 《口》 허풍; 깜짝 놀랄 만한 소식; 잔소리.

ear·hole[íərhòul] *n.* 귓구멍, 이도(耳道). **on the earhole** 《俗》 사기를 쳐서. — *vt.* …을 듣다(listen); 엿듣다(overhear).

ear·ing[íəriŋ] *n.* 〔海〕 돛의 윗귀를 활대에 잡아매는 가는 밧줄.

*__earl__[əːrl] *n.* 《영》 백작《영국 이외에서는 count; ⇨nobility *n.*》(*cf.* COUNTESS).

ear·lap[íərlæ̀p] *n.* =EARFLAP.

earl·dom[ə́ːrldəm] *n.* U 백작(부인)의 지위〔신분, 영지〕.

Earl(e)[əːrl] *n.* 남자 이름.

ear·less¹[íərlis] *a.* 귀 없는.

earless² *a.* 이삭이 없는.

ear·li·ness[ə́ːrlinis] *n.* U 이름, 빠름; 조기(早期).

Éarl Márshal (영국의) 문장원(紋章院) 총재《현재는 Norfolk 공작 집안의 세습직》.

ear·lobe[íərlòub] *n.* 〔解〕 귓불.

★**ear·ly**[ə́ːrli] [OE] *ad.* (**-li·er; -li·est**) **1** 일찍이, 일찍부터, 일찌감치; 초기에: ～ in the day〔morning〕 아침일찍이/get up ～ 아침 일찍이 일어나다. **2** 시간 전에, 늦지 않게. **3** (먼) 옛날에. **4** 《古》 멀지 않아, 곧(soon). **as early as** July〔2003〕 이미〔일찍이〕 (7월〔2003년〕)에. **as early as possible** 되도록 일찍부터. **early and late** (아침) 일찍부터 (밤) 늦게까지, 자나깨나. **early in life** 아직 젊을 때에. **early on** 《영》 일터; 곧. **early or late** 조만간. **early to bed, early to rise** 일찍 자고 일찍 일어나기. — *a.* (**-li·er; -li·est**) **1** (시각·계절 등이) 이른(*opp.* late): an ～ riser 아침 일찍이 일어나는 사람/an ～ visit(or) 이른 아침의 방문(객)/at an ～ hour 아침 일찍이. **2** 보통보다 이른; 아직 젊은: an ～ death 요절(夭折). **3** 올된, 이른 철에 나도는: ～ fruits 만물 과일. **4** 초기의; 시초의. **5** 가까운 장래의. **at an early date** 멀지 않아서. **at the earliest** 일러도, 빨라도. **at your earliest convenience** 형편 닿는 대로, 되도록 빨리. **early maturity of mind** 조숙(早熟). **It is early days yet** (**to make up one's mind**). (결심하기에는) 아직 이르다. **keep early hours** 일찍 자고 일찍 일어나다. one**'s early days** 젊었을 때.

éarly bìrd 《口》 **1** 일찍 일어나는 사람, 정각보다 일찍 오는 사람. **2** 첫차. **The early catches the worm.** 《속담》 부지런한 새가 벌레를 더 먹는다《부지런해야 수가 난다》.

Éarly Bìrd 미국의 상업 통신 위성《북미와 유럽간의》.

ear·ly-bird[ə́ːrlibə̀ːrd] *a.* 《口》 이른 아침의, 일찍 오는 사람을 위한.

éarly clósing (**dày**) 개점 시간 단축(일).

éarly dóor 특별 출입구《특별 요금으로 정각보다 빨리 입장시키는 문》.

Éarly Énglish 초기 영어《보통 Old English와 Middle English를 합친 것》.

Éarly Énglish (**stýle**) 초기 영국의 건축 양식《1189-1272년의 초기 고딕 양식》.

éarly léaver 《영》 (학교의) 중도 퇴학자, 낙오자.

Éarly Módern Énglish 초기 근대 영어《1500-1750년 사이의 영어》.

ear·ly-to-bed·der *n.* 일찍 자는 사람.

ear·ly-Vic·to·ri·an[ə́ːrliviktɔ́ːriən] *a., n.*

E

빅토리아 왕조 초기의 (사람〔작가〕): 구식의 (사람).

éarly wárning (방공 등의) 조기 경보.

éar·ly-wárn·ing ràdar[-wɔ́ːrniŋ-]〔軍〕 조기 경보 레이더.

éarly-wárning sỳstem〔軍〕(핵공격에 대한) 조기 경보 조직.

ear·mark[íərmɑ̀ːrk] *n.* 귀표《소유주를 밝히기 위하여 양 등의 귀에 표시함》; 표(標), 소유주의표시; 특징; =DOG-EAR. **under earmark** (특정한 용도·사람의 것으로) 지정된《*for*》. — *vt.* 〈양에〉 귀표를 하다; 〈페이지의〉 귀를 접다(dog-ear); 〈금을〉 중앙 은행의 금 보유액에서 제외하다; 〈자금 등을 특정 용도에〉 지정하다《*for*》; …의 소유라고 인정하다《*for*》.

ear-mind·ed[⌐màindid] *a.*〔心〕청각형(聽覺型)(auditory type)의. **~·ness** *n.*

ear·muffs[⌐mʌ̀fs] *n. pl.* 방한용 귀가리개.

⁑**earn**[əːrn] *vt.* **1** 벌다, 일하여 얻다: one's living〔livelihood, (daily) bread〕생활비를 벌다. **2** 〈명성·평판·지위 등을〉 획득하다, 얻다《*for*》: ~ fame 명성을 얻다/~ a reputation for honesty 정직하다는 평판을 얻다/(《Ⅳ 대+(목)》) Her remarks ~*ed* her the praise of everyone. 그녀의 소견은 모든 사람의 칭찬을 받았다(=Her remarks ~*ed* the praise of everyone for her.《Ⅲ (목)+전+명》). **3** 〈감사·보수 등을〉받을 만하다. **4** 〈이익 등을〉 낳다, 얻게 하다, 가져오다(bring): Money well invested ~*s* good interest. 잘 투자된 돈은 충분한 이익을 올린다. — *vi.* 수입을 낳다. **earn one's bread**〔**living**〕생활비를 벌다, 밥벌이를 하다. **earn one's way through college** 고학으로 대학을 나오다. **éarn·er** *n.*

éarned íncome[ɔ́ːrnd-] (세법상의) 근로 소득.

éarned rún〔野〕(투수의) 자책점, 언드 런《略 ER》.

éarned rún àverage〔野〕(투수의) 방어율《略: ERA》.

⁑**ear·nest**¹[ɔ́ːrnist] *a.* **1** 진지한, 열심인(*cf.* serious); 열렬한. **2** 진지하게 고려해야 할, 중대한. — *n.* Ⓤ 진지함, 진심. **in earnest** 진지하게, 진심으로; 본격적으로: Are you *in* ~? 진심으로 그러는 거냐/It began raining *in* ~. 비가 본격적으로 내리기 시작했다. **in good**〔**real, sober, dead**〕**earnest** 진지하게, 진정으로. **~·ness** *n.*

earnest² *n.* **1** 계약금, 약조금, 증거금. **2** 징조, 전조(前兆)《*of*》.

⁑**ear·nest·ly**[ɔ́ːrnistli] *ad.* 진지하게, 진정으로.

éarnest mòney 계약금, 약조금.

éarn·ing pòwer〔經〕수익(능)력.

*__earn·ings__[ɔ́ːrniŋz] *n. pl.* 소득, 가득액, 수입, 번 것: average〔gross〕~ 평균〔총〕 소득/net ~ 순이득.

éarnings pèr sháre〔證券〕주당 순익《순이익을 발행된 평균 주수(株數)로 나눈 것; 略 EPS》.

earn·ings-re·lat·ed[ɔ́ːrniŋzriléitid] *a.* 소득에 따른: an ~ pension 소득액 비례 지급 연금.

Éarnings Relàted Súpplement〔**Bénefit**〕《영》 보험 급부금《영국의 사회 보장 제도에서 6개월간 실업자〔환자〕에게 전년도 소득에 따라 지급됨》.

éarnings yìeld〔證券〕이율《주당 순익을 주가로 나눠 얻어지는 이익률》.

EAROM [*e*lectrically *a*lterable *r*ead-*o*nly *m*emory] *n.* 〔컴퓨터〕 기억되어 있는 데이터를 전기적으로 바꿔 써 넣을 수 있는 롬(ROM).

*__ear·phone__[íərfòun] *n.* **1** 이어폰, 수신기《양귀용은 복수형》. **2** (머리에 쓰고 듣는) 수화〔신〕기(headphone).

éar pìck[⌐pìk] (때때로 귀금속제의) 귀이개.

ear·piece[⌐pìːs] *n.* **1** (보통 *pl.*) (방한모의) 귀덮개. **2** (보통 *pl.*) 안경 다리. **3** (청진기 등의) 귀에 대는 부분. **4** =EARPHONE 1.

ear·pierc·ing[⌐pìərsiŋ] *a.* 귀청이 찢어질 것 같은 〈비명〉.

ear·plug[⌐plʌ̀g] *n.* (보통 *pl.*) 귀마개《방수, 방음용》.

ear·reach[⌐rìːtʃ] *n.* =EARSHOT.

*__ear·ring__¹[íərìŋ] *n.* (종종 *pl.*) 이어링, 귀고리. **-ringed** *a.*

earring² *n.* =EARING.

éar shèll =ABALONE.

ear·shot[íərʃɑ̀t/-ʃɔ̀t] *n.* Ⓤ 목소리가 닿는 거리. **out of**〔**within**〕**earshot** 불러서 들리지 않는〔들리는〕 곳에.

éar spècialist[⌐spèʃəlist] 이과(耳科) 전문의(醫).

ear·split·ting[⌐splìtiŋ] *a.* 귀청이 찢어질 듯한, 천지를 진동하는.

★**earth**[əːrθ] *n.* (*pl.* **~s**) **1** (the ~) 지구; (집합적) 지구상의 주민: the whole ~ 전세계의 사람. **2** (the ~) 대지, (하늘에 대하여) 땅; (바다에 대하여) 육지. **3** Ⓤ 토양(土壤), 흙(soil); (*pl.*) 각종 토양. **4** (*pl.*)〔化〕토류(土類). **5** (the ~) (천국·지옥에 대하여) 이승(this world). **6** Ⓤ 속세의 일, 속된 일. **7** (the ~) Ⓒ,Ⓤ 《영》〔電〕어스, 접지(接地)(《미》 ground): an ~ plate 어스판(板). **8** Ⓤ 지(地)《고대 철학에서 말하는 우주 형성의 4원소, 즉 지수화풍(地水火風) 중의 하나》. **9** Ⓤ,Ⓒ (여우, 담비 따위의) 굴. **come back**〔**down**〕**to earth** (몽상에서) 현실 세계로 돌아오다. **cost the earth** 《口》 비용이 엄청나게 들다. **down to earth** 《口》 실제적인, 현실적인. **go the way of all the earth**〔聖〕죽다. **move heaven and earth** 백방으로 노력하다. **on earth** (1) 지상에 (살아 있는): while he was *on earth* 그가 살아 있는 동안. (2) (최상급을 강조하여) 이 세상에서: the greatest man *on earth* 이 세상에서 가장 위대한 사람. (3) (의문사를 강조하여) (자네는) 도대체: Why *on earth* are you sitting there? 도대체 왜 거기에 앉아 있는 거냐. (4) (부정을 강조하여) 전혀, 조금도(at all): There is *no* reason *on earth* why you should do that. 자네가 그런 일을 할 이유는 조금도 없어. **pay the earth** 《口》 큰 돈을 치르다. **put to earth**〔電〕어스하다, 접지시키다. **run to earth** 〈여우 등이〉 굴로 도망치다; 궁지에 몰아넣다; 샅샅이 캐어 내다. **take earth** =**go to earth** 굴로 도망치다. — *vt.* **1** 〈나무·뿌리·채소 등에〉 흙을 덮다, 북주다; …을 흙 속에 묻다《*up*》: ~ *up* potatoes 감자에 북주다. **2** 〈여우 등을〉 굴에 몰아넣다. **3** 《영》〔電〕접지하다. — *vi.* 〈여우 등이〉 굴로 도망치다.

◇ éarthen, éarthly, éarthy *a.*

éarth àrt〔美〕어스 아트(land art)《지형·경관 등을 소재로 한 공간 예술》.

éarth bàg 모래 주머니.

earth·born[⌐bɔ̀ːrn] *a.* **1** 땅에서 태어난. **2** 이 세상에 태어난; 인간의. **3** 속세의, 현세의.

earth·bound[⌐bàund] *a.* **1** 〈뿌리 등이〉 땅에 고착되어 있는. **2** 〈동물, 새 등이〉 땅 표면에서 떠날 수 없는: an ~ bird 날 수 없는 새. **3** 세속에 얽매인, 현실적인. **4** 〈우주선 등이〉

E

지구를 향한.
earth·bred[ˊbrèd] *a.* 지상에서 자란; 천한(vulgar).
éarth clòset ((영)) 토사 살포식 변소, 노천 변소((전쟁터에서 사용)).
éarth cùrrent 〔電〕 지전류(地電流).
earth·day[ˊdèi] *n.* 지구일((다른 천체상의 시간을 환산하는 데에 쓰이는 지구상의 24시간의 하루)).
Éarth Dày 지구의 날((환경 보호의 날; 4월 22일)).
*__earth·en__[ə́:rθən] *a.* 흙으로 만든, 오지(그릇)의; 세속적인. ◇ earth *n.*
*__earth·en·ware__[-wὲər] *n.* Ⓤ (집합적) 질그릇, 오지그릇. — *a.* 질〔오지〕그릇의〔으로 만든〕.
éarth gòd[ə́:rθgɑ̀d/-gɔ̀d] 식물과 비옥(肥沃)의 신.
éarth gòddess[ˊgɑ̀dis/ˊgɔ̀d-] 대지의 여신((식물·비옥의 여신)).
éarth hòuse 흙집; 땅 속의 집.
earth·i·an[ə́:rθiən] *n.* (종종 **E-**) 지구인. — *a.* 지구의.
earth·i·ness[ə́:rθinis] *n.* Ⓤ 토질, 토성(土性); 속취(俗臭), 속악(俗惡)(earthliness).
earth·light[ə́:rθlàit] *n.* 〔天〕 =EARTHSHINE.
earth·li·ness *n.* Ⓤ 지상의 것으로서의 성질; 현세〔세속〕적임, 속됨.
earth·ling[ə́:rθliŋ] *n.* 지구인; 인간; 속인.
earth·lub·ber[ə́:rθlʌ̀bər] *n.* 지구 밖으로 나가 본〔우주 비행을 한〕 적이 없는 사람; (우주에서 본) 지상 생활자; 우주 비행사가 아닌 사람(*cf.* LANDLUBBER).
⁑**earth·ly**[ə́:rθli] *a.* (**-li·er; -li·est**) **1** 지구〔지상〕의. **2** 이 세상의, 이승의, 속세의(worldly)(*opp.* heavenly). **3** ((口)) (강의어) a (부정) 전혀, 조금도(at all): There is *no* ~ use for it. 전혀 쓸모가 없다. b (의문) 도대체(on earth): *What* ~ purpose can it serve? 도대체 어떤 목적에 쓸 것인가. **have not an earthly (chance)** ((영口)) 전혀 가망이 없다(chance, hope, idea 등을 보충). ◇ earth *n.*
earth·ly-mind·ed[-máindid] *a.* ((古)) 속세적(俗世的)인(worldly-minded).
earth·man[ə́:rθmæ̀n, -mən] *n.* (*pl.* **-men**[-mèn]) 지구에 사는 사람, 인간.
éarth mòther (만물의 생명의 근원으로서의) 대지.
earth·mov·er[ˊmù:vər] *n.* 땅을 고르는 기계((대형 불도저, 파워 셔블 등)).
earth·nut[ˊnʌ̀t] *n.* 〔植〕 땅콩, 낙화생.
éarth òrbital velócity 지구 궤도 속도.
éarth pìllar 〔地質〕 (주위의 흙의 침식에 의해 생기는) 흙기둥.
⁑**earth·quake**[ə́:rθkwèik] *n.* 지진(*cf.* SEISMOLOGY); (사회·정치적) 대변동.
éarthquake cénter 진앙(震央), 진원지.
éarthquake insùrance 지진 보험.
éarthquake intènsity 진도(震度).
éarthquake lìghts〔lìghtning〕 지진시의 발광 현상((지진 때 하늘이 밝게 빛나는 현상)).
earth·quake-proof[-prù:f] *a.* 내진(耐震)의.
éarthquake séa wàve 해일.
éarthquake shòck 지진(의 진동).
éarthquake sòunds =EARTH SOUNDS.
éarth resóurces sàtellite 지구 자원 탐사 위성.
earth·rise *n.* (달 또는 달을 도는 우주선에서 본) 지구의 떠오름, 지구돋이(*cf.* SUNRISE, MOONRISE).
éarth sàtellite (지구를 도는) 인공 위성(artificial satellite).
earth·scape[ˊskèip] *n.* ((미)) (우주선 등에서 본) 지구의 모습〔경관〕.
éarth scìence 지구 과학((지리학, 지질학, 기상학 등)).
earth·shak·ing[ˊʃèikiŋ] *a.* 세계를 떠들썩하게 하는, 극히 중대한. **~·ly** *ad.*
earth·shat·ter·ing *a.* =EARTHSHAKING.
earth·shine[ˊʃàin] *n.* Ⓤ 〔天〕 (달의 어두운 부분을 엷게 비추는) 지구의 반사광.
earth·shock[ˊʃɑ̀k/ˊʃɔ̀k] *n.* 지변(地變), 천재 지변((지진·화산 폭발·기상 이변 등)).
Éarth Shòes 뒷축이 앞축보다 낮은 구두((발이 피로하지 않고 편하다고 함; 상표명)).
éarth sòunds 땅울림.
éarth stàtion (위성·우주 통신용의) 지상국(局).
éarth tàble 〔建〕 근석(根石)((건물의 토대 중에서 땅 표면으로 나온 부분)).
éarth tìme[ˊtàim] 지구시(간)((천체 현상을 지구상에서 관측하는 데 사용; 지구 자전의 시간이 기준이 됨)).
éarth tòne 연한 회색에서 검은 갈색에 이르는 난색조(暖色調).
éarth trèmor 약한 지진.
earth·ward[ə́:rθwərd] *ad., a.* 땅〔지구〕쪽으로(향한)(*cf.* HEAVENWARD).
earth·wards[ə́:rθwərdz] *ad.*=EARTHWARD.
Earth·watch[ˊwɑ̀tʃ/ˊwɔ̀tʃ] *n.* 지구 감시망((세계적 규모로 환경 오염을 감시하기 위해 만들어진 것)).
Éarth Wèek 지구 (보호) 주간((환경 보호의 주간. 1971년 4월 18-24일에 처음으로 실시; *cf.* EARTH DAY)).
earth·wo·man *n.* (*pl.* **-wo·men**[wímin]) (SF에서의) 여자 지구인.
earth·work[ˊwə̀:rk] *n.* **1** Ⓤ 토공사(土工事). **2** 〔軍〕 토루(土壘). **3** (*pl.*) 대지 예술((흙, 돌, 모래, 물 등의 자연물을 소재로 함)).
*__earth·worm__[ˊwə̀:rm] *n.* 땅 속에 사는 벌레, ((특히)) 지렁이; ((古)) 벌레같은〔비열한〕 인간.
earth·y[ə́:rθi] *a.* (**earth·i·er; -i·est**) **1** 흙의, 흙 같은, 토양성의. **2** 땅의, 땅 속에 사는. **3** ((古)) 지상의; 세속적인, 현실적인 야비한. **4** 거친. **of the earth, earthy** 〔聖〕 땅에서 났으니 흙에 속한(고린도 전서 15:47); 너무나도 속세적인. **éarth·i·ness** *n.*
earth·year[ə́:rθjìər] *n.* 지구년((1년을 365일 기준으로 한 시간)).
éar trùmpet (옛날의) 나팔형 보청기.
ear·wax[íərwæ̀ks] *n.* Ⓤ 귀지.
ear·wig[ˊwìg] *n.* 〔昆〕 집게벌레. — *vt.* (**~ged; ~·ging**) ((古)) 〈…을〉 솔깃한 말로 남을 움직이려 하다, 은근히 조르다.
ear·wit·ness[íərwítnis] *n.* 남이 하는 이야기를 듣는〔보고하는〕 사람; 〔法〕 전문 증인(傳聞證人).
éar wràp (귀를 뚫지 않고 다는) 귀고리 장식.
⁑**ease**[i:z] *n.* Ⓤ **1** (생활의) 안락; 안일: live *at* ~ 안락하게 살다. **2** 마음 편함, 평안. **3** (몸의) 편함, 안정; (고통 의) 경감(*from*). **4** 안이(安易), 자유로움, (태도·모양 등의) 홀가분함, 여유 있음. **5** 용이함; 쉬움, 평이(平易)함. **6** (의복·구두 등의) 넉넉함, 여유. **at (one's) ease** 마음 편하게; 여유 있게, 안심하고: *At* ~! 〔軍〕((미·口令)) 쉬어(((영)) Stand easy!) **be〔feel〕 at ease** 안심하다, 마음 놓다. **be at ease in Zion** 안일한 생활을 하

다. **ill at ease** (불안해서) 마음 놓이지 않는, 안절부절 못하는. **live at ease** 편안히 지내다. **march at ease** 〔軍〕 제걸음으로 가다. **set** one**'s heart at ease** 안심하다. **stand at ease** 〔軍〕 쉬어 자세로 서다(*opp.* stand at attention). **take** one**'s ease** 몸을 편히 가지다, 편히 쉬다. **well at ease** 여유 있게, 느긋한 마음으로, 마음 편하게. **with ease** 용이하게, 손쉽게(easily).
— *vt.* **1** 〈고통·고민 등을〉 진정〔완화〕시키다, 덜다: …을 편하게 하다, 안심시키다: ~ a person's anxiety …의 불안을 진정시키다/~ one's mind. …의 마음을 달래주다/~ a person *of* pain …의 고통을 덜어 주다/《Ⅲ(목)+전+명》 Can I ~ you *of* your burden? 제가 당신의 짐을 좀 가볍게 해드릴 수 있을까요. **2** 《익살》 …에게서…을 빼앗다(rob)《*of*》: ~ a person *of* his purse …의 지갑을 빼앗다. **3** 느슨하게 하다(loosen): 〈속도 등을〉 늦추다《*down*》: ~ *down* the car〔the speed of a car〕. 자동차의 속력을 늦추다. **4** 〈물건을〉 조심해서 움직이다, 천천히 … 하다: They ~*d* the big box *into* the room. 그들은 큰 상자를 조심해서 움직여 방안에 들여놓았다. — *vi.* **1** 〈통증 등이〉 가벼워지다, 편해지다: The pain has ~*d off*. 통증이 가벼워졌다. **2** 천천히 움직이다: He ~*d into* the car 그는 천천히 차에 올랐다. **Ease all!** 〔海〕 노젓기 그만. **ease away** 〔海〕 〈밧줄 등을〉 늦추다. **ease down** 〔주로 海〕 늦추다, 느스러지다: 속력을 늦추다, 속력이 늦어지다. **Ease her!** 〔海〕 속력을 늦춰. **ease in** (일 등에) 서서히 익숙해지게 하다. **ease** one**'s leg** 쉬어 자세를 취하다. **ease** one**self** 안심하다(=~ one's mind): 기분을 풀다, 홀가분한 기분이 되다: 똥누다. **ease out** …을 사직시키다, 추방하다. **ease up**〔**off**〕 《口》 (1) 〈아픔, 긴장 등이〉 누그러지다, 완화되다. (2) 일을 경감시키다. (3) 〈태도를〉 누그러뜨리다《*on*》: *Ease up* on him. 그에 대한 태도를 누그러뜨리시오. (4) 늦추다, 적게 하다《*on*》: He ~*d off on* the accelerator. 그는 액셀러레이터를 늦추었다. ⇔ éasy *a.*

ease·ful[íːzfəl] *a.* 마음 편한, 안락한, 편안한: 태평스러운, 안일한. **~·ly** *ad.* **~·ness** *n.*

*****ea·sel**[íːzəl] *n.* 화가(畵架), (칠판 등의) 받침틀.

ease·less[íːzlis] *a.* 마음이 편치 않은, 심신이 안정되지 않은, 불안한.

éasel pàinting〔**pìcture**〕 화가에 얹어서 그리기에 알맞은 (크기의) 그림.

ease·ment[íːzmənt] *n.* **1** Ⓤ,Ⓒ (고통 등의) 경감. **2** 안락: 안락을 주는 것. **3** Ⓤ 〔法〕 지역권(地役權).

***eas·i·ly**[íːzəli] *ad.* **1** 용이하게, 쉽게. **2** 원활하게, 술술. **3** 편안하게, 마음 편히. **4** a (can, may와 함께) 아마(probably): The train *may* ~ be late. 기차는 아마 늦을 것이다. b (최상급, 비교급을 강조하여) 분명히, 물론: It is ~ the best hotel. 그것은 분명히 가장 좋은 호텔이라고 할 수 있다. ⇔ éasy *a.*

eas·i·ness[íːzinis] *n.* Ⓤ **1** 용이함, 평이(平易)함. **2** 소탈함, 마음 편함, 태연함(ease).

★**east**[iːst] *n.* **1** (the ~) 동(쪽), 동방: 동부《略: e., E》: in *the* ~ of …의 동부에/on *the* ~ of …의 동쪽에(접하여)/to *the* ~ of …의 동쪽으로. **2** (the ~) 동부 지방: (the E-) 《미》 동부(의 여러 주): 동양, 아시아: 동유럽 제국: (옛날의) 동로마 제국. **3** (the ~) (교회의) 동쪽 끝, 제단쪽. **4** 《詩》 동풍. **down East**〔**east**〕 《미口》 (New England의) 동부 연안(에, 으로), 《특히》 Maine 주(에, 로)(*cf.* DOWN EASTER). **east by north**〔**south**〕 동미(微)북〔남〕《略: EbN〔S〕》. **the Far East** 《영》 극동. **the Middle East** 《영》 중동《《영》 발칸을 제외한 근동(近東) 지역: 《미》 이라크·이란·아프가니스탄, 때로는 인도·티베트·버마를 포함》. **the Near East** 근동《아라비아·소아시아·발칸 등: 《영》에서는 특히 발칸을 가리킬 때가 있음》. **Too far east is west.** 《속담》 초극동은 서(西)이다, 극단은 일치한다. **to**〔**in, on**〕 **the east of** …의 동쪽〔동부, 동쪽 끝〕에.
— *a.* **1** 동(녘)의, 동쪽에서 오는: an ~ wind 동풍. **2** 동부의: 제단 쪽의《교회의 본당에서 보아》. — *ad.* 동쪽에〔으로〕: lie ~ (of) (…의) 동쪽에 있다/lie ~ and west 동서에 걸쳐 있다. **due east** 정동(正東)으로〔에〕. ⇔ éastern *a.*: éast·ward(s) *ad.*: éasterly *a., ad.*

Éast Áfrican Commúnity (the ~) 동아프리카 공동체《略: EAC》.

Éast Berlín *n.* (통일 전의) 동베를린.

Éast Blóc 동구(東歐) 공산권《바르샤바 조약기구(Warsaw Treaty Organization)에 가맹한 소련과 동구 여러 나라》.

east·bound[⌐bàund] *a.* 동쪽으로 가는.

Éast Céntral *n.* (the ~)(런던시의) 중앙 동부 우편구《略: E.C.》.

Éast Chína Séa *n.* (the ~) 동지나해.

Éast Énd *n.* (the ~) 런던시의 동부《빈민가; *cf.* WEST END》. **Éast-Ènder** *n.*

east·er[íːstər] *n.* 동풍, 《특히》 동쪽에서 불어오는 폭풍〔강풍〕.

★**Eas·ter**[íːstər] *n.* **1** (그리스도의) 부활절, 부활 주일《춘분 후, 만월(滿月) 다음의 첫 일요일; =~ Day〔Sunday〕》. **2** 부활절 주간(=~ week).

Éaster càrd 부활절 카드《greeting card의 일종으로 부활절의 인사로 보냄》.

Éaster cýcle 부활절 순환기《로마 교회에서는 84년, 알렉산드리아 교회에서는 19년》.

Éaster Dày =EASTER SUNDAY.

Éaster dùes =EASTER OFFERINGS.

Éaster ègg 채색한 달걀《부활절의 선물, 장식용: 그리스도 부활의 상징》.

Éaster éve 부활절 전야.

Éaster Ísland 이스터섬《남태평양상의 칠레령(領)의 화산섬: 1772년 Easter Day에 발견: 석상(石像)이 많은 것으로 유명》.

Éaster lìly 《미》 부활절 장식용 백합 《특히, 마돈나 릴리 등》.

east·er·ling[íːstərliŋ] *n.* 동쪽 나라의 국민.

east·er·ly[íːstərli] *a.* 동쪽의, 동방의: (바람이) 동쪽으로부터의: an ~ wind 동풍.
— *ad.* 동쪽에〔으로〕, 〈바람이〉 동쪽으로부터.
— *n.* 동풍.

Éaster Mónday EASTER SUNDAY 다음 날 《영국·캐나다에서는 공휴일, 미국에서는 North Carolina 주가 법정 휴일》.

***east·ern**[íːstərn] *a.* **1** 동쪽의, 동쪽으로부터의. **2** (**E-**) 동양의(Oriental): 동양식의.
— *n.* (**E-**) **1** 동방의 주민, 동양인. **2** 동방교회 신도. ⇔ east *n.*

Éastern Áir Lìnes 이스턴 항공《미국의 항공 회사: 略 EAL: 국제 약칭 EA》.

Éastern Chúrch (the ~) 〔基督教〕 동방교회《그리스 정교회》.

East·ern·er[íːstərnər] *n.* 《미》 동양 사람: 동부 지방〔제주(諸州)〕의 주민〔출신〕.

Éastern Estáblishment 동해안 주류파《하버드, 예일, 콜럼비아 대학 등 동해안의 명문교 출신으로 정치·재계의 중추를 이루는 인맥》.

Éastern Hémisphere (the ~) 동반구(東

半球).

east·ern·most[íːstərnmòust, -məst] [eastern의 최상급에서] *a.* 가장 동쪽의.

Eastern Orthodox Church (the ~) 동방 정교회(the Orthodox Church).

Éastern Ríte Chúrch (the ~) 동방 전례(典禮) 교회《그리스·시리아 등의 카톨릭 교회; 성직자가 가정을 가질 수 있음》.

Éastern (Róman) Émpire *n.* (the ~) 동로마 제국.

Éastern Stándard Tìme 《미·캐나다》 동부 표준시《Greenwich 표준시보다 5시간 늦음; 略: EST, E.S.T.》.

Éastern státe (the ~)《미》 동부의 여러 주.

Éaster ófferings 부활절의 헌금.

Éaster Súnday 부활 주일(*cf.* EASTER 1).

Éaster Térm 〔영法〕 4월 15일 후 약 3주간의 개정기(開廷期); 〔영大學〕 봄학기, 크리스마스부터 부활절까지의 학기.

East·er·tide[íːstərtàid] *n.* **1** 부활절 계절《부활 주일부터 성령 강림 주일(Whitsunday)까지의 50일간》. **2** 부활 주일부터 시작되는 1주일간(Easter week).

Éaster wéek 부활절주《Easter Sunday 부터 시작됨》.

Éast Germánic 〔言〕 동(東)게르만어(군).

Éast Gérmany *n.* 동독(통일 이전의)《수도 Berlin》(*cf.* WEST GERMANY).

Éast Índia Cómpany (the ~) 동인도 회사《영국이 1600년에 설립, 1874년 해산》.

Éast Índian 동인도의 (토인, 주민).

Éast Índies *n.* (the ~) 동인도(*cf.* WEST INDIES).

east·ing[íːstiŋ] *n.* U,C **1** 〔海〕 동항(東航); 편동항행(偏東航行). **2** (천체의) 동진(東進); (바람 방향의) 동향(東向). **3** 동향, 동방위(東方位).

East·man[íːstmən] *n.* 이스트먼 George ~ (1854-1932)《미국의 발명가·사업가; Kodak 사진기와 롤 필름 발명》.

east-north·east[´nɔ̀ːrθíːst] *n.* (the ~) 동북동. ― *a.* 동북동의: an ~ wind 동북동 바람. ― *ad.* 동북동으로〔에서〕.

Éast Pákistan *n.* 동파키스탄《1971년말 독립하여 Bangladesh가 됨》.

Éast Sìde *n.* (the ~) 뉴욕시 Manhattan 섬의 동부《원래 빈민가》.

east-south·east[´sàuθíːst] *n.* (the ~) 동남동《略: ESE, E.S.E.》. ― *a.* 동남동의. ― *ad.* 동남동으로; 동남동으로부터.

***east·ward**[íːstwərd] *ad., a.* 동쪽으로(의): ~ position 제단(祭壇) 정면《성만찬 때의 사제의 좌석》. ― *n.* (the ~) 동쪽(지역, 지점). **~·ly** *a., ad.* 동쪽으로부터의; 동쪽으로.

east·wards[íːstwərdz] *ad.* =EASTWARD.

★**eas·y**[íːzi] *a.* (**eas·i·er; -i·est**) **1** 〈일·문제가〉 쉬운, 수월한, 용이한(*opp.* difficult, hard) (*cf.* simple): 《Ⅱ 형+명+*to* do》 That is an ~ problem to solve. 그것은 쉽게 풀 수 있는 문제이다/《Ⅱ 형+*to* do》 This word is ~ to utter. 이 단어는 발음하기 쉽다/《Ⅱ *It v* Ⅱ+형+*for*+대+*to do*》 It's ~ *for* her *to* learn French. 그녀가 불어를 배우는 것은 수월하다/《Ⅱ *It v* Ⅱ+형+-*ing*》 It's not so ~ communicat*ing* in German. 독일어로 의사 소통하는 것은 그리 쉽지 않다. **2** 안락한, 편한, 마음 편한. **3** 〈의복 등이〉 낙낙한, 헐거운. **4** (성품 따위가) 태평한 (easygoing): 단정치 못한: He is ~ *in* his morals. 그는 품행이 단정치 못하다. **5** 〈담화·문체 등이〉 부드러운, 매끈한. **6** 엄격하지 않은, 관대한; 〈기분·태도 등이〉 여유 있는, 딱딱하지 않은: Be ~! 마음의 여유를 가져라, 걱정할 것 없다/He is ~ *to* get on with. 그는 사귀기가 쉽다. **7** 〔商〕 〈상품의 수요가〉 풍부한; 〈시장의 거래가〉 완만한, 한산한 (*opp.* tight). **8** (걸음걸이 따위가) 여유 있는, 침착한; 심하지 않은. **9** (조건지급 따위가) 가혹하지 않은, 부담이 되지 않는: on ~ terms 〔商〕 분할불로. **10** 〈속도 등이〉 느릿한, 느린. **11** 족히 …의: He looks an ~ 40. 그는 족히 40세는 되어 보인다. **as easy as ABC**〔**shelling peas, falling off a log, winking**〕 아주 쉬운. **easy of access** 가까이 하기 쉬운. **easy to get on with** ⇨ *a.* 6. **easy way out** 《미口》 도망치기 쉬운 방법; 하기 편한 해결(법). **free and easy** 대범하고 소탈한. **Honors** (**are**) **easy.** 최우위(最優位)의 카드는 피차 반반(이다). **in easy circumstances** 잘〔편하게〕 사는. **make oneself easy** (**about**) (…에 대하여) 안심하다, 걱정하지 않다. **within easy distance**〔**reach**〕 가까이에. ― *ad.* (**eas·i·er; -i·est**) 《口》 수월하게, 쉽게; (마음) 편하게, 자유로이, 여유 있게. **Easy!** 〔海〕 늦춰라. **Easy all!** 〔海〕 (노젓기) 그만. **Easy come, easy go.** 《속담》 얻기 쉬운 것은 잃기도 쉽다. **get off easy** 가벼운 죄로 모면하다. **go easy** 서두르지 않고〔태평스럽게〕 하다. **It's easier said than done.** 말하기는 쉬우나 행하기는 어렵다. **Stand easy!** 《영·口令》 쉬어《《미》에서는 보통 At ease!》 **take things easy** = **take it easy** 매사를 대범하게 생각하다, 서두르지 않다, 덤비지 않다.
― *n.* 《口》 휴식; (노젓기 등의) 잠깐 쉼, 정지. **take an easy** 쉬다.
◇ éasily *ad.*; éasiness *n.*

éasy chàir 안락 의자.

eas·y-does-it[ìːzidʌ́zit] *a.* 서두르지 않는, 태평한.

***eas·y·go·ing**[íːzigóuiŋ] *a.* **1** 태평스러운; 안이한, 게으른. **2** 걸음이 완만한 〈말 등〉. **~·ness** *n.*

éasy máke 《俗》 =EASY MARK; 쉽게 몸을 허락하는 여자.

éasy márk 《口》 잘 속는〔만만한〕 사람, 봉.

éasy méat 《口》 쉽게 속는〔이용당하는〕 사람; 손 쉬운 것.

éasy móney 쉽게 번 돈, 사취한 돈, 부정 이득; 손쉬운 돈벌이.

éasy stréet (종종 **E- S-**) 《口》 유복한 신분; 재정적 독립: be on〔in〕 ~ 유복하게 지내다.

éasy térms 할부, 월부: on ~ 할부로, 월부로.

éasy vírtue 몸가짐이 헤픔, 부정(不貞): a lady〔woman〕 of ~ 방종한 여자; 창녀.

★**eat**[1] [iːt] (**ate**[eit/et], 《古》 **eat**[et/iːt]; **eat·en**[íːtn], 《古》 **eat**[iːt, et]) *vt.* **1** 먹다, 〈국·죽 등을〉 떠내어 마시다: ~ good food 잘 먹다, 호식하다/Well, don't ~ me! 《익살》 그렇게 잡아먹을 듯이 굴지 말게, 좀 진정하게/~ soup from a plate 접시의 수프를 (스푼으로) 먹다/What did you ~ *for* lunch? 점심에 무엇을 드셨습니까. **2** 파괴하다, 침식〔부식〕하다: 〈해충 등이 …을〉 마구 먹어대다《*away, out, up*》; 《미俗》 들볶다: 《Ⅲ (목)》 Acids ~ metals. 산은 금속을 부식한다/《Ⅰ *be pp.*+부+전+명》 The metal has been *eaten away* with rust. 그 금속은 녹이 나서 푸석푸석해졌다/《Ⅴ (목)+형》 His shop had, as it were, *eaten* itself hollow. 그의 상점은 말하자면 스스로를 잠식하여 빈털털이가 되었다. **3** 〈병·근심 등이〉

서서히 침범하다, 소모시키다. **4** 《口》 낭비하다: An old car ~*s* oil. 낡은 차는 휘발유를 많이 먹는다. **5** (진행형으로) 《口》 초조하게 만들다, 괴롭히다. ── *vi.* **1** 음식을 먹다, 식사를 하다: ~ and drink 먹고 마시다/~ well 잘 먹다/《Ⅰ 전+명》 She could not ~ *in* despair. 그녀는 절망에 빠져서 먹지도 못했다/《Ⅰ *to* do/접 Ⅰ *to* do》 *Eat* to live and not live to *eat.* 살기 위해서 먹지, 먹기 위해서 살지 말라. **2** 먹어들어가다, 파먹다, 침식〔부식〕하다《*into*》: The sea has *eaten into* the north shore. 바다가 북쪽 해안을 침식했다. **3** 《미口》 〈음식이〉 먹을 수 있다, …한 맛이 나다: 《Ⅰ 부》 This fish ~*s* well. 이 생선은 맛이 있다〔맛있게 먹을 수 있다〕/《Ⅱ 형》 This cake ~*s* crisp. 이 과자는 (먹으면) 파삭파삭하다. **be eaten up with** … … (걱정 등에) 사로잡히다; (빚으로) 옴쭉 못하다, (병으로) 몹시 쇠약해지다. **eat at** …을 초조하게 만들다. **eat away** 마구 먹어대다; 먹어들어가다; 〈녹 등이〉 부식하다. **eat crow** 《미口》 굴욕을 참다; 잘못을 마지못해 시인하다. **eat high off**〔**on**〕 **the hog** 호사스럽게 살다. **eat humble pie** 굴욕을 참다, 비평〔비난〕을 감수하다. **eat in** 부식하다. **eat into** 먹어들어 가다; 부식하다; 〈재산을〉 소비하다. **eat of** (the repast) (음식 대접에) 한몫 끼다, …의 일부를 먹다. **eat off** 물어 찢어〔뜯어〕 내다; 먹어 치우다. **eat one's fill** 배불리 먹다. **eat one's terms**〔**dinners**〕 변호사 자격을 얻기 위하여 수업(修業)하다. **eat** one's **words** 약속을 어기다; (겸허하게) 앞에 한 말을 취소하다, 자신의 잘못을 인정하다: 《Ⅲ (목)+(전+명)》 He has never *eaten his words* (*for* Nancy). 그는 단 한 번도 (낸시와의) 약속을 어겨본 적이 없다. **eat** one**self sick** 과식하여 병이 나다. **eat out** 다 먹어버리다; 침식하다; 외식하다. **eat out of** a person**'s hand** 전적으로 복종하다. **eat** a person **out of house and home** …의 재산을 먹어 없애다. **eat the ginger** 《俗》 자기 몫 이상을 갖다, 가장 좋은 부분을 취하다. **eat the wind out of**=**eat to windward of** 〔海〕 바람 불어오는 쪽으로 나아가 다른 배의 바람을 가로막다. **eat to windward** 〔海〕 (바람을 최대한 이용하기 위해) 돛을 활짝 펴고 달리게 하다. **eat up** 다 먹어버리다; 소비하다(consume); 지나가다; 〈도로를〉 마구 질주해 가다; 열중하게 하다. **I'll eat my hat**〔**hands, boots**〕 **if** … 만약 …이라면 내 목을 베어라(=I'm a Dutchman if …).
── *n.* (*pl.*) 《口》 음식; 식사(meals).

eat² [et, iːt] *v.* 《古》 EAT¹의 과거·과거 분사.

EATA East Asia Travel Association.

eat·a·ble [íːtəbəl] *a.* 먹을 수 있는, 식용에 적합한(edible). ── *n.* (보통 *pl.*) 먹을 수 있는 것, 식료품: ~*s* and drinkables 음식물.

★**eat·en** [íːtn] *v.* EAT¹의 과거 분사.

eat·er [íːtər] *n.* 먹는 사람; 부식물(腐蝕物)〔제(劑)〕; 날로 먹을 수 있는 과일.

eat·er·y [íːtəri] *n.* (*pl.* **-er·ies**) 《口》 간이 식당.

eat-in [íːtìn] *n.* 《미口》 (1960년대에) 흑인이 인종 차별 식당에 몰려가서 식사를 하는 차별 항의 운동; 《미口》 (1980년대에) 검소한 회식을 하고 그 회비의 일부를 좋은 일에 기부하는 운동; 《미俗》 오럴 섹스를 하는 난잡한 파티.

⁑**eat·ing** [íːtiŋ] *n.* Ⓤ **1** 먹기. **2** (맛·품질에서 본) 음식(물), 식품: be good〔bad〕 ~ 맛있는〔없는〕 음식이다. ── *a.* **1** (속으로) 먹어들어가는 〈근심 등〉. **2** 식용의; 《특히》 날로 먹을 수 있는(*cf.* COOKING): ~ fish 식용 물고기.

éating àpple 생식용 사과 *cf.* COOKING APPLE.

éating hòuse〔**plàce**〕 음식점, 값이 싼 식당.

Éa·ton àgent [íːtən-] 〔醫〕 이튼 인자《MYCOPLASMA의 옛 이름》.

eau [ou] [F] *n.* (*pl.* ~**x**) 물.

eau de Co·logne [óu-də-kəlóun] [F] *n.* 오드콜로뉴《향수의 일종》.

eau de Nil [-níːl] [F] *n.* 암녹색.

eau-de-vie [òudəvíː] [F] *n.* (*pl.* **eaux-** [ouz-]) 브랜디.

eau su·creé [òusu(ː)kréi] [F] *n.* 설탕물.

∗**eaves** [iːvz] *n. pl.* 처마《◇ 단수로 eave를 쓰는 경우도 있음》.

eaves·drop [ˊdrɑ̀p/ˊdrɔ̀p] (~**ped**; ~**·ping**) *vi.* 엿듣다(*cf.* overhear). **~·per** *n.* **~·ping** *n.*

Eb 〔化〕 erbium. **EB** eastbound. **E.B.** Encyclop(a)edia Britannica.

∗**ebb** [eb] *n.* **1** (the ~) 썰물, 간조(干潮)(*opp.* flood, flow). **2** 감퇴, 쇠퇴기. **be at an**〔**a low**〕 **ebb** 〈조수가〉 빠져 가고 있다; 〈사물이〉 쇠퇴기에 있다. **be at**〔**on**〕 **the ebb** 〈조수가〉 빠져 가고 있다; 쇠퇴하고 있다. **the ebb and flow** (조수의) 간만, 썰물과 밀물; (사업·인생의) 성쇠. ── *vi.* **1** 〈조수가〉 빠지다, 써다(*opp.* flow). **2** 〈혈액·힘 등이〉 줄다; 〈가산 등이〉 기울다(decline): His life was slowly ~*ing away.* 그의 생명은 서서히 쇠퇴해 가고 있었다. **3** 만회하다, 되찾다, 소생하다: His courage ~*ed back* again. 그는 용기를 되찾았다.

ébb tìde (보통 the ~) **1** 썰물, 간조(干潮). **2** 쇠퇴(기).

EBCDIC [*e*xtended *b*inary *c*oded *d*ecimal *i*nterchange *c*ode] *n.* 〔컴퓨터〕 확장 2진화(進化) 10진(進) 코드《8비트로 한 문자를 나타내는 컴퓨터 부호의 하나》.

Eb·e·ne·zer [èbəníːzər] *n.* 남자 이름.

EBF Encyclop(a)edia Britannica Film《대영 백과 사전을 기초로 한 교육 영화》.

Eb·la·ite [ébləàit, íːb-] *n.* 에블라어(語)《북시리아에서 발견된 세계 최고(最古)의 셈어족 언어》. ── *a.* 에블라어의, 에블라 왕국의.

Eb·lan [éblən, íːb-] *a.* =EBLAITE.

EbN east by north 동미북(東微北).

E-boat [íːbòut] [*e*nemy *boat*] *n.* 《영》 쾌속 어뢰정《제2차 대전 때 독일의》.

E·bó·la vìrus [ibóulə-] 〔細菌〕 고열과 내출혈을 일으키는 열대 전염병 바이러스《◇ Ebola는 자이르 북부의 강》.

eb·on [ébən] *n., a.* 《古·詩》 =EBONY.

eb·o·nite [ébənàit] *n.* Ⓤ 에보나이트, 경질(硬質)〔경화〕 고무(vulcanite).

eb·o·nize [ébənàiz] *vt.* 흑단(黑檀) 비슷하게 (착색)하다.

∗**eb·o·ny** [ébəni] *n.* (*pl.* **-nies**) **1** 〔植〕 흑단《인도산》. **2** Ⓤ 흑단재(材)《고급 가구의 재료》. ── *a.* 흑단으로 만든; (흑단처럼) 새까만.
◇ ébonize *v.*

EBR Experimental Breeder Reactor 실험용 증식로(增殖爐).

e·bri·e·ty [i(ː)bráiəti] *n.* 《稀》 =INEBRIETY.

EbS east by south 동미남(東微南).

e·bul·lience, -lien·cy [ibúljəns, -bʌ́l-], [-si] *n.* Ⓤ 《文語》 비등(沸騰); (감정 등의) 격발, 격정의 발로.

e·bul·lient [ibúljənt, -bʌ́l-] *a.* 끓어 넘치는; 〈원기·열정 등이〉 넘쳐 흐르는, 용솟음치는 《*with*》. **~·ly** *ad.*

E

eb·ul·lism[ébjəlìzəm] *n.* 〔醫〕 (급속한 기압 강하로 인한) 체액 비등(體液沸騰).
eb·ul·li·tion[èbəlíʃən] *n.* Ⓤ,Ⓒ 비등; 격발, 용솟음, 분출, 돌발(outburst)《*of*》.
E by N east by north. **E by S** east by south.
ec[ek] *n.* Ⓤ《俗》경제학(economics).
EC, E.C. European Community 유럽 공동체. **E.C.** East Central《London의 우편구의 하나》; Established Church. **ECA** Economic Commission for Africa (국제 연합) 아프리카 경제 위원회; Economic Cooperation Administration 《미》경제 협력국《MSA의 구칭》.
ec-¹ [ek, i:k], **eco-**[ékou, í:k-] 《연결형》「세대; 경제」의 뜻《모음 앞에서는 ec-》.
ec-² [i:k, ek], **eco-**[í:kou, ék-] 《연결형》「환경; 생태」의 뜻《모음 앞에서는 ec-》.
ec-³ [ek] *pref.* =EX-².
e·cad[í:kæd, ékæd] *n.* 〔生態〕 적응 형질《어떤 변화 형태가 유전이 아닌 외부 환경에 의한 것으로 인정되는 것》.
ECAFE[ekǽfei, ekɑ́:-] Economic Commission for Asia and the Far East 아시아 극동 경제 위원회, 에카페《ESCAP의 구칭》.
ec·bo·lic[ekbɑ́lik/-bɔ́l-] *n.* 〔醫〕 (자궁 수축을 촉진하는) 분만 촉진약, 낙태약. ── *a.* 분만〔유산〕을 촉진하는.
é·car·té[èikɑːrtéi/─́─́] [F] *n.* Ⓤ 〔카드〕 에카르테《32장의 카드로 두 사람이 함》.
ec·ce ho·mo[éksi-hóumou, éksei-] [L = Behold, the man!] *n.* **1** 이 사람을 보라《빌라도가 가시 면류관을 쓴 그리스도를 가리켜서 한 말; 요한 복음 19:5》. **2** 가시 면류관을 쓴 그리스도의 초상화.
*__ec·cen·tric__ [ikséntrik, ek-] [Gk] *a.* **1** 〈사람·행동 등이〉 별난, 상궤(常軌)를 벗어난, 괴벽스러운: an ~ person 괴벽스러운 사람, 기인. **2** 〔機〕 편심(偏心)의. **3** 〔數〕 〈원이 다른 원과〉 중심을 달리하는(*opp.* concentric). **4** 〔天〕 〈궤도가〉 편심적인(*opp.* circular); 〈천체가〉 편심 궤도〔이심권(離心圈)〕를 그리며 이동하는. ── *n.* **1** 괴벽스러운 사람, 별난 사람. **2** 〔機〕 편심기〔륜〕. **3** 〔數〕 이심원. **-tri·cal·ly**[-kəli] *ad.* ◇ eccentricity *n.*
*__ec·cen·tric·i·ty__ [èksentrísəti] *n.* (*pl.* **-ties**) **1** Ⓤ 〈옷차림·행동 등의〉 남다름, 별남, 기발. **2** 기행, 괴벽스러운 버릇. **3** 이심률(離心率); 〔機〕 편심 (거리); 편심률.
ec·chy·mo·sis[èkimóusis] *n.* 〔病理〕 (타박에 의한) 반상(斑狀) 출혈.
eccl. ecclesiastical(ly). **Eccl(es).** Ecclesiastes.
ec·cle·si·a[iklí:ʒiə, -ziə] *n.* (*pl.* **-si·ae**) **1** (특히 아테네의) 시민 의회. **2** 〔基督敎〕 교회(당). **-al**[-əl] *a.* 교회의(ecclesiastical).
Ec·cle·si·as·tes[iklì:ziǽsti:z] *n.* 〔聖〕 전도서《구약 성경 중의 한 권》.
ec·cle·si·as·tic[iklì:ziǽstik][Gk] *n.* **1** (기독교의) 성직자, 목사(clergyman). **2** 정통 교회 신도《다른 교도와 구별하여》. ── *a.* =ECCLESIASTICAL.
*__ec·cle·si·as·ti·cal__ [iklì:ziǽstikəl] *a.* (기독) 교회에 관한, 성직(聖職)의(*opp.* secular): the ~ Commission(ers) 영국 국교회의 교무 위원회/an ~ court 교회 재판소. **~·ly** *ad.* 교회의 견지에서, 교회법상.
ec·cle·si·as·ti·cism[iklì:ziǽstisìzəm] *n.* Ⓤ 기독교회의 주의〔관행, 정신, 전통〕; 교회(중심) 주의.
Ec·cle·si·as·ti·cus[iklì:ziǽstikəs] *n.* 집회의 서(書)《APOCRYPHA 중의 한 권; 略 Ecclus.》.
ec·cle·si·o·log·i·cal *a.* 교회학상의; 교회 건축학적인.
ec·cle·si·ol·o·gy[iklì:ziɑ́lədʒi/-ɔ́l-] *n.* Ⓤ 교회학; 교회 건축학. **-gist** *n.* 교회 건축 연구가; 교회학자.
Ecclus. Ecclesiasticus. **ECCM** electronic counter-countermeasures 〔軍〕 대전자(對電子) 대책《전자 대책(ECM)에 대한 대항 수단의 총칭》.
ec·crine[ékrin, -rain, -ri:n] *a.* 〔生理〕 외분비(선)의; 누출 분비의: ~ gland 외분비선.
ec·cri·nol·o·gy[èkrinɑ́lədʒi/-nɔ́l-] *n.* Ⓤ 〔生理〕 분비선학(分泌腺學).
ec·dys·i·ast[ekdíziæ̀st] *n.* 《미·익살》 = STRIPTEASER.
ec·dy·sis[ékdəsis] *n.* (*pl.* **-ses**[-sì:z]) 〔動〕 탈각(脫殼); (뱀·갑각류 등의) 탈피(脫皮).
ec·dy·sone[ékdəsòun] *n.* 〔生化〕 (곤충 등의) 탈피(脫皮) 호르몬.
ECE Economic Commission for Europe (국제 연합) 유럽 경제 위원회. **ECG** electrocardiogram. **ech.** echelon.
e·ce·sis[isí:səs] *n.* 〔生態〕 토착《외부에서 들어온 식물이 그 곳에 정착하는 것》.
ech·e·lon[éʃəlɑ̀n/-lɔ̀n] [F] *n.* **1** Ⓤ 〔軍〕 제형(梯形) 편성, 제대(梯隊), 제진(梯陣); 제형 배치의 군대. **2** Ⓒ (종종 *pl.*) (지휘 계통·조직 등의) 단계, 계층. **in echelon** 제형을 이루어. ── *vt., vi.* 제형으로 배치하다, 제형을 이루다. **~·ment** *n.* 제형 편성〔배치〕.
e·chid·na[ikídnə] *n.* (*pl.* **~s, -nae**[-ni:]) 〔動〕 바늘두더지.
e·chin-[ikáin], **e·chi·no-**[ikáinou] 《연결형》「가시; 섬게」의 뜻《모음 앞에서는 echin-》.
e·ch·i·nate, -nat·ed[ékənèit, -nit], [-nèitid] *a.* 가시가 많은, 유극(有棘)의.
e·chi·no·derm[ikáinədə̀:rm, ékinə-] *n.* 〔動〕 극피(棘皮) 동물.
e·chi·noid[ikáinɔid, ékənɔ̀id] *n., a.* 〔動〕 섬게 (같은).
e·chi·nus[ikáinəs] [Gk] *n.* (*pl.* **-ni**[-nai]) **1** 〔動〕 섬게. **2** 〔建〕 만두형(饅頭形)《도리아식 건축 양식의 주관(柱冠)을 이루는 아치형》.
⁑**ech·o** [ékou] [Gk] *n.* (*pl.* **~es**) **1** 메아리, 반향. **2** (여론 등의) 반향, 공명; 반복, 흉내, 모방. **3** 부화 뇌동자, 모방자. **4** 〔通信〕 (레이더 등에 쓰는) 전자파의 반사, 에코. **5** (**E-**) 에코《미국의 수동 통신 위성; 전파의 반사로 중계》. **6** (**E-**) 《미》 (통신에서) E를 나타내는 부호. **cheer to the echo** 크게 박수갈채하다. **find an echo in** a person's **heart** …의 공명을 얻다.
── *vt.* **1** 〈소리를〉 반향하다; 〈감정을〉 반영하다: ~ *back* a noise 소리를 반향시키다. **2** 〈남의 말·의견을〉 앵무새처럼 되풀이하다, 그대로 흉내내다. ── *vi.* 반향하다, 울리다, 울려 퍼지다: The sound of the cannon ~*ed around.* 대포 소리가 사방에 울려 퍼졌다/His voice ~*ed through* the hall. 그의 목소리가 온 홀에 울렸다/The room ~*ed with* laughter. 방안에 웃음소리가 울려 퍼졌다. **~·ism** *n.* = ONOMATOPOEIA. ◇ echóic *a.*
Ech·o[ékou] *n.* 〔그神〕 숲의 요정, 에코《공기와 흙 사이에서 태어난 nymph; Narcissus를 사모하다 죽어 소리만 남았다고 함》.
ECHO[ékou] *n.* 〔醫〕 초음파 검사법《체내 장기의 이상을 조사하는 방법; 종양·돌 검출에 유용》.
ech·o·car·di·o·gram[èkoukɑ́:rdiəgræ̀m]

n. 〔醫〕 초음파 심장 진단도.
écho cardiógraphy[ékoukà:rdiágrəfi/-diɔ́-] 〔醫〕 초음파 심장 검진(법).
écho chàmber 〔放送〕 잔향실(殘響室)《연출상 필요한 에코 효과를 만들어 내는 방》.
écho effèct 메아리 효과《어떤 일이 뒤늦게 되풀이되거나, 그 결과가 늦게 나타나는 등의 현상》.
ech·o·en·ceph·a·log·ra·phy[èkouinsèfəlágrəfi/-lɔ́g-] *n.* Ⓤ 〔醫〕 초음파 뇌검사(법).
ech·o·gram[ékougræ̀m] *n.* 〔海〕 음향 측심(測深) 기록도; 〔醫〕 에코도(圖)《오실로스코프의 스크린에 나타나는 환부 조직의》.
e·cho·ic[ekóuik] *a.* **1** 반향의; 반향 장치의. **2** 〔言〕 의음(擬音)〔의성(擬聲)〕의.
ech·o·la·li·a[èkouléiliə] *n.* 〔心〕 반향 언어《남의 말을 그대로 흉내내는 행동》; 《유아기의》 음성 모방.
ech·o·lo·cate[èkoulóukèit] *vt.* …을 음파 탐지하다. ── *vi.* 음파 탐지 기능을 갖다.
ech·o·lo·ca·tion[èkouloukéiʃən] *n.* 〔電子〕 반향 위치 결정법; 〔動〕 반향 정위(定位)《박쥐 등이 발사한 초음파의 반향으로 물체의 존재를 측정하는 능력》.
écho machìne 〔電〕 반향 장치《테이프 리코더 등을 이용하여 인공적으로 반향음을 만들어 내는 장치》.
écho sòunder 〔海〕 음향 측심기(測深器).
écho sòunding 〔海〕 음향 측심.
ech·o·vi·rus, ECHO virus[ékouvàirəs] *n.* 〔細菌〕 에코 바이러스《사람의 장내에서 번식, 수막염(髓膜炎)의 원인이 됨》.
e·cize[íːsaiz] *vi.* 〔生態〕 〈특히 이주성(移住性) 생물이〉 새로운 환경에 정착·순응하다.
ECLA Economic Commission for Latin America (국제 연합) 라틴 아메리카 경제 위원회.
é·clair[eikléər, ik-, éiklεər] [F] *n.* 에클레어《가늘고 긴 슈크림에 초콜릿을 뿌린 것》.
é·clair·cis·se·ment[eiklὲərsiːsmɑ̃] [F] *n.* (*pl.* **~s**[-z]) 석명(釋明), 해명, 설명: come to an ~ *with* a person …와 양해가 되다.
ec·lamp·si·a[iklǽmpsiə] *n.* Ⓤ 〔病理〕 경련, 《특히》 자간(子癎), 《어린이의》 급간(急癎).
é·clat[eiklάː, ⌐─] [F] *n.* Ⓤ 명성; 대성공; 갈채. **with** (**great**) **eclat** (대)갈채 속에; 화려하게, 성대하게.
ec·lec·tic[ekléktik] [Gk] *a.* **1** 취사 선택하는(selecting). **2** 절충주의의, 절충적인; 〈취미·의견 등이〉 넓은. **3** 〔哲〕 절충학파의. ── *n.* **1** 절충학파의 철학자. **2** 절충주의자. **3** (the E-s) (이탈리아의) 절충화파 사람들. **-ti·cal·ly**[-tikəli] *ad.* **-ti·cism**[-tisìzəm] *n.* Ⓤ 절충주의; 《미》 절충 의학.
Ecléctic Schóol (the ~) 〔哲〕 절충학파; 〔美〕 절충화파《16세기말 이탈리아의 볼로냐화파, 또는 19세기초 프랑스화의 일파》.
*__e·clipse__[iklíps] [L] *n.* **1** 〔天〕 (해·달의) 식(蝕); (별의) 엄폐(掩蔽). **2** Ⓒ,Ⓤ 빛의 소멸. **3** Ⓒ,Ⓤ (영예·명성 등의) 그늘짐, 떨어짐, 실추(失墜). **4** (등대의) 주기적 전암(全暗).
in eclipse 〈해·달이〉 이지러져; 광채〔영향력〕를 잃고; 〈새가〉 아름다운 깃을 잃고.
partial〔**total**〕 **eclipse** 부분〔개기〕식.
phase of the eclipse 식변상(蝕變相), 식분(蝕分). **solar**〔**lunar**〕 **eclipse** 일〔월〕식.
── *vt.* **1** 〈천체가〉 가리다(hide); 〈빛·등불의 빛을〉 어둡게 하다. **2** 〈명성·행복 등을〉 그늘지게 하다, 무색하게 하다, 능가하다.
◇ ecliptic, ecliptical *a.*
e·clip·sis[iklípsis] *n.* (*pl.* **-ses**[-siːz], **~·es**) 〔言〕 (문장 일부의) 생략; (선행어의 영향에 따른) 어두(語頭) 자음의 음성 변화《◇ 드물게 ELLIPSIS로도 씀》.
e·clip·tic[iklíptik] 〔天〕 *a.* 식(蝕)의, 일식〔월식〕(eclipse)의; 황도(黃道)의. ── *n.* (the ~) 황도.
e·clip·ti·cal[-əl] *a.* =ECLIPTIC.
ec·logue[éklɔːg/-lɔg] *n.* 《詩》 (때때로 대화체의) 목가(牧歌), 전원시; 목가시.
e·clo·sion[iklóuʒən] *n.* Ⓤ 〔昆〕 우화(羽化), 부화(孵化).
ECLSS environmental control and life support system 〔宇宙〕 환경 제어·생명 유지 시스템. **ECM** European Common Market 유럽 공동 시장; electronic countermeasures ⇨ECCM. **ECNR** European Council of Nuclear Research.
eco-[1][ékou, íːk-] 《연결형》=EC-[1].
eco-[2][íːkou, ék-] 《연결형》=EC-[2].
eco-[3][íːkou] 《연결형》 "환경, 생태(학)"의 뜻: *eco*climate, *eco*activist.
e·co·ac·tiv·ist[ìːkouǽktivist, èkou-] *n.* 환경 보호 운동가.
e·co·ac·tiv·i·ty[ìːkouæktívəti, èkou-] *n.* Ⓤ 생태계 보전 활동, 환경 오염 방지 운동.
e·co·ca·tas·tro·phe[ìːkoukətǽstrəfi, èkou-] *n.* (환경 오염에 의한) 생태계의 대변동.
e·co·cide[íːkousàid, ékou-] *n.* Ⓤ 환경 파괴. **è·co·cí·dal** *a.*
e·co·clim·ate[íːkouklàimit] *n.* 〔生態〕 생태 기후《생식지의 기후 요인의 총체》.
e·co·de·vel·op·ment[ìːkoudivéləpmənt, èkə-] *n.* 환경·경제의 조화를 유지하는 개발.
e·co·doom[íːkoudùːm, èkə-] *n.* 생태계의 대규모 파괴.
e·co·doom·ster[⌐⌐stər] *n.* ECODOOM을 예언〔경고〕하는 사람.
e·co·fal·low[íːkoufæ̀lou, ékə-] *n.* 〔農〕 농지 휴한 농법(休閑農法).
e·co·freak[íːkoufrìːk, ékə-] *n.* 《俗·경멸》 열렬한 환경 보호론자, 자연 보호론 신봉자.
e·co·ge·o·graph·ic, -i·cal[ìːkoudʒìːəgrǽfik, ékou-], [-əl] *a.* 〔生態〕 생태 지리적인《환경의 생태학적인 면과 지리학적인 면의 양쪽에 관련되는》. **-i·cal·ly** *ad.*
ecol. ecological; ecology.
é·cole[eikɔ́ːl] [F] *n.* 학교, 학파(school).
E.co·li[ìːkóulai] 〔細菌〕 대장균(Escherichia coli).
e·co·log·i·cal, -log·ic[èkəládʒikəl, ìːkə-], [-ik] *a.* 생태학(生態學)의〔적인〕. **-i·cal·ly**[-ikəli] *ad.*
ecológical állergy 〔醫〕 생태학적 알레르기《화학 물질·석유 제품 등에 의한》.
ecológical árt 환경 예술, 생태학적 예술《자연의 흙·모래·얼음 등을 소재로 한 예술》.
ecológical effíciency 〔生態〕 생태 효력, 생태적 효율《물질·에너지의 전이(轉移) 효율》.
ecológical pýramid 〔生態〕 생태적 피라미드.
ecológical succéssion 〔生態〕 생태 천이(遷移).
e·col·o·gist[iːkálədʒist/-kɔ́l-] *n.* 생태학자(生態學者); 사회 생태학자.
e·col·o·gy[iːkálədʒi/-kɔ́l-] [Gk] *n.* Ⓤ **1** 생태학(oecology); 사회 생태학. **2** 생태(*of*); (생태학적으로 본) 자연〔생태〕 환경(*of*).
E-COM[íːkàm/-kɔ̀m] [*E*lectronic *C*omputer *O*riginated *M*ail] *n.* 《미》 전자 우편 서비스.
ec·o·mone[íːkoumòun, ék-] [*ecology*+*hormone*] *n.* (자연계의 균형에 영향을 미치는)

E

생태 호르몬.
econ. economic(s); economist; economy.
e·co·niche[í:kounìtʃ, ék-] *n.* 생태적 지위.
e·con·o·box[ikánəbàks/ikɔ́nəbɔ̀ks] *n.* 경제차((연료 소비가 적은 상자형 자동차의 별명)).
e·con·o·met·rics[i:kànəmétriks/-kɔ̀n-] *n. pl.* (단수 취급) 〔經〕 계량(計量)〔통계〕 경제학, 경제 측정학.
‡**ec·o·nom·ic**[ì:kənámik, èk-] *a.* **1** 경제학의. **2** 경제(상)의 : an ~ policy 경제 정책. **3** ((稀)) 경제적인, 절약하는((◇ 이 뜻으로는 ECONOMICAL이 보통)). **4** 실리적인, 실용상의(practical). ◈ ecónomy, económics *n.*
‡**ec·o·nom·i·cal**[ì:kənámikəl, èkə-/-nɔ́m-] *a.* **1** 경제적인, 절약이 되는(saving), 절약하는(thrifty) : an ~ stove 덕용(德用) 스토브. **2** 〈말·문체 등이〉 간결한. **3** 경제상의, 경제학의. **be economical of** …을 절약하다 : He is ~ *of* 〔*with*〕 money〔his time〕. 그는 돈〔시간〕을 절약한다. **~·ly** *ad.* 경제적으로, 경제상. ◈ ecónomy *n.*
Económic and Sócial Council=ECOSOC.
económic ánimal 경제 동물((경제 대국으로서의 일본을 야유하는 호칭)).
económic blockàde 경제 봉쇄.
económic bótany 실용 식물학.
económic críme 경제 범죄((공금 횡령·수회·밀수·부정 축재 등)).
económic geógraphy 경제 지리학.
económic grówth ràte 경제 성장률.
económic índicator 〔經〕 경제 지표.
económic mán 〔經〕 경제인.
económic módel 〔經〕 경제 모델.
Económic Plànning Bóard (the ~) 경제 기획원((한국)).
*__ec·o·nom·ics__[ì:kənámiks, èk-/-nɔ́m-] *n. pl.* (보통 단수 취급) 경제학(political economy); (보통 복수 취급) (일국의) 경제 상태((*of*)); 경제적 고려. ◈ económic *a.*
económic sànctions 경제적 제재〔봉쇄〕.
económic zóne 경제 수역(水域)(exclusive economic zone).
e·con·o·mism[ikánəmìzəm/ikɔ́n-] *n.* Ⓤ 경제주의, 경제지상주의.
*__e·con·o·mist__[ikánəmist/-kɔ́n-] *n.* **1** 경제학자. **2** ((영·미古)) 경제가 ; 절약가((*of*)).
e·con·o·mi·za·tion[ikànəmizéiʃən/ikɔ̀n-] *n.* Ⓤ (금전·시간·노력 등의) 절약, 경제적 사용.
*__e·con·o·mize__, -mise[ikánəmàiz/-kɔ́n-] *vt.* 절약하다 ; 경제적으로 사용하다 ; 〈노력·시간·금전 등을〉 유익하게 쓰다. ── *vi.* 절약하다, 낭비를 삼가다((*in, on*)). ◈ ecónomy, economizátion *n.*
e·con·o·miz·er[ikánəmàizər/-kɔ́n-] *n.* **1** 절약자, 경제가, 검약가(儉約家). **2** (화력·연료 등의) 절약 장치.
‡**e·con·o·my**[ikánəmi/-kɔ́n-] [Gk] *n.* (*pl.* **-mies**) Ⓤ **1** 절약, 검약(frugality) ; 절약 사용((*of*)) ; (*pl.*) 절약의 실례〔방안〕. **2** Ⓤ 경제 : domestic ~ 가정 경제. **3** 경제 기구. **4** Ⓤ 〔神學〕 (하늘의) 조화 ; 섭리. **5** (古) (자연계 등의) 이법(理法), 질서 ; (유기적) 조직. **economy of truth** 진리를 형편에 따라 적당히 조절하여 다룸, 사실 그대로 말하지 않음. **political economy** 경제학(economics), 정치 경제. **practice**〔**use**〕 **economy** 절약하다. ── *a.* 경제적인 ; (여객기의) 보통석의. ◈ económic, económical *a.* ; ecónomize *v.*
ecónomy clàss (여객기의) 일반석, 보통석(tourist class).
e·con·o·my-size, -sized[-sàiz], [-saizd] *a.* **1** 값싸고 편리한〔작은〕 사이즈의 : ~ cars 값싸고 작은 차들. **2** 보통보다 값싸고 큰.
e·co·nut[í:kounʌ̀t] *n.* ((俗)) =ECOFREAK.
e·co·phys·i·ol·o·gy[ì:koufiziálədʒi/-ɔ́l-] *n.* 환경 생리학. **-phys·i·o·log·i·cal** *a.* **-gist** *n.*
e·co·pol·i·tics[ì:koupálitiks/-pɔ́l-] *n.* 경제 정치학 ; 환경 정치〔정책〕학.
e·co·por·nog·ra·phy[ì:koupɔ:rnágrəfi/-nɔ́g-] *n.* 환경 문제에 대한 일반의 관심을 이용한 광고.
ECOSOC Economic and Social Council (of the United Nations) (국제 연합) 경제 사회 이사회.
e·co·spe·cies[í:kouspì:ʃiz, ékou-] *n.* (*pl.* ~) 〔生態〕 생태종(生態種).
e·co·sphere[ékousfìər] *n.* (우주의) 생물 생존권(生存圈), (특히 지구의) 생물권, 생태권.
e·co·sys·tem[í:kousìstəm, ékou-] *n.* (종종 the ~) 〔生態〕 생태계.
ec·o·tage[ékətà:ʒ] *n.* 환경 오염 반대 파업((특히 환경 오염원(源)에서 일하는 사람들의)).
ec·o·tec·ture[ékətèktʃər] [*eco*+archi*tecture*] *n.* 환경 우선 건축 디자인((환경상의 요인을 실용보다 중시하는 디자인)).
ec·o·ter·ror·ist[ekòutérərist, ì:kou-] *n.* 환경 오염 반대 파업자 ; 환경 보전 지역에서의 산업화·개발 등을 반대하는 사람(*cf.* MONKEY-WRENCHER).
e·co·tone[í:koutòun, ékou-] *n.* 〔生態〕 이행대(移行帶), 추이대(推移帶)((인접하는 생물 군집간의 이행부)).
e·co·type[í:koutàip, ékou-] *n.* 〔生態〕 생태형.
ECOWAS Economic Community of West African States 서아프리카 제국 경제 공동체.
ECR electronic cash register 전자식 금전 등록기.
ec·ru[ékru:, éi-] [F] *n.* Ⓤ *a.* 베이지(색)(의), 엷은 갈색(의).
ECSC European Coal and Steel Community 〔經〕 유럽 석탄 철강 공동체.
ec·sta·size[ékstəsàiz] *vt., vi.* 황홀하게 하다〔해지다〕, 무아경에 이르게 하다〔이르다〕.
‡**ec·sta·sy**[ékstəsi] [Gk] *n.* (*pl.* **-sies**) **1** 무아경, 황홀경(rapture) ; 환희, 광희(狂喜). **2** (시인 등의) 망아(忘我), 법열(法悅). **3** 〔心〕 엑스터시, 의식 혼탁 상태, 정신 혼미. **be in ecstasies over** … 에 아주 정신이 팔려 있다. **go**〔**get**〕 **into ecstasies over** …의 무아경에 이르다. ◈ ecstátic *a.*
Ec·sta·sy, ec·sta·sy, XTC *n.* ((마약俗)) 환각제(MDMA). **Ec·sta·tics** 그 사용자.
ec·stat·ic[ekstǽtik] *a.* 희열에 넘친, 완전히 마음이 팔린 ; 황홀한, 무아경의. ── *n.* 황홀경에 빠지는 사람 ; (*pl.*) 황홀경(raptures). **-i·cal·ly** *ad.* ◈ écstasy *n.*
ECT, E.C.T. electroconvulsive therapy 〔精醫〕 전기 충격 요법.
ect-[ekt], **ec·to-**[éktou, -tə] ((연결형)) 「외(부)」의 뜻((모음 앞에서는 ect-))(*opp.* endo-).
ec·to·blast[éktoublæ̀st, -blà:st] *n.* 〔生〕 외배엽.
ec·to·crine[éktoukrì:n] *n.* 〔生化〕 엑토크린, 외부 대사(代謝) 산물 ; 외분비(물).
ec·to·derm[éktoudə̀:rm] *n.* 〔生〕 **1** 외배엽. **2** 외피, (무장(無腸) 동물 등의) 외세포층.
ec·to·en·zyme[èktouénzaim] *n.* 〔生化〕 체외(體外) 효소, 세포외 효소((체외에 분비된)).
ec·to·gen·e·sis[éktòudʒénəsis] *n.* 〔生〕

E

체외 발생(배(胚)가 인공 환경 따위 생체외에서 발생하는).
ec·to·hor·mone [èktouhɔ́:rmoun] *n.* 〔生化〕 외분비〔엑토〕 호르몬(pheromone). **-hor·món·al** [-móunəl] *a.*
ec·to·morph [éktəmɔ̀:rf] *n.* 〔心〕 외배엽형〔마르고 키가 큰 형〕의 사람; 허약 체질자.
ec·to·mor·phic [èktəmɔ́:rfik] *a.* 〔心〕 외배엽형의; 허약한(asthenic).
ec·to·mor·phy [éktəmɔ̀:rfi] *n.* 〔心〕 외배엽형(型).
-ec·to·my [éktəmi] 《연결형》「…절제(술)」의 뜻: append*ectomy*, tonsill*ectomy*.
ec·to·par·a·site [èktoupǽrəsàit] *n.* 〔動〕 체외 기생충(진드기 등).
ec·to·phyte [éktəfàit] *n.* 외부 기생 식물(동물이나 다른 식물의 외부에 기생하는 식물).
ec·to·pi·a [ektóupiə/-pjə] *n.* 〔醫〕 전위(轉位), 편위(偏位)(보통 선천적 위치 이상).
ec·top·ic [ektápik/-tɔ́p-] *a.* 〔病理〕 정규 장소 밖의: ~ pregnancy 자궁외 임신.
ectópic prégnancy 〔醫〕 자궁외 임신.
ec·to·plasm [éktouplæ̀zəm] *n.* **1** 〔生〕 외부 원형질. **2** 〔心靈〕 (영매(靈媒)의 몸에서 나오는) 가상(假想)의 심령체.
ec·type [éktàip] *n.* 모형(模型), 복사; 〔建〕 부조(浮彫). **-ty·pal** *a.*
ecu, ECU [*E*uropean *C*urrency *U*nit] *n.* 유럽 화폐 단위(유럽 공동체 통화의 계산 단위).
ECU electrical control unit 전력 제어 유닛.
E.C.U. English Church Union. **Ecua.** Ecuador.
Ec·ua·dor [ékwədɔ̀:r] [Sp] *n.* 에콰도르(남미 북서부의 공화국; 수도 Quito).
Ec·ua·do·ri·an *n., a.* 에콰도르 사람(의).
ec·u·men·ic, -i·cal [èkjuménik/ì:k-], [-əl] [Gk] *a.* 세계적인, 전반적인, 보편적인; 전(全)기독교회의, 세계 그리스도교(회) 통일의. **-i·cal·ly** *ad.*
ec·u·men·i·cal·ism [èkjuménikəlìzəm/ì:k-] *n.* Ⓤ〔基督敎〕 세계 교회주의〔운동〕, 전(全)그리스도 교회 통일주의.
ecuménical pátriarch 총(總)대주교(동방정교회의 최고 주교).
ec·u·men·i·cism *n.* =ECUMENISM.
e·cu·me·nism [ékjumenìzəm/ì:k-] *n.* Ⓤ (교파를 초월한) 세계 교회주의. **-nist** *n.*
ec·u·me·nop·o·lis [èkjumənápəlis/-nɔ́p-] *n.* 세계 도시.
ECWA Economic Commission for Western Asia (유엔) 서아시아 경제 위원회.
ec·ze·ma [éksəmə, égzi-, igzí:mə] *n.* Ⓤ 〔病理〕 습진. **ec·zem·a·tous** [-zémətəs, -sém-] *a.*
Ed [ed] *n.* 남자 이름(Edgar, Edmund, Edward, Edwin의 애칭).
ED effective dose (약의) 유효량; environmental disruption 환경 파괴. **ed.** edited; edition; editor; educated. **E.D.** Doctor of Engineering; Efficiency Decoration; election district; extra duty.
-ed [(d 이외의 유성음(有聲音) 뒤) [d]; (t 이외의 무성음 뒤) [t]; (t, d의 뒤) [id, 미+ed] *suf.* **1** (규칙동사의 과거·과거분사를 만듦): call>call*ed*, call*ed*; talk>talk*ed*, talk*ed*; mend>mend*ed*, mend*ed*, want>want*ed*, want*ed*. **2** (명사로부터 형용사를 만듦)「…을 가진, 을 갖춘, 에 걸린」의 뜻: armor*ed* 갑옷을 입은, 장갑(裝甲)한; wing*ed* 날개가 있는; diseas*ed* 병에 걸린(◇ 형용사일 경우 [t, d] 이외의 음 뒤에서도 [id, əd]라고 발음되는 것이 있음: AG*ED*, BLESS*ED*, LEGG*ED*).
e·da·cious [idéiʃəs] *a.* 《文語·익살》 탐식(貪食)하는, 대식(大食)의. **~·ly** *ad.*
e·dac·i·ty [idǽsəti] *n.* Ⓤ 《文語·익살》 왕성한 식욕; 대식.
É·dam (chéese) [í:dəm(-), -dæm(-)] *n.* 에담 치즈(겉을 빨갛게 물들인 네덜란드산 치즈).
e·daph·ic [idǽfik] *a.* 〔植〕 토양(土壤)의; 〔生態〕 토양에 관련된, (기후보다는) 토양의 영향을 받는; 토착의.
E-Day [í:dèi] [*entry Day*] *n.* (영국의) EC 가입 기념일(1973년 1월 1일).
EDB ethylene dibromide 2취화에틸렌(살충제). **Ed. B.** Bachelor of Education.
ed·biz [édbìz] [*ed*ucation+*bus*iness] *n.* 《미俗》 교육 산업.
E.D.C., EDC European Defense Community 유럽 방위 공동체.
É/D cárd [í:dì:-] [*e*mbarkation and *d*isembarkation] 출입국 카드.
ed. cit. the edition cited 인용〔참조〕판.
Ed.D. Doctor of Education. **E.D.D.** English Dialect Dictionary.
Ed·da [édə] *n.* (the ~) 에다(북유럽의 신화·시가집(詩歌集)). **the Older**〔**Poetic**〕 **Edda** 고(古)에다(1200년경에 만들어진 고대 북유럽 신화·전설의 시집). **the Younger**〔**Prose**〕 **Edda** 신(新)에다(1230년경에 만들어진 시작(詩作)의 안내서).
Ed·die [édi] *n.* 남자 이름(Edgar, Edward의 애칭; *cf.* ED).
Éd·ding·ton('s) lìmit [édiŋtən(z)-] 〔天〕 에딩턴 한계 광도(일정 질량의 천체가 낼 수 있는 빛의 최대한의 밝기).
***ed·dy** [édi] *n.* (*pl.* **-dies**) 소용돌이, 회오리바람; (먼지바람·안개·연기 등의) 회오리; 역류; 반주류(反主流)(파). ── *vi., vt.* (**-died**) 소용돌이치다〔치게 하다〕.
éddy cùrrent 〔電〕 와상(渦狀) 전류(자장을 변동시킬 때, 도체 안에 생김).
e·del·weiss [éidlvàis, -wàis] *n.* [G] 〔植〕 에델바이스(알프스산 고산 식물; 스위스 국화).
e·de·ma, oe- [idí:mə] *n.* (*pl.* ~**s**, ~·**ta** [-tə]) 〔病理〕 부종(浮腫), 수종(水腫).
e·dem·a·tous [idémətəs] *a.*
***E·den**[1] [í:dn] [Heb] *n.* 〔聖〕 에덴 동산(인류의 시조 Adam과 Eve가 살았다는 낙원); 낙토, 낙원; 극락(의 상태).
Eden[2] *n.* 남자〔여자〕 이름.
e·den·tate [i:dénteit] *a.* 이가 없는; 〔動〕 (앞니와 송곳니가 없는) 빈치류(貧齒類)의. ── *n.* 〔動〕 빈치류의 동물(개미핥기·나무늘보 등).
EDF European Development Fund.
Ed·gar [édgər] *n.* **1** 남자 이름(애칭 Ed). **2** 에드거상(賞)(E. A. Poe의 소흉상(小胸像)).
***edge** [edʒ] *n.* **1** 가장자리, 모; 끝, 가, 언저리, 변두리, (봉우리·지붕 등의) 등, 등성마루(crest): the water's ~ 물가. **2** (날붙이의) 날(⇨blade); (날의) 날카로움: have no ~ 날이 들지 않다. **3** (욕망·말 등의) 날카로움, 격렬함(*of*). **4** 《미口》 우세, 유리. **5** 경계; 위기, 위태한 판국. **6** 《俗》 거나한 기분: have an ~ on 한 잔하여 거나한 기분이다. **be all on edge** (**to** do) (…하고 싶어) 몹시 초조해 하고 있다, 안달하다, 안절부절 못하다. **by the edge of the sword** 칼을 들이대고. **do the inside**〔**outside**〕 **edge** 〔스케이트〕 안〔바깥〕쪽 날로 지치다. **gilt edges** (책의) 도금한 언저리(제본하여 등을 제외한 부분(위·배·아

래)에 도금한). **give an edge to**〔**take the edge off**〕 one's appetite 식욕을 돋구다〔잃게 하다〕. **give the edge of** one's **tongue to** …을 호되게 꾸짖다. **have**〔**get**〕 **an**〔**the**〕 **edge on** a person 《미》 …에게 원한을 품다; …보다 우세하다. **not to put too fine an edge upon it** 노골적으로 말하면. **on edge** 초조하여; 불안하여. **on the edge of** …의 가장자리〔모서리〕에; …하려는 찰나에. **over the edge** 《口》 머리가 돌아서, 미쳐서: go *over the edge* 미치다. **put an edge on a knife** (칼)을 갈다, 날을 세우다. **put** a person **to the edge of the sword** 칼로 베어 죽이다. **set an edge on**〔**to**〕 〈식욕 등을〉 돋구다. **set … on edge** 모로 세우다; 날카롭게 하다; 초조하게 하다: *set* one's nerves *on edge* 신경을 날카롭게 하다/*set* one's〔the〕 teeth *on edge* 〈소음 등이〉 이를 갈게 하다, 진저리나게 하다; 신물이 나도록 불쾌하게 하다. **take the edge off** 〈날붙이의 날을〉 무디게 하다; 〈힘·감흥(感興) 등의〉 기세를 무디게 하다, 꺾다. — *vt.* **1** 〈칼에〉 날을 세우다; 날카롭게 하다(sharpen): ~ a knife sharp 칼을 날카롭게 갈다. **2** …에 테를 달다, …을(…으로) 가두르다(*with*); 〈언덕 등이 …의〉 언저리가 되다: Hills ~ the village. 마을은 언덕에 둘러싸여 있다/~ a skirt *with* lace 스커트 자락에 레이스를 두르다. **3** 비스듬히 나아가다; 서서히 나아가다〔움직이다〕(*away, into, in, out, off, nearer*): He ~*d* his way *through* the crowd. 그는 군중을 헤치고 나아갔다/I ~*d* my chair *nearer to* the fire. 나는 의자를 불 쪽으로 조금씩 당겼다. **4** 《口》 …에게 적은 차로 이기다. **edge in a word** (한마디) 끼어 넣다. **edge** a person **on** …을 격려하여 …시키다(*to* do). **edge oneself into** …에 끼어들다, 서서히 들어가다. **edge out of** 차차 …에서 쫓아내다. — *vi.* (일정한 방향으로) 비스듬히 나아가다, 조금씩 나아가다: *along* a cliff 벼랑을 따라 조금씩 나아가다. **edge along** 비스듬히 나아가다. **edge away**〔**off**〕 (서서히) 차차 떨어져〔멀어져〕 가다. **edge down upon a ship** 〔海〕 (배에) 서서히 접근하다. **edge in** 서서히 〈해안에〉 접근하다(*with*); 〈말을〉 끼어 넣다. **edge into** 천천히 나아가다〔움직여 가다〕. **edge out** (조심하여) 천천히 나오다; 《미》 …에 적은 차로 이기다. **edge up** 차츰 다가서다(*to, on*).
◇ édgy *a.*; édgeways *ad.*

edge·bone[´bòun] *n.* =AITCHBONE.

edged[edʒd] *a.* **1** 날이 있는: double-~ 양날의. **2** 통렬한〈풍자 등〉. **3** 가장자리가 있는. **4** 거나하게 취한.

edge·less[édʒlis] *a.* **1** 날이 없는; 무딘(blunt). **2** 가장자리〔모서리〕가 없는.

edge-of-the-seat[édʒəvðəsí:t] *a.* 자신도 모르게 좌석에서 몸을 일으킬 정도의 〈광경 등〉.

edg·er[édʒər] *n.* 가를 잘라내는 톱; 가장자리 마무리공.

édge〔**édged**〕 **tòol** 칼붙이, 날붙이. **play with edge**〔**edged**〕 **tool** 날이 선 연장으로 장난하다; 위험한 짓을 하다.

edge·ways, -wise[édʒwèiz], [-wàiz] *ad.* **1** 날〔가장자리, 끝〕을 밖으로 대고; 언저리〔가장자리〕를 따라서. **2** 〈두 물건이〉 끝과 끝을 맞대고. **get a word in edgeways** 《口》 (기회를 보아) 한마디 하다, 말참견하다.

edg·ing[édʒiŋ] *n.* **1** Ⓤ 가두리 침, 테두름. **2** 가장자리 장식, (화단 등의) 가두리. **3** Ⓤ 서서히 다가섬, 점진(漸進).

édging shèars 잔디 가위.

edg·y[édʒi] *a.* (**edg·i·er; -i·est**) **1** 날이 날카로운. **2** 《口》 초조한; 신랄한. **3** 〈그림 등의〉 윤곽이 뚜렷한. **édg·i·ly** *ad.* **-i·ness** *n.*

edh, eth[eð] *n.* 에드(ð[θ]자; 고대 영어 자모의 하나; *cf.* THORN).

eth *n.* =EDH.

ed·i·bil·i·ty[èdəbíləti] *n.* Ⓤ 식용(食用)에 알맞음, 먹을 수 있음.

***ed·i·ble**[édəbəl] *a.* 먹을 수 있는, 식용에 알맞은(eatable): ~ fat〔oil〕 식용 지방〔기름〕. — *n.* (보통 *pl.*) 식용품. ◇ edibílity *n.*

e·dict[í:dikt] *n.* **1** (옛날의) 포고(布告)(decree); 칙령(勅令)(=imperial ~). **2** 명령.
Edict of Nantes (the ~) 〔프랑스史〕 낭트 칙령(1598년 Henry 4세가 신교도에 대해 예배의 자유 등을 인정한 칙령).

ed·i·fi·ca·tion[èdəfikéiʃən] *n.* Ⓤ (덕성(德性) 등의) 함양; 계발 교화, 사상 선도.

ed·if·i·ca·to·ry[idífəkətɔ̀:ri, èdifikéitəri] *a.*

***ed·i·fice**[édəfis] *n.* **1** 건물; 대건축물: a holy ~ 대성당. **2** (지적(知的)인) 구성물, 체계: build the ~ of knowledge 지식의 체계를 이룩하다.

édifice còmplex 거대 건축 지향(행정 계획이나 건축가의 구상 등이).

ed·i·fy[édəfài] [L] *vt.* (**-fied**) 덕성을 북돋우다; (도덕적·정신적으로) 교화하다, 계발하다.

ed·i·fy·ing *a.* 계발하는; 교훈적인. **~·ly** *ad.*

e·dile[í:dail] *n.* =AEDILE.

Edin. Edinburgh.

***Ed·in·burgh**[édinbə̀:rou, -bə̀:rə] *n.* **1** 에든버러(스코틀랜드의 수도). **2** 에든버러공(公) Duke of ~ (the ~)(1921-)(영국 여왕 Elizabeth 2세의 부군).

***Ed·i·son**[édəsən] *n.* 에디슨 Thomas A. ~ (1847-1931)(미국의 발명가).

***ed·it**[édit] *vt.* **1** 편집하다. **2** 〈신문·잡지·영화 등을〉 편집(발행)하다. **3** 교정하다, 〈신문의 내용 등을〉 수정하다. **4** 〔컴퓨터〕 〈데이터를〉 편집하다. **edit out** 삭제하다.
◇ edítion, éditor *n.*

edit. edited; edition; editor.

E·dith[í:diθ] *n.* 여자 이름.

éd·it·ing tèrminal 〔컴퓨터〕 편집 단말(端末) 장치(Text 편집용 컴퓨터 입출력 장치(input / output device)).

****e·di·tion**[idíʃən] *n.* **1** (초판·재판의) 판(版)(같은 판으로, 1회에 발행한 책 전부): the first ~ 초판/go through ten ~*s* 10판을 거듭하다. **2** (보급판·호화판의) 판: a cheap〔pocket, popular〕 ~ 염가〔포켓, 보급〕판/a revised〔an enlarged〕 ~ 개정〔증보〕판. **3** 총서(叢書). **4** (비유) 재판, 복제(複製)(물(物)): a child who is a smaller ~ of her mother 어머니의 축소판 같은 여자 아이. ◇ édit *v.*

e·di·tion·al·ize[idíʃənəlàiz] *vi.* 〈신문을〉 판제(版制)로 발행하다.

edítion bìnding 〔製本〕 미장(美裝) 제본(장식적 체제를 중요시함).

é·di·tion de luxe[èidisjɔ́:ndilúks] [F] 호화판.

e·di·tio prin·ceps[idíʃiou-prínseps, -keps] [L] *n.* 초판(first edition).

****ed·i·tor**[édətər] *n.* **1** 편집자, 교정자. **2** 편집 책임자, 편집장; 편집 발행인. **3** 논설 위원(《미》 editorial writer, 《영》 leader writer).
chief editor=**editor in chief** 편집장, 주간, 주필(*cf.* SUBEDITOR), (각부) 부장. **a city editor** 《미》 사회 부장; 《영》 경제 부장.

a financial editor (미) 경제란 담당 기자.
a managing editor 편집국장.
◈ édit *v.*: editórial *n., a.*

‡**ed·i·to·ri·al**[èdətɔ́:riəl] *n.* 사설, 논설((영) leading article, leader). — *a.* **1** 편집장〔주필〕의. **2** 편집자의, 편집(상)의: an ~ office 편집실/the ~ staff 편집부원. **3** 사설〔논설〕의: an ~ article 사설/an ~ writer (미) 사설 담당기자, 논설위원/an ~ paragraph〔note〕 사설란의 소론(小論)〔단평〕.
~·ly *ad.* 편집 주간(主幹)으로서, 주필〔편집장〕의 자격으로; 사설로서〔에서〕.
◈ éditor *n.*: editórialize *v.*

editórial àdvertising 기사체 광고.

ed·i·to·ri·al·ist[èdətɔ́:riəlist] *n.* (신문의) 논설위원(editorial writer).

ed·i·to·ri·al·ize[edətɔ́:riəlàiz] *vi., vt.* 사설로 논하다; (사실 보도에) 사견을 섞다((*on, about*)).
-iz·er, ed·i·tò·ri·al·i·zá·tion *n.*

editórial mátter 〔廣告〕 편집 기사면.

ed·i·tor·ship[édətərʃìp] *n.* Ⓤ 편집인〔장〕의 지위〔직무〕; 편집 수완; 교정.

ed·i·tress[édətris] *n.* EDITOR의 여성형.

-ed·ly[-idli] *suf.* -ED로 끝나는 단어의 부사어미 ◇ -ed를 [d] [t]로 발음하는 단어에 -ly, -ness를 붙이는 경우, 그 앞의 음절에 악센트가 있을 때는 흔히 [-id]로 발음함: de-sérved-ly[dizə́:rvidli] (*cf.* HURRIEDLY).

Edm. Edmond; Edmund. **Ed.M.** Master of Education 교육학 석사(碩士).

Ed·mond, Ed·mund[édmənd] *n.* 남자 이름((애칭 Ed, Ned)).

Ed·na[édnə] *n.* 여자 이름.

EDP electronic data processing. **EDPM** electronic data processing machine 전자 데이터 처리 기계. **EDPS** electronic data processing system 전자 데이터 처리 조직.

EDR European Depository Receipt 유럽 예탁 증권. **eds.** editors. **E.D.T., e.d.t.** Eastern daylight time (미) 동부 서머 타임.

EDTA ethylenediaminetetra acetic acid 〔化〕 에틸렌디아민 사초산(四酢酸) 혈액 응고 방지제. **educ.** educated; education; educational.

ed·u·ca·bil·i·ty[èdʒukəbíləti] *n.* Ⓤ 교육의 가능성.

ed·u·ca·ble[édʒukəbəl] *a.* 교육할 수 있는.

*__ed·u·cate__[édʒukèit][L] *vt.* **1** 교육하다, 육성하다(bring up); 〈정신을〉 도야(陶冶)하다, 훈육하다: ((Ⅴ(목)+*to* do)) Parents should ~ their children *to* behave themselves (well). 부모는 자식들이 올바른 행실을 갖도록 교육시켜야 한다/~ a person *for* a thing …을 어떤 일에 적합하도록 교육하다. **2** 견문을 넓히다; 〈특수 능력·취미 등을〉 기르다; 〈귀·눈 등을〉 훈련하다(train)((*in, to*)): ~ a person *in* art …을 훈련하여 예술적 재능을 키우다/~ the eye *in* painting 그림을 보는 안목을 기르다. **3** (종종 수동형으로) 학교에 보내다, 교육을 받게 하다(*cf.* teach): He is ~*d in* law〔*at* a college〕. 그는 법률〔대학〕 교육을 받고 있다. **4** 〈동물을〉 길들이다(train). **be educated at**〔**in**〕 …에서 배우다. **educate** oneself 독학〔수양〕하다. **educate the ear**〔**eye**〕 듣고〔보고〕 경험을 쌓다((*to*)). ◈ educátion *n.*

‡**ed·u·cat·ed**[édʒukèitid] *a.* **1** 교육받은, 교양 있는. **2** (口) 지식〔경험〕에 의한; 근거가 있는: an ~ guess 경험에서 나온 추측.
~·ly *ad.* **~·ness** *n.*

ed·u·cat·ee *n.* 학생, 피교육자.

‡**ed·u·ca·tion**[èdʒukéiʃən] *n.* Ⓤ **1** 교육, 훈련: intellectual〔moral, physical〕 ~ 지육〔덕육, 체육〕/get〔give〕 a good ~ 훌륭한 교육을 받다〔시키다〕. **2** (품성·능력 등의) 도야, 훈육, 양성(養成). **3** 교육학, 교수법. **4** (동물을) 길들임, 훈련(training); (꿀벌·박테리아 등의) 사육, 배양. **the Ministry of Education** 교육부.
◈ éducate *v.*: educátional *a.*

‡**ed·u·ca·tion·al**[èdʒukéiʃənəl] *a.* 교육상의; 교육적인: an ~ age 〔敎育〕 교육 연령((略 E.A))/~ films 교육 영화. **~·ist** *n.* (영) 교육가; 교육학자. **~·ly**[-əli] *ad.*

ed·u·cá·tion·al-in·dús·tri·al cóm·plex [èdʒukéiʃənəlindʌ́striəl-] 산학 협동.

educátional párk (미) 공립 학교 단지, 교육 공원.

educátional psychólogy 교육 심리학.

educátion(al) technólogy 교육 공학.

educátional télevision (미) 교육 텔레비전 (프로).

ed·u·ca·tion·ese[èdʒukeiʃəní:z] *n.* 교육 관계자 용어〔어법〕.

ed·u·ca·tion·ist[èdʒukéiʃənist] *n.* **1** 교육 전문가. **2** (경멸) 교육학자.

educátion tàx =DIPLOMA TAX.

ed·u·ca·tive[édʒukèitiv/-kə-] *a.* 교육적인, 교육상 유익한, 교육의.

*__ed·u·ca·tor__[édʒukèitər] *n.* 교육자〔가〕, 교사(teacher); (동물을) 길들이는 사람.

ed·u·ca·to·ry[édʒukətɔ̀:ri/-təri] *a.* 교육에 도움이 되는, 교육적인; 교육(상)의.

e·duce[idjú:s] *vt.* (文語) **1** (稀) 〈잠재하여 있는 성능 등을〉 끌어내다(*cf.* EDUCATE). **2** 〈결론 등을〉 끌어내다, 추단(推斷)하다; 연역(演繹)하다. **3** 추출(抽出)하다.

e·duc·i·ble[-əbəl] *a.* 추출〔연역〕할 수 있는, 이끌어낼 수 있는.

ed·u·crat[édʒukræ̀t] *n.* (미) 교육 행정가, 교육 관료.

e·duct[í:dʌkt] *n.* 추출물, 추론의 결과; 〔化〕 유리체(遊離體).

e·duc·tion[i:dʌ́kʃən] *n.* Ⓤ 끌어냄; 계발; 추단; 배출; 추출; 추출물.

edúction pìpe 〔機〕 배기관.

edúction vàlve 〔機〕 배기판(瓣).

e·duc·tive[i:dʌ́ktiv] *a.* 끌어내는, 추론〔추단〕하는.

e·dul·co·rate[idʌ́lkərèit] *vt.* 신맛〔짠맛, 떫은 맛〕을 빼다, 우려내다; (廢) 달게 하다; 〔化〕 가용성(可溶性) 물질〔혼합물〕을 추출하다.
e·dùl·co·rá·tion[-réiʃən] *n.*

Edw. Edward; Edwin.

Ed·ward[édwərd] *n.* 남자 이름(*cf.* ED, NED, TED).

Ed·war·di·an[edwɑ́:rdiən, -wɔ́:rd-] *a.* (영국의) 에드워드왕 시대의 ((특히 7세의)).
— *n.* 에드워드(7세) 시대 사람.

Édwards Áir Fórce Bàse (미) 에드워드 공군기지((캘리포니아주 소재; 항공 테스트 센터가 있음)).

Édward the Conféssor *n.* (Saint ~) 에드워드 참회왕(1004?-66)((Westminster 성당을 세운 영국 왕(1042-66))).

Ed·win[édwin] *n.* 남자 이름((애칭 Ed, Ned)).

Ed·wi·na[edwí:nə] *n.* 여자 이름.

E.E., e.e. errors excepted 틀린 것은 별도로 치고; Early English; electrical engineer.

'ee[i:] *pron.* (俗) YE(=you)의 생략형: Thank'*ee.* 고맙네.

-ee¹ [iː] *suf.* 행위자(agent)를 나타내는 명사 어미의 -or에 대하여 보통 그 작용을 「받는 사람」의 뜻: address*ee*, employ*ee*, pay*ee*.
-ee² *suf.* 지소사(指小辭) 어미(*cf.* -IE): goat*ee*.
E.E. & M.P. Envoy Extraordinary and Minister Plenipotentiary 특명 전권 공사. **EEC** European Economic Community 〔經〕 유럽 경제 공동체, 유럽 공동 시장. **EEG** electroencephalogram 〔醫〕 뇌파도.
ee·jay [íːdʒèi, ´´] *n.* =ELECTRONIC JOURNALISM. ◇ EJ로도 씀.
eek [iːk] *int.* 《미》 이크, 아이쿠.
*__eel__ [iːl] *n.* (*pl.* **~, ~s**) **1** 〔魚〕 뱀장어. **2** 뱀장어 같이 잘 빠져 나가는 사람〔물건〕. **3** = EELWORM. **(as) slippery as an eel** (뱀장어처럼) 미끈미끈한; 《비유》 붙잡을 수가 없는, 요리조리 잘 빠져나가는, 꼬리를 잡히지 않는.
éel bùck 《영》 뱀장어 잡는 통발.
eel·grass [´græs, ´grɑːs] *n.* 〔植〕 거머리말 《거머리말속(屬)의 바닷말》; 나사말(tape grass).
eel·pot [´pɑ̀t/´pɔ̀t] *n.* 《미》 =EEL BUCK.
eel·pout [´pàut] *n.* (*pl.* **~, ~s**) 〔魚〕 등가시치.
eel·spear [´spìər] *n.* 뱀장어 작살.
eel·worm [´wə̀ːrm] *n.* 〔動〕 선충(류).
eel·y [íːli] *a.* (**eel·i·er; -i·est**) 뱀장어 같은(eellike); 미끈미끈한, 요리조리 잘 빠져나가는, 붙잡을 수가 없는; 몸을 비비 꼬는.
e'en¹ [iːn] *ad.* 《詩》 =EVEN¹.
e'en² *n.* 《詩》 =EVEN².
ee·nie mee·nie mi·nie moe [ìːni-mìːni-máini-mòu] *int.* 이니 미니 마이니 모, 누구로 할까《술래잡기에서 술래를 정할 때 등에 쓰는 말》 ◇ eeny meeny miny mo라고도 함.
een·sy-ween·sy [íːnsi(ː) wíːnsi(ː)] *a.* 《兒》 조금, 얼마 안 되는.
EENT eye, ear, nose and throat. **EEOC** 《미》 Equal Employment Opportunity Commission. **EER** energy efficiency ratio 〔電〕 에너지 효율비.
e'er [ɛər] *ad.* 《文語》 =EVER.
-eer *suf.* **1** (명사 어미; 때로 경멸적) 「…관계자; …취급자」의 뜻: auction*eer*, mountain*eer*, sonnet*eer*, pamphlet*eer*, profit*eer*. **2** (동사 어미) 「…에 종사하다」의 뜻: election*eer*.
ee·rie, ee·ry [íəri] *a.* (**-ri·er; -ri·est**) **1** 기분 나쁜, 무시무시한, 등골이 오싹한(weird). **2** 《영方》 (미신적으로) 무서워 겁내는, 두려워하는.
ee·ri·ly [íərəli] *ad.* 무시무시하게, 무서워하여; 불가사의하게.
ee·ri·ness [íərinis] *n.* Ⓤ 기분 나쁨, 무시무시함.
E.E.T.S. Early English Text Society 초기 영어 텍스트 협회. **EEZ** exclusive economic zone 전관(專管) 경제 수역(水域).
ef *n.* 알파벳의 F〔f〕.
ef- *pref.* =EX²- 《f- 앞의 변형》: *ef*fect.
eff [ef] *vt., vi.* 《俗》 성교하다. **eff and blind** 《俗》 더러운 말을 쓰다. **eff off** 《俗》 떠나다, 도망치다, 튀다.
eff. efficiency.
ef·fa·ble [éfəbəl] *a.* 《古》 말〔설명〕할 수 있는.
*__ef·face__ [iféis] *vt.* **1** 지우다, 말살하다; 삭제하다: ~ some lines *from* a book 책에서 몇 줄을 삭제하다. **2** 〈회상·인상 등을〉 지워 없애다(*from*): The very memory of her was ~*d from* his mind. 그녀에 대한 기억조차 그의 마음 속에서 지워졌다. **3** 〈사람을〉 눈에 띄지 않게 하다, 그늘지게 하다(eclipse). **efface oneself** 눈에 띄지 않게 행동하다, (표면에서) 물러나다. **~·a·ble** *a.* **~·ment** *n.* 말소; 소멸 **ef·fác·er** *n.*
⁑**ef·fect** [ifékt] [L] *n.* **1** Ⓤ,Ⓒ 결과(consequence)(⇨result): cause and ~ 원인과 결과, 인과. **2** Ⓤ 효과, 영향; (법률 등의) 효력; (약 등의) 효험, 효능; (*pl.*) 〔樂〕 의음 발음기(器). **3** 〈색채·형태의〉 배합, 광경, 인상; (*pl.*) 〔劇〕 (의음·조명 등의) 효과. **4** Ⓤ 외양, 체면, 체재: love of ~ 겉치레. **5** (the, that와 함께) 취지, 의미(purport, meaning). **6** (*pl.*) 동산 물건(動産物件): house-hold ~*s* 가재(家財). **bring to effect** =**carry into effect** 실행〔수행〕하다. **come into effect** 효력을 나타내다, 실시되다. **for effect** (보는 사람·듣는 사람에 대한) 효과를 노리고: be calculated *for effect* 〈장식 등〉 눈에 잘 띄도록 고안되어 있다. **give effect to** …을 실행〔실시〕하다. **have an effect on** …에 효과〔영향〕를 나타내다〔미치다〕. **in effect** 사실상, 실제에 있어서; 요컨대; 효력 있는, 활동하여. **no effects** 예금 전무(全無)《부도 수표에 기입하는 말; 略: N/E》. **of no effect** =**without effect** 무효의. **personal effects** 동산, 사유물; 소지품. **stage effect** 무대 효과. **take effect** 효력을 나타내다, 실시되다. **to no effect** 아무런 효과도 없이, 소용 없이. **to the effect that** …이라는 취지로〔의〕. **to this〔the same〕 effect** 이러한〔동일한〕 취지로. **with effect** 효과적으로, 감명 깊게.
— *vt.* **1** 〈변화 등을〉 초래하다. **2** 실행하다; (목적 따위를) 성취하다, 완수하다. **effect an entrance** 밀고 들어가다. **effect an insurance〔a policy of insurance〕** 보험 증권을 발행시키다, 보험에 들다.
◇ efféctive, efféctual, effícient *a.*
ef·fect·er [iféktər] *n.* =EFFECTOR.
ef·fec·ti·vate [iféktiveit] *vt.* 〈법률 등을〉 실시하다, 발효시키다.
⁑**ef·fec·tive** [iféktiv] *a.* **1** 유효한, 효력있는. **2** 〔軍〕 실(實)병력의, 실제 동원할 수 있는. **3** 유력한, 유능한. **4** 효과적인, 눈에 띄는, 인상적인. **5** 〔經〕 실제의, 사실상의. **6** 〈법률 등이〉 실행중인, 유효한. **become effective** 《미》 효력이 생기다, 실시되다. **effective strength of an army** (한 군대의) 전투력.
— *n.* **1** (보통 *pl.*) 《미》 실(實)병력, 현역 근무에 적당한 군인; (군의) 정예(精銳). **2** 〔經〕 = EFFECTIVE MONEY. ◇ efféct *n.*
efféctive áperture 〔光〕 (렌즈의) 유효 구경(有效口徑).
efféctive demánd 〔經〕 유효 수요.
efféctive exchánge ràte 〔金融〕 실효(實效) 환시세〔환율〕《국제 통화 기금(IMF)이 당해국과 다른 주요 20개국 통화의 환시세를 복합시켜 산출하는 지수》.
ef·fec·tive·ly [iféktivli] *ad.* **1** 효과적으로, 유효하게; 유력하게. **2** 실제로, 사실상.
efféctive mòney〔còin〕 경화(*opp.* paper money).
ef·fec·tive·ness *n.* Ⓤ 유효(성), 효과적임.
efféctive ránge 〔軍〕 유효 사거리〔사정〕.
ef·fec·tor [iféktər] *n.* **1** 영향을 주는 사람〔것〕. **2** 〔生理〕 작동체(作動體), 효과기(器) 신경의 말단에 있으면서 근육·장기 등을 활동시키는 기관.
*__ef·fec·tu·al__ [iféktʃuəl] *a.* 《文語》 효과적인, 유

효한, 충분한: ~ demand 유효 수요.
~·ly[-əli] *ad.* **~·ness** *n.*
ef·fèc·tu·ál·i·ty[-ǽləti] *n.* ◇ efféct *n.*
ef·fec·tu·ate[iféktʃuèit] *vt.* 《文語》 유효하게 하다, 〈목적 등을〉 달성하다, 이루다.
ef·fec·tu·a·tion[-ʃən] *n.* Ⓤ 달성, 수행; (법률 등의) 실시.
ef·fem·i·na·cy[ifémənəsi] *n.* Ⓤ 여자 같음, 나약, 유약, 우유 부단.
*__ef·fem·i·nate__[ifémənit] [L] *a.* 여자 같은, 나약한. — *vt., vi.* 나약하게 하다〔되다〕. **~·ly** *ad.* **~·ness** *n.*
ef·fen·di[eféndi] *n.* 나리, 선생님(master, sir)《터키에서 관리 · 학자 등에 대한 옛 경칭》.
ef·fer·ent[éfərənt] *a.* 〔生理〕 〈신경이〉 원심성(遠心性)인, 〈혈관이〉 수출(輸出)〔도출(導出)〕성인. — *n.* **1** 수출관(管), 원심성 신경. **2** 방죽 · 호수 등에서 나오는 물줄기.
-ence[-əns] *n.* **~·ly** *ad.*
ef·fer·vesce[èfərvés] *vi.* **1** 〈탄산수 등이〉 부글부글 거품이 일다: 〈가스 등이〉 거품이 되어 나오다. **2** 〈사람이〉 흥분하다《*with*》.
ef·fer·ves·cence, -cen·cy[èfərvésəns], [-sənsi] *n.* Ⓤ **1** 비등(沸騰), 거품이 남. **2** 감격, 흥분, 활기.
ef·fer·ves·cent[èfərvésənt] *a.* **1** 비등성의, 거품이 이는. **2** 흥분한; 활기 있는.
ef·fete[efí:t] *a.* **1** 정력이 빠진, 맥빠진, 쇠퇴한; 〈동식물 · 토지 등이〉 생산력이 없는, 메마른. **2** 〈남자가〉 여성적인, 나약한.
ef·fi·ca·cious[èfəkéiʃəs] *a.* 《文語》 효과 있는, 〈약이〉잘 듣는;〈수단 · 치료등이〉 효능〔효험〕 있는《*against*》(⇨effective): ~ *against* fever 해열에 효력이 있는.
~·ly *ad.* **~·ness** *n.*
*__ef·fi·ca·cy__[éfəkəsi] *n.* (*pl.* **-cies**) Ⓤ 《文語》 효능, 효험; 유효.
⁑**ef·fi·cien·cy**[ifíʃənsi] *n.* (*pl.* **-cies**) Ⓤ **1** 능력, 능률: ~ wages 능률급(給). **2** 〔物 · 機〕 능률, 효율: ~ test 능률 시험. ◇ efficient *a.*
effíciency apàrtment 《미》 간이 아파트 《작은 부엌이 딸린 거실 겸 침실에 욕실이 있음》.
effíciency engineèr〔**éxpert**〕 《미》 능률〔생산성〕 향상 기사〔전문가〕.
⁑**ef·fi·cient**[ifíʃənt] *a.* **1** 능률적인, 효과가 있는, 유효한(⇨effective): ~ cause 동인(動因). **2** 유능한, 실력 있는, 민완(敏腕)의, 적임인(competent). **~·ly** *ad.* 능률적으로, 유효하게.
◇ efficiency *n.*
efficíent márket hypòthesis 〔證券〕 효율적 시장 가설(假說)《새로운 정보의 주가(株價)에의 반응은 동시적이란 가설》.
Ef·fie[éfi] *n.* **1** 여자 이름《Euphemia의 애칭》. **2** 에피상(賞)《미국 마케팅 협회가 매년 선정하는 최우수 광고상》.
ef·fig·ial[ifídʒiəl] *a.* 초상〔인형〕의, 초상〔인형〕을 닮은.
ef·fi·gy[éfədʒi] *n.* (*pl.* **-gies**) **1** 조상, (화폐 등의) 초상, 화상(portrait). **2** (미워하는 사람을 닮게 만든) 인형, 우상. **burn**〔**hang**〕 a person **in effigy** (악인 · 미운 사람 등의) 형상을 만들어 태우다〔목매달다〕.
efflor. efflorescent.
ef·flo·resce[èflərés/-lɔ:-] [L] *vi.* **1** 《文語》 꽃피다. **2** 〈문물(文物) 등이〉 개화하다, 번영하다《*into*》. **3** 〔化〕 풍화(風化)〔정화(晶化)〕하다; 〈땅 · 벽 등의 표면에〉 소금기가 솟다; 〔病理〕 발진(發疹)하다.
ef·flo·res·cence[èflourésns] *n.* Ⓤ **1** 《文語》 개화(開花); 개화기. **2** 〔化〕 풍화 (작용); 〔病理〕 발진.
ef·flo·res·cent[èflourésnt] *a.* **1** 꽃이 핀. **2** 〔化〕 풍화성의.
ef·flu·ence[éfluəns] *n.* **1** Ⓤ (광선 · 전기 · 액체 등의) 내뿜음, 발산, 방출, 흘러나옴(outflow)(*opp.* affluence). **2** 유출〔방출〕물; 흘러나오는 물; 하수, 폐수.
ef·flu·ent[éfluənt] *a.* 유출〔방출〕하는.
— *n.* **1** Ⓒ (강 · 호수 · 저수지 등에서) 흘러나오는 물. **2** Ⓤ,Ⓒ (공장 등에서의) 유해 방출물, 폐수 폐기물.
ef·flu·vi·al[eflú:viəl] *a.* 악취의.
ef·flu·vi·um[eflú:viəm] *n.* (*pl.* **-via**[-jə], **~s**) **1** 발산(發散), 증발; 취기(臭氣), 악취. **2** 〔物〕 자기소(磁氣素), 전기소.
ef·flux, ef·flux·ion[éflʌks], [iflʌ́kʃən] *n.* Ⓤ,Ⓒ **1** (액체 · 공기 · 가스 등의) 유출, 발산. **2** 유출량〔물〕. **3** (시간의) 경과; 만기(滿期).
⁑**ef·fort**[éfərt] [L] *n.* **1** Ⓤ,Ⓒ 노력, 분투, 수고; (모금(募金) 등의) 운동; 《Ⅲ (목)+*to* do》 He made an ~ *to* finish his work today. 그는 그의일을 오늘 마치려고 노력했다/《Ⅲ (목)+전+-*ing*》 They made no ~ *towards* assist*ing* him out of the situation. 그들은 그가 그 상태에서 벗어나게 도와주려고 노력하지 않았다. **2** 노력의 성과, (문학 · 예술 등의) 역작, 노작(勞作); 훌륭한 연설: a fine literary ~ 훌륭한 문학 작품/His performance was a pretty good ~. 그의 솜씨는 매우 훌륭했다. **3** 〔機〕 작용력(作用力)《반작용(reaction)에 대한 작용의 힘》. **make an effort** = **make efforts** 노력하다, 애쓰다《*to* do》. **make every effort** (**to** do) 온갖 노력을 다하다, 몹시 애쓰다. **with**〔**without**〕 **effort** 애써〔힘들이지 않고〕.
ef·fort·ful[éfərtfəl] *a.* 노력이 필요한; 억지로 꾸민, 부자연스런. **~·ly** *ad.*
ef·fort·less[éfərtlis] *a.* 노력하지 않는, 힘들지 않는; 쉬운(easy).
~·ly *ad.* **~·ness** *n.*
ef·fron·ter·y[efrʌ́ntəri] *n.* (*pl.* **-ter·ies**) **1** Ⓤ 뻔뻔스러움, 몰염치, 철면피: The politician had the ~ *to* ask the people he had insulted to vote for him. 그 정치가는 전에 자기가 모욕을 준 사람들에게 뻔뻔스럽게도 자기에게 투표를 해달라고 부탁했다. **2** (때때로 *pl.*) 뻔뻔스런 행위.
ef·ful·gence[efʌ́ldʒəns] *n.* Ⓤ 《文語》 광휘, 광채.
ef·ful·gent[efʌ́ldʒənt] *a.* 《文語》 광채가 나는, 눈부시게 빛나는. **~·ly** *ad.*
ef·fuse[efjú:z] *vt., vi.* 〈액체 · 빛 · 향기 등을〉 발산하다〔시키다〕, 스며나오다; 유출시키다.
ef·fu·sion[efjú:ʒən] *n.* Ⓤ **1** 유출, 삼출, 스며 나옴; Ⓒ 유출물. **2** 토로, 발로《*of*》; Ⓒ 토로한 말〔시, 산문〕.
ef·fu·sive[efjú:siv] *a.* 심정을 토로하는, 〈감정이〉 넘쳐 흐르는《*in*》; 〔地質〕 분출〔화산〕암의: ~ rocks 분출암. **~·ly** *ad.*
eft[eft] *n.* 〔動〕 영원(newt); 도롱뇽.
EFTA[éftə] European Free Trade Association 유럽 자유 무역 연합. **EFT(S)** electronic funds transfer (system) 전자식 자금 이동 (시스템).
EFTPOS, Eftpos, eft/pos electronic funds transfer at point of sale (크레디트 카드를 이용한 물품대 지불 방법).
eft·soon(s)[eftsú:n(z)] *ad.* 《古》 머지 않아.
Eg. Egypt(ian); Egyptology.
e.g.[í:dʒí:, fərigzǽmpəl, -zá:m-] [L exem-

E

pli gratia (=for example)] 예를 들면.

e·gad [igǽd] *int.* 《古·익살》 저런!, 어머나!, 정말!, 뭐라고!

e·gal·i·tar·i·an [igæ̀lətέəriən] *a.* 평등주의의. — *n.* 평등주의자. **~·ism** [-ìzəm] *n.* Ⓤ 평등주의.

é·ga·li·té [èigæli:téi] [F] *n.* 평등(equality).

Eg·bert [égbə:rt] *n.* **1** 남자 이름. **2** 에그버트(775?-839) 《중세 영국 West Saxons의 왕(809-839): 영국 최초의 왕(829-839)》.

e·gest [i(:)dʒést] *vt.* 〔生理〕 …을 (체내로부터) 배설〔배출〕하다(discharge)(*opp.* ingest).

e·ges·tive [i:dʒéstiv] *a.*

★**egg**[1] [eg] *n.* **1** 알; 달걀, 계란: a raw ~ 날 달걀/a poached ~ 수란(水卵)/a boiled ~ 삶은 달걀/a soft-boiled ~ 반숙한 달걀/fried ~*s* 에그 프라이. **2** =EGG CELL. **3** 《俗》 투하 폭탄(bomb). **4** 《俗》 놈, 녀석(chap). **5** 《영口》 애송이, 풋내기. **6** 《俗》 시시한 농담연기; 물건, 일. **7** 《미俗》 헬리콥터. **a bad egg** 《俗》 나쁜 놈, 불량배; 서툰 계획. **(as) full as an egg** 꽉 찬. **(as) sure as eggs is eggs** 《익살》 틀림없이(for certain). **egg and anchor**〔**dart, tongue**〕 〔建〕 달걀 모양의 장식과 닻〔창, 혀〕 모양의 장식이 뒤섞인 원형(圓形) 장식. **golden eggs** 큰 벌이, 횡재. **good egg** 《俗》 훌륭한 사람〔물건〕. **Good egg!** 훌륭하다! **have eggs on the spits** 하는 일이 있어 손을 못 떼다. **have**〔**put**〕 **all one's eggs in one basket** 한 사업에 모든 것을 걸다. **in the egg** 미연에, 초기에. **lay an egg** 알을 낳다; 《俗》 〈익살·흥행 등이〉 실패하다; 《軍俗》 폭탄을 투하하다. **sit on eggs** 〈닭이〉 알을 품다. **teach** one**'s grandmother to suck eggs** 경험이 더 많은 사람에게 충고하다《부처님한테 설법을 하다; 공자 앞에 문자 쓰다》. **tread upon eggs** 달걀 위를 걷다, 살얼음 위를 걷다. — *vt.* 달걀로 요리하다; 《口》 달걀을 내던지다. — *vi.* 새알을 채집하다.

egg[2] *vt.* 선동하다, 충동하다, 부추기다, 격려하다(incite) 《*on*》.

egg-and-spoon ràce 스푼 레이스《달걀을 숟갈 위에 올려 놓고 달리는 경기》.

égg àpple =EGGPLANT.

egg·ar *n.* 〔昆〕 솔나방.

egg·beat·er [⊿bì:tər] *n.* **1** 달걀을 저어 거품이 일게 하는 기구, 교반기. **2** 프로펠러. **3** 《미俗》 =HELICOPTER. **4** 선외 모터 보트.

egg-bound [⊿bàund] *a.* 〈새·물고기 등이〉 알을 몸에서 뗄 수 없는, 알에 얽매인.

égg cèll 〔生〕 난자(卵子), 난세포(ovum).

égg contàiner (플라스틱제 등의) 달걀 용기, 달걀 판《대소를 불문한 달걀 용기의 총칭》.

égg còzy 삶은 달걀 덮개《보온용》.

egg·crate [⊿krèit] *n.* **1** 칸막이 달걀 포장 상자. **2** 잘게 구획된 미늘살《전등빛 반사용》.

égg crèam 《미》 우유·향료·시럽·소다를 섞은 음료.

egg·cup [⊿kʌ̀p] *n.* 삶은 달걀 담는 컵《식탁용》.

égg cústard 달걀·설탕·우유로 만든 과자.

égg dànce 달걀 춤《흩어 놓은 달걀 사이에서 눈을 가리고 추는 춤》; 매우 어려운 일.

egg·er [égər] *n.* =EGGAR.

égg flìp 《영》 =EGGNOG.

égg fòo yóng〔**yóung**〕 《미》 중화요리식 오믈렛.

egg·head [éghèd] *n.* 《口》 지식인, 인텔리(intellectual); 《경멸》 인텔리; 《俗》 대머리. **~·ìsm** *n.* 《口》 인텔리성(性), (인텔리적) 이론.

egg·head·ed [⊿hèdid] *a.* 《口》 EGGHEAD 같은. **~·ness** *n.*

egg·nog [⊿nɑ̀g, ⊿nɔ̀(:)g] *n.* Ⓤ,Ⓒ 에그노그《술에 우유와 설탕을 섞은 것》.

egg·plant [⊿plæ̀nt, ⊿plɑ̀:nt] *n.* 〔植〕 가지(나무).

égg ròll 《미》 〔料理〕 (중화요리의) 야채·고기의 달걀말이(《영》 spring roll).

égg ròlling 부활절에 Easter eggs를 굴리는 놀이《깨지 않고 굴리는 자가 이김》.

éggs Bénedict 에그베네딕트《토스트 또는 영국풍의 muffin 토스트에 얇게 썬 햄을 지지거나 구운 것》.

égg sèparator 난황(卵黃) 분리기.

egg-shaped [⊿ʃèipt] *a.* 달걀 모양의.

egg·shell [⊿ʃèl] *n.* 달걀 껍질; 깨지기 쉬운 것. — *a.* 얇고 부서지기 쉬운: ~ china〔porcelain〕 얇은 도자기.

égg slìce 오믈렛을 뜨거나 뒤집는 기구.

égg spòon 삶은 달걀을 먹는 작은 숟가락.

égg stànd 달걀 스탠드《몇 쌍의 eggcup과 egg spoon으로 한 벌이 됨》.

egg-suck·er *n.* 《俗》 아첨해서 성공하려는 사람, 간살쟁이, 아첨꾼.

égg tìmer 달걀 삶는 시간을 재는 약 3분 정도의 (모래) 시계.

égg tòoth 난치(卵齒)《새·파충류의 새끼가 알을 깨고 나올 때에 쓰는 부리의 끝》.

égg trànsfer 〔醫〕 난자 이식 (수술).

égg tránsfer bàby 〔醫〕 수정란 이식아.

égg whìsk =EGGBEATER.

égg whìte 달걀 흰자위(*cf.* YOLK).

e·gis [í:dʒis] *n.* =AEGIS.

eg·lan·tine [égləntàin, -tì:n] *n.* =SWEETBRIER.

e·go [í:gou, égou] [L] *n.* (*pl.* **~s** [-]) Ⓒ,Ⓤ **1** 〔哲·心〕 자아(自我)(the 'I'): absolute〔pure〕 ~ 〔哲〕 절대〔순수〕아(我). **2** 《口》 자만; 아욕(我欲). **ego involvement** 〔心〕 자아 관여. **puncture** a person**'s ego** 《미口》 교만심을 꺾어주다, 망신시키다.

e·go·cen·tric [ì:gouséntrik, ègou-] *a.* 자기중심의, 이기적인. — *n.* 자기 (중심)주의자. **-tri·cal·ly** *ad.* **e·go·cen·tric·i·ty** *n.* Ⓤ 자기 본위.

e·go·cen·trism [⊿séntrizəm] *n.* 자기 중심; 〔心〕 (아이들의) 자기 중심성.

égo idèal 〔精神分析〕 자아 이상《개인이 도달하고자 노력하는 인간의 의식적인 의식 표준》.

***e·go·ism** [í:gouìzəm, égou-] *n.* Ⓤ **1** 이기주의, 자기 본위, 자기 중심〔이기〕(적인 성향)(*opp.* altruism). **2** 자만, 자부심; 자아 의식. **3** 〔倫〕 이기설(利己說).

e·go·ist [í:gouist, égou-] *n.* **1** 〔倫〕 이기주의자. **2** 자기 본위의 사람, 제멋대로 하는 사람(*opp.* altruist; *cf.* EGOTIST). **3** 자부심이 강한 사람.

e·go·is·tic, -ti·cal [ì:gouístik, ègou-], [-əl] *a.* 이기주의의; 자기 본위의, 제멋대로의, 아욕(我欲)이 강한. **-ti·cal·ly** [-kəli] *ad.*

egoístic hédonism 〔倫〕 개인적 쾌락설《행위 결정의 동기는 주관적 쾌락이라는 설》.

e·go·ma·ni·a [ì:gouméiniə, ègou-] *n.* Ⓤ 병적인 자기 중심벽(癖).

e·go·ma·ni·ac [ì:gouméiniæ̀k, égou-] *n.* 병적〔극단적〕으로 자기 중심적인 사람; 극단적으로 자존심이 강한 사람. **e·go·ma·ni·a·cal** *a.*

e·go·sphere [í:gousfìər, égou-] *n.* 자아 영역.

e·go-state [í:goustèit, égou-] *n.* 〔心〕 자아 상태.

E

*__e·go·tism__[íːgoutìzəm, égou-] *n.* Ⓤ **1** 자기 중심벽(癖)《I, my, me를 지나치게 많이 쓰는 버릇》. **2** 자만, 자부(self-conceit). **3** 이기주의, 자기 본위.
e·go·tist[íːgoutìst, égou-] *n.* 자기 중심주의자; 자존가(自尊家); =EGOIST.
e·go·tis·tic, -ti·cal[-tístik], [-əl] *a.* 자기 중심〔본위〕의; 독선적인; 이기적인.
-ti·cal·ly *ad.*
eg·o·tize[íːgoutàiz, égou-] *vi.* 《稀》 제자랑하다, 자기 일만 말하다.
égo trìp 《口》 이기적〔자기 본위적〕 행위.
ego-trip[íːgoutrìp, égou-] *vi.* (~**ped**; ~·**ping**) 《口》 제멋대로〔자기 중심적으로〕 행동하다.
e·gre·gious[igríːdʒəs, -dʒiəs] *a.* **1** 악명 높은; 지독한, 언어 도단의, 괘씸하기 짝이 없는(flagrant). **2** 《古》 탁월한, 발군의.
~·ly *ad.* **~·ness** *n.*
e·gress[íːgres] *n.* 《文語》 **1** Ⓤ 밖으로 나가기(*opp.* ingress); (우주선으로부터) 탈출. **2** 출구(exit), (연기가) 빠지는 곳. **3** Ⓤ 밖으로 나갈 수 있는 권리. **4** 〔天〕 =EMERSION.
— [–́] *vi.* 밖으로 나가다(go out); (우주선에서) 탈출하다.
e·gres·sion[i(ː)gréʃən] *n.* 나감, 외출; 〔天〕 =EMERSION.
e·gret[íːgrit, ég-, iːgrét] *n.* **1** 〔鳥〕 큰 해오라기《유럽산》; (각종) 해오라기(heron); 해오라기의 깃; 그 깃털 장식(aigrette). **2** 〔植〕 (엉겅퀴·민들레 등의) 관모(冠毛), 갓털.
‡**E·gypt**[íːdʒipt] *n.* 이집트《아프리카 북부의 공화국; 공식명 Arab Republic of Egypt; 수도 Cairo》. ⊕ Egýptian *a.*
Egypt. Egyptian.
‡**E·gyp·tian**[idʒípʃən] *a.* 이집트(사람, 말)의.
— *n.* **1** 이집트 사람; Ⓤ (고대) 이집트 말. **2** 〔廢〕 집시(gypsy). **3** 《口》 이집트 궐련〔담배〕.
Egýp·tian clóver 클로버의 일종《이집트, 시리아 원산》.
Egýptian cótton 〔植〕 이집트 목화.
E·gyp·tian·i·za·tion[idʒìpʃənizéiʃən] *n.* 이집트화(化).
E·gyp·tian·ize[idʒípʃənàiz] *vt.* 이집트화하다; 이집트의 국유(國有)로 하다.
E·gyp·tol·o·gy[ìːdʒiptálədʒi/-tɔ́l-] *n.* Ⓤ 이집트학(學). **-gist** *n.* 이집트학자.
*__eh__[ei][(올림조로)ei, 미+e] *int.* (놀람·의문을 나타내며, 또 동의를 구하는 말) 에!, 뭐라고?, 그렇잖아?
E.H.F., e.h.f. extremely high frequency 〔通信〕 마이크로파(波). **EHP** effective horse power 유효 마력; electrical horse power 전기 마력. **EHV** extra high voltage 〔電〕 초고압. **E.I.** East Indies. **EIB(W)** Export-Import Bank (of Washington) (워싱턴) 수출입 은행.
ei·der[áidər] *n.* (*pl.* **~s, ~**) **1** 〔鳥〕 솜털오리《북유럽 연안산》(=∠ **dùck**). **2** =EIDERDOWN 1.
ei·der·down[-dàun] *n.* **1** EIDER의 가슴에 난 솜털. **2** (그것을 넣은) 깃털 이불.
ei·det·ic[aidétik] *a.* 〔心〕 직관적(直觀的)인.
ei·do·graph[áidougræ̀f, -grɑ̀ːf] *n.* 신축 축도기(縮圖機)《원화를 임의로 확대·축소할 수 있음; PANTOGRAPH의 일종》.
ei·do·lon[aidóulən] *n.* (*pl.* **~s, -la**[-lə]) 유령, 허깨비, 환영(幻影); 이상(상(像)), 이상화된 인물.
Éif·fel Tówer[áifəl-] 에펠 탑《A. G. Eiffel이 1889년에 파리에 세운 높이 300 미터의 철탑》.
ei·gen-[áigən-] [G] 《연결형》「고유의; 독특한」의 뜻.
ei·gen·val·ue[áigənvæ̀ljuː] *n.* 〔數〕 고유치(固有値).
★**eight**[eit] *a.* **1** 8의, 여덟(개, 사람) 의: ~ men 여덟 사람. **2** 8세의: He is ~. 그는 8세이다. **an eight-day clock** 8일에 한 번 태엽을 감는 시계. — *pron.* (복수 취급) 여덟 개〔사람〕. — *n.* **1** 8, 여덟. **2** 8의 기호《viii》. **3** 8시, 여덟 살. **4** 8개 한 조(組), 8인조, 8인조 보트; 8인조의 보트 선수; (the E~s) Oxford 대학교·Cambridge 대학교 대항 보트 경주. **5** 〔카드〕 8점 짜리 패. **6** 8기통 자동차. **7** (*pl.*) =OCTAVOS. **a piece of eight** 스페인의 옛 은화, 스페인 달러. **figure of eight** 8자형; 〔스케이트〕 8자형 활주. **have one over the eight** 《영口》 잔뜩 취하다.
éight bàll **1** 《미》 〔撞球〕 8이라고 쓴 검은 공(을 중심으로 하는 공놀이). **2** 《미俗·경멸》 흑인, 얼빠진 놈. **3** 《俗》 〔通信〕 무지향성(無指向性) 마이크. **behind the eight** 《미俗》 위험〔불리〕한 위치에(서).
eíght bít compúter 〔컴퓨터〕 8비트 컴퓨터.
★**eigh·teen**[éitíːn] *a.* **1** 18〔개, 명〕의: in the ~-fifties 1850년대에. **2** 18세의.
— *pron.* (복수 취급) 18개〔사람〕.
— *n.* Ⓤ,Ⓒ (무관사) 18; Ⓒ 18의 기호; 18개 한 조(組); (*pl.*) =EIGHTEENMOS.
eigh·teen·mo[èitíːnmòu] *n.* (*pl.* **~s**) 18절(折)(판)(OCTODECIMO)《18mo를 영어식으로 읽은 것》.
‡**eigh·teenth**[éitíːnθ] *a.* **1** (보통 the ~) 제 18〔번째〕의. **2** 18분의 1의. — *n.* **1** (보통 the ~) 제 18《略 18th》; (달의) 18일. **2** 18분의 1. — *pron.* (the ~) 제 18번째 사람〔물건〕. **the Eighteenth Amendment** 미국 헌법 수정 제 18조《금주법》.
~·ly *ad.* 18(번)째로.
eigh·teen-wheel·er[éitiːnhwíːlər] *n.* 《미俗》 트레일러 트럭.
eight·fold[éitfòuld] *a., ad.* 여덟 배의〔로〕, 여덟 겹의〔으로〕.
éightfold wáy (the ~) 〔物〕 팔도설(八道說)《소입자 분류법의 하나》.
eight-four[∠fɔ́ːr] *a.* 〔미教育〕 8-4제의《초등교육 8년·중등 교육 4년의》.
★**eighth**[eitθ] *n.* (*pl.* **~s**) **1** (보통 the ~) 제 8 《略 8th》, 여덟 번째; (달의) 제 8일. **2** 8분의 1. **3** 〔樂〕 8도(度). — *pron.* (the ~) 제 8번째 사람〔물건〕. — *a.* **1** (보통 the ~) 제8의, 여덟 번째의. **2** 8분의 1의.
éighth·ly *ad.* 여덟 번째로.
éighth note 〔樂〕 8분 음표(quaver).
eight-hour[éitàuər] *a.* 8시간제의: the ~ 〔eight hours'〕 day 1일 8시간 노동제/~ labor 8시간 노동/the ~ law 8시간 노동법.
éighth rést 〔樂〕 8분 쉼표.
eight·i·eth[éitiiθ] *n., a.* (보통 the ~) 제 80(의), 80번째(의); 80분의 1(의). — *pron.* 제80번째 사람〔물건〕.
eight·pence[éitpéns] *n.* (*pl.* ~, **~s**) (영국의) 8펜스.
eight·pen·ny[∠péni] *a.* 8펜스의.
eights[eits] *n.* 《미俗》 통화 끝(sign-off).
eight·score[éit-skɔ́ːr] *n.* 160《8×20》.
eight·some[éit-səm] *n.* 8사람이 추는 춤; 그 춤을 추는 8인조.
eight-track[éittræ̀k] *n.* 8트랙 녹음 테이프.
★**eight·y**[éiti] *a.* 80(개, 명)의. — *pron.* (복수

E

취급) 80개〔명〕. — *n.* (*pl.* **eight·ies**) **1** 80(의 수(數)), 80년〔세〕; 80의 기호《80, LXXX》. **2** (the eighties)(개인의) 80대(代); (세기의) 80년대. **the Eighty Club** (1880년에 창설된) 영국 자유당 클럽.

eight·y-eight, 88[éitiéit] [건(鍵)의 총수가 88개인 데서] *n.* 《미俗》 피아노(piano).

eight·y·fold[éitifòuld] *a., ad.* 80배의〔로〕.

eight·y-six, 86[éitisíks] *vt.* 《미俗》 〈식당·바 등에서 손님에게〉 식사·음료의 제공을 거절하다, 서비스하지 않다; 〈사람을〉 배척하다, 무시하다.

ei·kon[áikɑn/-kɔn] *n.* =ICON.

Ei·leen[ailíːn/ㄹ—] *n.* 여자 이름.

ein·korn[áinkɔːrn] *n.* 외알밀《작은 이삭에 열매가 한 알씩 열림》.

Ein·stein[áinstain] *n.* 아인슈타인 Albert ~(1879-1955)《미국으로 귀화한 유대계 독일인 물리학자; 상대성 원리의 창설자》.

Éinstein equàtion 〔物〕 아인슈타인 방정식《질량과 에너지와의 방정식》.

Ein·stein·i·an[ainstáiniən] *a.* 아인슈타인(류)의; 상대성 원리의.

ein·stein·i·um[ainstáiniəm] *n.* Ⓤ 〔化〕 아인슈타이늄《방사성 원소; 기호 Es, 번호 99》.

Éinstein thèory 〔物〕 아인슈타인의 상대성 원리.

Ei·re[ɛ́ərə] *n.* 에이레《아일랜드(Ireland) 공화국의 옛 이름(⇨Ireland)》.

ei·re·nic[airíːnik] *a.* 평화를 촉진하는〔이바지하는〕; 중재(仲裁)의, 협조적인.
◇ eirenical, irenic, irenical 로도 씀.

ei·ren·i·con[airénəkɑ̀n/-kɔ̀n] *n.* 평화〔중재〕 제의《특히 종교상 분쟁에 대한》.

E.I.S. Educational Institute of Scotland

eis·e·ge·sis[àisədʒíːsəs] *n.* (*pl.* **-ses**[-siːz]) (특히 성서 원문에 관한) 자기 해석《자신의 사상을 개입시킨 해석 등》.

Ei·sen·how·er[áizənhàuər] *n.* 아이젠하워 Dwight David ~(1890-1969)《미국의 장군, 제34대 대통령(1953-61)》.

eis·tedd·fod[eistéðvɑd, ais-/aistéðvɔd] [Welsh=session] *n.* (*pl.* **~s, -fod·au**) (Wales에서 매년 개최되는) 시인(詩人) 대회; (어떤 지방의) 음악 콩쿠르《등》.

★**ei·ther**[íːðər, áiðər] *ad.* **1** (부정문에서) …도 또한 (…않다)《◇ not … either로 neither와 같은 뜻이 되는데 전자쪽이 일반적; 또 이 구문에서는 either 앞의 (,)는 있어도 좋고 없어도 좋음》: If you do not go, I shall not ~. 당신이 가지 않는다면 나도 가지 않는다/"I won t go."—"Nor I ~." 나는 가지 않겠습니다—나도 안 가요/"I won't do a thing like that."—"I won't (do it)(,) ~." 나는 그런 일은 하지 않겠어요—나도 (하지) 않겠어요.
2 (긍정문 뒤에서, 앞서 말한 부정의 내용을 추가적으로 수정·반복해서)《口》 …이라고는 하지만 (…은 아니다); 그 위에; 게다가(moreover): It is a nice place, and not too far, ~. 그 곳은 멋진 곳이고 게다가 멀지도 않다.
3 (의문·조건·부정문에서 강조로) 《口》 게다가, 그런데다: She has no family, or friends ~. 그녀에게는 가족도 없고 친구도 없다.
— *a.* (단수 명사를 수식하여) **1 a** (긍정문에서) (둘 중) 어느 한쪽〔하나〕의, 어느 쪽의 …이든지: Sit on ~ side. 어느 쪽에든 앉으시오. **b** (부정문에서) (둘 중) 어느 쪽의 …도 (…아니다): I don't know ~ boy. 어느 쪽 소년도 모른다《◇ I know neither boy. 라고 바꾸어 쓸 수 있음》. **c** (의문문·조건문에서) (둘 중) 어느 한쪽의…: Did you see ~ boy? 어느 한쪽 소년이라도 만났는가. **2** (보통 ~ side〔end〕로) 양쪽의, 각각의《◇ 《口》에서는 both sides〔ends〕 또는 each side〔end〕를 씀》: curtains hanging on ~ side of the window 창문 양쪽에 늘어진 커튼. **either way** (1) (두 가지 방법 중) 어느 쪽이든, 어느 쪽으로 하든, 어차피. (2) 어느 쪽에나. **in either case** 어느 경우에나, 좌우간.
— *pron.* **1** (긍정문에서) (둘 중의) 어느 한 쪽, 어느 쪽도: *Either* will do. 어느 쪽이든 좋다/*Either* of them is〔are〕 good enough. 그들 중 어느 쪽이든 상관 없습니다《◇ either는 단수 취급을 원칙으로 하지만, 《口》에서는, 《특히》 of 뒤에 복수 (대)명사가 이어질 때에는 복수 취급을 할 때가 있음》. **2** (부정문에서) (둘 중) 어느 쪽도: I don't know ~. 어느 쪽도 모른다《◇ I know neither. 로 바꾸어 쓸 수 있음》/I won t buy ~ of them. 그것들 중 어느 쪽도 사지 않겠다. **3** (의문문·조건문에서) (둘 중의) 어느 쪽인가: Did you see ~ of the boys? 그 소년들 중 어느 한쪽이라도 만났습니까.
— *conj.* (either … or … 의 형태로) …거나〔든가〕 …거나〔든가〕(어느 것이라도, 어느 것인가를): *Either* he or I am to blame. 그 사람이나 나 둘 중 하나가 잘못한 것이다《◇ 동사는 일반적으로 뒤의 주어와 호응함; 그러나 어조가 좋지 않으므로 *Either* he is to blame or I am.이라고 하는 일이 많음》/*Either* you or I must go. 당신이나 나 둘 중 한 사람이 가야 한다/You may ~ take the apple or the pear. 그 사과나 배중에서 어느 쪽을 가져도 돼요《◇ either … or … 뒤에 문법적으로 다른 품사 또는 다른 구조를 갖는 단어·어군(語群)이 오는 것은 잘못으로 여겨지고 있지만 《口》에서는 자주 들을 수 있음》.

either-or[íːðərɔ̀ər, áiðər-] *a.* 양자 택일의.

e·jac·u·late[idʒǽkjəlèit] *vt.* **1** 《文語》 갑자기 외치다, 갑자기 소리 지르다. **2** 〔生理〕 〈액체를〉 내뿜다; 사정(射精)하다.

e·jac·u·la·tion[idʒæ̀kjəléiʃən] *n.* Ⓤ,Ⓒ **1** 갑자기 지르는 외침〔탄식 소리〕, 절규(絶叫). **2** 〔生理〕 사출(射出); 사정(射精).

e·jac·u·la·tor[idʒǽkjəlèitər] *n.* **1** 갑자기 외치는 사람. **2** 〔解〕 사출근(筋), 사정근.

e·jac·u·la·to·ri·um[idʒæ̀kjələtɔ́ːriəm] *n.* (정자 은행의) 정자 채취실, 사정실.

e·jac·u·la·to·ry[idʒǽkjələtɔ̀ːri/-təri] *a.* **1** 절규적인. **2** 〔生理〕 사정의: an ~ duct 사정관(管).

e·ject[idʒékt] [L] *vt.* **1** …을 쫓아내다, 축출〔추방〕하다(*from*); 〔法〕 퇴거시키다; 해고하다. **2** 〈액체·연기 등을〉 뿜어 내다, 배출하다; 배설하다(*from*). — *vi.* (고장 비행기의 사출 좌석에서) 사출하다.

e·jec·ta[idʒéktə] *n. pl.* 배설물; (화산 등에서의) 분출물.

e·jec·tion[idʒékʃən] *n.* **1** Ⓤ 방출(放出), 분출, 배출; Ⓤ,Ⓒ 방출물, 분출물. **2** Ⓤ 〔法〕 (토지·가옥에서의) 방축(放逐), 퇴거.

ejéction càpsule 〔空〕 (비행기·우주선 등의) 사출(射出)〔탈출〕 캡슐.

ejéction sèat 〔空〕 사출 좌석《조종사의 긴급 탈출을 위한 기체 밖 방출 장치》.

e·jec·tive[idʒéktiv] *a.* **1** 방출하는, 방사(放射)하는, 몰아내는. **2** 〔音聲〕 방출음의.
— *n.* 〔音聲〕 방출음. **~·ly** *ad.*

e·ject·ment[idʒéktmənt] *n.* Ⓤ **1** 방출; 추방, 방축, 몰아냄(*from*). **2** 〔法〕 부동산 점유 회복 소송.

E

e·jec·tor[idʒéktər] *n.* **1** 몰아내는 사람, 쫓아내는 사람. **2** 배출〔방사〕기(器)〔관(管), 장치〕: an ~ condenser〔washer, pump〕 방사 복수기(復水器)〔세정기(洗淨器), 펌프〕.

ejéctor sèat =EJECTION SEAT.

ek·a-[ékə] 《연결형》〔化〕(미지의 원소명에 사용하여) 주기율표의 동족난(欄)에서 「…의 밑에 와야 할 원소」의 뜻: *eka*lead 에카연(鉛)《원자번호 114가 될 원소》, *eka*element(에카원소).

eke¹[i:k] *vt.* 《古·方》 …을 늘리다, 잡아 늘이다, 크게 하다. **eke out** 늘리다, 〈부족분을〉 보충하다《*with*》; 《俗》 간신히 생계를 이어가다: ~ *out* a scanty livelihood 근근히 생계를 유지하다/~ *out* a miserable existence 간신히 연명하다.

eke² *ad.* 《古》 또한(also): 게다가, 뿐만 아니라.

EKG, E.K.G. *Electrokardiogramme*《G=electrocardiogram》; electrocardiograph.

e·kis·tics[ikístiks] *n. pl.* (단수 취급) 인간 거주 공학〔거주학〕.

Ék·man láyer 〔海洋〕 에크만 (해류)층《해양의 흐르는 방향이 풍향과 90° 를 이루는 층》.

el¹, El[el] [*el*evated railroad] *n.* 《미口》 고가철도.

el² *n.* (알파벳의) L〔l〕자(ell).

el-[il] *pref.* =EN-《l의 앞》.

el. elected; elevation.

⁑**e·lab·o·rate**[ilǽbərit] [L] *a.* 고심하여 만들어 낸, 공들인, 복잡한; 정교한.
— [ilǽbərèit] *vt.* **1** 애써 만들다, 고심하여 만들다; 정교하게 만들다: 〈문장·고안 등을〉 퇴고(推敲)하다. **2** 〔生理〕 〈음식 등을〉 동화하다.
— *vi.* **1** 갈고 닦다; 상세히 말하다, 부연하다 《*on, upon*》: Don't ~ 지나치게 공들이지 마라: ~ *upon* a plan 계획을 면밀히 검토하다/~ (*up*)*on* an idea 어떤 생각을 상세히 설명하다. **2** 정교해지다. **~·ness** *n.*

e·lab·o·rate·ly[ilǽbərətli] *ad.* 애써서, 공들여; 정교하게.

e·lab·o·ra·tion[ilæ̀bəréiʃən] *n.* Ⓤ **1** 고심하여 만듦〔완성시킴〕, 공들임; 퇴고(推敲); 복잡함, 정교, 면밀. **2** Ⓒ 고심작, 노작(勞作); (추가한) 상세한 말; 상술. **3** 〔生理〕 동화, 합성.

e·lab·o·ra·tive[ilǽbərèitiv, -rət-] *a.* 공들인, 정교한.

e·lab·o·ra·tor, -ter[ilǽbərèitər] *n.* 고심하여〔정성들여〕 만드는 사람, (문장을) 퇴고(推敲)하는 사람.

el·ae·om·e·ter[èli:ámitər/-ɔ́m-] *n.* 지방비중계, 올리브유계(oleometer).

E·laine[iléin] *n.* **1** (Arther 왕 전설에서의) 일레인. **2** 여자 이름.

ÉL ÁL (**Ísrael Áirlines**)[él ǽl(-)] 엘알 이스라엘 항공《이스라엘 항공 회사》.

E·lam[í:ləm] *n.* 엘람《페르시아만 북쪽의 지역명; 그곳에 있었던 고대 왕국》.

E·lam·ite[í:ləmàit] *a.* 엘람(Elam)의, 엘람 사람〔말〕의. — *n.* **1** 엘람 사람. **2** Ⓤ 엘람 말.

é·lan[eilá:n, -lǽn] [F] *n.* Ⓤ 기력, 예기(銳氣); 비약, 약진, 활기, (특히 군대의) 돌진.

e·land[í:lənd] *n.* (*pl.* ~**s,** (집합적) ~)〔動〕 큰 영양(羚羊)《남아프리카산》.

élan vi·tal[-vi:tá:l][F] *n.* 〔哲〕 생명의 비약, 생(生)의 약동《Bergson의 용어》.

el·a·pid[éləpid] *a., n.* 〔動〕 코브라과(科)의 (독사).

*__e·lapse__[ilǽps][L] *vi.* 《文語》 〈시간이〉 지나다, 경과하다(*cf.* LAPSE *n.*)《◇pass 쪽이 일반적》. — *n.* (시간의) 경과; 짧은 시간(lapse).

e·lápsed tíme[ilǽpst-] 소요 시간《보트나 자동차의 일정 코스의 주행 시간》.

e·las·mo·branch[ilǽsməbræ̀ŋk, ilǽz-] *n., a.* 〔魚〕 판새류(板 類)(의), 연골어(軟骨魚)류(의)《상어·가오리 등》.

*__e·las·tic__[ilǽstik] *a.* **1** 탄력(성) 있는, 신축성이 있는; 휘기 쉬운, 낭창낭창한, 나긋나긋한: an ~ string〔cord, tape〕 고무 끈〔줄, 테이프〕. **2** 반발력이 있는; 꽁하지 않은, 활달한, 쾌활한; 융통성〔순응성〕이 있는: an ~ conscience 융통성이 있는 양심. **3** 〔物〕 탄성체의.
— *n.* **1** 고무 끈; 고무줄이 든 천. **2** 《미》 고리 모양의 고무줄. **3** (보통 *pl.*) 고무줄이 든 천의 제품, 《특히》 양말 대님. **-ti·cal·ly**[-tikəli] *ad.* 탄력적으로; 신축 자재하게.

elástic bánd 《영》 고무 밴드(rubber band).

elástic cláuse 〔미憲法〕 신축〔탄력〕 조항《의회의 잠재적 권한을 규정하는 것》.

e·las·tic·i·ty[ilæstísəti, ì:læs-] *n.* Ⓤ **1** 탄력; 신축성; 〔物〕 탄성. **2** 불행에서 일어서는 힘. **3** 융통성, 순응성; 쾌활함.

e·las·ti·cize[ilǽstəsàiz] *vt.* (고무줄 등을 넣어서) …에 탄성〔신축성〕을 갖게 하다.

-cized[-sàizd] *a.*

elástic límit 〔物〕 탄성 한계.

elástic módulus 〔物〕 탄성률(modulus of elasticity).

elástic sides (옛날 고무 장화의) 양쪽의 (단추나 끈 대신에 단) 고무 천; 고무 장화.

e·las·tin[ilǽstin] *n.* 〔生化〕 엘라스틴, 탄력소《단백질의 일종》.

e·las·to·hy·dro·dy·nam·ics[ilæ̀stouhaidroudainǽmiks] *n. pl.* 유체(流體) 탄성 역학, 가압(加壓) 액체 탄성학.

e·las·to·mer[ilǽstəmər] *n.* 〔化〕 엘라스토머《천연 고무·합성 고무 등》.

el·as·tom·e·ter[ilæ̀stámitər/èlæstɔ́m-] *n.* 탄력계(計).

E·las·to·plast *n.* 《영》 구급용 반창고의 일종 《상표명》(*cf.* BAND-AID).

e·late[iléit] *vt.* 고무하다, 기운을 북돋아 주다; 뽐내게〔우쭐대게〕 하다(⇒elated).

e·lat·ed[iléitid] *a.* 의기 양양한, 득의 만면의, 우쭐대는(proud)《*at, by*》: He was ~ *at* the news. 그는 그 소식을 듣고 우쭐댔다/He was ~ *that* he had passed the examination. 그는 시험에 합격하여 의기 양양했다.
~·ly *ad.* **~·ness** *n.*

el·a·ter[élətər] *n.* **1** 〔植〕 (포자를 튀겨 내는) 탄사(彈絲). **2** 〔昆〕 방아벌레.

e·la·tion[iléiʃən] *n.* Ⓤ 의기 양양.

É làyer[í:-] 〔通信〕 E층《하층의 전리층으로 장·중파의 전파를 반사함》.

El·ba[élbə] *n.* 엘바(섬)《이탈리아의 작은 섬; 1814-15년 Napoleon 1세의 첫 유배지》.

El·be[élbə, elb] *n.* (the ~) 엘베(강)《북해로 흘러 드는 독일의 강》.

El·bert[élbə:rt] *n.* 남자 이름《애칭 Bert》.

El·ber·ta[elbə́:rtə] *n.* 여자 이름.

⁑**el·bow**[élbou] [OE] *n.* **1** 팔꿈치; (옷의) 팔꿈치. **2** 팔꿈치(L자) 모양의 것; (팔꿈치 모양의) 굽은 관(管); (팔꿈치 모양의) 굽은 이음매; 팔걸이(=∠ rèst). **3** 후미; 팔꿈치 모양의 굴곡, (하천·도로 등의) 급한 굽이. **4** 《미》 경찰관, 형사. **at a person's elbow** =**at the elbow**(**s**) 팔 닿는 곳에, 바로 가까이에. **bend**〔**crook, lift, raise, tip**〕 **an elbow** 《口》 술을 마시다, 《특히》 과음하다. **from one's**〔**the**〕 **elbow** 곁에서 떨어져. **get the elbow** 《口》 (…에게) 퇴짜맞다, 연분을 끊기다. **give** a person **the elbow** 《口》 (…와)

E

연분을 끊다, 퇴짜놓다. **jog a person's elbow** …의 팔꿈치를 슬쩍 찌르다(주의·경고 등을 위해). **More[All] power to your elbow!** (口) 더욱 건투[건강, 성공]하시기를 빕니다!. **out at elbows[the elbow]** (옷의) 팔꿈치가 떨어져, 누더기가 되어(shabby); 〈사람이〉 초라하여, 가난하여. **rub[touch] elbows with** 〈저명 인사 등〉과 사귀다. **up to the[one's] elbows** (일 등에) 몰두하여(*in*). — *vt.* 팔꿈치로 쿡 찌르다[떠밀다]: ~ one*self in* 아무를 밀어제치고 들어가다/~ one*self into* a crowded train 사람들을 밀어제치고 혼잡한 열차를 타다/~ people *aside*[*off*] 사람들을 팔꿈치로 밀어제치다/~ one's way *through* a crowd 군중 속을 밀어 제치고 나아가다/~ a person *out of* the way 방해가 되지 않도록 사람을 밀어내다. — *vi.* 밀어 제치고 나아가다.

él·bow-bènd·er *n.* (미口) 술을 마시는 사람, 술꾼; (미俗) 사교적인[명랑한] 사람.

élbow bènding (口) 음주.

el·bow-bend·ing[-bèndiŋ] *a.* (口) 과음하는.

el·bow·board *n.* (팔꿈치를 굍 수 있는) 창문 턱.

élbow chàir 팔걸이 의자.

élbow grèase (익살·口) (연마(研磨) 등) 팔의 힘으로 하는 일, 힘드는 일; 애씀; 끈기.

el·bow·room[-rù(:)m] *n.* Ⓤ **1** (팔꿈치를 자유롭게 움직일 수 있는) 여지; 여유; (충분한) 활동 범위: have no ~ 운신을 못하다. **2** 기회.

el chea·po[eltʃí:pou] (미俗) 하찮은, 값싼.

eld[eld] *n.* Ⓤ **1** (영方) 연령, 나이(age). **2** (古·詩) 노년(老年); 옛날.

eld. eldest.

‡**el·der**[1] [éldər] [OE] (old의 비교급) *a.* **1** (영) (형제 등의 혈연 관계에서) 나이가 위인, 연장(年長)의(*opp.* younger)(◇(미)에서는 older를 쓰는 일이 많음): one's ~ brother[sister] 형, 오빠[누나, 언니]. **2** (the E-: 인명 앞이나 뒤에 덧붙여)(같은 이름 또는 성의 사람·부자·형제 등 중에서) 연상편의(*opp.* the Younger). **3** 선배의, 고참의(*cf.* OLDER, SENIOR, MAJOR). — *n.* **1** 연장자; (古) 노인; (*pl.*) 선배, 웃어른. **2** 조상(ancestor). **3** 원로; 원로원 의원. **4** 장로 (특히) 장로 교회의. **~·shìp** *n.* 연장[선배]임; 장로직.

elder[2] *n.* [植] 딱총나무 무리.

el·der·ber·ry[-bèri] *n.* (*pl.* **-ries**) **1** 말오줌나무 열매(검보라색). **2** =ELDER[2].

élderberry wíne ELDERBERRY 열매로 담근 술.

élder bróther (영) 수로 안내 협회(Trinity House)의 간부 회원.

el·der·care[-kèər] *n.* Ⓤ (미) 낮은 요금의 노인 의료 계획, 노인 예방 진료 계획(의료 보험 제도의 보완책).

élder hánd =ELDEST HAND.

*****el·der·ly**[éldərli] *a.* **1** 늙숙한, 나이가 지긋한, 중년이 지난, 초로(初老)의. **2** (the ~; 명사적; 복수 취급) 나이가 지긋한 사람들. **3** 시대에 뒤진. **-li·ness** *n.* Ⓤ 지긋한 나이, 초로.

élderly depéndency ràtio 노령자 (피)부양률.

élder státesman (정계의) 원로, 장로; (조직·집단의) 유력자, 중진.

‡**el·dest**[éldist] [OE] (old의 최상급) *a.* (형제 등의 혈연 관계에서) 가장 나이 많은; 맏이의(◇(미) 에서는 oldest를 쓰는 일이 많음); (*cf.* ELDER[1] 1): one's ~ brother[sister, child] 맏형[맏누이, 맏아이]/one's ~ son[daughter] 맏아들, 장남[맏딸, 장녀].

éldest hánd [카드놀이] (패 도르는 사람의 왼쪽에 있는) 카드를 첫번째로 받는 사람.

E.L.D.O., El·do[éldou] European Launcher Development Organization 유럽 우주 로켓 개발 기구.

El Do·ra·do[èldərá:dou] [Sp] *n.* (*pl.* **~s**) **1** 엘도라도(남아메리카 아마존 강변에 있다고 상상되었던 황금향(鄕)). **2** (일반적으로) 황금향, 이상적인 낙토.

El·dred[éldrid] *n.* 남자 이름.

el·dritch[éldritʃ] *a.* (스코) 무시무시한, 소름이 끼치는, 섬뜩한.

El·ea·nor, El·e·a·no·ra[élənər, -nɔr], [èliənɔ́:rə] *n.* 여자 이름(Helen의 변형; 애칭 Ella, Ellie, Nell(e), Nelly, Nellie, Nora).

El·e·at·ic[èliǽtik] *a., n.* [哲] 엘레아 학파의 (사람).

elec., elect. electric(al); electrician; electricity; electuary.

el·e·cam·pane[èlikæmpéin] *n.* [植] 목향(木香)(엉거시과(科)의 식물); 목향 과자(목향 나무에서 뽑은 향료로 만듦).

e·lec-pow·ered[ilékpàuərd] *a.* 전동의.

‡**e·lect**[ilékt] [L] *vt.* **1** 선거하다, 선출[선임]하다: (Ⅴ(목)+(*to be*)+명) We ~*ed* him (*to be*) President. 우리는 그를 대통령[회장, 총재 등]으로 선출했다(=He was ~*ed* President by us. (Ⅱ *be pp*+명))/(Ⅴ(목)+*as*+명) We ~*ed* him *as* chairman. 우리는 그를 의장으로 선출했다/(Ⅰ *be pp.*+전+명) She was ~*ed for*[*to*] Congress in 2000. 그녀는 2000년에 국회 의원으로 선출되었다. **2** 택하다, 고르다, 결정하다: ~ suicide 자살을 택하다/He ~*ed to* remain at home. 그는 집에 남아 있기로 정했다. **3** (미) 〈과목 등을〉 선택하다. **4** [神學] 〈하느님이 사람을〉 택하다; (신의) 소명(召命)을 받다. — *vi.* (투표 등으로) 선택하다, 선거하다. **the elected** 선택[선출]된 사람, 당선자. — *a.* **1** 선정[선발]된. **2** (흔히 명사 뒤에 두어) (아직 취임하지 않았으나) 선거[선임]된: the President-~ 대통령 당선자. **3** [神學] (하느님에게) 선택된(*opp.* reprobate).
— *n.* (the ~; 집합적; 복수 취급) (文語) **1** 특권 계급, 엘리트. **2** [神學] 하느님의 선민(選民)들(God's elect). ◈ eléction *n.*; eléctive *a.*

e·lect·a·ble[iléktəbəl] *a.* 선출될 수 있는; 선출[선택]될 만한.

e·lect·ee[ilektí:] *n.* 선출[선택]된 사람.

‡**e·lec·tion**[ilékʃən] *n.* **1** (투표에 의한) 선거; 선정; 선임; 당선: stand for (an) ~ (영) 입후보하다/carry[win] an ~ 선거에 이기다, 당선하다. **2** Ⓤ [神學] 하느님의 선택. **general election** 총선거. **special election** (미) 보궐 선거((영) by-election).
◈ elèct *v.*; eléctive *a.*

eléction administrátion commìttee 선거 관리 위원회.

eléction campàign 선거 운동.

Eléction Dày 1 (미) 대통령 선거일(11월 첫 월요일 다음의 화요일). **2** (**e- d-**)(일반적으로) 선거일.

eléction dìstrict 선거구.

e·lec·tion·eer[ilèkʃəníər] *vi.* 선거 운동을 하다. — *n.* 선거 운동자[원].

e·lec·tion·eer·er[-níərər] *n.*=ELECTIONEER.

e·lec·tion·eer·ing[-íəriŋ] *n.* Ⓤ 선거 운동. — *a.* 선거 운동의: an ~ agent 선거 운동원.

E

eléction làw violátion 선거법 위반.
eléction retùrns 선거 개표 보고(서).
e·lec·tive[iléktiv] *a.* **1** 선거에 의한 〈직위·권능 등〉; 선거의〔에 관한〕; 선거하기 위한, 선거권을 가진 : an ~ body 선거 단체. **2** 《미》〈과목이〉 임의로 선택할 수 있는(《영》 optional)(*opp.* compulsory) : an ~ course 선택 과목/an ~ system 선택 과목 제도. — *n.* 《미》 선택 과목〔과정〕(《영》 optional). **~·ly** *ad.* 골라서(by choice); 선거에 의하여.
eléctive affínity 〔化〕(선택) 친화력.
e·lec·tor[iléktər] *n.* **1** 선거인, 유권자. **2** 《미》(대통령·부통령) 선거인. **3** (종종 **E-**) 〔史〕 선거후(侯), 선제후(選帝侯)《신성 로마 제국에서 황제 선정권을 가지고 있던 제후》.
e·lec·tor·al[iléktərəl] *a.* **1** 선거의; 선거인의 : an ~ district 선거구. **2** (종종 **E-**) 〔史〕 선거후(侯)의 : an ~ Prince =ELECTOR.
eléctoral cóllege (the ~; 집합적) 《미》(대통령·부통령) 선거인단.
eléctoral róll〔**régister**〕 (보통 *sing.*; 보통 the ~) 선거인 명부.
eléctoral vóte 〔미政〕 대통령·부통령 선거인단에 의한 정·부통령 선출 투표(*cf.* POPULAR VOTE).
e·lec·tor·ate[iléktərit] *n.* **1** (the ~; 집합적) 선거민(전체), 선거모체(母體). **2** 〔史〕 선거후(侯)의 지위〔관할, 영토〕.
e·lectr-[iléktr], **e·lec·tro-**[-trou] 《연결형》 「전기의, 전기에 의한」의 뜻《모음 앞에서는 electr-》.
e·lec·tro- 《연결형》 =ELECTR-.
electr. electric(al); electrician; electricity.
E·lec·tra[iléktrə] *n.* **1** 여자 이름. **2**〔그神〕 엘렉트라《Agamemnon과 Clytemnestra의 딸; 동생을 부추겨 어머니와 그 정부를 죽임》; 〔天〕 엘렉트라《PLEIADES 성단(星團)의 한 별》.
Eléctra còmplex 〔精神分析〕 엘렉트라 콤플렉스, 친부 복합(親父複合)《딸이 아버지에 대해서 무의식적으로 지니고 있는 성적인 사모감》(*cf.* OEDIPUS COMPLEX).
e·lec·tress[iléktris] *n.* **1** 여성 선거인〔유권자〕. **2** (종종 **E-**) 〔史〕(신성 로마 제국의) 선거후(侯) 부인〔미망인〕.
★**e·lec·tric**[iléktrik] [Gk] *a.* **1** 전기(성)의; 전기를 띤〔일으키는〕, 발전의; 전기 장치의; 전기 같은. **2** 전격적인, 충격적인, 자극적인. — *n.* **1** 전기로 움직이는〔작용하는〕 것; 전차; 전기 자동차〔기관차〕. **2** 《古》 기전(起電) 물체《호박·유리 등》; (*pl.*) 전등, 전기 설비.
⁑**e·lec·tri·cal**[iléktrikəl] *a.* **1** 전기에 관한; 전기의〔에 의한〕 : ~ time keeping 전자 계시(計時). **2** 전기 같은; 전격적인. **~·ness** *n.*
eléctrical engineér 전기 (공학) 기사, 전기 기술자.
eléctrical engineéring 전기 공학.
e·lec·tri·cal·ly *ad.* **1** 전기(작용으)로; 전기학상(으로). **2** 전격적으로.
eléctrical precípitator 전기 집진(集塵) 장치.
eléctrical scánning 〔電子〕 전기적 주사(走査).
eléctrical stórm =ELECTRIC STORM.
eléctrical transcríption 〔TV·라디오〕 녹음 방송; 방송용 녹음판.
eléctric blánket 전기 담요.
eléctric blúe 강청색(鋼靑色)《밝고 금속적인 〔차가운〕 느낌의 청색》.
eléctric cár 전기 자동차.
eléctric cháir 1 전기 의자《사형용》. **2** (the ~) 전기 사형(electrocution).
eléctric chárge 〔電〕 전하(電荷).
eléctric cúrrent 전류(電流).
eléctric éel 〔魚〕 전기장어《남아메리카산》.
eléctric éye 〔電〕 광전지(光電池)(photoelectric cell).
eléctric fíeld 〔電〕 전계(電界).
eléctric fíre 《영》 전기 백열 히터.
eléctric fúrnace 전기로(爐).
eléctric guitár 전기 기타.
eléctric háre 전동식 모형 토끼《개 경주에서 사용》.
eléctric héater 전기 스토브, 전열기.
e·lec·tri·cian[ilèktríʃən, ì:lek-] *n.* 전기 학자; 전기 기사; 전공(電工), 전기 담당자.
★**e·lec·tric·i·ty**[ilèktrísəti, ì:lek-] *n.* Ⓤ **1** 전기 : atmospheric ~공중 전기/frictional ~ 마찰 전기/galvanic ~ 유(流)전기/magnetic ~ 자(磁)전기(magnetism)/negative〔resinous〕 ~ 음전기/positive〔vitreous〕 ~ 양전기/thermal ~ 열전기. **2** 전류; (공급) 전력 : install ~ 전기 장치를 하다. **3** 전기학. **4** (남에게도 감염할 듯한) 심한 흥분, 열정.
eléctric líght 1 전광, 전등 빛. **2** 전등《백열등·형광등 등》.
eléctric néedle 〔外科〕 전기 침(針).
eléctric néws tàpe 전광 뉴스.
eléctric órgan 1 전기〔전자〕 오르간. **2** 〔動〕(전기뱀장어·시끈 가오리 등의) 전기 기관(器官).
eléctric poténtial 〔電〕 전위(電位).
eléctric pówer 전력.
eléctric ráy 〔魚〕 전기 가오리《총칭》.
eléctric rócket 〔로켓〕 전기 추진 로켓.
eléctric sháver 전기 면도기.
eléctric shóck 전기 쇼크〔충격〕, 전격, 감전.
eléctric shóck thèrapy 〔精醫〕 전기 쇼크 요법.
eléctric stéel 〔冶〕 전로강(電爐鋼).
eléctric stórm 심한 뇌우(雷雨).
eléctric téeth 《미俗》 경찰; 자동차 속도 측정 장치(radar).
eléctric tórch 《영》(막대기 모양의) 회중 전등(《미》 flashlight).
eléctric tówel 전기 온풍 건조기《화장실 등에서 젖은 손·얼굴을 말리기 위한 것》.
eléctric wáve 〔電〕 전파; 전자파(電磁波)(electromagnetic wave).
eléctric wíre 전선.
e·lec·tri·fi·ca·tion[ilèktrəfikéiʃən] *n.* Ⓤ **1** 대전(帶電), 감전; 충전. **2** (철도·가정 등의) 전화(電化). **3** 몹시 감동시킴.
*__e·lec·tri·fy__[iléktrəfài] *vt.* (**-fied**) **1** 〈물체에〉 전기를 통하게 하다, 대전(帶電)시키다, 〈사람을〉 감전시키다; 충전하다. **2** 〈철도·가정 등을〉 전화(電化)하다 : ~ a railroad 철도를 전화하다. **3** 깜짝 놀라게 하다(startle), 충격을 주다, 흥분시키다(excite).
e·lec·tri·za·tion[ilèktrizéiʃən] *n.* =ELECTRIFICATION.
e·lec·trize[iléktraiz] *vt.* =ELECTRIFY.
e·lec·tro[iléktrou] *vt., n.* (*pl.* **~s**) **1** =ELECTROPLATE. **2** =ELECTROTYPE.
e·lec·tro·a·cous·tics[ilèktrou:əkú:stiks] *n. pl.* (단수 취급) 전기 음향학.
-tic, -ti·cal[-tik(əl)] *a.*
e·lec·tro·ac·u·punc·ture[ilèktrouǽkjupʌ̀ŋktʃər] *n.* 전기 침술 (용법), 전기 침.
e·lec·tro·a·nal·y·sis[ilèktrouənǽləsis] *n.*

Ⓤ 〔化〕 전기 분석, 전해(電解), 전리(電離).

e·lec·tro·bash =TECHNOSTRESS.

e·lec·tro·bath[iléktrou*bæ̀θ*, -bɑ̀:θ] *n.* 전조(電槽), 전해조(電解槽), 전액(電液)《전기 도금용》.

e·lec·tro·car·di·o·gram[ilèktrou*kɑ́:r*diəgræ̀m] *n.* 〔醫〕 심전도《略: ECG》.

e·lec·tro·car·di·o·graph[-græ̀f, -grɑ̀:f] *n.* 〔醫〕 심전계(心電計).

e·lec·tro·car·di·og·ra·phy[ilèktroukɑ:rdiɑ́grəfi/-kɑ:diɔ́g-] *n.* 〔醫〕 심전도 기록〔검사〕(법).

e·lec·tro·chem·i·cal[ilèktrou*kémik*əl] *a.* 전기 화학의. **~·ly**[-kəli] *ad.*

e·lec·tro·chem·ist[ilèktrou*kémist*] *n.* 전기 화학자.

e·lec·tro·chem·is·try[ilèktrou*kémistri*] *n.* Ⓤ 전기 화학.

e·lec·tro·chron·o·graph[ilèktrou*krɑ́nə*græ̀f/-krɔ́nəgrɑ̀:f] *n.* 전기 기록 시계.

e·lec·tro·con·vul·sive[ilèktrou*kən*vʌ́lsiv] *a.* 〔精醫〕 전기 경련의〔에 관한, 을 수반하는〕.

electroconvúlsive thérapy =ELECTROSHOCK THERAPY.

e·lec·tro·cor·ti·co·gram[ilèktrou*kɔ́:r*tikougræ̀m] *n.* 〔醫〕 뇌파도(腦波圖).

e·lec·tro·cor·ti·cog·ra·phy[ilèktrou*kɔ̀:r*tikɑ́grəfi/-kɔ́g-] *n.* 〔醫〕 뇌파 측정법《대뇌 피질에 직접 전극을 접촉시키는》.

e·lec·tro·cute[iléktrəkjù:t] *vt.* **1** 전기(쇼크)로 죽이다, 감전사시키다. **2** (전기 의자로) 전기 사형에 처하다.

e·lec·tro·cu·tion[ilèktrou*kjú:*ʃən] *n.* Ⓤ **1** 감전사. **2** 전기 사형.

e·lec·trode[iléktroud] *n.* (종종 *pl.*) 〔電〕 전극(電極), 전극봉(棒).

e·lec·tro·del·ic[ilèktrou*délik*] *a.* 전광에 의해 환각적인 효과를 내는.

e·lec·tro·de·pos·it[ilèktrou*dipɑ́zit*/-pɔ́z-] 〔化〕 *vt.* 전착(電着)시키다. ── *n.* 전착물.

e·lec·tro·dep·o·si·tion[ilèktrou*dèpəzíʃən*] *n.* Ⓤ 〔化〕 전착; 전해 석출(電解析出).

e·lec·tro·di·al·y·sis[ilektrou*daiǽləsis*] *n.* (*pl.* **-ses**[-sí:z]) 〔物·化〕 전기 투석, 전해 투석(透析)《전해(電解)의 전극을 놓고 확산을 촉진시키는 투석법》.

e·lec·tro·dy·nam·ic, -i·cal[ilèktrou*dai*nǽmik], [-əl] *a.* 전기력의; 전기 역학의〔적인〕.

e·lec·tro·dy·nam·ics[ilèktrou*dainǽmiks*] *n. pl.* (단수 취급) 전기 역학.

e·lec·tro·dy·na·mom·e·ter[ilèktrou*dàinə*mɑ́mitər/-mɔ́m-] *n.* (전류·전압·전력을 측정하기 위한) 전기력계, 동력 전류계.

e·lec·tro·en·ceph·a·lo·gram[ilèktrou*en*séfələgræ̀m] *n.* 〔醫〕 뇌파도, 뇌전도.

e·lec·tro·en·ceph·a·lo·graph[-græ̀f, -grɑ̀:f] *n.* 〔醫〕 뇌파 전위(電位) 기록 장치.

e·lec·tro·en·ceph·a·log·ra·phy[ilèktrou*en*sèfəlɑ́grəfi/-lɔ́g-] *n.* 〔醫〕 뇌파 전위 기록술.

e·lec·tro·fish·ing[ilèktrou*fíʃiŋ*] *n.* Ⓤ 〔水産〕 전류 어법(漁法)《직류 전원의 집어(集魚) 효과를 이용한 것》.

e·lec·tro·form[iléktrou*fɔ̀:rm*] *vt.* …을 전기 주조(鑄造)하다. **~·ing** *n.* 전기 주조(법).

e·lec·tro·gas·dy·nam·ics[ilèktrou*gǽsdai*nǽmiks] *n. pl.* (단수 취급) 전기 유체 역학.

e·lec·tro·gen·e·sis[ilèktrou*dʒénəsis*] *n.* 〔醫〕 전기 발생《생체의 세포 조직에서의 발전 활동》. **-gen·ic**[ilèktrou*dʒénik*] *a.*

e·lec·tro·gram[iléktrou*græ̀m*] *n.* 〔醫〕 전기 기록도〔곡선도〕《신체 조직 속에 전극을 넣어 작성하는 활동 전위도》.

e·lec·tro·graph[iléktrou*græ̀f*, -grɑ̀:f] *n.* **1** 〔電〕 전위(電位) 기록기. **2** 전기판 조각기(電氣版彫刻器); 사진 전송 장치; X선 사진.

e·lèc·tro·gráph·ic *a.*

e·lèc·tro·gráph·i·cal·ly[-ikəli] *ad.*

e·lec·trog·ra·phy[ilèktrɑ́grəfi/-trɔ́g-] *n.* Ⓤ 전위 기록〔전기판 조각, 사진 전송〕술.

e·lec·tro·hy·drau·lics[ilèktrou*haidrɔ́:liks*] *n. pl.* (단수 취급) 전기 수력학(水力學). **-lic** *a.*

e·lec·tro·jet[ilektrədʒét] *n.* 고층 전류《상층 대기에 존재하는 이온의 흐름; 지표에 대해 이동하면서 갖가지 오로라 현상을 일으킴》.

e·lec·tro·ki·net·ic[ilèktrou*kinétik*] *a.* 동(動)전기적인, 동전기상의.

e·lec·tro·ki·net·ics[ilèktrou*kinétiks*] *n. pl.* (단수 취급) 동전기학(動電氣學)(*cf.* ELECTROSTATICS).

e·lec·tro·ky·mo·graph[ilèktrou*káimə*græ̀f, -grɑ̀:f] *n.* 〔醫〕 (심장) 동태(動態) 기록기〔촬영 장치〕.

e·lec·tro·lier[ilèktrou*líər*] *n.* 꽃전등, 전기 샹들리에(*cf.* CHANDELIER).

e·lec·trol·o·gist[ilektrɑ́lədʒist/-trɔ́l-] *n.* (사마귀·점·지나치게 많은 털 따위를 제거하기 위한) 전기 분해 요법 숙련자.

e·lec·tro·lu·mi·nes·cence[ilèktrou*lù:mə*nésns] *n.* Ⓤ 〔電〕 전장(電場) 발광, 전기 루미네선스.

e·lec·trol·y·sis[ilèktrɑ̀ləsis] *n.* Ⓤ **1** 〔化〕 전기 분해, 전해. **2** 〔醫〕 전기 분해 요법《모근·종양 등을 전류로 파괴하기》.

e·lec·tro·lyte[iléktrou*làit*] *n.* 〔化〕 전해물〔질, 액〕.

e·lec·tro·lyt·ic[ilèktrou*lítik*] *a.* 전해(질)의: an ~ cell〔bath〕 전해조(槽)/~ dissociation 전리(電離).

e·lec·tro·ly·za·tion[ilèktrou*lizéiʃən*] *n.* Ⓤ **1** 〔化〕 전해, 전기 분해. **2** 〔醫〕 전기 분해법 치료.

e·lec·tro·lyze[iléktrou*làiz*] *vt.* **1** 〔化〕 전해(처리)하다, 전기 분해하다. **2** 〔醫〕 전기 분해법으로 치료〔제거〕하다.

e·lec·tro·lyz·er[-ər] *n.* 〔物·化〕 전해조(槽).

e·lec·tro·mag·net[ilèktrou*mǽgnit*] *n.* 전자석(電磁石).

e·lec·tro·mag·net·ic[ilèktrou*mægnétik*] *a.* 전자석의; 전자기의.

electromagnétic indúction 〔電〕 전자(電磁) 유도.

electromagnétic interférence 〔電〕 전자 방해《다른 기기(機器)를 방해하는 전자 제품의 잡음; 略 EMI》.

electromagnétic púlse 〔電〕 전자 펄스《핵폭발에 의해 생긴 고농도의 전자 방사》.

elèctromagnétic radiátion 〔物〕 전자 방사선《전파·광선·X선·감마선 따위 전자파의 방사》.

e·lec·tro·mag·net·ics[ilèktromægnétiks] *n. pl.* (단수 취급) 전자기학(電磁氣學)(electromagnetism).

elèctromagnétic únit 전자 단위《전류의 자기 효과를 바탕으로 하여 만든 단위계(系); 단위를 10암페어로 함》.

electromagnétic wáve 〔物〕 전자파(波)(electric wave).

e·lec·tro·mag·ne·tism[ilèktrou*mǽgnətìzəm*] *n.* Ⓤ 전자기(학)(電磁氣(學)).

e·lec·tro·met·al·lur·gy[ilèktrou*métəlɜ̀:r-*

dʒi, -metǽl-] *n.* Ⓤ 전기 야금학(冶金學).
e·lec·trom·e·ter[ilèktrámitər/-trɔ́m-] *n.* 전위계(電位計).
e·lec·tro·mo·bile[iléktrou*mo*ubì:l] *n.* 전기 자동차《석유 절약·무공해의 자동차》.
e·lec·tro·mo·tive[ilèktrou*m*óutiv] *a.* 전동(電動)의, 기전(起電)의: ~ force 기전력, 전동력《略: E.M.F., e.m.f.》. —— *n.* 《俗》 전기 기관차(*cf.* LOCOMOTIVE).
e·lec·tro·mo·tor[ilèktrou*m*óutər] *n.* 전기 발동기, 전동기, 전기 모터.
e·lec·tro·my·o·gram[ilèktrou*m*áiəgræ̀m] *n.* 〔醫〕 근전도(筋電圖)《略: EMG》.
e·lec·tro·my·og·ra·phy[ilèktrou*m*àiəg-ræ̀fi, -grà:fi] *n.* 〔醫〕 근전도 검사〔기록〕(법).
***e·lec·tron**[iléktran/-trɔn] *n.* **1** 〔物·化〕 전자, 엘렉트론: an ~ microscope 전자 현미경. **2** =ELECTRUM.
eléctron affínity 〔物〕 전자 친화력(親和力)〔친화도, 친화성〕.
e·lec·tro·nar·co·sis[ilèktrounɑ:*r*kóusis] *n.* Ⓤ 〔醫〕 전기 마취(요)법.
eléctron béam 〔物〕 전자 빔《전계(電界)·자계(磁界)에서 한 방향으로 모아져 흐르는 전자의 흐름》.
eléctron béam mèlting 〔金屬〕 전자빔 용해법.
e·lec·tro·neg·a·tive[ilèktrou*n*égətiv] *a.* (*opp.* electropositive) **1** 〔電〕 음전기의; 음전성(性)의. **2** 〔化〕 (전기) 음성의. **3** 〔物·化〕 비금속성의(nonmetallic). —— *n.* 〔化〕 (전기) 음성 물질.
eléctron gàs 〔物〕 전자 기체〔가스〕.
eléctron gùn 〔電子〕 (브라운관의) 전자류(流) 집주관(集注管), 전자 총(銃).
***e·lec·tron·ic**[ilèktránik/-trɔ́n-] *a.* 전자의; 전자 공학의; 전자 음악의: an ~ calculator 〔computer〕 전자 계산기/~ engineering 전자 공학/~ industry 전자 산업/an ~ fence 전자 장벽을 이루는 일련의 항공 모함과 항공기/~ scanning 〔電子〕 전자적 주사(走査).
-i·cal·ly[-ikəli] *ad.*
electrónic árt 전자 예술《섬광·움직이는 라이트 등을 사용한 예술 양식》.
electrónic bánking 전자화된 은행 업무.
electrónic bráin 《口》 전자 두뇌《초기의 computer의 별명; 지금은 별로 안 씀》.
electrónic chúrchman 텔레비전·라디오 등을 이용하여 일반 대중에게 설교하는 성직자.
Electrónic Compúter-Oríginated Máil [-kəmpjú:tərɔrídʒənèitid-] 《미》 컴퓨터 발신형(發信型) 전자 우편《1981년 1월부터 실시》.
electrónic cóttage 전자 기기를 완비한 주택《Alvin Toffler의 「제3의 물결」에서 언급된 미래의 생활 양식》.
electrónic cóuntermeasure 〔軍〕 (적 미사일의) 유도 방향 전환 전자 장치《略: ECM》.
electrónic dáta pròcessing 〔컴퓨터〕 전자 정보 처리《略: EDP》.
electrónic engineéring 전자 공학.
electrónic fíle 전자 파일《대량의 문서·자료 등을 전기 신호의 형태로 보관하는 장치》.
electrónic flàsh 〔寫〕 전자 플래시, 스트로브(라이트)(strobe light)《발광 장치》.
electrónic fúnds trànsfer 전자식 자금 이체〔이행 결제〕《略: EFT》: ~ at point of sale 판매시 전자식 자금 이동《略: EFTPOS》/~ system ⇨EFTS.
electrónic gàme 전자 게임, 비디오 게임.
electrónic jóurnalism 《특히 미》 텔레비전 보도; (집합적) 방송 기자.
electrónic kèyboard =KEYBOARD.
electrónic léarning 전자 학습《컴퓨터를 사용한 학습; 略: EL》.
electrónic màil 전자 우편.
electrónic média 전자 미디어《전자·통신 기술을 응용한 정보 전달 매체의 총칭》.
electrónic méeting 전자 회의.
electrónic músic 〔樂〕 전자 음악.
electrónic néws gàthering 휴대용 TV 카메라와 음향 기기를 이용한 뉴스 보도 시스템《略: ENG》.
electrónic óffice 전자식 사무실《전자 기기에 의해 사무 처리가 자동화된》.
electrónic órgan 전자 오르간.
electrónic públishing 전자 출판.
***e·lec·tron·ics**[ilèktrániks/-trɔ́n-] *n. pl.* (단수 취급) 전자 공학, 일렉트로닉스.
electrónic shópping =TELESHOPPING.
electrónic smóg 전파 스모그《각종 전파·전기 기기로부터 발생한 대기 중의 전자파》.
electrónic survéillance 전자 감시〔정보 수집〕.
electrónic tàblet =TABLET.
electrónic tág 〔컴퓨터〕 전자 태그(tag).
electrónic tágging 전자 추적 장치에 의한 감시《이동을 제한하는 대상에 발신기를 부착함》.
electrónic tránsfer 전자식 금전 출납.
electrónic vídeo recòrder 전자식 녹화기《略: EVR》.
electrónic wárfare 전자전(戰).
Electrónic Yéllow Páges 전자식 직업 전화부《특정 직업별 전화부의 정보를 온라인으로 제공하는 등》.
e·lec·tron·i·ture[ilektránitʃər/-trɔ́n-] *n.* 전자 기기 사용에 알맞도록 제작된 사무용 집기.
eléctron lèns 전자 렌즈.
eléctron mìcroscope 전자 현미경.
eléctron mùltiplier 〔電子〕 전자 증배관(增倍管)《음극에서 나오는 전자의 수를 2차 방출로 증가시켜 양극에 흡수되도록 한 진공관》.
e·lec·tron·o·graph[ilektránəgræ̀f, -grà:f/-rɔ́n-] *n.* 전자 사진(기).
e·lec·tron·o·graphy *n.* **1** 〔印〕 전자 전사법《전자적으로 문자·화상(畵像)을 종이에 전사하는》. **2** 〔光〕 전자 현미경 상(像).
eléctron òptics 전자 광학.
eléctron spín résonance 〔物〕 전자 스핀 공명(共鳴)《略: ESR》.
eléctron tèlescope 전자 망원경.
eléctron trànsport 〔生化〕 전자 전달《전자의 전달로 산화환원이 행해지는 것》.
eléctron tùbe 〔電子〕 전자관《그 대표가 진공관》.
eléctron vòlt[iléktranvòult/-trɔn-] 〔物〕 전자 볼트《기호 eV》.
e·lec·tro·oc·u·lo·gram[ilèktrou*á*kjulə-græ̀m/-ɔ́k-] *n.* 〔眼科〕 전기 안구도, 안전도(眼電圖)《略: EOG》.
e·lec·tro·op·tic[ilèktrou*á*ptik/-ɔ́p-] *a.* 전기 광학의.
electro-óptic devíce 〔電〕 전기 광학 소자(素子).
electro-óptic efféct 〔電〕 전기 광학 효과.
e·lec·tro·op·tics[ilèktrou*á*ptiks/-ɔ́p-] *n. pl.* (단수 취급) 전기 광학.
e·lec·tro·os·mo·sis[ilèktrou*a*zmóusis, -ɑs-/-ɔz-] *n.* 〔物·化〕 전기 침투《전압이 걸린 전장(電場)에서, 액체가 양극 사이에 놓인 막을 통과하는 현상》.

e·lec·tro·paint[iléktrəpèint] *n.* 전해 도장(電解塗裝)에 쓰이는 도료. — *vt., vi.* 〈금속에〉 전해 도장하다.
e·lec·tro·phone[iléktroufòun] *n.* 전기 보청기; 전음기(電音器)《송화기의 일종》; 전자 악기.
e·lec·tro·phon·ic[ilèktroufánik/-fɔ́n-] *a.* 전기 발성(發聲)의: ~ music 전자 음악.
e·lec·tro·pho·rese[ilèktroufərí:z] *vt.* 〔物·化〕 …에 전기 영동을 시키다, 〈하전 물질의 분자를〉 전기 영동으로 분리하다.
e·lec·tro·pho·re·sis[ilèktroufərí:sis] *n.* Ⓤ 〔物·化〕 전기 영동(泳動).
e·lec·troph·o·rus[iléktráfərəs/-trɔ́f-] *n.* (*pl.* **-ri**)〔物〕 전기 쟁반, 기전반(起電盤).
e·lec·tro·pho·to·graph[ilèktroufóutəgræ̀f, -grà:f] *n.* 〔醫〕 전기 진단 사진.
e·lec·tro·pho·tog·ra·phy[ilèktroufətágrəfi/-tɔ́g-] *n.* Ⓤ 전자 사진(술)《전기적 방법에 의해 인화지에 화상을 만드는》.
e·lec·tro·phrén·ic respirátion[ilèktroufrénik-] 〔醫〕 횡격막 신경 전기(자극) 호흡(법)《인공 호흡의 일종》.
e·lec·tro·plate[iléktroupleìt] *vt.* (은 등으로) 전기 도금하다. — *n.* 전기 도금물.
-plat·ing *n.* Ⓤ 전기도금(법), 전도(電鍍).
e·lec·tro·plex·y[iléktrəplèksi] *n.* 《영》 = ELECTROSHOCK THERAPY.
e·lec·tro·pop[iléktrəpàp/-pɔ̀p] *n.* 전자 팝《전자음을 사용한 팝뮤직》.
e·lec·tro·pos·i·tive[ilèktroupázətiv/-pɔ́z-] *a.* (*opp.* electronegative) **1** 〔電〕 양전기의: 양전성(性)의. **2** 〔化〕 (전기) 양성(陽性)의, 염기성(鹽基性)의(basic). **3** 〔物·化〕 금속성의(metallic). — *n.* 〔化〕 (전기) 양성 물질.
e·lec·tro·pult[iléktroupʌ̀lt] *n.* 〔空〕 전기식 캐터펄트(catapult).
e·lec·tro·ret·i·no·gram[ilèktrourétinəgræ̀m] *n.* 〔眼科〕 망막 전위도(電位圖), 망전도(網電圖).
e·lec·tro·ret·i·no·graph[ilèktrourétinəgræ̀f, -grà:f] *n.* 〔眼科〕 망막 전기 측정기.
e·lec·tro·scope[iléktrəskòup] *n.* 검전기(檢電器).
e·lec·tro·scop·ic[-skápik/-skɔ́-] *a.* 검전기의.
e·lec·tro·sen·si·tive[ilèktrousénsətiv] *a.* 전기 감광성의.
e·lec·tro·sen·si·tiv·i·ty[ilèktrousènsitívəti] *n.* 〔生〕 (동물의) 전기 지각 능력; (생체 일반의) 전기 감응력, 전기 반응.
e·lec·tro·shock[iléktrouʃàk/-ʃɔ̀k] *n.* Ⓤ,Ⓒ 〔精醫〕 전기 쇼크〔충격〕 (요법)《정신병 치료법》; 그 혼수 상태.
eléctroshock thérapy 〔精醫〕 전기 쇼크〔충격〕 요법(electric shock therapy).
e·lec·tro·sleep[iléktrouslì:p] *n.* Ⓤ 〔醫〕 전기 수면《뇌에 저전압 전류를 흘려 잠들게 함》.
e·lec·tro·stat·ic[ilèktroustǽtik] *a.* 〔電〕 정전(靜電)(기)의; 정전기학의: an ~ accelerator 〔物〕 정전형 가속기(加速器)/~ capacity〔field, induction〕 정전 용량〔계(界), 유도(誘導)〕/an ~ generator 정전 발전기.
e·lec·tro·stat·ics[ilèktroustǽtiks] *n. pl.* (단수 취급) 정전기학(*cf.* ELECTROKINETICS).
e·lec·tro·tech·nics[ilèktroutékniks] *n. pl.* (단수 취급) =ELECTROTECHNOLOGY.
e·lec·tro·tech·nol·o·gy[ilèktrouteknálədʒi/-nɔ́l-] *n.* 전기 공학, 전자 공학.
e·lec·tro·ther·a·peu·tic, -ti·cal[ilèktrouθèrəpjú:tik], [-ikəl] *a.* 〔醫〕 전기 요법의.
e·lec·tro·ther·a·peu·tics[ilèktrouθèrəpjú:tiks] *n. pl.* (단수 취급) 〔醫〕 전기 요법.
e·lec·tro·ther·a·pist[ilèktrouθérəpist] *n.* 〔醫〕 전기 요법 의사.
e·lec·tro·ther·a·py[ilèktrouθérəpi] *n.* Ⓤ 〔醫〕 전기 요법.
e·lec·tro·ther·mal[ilèktrouθə́rməl] *a.* 전열(電熱)의, 전기와 열의.
e·lec·tro·tome[iléktroutòum] *n.* 자동 차단기.
e·lec·trot·o·nus[ilèktrátənəs/-trɔ́t-] *n.* Ⓤ 〔生理〕 전기 긴장《전류를 통하였을 때 일어나는 신경·근육의 생리적 긴장》.
e·lec·tro·type[ilèktroutàip] *n., vt.* 〔印〕 전기판(版)(으로 뜨다).
e·lec·tro·typ·er[-ər] *n.* 전기 제판공(製版工).
e·lec·tro·typ·y[iléktroutàipi] *n.* Ⓤ 전기판 제작법, 전기 제판술.
e·lec·tro·va·lence, -len·cy[ilèktrouvéiləns], [-lənsi] *n.* 〔化〕 **1** 이온 결합. **2** 전기 원자가(原子價), 전자가(電子價).
e·lec·tro·weak[iléktrouwì:k] *a.* 전자석과 약한 자계(磁界)의 상호작용설〔현상〕의.
e·lec·trum[iléktrəm] *n.* Ⓤ 호박(琥珀)색의 금은 합금《고대 그리스의 화폐 제조용》.
e·lec·tu·ar·y[iléktʃuèri/-əri] *n.* (*pl.* **-ar·ies**) (시럽·꿀과 함께 개어 만든) 연약(煉藥), 핥아 먹는 약.
el·e·doi·sin[eləd́ɔisən] *n.* 〔藥〕 엘레도이신《낙지의 타액선에서 채취한 혈관 확장·강압제》.
el·ee·mo·sy·nar·y[èlimásənèri, -máz-/èlii:mɔ́sənəri] *a.* **1** 《文語》 자선적인, 자선의: ~ spirit 자선심. **2** 자선적 구호의〔에 의지하는〕. — *n.* 구호를 받는 사람.
*__el·e·gance, -gan·cy__[éligəns], [-i] *n.* (*pl.* **-ganc·es; -cies**) **1** Ⓤ 우아, 전아(典雅), 고상. **2** (주로 **-cies**) 우아〔고상〕한 것, 점잖은〔단정한〕 말〔몸가짐〕. **3** Ⓤ (과학적인) 정밀함, (사고·증명 등의) 간결함.
⁑**el·e·gant**[éləgənt] [L] *a.* **1** 품위 있는, 우아한, 고상한, 조촐한, 아치(雅致)있는. **2** 〈예술·문학·문체 등〉 기품 있는, 격조 높은, 아취(雅趣) 있는. **3** 《口》 훌륭한, 멋진. **life of elegantease** 단아하고 안락한 생활, 화사한 생활. **~·ly** *ad.* 우아하게, 고상하게.
el·e·gi·ac, -a·cal[èlədʒáiək, ilí:dʒiæ̀k], [-əkəl] *a.* **1** 엘레지 형식의, 슬픈 가락의. **2** 〔詩學〕 애가조(哀歌調)의, 애가〔만가(挽歌)〕 형식의, 애수적인. **3** 〈시인이〉 애가를 짓는. — *n.* (*pl.*) 애가〔만가〕 형식의 시구(詩句). ◇ élegy *n.*
elegíac cóuplet〔**dístich**〕 애가(哀歌)조 연구(聯句)《dactyl(−∪∪)의 6보구(步句)와 5보구가 교대되는 2행 연구》.
elegíac stánza 〔詩學〕 애가(哀歌)조의 연(聯)《약강조(調) 5시각(詩脚)의 abab와 압운(押韻)의 4행 연구(聯句)》.
el·e·gist[élədʒist] *n.* 애가〔만가〕 시인.
el·e·gize[élədʒàiz] *vi.* 애가〔만가(挽歌)〕를 만들다《*upon*》; 애가조로 시를 짓다, 애가〔만가〕로 슬픔〔칭송〕을 나타내다. — *vt.* …의 애가를 짓다, 애가〔만가〕로〔풍으로〕 읊다.
*__el·e·gy__[élədʒi] *n.* (*pl.* **-gies**) **1** 비가, 애가, 만가, 엘레지. **2** 애가〔만가〕조의 시.
elem. element(s); elementary.
⁑**el·e·ment**[éləmənt] [L] *n.* **1** (전체 중의 필요한) 요소, 성분, 구성 요소. **2** 〔物·化〕 원소. **3** 〔古哲〕 사대(四大) 땅·물·불·바람 의 하나. **4** (the ~s) (천기(天氣)에 나타나는) 자연력; 폭풍우. **5** (생물의) 고유의 영역《새·짐승·벌레·물고기가 각기 사는 곳》; (사람

의) 고유한 활동 (영역), 적소(適所). **6** (the ~s) (학문의) 원리, 초보, 입문《*of*》. **7** (보통 an ~) (…의) 기미, 다소《*of*》《◇ of 뒤는 추상 명사: There is an ~ *of* truth in what you say. 네 말에는 일리가 있다》. **8** (the E-s) 《文語》〔神學〕 성찬식의 빵과 포도주. **9** (종종 *pl.*) (정치적인 의미에서, 사회의) 집단, 분자. **10** 〔軍〕 (소)부대, 분대; 〔미空軍〕 최소 단위의 편대《2-3기》. **11** 〔電〕 전지; 전극. **12** 〔컴퓨터〕 요소. **be in one's element** (물고기가 물속에 있는 것같이) 본래의 활동 범위 안〔득의의 경지〕에 있다. **be out of one's element** (물을 떠난 물고기 같이) 능력을 발휘 못하는〔알맞지 않은〕 환경에 있다. **strife** 〔**war**〕 **of the elements** 대폭풍우《등》. **the four elements** (만물을 이루는 근원이라고 옛 사람이 믿은) 사대(四大) 원소《earth, water, air, fire》. ⊕elemental, elementary *a.*

*****el·e·men·tal**[èləméntl] *a.* **1** 요소의; 기본〔본질〕적인; 원리의. **2** 〔物·化〕 원소의〔같은〕. **3** 〔古哲〕 사대(四大)의. **4** 자연력의; 자연력과 같은, 절대(絶大)한. **5** 초보의《◇ 이 뜻으로 지금은 elementary가 보통》. **6** 〈사람의 성격·감정 등이〉 자연 그대로의, 숨김 없는, 단순 소박한. — *n.* **1** 사대의 정령의 하나. **2** (보통 *pl.*) 기본 원리. **~·ly** *ad.* 요소적으로, 기본적으로. ⊕ élement *n.*

eleméntal área 화소(畫素)《텔레비전 화면의 직사각형 구역》.

eleméntal díet 〔醫〕 기본식(基本食), 성분 영양.

*****el·e·men·ta·ry**[èləméntəri] *a.* **1** 기본이 되는, 초보의, 초등의: ~ education 《미》 초등 교육. **2** 〈질문 등이〉 초보적인, 간단한. **3** 〔化〕 (단) 원소의: ~ substances 단체(單體). **4** 요소의, 합성〔복합〕이 아닌. **5** 사대(四大)의, 자연력의. **-ri·ness**[-tərinis] *n.* **èl·emen·tár·i·ly**[-tərili] *ad.* ⊕ élement *n.*

eleméntary párticle 〔物〕 소립자.

eleméntary schòol 《미》 초등 학교《미국에서는 6년 또는 8년제》(*cf.* PRIMARY SCHOOL).

élement 104[-wʌ́nhʌ́ndrədfɔ́:*r*] 〔化〕 104번 원소(rutherfordium)《12번째의 초(超)우란 원소; 인공 방사성 원소》.

élement 105[-wʌ́nhʌ́ndrədfáiv] 〔化〕 105번 원소(unnilpentium)《인공 원소의 하나》.

élement 106[-wʌ́nhʌ́ndrədsíks] 〔化〕 106번 원소《초우란 원소의 14번째의 것; 인공 방사성 원소》.

élement 107[-wʌ́nhʌ́ndrədsévən] 〔化〕 107번 원소《주기표 번호 107의 초우란 방사성 원소의 15번째의 것; 인공 방사성 원소》.

élement 126[-wʌ́nhʌ́ndrədtwéntisíks] 〔化〕 126번 원소《자연 속에 존재한다고 믿어지는 미발견의 무거운 원소》.

el·e·mi[éləmi] *n.* 엘레미《열대산의 방향 수지(芳香樹脂); 고약·니스 등에 쓰임》.

El·e·na[élənə] *n.* 여자 이름.

e·len·chus[iléŋkəs] *n.* (*pl.* **-chi**[-kai]) **1** 〔論〕 반대 논증(論證), 논파(論破). **2** 《일반적으로》 논란(論難), 논박. **Socratic elenchus** 소크라테스(Socrates)의 문답법.

e·lenc·tic[iléŋktik] *a.* 논박의; 〔論〕 반대 논증적인; 궤변의.

*****el·e·phant**[éləfənt] *n.* (*pl.* **~s,** (집합적) **1** 코끼리《◇ 수컷은 bull ~; 암컷은 cow ~; 새끼는 calf ~; 울음소리는 trumpet; 코는 trunk; ⇒WHITE〔PINK〕 ELEPHANT》. **2** 《미》 공화당의 상징(*cf.* donkey). **3** 《영》 엘리펀트 형지(型紙)《28×23 인치 크기의 도화지》. **be like an elephant** 매우 기억력이 좋다. **double elephant** 엘리펀트 배형지(倍型紙)《40×26 1/2 인치의 크기》. **elephant humor** 어울리지 않는 유머. **elephant movements** 서투른 동작. **see the elephant**=**get a look at the elephant** 《미俗》 세상 구경을 하다, 인생을 경험하다, 실사회를 알다, 세상 물정을 알다.

el·e·phan·ta[èləfǽntə] *n.* 인도의 맬라바르 연안에서 부는 강풍《9월-10월》.

élephant bìrd 〔鳥〕 융조(隆鳥)(aepyornis) 《지금은 전멸했음》.

élephant èars 《口》 〔宇宙〕 미사일 겉면의 두꺼운 금속판《공중 마찰로 인한 열의 분산을 도모》.

élephant gràss 부들《남아시아산; 밧줄·바구니 만드는 데 쓰임》.

el·e·phan·ti·a·sis[èləfəntáiəsis] *n.* Ⓤ 〔病理〕 상피병(象皮病).

el·e·phan·tine[èləfǽntain, -ti(:)n] *a.* 코끼리의; 코끼리 같은, 거대한(huge); 느릿느릿한, 둔중한; 거추장스러운; 볼품 없는(clumsy): ~ humor 싱거운 익살.

élephant sèal 〔動〕 해상(海象), 해마(海馬).

el·e·phant's-ear[éləfəntsìə*r*] *n.* =BEGONIA; =TARO.

El·eu·sin·i·an[èljusíniən] *a., n.* ELEUSIS 시의 (시민).

Eleusínian mýsteries 엘레우시스 제전《곡식의 여신 Demeter를 받드는》.

E·leu·sis[ilú:sis] *n.* 엘레우시스《고대 그리스 Attica국의 도시》.

elev. elevation.

*****el·e·vate**[éləvèit] *vt.* **1** 《文語》 〈사물을〉 올리다, 들어올리다(raise); 〈소리를〉 높이다; 〔가톨릭〕 〈성체를〉 거양(擧揚)하다: ~ a gun 포구(砲口)를 올리다. **2** 〈사람을〉 승진시키다, 등용하다《*to*》: ~ a person *to* the section chief …을 과장으로 승진시키다. **3** 〈정신·성격 등을〉 높이다, 고상하게 하다, 향상시키다. **4** 의기 양양하게 하다, 기를 북돋우다(*cf.* ELATE). **elevate the Host** 〔가톨릭〕 성체를 거양하다. ⊕ elevátion *n.*

*****el·e·vat·ed**[éləvèitid] *a.* **1** 높여진, 높은. **2** 〈사상 등이〉 고상한, 고결한. **3** 《口》 의기 양양한, 명랑한. **4** 《口》 한잔하여 기분이 좋은.

élevated ráilroad〔**ráilway**〕 《미》 고가 철도(《영》 overhead railway)《略: L, el》.

*****el·e·va·tion**[èləvéiʃən] *n.* **1** Ⓤ,Ⓒ (an ~) 높이, 고도, 해발(altitude); Ⓒ 높은 곳, 고지(height). **2** Ⓤ (또는 an ~) 〈사상·문체 등을〉 고상하게 함, 향상; 고결, 고상(高尙)《*of*》. **3** Ⓤ 높임, 들어 올림; 등용, 승진《*to*》. **4** (an ~) (포술·측량에서) 앙각(仰角), 고도. **5** 〔建〕 입면도, 정면도. **the Elevation of the Host** 〔가톨릭〕 성체 거양.

★**el·e·va·tor**[éləvèitə*r*] *n.* **1** 《미》 엘리베이터, 승강기(《영》 lift): an ~ operator〔man, boy, girl〕 엘리베이터 운전하는 사람/go up〔down〕 *in* an ~ 엘리베이터로 올라가다〔내려가다〕. **2** 물건을 올리는 사람〔장치〕; 지렛대; 양곡기, 양수기, 떠올리는 기계 《등》. **3** 《미》 (양곡기 설비가 있는) 큰 곡물 창고(=grain ~). **4** 〔空〕 승강타(昇降舵): ~ angle 승강타각(角). **5** 〔解〕 거근(擧筋).

élevator shòe 키가 크게 보이도록 안창을 두껍게 깐 구두.

el·e·va·to·ry[éləveitɔ̀:ri/-təri] *a.* 올리는, 높이는.

★**e·lev·en**[ilévən] [OE] *a.* **1** 11의, 11개〔사람〕의. **2** 11세의. — *pron.* (복수 취급) 11개,

11사람. ── *n.* **1** 11;11의 기호(11, xi, XI). **2** 11시:11세:11달러〔파운드, 센트, 펜스 《등》〕. **3** 11개 한벌〔11명 1조〕의 것: 《특히》 축구〔크리켓〕 팀. **4** (the E-) 그리스도의 11사도《12사도 중 Judas를 제외한》. **5** (*pl.*)=ELEVENSES. **be in the eleven** (11인조) 선수의 한 사람이다.

e·lev·en·fold[-fòuld] *a., ad.* 11배의〔로〕.

eléven o'clòck 《영方》 (11시 경에 먹는) 간단한 식사.

e·lev·en-plus (examinátion) *n.* (the ~) 《영》(11세 이상 응시할 수 있는) 고교 입학 자격 시험《지금은 거의 폐지》.

e·lev·ens·es[ilévənziz] *n. pl.* (단수 취급) 《영口》 오전 11시 경에 먹는 가벼운 식사〔다과〕《커피나 홍차만이기도 함》.

★e·lev·enth[ilévənθ] *a.*(보통 the ~) 제 11의, 11번째의:11분의 1의. ── *n.* (보통 the ~) 제 11, 11번째:11분의 1; (달의) 제11일. ── *pron.* (the ~) 11번째의 사람〔것〕. **~·ly** *ad.* 11번째로.

eléventh hóur 마지막 기회, 최후의 순간, 막판, 마감이 임박한 시간. **at the eleventh hour** 막판에, 마지막 기회에.

el·e·von[éləvàn/-vɔ̀n] *n.* 〔空〕 엘리본《승강타(昇降舵)와 보조 날개의 역할을 하는》.

***elf**[elf] *n.* (*pl.* **elves**[elvz]) **1** 꼬마 요정《숲·굴 등에 사는》. **2** 꼬마, 난쟁이(dwarf); 장난꾸러기. **play the elf** (못된) 장난을 치다. ◇ élfin, élfish *a.*

ELF, Elf, elf extremely low frequency 초(超)저주파. **ELF** Eritrean Liberation Front.

élf àrrow〔**bòlt**〕 《古》 (꼬마 요정의) 돌화살촉, 화살꼴 돌《신비한 힘이 있는 것으로 영국 미신가가 믿는》.

élf chìld 몰래 바꿔친 아이(changeling).

élf fire 도깨비 불(ignis fatuus).

elf·in[élfin] *a.* 꼬마 요정의〔같은〕; 장난 잘하는. ── *n.* 꼬마 요정; 장난꾸러기(urchin).

elf·ish[élfiʃ] *a.* 꼬마 요정 같은; 장난 잘하는. **~·ly** *ad.* **~·ness** *n.*

elf·land[élflæ̀nd] *n.* [U,C] 꼬마 요정의 나라.

elf·lock[ˊlàk/ˊlɔ̀k] *n.* (보통 *pl.*) 헝클어진 머리카락, 난발.

Él·gin márbles[élgən-] (the ~) (대영 박물관 소장 고대 그리스의) 대리석 조상(彫像) 《Thomas Bruce, 7th Earl of Elgin(1766-1841)의 기증품》.

El Gi·za[elgí:zə] *n.* =GIZA.

El Gre·co[elgrékou] *n.* 엘 그레코(1541-1614)《그리스 태생의 스페인 종교 화가》.

el·hi[élhai] [*el*ementary school+*hi*gh school] *a.* 초등 학교에서 고등 학교까지의.

E·li·a[í:liə] *n.* Charles Lamb의 필명.

E·li·as[iláiəs] *n.* **1** 남자 이름(*cf.* ELIOT). **2** =ELIJAH.

e·lic·it[ilísit] *vt.* 〈진리 등을 논리적으로〉 도출하다, 이끌어 내다; 〈사실·대답·웃음 등을〉 유도해 내다.

e·lic·i·ta·tion[ilìsətéiʃən] *n.* [U] 이끌어 냄; 유도해 냄.

e·lide[iláid] *vt.* **1** 〔文法〕 〈모음·음절을〉 생략하다《보기: th'(=the) inevitable hour》. **2** 삭제〔제거〕하다; 무시하다; 삭감〔단축〕하다.

el·i·gi·bil·i·ty[èlidʒəbíləti] *n.* [U] 적임, 적격: ~ rule 자격 규정.

***el·i·gi·ble**[élidʒəbəl] [L] *a.* 적격의, 적임의(*for*); 바람직한(desirable), 적합한(suitable); 결혼 상대로서 알맞은〔바람직한〕: He is not ~ *to* vote. 그는 투표할 자격이 없다.

── *n.* 적임자, 적격자, 유자격자(*for*). **~·ness** *n.* **-bly** *ad.*

El·i·hu[iláihju:, éləhjù:] *n.* **1** 남자 이름. **2** 〔聖〕 엘리후《고민하는 욥에게 하느님의 거룩하심을 깨우치려 하던 젊은이》.

E·li·jah[iláidʒə] *n.* **1** 남자 이름. **2** 〔聖〕 엘리야《Hebrew의 예언자》.

e·lim·i·na·ble[ilímənəbəl] *a.* 제거할 수 있는; 〔數〕 소거(消去)할 수 있는.

e·lim·i·nant[ilímənənt] *n.* 〔數〕 소거식(式).

***e·lim·i·nate**[ilímənèit] [L] *vt.* **1** 제거하다, 삭제하다; (예선에서) 탈락시키다, 떨어뜨리다; 〔數〕 소거하다: She ~*d* all errors *from* the typescript. 그녀는 타이프 원고에서 잘못된 곳을 모두 삭제했다. **2** 〔生理〕 배출하다(*from*): ~ waste matter *from* the system 노폐물을 몸에서 배출하다. **3** 고려에 넣지 않다, 무시하다. **4** 《口·익살》 〈사람을〉 죽이다, 없애다.

***e·lim·i·na·tion**[ilìmənéiʃən] *n.* [U,C] **1** 제거, 삭제, 배제. **2** 〔競〕 예선: ~ match〔contest, race〕 예선 경기. **3** 〔生理〕 배출, 배설. **4** 〔數〕 소거(법). ◇ elíminative, elíminatory *a.*

e·lim·i·na·tive[ilímənèitiv/-nət-] *a.* 제거할 수 있는; 〔數〕 소거할 수 있는; 〔生理〕 배출〔배설〕(작용)의.

e·lim·i·na·tor[ilímənèitər] *n.* **1** 제거자; 배제기(排除器). **2** 〔通信〕 엘리미네이터; 교류용 수신기.

e·lim·i·na·to·ry[ilímənətɔ̀:ri/-təri] *a.* 제거〔삭제, 배출, 배설〕의.

El·i·nor[élənər] *n.* 여자 이름.

el·int, ELINT[ilínt] [*el*ectronic *int*elligence] *n.* [U] 전자 정찰〔정보 수집〕; 전자 정찰기〔선〕.

El·i·ot[éliət, -jət] *n.* **1** 남자 이름. **2** 엘리어트 George ~(1819-80)《영국의 여류 소설가 Mary Ann Evans의 필명》. **3** 엘리어트 T.S. ~(1888-1965)《미국 태생의 영국 시인·평론가; Nobel 문학상 수상(1948)》.

ELISA *n.* (AIDS 바이러스 등의) 병소 감염 진단테스트《항원을 투입한 혈액이 색변화를 일으키는 효소의 작용으로 판단》.

E·lis·a·beth[ilízəbəθ] *n.* =ELIZABETH.

E·lise[elí:z, ilí:s] *n.* 여자 이름.

E·li·sha[iláiʃə] *n.* **1** 남자 이름. **2** 〔聖〕 엘리샤《Hebrew의 예언자로 Elijah의 후계자》.

e·li·sion[ilíʒən] *n.* **1** [U,C] 〔文法〕 (모음·음절 등의) 생략. **2** 《일반적으로》 삭제, 생략.

***e·lite**[ilí:t, eilí:t] [F] *n.* **1** (종종 the ~; 집합적) 선택된 사람들, 정예(精銳), 엘리트(층), (사회의) 중추(*of*): *the* ~ *of* society 상류 인사, 명사. **2** [U] (타이프라이터의) 엘리트 활자《10포인트》. ── *a.* 엘리트의〔에게 적합한〕; 정선된, 우량(품)의.

Elíte Guárd (나치스의) 친위대, 정예 부대.

e·lit·ism[ilí:tizəm, ei-] *n.* [U] **1** 엘리트주의. **2** 엘리트에 의한 지배; 엘리트 의식〔자존심〕.

e·lit·ist[ilí:tist, ei-] *n.* 엘리트주의자, 엘리트(자처자). ── *a.* 엘리트주의의.

e·lix·ir[iliksər] [Arab] *n.* 《文語》 **1** 연금약액(鍊金藥液)《비(卑)금속을 황금으로 만든다고 함》. **2** (the ~) 불로 불사의 영약(靈藥). **3** 《일반적으로》 만능약(cure-all). **the elixir of life** 불로 장수약.

Eliz. Elizabeth; Elizabethan.

E·li·za[iláizə] *n.* 여자이름《Elizabeth의 애칭》.

⁑E·liz·a·beth[ilízəbəθ] *n.* **1** 여자 이름《Bess, Bessie, Bessy, Beth, Betty, Eliza, Elsie, Lily, Lisa, Liz, Liza, Lizzie, Lizzy 등의 애칭》. **2** 엘리자베스 **a** ~ I (1533-1603)《영국

여왕(1558-1603)). b ~ Ⅱ(1926-)(영국 여왕(1952-)). c 러시아의 여왕(1741-1762).
*E·liz·a·be·than[ilìzəbí:θən, -béθ-] a. 엘리자베스 여왕 시대의. — n. 엘리자베스 여왕 시대의 사람들, 엘리자베스조(朝)의 문인〔정치가〕.
Elizabéthan sónnet 〔詩學〕 엘리자베스조풍 소네트.
elk[elk] n. (pl. ~s, (집합적) ~) **1** 〔動〕 고라니((북유럽·아시아·북아메리카산)). **2** 무두질한 가죽의 일종.
elk·hound n. (노르웨이 원산의) 사슴 사냥개.
ell[1] [el] n. 엘((척도의 단위: 영국에서는 45인치)). **Give him an inch and he'll take an ell.** ((속담)) 한 치를 주면 한 자를 달라 한다, 봉당을 빌려주니 안방까지 달란다.
ell[2] n. **1** =EL[2]. **2** L자 꼴의 것; 〔建〕 물림, 퇴(간)((몸채에 직각으로 잇대어 지은 건물)); 직각 엘보(elbow)((90°의 접속 곡관(曲管))).
El·la[élə] n. 여자 이름.
El·len[élən] n. 여자 이름.
el·lipse[ilíps] n. 〔數〕 타원, 타원주(周).
*el·lip·sis[ilípsis] n. (pl. -ses[-si:z]) **1** U,C 〔文法〕 생략((of)). **2** 〔印〕 생략 부호(—, …, *** 등). **3** 〔數〕 =ELLIPSE.
el·lip·so·graph[ilípsəgræ̀f, -grɑ̀:f] n. 타원 컴퍼스, 타원(楕圓)자.
el·lip·soid[ilípsɔid] n. 〔數〕 타원체〔면〕. — a. =ELLIPSOIDAL.
el·lip·soi·dal[èlipsɔ́idl, ilips-] a. 타원체(모양)의.
ellipt. elliptical; elliptically.
el·lip·tic, -ti·cal[ilíptik], [-əl] a. **1** 타원(형)의: ~ trammels 타원 컴퍼스, 타원자. **2** 생략법의, 생략적인. **-ti·cal·ly**[-kəli] ad. **1** 타원형으로. **2** 생략법으로.
el·lip·tic·i·ty[ilìptísəti, èliptís-] n. U,C 타원 모양; 타원율(率), ((특히)) 지구 타원율.
El·lis[élis] n. 남자 이름.
Éllis Ísland n. 엘리스 섬((뉴욕항의 작은 섬; 전에 이민 검역소가 있었음)).
*elm[elm] n. 〔植〕 느릅나무(=∠ **trèe**); U 느릅나무 목재.
élm bàrk bèetle 느릅나무좀((느릅나무 입고병(立枯病)을 매개)).
El·mer[élmər] n. 남자 이름.
El·mo[élmou] n. 남자 이름.
elm·y[élmi] a. (**elm·i·er; -i·est**) 느릅나무가 많은.
*el·o·cu·tion[èləkjú:ʃən] n. U,C 발성법; 연설법, 웅변술, 낭독법; 과장된 변론: theatrical ~ 무대 발성법.
el·o·cu·tion·ar·y[-èri/-əri] a. 발성법상의; 연설법〔웅변술〕상의.
el·o·cu·tion·ist[èləkjú:ʃənist] n. 연설법 전문가; 웅변가; 발성법 교사.
é·loge[eilóuʒ] [F] n. 찬사; (특히 프랑스 학사원 회원의) 추도 연설, 추도사.
E·lo·him[elóuhim] n. 엘로힘((구약 성서에 나오는 하느님의 뜻의 보통 명사)).
E·lo·hist[élouhist] n. 엘로히스트((구약 성서 첫 6편에서 하느님을 Elohim이라 부른 저자)).
El·o·ise[èləwí:z, èiloui:z] n. 여자 이름.
E.long. east longitude.
e·lon·gate[ilɔ́:ŋgeit/í:lɔŋgèit] vt. 연장하다, 늘이다(lengthen). — vi. 길어지다, 〈식물이〉 (길게) 생장하다, 길게 늘어나다. — a. 〔生〕 (가늘고) 기다란.
e·lon·gat·ed[-id] a. =ELONGATE.
e·lon·ga·tion[ilɔ̀:ŋgéiʃən/ì:lɔŋ-] n. **1** 연장(선), 신장(伸張)(부), 늘어남. **2** 〔天〕 이각(離角)((태양과 행성간의 각(角)거리)).
e·lope[ilóup] vi. **1** 〈남녀가〉 눈이 맞아 달아나다, 〈여자가〉 애인과 달아나다((with)). **2** 자취를 감추다, 도망하다((with)).
e·lope·ment n. U,C 애인과 함께 달아나기; 가출(家出); 도망.
e·lop·er n. 눈이 맞아 달아나는 사람; 도망꾼.
*el·o·quence[éləkwəns] n. U **1** 웅변, 능변; 이성(理性)에 호소하는 힘, 감동시키는 힘. **2** ((古)) 웅변법, 수사법(rhetoric). **3** 유창한 이야기〔화술〕, 설득력.
*el·o·quent[éləkwənt] [L] a. ((文語)) **1** 웅변의, 능변인; 〈변설·문체 등이〉 사람을 감동시키는 힘이 있는, 감명적인: an ~ speech 설득력 있는 연설. **2** 표정이 풍부한; 뚜렷이 표현하는((of)): Eyes are more ~ than lips. ((속담)) 눈은 입보다 더 능변이다. **be eloquent of** …을 잘 표현하다: Her face was ~ *of* pleasure. 그녀의 얼굴은 기쁨을 잘 나타내고 있다. **~·ly** ad. 웅변〔능변〕으로.
El Pas·o[elpǽsou] n. 엘패소(미국 Texas 주 서부의 Rio Grande 인접 도시)).
El Pas·o·an[elpǽsouən] n. 엘패소 태생의 사람, 엘패소 주민.
El·sa[élsə] n. 여자 이름.
El Sal·va·dor[elsǽlvədɔ̀:r] [Sp =the Savior] n. 엘살바도르((중앙 아메리카의 공화국; 수도 San Salvador)).
★**else**[els] ad. **1** (anywhere, nowhere, somewhere 또는 의문부사의 뒤에 써서) 그밖에, 달리: You had better go *somewhere* ~. 다른 곳에 가는 게 낫겠다/ *Where* ~ can I go? 달리 어디로 갈 수 있겠는가/ *How* ~ can you hope to get it? 그밖의 어떤 방법으로 그것을 얻기를 바라겠는가. **2** (보통 or ~) …이 아니면, 그렇지 않으면: He must be joking, *or* ~ he is mad. 그는 농담을 하고 있음에 틀림없다, 그렇지 않다면 그는 미친 사람이다/ Take care, *or* ~ you will fall. 조심하지 않으면 떨어져요/ ((or else의 뒤를 생략하는 경우)) Do as I tell you *or* ~. 내가 하라는 대로 해라, 그렇지 않으면((좋지 않다는 위협)).
— a. (부정대명사·의문대명사 뒤에 써서) 그 밖의, 다른: who ~'s =whose ~((전자보다 옛 용법)) 어느 다른 사람의/ Do you want *anything* ~? 그 밖에 다른 것이 필요합니까/ *somebody* ~'s hat 어떤 다른 사람의 모자/ There is no *one* ~ *to* come. 그 밖에 올 사람은 아무도 없다/ *Who* ~ can I trust? 당신 말고 다른 누구를 신용할 수 있겠는가.
*else·where[∠hwɛ̀ər] ad. 어떤 딴곳에〔에서, 으로〕; 다른 장소에서는; 다른 경우에: here as ~ 다른 경우와 마찬가지로 이 경우에도/ His mind was ~. 그의 마음은 딴 곳에 있었다.
else·whith·er[∠hwìðər] ad. ((文語)) =ELSEWHERE.
El·sie[élsi] n. 여자 이름((Alice, Alicia, Elizabeth, Eliza 등의 애칭)).
ELT English Language Teaching; European letter telegram.
EL Tor[eltɔ́:r] [처음 발견된 시나이 반도에 있는 이집트의 검역소 이름에서] 〔細菌〕 엘토르형 콜레라균.
el·u·ant[élju:ənt] n. 용리제(溶離劑), 용리액.
el·u·ate[élju:it, -èit] n. 용출액(溶出液)((성분 분리를 위해 용해된 물질의 용액)).
e·lu·ci·date[ilú:sədèit] [L] vt. ((文語)) 〈사실·성명(聲明) 등을〉 명료하게 하다, 밝히다; 해명하다, 천명하다, 설명하다.
e·lu·ci·da·tion[-ʃən] n. U ((文語)) 설명, 해명.

e·lu·ci·da·tive[-dèitiv/-dətiv] *a.* 설명적인, 해명적인.

e·lu·ci·da·tor[-dèitər] *n.* 설명〔해명〕하는 사람.

e·lu·ci·da·to·ry[-dətɔ:ri/-təri] *a.* 밝히는; 설명적인.

*__e·lude__[ilú:d] *vt.* **1** 〈포박·위험 등을 교묘하게〉 몸을 돌려 피하다, 벗어나다(*cf. escape*); 〈법률·의무·지불 등을〉 회피하다(evade); 자취를 감추다, 발견되지 않다: 《Ⅲ *-ing*》 He ~*d* be*ing* arrested. 그는 체포를 교묘하게 피했다. **2** 〈사물이 이해·기억 등에서〉 빠져나가다; 〈…에게〉 이해〔인지〕되지 않다. **The meaning eludes me.** 나는 (그 뜻)을 알 수가 없다. **elude observation** (사람의) 눈에 띄지 않다. **elude** one's **grasp** (잡으려고 해도) 잡히지 않다. ◇ elúsion *n.*; elúsive *a.*

e·lu·sion[ilú:ʒən] *n.* Ⓤ 도피, 회피.

e·lu·sive[ilú:siv] *a.* **1** (교묘히) 피하는, 달아나는. **2** 알기〔기억하기〕 어려운, 잡히지 않는. **~·ly** *ad.* **~·ness** *n.*

e·lu·so·ry[ilú:səri] *a.* 붙잡기 어려운, 잘 피하는(elusive).

e·lu·tri·ate[ilú:trièit] *vt.* 씻어서 깨끗이 하다; 〔鑛山〕 세광하다, 현탁(懸濁) 분리하다.

e·lu·vi·ate[ilú:vièit] *vt.* 용탈(溶脫)하다.

e·lu·vi·a·tion[ilù:viéiʃən] *n.* 용탈《물의 작용으로 토양의 구성 성분이 용액 또는 현탄액의 형태로 제거되는 일》.

e·lu·vi·um[ilú:viəm] *n.* (*pl.* **-vi·a**[-viə]) 〔地質〕 풍화 잔류물(殘留物), 잔류 퇴적물〔층〕, 잔적층(殘積層).

el·van[élvən] *n.* 〔岩石〕 **1** 맥반암(脈斑岩) 《영국 Cornwall산(産)》; 그 큰 암맥. **2** 화강반암(花崗斑岩).

el·ver[élvər] *n.* 새끼 뱀장어 바다에서 강물로 올라온.

*__elves__[elvz] *n.* ELF의 복수.

El·vi·ra[elváiərə] *n.* 여자 이름.

el·vish[élviʃ] *a.* =ELFISH.

E·ly[í:li] *n.* 일리《잉글랜드 동부의 Isle of Ely 지방의 도시; 유명한 아름다운 Cathedral이 있음》.

É·ly·sée[eili:zéi] *n.* **1** (the ~) 엘리제(궁)《파리의 프랑스 대통령 관저》 ◇ 종종 E lysée Palace로도 쓰임. **2** (the ~) 프랑스 정부.

E·ly·sian[ilí(:)ʒiən] *a.* **1** ELYSIUM의〔같은〕: ~joy 극락의 환희. **2** 지복(至福)의.

Elýsian fíelds (the ~) =ELYSIUM 1 a(*cf.* CHAMPS-ELYSEES).

E·lys·i·um[ilíziəm, -ʒəm] *n.* **1 a** 〔그神〕 엘뤼시온《선량한 사람들이 죽은 후 사는 곳》. **b** 극락, (행복의) 이상향, 파라다이스(paradise). **2** 지상(至上)의 행복.

el·y·tron, -trum[élətrɑ̀n/-trɔ̀n], [-trəm] *n.* (*pl.* **-tra**[-trə]) 〔昆〕 겉날개, 시초.

El·ze·vi(e)r[élzəvìər] *n.* 엘제비어 활자체.

em[1] [em] *n.* M자; 〔印〕 전각《M자 크기의 4각형》.

em[2], **'em**[əm] *pron. pl.* 《口》 =THEM.

Em[em] *n.* 여자 이름(Emily, Emma 등의 애칭).

Em 〔化〕 emanation. **EM** electron microscope 전자 현미경; electronic mail 전자 우편; 《미》 enlisted man〔men〕; 〔軍〕 education manual. **EMA** European Monetary Agreement. 〔經〕 유럽 통화 협정.

em-[im, em] *pref.* =EN-(b, p, m의 앞).

e·ma·ci·ate[iméiʃièit] *vt.* **1** (보통 수동형으로) 〈사람·얼굴 등을〉 수척해지게 하다, 여위게〔쇠약하게〕 하다: He was ~*d* by long illness. 그는 오랜 병으로 쇠약해져 있었다. **2** 〈땅을〉 메마르게 하다. ── *vi.* 수척해지다.

e·ma·ci·at·ed[-id] *a.* 수척한, 여윈, 쇠약한.

e·ma·ci·a·tion[imèiʃiéiʃən] *n.* Ⓤ 여윔, 쇠약, 수척하게 함〔됨〕, 초췌.

*__E-mail, e-mail, email__[í:mèil] [electronic mail] *n.* Ⓤ 전자 우편, E메일. ── *vt.* …에게 E메일을 보내다; …을 E메일로 보내다: ~ the message to her 그녀에게 E메일로 메시지를 보내다.

em·a·nate[éмənèit] [L] *vi.* 〈빛·열·소리·증기·향기 등이〉 나다 발산〔방사〕하다, 퍼지다《*from*》; 〈생각·제안 등이 사람에게서〉 나오다《*from*》. ── *vt.* 발산시키다.

em·a·na·tion[èmənéiʃən] *n.* **1** Ⓤ 나옴, 내뿜음, 발산, 방사; Ⓒ 방산물, 방사물: an ~ *from* a flower 꽃에서 풍기는 향기. **2** 감화력; (사회 환경·문화 등의) 소산. **3** Ⓤ 〔化〕 에마나티온《방사성 물질에서 방출되는 기체 원소의 고전적 호칭; 略: Em》.

em·a·na·tive[émənèitiv] *a.* 발산〔방사〕하는〔시키는〕, 발산성 있는, 방사성의.

e·man·ci·pate[imǽnsəpèit] [L] *vt.* **1** 〈노예 등을〉 해방하다, 석방하다; 〈사람·국가 등을 속박·제약 등에서〉 해방하다《*from*》. **2** 〔로마法〕 〈아이를〉 부권(父權)에서 해방하다. **3** (~ one*self*로) (…에서부터) 자유로워지다; 〈…을〉 끊다《*from*》: He ~*d himself from* his smoking habit. 그는 담배를 끊었다. **-pat·ed** *a.* 해방된; 전통에 얽매이지 않는, 자주적인, 자유인의. **-pa·tive**[-tiv] *a.*=EMANCIPATORY.

*__e·man·ci·pa·tion__[imæ̀nsəpéiʃən] *n.* Ⓤ,Ⓒ **1** (노예 등의) 해방《*of*》; 〔로마法〕 부권(父權)에서의 해방. **2** (미신 등으로부터의) 해방, 이탈, 벗어남.

e·man·ci·pa·tion·ist[-ist] *n.* (노예) 해방론자.

Emancipátion Proclamátion (the ~) 〔미史〕 노예 해방령〔해방 선언〕《1863년 1월 1일부터 발효》.

e·man·ci·pa·tor[imǽnsəpèitər] *n.* (노예) 해방자: the Great *E*-위대한 해방자《Abraham Lincoln을 말함》.

e·man·ci·pa·to·ry[imǽnsəpətɔ̀:ri/-təri] *a.* 해방의, 석방의.

E·man·u·el[imǽnju:əl] *n.* 남자 이름.

e·mar·gi·nate, -nat·ed[imɑ́:rdʒənèit], [-nèitid] *a.* 〔植〕 가장자리가 톱니모양으로 갈라진, 오목하게 들어간 형의.

e·mas·cu·late[imǽskjəlèit] [L] *vt.* **1** 〈남자를〉 거세하다(castrate). **2** 〈…을〉 무기력하게 하다, 약하게 하다; (문장·법률 등의 요긴한 데를 얼버무려) 허울만 남게 하다. ── *a.* **1** 거세된. **2** 무기력한; 요긴한 데가 빠진, 얼버무린.

e·mas·cu·la·tion[-ʃən] *n.* Ⓤ **1** 거세. **2** 요긴한 데를 빼어 버림, 얼버무림, 무력화; 유약(柔弱).

e·mas·cu·la·tive[-tiv] *a.* 거세하는; 무력화하는.

e·mas·cu·la·tor[-tər] *n.* 거세하는 사람〔도구〕; 무력화하는 사람〔사물〕.

e·mas·cu·la·to·ry[-lətɔ̀:ri/-təri] *a.*=EMASCULATIVE.

em·balm[imbɑ́:m] *vt.* **1** 〈시체를〉 향료·약품으로 처리하여 썩지 않게 보존하다, 미이라로 만들다. **2** 영원히 잊혀지지 않게 하다. **3** 〈방 등을〉 향기로 채우다.

em·balm·ment *n.* Ⓤ (시체의) 방부(防

腐) 보존, 미이라로 만듦: Ⓒ 방부 보존제.

em·bank[imbǽŋk] *vt.* 〈하천 등에〉 둑[제방]을 쌓다, 〈저수지 등을〉 방축으로 둘러싸다.

em·bank·ment[imbǽŋkmənt] *n.* **1** Ⓤ 둑을 쌓기. **2** 둑, 제방; Ⓤ 축제(築堤). **3** (the E-) =THAMES EMBANKMENT.

em·bar·ca·de·ro[embɑ̀:rkədέərou] *n.* (*pl.* **-ros**) **1** 부두, 선창. **2** (종종 E-) San Francisco의 선창가.

em·bar·ca·tion[èmbɑ:rkéiʃən] *n.* =EMBARKATION.

***em·bar·go**[embɑ́:rgou] [Sp] *n.* (*pl.* **~es**) **1** (선박의) 억류, 출항〔입항〕 금지. **2** 통상 정지; 봉쇄. **3** 금지(prohibition), 금제(禁制) 《*on*》. **be under an embargo** 〈배가〉 억류되어 있다; 봉쇄되어 있다; 〈수출이〉 금지되어 있다. **gold embargo** 금 수출 금지. **lay**〔**put, place**〕 **an embargo on** (ships, trade)=**lay** (ships, trade) **under an embargo** 〈선박을〉 억류하다; 〈통상을〉 정지하다. **lay an embargo upon** free speech (언론의 자유)를 억압하다. **lift**〔**take off, remove**〕 **an embargo** 출항 정지를 해제하다; 해금하다. — *vt.* **1** 〈배에〉 출항〔입항〕 금지를 명하다. **2** 〈통상을〉 정지하다; 〈배·화물을〉 징발〔몰수〕하다.

***em·bark**[embɑ́:rk, im-] [L] *vi.* **1** 배〔비행기〕에 타다, 승선〔탑승〕하다; 배〔비행기〕로 향발(向發)하다: ~ *at* New York 뉴욕에서 승선하다/~ *in*〔*on*〕 a boat 배에 타다/~ *for* Japan by steamer 기선으로 일본을 향해 떠나다. **2** 착수하다, 종사하다(engage)《*in, upon*》: ~ *in*〔*on*〕 matrimony 결혼 생활로 들어가다/~ *on* a new business 새로운 사업에 착수하다. — *vt.* **1** 〈배·비행기 등에〉 태우다, 승선〔탑승〕시키다, 적재하다, 싣다(*opp.* disembark). **2** 〈사업 등에〉 투자하다; …을 사업에 끌어넣다: ~ much money *in* trade 장사에 많은 돈을 투자하다. **embark oneself in** … 에 착수하다.

***em·bar·ka·tion**[èmbɑ:rkéiʃən] *n.* Ⓤ **1** 승선, 탑승, 적재. **2** (새 사업 등에의) 착수.

embarkátion càrd 출국 카드(◇ disembarkation card는 입국 카드).

em·bark·ment[embɑ́:rkmənt] *n.* =EMBARKATION.

****em·bar·rass**[imbǽrəs, em-] [Sp] *vt.* **1** 어리둥절하게 하다, 쩔쩔매게 하다, 부끄럽게〔무안하게〕 하다, 난처하게〔낭패케〕 하다: ~ a person *with* questions 질문을 하여 …을 난처하게 하다. **2** 금전적으로 쪼들리게 하다. **3** 방해하다, 저해하다. **4** 〈문제 등을〉 뒤엉키게 하다. — *vi.* 당황하다, 갈팡질팡하다.

~·a·ble *a.* ⊕ embárrassment *n.*

em·bar·rassed[-t] *a.* **1** 어리둥절한, 당혹한, 창피한, 무안한, 난처한《*at, by, with, for*》: be〔feel〕 ~ *in*〔*by*〕 the presence of strangers 모르는 사람들 앞에서 당혹하다. **2** (금전적으로) 궁색한, 쪼들리는: He's financially ~. 그는 재정상 어려움에 처해 있다.

em·bar·rassed·ly *ad.* 곤란〔난처〕한 듯이; 멋적은 듯이.

em·bar·rass·ing[-iŋ] *a.* 쩔쩔매게 하는, 당황〔창피, 무안〕케 하는; 난처한, 곤란한. **~·ly** *ad.*

***em·bar·rass·ment**[imbǽrəsmənt, em-] *n.* **1** Ⓤ 난처, 낭패, 당혹, 당황; (남의 앞에서의) 지나친 수줍음, 무안함. **2** 당황〔무안〕케 하는 것〔사람〕, 성가신 사람. **3** (보통 *pl.*) 재정 곤란, 궁핍. ⊕ embárrass *v.*

em·bas·sa·dor[embǽsədər] *n.* =AMBASSADOR.

em·bas·sage *n.* 《古》 =EMBASSY.

***em·bas·sy**[émbəsi] *n.* (*pl.* **-sies**) **1** 대사관(*cf.* LEGATION): attached to an ~ 대사관부(附)〔근무〕의/the Korean *E*- in Washington 워싱턴 주재 한국 대사관. **2** (집합적) 대사관 직원 (전원); 대사 일가〔일행〕. **3** 대사의 임무〔사명〕. **4** 사절 (일행); (사절의) 사명(mission): be sent on an ~ to 사명을 띠고〔사절로서〕 …으로 파견되다.

em·bat·tle[imbǽtl, em-] *vt.* **1** 〈군대에〉 전투 진용〔태세〕을 갖추게 하다, 진을 치게 하다(⇒embattled 1). **2** 〈건물·성벽에〉 총안 흉장(銃眼胸牆)을 마련하다.

em·bat·tled[imbǽtld, em-] *a.* **1** 전투 태세를 갖춘, 포진한. **2** 〔建〕 총안 흉장이 있는. **3** 〔紋〕 〈구획선이〉 총안 모양으로 들쭉날쭉한. **4** 적(군)에게 포위 당한; 〈사람이 늘〉 괴롭혀지는, 지겨운.

em·bat·tle·ment[imbǽtlmənt, em-] *n.* **1** =EMBATTLED 1의 상태. **2** =BATTLEMENT.

em·bay[imbéi] *vt.* **1** 〈배를〉 만(灣) 안에 넣다; 〈바람이 배를〉 만 안에 들여 보내다. **2** 〈선대(船隊)를〉 만처럼 둘러싸서 지키다. **3** 가두어 넣다, 포위하다. **4** 만 모양으로 하다.

em·bay·ment[imbéimənt] *n.* **1** 만 형성. **2** 만, 만 모양의 것.

Emb·den *n.* 〔鳥〕 엠덴《집거위의 일종》.

em·bed[imbéd] *vt.* (**~·ded; ~·ding**) **1** 깊숙이 박다, 파묻다. **2** (마음 속 등에) 깊이 간직하다《*in*》. **3** 〔言·數〕 끼워넣다.

em·bel·lish[imbéliʃ, em-] *vt.* **1** 아름답게 하다, 미화하다(beautify); 장식하다(adorn). **2** 〈문장을〉 꾸미다, 〈이야기 등을〉 윤색하다.

em·bel·lish·ment[imbéliʃmənt] *n.* Ⓤ,Ⓒ **1** 꾸밈, 장식; (이야기 등의) 윤색. **2** Ⓒ 장식 보충물.

***em·ber**[émbər] *n.* (보통 *pl.*) 타다 남은 것, 깜부기불, 여신(餘燼): rake (up) hot ~*s* 잿불을 긁어 모으다.

Émber dàys, é- d- 〔가톨릭〕 사계 재일(四季齋日)《단식과 기도를 함; 각각 3일간》.

Émber wèek, é- w- 〔가톨릭〕 사계 재일 주간.

em·bez·zle[embézəl, im-] *vt.* 〈위탁금 등을〉 쓰다, 횡령〔착복〕하다.

em·bez·zle·ment *n.* Ⓤ (위탁금 등의) 도용(盜用), 횡령, 착복.

em·bez·zler[-ər] *n.* 〈위탁금 등을〉 써버리는 사람, 횡령〔착복〕자.

em·bit·ter[imbítər] *vt.* **1** 쓰라리게〔비참하게〕 하다, 〈마음·감정 등을〉 몹시 상하게 하다; 〈원한·재앙 등을〉 더욱 격화시키다. **2** 〈남을〉 화내게 하다, 격분시키다.

em·bit·ter·ment *n.* Ⓤ (괴로움 등의) 심각화; (원한 등의) 격화; 격분.

em·bla·zon[imbléizən, em-] *vt.* **1** 문장(紋章)으로 꾸미다《*with, on*》. **2** (아름다운 색으로) 그리다, 장식하다《*with*》. **3** 칭찬〔찬양〕하다. **~·er**[-ər] *n.* **~·ment** *n.* 장식; 수식; 찬양.

em·bla·zon·ry[-ri] *n.* (*pl.* **-ries**) 문장(紋章) 장식(법); (집합적) 문장; 아름다운 장식.

***em·blem**[émbləm] [L] *n.* **1** 상징, 표상(表象)(symbol)《*of*》. **2** 상징적인 무늬〔문장〕, 기장(記章). **3** 전형, 귀감(龜鑑)《*of*》. — *vt.* 《稀》 …의 표징(表徵)이 되다, 상징하다.
⊕ emblemátic *a.*; emblématize *v.*

em·blem·at·ic, -i·cal[èmbləmǽtik], [-əl] *a.* 상징적인; 표상하는《*of*》. **be emblemat-**

ic of …의 표상이다, …을 상징하다. **-i·cal·ly** *ad.*

em·blem·a·tist[emblémətist] *n.* 표장(標章) 제작자, 기장〔표장〕 고안자; 우의화(寓意畵) 화가.

em·blem·a·tize[emblémətàiz] *vt.* 상징적으로 나타내다; 상징하다(symbolize).

em·ble·ments[émbləmənts] *n. pl.* 〔法〕 **1** 인공 경작물, 근로 과실(果實). **2** (차지인(借地人)의) 농작물 수득권.

em·bod·i·ment[embádimənt/-bɔ́di-] *n.* **1** Ⓤ 구체화, 구현(具現). **2** (어떤 성질·감정·사상 등의) 구체화된 것, 화신(化身)(incarnation)《*of*》.

***em·bod·y**[embádi/-bɔ́di] *vt.* (**-bod·ied**) **1** 〈정신에〉 형태를 부여하다. **2** 〈사상·감정 등을 예술품·말 등으로〉 구체적으로 표현하다, 구체화하다, 구현하다《*in*》: ~ democratic ideas *in* the speech 민주주의 사상〔관념〕을 연설에서 구체적으로 나타내다. **3** 합체(合體)시키다, 통합하다; 〔軍〕 (부대로) 편성하다. **4** 〈…을 …안에〉 포함하다, 수록하다.

em·bód·i·er *n.* ⊕ embódiment *n.*

em·bog[embág/-bɔ́g] *vt.* (~**ged**; ~**·ging**) **1** 수렁에 빠뜨리다. **2** 궁지에 빠져 꼼짝 못하게 하다.

em·bold·en[embóuldən] *vt.* **1** 대담해지게 하다. **2** 용기를 돋우어 주다: This ~*ed* me *to* ask *for* more help. 나는 이것으로 용기를 얻어 더 원조해 달라고 부탁했다.

em·bol·ic[embálik/-bɔ́l-] *a.* **1** 〔病理〕 색전(塞栓)(증)의, 색전증에 의한. **2** 〔發生〕 함입(陷入)(기(期))의, 함입에 의한.

em·bol·ism[émbəlìzəm] *n.* Ⓤ **1** 〔病理〕 색전증(塞栓症). **2** 윤년〔일, 달〕을 넣음〔으로 가해진 기간〕. **èm·bo·lís·mic** *a.*

em·bo·lus[émbələs] *n.* (*pl.* **-li**[-lài]) **1** 〔病理〕 색전(塞栓), 전자(栓子) **2** 삽입물《박힌 쐐기나 주사기의 피스톤》.

em·bon·point[à:mbɔ(:)mpwǽŋ/ɔ̀(:)m-] [F] *n.* 《완곡》 (보통, 여성의) 비만(肥滿)(plumpness).

em·bos·om[embú(:)zəm] *vt.* 《詩·文語》 **1** (보통 수동형으로) 〈나무·언덕 등이〉 둘러싸다: ~*ed in*〔*with*〕 trees 나무로 둘러싸여. **2** 가슴에 품다, 껴안다; 소중히 하다.

‡**em·boss**[embɔ́s, -bás, im-] *vt.* **1** 부조(浮彫) 세공을 하다. **2** 〈무늬·도안을〉 양각(陽刻)으로 하다; 〈금속에〉 돋을새김으로 넣다: The gold cup is ~*ed with* a design of flowers. 금컵에는 꽃무늬가 돋을새김으로 들어 있다. **3** 부풀리다(inflate); 융기시키다.

em·bossed[-st] *a.* **1** 부조 세공을 한; 양각으로 무늬를 넣은: ~ work 부조 세공, 양각 무늬. **2** 양각으로 새긴, 돋을새김의; 눌러서 도드라지게 한: ~ stamps 도드라진 무늬를 넣은 인지〔우표〕.

em·boss·ment *n.* **1** Ⓤ 부조(浮彫)로 함, 도드라지게 함. **2** 부조 세공; 양각 무늬 (장식).

em·bou·chure[à:mbuʃúər/ɔ̀m-] [F] *n.* **1** 강 어귀, 하구(estuary); (골짜기 등의) 어귀(opening). **2** (취주 관악기의) 주둥이; (악기 주둥이에) 입술 대는 법.

em·bour·geoise·ment[a:mbùərʒwa:zmá:ŋ] [F] *n.* Ⓤ 중산 계급〔부르주아〕화(化).

em·bour·geoi·si·fi·ca·tion[embùərʒwa:səfəkéiʃən] *n.* Ⓤ 중산 계급〔부르주아〕화(bourgeoisification).

em·bow·el[embáuəl] *vt.* (~**ed**; ~**·ing** | ~**led**; ~**·ling**) =DISEMBOWEL.

em·bow·er[imbáuər] *vt.* (푸른 잎 등으로) 가리다, 나무 그늘에 숨기다, 나무로 둘러싸다《*in*, *with*》.

‡**em·brace**¹[embréis] [L] *vt.* **1** 포옹하다; 껴안다(hug). **2** 《文語》 〈기회를〉 포착하다, 〈제안 등을〉 기꺼이 받아들이다. **3** 〈주의 등을〉 채택하다, 〈교의를〉 받아들이다. **4** 〈직업을〉 잡다, 〈…한 생활에〉 들어가다. **5** 〈많은 것을〉 포함하다. **6** 〈숲·산 등이〉 둘러싸다. **7** 알아채다, 깨닫다, 터득하다. — *vi.* 서로 포옹하다. — *n.* **1** 포옹. **2** 《완곡》 성교. **3** 받아들임, 용인. ⊕ embrácement *n.*

embrace² *vt.* 〔法〕 〈법관·배심원 등을〉 매수하다, 포섭하다.

em·brace·ment[embréismənt] *n.* Ⓤ **1** 포옹(embrace). **2** (기꺼이) 받아들임, 수락.

em·brace·or[embréisər] *n.* 〔法〕 (법관·배심원 등을) 매수하는 사람.

em·brac·er[embréisər] *n.* **1** 포옹하는 사람; 받아들이는 사람. **2** =EMBRACEOR.

em·brac·er·y[embréisəri] *n.* (*pl.* **-er·ies**) 〔法〕 법관·배심원 매수죄《뇌물·탄원·설득 등에 의한》.

em·brac·ive[embréisiv] *a.* **1** 포괄적인(comprehensive). **2** 포옹을 좋아하는.

em·branch·ment[embrǽntʃmənt, embrá:ntʃ-] *n.* Ⓤ,Ⓒ (골짜기·산계(山系)·하천 등의) 분기(分岐), 분류(分流).

em·bran·gle[embrǽŋgl] *vt.* 혼란〔분규〕시키다(entangle). ~**·ment** *n.*

em·bra·sure[embréiʒər] *n.* **1** 〔建〕 나팔꽃처럼 안쪽을 바깥쪽보다 넓게 낸 문이나 창구멍. **2** 〔築城〕 (나팔꽃 모양의) 총안(銃眼).

em·brit·tle[embrítl] *vt.*, *vi.* 부서지기 쉽게 하다〔되다〕, 무르게 하다〔되다〕.

em·bro·cate[émbroukèit] *vt.* 《文語》 〈상처에〉 물약을 바르다, 찜질하다《*with*》.

em·bro·ca·tion[èmbroukéiʃən] *n.* Ⓤ 《文語》 도포(塗布); Ⓒ (약용) 도포액, 습포.

em·bro·glio *n.* (*pl.* ~**s**)=IMBROGLIO.

***em·broi·der**[embrɔ́idər] *vt.* **1** 수놓다: ~ flowers *on* her dress =~ her dress *with* flowers 그녀의 옷에 꽃 자수를 놓다. **2** 〈이야기 등을〉 윤색하다, 과장하다. — *vi.* **1** 수놓다; 장식하다. **2** 과장〔윤색〕하다.

⊕ embróidery *n.*

em·broi·der·er[-dərər] *n.* 자수업자(刺繡業者), 수놓는 사람.

em·broi·der·y[embrɔ́idəri] *n.* (*pl.* **-der·ies**) **1** Ⓤ 자수; Ⓒ 자수품. **2** Ⓤ,Ⓒ 윤색(潤色); 장식. ⊕ embróider *v.*

em·broil[embrɔ́il] *vt.* **1** 〈분쟁·전쟁 등에〉 휩쓸어 넣다(entangle)《*in*》. **2** 혼란〔분규〕시키다, 뒤얽히게 하다. **3** 반목시키다《*with*》. ~**·ment** *n.* Ⓤ,Ⓒ 혼란; 분규, 반목, 소동.

em·brown[embráun] *vt.* 갈색으로 물들이다; 〈빛깔을〉 어둡게 하다.

em·brue[embrú:] *vt.* =IMBRUE.

em·brute[embrú:t] *v.* =IMBRUTE.

***em·bry·o**[émbriòu] *n.* (*pl.* ~**s**) **1** (보통 임신 8주일까지의) 태아. **2** 〔動·植〕 배(胚); 애벌레. **3** 《일반적으로》 (발달의) 초기의 것, 싹. **in embryo** 미완성의, 〈계획 등이〉 성숙하지 않은. — *a.*=EMBRYONIC.

⊕ embryónic *a.*

em·bry(·o)-[émbri(ou)] 《연결형》 EMBRYO의 뜻《모음 앞에서는 embry-》.

émbryo frèezing 수정란의 동결 보존《액체 질소로 냉동 보존》.

em·bry·oid[émbriɔ̀id] *n.* 〔生〕 (동식물의)

부정배(不定胚), 배양체(胚樣體)《배(胚)의 구조와 기능을 가진 식물〔동물〕》.

embryol. embryology.

em·bry·o·log·ic, -i·cal[èmbriouládʒik/-lɔ́dʒ-], [-əl] *a.* 발생〔태생〕학(상)의.

em·bry·ol·o·gist[èmbriálədʒist/-ɔ́lə-] *n.* 발생〔태생〕학자.

em·bry·ol·o·gy[èmbriálədʒi/-ɔ́lə-] *n.* Ⓤ 발생학; 태생학.

em·bry·on·ic[èmbriánik/-ɔ́n-] *a.* **1** 배(胚)에 관한; 태아의, 태생의; 배〔태아〕 같은. **2** 발달되지 않은, 미발달의.

émbryónic dísk 〔生〕 배반(胚盤), 배반엽(葉), 배자판(胚子板).

émbryònic mémbrane 〔生〕 배체외막(胚體外膜).

émbryo sàc 〔植〕 배낭(胚囊).

émbryo trànsfer 〔醫〕 배이식(胚移植)《자궁 내의 태아를 외과적 수단으로 다른 자궁으로 옮기는 것; *cf.* EGG TRANSFER》.

em·bus[imbʌ́s, em-] *vt., vi.* (**~sed; ~·sing**) 〔軍〕 버스〔트럭〕에 태우다〔타다〕.

em·bus·qué[ɑ̃bú:skei] [F] *n.* (관직에 있으면서) 병역을 기피하는 사람.

em·cee[émsí:] [M.C.(=Master of Ceremonies)를 발음대로 철자한 것] 《미口》 *n.* 사회자. — *vt., vi.* (**-ceed; -cee·ing**) 사회하다.

EMCF European Monetary Cooperation Fund 〔金融〕 유럽 통화 협력 기금.

ém dàsh 〔印〕 m자 크기의 대시 부호.

e·meer[emíər] *n.* =EMIR.

e·mend[iménd] *vt.* 〈문서·서적의 본문 등을〉 교정(校訂)〔수정〕하다(correct).

e·mend·a·ble[-əbəl] *a.* 수정〔정정〕할 수 있는.

e·men·date[í:mendèit, émən-, iméndeit] *vt.* =EMEND.

e·men·da·tion[ì:mendéiʃən, èmən-] *n.* **1** Ⓤ,Ⓒ 교정, 수정. **2** (종종 *pl.*) 교정한 곳.

e·men·da·tor[í:mendèitər, -mən-, iméndeit] *n.* 교정〔수정〕자.

e·mend·a·to·ry[iméndətɔ̀:ri/-təri] *a.* 교정〔수정〕의.

emer. emeritus.

∗**em·er·ald**[émərəld] *n.* **1** 〔鑛〕 에메랄드, 취옥(翠玉). **2** Ⓤ 에메랄드 빛, 밝은 초록색(=∠ **gréen**). **3** Ⓤ 《영》 〔印〕 에메랄드 활자체《약 6포인트 반》. — *a.* **1** 에메랄드(제)의; 에메랄드를 박은. **2** 에메랄드 빛의, 밝은 초록색의.

Émerald Ìsle (the ~) 에메랄드 섬《아일랜드의 속칭》.

∗**e·merge**[imə́:rdʒ] [L] *vi.* **1** (물 속·어둠 속 등에서) 나오다, 나타나다《*from*》: The full moon will soon ~ *from* behind the clouds. 보름달이 곧 구름 뒤에서 나타날 것이다. **2** (빈곤·낮은 신분 등에서) 벗어나다, 빠져 나오다《*from*》: ~ *from* poverty〔difficulty〕 빈곤에서 벗어나다〔곤란에서 빠져 나오다〕. **3** 〈새로운 사실 등이 조사 결과 등에서〉 드러나다, 판명되다; 〈곤란·문제 등이〉 일어나다. ⊕ emérgence *n.*; emérgent *a.*

e·mer·gence[imə́:rdʒəns] *n.* Ⓤ 출현《*of*》; 탈출《*from*》.

⁑**e·mer·gen·cy**[imə́:rdʒənsi] *n.* (*pl.* **-cies**) Ⓤ,Ⓒ 비상 사태, 비상시, 위급, 급변(急變): in an〔in case of〕 ~ 비상〔위급〕시에는. — *a.* 비상용의, 긴급한: ~ measures 긴급 조치, 응급〔비상〕 대책/~ ration 〔軍〕 비상 휴대 식량/an ~ staircase 비상 계단.

emérgency bràke (자동차의) 비상〔사이드〕 브레이크《주차용·비상용》.

emérgency càse 구급 상자; 위급 환자.

emérgency dòor〔**èxit**〕 비상구.

emérgency lànding 〔空〕 긴급〔불시〕 착륙: ~ field 불시 착륙장.

emérgency pòwer 비상 지휘권〔통치권〕《재해·전시의》.

emérgency ròom 응급 치료를 위한 장비가 갖추어진 병원 지역《略: ER》.

e·mer·gent[imə́:rdʒənt] *a.* **1** (물 속에서) 떠오르는, 불시에 나타나는, 출현하는; 주목을 끌기 시작하는. **2** 불시의, 뜻밖의; 긴급한, 응급의. **3** (나라 등이) 새로 독립한.

e·mer·gi·cen·ter[imə́:rdʒəsèntər] *n.* 《미》 응급 진료소, 응급실《예약 없이 간단한 구급 처치를 싼값으로 받을 수 있는》.

e·merg·ing[imə́:rdʒiŋ] *a.* 최근 생겨난, 최근에 만들어진: an ~ industry 신흥 산업.

e·mer·i·ta[iméritə] *n.* (*pl.* **-tae**) (여성의) 명예 교수; 그 지위〔직〕. — *a.* (여성이) 사임〔은퇴〕후에도 재직중의 예우를 받는, 명예 대우의: professor ~ of music 음악과 여자 명예교수.

e·mer·i·tus[imérətəs] *a.* (때로 명사 뒤에 써서) 명예 퇴직의: an ~ professor=a professor ~ 명예 교수. — *n.* (*pl.* **-ti**[-tài, -tì:]) 명예직에 있는 사람.

e·mersed[imə́:rst] *a.* (물 속 등에서) 나온, 나타난.

e·mer·sion[imə́:rʒən, -ʃən] *n.* Ⓤ,Ⓒ **1** 출현. **2** 〔天〕 (일식〔월식〕 후 또는 엄폐(掩蔽) 후의 천체의) 재현(再現).

Em·er·son[émərsn] *n.* 에머슨 Ralph Waldo ~(1803-82)《미국의 평론가·시인·철학자》.

Em·er·so·ni·an[èmərsóuniən] *a.* 에머슨의〔같은〕; 에머슨 풍의. — *n.* 에머슨 숭배자. **~·ism**[-ìzəm] *n.* Ⓤ 에머슨주의, (에머슨 풍의) 초절주의(超絶主義).

em·er·y[éməri] *n.* Ⓤ 금강사(金剛砂)《연마용》.

Em·er·y[éməri] *n.* 남자 이름.

émery bàg 금강사 주머니《바늘 연마용》.

émery bòard 손톱 미는 줄《매니큐어용》.

émery clòth 사포(砂布), 속새《연마용》.

émery pàper 사지(砂紙), 속새.

émery whèel 금강사로 만든 회전(回轉) 숫돌(grinding wheel).

E-me·ter[í:mì:tər] *n.* 피부의 전기 저항 변화를 측정하는 전위계《거짓말 탐지기와 비슷한 장치》.

e·met·ic[imétik] *a.* **1** 토하게 하는, 구토를 일으키는. **2** 《비유》 메스꺼운, 욕지기가 날 것 같은. — *n.* 토제(吐劑).

e·meu[í:mju:] *n.* =EMU.

é·meute[eimə́:t] [F] *n.* (*pl.* **~s**) 폭동, 반란(riot).

emf, EMF electromotive force 〔電〕 기전력(起電力), 전동력(電動力). **EMF** European Monetary Fund 유럽 통화 기금. **EMG** electromyograph 〔醫〕 근전(筋電) 기록 장치.

-e·mi·a[í:miə] 《연결형》「… 한 혈액을 가진 상태; 혈액 중에 …을 가진 상태」의 뜻: leuk*emia* 백혈병.

e·mic[í:mik] *a.* 〔言〕 이미크적(的)인《언어·문화 현상 등의 분석·기술에 있어서 기능면을 중시하는 관점에 관해서 말함》(*cf.* ETIC).

∗**em·i·grant**[éməgrənt] *n.* (다른 나라로 가는) 이민(移民), 이주자(*cf.* IMMIGRANT). — *a.* **1** (타국으로) 이주하는. **2** 이민의: an ~ company 이민 회사. **3** 〈새가〉 이주성의: an ~ bird 철새(bird of passage).

∗**em·i·grate**[éməgrèit] [L] *vi.* (타국으로)

이주하다, 이민하다(*cf.* migrate):(다른 주 등으로) 전출하다(*cf.* IMMIGRATE): ~ *from* Korea *to*〔*into*〕 Brazil 한국에서 브라질로 이주하다.

*__em·i·gra·tion__[èməgréiʃən] *n.* Ⓤ **1** (외국으로의) 이주(移住)(*cf.* IMMIGRATION). **2** (집합적) 이민(emigrants); Ⓒ (일정 기간 내의) 이민수. **3** 출국 관리(管理).

emigrátion tàx =EXIT TAX.

em·i·gra·to·ry[éməgrətɔ̀:ri/-təri] *a.* **1** 이주의, 이주에 관한. **2** 〈조류(鳥類)가〉 이주성(移住性)의(migratory).

é·mi·gré[émigrèi, èiməgréi] [F] *n.* (*pl.* ~**s**[-z]) **1** (해외) 이주자(emigrant). **2** (정치상의) 국외 이주자, 망명자: 《특히 1789년 프랑스 혁명 당시의》 망명한 왕당원(王黨員): (1918년 러시아 혁명 당시 혹은 나치 독일에서의) 망명자.

E·mil, E·mile[eimí:l] *n.* 남자 이름.

E·mi(l)·li·a[imíljə, -liə], **Em·i·lie, Em·i·ly**[éməli] *n.* 여자 이름.

*__em·i·nence__[émənəns] *n.* **1** Ⓤ (지위·신분 등의) 높음, 고위(高位), 고귀함; (학덕(學德) 등의) 탁월(*in*); 명성, 저명: achieve〔reach, win〕 ~ *as* a scientist 과학자로서 유명해지다/attain〔achieve〕 ~ *in* …에서 두드러지다. **2** 〔His〔Your〕 E-〕 〔가톨릭〕 전하(殿下)《추기경의 존칭·호칭》. **3** 《文語》 높은 곳, 고대(高臺), 언덕. **4** 〔解〕 융기(隆起). ⊕ éminent *a.*

é·mi·nence grise[éiminɑ:nsəgrí:z] [F] *n.* (*pl.* **é·mi·nences grises**) 심복 앞잡이; 숨은 실력자, 배후 인물.

em·i·nen·cy *n.* (*pl.* **-cies**) =EMINENCE.

⁑**em·i·nent**[émənənt] [L] *a.* **1** 〈지위·신분이〉 높은(lofty); 저명한《특히 학문·과학·예술 등의 전문적 분야에서》: an ~ scientist 저명한 과학자/She was ~ *for* her piety. 그녀는 신앙심이 깊기로 유명했다. **2** 훌륭한, 탁월한; 〈자질(資質)·행위 등이〉 뛰어난. **3** 돌출한, 〈산·건물 등이〉 우뚝 솟은, 우뚝한. **~·ly** *ad.* ⊕ éminence *n.*

éminent domáin 〔法〕 토지 수용권.

em·i·o·cy·to·sis[èmi:ousaitóusis] *n.* 〔生〕 (세포의) 배출 작용, 배출 과정의 하나. **-tot·ic**[-tɑ́t-/-tɔ́t-] *a.*

e·mir[əmíər] [Arab] *n.* **1** (아라비아의) 왕족, 수장(首長). **2** 《古》 모하메드의 자손의 존칭.

e·mir·ate[əmíərit] *n.* EMIR의 관할 구역〔권한〕; 수장국(*cf.* UNITED ARAB EMIRATES).

em·is·sar·y[éməsèri/éməsəri] *n.* (*pl.* **-saries**) **1** 사자, 《특히》 밀사(密使). **2** 밀정, 간첩. ― *a.* 사자의, 밀사의.

e·mis·sion[imíʃən] *n.* Ⓤ,Ⓒ **1** (빛·열·향기 등의) 내뿜음, 방사, 발산(發散), 방출; 방사물, 방출물. **2** 《古》 (지폐·주권 등의) 발행; 발행고. **3** (굴뚝·엔진 등으로부터의) 배기, 배출; 배출물(질). **4** 〔生理〕 사정(射精).

e·mis·sive[imísiv] *a.* 방사성의, 방출적인; 방사〔방출〕된.

e·mis·siv·i·ty[èməsívəti] *n.* 〔物·化〕 방사율, 복사능(輻射能).

*__e·mit__[imít] [L] *vt.* (~·**ted**; ~·**ting**) **1** 〈빛·열·향기 등을〉 내뿜다, 방사하다; 〈소리를〉 내다. **2** 〈의견·말 등을〉 토로하다; 〈지폐·어음 등을〉 발행하다(issue); 〈법령 등을〉 발포〔공포〕하다; 〈신호를 전파로〉 보내다.

e·mit·ter[imítər] *n.* **1** 방사체; (법령 등의) 발포자; (지폐 등의) 발행인. **2** 〔電子〕 이미터《트랜지스터의 전극의 하나》.

Em·ma[émə] *n.* 여자 이름(*cf.* EMMY).

Em·man·u·el[imǽnjuəl] *n.* 남자 이름.

Em·me·line[éməli:n] *n.* 여자 이름.

em·men·a·gogue[əménəgɑ̀g, əmí:n-/əménəgɔg] *n.* 〔藥〕 월경 촉진약, 통경제(通經劑).

Em·men·t(h)a·ler[éməntɑ̀:lər], **-t(h)al**[-tɑ̀:l] *n.* Ⓤ 에멘탈 (치즈)(Swiss cheese).

em·mer[émər] *n.* 에머밀《사료작물로 재배》.

em·met[émət] *n.* 《古·方》 개미(ant).

em·me·tro·pi·a[èmətróupiə] *n.* Ⓤ 〔眼科〕 정시안(正視眼)(*cf.* HYPEROPIA).

Em·my[1], **Em·mie**[émi] *n.* 여자 이름《Emily, Emilia, Emma의 애칭》.

Em·my[2] *n.* (*pl.* **-mies**) (때로 **E-**) 에미(상)《미국의 텔레비전 예술 과학 협회가 매년 텔레비전의 우수한 기획·작품·연기에 대해 수여하는 상〔트로피〕》.

Émmy Awárd 에미상(賞)《미국의 텔레비전 우수 프로·우수 연기자·기술자 등에게 매년 1회 수여되는 상》.

EmnE., EMnE. Early Modern English.

e·mol·lient[imɑ́ljənt/imɔ́l-] *a.* (피부 등을) 부드럽게 하는; (고통을) 완화하는. ― *n.* 〔藥〕 (피부) 연화약(軟化藥); 완화제.

e·mol·u·ment[imɑ́ljəmənt/imɔ́l-] *n.* (보통 *pl.*) 《文語》 (직책·지위 등에서 생기는) 소득, 이득(profits)(*of*); 보수, 수당, 봉급.

e·mote[imóut] [emotion의 역성(逆成)] *vi.* 《口》 **1** 과장된 거동을 하다, 연극하다. **2** 감정을 겉으로 나타내다.

⁑**e·mo·tion**[imóuʃən] [L] *n.* **1** Ⓤ (심신의 동요를 수반하는 정도의) 강렬한 감정, 감동, 감격. **2** Ⓤ,Ⓒ (종종 *pl.*) (희로애락의) 감정; (이성·의지에 대하여) 감정, 정서. ⊕ emóte *v.*; emótional *a.*

⁑**e·mo·tion·al**[imóuʃənəl] *a.* **1** 〈사람·성질 등이〉 감정적인, 감정에 움직이기 쉬운; 정에 무른, 감수성이 강한. **2** 〈음악·문학 등이〉 감정에 호소하는, 감동적인: an ~ actor 감정 표현이 능숙한 배우. **3** 감정의, 정서의. **~·ly** *ad.*

e·mo·tion·al·ism[imóuʃənəlìzəm] *n.* Ⓤ **1** 감정에 흐름, 정서 본위, 감격성. **2** 감정 표출(벽). **3** 〔藝術〕 주정(主情)주의.

e·mo·tion·al·ist[imóuʃənəlist] *n.* **1** 감정적인 사람, 감정가. **2** 정에 무른 사람, 감격성의 사람. **3** 감정에 호소하는 작가. **4** 주정주의자.

e·mò·tion·al·ís·tic *a.*

e·mo·tion·al·i·ty[imòuʃənǽləti] *n.* Ⓤ 감격성, 감동성; 정서성.

e·mo·tion·al·ize[imóuʃənəlàiz] *vt.* **1** 정서적으로 하다, 감정적으로 취급하다. **2** 감정에 강하게 호소하다, 몹시 감동시키다. ― *vi.* 감정적〔비이성적〕인 언동을 하다.

e·mo·tion·less[imóuʃənlis] *a.* 무표정한, 무감동의; 감정이 담기지 않은; 감정을 나타내지 않는.

e·mo·tive[imóutiv] *a.* **1** 감정의〔에 관한〕. **2** 〈어구 등이〉 감정을 나타내는, 감정 표출의. **3** 감정에 호소하는, 감동적인. **~·ly** *ad.*

e·mo·tiv·i·ty[ì:moutívəti] *n.* Ⓤ 감동성.

EMP electromagnetic pulse 전자(電磁) 펄스. **Emp.** Emperor; Empress.

em·pale[impéil] *vt.* =IMPALE.

em·pa·na·da[èmpənɑ́:də] [Sp=breaded] *n.* 〔料理〕 (중남미의) 스페인식 파이 요리《고기·생선·야채 등을 재료로 사용》.

em·pan·el[impǽnəl] *vt.* (~**ed**; ~·**ing**|~**led**; ~·**ling**) =IMPANEL.

em·paque·tage[*F.* ɑ̃pɑktɑ:ʒ] [F=packaging, package] *n.* 패키지 (예술) 작품《캔버스

등으로 물건을 싸고 묶어서 만들어 내는 개념 예술(conceptual art)의 한 수법).

em·path·ic[empǽθik] *a.* 감정 이입의[에 입각한]. **-i·cal·ly** *ad.*

em·pa·thize[émpəθàiz] *vt., vi.* 감정 이입(移入)하다, 마음으로부터 공감하다(*with*).

em·pa·thy[émpəθi] *n.* ⓤ 〔心〕 감정 이입(感情移入), 공감(*with*).

em·pen·nage[à:mpənά:ʒ, èm-] [F] *n.* 〔空〕 (비행기·비행선의) 미부(尾部), 미익(尾翼).

⁑**em·per·or**[émpərər] [L] *n.* (*fem.* **-press**[-pris]) **1** 황제, 제왕(*cf.* MAJESTY 3): the ~ system 황제 제도/~ worship (신으로서) 황제〔제왕〕 숭배(◇ the Emperor Nero(네로 황제)처럼 보통 정관사를 붙임). **2** 〔史〕 동〔서〕로마 황제. **~·shìp** *n.* ⓤ 제위(帝位), 황제의 통치권〔위력〕.

émperor mόth 〔昆〕 산누에나방.

émperor pénguin 〔鳥〕 엠퍼러〔황제〕 펭귄 (가장 큰 종류).

em·per·y[émpəri] *n.* (*pl.* **-per·ies**) (詩·文語) 황제의 영토〔통치권〕; 광대한 영토〔권력〕.

*__em·pha·sis__[émfəsis] [Gk] *n.* (*pl.* **-ses**[-sì:z]) Ⓤ,Ⓒ **1** (감정·표현 등의) 강도; (어떤 사실·사상·감정·주의 등에 부가하는) 중요성, 중점, 강조: speak *with* ~ 역설하다. **2** 〔言〕 강세, 어세(語勢)(accent)(*on*); 〔修〕 강세법(强勢法); 〔美〕 (윤곽·색채의) 강조. **lay 〔place, put〕 (great) emphasis on 〔upon〕** …에 (특히) 중점을 두다, …을 (크게) 강조〔역설〕하다. ◈ émphasize *v.*; emphátic *a.*

*__em·pha·size__[émfəsàiz] *vt.* **1** 〈사실 등을〉 강조하다, 역설하다: The author ~*s that* many of the figures quoted are merely〔just〕 estimates. 저자는 인용된 대부분의 숫자는 단지 어림잡은 것임을 강조하고 있다. **2** …에 강세를 두다. **3** 〔美〕 (윤곽·색채 등으로) …을 강조하다. ◈ émphasis *n.*

*__em·phat·ic__[imfǽtik, em-] *a.* **1** (표현상의) 힘이 있는, 어조(語調)가 강한, 단호한. **2** 강조된, 악센트가 있는. **3** 두드러진, 현저한.

em·phat·i·cal·ly *ad.* **1** 강조하여; 힘차게; 단호히. **2** 전혀, 단연코: It is ~ not true. 그것은 단연코 사실이 아니다.

em·phy·se·ma[èmfəsí:mə] *n.* 〔病理〕 기종(氣腫), (특히) 폐기종: pulmonary ~ 폐기종.

★**em·pire**[émpaiər] [L] *n.* **1** 제국(帝國); 제왕의 영토. **2** ⓤ 제왕의 주권, 황제의 통치; 절대 지배권(*over*). **3** (the E-) 대영제국; 〔史〕 (일반적으로) 신성 로마제국(=the Holy Roman E-); (나폴레옹 시대의 프랑스의) 제정 시대. **4** (거대 기업의) 왕국: an industrial ~ of steel 철강 산업 왕국. ── *a.* (**E-**) 〈가구·복장 등이〉 제1프랑스 제국 시대풍의. **the British Empire** 대영제국. **the Empire of the East〔West〕=the Eastern〔Western〕 Empire** 동〔서〕로마 제국.

émpire bùilder 1 (영토 확장을 꾀하는) 제국주의자. **2** 자기의 세력 확대에 주력하는 사람.

Émpire Cíty (the ~) New York City의 별명.

Émpire Dày 대영제국 국경일(Victoria 여왕 탄신일인 5월 24일; 1958년 이후로는 Commonwealth Day라고 공칭(公稱)함).

Émpire Státe (the ~) New York주의 속칭.

Émpire Státe Bùilding (the ~) 엠파이어 스테이트 빌딩(뉴욕시에 있는, 지상 102층의 고층 건물; 텔레비전 탑(67.7m)을 포함한 높이는 약 449m).

em·pir·ic[empírik, im-] *a.* =EMPIRICAL. ── *n.* **1** 경험에만 의존하는 사람. **2** 경험주의 과학자〔의사〕. **3** 돌팔이 의사(quack), 협잡꾼.

em·pir·i·cal[empírikəl] *a.* **1** 경험적인, 경험〔실험〕상의: an ~ formula 〔化〕 실험식. **2** 경험주의의 〈의사 등〉. **~·ly**[-kəli] *ad.* 경험적으로; 경험에 입각하여.

em·pir·i·cism[empírəsìzəm] *n.* ⓤ **1** 경험주의〔론〕(*cf.* RATIONALISM). **2** 경험적〔비과학적〕 치료법; 돌팔이 의사적인 치료.

em·pir·i·cist *n.* **1** 경험주의자; (철학상의) 경험론자. **2** =EMPIRIC. ── *a.* 경험주의의.

em·place[empléis] *vt.* 〈포상(砲床)을〉 설치하다.

em·place·ment[empléismənt] *n.* **1** ⓤ (포상(砲床) 등의) 설치, 정치(定置). **2** 설치 장소; 〔軍〕 포상.

em·plane[empléin] *vt.* 비행기에 태우다〔싣다〕. ── *vi.* 비행기에 타다(enplane)(*opp.* deplane).

*__em·ploy__[emplɔ́i] *vt.* **1** 〈사람을〉 쓰다, 고용하다; 〈동물을〉 부리다: (Ⅴ(목)+*as*+명) The boss ~*ed* him *as* a supervisor. 사장은 그를 감독자로 고용했다(=He was ~*ed as* a supervisor.(Ⅱ *be pp.*+*as*+명)). **2** (보통 수동형 또는 one*self*로) …에 종사하다, …에 헌신하다(occupy, devote): He ~*ed himself in* clipp*ing* the hedge(=He was ~*ed in* clipp*ing* the hedge.). 그는 산울타리의 가지치기를 하였다. **3** (文語) 〈물건·수단 등을〉 사용하다, 쓰다: (Ⅴ(목)+*as*+명) They ~ hurbs *as* medicine. 그들은 약초를 의약으로 쓴다(◇ use 쪽이 일반적임). **4** 〈공사(工事)가 …에게〉 일〔직업〕을 주다: The work will ~ 100 men. 이 일은 100명의 일이다. **5** (文語) 〈시간·정력 등을〉 소비하다(spend)(*in*): ~ one's spare time *in* read*ing* 여가를 독서에 충당하다.

── *n.* ⓤ (文語) 고용; 사용, 근무, 일: be in Government ~ 공무원이다. **be in** a person**'s employ =be in the employ of** a person …에게 고용되어 있다. **have** many persons **in one's employ** 많은 사람을 쓰고 있다. **in〔out of〕 employ** 취직〔실직〕하여. ◈ emplóyment *n.*

em·ploy·a·ble[emplɔ́iəbl] *a.* 〈사람이〉 고용하기에 적합한. ── *n.* 고용〔취직〕 적격자.

em·plòy·a·bíl·i·ty[implɔ̀iəbíləti] *n.*

em·ploy·é[emplɔ́ii:/ɔmplɔ́iei] [F] *n.* (*fem.* ~**e**[~]) =EMPLOYEE.

em·ployed[emplɔ́id] *a.* **1** 취직〔취업〕하고 있는: (Ⅱ 형+전+명) She is ~ *in* a bank. 그녀는 은행에 다니고 있다. **2** (the ~; 명사적으로; 복수 취급) 고용자들, 노동자(보통 한 나라·한 지역의 취업자 전체를 말함).

⁑**em·ploy·ee, -ploy·e**[implɔ́ii:, èmplɔií:/èmplɔií:] *n.* 피고용인, 고용살이하는 사람, 종업원(*opp.* employer).

⁑**em·ploy·er**[emplɔ́iər] *n.* 고용주; 사용자.

⁑**em·ploy·ment**[emplɔ́imənt] *n.* ⓤ **1** (노동자의) 사용, 고용; 사역. **2** (고용되어 급료를 받고 일하는) 직(職), 직업, 일(work, occupation). **3** (시간·노력(勞力)·사물 등의) 사용, 이용(*of*): the ~ *of* computers 컴퓨터의 사용. **4** Ⓒ (文語) (취미로서 하는) 일, 활동. **be (thrown) out of employment** 실직하고 있다. **in the employment of** …에(게) 고용되어. **public employment stabilization office** 공공 직업 안정소. **take** a person **into employment** …을 고용하다. **throw** a person **out of employment** …을 해고하다.

emplóyment àgency (민간의) 직업 소개소〔안내소〕.

emplóyment bùreau ((미)) 직업 안정소.

emplóyment exchànge〔**òffice**〕((영)) 공공(公共) 직업 안정소.

Emplóyment Sèrvice Ágency (the ~) ((영)) 직업 안정국, 고용 서비스청(廳); 직업 소개소.

em·poi·son[empɔ́izən] *vt.* ((古·文語)) **1** 독을 넣다, 독살하다. **2** 악독한 마음〔앙심〕을 품게 하다; 격앙〔격분〕시키다((*against*)). **3** 부패〔타락〕시키다. **~·ment** *n.*

em·pol·der[impóuldər/-pɔ́l-] *vt.* 간척하다, 매립하다.

em·po·ri·um[empɔ́:riəm] *n.* (*pl.* **~s, -ria**[-riə]) ((文語)) **1** (중앙) 시장(市場)(mart), 상업 중심지. **2** ((미)) 백화점, 큰 상점.

*__em·pow·er__[empáuər] *vt.* **1** (법률상) …에게 권리를〔권한을〕 부여하다, …할 권리를〔권한을〕 위임하다(authorize): ((Ⅴ (목)+*to* do)) I ~ you *to* sign the contract. 나는 너에게 그 계약(서)에 서명할 권한을 위임한다(=You are ~*ed to* sign the contract.((Ⅱ *be pp.*+*to* do))) / The President is ~*ed to* veto a bill which has passed through Congress. 대통령에게 의회를 통과한 법안을 거부할 권한이 부여되어 있다. **2** …할 능력〔자격〕을 주다, …할 수 있도록 하다(enable): 〈…하는 것을〉 …에게 허락〔허용〕하다(permit): ((Ⅴ (목)+*to* do)) Science ~*s* men *to* control natural forces. 과학은 인간에게 자연의 힘을 조절할 능력을 부여한다/ ((Ⅱ *be pp.*+*to* do)) We are not ~*ed to* do miracles. 우리는 기적을 행할 수 있는 능력을 부여받지 못하고 있다. **~·ment** *n.*

⁑**em·press**[émpris] *n.* **1** 황후; 여제(女帝), 여왕(*cf.* EMPEROR, MAJESTY). **2** 여왕 같은 존재; 절대적인 위력을 가진 여성.

Her Majesty〔**H.M.**〕 **the Empress** 황후〔여왕〕 폐하.

émpress dówager 황태후, 대비.

em·presse·ment[*F.* ɑ̃:présmɑ̃:][F] *n.* (환영 등의) 열의, 열성; 친절, 온정.

em·prise, -prize[empráiz] *n.* Ⓒ,Ⓤ ((古·詩)) 웅도(雄圖), 모험; Ⓤ 담대한 용기.

emp·ti·ly *ad.* 멍하게; 공허〔허무〕하게.

emp·ti·ness *n.* Ⓤ **1** 공(空), (속이) 빔. **2** (마음·사상·내용 등의) 텅 빔, 공허; 덧없음. **3** 무지, 무의미. **4** 빈 곳; 공복.

★**emp·ty**[émpti] [OE] *a.* (**-ti·er; -ti·est**) **1** 빈: an ~ house 빈 집/an ~ street 사람의 왕래가 없는 거리/an ~ purse 빈 지갑, 무일푼. **2** 없는, 결여(缺如)된(devoid)((*of*)): a room ~ *of* furniture 가구가 없는 방. **3** (마음·표정 등이) 허탈한, 공허한; 무의미한; (내용·가치 등이) 없는, 하찮은, 실없는: ~ promises 말뿐인 약속. **4** ((口)) 배고픈: feel ~ 시장기를 느끼다.

be on an empty stomach 배가 고프다. **empty cupboards** ((비유)) 음식물의 결핍. **empty stomachs** 굶주린 사람들. **pay** a person **in empty words** …에게 거짓 약속을 하다. **return**〔**come away**〕 **empty** 헛되이〔빈손으로〕 돌아오다. **send away** (a person) **empty** 빈손으로 돌려 보내다.

— *n.* (*pl.* **-ties**) **1** (보통 *pl.*) 빈 그릇〔상자, 광주리, 병, 통((등))〕. **2** 빈 집〔방〕. **3** 빈 차〔트럭, 마차〕. **running on empty** 활기〔특징, 창의력〕를 잃은.

— (**-tied**) *vt.* **1** 〈그릇 등을〉 비우다; 다 마셔버리다; 없어지게 하다: ~ a bucket 버킷을 비우다. **2** (~ it*self* 로) 〈강 등이〉 …에 흘러들다((*into*)): The Ohio *empties itself into* the Mississippi. 오하이오강은 미시시피강으로 흘러들어간다. **3** (다른 그릇에) 옮기다: ~ grain *from* a sack *into* a box 곡식을 자루에서 상자로 옮기다. — *vi.* **1** 비워지다. **2** (물 등을) 내보내다; (강 등이) 흘러 들다: The Ohio *empties into* the Mississippi. 오하이오강은 미시시피강으로 흘러들어간다.

émpty cálorie 단백질·비타민 등을 포함하지 않은 식품의 칼로리.

emp·ty-hand·ed[-hǽndid] *a.* 맨손인, 빈손의, 쥔 것 없는.

émpty-handed fáke 〔미蹴〕 쿼터백이 빈손으로 공을 던지는 시늉을 하는 것.

emp·ty-head·ed[-hédid] *a.* ((口)) 생각이 없는, 지각 없는, 무지한. **~·ness** *n.*

émpty néster ((口)) 자식이 없는 사람〔부부〕, 자식들과 따로 사는 외로운 부부.

émpty nést sỳndrome 〔精醫〕 성장한 자식들이 다 떠나버린 노년 부부에게 흔히 나타나는 증후군((정신적 불안정과 우울증을 수반하는 허탈감)).

émpty sèt 〔數〕 공집합(空集合)(null set).

em·pur·ple[empə́:rpl] *vt.* 자줏빛으로 하다; 자줏빛으로 물들이다. **-pled**[-pld] *a.* 자줏빛이 된.

em·py·e·ma[èmpaií:mə] *n.* (*pl.* **~s, ~·ta**[-tə]) 〔病理〕 축농(증), ((특히)) 농흉(膿胸).

em·py·re·al[empíriəl, èmpərí:əl, èmpairí:əl] *a.* 최고천(最高天)의; 정화(淨火)의; 하늘의.

em·py·re·an[èmpərí:ən, -pai-, empíriən] *n.* (the ~; 종종 E-) **1** (고대 우주론의 오천(五天) 중에서) 가장 높은 하늘, 최고천(最高天)((불과 빛의 세계로서 후에는 신과 천사들이 사는 곳으로 믿어진)). **2** 창공, 하늘(sky).
— *a.* 최고천의.

EMR educable mentally retarded 교육 가능한 저능아. **EMS** European Monetary System 〔金融〕 유럽 통화 제도; emergency medical service.

EMT emergency medical technician.

emu[í:mju:] *n.* (*pl.* **~s,** (집합적) ~) 에뮤((오스트레일리아산의 타조 비슷한 큰 새)).

EMU[í:èmjú:, í:mju] economic and monetary union (EC의) 경제 통화 동맹. **EMU** extravehicular mobility unit 우주선 밖 활동용 우주복. **e.m.u., E.M.U.** electromagnetic units.

em·u·late[émjəlèit] *vt.* **1** …와 경쟁하다, 우열을 다투다〔겨루다〕. **2** …을 열심히 흉내내다〔모방하다〕. **3** …에 필적하다. **4** 〔컴퓨터〕 (다른 프로그램을) 에뮬레이트하다, 모방하다.

em·u·la·tion[èmjəléiʃən] *n.* Ⓤ **1** 경쟁, 겨룸, 대항: a spirit of ~ 경쟁심. **2** 〔컴퓨터〕 에뮬레이션((다른 컴퓨터의 기계어 명령대로 실행할 수 있는 기능)).

em·u·la·tive[émjəlèitiv/-lətiv] *a.* 경쟁의, 지지 않으려는. **~·ly** *ad.*

em·u·la·tor[émjəlèitər] *n.* **1** 경쟁자; 모방자. **2** 〔컴퓨터〕 에뮬레이터((emulation을 하는 장치·프로그램)).

e·mul·gent[imʌ́ldʒənt] *a.* 착출성(搾出性)의; 신(腎)혈관의, 신장 정맥의. — *n.* 〔解〕 신혈관, 신장 정맥; 이뇨제(利尿劑).

em·u·lous[émjələs] *a.* **1** 경쟁적인, 경쟁심이 강한. **2** 지지 않으려는; 열심히 본뜨려는〔모방하려는〕. **be emulous of** …에 지지 않으려고 힘쓰다; …을 본뜨다; 열망하다.
~·ly *ad.*

e·mul·si·fi·ca·tion[-fikéiʃən] *n.* Ⓤ 유상화(乳狀化), 유제(乳劑)화, 유화(乳化)(작용).

e·mul·si·fy[imʌ́lsəfài] *vt.* (**-fied**) 유상〔유제〕

으로 만들다: *emulsified* oil 유화유(乳化油). **-fi·er** *n.* 유화(乳化)하는 사람〔것〕, 유화제, 유화기(機).

e·mul·sion[imʌ́lʃən] *n.* Ⓤ,Ⓒ **1** 〔化〕 유제(乳劑); 유상액(乳狀液). **2** 〔寫〕 감광(感光)유제. **3** 에멀션 페인트(=∠ **pàint**)《마르면 윤이 없어지는》.

emúlsion chàmber 〔原子物理〕 원자핵 건판을 연판(鉛板) 사이에 끼워 조립한 하전입자(荷電粒子) 비적(飛跡) 측정기.

e·mul·sive[imʌ́lsiv] *a.* 유제성의; 유상화성(性)이 있는, 유제화할 수 있는.

e·munc·to·ry[imʌ́ŋktəri] *n.* (*pl.* **-ries**) 〔生理〕 배출기(관)《피부·신장·폐 등》. — *a.* 배출의; 배출기(관)의.

en[en] *n.* **1** N자. **2** 〔印〕 반각(半角)《전각(全角)(em)의 2분의 1》.

en[ã] [F] *prep.* …에 (있어서), 으로, 으로서 (in, at, to, into, like).

EN Enrolled Nurse.

en-[in, en], **em-**[im, em] *pref.* 동사를 만듦. **1** (명사 앞에 붙여서) 「…의 안에 넣다」의 뜻: *en*case, *en*shrine. **2** (명사·형용사 앞에 붙여서) …으로 만들다, …이 되게 하다(make)」의 뜻: *en*dear, *en*slave, *em*bitter《이 경우에 다시 접미사 -en이 붙는 경우가 있음: *em*bold*en*, *en*light*en*》. **3** (동사 앞에 붙여서) 「…의 속〔안〕에(in, into, within)」의 뜻: *en*fold, *en*shroud(◇ en-과 in-은 서로 바꿀 수 있는 경우가 있지만 대체로 《영》에서는 en-, 《미》에서는 in-을 쓰는 경우가 많음).

-en[1], **n**[1][-ən] *suf.* (불규칙동사의 과거 분사 어미): spok*en*, swor*n*.

-en[2], **n**[2] *suf.* (물질 명사에 붙여서) 「질(質)〔성(性)〕의, …으로 된, …제(製)의」의 뜻: ash*en*, gold*en*, wheat*en*.

-en[3] *suf.* **1** (형용사에 붙여서) 「…으로 하다〔되다〕」의 뜻: dark*en*, sharp*en*. **2** (명사에 붙여서) 「… 하다〔되다〕」의 뜻: height*en*, length*en*(*cf.* en-).

-en[4] *suf.* (지소(指小)명사 어미): chick*en*, kitt*en*.

*__en·a·ble__[enéibəl] *vt.* **1** 〈사물이 사람에게〉 …할 수 있게 하다, (…하는) 힘〔권능, 권리, 자격, 수단, 기회〕을 부여하다, 가능하게 하다: (Ⅴ (목)+*to* do) Aeronautics ~*s* us *to* overcome great distances. 항공술 덕택에 우리는 먼 거리를 극복할 수가 있다. **2** …을 허락〔허용, 허가〕하다.

en·a·bling[enéibliŋ] *a.* 〈법률이〉 (특별한) 권능을 부여하는; 합법화하는.

enábling áct〔**státute**〕 〔法〕 권능 부여법, 수권법(受權法).

*__en·act__[enǽkt] *vt.* **1** 〈법률을〉 제정하다, 규정하다; 〈법률이 …이라고〉 규정하다. **2** 〈연극이나 어떤 장면을〉 상연하다(act); 〈…의 역을〉 연기하다(play). **as by law enacted** 법률이 규정하는 바와 같이. **be enacted** 《비유》 일어나다. **Be it further enacted that ...** 다음과 같이 법률로 정함. **en·ác·tor** *n.* ◈ enáctive *a.*; enáctment *n.*

en·áct·ing cláuse 〔法〕 제정 조항《법률안 또는 제정법의 서두(序頭) 문구》(*cf.* DECLARATORY).

en·ac·tion[enǽkʃən] *n.* =ENACTMENT.

en·ac·tive[enǽktiv] *a.* 법률 제정의; 제정권〔입법권〕을 가지는. ◇ INACTIVE와는 동음 이의어.

en·act·ment[enǽktmənt] *n.* 《文語》 **1** Ⓤ (법의) 제정. **2** 법령, 법규.

*__en·am·el__[inǽməl] *n.* Ⓤ,Ⓒ **1** 에나멜, 법랑(琺瑯), 파란, 유약. **2** 에나멜 도료, 광택제. **3** Ⓤ (치아 등의) 법랑질. **4** 에나멜을 입힌 그릇, 법랑 세공품. — *vt.* (**~ed**; **~·ing**|**~led**; **~·ling**) **1** …에 에나멜을 입히다〔칠하다〕, 법랑을 입히다. **2** 〈무늬 등을〉 에나멜로 그리다; 《詩》 오색으로 화려하게 채색하다.

en·am·eled *a.* 에나멜(도료)를 입힌, 법랑을 칠한: ~ leather 에나멜 가죽.

en·am·el·ware[inǽməlwὲər] *n.* Ⓤ (집합적) 법랑 철기, 양재기; 법랑 그릇.

en·a·mine[énəmìːn, enǽmiːn] *n.* 〔化〕 에나민《이중 결합 탄소를 가진 아민》.

en·am·or|**-our**[inǽmər] *vt.* (보통 수동형으로) 반하게 하다; 매혹하다; 애호하다《*of, with*》: She is ~*ed of* her son. 그녀는 아들에게 마음을 빼앗기고 있다/He is ~*ed with* foreign films. 그는 외국 영화에 매혹되어 있다. **be**〔**become**〕 **enamored of** …에 반하고 있다〔반하다〕.

en·am·ored|**-oured**[-d] *a.* 매혹된, 홀딱 반한, 사랑에 빠진.

en·an·ti·o·morph[inǽntioumɔ̀ːrf] *n.* **1** 〔結晶〕 좌우상(左右像)《좌우 대칭의 결정》. **2** 〔化·結晶〕 거울상 (이성질)체, 대장체(對掌體).

en·ar·chist, en·arch *n.* (프랑스의) 국립 행정 학원(ENA) 출신의 고급 공무원.

en·ar·thro·sis[ìnɑːrθróusis] *n.* (*pl.* **-ses**[-siːz]) 〔解〕 구와관절(球窩關節).

en at·ten·dant[*F.*ãnatãdã] [F] *ad.* 기다리고 있는 사이에, 기다리면서; 그 사이에.

en bloc[*F.*ãblɔk] [F] *ad.* 일괄하여, 총괄적으로: resign ~ 총사직하다.

en·cae·ni·a[ensíːnjə, -niə] *n. pl.* (단수·복수 취급) **1** (도시·교회 등의) 창립 기념제. **2** (**E-**) (Oxford 대학교 등의) 창립 기념제.

en·cage[enkéidʒ] *vt.* 새장〔우리〕에 넣다; 가두다.

*__en·camp__[enkǽmp] *vi., vt.* 〔軍〕 진을 치다; 야영하다〔시키다〕, 주둔시키다.

en·camp·ment[enkǽmpmənt] *n.* **1** Ⓤ 야영(함). **2** 야영지, 진지; (집합적) 야영자.

en·cap·si·date[enkǽpsədèit, -sju-] *vt.* 〔生化〕 (세포내에서) 〈바이러스 입자를〉 단백질막으로 싸다. **en·càp·si·dá·tion**[-ʃən] *n.*

en·cap·su·late, -sule[inkǽpsjəlèit], [-səl/-sjuːl] *vt.* **1** 캡슐에 넣다〔싸다〕. **2** 〈사실·정보 등을〉 요약하다. — *vi.* 캡슐에 들어가다〔싸이다〕. **en·càp·su·lá·tion**[-ʃən] *n.*

en·case[enkéis] *vt.* 〈상자 등에〉 …을 넣다; …을 싸다. **~·ment** *n.* Ⓤ 상자에 넣음; Ⓒ 상자, 용기.

en·cash[enkǽʃ] *vt.* 《영》 〈증권·어음 등을〉 현금으로 바꾸다, 현금으로 받다(cash). **~·ment** *n.*

en·caus·tic[inkɔ́ːstik] *a.* 불에 달구어 착색한; 납화(蠟畫)의: ~ painting 불에 달구어 그린 그림; 납화(법)/~ brick〔tile〕 채색 벽돌〔기와, 색〔무늬〕 타일〕. — *n.* Ⓤ 납화법; Ⓒ 납화.

-ence[əns] *suf.* -ent를 어미로 하는 형용사에 대한 명사 어미: sil*ence*, prud*ence*, abs*ence*.

en·ceinte[1] [enséint, ɑːnsǽnt] [F] *a.* 《古》 임신하고 있는(pregnant).

enceinte[2] [F] *n.* (*pl.* **~s**[-s]) 울, 담(enclosure); 〔築城〕 본곽(本郭), 성곽; 성내 위곽(圍郭)안.

en·ceph·al-[inséfəl], **en·ceph·a·lo-**[-lou] 《연결형》 「뇌」의 뜻《모음 앞에서는 encephal-》.

en·ceph·a·lal·gi·a[insèfəlǽldʒiə] *n.* Ⓤ

〔醫〕 두통.
en·ce·phal·ic[ènsəfǽlik] *a.* 뇌수(腦髓)의〔에 관계가 있는〕.
en·ceph·a·lit·ic[insèfəlítik] *a.* 뇌염의.
en·ceph·a·li·tis[insèfəláitis] *n.* Ⓤ 〔病理〕 뇌염: Japanese ~ 일본 뇌염.
encephalítis le·thár·gi·ca[-ləθá:rdʒəkə, -le-] 〔病理〕 기면성(嗜眠性) 뇌염.
en·ceph·a·li·to·gen[insèfəláitədʒen, en-] *n.* 〔醫〕 뇌염 유발 물질.
en·ceph·a·li·za·tion[insèfəlizéiʃən, en-] *n.* Ⓤ 〔生〕 대뇌화(大腦化)《피질 중추로부터 피질에의 기능의 이동》.
encephalizátion quòtient 〔生〕 대뇌화 지수(指數)《체중과 뇌중량과의 관계 지수》.
en·ceph·a·lo-[inséfəlou] 《연결형》=EN-CEPHAL-.
en·ceph·a·lo·gram, -graph[inséfəlougræ̀m, en-], [-græ̀f, -grà:f] *n.* 〔醫〕 뇌수 엑스레이 사진.
en·ceph·a·log·ra·phy[insèfəlágrəfi, en-/-lɔ́g-] *n.* 〔醫〕 뇌 엑스레이 촬영법.
en·ceph·a·lo·my·e·li·tis[-màiəláitis] *n.* Ⓤ 〔病理·獸醫〕 뇌척수염.
en·ceph·a·lo·my·o·car·di·tis[-màiəka:rdáitis] *n.* Ⓤ 〔醫〕 뇌척수 심근염(心筋炎).
en·ceph·a·lon[inséfəlàn, en-/-kéfəlɔ̀n, -séf-] *n.* (*pl.* **-la**[-lə]) 〔解〕 뇌수(brain).
en·ceph·a·lop·a·thy[insèfəlápəθi, en-] *n.* 〔精醫〕 뇌병, 뇌질환.
en·chain[entʃéin] *vt.* 사슬로 매다; 〈주의·흥미를〉 끌다: ~*ed* by superstition 미신에 얽매이다. **~·ment** *n.*
en·chaîne·ment[à:nʃeinmá:ŋ] [F] *n.* (*pl.* **~s**[-z]) 〔발레〕 앙셴망《pas와 pause의 결합》.
‡**en·chant**[entʃǽnt, -tʃá:nt] [L] *vt.* 요술을 걸다; 호리다, 황홀하게 하다, 매혹하다. **be enchant ed with**〔**by**〕 …로 황홀해지다, 에 매혹되다. **~·ed**[-id] *a.* 요술에 걸린.
en·chant·er[entʃǽntər, -tʃá:nt-] *n.* **1** 매력 있는 사람, 매혹하는 사람. **2** 마법사, 요술쟁이.
***en·chant·ing**[entʃǽntiŋ, -tʃá:nt-] *a.* 매혹적인, 황홀하게 하는. **~·ly** *ad.*
***en·chant·ment**[entʃǽntmənt, -tʃá:nt-] *n.* **1** Ⓤ 매혹, 매력. **2** Ⓤ 마법(을 걸기), 마술, 요술. **3** Ⓤ 마법에 걸린 상태, 황홀. **4** 매혹하는 것, 황홀하게 하는 것. ◇ enchánt *v.*
en·chant·ress[entʃǽntris, -tʃá:nt-] *n.* 여자 요술쟁이, 마녀(魔女); 매혹적인 여자. ◇ ENCHANTER의 여성형.
en·chase[intʃéis, en-] *vt.* **1** …에 부각〔조각〕하다, 새기다. **2** 아로새기다, 박아 넣다, 새겨 넣다《*in*》.
en·chi·la·da[èntʃəlá:də] *n.* 옥수수 가루에 고추로 양념한 멕시코 파이.
en·chi·rid·i·on[ènkairídiən, -ki-] *n.* (*pl.* **~s, -ia**[-rídiə]) 편람, 교본, 안내서.
en·ci·na[insí:nə, en-] *n.* 〔植〕 (미국 남서부 산의) 떡갈나무의 일종.
en·ci·pher[insáifər, en-] *vt.* 암호로 바꾸다 (*opp.* decipher).
***en·cir·cle**[ensə́:rkl] *vt.* **1** 에워〔둘러〕싸다. **2** 일주하다. **be encircled by**〔**with**〕 …으로 둘러싸여 있다. **~·ment** *n.* Ⓤ 에워쌈, 포위; Ⓒ 일주.
enc(l). enclosed; enclosure.
en clair[*F.* ɑ̃klɛ:r][F] *ad.* (암호가 아닌) 보통 말로.
en·clasp[enklǽsp, -klá:sp] *vt.* 움켜쥐다, 잡다; 껴안다.
en·clave[énkleiv] [F] *n.* **1** 어떤 나라 땅으로 둘러싸인 타국의 영토(*cf.* EXCLAVE). **2** (대도시 등) 소수의 이문화(異文化) 집단의 거주지. **3** 〔生態〕 (대군락 가운데) 고립된 조그만 식물 군락.
en·clit·ic[inklítik, en-] 〔文法〕 *a.* 전접(적)(前接(的))인《자체에는 악센트가 없고 바로 앞의 말의 일부처럼 발음됨》(*opp.* proclitic). — *n.* 전접어《보기: I'll의 *'ll*, He's의 's 등》. **-i·cal·ly**[-ikəli] *ad.*
‡**en·close**[enklóuz] *vt.* **1** 에워싸다, 〈담·벽 등으로〉 둘러싸다(surround): ~ a garden *with* a fence 뜰에 담을 둘러치다/The castle was ~*d by* tall mountains. 그 성은 높은 산들로 둘러싸여 있었다. **2** 동봉하다: *E-d* please find a check *for* 100 dollars. 100 달러 수표를 동봉하였으니 받아 주시기 바랍니다/~ a check *with* a letter 편지에 수표를 동봉하다. **3** (상자 등에) 넣다, 싸다: ~ a jewel *in* a casket 보석을 작은 상자에 넣다. **4** 〈소농지·공유지 등을〉 (사유지로 하기 위해) 둘러막다. ◇ enclósure *n.*
***en·clo·sure**[enklóuʒər] *n.* **1** Ⓤ (담·울타리로) 둘러쌈; 엔클로저《공유지를 사유지로 하기 위해》. **2** Ⓤ 울로 둘러싼 땅, 구내(構內); Ⓒ 울, 담. **3** 동봉(한 것), 동봉물.
Enclósure Àcts 《영》 공유지의 사유지화 법령《공유지를 사유지로 울막는 데 관한 법령》.
en·clothe[enklóuð] *vt.* =CLOTHE.
en·cloud[enkláud] *vt.* 구름으로 싸다〔덮다〕.
en·code[enkóud] *vt., vi.* 〈보통 문장을〉 암호로 바꿔 쓰다; 기호화하다(*opp.* decode).
en·cod·er[enkóudər] *n.* 암호기; 〔컴퓨터〕 부호기.
en·co·mi·ast[enkóumiæ̀st] *n.* 찬양하는 사람(eulogist), 찬미자; 아첨〔아부〕자.
en·co·mi·as·tic *a.* **1** 찬미의, 칭찬의. **2** 아부하는; 추종적인.
en·co·mi·um[enkóumiəm] *n.* (*pl.* **~s, -mia**[-miə]) 《文語》 칭찬하는 말, 찬사《*of, on*》.
en·com·pass[inkʌ́mpəs] *vt.* 《文語》 **1** 둘러〔에워〕싸다, 포위하다. **2** 포함하다, 싸다. **3** 〈나쁜 결과를〉 초래하다. **~·ment** *n.*
en·core[áŋkɔ:r, ɑnkɔ́:r/ɔŋkɔ́:r][F] *int.* (재연(再演)을 요구하며) 재청이요! ◇ 프랑스에서는 이 말을 쓰지 않고 Bis!라고 함. — *n.* **1** 앙코르(Encore!)의 소리, 재연의 요청, 재청. **2** (앙코르에 응한) 연주. — *vt.* (앙코르를 외치며) 재연(주)를 요청하다: ~ the singer 가수에게 앙코르를 요청하다.
‡**en·coun·ter**[enkáuntər] [F] *vt.* **1** (우연히) 만나다, 마주치다. **2** 〈위험·곤란 등에〉 부닥치다(meet with). **3** 〈적과〉 교전하다, 충돌하다. **4** 〈토론 등에서 상대편에게〉 대항하다. — *vi.* 만나다, 교전하다《*with*》: ~ *with* danger 위험에 부닥치다. — *n.* **1** 마주침《*with*》. **2** 교전, 충돌《*with*》; 《미俗》 시합.
encóunter gròup 〔精醫〕 집단 감수성 훈련 그룹.
encóunter gròuper〔**gròupie**〕 인카운터 그룹 참가자.
***en·cour·age**[enkə́:ridʒ, -kʌ́r-] *vt.* **1** 〈…의〉 용기를〔기운을〕 북돋우다, 고무하다; 격려하다; 권하다: 《Ⅴ (목)+*to* do》 She ~*d* him to work harder. 그녀는 그가 더 열심히 공부하도록〔일하도록〕 격려했다/《Ⅲ (목)+전+명》 I have ~*d* him in his plan. 나는 그의 계획을 격려해 주었다/《Ⅲ *pos.*+*-ing*》 I ~*d* his going to Oxford. 나는 그가 옥스퍼드에 가는 것을 권했다/《Ⅲ (목)+부》 Your success ~*d* me very much.

너의 성공은 나를 크게 고무시켰다(=I was ~*d* at your success very much.《Ⅰ *be pp.*+전+명+부》)/《Ⅰ *be pp.*+전+명》She was ~*d* at her success. 그녀는 성공으로 용기를 얻었다/《Ⅲ (목)+전+-*ing*》She ~*d* him in doing his hardest. 그녀는 그를 격려하여 힘껏 하게 했다. **2** 장려하다: 〈발달 등을〉 촉진하다, 조장〔조성〕하다: ~ agriculture 농업을 장려하다/《Ⅲ (목)+전+명》She ~*d* him in his idleness. 그녀가 그의 게으름을 조장했다. ⊕ cóurage *n.*

*__en·cour·age·ment__[-mənt] *n.* Ⓤ **1** 격려, 장려: grants for ~ of research 연구 장려금/He gave us great ~ *to* carry out the plan. 그는 우리가 그 계획을 수행하도록 크게 격려해 주었다. **2** 장려〔격려〕가 되는 것, 격려하여 주는 것, 자극.

en·cour·ag·ing[enkə́:ridʒiŋ, -kʌ́r-] *a.* 격려〔장려〕의, 힘을 북돋아 주는, 유망한. **~·ly** *ad.* 격려하여: 격려하듯이.

en·crim·son[enkrímzn] *vt.* 새빨갛게 물들이다.

en·cri·nite[énkrənàit] *n.* 〔動〕 갯나리: 갯나리의 화석.

en·croach[enkróutʃ] *vi.* **1** (남의 나라·땅 등을) 잠식(蠶食)하다, 침략하다, 침입하다《*on, upon*》:《Ⅲ *v*Ⅰ+전+(목)》~ *upon* another's land 남의 토지에 침입하다. **2** (남의 권리 등을) 침해하다, (남의 시간을) 빼앗다《*on, upon*》:《Ⅲ *v*Ⅰ+전+(목)》~ *on* another's rights 남의 권리를 침해하다/~ *upon* a person's leisure …의 한가한 시간을 빼앗다/Am I not ~*ing upon* precious time too much? 귀중한 시간을 너무 많이 빼앗고 있지나 않는지요. **3** 〈바다물이〉(…을) 침식하다:《Ⅲ *v*Ⅰ+전+(목)+전+명》The sea has been ~*ing on* the land for years. 바닷물이 육지를 여러 해 동안 침식해 오고 있다.

en·croach·er *n.* 침입〔침해〕자.

en·croach·ment *n.* **1** Ⓤ,Ⓒ 잠식, 침략: 침해. **2** 침식지: 침략지.

en·crust[enkrʌ́st] *vt., vi.* 외피(外皮)로 덮다〔를 형성하다〕: 아로새기다.

en·crus·ta·tion[ènkrʌstéiʃən] *n.* =INCRUSTATION.

en·crypt[enkrípt] *vt., vi.* =ENCODE.

en·cryp·tion[-ʃən] *n.*

en·cryp·tion àlgorithm 〔컴퓨터〕 암호화 알고리듬《정보 해독 불능을 위해 수학적으로 기술된 법칙의 모음》.

en·cul·tu·ra·tion[enkʌ̀ltʃəréiʃən] *n.* Ⓤ 〔社〕 문화화(文化化), 문화 적응.

*__en·cum·ber__[enkʌ́mbər] *vt.* **1** 방해하다, 폐끼치다, 거추장스럽게 하다: Heavy armor ~*ed* him in the water. 물 속에서는 중장비가 그에게 방해가 되었다. **2** 〈방해물로 장소를〉 막다: a passage ~*ed with* furniture 가구로 막힌 통로. **3** 〈채무 등이 사람·토지에〉 지우다: ~ an estate *with* mortgages 토지를 저당잡히다/be ~*ed with* debt 빚을 지고 있다. **encumber ed estate** 저당잡힌 부동산. ⊕ encúmbrance *n.*

en·cum·brance[inkʌ́mbrəns, en-] *n.* **1** 방해물, 폐가 되는 것, 거추장스러운 것. **2** 〔法〕 부동산상의 부담〔채무〕《저당권 등》. **3** 계루(係累), 짐이 되는 것. **be without encumbrance** 계루〔자식〕가 없다. **freed from all cumbrances** 전연 저당잡혀 있지 않은. ⊕ encúmber *v.*

en·cum·branc·er *n.* 〔法〕 (저당권자 등) 타인의 재산에 대한 부담을 가진자.

-en·cy[ənsi] *suf.* 〔성질·상태를 나타내는 명사 어미〕: consist*ency,* depend*ency.*

ency(c). encyclopedia.

en·cyc·li·cal, -lic[ensíklikəl, -sáik-], [-lik] *n.* 회칙(回勅)《특히 로마 교황이 전 성직자에게 보내는》. — *a.* 회람의, 회송(回送)의.

*__en·cy·clo·p(a)e·di·a__[ensàikloupí:diə] [L「전반적인 교육」의 뜻에서] *n.* **1** 백과 사전: 전문 사전. **2** (the E-) 〔프랑스史〕 백과 전서.

en·cy·clo·p(a)e·dic, -di·cal[-pí:dik], [-əl] *a.* **1** 백과 사전적인. **2** 〈사람·지식이〉 해박한, 박학의.

en·cy·clo·p(a)e·dist[-dist] *n.* 백과 사전 편집자.

en·cyst[ensíst] *vt.* 〔生〕 포낭(包囊)(cyst)에 싸다. **~·ment** *n.* Ⓤ 〔生〕 포낭 형성.

en·cys·ta·tion[-ʃən] *n.* 〔生〕 포낭(包囊) 형성.

★**end**[end] [OE] *n.* **1** 끝: (이야기 등의) 마지막, 결말, 끝장: the ~ of the year〔month〕 연 말〔월 말〕/And there is the ~ (of the matter). 이것으로 끝이다. **2** 종지(終止): 멸망(destruction): 최후, 죽음(death): 죽음〔파멸, 멸망〕의 원인. **3** 끄트머리, 가, 말단: (거리 등의) 끝나는 곳: (방 등의) 막다른 곳: (막대기의) 첨단(尖端): (편지·책 등의) 결미(結尾): the ~ of a stick 막대기의 끄트머리. **4** (세계의) 극지(極地). **5** (최후의) 한계, 한(限)(limit): at the ~ of one's stores〔endurance〕 재고가〔인내력이〕 다하여/There is no ~ *to* it. 한이 없다. **6** 결말, 결과(result). **7** 목적(aim), 존재 이유: a means to an ~ 목적달성을 위한 한 수단/gain〔attain〕 one's ~(s) 목적을 달성하다. **8** (*pl.*) 끄트러기, 나부랑이. **9** 〔미蹴〕 전위선 양끝의 선수. **10** 《미》 부분, 방면: (사업 등의) 부문, 면. **11** 《미口》 (포획한 물건 등의) 몫(share). **12** 〔洋弓〕 과녁이 있는 곳: 1회의 화살 수. **all ends up** 완전히, 철저히. **at a loose end** 《口》 (일정한 직업 없이) 빈들빈들하며, 하는 일 없이. **at an end** 다하여, 끝나서. **at loose ends** 미결 상태에: 혼란하여. **at one's wit's〔wits'〕 end** 난처하여, 어찌할 바를 모르고. **at the end** 마침내(at last). **begin at the wrong end** 처음부터 (일을) 잘못 시작하다. **bring to an end** 끝내다, 마치다. **come to an end** 끝나다: come to a happy ~ 결과가 좋게 되다, 잘되어 끝나다, 다행한 결말을 짓다. **end for end** 양끝을 거꾸로, 반대로. **end of the road** 생존 등이 불가능해진 상황〔국면〕. **end on** 끝을 앞으로 향하게 하여: 〔海〕 정면으로. **end to end** 끝과 끝을 (세로로) 이어서. **end up** 한 끝을 위로 하여. **from end to end** 끝에서 끝까지. **get hold of the wrong end of the stick** 오해하다. **get one's end away** 《영俗》 성교하다. **go (in) off the deep end** (풀(pool)의 깊은 쪽으로부터 들어간다는 뜻에서) 위험을 무릅쓰다: 자제(自制)를 잃다. **have an end in view** 계획을 품고 있다. **have the right end of the stick** 《口》 유리한 입장에 서다. **in the end** 마침내, 결국. **keep one's end up** 자기가 맡은 일을 훌륭히 해내다. **make an end of** =put an END to. **make ends meet** 《주로 미》 =**make both〔two〕 ends meet** 수입과 지출의 균형을 맞추다, 양입계출(量入計出)하다, 수입에 알맞은 생활을 하다. **meet one's end** 죽다. **near one's end** 죽을 때가 가까와. **no end** 《口》 몹시: I'm *no end* glad. 나는 몹시 기쁘다. **no end** of〔to〕《口》(1) 한없는, 매우 많은. (2) 대단한, 훌륭한. **on end** (1) 곤두서서(upright): make one's hair stand *on end* (공포 등으로) 머리카락을 쭈뼛이 서게 하다. (2) 계속하여: It rained for four days *on end.* 3일 계속하여 비가 왔다. **put an end to** …을 끝내다, 그만두다(stop). **right〔straight〕 on end** 잇달아; 즉시(at once). **rope's end** 〔海〕 밧줄 채찍. **The end justifies the means.** 《속담》 목적은 수단을 정당화한다. **There's the end of it.** 이것〔그것〕으로 끝. **to no end** 헛되이: I labored *to no end.* 헛수고를 했다. **to the (bitter〔very〕) end** = 《口》 **to the end of chapter** 끝까지, 최후까지. **to the end of the earth** 땅 끝까지, 도처를 〈뒤지다 등〉. **to the end of time** 언제까지나. **to the end that** … …하기 위하여(in order that …). **to this〔that, what〕 end** 이〔그, 무엇〕 때문에. **turn end for end** 뒤집어〔거꾸로〕 놓다. **without end** 끝없는(*endless*); 끝없이(forever).

— *vi.* **1** 끝나다, 마치다; 결말이 나다: 《Ⅰ 부》 The footprints ~*ed* there. 발자국은 거기에서 끊겼다/《Ⅰ 부+(주)+*v* Ⅰ》 Here our journey ~*s.* 여기가 우리의 목적지다/《Ⅰ 전+명》 World war Ⅱ ~*ed* in 1945. 제 2차 세계 대전은 1945년에 끝났다/The day ~*ed* with a storm. 그 날은 폭풍우로 저물었다. **2** 끝이 …이다〔…으로 되다〕; (결과로서)…으로 끝나다, 결국 …이 되다, (…의) 결과가 되다(*in*): 《Ⅱ 전+명》 The cat's tail ~*s* in white. 그 고양이 꼬리의 끝은 흰색이다/《Ⅰ 전+명》 The match ~*ed* in a victory for our opponents. 그 시합은 우리 상대편의 승리로 끝났다/《Ⅰ 전+명+-*ing*》 The quarrel ~*ed* in a doctor being sent for. 그 싸움은 의사를 불러옴으로써 끝났다/《Ⅰ 전+명》 Even the beautiful women ~, as crones. 어떠한 미녀라도 결국은 쪼그랑할머니가 된다. **3** 이야기를 끝맺다, 끝으로 말하다. **4** 《稀》 죽다. — *vt.* **1** 끝내다, 마치다, 결말을 내다(conclude)(*cf.* finish). **2** 죽이다(kill), …의 사인(死因)이 되다; 파멸시키다. **3** …의 끝을 형성하다, 끝에 있다. **4** 능가하다. **end by doing** …하는 것으로 끝나다: I ~, *as* I began, *by* thank*ing* you. 다시 한 번 여러분에게 감사드리며 이만 그치겠습니다. **end in** …로 끝나다, 결국 …이 되다, …에 귀결되다. **end in smoke** 〈계획 등이〉 수포로 돌아가다. **end it (all)** 《口》 자살하다. **end off** 〈연설·책 등을〉 끝맺다, 결론짓다(conclude); 끝나다. **end or mend** 폐지하든가 또는 개량하다. **end up** 끝나다; 《口》 마침내는 …으로 되다(*in, on*). **end with** …으로 끝나다.

END European Nuclear Disarmament.

end-[end], **en·do-**[éndou, -də] 《연결형》 「내부; 흡수」의 뜻《모음 앞에서는 end-》.

end-all[ˊ-ɔ̀:l] *n.* 대단원(大團圓), 종국(終局). **be-all and end-all** 모든 것인 동시에 최종적인 것: To him money is *be-all and end-all.* 그는 돈밖에 모른다.

en·dam·age[endǽmidʒ] *vt.* =DAMAGE. **~·ment** *n.*

end·a·m(o)e·ba[èndəmí:bə] *n.* (*pl.* **-bae**[-bi:], **~s**) 엔드아메바《아메바 적리의 병원균》.

*__en·dan·ger__[endéindʒər] *vt.* 위험에 빠뜨리다, 위태롭게 하다. **~·ment** *n.*

en·dan·gered[-d] *a.* 〈동식물이〉 멸종될 지경에 이른.

endángered spécies 멸종 위기에 처한 동식물의 종.

end·arch *a.* 〔生〕 내원형(內原型)의.

énd aròund 〔미蹴〕 엔드 어라운드《볼을 받은 공격팀의 end가 라인 반대측으로 우회하여 전진하는 트릭 플레이》.

end·ar·ter·ec·to·my[endɑ̀:rtəréktəmi] *n.* (*pl.* **-mies**) 〔外科〕 동맥 내막(內膜) 절제(술).

én dàsh 〔印〕 N자 크기의 대시 부호.

end-blown[éndblòun] *a.* 〈관악기 등〉 입을 대고 부는 주둥이가 달려 세로로 부는.

end·brain[éndbrein] *n.* 종뇌(終腦), 전뇌(前腦)의 전반부.

énd consùmer 최종 소비자(end user).

*__en·dear__[endíər] *vt.* 사랑〔귀염〕받게 하다, 사모하게 하다(*to*): His kindness of heart ~*ed* him *to* all. 그는 다정하여서 모든 사람에게 사랑을 받았다. **endear oneself to** a person …에게서 귀염을 받다, 사랑받다. ◇ dear *a.*

en·dear·ing[endíəriŋ] *a.* 사람의 마음을 끄는, 사랑스러운(attractive); 애정을 나타내는(caressing). **~·ly** *ad.*

en·dear·ment[endíərmənt] *n.* **1** Ⓤ 친애. **2** (행위·말에 의한) 애정의 표시, 애무.

⁑**en·deav·or | -our**[endévər] *n.* Ⓤ,Ⓒ 《文語》 노력. **do〔make〕 one's (best) endeavors** =**make every endeavor** 전력을 다하다. — *vt.* …하려고 노력하다, …을 시도하다: 《Ⅲ *to* do》 ~ *to* do one's duty 의무를 다하려고 노력하다/He ~*ed to* please her. 그는 그녀를 기쁘게 하려고 노력했다. — *vi.* 《文語》 **1** 노력하다(*at, after*): Anyhow, he is ~*ing.* 하여간 그는 노력하고 있다/~ after happiness 행복을 얻으려고 노력하다. **2** 시도하다(try).

en·dem·ic[endémik] *a.* **1** 풍토〔지방〕병의, 풍토성의, 〈병이〉 한 지방 특유의(*cf.* EPIDEMIC): an ~ disease 지방〔풍토〕병. **2** 〈동·식물이〉 그 지방 특산의(*opp.* exotic). — *n.* 지방병, 풍토병. **-i·cal·ly**[-kəli] *ad.* 지방〔풍토〕적으로.

en·dem·i·cal[-kəl] *a.* =ENDEMIC.

en·de·mism, en·de·mic·i·ty[éndəmìzəm], [èndəmísəti] *n.* Ⓤ 한 지방의 특유성, 고유성; 풍토성.

end·er·gon·ic[èndərgánik] *a.* 〔生化〕 에너지 흡수성의(*cf.* EXERGONIC)《생화학 반응에서 에너지를 필요로 하는 성질》.

en·der·mic[endə́:rmik] *a.* 〔醫〕 피부에 침투하여 작용하는, 피부에 바르는; 피내(皮內)의. **-mi·cal·ly** *ad.*

en dés·ha·bil·lé[*F.* ɑ̃dezabije][F] *ad.* 평복으로, 약식 복장으로(in dishabille).

énd gàme (체스·시합의) 최종회, 막판.

end·gate[éndgèit] *n.* (트럭의) 적재함의 뒷닫이문.

*__end·ing__[éndiŋ] *n.* **1** 종결, 종료(conclusion); 종국, 결말: a happy ~ 행복스럽게〔좋게〕 끝나는 결말, 해피엔드. **2** 최후, 임종(death). **3** 〔文法〕 (활용) 어미; (낱말의) 끝부분《pens의 -s 등》.

en·dis·tance[endístəns] *vt.* 〈연극 등이 관객에게〉 거리감을 가지게 하다, 관객을 이화(異化)하다.

en·dive[éndaiv, ɑ́ndiv] *n.* Ⓤ 〔植〕 꽃상추《샐러드용》; 《미》 chicory의 어린 잎.

end·leaf[ˊ-lì:f] *n.* =ENDPAPER.

⁑**end·less**[éndlis] *a.* **1** 끝이 없는; 영원히 계속하는; 무한의. **2** (너무 길어서) 끝이 없는, 장황한; 끊임없는; 무수한. **3** 〔機〕 순환의: an ~ band〔belt, strap〕 (이음매가 없는) 순환 피대/an ~ chain (자전거 등의) 순환 쇠사슬/an

~saw 띠톱. **~·ness** *n.* Ⓤ 끝(이) 없음, 무한정; 부단한 연속.
end·less·ly *ad.* 끝〔한〕없이, 가이없이, 영구히.
énd lìne 끝〔한계, 경계〕을 나타내는 선; (테니스·농구·미식 축구 등의) 엔드 라인.
end·long[éndlɔ̀:ŋ/-lɔ̀ŋ] *ad.* 《古》 세로로, 똑바로 서서.
énd màn 줄의 맨 끝에 있는 사람; 《미》 희극 악단에서 흑인으로 분장한 양 끝의 광대역 악사.
énd màtter 〔印〕 책의 부록(back matter) 《주석·참고 문헌 목록·색인 등》.
end·most[éndmòust] *a.* 맨 끝의, 마지막의.
end·note[éndnòut] *n.* (책의) 권말에 있는 주(註).
en·do·bi·ot·ic[èndoubaiátik/-ɔ́t-] *a.* 〔生〕 숙주(宿主)의 조직내에서 기생(寄生)하는, 생물체 안에 사는.
en·do-[éndou, -də] 《연결형》 =END-.
en·do·blast[éndoublæ̀st, -blɑ̀:st] *n.* 〔生〕 내배엽(內胚葉)(endoderm).
èn·do·blás·tic *a.*
en·do·car·di·al[èndouká:rdiəl] *a.* 〔解〕 심장내의; 심장 내막의.
en·do·car·di·tis[èndoukɑ:rdáitis] *n.* 〔病理〕 심장 내막염.
en·do·car·di·um[èndouká:rdiəm] *n.* (*pl.* **-dia**[-diə]) 〔解〕 심장 내막.
en·do·carp[éndoukɑ̀:rp] *n.* 〔植〕 내과피(內果皮), 속열매 껍질(*cf.* PERICARP).
en·do·cast[éndoukæ̀st] *n.* 〔考古〕 두개강(頭蓋腔) 등의 내형(內形)을 나타내는 형〔인상〕.
en·do·cen·tric[èndouséntrik] *a.* 〔言〕 내심적(內心的)인(*opp.* exocentric): an ~ construction 내심(內心) 구조.
én·do·crá·ni·al cást *n.* 〔考古〕 뇌의 대체적인 형상을 보여주는 두개강(頭蓋腔)의 모양.
en·do·crine, -crin[éndoukràin, -krì(:)n] 〔生理〕 *a.* 내분비의. — *n.* **1** =ENDOCRINE GLAND. **2** 내분비물, 호르몬(hormone).
éndocrine glànd 〔生理〕 내분비선(腺).
en·do·crin·ic[èndoukrínik] *a.*=ENDOCRINE.
en·do·cri·nol·o·gy[èndoukrainálədʒi, -krə-/-nɔ́l-] *n.* Ⓤ 〔醫〕 내분비학. **-gist** *n.* 내분비학자.
en·doc·ri·nous[endákrənəs/-dɔ́k-] *a.* = ENDOCRINE.
en·do·cy·to·bi·ol·o·gy[èndousàitoubaiáləʤi/-ɔ́l-] *n.* 세포기관의 기능세포 내의 구조 조직 등을 연구하는 학문.
en·do·cy·tose[èndousaitóuz] *vt.* 〔生〕 〈세포가 이물(異物)을〉 흡수하다.
en·do·cy·to·sis[èndəsaitóusəs] *n.* (*pl.* **-ses**[-si:z]) 〔生〕 세포 이물 흡수. **-tot·ic**[-saitátik/-tɔ́tik] *a.*
en·do·derm[éndoudə̀:rm] *n.* 〔生〕 내배엽(內胚葉)(*cf.* ECTODERM).
en·do·der·mis[èndədə́:rmis] *n.* 〔植〕 내피(內皮).
en·do·don·tics[èndoudántiks/-dɔ́n-], **en·do·don·tia**[-dánʃə, -ʃiə], **en·do·don·tol·o·gy**[èndoudantálədʒi/-tɔ́l-] *n.* (단수 취급) 치내 요법(齒內療法)〔학〕《치수(齒髓) 질환의 원인·진단·예방·처치를 다루는 치과 의학의 한 분야》.
end-of-dáy glàss[èndəvdéi-] 혼색 유리잔(spatter glass)《장식용》.
énd-of-tápe màrker[éndəvtéip-] 〔電子〕 테이프의 끝 표시물《자기 테이프의 끝을 나타내는 표시》.
en·do·gam·ic *a.* 동족 결혼의.
en·dog·a·mous[endágəməs/-dɔ́g-] *a.* 〔社〕 동족 결혼에 의한〔에 관한〕.
en·dog·a·my[endágəmi/-dɔ́g-] *n.* Ⓤ 〔社〕 동족(同族) 결혼(*opp.* exogamy).
en·do·gen[éndədʒən] *n.* 〔植〕 단자엽(單子葉) 식물.
en·do·gen·ic[èndədʒénik] *a.* (*cf.* EXOGENOUS) **1** =ENDOGENOUS 1. **2** 〔地質〕 내인성(內因性)의.
en·dog·e·nous[endádʒənəs/-dɔ́dʒ-] *a.* **1** 〔植〕 내생(內生)의; 〔生理〕 내생적인. **2** 〔地質〕 =ENDOGENIC 2.
en·dog·e·ny[endádʒəni/-dɔ́dʒ-] *n.* Ⓤ 〔生〕 내인성(內因性) 발육.
en·do·lymph[éndoulìmf] *n.* 〔解〕 (내이(內耳)의) 미로(迷路) 임파, 내임파(액).
en·do·me·tri·o·sis[èndoumì:trióusis] *n.* 〔病理〕 자궁내막〔증식〕증, 자궁내막 이소(異所) 발생《낭종의 형성유착·월경통이 특징》.
en·do·me·tri·tis[èndoumətráitis] *n.* Ⓤ 〔病理〕 자궁 내막염.
en·do·mi·to·sis[èndoumaitóusis] *n.* Ⓤ,Ⓒ 〔生〕 핵내 유사 분열(核內有絲分裂).
en·do·mix·is[èndoumíksis] *n.* 〔生〕 엔도믹시스, (섬모충류(纖毛蟲類)의 내혼(內混)), 단독 혼합.
en·do·morph[éndəmɔ̀:rf] *n.* 〔心〕 내배엽형의 사람《비만형의》; 〔鑛〕 (다른 광물 안에 든) 내포 광물.
en·do·mor·phic[èndəmɔ́:rfik] *a.* 〔心〕 내배엽형의《비만형의》; 〔鑛〕 내포 광물의(*cf.* ECTOMORPHIC).
en·do·mor·phism[èndoumɔ́:rfizm] *n.* 〔鑛〕 (관입 화성암 중에서 생기는) 혼성 작용; 〔數〕 자기준동형(自己準同形).
en·do·mor·phy[éndoumɔ̀:rfi] *n.* 〔心〕 내배엽형(內胚葉型).
en·do·nu·cle·ase[èndounú:klièis, -èiz, -njú:-] *n.* 〔生化〕 엔도뉴 클레아제《DNA 혹은 RNA의 사슬을 분해하여 불연속화(不連續化) 시키는 효소》.
en·do·par·a·site[èndoupǽrəsàit] *n.* 〔動〕 내부 기생체〔충〕《촌충 등》.
en·do·per·ox·ide[èndoupəráksaid/-ɔ́k-] *n.* 〔生化〕 엔도페록시드《prostaglandin의 합성 원료가 되는 고산화 화합물의 총칭》.
en·do·phil·ic[èndoufílik] *a.* 〔生態〕 인간(환경)과 관계가 있는.
en·do·plasm[éndouplæ̀zəm] *n.* Ⓤ 〔生〕 내부 원형질, 내질(內質)《원생 동물 세포의》(*opp.* ectoplasm). **èn·do·plás·mic**[-plǽzmik] *a.*
endoplásmic retículum 〔生〕 세포질 망상(網狀) 구조, 소포체(小胞體).
énd òrgan 〔生理〕 (신경의) 종말 기관; 단말기(端末器)〔관〕.
en·do·rhe·ic[èndərí:ik] *a.* 〔地〕 (바다로 직접 통하는 하류(河流)가 없는) 내부 유역의.
en·dor·phin[endɔ́:rfin] *n.* 〔生化〕 엔도르핀 《내인성(內因性) 모르핀 모양의 펩티드(peptides); 진통·스트레스·외상(外傷) 등에 작용함》.
***en·dorse, in-**[endɔ́:rs], [in-] *vt.* **1** 〈어음·증권 등에〉 배서〔이서〕하다; 〈설명·비평 등을 서류의 뒤에〉 써넣다. **2** 《文語》 〈남의 언설(言說) 등을〉 뒷받침하다, 보증하다; 시인하다. **3** 《영》 〈자동차 등의 면허증에〉 위반 죄과(罪科)를 이서하다. **4** 〈상품을〉 추천하다. **endorse over** a bill **to** 어음에 배서하여 …에게 양도하다.

en·dor·see[endɔ:rsí:, ∸–∸, –∸–] *n.* 피(被)배서인, 양수인.
en·dorse·ment[endɔ́:rsmənt] *n.* Ⓤ,Ⓒ 배서; 보증, 시인(approval); (상품 등의) 추천.
en·dors·er, -dor·sor *n.* 배서(양도)인.
en·do·sarc[éndəsɑ̀:rk] *n.* Ⓤ 〔生〕 내질(內質), 내부 원형질(endoplasm).
en·do·scope[éndəskòup] *n.* 〔醫〕 (장내(臟內)·요도 등의) 내시경(內視鏡).
en·dos·co·py[endɑ́skəpi/-dɔ́s-] *n.* Ⓤ 〔醫〕 내시경 검사(법).
en·do·skel·e·ton[èndouskélətn] *n.* 〔解〕 내(內)골격(*opp.* exoskeleton). **-tal** *a.*
en·dos·mo·sis[èndɑsmóusis, -dɑz-/-dɔz-] *n.* Ⓤ 〔生·化〕 (내)침투, 침입.
en·do·sperm[éndouspə̀:rm] *n.* 〔植〕 배젖, 내유(內乳), 배유(胚乳).
en·dos·te·um[endɑ́stiəm/-dɔ́s-] *n.* (*pl.* **-tea**[-tiə]) 〔解〕 골내막(骨內膜).
en·do·the·li·um[èndouθí:liəm] *n.* (*pl.* **-lia**[-liə]) 〔解·動〕 내피(內皮), (세포의) 내복(內覆) 조직(*cf.* EPITHELIUM); 〔植〕 내종피(內種皮).
en·do·therm[éndəθə̀:rm] *n.* 〔生〕 온혈(溫血) 동물.
en·do·tox·in[èndoutɑ́ksin/-tɔ́k-] *n.* 〔生化〕 (균체(菌體)) 내독소. **-tox·ic** *a.*
en·do·tox·oid[èndoutɑ́ksɔid/-tɔ́k-] *n., a.* 〔免疫〕 (균체) 내독소(內毒素)에서 얻을 수 있는 변성(變性) 독소(의).
en·do·tra·che·al[èndoutréikiəl] *a.* 기관(氣管)내의, 기관 내를 통해서의.
⁑**en·dow**[endáu] [F] *vt.* **1** 〈학교·병원 등에〉 재산을 증여하다; …의 기금으로 기부〔기증〕하다: an ~*ed* school 기본 재산을 가진 학교, 재단법인 조직 학교. **2** 〈…에게 재능·특징 등을〉 부여하다《*with*》: 《Ⅰ *It v* Ⅰ+*that*(절)》(*that*(절)-Ⅲ(목)+전+명) It doesn't always happen *that* nature ~*s* a man *with* vigorous personality. 자연은 반드시 사람에게 강한 개성을 부여하는 것은 아니다/She is ~*ed* (by nature) *with* beauty and grace. 그녀는 천부적으로 아름답고 우아하다(◇보통 수동형으로 잘 쓰임)/Nature had ~*ed* her *with* wit and intelligence. 하늘은 그녀에게 기지와 지성을 주었다. **be endowed with** …을 타고나다, …이 부여되다. **~·er** *n.*
*__en·dow·ment__[endáumənt] *n.* **1** Ⓤ 기증, 기부; 기본 재산; 기부금. **2** (보통 *pl.*) (천부의) 자질, 재능: natural ~*s* 천부의 재능.
en·dow·ment assurance 《영》 =ENDOWMENT INSURANCE.
endówment insùrance 양로 보험.
endówment mòrtgage (양로보험의 이익으로 갚는) 저당권 설정의 주택 구입 대부.
endówment pòlicy 양로 보험〔증권〕.
end·pa·per[éndpèipər] *n.* 〔製本〕 면지.
énd pòint 종료점, 종점; 〔化〕 (적정(滴定)의) 종점; =ENDPOINT.
end·point[éndpɔ̀int] *n.* 〔數〕 단점(端點), 종점《선분(線分)이나 광선의 끝을 나타내는 점》.
énd pròduct (연이은 변화·과정·작용의) 최종 결과; 〔物〕 최종 생성물〔원소〕.
énd rhỳme 〔韻〕 각운(脚韻).
en·drin[éndrən] *n.* Ⓤ 〔化〕 엔드린《살충제》.
énd rún 〔미蹴〕 엔드런《공을 가진 선수가 아군 방어진의 측면을 돌아 후방으로 나가는 플레이》; 교묘한 회피.
end-run[∸rʌ̀n] *vt., vi.* 《미口》 잘 피해서 가다, 잘 빠져 나가다.
énd stòp 단락점《마침표·물음표·느낌표》.
end-stopped[∸stɑ̀pt/∸stɔ̀pt] *a.* 〔韻〕 행말을 맺는; 동작 끝의 휴지를 특징으로 하는.
Ends·ville[éndzvil] *a., n.* 《미俗》 최고의(것).
énd tàble (소파·의자 곁에 놓는) 작은 테이블.
end-to-end[∸tuénd] *a.* 한쪽 끝과 다른 한쪽 끝을 잇는; 〔外科〕 (장(腸) 등의) 절단한 면과 다른 한끝을 봉합하는.
en·due[indjú:, en-] *vt.* **1** 《文語》 (종종 수동형)〈능력·재능 등을 …에게〉 부여하다《*with*》: a man ~*d* *with* inventive genius 발명의 재능을 타고난 사람/~ a person *with* wit …에게 기지를 부여하다. **2** 입다; 〈사람에게〉 입히다《*with*》: ~ a person *with* the short robe …에게 군복을 입히다.
en·dur·a·ble[indjúərəbəl, en-] *a.* 참을 수 있는, 견딜 수 있는. **-bly** *ad.*
⁑**en·dur·ance**[indjúərəns, en-] *n.* Ⓤ **1** 지구력, 내구성(耐久性): an ~ test 내구 시험. **2** 인내, 견딤, 참음(⇨patience); 인내력.
beyond〔**past**〕 **endurance** 참을 수 없을 만큼.
⁑**en·dure**[endjúər] [L] *vt.* **1** 〈물건이〉 지탱하다, 견디다. **2** (종종 부정문으로) 〈사람이 꾹〉 참다, 견디다, 인내하다: 《Ⅲ(목)》 I cannot ~ the sight of him. 나는 그의 꼴을 차마 볼 수 없다/《Ⅲ *to* do》 He can never ~ *to be* laughed at. 그는 비웃음 사는 것을 결코 견디지 못한다(=He can never ~ be*ing* laughed at.《Ⅲ -*ing*》)/《Ⅲ *that*(절)》 I can't ~ (*that*) you should laugh at me. 네가 나를 비웃다니 괘씸하다(◇ *that*(절)에는 가정법이나 가정법 상당어가 쓰임). **3** 〈해석 등을〉 허용하다, 인정하다. — *vi.* 《文語》 **1** 지탱하다; 지속하다(last). **2** 참다, 견디다. ◇ endúrance *n.*
*__en·dur·ing__[indjúəriŋ, en-] *a.* 참을 수 있는; 영속하는, 영구적인: an ~ fame 불후의 명성. **~·ly** *ad.* **~·ness** *n.*
en·dur·o[indjúərou] *n.* (*pl.* **~s**) (자동차 등의) 장거리 내구(耐久) 경주.
énd úse 〔經〕 (생산물의) 최종 용도.
énd úser 최종 수요자, 실수요자.
end·ways, end·wise[éndwèiz], [-wàiz] *ad.* 끝을 앞으로〔위로〕 향하게 하여, 세로로, 똑바로; 끝과 끝을 맞대고.
En·dym·i·on[endímiən] *n.* 〔그神〕 엔디미온《달의 여신 Selene에게 사랑받은 미소년》.
énd zòne 〔미蹴〕 엔드 존《골라인과 엔드라인 사이의 구역》.
ENE, E.N.E., e.n.e. east-northeast 동북동.
-ene[i:n] *suf.* **1** 〔化〕 「불포화 탄소 화합물」의 뜻: benz*ene*, butyl*ene*. **2** 「…에 태어난〔사는〕 사람」의 뜻: Nazar*ene*.
en·e·ma[énəmə] *n.* (*pl.* **~s, ~·ta**[-tə]) 〔醫〕 **1** 관장(灌腸); 관장제(劑)〔액(液)〕. **2** 관장기(器).
én·e·mies lìst 적대 인물 일람표〔명단〕, 정적(政敵) 리스트.
★**en·e·my**[énəmi] [L] *n.* (*pl.* **-mies**) **1** 적: a lifelong〔mortal, sworn〕 ~ 평생의〔불구대천의〕 원수. **2** 적병, 적함; (the ~; 집합적) 적군, 적함대, 적국《집합체로 볼 때에는 단수, 구성 요소를 생각할 때에는 복수 취급》: The ~ was driven back. 적(군)은 격퇴되었다. **3** (…에) 해를 주는 것, 반대자《*of, to*》: an ~ of freedom 자유의 적. **4** (the (old) E-) 악마(the devil). **be an enemy to** …을 미워하다; …을 해치다. **be one's own enemy** 자기 자신을 해치다. **How goes the enemy?** 《口》

몇시냐?(What time is it?). — *a.* 적(국)의: an ~ plane〔ship〕 적기〔적선〕.
énemy álien 적국적(敵國籍) 거류 외인《전쟁 중 상대국에 거주하는 적국적의 외국인》.
⁑**en·er·get·ic, -i·cal**[ènərdʒétik],[-ikəl] *a.* 정력적인, 활기에 찬, 원기 왕성한. **-i·cal·ly**[-ikəli] *ad.* ◇ énergy *n.*
en·er·get·ics[ènərdʒétiks] *n. pl.* (단수 취급) 〔物〕 에너지론〔학〕.
en·er·gism[énərdʒìzəm] *n.* Ⓤ 〔倫〕 활동주의.
en·er·gize[énərdʒàiz] *vt.* 정력을 주다, 격려하다; 〔電〕 …에 전류를 통하다: ~ a person *for* work …을 격려하여 일을 하게 하다. — *vi.* 정력적으로 활동하다.
en·er·giz·er *n.* 정력〔활력〕을 주는 사람〔물건〕; 〔醫〕 항울제(抗鬱劑), 정신 활성 부여제.
en·er·gu·men[ènə:rgjú:mən] *n.* 마귀에 홀린 사람, 광신자, 열광자.
⁑**en·er·gy**[énərdʒi] [G] *n.* (*pl.* **-gies**) Ⓤ **1** 정력, 힘, 세력; 기력, 근기, 원기: full of ~ 정력이 넘쳐. **2** (종종 *pl.*) (개인의) 활동력, 행동력: brace one's *energies* 힘〔기운〕을 내다. **3** 〔物〕 에너지, 세력: kinetic ~ 운동 에너지/latent〔potential〕 ~ 잠재〔위치〕 에너지. **4** 《古》 (잠재적인) 능력. **conservation〔dissipation〕 of energy** 에너지의 보존〔소산〕. **devote** one's **energies to** …에 온갖 정력을 기울이다. ◇ energétic *a.*
énergy àudit (시설의 에너지 절감을 위한) 에너지 감사〔진단〕. **énergy àuditor** *n.*
énergy bùdget (생태계의) 에너지 수지(收支).
énergy bùsh (연료·전력이 되는) 에너지림(林).
énergy crìsis 에너지 위기.
énergy effìciency ràtio 에너지 효율《略: EER》.
énergy flòw (생태계의) 에너지의 흐름.
énergy índustry 에너지 산업《석탄·석유·전기·가스 산업 등》.
en·er·gy-in·ten·sive[-inténsiv] *a.* 많은 에너지를 소비하는, 에너지 집약적인.
énergy pàrk 《미》 에너지 단지, 에너지 자원 공동 이용지.
en·er·gy-sav·ing[-sèiviŋ] *a.* 에너지를 절약하는: ~ technology 에너지 절약 기술.
en·er·vate[énərvèit] *vt.* …의 기력을 약화시키다, 기운〔힘〕을 빼앗다.
-vat·ed[-vèitid] *a.* 활력을 잃은, 무기력한.
en·er·va·tion[-véiʃən] *n.* Ⓤ 원기〔기력〕 상실, 쇠약; 나약.
en·face[enféis] *vt.* 〈어음·증권 등의〉 표면에 기입〔인쇄, 날인〕하다. **~·ment** *n.*
en fa·mille[*F.* ɑ̃famij] [F] *ad.* 가족이 다 함께; 흉허물 없이; 비공식으로.
en·fant ché·ri[*F.* ɑ̃fɑ̃ʃeri] [F] *n.* 귀염둥이, 소중한 것, 애지중지하는 것.
en·fant gâ·té[*F.*-gate][F] *n.* 버릇없는 아이.
en·fant ter·ri·ble[*F.*-teribl] [F =terrible child] *n.* (*pl.* **en·fants ter·ri·bles**) **1** 무서운 아이, 올되고 깜찍한 아이. **2** 지각 없고 염치없는〔무책임한〕 사람.
en·fee·ble[infí:bəl, en-] *vt.* (종종 수동형) 약화시키다(weaken). **~·ment** *n.* Ⓤ 쇠약.
en·feoff[enféf, -fí:f] *vt.* **1** 영지(領地)〔봉토(封土)〕를 주다. **2** 《古》 〈몸을〉 맡기다(surrender). **~·ment** *n.* Ⓤ,Ⓒ 봉토 하사(下賜); 봉토 하사장〔증서〕; 봉토.
en fête[*F.* ɑ̃fɛt] [F] **1** 축제 기분으로 떠들썩하여. **2** 성장(盛裝)하여.
en·fet·ter[enfétər] *vt.* 족쇄를 채우다; 속박하다(constrain); 노예로 만들다.
en·fi·lade[ènfəléid, ⌐-⌐] *n.* **1** 〔軍〕 종사(縱射)(받을 위치). **2** 〔建〕 (방 출입구의) 병렬 배치법. — *vt.* 종사하다.
en·fin [F] *ad.* 결론적으로, 마침내.
en·flame *vt., vi.* =INFLAME.
en·fold[enfóuld] *vt.* 싸다(*in, with*); 안다, 포옹하다; 접다; 주름잡다. **~·ment** *n.*
⁑**en·force**[enfɔ́:rs] *vt.* **1** 〈법률 등을〉 실시〔시행〕하다, 집행하다. **2** 억지로 시키다, 강요하다: ~ obedience *to* one's demand by threats 협박하여 자기 요구에 복종하기를 강요하다/~ one's opinion *on* one's child 자기 의견에 따를 것을 아이에게 강요하다. **3** 〈논거(論據)·주장·요구 등을〉 강력히 주장하다.
en·force·a·ble[-əbəl] *a.* 시행〔집행, 강제〕할 수 있는. **en·fòrce·a·bíl·i·ty** *n.*
en·forced[enfɔ́:rst] *a.* 강제된, 강제적인: ~ education 의무 교육.
en·for·ced·ly[-sidli] *ad.*
en·force·ment *n.* Ⓤ **1** (법률의) 시행, 집행. **2** (복종 등의) 강제. **3** (의견 등의) 강조.
enfórcement òfficer 《미》 (법률 등의) 시행관, 경관.
en·forc·er[infɔ́:rsər] *n.* 〔法〕 (법률 등의) 집행자《재판소 등》; 〔아이스하키〕 상대 팀이 겁을 먹도록 거친 플레이를 하는 선수.
en·frame[enfréim] *vt.* 틀〔액자〕에 끼우다.
en·fran·chise[enfrǽntʃaiz] *vt.* **1** 참정권〔선거권〕을 주다. **2** 석방하다, 해방하다(set free). **3** 〈도시에〉 자치권을 주다, 선거구(區)로 하다.
en·fran·chise·ment[-tʃizmənt, -tʃaiz-] *n.* Ⓤ **1** 참정〔선거〕권 부여. **2** 해방, 석방.
eng. engine; engineer(ing); engraved; engraver; engraving. **Eng.** England; English.
ENG electronic news gathering.
⁑**en·gage**[engéidʒ] [OF] *vt.* **1** 계약〔약속〕으로 속박하다, 약속하다; 보증하다: 《Ⅲ *to* do》/《Ⅴ (목)+*to* do》 I ~*d* (myself) *to* do the joint venture in that planned business. 나는 그 계획된 사업에 공동 투기하기로 약속했다/《Ⅳ 대+*to* do》 She ~*d* him *to be* here at 5 o'clock. 그녀는 그에게 5시에 여기 오겠다고 약속했다/《Ⅲ *that*(절)》 I ~ *that* she is honest. 그녀가 정직한 사람임을 보증합니다. **2** 《文語》 〈방·좌석 등을〉 예약하다: ~ four seats at a theater 극장에 네 좌석을 예약하다. **3** 고용하다: 《Ⅲ (목)》 ~ a supervisor 감독자를 고용하다/《Ⅴ 조+*v*v+(목)+*as*+명》(조-am going to) I am going to ~ her *as* my secretary. 나는 그녀를 나의 비서로 쓰려고 한다(◇ 《미》에서는 hire, employ를 쓰는 것이 일반적임). **4** 〈시간 등을〉 채우다, 차지하다; 바쁘게 하다: have one's time fully ~*d* 시간이 꽉 차 있다/be ~*d in* 〔*on*〕 …에 바쁘다. **5** 약혼시키다. **6** (~ one*self* 로) …을 (…에) 종사시키다, 관여하다(*in*): He ~*s* himself *in* business. 그는 장사에 종사하고 있다. **7** 〈사람을 담화 등에〉 끌어들이다(*in*): ~ a person *in* conversation …을 이야기에 끌어넣다. **8** 〈마음·주의 등을〉 끌다. **9** 〈적군과〉 교전하다; 〈군대를〉 교전시키다: ~ the enemy 적과 교전하다. **10** 〔建〕 〈기둥을〉 벽에 (반쯤 파묻히게) 붙이다; 〔機〕 〈톱니바퀴 등을〉 맞물리게 하다. **11** 〔펜싱〕 〈칼을〉 서로 맞부딪다. **engage** one**self in** …에 종사하다. **engage** one**self to a girl** (어느 처녀)와 약혼하다. **engage** one**self to** do …할 것을 약속하다. — *vi.* **1** 종사하다, 관여하다, 착수하다, 근무하다(*in*): ~ *in* business

상업에 종사하다/～ *for* the season 계절 노동자로 일하다. **2** 고용되다, 근무하다: ～ *with* a company 회사에 취직하다. **3** 약속하다, 장담하다, 보증하다, 맹세하다: I can't ～ *for* such a thing. 나는 그런 것을 약속할 수는 없다. **4** 교전하다《*with*》: ～ *with* the enemy 적과 교전하다. **5** 〔機〕〈톱니바퀴 등이〉 걸리다, 맞물다, 잘 돌아가다. **6** 〔펜싱〕 칼 싸움을 하다. **engage for** 약속하다, 보증하다. **engage in** …에 착수하다, 시작하다; 참가하다.
◇ engágement *n.*

en·ga·gé[ɑ̃:ŋgɑ:ʒéi] [F] *a.* 〈작가 등이〉 정치〔사회〕 문제에 대하여 적극적으로 관여하고 있는, 참가의.

*__en·gaged__[engéidʒd] *a.* **1** 약속된; 예약된: (Ⅱ 형) Your seat is ～. 당신의 좌석은 예약되어 있습니다. **2** 약혼중인, 약혼한《*to*》: an ～ couple 약혼한 남녀/(Ⅱ 형+전+명) I am ～ *to* Mary. 나는 메리와 약혼중이다/I will get ～ to Mary this coming Saturday. 나는 이번 토요일에 메리와 약혼할 것이다. **3** (…에) 종사하는《*in*》: (Ⅱ 형+전+명) He is ～ *in* that planned business. 그는 그 계획된 사업에 종사하고 있다. **4** 바쁜, 틈 없는; 《영》〈전화·변소 등〉 사용중(《미》 busy): an ～ signal 통화 중 신호/The line is ～〔busy〕. 통화 중입니다. **5** 교전중인. **6** 〔機〕 연동(連動)의. **7** 〔建〕〈기둥이〉 벽에 반쯤 묻힌. **be engaged with** …로 바쁘다; …와 용담(用談)을 나누다: (Ⅱ 형+전+명) He *is engaged with*〔*on*〕 his own affairs. 그는 그 자신의 업무로 바쁘다/He *is engaged with* them. 그는 그들과 용담(用談)을 나누고 있다. **The line**〔**Number**〕 **is engaged.** 통화 중입니다(=《미》 Line's busy.). **~·ly** *ad.*

engáged tóne 〔電話〕 통화중 신호음(busy tone).

‡**en·gage·ment**[engéidʒmənt] *n.* **1** 약속, 계약: a previous ～ 선약/make an ～ 약속〔계약〕하다. **2** 약혼: an ～ ring 약혼 반지. **3** (*pl.*) 채무. **4** Ⓤ 일, 용무. **5** Ⓤ 고용; 고용 기간, 사용〔업무〕 시간. **6** 〔哲〕 연대성(連帶性). **7** Ⓤ 〔機〕 (톱니바퀴의) 맞물림. **8** 교전(交戰). **be under an engagement** 계약이 있다. **break off an engagement** 해약하다, 파약하다. **meet** one's **engagements** 채무를 이행하다. ◇ engáge *v.*

engágement ring 약혼 반지.

en·gag·ing[engéidʒiŋ] *a.* 남의 마음을 끄는, 매력 있는, 애교 있는. **~·ly** *ad.* 애교 있게. **~·ness** *n.*

en gar·con[*F.* ɑ̃garsɔ̃] [F] *ad.* 독신자로서.

en·gar·land[engɑ́:rlənd] *vt.* 화환으로 장식하다.

Eng. D. Doctor of Engineering.

En·gel[éŋgəl] *n.* 엥겔 Ernst ～(1821-96) 《독일의 통계학자》.

En·gels[éŋgəls] *n.* 엥겔스 Friedrich(1820-95)《독일의 사회주의자; Marx의 협력자》.

Éngel's coeffícient 엥겔 계수(係數)《ENGEL'S LAW에서 실지출(實支出)에 대한 음식비의 백분비》.

Éngel's láw 〔經〕 엥겔의 법칙《Engel이 제시한 가정 경제의 법칙》.

en·gen·der[endʒéndər] *vt.* **1** 〈감정 등을〉 생기게 하다, 발생케 하다: Pity often ～*s* love. 동정은 흔히 연애가 된다. **2** 《古》 낳다.
— *vi.* 《古》 생기다. **~·ment** *n.*

en·gild[engíld] *vt.* 《古》 도금(鍍金)하다; 닦다, 윤내다.

engin. engineer; engineering.

‡**en·gine**[éndʒən] [L] *n.* **1** 발동기; (복잡하고 정밀한) 기계, 기관, 엔진; 증기 기관(=steam ～). **2** 기관차(locomotive); 소방차. **3** 《古》 수단(means), 기구(instrument); 병기.
— *vt.* (증기) 기관을 장치하다.

éngine bày 〔空〕 (동체 하부의) 엔진 격납실(格納室).

éngine còmpany 소방서.

éngine depàrtment (선박의) 기관실.

éngine drìver 《영》 (특히 기차의) 기관사(《미》 engineer).

‡**en·gi·neer**[èndʒəníər] *n.* **1** 기사, 기술자; 공학자. **2** 〔商船〕 기관사; 《미》 (기차의) 기관사(《영》 engine driver); 기관공(mechanic). **3** 〔陸軍〕 공병; 〔海軍〕 기관 장교: the Corps of *E-s* 공병대. **4** 일을 교묘하게 처리하는 사람. **chief engineer** 기관장; 기사장(技師長). **civil engineer** 토목 학자, 토목 기사. **first engineer** 1등 기관사. **naval**〔**marine**〕 **engineer** 조선 기사. **Royal Engineers** 영국군 공병대(略: R.E.).
— *vt.* **1** (기사로서) …공사를 감독〔설계〕하다: ～ an aqueduct 도수관(導水管) 공사의 설계를 하다. **2** 솜씨 있게 처리하다; 공작하다, 꾀하다《*through*》: ～ a plot 계략을 꾸미다/～ a bill *through* Congress (교묘하게) 법안의 의회 통과를 꾀하다. — *vi.* 기사로서 일하다.

Engineér Còrps 《미》 공병단.

en·gi·néered fòod[èndʒəníərd-] 강화(보존) 식품.

en·gi·neer·ese[èndʒəniərí:z] *n.* 기술 용어, 전문 용어.

‡**en·gi·neer·ing**[èndʒəníəriŋ] *n.* Ⓤ **1** 공학; 기관학: electrical〔mechanical, civil〕 ～ 전기〔기계, 토목〕 공학. **2** 기사(技師) 활동; 토목 공사: an ～ bureau 토목국/an ～ work 토목 공사. **3** 교묘한 처리〔공작〕; 음모, 획책.

engineér ófficer 〔陸軍〕 공병 장교; 〔海軍〕 기관 장교.

en·gine·house[-hàus] *n.* (기관차·소방차 등의) 차고.

en·gine·man[éndʒənmæ̀n, -mən] *n.* (*pl.* **-men**[-mən]) =ENGINE DRIVER.

éngine ròom (선박 등의) 기관실.

en·gine·ry[éndʒənri] *n.* Ⓤ **1** (집합적) 기계류, 기관류; 병기. **2** 계략, 책략.

éngine shèd 기관 차고.

éngine tùrning 로젯 무늬《시계 뒤덮개·증권 등에 기계로 새겨 넣은 줄무늬》.

en·gird[engə́:rd] *vt.* (**-girt**[-gə́:rt], **～·ed**) 띠로 감다; 둘러싸다.

en·gir·dle[-l] *vt.* =GIRDLE[1].

★**Eng·land**[íŋglənd] [OE] *n.* **1** (좁은 뜻) 잉글랜드《Great Britain 섬의 스코틀랜드와 웨일스를 뺀 부분; 수도 London》. **2** (넓은 뜻) 영국(Britain)《略: Eng.》. 《◇ *cf.* (GREAT) BRITAIN, UNITED KINGDOM》. ◇ English *a.*

Eng·land·er[-ər] *n.* **1** =LITTLE ENGLANDER. **2** 《稀》 잉글랜드 사람, 영국인.

★**Eng·lish**[íŋgliʃ] *a.* **1** 잉글랜드(England)의; 잉글랜드 사람의. **2** 영국의(British), 영국 사람의. **3** 영어의. — *n.* **1** Ⓤ 영어(=the ～ language): the ～ of the gutter 빈민가의 영어. **2** (the ～; 복수 취급) 영국 사람, 영국 국민, 영국군. **3** (종종 **e-**) Ⓤ 〔印〕 잉글리시체(體)《14포인트에 해당하는 활자》. **4** 영어〔영문학, 영작문〕의 교과 과정; 그 수업. **5** (때로 **e-**)《미》 (테니스·당구 등에서) 틀어치기. **American English** 미국 영어. **Give me**

the English of it. 쉬운 말로 말해주게. **in plain English** 쉽게〔잘라〕 말하면. **Middle English** 중세 영어《1150-1500년》. **Modern English** 근대 영어《1500년 이후》. **not English** 참다운 영어식 표현이 아닌. **Old English** 고대 영어《대략 700-1150년》. **standard English** 표준 영어. **English (the) King's〔Queen's〕** 정통 영어, 표준 영어. — *vt.* (때로 **e-**) **1** 《古》 영어로 번역하다. **2** 〈발음·철자 등을〉 영어식으로 하다. 〈외국어를〉 영어화하다. **3** 《미》 (당구 등에서) 공을 틀어치다. ◇ Éngland *n.*

Énglish bréakfast 영국식 조반《보통 베이컨, 계란, 마멀레이드에 토우스트와 홍차로 이루어지는; *cf.* CONTINENTAL BREAKFAST》.

Énglish Canádian 1 영국계 캐나다 사람. **2** 영어를 사용하는 캐나다 사람.

Énglish Chánnel (the ~) 영국〔영불〕 해협 《영국과 프랑스를 분리함; 길이 565km, 폭 30-160km; the Channel 이라고도 함》.

Énglish dáisy 〔植〕 데이지.

Énglish diséase (the ~) **1** 영국병《노동자의 태업에 의한 생산 저하 등의 사회적 병폐》. **2** 《古》 구루병, 기관지염.

Énglish Énglish 영국 영어(British English).

Eng·lish·er[íŋgliʃər] *n.* **1** 영국 국민. **2** 외국어를 영어로 번역하는 사람.

Énglish flúte 〔樂〕 =RECORDER 3.

Énglish hórn 《미》 〔樂〕 잉글리시 호른 (《영》 cor anglais)《oboe 류의 목관 악기》.

Eng·lish·ism[íŋgliʃìzəm] *n.* Ⓤ **1** 영국식 어법(Briticism)(*opp.* Americanism). **2** 영국풍〔식〕. **3** 영국주의.

Énglish ívy 〔植〕 서양 담쟁이 덩굴.

Eng·lish·ize[íŋgliʃàiz] *vt.* 영국식으로 하다.

★**Eng·lish·man**[-mən] *n.* (*pl.* **-men**[-mən]) **1** 잉글랜드 사람, 영국인(남자). **2** 영국선(船).

Eng·lish·ment[íŋgliʃmənt] *n.* (외국 저작물의) 영어역, 영역판.

Eng·lish·ness[íŋgliʃnis] *n.* 영국(사람)다움, 영국(사람)식.

Énglish Revolútion (the ~) 〔영史〕 영국 혁명, 명예〔무혈〕 혁명(1688-89)(the Glorious〔Bloodless〕 Revolution)《Stuart 왕가의 James 2세를 추방하고, William 과 Mary 를 왕·여왕으로 추대한 혁명》.

Eng·lish·ry[íŋgliʃri] *n.* Ⓤ **1** (태생이) 영국 사람임; 영국풍. **2** (집합적) (아일랜드의) 잉글랜드계 주민.

Énglish sáddle 잉글리시 새들《승마자의 등의 선과 일치하게짜인 안장틀과 두툼한 가죽 방석, 뿔없는 안미(鞍尾)와 쇠붙이의 안장 앞머리를 한 안장》.

Énglish sétter 영국종 사냥개.

Énglish síckness =ENGLISH DISEASE.

Énglish sónnet 영국풍 14행시.

Énglish spárrow 〔鳥〕 집참새.

Eng·lish-speak·ing[-spìːkiŋ] *a.* 영어를 말하는: ~ peoples 영어 국민《영·미·캐나다·호주·뉴질랜드 사람들》/~ world (세계의) 영어권(圈).

Énglish wálnut 〔植〕 서양호도나무; 그 열매.

*∗***Eng·lish·wom·an**[-wùmən] *n.* (*pl.* **-wom·en** [-wìmin]) 영국 여자.

en·gorge[engɔ́ːrdʒ] *vt.* **1** 마구 먹다; 게걸스레 먹다. **2** 〔病理〕 충혈시키다: ~*d with* blood 충혈〔울혈〕되어 있는. **~·ment** *n.* Ⓤ 탐식(貪食); 〔病理〕 충혈.

engr. engineer; engineering; engraved; engraver; engraving.

en·graft[engrǽft, -gráːft] *vt.* **1** 접목(接木)하다, 접붙이다(*into, on, upon*): ~ a peach *on* a plum 복숭아를 서양 오얏나무에 접목하다. **2** 〈사상·주의·덕(德) 등을〉 뿌리박게 하다, 주입하다(*into*): ~ patriotism *into* a person's soul …에게 애국심을 주입하다. **3** 합치다; 혼합〔융합〕하다(*into*); 부가시키다((*up*)*on*).

en·grail[engréil] *vt.* 깔쭉깔쭉하게 하다, 가장자리를 톱니 모양으로 하다.

en·grain[engréin] *vt.* =INGRAIN.

en·grained[engréind] *a.* =INGRAINED.

en·gram[éngræm] *n.* **1** 〔心〕 기억 심상(心像). **2** 〔生〕 (신경 세포 내에 형성된다고 여겨지는) 기억의 흔적.

en grande te·nue[*F.* ɑ̃gráːdtənjúː] [F] *ad.* 정장(正裝)으로.

*∗***en·grave**[engréiv] *vt.* **1** (금속·돌 등에) 〈문자·도안 등을〉 새기다; (문자·도안 등을 새겨서) …을 장식하다, …에 조각을 하다: ~ an inscription *on* a tablet = ~ a tablet *with* an inscription 명판(銘板)에 명(銘)을 새기다. **2** 〈판 등에 새긴 문자·도안 등을〉 인쇄하다, 박아내다. **3** 〈마음에〉 새겨 두다, …에게 강한 인상을 주다: His mother's face is ~*d on* his memory. 어머니의 얼굴이 그의 기억에 새겨져 있다.

en·grav·er[-ər] *n.* 조각사, 조판공(彫版工).

*∗***en·grav·ing**[engréiviŋ] *n.* **1** Ⓤ 조각(술), 조판술. **2** (동판·목판 등의) 조판(彫版); 판화.

*∗***en·gross**[engróus] *vt.* **1** 〈주의·시간을〉 집중시키다, 몰두〔열중〕시키다: This business ~*es* my whole time and attention. 이 일에 나는 모든 시간과 주의력을 쏟고 있다/He was ~*ed in* the novel. 그는 그 소설에 몰두하고 있었다. **2** 〈문서를〉 큰 글씨로 쓰다, 정서하다. **3** 〈시장을〉 독점하다, 〈상품을〉 매점(買占)하다, 〈권력을〉 독점하다. **be engrossed in** …에 골똘하다. **~·er**[-ər] *n.*

en·gross·ing[engróusiŋ] *a.* 마음을 사로잡는, 마음을 쏠리게 하는, 전렴〔몰두〕케 하는. **~·ly** *ad.*

en·gross·ment[engróusmənt] *n.* Ⓤ **1** 전렴, 몰두. **2** 정식 자체(字體)로 크게 씀, 정서(淨書); Ⓒ 정서한 것. **3** 독점, 매점(買占).

engrs. engineers.

en·gulf[engʌ́lf] *vt.* (심연·소용돌이 등에) 빨아들이다, 던져 넣다, 삼키다, 들이켜다. **~·ment** *n.*

en·hance[enhǽns, -háːns] [L] *vt.* 〈질·능력 등을〉 높이다, 강화하다; 〈가격을〉 올리다; 과장하다. — *vi.* 높아지다, 강화되다.

en·hanced[enhǽnst, enháːnst] *a.* 증대한; 높인, 강화한.

enháncéd radiátion 〔軍〕 강화 방사선.

enhánced radiátion wèapon 〔軍〕 강화 방사선 무기.

enhánced recóvery =TERTIARY RECOVERY.

en·hance·ment *n.* Ⓤ,Ⓒ (가격·매력·가치 등의) 상승, 등귀; 향상, 증대.

en·har·mon·ic[ènhaːrmánik/-mɔ́n-] *a.* 〔樂〕 **1** 이명 동음(異名同音)의《C♯ D♭ 와 같은》. **2** 4분음의.

en·heart·en[enháːrtn] *vt.* 용기를 돋우다.

ENI *Ente Nazionale Idrocarburi*《It=National Corporation of Hydrocarbon》 이탈리아 탄화수소〔석유〕공사.

en·i·ac, EN·I·AC[éniæ̀k] [*E*lectronic *Nu*merical *I*ntegrator *A*nd *C*omputer] *n.* 에니

액(미국에서 만들어진 본격적 컴퓨터: 상표명).
E·nid[íːnid] *n.* 여자 이름.
e·nig·ma[inígmə] *n.* (*pl.* **~s, ~·ta**[-tə]) 수수께끼: 수수께끼같은 인물, 불가해한 사물.
en·ig·mat·ic, -i·cal[ènigmǽtik, ìn-], [-əl] *a.* 수수께끼의(같은), 알기 어려운: 〈인물이〉 정체 모를, 불가사의한. **-i·cal·ly**[-kəli] *ad.*
e·nig·ma·tize[inígmətàiz] *vt., vi.* 수수께끼로 만들다, 이해할 수 없게 하다.
en·isle[enáil] *vt.* 《詩》섬으로 만들다: 고도(孤島)에 두다: 고립시키다.
En·i·we·tok[èniwíːtɑk/-tɔk] *n.* 에니웨톡 환초(태평양 마셜 제도 중의 환초(環礁): 미국 핵무기 실험지(1947-1952)).
en·jamb(e)·ment[endʒǽmmənt, -dʒǽmb-] *n.* Ⓤ (詩) 구(句)걸치기(시의 1행의 뜻·구문이 다음 행에 걸쳐서 이어지는 일).
*__en·join__[endʒɔ́in] [L] *vt.* **1** 〈침묵·순종 등을〉 명하다: (의무로서) …을 과하다(*upon, on*): (권위를 갖고) 명령을 내리다, 요구하다: (Ⅲ (목)+전+명) The teacher *~ed* silence on the class. 선생님께서는 반 학생들에게 조용히 하도록 명하셨다/He *~ed* us *to* strict obedience. 그는 우리에게 엄격한 순종을명했다/(Ⅴ (목)+*to be*+형) His teacher *~ed* him to be diligent in his studies. 그의 담당 선생님께서 그에게 부지런히 공부하라고 이르셨다. **2** 《미》〔法〕〈남에게〉 (…을) 못하게 하다, 금(지)하다(prohibit)(*from*): (Ⅴ (목)+전+*-ing*) The judge *~ed* him from selling alcohol. 판사는 그가 술을 파는 것을 금했다.
~·er *n.* **~·ment** *n.*
★**en·joy**[endʒɔ́i] *vt.* **1** 즐기다, 향락하다: 즐겁게 …하다: ~ life 인생을 즐기다/(Ⅲ *-ing*) We *~ed* walking in the park. 우리는 즐겁게 공원을 거닐었다. **2** 〈좋은 것을〉 갖고 있다, 향수〔향유〕하다, 누리다: (Ⅲ (목)) ~ good health 건강을 누리다/~ the confidence of one's friends 친구들의 신뢰를 받다/(Ⅰ *be pp.*+전+명) True happiness is *~ed in* free countries. 참된 행복은 자유 국가에서 누려진다 (=People ~ true happiness *in* free countries.(Ⅲ (목)+전+명)). **3** (~ one*self* 로) 즐겁게 시간을 보내다: (Ⅲ (목)+전+명) We *~ed* ourselves (over our wine). 우리는 (포도주를 마시며) 즐거운 시간을 보냈다/(Ⅴ (목)+*-ing*) We *~ed* ourselves watching television. 우리는 텔레비전을 보며 즐겼다. **4** 《古》〈여성과〉 성교하다. — *vi.* 《口》즐기다.
⁂**en·joy·a·ble**[endʒɔ́iəbəl] *a.* 재미있는, 즐거운, 유쾌한: 향유〔향수(享受)〕할 수 있는, 즐길 수 있는. **-bly** *ad.*
⁂**en·joy·ment**[endʒɔ́imənt] *n.* **1** Ⓤ 향유, 향수(*of*). **2** Ⓤ 향락: 유쾌(delight). **3** Ⓤ,Ⓒ 유쾌하게 하는 것, 낙, 기쁨. **4** Ⓤ 〔法〕(권리의) 보유. **take enjoyment in** …을 즐기다. ⊕ enjóy *v.*
en·keph·a·lin[enkéfəlìn] *n.* 〔生化〕엔케팔린(진통제).
en·kin·dle[enkíndl] *vt.* **1** 〈불을〉 타오르게 하다(kindle). **2** 〈정열·정욕을〉 불러일으키다, 자극하다. **3** 〈전쟁 등을〉 일으키다.
enl. enlarge(d); enlisted.
en·lace[enléis] *vt.* 레이스로 장식하다: 단단히 동이다〔감다〕: 에워싸다: 얽히게 하다.
~·ment *n.*
⁂**en·large**[enlɑ́ːrdʒ] *vt.* **1** 크게 하다 (*cf.* increase): 〈책을〉 증보(增補)하다: 〈사진을〉 확대하다: an *~d* photograph 확대사진/revised and *~d* edition 개정(改訂) 증보판(版). **2** 〈사업 등을〉 확장하다: 〈마음·견해 등을〉 넓히다: Knowledge *~s* the mind. 지식은 마음을 넓힌다. **3** 《미·古》석방하다.
— *vi.* **1** 넓어지다, 커지다: 〈사진이〉 확대되다. **2** 상세하게 설명하다(*on, upon*): (Ⅲ *v*Ⅰ+전+(목)) He *~d on* the subject. 그는 그 문제를 상세하게 설명했다. **~·a·ble** *a.*
en·large·ment *n.* Ⓤ **1** 확대, 증대, 확장. **2** (책의) 증보(增補): 증축: (사진의) 확대. **3** 상술(詳述).
en·larg·er *n.* 〔寫〕확대기.
⁂**en·light·en**[enláitn] *vt.* **1** 계몽하다, 교화(教化)하다. **2** 〈뜻 등을〉 밝히다, 설명하다: 가르치다: (Ⅲ (목)+전+명) Please ~ me *on* this question. 이 질문에 대해 설명하여 주십시오. **3** 《古·詩》빛을 비추다. **~·er** *n.*
en·light·ened[enláitnd] *a.* **1** 계몽된: 개화된, 문명의. **2** 밝은, 훤히 통달한: be ~ *upon* the question 그 문제에 관해서는 잘 알고 있다.
en·light·en·ing *a.* 계몽적인, 밝혀주는, 깨우치는.
*__en·light·en·ment__[enláitnmənt] *n.* Ⓤ **1** 계발(啓發), 교화: 개명(開明), 개화. **2** (the E-) 〔哲〕(18세기의 유럽, 특히 프랑스에서의 합리주의적) 계몽 운동. ⊕ enlíghten *v.*
en·link[enlíŋk] *vt.* 연결하다(*with, to*).
*__en·list__[enlíst] *vt.* **1** 병적(兵籍)에 편입하다: 모병(募兵)하다, 입대시키다: (Ⅱ *be pp.*+*as*+명) He was *~ed as* a volunteer. 그는 지원병으로 입대했다/~ a person *in* the army …을 육군에 입대시키다/~ a person *for* military service …을 병적에 올리다. **2** …의 찬조〔협력, 지지〕를 얻다(*in*): ~ a person's aid〔sympathy〕 *in* a cause 운동에 …의 원조〔찬동〕를 얻다. — *vi.* **1** 징병에 응하다, 입대하다(*in, for*): ~ *in* the army 육군에 입대하다/~ *for* a soldier 징병에 응하다. **2** 〈주의·사업 등에〉 협력〔참가〕하다: ~ *in* the cause of charity 자선 운동에 협력하다/~ *under* the banner of …의 기치 아래 참가하다.
⊕ list, enlístment *n.*
en·listed *a.* (장교이하의)사병의〔에 관한〕.
en·líst·ed màn[enlístid-] 《미》사병(士兵) (《영》 private soldier)(略: EM, E.M.).
en·list·ee[enlistíː] *n.* 지원병: 사병.
enlísted wòman 《미》〔陸軍〕(하사관 이하의) 여군 사병.
en·list·er[-ər] *n.* **1** 징병관, 모병관. **2** 협력자, 지지자.
en·list·ment[-mənt] *n.* **1** Ⓤ 병적 편입: 모병: 응소(應召), 입대. **2** 병적 기간.
*__en·liv·en__[enláivən] *vt.* **1** 활기 있게 만들다, 생기를 주다. **2** 〈광경·담화 등을〉 유쾌하게〔흥겹게〕 하다. **3** 〈거래·시장을〉 활발하게〔호황으로〕 하다. **~·ment** *n.*
en masse[enmǽs, ɑːŋmɑ́ːs] [F] *ad.* 《文語》한 묶음으로, 통틀어서.
en·mesh[enméʃ] *vt.* **1** 그물로 잡다, 그물에 걸리게 하다. **2** 〈사람을 곤란 등에〉 빠뜨리다, 말려들게 하다: ~ a person *in* difficulties …을 곤란에 빠뜨리다. **~·ment** *n.*
*__en·mi·ty__[énməti] *n.* (*pl.* **-ties**) Ⓤ,Ⓒ 적의(敵意), 악의, 앙심, 증오: 대립: have〔harbor〕 ~ *against* …에 대하여 앙심을 품다. **at enmity with** …와 반목하여.
en·ne·ad[éniæ̀d] [Gk] *n.* 아홉개로 이루어진 한 벌: (서적·논문·시 등의) 아홉 편 한 묶음.
en·ne·a·gon[éniəgɑ̀n/-gən] *n.* 9각형, 9변형(nonagon).

en·ne·a·hed·ron[èniəhí:drən] *n.* 〔數〕 9면체(面體).

*__en·no·ble__[enóubl] *vt.* **1** 작위를 내리다, 귀족으로 만들다. **2** 기품 있게〔고상하게〕 하다. **~·ment** *n.*

en·nui[á:nwi:, –´; *F.* ɑ̃nɥi] [F] *n.* Ⓤ 권태, 따분함, 무료함.

en·nuy·é[ɑ:nwi:jéi] [F] *a., n.* (*pl.* **~s**) 권태를 느끼고 있는 (사람), 싫증난 (사람).

E·noch[í:nək] *n.* **1** 남자 이름. **2** 〔聖〕 에녹 《(1) Methuselah의 아버지: 창세기 5:18-24. (2) Cain의 장남: 창세기 4:17-18》.

e·nol[í:nɑl] *n.* 〔化〕 에놀《수산기(水酸基)를 함유한 유기 화합물의 총칭》.

e·nol·o·gy[i:nálədʒi/-nɔ́l-] *n.* 《미》 포도주(양조)학〔연구〕.

e·nor·mi·ty[inɔ́:*r*məti] *n.* (*pl.* **-ties**) **1** Ⓤ 악독, 극악 무도: Ⓒ (보통 *pl.*) 범죄 행위, 대죄. **2** Ⓤ 거대함, 터무니 없음.

⁂**e·nor·mous**[inɔ́:*r*məs] [L] *a.* **1** 거대한, 막대한: an ~ difference 대단한 차이. **2** 《古》 악독한, 극악한. **~·ness** *n.*

*__e·nor·mous·ly__ *ad.* 막대하게, 엄청나게, 터무니없이.

E·nos[í:nəs, í:nɔs] *n.* **1** 남자 이름. **2** 〔聖〕 에노스《Seth의 아들: 창세기 4:26, 5:6》.

e·no·sis[inóusis] [Gk] *n.* **1** 병합(併合), 동맹. **2** (종종 E-) 에노시스《키프로스에 있어서의 그리스에의 복귀 운동》.

★**e·nough**[inʌ́f] *a.* **1** 필요한 만큼의(sufficient): Thank you, that's ~. 고맙습니다. 그것으로 충분합니다/~ eggs〔butter, money〕=eggs〔butter, money〕 ~ 충분한 달걀〔버터, 돈〕. **2** …에 부족이 없는, …하기에 족한, …할 만큼의: time ~ *for* review 재검토하기에 충분한 시간/He hasn't ~ sense〔sense ~〕 *to* realize his mistakes. 그는 자기 잘못을 깨달을 만한 지각이 없다. ― *ad.* (형용사·부사 뒤에서) **1** 필요한 만큼, 〈…하기에〉 족할 만큼: 《Ⅱ 형+부+*to do*》 You are old ~ *to* marry. 너는 결혼할 만한 나이가 됐다/《Ⅰ 부+부+*for*+대+*to* do》 He spoke loud ~ *for* us *to* hear him. 그는 우리가 (그의 말을) 충분히 들을 수 있을 만큼 큰 소리로 말했다/Is it large ~? 그 크기면 되겠느냐/It is good ~ *for* me. 나에게는 그만하면 됐습니다/It isn't good ~. 이것으로는 안 된다/The meat is done ~. 고기가 잘 구어졌다. **2** 아주, 무척: 모두: ~ ready 만반 준비된/long ~ 무척 오래. **3** 상당히, 그런대로, 꽤: She paints well ~. 그녀는 그림을 꽤 잘 그린다. **be kind〔good〕 enough to** 친절하게도 …하다: *Be good enough to* lend me the dictionary. 그 사전을 좀 빌려 주십시오. **be old enough to** do …하여도 좋을 나이이다, 충분히 …할 만한 나이이다. **cannot … enough** 아무리 …해도 부족하다: I can never thank you ~. 감사의 말씀을 이루 다 드릴 길이 없습니다. **oddly〔strange〕 enough** 참 이상하게도. **sure enough** 과연, 어김없이(certainly). **well enough** 어지간히 잘, 참 훌륭하게. ― *n.* 충분(한 수·양); 많음, 흡족함; 실컷(too much): 《Ⅲ (목)+전+명》 He had ~ *of* living in the world. 그는 이 세상에서 마음껏 살았다/She earns just ~ *to* live on. 그녀는 먹고 살 만큼은 번다/We have had ~ *of* every-thing. 이것 저것 모두 잔뜩 먹었습니다/I have had quite〔about〕 ~ of …은 이젠 충분하다〔물렸다, 참지 못하겠다〕/*Enough of* that! 그만하면 됐다, 이젠 그만두어라. **cry 'enough'** 「항복」이라고 말하다, 패배를 자인하다. **enough and to spare** 넘칠〔남을〕 만큼. **Enough is as good as a feast.** 《속담》 배부름은 진수 성찬이나 마찬가지. **Enough is enough.** 이 정도로 충분하다(이젠 그만두자). I **had enough to do to** catch the train. 겨우 (기차를 탈) 수 있었다. **have enough of** …을 충분히 가지고 있다, …은 이제 질색이다. **more than enough** 충분하고도 남게. ― *int.* 이젠 그만!(No more!): *Enough of* it! 이젠 됐어.

e·nounce[ináuns] *vt.* **1** 성명〔선언〕하다; 언명하다, 〈의견 등을〉 표명하다. **2** 논리적으로〔명쾌하게〕 말하다. **3** (말을 확실히) 발음하다. **~·ment** *n.*

e·now[ináu] *a., ad.* 《古·詩》 =ENOUGH.

en pan·tou·fles[*F.* ɑ̃:pɑ̃:tú:fl] [F =in slippers] *ad.* 슬리퍼를 신고, 마음 편히.

en pas·sant[*F.* ɑ̃:pɑ:sɑ́:] [F] *ad.* …하는 김에, 참 그런데.

en pen·sion[*F.* ɑ̃:pɑ̃:siɔ̃:] [F] *ad., a.* 식사가 따르는 숙박 조건으로(된).

en·phy·tot·ic[ènfaitátik/-tɔ́t-] *a.* (병이) 어떤 일정지역의 식물에 정기적 영향을 주지만 고사(枯死)시키지는 않는.

en·plane[enpléin] *vi.* 비행기를 타다(emplane) (*opp.* deplane).

en poste[*F.* ɑ̃:pɔ́(:)st] [F] *a.* 〈외교관이〉 부임〔주재〕하여.

én quàd *n.* 〔印〕 **1** 반각(半角)《자폭의 스페이스》. **2** 반각 공목(空目).

en·quête[ɑ:ŋkét] [F =inquiry] *n.* 앙케트, 여론 조사.

en·quire[inkwáiə*r*] *vt.* =INQUIRE.

en·qui·ry[ínkwaiəri/inkwáiəri] *n.* (*pl.* **-ries**) =INQUIRY.

*__en·rage__[enréidʒ] *vt.* 성나게〔화나게〕 하다: be ~*d* 분격하고 있다《*at, with*》. **~·ment** *n.* Ⓤ 격노, 분노, 분격. ◈ rage *n.*

en rap·port[*F.* ɑ̃:ræpɔ́:*r*][F] *ad.* 친하게 관계하여; 동정하여, 공명(共鳴)하여《*with*》.

en·rapt[enrǽpt] *a.* 도취된, 황홀해진.

en·rap·ture[enrǽptʃə*r*] *vt.* 황홀하게 하다, 기뻐서 어쩔 줄 모르게 하다.

en·rap·tured[-d] *a.* **1** 황홀한, 도취된; 신나는. **2** 황홀하여, 기쁨에 들떠. **be enraptured over〔at〕** …이 좋아서 어쩔 줄 모르다.

en·rav·ish[enrǽviʃ] *vt.* =ENRAPTURE.

en·reg·i·ment[enrédʒəmənt] *vt.* 연대로 편성하다; 훈련시키다(discipline).

en rè·gle[*F.* ɑ̃:réigl][F] *ad., a.* 정식대로(의), 규칙대로(의).

⁂**en·rich**[enrítʃ] *vt.* **1** 부자가 되게 하다. **2** 풍성〔풍부〕하게 하다. **3** 〈내용·질·가치·영양가 등을〉 높이다, 〈맛·향기·빛깔 등을〉 진하게〔짙게〕 하다, 〈토지를〉 비옥하게 하다: ~ a book *with* notes 주석으로 책의 내용을 보강하다/~ soil (*with* phosphate) (인산 비료로) 토지를 비옥하게 하다. **4** 장식하다. **enrich oneself by trade** (장사로) 재산을 모으다. **~·ing·ly** *ad.* **~·ment** *n.* Ⓤ 풍부하게 함; Ⓒ 장식. ◈ rich *a.*

en·ríched fóod 강화(強化) 식품《인공적으로 영양가를 높인》.

enríched uránium 농축 우라늄.

en·robe[enróub] *vt.* 의복을 입히다.

*__en·roll, -rol__[enróul] *vt.* (**-rolled; -rolling**) **1** 〈이름을〉 명단에 기재하다, 명부에 올리다, 입학〔입회〕시키다, 등록하다(register): 《Ⅱ *be pp.*+*as*+명》 He was ~*ed* as a scout. 그는 소년

단원으로 명부에 올랐다/ ~ a voter 선거인을 등록하다/~ a person *on* the list of ... …을 …의명부에 올리다. **2** 병적에 넣다(enlist): ~ oneself 병적에 들다/~ men *for* the army 장정들을 병적에 넣다. **3** 기록하다, 기재하다(record). **4** ((稀)) 싸다(wrap up), 감다(roll up): ~ fruits *in* paper 종이로 과일을 싸다. — *vi.* 입학〔입대〕 절차를 밟다: ~ *in* college 대학 입학 절차를 밟다.
◇ roll, enróllment *n.*

Enrólled nùrse (영국에서의) 간호사((정간호사 Registered General Nurse((미)) registered nurse) 보다 낮은 급; *cf.* LICENSED PRACTICAL NURSE)).

en·roll·ee[enroulí:, -róuli] *n.* 입회자(入會者).

*__en·roll·ment__[enróulmənt] *n.* U,C **1** 기재, 등록; 입학, 입대. **2** 등록〔재적〕자 수: The university has an ~ of 20,000. 그 대학교 재학생수는 20,000 명이다.

en route[ɑ:nrú:t] [F] *ad.* 도중에(on the way)((*to, for*)).

ens[enz] [L] *n.* (*pl.* **en·tia**[énʃiə]) 〔哲〕 존재물, 실재물; (추상적) 존재.

Ens. ensign.

ENSA, En·sa[énsə] [Entertainment National Service Association] *n.* ((영)) (군대를 위문하는) 위문 봉사회.

en·sam·ple[ensǽmpl, -sá:m-] *n.* ((古)) = EXAMPLE.

en·san·guine[insǽŋgwin, en-] *vt.* 피로 물들이다, 피투성이가 되게 하다.

en·san·guined *a.* ((文語)) 피투성이가 된.

en·sconce[inskɑ́ns/-skɔ́ns] *vt.* **1** 감추다, 숨기다. **2** 편히 앉히다, 안치하다((*among, on, in*)). **ensconce oneself in** 〈안락 의자 등에〉 푹석 앉다.

en se·condes noces[*F.* ɑ̃:səgɔ̃:dnóus] [F] *ad.* 재혼하여〔으로〕.

*__en·sem·ble__[ɑ:nsɑ́:mbəl] [F] *n.* **1** (보통 the ~) 전체; 전체적 효과. **2** 〔樂〕 앙상블((중창과 합창을 섞은 대합창)), 합주곡. **3** 앙상블((조화가 잡힌 한 벌의 여성복)).

ensémble ácting〔pláying〕 앙상블 연출((스타 중심이 아닌 전체 배우의 종합적 효과를 노리는)).

en·shrine[enʃráin] *vt.* **1** 사당〔신전〕에 모시다〔안치하다〕((*in, among*)): The sacred treasures are ~*d in* this temple. 이 신전에는 성물(聖物)이 안치되어 있다. **2** 〈기억 등을〉 간직하다, 소중히 지니다((*in*)): Her memory is ~*d in* his heart. 그녀에 대한 추억이 그의 가슴속에 남아 있다. **~·ment** *n.*

en·shroud[enʃráud] *vt.* **1** 수의(壽衣)를 입히다. **2** 싸다, 뒤덮다(envelop)((*in, by*)).

en·si·form[énsəfɔ̀:rm] *a.* 〔生〕 칼모양의(xiphoid).

*__en·sign__[énsain, 軍 énsn] *n.* **1** (선박비행기의 국적을 나타내는) 기(旗); 〔海軍〕 군기. **2** 〔軍〕기수(旗手); [ensn] 〔미海軍〕소위. **3** 기장(記章). **blue ensign** (영국 해군의) 예비 함기(豫備艦旗). **national ensign** 국기. **red ensign** 영국 상선기. **St. George's〔white〕 ensign** 영국 군함기.

en·sign·cy, en·sign·ship[énsainsi], [-ʃìp] *n.* U 기수의 역할〔지위〕.

en·si·lage[énsəlidʒ] *n.* U **1** 목초의 신선 보존법((사일로(silo) 등에 넣음)). **2** (신선하게 저장된) 목초, 저장 목초. — *vt.* =ENSILE.

en·sile[ensáil] *vt.* 〈목초를〉 SILO에 저장하다.

*__en·slave__[ensléiv] *vt.* 노예로 만들다; 사로잡다: be ~*d* by passions 격정에 사로잡히다/~ a person *to* superstition …을 미신에 사로잡히게 만들다. **~·ment** *n.* U 노예화; 노예 상태. ◇ slave *n.*

en·slav·er[-ər] *n.* 매혹시키는 사람〔것〕; 남자의 마음을 사로잡는 여자, 요녀.

en·snare[ensnɛ́ər] *vt.* **1** 덫에 걸리게 하다; 함정에 빠뜨리다((*in, into*)). **2** 유혹하다(allure)((*by*)). **~·ment** *n.*

en·sor·cell, -cel[ensɔ́:rsəl] *vt.* …에게 요술을 걸다; 매혹시키다.

en·soul[ensóul] *vt.* **1** 혼을 불어넣다. **2** 마음에 담아두다.

en·sphere[ensfíər] *vt.* **1** (둥글게) 싸다, 둘러싸다. **2** 구형(球形)으로 하다.

*__en·sue__[ensú:] [L] *vi.* ((文語)) **1** 후에 일어나다, 뒤이어 일어나다, 계속되다: No applause ~*d.* 박수가 뒤이어 터지지 않았다. **2** …의 결과로서 일어나다((*from, on*)): Heated discussions ~*d.* 격론이 벌어졌다/What do you think will ~ *on*〔*from*〕 this? 이 결과 무엇이 일어날 것으로 생각합니까. — *vt.* ((古)) …을 찾다〔구하다〕. **as the days ensued** 날이 감에 따라.

en·su·ing[ensú:iŋ] *a.* ((文語)) **1** 다음의, 뒤이은: ~ months 그 후의 수개월. **2** 뒤이어 일어나는, 결과로서 따르는: the war and the ~ disorder 전쟁과 그에 뒤따르는 혼란.

en suite[*F.* ɑ̃:sɥít] [F] *ad.* 연달아.

*__en·sure__[enʃúər] *vt.* **1** 〈성공 등을〉 확실하게 하다, 보증하다, 〈지위 등을〉 확보하다: ((Ⅲ (목))) Careful preperations ~ success. 준비에 소홀함이 없으면 성공은 확실하다/((Ⅳ 대+(목))) This letter will ~ you an interview with the boss. 이 서한이 있으면 꼭 경영주와 면회가 될 것이다(=This letter will ~ an interview *with* the boss for you.((Ⅲ (목)+전+명)))/((Ⅲ *pos.*+-*ing*)) He ~*d* her obtaining the prize. 그는 그녀가 그 상을 획득할 것이라고 보증했다(=He ~*d that* she will obtain the prize.((Ⅲ *that*(절))))/((Ⅲ (목)+전+대)) This arrangement ~*s* a fixed income *to* her. 이 합의로 그녀에게 고정된 수입이 보장된다(=A fixed income is ~*d to* her (by this arrangement).((Ⅰ *be pp.*+전+대+(전+명)))). **2** 안전하게 하다, 지키다((*against, from*)): ~ a person *against* danger 위험으로부터 …을 지키다/~ oneself *from* harm 위해로부터 몸을 지키다. **3** 보험에 들다(insure). ◇ sure *a.*

en·swathe[enswéið, -swɑ́ð] *vt.* 싸다, 붕대를 감다((*in*)). **~·ment** *n.*

ENT ear, nose, and throat 이비인후(과).

ent- ⇨**ento-**.

-ent[ənt] *suf.* **1** 동사에 붙여 행위자(agent)를 나타내는 명사를 만듦: presid*ent*, superintend*ent*. **2** 동사에 붙여 성질·상태를 나타내는 형용사를 만듦: preval*ent*, insist*ent*.
◇ -ent는 본디 라틴어 현재분사의 어미.

en·tab·la·ture[entǽblətʃər, -tʃùər] *n.* 〔建〕 엔태블러처((기둥(columns) 위에 걸쳐 놓은 수평 부분으로서 위로부터 cornice, frieze, architrave의 3부분으로 됨)).

en·ta·ble·ment[entéiblmənt] *n.* 〔建〕 **1** = ENTABLATURE. **2** 상대(像臺)((기둥뿌리 위에서 입상(立像)을 받치는 대(臺))).

*__en·tail__[entéil] *vt.* **1** 〈폐단 등을〉 남기다, (필연적 결과로서) 수반하다(involve): The loss ~*ed* no regret *on*〔*upon*〕 him. 그는 손실을 아깝게 여기지 않았다. **2** 〈노력·비용 등을〉

들게 하다, 부과하다(impose), 필요로 하다 (require): His way of living ~*s* great expense. 그의 생활 방식에는 큰 비용이 든다. **3** 〔法〕 상속인을 한정하여 양도하다: ~ one's property *on* one's eldest son 장남을 재산 상속인으로 하다. **4** 〔論〕 (논리적 필연으로서) 의미하다. — *n.* **1** Ⓤ 〔法〕 한사 상속(限嗣相續); Ⓒ 한사 부동산권; (관직 등의) 계승 예정 순위. **2** 필연적인 결과; 논리적인 귀결. **cut off the entail** 한사 상속의 제한을 해제하다. **~·er** *n.* **~·ment** *n.* **1** Ⓤ 〔法〕 (부동산의) 상속인 한정; Ⓒ 세습 재산. **2** 〔論〕 함의(含意); 내함(內含).

ent·a·me·ba|**ent·a·moe·ba** [èntəmí:bə] *n.* (*pl.* **-bae** [-bi:], **-bas**) (척추 동물의 병원체에 기생하는) 원생 동물의 총칭.

*****en·tan·gle** [entǽŋgl] *vt.* **1** 뒤얽히게 하다; 얽어 감다, 걸리게 하다: A long thread is easily ~*d.* 긴 실은 얽히기 쉽다/The fishing line got ~*d in* bushes. 덤불에 낚싯줄이 걸렸다. **2** 분규를 일으키게 하다, 혼란시키다: The question is ~*d.* 그 문제는 분규를 일으키고 있다. **3** 〈함정·곤란 등에〉 빠뜨리다, 휩쓸어 넣다, 관계를 맺게 하다(*in, with*): ~ a person *in* a conspiracy …을 음모에 끌어넣다/become ~*d with* a woman 여자 일에 관련되다. **entangle oneself** (in debt) (부채로) 꼼짝 못하게 되다. **-gler** *n.*
⊕ tángle *n., v.*: entánglement *n.*

en·tan·gle·ment *n.* **1** Ⓤ 얽히게 함; 얽힘; (사태의) 분규. **2** 〔軍〕 녹채(鹿砦), 울짱의 장애물, (*pl.*) 철조망.

en·ta·sia [entéiʒiə] *n.* 〔生理〕 긴장성〔강직성〕 경련.

en·ta·sis [éntəsis] *n.* (*pl.* **-ses** [-sì:z]) Ⓤ,Ⓒ 〔建〕 엔타시스《고대 그리스·로마에서 볼 수 있는 기둥 중간의 불룩 나온 부분》.

ENT dóctor 《미俗》 이비인후과 의사 (*cf.* ENT).

en·tél·lus (mònkey) [entéləs-] 〔動〕 긴꼬리원숭이《동부 인도산》.

en·ten·dre *a.* DOUBLE ENTENDRE

en·tente [ɑ:ntɑ́:nt] [F] *n.* **1** (정부간의) 협약, 협상《◇ 조약처럼 정식은 아님》. **2** Ⓤ (집합적) 협상국.

entente cor·di·ale [-kɔ:rdjɑ́:l] [F] *n.* **1** (두 나라 사이의) 화친(和親) 협상; 상호 이해. **2** (the E- C-) 영불 협상《1940년 체결》.

★**en·ter** [éntər] [L] *vt.* **1** …에 들어가다: He ~*ed* the classroom *in* silence. 그는 조용히 교실에 들어갔다. **2** 〈가시·탄알 등이 몸 속 등에〉 박히다; 넣다, 꽂아〔끼워〕 넣다: The bullets ~*ed* the wall. 총탄이 벽에 박혔다. **3** 〈새 시대·새 생활·새 직업 등에〉 들어가다, …을 시작하다, …에 착수하다: ~ a new era 새로운 시대로 접어들다/~ the medical profession 의사가 되다. **4** …에 참가하다, 입학〔입회〕하다; 〈병원에〉 들다: ~ a college 대학에 입학하다《◇ go to college, get into a college가 일반적》/~ a club 클럽에 가입하다/~ (the) hospital 입원하다. **5** 〈경기 등에〉 참가시키다(*for, in*): ~ a horse *in*〔*for*〕 a race 자기 말을 경마에 참가시키다. **6** 〈생각 등이 머리에〉 떠오르다(occur to): A good idea ~*ed* his head. 좋은 생각이 그의 머리에 떠올랐다. **7** …을 (직관적으로) 이해하다, 〈뜻·감정 등을〉 알아차리다. **8** 〈이름·날짜 등을〉 기입하다; …을 기록〔등록〕하다(record, register): ~ a name 〔date〕 이름〔날짜〕을 기입하다. **9** 〔法〕 〈소송을〉 제기하다(*against*): ~ an action *against* a person …을 고소하다. **10** 〈배·뱃짐을 세관에〉 신고하다. **11** 〈개·말을〉 훈련시키다, 길들이다. **12** 〔컴퓨터〕 (정보·기록·자료를) 넣다, 입력하다. **enter a protest** 〔영議會〕 항의를 제출하다; (일반적으로) 항의를 제기하다. **enter an appearance** 출두하다. **enter oneself for** an examination (시험에) 응시하다. **enter the army** 〔**the church**〕 군인이〔목사가〕 되다.
— *vi.* **1** 들어가다, 들다(*at, by, through*): May I ~? 들어가도 좋습니까/~ *at*〔*by*〕 the gate 문으로 들어가다. **2** 〔劇〕 (3인칭 명령법) 등장하라: *E-* Hamlet. 햄릿 등장. **3** (경기 등에) 참가〔가입〕하다, (시험에) 응시하다(*for, in*): ~ *for* an examination 시험에 응시하다. **4** 시작하다, 착수하다(*on, upon*); 〈동작·상태 등에〉 들어가다(*into*). **5** 〈탄알 등이〉 들어박히다(*into*). **enter for** 〈경기 등에〉 참가하다. **enter into** 〈일·담화·교섭 등을〉 시작하다, 종사하다; 〈세밀히〉 관여하다, 취급하다; 〈관계·협약 등을〉 맺다; 〈계산·계획 등의〉 속에 들어가다, …에 가담하다; …의 일부〔성분〕가 되다; 〈감정·생각 등에〉 공감하다, 공명하다; 〈재미 등을〉 알다, 이해하다; 참가하다; 고려하다; 논의하다: (Ⅲ *v*ɪ+전+(목)) We *entered into* negotiations with them. 그들과 협상을 시작했다. **enter up** 〈장부에〉 기입을 끝내다; 〔法〕 (재판) 기록에 기재하다. **enter (up)on** …의 소유권을 얻다; 시작하다; 〈새 생활 등을〉 시작하다; 〈문제를 연구 대상으로〉 채택하다, 문제로 삼다. **enter upon** one's **duties** 취임하다. ⊕ éntrance[1], éntry *n.*

en·ter·al *a.* =ENTERIC.

en·ter·ic [entérik] *a.* 장(腸)의. — *n.* =ENTERIC FEVER.

entéric féver 장티푸스(typhoid fever).

en·ter·i·tis [èntəráitis] *n.* Ⓤ 〔病理〕 장염(腸炎).

en·ter·o·bac·te·ri·a [èntəroubæktí:riə] *n. pl.* (*sing.* **-te·ri·um** [-tí:riəm]) 장내(腸內) 세균.

en·ter·o·bi·a·sis [entəroubáiəsis] *n.* 〔病理〕 요충증(症), 요충 기생성 질환.

en·ter·o·cri·nin [èntəroukráinin] *n.* 〔生化〕 엔테로크리닌《소화 촉진 호르몬》.

en·ter·o·gas·trone [èntərougǽstroun] *n.* 〔生化〕 엔테로가스트론《위 분비액 억제 호르몬》.

en·ter·o·ki·nase [èntəroukáineis, -kíneis] *n.* Ⓤ 〔生化〕 엔테로키나제《장내 효소의 일종》.

en·ter·on [éntərɑ̀n/-rɔ̀n] [Gk] *n.* (*pl.* **-tera** [-tərə], **~s**) 〔動·解〕 (특히 배(胚)·태아의) 소화관(消化管), 장관(腸管).

en·ter·o·path·o·gen·ic [èntəroupæ̀θədʒénik] *a.* 장의 병을 일으키는.

en·ter·op·a·thy [èntərɑ́pəθi/-rɔ́p-] *n.* 〔病理〕 장질환.

en·ter·ot·o·my [èntərɑ́təmi/-rɔ́t-] *n.* 〔外科〕 장절개(술).

en·ter·o·tox·in [èntəroutɑ́ksin/-tɔ́k-] *n.* 엔테로톡신, 장독소(腸毒素).

en·ter·o·tox·e·mi·a [entəroutɑ̀ksí:miə/-tɔ̀k-] *n.* 〔獸·病理〕 장(腸) 중독증(症).

en·ter·o·vi·rus [èntərouváiərəs] *n.* 장내(腸內) 바이러스.

⁂**en·ter·prise** [éntərpràiz] *n.* **1** 기획; (특히) 모험적인 사업. **2** Ⓤ (보통 수식어와 함께) 기업, 기업 체계: government〔private〕 ~ 관영〔민영〕 기업. **3** 기업체, 회사: small-to-medium-sized ~*s* 중소 기업. **4** Ⓤ 기업열, 투기심, 모험심: a spirit of ~ 기업열, 진취적인 기상. **5** (**E-**) 엔터프라이즈호《미국 항공모함, 우주

왕복선의 이름).

énterprise cúlture 기업활동 및 독창적 기업심이 강조되는 자본주의 사회: 독자적, 기업 능력의 경제논리 위에서의 문화.

en·ter·pris·er[-ər] *n.* 기업가, 사업가.

énterprise zòne 〔行政〕 사업 지역, 기업 지구, 기획 사업 지대.

*__en·ter·pris·ing__[éntərpràiziŋ] *a.* **1** 〈사람이〉 기업적인, 기업열〔진취적인 기상〕이 강한. **2** 〈행동이〉 진취적인, 모험적인. **~·ly** *ad.*

‡**en·ter·tain**[èntərtéin] *vt.* **1** 즐겁게 하다, 즐기게 하다, 위안하다: ~ the company *with* music〔*by* tricks〕 음악으로〔요술로〕 좌중을 즐겁게 하다. **2** 대접하다, 환대하다《*with, at,* 《영》 *to*》: ~ one's friends *at*〔*to*〕 a garden party 가든 파티에 친구들을 초청하여 대접하다/We were *~ed with* refreshments. 다과(茶菓)를 대접받았다. **3** 〈청 등을〉 호의로써 받아들이다, 들어주다. **4** 〈감정·의견·희망 등을〉 간직하다, 지니다. — *vi.* 대접하다, 환대하다. ◇ entertáinment *n.*

en·ter·tain·er[-ər] *n.* 환대하는 사람; 〈여흥·술자리 등의〉 흥을 돋우는 연예인.

en·ter·tain·ing[-iŋ] *a.* 재미있는, 유쾌한.

en·ter·tain·ing·ly *ad.* 재미있게, 유쾌하게.

‡**en·ter·tain·ment**[èntərtéinmənt] *n.* **1** Ⓤ,Ⓒ 환대, 대접: ~ expenses 접대비. **2** 주연, 연회. **3** Ⓤ 위안, 오락; Ⓒ 놀이, 여흥, 연예: a dramatic〔theatrical〕 ~ 연예, 연극/a musical ~ 음악회, 음악의 여흥. **give entertainments to** …을 환대하다, …을 위하여 잔치를 베풀다, 대접하다. **house of entertainment** 여관; (선)술집. **much to** one's **entertainment** 아주 재미있게도. ◇ entertáin *v.*

entertáinment compùter 오락용 컴퓨터.

entertáinment tàx 《영》 흥행세.

en·thal·pi·met·ry[enθælpəmétri, -pímə-] *n.* 〔化〕 엔탈피 계측(법).

en·thal·py[énθælpi, ─́─́─] *n.* 〔物〕 엔탈피 (total heat)《열역학 특성 함수의 하나》.

en·thrall, -thral[enθrɔ́:l] *vt.* (**-thralled; -thrál·ling**) **1** 노예(상태)로 만들다. **2** …의 마음을 사로잡다, 매혹시키다, 홀리게 하다.

en·thrall·ing *a.* 마음을 사로잡는, 아주 재미있는: an ~ story 아주 재미있는 이야기. **~·ly** *ad.*

en·thrall·ment, -thral-[enθrɔ́:lmənt] *n.* Ⓤ **1** 노예화; 노예 상태. **2** 마음을 사로잡음, 매혹.

*__en·throne__[enθróun] *vt.* **1** 왕위에 올리다; 〔敎會〕 BISHOP의 자리에 앉히다. **2** 깊이 존경하다, 떠받들다: Washington was *~d in* the hearts of his countrymen. 워싱턴은 국민들의 마음 속에서 깊은 존경을 받았다. ◇ throne, enthrónement *n.*

en·throne·ment *n.* Ⓤ,Ⓒ **1** 즉위(식); 주교 추대〔취임식, 착좌식(着座式)〕. **2** 존경.

en·thro·ni·za·tion[-nizéiʃən] *n.* =ENTHRONEMENT.

en·thuse[inθú:z, en-] *vi., vt.* 《미口》 열중〔열광, 감격〕하다〔시키다〕.

‡**en·thu·si·asm**[enθú:ziæ̀zəm] [Gk] *n.* **1** Ⓤ 감격; 열중, 열광; 열의, 의욕《*for, about*》 (*cf.* feeling). **2** 열중시키는 것. **3** Ⓤ 《古》 종교적 열광, 광신. ◇ enthusiástic *a.*; enthúse *v.*

en·thu·si·ast[enθú:ziæ̀st] *n.* 열성적인 사람, 열광자, …팬(fan), …광(狂)《*about, for*》; 《古》 광신자.

‡**en·thu·si·as·tic, -ti·cal**[enθù:ziǽstik], [-əl] *a.* 열심인《*for*》; 열렬한, 열광적인《*about, over*》. ◇ enthúsiasm *n.*; enthúse *v.*

en·thu·si·as·ti·cal·ly[-kəli] *ad.* 열광적으로, 매우 열심히.

en·thy·meme[énθimì:m] *n.* Ⓤ 〔論〕 생략 삼단 논법, 생략 추리법.

*__en·tice__[entáis] [L] *vt.* 꾀다, 유혹하다; 부추기다; 꾀어서 …시키다:《Ⅴ(목)+전+-*ing*》 He *~d* her *into* signing the divorce paper. 그는 그녀를 꾀어서 이혼 서류에 서명시켰다(=He *~d* her *to* sign the divorce paper.《Ⅴ(목)+*to* do》/=She was *~d to* sign the divorce paper.《Ⅱ *be pp.*+*to* do》). **entice away** 꾀어내다:《Ⅲ(목)+부+전+명》 He *enticed* the girl *away from* home〔her house〕. 그는 그 소녀를 집에서 꾀어냈다〔유괴했다〕(=The girl was *enticed away from* home〔her house〕.《Ⅰ *be pp.*+부+전+명》). **entice in** 꾀어 넣다, 유인(誘引)하다. **~·ment** *n.* Ⓤ 유혹, 꾐; Ⓒ 유혹하는 것, 미끼; Ⓤ 매력.

en·tic·ing[entáisiŋ] *a.* 마음을 끄는〔끌 만한〕, 유혹적인. **~·ly** *ad.*

‡**en·tire**[entáiər] [L] *a.* **1** 전체의. **2** 완전한: ~ freedom 완전한 자유. **3** 〈물건이〉 흠이 없는. **4** 〈한 벌로 된 것이〉 빠짐없이 갖추어진. **5** 거세하지 않은 〈수말〉. **6** 〔植〕 〈잎이〉 전연(全緣)의〔흠진 데 없는〕. — *n.* **1** 전체, 완전. **2** 순수한 것; 품질이 고른 물건. **3** 거세하지 않은 말, 종마(種馬). **4** Ⓤ 《영古》 흑맥주의 일종. **~·ness** *n.* Ⓤ 완전(무결); 순수. ◇ entírety *n.*

‡**en·tire·ly**[-li] *ad.* **1** 완전히, 아주, 전적으로, 전혀. **2** 오로지, 한결같이.

en·tire·ty[-ti] *n.* (*pl.* **-ties**) 《文語》 **1** Ⓤ 완전, 온전함〔한 상태〕. **2** (the ~) 전체, 전액《*of*》. **in its entirety** 온전히 그대로, 완전히: *'Hamlet' in its* ~ 「햄릿」 전막 (상연).

En·ti·sol[éntisɔ̀:l, -sɑ̀l] *n.* 〔地質〕 엔티솔《층위가 거의 없거나 전연 볼 수 없는 토양》.

‡**en·ti·tle**[entáitl] *vt.* **1** …의 칭호를 주다, 〈…라고〉 칭하다; 〈…라고〉 표제를 붙이다:《Ⅴ(목)+명》 He *~d* himself a great scholar. 그는 자기가 위대한 학자라고 자칭했다/They *~d* him Khan. 그들은 그에게 칸의 칭호를 주었다/《Ⅱ *be pp.*+명》 The book was *~d* "Root." 그 책은 「뿌리」란 표제가 붙여졌다. **2** 권리〔자격〕를 주다:《Ⅰ *be pp.*+전+명》 He is *~d to* a pension. 그는 연금을 받을 자격이 있다/《Ⅰ *be pp.*+*to do*》 He is *~d* to praise. 그는 칭찬받을 자격이 있다/《Ⅴ(목)+*to* do》 This pass will ~ him *to* enter. 이 통행증을 지닌 사람은 들어갈 수 있다. **be entitled to a seat**〔**sit**〕 …의 (자리에 앉을) 자격〔권리〕이 있다. **~·ment** *n.* ◇ títle *n.*

en·ti·ty[éntiti] *n.* (*pl.* **-ties**) **1** Ⓤ 실재(實在), 존재. **2** 본체, 실체(實體), 실재물; 자주 독립체.

en·to-[éntou, -tə], **ent-**[ent] 《연결어》 「안의, 내부의」의 뜻.

en·to·blast[éntəblæ̀st, -blɑ̀:st] *n.* 〔生〕 내배엽(內胚葉).

en·to·derm[éntədə̀:rm] *n.* =ENDODERM.

en·tom- ⇨**entomo-**.

en·tomb[entú:m] *vt.* 《文語》 **1** 무덤에 파묻다; 매장하다. **2** …의 묘〔비석〕가 되다. **~·ment** *n.* Ⓤ 매장; 매몰(埋沒). ◇ tomb *n.*

en·tom·ic[entɑ́mik/-tɔ́m-] *a.* 곤충의〔에 관한〕.

en·to·mo-[éntəmou, -mə], **en·tom-**[éntəm] 《연결어》 「곤충」의 뜻.

entom(ol). entomological; entomology.
en·to·mo·log·i·cal[èntəməlάdʒikəl/-lɔ́dʒ-] *a.* 곤충학적인[상의]. **-i·cal·ly** *ad.* 곤충학적으로, 곤충학상.
en·to·mo·fau·na[entəmoufɔ́:nə] *n.* (*pl.* **-nas, -nae**[-ni:])(단수·복수 취급)(일정한 지역의) 곤충, 곤충상(相).
en·to·mol·o·gist[èntəmάlədʒist/-mɔ́l-] *n.* 곤충학자.
en·to·mol·o·gize[èntəmάlədʒàiz/-mɔ́l-] *vi.* 곤충학을 연구하다: 곤충을 채집하다.
en·to·mol·o·gy[èntəmάlədʒi/-mɔ́l-] *n.* Ⓤ 곤충학.
en·to·moph·i·lous[èntəmάfələs/-mɔ́f-] *a.* 〔植〕 충매(蟲媒)의(*cf.* ANEMOPHILOUS).
en·tou·rage[ὰ:nturά:ʒ] [F] *n.* **1** (집합적) 측근자. **2** 주위, 환경.
en-tout-cas[ɑ̃:tu:kά:] [F] *n.* **1** 청우(晴雨) 겸용 우산. **2** (En-Tout-Cas)(벽돌가루 등을 깔아 배수를 좋게 한) 전천후용 테니스 코트 《상표명》.
en·to·zo·a[èntəzóuə] *n. pl.* (*sing.* **-zo·on**[-zóuɑn/-ɔn])(종종 E-) 체내 기생충.
en·tr'acte, en·tracte[ɑntrǽkt/ɔn-] [F] *n.* **1** 막간. **2** 막간의 연예: 간주곡(interlude).
en·trails[éntreilz, -trəlz] *n. pl.* **1** 내장, 창자. **2** 내부.
en·train[1] [entréin] *vt., vi.* 〈특히 군대 등을〉 기차에 태우다[타다]. **~·ment** *n.*
entrain[2] *vt.* 끌고 가다: 〔化〕 비말(飛沫) 동반하다: 〔生〕 …의 생물학적 사이클을 바꾸다. ── *vi.* 〔生〕 생물학적 사이클이 바뀌다. **~·ment** *n.* 〔生〕생물학적 사이클의 전환[변경].
en·tram·mel[entrǽməl] *vt.* (**-mel(l)ed; -mel·(l)ing**) **1** 그물로 잡다. **2** 속박하다, 방해하다.
*__en·trance__[1] [éntrəns] *n.* **1** Ⓤ,Ⓒ 들어감: 입장, 입항: (배우의) 등장《*on, to*》. **2** 입학, 입사, 입회: (새 생활·직업 등에) 들어섬, 취임, 취업 《*into, upon*》. **3** 입구: 문간, 현관《*to, into*》. **4** Ⓤ,Ⓒ 들어갈 기회[권리], 입장권(入場權). **5** Ⓤ 입장료, 입회금. **6** 〔稅關〕 입항 절차. **7** 〔컴퓨터〕 어귀, 입구. **Entrance free** 《게시》 입장 자유[무료]. **find**[**gain, obtain, secure**] **entrance into** …로 들어가다. **force an entrance into** 밀고 들어가다, 강제로 들어가다. **have free entrance to** …에 자유로이 들어갈 수가 있다. **make**[**effect**] **one's entrance** 들어가다, 들어가는 데 성공하다. **No Entrance** 《게시》 입장 사절. ⊕ énter *v.*
en·trance[2] [entrǽns, -trά:ns] *vt.* 넋을 잃게 하다, 무아경에 이르게 하다, 황홀하게 하다: 기뻐 어쩔 줄 모르게 하다《*with*》. **be entranced with** …에 황홀해지다, 정신이 멍해지다. ⊕ trance *n.*
éntrance examinátion 입학[입사] 시험.
éntrance fée 입장료: 입회[입학]금.
en·trance·ment[entrǽnsmənt, -trά:ns-] *n.* **1** Ⓤ 실신 상태, 무아경(無我境), 황홀의 경지, 기뻐 어쩔 줄 모름[모르는 상태], 광희(狂喜). **2** 황홀하게 하는 것.
en·trance·way[éntrənswèi] *n.* =ENTRYWAY.
en·tranc·ing[entrǽnsiŋ, -trά:ns-] *a.* 넋을 빼앗아 가는, 황홀하게 하는. **~·ly** *ad.*
en·trant[éntrənt] *n.* **1** 들어가는 사람: 신입자[생], 신입 회원. **2** (콘테스트 등의) 참가자[동물].
en·trap[entrǽp] *vt.* (**~ped; ~·ping**)《文語》 **1** 덫에 걸리게 하다, 함정에 빠뜨리다, 덫으로 잡다: 《Ⅲ (목)》 They ~*ped* some wild animals. 그들은 야생 동물 몇 마리를 덫으로 잡았다. **2** 〈사람을〉 (곤란·위험 등에) 빠뜨리다, 모함하다: 《Ⅲ (목)+전+명》 She ~*ped* him *to* destruction. 그녀는 그를 모함하여 파멸하게 했다. **3** …을 속이다, 속여서 …시키다《*into*》: 《Ⅴ (목)+전+-*ing*》 He ~*ped* her *into* admit*ting* some important details. 그는 그녀를 속여서[유도하여] 중요한 몇 개 항목들을 인정하게 했다. **~·ment** *n.*
*__en·treat__[entrí:t] *vt.* 《文語》 **1** 간청[탄원]하다: 《Ⅴ (목)+*to* do》 I ~*ed* him *to* stay with us. 나는 그에게 우리와 함께 있어 달라고 간청했다 (=He was ~*ed to* stay with us.《Ⅱ *be pp.*+*to* do》)/《Ⅲ (목)+전+명》 I ~ this favor *of* you. 제발 이 소원을 들어 주십시오/《Ⅲ (목)+전+명》 I ~ you for mercy. 자비를[동정을] 애원[간청]합니다/《Ⅳ 대+*that*(절)》 *Entreat* him *that* he may come back to me. 제발 나에게로 돌아와 달라고 그에게 부탁해 주시오. **2** 《古》 취급하다. ── *vi.* 탄원[간청]하다《*for*》. ⊕ entréaty *n.*
en·treat·ing *a.* 간청의, 탄원의.
en·treat·ing·ly *ad.* 애원하다시피, 간청하듯이, 간절히.
*__en·treat·y__[entríti] *n.* (*pl.* **-treat·ies**) Ⓤ,Ⓒ 간청, 탄원, 애원. ⊕entréat *v.*
en·tre·chat[ὰ:ntrəʃά:] [F] *n.* (*pl.* **-chats**) Ⓤ 〔발레〕 앙트르샤《뛰어오른 동안에 발뒤축을 여러 번 교차시키는 동작》.
en·tre·côte[ὰ:ntrəkóut] [F] *n.* 〔料理〕 갈빗대 사이의 스테이크용 고기(ribsteak).
en·trée, en·tree[ά:ntrei, ─ˊ] [F] *n.* **1** Ⓤ,Ⓒ 입장 (허가), 입장권(入場權). **2** 〔樂〕 (행진곡·무도곡의) 서주곡(序奏曲)(prelude). **3** 〔料理〕 앙트레《생선과 고기 사이에 나오는 요리》: 《미》 (구운 고기 이외의) 주요 요리. **have the entree of** a house (집에) 자유로이 출입할 수 있다.
en·tre·mets[ά:ntrəmèi] [F] *n.* (*pl.* ~[-z]) 〔料理〕 앙트르메《(1) 주요 요리 사이에 나오는 간단한 요리. (2) 곁들이는 요리》.
en·trench[entréntʃ] *vt.* **1** 〈도시·진지 등을〉 참호로 에워싸다. **2** (~one*self* 로) 자기 몸을 지키다, 자기 입장을 굳히다. ── *vi.* 참호를 파다. ⊕ trench *n.*
en·trench·ment *n.* **1** Ⓤ 참호 구축 작업. **2** 참호로 굳힌 보루. **3** Ⓤ (권리의) 침해.
en·tre nous[ὰ:ntrənú:] [F] *ad.* 우리끼리의 이야기지만.
en·tre·pôt[ά:ntrəpòu] [F] *n.* **1** 창고. **2** (항구가 있는) 화물 집산지, 화물 통과항.
en·tre·pre·neur[ὰ:ntrəprənə́:*r*] [F =enterprise] *n.* **1** 기업가(enterpriser). **2** (특히) 가극의 흥행주. **3** 중개업자. ◇ 특정 사업의 기획·실행자는 UNDERTAKER. **~·shìp** *n.*
en·tre·sol[éntə*r*sὰl, ά:ntrə-/ɔ́ntrəsɔ̀l] [F] *n.* 〔建〕 1층과 2층 사이의 낮은 중간층(mezzanine).
en·tro·py[éntrəpi] *n.* Ⓤ **1** 〔物〕 엔트로피 《열역학에서의 상태 함수(函數)의 하나》. **2** (점진적) 일률화, 무변화, 혼돈: (질의) 저하, 붕괴.
*__en·trust__[entrΛ́st] *vt.* 〈책임·임무 등을〉 맡기다, 위임하다《*to*》: 〈금전 등을〉 맡기다, 위탁하다《*with*》: 《Ⅲ (목)+전+명》 He ~*ed* his son to her. 그는 자기 아들을 그녀에게 맡겼다 (=His son was ~*ed to* her.《Ⅰ *be pp.*+전+명》)/《Ⅲ (목)+전+명》 We ~*ed* our safety to a boat. 우리는 우리의 안전을 보트에 맡겼다/I

~*ed* him with the business. 그 상거래를 그에게 위탁했다(=I ~*ed* the business *to* him.). **~·ment** *n.* ⟐ trust *n.*

⁑**en·try**[éntri] *n.* (*pl.* **-tries**) **1** 들어감, 입장(entrance), 가입, 입회;(배우의) 등장: a developing nation's ~ *into* the UN 개발도상국의 유엔 가입. **2** 들어가는 길; ⦅미⦆ 입구(entrance), ⦅특히⦆ 현관. **3** 입장권(權), 입장 허가. **4** (경주·경기 등의) 참가, 출장, 참가자. **5** [C,U] 등록, 등기, 기입; 기재 사항(*cf.* BOOKKEEPING): DOUBLE〔SINGLE〕 ENTRY. **6** [U,C] 〔法〕 (토지·가옥의) 점유(占有), 침입. **7** [U,C] 〔商〕 통관 수속. **8** [C,U] (사전 등의) 수록어, 표제어, 견출어. **9** 〔컴퓨터〕 어귀, 입구. **author〔subject〕 entries** (도서관의) 저자명〔건명〕 목록. **force an entry** 밀고 들어가다. **make an entry (of an item)** (사항을) 기입〔등록〕하다. **sign and seal an entry** 기재 사항에 서명 날인하다. ⟐ énter *v.*

en·try·ism[éntriizəm] *n.* (보통 경멸적) 정당 참여⦅그 정당의 생각과 계획을 내부로 부터 바꾸는 것을 목적으로 하는⦆.

en·try-lev·el[-lèvəl] *a.* 초보적인, 견습적인.

éntry pèrmit 입국 허가.

éntry vìsa 입국 사증.

en·try·way[-wèi] *n.* 입구의 통로.

éntry wòrd =HEADWORD.

ent. Sta. Hall Entered at Stationers' Hall 판권 등록필.

en·twine[entwáin] *vt.* **1** 엉키게 하다; 얽히게 하다, 감게 하다⦅*about, round, with*⦆. **2** 〈생각 등을〉 혼란시키다, 착각케 하다. **3** 〈화환(花環) 등을〉 엮다; 껴안다.

en·twist[entwíst] *vt.* 꼬다, 꼬아 합치다(twist together): ~a thing *with* another …을 …와 한데 엮어 꼬다.

e·nu·cle·ate[in*j*úːklièit] *vt.* **1** 명백히 하다(clear up). **2** 〔外科〕 적출(摘出)하다; 〔生〕 …에서 세포핵을 빼내다.

e·nu·cle·a·tion[-ʃən] *n.* [U] 〔生〕 핵의 제거; 〔外科〕 적출; 설명, 해명.

É nùmber (EC의 규정에 의한) 식품 첨가물이나 음료수 등의 라벨에 붙는 코드 번호⦅E와 숫자로 되어있음⦆.

***e·nu·mer·ate**[in*j*úːmərèit] [L] *vt.* **1** 열거하다, …을 차례로 들다: ⦅Ⅲ [전]+[명]+(목)⦆ He ~*d* to her the advantage of travelling by train. 그는 그녀에게 기차 여행의 이점을 열거했다. **2** 낱낱이 세다, 계산하다.
⟐ enumerátion *n.*; enúmerative *a.*

e·nu·mer·a·tion[-ʃən] *n.* **1** [U,C] (하나 하나) 셈, 계산, 열거. **2** 목록, 일람표.

e·nu·mer·a·tive[-rèitiv, -rət-] *a.* 열거하는; 계산〔계수(計數)〕상의.

e·nu·mer·a·tor[-ər] *n.* (통계 등의) 계산자, 계수자; 열거자.

e·nun·ci·ate[inʌ́nsièit, -ʃi-] [L] *vt.* **1** 〈이론·주의 등을〉 선언하다, 발표하다. **2** 〈단어를〉 똑똑히 발음하다(pronounce).

e·nun·ci·a·tion[-ʃən] *n.* [U,C] **1** 발음(하는 투·방식). **2** 언명, 선언.

e·nun·ci·a·tive[-tiv] *a.* **1** 언명〔선언〕적인. **2** 발음(상)의. **~·ly** *ad.*

e·nun·ci·a·tor[-ər] *n.* 선언자; 발음자.

e·nun·ci·a·to·ry[-siətɔ̀ːri/-təri] *a.* =ENUNCIATIVE.

e·nure[injúər] *v.* =INURE.

en·u·re·sis[ènjuríːsis] *n.* [U] 〔病理〕 유뇨(遺尿)(증): nocturnal ~ 야뇨증(夜尿症).

èn·u·rét·ic *a.*

env. envelope.

⁑**en·vel·op**[envéləp] *vt.* **1** ⦅文語⦆ 싸다; 봉하다, 덮어싸다; 감추다⦅*in*⦆: The long cape ~*ed* the baby completely. 긴 케이프로 아기를 곡 쌌다/~ one-self *in* a blanket 담요를 두르다/be ~*ed in* mystery 신비에 싸여 있다. **2** 〔軍〕 〈적을〉 포위하다. — *n.* =ENVELOPE. **~·er** *n.* ⟐ envélopment, énvelope *n.*

★**en·ve·lope**[énvəlòup, ɑ́ːn-] *n.* **1** 봉투. **2** 싸개, 덮개, 가리개; 〔植〕 외피(外皮). **3** (기구의) 기낭(氣囊)(gasbag); 기낭 외피; 〔電子〕 진공관을 싸는 기밀(氣密)의 금속 또는 유리; 〔天〕 혜성을 싸는 가스체; 〔컴퓨터〕 덧붙임. **4** ⦅俗⦆ 콘돔. ⟐ envélop *v.*

en·vel·op·ment[envéləpmənt] *n.* **1** [U] 봉함, 싸기; 포위. **2** 싸개, 포장지.

en·ven·om[invénəm] *vt.* **1** ⦅文語⦆ 독을 넣다〔바르다〕. **2** 독기를 띠게 하다(embitter): an ~*ed* tongue 독설(毒舌).

en·ven·om·ate[envénəmèit] *vt.* (물거나 하여) 독물〔독액〕을 주입하다.

en·ven·om·a·tion[envènəméiʃən] *n.* 독물〔독액〕 주입.

en·ven·om·i·za·tion[envènəmizéiʃən] *n.* (뱀 등이) 물어서 생기는 중독.

Env. Extr. Envoy Extraordinary.

en·vi·a·ble[énviəbəl] *a.* 샘나는, 부러운. **~·ness** *n.* **-bly** *ad.*

⁑**en·vi·ous**[énviəs] *a.* 시기심이 강한; 부러워하는, 질투하는, 샘내는: ~looks 부러운 듯한 표정. **be envious of** (another's luck) (남의 행운)을 시기하다. **~·ly** *ad.* 질투〔시기〕하여; 부러워서. ⟐ énvy *n.*

en·vi·ro[enváirou] [*enviro*nmentalist lobbying on Capitol Hill] *n* ⦅미俗⦆〔政〕 의회 로비 활동을 하는 환경 보호 운동가(=TREE HUGGER).

***en·vi·ron**[inváiərən] *vt.* ⦅文語⦆ 둘러싸다, 포위하다; 두르다⦅*by, with*⦆: the village ~*ed by* the mountains 산으로 둘러싸인 마을.
⟐ envíronment, envírons *n.*

⁑**en·vi·ron·ment**[inváiərənmənt] *n.* **1** [U] 주위, 외계; 주위의 상황, (생태학적·사회적·문화적) 환경: social ~ 사회적 환경. **2** [U,C] 포위; 위요(圍繞); 둘러싸고 있어 영향을 주는 것. **3** (the ~) 자연 환경.
⟐ envíron *v.*; environméntal *a.*

***en·vi·ron·men·tal**[inváiərənméntl] *a.* 주위의, 환경의. **~·ly** *ad.*

environméntal árt 환경 예술⦅관객을 포함하는 종합 예술⦆.

environméntal asséssment 환경 사전조사.

environméntal biólogy 환경 생물학, 생태학.

environméntal disrúption 환경 파괴(略: E.D.).

environméntal enginéer 환경 공학자⦅환경 보전의 전문 기술자⦆.

environméntal enginéering 환경 공학.

environméntal ímpact stàtement 환경 영향 평가 보고서.

en·vi·ron·men·tal·ism[invàiərənméntlìzəm] *n.* [U] 환경 결정론⦅인간 형성에 있어서 유전보다 환경을 중하게 봄⦆.

en·vi·ron·men·tal·ist[invàiərənméntlist] *n.* **1** 환경 결정론자, 환경(보호)론자. **2** 환경 예술가.

environméntal pollútion 환경 오염.

Environméntal Protéction Àgency ⦅미⦆

환경 보호국(略: EPA).
environméntal psychólogy 환경 심리학.
environméntal scíence 환경 과학.
en·vi·ron·men·tol·o·gy[invàiərənmentáləd3i(:)/-mentɔ́l-] *n.* 환경학.
en·vi·ron·pol·i·tics[inváiərənpàlətiks/-pɔ̀l-] *n.* 환경 보호〔보전〕 정책.
en·vi·rons[inváiərənz, énviərənz] *n. pl.* (도시의) 주위, 근교, 교외: London and its ~ 런던과 그 근교.
en·vis·age[invízid3] *vt.* **1** (어떤 관점에서) 관찰하다: 마음에 그리다, 상상 하다. **2** 〈사실을〉 정시(正視)〔직시〕하다, 〈위험에〉 직면하다. **~·ment** *n.*
en·vi·sion[invíʒən] *vt.* 〈장래의 일 등을〉 마음에 그리다, 상상하다, 계획하다.
*__en·voy__[1][énvɔi, ά:n-] [F] *n.* **1** 사절(使節): an Imperial ~ 칙사. **2** (특히 전권) 공사: an ~ extraordinary (and minister plenipotentiary) 특명 전권 공사. **3** 외교관.
envoy[2] *n.* (시의) 결구(結句); 발문(跋文).
en·vy[énvi] [F] *n.* (*pl.* **-vies**) Ⓤ (때로 *pl.*) 질투, 선망, 시기(*cf.* jealousy); Ⓒ 선망의 대상, 부러워하는 것〔근거〕: (Ⅰ 전+명) She filled *with* ~ *at*〔*of*〕 your success. 그녀는 너의 성공을 시기하는 마음으로 가득 찼다/(Ⅱ 명) He〔His car/His success〕 was the ~ *of* all 〔everyone〕. 그는〔그의 차는/그의 성공은〕 모든 사람의 선망의 대상이었다(=He〔His car/His success〕 was an object of ~ *to* all〔everyone〕.(Ⅱ 명+전+명)). **be green with envy** (안색이 바뀔 정도로) 몹시 부러워하다. **feel envy at**〔**of**〕 …을 부러워하다: I *feel* no *envy at*〔*of*〕 your success. (너의 성공은) 조금도 부럽지 않다. **in envy of** …을 부러워하여. **out of envy** 시기심에서, 샘하여, 질투한〔부러운〕 나머지.
— *vt.* (**-vied**) 부러워하다; 시기하다, 질투하다: (Ⅳ (목)+(목)) I ~ you your good husband. 나는 네 훌륭한 남편이 부럽다/(Ⅲ (목)) I ~ him. 그가 부럽다/(Ⅲ (목)/Ⅳ (목)+(목)) I ~ (him) his success. 그의 성공이 부럽다(=I ~ him for his success.(Ⅲ (목)+전+명)/=His success is *envied* (by me).(Ⅰ *be pp.*(+전+명))/=He is *envied* for his success.(Ⅰ *be pp.*+전+명)) (◇ 다음 두 형태의 수동태는 부자연스럽다: His success was *envied* him./He was *envied* his success.).
◈ énviable, énvious *a.*
en·weave[inwí:v] *vt.* =INWEAVE.
en·wind[inwáind] *vt.* (**-wound**[-wáund]) …에 얽히다, 감겨 들다.
en·womb[inwú:m] *vt.* 태내에 배다; 싸다; 깊숙히 묻다〔감추다〕.
en·wrap[inrǽp] *vt.* (**~ped**; **~·ping**) 싸다, 휘말다, 감싸다(*in*); 열중시키다(absorb).
en·wreathe[inrí:ð] *vt.* 《文語》 화환으로〔처럼〕 휘감다, (화환처럼) 두르다; 얽다, 엮다.
En·zed[enzéd] *n.* 《오스口·뉴질口》 =NEW ZEALAND(ER).
en·zo·ot·ic[ènzouάtik/-ɔ́t-] *a.* 〈동물의 병이〉 지방〔풍토〕성의(*cf.* EPIZOOTIC). — *n.* (동물의) 지방〔풍토〕병. **-i·cal·ly** *ad.*
en·zy·mat·ic[ènzimǽtik, -zai-] *a.* 효소의〔에 의한〕. **-i·cal·ly** *ad.*
en·zyme[énzaim] [Gk] *n.* 〔化〕 효소(*cf.* YEAST).
énzyme detérgent 효소 세제.
énzyme engineèring 효소 공학《효소(작용)의 농공업에의 응용》.
en·zy·mol·o·gy[ènzaimáləd3i, -zə-] *n.* Ⓤ 효소학. **-gist** *n.* 효소학자.
EO Education Officer; Engineering Office 토목국; Executive Order. **e.o.** ex officio 직권상.
E·o·cene[í:əsì:n] *n., a.* 〔地質〕 (제3기(紀)의) 시신세(始新世)(의).
EOD explosive ordnance disposal 폭발물 처리.
EOF 〔컴퓨터〕 end of file 파일 끝《파일의 끝을 나타내는 코드 혹은 신호》.
e·o·hip·pus[ì:ouhípəs] *n.* 에오히푸스《미국 서부에서 발굴된 시신세(始新世) 전기의 화석마(化石馬)》.
E·o·li·an[i(:)óuliən] *a.* =AEOLIAN.
E·ol·ic[i(:)άlik] *a., n.* =AEOLIC.
e·o·lith[í:əliθ] *n.* 〔考古〕 원시 석기.
E·o·lith·ic[ì:əlíθik] *a.* 〔考古〕 원시 석기 시대의(*cf.* PALEOLITHIC).
e.o.m., E.O.M. 〔주로商〕 end of (the) month.
e·on *n.* =AEON.
e·o·ni·an[i:óuniən] *a.* =AEONIAN.
e·on·ism[í:ənìzəm] *n.* Ⓤ 〔心〕 남자의 여성 모방벽, 복장 도착(倒錯).
e·ons-old[í:ənzòuld] *a.* 아주 먼 옛날부터의, 머나먼 옛날의.
E·os[í:αs/-ɔs] *n.* 〔그神〕 에오스《여명의 여신; 로마 신화의 aurora에 해당》.
e·o·sin[í:əsin] *n.* Ⓤ 〔化〕 에오신《선명한 붉은 색의 산성 색소(酸性色素); 세포질의 염색 등에 쓰임》.
e·o·sin·o·phile, -phil[ì:əsínəfàil], [-fìl] *n.* 〔解〕 호산구(好酸球).
-e·ous[iəs] *suf.* 「…와 같은; …비슷한」의 뜻《형용사 어미 -ous의 변형》.
E·o·zo·ic[ì:ouzóuik] *n., a.* 〔地質〕 **1** =PRECAMBRIAN. **2** =PROTEROZOIC.
EP[í:pí:] [extended *p*lay] *n.* 〔레코드〕 이피판《매분 45회전의 레코드; *cf.* LP》. — *a.* 이피판의: an ~ record EP음반.
ep-[ep], **ep·i-**[épi, 미+épə] *pref.* 「위(上); 더하여; 외(外)」의 뜻《모음 앞에서는 ep-》: *ep*ode, *epi*cycle.
epi- *pref.* =EP-.
Ep. Epistle. **EP** European Plan. **E.P.** electroplate. **EPA** Environmental Protection Agency 《미》 환경 보호청.
e·pact[í:pækt] *n.* **1** 태양력의 1년이 태음력보다 초과하는 날짜 수《약 11일》. **2** 1월 1일의 월령(月齡).
ep·arch[épα:rk] *n.* **1** (옛그리스의) 주지사(州知事); (근대 그리스의) 군수(郡守). **2** (그리스 정교의) 대주교, 주교.
ep·arch·y[épα:rki] *n.* (*pl.* **-arch·ies**) **1** (옛 그리스의) 주(州); (근대 그리스의) 군(郡). **2** (그리스 정교의) 주교구(主敎區), 대교구.
ep·au·let(te)[épəlèt] *n.* (장교 정복의) 견장(肩章). **win one's epaulets** (하사관이) 장교로 승진하다.
E.P.B. Economic Planning Board 경제기획원; 《영》 Environmental Protection Board.
Ép·cot Cènter[épkət-] [*E*xperimental *P*rototype *Co*mmunity of *T*omorrow] 《미》 (Florida주 소재의 제 2디즈니랜드의) 미래 도시.
E.P.D. Excess Profits Duty 초과 이득세; Export Promotion Department.
é·pée[eipéi, épei] [F] *n.* 〔펜싱〕 에페《끝이 뾰족한 시합용 칼》.

é·pée·ist[épeiist][F] *n.* 〔펜싱〕 에페 경기자.
E·pei·rus[ipáirəs] *n.* =EPIRUS.
ep·en·the·sis[epénθəsis] *n.* (*pl.* **-ses**[-sì:z]) 〔言·音聲〕 삽입 문자; 삽입음(音)《elm[éləm]의 [ə] 같은 것》.
e·pergne[ipə́:rn, eipέərn] *n.* 식탁 중앙에 놓는 장식용 스탠드《과일·꽃 등을 얹어 둠》.
ep·ex·e·ge·sis[epèksədʒí:sis] *n.* (*pl.* **-ses**[-si:z]) 〔修〕 설명적 보족(어)(補足(語)).
eph-[ef] *pref.* =EP-《h 앞에서의 변형》: *eph*emeral.
Eph. Ephesians.
e·phah, e·pha[í:fə, éfə] *n.* 에파《고대 히브리의 건량 단위; 40.52 *l*》.
e·phed·ra[ifédrə, éfidrə] *n.* (*pl.* **-ras**) 〔植〕 마황(麻黃).
e·phed·rine[ifédrin, éfidrì:n] *n.* Ⓤ 〔化〕 에페드린《감기·천식 치료제》.
e·phem·er·a[ifémərə] *n.* (*pl.* **~s, -er·ae**[-ərì:]) **1** 〔昆〕 하루살이(ephemerid). **2** (하루살이처럼) 몹시 명이 짧은 것.
e·phem·er·al[ifémərəl] [Gk] *a.* **1** 하루살이 목숨의, 하루〔며칠〕밖에 살지 못하는 〈곤충·풀 등〉; 명이 짧은(short-lived). **2** 순식간의, 덧없는. **~·ly** *ad.*
e·phem·er·al·i·ty[ifèmərǽləti] *n.* (*pl.* **-ties**) Ⓤ 단명(短命); 덧없음; Ⓒ (*pl.*) 덧없는 일〔것〕.
e·phem·er·al·i·za·tion[ifèmərəlizéiʃən] *n.* 단기 소모 상품 제조, 상품의 단명화.
e·phem·er·id[ifémərid] *n.* 하루살이.
e·phem·er·is[ifémәris] *n.* (*pl.* **eph·e·mer·i·des**[èfəméridì:z]) **1** 〔天〕 (천체의) 추산 위치표, 천문력(天文曆). **2** 《古》 달력; 일지.
ephémeris tìme 〔天〕 역표시(曆表時)《지구·달·혹성의 공전(公轉) 운동을 기준으로 측정하는 시법(時法)》.
e·phem·er·on[ifémərɑ̀n/-rɔ̀n] *n.* (*pl.* **-er·a**[-ərə], **~s**) =EPHEMERA.
Ephes. 〔聖〕 Ephesians.
E·phe·sian[ifí:ʒən] *a.* EPHESUS의. ― *n.* (the ~s; 단수 취급) 〔聖〕 에베소서(書).
Eph·e·sus[éfəsəs] *n.* 에베소《소아시아 서부의 옛 도시; Artemis〔Diana〕 신전(神殿)의 소재지》.
eph·od[éfɑd, í:-/-fɔd] *n.* 유대 제사장의 제의(祭衣).
eph·or[éfɔ:r, éfər] *n.* (*pl.* **~s, -o·ri**[-ràil]) 〔옛 그리스〕 민선 장관(民選長官)《스파르타 등의 민선 5장관(five chief magistrates)의 한 사람》; 그리스의 관리, (특히) 공공 사업 감독관.
E·phra·im[í:friəm, í:frəm] *n.* **1** 남자 이름. **2** 〔聖〕 에브라임《Joseph의 차남; 창세기 41:52》. **3** 에브라임족《이스라엘 부족의 하나》. **4** 북왕국 이스라엘.
epi-[épi, épə] *pref.* 「위, 그 위, 외(外)」의 뜻.
ep·i·ben·thos[èpəbénθɑs/-θɔs] *n.* 〔生〕 표재 저생(表在底生) 생물《해저에서 생활하는 생물; 맨 밑에서 180m사이》.
ep·i·blast[épiblæ̀st, -blɑ̀:st] *n.* 〔生〕 낭배(囊胚)의 외피(外皮)《외배엽이 됨》.
***ep·ic**[épik] [Gk] *n.* **1** 서사시(敍事詩), 사시(史詩)《영웅의 모험·업적 또는 민족의 역사 등을 읊은 시; *cf.* LYRIC》. **2** (소설·극·영화 등) 서사시적 작품. ― *a.* 서사시의; 서사시적인; 웅장한.
ep·i·cal[épikəl] *a.* =EPIC. **~·ly**[-kəli] *ad.* 서사시적으로; 서사체(體)로.
ep·i·ca·lyx[èpikéiliks, -kǽl-] *n.* (*pl.* **~·es, -ly·ces**) 〔植〕 악상총포.
ep·i·cán·thic fóld 〔解〕 내안각췌피(內眼角贅皮).
ep·i·can·thus[èpikǽnθəs] *n.* (*pl.* **-thi**[-θai]) =EPICANTHIC FOLD.
ep·i·car·di·um[èpikɑ́:rdiəm] *n.* (*pl.* **-dia**[-diə]) 〔解〕 외심막(外心膜).
ep·i·carp[épəkɑ̀:rp] *n.* 〔植〕 외과피(外果皮).
épic dráma 에픽 드라마《관객의 비판적 사고를 촉구하는 서사극》.
ep·i·ce·di·um, ep·i·cede[èpəsí:diəm, -sidái-], [épəsì:d] *n.* (*pl.* **-di·a; -ce·des**[èpəsí:diə], [épəsì:di:z]) 장송가, 애가(哀歌).
ep·i·cene[épəsì:n] *a.* 〔라틴·그리스 文法〕 통성(通性)(common gender)의; 남녀 양성을 함께 가진. ― *n.* 남녀추니; 통성어.
ep·i·cen·ter|-tre[épisèntər] *n.* **1** 〔地震〕 진원지(震源地), 진앙(震央). **2** 《미》 중심점. **3** (폭탄의) 낙하점.
ep·i·cen·tral[èpiséntrəl] *a.* 〔地震〕 진앙의.
ep·i·cen·trum[èpiséntrəm] *n.* (*pl.* **~s, -tra**[-trə]) 《영》 =EPICENTER.
ep·i·cle·sis, -kle-[èpəklí:səs] *n.* (*pl.* **-ses**[-si:z]) 〔그리스正教〕 에피클레시스《성령 강림을 희원하는 기도》.
ep·i·cot·yl[épikɑ̀tl/-kɔ̀tl] *n.* 〔植〕 상배축(上胚軸).
ep·i·crit·ic[èpəkrítik] *a.* 〔生理〕 〈피부 감각 등이〉 (정밀) 식별〔판별〕성의.
épic símile 서사시적 비유《특히 서사시에서 쓰이고 몇 행에 걸친 직유표현》.
Ep·ic·te·tus[èpiktí:təs] *n.* 에픽테토스(55?-135? A.D.)《그리스의 스토아학파 철학자》.
ep·i·cure[épikjùər] [Epicurus에서] *n.* 향락주의자; (특히) 식도락가, 미식가.
ep·i·cu·re·an[èpikjurí:ən, -kjú(:)ri-] *a.* **1** 향락 취미의, 식도락의, 미식가적인. **2** (**E-**) 에피쿠로스(파)의. ― *n.* **1** 미식가(epicure). **2** (**E-**) 에피쿠로스 학도.
Ep·i·cu·re·an·ism[-ìzəm] *n.* Ⓤ **1** 향락주의. **2** (**e-**) =EPICURISM.
ep·i·cur·ism[épikjurìzəm] *n.* Ⓤ 식도락, 미식주의.
Ep·i·cu·rus[èpikjúərəs] *n.* 에피쿠로스(342?-270 B.C.)《그리스의 철학자; 에피쿠로스파의 시조》.
ep·i·cu·ti·cle[èpikjú:tikəl] *n.* 에피큐티클《곤충의 세 층으로 된 큐티클(cuticle)의 제일 바깥 층》.
ep·i·cy·cle[épəsàikl] *n.* 〔天·數〕 주전원(周轉圓).
ep·i·cyc·lic[èpəsáiklik] *a.* 주전원의.
ep·i·cy·cloid[èpəsáiklɔid] *n.* 〔數〕 외(外)사이클로이드, 외파선(外擺線).
èp·i·cy·clói·dal[èpəsaiklɔ́idəl] *a.*
***ep·i·dem·ic**[èpədémik][Gk] *a.* **1** 〔醫〕 유행〔전염〕성의(*cf.* ENDEMIC). **2** 유행하고 있는. ― *n.* 유행〔전염〕병.
ep·i·dem·i·cal[-əl] *a.* =EPIDEMIC.
epidémic pleu·ro·dýn·i·a[-plùərədíniə] 〔病理〕 전염성 흉통증《바이러스 등에 의한》.
ep·i·de·mi·ol·o·gy[èpədì:miɑ́lədʒi, -dèmi-] *n.* Ⓤ 유행〔전염〕병학.
ep·i·der·mal, -mic[èpədə́:rməl], [-mik] *a.* 상피(上皮)〔표피(表皮)〕의.
ep·i·der·min[èpədə́:rmin] *n.* 〔生〕 에피더민《동식물 표피의 주 구성 요소인 섬유상 단백질》.
ep·i·der·mis[èpədə́:rmis] *n.* 〔解·動·植〕 표피, 외피; 세포성 표피(表皮).
ep·i·der·moid, -der·moi·dal[èpədə́:rmɔid], [-dərmɔ́idəl] *a.* 〔解·動·植〕 표피 비슷한, 표피 모양의.

ep·i·di·a·scope[èpədáiəskòup] *n.* 실물 환등기; =EPISCOPE.

ep·i·du·ral[1][epəd*j*úərəl] *a.* 〔解〕 경막(梗膜) 밖의.

ep·i·du·ral[2] *n.* 〔醫〕 진통주사《산모 등의 등 아랫쪽에 놓는》.

ep·i·gas·tric[èpəgǽstrik] *a.* 〔解〕 상복부(上腹部)의.

ep·i·gas·tri·um[èpəgǽstriəm] *n.* (*pl.*-**tria** [-triə]) 〔解〕 상복부《위(胃)의 위쪽》.

ep·i·gene[épidʒìːn] *a.* 〔地質〕〈암석이〉 표면에서 생성된, 외력적인, 표성(表成)의(*cf.* HYPOGENE).

ep·i·gen·e·sis[èpədʒénəsis] *n.* Ⓤ **1** 〔生〕 후성설(後成說)《생물의 발생은 점차적 분화에 의한다는 설》; (*opp.* preformation). **2** 〔地質〕 후생(後生)(*cf.* SYNGENESIS).

e·pig·e·nous[ipídʒənəs] *a.* 〔植〕 표면에 생기는, 잎의 표면에 발생하는.

ep·i·glot·tis[èpəglɑ́tis/-glɔ́t-] *n.* (*pl.* **~·es, -ti·des**[-tidìːz]) 〔解〕 후두개(喉頭蓋), 회염 연골(會厭軟骨).

èp·i·glót·tal[-tl], **èp·i·glót·tic**[-tik] *a.*

ep·i·gone, -gon[épəgòun],[-gɑ̀n/-gɔ̀n] *n.* **1** (조상보다 못한) 자손. **2** 〔文藝〕 (일류 예술가·사상가 등의) 모방〔추종〕자, 아류(亞流).

ep·i·gon·ic, e·pig·o·nous[èpə-gɑ́nik/-gɔ́n-], [ipígənəs, e-] *a.*

e·pig·o·nism[ipígənìzəm, e-] *n.* 열등 모방.

*__ep·i·gram__[épigræ̀m] *n.* **1** 경구(警句). **2** (짧고 날카로운) 풍자시. **3** 경구적 표현. ⊕ epigrammátic *a.*; epigrámmatize *v.*

ep·i·gram·mat·ic, -i·cal[èpigrəmǽtik], [-əl] *a.* 경구적인; 풍자시(적)인; 경구를 좋아하는. **-i·cal·ly**[-ikəli] *ad.* 경구적으로, 짧고 날카롭게.

ep·i·gram·ma·tist[èpigrǽmətist] *n.* 경구가; 풍자 시인.

ep·i·gram·ma·tize[èpigrǽmətàiz] *vi.* 경구를 말하다; 풍자시를 짓다. ― *vt.* …을 경구〔풍자시〕로 표현하다; …에게 경구를 말하다.

ep·i·graph[épigræ̀f, épigrɑ̀ːf] *n.* **1** 제명(題銘), 비명(碑銘), 비문(inscription). **2** (책머리·장(章)의) 제사(題辭), 표어(motto).

e·pig·ra·pher[ipígrəfər, e-] *n.* =EPIGRAPHIST.

ep·i·graph·ic, -i·cal[èpəgrǽfik],[-ikəl] *a.* EPIGRAPH의; EPIGRAPHY의.

e·pig·ra·phist[ipígrəfəst, e-] *n.* 비명학자, 금석학자.

e·pig·ra·phy[epígrəfi] *n.* Ⓤ **1** 비명(碑銘)학, 금석학(金石學). **2** (집합적) 비명(문).

e·pig·y·nous[ipídʒənəs] *a.* 〔植〕〈꽃이〉 자방(子房) 하위의.

epil. epilepsy; epileptic; epilog(ue).

ep·i·lep·sy[épəlèpsi] *n.* Ⓤ 〔病理〕 간질.

ep·i·lep·tic[èpəléptik] *a.* 〔病理〕 간질(성)의; 간질병의. ― *n.* 간질 환자. **-ti·cal·ly** *ad.*

e·pil·o·gist[ipílədʒist] *n.* EPILOG(UE)의 작자(作者)〔낭독자〕.

*__ep·i·logue,__ 《미》 **-log**[épilɔ̀ːg, -lɑ̀g/épilɔ̀g] [Gk] *n.* **1** (문예 작품의) 발문(跋文), 후기(後記). **2** 〔劇〕 끝말《보통 운문(韻文)》; 〔樂〕 종곡(終曲), 후주(後奏)(*opp.* prolog(ue)).

ep·i·my·si·um[èpəmíziːəm, -míʒ-] *n.* (*pl.* **-my·si·a**[-míziːə, -míʒ-]) 〔解〕 근외막(筋外膜), 근육초.

ep·i·neph·rine[èpənéfrin, -riːn] *n.* Ⓤ **1** 〔生化〕 에피네프린《부신에서 분비되는 호르몬》. **2** 〔藥〕 아드레날린제(劑).

ep·i·pe·lag·ic[èpiːpəlǽdʒik] *a.* 겉 해수층(海水層)의《광합성에 충분한 빛이 침투하는 층》.

Epiph. Epiphany.

E·piph·a·ny[ipífəni] [Gk] *n.* (*pl.* **-nies**) **1** 〔基督教〕 **a** (the ~) (동방의 세 박사의 베들레헴 내방이 상징하는) 예수 공현. **b** 예수 공현 축일(Twelfth day)《1월 6일, Christmas 후 12일째 날; *cf.* TWELFTH NIGHT》. **2** (**e-**) (신의) 출현, 나타남. **3** (**e-**) (어떤 사물이나 본질에 대한) 직관, 통찰.

ep·i·phe·nom·e·nal·ism[èpəfənɑ́mənlìzəm] *n.* 부수현상설(附隨現象說)《의식은 단순히 뇌의 생리적 현상에 부수된 것이라는 설》.

ep·i·phe·nom·e·non[èpifənɑ́mənɑ̀n/-nɔ́minən] *n.* (*pl.* **-na**[-nə]) 부수 현상.

ep·i·phyte[épəfàit] *n.* 〔植〕 착생(着生)〔기착(寄着)〕 식물. **èp·i·phýt·ic**[èpəfítik] *a.*

ep·i·phy·tol·o·gy[èpəfaitɑ́lədʒi/-tɔ́l-] *n.* Ⓤ 식물 기생병학.

ep·i·phy·tot·ic[èpəfaitɑ́tik/-tɔ́t-] *a.* (병해가) 동시에 한 지역의 많은 식물을 말려 죽이는. ― *n.* 그 병해의 발생.

E·pi·rus[ipaíərəs] *n.* 에피루스《그리스 북서부의 지방; 그 지역과 현재의 알바니아 남부의 고대 국가》.

Epis. 〔聖〕 Epistle. **Epis(c).** Episcopal; Episcopalian.

e·pis·co·pa·cy[ipískəpəsi] *n.* (*pl.* **-cies**) **1** Ⓤ (교회의) 주교〔감독〕 제도《bishops, priests, deacons의 세 직을 포함하는 교회 정치 형식》. **2** 감독〔주교〕의 직〔임기〕; 감독 정치. **3** (the ~; 집합적) 감독〔주교〕단(團).

*__e·pis·co·pal__[ipískəpəl] *a.* **1** 감독〔주교〕의. **2** (**E-**) 〔教會〕 감독파의. ⊕ episcopálian *a.*

Epíscopal Chúrch (the ~) 영국 성공회(聖公會)《영국 국교; the Protestant Episcopal Church는 미국 성공회》.

E·pis·co·pa·lian[ipìskəpéiljən, -liən] *a.* 감독 제도의. ― *n.* 감독교회 신도; 감독제주의자. **~·ìsm** *n.* Ⓤ 그 주의(主義).

e·pis·co·pal·ly *ad.* 주교〔감독〕로서; 주교에 의하여.

e·pis·co·pate[ipískəpit, -pèit] *n.* **1** 주교〔감독〕의 지위〔계급, 임기〕. **2** (the ~; 집합적) 감독〔주교, 사교(司教)〕단(團).

ep·i·scope[épəskòup] *n.* 반사 투영기《불투명체의 화상(畫像)을 스크린에 영사하는 환등 장치》.

ep·i·sem·eme[èpisíːmiːm] *n.* 문법 의미소(意味素).

*__ep·i·sode__[épəsòud, -zòud] [Gk] *n.* **1** (소설·극 등의 중간의) 삽화(揷話). **2** 삽화적인 일, 에피소드. **3** 〔古그 悲劇〕 (두 개의 합창 사이에 끼워 넣은) 대화(對話); 〔樂〕 삽입곡(曲). **4** (연속 방송 프로그램·영화의) 1회분의 이야기〔작품〕.

ep·i·sod·ic, -i·cal[èpəsɑ́dik/èpisɔ́d-], [-əl] *a.* 에피소드풍(風)의, 삽화적인(incidental), 삽화로 이루어진; 일시적인.

ep·i·some[épəsoum] *n.* 〔生〕 에피솜; 유전자 부체(副體).

ep·i·spas·tic[èpəspǽstik] 〔醫〕 *a.* 피부 자극성의, 발포성의. ― *n.* 발포제(發疱劑), 피부 자극제.

e·pis·ta·sis[ipístəsis] *n.* (*pl.* **-ses**[-sìːz]) 〔遺傳〕 상위, 우세, 우위《둘 다 우성(優性)이나 한 쪽의 힘이 강해서 다른쪽을 억누르는》.

ep·i·stax·is[èpəstǽksis] *n.* Ⓤ 〔醫〕 코피(nosebleed).

ep·i·ste·me[èpəstíːmiː] [Gk] *n.* 지식, 인식.

ep·i·ste·mic [èpəstíːmik, -stém-] *a.* 지식〔인식〕의〔에 관한〕.

e·pis·te·mo·log·i·cal [ipìstəməládʒikəl, -məlɔ́dʒ-] *a.* 인식론(상)의.

e·pis·te·mol·o·gy [ipìstəmálədʒi/-mɔ́l-] *n.* (*pl.* **-gies**) Ⓤ 〖哲〗 인식론. **-gist** *n.* 인식론 학자.

e·pis·te·mo·phil·i·a [ipìstəmoufíliə] *n.* 호학(好學), 학문에 대한 비상한 흥미.

***e·pis·tle** [ipísl] [Gk] *n.* **1** 《文語 · 익살》 (특히 형식을 갖춘) 서간, 편지; (옛날의) 서간체의 시문(詩文). **2** (the E-) 〖聖〗 사도(使徒)서간 《신약 성서 중의; (성찬식에서 낭독하는) 사도 서간의 발췌》. **the Epistle to the Romans** 로마서. ◈ epístolary *a.*

e·pis·tler [-ər] *n.* **1** (특히 신약 성서 중의) 서간의 필자(筆者)《Paul, James, Peter, John, Jude 등》. **2** (성찬식의) 사도 서간의 낭독자 (*cf.* GOSPELER).

epístle sìde (the ~) (제단의) 남쪽, (제단을 향해) 오른쪽《서간(書簡)을 낭독하는 쪽》.

e·pis·to·lar·y [ipístəlèri/-ləri] *a.* **1** 신서(信書)〔서간, 성간(聖簡)〕의; 편지에 의한. **2** 서간문에 알맞은: an ~ style 서간문체.

epístolary nóvel 서간체 소설.

e·pis·to·ler [ipístələr] *n.* =EPISTLER 2.

e·pis·tro·phe [ipístrəfi] *n.* 〖修〗 결구(結句) 반복, 첩구(疊句).

ep·i·style [épəstàil] *n.* 〖建〗 =ARCHITRAVE.

***ep·i·taph** [épətæ̀f, -tàːf] [Gk] *n.* **1** 비명(碑銘), 비문(碑文). **2** 비명체의 시(문).

epitáxial làyer 〔電子〕 에피택셜 층(層).

ep·i·tha·la·mi·on [èpəθəléimiən] *n.* (*pl.* **-mia** [-miə]) =EPITHALAMIUM.

ep·i·tha·la·mi·um [èpəθəléimiəm] *n.* (*pl.* **~s, -mia** [-miə]) 결혼 축가〔축시〕(nuptial song).

ep·i·the·li·oid [èpəθíːliɔ̀id] *a.* 상피(上皮)(조직) 모양의.

ep·i·the·li·um [èpəθíːliəm] *n.* (*pl.* **~s, -lia** [-liə]) 〖解 · 動〗 상피(上皮); 〖植〗 신피(新皮), 피막 조직, 상피(*cf.* ENDOTHELIUM). **-li·al** *a.*

***ep·i·thet** [épəθèt] [Gk] *n.* **1** (성질을 나타내는) 형용사〔형용 어구〕. **2** 별명, 통명, 통칭, 칭호《보기: Richard the *Lion-Hearted*》; 모멸적인 어구, 욕.

ep·i·thet·ic, -i·cal [èpəθétik], [-əl] *a.* 형용하는, 형용사적인.

e·pit·o·me [ipítəmi] [Gk] *n.* **1** 발췌(拔萃), 개요; 대요, 개략. **2** 《비유》 …의 축도(縮圖): man, the world's ~ 세계의 축도인 인간.

e·pit·o·mist [ipítəmist] *n.* 요약자.

e·pit·o·mize [ipítəmàiz] *vt.* **1** …의 전형이다. **2** …의 발췌〔개요〕를 만들다; 요약하다.

ep·i·tope [épətòup] *n.* 〖生化〗 에피토프《항원(抗原) 결정기(決定基)》.

ep·i·zo·on [èpəzóuan, -ən/-ɔn] *n.* (*pl.* **-zoa** [-zóuə]) 〖生〗 외피 기생 동물, 체외 기생충.

ep·i·zo·ot·ic [èpəzouátik/èpizouɔ́t-] *n., a.* 가축 유행병(의) (*cf.* ENZOOTIC).

e plu·ri·bus u·num [iː-plúːribəs-júːnəm] [L=one out of many] *n.* 다수로 이루어진 하나《미국의 표어》.

EPN [ìːpìːén] ethyl paranitrophenyl 살충제의 일종.

EPNdB effective perceived noise decibels 감각 소음 효과 데시벨. **E.P.N.S.** electroplated nickel silver 전기 도금 양은.

‡**ep·och** [épək/íːpɔk] *n.* **1** 신기원, 신시대《*in*》. **2** 중요한 사건, 획기적인 일. **3** (중요한 사건이 일어났던) 시대《*of*》. **4** 〖地質〗 기(期), 기(紀). make〔mark, form〕 **an epoch** 하나의 새로운 기원을 이루다. ◈ épochal *a.*

ep·och·al [épəkəl/épɔk-] *a.* 새로운 기원의; 획기적인.

ep·o·che [épəkìː] [Gk] *n.* 〖哲〗 판단 중지.

***ep·o·ch-mak·ing** [-mèikiŋ] *a.* 획기적인.

ep·ode [époud] *n.* **1** (로마의 시인 Horace가 사용한 장단(長短)의 행이 번갈아 나타나는) 고대 서정시형(抒情詩形). **2** 고대 그리스 서사시의 제3단〔종결부〕.

ep·o·nym [épounìm] *n.* 이름의 시조(始祖)《국민 · 토지 · 건물 등의 이름의 유래가 되는 인명; 예컨대 Rome의 유래가 된 Romulus 등》.

e·pon·y·mous [ipánəməs/ipɔ́n-] *a.* 이름의 시조가 된.

ep·o·pee, ep·o·pea [épəpìː, ⏤⏤], [èpəpíːə] *n.* 서사시, 사시(史詩).

ep·os [épas/épɔs] *n.* (구전에 의한) 원시적 서사시(epic poetry); 서사시(epic poem).

ep·ox·ide [ipáksaid/-pɔ́k-] *n.* 〖化〗 에폭시드《에틸렌옥시드 환(環)》.

ep·ox·y [epáksi/épɔ́k-] 〖化〗 *n.* (*pl.* **-ox·ies**) 에폭시 수지. ─ *vt.* 에폭시 수지로 접착하다.

Ép·ping Fórest 에핑 포레스트《London의 북동쪽 Essex주에 있는 유원지》.

E-prime [íːpràim] [*E*nglish-*prime*] *n.* be동사를 쓰지 않는 영어《미국에서 창안》.

é·pris [eipríː] [F=in love] *a.* (*fem.* ***é·prise*** [eipríːz]) …에 반한《*with, of*》.

EPROM [íːpram/-rɔm] *n.* 〖컴퓨터〗 이피롬(*e*rasable *p*rogrammable *r*ead-*o*nly *m*emory)《PROM의 일종으로 일단 기억시킨 내용을 소거(消去)하고 다른 데이터를 기억시킬 수 있는 LSI》.

ep·si·lon [épsəlàn, -lən/-lɔn] *n.* 그리스 말 알파벳의 다섯째 문자《E, ε; 영어의 단음 E, e에 해당》.

Ep·som [épsəm] *n.* 엡섬《영국 Surrey주의 도시; 엡섬 경마장이 있으며, Derby 및 Oaks 경마가 유명》.

Épsom sálts 〖化〗 황산 마그네슘《설사제》.

Ép·stein-Bárr vírus [épstainbáːr-] 엡스타인-바 바이러스, E-B 바이러스《인간의 암에 관계가 있다는 설이 있음》.

ept [ept] *a.* 유능한, 솜씨 있는, 효율적인.

E.P.T. excess profits tax.

ep·ti·tude [éptətjùːd] [ineptitude의 역성(逆成)] *n.* 능력, 솜씨.

E.P.U. European Payment Union 유럽 결제(決濟) 동맹 **eq.** equal; equation; equivalent.

E.Q., EQ educational quotient 〖心〗 교육지수(*cf.* IQ).

eq·ua·bil·i·ty [èkwəbíləti, ìːk-] *n.* (*pl.* **-ties**) Ⓤ,Ⓒ **1** (온도 · 기후 등의) 한결같음, 균등성. **2** (기분 · 마음의) 평안, 침착.

eq·ua·ble [ékwəbəl, íːk-] *a.* **1** 〈온도 · 기후 등이〉 한결같은, 균등한, 고른(even). **2** 〈마음이〉 뒤숭숭하지 않는, 침착한(tranquil). **~·ness** *n.* =EQUABILITY. **-bly** *ad.*

‡**e·qual** [íːkwəl] *a.* **1** 같은(equivalent)《*to*》, 동등한《*with*》, (힘이) 호각의(*cf.* same): 《Ⅱ 형+전+명》 Twice 4 is ~ *to* 8. 4 곱하기 2는 8이다. **2** (임무 따위에) 적당한, 감당할 수 있는, (충분한) 역량이 있는, 필적(匹敵)하는《*to*》: 《Ⅱ 형+전+명》 Only the young are ~ *to* those physical exertions. 청년들만이 그런 고된 육체적인 일을 감당한다/He is ~ *to* anything. 그는 무슨 일이든지 해낼 수 있다/He is ~ *to* a walking dictionary. 그는 걸어 다니는 사전이나 마찬가지다/《Ⅱ 형+전+-*ing*》

One horse is not ~ *to* pul-*ling* such a heavy cart. 한 필의 말로서는 그렇게 무거운 짐차를 끌 수 없다. **3** 평등한, 대등한, 균등한; 서로 맞먹는:《Ⅱ 형+전+명》All men are ~ *before* the natural law. 만민은 자연법 앞에서 평등하다. **4**《古》〈마음 등이〉안정된, 침착한. **5**《古》평평한. **6**《古》바른(just), 공평한. **equal protection of the laws** 법의 평등한 보호. **equal to the honor** 영예를 마땅히 받을 만한(=worthy of the honor). He is **equal to the occasion**. (그는) 그런 경우를 당하여도 당황하지 않는다. **on equal terms** (**with**) (…와) 같은 조건으로, 대등하게. **other things being equal** 다른 것〔조건〕이 같다고 하고〔하면〕.
— *n.* **1** 동등〔대등〕한 사람; 동배(同輩) **2** 필적하는 사람 **3** (*pl.*) 동등한 사물. **be the equal of one's word** 약속을 지키다. **have no equal in cooking** (요리에) 있어서는 당할 사람이 없다. **without** (**an**) **equal** 필적할 만한 것〔사람〕이 없어.
— *vt.* (~**·ed**; ~**·ing** | ~**·led**; ~**·ling**) **1** …와 같다(be equal to): Two and three ~*s* five. 2 더하기 3은 5이다/~ a horse *in* size 크기가 말과 같다. **2** 필적하다, …와 맞먹다(be as good as); …와 대등한 것을 이룩하다: I can't possibly ~ his achievements. 나는 도저히 그의 업적을 따를 수가 없다. **3** 균등하게 하다. ◇ equálity *n.*: équalize *v.*

e·qual-ar·e·a[íːkwəlὲəriə] *a.* 〈지도가〉등적(等積)의, 정적(正積)의.

e·qual·i·tar·i·an[i(ː)kwɑ̀lətέəriən/-kwɔ̀l-] *a.* 평등주의〔론〕의. — *n.* 평등론자〔주의자〕. ~**·ìsm** *n.*

***e·qual·i·ty**[i(ː)kwɑ́ləti/-kwɔ́l-] *n.* (*pl.* **-ties**) U,C **1** 같음, 동등. **2** 평등, 대등; 균등성. **on an equality with** 〈사람이〉…와 대등하여; 〈사물이〉…와 동등〔동격〕으로. **the sign of equality** 이퀄 기호(=).

Equálity Státe (the ~) 미국 Wyoming주의 속칭《여성 참정권을 최초로 인정》.

e·qual·i·za·tion[ìːkwəlizéiʃən] *n.* U 동등화, 평등화, 균등화.

e·qual·ize[íːkwəlàiz] *vt.* 같게 하다, 평등〔동등〕하게 하다, 균등하게 하다《*to, with*》. — *vi.* (경기에서 상대방과) 동점이 되다.

e·qual·iz·er[íːkwəlàizər] *n.* **1** 동등하게 하는 사람〔것〕. **2**〔空〕(비행기 보조 날개의)평형(平衡) 장치;〔電〕균압선(均壓線). **3**《俗》(권총·칼 등의) 무기. **4**〔競〕동점이 되는 득점.

⁑**e·qual·ly**[íːkwəli] *ad.* **1** 똑같게; 평등하게. **2** 균일하게. **3** (접속사적) 그와 동시에, 그럼에도 불구하고.

équal opportúnity (채용시의) 기회 균등.

Équal Ríghts Amèndment《미》남녀 평등 헌법 수정안《略: ERA》.

équal(s) sìgn 이퀄 기호(=).

équal tíme 1 (정견 발표에서) 평등한 방송 시간 할당. **2** 평등한 발언 기회.

e·qua·nim·i·ty[ìːkwəníməti, èk-] *n.* U **1** (마음의) 평정; 침착, 태연: with ~ 침착하게. **2** 안정된 배열, 평형, 균형.

e·quate[ikwéit] [L] *vt.* **1** 동등하다고 생각하다, 서로 같음을 표시하다: ~ one thing *to* 〔*with*〕 another 갑이 을과 같음을 표시하다. **2** 동등하게 다루다, 동등시하다《*to, with*》: He ~*d* the possession of wealth *to*〔*with*〕 happiness. 그는 부(富)의 소유를 행복과 동등하게 생각하고 있었다. **3** 같게 하다(equalize), 평균화하다, 균등하게 하다.

***e·qua·tion**[i(ː)kwéiʒən, -ʃən] *n.* U **1** 동등하게 함; 균등화(*of*). **2** 평형 상태. **3** C〔數·化〕방정식, 등식;〔天〕오차, 균차(均差). **chemical equation** 화학 방정식. **equation of the first**〔**second**〕**degree** 1〔2〕차 방정식. **equation of time** 균시차(均時差). **identical equation** 항등식(恒等式). **personal equation** (관측상의) 개인 오차. **simple equation** 1원 1차 방정식. **simultaneous equations** 연립 방정식. **the equation of the equinoxes** 춘분·추분의 주야 시차(時差). ◇ equáte *v.*: equátional *a.*

e·qua·tion·al[-əl] *a.* **1** 균등한. **2** 방정식의. **3**〔生〕2차 세포 분열의. **4**〔文法〕등식 관계의, 주어와 보어로 이루어진. ~**·ly** *ad.*

⁑**e·qua·tor**[ikwéitər] *n.* **1** (the ~) 적도. **2** 주야 평분선(平分線). **3** 균분원(均分圓): the magnetic ~ 자기(磁氣) 적도.

***e·qua·to·ri·al**[èkwətɔ́ːriəl, ìːk-] *a.* **1** 적도의; 적도 부근의. **2** 매우 무더운. — *n.* 적도의(赤道儀). ~**·ly** *ad.* ◇ equátor *n.*

Equatórial Guínea *n.* 적도 기니《적도 아프리카 서쪽 끝의 공화국; 수도 Malabo》.

eq·uer·ry[ékwəri] *n.* (*pl.* **-ries**) **1** 왕실〔귀족〕의 마필(馬匹) 관리관. **2** (영국 왕실의) 시종 무관.

e·ques·tri·an[ikwéstriən] *a.* **1** 기수의; 마술의. **2** 말에 탄. **3** 기사의, 기사로 이루어진. — *n.* 승마자; 기수; 곡마사(*cf.* PEDESTRIAN).

e·ques·tri·an·ism[-ìzəm] *n.* U 마술, 곡마술; 승마 연습.

e·ques·tri·enne[ikwèstrién] *n.* 여자 기수, 여자 곡마사.

e·qui-[íːkwi, -kwə]《연결형》「같은(equal)」의 뜻.

e·qui·an·gu·lar[ìːkwiǽŋgjələr] *a.* 등각(等角)의.

e·qui·dis·tance[ìːkwidístəns] *n.* U 등거리.

e·qui·dis·tant[ìːkwidístənt] *a.* 등거리의《*from*》. ~**·ly** *ad.* 같은 거리(의 곳)에.

equidístant diplòmacy 등거리 외교.

e·qui·grav·i·sphere[ìːkwigrǽvəsfìər] *n.* (지구와 달 사이 또는 두 천체간의) 중력 평형권.

e·qui·lat·er·al[ìːkwəlǽtərəl] *a.* 등변(等邊)의: an ~ triangle 등변 삼각형, 정(正)삼각형. — *n.* 등변(형).

e·quil·i·brant[ikwíləbrənt] *n.*〔物〕평형력(平衡力).

e·quil·i·brate[ikwíləbrèit, ìːkwəláibreit] *vt.* 〈두 개의 물건을〉평형시키다, 균형을 유지하게 하다. — *vi.* 평형을 유지하다.

e·quil·i·bra·tion[ikwìləbréiʃən] *n.* U **1** 평형, 균형. **2** 평균 (상태).

e·qui·li·bra·tor[ìːkwəláibreitər, ikwíləbrèi-] *n.* **1** 균형을 유지시키는 것; 평형 장치. **2**〔空〕안정 장치.

e·qui·lib·rist[ikwíləbrist] *n.* 줄타는 사람; 곡예사.

***e·qui·lib·ri·um**[ìkwəlíbriəm] *n.* (*pl.* ~**s**, **-ria**[-riə]) U,C 평형, 균형; (마음의) 평정, 평안, 안정.

e·qui·mul·ti·ple[ìːkwəmʌ́ltəpl] *n.* (보통 *pl.*) 등배수; 등배량.

e·quine[íːkwain, ék-] *a.* 말의, 말 같은, 말에 관한. — *n.* 말(horse).

e·qui·noc·tial[ìːkwənɑ́kʃəl/-nɔ́k-] *a.* **1** 주야 평분시(平分時)의《춘분 또는 추분》. **2** 주야 평분의. **3** =EQUATORIAL. — *n.* **1** (the ~) 주야 평분선. **2** (종종 *pl.*) 춘분·추분 때

의 모진 비바람(=∼ **stórm〔gáles〕**).
equinóctial círcle〔líne〕 (the ∼) 〔天〕 주야 평분선.
equinóctial póint (the ∼) 〔天〕 분점(分點), 주야 평분점: the autumnal〔vernal〕∼ 추〔춘〕분점.
equinóctial yéar (the ∼) 〔天〕 분점년(分點年).
*__e·qui·nox__[íːkwənɑ̀ks/-nɔ̀ks] [L] *n.* **1** 주야 평분시, 춘〔추〕분; 〔天〕 분점(分點). **2** 《廢》 = EQUINOCTIAL *n.* 2. **the autumnal〔vernal, spring〕 equinox** 추분〔춘분〕.
‡**e·quip**[ikwíp] *vt.* (∼**ped**; ∼**·ping**) **1** 〈…에게 필요한 것을〉 갖추다; 〈배를〉 의장(艤裝)하다: ∼ an army 군대에 장비를 갖추다/∼ an office *with* computers 사무실에 컴퓨터를 갖추다/a laboratory ∼*ped for* atomic research 원자력 연구의 설비를 갖춘 실험실/a building ∼*ped as* a hospital 병원으로서의 시설을 갖춘 건물. **2** 〈학문·지식·소양·기능을〉 …에게 가르쳐 주다, …에게 갖추게 하다, …에게 부여하다(*with, for*): ∼ one's son *with* higher education 아들에게 고등 교육을 시키다. **3** …할 지식〔소양〕이 있다; …할 능력이 있다(*for*): He was fully ∼*ped for* a job. 그는 일에 필요한 지식을 충분히 갖추고 있었다/Experience has ∼*ped* him *to* deal with the task. 경험을 쌓은 덕분에 그는 그 일을 처리할 수가 있다. **4** 채비를 해주다, 몸차림시키다, 차려 입히다(dress out, array) (*in, for*): ∼ oneself *in* all one's finery 차려입다, 성장하다/∼ oneself *for* the trip 여행의 채비를 하다. **be equipped with** …을 갖추고 있다. **equip oneself** 준비하다, 채비하다(*for, with*). ◇ equiipment *n.*
equip. equipment.
eq·ui·page[ékwəpidʒ] *n.* **1** (4륜)마차. **2** (말·마부·시종으로 완전히 장비된) 마차. **3** (배·군대 등의) 장비, 장구(裝具). **4** (그릇 등) 가정 용품 한 벌. **5** 장신구 한 벌; (개인의) 필수품 한 벌; (장신구용) 케이스.
e·quipe[eikíːp] *n.* 스포츠의 팀과 장비.
‡**e·quip·ment**[ikwípmənt] *n.* U,C **1** 준비, 채비. **2** (집합적) 장비, 비품, 설비; C (개개의) 장치, 용품: a soldier's ∼ 군인〔병사〕의 장비. **3** (일에 필요한) 지식, 기술, 능력. **4** (집합적) 〔鐵道〕 차량.
eq·ui·poise[ékwəpɔ̀iz, íːk-] *n.* U **1** 균형, 평형. **2** C 평형추(錘)(counterpoise). **3** 대항 세력. ── *vt.* 균형을 유지케 하다; 〈마음을〉 졸이게 하다; 엉거주춤한 상태로 두다.
e·qui·pol·lence, -len·cy[ìːkwəpɑ́ləns, èk-/-pɔ́l-], [-lənsi] *n.* U 힘의 균등, 균세(均勢), 등치(等値).
e·qui·pol·lent[ìːkwəpɑ́lənt/-pɔ́l-] *a., n.* 힘〔세력, 효력, 중량〕이 같은 (것); 효과〔결과, 뜻〕가 같은 (것). ∼**·ly** *ad.*
e·qui·pon·der·ance, -an·cy[ìːkwəpɑ́ndərəns(i)/-pɔ́n-] *n.* U 무게〔세력, 권력〕의 균형, 평형.
e·qui·pon·der·ant[ìːkwəpɑ́ndərənt, èk-/-pɔ́n-] *a.* 무게〔세력, 권력〕가 평균〔평형〕된.
e·qui·pon·der·ate[-rèit] *vt.* 〈무게 등을〉 평균〔평형〕시키다.
e·qui·po·ten·tial[ìːkwəpəténʃəl] *a.* 동등한 힘〔잠재력〕을 가진; 〔物〕 등위(等位)의; 〔電〕 등전위(等電位)의.
e·qui·prob·a·ble[ìːkwəprɑ́bəbəl] *a.* 〔論〕 같은 정도의 개연성〔확률〕이 있는.
eq·ui·se·tum[èkwəsíːtəm] *n.* (*pl.* ∼**s, -ta** [-tə]) 〔植〕 속새류의 총칭《속새·쇠뜨기 등》.
eq·ui·ta·ble[ékwətəbəl] *a.* **1** 공정〔공평〕한; 정당한. **2** 〔法〕 형평법상(衡平法上)의; 형평법상 유효한.
eq·ui·ta·bly *ad.* 공정〔정당〕하게.
eq·ui·ta·tion[èkwətéiʃən] *n.* U 마술(馬術), 승마.
eq·ui·tes[ékwətìːz] *n. pl.* (고대 로마의) 기사 계급.
éq·ui·time póint[ékwətàim-] 〔空〕 행동〔진출〕 한계점.
*__eq·ui·ty__[ékwəti] [L] *n.* (*pl.* **-ties**) **1** U 공평, 공정; 정당. **2** U 〔法〕 형평법《공정과 정의면에서 common law의 불비(不備)를 보충하는 법률》; 형평법의 권리. **3** 《미》 재산 물건(物件)의 순가(純價)《담보·과세 등을 뺀 가격》. **4** (**E-**) 《영》 배우 조합. **5** 보통주주권; (*pl.*) 보통주.
équity cápital 〔經〕 자기 자본, 투입 자본.
equiv. equivalent.
e·quiv·a·lence, -len·cy[ikwívələns], [-si] *n.* (*pl.* **-lenc·es; -cies**) U **1** (가치·힘·양이) 같음, 등가, 동량(同量). **2** 〔化〕 (원자의) 등가, 등량. **3** (말·표현의) 등가성, 동의성(同義性).
*__e·quiv·a·lent__[ikwívələnt] [L] *a.* **1** 동등한, 같은 가치〔양〕의; (말·표현이) 동의의 (*to*); 〔化〕 동가〔등가(等價)〕의; 〔數〕 등적(等積)의, 같은 값의: (Ⅱ 형+전+명) A cab is ∼ *to* a taxi. cab은 taxi와 동의어이다. **2** 상당〔대응〕하는, 맞먹는(*to*). ── *n.* **1** 동등물, 등가〔등량〕물. **2** 〔文法〕 상당 어구, 동의어. **3** 〔物·化〕 등량, 상당량. **4** 〔數〕 동적(同積), 동치(同値). ◇ equívalence *n.*
equívalent wéight 〔化〕 당량《대체로 그램당량(gram equivalent)로 나타냄》.
e·quiv·o·cal[ikwívəkəl] [L] *a.* **1** 두 가지 뜻으로 해석되는, 〈뜻이〉 뚜렷하지 않은, 다의성(多義性)의. **2** 확실치 않은, 분명치 않은. **3** 〈인물·행동 등이〉 미심스러운, 〈말 등이〉 모호한. ∼**·ly**[-kəli] *ad.*
e·quiv·o·cal·i·ty[ikwìvəkǽləti] *n.* U,C 다의성; 모호; 미심스러움; =EQUIVOQUE.
e·quiv·o·cate[ikwívəkèit] *vi.* 모호한 말을 쓰다, 얼버무리다, 말끝을 흐리다; 속이다.
e·quiv·o·ca·tion[ikwìvəkéiʃən] *n.* U,C 모호한 말(을 쓰기); 얼버무림.
e·quiv·o·ca·tor[-tər] *n.* 모호한 말을 쓰는 사람, 얼버무리는 사람.
eq·ui·voque, -voke[ékwəvòuk] *n.* U,C 모호한 말투〔어구〕; 재담(pun).
*__er__[əːr] *int.* 에에, 어어, 저어《중단·주저하거나 말이 막힐 때에 내는 소리》: I ── *er* ── don't know. 나는 저어 ── 모르겠는데《◇ 《미》에서는 uh로 쓰기도 함》.
Er 〔化〕 erbium. **ER** 〔野〕 earned run; en route. **E.R.** East Riding (of Yorkshire); Eduardus Rex《L =King Edward》; Elizabeth Regina《L =Queen Elizabeth》; emergency room.
-er[ər] *suf.* **1** (동사와 명사에서 동작자(動作者) 명사(agent noun)를 만듦) a 「…하는 것」: cutt*er*; hunt*er*; creep*er*; (gas) burn*er*, (pen) hold*er*. b 「(어느 고장)의 사람, …거주자」: London*er*, villag*er*. c 「…에 종사하는 사람; …제작자; …상(商); …연구자〔학자〕」: farm*er*, hatt*er*; fruiter*er*; geograph*er*. **2** 《俗》 (원어에 관계 있는 동작 또는 물건을 표시함): breath*er* (=time in which to breathe); din*er* (=dining car). **3** (비교급을 만듦):

narrow*er*, rich*er*, lazi*er*, likeli*er*. **4** (다른 어미를 가진 명사의 속어화): foot*er* (=football). **5** (반복을 표시하는 동사를 만듦): flick*er*<flick, wav*er*<wave: (의성어(擬聲語)에서) chatt*er*, twitt*er*, glitt*er*.

***e·ra** [íərə, érə] [L] *n.* **1** 연대, 시대, 시기(epoch): the Victorian ~ 빅토리아 여왕 시대〔왕조〕. **2** 기원. **3** 〔地質〕 …대(代), …기(紀). **the Christian era** 서력 기원, 서기.

ERA earned run average 〔野〕 (투수의) 방어율: Educational Research Administration; Emergency Relief Administration 긴급 구제국(局). **ERA, E.R.A.** Equal Rights Amendment.

e·ra·di·ate [iréidièit] *vt.* 〈광선·열 등을〉 방사(放射)하다.

e·ra·di·a·tion [-ʃən] *n.* Ⓤ 방사.

e·rad·i·ca·ble [irǽdəkəbəl] *a.* 근절할 수 있는.

e·rad·i·cant [irǽdəkənt] *n.* (기생 생물) 근절제(劑).

***e·rad·i·cate** [irǽdəkèit] [L] *vt.* 뿌리째 뽑다(root up): 박멸하다(extirpate), 근절하다(root out): (솔벤 등) 화학용제로 지우다.

e·rad·i·ca·tion [-ʃən] *n.* Ⓤ 근절, 박멸: 소거.

e·rad·i·ca·tive [-kèitiv/-kə-] *a.* 근절〔근치〕시키는: an ~ medicine 근치약.

e·rad·i·ca·tor [-tər] *n.* **1** 근절자, 박멸하는 사람〔것〕. **2** Ⓤ 잉크 지우개, 얼룩 빼는 약. **3** 제초제〔기〕.

e·ras·a·ble [iréisəbəl/iréiz-] *a.* 지울 수 있는: 〔컴퓨터〕 소거할 수 있는.

erásable bònd 이레이저블 본드지(紙) 《쉽게 지울 수 있게 한 코팅지》.

erásable stórage 〔컴퓨터〕 소거 가능 기억장치.

***e·rase** [iréis/iréiz] [L] *vt.* **1** 〈글자 등을〉 지우다, 문질러 지우다(rub out), 닦아서 지우다(wipe out): 삭제하다: 〈자기(磁氣) 테이프의 녹음을〉 지우다《*from*》: ~ a line 선을 지우다/~ a problem *from* the blackboard 칠판의 문제를 지우다. **2** 〈마음 속에서 …을〉 지워 버리다, (씻은 듯이) 잊어버리다《*from*》: ~ a hope *from* one's mind 희망을 버리다. **3** 《俗》 죽이다, 없애다(kill). ── *vi.* 쉽게 지워지다: 문자〔기호〕를 지우다. **e·rásed** *a.*
◈ eráser, erásure *n.*

***e·ras·er** [iréisər/-zər] *n.* **1** 지우는 사람〔물건〕. **2** 칠판〔석판〕 지우개, 고무 지우개, 잉크 지우개. **3** 《拳鬪俗》 녹아웃.

e·ra·sion [iréiʒən] *n.* Ⓤ **1** 삭제, 말소. **2** 〔外科〕 (태아의) 소파, 제거.

E·ras·mi·an [irǽzmiən] *a.* ERASMUS 유파(流派)의. ── *n.* 에라스무스 학도.

E·ras·mus [irǽzməs] *n.* 에라스무스 Desiderius ~(1466?-1536)《네덜란드의 인문학자, 문예 부흥 운동의 선각자》.

E·ras·ti·an [irǽstʃən/-tiən] *a.* ERASTUS 유파(流派)의. ── *n.* 에라스투스설의 신봉자.

E·ras·ti·an·ism [irǽstʃənìzm/-tiən] *n.* Ⓤ 에라스투스설《종교는 국가에 종속하여야 한다는 설》.

E·ras·tus [irǽstəs] *n.* **1** 남자 이름. **2** 에라스투스 Thomas ~(1524-83)《스위스의 의사·신학자》.

e·ra·sure [iréiʃər] *n.* **1** Ⓤ 지워 없앰, 말소(抹消)《*of*》. **2** 삭제 부분〔어구〕, 지운자국《*in*》.

Er·a·to [érətòu] *n.* 〔그神〕 에라토《서정시〔연애시〕를 맡은 여신: the Muses의 한 사람》.

er·bi·um [ə́:rbiəm] *n.* Ⓤ 〔化〕 에르븀《희토류 원소: 기호 Er, 번호 68》.

ERDA Energy Research and Development Administration 《미》 에너지 연구 개발국.

ere [ɛər] 《詩·古》 *prep.* =BEFORE. **ere long** 멀지 않아, 미구에(before long). ── *conj.* **1** …하기 전에, …에 앞서(before). **2** (…하는 것보다는) 오히려(rather).

Er·e·bus [érəbəs] *n.* 〔그神〕 에레보스《Earth와 Hades 사이의 암흑계》. **(as) black as Erebus** 캄캄한.

***e·rect** [irékt] *a.* **1** 똑바로선, 직립한(upright): stand ~ 똑바로 서다/*with* ears ~ 귀를 쭝긋 세우고. **2** 《(머리)털이》 곤두서서. **3** 긴장해서. **4** 〔生理〕 발기(勃起)한. ── *vt.* **1** 직립시키다, 곤두세우다. **2** 세우다, 건설〔설립〕하다. **3** 〈기계를〉 조립하다. **4** 승격시키다《*into*》: ~ a territory *into* a state 준주(準州)를 주로 승격시키다. **5** 〔幾〕 (기선(基線) 위에) 〈선·도형을〉 그리다, 작도하다. **6** 〔光〕 〈도립상(倒立像)을〉 정립(正立)시키다. **7** 《古》 창설하다. **8** 〔生理〕 발기시키다. **erect oneself** 몸을 일으키다. ── *vi.* 〈건물이〉 서다: …이 서다, 직립하다: 〔生理〕 발기하다. **~·a·ble** *a.*
◈ eréction *n.*: eréctile *a.*

e·rec·tile [iréktil, -tail] *a.* 직립할 수 있는: 〔生理〕 발기성(勃起性)의.

e·rèc·tíl·i·ty [irèktíləti] *n.* 발기력〔성〕.

***e·rec·tion** [irékʃən] *n.* Ⓤ **1** 직립, 기립. **2** 건설: 조립. **3** Ⓒ 건설물, 건물. **4** 설립. **5** 〔生理〕 발기. ◈ eréct *v.*: eréctile, eréctive *a.*

e·rec·tive [iréktiv] *a.* 직립력〔기립력〕이 있는.

e·rect·ly *ad.* 직립하여, 수직으로.

e·rect·ness *n.* Ⓤ 직립(력), 수직성.

e·rec·tor [iréktər] *n.* 건설자: 창설〔설립〕자.

ere·long [ɛ̀ərlɔ́:ŋ/-lɔ́ŋ] *ad.* 《古·詩》 미구에(before long).

er·e·mite [érəmàit] *n.* (특히 기독교의) 은자(隱者).

er·e·mit·ic, -i·cal [-mít-] *a.* 은자적인.

er·e·mit·ism *n.* Ⓤ 은자〔은둔〕 생활.

ere·now [ɛ̀ərnáu] 《古》 지금까지.

er·e·thism [érəθìzəm] *n.* Ⓤ 〔病理〕 신경 과민, 신경성 흥분.

ere·while(s) [ɛər*h*wáil(z)] *ad.* 《古·文語》 조금 전에.

erg [ə:rg] *n.* 〔物〕 에르그《에너지의 단위: 1다인(dyne)의 힘이 물체에 작용하여 1센티만큼 움직이는 일의 양: 기호 e》.

erg- [ə:rg], **er·go-** [ə́:rgou] (연결형) 「일」의 뜻《모음 앞에서는 erg-》.

er·gate [ə́:rgeit] *n.* 〔昆〕 일개미.

er·ga·tive [ə́:rgətiv] *a.* 〔文法〕 능동격(格)의, 능동격적인. ── *n.* 능동격(예: *The key* opened the door.에서의 *The key.*)

er·ga·toc·ra·cy [ə:rgətákrəsi/-tɔ́k-] *n.* Ⓤ 노동자 정치.

er·go [ə́:rgou] [L] *ad.* 《익살》 그런고로.

er·god·ic [ə:rgádik/-gɔ́d-] *a.* 〔數·統〕 에르고드적(的)《상당한 기간이 지난후, 하나의 체계가 최초의 상태와 거의 비슷한 상태로 돌아가는 조건하에 있다는 것》.

er·go·graph [ə́:rgougræ̀f, -grɑ̀:f] *n.* 작업 기록기《근육의 작업 능력·피로도 등의》.

er·gol·a·try [ə:rgálətri/-gɔ́l-] *n.* 노동 숭배.

er·gom·e·ter [ə:rgámitər/-gɔ́m-] *n.* 작업계, 에르그 측정기. **er·go·met·ric** *a.*

er·gon [ə́:rgan/-gɔn] [Gk=work] *n.* 〔物〕 열의 작용으로 이루어지는 일의 양: =ERG.

er·go·nom·ic [ə:rgənámik/-nɔ́m-] *a.* 인간 환경 공학의.

er·go·nom·ics[ə:rgənámiks/-nɔ́m-] *n. pl.* (단수·복수 취급) **1** 생물 공학. **2** 인간 공학.
er·gon·o·mist[ə:rgánəmist/-gɔ́n-] *n.* 인간 공학 연구자.
er·go·sphere[ə́:rgəsfiər] *n.* 〔天〕 작용권(作用圈)《블랙홀을 둘러 싼 가상(假想)의 대(帶)》.
er·gos·ter·ol[ə:rgástəròul/-gɔ́s-] *n.* Ⓤ 〔生化〕 에르고스테롤《자외선을 쬐면 비타민 D로 변화함》.
er·got[ə́:rgət] *n.* Ⓤ **1** 〔植〕 맥각병(麥角病), 에르고친 중독. **2** 〔藥〕 맥각.
er·got·a·mine[ə:rgátəmì:n, -min/-gɔ́t-] *n.* 〔藥〕 에르고타민《맥각(麥角) : 자궁 근육의 수축·편두통 치료에 쓰임》.
er·got·ism[-ìzəm] *n.* Ⓤ 〔醫〕 맥각 중독.
Er·ic, Er·ik[érik] *n.* 남자 이름.
Er·i·ca, Er·i·ka[érikə] *n.* 여자 이름.
er·i·ca·ceous[èrəkéiʃəs] *a.* 〔植〕 철쭉과(科)의.
Er·ícs·son mèthod[ériksən-] (the ~) 에릭슨 법《인공 수정법의 하나》.
E·rie[íəri] *n.* (Lake ~) 이리호《미국 동부에 있는 5대호의 하나》.
Er·in[érin, í:r-, ɛ́ər-] *n.* 《詩》 에린《아일랜드의 옛 이름》: sons of ~ 아일랜드 사람.
E·rin·y·es[iríniì:z] *n. pl.* (*sing.* **E·rin·ys** [irínəs, irái-]) 〔그神〕 =FURIES.
E·ris[í(:)ris, éris] *n.* 〔그神〕 에리스《불화의 여신 ; *cf.* the APPLE of discord》.
er·is·tic[erístik] *a.* 논쟁상의, 논쟁적인. — *n.* 논쟁자 ; Ⓤ 논쟁술.
Er·i·tre·a[èritrí:ə] *n.* 에리트레아《아프리카 북동부, 홍해에 임한 에티오피아 자치령》. **-an** *a., n.*
erk[ə:rk] *n.* 《영空軍俗》 보충병, 신병.
erl·king[ə́:rlkìŋ] *n.* 〔北歐民話〕 요정(妖精)의 왕《아이를 죽음의 나라로 유인하는》.
er·mine[ə́:rmin] *n.* (*pl.* **~s**, ~) **1** 〔動〕 어민, 흰담비《담비의 일종, 산족제비 무리》. **2** Ⓤ 어민의 털가죽 ; (*pl.*) 어민 털가죽의 겉옷〔외투〕《귀족·판사용》. **3** (the ~) 왕〔귀족, 판사〕의 직위〔신분〕. **4** (~s) 〔紋〕 흰바탕에 꼬리 모양의 검은 점을 흩뜨린 어민 모피 무늬. **5** (형용사적)《詩》 순백(純白)의. **wear**〔**assume**〕 **the ermine** 판사직에 취임하다.
er·mined[ə́:rmind] *a.* 어민의 털로 덮인〔장식한〕; 어민 모피를 입은.
-ern[ərn] *suf.* 「…쪽의」의 뜻 : east*ern*.
erne[ə:rn] *n.* 〔鳥〕 흰꼬리수리(sea eagle).
Er·nest[ə́:rnist] *n.* 남자 이름.
Er·nes·tine[ə́:rnistì:n] *n.* 여자 이름.
Er·nie[1] [ə́:rni] *n.* 남자 이름(Ernest의 애칭).
Ernie[2] [*e*lectronic *r*andom *n*umber *i*ndicator *e*quipment] *n.* 《영》 채권 할증금 당첨 번호 결정 컴퓨터.
e·rode[iróud] *vt.* **1** 〈바닷물·바람 등이〉 침식하다(*away*) ; 〈산이〉 부식시키다(*away*). **2** 〈병 등이〉 좀먹다(*away*) ; 〈신경·마음 등을〉 서서히 손상시키다. — *vi.* 부식〔침식〕되다(*away*).
e·rod·i·ble[iróudəbl] *a.* 침식 가능한.
e·rog·e·nous[irádʒənəs/irɔ́dʒ-] *a.* 〔醫〕 성욕을 자극하는 ; 성적으로 민감한.
E·ros[íərɑs, érɑs/íərɔs, érɔs] *n.* **1** 〔그神〕 에로스《Aphrodite의 아들로서 연애의 신 ; 로마 신화의 Cupid에 해당》. **2** (**e-**) 성애(性愛).
e·rose[iróus] *a.* **1** 고르지 않은, 울퉁불퉁한(uneven). **2** 〔植〕 〈잎 등의 가장자리가〉 톱니 모양으로 째진.
*****e·ro·sion**[iróuʒən] *n.* Ⓤ,Ⓒ **1** 부식 ; 침식 ; wind ~ 풍식(風蝕) 작용. **2** 〔醫〕 미란(靡爛).
⊕ eróde *v.*
e·ro·sive[iróusiv] *a.* 부식성의, 침식적인.
*****e·rot·ic**[irátik/irɔ́t-] *a.* **1** 성적 사랑의〔을 다룬〕. **2** 성욕을 자극하는. **3** 색정의, 호색의. — *n.* 연애시 ; 호색가.
e·rot·i·ca[irátikə/irɔ́t-] *n. pl.* 성애(性愛)를 다룬 문학〔예술〕, 춘화도(春畵圖).
e·rot·i·cism[irátəsìzəm/irɔ́t-] *n.* Ⓤ **1** 에로티시즘, 호색성. **2** 성욕 ; 〔精醫〕 이상 성욕. **3** 성적 흥분.
e·rot·i·cist[irátəsist/irɔ́t-] *n.* 성욕이 강한 사람 ; 에로 작가〔배우〕.
e·rot·i·cize[irátəsàiz/irɔ́t-] *vt.* 춘화화(春畵化)하다, 성적으로 자극하다, 에로틱하게 하다. **e·rot·i·ci·zá·tion** *n.*
er·o·tism[érətìzəm] *n.* Ⓤ 〔醫〕 =EROTICISM.
e·ro·to·gen·ic[èrətədʒénik] *a.*=EROGENOUS.
er·o·tol·o·gy[èrətálədʒi/-tɔ́l-] *n.* Ⓤ 호색 문학〔예술〕. **-gist** *n.* 에로 작가. **er·o·to·log·i·cal** *a.*
e·ro·to·ma·ni·a[iròutəméiniə, irɑ̀tə-] *n.* Ⓤ 〔精醫〕 성욕 이상, 색정광(色情狂).
e·ro·to·pho·bic[iròutəfóubik] *a.* 성적 표현을 겁내는, 성적 행위를 혐오하는.
ERP European Recovery Program 유럽 부흥 계획(*cf.* MARSHALL PLAN).
*****err**[ə:r, ɛər] [L] *vi.* 《文語》 **1** 잘못하다, 틀리다 : ~ *from* the truth 진리를 잘못 알다/~ *in* believing (that ...)(…을) 그릇 믿다. **2** 도덕〔종교적 신조〕에 어긋나다, 죄를 범하다(sin)(*from*) : ~ *from* the right path 정도(正道)에서 벗어나다. **err on the side of** …에 치우치다 : He *erred on the side of* mercy〔severity〕. 그는 지나치게 관대〔엄격〕하다. **To err is human, to forgive divine.** 사람에게는 과실이 있는 법이며, 이를 용서하심이 신의 마음이라《영국 시인 Pope의 구》.
érr·a·ble *a.* **èrr·a·bíl·i·ty** *n.*
⊕ érror *n.* : erróneous *a.*
er·ran·cy[éransi, ə́:rən-] *n.* (*pl.* **-cies**) **1** (판단 등의) 잘못 ; 상규를 벗어남. **2** 실수하기 쉬움, 경솔, 변덕.
*****er·rand**[érənd] [OE] *n.* **1** 심부름, 심부름 가기. **2** (심부름의) 내용, 용건, 사명, 임무. **fool's**〔**gawk's**〕 **errand** 쓸데없는 심부름. **go** (**on**) **errands** =**run** (**on**) **errands** 심부름 가다. **on an errand of** …의 사명을 띠고. **send** a person **on an errand** …을 심부름 보내다.
érrand bòy 심부름하는 소년, (상점·회사의) 사환.
er·rant[érənt] [OF] *a.* **1** (여러 나라를) 돌아다니는 ; (무예를 닦기 위한) 모험적 편력(遍歷)의. **2** 〈생각이〉 잘못된, 〈행위가〉 그릇된. — *n.* 무예(武藝) 수도자(knight-errant).
er·rant·ry[érəntri] *n.* (*pl.* **-ries**) Ⓤ,Ⓒ 무예 수련, 편력, 방랑.
er·ra·ta[erá:tə, ir-, iréi-] *n.* **1** ERRATUM의 복수. **2** 정오표(正誤表).
er·rat·ic[irǽtik] *a.* **1** 〈마음이〉 산만한, 변덕스러운 ; 엉뚱한 : an ~ behavior 엉뚱한 행위. **2** 〔地質〕 표이성(漂移性)의 : an ~ boulder〔block〕 표석(漂石). — *n.* 이상한 사람. **-i·cal·ly**[-ikəli] *ad.*
er·rat·i·cal *a.* =ERRATIC.
er·ra·tum[erá:təm, ir-, iréi-] *n.* (*pl.* **-ta**[-tə]) (고쳐야 할) 오류, 오자(誤字), 오식, 오사(誤寫).
err·ing[ə́:riŋ] *a.* **1** 잘못되어 있는, 몸을 그르치는. **2** 죄를 범하고 있는, 부정한 : an ~

wife 부정한 아내. **~·ly** *ad.*

*__er·ro·ne·ous__[iróuniəs] *a.* 《文語》 잘못된, 틀린. **~·ly** *ad.* 잘못하여, 틀려서. ◇ err *v.*: érror *n.*

*__er·ror__[érər] *n.* **1** 잘못, 틀림 《*in, of*》. **2** Ⓤ 그릇된 생각. **3** 과실, 죄(sin). **4** 〔野〕 에러, 실책《패스트볼·투수의 와일드 피치는 제외》. **5** 〔數·統〕 오차; 〔法〕 착오; 오심. **6** 〔컴퓨터〕 오류, 에러《컴퓨터의 연산 처리 결과가 하드웨어나 소프트웨어의 잘못, 사용자의 실수 등의 여러 요인에 의해 소기의 것과는 다른 결과로 되는 것》. **and no error** 틀림없이, 확실히. **be in error** =**stand in error** 〈생각이〉 틀려 있다. **catch** a person **in error** …의 잘못을 찾아내다. **clerical error** 잘못 씀, 잘못 베낌. **commit**〔**make**〕 **an error** 실수하다. **Correct errors, if any.** 틀린 데가 있으면 고쳐라. **errors of commission**〔**omission**〕 과실〔태만〕의 죄. **fall into an error** 잘못을 저지르다; 잘못 짐작하다. **personal error** 개인(오)차. **printer's error** 오식(誤植). **writ of error** 〔法〕 오심〔재심〕 명령. ◇ erróneous *a.*: err *v.*

érror catàstrophe 〔生化〕 에러 카타스트로피《노화 현상 이론의 하나》.

érror mèssage 〔컴퓨터〕 에러 메시지《프로그램에 잘못이 있을 때 출력되는 메시지》.

er·satz[érzɑːts, -sɑːts] [G] *n.* 대용품. — *a.* 대용의(substitute).

Erse[əːrs] *n.* Ⓤ 어스어(語)《스코틀랜드 고지의 게일릭어》. — *a.* **1** (스코틀랜드 고지 등의) 켈트족의. **2** 어스어의.

erst[əːrst] *ad.* 《古·文語》 이전에, 옛날에.

erst·while[əːrst*h*wàil] *ad.* 《古》 이전에, 옛날에. — *a.* 이전의, 옛날에.

ERTS[əːrts] [*E*arth *R*esources *T*echnology *S*atellites] *n.* 어츠《지구 자원 탐사위성 제1호; 뒤에 Landsat 으로 개칭》.

er·u·bes·cence[èrubésns] *n.* Ⓤ (피부가) 붉어짐, 붉은 빛을 띰; 홍조.

er·u·bes·cent[èrubésnt] *a.* (피부가) 붉은 빛을 띤, 붉어지는(reddening).

e·ruct, e·ruc·tate[irʌ́kt], [-teit] *vi.* 《文語》 트림을 하다; 〈화산 등이〉 분출하다.

e·ruc·ta·tion[-téiʃən] *n.* Ⓤ 트림(belching); (화산의) 분출(물).

e·ruc·ta·tive[-tətiv] *a.* 트림이 나는; (화산) 분출의〔에 관한〕.

er·u·dite[ér*j*udàit] [L] *a.* 《文語》 **1** 학식 있는, 박학한. **2** 〈저작 등이〉 학식의 깊이를 나타내는. **~·ly** *ad.*

er·u·di·tion[-ʃən] *n.* Ⓤ 박학, 박식; 학식.

e·rupt[irʌ́pt] [L] *vi.* **1** 〈화산재·간헐천(間歇泉) 등이〉 분출하다. **2** 〈화산이〉 폭발하다, 분화하다. **3** 〈이가〉 나다. **4** 〈피부가〉 발진(發疹)하다. **~·i·ble** *a.*

*__e·rup·tion__[irʌ́pʃən] *n.* Ⓤ,Ⓒ **1** (화산의) 폭발, 분화. **2** (용암·간헐천 등의) 분출. **3** (분노·웃음 등의) 폭발; (병·전쟁 등의) 발생. **4** 〔病理〕 발진. **5** Ⓤ 이《齒》가 남. ◇ erúpt *v.*: erúptive *a.*

e·rup·tion·al[-əl] *a.* 분화의, 폭발의.

e·rup·tive[irʌ́ptiv] *a.* **1** 폭발적인, 폭발성의; 분화에 의한, 분출성의: ~ rocks 분출암, 화성암. **2** 〔病理〕 발진성(發疹性)의: ~ fever 발진티푸스. **~·ly** *ad.*

E.R.V. English Revised Version (of the Bible).

ERW enhanced radiation weapon.

Er·win[əːrwin] *n.* 남자 이름.

-er·y[əri] *suf.* **1** 「성질; 행색; 습관」의 뜻: brav*ery*, fool*ery*. **2** 「…상(商); …업(業); …술(術)」의 뜻: pott*ery*, arch*ery*. **3** 「…제조소; …점(店)」의 뜻: bak*ery*, brew*ery*, groc*ery*. **4** 「…류」의 뜻: drap*ery*, jewell*ery*, machin*ery*.

er·y·sip·e·las[èrəsípələs, ìːr-] *n.* Ⓤ 〔病理〕 단독(丹毒).

er·y·the·ma[èrəθíːmə] *n.* (*pl.* **~·ta**[-tə]) 〔病理〕 홍진(紅疹), 홍반(紅斑).

er·y·thor·bate[èrəθɔ́ːrbeit] *n.* 〔化·藥〕 에리소르빈산염《식품의 산화 방지제》.

er·y·thór·bic ácid[èrəθɔ́ːrbik-] 〔化〕 에리소르빈산(酸)《아스코르빈산의 입체이성체(立體異性體)》.

e·rythr-[iríθr], **e·ryth·ro-**[iríθrə] 《연결형》 「적(赤); 적혈구」의 뜻《모음 앞에서는 erythr-》.

e·ryth·ro·blas·to·sis (fe·tal·is)[iríθroublæstóusis fitǽlis] *n.* 〔病理〕 **1** 적아(赤芽)세포증(症), 적아구(球)증. **2** 태아 적아구증(症), 신생아 적아구증《보통 어머니와 태아와의 Rh가 양립할 수 없는 데서 일어남》.

e·ryth·ro·cyte[iríθrousàit] *n.* 〔解〕 적혈구.

e·ryth·roid[iríθrɔid] *a.* 〔解〕 적혈구의〔를 만드는〕.

e·ryth·ro·leu·ke·mi·a[irìθrouluːkíːmiə] *n.* 〔醫〕 적백혈병.

e·ryth·ro·my·cin[irìθrəmáisin] *n.* Ⓤ 〔藥〕 에리스로마이신《항생 물질의 하나》.

er·y·thron[érəθràn/-rɔ̀n] *n.* 〔生理〕 에리트론《골수 안의 적혈구와 그 전신(前身)》.

e·ryth·ro·pho·bi·a[irìθrəfóubiə] *n.* Ⓤ 〔精醫〕 적면(赤面) 공포증, 적색 공포증.

e·ryth·ro·poi·e·sis[irìθroupoiíːsis] *n.* 〔生理〕 (골수에서의) 적혈구 생성(生成).

e·ryth·ro·poi·e·tin[irìθroupɔ́iətən] *n.* 〔生理〕 에리스로포이에틴《적혈구 생성 촉진 인자》.

Es 〔化〕 einsteinium. **E.S.** engine-sized.

ESA European Space Agency.

es-[is, es] *pref.* =EX-² : *es*cheat, *es*cape.

-es, -s[(s, z, ʃ, ʒ, tʃ, dʒ의 뒤) iz, əz; (기타의 유성음의 뒤) z; (기타의 무성음의 뒤) s] *suf.* **1** 명사의 복수 어미: box*es*, match*es*. **2** 동사의 제 3인칭·단수·현재형의 어미.

E·sau[íːsɔː] *n.* 〔聖〕 에서《Isaac의 맏아들; 죽 한 그릇 때문에 아우 Jacob에게 상속권을 팔았음》.

ESB electrical stimulation of the brain 뇌의 전기 자극.

es·bat[ésbæt] *n.* 마녀의 집회.

Esc escudo(s). **ESC** Economic and Social Council (of the United Nations); escape 〔컴퓨터〕 확장.

es·ca·drille[éskədrìl] *n.* (보통 6대 편성의) 비행대; 《廢》 (8척 편성의) 소함대.

es·ca·lade[èskəléid] *n.* 사다리 오르기; 〔軍〕 (사다리로) 성벽 기어 오르기. — *vt.* 사다리로 기어 오르다.

*__es·ca·late__[éskəlèit] *vi.* **1** 〈전쟁 등이〉 단계적으로 확대되다《*into*》. **2** 〈임금·물가가〉 차츰 오르다. — *vt.* **1** 〈전쟁 등을〉 단계적으로 확대하다. **2** 〈임금·물가 등을〉 차츰 올리다.

es·ca·la·tion[èskəléiʃən] *n.* Ⓤ (임금·물가·전쟁 등의) 단계적 확대, 에스컬레이션《*of*》(*opp.* deescalation).

*__es·ca·la·tor__[éskəlèitər] *n.* **1** 에스컬레이터, 자동 계단(moving staircase). **2** (에스컬레이터같이 안락한) 출세 코스. **3** 자동적 조절.

éscalator clàuse 신축 조항; (노동 계약의) 에스컬레이터 조항《경제 사정 변화에 따라 임금의 증감을 인정하는 규정; *cf.* SLIDING SCALE》.

éscalator scàle 에스컬레이터 조항에 의한 임금 체계.

es·ca·la·to·ry [éskələtɔ̀ri/-təri] *a.* (특히 전쟁의) 규모 확대에 연계되는.

es·cal·lop [iskǽləp, -kɑ́l-/-kɔ́l-] *n., vt.* = SCALLOP.

es·ca·lope [ískæləp, -kɑl-/éskələp] *n.* (기름으로 튀긴) 얇게 썰은 돼지고기, 쇠고기〔송아지고기〕 요리.

ESCAP [éskæ̀p] *E*conomic and *S*ocial *C*ommission of *A*sia and *P*acific (유엔) 아시아 태평양 경제 사회 위원회.

es·cap·a·ble [eskéipəbəl] *a.* 도망칠 수 있는, 피할 수 있는.

es·ca·pade [éskəpèid, ⌐—⌐] *n.* Ⓤ,Ⓒ 탈선 행위; 엉뚱한 행위; 장난(prank).

★**es·cape** [iskéip] *vi.* **1** 달아나다, 도망하다, 탈출하다(get free)《*from, out of*》, 도피하다《*from*》: (Ⅰ 전+명) He ~*d from* (a) prison. 그는 탈옥했다/(Ⅲ *to* do/접 Ⅰ *vi*)((*to* do)-[*vi*]) The gangsters attempted *to* ~ but failed. 그 악한들은 도망치려 했으나 실패했다/(Ⅰ 전+명) The thief ~*d at* sight of the policeman. 그 도둑은 경찰관을 보자 달아났다. **2** (위험, 죄, 병 등에서) 벗어나다, 헤어나다《*from*》: (Ⅰ 전+명) ~ *with* bare life 겨우 목숨을 부지하여 달아나다/(Ⅰ 전+-*ing*) He ~*d from* be*ing* killed. 그는 죽음을 면했다. **3** 〈액체·가스 등이〉 새(나가)다《*from, out of*》; 〈머리털이〉 비어져 나오다《*from, out of*》: (Ⅰ 전+명) Water ~*s from* the drainpipe. 물이 배수관에서 샌다/Gas is *escaping from* the pipe. 가스가 파이프에서 새고 있다. **4** 〈기억이〉 흐려지다. **5** 〔植〕 〈재배 식물이〉 야생으로 돌아가다.
— *vt.* **1** 〈추적·위험·재난 등에서〉 (미연에) 벗어나다, 면하다, 잘 피하다: (Ⅲ (목)) He could ~ the villain's shooting. 그는 악한의 총격을 피할 수 있었다/(Ⅲ (목)) He narrowly ~*d* death〔punishment〕. 그는 간신히 죽음〔벌〕을 면했다/(Ⅲ -*ing*) He ~*d* be*ing* killed. 그는 죽음을 면했다. **2** 〈물건이 사람의 주의 등을〉 벗어나다; 〈기억에서〉 잊혀지다, 사라지다: His name ~*s* me〔my memory〕. 그의 이름이 생각나지 않는다. **3** 〈책임 등을〉 벗어나게 하다. **4** 〈말·미소·탄식 등이〉…에게서 새어 나오다.
— *n.* **1** Ⓒ,Ⓤ 탈출, 도망, 도피; 모면, 벗어남《*from, out of*》. **2** 벗어나는 수단; 피난 장치; 도피로; 배출구. **3** (가스·물 등의) 샘, 누출《*from, out of*》. **4** Ⓒ,Ⓤ 현실 도피. **5** 〔植〕 재배 식물이 야생화한 것. **have a narrow**〔**hair breadth**〕 **escape** 구사 일생하다. **have an escape** 달아나다, 빠져나가다. **make** (**good**) one's **escape** 무사히 도망하다《*from*》. **There was no escape** (from the enemies). (적으로부터) 도망할 길이 없었다.
— *a.* 도피의; 현실 도피의. ◇ escápement *n.*

escápe àrtist 동아줄·통을 빠져 나가는 곡예사; 탈옥의 명수.

escápe clàuse 면책〔도피〕 조항; 제외 조항.

es·caped [iskéipt] *a.* 탈주한, 도망한.

es·ca·pee [iskeipíː] *n.* 도피자; 망명자; 탈옥수.

escápe hàtch 1 (배·항공기·승강기 등의) 피난용 비상구. **2** (곤란한 사태에서의) 도피구〔수단〕.

escápe lìterature 도피 문학.

escápe mèchanism 〔心〕 도피 기제(機制).

es·cape·ment [iskéipmənt] *n.* **1** (시계의) 탈진기(脫進機). **2** 도피구; 누출구. **3** (타자기의) 문자 이동 장치. **4** 에스케이프먼트《피아노의 해머를 되돌아오게 하는 장치》.

escápe pìpe (escape valve에서 배출되는 액체·증기의) 배출관.

escápe ròad〔**ràmp, ròute**〕 긴급 피난 도로《고장난 자동차의 긴급 정지용》.

escápe vàlve 〔機〕 배기판《안전판의 일종》.

escápe velòcity 〔物〕 (로켓의 중력권) 탈출 속도.

escápe whèel (시계 톱니바퀴의) 방탈(防脫) 장치.

es·cap·ism [iskéipìzəm] *n.* Ⓤ 현실 도피.

es·cap·ist [-ist] *n.* 도피주의자. — *a.* 현실 도피(주의)의.

es·ca·pol·o·gist [iskèipɑ́lədʒist/-pɔ́l-] *n.* 동아줄〔바구니〕을 빠져 나가는 곡예사.

es·ca·pol·o·gy [iskèipɑ́lədʒi/-pɔ́l-] *n.* Ⓤ 동아줄〔바구니〕을 빠져 나가는 곡예〔기술〕; 탈주법, 탈출술.

es·car·got [èskɑːrgóu] [F] *n.* (*pl.* ~**s** [-z]) 식용 달팽이.

es·ca·role [éskəròul] *n.* 《영》 〔植〕 꽃상치의 일종《샐러드용》.

es·carp [iskɑ́ːrp] *n., vt.* =SCARP.

es·carp·ment [iskɑ́ːrpmənt] *n.* **1** 〔築城〕 (내안(內岸)의) 급경사지. **2** 절벽, 급경사면. **3** 〔地〕 단층애(斷層崖); 해저애(海底崖).

-esce [és] *suf.* 「…하기 시작하다; …으로 되다, 화(化)하다」의 뜻: coal*esce*, efferv*esce*.

-es·cence [ésəns] *suf.* 「…하는 작용, 경과, 과정, 변화; …상태」의 뜻: efferv*escence*.

-es·cent [ésənt] *suf.* 「…기(期)의, …성(性)의」의 뜻: adol*escent*, conval*escent*.

esch·a·lot [éʃəlɑ̀t/-lɔ̀t] *n.* 〔植〕 =SHALLOT.

es·cha·to·log·i·cal *a.* 〔神學〕 종말론의.

es·cha·tol·o·gy [èskətɑ́lədʒi/-tɔ́l-] [Gk] *n.* Ⓤ 〔神學〕 종말론《세계의 종말·신의 심판·천국·지옥의 4가지를 논하는》.
-gist *n.* 종말론자.

es·cheat [istʃíːt] 〔法〕 *n.* **1** Ⓤ (부동산) 복귀《상속인 없는 재산이 국왕·영주에게 귀속되는 것》. **2** 복귀 재산. — *vt.* 〈재산을〉 몰수하다. — *vi.* 〈재산이〉 복귀하다, 귀속하다.

es·cheat·age [istʃíːtidʒ] *n.* Ⓤ 〔法〕 (부동산) 복귀권.

es·chea·tor [istʃíːtər] *n.* 〔法〕 몰수〔복귀〕지 관리자.

Esch·e·rich·i·a coli [èʃəríːkiəkóulai] 〔細菌〕 대장균.

es·chew [istʃúː] *vt.* 〈좋지 않은 일을〉 (의도적으로) 피하다(avoid), 삼가다(abstain from).
~·al *n.*

esch·scholt·zi·a [eʃóultsiə/iskɔ́lʃə] *n.* 〔植〕 금영화(金英花)(California poppy).

Es·co·ri·al [eskɔ́ːriəl] *n.* (the ~) 에스코리알《Madrid 근교에 있는 건축물; 왕궁·역대 왕의 묘소·예배당·수도원 등이 있음》.

***es·cort** [éskɔːrt] *n.* **1** 호위자〔대〕, 호송자〔대〕; 경호선, 호송선〔함〕. **2** Ⓤ 호위, 호송. **3** (여성에 대한) 남성 동반자; (사교장의) 여성 파트너. **under the escort of** …의 호위하에.
— [iskɔ́ːrt, es-] *vt.* **1** 〈군함 등을〉 호위〔경호〕하다; 호송하다. **2** 〈여성과〉 동행하다, 수행하다; 바래다 주다: He ~*ed* her *to* the station. 그는 그녀를 역까지 바래다 주었다.

éscort àgency 사교장 등에 동반할 남녀를 소개하는 알선소.

éscort càrrier 호위용 소형 항공 모함.

éscort fìghter (폭격기의) 호위 전투기.

e·scribe [eskráib] *vt.* 〔數〕 방접원(傍接圓)을

그리다.
es·cri·toire[èskritwɑ́:r] [F] *n.* (서류 분류함과 서랍이 달린) 접는 책상.
es·crow[éskrou, –́] *n.* 〔法〕 조건부 날인증서《어떤 조건이 성립될 때까지 제3자에게 보관해 둠》. **in escrow** 〈증서가〉 제3자에게 보관되어서. — *vt.* 조건부 날인 증서로 두다.
es·cu·do[eskú:dou] *n.* (*pl.* **~s**) 에스쿠도 《포르투갈의 화폐 단위; 기호 Esc, $; =100 centavos》.
es·cu·lent[éskjələnt] *a., n.* =EDIBLE.
es·cutch·eon[iskʌ́tʃən, es-] *n.* **1** 〔紋〕 가문(家紋)이 들어 있는 방패; 방패 모양의 가문 바탕. **2** 방패꼴의 물건. **a** (**dark**) **blot on one's**〔**the**〕 **escutcheon** 불명예, 오명.
Esd. 〔聖〕 Esdras.
Esdras[ézdrəs] *n.* 경외(經外) 성서(Apocrypha)의 처음 두 권 중 어느 하나.
ESE east-southeast.
-ese[í:z, 미+í:s] *suf.* **1** (지명에 붙여서) 「…의; …말(의), …사람(의)」의 뜻: Chin*ese*<China; Portugu*ese*<Portugal; London*ese*<London. **2** (작가·단체 이름에 붙여서) 「…풍의, …에 특유한 (문체)」의 뜻《◇ 종종 경멸의 뜻이 포함되기도 함》: Carly*lese*, Johnson*ese*.
Esk. Eskimo.
⁑**Es·ki·mo**[éskəmòu] *n.* (*pl.* **~, ~s**) 에스키모 사람; 에스키모 종의 개; Ⓤ 에스키모 말. — *a.* 에스키모(사람·말)의.
Ès·ki·mó·an[-ən] *a.* 에스키모 사람〔말〕의.
Éskimo dòg 에스키모 개《썰매 개》.
Es·ky[éski] *n.* 《오스》 에스키《찬 음료를 담는 휴대 용기; 상표명》.
ESL[ésəl] English as a second language.
ESOL[ésəl] 《미·캐나다》 English for Speakers of Other Languages.
ESOP[í:sɑp, ì:èsòupí:] [*E*mployee *S*tock *O*wnership *P*lan] *n.* 종업원 지주(持株) 제도.
e·soph·a·ge·al[isɑ̀fədʒí(:)əl/isɔ̀f-] *a.* 식도(食道)의.
e·soph·a·gus[isɑ́fəgəs/-sɔ́f-] *n.* (*pl.* **-gi**[-dʒài]) 〔解·動〕 식도(gullet).
es·o·ter·ic[èsoutérik] [Gk] *a.* **1** (선택된 소수에게만 전해지는) 비의(秘儀)의; 비의에 통달한: ~ Buddhism 밀교(密敎). **2** 비의(秘儀)적인, 비밀의; 심원한, 난해한(*opp.* exoteric). — *n.* 비교(秘敎)〔진수〕에 통달한 사람.
es·o·ter·i·ca[èsətérikə] *n. pl.* (특수한 지식·관심을 가진 소수만이 알수 있는) 심원한 것, 난해한 것, 비사(秘事).
-i·cal[-ikəl] *a.* **-i·cal·ly**[-ikəli] *ad.*
ESP extrasensory perception 〔心〕 초감각적 감지(感知), 영감(靈感).
esp., espec. especially.
es·pa·drille[éspədril] *n.* 에스파드리유《끈을 발목에 감고 신는 캔버스 화》.
es·pal·ier[ispǽljər] [It *n.* 과수(果樹)시렁으로 받친 나무; 과수로 된 울타리(trellis). — *vt.* 과수 울타리〔시렁〕를 만들다.
Es·pa·ña[espɑ́:njɑ:] *n.* 에스파냐《스페인의 스페인어명》.
es·pár·to (gràss)[espɑ́:rtou-] 〔植〕 아프리카 수염새《스페인 및 북아프리카에서 나는 풀로 밧줄·바구니·구두·종이 등의 원료》.
⁑**es·pe·cial**[ispéʃəl] [L] *a.* 《文語》 특별한, 각별한; 특수한(*opp.* ordinary); 특히 이 경우에 한한《◇ 지금은 special 쪽이 일반적임》: a thing of ~ importance 특히 중대한 일. **in especial** 유달리, 특히. ⊕ espécially *ad.*
★**es·pe·cial·ly**[ispéʃəli] *ad.* 특히, 유달리, 유별나게, 각별히, 주로: Be ~ watchful. 각별히 경계를 잘 하라.
Es·pe·ran·tist[èspərǽntist, -rɑ́:n-] *n.* 에스페란토어 학자〔사용자〕. **-tism** *n.* 에스페란토어 사용〔채용〕.
Es·pe·ran·to[èspərǽntou, -rɑ́:n-] *n.* Ⓤ 에스페란토 말《폴란드 사람 Zamenhof가 창안한 국제어》; ⓊⒸ 국제어.
es·pi·al[espáiəl] *n.* Ⓤ 탐정 행위; 정찰, 감시, 관찰; 발견.
es·piè·gle[espjéiglə] [F] *a.* 장난꾸러기의.
es·pi·o·nage[éspiənɑ̀:ʒ, -niʒ, ―́―nɑ́:ʒ] [F] *n.* Ⓤ (특히 다른 나라·기업에 대한) 스파이 활동, 정탐; 간첩망〔조직〕.
es·pla·nade[èsplənéid, -nɑ́:d, ―́―̀] [Sp] *n.* (특히 해안이나 호숫가의) 산책길(promenade), 드라이브 길; 〔築城〕 (성밖 해자의 바깥쪽의) 경사진 둑.
es·pous·al[ispáuzəl, -səl] *n.* 《文語》 **1** Ⓤ (주의·주장 등의) 지지, 옹호(*of*). **2** (보통 *pl.*) 《古》 약혼(식); 결혼(식).
es·pouse[ispáuz, es-] *vt.* **1** 처로 삼다, 장가 들다. **2** 〈딸을〉 시집보내다. **3** 〈주의·주장을〉 신봉하다, 지지하다. ⊕ espóusal *n.*
es·pres·so[esprésou] [It] *n.* (*pl.* **~s**) Ⓤ 에스프레소 커피《분말에 스팀을 통과시켜 만듦》; Ⓒ 에스프레소 커피점《일종의 사교장》.
es·prit[esprí:] [F] *n.* Ⓤ 정신; 재치, 기지(機智).
es·prit de corps[-dəkɔ́:r] [F] *n.* 단체 정신, 단결심《군대 정신·애교심·애당심 등》.
esprit fort[-fɔ́:r] [F] *n.* 의지가 강한 사람; 자유 사상가.
*****es·py**[espái] *vt.* (**-pied**) 《文語》 〈보통, 먼 곳의 보기 힘든 것을〉 발견하다; 〈결점 등을〉 찾아내다.
Esq., Esqr. Esquire.
-esque[ésk] *suf.* 「…식의, …모양의」의 뜻: arab*esque*, pictur*esque*.
Es·qui·mau[éskimòu] [F] *n.* (*pl.* **~x**[-mòuz]) =ESKIMO.
*****es·quire**[eskwáiər, éskwaiər] *n.* **1** (**E-**) 《영》 씨, 님, 귀하. ◇ 편지에서 수취인 성명 뒤에 붙이는 경칭으로, 공문서 이외에는 보통 Esq., Esqr. 등으로 줄여 씀; 미국에서는 변호사 외에는 보통 Mr.를 씀: 《영》 Thomas Jones, *Esq.* =(미) *Mr.* Thomas Jones. **2** 《古》 =SQUIRE. **3** 《영》 향사(鄕士)《기사 다음의 신분》; (중세의) 기사 지원자.
ESR electron spin resonance. 전자 스핀 공명; electroslag remelting.
ESRO[ésrou] European Space Research Organization 유럽 우주 연구 기구.
ess[es] *n.* S자; S자꼴의 것.
-ess¹[is, əs] *suf.* 여성 명사를 만듦(*cf.* -ER, -OR): actr*ess*, princ*ess*.
-ess² *suf.* 형용사에서 추상 명사를 만듦: larg*ess*, dur*ess*.
Ess. Essex.
ESSA[ésə] Environmental Science Services Administration 미국 환경 과학 사업청; 그 곳에서 발사하는 기상 위성.
⁑**es·say**[ései] *n.* **1** 소론(小論); 평론; 수필, 에세이(*on, upon*). **2** [+eséi] 《文語》 시도, 시험(*at, in*); 시론(試論); 시도의 노력. — [eséi] *vt.* 《文語》 **1** 시도하다, 기도하다; 시험하다; …하려고 하다(*to* do): He ~*ed* escape. 그는 도주를 시도했다/I ~*ed to* speak. 나는 말을 하려고 했다. **2** 시금(試金)하다(assay).

éssay examinàtion〔tèst〕 논문〔논술〕 시험.

*__es·say·ist__[éseiist] *n.* 수필가; 평론가.

es·say·is·tic[èseiístik] *a.* 수필(가)의; 수필 조의; 설명적인; 개인 색체가 짙은.

es·se[ési] [L] *n.* 〔哲〕 존재(being), 실재. **in esse** 실재하여.

⁑**es·sence**[ésəns] [L] *n.* **1** Ⓤ (사물의) 본질, 정수(精髓), 진수, (본질 구성의) 요소: He is the ~ of goodness. 그는 다시없이 선량하다. **2** Ⓤ,Ⓒ 정(精), 엑스(extract)《*of*》; 정유(精油); 에센스《식물성 정유의 알코올 용액》; 향수(perfume). **3** Ⓤ 〔哲〕 실재, 실체; 영적 존재: God is an ~. 신(神)은 실재이다. **in essence** 본질에 있어서, 본질적으로. **of the essence (of** ...)(…에) 없어서는 안 될, 가장 중요한. ⊕ esséntial *a.*

Es·sene[ési:n, —ˊ] *n.* 에세네파《고대 유대의 금욕·신비주의의 한 파》의 신도.

⁑**es·sen·tial**[isénʃəl] *a.* **1** 본질적인, 본질의; 없어서는 안 될, 필수적인, 가장 중요한《*to*》(*cf.* necessary): an ~ being 실재물/the ~ character 〔生〕 본질적 형질/《Ⅱ 형+전+명》 A proper degree of self-denial is ~ *to* a happy life. 적절한 정도의 자제는 행복한 생활에 필수적인 것이다/《Ⅱ *It v*Ⅱ+형+*for*+대+*to* do》 It is ~ *for* him *to* attend to it himself. 그 사람 자신이 그것에 정성을 다하는 것이 가장 중요하다. **2** 정수〔엑스〕의, 정수를 모은. **3** 〔樂〕 악곡의 화성 진행 구성에 필요한: ~ harmonies 주요 화음. **4** 〔病理〕 본태성의, 특발성의. ── *n.* **1** (보통 *pl.*) 본질적 요소; 주요점: be the same in ~(*s*) 요점은 같다. **2** 필요 불가결한 것. ⊕ éssence, essentiálity *n.*

esséntial ámino ácid 〔化〕 필수 아미노산.

es·sen·ti·al·ism[isénʃəlìzəm] *n.* **1** 《미》 〔教育〕 본질주의. **2** 〔哲〕 실재론, 본질주의.

es·sen·ti·al·i·ty[isènʃiǽləti] *n.* (*pl.* **-ties**) Ⓤ,Ⓒ **1** 본성, 본질. **2** (*pl.*) 요점; 골자.

*__es·sen·tial·ly__[isénʃəli] *ad.* 본질적으로, 본질상(in essence); 본래.

esséntial óil (식물성) 정유, 방향유《향수의 원료》.

es·sen·tic[eséntik] *a.* 감정을 밖으로 나타내는.

Es·sex[ésiks] [OE 「East Saxons」] *n.* 에섹스 《잉글랜드 남동부의 주》.

Es·sie[ési] *n.* 여자 이름《Esther의 애칭》.

est[est] [*E*rhard *S*eminars *T*raining] *n.* 심신 통일 훈련《집단 감수성 훈련의 하나》.

EST Eastern standard time《미》 동부 표준시; electroshock therapy. **est.** established; estate; estimated; estuary.

-(e)st[(i)st, (ə)st] *suf.* **1** 형용사·부사의 최상급 어미: hard*est*, clever*est*. **2** 《古》 thou에 수반하는 동사(제2인칭·단수·현재 및 과거)의 어미: thou sing*est*, did*st*, can*st*.

⁑**es·tab·lish**[istǽbliʃ] [L] *vt.* **1** 〈국가·학교·기업 등을〉 설립하다, 개설〔창립〕하다; 〈관계 등을〉 성립시키다, 수립하다: ~ a university 대학교를 설립하다/~ a diplomatic relations with …와 외교 관계를 수립하다. **2** 〈제도·법률 등을〉 제정하다: ~ a law 법률을 제정하다/be ~*ed* by law 법으로 제정되다. **3** (사람을 장소·직위·직업에) 취임〔종사〕시키다, 앉히다, 자리잡게 하다, 안정시키다: 《Ⅲ (목)+전+명》 He ~*ed* his son *in* trade. 그는 그의 아들을 상업에 종사하게 했다/《Ⅴ (목)+*as*+명》 The King ~*ed* him *as* governor. 국왕은 그를 총독으로 취임시켰다. **4** 〈선례·습관·학설·기록·명성 등을〉 수립〔확립〕하다; 정하다: ~ (one's) credit 신용을 굳히다/《Ⅴ (목)+*as*+명》 She ~*ed* her fame *as* an actress. 그녀는 여배우로서 자기의 명성을 굳혔다. **5** 〈사실 등을〉 확증〔입증〕하다: ~ a person's identity …의 신원을 확인하다/~ *that* he is innocent 그가 무죄임을 증명하다. **6** 〈교회를〉 국교회(國教會)로 하다. **7** 〔카드〕 〈어떤 종류의 패를〉 꼭 딸 수 있게 하다. **establish oneself** 자리를 잡다, 들어앉다《*in*》; (…로서) 입신하다, 개업하다《*as*》: 《Ⅲ (목)+전+명》 He *established himself in* a new house〔in the country〕. 그는 새 집에 자리를 잡았다〔시골에 정착했다〕/《Ⅴ (목)+*as*+명》 He *established himself as* a grocer. 그는 식료품 장수로서 입신했다〔식료품상을 개업했다〕. ⊕ estáblishment *n.*

es·tab·lished[istǽbliʃt] *a.* **1** 확립된, 확정된: an ~ fact 기정 사실/an old ~ shop 오랜 점포/(a person of) ~ reputation 정평(이 있는 사람)/~ usage 확립된 관용법. **2** (장소·직업·지위 등에) 정착하여, 안정되어: 《Ⅱ *be pp.*+*as*+명》 He was ~ *as* governor. 그는 지사로〔총독으로〕 안정되었다. **3** 국립의, 국교(國教)의. **4** 상비의, 장기 고용의. **5** 만성의: an ~ invalid 불치의 병자.

Estáblished Chúrch (the ~) 영국 국교(회) (the Church of England).

⁑**es·tab·lish·ment**[istǽbliʃmənt] *n.* **1** Ⓤ (국가·학교·기업 등의) 설립, 창설《*of*》; 확립, 수립. **2** 제정《*of*》. **3** 제도, 법규. **4** 입증. **5** (the E-) 기성의 권력 조직, 체제; 기성 사회; 주류파. **6** (학교·협회 등의) 당국자; 지도자 계급(의 사상). **7** 가정, 세대; 사는 집. **8** Ⓤ 상비 편제〔병력〕; 정원: peace 〔war〕 ~ 평시〔전시〕 편제. **9** (공공 시설의) 설립물, 시설《학교·병원·회사·영업소·호텔·가게 등》. **10** Ⓤ (교회의) 국립, 국정; (the E-) 《영》 국교회. **be on the establishment** 고용되어 있다. **keep a large establishment** 대가족을 거느리고 있다, 큰 공장〔회사〕을 가지고 있다. **keep a second〔separate〕 establishment** 《완곡》 소실을 두고 있다. ⊕ establish *v.*

es·tab·lish·men·tar·i·an[istæ̀bliʃməntέəriən] *a.* (영국) 국교주의의; 체제 지지의. ── *n.* 국교 신봉자, 국교주의 지지자; 체제 지지자.

es·ta·mi·net[estæminéi] [F] *n.* (*pl.* ~**s**[−]) 작은 술집(bar), 작은 카페.

⁑**es·tate**[istéit] [L] *n.* **1** 소유지, (별장·정원 등이 있는) 사유지: buy an ~ 땅을 사다. **2** 《영》 (일정 규격의) 단지: a housing ~ 주택 단지(《미》 housing development). **3** Ⓤ 〔法〕 재산, 유산; 재산권, 부동산권, 물권: landed ~ 부동산/personal ~ 동산. **4** Ⓤ 《文語·古》 (인생의) 시기: reach man's〔woman's〕 ~ 성년기에 달하다. **5** Ⓤ 《古》 생활 상태, 정황. **6** (정치·사회상의) 계급 《특히 프랑스 혁명 이전의 성직자·귀족·평민의 3계급》. **7** Ⓤ 《古》 지위, 신분, 지체. **suffer in one's estate** 살림살이가 어렵다. **the fourth estate** 《익살》 제4계급, 언론계, 신문 기자단(the press). **the (holy) estate of matrimony** 남편〔아내〕이 있는 몸. **the third estate** 제3계급 《평민》; 프랑스 혁명 전의 중산 계급. **the Three Estates (of the Realm)** (대혁명전 프랑스 등의) 귀족과 성직자와 평민; 《영》 상원의 고위 성직 의원(Lords Spiritual)과 귀족 의원(Lords Temporal)과 하원 의원(Commons)

의 세 계급. **wind up an estate** 죽은 자〔파산자〕의 재산을 정리하다.
estáte àgent 《영》 부동산 중개업자(*cf.* 《미》 real estate agent); 부동산 관리인.
estáte càr〔wàgon〕 《영》 =STATION WAGON.
es·tat·ed [-id] *a.* 재산이 있는.
Estátes Géneral (the ~) 〔史〕 =STATES GENERAL.
estáte tàx 《미》 유산세(death tax).
es·teem [istí:m] [L] *vt.* 《文語》 **1** 〈사람을〉 존경〔존중〕하다; 〈물건을〉 중하게 여기다(*cf.* respect): your *~ed* letter 귀한(貴翰)/《Ⅲ (목)+부》 I ~ your advice highly. 당신의 충고를 크게 존중합니다/《Ⅲ (목)+(전+명)》 I ~ him (*for* his honesty). 나는 그를〔그의 정직성을〕 존경한다/《Ⅱ *be pp.*+(*to be*)+형》 He was *~ed* (*to be*) trustworthy. 그는 신뢰할 수 있는 사람으로 존경을 받고 있었다. **2** 〈…을 …라고〉 생각하다, 여기다(consider, regard): 《Ⅴ *it*+명+*to* do》 I ~ *it* a privilege *to* address this honorable Congress. 저는 이 명예로운 미국 국회에서 연설할 수 있게 된 것을 특전으로 생각합니다(=I ~ *it* a privilege *that* I can address this honorable Congress.《Ⅴ *it*+명+*that*(절)》)/《Ⅴ *it*+명+*for*+대+*to* do》 He *~ed it* a great blessing *for* you *to* baptize his son. 그는 당신이 그의 아들에게 세례를 준 것을 큰 축복으로 생각했다/《Ⅴ *it*+(*as*)+명+*if*(절)》 I should ~ *it* (*as*) a favor *if* you help me. 도와주시면 고맙겠습니다. **3** 《古》 평가하다. — *n.* Ⓤ 존중, 존경; 《古》 평가. **hold** a person **in** (**high**) **esteem** 《文語》 …을 (대단히) 존중〔존경〕하다. **in my esteem** 나의 생각으로는. ◈ éstimable *a.*
es·ter [éstər] *n.* Ⓤ 〔化〕 에스테르.
es·ter·ase *n.* 〔生化〕 에스테라아제.
es·ter·i·fy [estérəfài] *vt., vi.* 〔化〕 에스테르화(化)하다. **es·tér·i·fì·a·ble** *a.*
es·tèr·i·fi·cá·tion *n.*
Esth. 〔聖〕 Esther; Esthonia.
Es·ther [éstər] *n.* **1** 여자 이름. **2** 〔聖〕 에스더《자기 종족을 학살로부터 구한 유대 여자; 페르시아왕 아하수에로의 왕후》. **3** 〔聖〕 에스더서(書)《구약 성서의 1서》.
es·the·sia [[esθí:ʒiə, -ziə]] *n.* Ⓤ 감각, 지각(력), 감수성.
es·the·si·o·phys·i·ol·o·gy [esθì:ziəfiziɑ́lədʒi/-ɔ́l-] *n.* 감각 생리학.
es·thete [ésθi:t/í:s-], **es·thet·ic, -i·cal** [esθétik(əl)/i:s-], **es·thet·i·cism** [esθétəsìzm/i:s-], **es·thet·ics** [esθétiks/i:s] = AESTHETE, *etc.*
Es·tho·ni·a(n) *n., a.* =ESTONIA(N).
es·ti·ma·ble [éstəməbəl] *a.* **1** 〈사람·행동이〉 존중〔존경〕할 만한, 경의를 표할 만한. **2** 어림〔평가〕할 수 있는. **~·ness** *n.* **-bly** *ad.*
es·ti·mate [éstəmèit] [L] *vt.* **1** 평가하다, 견적하다, 어림잡다, 추정하다: ~ the value of one's property 아무의 재산의 가치를 견적하다/~ one's losses *at* 4 million dollars 아무의 손실을 4백만 달러로 견적하다/I ~ *that* it would take three months *to* finish this work. 나는 이 일을 끝내는 데 3개월 걸릴 것으로 어림잡고 있다/《Ⅴ (목)+*to be*+명》 I ~*d* the room *to be* 17 feet long without measuring it. 나는 실측함이 없이 그 방의 길이를 17피트로 어림잡았다. **2** (부사와 함께) 〈인물 등을〉 평가하다, 판단하다: ~ his charater *highly.* 그의 인격을 높이 평가하다. — *vi.* 개산(概算)하다, 견적서를 만들다: ~ *for* the repair 수리비를 견적하다.
— [éstəmit, -mèit] *n.* **1** 견적, 어림, 개산(概算)(서), 추정: a written ~ 견적서/at a moderate ~ 줄잡아 어림하여. **2** (인물 등의) 평가, 가치 판단. **3** (종종 *pl.*) 개산서, 견적서. **4** (the E-s) 《영》 (의회에 제출하는) 세출 세입 예산. **by estimate** 개산으로. **make 〔form〕 an estimate of** …의 견적을 내다; …을 평가하다.
◈ estimátion *n.*; éstimative *a.*
es·ti·mat·ed [-id] *a.* 견적의, 추측의: an ~ sum 견적액/the ~ crop for … (…년도)의 예상 수확고.
es·ti·ma·tion [èstəméiʃən] *n.* **1** Ⓤ (가치의) 판단, 평가, 의견: in my ~ 내가 보기에는/in the ~ of the law 법률상의 견해로는. **2** 견적, 추정, 추산; 평가 가치, 견적액, 추정치. **3** Ⓤ 존중, 존경. **fall〔rise〕 in the estimation of** …에게 낮게〔높게〕 평가되다. **hold in** (**high**) **estimation** (매우) 존중하다. **stand high in estimation** 매우 존경받다, 높이 평가되다.
es·ti·ma·tive [éstəmèitiv] *a.* 평가할 수 있는; 평가의; 견적의.
es·ti·ma·tor [éstəmèitər] *n.* 평가자, 견적인.
es·ti·val, es·ti·vate, es·ti·va·tion =AESTIVAL, *etc.*
Es·to·ni·a, -tho- [estóuniə], [-tóu-, -θóu-] *n.* 에스토니아《발트해 연안의 공화국; 1991년 소련의 붕괴로 독립; 수도 Tallinn》.
Es·to·ni·an *a.* 에스토니아(사람·말)의.
— *n.* 에스토니아 사람; Ⓤ 에스토니아 말.
es·top [estɑ́p/-tɔ́p] *vt.* (**~ped; ~·ping**) 〔法〕 금반언(estoppel)으로 금지하다《*from*》.
es·top·page [-idʒ] *n.* 〔法〕 금반언에 의한 저지.
es·top·pel [estɑ́pəl/-tɔ́p-] *n.* 〔法〕 금반언(禁反言), 에스토펠《먼저 한 주장에 반대되는 진술을 뒤에 하는 것을 금지함》.
es·to·vers [estóuvərz] *n. pl.* 〔法〕 필요물《차지인(借地人)이 그 땅에서 채취하는 장작·가옥 수선용 재목 등》; 별거 수당.
es·trade [estrɑ́:d] *n.* 대(臺), 단(壇)(dais).
es·tra·di·ol [èstrədáiɔ(:)l, -ɑl] *n.* 〔生化〕 에스트라디올《난소호르몬의 일종》.
es·trange [istréindʒ] [L] *vt.* **1** (사람을 친구·가족 등에게서) 떼어놓다; 사이를 멀어지게 하다, 이간하다; 〈사람을〉 소원하게 하다; (사람을 평상시의 환경에서) 멀어지게 하다 《*from*》: 《Ⅲ (목)》 His impolite behavior ~*d* his friends. 그의 무례한 행동으로 친구들이 그에게서 떠나 버렸다/《Ⅲ (목)+전+명》 His foolish behavior ~*d* him *from* his family. 그의 어리석은 행실 때문에 그는 자기 가족에게서 멀어졌다/Pollution ~*d* him *from* city life. 공해 때문에 그는 도시 생활을 멀리 했다. **2** …을 (본래의 소유주·용도·목적에서) 벗어나게 하다, 빼앗다《*from*》.
estrange oneself from …을 멀리 하다: 《Ⅲ (목)+전+명》 He *estranged* himself *from* politics〔his relatives〕. 그는 정치를〔그의 친척들을〕 멀리 했다. ◈ estrángement *n.*
es·tranged [istréindʒd] *a.* 소원해진, 사이가 틀어진. **be〔become〕 estranged from** …와 소원하게 되다, 사이가 멀어지다: 《Ⅱ 형+전+명》 They are〔become〕 *estranged from* each other. 그들은 서로 소원해져 있다.
es·trange·ment *n.* Ⓤ,Ⓒ 소원(疎遠), 이간, 불화《*from, between, with*》; 소외.
es·tray [istréi] *n.* 〔法〕 (주인을 알 수 없는) 길 잃은 가축《말·양 등》.

es·treat[estríːt] 〔영法〕 *n.* (벌금·과료 선고 등의) 재판 기록의 부본〔초본〕. ── *vt.* **1** (고발하기 위하여) 부본〔초본〕을 떼다. **2** 〈벌금 등을〉 징수하다.

es·tri·ol[éstriɔːl, -ɑl, -trai-] *n.* Ⓤ 〔生化〕 에스트리올《성(性)호르몬의 일종》.

es·tro·gen[éstrədʒən] *n.* Ⓤ 〔生化〕 발정(發精) 호르몬, 에스트로겐《여성 호르몬의 일종》.

es·tro·gen·ic[èstrədʒénik] *a.* 〔生化〕 발정을 촉진하는, 발정성의.

éstrogen replàcement thèrapy 난소호르몬 투약요법《폐경기의 여성에게 주로 행하며 골다공증, 콜레스테롤을 낮추는데 사용》.

Es·tron[estrɑ́n/-trɔ́n] *n.* 에스트론《초산 섬유소 에스테르로 만드는 반합성 섬유; 상표명》.

es·trone[éstroun] *n.* Ⓤ 〔生化〕 에스트론《발정 호르몬의 일종》.

es·trous[éstrəs] *a.* 〔動〕 발정(기)의.

éstrous cýcle 〔動〕 발정기.

es·trus, -trum[éstrəs],[éstrəm] *n.* Ⓤ 〔動〕 (암컷의) 발정(현상); 발정기.

es·tu·a·rine[éstʃuəràin/-tjuə-] *a.* 강어귀(지역)의; 하구에 형성된; 하구(지역)에 알맞은.

es·tu·ar·y[éstʃuèri] [L] *n.* (*pl.* **-ar·ies**)(조수가 드나드는 넓은) 강어귀; 후미(inlet).

e.s.u., ESU electrostatic unit(s) 정전(靜電) 단위.

e·su·ri·ence[isúriəns/isjúə-] *n.* Ⓤ 굶주림; 게걸, 탐욕.

e·su·ri·ent[isúriənt] *a.* 《古》 게걸스러운, 탐욕스러운(greedy).

ESV experimental safety vehicle 안전 실험차.

Et 〔化〕 ethyl. **ET** Eastern Time; Easter term; extraterrestrial.

-et[it, ət] *suf.* 주로 프랑스어계의 지소(指小) 어미: bull*et*, fill*et*, sonn*et*.

e·ta[éitə, íːtə] *n.* 그리스말 알파벳의 제7자 (Η, η).

ETA, e.t.a. estimated time of arrival 도착 예정 시각.

et al.[et-ǽl, -ɑ́ːl, -ɔ́ːl] *et alibi*(L =and elsewhere); *et alii*(L =and others).

éta méson 〔物〕 에타 중간자, η 중간자.

e·tat·ism[eitɑ́ːtizm] *n.* =STATE SOCIALISM.

‡**etc.** [ənsóufɔ̀ːrθ, etsétərə] =ET CETERA. ◇ 《미》에서는 보통 *and so forth*로 읽음.

*__et cet·er·a__[et-sétərə] [L =and the rest] 기타, …따위, …등등(and so forth〔on〕)《略: etc., &c.》.

et·cet·er·as[etsétərəz, it-] *n. pl.* 기타 여러 가지〔사람〕, 기타 등등.

etch[etʃ] *vt.* **1** 〈동판 등에〉 식각(蝕刻)〔에칭〕하다. **2** 선명하게 그리다, 마음에 새기다. ── *vi.* 에칭〔동판화《등》〕을 만들다.

etch·er[étʃər] *n.* (에칭에 의한) 동판 화공; 에칭〔동판〕 화가.

etch·ing[étʃiŋ] *n.* Ⓤ 에칭, 부식 동판술; Ⓒ 식각 판화, 부식 동판쇄(刷).

étching nèedle〔**pòint**〕 에칭용 조각침.

etch pit 〔天〕 에치 피트《화성 표면에 보이는 조그마한 구덩이》.

ETD, e.t.d. estimated time of departure 출발 예정 시각.

E·te·o·cles[itíːəkliːz] *n.* 〔그神〕 에테오클레스《Oedipus의 아들》.

‡**e·ter·nal**[itə́ːrnəl] [L] *a.* **1** 영원〔영구〕한(*opp.* temporal); 불후의, 불변의: ~ life 영원한 생명. **2** 《口》 끝없는, 끊임 없는: ~ chatter 끝없는 지껄임. ── *n.* **1** (the ~) 영원한 것 **2** (the E-) 하느님(God).
◇ etérnity *n.*; etérnize *v.*

Etérnal Cíty (the ~) 영원한 도시《Rome의 별칭》.

e·ter·nal·ize[itə́ːrnəlàiz] *vt.* =ETERNIZE.

e·ter·nal·ly[itə́ːrnəli] *ad.* **1** 영원〔영구〕히 (forever); 영원히 변치 않고. **2** 《口》 끝없이, 끊임없이.

etérnal recúrrence 〔哲〕 (니체 철학의) 영겁 회귀.

etérnal tríangle (the ~) (남녀의) 삼각 관계.

*__e·ter·ni·ty__[itə́ːrnəti] *n.* (*pl.* **-ties**) **1** Ⓤ 영원, 영구, 영겁; 무한한 과거〔미래〕: through all ~ 영원 무궁토록. **2** Ⓤ,Ⓒ 영원한 존재, 불멸. **3** (the -ties) 영원한 진리〔진실〕. **4** Ⓤ (사후에 시작되는) 영원의 세계, 내세, 영세: between this life and ~ 이승과 저승 사이〔생사의 경계〕에. **5** (an ~) (끝없는 것 같은) 오랜 시간: It seemed *an* ~ before she appeared. 그녀가 나타나기까지 길고 긴 시간으로 여겨졌다.
◇ etérnal *a.*; etérnize *v.*

etérnity rìng 이터니티 링《보석을 돌아가며 틈 없이 박은 반지; 영원을 상징》.

e·ter·nize[itə́ːrnaiz] *vt.* 영원성을 부여하다; 불후하게 하다, 영원히 전하다.

e·tèr·ni·zá·tion[-nizéiʃən] *n.*

e·te·si·an[itíːʒən] *a.* 〈지중해 동부의 바람이〉 해마다의(annual), 계절적으로 부는.

Etésian wínds 계절풍《지중해 동부에서 해마다 여름철이면 약 40일 동안 부는 건조한 북서풍》.

eth[eð] *n.* =EDH.

-(e)th[(i)θ, (ə)θ] *suf.* 《古》 동사의 제3인칭·단수·현재형의 어미《현대 영어의 -s, -es에 상당》: go*eth*, think*eth*, ha*th*, sai*th*.

eth. ethical; ethics. **Eth.** Ethiopia.

eth·a·crýn·ic ácid[èθəkrínik-] 〔藥〕 에타크린산《수종(水腫) 치료용 이뇨제》.

e·tham·bu·tol[eθǽmbjutɔ̀ːl] *n.* Ⓤ 〔藥〕 에탐부톨 합성 항결핵약.

eth·ane[éθein] *n.* Ⓤ 〔化〕 에탄《무색·무취·가연성의 가스》.

eth·a·nol[éθənɔ̀(ː)l, -nɑ̀l] *n.* Ⓤ 〔化〕 에타놀(alcohol).

Eth·el[éθəl] *n.* 여자 이름.

Eth·el·bert[éθəlbə̀ːrt] *n.* 남자 이름.

eth·ene[éθiːn] *n.* =ETHYLENE.

eth·e·phon[éθəfɑ̀n/-ɔ̀n] *n.* 에테폰《식물 생장 조절제》.

*__e·ther, ae·ther__[íːθər] *n.* Ⓤ **1** 《詩·文語》 하늘, 창공, 창천; (종종 the ~) (옛 사람들이 상상한) 대기 밖의 정기(精氣), 영기(靈氣). **2** 〔物〕 에테르《빛·열·전자기의 복사(輻射) 현상의 가상적 매체》; 〔化〕 에테르《유기 화합물; 마취제》 **3** (the ~) 《口》 라디오.
◇ ethéreal *a.*; ethérify, étherize *v.*

e·the·re·al[iθíːriəl] *a.* **1** 공기 같은; 아주 가벼운; 희박한. **2** 미묘한, 영묘한. **3** 《詩》 천상의, 하늘의. **4** 〔物·化〕 에테르의; 에테르성(性)의. **~·ly** *ad.*
◇ éther, ethereálity *n.*; ethérealize *v.*

e·the·re·al·i·ty[iθìːriǽləti] *n.* 에테르 같은 성질; 영묘한 것, 영성(靈性).

e·the·re·al·i·za·tion[iθìːriəlizéiʃən/-lai-] *n.* Ⓤ 에테르화(化); 기화; 영화(靈化).

e·the·re·al·ize[iθíːriəlàiz] *vt.* 에테르로 변화시키다; 영묘하게 하다; 영기성(靈氣性)으로 만들다.

ethéreal óil 정유, 휘발유.

e·the·ri·al[iθí(ː)riəl] *a.* =ETHEREAL.

e·ther·i·fy[iθérəfài, íːθər-] *vt.* (**-fied**)〈알코

올 등을〉 에테르화하다. **e·thèr·i·fi·cá·tion** *n.*

e·ther·i·za·tion [ì:θərizéiʃən] *n.* Ⓤ 〔醫〕 에테르 마취(법〔상태〕).

e·ther·ize [í:θəràiz] *vt.* **1** 〔醫〕 에테르로 마취하다; 에테르로 처리하다. **2** 무감각하게 하다.

eth·ic [éθik] *a.* =ETHICAL. — *n.* 윤리, 도덕률(*cf.* ETHICS).

***eth·i·cal** [éθikəl] *a.* **1** 도덕상의, 윤리적인(*cf.* moral) : an ~ movement 윤리〔도덕〕화 운동. **2** 윤리학적인, 윤리학상의. **3** 도덕적인. **4** 〈약품이〉 인정 기준에 따라 제조된; 〈약품이〉 의사의 처방없이 판매할 수 없는. ◇ éthics *n.*

éthical dátive 〔文法〕 심성적 여격(감정을 강조하기 위하여 덧붙이는 여격으로 'me' 또는 'you' : "Knock *me* at the door." 노크 좀 하시오).

éthical invéstment (고객의) 기업에 대한 기업관사회적 견해를 참작한 투자.

eth·i·cal·ly [-i] *ad.* **1** 윤리(학)적으로. **2** (문장 전체를 수식하여) 윤리적으로는, 윤리적으로 말하면.

eth·i·cist, e·thi·cian [éθəsist], [eθíʃən] *n.* 윤리학자, 도학자, 도덕가.

eth·i·cize [éθəsàiz] *vt.* 윤리적이 되게 하다; …에 윤리성을 부여하다.

***eth·ics** [éθiks] *n. pl.* **1** (단수 취급) 윤리학: practical ~ 실천 윤리학. **2** (개인·특정 사회·직업의) 도덕 원리, 윤리, 도의, 덕의: political ~ 정치 윤리. ◇ éthical *a.*

E·thi·op, -ope [í:θiàp/-ɔ̀p], [-òup] *n., a.* 《古》 =ETHIOPIAN.

***E·thi·o·pi·a** [ì:θióupiə] *n.* 에티오피아(略: Eth.; 수도 Addis Ababa; *cf.* ABYSSINIA). ◇ Ethiópian, Ethiópic *a.*

E·thi·o·pi·an [-n] *a.* (고대) 에티오피아의; (고대) 에티오피아 사람의. — *n.* (고대) 에티오피아 사람; 《古》 (아프리카의) 흑인.

E·thi·op·ic [ì:θiápik/-ɔ́p-] *a.* (고대) 에티오피아의. — *n.* Ⓤ (고대) 에티오피아 말(Semitic).

eth·moid, -moi·dal [éθmɔid], [eθmɔ́idl] *n., a.* 〔解〕 사골(篩骨)(의).

ethn. ethnology.

eth·narch [éθnɑ:rk] *n.* 〔史〕 (비잔틴 제국 등 한 지방〔민족〕의) 행정 장관. **-nar·chy** [-i] *n.* Ⓤ ethnarch의 통치〔지위, 직권〕.

eth·nic [éθnik] [Gk] *a.* **1** 인종의, 민족의; 인종학상의(ethnological). **2** 민족 특유의: ~ music 민족 특유의 음악. **3** 《稀》 이방인의, 이교도의(*opp.* Jewish, Christian). — *n.* 소수 민족의 사람.

eth·ni·cal [-əl] *a.* =ETHNIC 1, 2.

eth·ni·cal·ly [-kəli] *ad.* **1** 민족(학)적으로. **2** (문장 전체를 수식하여) 민족(학)적으로는〔으로 말하면〕.

éthnic gróup 〔社〕 인종 집단(ethnos).

eth·ni·cism [éθnəsìzəm] *n.* 민족성 중시주의, 민족 분리주의.

eth·nic·i·ty [eθnísəti] *n.* 민족성.

eth·ni·con [éθnəkàn/-kɔ̀n] *n.* (*pl.* **-ca** [-kə]) 종족〔부족, 인종, 민족, 국민〕의 명칭 (Hopi, Ethiopian 등).

éthnic pòp〔ròck〕 전통적인 음악과 서구의 음악을 융합한 팝〔록〕 음악.

éthnic púrity (지역·집단 내의 소수 민족의) 민족적 순수성.

eth·nics [éθniks] *n. pl.* =ETHNOLOGY.

eth·no- [éθnou] 《연결형》 「인종(race), 민족(nation)」의 뜻.

eth·no·cen·tric [èθnouséntrik] *a.* 자기 민족 중심주의의.

eth·no·cen·trism [èθnouséntrizəm] *n.* Ⓤ 〔社〕 자기 민족 중심주의(타민족에 대하여 배타적·멸시적인; *cf.* NATIONALISM).

eth·no·cide [éθnousàid] *n.* (문화적 동화 정책으로서) 특정 민족 집단의 문화 파괴〔말살〕.

eth·nog·e·ny [eθnádʒəni/-nɔ́dʒ-] *n.* Ⓤ 인종 기원학, 민족 발생학.

eth·nog·ra·pher [eθnágrəfər/-nɔ́g-] *n.* 민족지(誌)학자.

eth·no·graph·ic, -i·cal [èθnəgrǽfik], [-əl] *a.* 민족지(誌)적인, 민족지학상의.

eth·nog·ra·phy [eθnágrəfi/-nɔ́g-] *n.* Ⓤ 기술(記述) 민족학, 민족지(誌)학.

eth·no·his·to·ry [èθnouhístəri] *n.* 민족 역사학 (특히 구비(口碑)나 문헌의 조사 및 관련 문화권과의 비교, 연대기 따위의 분석에 의한 인류학 연구).

ethnol. ethnologic(al); ethnology.

eth·no·lin·guis·tics [èθnouliŋgwístiks] *n. pl.* (단수 취급) 민족 언어학.

eth·no·log·ic, -i·cal [èθnəládʒik/-lɔ́dʒ-], [-əl] *a.* 민족학의, 인종학적인. **-i·cal·ly** *ad.*

eth·nol·o·gy [eθnálədʒi/-nɔ́l-] *n.* Ⓤ 민족학; 인종학. **-gist** *n.* 민족학자.

eth·no·mu·si·col·o·gy [èθnoumjù:zikálədʒi/-kɔ́l-] *n.* Ⓤ 민족 음악학; 음악 인류학.

eth·no·nym [éθnounim] *n.* 민족·국민·종족의 이름.

eth·no·phar·ma·col·o·gy [-fɑ̀:rməkálədʒi/-kɔ́l-] *n.* 민족약학〔의학〕(특히 타민족이나 문화집단에 의한 특정 민족의 민간 요법 등에 사용된 것들에 대한 과학적 연구).

e·tho·gram [í:θəgræ̀m] *n.* 에소그램(어떤 동물의 행동 양태에 대한 상세한 그림 조사 기록).

eth·no·psy·chol·o·gy [èθnousaikálədʒi/-kɔ́l-] *n.* Ⓤ 민족 심리학.

eth·nos [éθnɑs/-nɔs] *n.* =ETHNIC GROUP.

eth·no·sci·ence [èθnousáiəns] *n.* 민족과학, 민족지(誌)학.

e·thol·o·gy [i(:)θálədʒi/-θɔ́l-] *n.* Ⓤ 인성학(人性學); 품성론; 행동 생물학, (동물) 행동학. **-gist** *n.*

e·thos [í:θɑs/-θɔs] [Gk] *n.* (한 국민·사회·제도 등의) 기풍, 정신, 민족〔사회〕 정신, 사조.

eth·yl [éθəl] *n.* Ⓤ 〔化〕 에틸; (**E-**) 앤티노크제(劑)의 일종(을 섞은 휘발유)(상표명).

éthyl álcohol 〔化〕 에틸 알코올(보통의 알코올).

eth·yl·ate [éθəlèit] 〔化〕 *n.* 에틸레이트(에틸 알코올의 금속 유도체). — *vt., vi.* 에틸화하다.

eth·yl·a·tion [èθəléiʃən] *n.* 〔化〕 에틸화.

eth·yl·ene [éθəlì:n] *n.* Ⓤ 〔化〕 에틸렌(탄화수소).

éthylene dichlóride 〔化〕 2염화(鹽化) 에틸렌(무색의 무거운 유상(油狀)유독 액체; 염화 비닐의 합성·유지·수지·고무 따위의 용제로 씀).

éthylene glýcol 〔化〕 에틸렌 글리콜(부동액으로 쓰임).

et·ic [étik] *a.* 에틱한(언어·행동의 기술에서 기능면을 문제삼지 않는 관점에 대해 말함; *cf.* EMIC).

e·ti·o·late [í:tiəlèit] *vt.* 〈식물 등을〉 (일광을 차단하여) 연푸르게 하다, 누렇게 뜨게 하다; 〈얼굴 등을〉 창백하게 하다. — *vi.* 〈식물 등이〉 (암소 재배로) 연푸르게 되다, 누렇게 뜨다; 〈얼굴 등이〉 창백해지다. **-lat·ed** *a.*

e·ti·o·la·tion [ì:tiəléiʃən] *n.* Ⓤ 〔植〕 (광선

부족에 의한) 황화(黃化); 〈피부 등이〉 창백해지기.
e·ti·o·log·i·cal[ì:tiəládʒkəl/-lɔ́dʒ-] *a.* **1** 원인을 밝히는; 인과 관계학의. **2** 병인(病因)학의.
e·ti·ol·o·gy[ì:tiálədʒi/-ɔ́l-] *n.* (*pl.* **-gies**) ⓊⒸ **1** 원인의 추구; 인과 관계학, 원인론. **2** 〔醫〕 병인(病因)(학).
e·ti·o·path·o·gen·e·sis[ì:tioupæθədʒénəsis] *n.* 〔醫〕 원인 병리론.
***et·i·quette**[étikèt, -kit] [F] *n.* Ⓤ **1** 예의(범절), 예법, 에티켓: a breach of ~ 실례. **2** (동업자간의) 불문율, 예의, 의리.
Et·na[étnə] *n.* **1** (Mt. ~) 에트나산《시칠리아섬(Sicily)의 활화산》. **2** (**e-**) 알코올로 물을 끓이는 기구.
ETO European Theater of Operations.
***E·ton**[í:tn] *n.* **1** 이튼《런던 서남방의 도시; Eton College 소재지》. **2** 이튼교(=~ College); (*pl.*) 이튼교의 제복(=**∠ clóthes**): go into ~*s* 처음으로 이튼교의 제복을 입다, 이튼교에 입학하다. ⊕ Etónian *a.*
Éton blúe 밝은 청록색.
Éton cóllar (웃옷의 깃에 다는) 폭 넓은 칼라.
Éton Cóllege 이튼교《1440년에 설립된 영국의 전통 있는 PUBLIC SCHOOL》.
Éton cróp (여자 머리의) 치켜 깎은 단발.
E·to·ni·an[i:tóuniən] *a.* 이튼(교)의. ── *n.* 이튼교 학생〔졸업생〕: an old ~ 이튼교 동문.
Éton jácket〔cóat〕 이튼교(식)의 짧은 웃옷 《연미복과 비슷하나 꼬리가 없음》.
é·tri·er[etriə] [F] *n.* 에트리에《등반용 짧은 줄사다리》.
E·trog[i:trág/-rɔ́g] *n.* (the ~) 이트로그상(賞)《캐나다의 영화상》.
E·tru·ri·a[itrúəriə] *n.* 에트루리아《이탈리아 중서부에 있던 옛 나라》. **-an**[-ən] *a., n.* =ETRUSCAN.
E·trus·can[itrʌ́skən] *a.* 에트루리아의; 에트루리아 사람〔말〕의. ── *n.* 에트루리아 사람; Ⓤ 에트루리아 말.
ETS¹ [ì:tì:és] 《미》 Educational Testing Service.
ETS² [ì:tì:és] [*E*stimated *T*ime of *S*eparation] *vi.* 《미軍俗》 만기 제대하다.
et seq., et sq. *et sequens* (L =and the following) …이하 참조. **et seqq., et sqq.** *et sequentes*〔*sequentia*〕 (L=and those〔that〕 follow).
Et·ta[étə] *n.* 여자 이름.
-ette[et] *suf.* **1** 지소(指小) 어미: cigar*ette*, statu*ette*. **2** 여성형 명사 어미: suffrag*ette*. **3** 〔商〕「모조…, …대용품」의 뜻: Leather*ette*.
E.T.U. Electrical Trades Union.
é·tude[eitjú:d] [F] *n.* (그림·조각 등의) 습작, 에튀드; 〔樂〕 연습곡.
etui, etwee[eitwí:, étwi:] *n.* 방물 상자, 손 그릇《바늘·이쑤시개·화장품 등을 넣는》.
ETV educational television.
ETX 〔컴퓨터〕 end of text 텍스트 끝.
ety. etymology. **etym., etymol.** etymological; etymology.
et·y·mo·log·i·cal, -ic[ètəməládʒikəl/-lɔ́dʒ], [-ik] *a.* 어원의, 어원(학)상의.
-i·cal·ly[-kəli] *ad.* 어원상; 어원적으로.
et·y·mol·o·gist[ètəmálədʒist/-mɔ́l-] *n.* 어원학자, 어원 연구가.
et·y·mol·o·gize[ètəmálədʒàiz/-mɔ́l-] *vt.* …의 어원을 조사하다〔나타내다〕. ── *vi.* 어원(학)을 연구하다; 어원적으로 정의〔설명〕하다.
***et·y·mol·o·gy**[ètəmálədʒi/-mɔ́l-] [Gk] *n.* (*pl.* **-gies**) **1** Ⓤ 어원 연구; 어원학; 〔文法〕 품사론. **2** (어떤 말의) 어원, 어원의 설명〔추정〕. ⊕ etymológical *a.*; etymólogize *v.*
et·y·mon[étəmàn/-mɔ̀n] *n.* (*pl.* **~s, -ma** [-mə]) 말의 원형, 어근(root); 외래어의 원어.
Eu 〔化〕 europium. **E.U.** Evangelical Union.
eu-[ju:] 《연결형》「좋은《良·好·善》…」의 뜻 (*opp.* dys-).
eu·caine[ju:kéin] *n.* Ⓤ 〔化〕 오이카인《국부 마취제》.
eu·ca·lyp·tus[jù:kəlíptəs] *n.* (*pl.* **~·es, -ti**[-tai]) 〔植〕 유칼리나무《상록 거목》.
eucalýptus òil 유칼리 기름《의약·향수용》.
eu·car·y·ote, -kary-[ju:kǽriout] *n.* 〔生〕 유핵(有核) 세포; 진핵(眞核) 생물.
eu·càr·y·ót·ic[-át-/-ɔ́t-] *a.*
Eu·cha·rist[jú:kərist] [Gk] *n.* **1** (the ~) 〔基督教〕 성만찬(the Lord's Supper). **2** (the ~) 〔가톨릭〕 성체(聖體); 성체 성사. **3** 성찬〔성체〕용 빵과 포도주.
Eu·cha·ris·tic, -ti·cal[-tik], [-əl] *a.* 성만찬의; 성체의; (**e-**) 감사의.
eu·chlo·rine, -rin[ju:klɔ́:ri:n], [-rin] *n.* Ⓤ 〔化〕 유클로린《염소와 이산화염소의 폭발성 혼합 기체》.
eu·chre[jú:kər] *n.* Ⓤ 〔카드〕 유커《미국 및 호주에서 널리 보급된 놀이의 일종》. ── *vt.* **1** (유커에서) 상대편의 실수를 이용하여 이기다. **2** 《口》 계략을 써서 앞지르다《*out*》.
eu·chro·ma·tin[ju:króumətin] *n.* 〔生〕 진정 염색질(染色質).
***Eu·clid**[jú:klid] *n.* **1** 유클리드《기원전 300년경의 알렉산드리아의 기하학자》: ~'s Elements 유클리드 초등 기하학. **2** Ⓤ 유클리드 기하학. **3** Ⓤ 《俗》 기하학. ⊕ Euclídean *a.*
Eu·clid·e·an, -i·an[ju:klídiən] *a.* 유클리드의; (유클리드) 기하학의.
Euclídean geómetry 유클리드 기하학.
eu·dae·mo·ni·a[jù:dimóuniə] *n.* Ⓤ 행복, 복리(happiness, welfare).
eu·dae·mon·ics[jù:dimániks/-mɔ́n-] *n. pl.* (단수·복수 취급) **1** 행복론. **2** =EUDAEMONISM.
eu·dae·mon·ism[ju:dí:mənìzəm] *n.* Ⓤ 〔哲·倫〕 행복주의, 행복설.
eu·di·om·e·ter[jù:diámitər/-ɔ́m-] *n.* 〔化〕 유디오미터《공중 산소량 측정기》.
Eu·gene[ju:dʒí:n, ∠-] *n.* 남자 이름《애칭 Gene》.
eu·gen·ic, -i·cal[ju:dʒénik], [-əl] *a.* **1** 〔生〕 우생(학)의. **2** 우수한 자손을 만드는, 인종 개량상의, 우생학적인(*opp.* dysgenic).
-i·cal·ly[-ikəli] *ad.* 우생학적으로.
eu·gen·i·cist, eu·gen·ist[ju:dʒénəsist], [jú:dʒənist] *n.* 우생학자.
eu·gen·ics[ju:dʒéniks] [Gk] *n. pl.* (단수 취급) 우생학(*opp.* dysgenics); 인종 개량법.
eu·gle·na[ju:glí:nə] *n.* 〔動〕 유글레나, 연두벌레.
eu·gle·noid, -nid[ju:glí:nɔid] *a., n.* 〔生〕 유글레나 무리의 〈각종 편모충〉.
eu·kar·y·ote ⇨**eu·car·y·ote**
eu·lo·gist[jú:lədʒist] *n.* 찬사를 올리는 사람, 찬미자, 예찬자, 칭찬자.
eu·lo·gis·tic, -ti·cal[jù:lədʒístik], [-əl] *a.* 찬미의, 찬양하는. **-ti·cal·ly** *ad.*
eu·lo·gi·um[ju:lóudʒiəm] *n.* (*pl.* **~s, -gia**[-dʒiə]) =EULOGY.
eu·lo·gize[jú:lədʒàiz] *vt.* 찬양하다, 칭송하

다. **-giz·er** *n.* =EULOGIST.
eu·lo·gy[jú:lədʒi] [Gk] *n.* (*pl.* **-gies**) **1** Ⓤ 찬미(praise), 칭송, 찬양((*of, on*)): chant the ~ of …을 찬양하다. **2** 찬사((*of, on*)); ((미)) (고인에 대한) 송덕문.
Eu·men·i·des[ju:ménədì:z] *n. pl.* 〔그神〕=FURIES.
Eu·nice[jú:nis] *n.* 여자 이름.
eu·nuch[jú:nək] *n.* **1** 거세된 남자, (특히 옛날 동양의) 환관(宦官), 내시. **2** 유약한 남자.
eu·nuch·oid[jú:nəkɔ̀id] *a.* 유사(類似) 환관증(宦官症)의. ── *n.* 유사 환관증 환자.
eu·pep·sia[ju(:)pépʃə, -siə] *n.* Ⓤ 〔醫〕 소화 정상〔양호〕(*opp.* dyspepsia).
eu·pep·tic[ju(:)péptik] *a.* 정상 소화의; 낙천적인.
euphem. euphemism; euphemistic(ally).
Eu·phe·mia[ju(:)fí:miə] *n.* 여자 이름.
eu·phe·mism[jú:fəmìzəm] [Gk] *n.* **1** Ⓤ 〔修〕 완곡 어법. **2** 완곡 어구((die 대신에 pass away라고 하는 따위)).
eu·phe·mist[-mist] *n.* 완곡한 말을 (잘) 쓰는 사람.
eu·phe·mis·tic, -ti·cal[jù:fəmístik], [-əl] *a.* 완곡 어법의; 완곡한. **-ti·cal·ly**[-kəli] *ad.*
eu·phe·mize[jú:fəmàiz] *vt., vi.* 완곡하게 표현하다〔말하다, 쓰다〕.
eu·phen·ics[ju:féniks] *n. pl.* (단수 취급) 인간 개조학.
eu·pho·bi·a[ju:fóubiə] *n.* ((익살)) 길보〔낭보〕 공포증((뒤따라 흉보가 온다고 해서)).
eu·phon·ic[ju:fánik/-fɔ́n-] *a.* 음조가 좋은; 음조에 의한, 음운 변화상의: ~ changes 음운 변화. **-i·cal·ly**[-kəli] *ad.*
eu·phon·i·cal[-əl] *a.* ((古)) =EUPHONIC.
eu·pho·ni·ous[ju:fóuniəs] *a.* 음조가 좋은, 듣기 좋은. **~·ly** *ad.*
eu·pho·ni·um[ju:fóuniəm] *n.* 유포늄((튜바(tuba) 비슷한 놋쇠 악기)).
eu·pho·nize[jú:fənàiz] *vt.* 음조〔어조〕를 좋게 하다.
eu·pho·ny[jú:fəni] [Gk] *n.* Ⓤ 듣기 좋은 음조(*opp.* cacophony); 〔言〕 활(滑)음조, 음운 변화.
eu·phor·bi·a[ju:fɔ́:rbiə] *n.* 〔植〕 등대풀속(屬)((spurge 등)).
eu·pho·ri·a[ju:fɔ́:riə] *n.* Ⓤ 행복감; 〔精醫〕 다행증(多幸症); ((俗)) (마약에 의한) 도취감.
eu·phór·ic[-rik] *a.*
eu·pho·ri·ant[jufɔ́:riənt] *a.* 다행증의, 행복감을 주는. ── *n.* 〔藥〕 도취약.
eu·pho·ri·gen·ic[jufɔ̀:rədʒénik] *a.* 행복감〔도취감〕을 일으키는.
eu·pho·ry[jú:fəri] *n.* =EUPHORIA.
eu·pho·tic[ju:fóutik] *a.* (해저층(海底層)이) 수표면으로부터 광합성이 일어날 수 있는 수층(水層)의〔에 관한〕; 진광층(眞光層)의.
eu·ploid[jú:ploid] *a., n.* 복합 반수체의 염색체를 가진(생물).
eu·phra·sy[jú:frəsi] *n.* (*pl.* **-sies**) 〔植〕 좁쌀풀.
***Eu·phra·tes**[ju:fréiti:z] *n.* (the ~) 유프라테스강((서부 아시아의 강; 유역의 Mesopotamia는 고대 문명의 발상지)).
Eu·phros·y·ne[ju:frásənì:/-frɔ́-] *n.* 〔그神〕 기쁨의 여신((미의 3여신(the Graces)의 하나)).
eu·phu·ism[jú:fju:ìzəm] *n.* Ⓤ (16-17세기에 영국에서 유행한) 과식체(誇飾體), 화려하게 꾸민 문체; 미사 여구. **-ist**[-ist] *n.* John Lyly의 문체를 모방하는 사람; 미사 여구를 좋아하는 문장가.
eu·phu·is·tic, -ti·cal[-ístik], [-əl] *a.* 미사 여구를 좋아하는, 과식체의: ~ phrases 미사 여구. **-ti·cal·ly**[-kəli] *ad.*
eup·n(o)e·a[ju:pní:ə] *n.* 〔病理〕 정상 호흡.
Eur-[juər], **Eu·ro-**[júərou] ((연결형)) **1** 「유럽의, 유럽과 …의」의 뜻: *Euro*-Russian. **2** 「유럽 금융 시장의」의 뜻: *Euro*dollar. **3** 「유럽 경제 공동체의」의 뜻: *Euro*crat((모음 앞에서는 Eur-)).
Eur. Europe; European.
Eur·af·ri·can[juərǽfrikən] *a.* 유럽과 아프리카의; 유럽 아프리카 혼혈의.
Eu·rail·pass[juəréilpæ̀s, -pɑ̀:s, jər-, júəreil-, jə́:r-] [*Eu*ropean *rail*road *pass*] *n.* 유레일패스((유럽 전체 철도에 통용되는 할인권)).
Eur·a·mer·i·can[jùərəmérikən] *a.* 구미(歐美)의.
***Eur·a·sia**[juəréiʒə, -ʃə] *n.* 유라시아, 구아(歐亞).
Eur·a·sian[juəréiʒən, -ʃən] *a.* **1** 유라시아의: the ~ Continent 유라시아 대륙. **2** 유라시아 혼혈(종)의. ── *n.* 유라시아 혼혈아.
Eur·a·tom[juərǽtəm] [*Euro*pean *Atom*ic Energy Community] *n.* 유럽 원자력 공동체, 유라톰((1957년 결성)).
EURCO European Composite Unit 유럽 계산 단위.
eu·re·ka[juərí:kə] [Gk=I have found (it)] *int.* **1** (**E-**) ((익살)) 알았다!, 됐다! ◇ 아르키메데스가 왕관의 금의 순도 측정법을 발견했을 때 지른 소리. **2** 미국 California 주의 표어.
Eu·re·ka[juərí:kə] *n.* 유레카((프랑스가 제창한 유럽 첨단 기술 개발 공동체)).
eu·rhyth·mic ⇨**eu·rythmic**
eu·rhyth·mics ⇨**eu·rythmics**
eu·rhyth·my ⇨**eurythmy**
Eu·rip·i·des[juərípədì:z] *n.* 에우리피데스((그리스의 비극 시인: 480-406 B.C.; 略: Eurip.)).
Eu·ro-A·mer·i·can[júərouəmérikən] *a.* =EURAMERICAN.
Eu·ro·bank[júərəbæ̀ŋk] *n.* 유로뱅크((유로 시장에서 거래하는 유럽의 국제은행)). **~·er** *n.* 유로뱅크 은행가〔은행〕.
Eu·ro·bond[júərəbɑ̀nd/júərəbɔ̀nd] *n.* 유로 채권.
Eu·ro·cen·tric[jùərəséntrik] *a.* 유럽(인) 중심의.
Eu·ro·cheque[júərətʃèk] *n.* ((영)) 유로체크((유럽에서 통용되는 크레디트 카드)).
Eu·ro·clear[júərəklìər] *n.* 유럽 공동 시장의 어음 교환소.
Eu·ro·com·mu·nism[jùərəkámjunizəm/-kɔ́m-] *n.* 유로코뮤니즘((서유럽 공산당의 자주·자유·민주 노선)). **-nist** *n.*
Eu·ro·cra·cy[juərákrəsi/-rɔ́k-] *n.* (집합적) 유럽 공동 시장 행정관(Eurocrats).
Eu·ro·crat[júərəkræ̀t] *n.* 유럽 공동체의 행정관〔사무국원〕.
Eu·ro·cred·it[júərəkrèdit] *n.* 유로크레디트((유로뱅크에 의한 대출)).
Eu·ro·cur·ren·cy[júərəkə̀:rənsi] *n.* 〔經〕 유로머니, 유럽 통화((유럽에서 쓰이는 각국의 통화)).
Éurocurrency màrket 유로머니 시장.
Eu·ro·dol·lar[júərədɑ̀lər/-dɔ̀lər] *n.* 〔經〕 유로 달러((유럽에서 국제 결제용으로 쓰이는 미국 달러)).
Eu·ro·group[júərəgrù:p] *n.* 유로그룹((프랑스와 아이슬란드를 제외한 NATO 국방 장관

그룹).

Eu·ro·mar·ket, -mart[júərəmὰːrkit], [júərəmὰːrt] *n.* (the ~)=COMMON MARKET.

Eu·ro·mon·ey[júərəmʌ̀ni] *n.* 〔經〕=EUROCURRENCY.

Eu·ro·net[júərənèt] *n.* 유로네트(EEC의 컴퓨터에 의한 과학 기술 정보 통신망).

Eu·ro·pa[juəróupə] *n.* 〔그神〕 유로파(Zeus의 사랑을 받은 Phoenicia의 왕녀).

Eu·ro·pa·bus[juəróupəbʌ̀s] *n.* 유로파버스(유럽 도시간의 장거리 버스).

★**Eu·rope**[júərəp] *n.* 유럽, 구라파:(영국과 구별하여) 유럽 대륙; 유럽 공동 시장.

⁑**Eu·ro·pe·an**[jùərəpíːən] *a.* **1** 유럽의. **2** 전 유럽적인: a ~ reputation 전 유럽에 떨친 명성. **3** ((영)) 백인의. — *n.* 유럽 사람; 유럽 공동 시장주의자〔가맹국〕.

Européan Cómmon Márket (the ~) 유럽 공동 시장.

Européan Commúnity (the ~) 유럽 공동체(EEC, Euratom 등이 1967년에 통합된 것; 略: EC).

Européan Económic Commúnity (the ~) 유럽 경제 공동체(the Common Market의 공식 명칭; 略: EEC).

Européan Frée Tráde Associàtion (the ~) 유럽 자유 무역 연합체(EEC에 대항하여 조직된 무역 블록; 略: EFTA).

Eu·ro·pe·an·ism[jùərəpíːənìzəm] *n.* Ⓤ 유럽주의; 유럽 정신;(풍습 등의) 유럽풍; 유럽 공동 시장주의〔운동〕. **-ist** *a., n.* 유럽 공동 시장주의의〔운동을 지지하는〕 (사람).

Eu·ro·pe·an·i·za·tion[jùərəpìːənizéiʃən] *n.* Ⓤ 유럽화.

Eu·ro·pe·an·ize[jùərəpíːənàiz] *vt.* 유럽식으로 만들다, 유럽화시키다; 〈경제 등을〉 유럽 공동체의 관리하에 두다.

Européan Mónetary Sỳstem 유럽 통화 제도(略: EMS).

Européan Párliament 유럽 의회(EC 각국 국민이 직접 선출한 의원으로 구성).

Européan plàn (the ~) ((미)) 유럽 방식(호텔에서 방세와 식비를 따로 계산함; *opp.* American plan).

Européan réd míte 사과나뭇잎 진드기(과수의 잎을 식해(食害)함).

Européan Recóvery Prògram (the ~) 유럽 부흥 계획(Marshall Plan)(略: ERP).

eu·ro·pi·um[juəróupiəm] *n.* Ⓤ 〔化〕 유러퓸(금속 원소; 기호 Eu; 번호 63).

Eu·ro·plug[júərəplʌ̀g] *n.* 〔電〕 유로플러그(유럽 각국의 각종 소켓에 통용되는 플러그).

Eu·ro·po·cen·tric[juərə̀pəséntrik] *a.* 유럽(인) 중심(주의)의.

Eu·ro·port[júərəpɔ̀ːrt] *n.* 유로포트(유럽 공동체의 수출입항).

Eu·ro·ra·di·o[jùərəréidiou] *n.* 유로라디오(서유럽 국가 공동 경영의 라디오 방송국).

eu·ry·bath·ic[jùːrəbǽθik, jʌ̀r-] *a.* 〔生態〕 (생물이) 광심성(廣深性)의.

Eu·ro·space[júərəspèis] *n.* 유럽 우주 산업 연합회(비영리 단체).

Eu·ro·vi·sion[júərəvìʒən] *n.* 〔TV〕 유로비전(서유럽 텔레비전 방송망).

Eu·ryd·i·ce[juərídəsìː] *n.* 〔그神〕 에우리디케(ORPHEUS의 아내).

eu·ryth·mic, -rhyth-[juəríðmik] *a.* 〈음악 · 무용이〉경쾌한 리듬의; 율동적인.

eu·ryth·mics, -rhyth-[juəríðmiks] *n. pl.* (단수 취급) 율동 체조.

eu·ryth·my, -rhyth-[juəríðmi] *n.* Ⓤ 율동적인 운동; 조화된〔균형 잡힌〕 동작.

eu·sol[júːsɔːl, -sɑl] *n.* Ⓤ 〔藥〕 유솔(표백분과 붕산을 섞은 외상 소독액).

Eus·tace[júːstəs] *n.* 남자 이름.

Eu·stá·chian túbe[juːstéiʃiən-, -kiən-] (종종 e-) 〔解〕 (귀의) 유스타키오관(管), 이관(耳管)(중이(中耳)에서 인후로 통함).

eu·sta·sy[júːstəsi] *n.* (*pl.* **-sies**) 〔地質〕 유스타시(해수량의 변화에 의한 세계적 규모의 해면의 오르내림).

eu·tec·tic[juːtéktik] *a.* 〔化 · 冶〕 〈합금 · 용액이〉 낮은 온도에서 융해하는, 공융(共融)의: a ~ mixture 공융 혼합물/the ~ temperature〔point〕 융해〔공융〕 온도〔점〕/~ welding 저온 용접. — *n.* 공융 혼합물; 공융점.

eu·tec·toid[juːtéktɔid] *a.* 아공융(亞共融)의. — *n.* 아공융 합금.

Eu·ter·pe[juːtə́ːrpi] *n.* 〔그神〕 에우테르페(음악 · 서정시를 다스리는 nine MUSES의 하나). **~·an**[-ən] *a.* 에우테르페의; 음악의.

eu·tha·na·sia[jùːθənéiʒiə, -ziə] [Gk] *n.* 안락사(安樂死); 〔醫〕 안락사술(術).

eu·tha·nize[júːθənàiz] *vt.* 안락사시키다.

eu·then·ics[juːθéniks] *n. pl.* (단수 취급) 생활 개선학, 환경 우생학.

eu·tro·phic[juːtrɑ́fik/-trɔ́f-] *a.* 〔生態〕 〈호소 · 하천이〉 부영양(富營養)의.

eu·tro·phi·cate[juːtrɑ́fəkèit] *vi.* 〔生態〕 〈호수 등이〉 부영양화되다, (처리 폐수 등으로) 영양 오염되다.

eu·tro·phi·ca·tion[juːtrɑ̀fəkéiʃən] *n.* Ⓤ (호수의) 부영양화(富營養化), 영양 오염; 부영양수.

eu·tro·phy[júːtrəfi] *n.* Ⓤ 〔醫〕 영양 양호; 〔生態〕(호소 · 소하천의) 부영양(富營養)(형).

eV, ev, e.v. electron volt(s). **EV** English Version.

E·va[íːvə] *n.* 여자 이름.

EVA extravehicular activity. **evac.** evacuation.

e·vac·u·ant[ivǽkjuənt] 〔醫〕 *a.* 배설을 촉진하는. — *n.* 배설 촉진제, 하제(下劑).

*__e·vac·u·ate__[ivǽkjuèit] [L] *vt.* **1** 〈장소 · 집 등을〉 비우다, 명도하다:(위험 지역 등에서) 소개(疏開)시키다, 피난〔대피〕시키다. **2** 〈군대를〉 철수시키다; 〈부상병 등을〉 후송시키다. **3** ((文語)) 〈위 · 장 등을〉 비우다; 〈대소변 등을〉 배설하다; 〈고름 등을〉 짜내다. — *vi.* 소개〔피난〕하다; 철수하다; 배설하다, (특히) 배변하다. **-a·tive** *a.*

e·vac·u·a·tion[ivæ̀kjuéiʃən] *n.* Ⓤ,Ⓒ **1** 명도(明渡), 비움. **2** 소개(疏開), 피난, 대피; 〔軍〕 철수; 후송. **3** 배설, 배출, 배변; 배설물.

e·vac·u·ee[ivæ̀kjuíː] *n.* (공습 등의) 피난자, 소개자;(전투 지대로부터의) 철수자(*cf.* REPATRIATE).

*__e·vade__[ivéid] [L] *vt.* **1** 〈적 · 공격 · 장애 등을〉 (교묘하게) 피하다, 면하다, 모면하다. **2** 〈질문 등을〉 회피하다; 〈의무 · 지불 등을〉 회피〔기피〕하다; 〈법률 · 규칙을〉 빠져 나가다: ~ military service 병역을 기피하다/~ (paying) taxes 탈세하다/(Ⅲ-*ing*) He ~*d* pay*ing* his debts. 그는 자기의 빚을 갚는 것을 회피했다. **3** 〈사물이 노력 등을〉 헛되게 하다;(설명 · 이해 · 해결 따위가) …하기 어렵다: This taste ~*s* explanation. 이 맛은 설명하기 어렵다. — *vi.* 회피하다, 빠져나가다.

⊕ evásion *n.*; evásive *a.*

*__e·val·u·ate__[ivǽljuèit] *vt.* 평가하다, 사정하

다, 어림하다(*cf.* estimate): 〔數〕 …의 값을 구하다.

e·val·u·a·tion[ivæ̀ljuéiʃən] *n.* Ⓤ 평가, 사정(valuation): 〔數〕 값을 구함.

ev·a·nesce[èvənés, ⌐-⌐] *vi.* (점점) 사라져 가다, 소실되다.

ev·a·nes·cence[-səns] *n.* Ⓤ 《文語》 소실; 덧없음.

ev·a·nes·cent[-sənt] *a.* **1** 《文語》 (점점) 사라져 가는; 순간의, 덧없는(transitory). **2** 지극히 미미한. **3** 〔植〕 곧 시들어 떨어지는; 〔數〕 무한소(無限小)의. **~·ly** *ad.*

e·van·gel[ivǽndʒəl] *n.* **1** 복음(gospel): (보통 E-) 〔聖〕 (신약 성서 중의) 복음서: (the E-s) 〔聖〕 4복음서(Matthew, Mark, Luke, John의 4서). **2** (복음 같은) 희소식. **3** (정치 등의) 기본적 지도 원리 강령(綱領). **4** 복음 전도자(evangelist).

e·van·gel·ic[ì:vændʒélik, èvən-] *a.* =EVANGELICAL 1.

e·van·gel·i·cal[ì:vændʒélikəl, èvən-] *a.* **1** 복음(서)의, 복음 전도의. **2** 복음주의의(영국에서는 Low Church「저(低)교회파」를, 미국에서는「신교 정통파」를 말함). **3** =EVANGELISTIC 2. — *n.* 복음주의자, 복음파의 사람 (특히) 영국의「저교회파의 사람」, 독일의「루터 교회 신도」. **~·ly**[-kəli] *ad.*

E·van·gel·i·cal·ism[-kəlìzəm] *n.* Ⓤ 복음주의.

E·van·ge·line[ivǽndʒəlì:n] *n.* 여자 이름.

e·van·ge·lism[ivǽndʒəlìzəm] *n.* Ⓤ **1** 복음 전도(에 전렴함). **2** 복음주의(프로테스탄트의 일파로서 형식보다 신앙에 치중함).

e·van·ge·list[ivǽndʒəlist] *n.* **1** 복음서 저자(Matthew, Mark, Luke, John). **2** 복음 전도자. **3** 순회 설교자(일반) 복음 전도자.

e·van·ge·lis·tic[ivæ̀ndʒəlístik] *a.* **1** (E-) 복음서 저자의. **2** 복음 전도자의, 전도적인.

e·van·ge·li·za·tion[-dʒəlizéiʃən] *n.* Ⓤ 복음 전도.

e·van·ge·lize[ivǽndʒəlàiz] *vt.* 복음을 설교하다; 전도하다. — *vi.* 복음을 전하다; 전도하다. **-liz·er** *n.*

e·van·ish[ivǽniʃ] *vi.* 《文語·詩》 소실〔소멸〕하다(disappear). **~·ment** *n.*

e·vap·o·ra·ble[ivǽpərəbəl] *a.* 증발하기 쉬운.

*__e·vap·o·rate__[ivǽpərèit] [L] *vt.* **1** 〈물 등을〉 증발시키다: (열 등으로 우유·야채·과일 등의) 수분을 빼다. **2** 〈희망 등을〉 소산(消散)시키다. — *vi.* **1** 증발하다. **2** 〈희망·열의 등이〉 사라지다, 소산하다. **3** 《익살》 〈사람이〉 사라지다, 죽다. ⊕ evaporátion *n.*: eváporative *a.*

e·váp·o·rat·ed mílk[ivǽpərèitid-] 무가당 연유(*cf.* milk).

e·váp·o·rat·ing dìsh〔**bàsin**〕[ivǽpərèitiŋ-] 〔化〕 증발 접시.

*__e·vap·o·ra·tion__[ivæ̀pəréiʃən] *n.* Ⓤ **1** 증발(작용): 발산. **2** 증발 탈수법, 증발 건조. **3** 소실. ⊕ eváporate *v.*

e·vap·o·ra·tive[ivǽpərèitiv, -rətiv] *a.* 증발의, 증발을 일으키는, 증발에 의한.

e·vap·o·ra·tor[ivǽpərèitər] *n.* 증발기: (과실 등의) 증발 건조기: (도자기의) 증발 건조 가마.

e·vap·o·rim·e·ter[ivæ̀pərímitər] *n.* 증발계(計).

e·vap·o·rite[ivǽpəràit] *n.* 〔地質〕 증발 잔류암(殘留岩)(물에 갇힌 해수가 증발할때 생긴 침전물에 의해 만들어진 퇴적암(堆積岩)의 총칭).

e·vap·o·tran·spi·ra·tion[ivæ̀poutræ̀nspəréiʃən] *n.* 〔氣〕 증발산(蒸發散).

e·va·sion[ivéiʒən] *n.* Ⓤ,Ⓒ **1** (책임·의무 등의) 회피, 기피: (법망을) 빠져나가기, (특히) 탈세. **2** 탈출(escape). **3** (대답을) 얼버무리기, 둘러대기: 핑계, 둔사(遁辭): take shelter eventful *in ~s* 핑계를 대고 피하다. **~·al**[-ʒnəl] *a.*

e·va·sive[ivéisiv] *a.* **1** 회피적인. **2** 파악하기 어려운(elusive), 애매한. **3** 〈대답 등〉 둘러대는, 속임수의. **4** 〈시선 등〉 똑바로 보려고 하지 않는: 교활한.

evásive áction (전시에 선박·항공기가 취하는) 회피 행동.

e·va·sive·ly *ad.* 회피적으로, 얼버무려.

e·va·sive·ness *n.* Ⓤ 회피적임; 파악하기 어려움, 애매함.

⁑**eve**[i:v] [even²의 단축형] *n.* **1** 《古·詩》 저녁(evening), 밤. **2** (축제일의) 전날 밤, 전날: Christmas *E*- 크리스마스 전야(12월 24일) /on New Year's *E*- 섣달 그믐날에. **3** (중요 사건·행사 등의) 직전(*of*): on the ~ of victory 승리 직전에.

*__Eve__[i:v] *n.* **1** 여자 이름(애칭 Evie). **2** 〔聖〕 이브, 하와(ADAM의 아내: 하느님이 창조한 최초의 여자). **a daughter of Eve** (이브의 약점을 이어받아 호기심이 강한) 여자.

e·vec·tion[ivékʃən] *n.* Ⓤ 〔天〕 출차(出差) 태양 인력에 의한 달 운행의 주기적 차이. **~·al** *a.*

Ev·e·li·na[èvəláinə, -lí:-] *n.* 여자 이름.

Ev·e·line[évəlàin, -lì:n/í:vlin] *n.* 여자 이름.

Ev·e·lyn[ivəlin/í:v-] *n.* 여자 이름: 남자 이름.

★**e·ven¹**[í:vən] *ad.* **1** (일반적으로 수식하는 어구 앞에서) (사실·예외적인 사례 등을 강조하여) …까지도, …조차(도), …마저: *E*- now it's not too late. 지금이라도 늦지 않다/He disputes ~ the facts. 그는 (추론뿐만 아니라) 사실까지도 이러쿵저러쿵 따진다/*E*- a child 〔he〕 knows that. 어린아이라도〔그 사람이라도〕 알 수 있다/I had never ~ heard of it. 나는 그것을 들어본 일조차 없었다/*E*- the cleverest person makes errors. 제아무리 영리한 사람이라도 잘못은 저지른다. **2** (그 정도가 아니라) 오히려〔정말로〕; 실로: I am willing, ~ eager, to help. 기꺼이, 아니 열렬히 도와드리겠습니다. **3** (비교급을 강조하여) 한층 (더), 더욱 (더); 한결: This flower is ~ prettier than that. 이 꽃은 저 꽃보다 한결 아름답다. **4** (동일성·동시성을 강조) **a** 바로; 꼭; 정확히; 곧, 즉(that is): It's ~ so. 바고 그렇습니다; 정확히 맞습니다. **b** 내내; 아주(fully): He was in good spirits ~ *to* his death. 그는 죽을 때까지 내내 의기 왕성하였다. **5** 원활하게, 한결같이; 호각(互角)으로; 대등하게: The motor ran ~. 모터는 원활하게 작동했다. **even as** … 《古》 마침〔바로〕 …할 때에〔…한 대로〕(◇ 현대어에서는 보통 just as). **even if** … 비록 …할지라도(=even though): You must do it *even if* you don't like it. 그것이 싫더라도 해야 한다/We will go, *even if* it rains〔should rain〕. 설사 비가 오더라도 가겠다. **even now** 《詩》 바로 지금(just now). **even so** (1) 비록 그렇다 하더라도: He has some faults; ~ so, he is a good man. 그는 결점이 좀 있지만, 비록 그렇다 하더라도 착한 사람이다. (2) 《古》 바로 그대로. **even then** (1) 심지어 그때에도, 그때라 할지라도. (2) 그렇다 하더라도, 그래

도: I could withdraw my savings, but ~ then we'd not have enough. 나는 저금을 꺼낼 수도 있으나 그래도 모자랄 것이다. **even though** … =EVEN¹ if. **not even** … 조차 않다.

— *a.* (**more ~, most ~; ~·er; ~·est**) **1** a 〈표면이〉 평평한, 평탄한; 수평의: an ~ surface 평평한 표면/She has ~ teeth. 그녀는 치열이 가지런하다. b 〈선 등이〉 들쭉날쭉하지 않은, 완만한, 끊긴 데가 없는: an ~ coastline 완만한 해안선. **2** (서술적)(…과) 같은 높이로, 평행해서; 수평의(*with*): The plane flew ~ *with* the tree tops. 그 비행기는 나무 꼭대기와 같은 높이로 날았다. **3** a 〈동작이〉 규칙 바른, 한결같은, 정연한: an ~ tempo 규칙적인 템포. b 〈색 등이〉 한결같은, 고른: an ~ color 한결같이 고른 빛깔. c 〈마음·기질 등이〉 한결같은, 평온한. d 단조로운, 평범한. **4** a 〈수량·득점 등이〉 같은, 동일한: an ~ score 동점/The score is ~ 동점이다/~ shares 균등한 몫/of ~ date 〈서면이〉 같은 날짜의. b 균형 잡힌, 대등한, 막상막하의, 호각의: an ~ bargain (어느 쪽이나 대등한 이익을 받는) 공평한 거래/*on* ~ ground 대등하게, 대등한 입장에서〔으로〕/We are ~ now. 이것으로 피장파장이다/give a person an ~ chance 사람에게 균등한 기회를 주다. c 〈처리 등이〉 공평한; 공정한(fair): an ~ decision 공평한 결정. **5** 청산(淸算)이 끝난; 대차(貸借)가 없는; 손득(損得)이 없는: This will make (us) all ~. 이것으로 (우리들은) 대차(貸借)가 없어진다. **6** (비교없음) a 짝수의(*opp.* odd): an ~ number 짝수/an ~ page 짝수 페이지. b 〈수·금액 등이〉 우수리 없는, 딱〔꼭〕(맞는): an ~ hundred 꼭 100. **get〔be〕 even with** … (1) …에게 보복하다, 대갚음하다: I'll *get even with* you. 너에게 보복하겠다. (2) 《미》 …에게 빚이 없어지다. **odd and〔or〕 even** 노름, 도박. **on (an) even keel** 〔海〕 (선체가) 수평이 되어.

— *vt.* **1** 〈…을〉 평평하게 하다, 고르다(*out, off*): ~ (*out*) irregularities (표면의) 울퉁불퉁한 곳을 고르다. **2** 〈…을〉 평등〔동등〕하게 하다, 평형(平衡)하게 하다(*up, out*): That will ~ things *up*. 그것으로 일의 균형이 잡힌다. **even up accounts** 셈을 청산하다.

— *vi.* **1** 평평하게 되다(*out, off*). **2** 백중해지다, 호각이 되다, 균등해지다(*up, out*): Things will ~ *out* in the end. 결국 만사는 균형이 잡힐 것이다. **even up on〔with〕** … 《미口》 〈남(의 친절·호의)〉에 대해 보답하다, 답례를 하다: I'll *even up with* you later. 후에 답례하겠습니다. ⊕ évenly *ad.*

even²[íːvən] *n.* 《古·詩》 저녁, 밤(evening).

é·véne·ment[evɛnmɑ́] [F] *n.* 사건; 《특히》 사회적·정치적 대사건.

e·ven·fall[-fɔ̀ːl] *n.* Ⓤ 《詩》 해질녘, 황혼.

e·ven·hand·ed[-hǽndid] *a.* 공평한, 공정한(impartial): ~ justice 공평한 재판〔심판〕. **~·ly** *ad.* **~·ness** *n.*

★**eve·ning**[íːvniŋ] *n.* Ⓒ,Ⓤ **1** 저녁(때), 밤《일몰부터 잘 때까지》: early in the ~ 저녁 일찍 《◇ in the early〔late〕 ~보다도 보통임》/*on* the ~ of the 2nd 2일 저녁에《◇ 특정한 날의 경우, 전치사는 *on*을 사용》/*on* Monday ~ 월요일 밤에《◇ 요일 등이 붙으면 무관사》. **2** (보통 수식어와 함께) …의 밤, 야회: a musical ~ 음악의 밤. **3** (the ~) 만년, 말로, 쇠퇴기(*of*). **4** 《미南部·영方》 오후《정오부터 일몰까지》. **evening after〔by〕 evening** 밤이면 밤마다, 매일밤. **of an evening** 저녁에 흔히. **make an evening of it** 하룻밤 유쾌히 지내다, 밤새 마시다. **the next〔following〕 evening** 다음 날 저녁. **this〔yesterday, tomorrow〕 evening** 오늘〔어제, 내일〕 저녁. **toward evening** 저녁 무렵에.

— *a.* 저녁의, 저녁에 하는; 저녁용의; 밤에 일어나는〔볼 수 있는〕: an ~ bell 만종.

évening clàss 야간 학급〔수업〕; 야학.

évening drèss〔clòthes〕 **1** 이브닝 드레스 (evening gown)《여자용 야회복》. **2** (남자 또는 여자의) 야회용 예복, 야회복.

évening glòw 저녁놀.

évening gòwn (여성용) 야회복.

évening pàper〔edìtion〕 석간.

évening párty 야회(夜會).

Évening Práyer (영국 국교회의) 저녁 기도 (evensong).

évening prímrose 〔植〕 달맞이꽃

eve·nings[íːvniŋz] *ad.* 《미口》 저녁에는 (대개), 매일 저녁(*cf.* AFTERNOONS).

évening schòol 야간 학교: attend〔go to〕 ~ 야간 학교에 다니다.

évening stàr **1** (the ~) 금성《해진 뒤 서쪽에 보이는 행성, 보통 Venus》(*cf.* MORNING STAR). **2** 〔植〕 개밥바라기.

*__e·ven·ly__[íːvənli] *ad.* **1** 고르게, 평탄하게. **2** 평등하게; 공평하게.

e·ven-mind·ed[íːvənmáindid] *a.* 마음이 평온한, 차분한(calm).

éven móney (도박 등에서 거는) 대등한 금액의 돈.

e·ven·ness[íːvənnis] *n.* Ⓤ 반반함; 평등, 균등성; 공평; 침착.

e·vens[íːvənz] 《영口》 *ad., a.* 평등〔동등〕하게〔한〕. — *n. pl.* (단수 취급) =EVEN MONEY.

e·ven·song[íːvənsɔ̀ːŋ, -sɔ̀ŋ] *n.* Ⓒ,Ⓤ **1** (종종 E-) 〔영國教〕 저녁 기도. **2** (종종 E-) 〔가톨릭〕 저녁 기도(vespers). **3** 《古》 기도 시간, 저녁 때.

éven sté·ven[íːvənstíːvən] 《口》 대등한; 동점인, 비긴.

‡**e·vent**[ivént] [L] *n.* **1** (중요한) 사건, 일어난 일, 행사; ((quite) an ~) 《口》 대사건, 뜻밖의〔기쁜〕 사건: It was *quite an* ~. 그것은 대단한 사건〔대소동〕이었다. **2** (원자로·발전소 등의) 사고, 고장. **3** 결과, 성과. **4** (…한) 경우. **5** 〔競〕 종목, (경기 순서 중의) 한 게임, 한 판: a main ~ 주요한 시합〔경기〕/a sporting ~ 스포츠계의 행사. **6** 〔物〕 사상(事象); 〔數〕 사건; 〔원자物〕 다른 물질을 충돌시켜 핵물질을 만드는 일; 〔컴퓨터〕 사건. **at all events** 좌우간, 여하튼. **Coming events cast their shadows before.** 《속담》 일이 생기려면 조짐이 나타나는 법이다. **double event** 병발 사건. **in any event** 어쨌든, 여하튼 간에. **in either event** 여하간에. **in that event** 그 경우에는, 그렇게 된다면. **in the event** 결과적으로, 결국, 마침내(finally). **in the event of** =《稀》 **in event of** 만일 …의 경우에는(in case of). **in the event (that)** … 《미》 (만약에) …할 경우에는(if …가 일반적임). **pull off the event** 상을 타다. ⊕ evéntful, evéntual *a.*

e·ven-tem·pered[íːvəntémpərd] *a.* 마음이 안정된, 온화한 성질의, 침착한.

e·vent·ful[ivéntfəl] *a.* **1** 사건〔파란〕 많은, 다사한. **2** 〈사건 등이〉 중대한: an ~ affair 중대 사건. **~·ly** *ad.* **~·ness** *n.*

evént horìzon 〔天〕 사상(事象)의 지평선 《blackhole의 바깥 경계》.

e·ven·tide [íːvəntàid] *n.* Ⓤ 《詩》 황혼, 저녁 무렵.

e·vent·less [ivéntlis] *a.* 사건 없는, 평온한.

*__e·ven·tu·al__ [ivéntʃuəl] *a.* **1** 최후의, 결과로서〔언젠가는〕 일어나는. **2** 《古》 (경우에 따라) 어쩌면 일어날 수도 있는.

e·ven·tu·al·i·ty [ivèntʃuǽləti] *n.* (*pl.* **-ties**) **1** 예측 못할 사건, 일어날 수 있는 (좋지 않은) 사태. **2** Ⓤ 궁극, 결말.

⁑**e·ven·tu·al·ly** [ivéntʃuəli] *ad.* 결국, 드디어, 마침내(finally, at last).

e·ven·tu·ate [ivéntʃuèit] *vi.* 《文語》 **1** (좋은·나쁜) 결과가 되다(turn out): 결국 …으로 끝나다(end)《*in*》: ~ well〔ill〕 좋은〔나쁜〕 결과로 끝나다. **2** …에서 생기다, 일어나다(happen)《*from*》.

★**ev·er** [évər] *ad.* **1** (의문문에서) 일찍이, 이전에, 이제〔지금〕까지(에): Have you ~ seen a tiger? 호랑이를 본 일이 있습니까《◇ 이 물음에 대한 대답은 Yes, I have (once). 또는 No, I have not. 또는 No, I never have.》/ Did you ~ see him while you were *in* Seoul? 서울에 계시는 동안에 그를 만났습니까/How can I ~ thank you (enough)? 어떻게 감사를 드려야 할지 모르겠습니다. **2** (부정문에서) 이제까지 (한 번도 …않다: 결코 (…않다)《◇ not ever로 never의 뜻이 됨》: I haven't ~ been there. 거기에 한 번도 가 본 일〔적〕이 없다/Nobody ~ comes to this part of the country. 이 지방에는 아무도 오는 사람이 없다. **3** (조건문에서) 언젠가, 앞으로: If you (should) ~ come this way, be sure to call on us. 언젠가 이쪽으로 오시게 되면 우리한테 들러 주십시오/If I ~ catch him! 그를 잡기만 해봐라(그냥 두지 않겠다)/He is〔was〕 a great musician if ~ there was one. 그 사람이야 말로 대음악가이다〔였다〕. **4** (비교급·최상급 뒤에서 그 말을 강조하여) 이제까지, 지금까지: It is raining harder than ~. 그 어느 때보다〔전에 없이〕 심하게 비가 오고 있다/He is the greatest poet that England ~ produced. 그는 이제까지 영국이 낳은 가장 위 한 시인이다. **5** a (긍정문에서) 언제나, 항상, 줄곧, 시종(始終)《◇ 다음과 같은 표현 이외는 《古》; 현재는 always가 일반적: 평서문의 현재완료형에는 사용하지 않음》: He is ~ quick to respond. 그는 언제나 응답이 빠르다. b (복합어를 이루어) 언제나, 항상: ever-active 언제나 활동적인/ever-present 항상 존재하는. **6** (강의어(強意語)로서) a (as … as를 강조하여) 될 수 있는 대로 …: *as* much〔little〕 *as* ~ I can 될 수 있는 대로 많이〔적게〕/Be *as* quick *as* ~ you can! 될 수 있는 대로 서둘러라. b (so(much), such를 강조하여) 매우, 몹시: The patient is ~ *so much* better. 환자는 용태가 매우 좋다/~ *such* a nice man 매우 좋은 사람. c (의문사를 강조하여) 도대체《의문사에 붙어서 한 단어가 되는 경우가 있음》: *What* ~ is she doing? 그녀는 도대체 무엇을 하고 있는가/*Which* ~ way did he go? 《口》 도대체 그는 어느 쪽으로 갔느냐/*Why* ~ did you not say so? 도대체 왜 그렇게 말하지 않았느냐/*Who* ~ can it be? 도대체 누구일까. d (의문문의 형태로 감탄문에 써서) 《미口》 매우, 참으로: Is this ~ beautiful! 이것은 참으로 아름답지 않은가.
as ever 여전히, 여느 때와 마찬가지로. **As if … ever!** 설마 …하지 않겠지, 절대로 …하지 않다: *As if* he would *ever* do such a thing! 그가 그런 일을 할 리가 없지. **Did you ever?** 《口》 이런 것을 본〔들은〕 적이 있는가, 정말인가, 별일 다 있군《◇ Did you ever see〔hear〕 the like?의 준말》. **ever after**〔**afterwards**〕 그 후 내내《과거 시제에 씀》. **ever and again**〔《詩》 **anon**〕 가끔, 이따금, 때때로(sometimes). **ever since** ⇨since. **ever so** (1) 매우: I like it *ever so* much. 나는 그것을 매우 좋아한다/Thank you *ever so* much. 정말 고맙습니다/That is *ever so* much better. 그쪽이 훨씬 낫다. (2) (양보절에서) 《文語》 (제)아무리 (…할지라도): if I were〔Were I〕 *ever so* rich 내가 제아무리 부자라도/Home is home, be it *ever so* humble. 아무리 가난할지라도 내집보다 더 좋은 곳은 없다. **ever so often** 《口》 (1) 여러 차례, 몇 번이고, 줄곧. (2) 이따금. **Ever yours** = Yours EVER. **for ever** (1) 영원히: I am *for ever* indebted to you. 은혜는 평생 잊지 않겠습니다/I wish I could live here *for ever*. 언제까지나 여기에서 살 수 있다면 좋겠는데. (2) 언제나, 끊임없이《◇ 《미》에서는 forever와 같이 한 단어로 적음》: He is *for ever* losing his umbrella. 그는 항상 우산을 잃어버린다. **for ever and ever** =**for ever and a day** 영원히, 언제까지나. **hardly**〔**scarcely**〕 **ever** 좀처럼〔거의〕 …않다: He *hardly ever* smiles. 그는 좀처럼 웃지 않는다. **If ever!** 《口》 =Did you EVER? **never ever** 《口》 결코 …않다: I'll *never ever* date that boy again. 나는 저 애하고는 두번 다시 데이트하지 않을래. **rarely**〔**seldom**〕 **if ever** (비록 있다고 해도) 매우 드물게: My father *rarely if ever* smokes. 아버지는 담배를 피우시는 일이 있다고 해도 극히 드물다, 아버지는 담배를 거의 피우시지 않는다. **Was there ever?** 《口》 =Did you EVER? **Who'd ever?** 《口》 =Did you EVER? **Yours ever** =Ever yours 언제나 당신의 친구인 (아무개)《친한 사이에서 사용하는 편지의 맺는 말; *cf.* YOURS》.

Ev·er·ard [évərɑ̀ːrd] *n.* 남자 이름.

*__Ev·er·est__ [évərist] *n.* (Mount ~) 에베레스트 산《히말라야 산맥(Himalayas) 중의 세계 최고봉; 8,848m》.

Ev·er·ett [évərit] *n.* 남자 이름.

ev·er·glade [évərglèid] *n.* **1** 《미》 습지, 소택지. **2** (the E-s) 에버글레이즈《미국 Florida 주 남부의 큰 소택지; 국립 공원》.

Éverglade Státe (the ~) 미국 Florida 주의 속칭.

*__ev·er·green__ [évərgrìːn] *a.* 상록의(*opp.* deciduous); 항상 신선한; 불후의 〈작품〉.
— *n.* **1** 상록수, 늘푸른나무. **2** (*pl.*) 상록수의 가지《장식용》. **3** 언제까지나 신선한 것《명작·명화·명곡 등》.

Évergreen Státe (the ~) 미국 Washington 주의 속칭.

⁑**ev·er·last·ing** [èvərlǽstiŋ, -lɑ́ːst-] *a.* **1** 영원히 계속되는, 불후의, 영원한: ~ fame 불후의 명성. **2** 영속성의, 내구성 있는). **3** 끝없는, 지리한(tiresome). — *n.* **1** Ⓤ 영구, 영원(eternity): for ~ 영구히/from ~ to ~ 영원히, 영원 무궁토록. **2** 〔植〕 떡쑥, 보릿대국화《등》. **3** (the E-) 영원한 존재, 신(God). **4** 튼튼한 나사(羅紗)의 일종.

everlásting flówer 〔植〕 떡쑥 무리.

ev·er·last·ing·ly *ad.* 영구히; 끝없이.

ev·er·more [èvərmɔ́ːr] *ad.* 항상, 언제나(always); 영원토록, 영구히(for ever).

for evermore (1) (진행형과 함께: 보통 나쁜 의미로) 언제나, 항시. (2) 영구히.

ev·er-pres·ent[évərprèzənt] *a.* 항상 존재하는.

ev·er-read·y[évərrédi] *a.* 항상 준비되어 있는. — *n.* 상비군.

e·ver·si·ble[ivə́:rsəbəl] *a.* (밖으로) 뒤집을 수 있는; 〈기관(器官) 등을〉 외번할 수 있는.

e·ver·sion[ivə́:rʃən, -ʒən] *n.* Ⓤ 〔醫〕 (눈꺼풀 등의) 외전(外轉), 밖으로 뒤집기; (기관의) 외번.

e·vert[ivə́:rt] *vt.* 〈눈꺼풀 등을〉 뒤집다; 〈기관을〉 외번하다.

e·ver·tor[ivə́:rtər] *n.* 〔解〕 외전근(外轉筋).

★**ev·ery**[évri:] *a.* **1** (Ⓒ의 단수 명사와 함께 무관사로) **a** 어느 …이나 다, 모든, 모두(의) 《많은, 여러 개의 것을 개별적으로 보고 이것을 총괄함: 따라서 all이나 개별적인 each 보다 의미가 강함》: *E-* boy loves her. 어느 소년이나 다 그녀를 좋아한다 《◇ every …는 단수 구문을 취하나 all …은 복수 구문을 취함: All boys love her.와 비교》/*E-* word of it is false. 그것은 한 마디 한 마디가 모두 거짓이다/*E-* dog and cat has his likes and dislikes. 어느 개나 고양이라도 좋고 싫어하는 것이 있다/*E-* boy loves their school. 어느 소년이나 모두 그들의 학교를 사랑하고 있다《◇ 《口》에서는 복수의 대명사로 받는 경우가 있음》/They listened to his ~ word. 그들은 그의 말 한 마디 한 마디에 귀를 기울였다 《every 앞에 관사는 쓰지 않으나, 소유격 대명사는 쓸 수 있음》. **b** (not과 함께 부분부정) 모두가 다 …인 것은 아니다: Not ~ man can be an artist.=*E-* man cannot be an artist. 누구나가 다 예술가가 될 수 있는 것은 아니다 《앞에 있는 구문이 더 많이 쓰임》. **2** (추상명사와 함께) 가능한 한의, 온갖, 충분한: He showed me ~ kindness. 그는 나에게 온갖 친절을 다 베풀어 주었다/I have ~ confidence in him. 나는 그에게 전폭적인 신뢰를 두고 있다/I have ~ reason to believe (*that*) he is innocent. 그가 결백하다고 믿는 이유가 나에게는 충분히 있다. **3 a** (Ⓒ의 단수 명사와 함께 무관사로) 매…, …마다《종종 부사구로 쓰임》: ~ day〔week, year〕 매일〔주, 년〕/~ day〔week, year〕 or two 1, 2일〔주, 년〕마다/~ morning〔afternoon, night〕 매일 아침〔오후, 밤〕. **b** (뒤에 "서수+단수명사" 또는 "기수 (또는 few 등)+복수명사"와 함께) …걸러, …간격으로, …마다《종종 부사구로 쓰임》: ~ second week 1주일씩의 간격으로/~ fifth day=~ five days 매 5일마다, 4일 걸러〔간격으로〕/~ few days〔years〕 수일〔수년〕마다/*E-* third person has a car. 세 사람 중 하나는 차를 가지고 있다/In the United States there is a census ~ ten years. 미국에서는 10년마다 인구 조사를 한다. **all and every** 《古》 모조리. **at every step** 한 발짝〔걸음〕마다, 끊임없이. **every man Jack (of them〔us〕)** (그들〔우리〕의) 누구나 다, 모두. **every moment〔minute〕** 시시각각으로, 순간마다: I expect him *every minute.* 이제나 저제나 하고 그를 기다리고 있다. **every mother's son of them** 《익살》 한 사람 남기지 않고, 누구나 다, 모두. **every now and then〔again〕** =**every once in a while〔way〕** 때때로, 이따금. **every one** (1) [évriwʌ̀n] 모두, 누구나《이 뜻으로는, 보통 everyone처럼 한 단어로 씀》. (2) [èvriwʌ́n] 《(특히) one의 뜻을 강조하여》 이것저것 모두, 어느 것이나 다: They were killed, *every one* of them. 그들은 한 사람도 남김없이 다 살해되었다. **every other** (1) 그 밖의 모든: He was absent; *every other* boy was〔all the other boys were〕 present. 그는 결석하였으나, 그 밖의 학생들은 다 출석하였다. (2) 하나 걸러: *every other* line 1행 걸러/~ other day 격일로, 하루 걸러. **every so often** = EVERY now and then. **every time** (1) 《口》 언제고, 언제든지, 예외없이. (2) (접속사적) (…할) 때마다: *Every time* I go to his house, he's out. 내가 그의 집을 찾아갈 때마다 그는 외출하고 없다. **every which way** 《미口》 (1) 사방팔방으로. (2) 뿔뿔이 흩어져, 산란〔어수선〕하게: The cards were scattered *every which way.* 카드는 어지럽게 흩어져 있었다. **(in) every way** 모든 면에 있어(서), 아주. **nearly every** 대개의, 대부분의. **on every side** 어느 방면에도, 모든 곳에.

★**ev·ery·bod·y**[évribɑ̀di, -bʌ̀di/-bɔ̀di] *pron.* **1** 각자 모두, 누구든지 (모두): ~ else 다른 모든 사람/*E-* has his duty. 누구든지 저마다 할 일이 있다《◇ 《口》에서는 their duty가 되는 수도 있음》. **2** (not과 함께 부분 부정을 나타내어) 누구나 다 …한 것은 아니다: Not ~ can be a scientist. =*E-* cannot be a scientist. 누구나 다 과학자가 될 수 있는 것은 아니다《앞의 구문이 선호됨; 문법적으로는 단수이나 《口》에서는 복수대명사로 받는 경우가 많음; everyone보다 구어적》.

‡**ev·ery·day**[-dèi] *a.* **1** 매일의, 나날의(daily). **2** 일상의, 평상시의; 흔히 있는, 평범한: an ~ occurrence〔matter〕 예사로운 일〔사항〕/~ affairs 일상적인〔사소한〕 일/~ clothes〔wear〕 평상복 (*cf.* SUNDAY CLOTHES)/~ English 일상 영어/~ words 상용어/the ~ world 실(實)세계, 속세. — *n.* 평소의 하루, 일상 생활. **~·ness** *n.*

ev·ery·man[-mæ̀n] *n.* 보통 사람《15세기 영국의 권선징악극 *Everyman*의 주인공》: Mr. ~ 평범한 사람. — *pron.* =EVERYBODY; EVERYONE.

★**ev·ery·one**[-wʌ̀n, -wən] *pron.* 모든 사람, 누구나, 모두(=EVERYBODY).

ev·ery·place[-plèis] *ad.* 《미》=EVERYWHERE.

★**ev·ery·thing**[-θìŋ] *pron.* **1** 무엇이든지, 모두, 매사, 만사: I will do ~ in my power to assist you. 힘이 닿는 한 무엇이나 도와 드리지요. **2** (be 의 보어 또는 mean의 목적어) 매우 소중한 것: This news is〔means〕 ~ to us. 이 소식은 우리에게 소중한 것이다〔중요한 뜻을 지닌다〕/Money is ~. 돈이면 다다/Money is not ~. 돈이 다가 아니다. **3** (not과 함께 부분부정을 나타내어) 무엇이든지 …한 것은 아니다: You can*not* have ~. 모든 것을 다 손에 넣을 수는 없다.

— *n.* Ⓤ 가장 중요〔소중〕한 것〔일〕: He is her ~.(=He is ~ *to* her.) 그는 그녀의 전부다(=그녀에게는 그가 전부다). **and everything** 《口》 기타 모든 것, 그 밖에 이것 저것 다. **before everything** 모든 것을 제쳐놓고, 무엇보다도. **Everything has its drawback.** 무엇이든지 결점이 없는 것은 없다. **like every-thing** 《미口》 전력을 다하여, 맹렬히.

ev·ery-way[-wèi] *ad.* 어느 모로 보나, 모든 점에서.

★**ev·ery·where**[-*h*wɛ̀ər] *ad.* **1** 어디에나, 도처에. **2** (접속사적으로) 어디에 …라도: *E-*(=Wherever) we go, people are much the same. 어디를 가든지 인간은 별 차이가 없다. — *n.* 《口》 모든 곳.

Ev·ery·wom·an[-wùmən] *n.* 전형적인 여성, 여자다운 여자(*cf.* EVERYMAN).

Éve's púdding 맨 밑층이 과일로 되어 있는 스펀지 케이크.

evg. evening.

Ev·ge·ni, -nii[ivgéni, -géi-] [Russ] *n.* 남자 이름.

e·vict[ivíkt] *vt.* 〈소작인을〉 (법적 수속에 의해) 퇴거시키다; 《일반적으로》 축출하다(expel)《*from*》; 점유(占有)를 회복하다, 〈토지·물권을〉 (법적 수속에 의해) 도로 찾다(recover): ~ a person *from* the land 그 땅에서 …을 쫓아내다/~ the property *of*〔*from*〕 a person …으로부터 재산을 되찾다.

e·vict·ee[iviktí:, ─⌐] *n.* 퇴거당한 사람.

e·vic·tion[-ʃən] *n.* Ⓤ,Ⓒ 축출, 쫓아냄; 되찾음.

evíction òrder 퇴거 명령.

e·vic·tor[-tər] *n.* 퇴거시키는 사람.

ev·i·dence[évidəns] [L] *n.* **1** Ⓤ 증거, 물증《*for, of*》; 〔法〕 증언; Ⓒ 증거 물건; 증인: 《Ⅰ(주): *that*(절)》 There is no ~ *that* he is guilty. 그가 유죄라는 증거가 없다(=There is no ~ *of* his be*ing* guilty.《Ⅰ(주)+전+*-ing*》). **2** Ⓤ 《古》 명백, 명료. **3** 흔적, 징표(sign)《*of*》. **call** a person **in evidence** …을 증인으로서 소환하다. **give evidence** 증거 사실을 대다. **give**〔**bear, show**〕 **evidence(s) of** …의 흔적이 있다. **give no evidence of** …의 흔적이 없다. **in evidence** 뚜렷이; 눈에 띄어; 증거로서. **on evidence** 증거가 있어서. **on no evidence** 증거가 없어서. **take evidence** 증인을 조사하다. **the Evidences of Christianity** 〔神學〕 증험론(證驗論). **turn King's**〔**Queen's,**(미) **State's**〕 **evidence** 공범자에게 불리한 증언을 하다. **verbal evidence** ⇨ verbal. — *vt.* 《稀》 **1** (증거로써) 증명하다. **2** 명시하다; …의 증거가 되다.
◈ évident, evidéntial *a.*

ev·i·dent[évidənt] [L] *a.* **1** 분명한, 명백한, 뚜렷한; 분명히 (그것임을) 알 수 있는: *with* ~ satisfaction〔pride〕 자못 만족스레〔자랑스레〕/It was ~ *that* he liked her. 그가 그녀를 좋아한다는 것은 분명하다. **2** 〔醫〕 현성(顯性)의.
◈ évidence *n.*; évidently *ad.*

ev·i·den·tial[èvidénʃəl] *a.* 증거의; 증거가 되는. **~·ly** *ad.* 증거로서〔에 의해〕.

ev·i·den·tia·ry[èvidénʃəri] *a.* =EVIDENTIAL.

ev·i·dent·ly[évidəntli, èvidént-, évidènt-] *ad.* (문장 전체를 수식하여) **1** 분명히, 명백히: *Evidently* he had returned to the scene of the crime.(=he had *evidently* returned to the scene of the crime.) 분명히 그는 범행 현장으로 돌아왔었다. **2** 보기에는, 아무래도 (…듯 하다): *Evidently,* he has mistaken me. 아무래도 그는 내 말을 오해한 것 같다.

e·vil[í:vəl] *a.* (~·(l)er; ~·(l)est) **1** (도덕적으로) 나쁜, 사악한, 흉악한: an ~ tongue 독설; 중상자/~ devices 간계(奸計). **2** 불길한, 운이 나쁜, 흉한: ~ news 흉보. **3** 고약한, 불쾌한: an ~ smell 고약한 냄새. **4** 화를 잘 내는, 성마른. **fall on evil days** 불우한 때를 만나다. **in an evil hour**〔**day**〕 운수 사납게, 불행히도. **put off the evil day**〔**hour**〕 싫은 일을 뒤로 미루다. — *n.* **1** Ⓤ 악, 불선(不善), 사악; 죄악: return good for ~ 악을 선으로 갚다. **2** Ⓤ 재난; 불운, 불행; 나쁜 병. **3** 악한 짓, 해악, 악폐. **good and evil** 선악. **do evil** 악한 일을 하다/**the king's evil** 연주창. **the social evil** 사회악, 매음. — *ad.* 나쁘게: It went ~ with him. 그는 혼이 났다. **evil entreat** 〔聖〕 학대하다. **speak evil of** …의 욕을 하다.

e·vil-dis·posed[-dispóuzd] *a.* 악한 기질을 가진, 질이 나쁜.

e·vil·do·er[í:vəldù:ər, ─⌐─] *n.* 악행자, 악인(*opp.* well-doer).

e·vil·do·ing[í:vəldù:iŋ, ─⌐─] *n.* Ⓤ 나쁜 짓, 악(*opp.* well-doing).

évil éye 악의에 찬 눈초리; (보통 the ~) 흉안(凶眼)(을 가진 사람)《노려보면 재난이 온다고 하는》.

e·vil-eyed[-áid] *a.* 악마의 눈을 한, 독기 서린 눈의.

e·vil-look·ing[-lú:kiŋ] *a.* 인상이 나쁜.

e·vil·ly[í:vəli] *ad.* 간악하게, 흉악하게: be ~ disposed 악의를 가지고 있다.

e·vil-mind·ed[-máindid] *a.* 심사가 나쁜, 속 검은, 심술궂은(malicious); 악의로 해석하는; 호색의.

e·vil·ness *n.* Ⓤ 악, 불선(不善), 사악.

Évil Òne (the ~) 마왕(the Devil).

e·vil-starred[-stá:rd] *a.* 운수 나쁜, 불행한(ill-starred).

e·vil-tem·pered[-témpərd] *a.* 몹시 언짢은.

e·vince[ivíns] *vt.* 《文語》 명시하다; 〈감정 등을〉 나타내다. **e·vín·ci·ble**[-səbəl] *a.*

e·vin·cive[-siv] *a.* 명시적인; 증명하는.

ev·i·rate[évərèit, í:v-] *vt.* 거세하다(castrate), 연약하게 하다(emasculate).

e·vis·cer·ate[ivísərèit] *vt.* **1** 〔外科〕 창자〔내장〕를 빼내다. **2** 〈의논 등의〉 골자를 빼버리다. — *vi.* 〔外科〕 〈내장이〉 절개부에서 튀어나오다. — *a.* 내장을 들어낸.

e·vis·cer·a·tion[ivìsəréiʃən] *n.* Ⓤ 내장 적출(摘出); 골자를 빼버림.

ev·i·ta·ble[évətəbəl] *a.* 피할 수 있는.

e·vo·ca·tion[èvəkéiʃən, ì:vou-] *n.* Ⓤ,Ⓒ (강신(降神)·영혼의) 불러냄, 초혼(招魂); (기억 등의) 환기; 〔法〕 (상급 법원으로의) 소권(訴權) 이송.

e·voc·a·tive[ivákətiv, -vóuk-] *a.* 〈…을〉 환기시키는《*of*》.

e·vo·ca·tor[í:voukèitər, év-] *n.* EVOKE 하는 사람〔것〕, 영매; 〔發生〕 환기 인자.

e·voke[ivóuk] [L] *vt.* **1** 〈영혼 등을〉 불러내다: ~ spirits from the other world 영혼을 저승에서 불러내다. **2** 〈감정·기억 등을〉 일깨우다, 환기시키다; 〈웃음·갈채 등을〉 자아내다. **3** 〔法〕 〈소송을 상급 법원으로〉 이송하다.

ev·ol·ute[évəlù:t/í:v-] *a.* 〔數〕 축폐(縮閉)한. — *n.* 〔數〕 축폐선(線)(*opp.* involute). — *vi., vt.* 진화〔발전〕하다〔시키다〕.

ev·o·lu·tion[èvəlú:ʃən/ì:və-] *n.* **1** Ⓤ 전개, 발전, 진전; Ⓒ 전개된 것; 〔數〕 개방(開方), 거듭 제곱근 풀이(*cf.* INVOLUTION). **2** Ⓤ 〔生·天〕 진화, 진화론; Ⓒ 진화한 것. **3** Ⓤ (열·빛 등의) 방출. **4** (육해군의) 기동 연습. **5** (댄스 등의) 전개 동작, 선회(旋回). **6** Ⓤ 고안, 안출. **the theory**〔**doctrine**〕 **of evolution** 진화론. ◈ evólve *v.*; evolútional, evolútionary, evolútive *a.*

ev·o·lu·tion·al[èvəlú:ʃənəl/ì:və-] *a.* =EVOLUTIONARY. **~·ly** *ad.*

ev·o·lu·tion·ar·y[èvəlú:ʃənèri/-ì:v-] *a.* **1** 진화(론)적인. **2** 전개〔진전〕적인; 진화적인.

ev·o·lu·tion·ism[èvəlú:ʃənìzəm] *n.* Ⓤ 진화론. **-ist**[-ist] *n., a.* 진화론자(의).

ev·o·lu·tion·is·tic[-ístik] *a.* 진화론자의;

진화론적인.
ev·o·lu·tive[évəlù:tiv/í:və-] *a.* 진화의〔하는〕.
*__e·volve__[ivάlv/ivɔ́lv] [L] *vt.* **1** 전개하다; 발전시키다. **2** 진화〔발달〕시키다. **3** 〈이론 등을〉 끌어내다. **4** 〈열·빛·가스 등을〉 방출하다. — *vi.* **1** 전개하다; 〈이야기 등의 줄거리가〉 전개되다. **2** 진화하다: ~ *into* …으로 진화하다/~ *from*〔*out of*〕…에서 진화〔발달〕하다. **3** 《미》 판명되다. **~·ment** *n.* Ⓤ 전개, 진전; 진화. ◈ evolútion *n.*
EVP executive vice president 전무 이사.
EVR electronic video recorder〔recording〕.
e·vul·sion[ivʌ́lʃən] *n.* 빼냄, 뽑아냄.
ev·zone[évzoun] *n.* (그리스의) 정예 보병.
EW electronic warfare; enlisted woman.
ewe[ju:, jou] *n.* 암양(*cf.* sheep). **one's ewe lamb** 〔聖〕 가장 소중히 여기는 것.
ewe-necked[∠nèkt] *a.* 목이 가늘고 아래로 처진 〈말·개〉.
ew·er[jú:ər] *n.* (주둥이가 넓은 침실용) 물병, 물주전자(pitcher).
e·wig·keit[é:viçkait] [G] *n.* 영원. **into**〔**in**〕 **the ewigkeit** 《익살》 간데없이, 허공으로.
E.W.O. Essential Work Order.
ex[1] [eks] [L=from, out of] *prep.* **1** …으로부터(*from*). **2** a 〔商〕 …에서 인도(引渡)하는: ~ bond 보세 창고 인도/~ pier 잔교(棧橋) 인도/~ quay〔wharf〕 부두 인도/~ rail 철도 인도/~ ship 본선 인도/~ warehouse 창고 인도. b 〔證券〕 …락(落), …없이(*opp.* cum): ~ interest 이자락(利子落)/⇨ex dividend. **3** 〔미大學〕 …년도 중퇴의: ~1999 1999년도 중퇴한.
ex[2] *n.* X〔x〕자; X형의 것.
ex[3] *a.* 전의, 그전의. — *n.* (*pl.* **~·es, ~s**) 《口》 전 남편, 전처(one's former spouse).
ex-[1] [eks] *pref.* 「전의; 전…」(former)의 뜻: *ex*president 전 대통령〔총재, 학장 (등)〕.
ex-[2] [iks, eks] *pref.* 「…으로부터; 밖으로; 전적으로」의 뜻: *ex*clude, *ex*it, *ex*terminate.
ex. examination; examined; example; exception; exchange; executive; exit; export. **Ex.** Exodus.
ex·ac·er·bate[igzǽsərbèit, iksǽs-] *vt.* 〈고통·병·원한 등을〉 더욱 심하게 하다, 악화시키다; 〈사람을〉 격분시키다.
ex·ac·er·ba·tion[-ʃən] *n.* 격화, 악화; 분노.
‡**ex·act**[igzǽkt] *a.* **1** 정확〔적확〕한(accurate)(⇨correct): the ~ date and time 정확한 일시. **2** 정밀한, 엄밀한(precise): ~ instruments 정밀 기계. **3** 엄중한, 엄격한: ~ discipline 엄격한 규율. **4** 꼼꼼한(strict)《*in*》: be ~ in one's work 일에 꼼꼼하다. **exact to the letter** 아주 정확한. **exact to the life** 실물과 똑같은. **to be exact** 엄밀히 말하면. — *vt.* **1** 〈복종 등을〉 강요하다, 무리하게 요구하다(insist upon): ~ obedience *from* the students 학생들을 억지로 복종시키다. **2** 〈일·사정이 사람에게〉 강요하다, 부득이 …하게 하다: This work will ~ very careful attention. 이 일에는 아주 조심스러운 주의력이 필요하다. **3** 〈세금 등을〉 가차없이 거두다(extort): ~ money〔taxes〕 *from* a person …에게서 돈〔세금〕을 가차없이 거두다. **~·ness** *n.* =EXACTITUDE. ◈ exáctitude, exáction *n.*
ex·ac·ta[igzǽktə] *n.* 《미》 쌍승식《경마의 1, 2착을 도착 순서대로 맞히는 내기》.
ex·act·a·ble[igzǽktəbl] *a.* 강요할 수 있는, 강제로 거두어들일 수 있는.
ex·act·ing[igzǽktiŋ] *a.* 강제로 징수하는; 가혹한, 엄격한(severe); 〈일이〉 고된, 힘드는, 쓰라린(arduous): ~ labor 고된 노동. **~·ly** *ad.* 착취하듯이; 엄격하게, 가혹하게.
ex·ac·tion[igzǽkʃən] *n.* **1** Ⓤ 강청(强請), 강요, 강제 징수; 가혹한 요구. **2** 강제 징수금, 가혹한 세금.
ex·ac·ti·tude[igzǽktətjù:d] *n.* Ⓤ,Ⓒ 정확성, 정밀도; 엄정; 엄격.
‡**ex·act·ly**[igzǽktli] *ad.* **1** 꼭, 바로 그대로, 조금도 틀림없이(just, quite); 정확하게, 엄밀하게(precisely): at ~ seven (o'clock) 정각 7시에/Repeat ~ what he said. 그가 한 말을 그대로 되풀이해보시오. **2** (yes의 대용) 그렇소, 바로 그렇습니다(quite so). **not exactly** 반드시 그렇지는 않다, 조금 틀리다.
ex·ac·tor[igzǽktər] *n.* 강요하는 사람; 《특히》 가혹하게 징수하는 사람〔수세리(收稅吏)〕.
exáct scíence 정밀 과학《수학·물리학 등》.
‡**ex·ag·ger·ate**[igzǽdʒərèit] [L] *vt.* **1** 침소봉대하여 말하다(overstate), 과장하다, 지나치게 강조하다: It is impossible *to* ~ the fact 그 사실은 아무리 강조해도 지나치지 않다. **2** 과대시하다: You ~ the difficulties. 곤란을 너무 과대시하고 있다. **3** 《古》 〈기관(器官)의 크기를〉 병적으로 확장시키다, 〈병 등을〉 악화시키다. — *vi.* 과장해서 말하다: Don't ~. 허풍떨지 마라.
*__ex·ag·ger·at·ed__[igzǽdʒərèitid] *a.* 과장된, 떠벌린; 비정상적으로 확장된. **~·ly** *ad.* 과장하여, 과도하게.
*__ex·ag·ger·a·tion__[igzæ̀dʒəréiʃən] *n.* Ⓤ 과장; 과대시; 과장된 표현.
◈ exággerate *v.*; exággerative *a.*
ex·ag·ger·a·tive[igzǽdʒərèitiv, -rətiv] *a.* 과장적인, 침소 봉대의. **~·ly** *ad.*
ex·ag·ger·a·tor[igzǽdʒərèitər] *n.* 과장해서 말하는 사람; 과장적인 것.
ex·alt[igzɔ́:lt] [L] *vt.* **1** 《文語》 〈신분·지위·권력 등을〉 높이다, 올리다, 승진시키다(promote); 고상〔고귀〕하게 하다(ennoble): ~ a person *to* a high office …을 높은 관직으로 승진시키다. **2** 칭찬〔찬양〕하다(extol); 〈상상력 등을〉 강화하다, 높이다; 〈어조·색조 등을〉 강하게 하다. **exalt a person to the skies** …을 극구 칭찬하다. ◈ exaltátion *n.*
ex·al·ta·tion[ègzɔ:ltéiʃən] *n.* Ⓤ **1** 높임, 고양(elevation). **2** 승진(promotion); 칭찬, 찬미. **3** 의기양양, 기고만장; 열광적인 기쁨. **4** 〔醫〕 (기능의) 항진(亢進).
*__ex·alt·ed__[igzɔ́:ltid] *a.* **1** 지위〔신분〕가 높은, 고귀한: a person of ~ rank 고위직의 사람, 귀인. **2** 고양된, 고상한, 숭고한. **3** 기뻐 날뛰는, 의기양양한. **~·ly** *ad.*
ex·am[igzǽm] [*exam*ination] *n.* 《口》 시험.
exam. examination; examined.
ex·am·i·nant[igzǽmənənt] *n.* 시험관, 심사원(examiner); 심사받는 사람.
‡**ex·am·i·na·tion**[igzæ̀mənéiʃən] *n.* **1** 시험, (성적) 고사(test)《*in*》: an ~ *in* English =an English ~ 영어 시험/an oral〔a written〕 ~ 구두〔필기〕 시험. **2** Ⓤ,Ⓒ 조사, 검사, 심사(함); (학설·문제의) 고찰, 검토; 진찰: a medical ~ 진찰/a physical ~ 건강 진단. **3** Ⓒ,Ⓤ 〔法〕 (증인) 심문《*of*》; 심리: a preliminary ~ 예비 심문/the ~ of a witness 증인의 심문. **examination in chief** 〔法〕 직접 심문. **go in**〔**up**〕 **for one's examination** 시험을 보다. **make an examination of** …을 검사〔심사〕하다. **on examination** 검사〔조사〕한

후에 : 조사해 본즉. **pass〔fail〕 an examination** 시험에 합격〔낙제〕하다. **sit for〔take〕 an examination** 시험을 치르다. **under examination** 검사〔조사〕 중의〔에〕.
~·al *a.* 시험〔심문〕의 ; 검사의.
◇ exámine *v.*; examinatórial *a.*

examinátion pàper 시험 문제지 ; 시험 답안지.

ex·am·i·na·to·ri·al[igzæ̀mənətɔ́:riəl] *a.* 시험관의, 고시 위원의 ; 심사원의.

⁑**ex·am·ine**[igzǽmin] [L] *vt.* **1** 시험하다, (구두) 시문(試問)하다(test) ((*in, on*)) : ~ the students *in* English 학생들에게 영어 시험을 보이다/~ a person *on* one's knowledge of the laws …에게 법률 지식에 대한 시험을 보이다. **2** 검사〔조사, 심사〕하다, 검토〔검열〕하다(inspect, investigate) : 고찰하다 : ~ a proposal 제안을 검토하다/~ oneself 내성(內省)하다/((Ⅲ (목)+[전]+[명])) I'll ~ the goods for quality. 그 상품의 품질을 조사해 보겠다/~ whether something is good or bad 어떤 일이 선(善)인지 악(惡)인지 검토하다. **3** 〔法〕 〈증인을〉 심문하다, 심리하다. **4** 진찰하다 : have one's health ~*d* 건강 진단을 받다. ── *vi.* 조사〔심리, 검토〕하다(inquire) ((*into*)) : ~ *into* details 상세히 조사하다. ◇ examinátion *n.*

ex·am·in·ee[igzæ̀məní:] *n.* 수험자 ; 심리를 받는 사람.

ex·am·ine-in-chief[igzǽminintʃí:f] *vt.* 〔法〕 직접 심문하다.

*__ex·am·in·er__[igzǽmənər] *n.* 시험관 ; 검사관, 심사원 ; 〔法〕 증인 심문관. **satisfy the examiner(s)** 〔영大學〕 (시험에서) 합격점을 따다 (honours가 아니고 pass를 따다).

★**ex·am·ple**[igzǽmpəl, -zɑ́:m-] [L] *n.* **1** 보기, 예, 실례, 예증(例證)(⇨instance) ; 〔數〕 예제 : give an ~ 예를 들다/*E*- is better than precept. 실례〔시범〕는 교훈보다 낫다. **2** 모범(model), 본보기 ; 견본, 표본(specimen, sample). **3** 전례(precedent). **4** 본보기(로서의 벌), 경고(warning). **as an example** =**by way of example** 예증으로서, 한 예로서. **be beyond〔without〕 example** 전례가 없다. **follow the example of** a person=**follow** a person**'s example** …의 본을 따르다. **for example** 예컨대, 이를테면(for instance). **make an example of** a person …을 본보기로 징계하다. **set〔give〕 a good example to others** (남들에게) 좋은 본을 보이다. **take example by** a person …을 본받다. **to give 〔((영)) take〕 an example** 일례를 들면.
── *vt.* (보통 *pp.*) (전형(典型)으로서) 예시하다.

ex·an·i·mate[egzǽnəmèit, -mit] *a.* 죽은 ; 활기가 없는, 낙담한.

ex an·i·mo[eks-ǽnimòu] [L] *ad., a.* 충심으로부터〔의〕, 성심 성의로〔의〕.

ex·an·them[egzǽnθəm, eks-] *n.* (*pl.* **ex·an·the·ma·ta**[-θémətə, -θí:-], **~s**) 〔病理〕 발진(發疹).

ex·arch[éksɑ:rk] *n.* (비잔틴 제국의) 태수(太守) ; 총독 ; 〔그리스正敎會〕 총주교대리.

ex·arch·ate[-kèit, ⌐⌐] *n.* EXARCH의 직〔권한, 지위〕 ; 그 관할구.

*__ex·as·per·ate__[igzǽspərèit, -rit] [L] *vt.* **1** 성나게 하다, 격분시키다 ((*against, at, by*)) : be ~*d against* a person …에 대해 화내다/be ~*d at*〔*by*〕 a person's dishonesty …의 부정직에 화를 내다. **2** 화나게 하여 …하게 하다 ((*to*)) : ~ a person *to* theft …을 화나게 하여 도둑질하게 하다/~ the workers *to* go on strike 노동자를 성나게 하여 파업에 몰아넣다. **3** ((稀)) 〈감정·병 등을〉 악화시키다.
-at·ed·ly *ad.* 화내어, 홧김에. **-at·er** *n.*
◇ exasperátion *n.*

ex·as·per·at·ing[igzǽspərèitiŋ] *a.* 분통이 터지는, 화가 나는.

ex·as·per·at·ing·ly *ad.* 분통이 터지게, 화가 나게.

ex·as·per·a·tion[igzæ̀spəréiʃən] *n.* Ⓤ 격분, 분노 ; 격화, 악화. **in exasperation** 격노하여.

exc. excellent; except(ed); exception.

Exc. Excellency.

Ex·cal·i·bur[ekskǽləbər] *n.* Arthur 왕의 마법의 검(劍).

ex ca·the·dra[éks-kəθí:drə] [L] *ad., a.* 권위로써 ; 권위있는.

ex·ca·vate[ékskəvèit] [L] *vt.* 〈굴·구멍을〉 파다, 굴착하다, 개착(開鑿)하다 ; 〈묻힌 것을〉 발굴하다(dig out).

*__ex·ca·va·tion__[èkskəvéiʃən] *n.* **1** Ⓤ 굴 파기, 개착. **2** 굴, 구덩이 ; 개착로(開鑿路) ; (기초 공사의) 땅파기. **3** 〔考古〕 발굴 ; Ⓤ 발굴물, 유적. ◇ éxcavate *v.*

ex·ca·va·tor[ékskəvèitər] *n.* 굴착자〔기〕 ; (치과용) 후벼내는 기구 ; 발굴자.

⁑**ex·ceed**[iksí:d] [L] *vt.* **1** 〈수량·정도·한도·범위를〉 넘다, 초과하다 : ~ one's authority 권한 외의 일을 하다, 월권 행위를 하다/The task ~*s* his ability. 그 일은 그의 능력으로는 할 수 없다/U.S. exports ~*ed* imports *by* $3 billion in May. 5월에 미국의 수출액은 수입액을 30억 달러 초과했다. **2** (규모·수준·역량 따위에서) …보다 크다 ; 우월하다, 능가하다(surpass) ((*in*)) : Gold ~*s* silver in value. 금은 은보다 값어치가 있다/((Ⅲ (목)+[전]+[명])) He ~*s* everybody in courage and strength. 그는 용기와 힘에 있어서 모든 사람을 능가한다. ── *vi.* **1** 도를 넘다, 지나치다((*in*)) : ~ *in* eating 과식하다. **2** 탁월하다, 남보다 뛰어나다(in) : ~ *in* number 수에 있어서 능가하다.
◇ excéss *n.*; excéssive *a.*

*__ex·ceed·ing__[iksí:diŋ] *a.* 엄청난 ; 대단한, 굉장한.

⁑**ex·ceed·ing·ly**[iksí:diŋli] *ad.* 매우, 대단히, 굉장히, 엄청나게(extremely) : an ~ difficult language 대단히 어려운 언어.

⁑**ex·cel**[iksél] [L] (**~led; ~·ling**) *vt.* 〈남을〉 능가하다, …보다 낫다(be superior to) ((*in, at*)) (◇ 진행형 없음) : He ~*s* others *in* character〔*at* sports〕. 그는 인격이〔운동에서〕 남보다 뛰어나 있다. ── *vi.* 빼어나다, 탁월하다(surpass others) ((*in, at*)) : ((Ⅰ [전]+[명])) ~ *in* mathematics〔*at* sports〕 수학〔스포츠〕에서 뛰어나다/He ~*s in* humor more than *in* wit. 그는 재치라기 보다는 유머가 탁월하다/((Ⅰ [전]+-*ing*)) She ~*s in* play*ing* the violin. 그녀는 바이올린 연주가 탁월하다/((Ⅱ *as*+[명])) He ~*s as* an engineer. 그는 기사로서 탁월하다.
◇ éxcellence, éxcellency *n.*; éxcellent *a.*

*__ex·cel·lence__[éksələns] *n.* **1** Ⓤ 우수, 탁월, 뛰어남 ((*at, in*)) : receive a prize for ~ in the arts 인문 과학의 우등상을 받다. **2** ((稀)) 장점, 미점, 미덕 : a moral ~ 도덕상의 미점. **by excellence** 빼어나게, 유달리.
◇ excél *v.*; éxcellent *a.*

Ex·cel·len·cy, ex-[éksələnsi] *n.* (*pl.* **-cies**) **1** 각하((장관·대사·총독 등에 대한 존칭)) : **His 〔Her〕 Excellency** 각하(부인)((간접적으로 ; 복수형은 Their *Excellencies*))/**Your Excel-**

lency 각하(부인)《직접 대면하여: 이 때 동사는 3인칭 단수를 씀: 복수형은 Your *Excellencies*》. **2** =EXCELLENCE.

‡**ex·cel·lent**[éksələnt] *a.* 우수한, 아주 훌륭한(very good), 뛰어난: (성적이) 수의: an ~ engineer 우수한 기사/(《Ⅱ 형》) Her song was ~. 그녀의 노래는 썩 좋았다/Father's health is ~. 아버님의 건강은 썩 좋습니다. **be excellent in**〔**at**〕…을 뛰어나게 잘하다.
~·ly *ad.* 우수하게, 출중하게.
◇ excél *v.*: éxcellence *n.*

ex·cel·si·or[iksélsiər, ek-] [L=higher] *int.* 더욱 높이!, 향상!(미국 New York주의 표어). — *n.* Ⓤ 대패밥(포장용): (미) 〔印〕 3포인트 활자. (**as**) **dry as excelsior** 바싹 말라.

Excélsior Státe (the ~) New York 주의 속칭(표어에서 유래).

ex·cen·tric[ikséntrik] *a.* =ECCENTRIC, (특히) 편심(偏心)의.

★**ex·cept**[iksépt] [L] *prep.* **1** …을 제외하고는, …외에는(but): Everyone is ready ~ her. 그녀 말고는 다 준비가 돼 있다. **2** (부사(구절)을 수반하여) …경우 이외에는; …이 아니면: We work everyday ~ *on* Sunday. 우리는 일요일 외엔 매일 일한다. **3** (동사 원형 또는 to do를 수반하여) …하는 이외는〔경우 아니고는〕: She does everything ~ (*to*) wash the car.(=She does everything ~ wash*ing* the car.) 그녀는 세차 외의 일은 무엇이든지 한다. **except for** …을 제하고는; …이 없다면(but for), …은 있지만 (그 이외는): Your speech was very good *except for* a few errors in pronunciation. 네 연설 몇 군데 발음이 틀린 것을 제외하고는 아주 훌륭했다(◇ 주로 긍정문에 쓰임). — *conj.* **1** …을 제외하고는; (…라는 것〔사실〕) 이외에는: I know nothing ~ *that* he was there. 그가 거기에 있었다는 것 이외에는 아무 것도 모른다. **2** …이지만: That will do ~ *that* it is too long. 너무 긴 것이 흠이지만 그냥 쓸만하다. **3** …이 아니면, …하지 않으면: I would go ~ it's too far. 가고 싶지만 너무 멀다. — *vt.* 빼다, 제외하다(exclude)《*from*》: ~ a person *from* the team …을 팀에서 빼다. — *vi.* 이의(異議)를 내세우다, …에 반대하다(object)《*against, to*》: ~ *against* a matter 어떤 일에 반대하다.

ex·cept·ed *a.* (명사 뒤에서) 제외되어, 예외인: nobody ~ 한사람의 예외도 없이/the present company ~ 여기 계신 여러분은 제외하고.

‡**ex·cept·ing**[ikséptiŋ] *prep.* (대개 문두, 또는 not 나 without 뒤에서) …을 빼고, …말고는, …을 제외하면: We must all obey the law, *not* ~ the king. 우리는 모두 법을 지켜야 한다. 국왕이라도 예외일 수 없다. **always excepting** (영) …을 제외하고(는): 〔法〕 다만, …은 그러하지 아니하다.

‡**ex·cep·tion**[iksépʃən] *n.* Ⓤ **1** 제외(exclusion). **2** Ⓒ 예외, 이례《*to*》: There is no ~ *to* this rule. 이 규칙에는 예외가 없다. **3** 이의: 〔法〕 이의 신청. **above**〔**beyond**〕 **exception** 비난〔의심〕의 여지가 없는. **by way of exception** 예외로서. **make an exception** (**of**) (…은) 예외로 하다, 특별 취급하다. **make no exception**(**s**) 예외 취급을 하지 않다. **take exception** 이의를 말하다, 불복이라고 말하다《*to, against*》: 화를 내다《*at*》. **The exception proves the rule.** (속담) 예외가 있다는 것은 곧 규칙이 있다는 증거이다. **with the exception of**〔**that** …〕 …을 제외하고는, …외에는. **without exception** 예외 없이: No rule *without exception.* 예외 없는 규칙은 없다.
◇ excépt *v.*: excéptional *a.*

ex·cep·tion·a·ble[iksépʃənəbəl] *a.* (보통 부정문으로) 《文語》 이의(異議)를 말할 수 있는, 비난의 여지가 있는.

*__ex·cep·tion·al__[iksépʃənəl] *a.* **1** 예외적인. **2** 특별한, 보통을 벗어난, 드문(unusual, rare): 비범한, 뛰어난.

excéptional chíld 〔敎育〕 특수 아동(비범하거나 심신 장애로 특수 교육이 필요한).

ex·cep·tion·al·ly *ad.* 예외적으로, 특별히, 유난히, 매우.

ex·cep·tion·less *a.* 예외〔이의〕 없는.

ex·cep·tive[ikséptiv] *a.* 제외의, 예외적인: an ~ clause 예외 조항/~ conjunctions 제외 접속사(unless 등).

*__ex·cerpt__[éksəːrpt] *n.* (*pl.* **~s, -cerp·ta**[-tə]) 발췌록, 발췌, 초록(抄錄), 인용구: (논문 등의) 발췌 인쇄(offprint). — [-ˊ] *vt.* 발췌하다, 인용하다(quote)《*from*》.

ex·cerp·tion[iksə́ːrpʃən, ek-] *n.* Ⓤ 발췌, 발췌록.

‡**ex·cess**[iksés, ékses] *n.* **1** Ⓤ 과다, 과잉(too much)《*of*》, 과도; Ⓒ 초과(량·액), 여분: an ~ *of* exports (*over* imports) 수출 초과액〔량〕/~ *of* blood 다혈, 일혈(溢血). **2** Ⓤ 지나침, 불근신, 월권. **3** Ⓤ 부절제《*in*》: (*pl.*) 폭음, 폭식: (보통 *pl.*) 난폭. **carry something to excess** …을 지나치게 하다. **go**〔**run**〕 **to excess** 극단적으로 하다, 지나치게 하다. **in excess of** …을 초과하여. **drink to**〔**in**〕 **excess** 지나치게 (마시다). — [ékses, iksés] *a.* 제한 외의, 여분의. — [iksés] *vt.* 〈공무원을〉 휴직시키다.
◇ excéed *v.*: excéssive *a.*

éxcess bággage 제한 초과 수하물.

éxcess chárge 주차 시간 초과 요금.

éxcess demánd 〔經〕 수요 초과, 수요 과잉.

éxcess fàre (철도의) 구간 초과 요금: (상등 칸으로 옮길 때의) 부족 요금.

‡**ex·ces·sive**[iksésiv] *a.* 과도의, 지나친, 과대한, 엄청난: ~ charges 과도한 요금.
~·ly *ad.* 과도하게: 《口》 대단히, 아주.
~·ness *n.* 과도. ◇ excéed *v.*: excéss *n.*

éxcess lúggage =EXCESS BAGGAGE.

éxcess póstage 우표 부족 요금.

éx·cess-próf·its tàx[éksesprɑ́fits-/-prɔ́f-] 초과 이득세.

éxcess resèrves 〔銀行〕 초과 준비금.

éxcess supplý 〔經〕 공급 초과〔과잉〕.

exch. exchange; exchequer.

‡**ex·change**[ikstʃéindʒ] *vt.* **1** 교환하다, 교역하다(barter)《*with*》: ~ a thing 물건을 바꾸다/~ goods *with* foreign countries 외국과 상품을 교역하다. **2** 주고 받다(interchange)《*with*》: ~ gifts〔greetings〕 선물을〔인사를〕 주고 받다/(《Ⅲ (목)+전+명》) I ~*d* blows *with* him. 나는 그와 서로 치고 받고 했다. **3** 환전하다《*for*》: ~ pounds *for* dollars 파운드를 달러로 환전하다. **4** 〈A〉를 버리고 〈B〉를 취하다《*for*》: (《Ⅲ (목)+전+명》) He ~*d* wealth *for* honor. 그는 부를 버리고 명예를 취했다. **5** 〔체스〕 (교환하여) 〈적의 말을〉 잡다. — *vi.* 교환하다: 교체하다(*from* A *into* B): 환전되다《*for*》: ~ *into* another regiment 다른 연대로 전출하다/A dollar ~*s for* less than 1,400 won. 1달러는 1,400원 이하로 환전된다. **exchange contracts** (영) 가옥매매 계약을 하다. — *n.* **1** Ⓤ,Ⓒ 교환: 주고

받음, 바꿈질: ~ of gold *for* silver 금과 은의 교환/*E-* is no robbery. 《익살》 교환은 강탈이 아니다《부당한 교환을 강요할 때의 변명》. **2** 바꾼 것, 교환물. **3** Ⓤ 환금: 환(換): 환시세. **4** 거래소(Change): (전화의) 교환국(《미》 central). **bill of exchange** 환어음. **domestic**〔**internal**〕 **exchange** 내국환. **first**〔**second, third**〕 **of exchange** 제1〔제 2, 제 3〕 어음《분실·미착 등에 대비하여 발행하는 등본 어음의 일종》. **foreign exchange** 외국환. **in exchange** (**for**) (…와) 교환으로. **make an exchange** 교환하다. **par of exchange** (환의) 법정 평가. **set of exchange** 등본 어음《정·부 2통 또는 3통을 발행하여 지불인은 그 한 통에 대해서만 지불》. **the rate of exchange** 외환 시세, 환율(exchange rate). **the Stock**〔**Corn**〕 **Exchange** 증권〔곡물〕 거래소.

ex·change·a·bil·i·ty [ikstʃèindʒəbíləti] *n.* Ⓤ 교환〔교역〕할 수 있음: 교환 가치.

ex·change·a·ble [ikstʃéindʒəbəl] *a.* 교환〔교역〕할 수 있는: ~ value 교환 가치.

exchánge bànk 외환 은행.

exchánge contròl 환관리.

exchánge fòrce 〔物〕 교환력.

exchánge màrket 외환 시장.

exchánge òrder 항공표 인환증《항공사가 발행하는》.

exchánge pàrity 외환 평가(平價).

exchánge proféssor 교환 교수.

exchánge ràte (the ~) 외환 시세, 환율.

exchánge reàction 〔物〕 교환 반응.

exchánge stùdent 교환 학생.

exchánge tìcket (뉴욕 증권 거래소의) 매매 주식 확인표.

exchánge vàlue 〔經〕 교환 가치.

ex·cheq·uer [ikstʃékər, éks-] *n.* **1** (the E-) 《영》 재무부. **2** 국고(national treasury); 《俗》 (개인·회사 등의) 재원, 재력, 자력: My ~ is low. 재정 상태가 어렵다. **the Chancellor of the Exchequer** 《영》 재무부 장관. **the** (**Court of**) **Exchequer** 재무 재판소《영국의 옛 상급 법원》.

exchéquer bìll 《영》 재무(부) 증권.

exchéquer bònd 《영》 국고 채권.

ex·cis·a·ble[1] [iksáizəbəl] *a.* 소비세를 부과할, 과세하여야 할.

excisable[2] *a.* 절제(切除)할 수 있는.

ex·cise[1] [éksaiz, -s] *n.* **1** (종종 the ~) 국내 소비세(=∠ tàx)(*on*): an ~ *on* tobacco 담배의 소비세. **2** (the E-) 《영》 간접 세무국《지금은 Board of Customs and E-》. — *vt.* …에 소비세를 과하다, 과세하다, 《특히》 중과세하다.

excise[2] [iksáiz] *vt.* 《文語》 삭제하다(*from*); 절제(切除)하다.

éxcise làws (the ~) 《미》 주류 제조 판매 규제법: 소비세법.

ex·cise·man [éksaizmən] *n.* (*pl.* **-men** [-mən]) 《영》 (간접세) 징수원〔담당관〕.

ex·ci·sion [eksíʒən] *n.* Ⓤ 《文語》 절단, 절제: 삭제: 파문(破門).

ex·cit·a·bil·i·ty [iksàitəbíləti] *n.* Ⓤ 격하기 쉬운 성질, 흥분성.

***ex·cit·a·ble** [iksáitəbəl] *a.* 격하기 쉬운, 흥분하기 쉬운, 흥분성의. **-bly** *ad.*

ex·ci·tant [iksáitənt, éksətənt] *a.* 흥분성의. — *n.* 자극물, 흥분제(stimulant).

ex·ci·ta·tion [èksaitéiʃən, èksi-] *n.* Ⓤ 자극; 〔電〕 여자(勵磁); 〔物〕 여기(勵起).

ex·cit·a·tive, -a·to·ry [iksáitətiv], [-tɔ̀ːri/-təri] *a.* 흥분성의, 자극적인.

ex·cite [iksáit] [L] *vt.* **1** 흥분시키다, 자극하다, 격려하다: 《Ⅲ (목)》 The spectacle ~*d* us. 그 광경은 우리를 흥분시켰다/《Ⅲ (목)+전+명》 She ~*d* him *to* anger. 그녀는 그를 화나게 했다/She ~*d* him *to* greater endeavor. 그녀는 한층 더 노력하도록 그를 격려했다/《Ⅴ (목)+*to* do》 They ~*d* the mob *to* rebel against the government. 그들은 폭도들에게 정부에 반항하도록 자극했다. **2** 〈감정 등을〉 일으키다, 〈주의 등을〉 환기하다, 〈흥미·호기심을〉 일깨우다: 《Ⅲ (목)+(부구)》 We ~*d* the curiosity of people very much. 우리는 사람들에게 많은 호기심을 일으켰다/《Ⅲ (목)+전+명》 Her success ~*d* envy in him. 그녀의 성공은 그에게 부러운 마음을 일으켰다(=Her success ~*d* him *to* envy.). **3** 분기시키다(stir up); 〈폭동 등을〉 선동하다, 야기하다(bring about): ~ a riot 폭동을 일으키다. **4** 〔生理〕 〈기관·조직을〉 자극하다. **5** 〔電〕 여자(勵磁)하다, 〈전류를〉 일으키다; 〔物〕 〈원자·분자를〉 여기(勵起)시키다. **Don't excite!** 침착하라. **excite oneself** 흥분하다. ⊕ excítement *n.*

***ex·cit·ed** [iksáitid] *a.* **1** 활발한: 흥분한(*at, by, about*): an ~ mob 흥분한 군중/《Ⅱ 형+전+명》 She gets easily ~ *to* anger. 그녀는 화를 잘 낸다/《Ⅱ 형+*to* do》 She was quite ~ *to* hear the news. 그녀는 그 소식을 듣고 아주 흥분했다. **2** 〔物〕 여기(勵起) 상태의. **excited atom**〔**molecule**〕 여기(勵起) 원자〔분자〕. **get**〔**be**〕 **excited** (**at, by, about**) (…에) 흥분하다〔해 있다〕. **~·ness** *n.*

***ex·cit·ed·ly** *ad.* 흥분〔격분〕하여, 기를 쓰고.

excíted státe 〔物〕 여기(勵起) 상태.

***ex·cite·ment** [iksáitmənt] *n.* **1** Ⓤ 흥분; Ⓤ,Ⓒ (기쁨의) 소동, (인심의) 동요(agitation): cause great ~ 몹시 흥분시키다. **2** 자극(하는 것)(*of*). **in excitement** 흥분하여, 기를 쓰고.

ex·cit·er [iksáitər] *n.* 자극하는 사람〔것〕; 〔電〕 여자기(勵磁機); 〔醫〕 자극〔흥분〕제; 〔電子〕 여진기(勵振器).

***ex·cit·ing** [iksáitiŋ] *a.* **1** 흥분시키는, 자극적인, 손에 땀을 쥐게 하는, 피끓는: 약동하는. **2** 〔電〕 여자(勵磁)의; 〔物〕 여기(勵起)하는. **~·ly** *ad.*

ex·ci·ton [éksitàn, -sai-] *n.* 〔物〕 여기자(勵起子).

ex·ci·tor [iksáitər, -tɔr] *n.* 〔生理〕 자극 신경.

excl. exclamation; excluded; excluding; exclusive(ly).

***ex·claim** [ikskléim] [L] *vt.* …이라고 큰소리로 말하다, 외치다: "You fool!" he ~*ed.* 「바보야!」라고 그는 소리쳤다/He ~*ed that* he would rather die. 그는 차라리 죽겠다고 소리쳤다/She ~*ed what* a beautiful lake it was. 어쩜 이토록 아름다운 호수인가 하고 그녀는 소리쳤다. — *vi.* 외치다, 소리〔고함〕치다, 소리지르다: ~ *at* the extraordinary price 엄청난 값에 놀라서 소리지르다/~ *against* interference 간섭에 대해 큰소리로 반대하다.
⊕ exclamátion *n.*; exclámatory *a.*

exclam. exclamation; exclamatory.

***ex·cla·ma·tion** [èkskləméiʃən] *n.* Ⓤ 감탄; 절규: 외침; Ⓒ 〔文法〕 감탄사, 감탄문, 느낌표. **note**〔**point**〕 **of exclamation** =EXCLAMATION MARK〔POINT〕.
⊕ excláim *v.*: exclámatory *a.*

exclamátion màrk〔《미》 **point**〕 느낌표.

감탄 부호(!).

*__ex·clam·a·to·ry__[iksklǽmətɔ̀:ri/-təri] *a.* 감탄조의, 영탄적(詠嘆的)인: an ~ sentence 〔文法〕 감탄문.

ex·clave[ékskleiv] *n.* 타국 내에 고립되어 있는 자국의 영토(*cf.* ENCLAVE).

ex·clo·sure[ikslóuʒər] *n.* 울타리로 둘러싼 곳《가축 등의 침입을 막음》.

‡**ex·clude**[iksklú:d] [L] *vt.* **1** 들어오지 못하게 하다, 차단하다; 제외하다, 배제하다《*from*》(*opp.* include): 《V (목)+전+-*ing*》 They ~*d* foreigners *from* attend*ing* the party. 그들은 외국인들이 그 파티에 참가하는 것을 제외시켰다/Shutters ~ light. 덧창〔셔터〕은 빛을 차단한다/~ foreign ships *from* a port 외국 배를 항구에 들이지 않다. **2** 몰아내다, 추방하다(expel): ~ a person *out of*〔*from*〕 a club 클럽에서 …을 추방〔제명〕하다. **3** 〈증거 등을〉 채택하지 않다, 물리치다(reject). **4** 〈가능성·의혹의〉 여지를 전혀 주지 않다, 불가능하게 하다. ⊕ exclúsion *n.*: exclúsive *a.*

ex·clud·ing[iksklú:diŋ] *prep.* …을 제외하고〔한〕.

*__ex·clu·sion__[iksklú:ʒən] *n.* U,C 제외, 배제; 이민 입국 금지: the ~ of women *from* some jobs 몇몇 직업에서의 여성 배제. **the Method of Exclusion(s)** 〔論〕 배타법(排他法). **to the exclusion of** …을 제외할 만큼. **~·a·ry**[-nèri/-nəri] *a.* **~·ìsm** *n.* U 배타주의. **~·ist** *n.*

exclúsionary rúle (the ~) 〔미法〕 (위법 수집 증거) 배제의 원칙.

exclúsion clàuse 〔保〕 제외 조항.

‡**ex·clu·sive**[iksklú:siv, -ziv] *a.* **1** 배타〔배제〕적인. **2** 독점적인: ~ privileges 독점권/~ rights 전유권(專有權), 독점권/an ~ use 전용. **3** 전문적인; 유일한: ~ studies 전문적인 연구/the ~ means of transport 유일한 교통수단. **4** 독특한; 〈친구·회원 등〉 엄선하는; 고급의〈호텔·상점 등〉; 상류층 취향의: the most ~ club 가장 고급 클럽. **5** (부사적) 제외하고: from 10 to 20 ~ 10과 20은 제외하고 10에서 20까지. **exclusive of** (전치사적) …을 제외하고(*opp.* inclusive of): There are 26 days in this month, ~ *of* Sundays. 이 달은 일요일을 제하고 26일이다.
— *n.* 배타적인 사람; (신문 등의) 독점 기사, 특종; 독점적 권리. **~·ness** *n.*
⊕ exclúde *v.*: exclúsion *n.*

exclúsive distribútion 독점적 유통.

exclúsive económic zòne 배타적 경제 수역(economic zone).

exclúsive físhing zòne 어업 전관(專管) 수역.

exclúsive ínterview 단독 회견.

ex·clu·sive·ly[iksklú:sivli] *ad.* 배타적(폐쇄적)으로; 독점적으로; 오로지, 오직 …뿐(solely): We shop ~ at Macy's. 오로지 메이시 백화점에서만 쇼핑을 한다.

exclúsive ÓR 〔컴퓨터〕 배타적 논리합(論理合).

exclúsive ÓR gàte 〔컴퓨터〕 배타적 논리합 게이트.

ex·clu·siv·ism[iksklú:sivìzəm] *n.* U 배타〔독점〕주의.

ex·cog·i·tate[ekskádʒətèit/-kɔ́dʒ-] *vt.* 생각해 내다, 고안해 내다. — *vi.* 숙고하다.

ex·cog·i·ta·tion[-ʃən] *n.* U,C 생각해냄, 안출; 고안(물).

ex·com·mu·ni·cate[èkskəmjú:nəkèit] *vt.* 〔基督教〕 파문하다; 추방하다. — [-kit, -kèit] *a., n.* 파문〔추방〕당한 (사람).

ex·com·mu·ni·ca·tion[èkskəmjù:nəkéiʃən] *n.* U,C **1** 〔基督教〕 파문: major ~ 대파문《교회에서 추방》/minor ~ 소파문《성찬 참가 정지》. **2** 제명, 추방.

ex·com·mu·ni·ca·tive, -ca·to·ry[èks-kəmjú:nikèitiv, -kətiv], [-kətɔ̀ri/-təri] *a.* 파문의.

ex·com·mu·ni·ca·tor[-tər] *n.* 파문시키는 사람; 파문 선고자.

ex-con·vict[ékskánvikt/-kɔ́n-] *n.* 전과자.

ex·co·ri·ate[ikskɔ́:rièit] *vt.* 《文語》 **1** 〈사람의〉 피부를 벗기다; 표피를 벗기다; 〈가죽을〉 벗기다. **2** 통렬히 비난하다.

ex·co·ri·a·tion[-ʃən] *n.* **1** a U (피부의) 벗김; 벗겨짐. b 벗겨진 자리. **2** U 통렬한 비난.

ex·cre·ment[ékskrəmənt] *n.* U 《文語》 배설물; (종종 *pl.*) 대변.

ex·cre·men·ti·tious, -men·tal[-men-tíʃəs], [-méntl] *a.* 배설물의; 대변의.

ex·cres·cence, -cen·cy[ikskrésəns], [-si] *n.* 《文語》 (자연적인) 성장물; 군살, 혹, 사마귀; 무용지물.

ex·cres·cent[ikskrésənt] *a.* (병적으로) 불거져 나온; 군살의, 혹의; 쓸데없는; 〔音聲〕 잉음(剩音)의.

ex·cre·ta[ikskrí:tə] *n. pl.* 〔生理〕 배설물《대변·소변·땀 등》. **-tal**[-tl] *a.*

ex·crete[ikskrí:t] *vt.* 〔生理〕 배설하다; 분비하다(*cf.* SECRETE).

ex·cre·tion[ikskrí:ʃən] *n.* U,C 〔生理〕 **1** 배설(작용)(*cf.* SECRETION). **2** 배설물.

ex·cre·tive[ikskrí:tiv] *a.* 배설(촉진)적인, 배설력이 있는.

ex·cre·to·ry[ékskritɔ̀:ri/ekskrí:təri] *a.* 배설의: an ~ organ 배설 기관. — *n.* 배설 기관.

ex·cru·ci·ate[ikskrú:ʃièit] *vt.* (육체적 또는 정신적으로) 몹시 괴롭히다; 고문하다.

ex·cru·ci·at·ing[ikskrú:ʃièitiŋ] *a.* **1** 고문받는 (듯한); 몹시 괴로운, (괴로워) 견딜 수 없는: an ~ headache 몹시 고통스러운 두통. **2** 맹렬한, 대단한, 극도의. **~·ly** *ad.*

ex·cru·ci·a·tion[ikskrù:ʃiéiʃən] *n.* U 자책감, 고문; 격렬한 고통; 고민, 괴로움.

ex·cul·pate[ékskʌlpèit, iks´-`-] *vt.* 《文語》 **1** 무죄로 하다; 무죄임을 변명하다, 〈억울한 죄명을〉 풀어주다(clear): ~ a person *from* a charge …에 대한 고소가 무고함을 입증하다. **2** 〈증거·사실 등이〉 죄를 면하게 하다, 변명이 되다. **exculpate oneself** 자신의 결백을 입증하다《*from*》.

ex·cul·pa·tion[-ʃən] *n.* U 변명, 변호.

ex·cul·pa·to·ry[-pətɔ̀:ri/-təri] *a.* 무죄 변명의; 변명의, 변명 하는.

ex·cur·rent[ekskə́:rənt, -kʌ́r-] *a.* **1** 유출성(流出性)의; 심장에서 흘러 나오는. **2** 〔植〕 외줄기의; 〈잎맥 등〉 연출(延出)하는.

ex·curse[ekskə́:rs] *vi.* 옆길로 새다(digress); 잠깐 여행하다, 소풍가다.

‡**ex·cur·sion**[ikskə́:rʒən, -ʃən] [L] *n.* **1** 소풍, 짧은 여행, 유람; (특별 할인의) 왕복〔일주〕 여행. **2** 여행〔소풍〕 단체. **3** 할인 열차〔배《등》〕. **4** 옆길로 벗어남, 탈선. **5** 〔物〕 편위(偏位); 〔機〕 왕복 운동〔행정〕, 진폭(振幅). **6** 〔原子〕 고속 증식로 안에서의 무제한 핵분열 연쇄 반응, (원자로의) 폭주(暴走)《사고로 출력이 급격히 증대하는 일》. **go on**〔**for**〕 **an excursion** 소풍가다. **make**〔**take**〕 **an ex-**

cursion to〔into〕 …로 소풍가다.
~·ist *n.* 소풍가는 사람; 유람 여행자.
excúrsion tìcket (할인) 유람표.
excúrsion tràin 유람 열차.
ex·cur·sive[ikskə́ːrsiv] *a.* 본론에서 벗어난, 지엽에 흐르는; 산만한: ~ reading 난독(亂讀). **~·ly** *ad.* 산만하게.
ex·cur·sus[ekskə́ːrsəs] *n.* (*pl.* **~·es**, ~) (책 뒤에 붙인) 여적(餘滴), 여록, 부설(附說).
ex·cus·a·ble[ikskjúːzəbəl] *a.* 용서할 수 있는, 변명이 서는. **-bly** *ad.*
ex·cus·a·to·ry[ikskjúzətɔ̀ːri/-təri] *a.* 변명의.
★**ex·cuse**[ikskjúːz] [L] *vt.* **1** 용서하다, 참아주다(*cf.* forgive): 《Ⅲ (목)+전+명》 Could you ~ me *from* it? 그것을 용서해 주실 수 있습니까/《Ⅲ *pos.*+-*ing*》 Please ~ my be*ing* late. 늦어서 죄송합니다(=*Excuse* me *for* be*ing* late.《Ⅲ (목)+전+-*ing*》). **2** 〈사정이〉 …의 구실이 되다; 변명하다, 핑계를 대다. **3** (의무·계약 등으로부터) 〈사람을〉 면제하다, 해제하다: 《Ⅲ (목)+전+명》 The authorities ~*d* him *from* military service. 당국에서는 그에게 병역을 면제시켜 주었다/《Ⅳ 대+(목)》 I ~*d* her the fee. 그녀에게 수수료를 면제해 주었다/《Ⅲ (*that*) (절)》(《*that*) (절)-Ⅲ (목)+전+-*ing*》) I hope (*that*) you will ~ me *from* attend*ing* the meeting since I am unwell. 몸이 건강치 못하니 회의에 참석하는 것을 면제해 주십시오/《I *be pp.*+전+명》 He was ~*d from* attendance at the meeting. 그는 회의 참석을 면제받았다. **4** 《미》 떠나게 하다. **Excuse me.** (1) 미안합니다, 실례합니다. (2) (상승조의 의문문으로) 《미》 뭐라고 하셨습니까. **Excuse me, (but)** … 죄송합니다만 …. **excuse oneself** 변명하다(*for*); 사양하다, 면하여 주기를 바라다(*from*); 실례합니다 하고 자리를 뜨다(*from*). **If you'll kindly excuse me,** … 대단히 죄송합니다만…. **May I be excused?** (학교에서 학생이) 화장실에 가도 되겠습니까.
— [ikskjúːs] *n.* C,U **1** 변명, 핑계, 구실; (*pl.*) (결석 등의) 사과(apology): a mere ~ *to* avoid a person 단순히 …을 피하기 위한 핑계. **2** (과실 등의) 이유; 발뺌(의 말); 용서(pardon)(*for*). **a poor**〔**bad**〕 **excuse** 《口》 명색뿐인 것(*for*): *a poor excuse* for a house 집이라곤 명색뿐인 것. You **have no excuse for** be*ing* lazy. 게으른 데 대해서는 핑계가 없겠지. **in excuse of** …의 변명으로서. **make an excuse** (**for** …) (…의) 변명을 하다. **make one's excuses** 결석을 사과하다. **That**〔**Ignorance of law**〕 **is no excuse.** 그것〔법률을 모른다는 것〕은 변명이 안 된다. **without excuse** 이유없이 〈결석하다 《등》〉.
⊕ excúsatory *a.*
ex·cúse-me (dánce) 남의 파트너와 춤추어도 되는 댄스.
ex·cus·er[ikskjúːzər] *n.* 용서하는 사람; 변명자.
ex-di·rec·to·ry[èksdiréktəri,-dai-] *a.* 《영》 (전화번호가) 전화 번호부에 실리지 않은 (《미》 unlisted).
ex div. ex dividend.
èx dívidend 〔證券〕 배당락(配當落)《略: x.d., ex div.: *opp.* cum dividend》.
ex·e·at[éksiæ̀t] [L] *n.* (학기 중에 주는) 단기 휴가, 외박 허가.
ex·ec[igzék] *n.* 《口》 간부(幹部).
exec. executive; executor.
ex·e·cra·ble[éksikrəbəl] *a.* 저주할, 밉살스러운, 지긋지긋한; 형편없는. **-bly** *ad.*
ex·e·crate[éksikrèit] *vt., vi.* (통렬히) 비난하다; 몹시 싫어하다; 저주하다(curse).
ex·e·cra·tion[eksikréiʃən] *n.* **1** U 저주, 몹시 싫어함. **2** 주문(呪文), 저주의 말, 매도; 저주받은 사람〔것〕, 몹시 싫은 것.
ex·e·cra·to·ry, -cra·tive[-krətɔ̀ːri/-krèitəri], [-tiv] *a.* 저주의.
ex·e·cut·a·ble[éksikjùːtəbəl] *a.* 실행〔수행, 집행〕할 수 있는.
ex·ec·u·tant[igzékjətənt] *n.* 실행자; 연주자(performer). — *a.* 연주하는.
⁑**ex·e·cute**[éksikjùːt] [L] *vt.* **1** 〈계획·명령 등을〉 실행하다, 수행하다(carry out); 〈직무 등을〉 완수하다(fulfill). **2** 〈미술품 등을〉 완성하다, 제작하다; 〈배우가 배역을〉 연기하다; 〈악곡을〉 연주하다. **3** 〔法〕 **a** 〈법률·판결 등을〉 실시하다, 집행하다; 〈계약 등을〉 이행하다. **b** 〈증서·계약서 등을〉 작성〔완성〕하다; 《영》 〈재산을〉 양도하다. **4** 사형을 집행하다, 처형하다: ~ a person *for* murder …을 살인죄로 처형하다/~ a person *as* a murderer …을 살인자로 처형하다.
⊕ execútion *n.*; exécutive *a.*
*****ex·e·cu·tion**[èksikjúːʃən] *n.* U **1** (직무·재판 처분·유언 등의) 실행, 집행; 《특히》 강제 집행〔처분〕; **2** 주효(奏效), (특히 무기 또는 여성의 매력의) 효과. **3** (미술 작품의) 제작, 됨됨이, 수법; (배우의) 연기; 〔樂〕 연주, 연주 솜씨. **4** 완성(*of*); 〔法〕 (증서의) 작성 완료. **5** 사형 집행, 처형. **carry into**〔**put in**(**to**)〕 **execution** 실행하다. **do execution** 위력을 발휘하다. **forcible execution** 강제 집행. **in execution of** (one's **duty**) (직무) 수행중에. ⊕ éxecute *v.*; exécutive *a.*
Execútion Dòck 〔영史〕 해적 처형장《템스 강변 Wapping 부근에 있었음》.
ex·e·cu·tion·er[èksikjúːʃənər] *n.* **1** 실행자. **2** 사형 집행인.
⁑**ex·ec·u·tive**[igzékjətiv] *a.* **1** 실행〔수행, 집행〕의, 집행력〔집행권〕이 있는, 행정적인, 행정상의: an ~ committee 실행〔집행〕 위원회/the ~ branch〔department〕 행정부〔각부〕. **2** 관리직의, 중역〔이사〕의; 경영자다운: an ~ director 전무 이사. **executive**〔**nonexecutive**〕 **branch** (군함의) 전투〔비전투〕부(部).
— *n.* 《略: exec., ex.》 **1 a** 행정관. **b** (the E-) 《미》 행정 장관《대통령·주지사·시장 등》: the Chief E- 《미》 대통령. **2 a** (the ~) (정부의) 행정부. **b** 실행 위원회, 집행부. **3** 관리직, (경영) 간부. **chief executive** 《미》 수석 간부《사장·취체역 회장》. **subordinate executive** 《미》 종속 간부《부사장·경리 부장·지배인 등》. ⊕ éxecute *v.*; execútion *n.*
exécutive agréement 《미》 행정 협정.
exécutive clémency 《미》 행정관 감형《대통령·주지사에 의한 감형》.
Exécutive Mánsion (the ~) 《미》 대통령 관저(the White House); 주지사 관저.
exécutive ófficer 행정관; 〔軍〕 선임 참모, (군함의) 부장(副長); (단체의) 임원.
exécutive órder 행정 명령; (보통 **E- O-**) 《미》 대통령 명령.
exécutive prívilege 《미》 (기밀 보유에 대한) 행정부〔대통령〕 특권.
exécutive sécretary 사무 국장〔총장〕.
exécutive séssion 《미》 (의회 지도자의) 비밀 회의.
ex·ec·u·tor[igzékjətər] *n.* (*fem.* **-trix**[-triks]) **1** 〔法〕 지정 유언 집행인: a literary ~ (고인의 유언에 의한) 유저(遺著)의 관리자.

2 집행자. **~·shìp** *n.* Ⓤ 유언 집행인의 자격〔직무〕.
ex·ec·u·to·ri·al[igzèkjətɔ́:riəl] *a.* 집행인의.
ex·ec·u·to·ry[igzékjətɔ̀:ri/-təri] *a.* **1** 행정상의. **2**〔法〕미이행(未履行)의, 미확정의.
ex·ec·u·trix[igzékjətriks] *n.* (*pl.* **-tri·ces**[igzèkjətráisi:z], **~·es**)〔法〕여자 지정 유언집행인.
ex·e·ge·sis[èksədʒí:sis] *n.* (*pl.* **-ses**[-si:z]) (특히 성경의) 주해, 해석.
ex·e·ge·tic, -i·cal[èksədʒétik], [-əl] *a.* 해석(상)의. **-i·cal·ly**[-kəli] *ad.*
ex·e·get·ics[èksədʒétiks] *n. pl.* (단수 취급) 성경 해석학.
ex·em·plar[igzémplər] *n.* 모범, 본; 견본, 표본; 유례.
ex·em·pla·ry[igzémpləri] *a.* 모범〔전형〕적인; 훌륭한; 본보기의, 훈계가 되는. **-ri·ness** *n.* **ex·em·plar·i·ly**[-rili] *ad.*
exémplary dámages =PUNITIVE DAMAGES.
ex·em·pli·fi·ca·tion[igzèmpləfikéiʃən] *n.* **1** Ⓤ,Ⓒ 예증(例證); 모범. **2** 표본, 적례(適例). **3**〔法〕인증 등본(認證謄本).
*****ex·em·pli·fy**[igzémpləfài] [L] *vt.* (**-fied**) **1** 예증〔예시〕하다; 〈일이〉 …의 좋은 예가 되다. **2**〔法〕복사하다; 인증 등본을 작성하다.
ex·em·pli gra·ti·a[egzémplai-gréiʃiə, -zémpli:-grá:tiɑ:] [L] *ad.* 예컨대(for example) 《略: e.g.》.
ex·em·plum[igzémpləm] *n.* (*pl.* **-pla**[-plə]) 예, 모범, 사례; 도덕적〔교훈적〕 이야기, 훈화.
***ex·empt**[igzémpt] [L] *vt.* 〈사람의 의무를〉 면제하다(release): (Ⅲ (목)+전+명) The school *~ed* him from school expenses. 학교 (당국)에서는 그에게 학비를 면제시켜 주었다/~ a man *from* military service …의 병역을 면제하다. ─ *a.* **1** 면제된(free)《*from*》: You are ~ *from* taxes. 당신은 조세가 면제됩니다. **2** 면역의《*from*》. ─ *n.* (의무를) 면제받은 사람; 《특히》 면세자. **~·i·ble** *a.* ⊕ exémption *n.*
***ex·emp·tion**[igzémpʃən] *n.* Ⓤ (의무의) 면제《*from*》.
ex·e·qua·tur[èksəkwéitər] [L] *n.* (주재국 정부에서 타국의 영사 등에게 주는) 인가장.
ex·e·quies[éksəkwiz] *n. pl.* 장례(식).
ex·er·cis·a·ble[-əbəl] *a.* 행사〔운용, 실행〕할 수 있는: ~ right 행사 가능한 권리.
★**ex·er·cise**[éksərsàiz] [L] *n.* **1** Ⓤ (몸의) 운동; 체조: forms of ~ 운동 양식. **2** 연습, 실습; 습작, 시작(試作): spelling ~ 철자연습/~*s in* debate 토론의 연습/~*s on* the flute 피리 부는 연습/five-finger ~(*s*) (피아노의) 5지(指)연습/an ~ *in* articulation 발음 연습. **3** 연습 문제〔교재〕, 과제: ~*s in* composition〔grammar〕 작문〔문법〕의 연습 문제/a Latin ~ 라틴어의 연습 문제. **4** (*pl.*) 군대의 교련, 군사 훈련(=military ~s). **5** (*pl.*) (학위 청구에 필요한) 수업 과정. **6** (종종 the ~)〈정신력 등을〉 활동시킴, 사용《*of*》; (능력·권리의) 행사, 집행《*of*》; (미덕 등의) 실행(practice)《*of*》. **7** 종교적인 의식, 예배(=~*s* of devotion). **8** (*pl.*) 《미》 식, 의식: graduation〔opening〕 ~*s* 졸업〔개회〕식. **9** 행사: a school ~ 학교 행사. **10**〔미軍〕 레이더 양동(陽動) 관측《거짓 전파를 발사하여 그 반응을 관측함》. **do one's exercise** 〈학생이〉 학과를 공부하다. **lack of exercise** 운동 부족. **take exercise** 운동하다. ─ *vt.* **1** 〈말·개 등을〉 운동시키다; 훈련하다; 〈손발을〉 놀리다: ~ troops 군대를 훈련시키다/~ a person *in* swimming 소년들에게 수영연습을 시키다. **2** 〈권력 등을〉 행사하다, 〈위력 등을〉 발휘하다; 〈맡은 일을〉 다하다; 〈좋은 일 등을〉 행하다: ~ one's right *to* refuse 거부권을 행사하다. **3** 〈영향·감화 등을〉 미치다《*on, over*》: ~ great influence *on* a person …에게 큰 영향을 미치다. **4** 〈마음·사람을〉 괴롭히다, 귀찮게 하다: be much ~*d about* one's health 건강을 크게 근심하다. **5** 〈기관(器官)·기능·상상력 등을〉 작용시키다, 사용하다. **exercise oneself in** …의 연습을 하다. **exercise oneself over**〔**about**〕 …으로 괴로워하다, 애태우다. ─ *vi.* 연습하다; 운동하다.
éxercise bòok 연습장(notebook); 연습 문제집.
ex·er·cis·er[-ər] *n.* 운동자〔기구〕.
ex·er·ci·ta·tion[egzə̀:rsətéiʃən] *n.* Ⓤ 실습, 연습; 문장〔연설〕의 연습.
Ex·er·cy·cle[éksərsàikəl] *n.* 엑서사이클《페달만 밟게 된 실내 운동 기구; 상표명》.
ex·er·gon·ic[èksərgánik/-gɔ́n-] *a.*〔生化〕 에너지 방출성의《생화학 반응에서 외부에 에너지를 방출하는 성질》.
ex·ergue[igzə́:rg, éksə:rg, égzə:rg] *n.* (옛날의 화폐·메달 뒷면의) 도형의 하부와 가장자리 사이《연월일·제조소 등을 새긴 곳》.
⁂**ex·ert**[igzə́:rt] [L] *vt.* **1** 〈힘 등을〉 쓰다, 움직이다; (~ one*self*로) 노력하다《*for*》: ~ every effort 전력을 다하다/He ~*ed* himself *to* win the race. 그는 경주에 이기기 위해 노력했다. **2** 〈위력 등을〉 발휘하다, 압력을 가하다, 〈감화를〉 미치다: ~ a favorable influence *on* a person …에게 좋은 영향을 끼치다. ⊕ exértion *n.*; exértive *a.*
***ex·er·tion**[igzə́:rʃən] *n.* **1** 노력, 진력, 분발(endeavor); (힘의) 발휘, 행사《*of*》: use〔make, put forth〕 ~*s* 진력〔노력〕하다. **2** (권력의) 행사(行使). ⊕ exért *v.*
ex·er·tive[igzə́:rtiv] *a.* 노력하는.
ex·es[éksiz] *n. pl.* 《口》 비용(expenses).
Ex·e·ter[éksitər] *n.* 엑세터《잉글랜드 남서부 Devonshire 주(州)의 주도; 대성당이 있음》.
ex·e·unt[éksiənt, -ʌnt] [L] *vi.*〔劇〕 퇴장하다.
exeunt om·nes[-ámni:z/-ɔ́m-] [L] *n.*〔劇〕 전원 퇴장(*cf.* EXIT[2]).
èx fáctory 공장도(渡).
ex·fil·trate[eksfíltreit] *vi., vt.*〔미軍〕 적진에서 탈출하다〔시키다〕.
ex·fo·li·ate[eksfóulièit] *vi., vt.* 〈암석·나무껍질 등이〉 벗겨지다, 벗겨져 떨어지다, 벗기다. **ex·fò·li·á·tion**[-ʃən] *n.* 벗겨짐; 박락물(剝落物).
ex. g(**r**). exempli gratia.
ex gra·ti·a[eks-gréiʃiə] [L=out of grace] *ad., a.* 호의로서(의).
ex·ha·la·tion[èkshəléiʃən] *n.* **1** Ⓤ 발산, 증발, 숨을 내쉼(*opp.* inhalation). **2** Ⓤ,Ⓒ 증발기(氣)《수증기·안개 등》; (향기·취기 등의) 발산물, 호기(呼氣). **3** Ⓤ (노염 등의) 폭발.
***ex·hale**[ekshéil, igzéil] [L] *vt.* **1** 〈숨을〉 내쉬다; 내뿜다. **2** 〈증기·향기 등을〉 발산〔방출〕하다; 증발시키다. ─ *vi.* **1** 발산〔증발〕하다; 소산(消散)하다. **2** 숨을 내쉬다(*opp.* inhale).
***ex·haust**[igzɔ́:st] [L] *vt.* **1** 다 써버리다(use up); (종종 수동형으로) 〈자원·국고를〉 고갈시키다; 〈체력·인내력 등을〉 소모하다(consume): My energy is ~*ed.* 힘이 소진되었다. **2** 〈국가·사람을〉 피폐시키다(tire out); (~ one*self*) 지칠대로 지치다, 기진맥진해지다: I have ~*ed* myself walking. 걸어서 지쳐 버렸다. **3** 〈연구 과제 등을〉 속속들이 규명하다〔말하다〕. **4** 〈그릇

을〉 비우다(empty); 〈우물을〉 다 퍼내다: ~ a cask *of* liquor 술통을 비우다. **5** 〈공기·가스 등을〉 배출하다(draw off). **6** (용매를 사용하여)〈약 등의 성분을〉 모두 뽑아내다. — *n.* **1** U,C (기체의) 배출; 배기 가스(= ~ fumes): auto ~*s* 자동차의 배기 가스/~ control 배기 가스 규제. **2** 배기 장치, 배기관(= ~ pipe).
⊕ exháustion *n.*: exháustive *a.*

*****ex·haust·ed**[igzɔ́:stid] *a.* **1** 다 써버린, 소모된, 고갈된; 다 퍼버린, 물이 마른〈우물 등〉. **2** 지칠대로 지친: feel quite ~ 아주 지쳤다. **be exhausted** 다하다; 지쳐버리다.

exháust fàn 배기 송풍기〔팬〕.

exháust fùmes 배기 가스.

exháust gàs 배기 가스 《특히 엔진의》.

ex·haust·i·bil·i·ty[igzɔ̀:stəbíləti] *n.* U 고갈시킬 수 있음, 다할 수 있는 가능성.

ex·haust·i·ble[igzɔ́:stəbəl] *a.* 고갈시킬 수 있는, 다할 수 있는.

ex·haust·ing[igzɔ́:stiŋ] *a.* 소모적인; (심신을) 피로하게 하는(fatiguing). **~·ly** *ad.*

*****ex·haus·tion**[igzɔ́:stʃən] *n.* U **1** 다 써버림, 소모, 고갈《*of*》. **2** (극도의) 피로, 기진(맥진). **3** 〔物〕 배기(排氣). **4** (문제 등의) 철저한 검토.
⊕ exháust *v.*: exháustive *a.*

*****ex·haus·tive**[igzɔ́:stiv] *a.* 고갈시키는, 소모적인; 철저한, 속속들이 규명해 내는, 남김없는(thoroughgoing). **~·ness** *n.*
⊕ exháust *v.*: exháustion *n.*

ex·haus·tive·ly *ad.* 철저하게, 남김없이, 속속들이.

ex·haust·less[igzɔ́:stlis] *a.* 다함이 없는, 무진장의; 지칠 줄 모르는. **~·ly** *ad.*

exháust mànifold (내연 기관의) 배기 다기관(多岐管).

exháust pìpe (엔진의) 배기관.

exháust vàlve 배기판(排氣瓣).

exhbn. exhibition.

‡**ex·hib·it**[igzíbit] [L] *vt.* **1** (전람회 등에) 출품하다, 진열하다, 전시하다(⇨show): ~ the latest models of cars 최신 모델의 차를 전시하다. **2** 나타내다, 보이다, 드러내다: ~ no interest 관심을 보이지 않다. **3** 〔法〕 (증거 물건으로서) 제시하다. **4** 〔醫〕 투약하다.
— *vi.* 전시회를 개최하다, 출품하다.
— *n.* **1** 출품, 진열, 전시; (서류 등의) 공시(公示), 공개, 전람(display); 《미》 전시회, 전람회; 진열〔전시〕품: Do not touch the ~*s.* 전시품에 손대지 마시오. **2** 〔法〕 증거 물건〔서류〕. **on exhibit** 진열되어(on show).

‡**ex·hi·bi·tion**[èksəbíʃən] *n.* **1** U,C 전람, 공개, 피로(披露). **2** 전람회, 전시회, 박람회(*cf.* EXHIBIT (*n.*), EXPOSITION); 구경거리: an competitive ~ 공진회(共進會). **3** 출품물, 진열품(exhibits); 《미》 학예회. **4** (학식 등의) 과시, 발휘; (의견의) 개진. **5** U 〔法〕 (증거서류·증거물의) 제시, 제출. **6** 시범 경기(= ~ gàme 〔màtch〕). **7** U 〔醫〕 투약. **8** 《영》 장학금. **make an**〔**a regular**〕 **exhibition of oneself** (어리석은 짓을 하여) 웃음거리가 되다. **on exhibition** = **on** EXHIBIT. **~·er**[-ər] *n.* 《영》 장학생; = EXHIBITOR. **~·ìsm**[-ìzəm] *n.* U 남의 눈에 띄는 짓을 하기 좋아함; 자기 선전하는 버릇; 〔精醫〕 노출증. **~·ist**[-ist] *n., a.* 자기 선전가(의); 〔精醫〕 노출증 환자(의).

ex·hib·i·tive[igzíbitiv] *a.* 〈…을〉 나타내는, 표시하는《*of*》.

ex·hib·i·tor[igzíbitər] *n.* **1** 출품자. **2** 《미》 영화관 경영자.

ex·hib·i·to·ry[igzíbitɔ̀:ri/-təri] *a.* 전시(용)의, 전람의.

ex·hil·a·rant[igzílərənt] *a.* 기분이 들뜨는 (것 같은). — *n.* 기분을 상쾌하게 하는 것, 흥분제.

ex·hil·a·rate[igzílərèit] *vt.* …의 기분을 들뜨게 하다, 유쾌〔쾌활〕하게 하다. **be exhilarated by**〔**at**〕 …으로 기분이 들뜨다, 명랑해지다.

ex·hil·a·rat·ing[igzílərèitiŋ] *a.* 기분을 돋우는, 상쾌한: an ~ drink 술. **~·ly** *ad.*

ex·hil·a·ra·tion[igzìləréiʃən] *n.* U 기분을 돋움; 유쾌한 기분, 들뜸; 흥분.

ex·hil·a·ra·tive[igzílərèitiv, -rətiv] *a.* 기운나게 하는, 상쾌하게 하는.

*****ex·hort**[igzɔ́:*r*t] *vt.* 《文語》 간곡히 타이르다, 권하다, 훈계하다: 《V (목)+*to be*+형》 She ~*ed* the boy to be quiet. 그녀는 그 소년에게 조용히 하도록 간곡히 타일렀다/~ a person *to* good deeds …에게 착한 일을 하도록 열심히 설유하다. — *vi.* 훈계〔권고〕하다. **~·er**[-ər] *n.*

*****ex·hor·ta·tion**[ègzɔ:*r*téiʃən, èksɔ:*r*-] *n.* U 간곡한 권고, 장려; 경고, 훈계.
⊕ exhórt *v.*: exhórtative, exhórtatory *a.*

ex·hor·ta·tive[igzɔ́:*r*tətiv] *a.* 권고〔훈계〕적인.

ex·hor·ta·to·ry[-tɔ̀:ri/-təri] *a.* = EXHORTATIVE.

ex·hu·ma·tion[èks*h*ju:méiʃən, ègz*j*u:-] *n.* U,C 발굴(發掘), 시체〔묘지〕 발굴.

ex·hume[igz*j*ú:m, eks*h*ú:m] [L] *vt.* 〈시체를〉 발굴하다; 〈무덤을〉 파내다; 〈묻힌 명작 등을〉 햇빛을 보게 하다, 발견〔발굴〕하다.

ex·húm·er[-ər] *n.*

ex·i·gen·cy, -gence[éksədʒənsi], [-dʒəns] *n.* (*pl.* **-cies; -genc·es**) U,C **1** 급박, 위급, 긴박(한 때). **2** (보통 **-cies**) 급박〔절박〕한 사정, 급무《*of*》. **in this exigency** 이 위급한 때에. **meet the exigencies of the moment** 급박한 사태에 대처하다.

ex·i·gent[éksədʒənt] *a.* **1** 위급한, 급박한. **2** 자꾸 요구하는《*of*》. **3** 각박한. **~·ly** *ad.*

ex·i·gi·ble[éksədʒəbəl] *a.* 강요〔요구〕할 수 있는《*against, from*》.

ex·i·gu·i·ty[èksəgjú:əti] *n.* U 미소(微小), 근소(smallness, scantiness).

ex·ig·u·ous[igzígjuəs, iksíg-] *a.* 《文語》 근소한, 얼마 안되는. **~·ly** *ad.* **~·ness** *n.*

*****ex·ile**[égzail, éks-] *n.* **1** U (또는 an ~) 추방, 유형(流刑), 유배; 망명, 국외 방랑, 유랑, 이향(離鄕): live in ~ 망명 생활을 하다/after *an* ~ of ten years 10년의 방랑〔유랑〕끝에. **2** 추방인, 유배자; 망명객, 유랑자. **3** (the E-) (유대인의) 바빌론 유수(幽囚)(the Babylonian Captivity). **go into exile** 추방 당한〔유랑의〕 몸이 되다. — *vt.* 추방하다, 유배에 처하다: ~ a person *from* his country …을 고국에서 추방하다. **exile oneself** 망명하다.

ex·il·ic, ex·il·i·an[egzílik, eks-], [egzíliən, eks-] *a.* 추방의, 《특히》 바빌론 유수의.

ex·il·i·ty[egzíləti, eks-] *n.* U 미세; 미묘.

Ex-Im[éksìm] Export-Import Bank of the United States 《미국》 미국 수출입 은행. 《또는 **Éx·ìm, Éx·im·bànk**라 함》

Ex·im·bank, Ex-Im Bank[éksímbæ̀ŋk] *n.* (미국) 수출입 은행(Export-Import Bank (of the United States)).

‡**ex·ist**[igzíst] [L] *vi.* **1** 존재하다, 현존하다: God ~*s.* 신은 존재한다. **2** 〈특수한 조건 또는 장소에〉 있다, 존재하다, 나타나다(be, occur): Salt ~*s in* the sea. 소금은 바닷물 속에 있다. **3** 생존하다, 존속하다, 살아 있다(live): ~ *on*

a meager salary 박봉으로 살아가다/Man cannot ~ *without* air. 인간은 공기 없이는 살아갈 수 없다. **4** 〔哲〕 실존하다. **exist as** … 로서〔의 형태로〕 존재하다.

⁑ex·is·tence[igzístəns] *n.* **1** Ⓤ 존재, 실재, 현존; 〔哲〕 실존. **2** (an ~) 생활. **3** 존재물, 실재물, 실체(實體). **bring〔call〕 into existence** 생기게 하다, 낳다; 성립시키다. **come into existence** 《文語》 생기다; 성립하다. **go〔pass〕 out of existence** 소멸하다, 없어지다. **in existence** 현존하는, 존재하는. **put … out of existence** 절멸시키다, 죽이다. **the struggle for existence** 생존 경쟁.

***ex·is·tent**[igzístənt] *a.* 현존하는; 현행의, 목하의: the ~ circumstances 현재 상황. ── *n.* 존재하는 것〔사람〕.

ex·is·ten·tial[ègzisténʃəl, èksi-] *a.* 존재에 관한. **~·ìsm**[-ìzəm] *n.* Ⓤ 〔哲〕 실존주의. **~·ist**[-ist] *n., a.* 실존주의자(의).

ex·ist·ing[igzístiŋ] *a.* =EXISTENT.

***ex·it¹** [égzit, éksit] *n.* 출구(way out); (배우의) 퇴장, (정치가의) 퇴진; 외출〔출국〕(의 자유); 사망: make one's ~ 퇴거〔퇴장〕하다; 죽다. ── *vi.* 퇴거하다, 나가다.

exit² [L] *vi.* 〔劇〕 퇴장하다(*opp.* enter; *cf.* EXEUNT).

éxit pèrmit 출국 허가(증).

éxit pòll 투표소 출구에서의 여론 조사《투표 결과의 예상 등을 위한》.

éxit tàx 《옛 소련》 국외 이주세.

éxit vìsa 출국 사증(*opp.* entry visa).

ex lib. ex libris.

ex li·bris[eks-láibris, -lí:b-] [L] *n.* (*pl.* ~) 장서표(藏書票)《略: ex lib.》. ── *prep.* …의 장서에서.

ex-li·brist[ekslάibrist, -lí:-] *n.* 장서표 수집자.

ex ni·hi·lo[eks-ní:*h*əlòu] [L] *ad., a.* 무(無)에서(의).

ex·o-[éksou, 미+-sə] [Gk] 《연결형》「바깥, 외부」의 뜻(*opp.* endo-): *exo*carp.

ex·o·at·mos·phere[èksouǽtməsfiər] *n.* 외기권(exosphere).

ex·o·bi·ol·o·gy[èksoubaiάlədʒi] *n.* Ⓤ 우주 생물학. **-gist** *n.*

ex·o·carp[éksoukὰ:rp] *n.* =EPICARP.

ex·o·cen·tric[èksouséntrik] *a.* 〔言〕 외심적인(*opp.* endocentric): ~ construction 외심(外心) 구조.

Ex·o·cet[ègzouséi] [F] *n.* 엑조세 미사일《프랑스제 공대함(空對艦) 미사일》.

ex·o·crine[èksəkràin, -krin] 〔生理〕 *a.* 외분비(성)의. ── *n.* 외분비물; 외분비선(=⁓ **glànd**).

éxocrine glànd (한선(汗腺); 타액선 따위) 외분비선.

ex·o·cri·nol·o·gy[èksəkrinάlədʒi, -krai-/-nɔ́l-] *n.* 외분비학.

ex·o·cy·to·sis[èks*ou*saitóusis] *n.* 〔生〕 엑소사이토시스, 토세포(吐細胞) 현상《세포안에 소포(小胞)를 만들어 세포밖으로 방출·분비하는 작용》.

Exod. Exodus.

ex·o·don·tia[èksədάnʃ*i*ə/-dɔ́n-] *n.* Ⓤ 〔齒科〕 발치술(拔齒術)(*cf.* ORTHODONTIA).

ex·o·dus[éksədəs] [Gk] *n.* **1** (*sing.*) (많은 사람의) 이동; (이민 등의) 출국, 이주(*of, from*). **2** (the E-) (이스라엘 사람의) 이집트 출국〔퇴거〕; (E-) 〔聖〕 출애굽기《구약 성서 중의 한 책; 略: Exod.》.

ex·o·e·lec·tron[èksouiléktrαn/-trɔn] *n.* 〔物〕 엑소 전자《응력(應力) 하에서 금속 표면으로부터 방출되는 전자》.

ex of·fi·ci·o[èks-əfíʃiòu] [L] *ad., a.* 직권상; 직권에 의한, 직권상 다른 직무〔지위〕를 겸하는《略: e.o., ex off.》.

ex·og·a·mous, ex·o·gam·ic[eksάgəməs/-sɔ́g-], [èksəgǽmik] *a.* 〔社〕 이족(異族) 결혼의; 〔生〕 이계(異系) 교배의.

ex·og·a·my[eksάgəmi/-sɔ́g-] *n.* Ⓤ 〔社〕 족외(族外) 결혼제도, 이족 결혼(*cf.* ENDOGAMY).

ex·o·gen[éksədʒən] *n.* 〔植〕 외생 식물.

ex·og·e·nous[eksάdʒənəs/-sɔ́dʒ-] *a.* 〔生〕 외인성(外因性)의; 〔植〕 외생(外生)의; 〔地質〕 외성(外成)의.

ex·on[éksαn/-ɔn] *n.* 〔生化〕 엑손《진핵(眞核) 생물의 mRNA의 정보 배열》.

ex·on·er·ate[igzάnərèit/-zɔ́n-] *vt.* 무죄가 되게 하다, 〈…의 혐의 등이〉 무고함을 밝히다, 무죄임을 입증하다; 〈…을 의무 등에서〉 면제하다: 《Ⅲ (목)》 The witness of the accident ~ him. 그 사고의 목격자는 그가 무죄임을 입증했다/《Ⅲ (목)+전+명》 She ~*d* him *from* the accident. 그녀는 그가 그 사고에 대하여 죄가 없음을 밝혔다/She ~*d* him *from* 〔*of*〕 an accusation. 우리는 그의 결백을 입증했다/《Ⅲ (목)+전+명》 He ~*d* himself from 〔of〕 the charge of theft. 그는 절도 혐의를 벗었다/《Ⅲ (목)+전+명》 She ~*d* him *from* payment. 그녀는 그에게 지불을 면제해 주었다(=He was ~*d from* payment. 그는 지불이 면제되었다《Ⅰ *be pp.*+전+명》).

ex·on·er·a·tion[-ʃən] *n.* Ⓤ (원죄(冤罪)에서) 구하기, 면죄(免罪); (의무의) 면제, 책임의 해제.

ex·on·er·a·tive[-rèitiv, -nərət-] *a.* 면죄의; 의무 면제의.

ex·o·nu·mi·a[èksən*j*ú:miə] *n. pl.* (메달·라벨 등) 화폐 이외의 수집품. **-mist**[-n*j*ú:mist, ⌐-⌐-] *n.*

ex·oph·thal·mi·a, -mos, -mus[èksαfθǽlmiə/-sɔf-], [-məs, -mαs], [-məs] *n.* Ⓤ 〔病理〕 안구(眼球) 돌출(증).

ex·o·plasm[éksouplæ̀zəm] *n.*=ECTOPLASM.

ex·or·bi·tance[igzɔ́:rbətəns] *n.* Ⓤ 엄청남, 과대, 과도.

ex·or·bi·tant[igzɔ́:rbətənt] [L] *a.* 〈욕망·요구·값 등〉 엄청난, 터무니없는, 과대한《*in*》. **~·ly** *ad.*

ex·or·cise[éksɔ:rsàiz] *vt.* **1** 〈귀신을〉 내쫓다《*from, out of*》; 〈사람·장소에서〉 귀신을 몰아내다, 구마(驅魔)하다, 액막이 하다: ~ a person〔place〕 *of* evil spirits …에게서〔에서〕 악령을 몰아내다. **2** 〈나쁜 생각 등을〉 몰아내다, 떨쳐버리다.

ex·or·cism[éksɔ:rsìzəm] *n.* Ⓤ 귀신 쫓아내기, 푸닥거리, 액막이; Ⓒ 구마 주문(呪文)〔의식〕. **-cist**[-sist] *n.* 귀신을 쫓아내는 사람, 무당.

ex·or·cize[éksɔ:rsàiz] *vt.* =EXORCISE.

ex·or·di·um[igzɔ́:rdiəm, iksɔ́:r-] [L=beginning] *n.* (*pl.* ~**s, -dia**[-diə]) (강연 등의) 서론, 두서. **-di·al** *a.*

exor. executor.

ex·o·skel·e·ton[èksouskélitn] *n.* 〔解〕 외골격(外骨格). **-tal**[-tl] *a.*

ex·o·sphere[éksousfìər] *n.* 〔氣〕 외기권《대기권 중 고도 약 1,000km 이상》.

ex·o·ter·ic, -i·cal[èksətérik], [-əl] *a.* **1** 〔宗·哲〕 (문외한에게) 개방적인(*cf.* ESOTERIC

(AL)). **2** 공개적인: 통속적인: 평범한.
-i·cal·ly *ad.*

ex·o·ther·mic[èksouθə́:rmik] *a.* 〔化〕 발열(성)의.

*__ex·ot·ic__[igzátik/-zɔ́t-] [Gk] *a.* **1** 〈동식물 등〉 외국산의, 외래의《종종 열대산을 말함: *opp.* indigenous》. **2** 이국 정서의, 이국적인; 색다른, 낭만적인. — *n.* 외래 식물, 외래 취미, 외래어 (등). **-i·cal·ly** *ad.*
◇ exóticism *n.*

ex·ot·i·ca[igzátikə/-zɔ́t-] *n. pl.* 이국풍의 것; 이국 취미의 작품; 별난 습속.

exótic dáncer 스트리퍼, 벨리 댄서.

ex·ot·i·cism[igzátəsìzəm/-zɔ́t-] *n.* Ⓤ **1** 이국 취미; 이국 정서. **2** 외국식 어법.

ex·o·tox·in[èksoutáksin/-tɔ́k-] *n.* 〔生化〕 (균체(菌體)) 외(外)독소(*opp.* endotoxin).

ex·o·tro·pi·a[èksətróupiə] *n.* 〔眼科〕 외사시(外斜視)《안구의 한쪽 또는 양쪽이 밖을 향해 있는 사시; ◇ walleye 라고도 함》.

ex·o·trópic *a.*

exp. expense(s); expired; exportation; export(ed); exporter; express.

⁑**ex·pand**[ikspǽnd] [L] *vt.* **1** 펴다, 펼치다, 넓히다: ~ wings 날개를 펴다. **2** 〈부피 등을〉 팽창시키다; 〈가슴을〉 부풀리다: Heat ~*s* metal. 열은 금속을 팽창시킨다. **3** 〈범위 등을〉 확장〔확대〕하다《*into*》: ~ one's business 사업을 확장하다. **4** 〈관념·토론 등을〉 발전〔진전, 전개〕시키다《*into*》: *E*- this one sentence *into* a paragraph. 이 한 문장을 한 단락으로〔절로〕 늘여라. **5** 〔數〕 전개하다. **6** 〈마음을〉 넓게 하다, 크게 하다.
— *vi.* **1** 퍼지다, 넓어지다; 팽창하다; 〈봉오리·꽃이〉 벌어지다, 피다: Metal ~*s with* heat.(=Metal ~*s when* heated.) 금속은 가열하면 팽창한다. **2** 성장하다, 발전하다, 발전하여 …이 되다《*into*》: The small college has ~*ed into* a big university. 그 작은 단과 대학은 발전하여 큰 종합 대학교가 되었다. **3** 〈마음이〉 넓어지다; 마음을 터놓다; (얼굴에) 활짝 웃음짓다: He said so with his face ~*ing in* a bland smile. 얼굴에 부드러운 미소를 띄우며 그가 그렇게 말했다. **4** 자세히 말하다, 부연하다(expatiate)《*on, upon*》.
◇ expánsion, expánse *n.*: expánsive *a.*

ex·pand·a·ble *a.* =EXPANSIBLE.

*__ex·pand·ed__[-id] *a.* 넓어진, 확대된; 〔印〕 (활자의) 폭이 넓은.

expánded cínema =INTERMEDIA.

expánded métal 망상 전신(網狀展伸) 금속판《건축 내강제》.

expánded plástic 발포(發泡) 플라스틱.

expánded ténse 〔文法〕 확충(擴充) 시제, 진행형(progressive form).

ex·pand·er[ikspǽndər] *n.* 확대시키는 사람〔장치〕; 〔電子〕 신장기.

ex·pánd·ing fòlder[ikspǽndiŋ-] 주름통 모양으로 펴지는 서류철.

expánding úniverse 〔天〕 팽창하는 우주: ~ theory 〔天〕 팽창 우주론.

*__ex·panse__[ikspǽns] *n.* **1** (종종 *pl.*) 넓게 퍼진 공간〔장소〕; 넓은 구역《*of*》: an ~ *of* water〔snow〕 넓디 넓은 수면〔설원〕/the boundless ~ of the Pacific 한없이 넓은 태평양/the blue ~ 푸른 하늘, 창공. **2** 팽창, 확장(expansion).

ex·pan·si·ble[ikspǽnsəbəl] *a.* 신장할 수 있는; 팽창할 수 있는〔하기 쉬운〕; 발전성 있는. **ex·pàn·si·bíl·i·ty**[-bíləti] *n.* Ⓤ 신장력〔성〕; 팽창력; 발전성.

ex·pan·sile[ikspǽnsəl, -sail] *a.* 신장〔확대〕의, 확장〔확대〕할 수 있는, 팽창성의.

⁑**ex·pan·sion**[ikspǽnʃən] *n.* **1** Ⓤ 확장; 《비유》 발전(development)《*of*》; 확대(enlargement); 〔商〕 거래의 확장; 《미》 영토 확장: the ~ *of* armaments 군비 확장. **2** Ⓤ 팽창; 신장(伸長), 전개: the ~ *of* a bird's wings 새가 날개를 펴기. **3** 넓음, 널찍한 표면(expanse). **4** 〔數〕 전개(식). ◇ expánd *v.*: expánsive *a.*

ex·pan·sion·ism[ikspǽnʃənìzəm] *n.* Ⓤ (영토·상업 따위의) 확장정책, 확장 발전론〔주의〕; (통화 따위의) 팽창 정책.

ex·pan·sion·ist[ikspǽnʃənist] *n., a.* 확장론자(의); 《미》 영토 확장론자(의).

ex·pan·sion·ar·y[-èri/-əri] *a.* 확장〔발전, 팽창〕성의: an ~ economy 팽창 경제.

expánsion slòt 〔컴퓨터〕 확장 슬롯《컴퓨터의 성능을 늘이기 위해 새로운 회로판을 연결하는 것》.

ex·pan·sive[ikspǽnsiv] *a.* **1** 팽창력 있는, 팽창성의; 확장적인; 전개적인. **2** 널찍한, 광대한(broad). **3** 마음이 넓은, 포용력이 큰; 활달한, 개방적인(unreserved). **4** 〔精醫〕 과대 망상적인. **~·ly** *ad.* **~·ness** *n.*

ex par·te[eks-pá:rti] [L] *ad., a.* 〔法〕 당사자 한쪽에 치우쳐〔친〕, 일방적으로〔인〕.

ex·pa·ti·ate[ikspéiʃièit] *vi.* 상세히 설명하다〔말하다〕《*on, upon*》.

ex·pa·ti·a·tion[-ʃən] *n.* Ⓤ,Ⓒ 상세한 설명, 부연(敷衍).

ex·pa·ti·a·to·ry[-ʃiətɔ̀:ri/-təri] *a.* 자세히〔장황하게〕 설명 하는.

ex·pa·tri·ate[ekspéitrièit/-pǽt-] *vt.* 국외로 추방하다(*cf.* expel). **expatriate oneself** (외국으로) 이주하다(emigrate); (특히, 귀화하기 위해) 원래의 국적을 버리다.
— [-trièit, -triit] *a., n.* 국외로 추방된 (사람), 국적을 상실한 (사람).

ex·pa·tri·a·tion[-ʃən] *n.* Ⓤ,Ⓒ 국외 추방; 본국 퇴거, 국외 거주; 〔法〕 국적 이탈.

★**ex·pect**[ikspékt] [L] *vt.* **1** 기대하다, 예기〔예상〕하다, 기다리다, 〈…하리라〉 생각하다; …할 작정이다: 《Ⅲ *to* do》 I ~*ed to* have met him the next day. 나는 그 다음날 그를 만날 기대를 했었는데 (만나지 못했다)/《Ⅲ *that*(절)》 I ~ *that* there would be strong disagreement about this problem. 나는 이 문제에 대하여 큰 논쟁이 있으리라고 예상한다(=I ~ there *to be* strong disagreement about this problem. 《Ⅲ 목+*to be*+명》). **2** (당연한 일로서) 기대하다, 〈…하기를〉 바라다, 요구하다: 《Ⅲ *that*(절)》 All of them ~*ed that* the weather (should) be fine that day. 그들은 모두 그날 날씨가 쾌청하기를 바랐다/《Ⅲ *that*(절)》 I ~ *that* you will obey. 자네는 말을 잘 들으리라 생각한다(=I ~ your obedience.《Ⅲ (목)》/=I ~ you *to* obey.《Ⅴ (목)+*to* do》)/《Ⅲ *that*(절)》 She ~*s that* I should never return. 그녀는 내가 돌아오지 않기를 바란다(=She ~*s* me never *to* return.《Ⅴ (목)+부+*to* do》). **3** 《口》 〈…라고〉 생각하다, 추측하다(think, suppose)《◇ 보통 진행형 불가》: 《Ⅴ (목)+부》 What time do you ~ him back? 몇시쯤 그가 돌아오리라고 보십니까/《Ⅲ *that*(절)》 I ~ *that* he will be late. 그는 늦게 올겁니다. **4** (진행형으로) 《口》 〈아기를〉 출산할 예정이다: She is ~*ing* a baby. 그녀는 아기를 낳게 될 것이다.
— *vi.* 《口》 (아마 그럴 것이라고) 생각하다; (진행형으로) 임신해 있다(be pregnant); 출산 예

정이다: His wife is ~*ing*. 그의 아내는 임신하고 있다/His wife is ~*ing* next month. 그의 아내는 다음 달 출산 예정이다. **As might be expected of** a gentleman, he was as good as his word. 과연(기대했던 바와 같이)(신사답게 그는 약속을 지켰다). **as was**〔**had been**〕 **expected** 《文語》 예기한 대로. **Expect me when you see me.** 《口》 돌아올 때가 되면 오겠다, 언제 돌아올지 모르겠다. I will do **what is expected of** me〔my duty〕. 기대를 어기지 않겠습니다〔본분을 다하겠습니다〕.
◇ expectátion *n.*: expéctant *a.*

*__ex·pec·tan·cy, -tance__[ikspéktənsi], [-əns] *n.* (*pl.* **-cies; -tanc·es**) U,C **1** 예상, 예기. **2** 기대; 대망(待望); 확신(*of*). **3** 〔法〕 장래 재산권; (통계에 의거한) 예측 수량.
life expectancy = the expectation of life 〔保〕 평균 여명(餘命).

*__ex·pec·tant__[ikspéktənt] *a.* **1** 기대하는, 기다리는, 바라는(*of*); 임신 중인, 출산을 앞두고 있는: an ~ mother 임신부. **2** 기대되는, (결과 등을) 관망하는: an ~ policy 기회주의 정책/an ~ attitude 방관적 태도/an ~ method 〔醫〕 기대〔자연〕 요법. **3** 〔法〕 추정 (상속)의, 재산 입수의 가능성이 있는. — *n.* **1** 기대하는 사람, 예기하는 사람; 대망자(待望者); (관직 등의) 채용 예정자; 임신부. **2** 〔法〕 추정 상속인. **~·ly** *ad.* 예기하여, 기대하여. ◇ expéctancy *n.*

⁑__ex·pec·ta·tion__[èkspektéiʃən] *n.* **1** U 예상, 예기; (좋은 일의) 기대. **2** 바라는 목표; (*pl.*) 장래의 희망, 《특히》 예상되는 유산 상속: have brilliant ~*s* 굉장히 좋은 일이 있을 것 같다/have great ~*s* 굉장한 유산이 굴러 들어올 것 같다. **3** 가능성(probability); 〔統〕 기대값. **according to expectation** 예기한 대로. **against**〔**contrary to**〕 **expectation** 예기에 반하여. **beyond expectation** 예상외로. **the expectation of life** = LIFE EXPECTANCY 〔保〕 평균 여명(餘命). **in expectation** 예기의; 예기하여. **in expectation of** …을 기대하여. **meet**〔**come up to**〕 a person's **expectations** …의 기대에 부응하다, …의 예상대로 되다.
◇ expéct *v.*: expéctative *a.*

ex·pec·ta·tive[ikspéktətiv] *a.* 바라는, 기대하는 (대상의). — *n.* 기대되는 것.

ex·péct·ed válue[ikspéktid-] 〔統〕 기댓값.

ex·pect·ing *a.* 《완곡》 임신한(pregnant): My wife is ~ again. 아내는 또 임신 중이다.

ex·pec·to·rant[ikspéktərənt] *a.* 가래를 나오게 하는. — *n.* 거담약(祛痰藥).

ex·pec·to·rate[ikspéktərèit][L] *vt., vi.* 〈가래·혈담을〉 뱉다; 《미》 침을 뱉다.

ex·pec·to·ra·tion[-ʃən] *n.* U 가래〔침〕 뱉음; C 뱉은 것.

ex·pe·di·en·cy, -ence[ikspí:diənsi], [-əns] *n.* (*pl.* **-cies; -enc·es**) U,C 편의, 형편 좋음; 방편, 편리한 방법; 〔倫〕 편의주의; (악착 같은) 사리(私利) 추구.

*__ex·pe·di·ent__[ikspí:diənt] *a.* 편리한, 편의의; 상책인; 방편적인, 정략적인; 사리(私利)를 꾀하는. — *n.* 수단, 방편, 편법, (변통의) 조치: resort to an ~ 편법을 강구하다〔쓰다〕.
temporary expedient 임시 방편, 미봉책.
~·ly *ad.* 편의상, 방편으로.
◇ expédience *n.*: expediéntial *a.*

ex·pe·di·en·tial[-énʃəl] *a.* 편법의, 편리주의의, 방편적인.

ex·pe·dite[ékspədàit] [L] *vt.* 《文語》 진척시키다, 촉진시키다; 신속히 처리하다; 급히 보내다. — *a.* 《古》 지장이 없는; 급속한.

-dit·er, -di·tor[-ər] *n.* 원료 공급계원; 홍보 담당자; (공사 등의) 촉진계원.

⁑__ex·pe·di·tion__[èkspədíʃən] *n.* **1** a 원정(遠征); (탐험 등의) 여행: an exploring ~ 탐험 여행/go on an ~ 탐험〔원정〕 여행을 떠나다. b 원정대, 탐험대. **2** U 《文語》 급속, 신속.
make an expedition 원정하다; 탐험 여행을 하다. **use expedition** 후딱 해치우다. **with expedition** 신속히〔척척〕(하다). ◇ éxpedite *v.*: expedítionary, expedítious *a.*

ex·pe·di·tion·ar·y[-nèri/-nəri] *a.* 원정의: an ~ force 원정군.

ex·pe·di·tious[èkspədíʃəs] *a.* 급속한, 신속한: an ~ messenger 급사(急使). **~·ly** *ad.* **~·ness** *n.*

*__ex·pel__[ikspél] [L] *vt.* (**~led; ~·ling**) **1** 내쫓다, 쫓아버리다, 구축하다(drive out); 〈해충 등을〉 구제하다(*from*): ~ invaders *from* one's country 자기 나라에서 침략자를 몰아내다. **2** 쫓아내다, 면직시키다(dismiss), 추방하다, 제명하다(*from*): He was ~*led* (*from*) the school. 그는 퇴학 처분을 받았다. **3** (…에서) 〈가스 등을〉 방출〔배출〕하다, 〈탄환을〉 발사하다(discharge)(*from*): ~ air *from* the lungs 폐에서 공기를 토해 내다.
◇ expúlsion *n.*: expúlsive *a.*

ex·pel·lant, -lent[ikspélənt] *a.* 내쫓을 힘이 있는. — *n.* 구제약(驅除藥).

ex·pel·lee[èkspelí:] *n.* (국외로) 추방된 사람.

*__ex·pend__[ikspénd] [L] *vt.* **1** 〈금전을〉 소비하다(◇ 이 뜻에서는 spend가 보통임). **2** 〈시간·노력 등을〉 소비하다, 들이다, 쓰다(*on, upon, in*): ~ time and effort *on* an experiment 실험에 시간과 노력을 들이다/~ one's energy *in* doing it 그것을 하는 데 정력을 소비하다. **3** 다 써버리다, 소진하다(use up). **4** 〔海〕 〈예비 밧줄을〉 둥근 기둥 등에 감다.
— *vi.* 《稀》 돈을 쓰다.
◇ expénditure, expénse *n.*: expénsive *a.*

ex·pend·a·ble[ikspéndəbəl] *a.* 소비되는; 〔軍〕 〈병력·자재 등이〉 희생될 수 있는, 소모성의: ~ office supplies 사무용 소모품.
— *n.* (보통 *pl.*; 집합적) 소모품(자재·병력).
ex·pènd·a·bíl·i·ty[-əbíləti] *n.*

⁑__ex·pen·di·ture__[ikspénditʃər] *n.* U,C 지출; 출비, 경비, 소비; 비용(expense); 소비량: annual ~ 세출/current〔extraordinary, contingent〕 ~ 경상〔임시〕비/a large ~ of money on armaments 다액의 군사비.
revenue and expenditure 세입과 세출.
◇ expénd *v.*

⁑__ex·pense__[ikspéns][L] *n.* **1** 지출, 비용, 출비: spare no ~ 비용을 아끼지 않다. **2** (보통 *pl.*) a 소요 경비, …비; 수당: school ~*s* 학비/traveling ~*s* 여비. b = EXPENSE ACCOUNT. **3** (an ~) 비용〔돈〕이 드는 일: Repairing house is *an* ~. 집 수리에는 돈이 많이 든다. **4** U,C 손실; 폐, 희생. **at any expense** 아무리 비용이 들더라도, 어떤 희생을 치르더라도(at any cost). **at** a person's **expense** …의 비용으로; …에게 손해〔폐〕를 끼쳐, …을 희생시켜: They laughed〔amused themselves〕 *at his expense.* 그를 놀림감으로 만들고 웃었다〔즐거워했다〕. **at one's** (**own**) **expense** 자비로; 자기를 희생시켜. **at the expense of** …의 비용으로, …을 희생시켜: He did it *at the expense of* his health. 그는 건강을 희생시켜 그것을 했다/*at the expense of* repetition

에 드러내 놓다/You must not ~ yourself *to* ridicule. 남의 비웃음을 받는 짓을 해서는 안 된다. **3** 〈작용·영향 등에 …을〉 접하게〔받게〕 하다(*to*): ~ children *to* good books 어린이를 양서에 접하게 하다. **4** 〈팔 물건을〉 상점에 내놓다, 진열하다(exhibit)(*for*). **5** 〈비밀 등을〉 폭로하다(disclose), 가면을 벗기다(unmask)(*cf.* show): (Ⅲ (목)+전+명) He ~*d* the plot *to* the police. 그는 그 음모를 경찰에 폭로했다. **6** 〈어린애 등을〉 버리다. **7** 〔寫〕 노출하다. **8** 〔카드〕 〈패를〉 보이다, 젖히다. **be exposed to** 〈집이〉 …을 향하고 있다(face). **expose oneself** 〈노출증 환자가〉 음부를 내보이다. ◇ exposítion, expósure *n.*

ex·po·sé[èkspouzéi] [F] *n.* (추문 등의) 폭로, 적발(*of*).

*__ex·posed__[ikspóuzd] *a.* **1** (위험 등에) 드러난, 노출된; 비바람을 맞는: (Ⅱ형+전+명) A weak woman will be ~ *to* all kinds of evils. 약한 여자는 여러 가지의 해악에 노출되게 된다. **2** 노출한 〈필름〉.

*__ex·po·si·tion__[èkspəzíʃən] *n.* U,C **1** 설명, 해설, 주해(explanation). **2** C 박람회(exhibition), 전람회; U 공개, 현시(顯示). **3** (어린애의) 유기. **4** 〔劇〕 서설적(序說的) 설명부. **5** 〔樂〕 (소나타·푸가 등의) 주제 제시부. ◇ expósitory, expósitive *a.*

ex·pos·i·tive[ikspázətiv/-pɔ́z-] *a.* =EXPOSITORY.

ex·pos·i·tor[ikspázətər/-pɔ́z-] *n.* 설명자, 해설자.

ex·pos·i·to·ry[ikspázitɔ̀:ri/-pɔ́zitəri] *a.* 설명〔해설〕적인.

ex post fac·to[éks-pòust-fǽktou] [L] *a., ad.* 〔法〕 사후의〔에〕, 과거로 소급한〔하여〕: an ~ law 소급법.

ex·pos·tu·late[ikspástʃulèit/-pɔ́s-] *vi.* (文語) 간(諫)하다; 타이르다, 충고〔훈계〕하다(*with*): ~ *with* a person *on*〔*about, for*〕 his dishonesty …에게 부정직을 고치도록 타이르다. **-la·tor**[-ər] *n.*

ex·pos·tu·la·tion[-ʃən] *n.* U 충고; (종종 *pl.*) 충언, 충고(의 말).

ex·pos·tu·la·to·ry[-lətɔ̀:ri/-təri] *a.* 타이르는, 충고의.

⁑**ex·po·sure**[ikspóuʒər] *n.* U **1** (햇볕·비바람 등에) 드러내 놓음, 드러남, 쬠, 맞음; 〔寫〕 노출 (시간). **2 a** (위험·공격 등에) 몸을 드러냄. **b** (작용·영향 등에) 접(하게) 함(*to*). **c** (비밀·나쁜 일 등의) 발각, 탄로, 폭로, 적발. **3** 공개 석상에 나타남, 출연〔출장〕하기: ~ on TV 텔레비전에의 출연. **4** C (집·방이 위치한) 방위: a house with a southern ~ 남향집. **5** (어린애의) 유기. **6 a** (상품의) 진열. **b** (음부)노출. **c** 〔카드〕 패를 보임. **7** 〔經〕 익스포저(경제적 위험 정도, 손실의 가능성 따위). ◇ expóse *v.*

expósure ìndex 〔寫〕 노출 지수.

expósure mèter 〔寫〕 노출계.

*__ex·pound__[ikspáund] [L] *vt.* 상세히 설명하다; 〈특히 성경을〉 설명하다, 해석하다(*cf.* explain). **~·er** *n.* 해설자.

ex-pres·i·dent[⌐prézidənt] *n.* 전직 대통령〔회장 (등)〕.

★**ex·press**[iksprés] *vt.* **1** 〈감정 등을〉 표현〔표시〕하다, 밖으로 나타내다; 〈사상 등을〉 표현하다, (남에게) 말하다(*to*): (Ⅲ (목)) ~ regret 유감의 뜻을 나타내다/A smile ~*ed* her joy. 그녀는 미소지어 기쁨을 나타냈다/(Ⅲ (목)+전+명) She ~*ed* this wish to me. 그녀는 이 소망을 나에게 말했다/(Ⅲ 전+명+(목): *that*(절)) She ~*ed to* him her conviction *that* economy was essential. 그녀는 절약이 극히 중요하다는 그녀의 확신을 그에게 말했다/(Ⅲ (목)+전+명) He ~*ed* himself *in* Spanish. 그는 스페인어로 말을 했다/His delight could not ~ itself in words. 그의 기쁨이란 이루 다 말로써는 표현할 수 없었다(*cf.* Words cannot ~ it. 말로써는 표현할 수 없다)/(Ⅴ (목)+형) He ~*ed* himself much obliged. 그는 아주 고마워 했다/(Ⅴ (목)+*as*+형) He ~*ed* himself *as* perfectly satisfied with the result. 그는 그 결과에 아주 만족함을 나타냈다/(Ⅲ *wh.*(절)) I cannot ~ *how* happy I was then. 그때 내가 얼마나 행복했는지 말로 표현할 수가 없다/(Ⅲ 전+명+*wh.*(절)) I can scarcely ~ *to* you *how* grateful I am for your help. 당신의 도움에 대하여 무어라고 감사의 인사를 드려야 할지 이루 다 표현할 수 없습니다/(Ⅲ *to* do)((*to* do)-Ⅳ 대+(목)) I beg *to* ~ you my thanks. 고마움을 삼가 말씀드립니다. **2** (보통 수동형) 〈유전자를〉 표현〔발현〕시키다, 단백질을 합성시키다. **3** (기호·숫자 등으로) 나타내다, 상징하다: (Ⅲ (목)) The sign × ~*es* multiplication. ×기호는 곱셈을 나타낸다/(Ⅴ (목)+*as*+명) ~ water *as* H_2O 물을 H_2O로 표시하다. **4** (미) 지급편으로 부치다; (영) 〈편지 등을〉 속달로 부치다. **5** 〈즙·공기를〉 짜내다(*from, out of*): (Ⅲ (목)+전+명) ~ the juice *from*〔*out of*〕 oranges 오렌지의 즙을 짜내다/~ grapes *for* juice 주스용으로 포도를 짜다. **6** 〈냄새 등을〉 풍기다: ~ one*self* 생각한 바를 말하다; (어떠한) 말씨를 쓰다/~ one*self* satisfied 만족의 뜻을 표시하다/~ one*self in* good English 훌륭한 영어로 자기 생각을 말하다.

— *a.* **1** 명시된(*opp.* implied); 명확한, 뚜렷한, 명백한: an ~ command 명시된 명령/an ~ consent 명백한 승낙. **2** 특별히 명시된, 특별〔특수〕한. **3** 꼭 그대로의: He is the ~ copy of his father. 그는 아버지를 쏙 빼다. **4** (미) 지급 운송편의; (영) 속달편의; 특별히 마련한; 급행의(*cf.* LOCAL): an ~ message〔messenger〕 급보〔특사〕/~ charges 지급 운송료/an ~ company (미) 통운 회사/~ mail〔post〕 속달 우편/an ~ ticket 급행(승차)권/~ highway 고속 간선 도로. **for the express purpose of** …을 위하여 특별히, 일부러.

— *n.* **1** 급사(急使); U 속달편, 급보: send by ~ 속달편으로 발송하다. **2** 급행 열차(=~ train): travel by ~ 급행 열차로 여행하다(◇보통 train은 생략함). **3** =EXPRESS RIFLE. **4** (미) 운송업〔화물〕; 통운: by ~ 운송편으로.

— *ad.* **1** 특별히(specially). **2** 지급편으로, 속달로; 급행 열차로(=by ~): travel ~ 급행으로 여행하다.

◇ expréssion *n.*; expréssive *a.*

ex·press·age[-idʒ] *n.* U (미) 속달편 취급; 속달료, 특별 배달료.

expréss càr 급행 화물 차량.

expréss delívery (영) 속달(편)((미) special delivery); (미) (통운 회사의) 배달편.

expréss élevator (미) 급행 승강기((영) express lift).

ex·press·i·ble[iksprésəbəl] *a.* 표현할 수 있는; 짜낼 수 있는.

⁑**ex·pres·sion**[ikspréʃən] *n.* **1** U (사상·감정의) 표현, 표시. **2** (언어의) 표현법, 어법; 말씨, 어구. **3** U,C 표정(*of*). **4** U (음성의) 가락, 음조; 〔樂〕 발상(發想), 표현; 〔遺傳〕 (형

질) 발현, 표현(유전자 단백질 합성). **5** Ⓤ 압착, 짜냄. **6** 〔數〕 식. **7** 〔컴퓨터〕 식. **8** 〔遺〕 유전자 단백질 합성(과정). (beautiful) **beyond**〔**past**〕 **expression** 말할 수 없이 (아름다운). **find expression in** …에 나타나다. **give expression to** one's feelings (감정)을 표현하다.
⊕ expréss *v.*: expréssive *a.*

ex·pres·sion·al[-əl] *a.* 표현의; 표정의: ~ arts 표현 예술《음악·극 등》.

ex·pres·sion·ism[ikspréʃənìzəm] *n.* Ⓤ 표현주의. **-ist** *n.* 표현주의자, 표현파 사람.

ex·pres·sion·is·tic[-ístik] *a.* 표현주의적인.

ex·pres·sion·less[ikspréʃənlis] *a.* 무표정한, 표정이 없는(*opp.* expressive).

expréssion márk 〔樂〕 나타냄 말, 발상 기호.

*__ex·pres·sive__[iksprésiv] *a.* **1** 표현적인, 표현하는, (감정 등을) 나타내는: be ~ *of* feeling 감정을 나타내다. **2** 표현〔표정〕이 풍부한; 의미 심장한. **~·ly** *ad.* 표정이 풍부하게, 의미 심장하게. **~·ness** *n.*
⊕ expréss *v.*: expréssion *n.*

ex·pres·siv·i·ty[èkspresívəti] *n.* Ⓤ **1** 〔生〕 (유전자의) 표현도. **2** 표현 능력, 표현의 풍부함.

expréss létter 《영》 속달 편지(《미》 special-delivery letter).

ex·press·ly[iksprésli] *ad.* **1** 명백히(definitely). **2** 특별히, 일부러.

ex·press·man[iksprésmæ̀n, -mən] *n.* (*pl.* **-men**[-mèn, -mən]) 《미》 지급통운 회사원《특히 운전사》.

expréss rìfle (사냥용) 고속총.

expréss tràin 급행 열차.

expréss wàgon (대형) 운송 화물차.

ex·press·way[-wèi] *n.* 《미》 고속 도로《주로 유료의》(《영》 motorway).

ex·pro·bra·tion[èksproubréiʃən] *n.* Ⓤ,Ⓒ 비난(censure), 책망.

ex·pro·pri·ate[eksprόuprièit] *vt.* 〈토지 등을〉 수용(收用)〔징발〕하다; 〈재산을〉 몰수하다《*from*》: ~ a person *from* his estate …에게서 토지를 몰수하다.

ex·pro·pri·a·tion[-ʃən] *n.* Ⓤ,Ⓒ (토지 등의) 수용, 징발; 몰수.

expt. experiment.

exptl. experimental.

*__ex·pul·sion__[ikspʌ́lʃən] *n.* Ⓤ,Ⓒ 배제, 구축(驅逐); 제명(dismissal): the ~ of a member from a society 회원의 제명.

expúlsion òrder 국외 퇴거 명령.

ex·pul·sive[ikspʌ́lsiv] *a.* 구축력이 있는; 배제성(性)의.

ex·punc·tion[ikspʌ́ŋkʃən] *n.* Ⓤ 말소, 삭제.

ex·punge[ikspʌ́ndʒ] *vt.* 지우다, 삭제하다, 말살하다《*from*》; 〈죄 등을〉 씻다. **~·ment** *n.* 《미》 (전과 등의) 기록 삭제.

ex·pur·gate[ékspərgèit] *vt.* 〈책·편지 등의 온당하지 못한 부분을〉 삭제하다.

ex·pur·ga·tion[-ʃən] *n.* Ⓤ,Ⓒ (온당하지 못한 부분의) 삭제.

ex·pur·ga·tor[-tər] *n.* (책등의) 삭제자.

ex·pur·ga·to·ri·al *a.* 삭제(자)에 관한; 삭제하는.

ex·pur·ga·to·ry[-tɔ̀:ri/-təri] *a.* 삭제(정정)의.

expy(.) expressway.

‡**ex·quis·ite**[ikskwízit, ékskwi-] [L] *a.* **1** 아주 아름다운; 더없이 훌륭한〔맛있는〕, 절묘한. **2** 정교한; 우아한, 섬세한; 세련된: a man of ~ taste 세련된 감각의 사람. **3** 예민한; 격렬한: a man of ~ sensitivity 아주 민감한 사람/~ pain〔pleasure〕 격렬한 고통〔쾌감〕. — *n.* 별나게 멋부리는 남자, 멋쟁이.
~·ly *ad.* **~·ness** *n.*

exr. executor. **exrx.** executrix. **exs.** examples; exprenses.

ex·san·gui·nate[ekssǽŋgwənèit] *vt.* …에게서 피를 뽑다, 방혈(放血)하다.

ex·san·guine[ikssǽŋgwin] *a.* 피 없는; 빈혈의(anemic).

ex·scind[iksínd] *vt.* 잘라내다, 절제하다.

ex·sect[eksékt] *vt.* 절제하다(excise).

ex·sec·tion[-ʃən] *n.* Ⓤ 절제(술).

ex·sert[eksə́:rt] 〔生〕 *vt.* 쑥 내밀다, 돌출시키다. — *a.* 돌출한, 쑥 내민.

ex·ser·tion[eksə́:rʃən] *n.* Ⓤ 돌출.

ex-ser·vice[èkssə́:rvis] *a.* 《영》 〈군인이〉 퇴역한, 제대한; 〈물자가〉 군에서 불하된.

ex-ser·vice·man[-mæ̀n] *n.* (*pl.* **-men**[-mèn]) 《영》 제대 군인(《미》 veteran).

éx shíp 〔商〕 선측(船側) 인도(의).

ex·sic·cate[éksikèit] *vt.* 바싹 말리다(dry up). — *vi.* 바싹 마르다. **-ca·tor** *n.*

ex·stip·u·late[eksstípjulit, -lèit] *a.* 〔植〕 탁엽이 없는.

éx stóre 〔商〕 창고 인도.

ext. extension; external(ly); extinct; extra; extract.

ex·tant[ekstǽnt, ékstənt] *a.* 〈서류 등이〉 지금도 남아 있는, 현존하는.

ex·tem·po·ra·ne·ous[ikstèmpəréiniəs] *a.* 당장의, 즉석의; 일시 미봉책의, 임시 변통의(makeshift). **~·ly** *ad.*

ex·tem·po·rar·y[ikstémpərèri/-pərəri] *a.* 즉석의, 즉흥적인(impromptu).

ex·tem·po·rar·i·ly[ikstèmpərérəli/-témpərərəli] *ad.* 즉석에서, 임시 변통으로.

ex·tem·po·re[ikstémpəri] *ad., a.* (원고의) 준비 없이〔없는〕, 즉석에서(의), 즉흥적으로〔인〕, 임시 변통으로〔의〕.

ex·tem·po·ri·za·tion[ikstèmpərizéiʃən] *n.* **1** Ⓤ 즉석에서 만듦, 즉흥. **2** 즉흥적 작품; 즉석에서 노래 부름, 즉석 연주《등》.

ex·tem·po·rize[ikstémpəràiz] *vt., vi.* 즉석에서 만들다; 즉석에서 연설〔작곡, 연주〕하다, 임시 변통을 하다. **-riz·er** *n.*

ex·ten·ci·sor[eksténsaizər] *n.* 손가락·손목 강화 기구, 악력(握力) 강화기.

‡**ex·tend**[iksténd] [L] *vt.* **1** 〈손·발 등을〉 뻗다, 뻗치다, 내밀다: 《Ⅲ (목)》 He ~*ed* his arm. 그는 팔을 뻗었다/《Ⅲ (목)+전+명》 He ~*ed* his hand *to* me. 그는 내게 자기 손을 내밀었다(= He ~*ed* me his hand.《Ⅳ 대+(목)》). **2** 〈밧줄·철사 등을〉 치다: ~ a wire *between* two posts 두 기둥 사이에 철사를 치다/~ a rope *from* tree *to* tree 나무에서 나무로 밧줄을 치다. **3** 연장하다; 〈기간을〉 늘이다, 연기하다(prolong): ~ a road *to* the next city 다음 도시까지 도로를 연장하다/~ one's visit 방문을 뒤로 미루다. **4** 〈범위·영토 등을〉 넓히다, 확장하다; 〈뜻을〉 확대 해석하다, 부연하다; 〔컴퓨터〕 확장하다: ~ one's influence 세력을 확장하다. **5** 〈은혜·친절 등을〉 베풀다《*to*》: ~ sympathy *to* a person …에게 동정을 베풀다/~ a helping hand 구원의 손길을 뻗치다. **6** 〈축하 인사를〉 하다; 〈초대장을〉 내다《*to*》 ~ congratulations *to* a person …에게 축하 인사를 하다. **7** 〈속기를〉 보통 문자로 정서하다. **8** 〔영法〕 〈토지 등을〉 평가하다; 〈토지 등을〉 압류하다. **9** (싼〔나쁜〕 재료를 섞어) …의 양을 늘리다, 회석하다. **10** (보통 수동형 또는

~ one**self**) 〈말·경기자에〉 전력을 다하게 하다; 《일반적으로》 힘쓰게 하다. **extend oneself** 크게 노력하다, 분발하다. ── *vi.* **1** 넓어지다, 퍼지다, 뻗다(*over, across*); 이르다, 달하다(*into, to*). **2** 〈시간이〉 계속하다, 〈…까지〉 걸치다(last): His absence ~*s to* five days. 그의 결석은 5일에 이른다. ◇ exténsion, extént *n.*: exténsive, exténsile *a.*

ex·tend·ed[iksténdid] *a.* 넓은; 광범위에 걸친; 장기간에 걸친; 편, 펼친; (쭉) 뻗은, 내민; 확장한; 연장한; 〈어의(語義) 등〉 파생적인.

exténded fámily 〔社〕 확대 가족(근친을 포함한 것; *opp.* nuclear family).

exténded pláy EP판, 45회전 레코드(略: EP).

exténded precísion 〔컴퓨터〕 확장 정도(精度)(계산기가 본래 다루는 자릿수의 2배 이상의 자릿수를 다룸).

ex·tend·er[iksténdər] *n.* **1** 늘이는 사람〔것〕. **2** 증량제(增量劑), 회석제; 체질 안료(體質顔料). **3** 《영》 (대학 공개 강좌의) 교사.

ex·tend·i·ble[iksténdəbəl] *a.*=EXTENSIBLE.

ex·ten·si·bil·i·ty[iksténsəbíləti] *n.* Ⓤ 신장성(伸長性), 연장성, 확장 가능성.

ex·ten·si·ble[iksténsəbəl] *a.* 펼 수 있는, 늘일 수 있는, 신장성이 있는.

ex·ten·sile[eksténsəl, -sail] *a.* 쑥 내밀 수 있는, 신장성의.

ex·ten·sim·e·ter[èkstensímitər] *n.* =EXTENSOMETER.

‡**ex·ten·sion**[iksténʃən] *n.* Ⓤ **1** 신장(伸長), 뻗음(*of*); 확장(*of*). **2** 신장〔연장, 확장〕 부분; 《미》 증축, 증축한 부분; (선로·전화의) 연장선, 내선(內線), 구내 전화: May I have *E*-151, please? 구내 151번을 부탁합니다. **3** 신장량〔도〕, 신장력. **4** Ⓤ 〔物〕 전충성(塡充性) 물체가 공간을 점유하는 성질; 〔生〕 신장. **5** Ⓤ (말뜻 등의) 확충, 부연; 〔論〕 외연(外延)(denotation; *cf.* INTENTION). **6** (날짜의) 연기, 연장. **7** 〔大學〕 (재학생 이외의) 공개 강좌(=university ~). **8** 〔컴퓨터〕 확장자. **by extension** 확대하면, 확대 해석하면. **put an extension to** …에 이어 붙이다, 덧붙이다. ── *a.* 이어 붙이는; 신축 자재의; 확장의. **~·al**[-ʃənəl] *a.* ◇ extend *v.*: exténsive *a.*

exténsion còrd (전기 기구용) 연장 전기줄(plug와 jack이 달린).

exténsion còurses 대학 공개 강좌.

exténsion làdder 신축 사닥다리(소방용 등).

exténsion lécture 대학 공개 강의.

exténsion tàble 신축 테이블.

ex·ten·si·ty[iksténsəti] *n.* Ⓤ 신장성; 넓이, 범위; 〔心〕 공간〔연장〕성.

‡**ex·ten·sive**[iksténsiv] *a.* (*opp.* intensive) **1** 광대한, 넓은(spacious). **2** 넓은 범위에 걸치는, 광범한, 대규모의(far-reaching): an ~ order 대량 주문/~ reading 다독(多讀). **3** 〔論〕 외연적인. **4** 〔農〕 조방(粗放)의: ~ agriculture〔farming〕 조방 농업〔농법〕. **~·ness** *n.* Ⓤ 광대; 대규모. ◇ extend *v.*: exténsion *n.*

ex·ten·sive·ly *ad.* 널리, 광범하게.

ex·ten·som·e·ter[èkstensámitər/-sɔ́m-] *n.* 〔機〕 신장계(伸長計)(신축·왜곡을 측정하는).

ex·ten·sor[iksténsər] *n.* 〔解〕 신근(伸筋)(*cf.* FLEXOR).

‡**ex·tent**[ikstént] *n.* Ⓤ **1** 넓이, 크기(size); Ⓒ (넓은) 지역(*of*): the whole ~ *of* Korea 한국 전지역. **2** 범위(scope), 정도(degree), 한도(limit)(*of*). **in extent** 크기〔넓이〕는. **to a great extent** 대부분은, 크게. **to some**〔**a certain**〕 **extent** 어느 정도까지는, 다소. **to the extent of** …정도〔범위〕까지. **to the full**〔**utmost**〕 **extent of** one's power 힘껏, 전력을 다하여. **to the extent that** … …인 정도까지, 이라는 점에서; …인 한〔바〕에는. ◇ extend *v.*

ex·ten·u·ate[iksténjuèit] *vt.* **1** 〈죄 등을〉 경감하다, 정상을 참작하다. **2** (경감하려고) 변명하다; 〈정상을〉 참작할 여지가 있다. **3** 얕보다. **-a·tive**[iksténjuèitiv] *a.*=EXTENUATORY.

ex·ten·u·at·ing[iksténjuèitiŋ] *a.* 참작할 만한: ~ circumstances 참작할 수 있는 정상. **~·ly** *ad.*

ex·ten·u·a·tion[ikstènjuéiʃən] *n.* Ⓤ 정상 참작, (죄의) 경감; Ⓒ 참작할 점〔사정〕. **in extenuation of** …의 정상을 참작하여.

ex·ten·u·a·to·ry[iksténjuətɔ̀:ri/-təri] *a.* 참작 사유가 되는 〈사정 등〉.

***ex·te·ri·or**[ikstíəriər] [L] *a.* **1** 외부의, 밖의(*opp.* interior). **2** 외면〔외관상〕의(*opp.* inward). **3** 외부로부터의; 대외적인, 외교적인: an ~ policy 대외 정책/~ help 외부로부터의 원조. **4** 〈…와〉 관계 없는, 동떨어진(*to*). **the exterior man** (「내부의 정신」에 대하는) 외모로 나타난 인간, 인간의 외면. ── *n.* **1** 외부, 외면; 외형(*of*). **2** 외모, 외관: a man of fine ~ 외모가 멋진 사람. **3** (그림·연극등의) 옥외 풍경, 외경(外景). **~·ly** *ad.* 바깥에, 외부에; 외면적으로(는). ◇ exteriórity *n.*: extériorize *v.*

extérior ángle 〔幾〕 외각(外角).

ex·te·ri·or·i·ty[ikstìəriárəti, -riɔ́(:)r-] *n.* =EXTERNALITY.

ex·te·ri·or·ize[ikstíəriəràiz] *vt.* 외면화하다; 〔醫〕 (수술을 위해)〈조직을〉 몸밖으로 내다.

ex·ter·mi·na·ble[ikstə́:rmənəbəl] *a.* 근절할 수 있는.

***ex·ter·mi·nate**[ikstə́:rmənèit] *vt.* 근절〔절멸〕하다, 모조리 없애버리다.

ex·ter·mi·na·tion[-ʃən] *n.* Ⓤ,Ⓒ 근절, 절멸, 멸종; 구제(驅除).

ex·ter·mi·na·tor[-ər] *n.* 근절자; (해충 등의) 구제약.

ex·ter·mi·na·to·ry[ikstə́:rmənətɔ̀:ri, -təri] *a.* 근절적인.

ex·tern[ikstə́:rn] *n.* 통근자; 통학생; 외래 환자; 통근 의사(*cf.* INTERN).

‡**ex·ter·nal**[ikstə́:rnəl] *a.* **1** 외부의, 밖의(*opp.* internal); 외용(外用)의: the ~ ear 외이(外耳)/~ evidence 외적 증거/a medicine for ~ use〔application〕 외용약. **2** 표면의, 외면의, 외면적인, 외관의; 형식적인; 〔宗〕 형식상의: ~ acts of worship 형식적인 예배. **3** 〔哲〕 외계의, 현상〔객관〕계의: ~ objects 외물(外物)《외계에 존재하는 것》/the ~ world 외계《객관적 세계》. **4** 외국의, 대외적인: ~ trade 대외 무역. **5** 밖으로부터의: an ~ force〔cause〕 외부 압력〔원인〕. **6** 우연〔부수〕적인(*opp.* intrinsic). **7** (학생이) 학외에서 학습하고 시험만 보는; (학위가) 학외 학습자에게 수여되는. ── *n.* **1** 외부(outside). **2** (*pl.*) 외관, 외형, 외모; 외부 사정: judge by ~*s* 외관으로 판단하다. **3** (종교의) 외적 형식. **4** 본질적이 아닌 것, 부대 사항. **~·ism**[-ìzəm] *n.* Ⓤ 외형주의; (특히 종교상의) 형식 존중주의; 〔哲〕 실재론, 현상론. **~·ist** *n.* 형식 존중주의자; 현상론자. ◇ externálity *n.*: extérnalize *v.*

extérnal ángle =EXTERIOR ANGLE.

ex·ter·nal-com·bus·tion [-kəmbʌ́stʃən] *a.* 〔機〕 외연(外燃)의(*opp.* internal-combustion) : an ~ engine 외연 기관.

extérnal degreé (학원외에서의) 학사 학위 인정.

extérnal fertilizátion 체외 수정(體外受精).

extérnal gálaxy 〔天〕 은하계외 성운.

ex·ter·nal·i·ty [èkstəːrnǽləti] *n.* (*pl.* **-ties**) Ⓒ,Ⓤ **1** 외부〔외면〕적 성질. **2** 외계 ; 외형, 외관. **3** 형식주의.

ex·ter·nal·i·za·tion [ekstə̀ːrnəlizéiʃən] *n.* Ⓤ 외적 표현, 객관화, 구체화.

ex·ter·nal·ize [ekstə́ːrnəlàiz] *vt.* 〈내적인 것을〉 외면화하다, 〈사상 등을〉 구체화하다.

extérnal lóan 외채(外債).

ex·ter·nal·ly *ad.* 외부적으로, 외부에서.

extérnal scréw 〔機〕 수나사(male screw).

extérnal stórage 〔컴퓨터〕 외부 기억 장치 (auxiliary〔secondary〕 storage).

ex·tern·ship *n.* (학원 · 관련 기관이 아닌 곳에서의) 수련[실습]기관.

ex·ter·o·cep·tor [èkstərouséptər, -rə-] *n.* 〔生理〕 외부 수용기《눈 · 귀 · 코 · 피부 등 ; *cf.* INTEROCEPTOR》.

ex·ter·ri·to·ri·al [èksteritɔ́ːriəl] *a.* =EXTRATERRITORIAL.

ex·ter·ri·to·ri·al·i·ty [ekstèritɔ̀ːriǽləti] *n.* 치외 법권(extraterritoriality).

extg. extracting.

*****ex·tinct** [ikstíŋkt] *a.* **1** 〈불 등이〉 꺼진 ; 〈생명 · 희망 등이〉 끊어진 ; 사멸한, 절멸한 ; 〈화산 등이〉 활동을 멈춘(*cf.* active) : an ~ volcano 사화산 ; 《비유》 활동을 중지한 사람. **2** 〈가계(家系) 등이〉 단절된 ; 소멸된 ; 〈관직 등이〉 폐지된 : ~ species 〔生〕 절멸종(種). **3** (언어 · 풍습 · 법률 따위가) 스러진 ; (제도 · 관직 따위가) 폐지된. ◈ extínction *n.* ; extínctive *a.*

*****ex·tinc·tion** [ikstíŋkʃən] *n.* Ⓤ,Ⓒ 소화(消火), 진화 ; 흡광(吸光) ; 종식 ; 사멸, 절멸 ; (가계의) 단절 ; 〔法〕 (권리 등의) 소멸. ◈ extínct, extínctive *a.*

ex·tinc·tive [ikstíŋktiv] *a.* 소멸적인, 소멸성의 : ~ prescription 〔法〕 소멸 시효.

‡**ex·tin·guish** [ikstíŋgwiʃ] *vt.* **1** 〈불 · 빛 등을〉 끄다(put out), 진화하다. **2** 〈정열 · 희망 등을〉 잃게 하다. **3** 〈사람을〉 압도하다, 〈반대자 등을〉 제압하다, 침묵시키다. **4** 〈가계 등을〉 절멸〔단절〕시키다. **5** 〔法〕 〈부채를〉 소멸하다. **6** 〔心〕 (조건 반사를) 소거하다.
~·a·ble [-əbəl] *a.* 끌 수 있는 ; 절멸시킬 수 있는. **~·ment** *n.* Ⓤ 소화, 소등 ; 절멸 ; 〔法〕 (권리 등의) 소멸.

ex·tin·guish·ant [ikstíŋgwiʃənt] *n.* 소화물(消火物)《물 · 소화제(劑) 등》.

ex·tin·guish·er [ikstíŋgwiʃər] *n.* 끄는 사람〔기구〕, 소화기(消火器) ; 촛불을 끄는 기구, (남포의) 소등기(消燈器)《모자 모양의》.

ex·tir·pate [ékstərpèit, ekstə́ːrpeit] *vt.* 《文語》 근절〔절멸〕하다(root out) ; 〔外科〕 적출(摘出)하다. **-pa·tor** [-tər] *n.*

ex·tir·pa·tion [-ʃən] *n.* Ⓤ,Ⓒ 근절 ; 절멸 ; 〔外科〕 적출술.

ex·tir·pa·tive [-tiv] *a.* 근절하는.

*****ex·tol, -toll** [ikstóul] *vt.* (**-tolled; -tol·ling**) 《文語》 칭찬〔찬양〕하다, 격찬하다. **extol** (a person) **to the skies** 극구 칭찬 하다. **ex·tól·ler** *n.* **ex·tól(l)·ment** *n.* 격찬.

extort [ikstɔ́ːrt] [L] *vt.* **1** 강제로 탈취하다 (exact)《*from*》 ; 〈약속 · 자백 등을〉 무리하게 강요하다《*from*》. **2** 〈의미 등을〉 억지로 해석하다(force) : ~ a meaning *from* a word 말에 무리한 해석을 하다. **~·er** *n.* 강청〔강탈〕하는 사람.

ex·tor·tion [ikstɔ́ːrʃən] *n.* Ⓤ,Ⓒ **1** 강요, 강탈, 강청 ; 〔法〕 (관리의) 직무상의 부당 취득《금전 · 유가물의》. **2** 터무니없는 에누리.
~·er, ~·ist [-ər], [-ist] *n.* 강탈〔강청〕하는 사람 ; 착취자.

ex·tor·tion·ar·y [-èri/-əri] *a.* 강요의, 강탈의 ; 착취적인.

ex·tor·tion·ate [-it] *a.* **1** 강요〔강탈〕하는. **2** 엄청난, 폭리의. **~·ly** *ad.*

ex·tor·tive [-tiv] *a.* 강요하는, 강탈적인.

‡**ex·tra** [ékstrə] [*extra*ordinary] *a.* **1** 여분의, 가외의, 임시의 : ~ pay 임시 급여/an ~ train 〔bus〕 임시〔증발(增發)〕열차〔버스〕/an ~ edition 임시 증간호/~ freight 할증 운임. **2** 특별한, 규정 외의, 특별 고급의 : ~ binding 특별 장정. **3** (또는 명사 뒤에서) 별도 계산의 : Dinner (is〔costs〕) $5, and wine (is) ~. 만찬 5달러에 포도주는 별도 계산. ── *n.* 가외의〔특별한〕 것 ; 할증금(割增金) ; 특별 프로 ; 과외 강의 ; 호외, 임시 증간 ; 임시 고용인, 엑스트라 《배우》. ── *ad.* **1** 가외로 : pay ~ 가외로 돈을 치르다. **2** 특별히, 각별히(specially) : ~ good wine 최고급 포도주/try ~ hard 특히 열심히 해보다.

ex·tra- [ékstrə] *pref.* 「…외의 ; …의 범위 외의」의 뜻 : *extra*mural : *extra*judicial.

ex·tra·at·mo·spher·ic [èkstrəæ̀tməsférik] *a.* 대기권 밖의.

éx·tra-báse hít [-béis-] 〔野〕 장타《2루타 이상의 안타》.

ex·tra·chro·mo·som·al [èkstrəkròuməsóuməl, -zóu-] *a.* 〔生〕 염색체외(外)의.

ex·tra·cor·po·re·al [èkstrəkɔːrpɔ́uriəl] *a.* 〔解〕 체외의.

ex·tra·cos·mi·cal [èkstrəkázmikəl/-kɔ́z-] *a.* 우주 밖의.

‡**ex·tract** [ikstrǽkt] [L] *vt.* **1** 〈이빨 등을〉 뽑다, 뽑아내다 : ~ a tooth 이를 뽑다/~ the cork *from* a bottle 병의 코르크 마개를 뽑다. **2** 〈정수(精粹) 등을〉 추출하다, 증류해 내다, 짜내다 : ~ the juice *from* a fruit 과일에서 즙을 짜내다. **3** 〈원리 등을〉 끌어내다 ; 〈쾌락을〉 얻다 : ~ a principle *from* facts 여러 사실들에서 법칙을 끌어내다/~ pleasure *from* toil 괴로움 속에서 즐거움을 얻다. **4** a 〈글귀를〉 발췌하다, 인용하다 ; 〈공문서의〉 초본을 만들다 : ~ a passage *from* a book 책에서 1절을 발췌하다. b 〈문서의〉 초본을 만들다. **5** 〈정보 · 돈 등을〉 억지로 받아내다, 끌어내다 : ~ a confession 자백을 억지로 받아내다. **6** 〔數〕 〈근을〉 구하다. ── [ékstrækt] *n.* **1** Ⓤ,Ⓒ 추출물 ; Ⓤ 달여낸 즙, 엑스, 정제(精劑). **2** 발췌, 인용구 ; 초본. **~·a·ble, ~·i·ble** [-əbəl] *a.* ◈ extráction *n.* ; extráctive *a.*

ex·tract·ant [ikstrǽktənt] *n.* 〔化〕 추출용 용제(溶劑)〔용매(溶媒)〕.

*****ex·trac·tion** [ikstrǽkʃən] *n.* Ⓤ,Ⓒ **1** 뽑아냄, 빼어냄, 적출(摘出)(법). **2** 〔化〕 추출 ; (약 등의) 달여냄 ; (즙 · 기름 등의) 짜냄 ; 채취. **3** 뽑아낸 것 ; 발췌 ; 엑스. **4** 혈통, 계통 : an American of Korean ~ 한국계 미국인. **5** 〔數〕 (근) 풀이.

ex·trac·tive [ikstrǽktiv] *a.* 발췌적인 ; 추출할 수 있는 : ~ industries 채취 산업《광업 · 농업 · 어업 등》. ── *n.* 추출물, 엑스.

ex·trac·tor [ikstrǽktər] *n.* **1** 추출자 ; 발췌자. **2** 추출 장치 ; 뽑아내는 기구.

ex·tra·cur·ric·u·lar, -lum [èkstrəkəríkjə-

lər], [-ləm] *a.* 과외의.
extracurricular activity 과외 활동; 《俗》 부정〔부도덕〕 행위, 외도.
ex·tra·dit·a·ble[ékstrədàitəbəl] *a.* 〈도주범이〉 인도되어야 할, 〈죄가〉 인도처분에 해당한.
ex·tra·dite[ékstrədàit] *vt.* **1** 〈외국의 도주범인 등을 본국 관헌에게〉 넘겨 주다, 송환하다. **2** 넘겨 받다, 인수하다.
ex·tra·di·tion[-díʃən] *n.* Ⓤ 〔法〕 (어떤 나라로) 외국 범인의 인도, 본국 송환; 〔心〕 감각의 사출(射出).
éxtra dívidend 〔證券〕 특별 배당.
ex·tra·dos[ékstrədɑ̀s, ekstrèidɑs/ekstréidɔs] *n.* (*pl.* ~, ~·**es**) 〔建〕 (아치의) 겉둘레, 외호면(外弧面).
éxtra drý 〈포도주 등〉 거의 단맛이 없는.
ex·tra·es·sen·tial[èkstrəisénʃəl] *a.* 본질 외의; 주요하지 않은.
ex·tra·ga·lac·tic[èkstrəgəlǽktik] *a.* 〔天〕 은하계 밖의.
ex·tra·ju·di·cial[èkstrədʒu:díʃəl] *a.* 사법 관할 밖의; 사법 수속에 의하지 않는; 재판(사항) 밖의.
ex·tra·le·gal[èkstrəlí:gəl] *a.* 법이 미치지 않는.
ex·tra·lin·guis·tic[èkstrəliŋgwístik] *a.* 언어(학)외의.
ex·tral·i·ty[ekstrǽləti] *n.* 《口》 =EX(TRA)TERRITORIALITY.
ex·tra·lu·nar[èkstrəlú:nər] *a.* 달 밖의, 달 밖에 있는.
ex·tra·mar·i·tal[èkstrəmǽrətəl] *a.* 혼외(婚外)의; 불륜의: ~ intercourse 혼외 교섭.
ex·tra·mun·dane[èkstrəmʌ́ndein] *a.* 지구 밖의; 우주〔물질 세계〕 밖의.
ex·tra·mu·ral[èkstrəmjúərəl] *a.* (*opp.* intramural) **1** 성 밖의, (도시의)문 밖의. **2** 대학 구외(構外)의, 교외(校外)의 〈강사·강연 등〉.
ex·tra·ne·ous[ikstréiniəs] *a.* **1** (고유한 것이 아니고) 외래의; (밖에) 부착한; 외부에 발생한; 이질적인. **2** 관계 없는(unrelated) (*to*). ~·**ly** *ad.* ~·**ness** *n.*
ex·tra·nu·cle·ar[èkstrənjú:kliər] *a.* (세포·원자의) 핵 밖의.
ex·tra·of·fi·cial[èkstrəəfíʃəl] *a.* 직권 외의, 직무 외의.
ex·traor·di·naire[ekstrɔ̀:rdinέər] [F] *a.* 극히 이례적인; 비범한, 출중한.
***ex·traor·di·nar·i·ly**[ikstrɔ̀:rdənérəli, èkstrəɔ́:rdənèrə-/-dənəri-] *ad.* 비상하게, 엄청나게, 유별나게, 이례적으로.
****ex·traor·di·nar·y**[ikstrɔ́:rdənèri, èkstrəɔ́:r-/-dənəri] [extra+ordinary] *a.* **1** 이상한, 비상한, 비범한, 보통이 아닌; 〈풍채 등이〉 색다른, 괴상한. **2** 임시의; (대개 명사 뒤에서) 특파의, 특명의: ~ expenditure〔revenue〕 임시 세출〔세입〕/an ~ general meeting 임시 총회/an ambassador ~ 특명 대사. ── *n.* (*pl.* **-nar·ies**) 《영古》 〔軍〕 특별 수당. **-nar·i·ness** *n.* Ⓤ 엄청남; 비범함, 보통이 아님, 비상함, 이상함.
extraórdinary rày 〔物〕 이상(異常)광선.
ex·tra·pa·ro·chi·al[èkstrəpəróukiəl] *a.* 교구 밖의; 교구 관할외의.
ex·tra·po·la·bil·i·ty[ikstræ̀pələbíləti] *n.* Ⓤ (자료에 의거한) 추정 가능성.
ex·trap·o·late[ikstrǽpəlèit] *vt.* 〔統〕 〈미지의 변수치를〉 외삽법(外挿法)에 의해 추정하다; 《비유》 〈미지의 사항을〉 기지의 자료에 의거하여 추정하다(conjecture). ── *vi.* 〔統〕 외삽〔보외(補外)〕법을 행하다(*opp.* interpolate).
ex·trap·o·la·tion[ikstræ̀pəléiʃən] *n.* 〔統〕 외삽법, 보외법.
éxtra séc 〈샴페인이〉 쌉살한, 단맛이 거의 없는(1.53%의 당분을 포함).
ex·tra·sen·so·ry[èkstrəsénsəri] *a.* 지각(知覺)을 넘어선, 초감각적인: ~ perception 〔心〕 초감각적 감지(略: ESP).
ex·tra·so·lar[èkstrəsóulər] *a.* 태양계 밖의.
éxtra spécial 《口》 극상(極上)의.
ex·tra·ter·res·tri·al[èkstrətiréstriəl] *a.* 지구 밖의, 지구 대기권 밖의. ── *n.* 지구 밖의 생물, 우주인(略: E.T.).
ex·tra·ter·ri·to·ri·al[èkstrətèritɔ́:riəl] *a.* 치외 법권의(exterritorial).
ex·tra·ter·ri·to·ri·al·i·ty[-əti] *n.* Ⓤ 치외법권.
éxtra tíme 〔스포츠〕 (로스 타임을 보충하기 위한) 연장 시간.
ex·tra·u·ter·ine[èkstrəjú:tərin, -rάin] *a.* 자궁외의: ~ pregnancy 자궁외 임신.
***ex·trav·a·gance, -gan·cy**[ikstrǽvəgəns], [-i] *n.* (*pl.* **-ganc·es; -cies**) **1** Ⓤ,Ⓒ 사치, 낭비; 무절제, 방종(*in*). **2** 방종한 언행, 터무니없는 생각. ◇ extrávagant *a.*
***ex·trav·a·gant**[ikstrǽvəgənt] [L] *a.* **1** 낭비하는, 사치스런. **2** 기발한, 엄청난; 〈요구·대가 등〉 터무니 없는, 지나친. ~·**ly** *ad.* ◇ extrávagance *n.*
ex·trav·a·gan·za[ikstræ̀vəgǽnzə] [It=extravagance] *n.* Ⓤ,Ⓒ **1** 광시문(狂詩文), 광상곡, 희가극. **2** 괴이한 이야기, 광태.
ex·trav·a·sate[ikstrǽvəsèit] *vt., vi.* **1** 〈혈액·임파액 등을 맥관에서〉 흘러나오게 하다. **2** 넘쳐 나오다, 스며나오다.
ex·trav·a·sa·tion[ikstræ̀vəséiʃən] *n.* Ⓤ (혈액·임파액 등의) 넘쳐 흐름.
ex·tra·ve·hic·u·lar[èkstrəvi:híkjələr] *a.* 〔空〕 (우주선의) 선외(船外)(용)의: an ~ suit 선외 활동용 우주복.
extravehícular actívity (우주인의) 선외(船外) 활동(略: EVA).
ex·tra·ver·sion[èkstrəvə́:rʒən, -ʃən] *n.* 〔心〕 =EXTROVERSION.
ex·tra·vert[ékstrəvə̀:rt] *n., a.* =EXTROVERT.
****ex·treme**[ikstrí:m] [L] *a.* **1** 극도의, 심한; 최대의, 최고의: ~ poverty 극빈/~ cold 극도의 추위/~ penalty 극형. **2** 매우 엄한; 과격한, 극단적인, 몹시 급격한(*opp.* moderate): ~ measures 강경책/take ~ action〔measures〕 과격한 수단을 취하다/the ~ Left〔Right〕 극좌〔우〕파. **3** 맨 끝의, 맨 가장자리의, 앞끝〔뒤끝〕의: the girl on the ~ right 오른쪽 끝의 여자. **4** 최종의, 최후의: in one's ~ moments 임종시에. **extreme and mean ratio** 〔數〕 외중비(外中比). ── *n.* **1** 맨 끝에 있는 것, 처음〔마지막〕의 것; (*pl.*) 양극단을 이룬 사물. **2** 극단; 극도. **3** (보통 *pl.*) 극단적인〔과격한〕 수단. **4** 극단적인 상태, 《특히》 곤경, 궁지. **5** 〔數〕 외항(外項)《초항(初項) 또는 말항(末項)》; 〔論〕 (명제의) 주사(主辭) 또는 빈사(賓辭)(*cf.* COPULA); (삼단 논법의) 판단의 양단《대명사(大名辭) 또는 소명사(小名辭)》. **carry** something **(in) to extremes** 극단적으로 하다. **Extremes meet.** 《속담》 양 극단은 일치한다. **go to extremes** =**run to an extreme** 극단으로 치우치다〔나가다〕. **go to the extreme of** a lockout (공장 폐쇄)라는 극단적인 수단에 의존하다. **in the extreme** =**to an extreme** 극단적으로, 극도로.

— *ad.* (古) =EXTREMELY.
~·ness *n.* Ⓤ 극단성, 과격.
⊕ extrémity *n.*: extrémely *ad.*

***ex·treme·ly**[ikstríːmli] *ad.* **1** 극단적으로, 극히. **2** (강의적) (口) 매우, 몹시.

extrémely hígh fréquency 〔通信〕 초고주파(30-300 gigahertz; 略: EHF).

extrémely lów fréquency 〔라디오〕 극저주파(極低周波)(30-300 헤르츠 사이); (略: ELF).

extréme únction (종종 **E- U-**) 〔가톨릭〕 종부 성사(지금은 보통 「병자 성사」(the Anointing of the Sick)라 함).

ex·trem·ism[ikstríːmizəm] *n.* Ⓤ **1** =EXTREMENESS. **2** 극단론〔주의〕; 과격주의 (radicalism).

ex·trem·ist[-ist] *n.* 극단〔과격〕론자, 극단적인 사람. — *a.* 극단〔과격〕론(자)의.

***ex·trem·i·ty**[ikstréməti] *n.* (*pl.* **-ties**) **1** 말단, 앞끝: at the eastern ~ of …의 동쪽 끝에. **2** 극도(*of*): 곤경, 난국, 궁지: be driven〔reduced〕 to ~ 궁지에 몰리다/be in a dire ~ 비참한 곤경에 있다. **3** (보통 *pl.*) 극단책, 과격한 행동: proceed〔go〕 to extremities 최후의 수단에 의존하다〔행동을 취하다〕. **4** (*pl.*) 사지(四肢), 팔다리. **5** 최후; (주로 *pl.*) 임종. **at the extremity of** …의 끝에. **in extremities** 극도의 곤경에 빠져, 최후의 순간에. **to the last extremity** 마지막 끝까지; 죽을 때까지. ⊕ extréme *a.*

ex·tre·mum[ikstríːməm] *n.* (*pl.* **-ma**[-mə], ~**s**) 〔數〕 극(極)값. **-mal** *a.*

ex·tric·a·ble[ékstrəkəbəl] *a.* 구출할 수 있는.

ex·tri·cate[ékstrəkèit] *vt.* **1** 〈위험·곤란에서〉 구해내다, 탈출시키다(set free): (Ⅲ (목)+전+명) ~ her *from*〔*out of*〕 dangers 그녀를 위험에서 구해내다/(Ⅲ (목)+전+명) ~ oneself *from* difficulties (곤경)을 벗어나다/He ~ himself *from* love. 그는 사랑으로부터 도망쳐 버렸다. **2** (…에서) 식별〔판별〕하다(*from*): (Ⅲ (목)+전+명) ~ an insect *from* similar ones 어떤 곤충을 유사한 것에서 식별〔판별〕하다. **3** 〔化〕 유리시키다. ⊕ extricátion *n.*

ex·tri·ca·tion[-ʃən] *n.* Ⓤ **1** 구출, 탈출. **2** 〔化〕 유리(遊離).

ex·trin·sic[ekstrínsik, -zik] *a.* **1** 외부(로부터)의(external). **2** 외래의, 부대적인, 비본질적인. **extrinsic to** …와 관계없는. **-si·cal·ly**[-sikəli] *ad.*

extrínsic fáctor *n.* =vitamin B_{12}.

extrínsic semicondúctor 〔電子〕 외인성(外人性)〔불순물〕반도체.

ex·tro- *pref.* 「바깥으로」의 뜻(*opp.* intro).

ex·trorse[ekstrɔ́ːrs] *a.* 〔植〕 (꽃밥이) 외향(外向)하는(*opp.* introrse). **~·ly** *ad.*

ex·tro·ver·sion[èkstrouvə́ːrʒən, -ʃən] *n.* Ⓤ 외전(外轉); 〔醫〕 외번; 〔心〕 외향성(*opp.* introversion).

ex·tro·vert[ékstrouvə̀ːrt] 〔心〕 *n.* 외향적인 사람(*opp.* introvert). — *a.* 외향적인.

ex·tro·vert·ed *a.* =EXTROVERT.

***ex·trude**[ikstrúːd] *vt.* **1** 밀어내다; 몰아내다(expel). **2** 〈금속·플라스틱 등〉 압출 성형하다. — *vi.* (稀) 돌출하다.

ex·trud·er *n.* 〔機〕 압출(성형)기.

ex·tru·sion[ikstrúːʒən] *n.* Ⓤ 밀어냄, 내밈; 구축(*opp.* intrusion); 압출 성형(한 제품).

ex·tru·sive[ikstrúːsiv] *a.* 밀어내는, 내미는; 〔地質〕 (화산에서) 분출한: ~ rocks 분출암. — *n.* 〔地質〕 분출암.

ex·u·ber·ance, -an·cy[igʒúːbərəns], [-i] *n.* Ⓤ 풍부, 충일(充溢); 무성함.

ex·u·ber·ant[igzúːbərənt] *a.* **1** (정애·기쁨·활력 등이) 넘치는; 열광적인, 열의가 넘치는; 원기왕성한. **2** (부(富)·비축이) 풍부한; (상상력·재능 등이) 넘치게 풍부한. **3** 무성한, 우거진. (털이) 더부룩한. **~·ly** *ad.*
⊕ exúberance *n.*

ex·u·ber·ate[igzúːbərèit] *vi.* **1** 넘쳐 흐르다, 무성하다; 풍부하다. **2** 〈…에〉 빠지다(*in*).

ex·u·date[éksjudèit] *n.* 삼출물(滲出物)〔액〕.

ex·u·da·tion[èksjudéiʃən, èksə-, ègzə-] *n.* Ⓤ 스며 나옴, 삼출(작용); 배출; Ⓒ 삼출물〔액〕.

ex·ude[igzúːd, iksúːd] *vt.* 삼출〔발산〕시키다. — *vi.* Ⓤ 스며나오다; 유출하다.

***ex·ult**[igzʌ́lt] [L] *vi.* 크게 기뻐하다, 기뻐 날뛰다; 의기 양양해하다, 승리를 뻐기다(*in, at, over*): (Ⅰ *to* do) He ~*ed to* find the hidden treasure. 그는 숨겨진 보물을 발견하자 기뻐서 날뛰었다(=He ~*ed at* find*ing* the hidden treasure.(Ⅰ 전+-*ing*))/(Ⅰ *to* do) ((*to* do)-Ⅲ *that*(절)) He ~*ed to* find *that* he had succeeded. 그는 성공한 줄 알자 기뻐 날뛰었다/(Ⅰ 전+명) ~ *at*〔*in*〕 one's victory 승리에 기뻐 날뛰다/~ *over* one's success 자기의 성공을 뻐기다/(Ⅰ 전+명)/(Ⅰ 전+-*ing*) ~ *over* (winn*ing*) the grand prize 그랑프리를 획득하여 크게 기뻐하다. ⊕ exultátion *n.*

ex·ul·tant[igzʌ́ltənt] *a.* 몹시 기뻐하는; 의기양양한, 승리를 뽐내는: (Ⅱ 형+전+-*ing*) He was ~*at* find*ing* the hidden treasure. 그는 숨겨진 보물을 발견하자 크게 기뻐했다. **~·ly** *ad.*

***ex·ul·ta·tion**[ègzʌltéiʃən, èksʌl-] *n.* Ⓤ 몹시 기뻐함, 환희, 광희(狂喜), 열광.
⊕ exúlt *v.*: exúltant *a.*

ex·ult·ing[igzʌ́ltiŋ] *a.* 미칠듯이 기뻐하는. **~·ly**[-li] *ad.* 크게 기뻐하여.

ex·urb[éksəːrb, ékz-] [*ex*+sub*urb*] *n.* 준(準)교외(교외보다 더 떨어진 반 전원 지대). **~·an**[-ən] *a.*

ex·ur·ban·ite[eksə́ːrbənàit] *n.* 준교외 거주자.

ex·ur·bi·a[eksə́ːrbiə] *n.* Ⓤ (집합적) 준(準)교외 주택 지역.

ex·u·vi·ae[igzúːviìː] *n. pl.* (*sing.* **-via**[-viə]) **1** 허물(매미·뱀 등의). **2** 잔해. **-vi·al**[-viəl] *a.*

ex·u·vi·ate[igzúːvièit] *vt., vi.* 〔動〕 탈피하다, (허물)벗다.

ex·u·vi·a·tion[-ʃən] *n.* Ⓤ 탈피.

ex vo·to[eks-vóutou] [L] *n.* 봉납〔봉헌〕물.

ex·works[ékswə̀ːrks] *ad., a.* (영) 공장도(渡)로〔의〕.

exx. examples; executrix.

Ex·xon[éksɑn-, -ɔn-] *n.* 엑손(=Exxon Corp.) (미국의 세계 최대 석유 회사; Esso로도 통함).

ey·as[áiəs] *n.* 새 새끼(nestling); 매 새끼.

★**eye**[ai] *n.* (*pl.* ~**s**, (古) **ey·en**) **1** 눈; 동공, 눈동자(홍채·눈가도 뜻함): brown〔blue〕 ~*s* 갈색〔푸른〕 눈동자/a black ~ (얻어맞아) 멍든 눈/ artificial ~*s* 의안(義眼)/a glass ~ 유리(로 만든) 눈/the compound ~*s* (곤충의) 복안, 겹눈. **2** 시각, 시력(eyesight): have sharp〔weak; good〕 ~*s* 시각이 예민하다〔약하다; 좋다〕/lose (the sight of) one〔an〕 ~ 한 눈이 멀다/lose one's ~*s* 시력을 잃다. **3** 관찰력, 안식, 안목; 감상〔판단〕력: have the ~ of a painter 화가로서의 안목이 있다. **4** (종종 *pl.*) 눈의 표정, 눈매, 눈빛, 눈치: *with* a tranquil〔jealous〕 ~ 차분한〔질투의〕 눈빛으로. **5**

(종종 *pl.*) 눈길, 주목, 주시, 주의: draw the ~*s* of …의 주의를 끌다/*E-s* right〔left〕! 《口令》 우〔좌〕로 봐!/*E-s* front! 가운데 봐! 바로! **6** (종종 *pl.*) 견지, 견해: 해석: in my ~*s* 내가 보기에는. **7** 목표, 기도: have an ~ *to* one's advantage 사리(私利)를 도모하다. **8** 싹, 눈《감자 등의》: 무늬《공작 꼬리의》: 바늘귀, 구멍《훅 단추를 끼우는》, (밧줄 등의 끝에 있는) 작은 고리(loop): (꽃·소용돌이 무늬 또는 돌아가는 물건의) 중심: 〔氣〕 태풍의 눈《그 중심부》: (안경의) 알: (과녁의) 중심(bull's-eye). **9** (문제 등의) 중심, 핵심. **10** 탐정(detective): a private ~ 사설 탐정. **11** 광전지(光電池)(=electric ~) **12** 《미軍俗》 레이더 수상 장치: 《미俗》 텔레비전. **13** (*pl.*) 《미俗》 젖퉁이: 젖꼭지. **All my eye** (**and Betty Martin**)**!=That's all my eye!** 《영俗》 말도 안 돼!, 어처구니없는 소리! **an eye for an eye** 〔聖〕 눈은 눈으로, 같은 수단 방법에 의한 보복. **apply the blind eye** 자기에게 불리한 것은 보이지 않는 체하다. **be all eyes** (온몸이 눈이 되어) 열심히 주시하다: 공연히. **be unable to take** one**'s eyes off** (매력에 끌리거나, 감탄한 나머지) …에서 눈을 뗄 수가 없다. **before** one's (**very**) **eyes** (바로) 눈앞에서. **be** (**the**) **eye** 눈어림〔눈대중〕으로. **cannot believe** one's **eyes** 자기 눈을 의심하다. **cast an**〔one's〕 **eye over** =run an EYE over. **cast**〔**make**〕 **sheep's at** … …에게 추파를 던지다. **catch** a person**'s eye**(**s**) …의 눈을 끌다: <사람이> 남의 눈에 띄다. **catch**〔**strike**〕 **the eye** <…이> 눈에 띄다. **catch the Speaker's eye** ⇨catch. **clap eyes on** …을 보다(see). **close** one's **eyes** 죽다. **close** one's **eyes to** …을 눈감아주다, 불문에 부치다. **cry** one's **eyes out** 울어서 눈이 붓다. **do** (a person) **in the eye** 《俗》 속이다. **drop** one's **eyes** (염치를 알고) 시선을 떨어뜨리다. **easy on the eyes** 보기 좋은: 아름다운. **eyes and no eyes** (사물을) 보는 눈과 보지 못한 눈《자연 관찰의 책명 등에 씀》. **eyes on stalks** 《口》 (놀람 등으로) 눈알이 튀어나오도록. **eyes to cool it** 《俗》 느긋한 기분. **feast** one's **eye on** …을 눈요기하다, 탄복의 눈으로 바라보다. **fix** one's **eye on** …을 주목하다, 찬찬히 보다. **get** one's **eye in** 영 (테니스·크리켓 등에서 공을 보는) 눈을 기르다, 공에 대해 눈을 익히다. **get the eye** 《口》 주목받다, 차가운 시선을 받다. **get an eye to** …을 주목하다: …을 돌보다. **give the big eye** =make EYES at. **give** a person **the eye** 《俗》 …을 넋을 잃고 바라보다: …에게 추파를 던지다. **have all** one's **eyes about** one 신변을 경계하다. **have an eye for** …을 보는 눈이 있다. **have an eye in** one's **head** 안식이 있다: 빈틈이 없다. **have an eye to** …을 유의해서 보고 있다: …을 돌보다. **have an eye to**〔**on**〕 **the main chance** 사리(私利)를 꾀하다. **have an eye upon** …에서 눈을 떼지 않고(경계하고) 있다. **have eyes at the back of** one's **head** 몹시 경계하고 있다, 뭐든지 꿰뚫어보고 있다. **have eyes only for** …만 보고〔바라고, 관심이〕있다. **have** … **in** one's **eye** 안중에 두다, 마음에 그리다: 계획하고 있다. **have** one's **eye on** =keep one's EYE on. **hit** a person **between the eyes** 《口》 강력한 인상을 주다, 크게 놀라게 하다. **hit** a person〔**give** a person **one**〕 **in the eye** 눈 언저리를 한 대 갈기다: 거절하다: 명약관화하다. **if** a person **had half an eye** 《口》 …가 좀더 영리하다면. **in a pig's eye** 《俗》 결코 …하지 않다. **in my mind's eye** 내 심안(心眼)〔마음 속〕에. **in the eye of** (**the**) **law** 법률상으로는. **in the eye of the wind** =**in the winds eye** 〔海〕 바람을 안고. **in the eyes of** …이 보는 바로는. **in the public eye** 사회의 주목을 받고, 널리 알려져. **keep an**〔**one's**〕 **eye on** …을 감시하다, …에 유의하다. **keep an eye out** 망보고 있다(*for*). **keep both**〔**one's**〕 **eyes wide open** 정신을 바짝 차리고 경계하고 있다. **keep** one**'s eye in** (연습을 계속하여 공 등을 보는) 눈이 둔해지지 않게 하다. **keep** one**'s eye on the ball** 방심하지 않다. **keep** one**'s eyes off** …을 보지 않고 있다: (보통 can't와 함께) …에 매혹되다. **keep** one**'s eyes peeled**〔**skinned**〕 늘 경계하고 있다. **lay eyes on** =set EYES on. **look** a person **straight**〔**right**〕 **in the eye**(**s**) …을 똑바로 쳐다보다. **make eyes at** …에게 추파를 보내다. **make** a person **open his eyes** …을 놀래어 눈이 휘둥그래지게 만들다, 깜짝 놀라게 하다. **meet the**〔a person**'s**〕 **eye** 눈에 뛰다〔보이다〕. **Mind your eye.** 《俗》 정신 차려(Be careful.). **Oh my eye!** = **My eye**(**s**)**!** 《俗》 수상한데: 어머나(깜짝이야). **one in the eye** 《口》 실망, 낙담, 실패, 타격, 쇼크(*for*). **one' s mind's eye** 마음의 눈, 상상력. **open** a person**'s eyes to** the truth (사실)에 대하여 …의 눈을 뜨게 하다〔깨우쳐 주다〕. **pipe** one's **eye** =**put** one's **finger in one' s eye** 《경멸》 울다. **run an**〔one**'s**〕 **eye over** …을 대강 훑어보다. **see eye to eye** (**with** a person) (종종 부정문에서) (…와) 견해가 완전히 일치하다. **see** something **with half an eye** …을 슬쩍 보다, 쉽사리 봐서 알다. **set eyes on** =CLAP eyes on. **set** one**'s eyes by** …을 존중하다, 귀여워하다. **shut one's eyes to**=close one's EYES to. **the eye of day**〔**heaven, the morning**〕 《詩》 태양. **the eye of night**〔**heaven**〕 《詩》 별(star). **the glad eye** 추파. **the green eye** 질투의 눈. **throw dust in the eyes of** …의 눈을 현혹하다, …을 속이다. **to the eye** 표면상으로는. **turn a blind eye to** … 을 못본 체하다, 눈감아주다. **under** one's (**very**) **eyes** =before one's (very) EYES. **up to** one**'s**〔**the**〕 **eyes** <일에> 몰두하여(*in*): 깊이 빠져들어(*in*). **Where are your eyes?** 눈이 없느냐《잘 보아라》. **wipe the eye of** a person =**wipe** a person**'s eye** 남을 앞지르다《사냥에서 남이 빗맞힌 사냥감을 쏘아 맞힌 데서 나옴》. **with an eye to** …을 목적하고, 을 계획해서. **with dry eyes** 눈물 한 방울도 흘리지 않고, 태연하게, 천연스럽게. **with half an eye** 슬쩍: 쉽게. **with** one**'s eyes open** (결점·위험 등을) 다 알고서, 잘 분별하여. **with** one**'s eyes starting out of** one**'s head** 눈알이 튀어나올 만큼 몹시 놀라서.

— *vt.* (**éy**(**e**)**·ing**) **1** 훑어〔눈여겨, 주의 깊게〕 보다: 《Ⅲ (목)+부》 She ~*d* him askance. 그녀는 그를 곁눈으로 훑어보았다/She ~*d* him suspiciously. 그녀는 그를 의심스러운 듯이 보았다/《Ⅲ (목)+전+명》 We could ~ him *from* head to foot. 우리는 그를 머리에서 발 끝까지 볼 수 있었다. **2** <바늘 등의> 구멍을 내다: <감자의> 눈을 따다.

éye appèal 《미口》 남의 눈을 끌기, 매력.

eye-ap·peal·ing[ˊəpíːliŋ] ***a.*** 《미口》 남의

눈을 끄는, 매력적인.
eye·ball[ˊbɔ̀:l] *n.* 눈알, 안구(眼球). **eyeball to eyeball** 《口》 (험악한 눈초리로) 얼굴을 맞대고. — *vt.* 《미口》 날카롭게〔가만히〕 쳐다보다.
eye·ball-to-eye·ball[ˊbɔ̀:ltəáibɔ̀:l] *a.* 《口》 《익살》 =FACE-TO-FACE.
éye bànk 안구〔각막〕은행.
eye·bar[ˊbɑ̀:r] *n.* 〔機·建〕 양끝에 구멍이 뚫린 강철봉.
eye bath 《영》 =EYECUP.
eye·beam[ˊbì:m] *n.* 눈빛의 번득임, 일별.
eye·black[ˊblæ̀k] *n.* 마스카라(mascara).
eye·bolt[ˊbòult] *n.* 〔機〕 아이볼트, 고리 볼트.
eye·bright[ˊbràit] *n.* 〔植〕 좁쌀풀 무리.
*__eye·brow__[ˊbràu] *n.* **1** 눈썹. **2** 〔建〕 눈썹 꼴 쇠시리; 눈썹꼴 지붕창. **knit the**〔**one's**〕 **eyebrows** 눈살을 찌푸리다. **raise eyebrows** 사람들을 놀라게 하다, 사람들의 멸시〔비난〕를 초래하다. **raise one's eyebrows**〔**an eyebrow**〕 (놀람·의심으로) 눈썹을 치켜올리다. **up to the**〔**one's**〕 **eyebrows** 몰두하고(*in*); 〈빚 등에〉 꼼짝 못하고(*in*).
éyebrow pèncil 눈썹 연필(화장품).
eye-catch·er[ˊkæ̀tʃər] *n.* 눈길을 끄는 것; 젊고 매력 있는 여자.
eye-catch·ing[ˊkæ̀tʃiŋ] *a.* 눈길을 끄는.
éye chàrt 시력 검사표.
éye còntact 시선이 마주침.
eye·cup[ˊkʌ̀p] *n.* 세안(洗眼) 컵(optic cup).
*__eyed__[aid] *a.* **1** (복합어를 이루어) (…의) 눈을 한: blue-eyed 파란 눈을 한. **2** 눈구멍이 달린; 눈 모양의 얼룩이 있는.
éye dìalect 시각 사투리(women을 *wimmin*: says를 *sez*로 쓰는 등; 말하는 사람의 무식을 나타내는데 씀).
éye dòctor 《口》 안과 의사; 검안사(檢眼士).
eye·drop[ˊdrɑ̀p/ˊdrɔ̀p] *n.* 눈물(tear).
eye·drop·per[ˊdrɑ̀pər/ˊdrɔ̀p-] *n.* 점안기(點眼器).
éye dròps 안약.
eye-fill·ing[ˊfìliŋ] *a.* 《미口》 (보기에) 굉장한, 아름다운(visually attractive).
eye·fold *n.* =EPICANTHUS.
eye·ful[áifùl] *n.* 《口》 충분히 봄; 《俗》 눈을 끄는 사람〔것〕; 미모, 아리따운 여자〔아가씨〕. **get an eyeful** 《미口》 실컷 보다, 눈요기하다.
eye·glass[ˊglæ̀s, ˊglɑ̀:s] *n.* **1** 안경의 알. **2** 외알 안경(monocle); (*pl.*) 안경(spectacles). **3** 대안 렌즈(*cf.* OBJECT GLASS). **4** 《영》 세안(洗眼) 컵.
eye-grab·ber[áigræ̀bər] *n.* 《俗》 아주 강하게〔크게〕 눈길을 끄는 것.
eye·hole[ˊhòul] *n.* **1** 눈구멍, 안와(眼窩)(orbit). **2** 들여다보는 구멍; 바늘귀.
eye-in-the-sky[áiinðəskái-] *n.* 공중 전자 감시 장치(항공기·인공 위성에 장치한 것).
eye·lash[ˊlæ̀ʃ] *n.* **1** 속눈썹(하나). **2** (종종 *pl.*: 집합적) 속눈썹. **by an eyelash** 근소한 차로. **flutter one's eyelashes at** … 〈여자가〉 …에게 윙크하다.
éye lèns 대안〔접안〕렌즈.
eye·less *a.* 눈이 없는, 장님인; 맹목적인.
éyeless síght 무안(無眼) 시각, 촉(觸) 시각(손가락에 의한 빛깔·문자의 식별 능력).
eye·let[áilit] *n.* **1** (천의) 작은 구멍, (돛·구두 등의 끈·고리·줄 등을 꿰는) 작은 구멍; 그 구멍에 박은 금속 고리(=metal ~). **2** 들여다보는 구멍; 총안(銃眼).
eye·let·eer[-íər] *n.* (끈을 꿸 구멍 뚫는) 송곳.
eye-lev·el[ˊlèvəl] *n.* 눈 높이.
*__eye·lid__[ˊlìd] *n.* 눈꺼풀. **hang on by the eyelids** 《영口》 겨우 매달리고 있다, 위험한 처지에 있다. **not bat an eyelid** 《口》 눈 하나 깜짝하지 않다, 태연하다.
eye·lift *n.* (미용으로 하는) 안검형성(眼瞼形成)(술).
eye·lin·er[ˊlàinər] *n.* Ⓤ (눈에 선을 긋는) 아이라이너(화장품).
éye lòtion 안약, 점안액.
éye mèasure 눈어림, 눈대중.
eye-mind·ed[ˊmáindid] *a.* 〈사람이〉 시각형(視覺型)의, 시각 기억의.
eye-o·pen·er[ˊòupənər] *n.* **1** 눈이 휘둥그래질 만한 것〔짓〕; 진상을 밝히는 새 사실. **2** 《미口》 아침 술.
eye-o·pen·ing[ˊòupəniŋ] *a.* 괄목할 만한, 놀랄 만한.
eye·patch[ˊpæ̀tʃ] *n.* 안대(眼帶).
eye·piece[ˊpì:s] *n.* 대안〔접안〕렌즈, 대안경.
eye·pit[ˊpìt] *n.* =EYE SOCKET.
eye-pop·per[ˊpɑ̀pər/ˊpɔ̀p-] *n.* 《미口》 깜짝 놀라게 하는 것; 굉장한 것.
eye-pop·ping[ˊpɑ̀piŋ/ˊpɔ̀p-] *a.* (눈이 튀어나오도록) 깜짝 놀라게 하는, 굉장한.
eye·reach[ˊrì:tʃ] *n.* 시계(視界), 시야.
éye rhỳme 〔詩學〕 시각운(韻)(모음의 발음은 달라도, 철자상으로는 답운(踏韻)한 것처럼 보이는 것: 보기 move, love).
eye-ser·vant[ˊsə̀:rvənt] *n.* 주인 눈 앞에서만 알랑거리는 고용인.
eye-ser·vice[ˊsə̀:rvis] *n.* Ⓤ 주인 눈 앞에서만 일함, 눈비음, 눈치껏의 근무(*cf.* LIP-SERVICE); 칭찬〔숭배〕의 눈짓〔시선〕.
eye·shade[ˊʃèid] *n.* 보안용 챙(정구할 때나 전등 아래서의 독서 때 등에 쓰는).
éye shàdow 눈꺼풀에 바르는 화장품.
eye·shot[ˊʃɑ̀t/ˊʃɔ̀t] *n.* Ⓤ 눈에 보이는 범위, 시계. **beyond**〔**out of**〕 **eyeshot** (**of**) (…에서) 보이는 곳에. **in**〔**within**〕 **eyeshot** (**of**) (…에서) 보이지 않는 곳에.
*__eye·sight__[ˊsàit] *n.* Ⓤ **1** 시력, 시각, 바라봄. **2** 시야, 견해. **lose one's eyesight** 실명하다. **within eyesight** 시계내에.
éye sòcket 눈구멍, 안와(眼窩)(eyepit).
eye·some[ˊsəm] *a.* 《古》 보기에 매력있는.
eyes-on·ly[áizòunli(:)] *a.* 《미》 〈기밀문서 등〉 묵독만 하는(낭독·복사 등이 엄금된).
eye·sore[ˊsɔ̀:r] *n.* 눈꼴심〔신 것〕.
éye splìce 〔海〕 삭안(索眼)(밧줄의 끝을 풀어 잇대어 고리 모양으로 함).
eye·spot[ˊspɑ̀t/ˊspɔ̀t] *n.* 안점(眼點)(하등동물의 감광(感光)기관); (공작의 꼬리 등의) 눈꼴 무늬.
éye·stàlk *n.* 〔動〕 (새우·게 따위의) 눈자루.
eye·strain[ˊstrèin] *n.* Ⓤ 눈의 피로.
éye·strìngs *n., pl.* 《古》 안근(眼筋).
Eye·tie[áiti/-tai] *n., a.* 《俗》 이탈리아 사람(의).
eye·tooth[ˊtù:θ] *n.* (*pl.* **-teeth**[-tì:θ]) 송곳니, (특히 위턱의) 견치(canine tooth). **cut one's eyeteeth** 세상 물정을 알게 되다, 어른이 되다. **give one's eyeteeth for** …을 얻기 위해서라면 어떤 희생이라도 치르다.
éye·tùck *n.* =EYELIFT.
eye·wall[ˊwɔ̀:l] *n.* 〔氣〕 태풍의 눈〔중심부〕 주위의 구름 벽(wall cloud).
eye·wash[ˊwɑ̀ʃ, ˊwɔ̀:ʃ/ˊwɔ̀ʃ] *n.* **1** 안약, 세안수(洗眼水). **2** 《口》 눈속임, 엉터리.
eye·wa·ter[ˊwɔ̀:tər, ˊwɑ̀t-] *n.* Ⓤ 안약;

〔解〕(눈의) 수양액(水樣液): 눈물.
eye·wear[ˊwὲər] *n.* 안경류(spectacles).
eye·wink[ˊwìŋk] *n.* 눈깜짝임: 일순간.
eye·wink·er[ˊwìŋkər] *n.* =EYELASH.
eye·wit·ness[ˊwìtnis, ˊˊ–] *n.* 목격자, 목격 증인. — *vt.* 목격하다. **~·er** *n.* 《口》 목격 기사, 현장르포.
ey·ot[éiət, eit] *n.* 《영》 =AIT.
EYP Electronic Yellow Pages 전자식 직업 전화 번호부.
eyre[εər] *n.* Ⓤ 〔史〕 순회(circuit): 순회 재판(정). **justices in eyre** 순회 판사.
ey·rie, ey·ry[έəri, íəri] *n.* (*pl.* **-ries**) =AERIE, AERY.
ey·rir[éiriər] *n.* (*pl.* **aurar**[ɔ́irɑːr]) 에이리르 《아이슬란드의 화폐 단위: 1/100 크로나(krona)》.
Ez., Ezr. 〔聖〕 Ezra.
Ezer. Ezekiel.
E·ze·kiel[izíːkiəl] *n.* 《略: Ezek.》 **1** 〔聖〕 에스겔《구약 성서 중의 한 책》: (기원전 6세기경의) 유대의 예언자. **2** 남자 이름.
Ez·ra[ézrə] *n.* 《略: Ezr.》 **1** 〔聖〕 에스라《구약 성서 중의 한책》: 〔聖〕 에스라《B.C. 5세기의 유대의 율법학자》. **2** 남자 이름.

F f

f, F[ef] *n.* (*pl.* **f's, fs, F's, Fs**) **1** 에프《영어 알파벳의 제 6자》. **2** F자 모양(의 것). **3** 〔樂〕 F〔바〕음, F〔바〕조. **4** 《미》 (학업 성적에서) 불가(不可), 낙제점(failure); 《때로》 가(可)(fair). **5** (연속된 것의) 여섯 번째(의 것). **6** 〔컴퓨터〕 (16진수의) F《10진법에서 15》.
F sharp 올림 F〔바〕음《기호: F#》.
F fine 심이 가는《연필의》; 〔化〕 fluorine. **f.** farthing; fathom; feet; female; feminine; filly; folio; following; foot; 〔野〕 foul(s); franc(s); frequency; from; 〔數〕 function. ***f.*** *forte*(It =loud). ***f*** /〔寫〕 ⇨f-number. **F.** Fahrenheit; farad; fathom; February; Fellow; fighter; France; French; Friday. **F-** fighter 전투기: *F*-15 F-15 전투기.
fa, fah[fɑː] *n.* (*pl.* **~s**) 〔樂〕 파《장음계의 제 4음》.
Fa. Florida. **F.A.** field artillery; Fine Arts; Football Association. **FAA** Federal Aviation Administration〔Agency〕. **F.A.A.** 《영》 Fleet Air Arm. **F.A.A., f.a.a.** free of all average 〔海保〕 전손(全損) 담보. **F.A.A.A.S.** Fellow of the American Academy of Arts and Science 미국 예술 과학 협회 회원; Fellow of the American Association for the Advancement of Science 미국 과학 진흥회 회원.
fab[fæb] *a.* 《영口》 =FABULOUS.
Fa·bi·an[féibiən] *a.* 고대 로마 장군 Fabius 식의, 지연 전법으로 적을 지치게 하는, 지구책의; 점진적인; (개혁·진보에) 신중한; 페이비언 협회의. — *n.* 페이비언 협회 회원. **~·ism**[-ìzəm] *n.* Ⓤ 페이비언주의; 점진주의. **~·ist** *n.* 페이비언주의자.
Fábian pòlicy 지구책(持久策).
Fábian Socíety (the ~) 페이비언 협회《1884년 Sidney Webb, G.B. Shaw 등이 창립한 영국의 점진적 사회주의 사상 단체》.
⁑**fa·ble**[féibəl] [L] *n.* **1** 우화(寓話): Aesop's *Fables* 이솝 이야기. **2** Ⓤ,Ⓒ (집합적) 전설, 신화(myths) (*opp.* fact). **3** 꾸며낸 이야기, 지어낸 이야기(fiction), 객적은 이야기, 잡담; 거짓말(lie): old wives' ~*s* 실없는 이야기. **4** 《古》 (극·서사시 등의) 줄거리(plot).
— *vi.* 《古》 우화를 이야기하다〔쓰다〕; 거짓말하다. — *vt.* 꾸며낸 이야기를 하다〔쓰다〕; 〈이야기를〉 꾸며내다. ◈ fábulous *a.*
fa·bled *a.* **1** 이야기〔전설〕로 유명한; 전설적인: Babe Ruth, the ~ homerun King 전설적인 홈런왕 베이브 루스. **2** 꾸며낸 이야기의; 허구(虛構)의.
fa·bler *n.* 우화 작가; 거짓말쟁이.
fab·li·au[fǽbliòu] [F] *n.* (*pl.* **~x**[-z]) (중세 프랑스의) 우스꽝스럽고 점잖지 못한 우화시.
Fa·bre[fáːbər] *n.* 파브르 Jean Henri ~《프랑스의 곤충학자(1823-1915)》.
⁑**fab·ric**[fǽbrik] [L] *n.* Ⓒ,Ⓤ **1** 구조, 조직, 구성(structure): the ~ of society 사회 조직〔기구〕. **2** 건조물, 건물; 구성법, 건조법; 건재(建材). **3** 피륙, 직물, 천, 편물; (직물의) 짜임새, 바탕: silk〔cotton, woolen〕 ~*s* 견〔면, 모〕직물. ◈ fábricate *v.*
fab·ri·ca·ble[fǽbrikəbəl] *a.* 만들 수 있는.
fab·ri·cant[fǽbrikənt] *n.* 《古》 제조(업)자.
fab·ri·cate[fǽbrikèit] *vt.* **1** 만들다, 제작하다; 조립하다; 〈부품을〉 규격대로 만들다; 〈원료를〉 제품으로 가공하다. **2** 〈전설·거짓말 등을〉 꾸며내다; 〈문서를〉 위조하다.
fáb·ri·cat·ed fóod 합성 가공 식품.
fab·ri·ca·tion[fæ̀brikéiʃən] *n.* **1** Ⓤ 제작, 구성; 조립; 구조물. **2** 꾸며낸 것, 거짓말; 위조(물), 위조 문서(forgery).
fab·ri·ca·tor[-ər] *n.* 제작자; 거짓말쟁이.
Fab·ri·koid, -coid[fǽbrikɔ̀id] *n.* 방수 모조 피혁《상표명》.
Fá·bry's disèase[fáːbriz-] 〔醫〕 파브리병《선천성 지질(脂質) 대사 이상증》.
fab·u·list[fǽbjəlist] *n.* 우화작가; 거짓말쟁이.
fab·u·los·i·ty[fæ̀bjəlásəti/-lɔ́s-] *n.* Ⓤ 전설적 성질, 가공성(架空性).
***fab·u·lous**[fǽbjələs] *a.* **1** 전설상의, 전설적인(legendary), 비사실적인: a ~ hero 전설상의 영웅. **2** 황당 무계한, 믿어지지 않는, 터무니없는; 엄청난. **3** 《口》 (매우) 멋진; 굉장한: a ~ party 멋진 파티. **~·ness** *n.*
fab·u·lous·ly *ad.* 우화(寓話)〔전설〕적으로, 거짓말같이; 엄청나게, 놀랄 만큼, 굉장히: a ~ rich man 큰 부자.
FAC forward air controller 〔軍〕 전방 공중 정찰자〔기(機)〕. **fac.** facsimile; factor; factory.
fa·çade, -cade[fəsáːd, fæ-] [F] *n.* (건물의) 정면(front); (사물의) 전면, 겉보기, 외관, 허울. **put up a facade** 외관을 바로잡다.
★**face**[feis] *n.* **1** 얼굴, 얼굴 생김새(look); 안색, 표정; 《口》 화장. **2** (종종 *pl.*) 찌푸린 얼굴(grimace). **3** Ⓤ 면목, 체면. **4** Ⓤ (the ~)《口》 태연한〔뻔뻔스러운〕 얼굴(effrontery); 뻔뻔스러움. **5** 면, 표면(surface), (물건의) 겉(right side); (화폐·메달·카드 등의) 표면; (시계 등의) 문자반; (책의) 겉장; 〔印〕 활자면; 인쇄면. **6** 〔鑛山〕 (광석·석탄의 채굴장의) 막장. **7** (기구 등의) 쓰는 쪽, (망치·골프 클럽의) 치는 쪽. **8** (건물 등의) 정면(front). **9** 겉모양, 외관, 겉보기. **10** 형세, 국면. **11** 지세, 지형. **12** (문서에서) 문자 그대로의 뜻, 문면. **13** 〔商〕 권면(券面), 액면. **14** 《俗》 놈, 녀석; 사람; 저명한 인사. **at〔in, on〕 the first face** 얼른 보기에는. **face and fill** 〈야채·과일 등을〉 표면만 보기 좋게 담기. **face down** 얼굴을 숙이고, 겉을 밑으로 하여. **face on** 얼굴을 그 쪽으로 향하여; 엎어져 〈쓰러지는 등〉. **face to face** 마주 보고, …와 마주 대하여《*with*》. **face up** 얼굴을 들고; 표면을 위로 하여. **fall (flat) on** one's **face** 푹 엎드러지다; 〈계획 등이〉 실패하다. **feed** one's **face** 《俗》 식사하다, 먹다. **have the face to** do 뻔뻔스 럽게도 …하다. **have the wind in** one's **face** 바람을 정면에 받다. **have two faces** 표리가 있다, 딴마음을 가지다; 〈말의 뜻이〉 두 가지로 해석되다. **in** one's **face** 정면으로; 눈앞에서, 공공연하게. **in (the) face of** …의 정면에서; …와 마주 대하여; …에도 불구하고(in spite of): *in the face of* the world 체면 불구하고. **in the (very) face of day〔the sun〕** 공공연하게. **keep** one's **face straight** = **keep a straight face** ⇨straight. **lie on its face** 〈카드가〉 뒤집혀 있다. **lie〔fall〕 on**

F

one's face 엎드리다, 엎드러지다. **look** a person **in the face** =**look in** a person's **face** 똑바로[부끄러움 없이] 얼굴을 바라보다. **lose** (one's) **face** 체면을 잃다, 망신하다. **make**[**pull**] **faces**[**a face**] 얼굴을 찌푸리다. **on the face of** (문서 등의) 문면으로는. **on the** (**mere**) **face of it** 겉으로만 보아도, 언뜻 보기에는. **open** one's **face** 《미俗》 입을 떼다, 이야기하다. **pull**[**put on, have, make, wear**] **a long face** 침울한[심각한, 슬픈] 얼굴을 하다. **put a bold face on** …을 대담하게 해내다, 을 태연한 얼굴을 하고 대하다. **put a good face on** …의 겉치레를 하다; …을 꾹 참다. **put a new face on** …의 국면을 새롭게 하다. **put** one's **face on** 《口》 〈얼굴에〉 화장하다. **save** (one's) **face** 체면을 지키다, 체면이 서다(*cf.* FACE-SAVING). **set**[**put**] one's **face against** …에 단호하게 반항하다. **set** one's **face to**[**toward**(**s**)] …쪽을 향하다; …을 목표로 삼다; …에 착수하다. **show** one's **face** 얼굴을 나타내다, 나타나다. **shut** one's **face** 《俗》 잠자코 있다 《특히 명령형으로》. **throw**[**thrust**] … **in a person's face** …을(…의) 코앞에 던지다. **to a person's face** 맞대놓고, 눈앞에서(*opp.* behind a person's back). **turn face about** 홱 얼굴을 돌리다. **turn** one's **face to the wall** 죽을 때가 다 되었음을 알다.
— *vt.* **1** …을 향하다, …에 면하다: The house ~*s* (the) north. 그 집은 북향이다. **2** 정면으로 대하다, 맞서다(confront); 〈재난 등에〉 용감하게 대하다(brave). **3** …을 향하게 하다; 마주 보게 하다; 〈사실·사정 등에〉 직면하다, …을 직시하다; (종종 수동형으로) 〈문제 등이〉 다가오다: be ~*d with*[*by*] a problem 문제에 직면하다. **4** 〔軍〕 (대열을) 방향 전환시키다. **5** 〈카드를〉 까놓다. **6** …의 면을 반반하게 하다, 〈석재(石材) 등을〉 반반하게 깎다, 닦다, 마무르다; 〈벽 등에〉 겉칠에 칠하다[바르다, 대다]: The wall is ~*d with* tiles. 그 벽은 겉에 타일을 붙였다. **7** 〈술·차(茶) 등을〉 착색하다; 물들이다《*up*》. **8** (옷의) 단을 대다, 옷단에 장식을 하다: The tailor ~*d* a uniform *with* gold braid. 재단사는 제복에 금몰을 달았다. **9** 〔아이스하키〕 〈심판이 puck을〉 마주 선 두 경기자 사이에 쳐서 넣다《*off*》《경기「시작」의 신호; *cf.* FACE-OFF》; 〔골프〕 〈공을〉 클럽의 타구면(打球面) 복판으로 치다.
— *vi.* **1** 〈건물이 어느 방향을〉 향하다, 면하다: Her house ~*s* (*to* the) south. 그녀의 집은 남향이다. **2** 〔軍〕 방향 전환을 하다. **3** 〔아이스하키〕 FACE-OFF에 의해 경기를 개시[재개]하다(~ off). **About face!** 《口令》 뒤로 돌아!. **face about** 〔軍〕 뒤로 돌아를 하다; 뒤로 (되)돌다. **face** a person **down** …을 위협하다, 위압하다. **face it** 현실을 직시하다. **face it out** 〈비난·적의 등을〉 무시하다, 아무렇지 않게 여기다. **face off** 〔아이스하키〕 경기가 시작되다(*cf. vt.* 9). **face out** 일을 대담하게 처리하다. **face the music** 《口》 선선히 난국에 대처하다, 떳떳이 비판을 받다. **face up to** …을 승인하다; …에 정면으로 대들다, 감연히 맞서다. **Left**[**Right**] **face!** 《口令》 좌향좌[우향우]! ◇ fácial *a.*

face-ache[féisèik] *n.* 안면 신경통.

fáce brìck 외장(外裝) 벽돌.

fáce càrd 〔카드〕 그림 카드(《영》 court card) 《king, queen, knave[jack]의 3종》.

face·cloth[ˊklɔ̀ːθ/ˊklɔ̀θ] *n.* **1** 《영》 세수수건(《미》 washcloth). **2** 시체의 얼굴을 덮는 천. **3** 표면에 광택 처리가 된 나사(羅紗).

face-cream *n.* Ⓤ 얼굴 화장 크림.

faced[feist] *a.* (복합어를 이루어) **1** …한 얼굴을 한: sad-~ 슬픈 얼굴을 한. **2** (물건의) 표면이 …한: rough-~ 표면이 거친.

face·down[ˊdáun] *ad.* 얼굴을 숙이고; 겉쪽을 아래로 하고. — [ˊˋ] *n.* 《미》 대결.

fáce flànnel 《영》 =FACECLOTH 1.

fáce flỳ 〔昆〕 가축의 안면에 꾀는 집파리속(屬)의 일종.

face·fun·gus *n.* 《口》 턱수염.

fáce guàrd (용접공·펜싱·미식 축구 선수 등의) 얼굴 가리개, 마스크.

face-hard·en *vt.* (강철 등에) 표면 경화 처리를 하다.

face·less[ˊlis] *a.* **1** 얼굴이 없는; 개성[주체성]이 없는; 익명의; 정체 불명의. **2** (화폐 등의) 면이 닳아 없어진. **~·ness** *n.*

face-lift[ˊlìft] *n.* =FACE-LIFTING. — *vt.* (…에) FACE-LIFTING을 하다.

face-lift·ing[ˊlìftiŋ] *n.* Ⓤ,Ⓒ 얼굴 성형술; (건물의) 외부 개장(改裝), (자동차 등의) 모델[디자인] 변경.

face·man[ˊmən] *n.* (*pl.* **-men**[-mən]) (광산의) 막장 작업원.

fáce màsk, fáce·màsk (스포츠·위험한 활동시에쓰는) 안면 보호구, 얼굴 가리개《헬멧이 딸린 것이 보통》.

fáce massàge 안면 마사지.

face-off[féisɔ̀ːf/-ɔ̀f] *n.* **1** 〔아이스하키〕 시합 개시. **2** 《미》 대결.

face-pack[ˊpæ̀k] *n.* 미용 팩.

face·plate[ˊplèit] *n.* (선반(旋盤)의) 면판(面板); (브라운관의) 화면《앞면 유리》.

fáce pòwder (화장) 분.

fac·er[féisər] *n.* **1** 화장 마무리하는 사람[물건]. **2** 《영口》 (권투의) 안면 펀치. **3** 《口》 난처하게 하는 일, 뜻하지 않은 곤란[장애].

face-sav·er[ˊsèivər] *n.* 체면 유지 수단.

face-sav·ing[ˊsèiviŋ] *n.* Ⓤ 체면 세움; Ⓒ 체면을 세워주는 것. — *a.* 체면을 세우는[세워주는].

fac·et[fǽsit] [F] *n.* **1** (다면체, 특히 보석의) 한 면(面), (cut glass의) 간[깎은, 자른] 면. **2** (사물의) 면, 상(aspect)(⇨phase). **3** 〔昆〕 홑눈, 낱눈. — *vt.* (~·ed, ~·ing | ~·ted, ~·ting) 깎아서 작은 면을 내다. **~·ed** *a.* 작은[깎은] 면이 있는.

fa·ce·ti·ae[fəsíːʃiìː] [L] *n. pl.* 재담, 해학, 농담(witty remarks); 우스운 책; 외설책.

fa·ce·tious[fəsíːʃəs] *a.* 우스운, 익살맞은, 허튼소리의. **~·ly** *ad.* **~·ness** *n.*

face-to-face[féistəféis] *a.* 정면으로 마주 보는, 직접의: ~ negotiations 직접 교섭. — *ad.* 정면으로 맞서서, 직면하여《*with*》.

fáce-to-fáce gròup 〔社〕 대면 집단.

fáce tòwel 세수 수건.

face·up[féisʌ́p] *ad.* 얼굴을 위로 하여, 얼굴을 들고; 겉을 위로하여.

fáce válue 액면 가격, 권면액(券面額); 액면[표면]상의 가치[의미]. **take a person's promise at face value** (…의 약속)을 액면대로[그대로] 믿다.

fáce wàll =BREAST WALL.

face·work·er[ˊwɔ̀ːrkər] *n.* (탄갱의) 막장 작업원.

fa·cia *n.* (상점 정면의) 간판; 《영》 (자동차의) 계기판.

***fa·cial**[féiʃəl] *a.* 얼굴의; 얼굴에 사용하는: ~ expression 표정. — *n.* Ⓤ,Ⓒ 《미口》 얼굴 마

F

사지 미안술. **~·ly** *ad.* ◇ face *n.*

fácial àngle 〔結晶〕 면각(面角): 〔人類〕 안면각(顔面角).

fácial índex 〔人類〕 안면 계수(係數)《안면의 넓이와 높이의 백분 비》.

fácial nèrve 解 안면 신경.

fácial neurálgia 〔病理〕 안면 신경통.

fácial tíssue 고급 화장지.

-fa·cient[féiʃənt] *suf.* 「…화하는; …작용을 하는; …성(性)의」의 뜻: cale*facient,* somni*facient.*

fa·ci·es[fǽʃiìːz, -fiːz] *n.* (*pl.* ~) 〔醫〕 (증상을 나타내는) 안색; 〔地質〕 (층)상((層)相); 〔生態〕 (동식물의 개체(군) 의) 외관, 외견.

fac·ile[fǽsil/fǽsail] *a.* 《文語》 **1** 손쉬운(easy), 힘들지 않는, 쉽사리 얻을 수 있는: a ~ victory 낙승. **2** 쉽게 이해되는, 쓰기 편리한; 경묘한, 유창한(fluent); (혀가) 잘 돌아가는, 잘 지껄이는: a ~ style (알기) 쉬운 문체. **3** 경솔한(hasty), 걷핥기의. **4** 고분고분한; 양순한. **~·ly** *ad.* **~·ness** *n.*
◇ facílitate *v.*; facílity *n.*

fa·ci·le prin·ceps[fǽsili-prínseps] [L] *a., n.* 쉽게 일등이 된 (사람); 탁월한 (지도자).

*__fa·cil·i·tate__[fəsílətèit] *vt.* 〈일을〉 용이하게 하다; 쉽게 하다; 촉진〔조장〕하다《◇ 사람을 주어로 쓰지 않음》. **-ta·tive**[-iv] *a.* **-ta·tor** *n.*
◇ fácile *a.*; facílity, facilitátion *n.*

fa·cil·i·ta·tion[fəsìlətéiʃən] *n.* Ⓤ 용이〔간편〕하게 함, 편리〔간이〕화; 〔心〕 촉진, 조장(*opp.* inhibition).

facílities mánagement 〔컴퓨터〕 기능 관리《컴퓨터는 자사에서 소유하고, 그 시스템 개발·관리 운영은 외부 전문 회사에 위탁하는 일; 略: FM》.

__fa·cil·i·ty__[fəsíləti] *n.* (*pl.* **-ties) Ⓤ,Ⓒ **1** 쉬움(ease)(*opp.* difficulty). **2** (쉽게 배우거나 행하는) 재주, 재간(dexterity), 솜씨, 유창함(fluency): have ~ in speaking〔writing〕 말솜씨〔글재주〕가 있다/Practice gives ~. 연습을 하면 솜씨가 좋아진다. **3** (보통 *pl.*) 편익, 편의, 설비, 시설; 〔軍〕 (보급) 기지; 《口》 변소, 세면 설비: educational〔public〕 facilities 교육〔공공〕 시설/facilities of civilization 문명의 이기. **4** 사람이 좋음, 다루기 쉬움. **give**〔**afford**〕 **every facility for** …에게 온갖 편의를 제공하다. **have a facility for** …의 재능이 있다. **monetary facilities** 금융 기관. **with facility** 술술, 쉽게.
◇ fácile *a.*; facílitate *v.*

facílity trìp 관비〔사비(社費)〕 여행, 접대 여행.

*__fac·ing__[féisiŋ] *n.* **1** Ⓤ 면함, (집의) …향(向). **2** Ⓤ 깃〔끝동, 섶, 단〕 달기; (*pl.*) (군복의 병과를 표시하는) 금장(襟章)과 수장(袖章). **3** 〔建〕 (외벽 등의) 겉단장, 외장, 마무리 치장된 면; 외장재. **4** Ⓤ (차·커피의) 착색(着色). **5** (*pl.*) 〔軍〕 (우향우 등의) 방향 전환. **go through one's facings** 《古》 솜씨를 시험받다. **put** a person **through his facings** 《古》 …의 솜씨를 시험하다.

fácing brìck =FACE BRICK.

fack[fæk] *vi.* 사실〔진실〕을 말하다.

fa·çon de par·ler[fɑsɔ̃ːdəpɑːrléi] [F] *n.* 말솜씨, 말씨; 상투어.

F.A.C.P. Fellow of the American College of Physicians. **F.A.C.S.** Fellow of the American College of Surgeons.

fac·sim·i·le[fæksíməli] *n.* **1** (필적·그림 등의 원본대로의) 복사, 모사, 복제. **2** 〔通信〕 사진 전송, 팩시밀리. **in facsimile** 꼭 그대로, 원본대로. — *vt.* 복사〔모사〕하다; 〔通信〕 팩시밀리로 보내다.

facsímile tèlegraph 복사 전송기.

⋆**fact**[fækt] [L] *n.* **1** 사실, (실제의) 일: an established ~ 기정 사실〔움직일 수 없는 사실〕. **2** Ⓤ (이론·의견·상상 등에 대하여) 사실, 실제, 현실, 진상: *F*- is sometimes stranger than fiction. 사실은 소설보다도 기이할 때가 있다. **3** (보통 the ~) (…이라는) 사실; 현실 《*of, that*》: No one can deny *the* ~ *that* man cannot live without water. 인간은 물 없이 살 수 없다는 사실은 아무도 부정할 수 없다. **4** (the ~) 〔法〕 (범죄 등의) 사실, 범행, 사건: confess *the* ~ 범행을 자백하다. **5** (종종 *pl.*) 진술한 사실: We doubt his ~*s.* 그의 진술은 의심스럽다. **after**〔**before**〕 **the fact** 범행 후〔전〕에, 사후〔사전〕에. **(and) that's a fact** 그런데 그것은 사실이다. **as a matter of fact** =**in (point of) fact** 사실상, 실제로, 사실은. **fact of life** (어쩔 수 없는) 인생의 현실; 현실, 현상. **facts and figures** 정확한 사실〔정보〕. **for a fact** 사실로서. **The fact (of the matter) is (that)** … 사실〔일의 진상〕은 …이다. **the facts of life** 《완곡》 성(性)의 실태〔지식〕. ◇ fáctual *a.*

fáct finder 진상 조사원.

fact-find·ing[⌐-fàindiŋ] *n.,* Ⓤ *a.* 진상〔현지〕 조사(의): a ~ committee 진상 조사 위원회.

*__fac·tion__¹[fǽkʃən] [L] *n.* **1** 당내(黨內)의 당, 도당, 당파, 파벌. **2** Ⓤ 당쟁, 내분; 당파심.
◇ fáctious *a.*

faction² *n.* 실록 소설, 실화 소설.

-fac·tion[fǽkʃən] *suf.* (-fy로 끝나는 동사의 명사형을 만듦) 「작용」의 뜻: satisfy > satis*faction.*

fac·tion·al[fǽkʃənəl] *a.* 도당의, 당파적인. **~·ìsm**[-ìzəm] *n.* Ⓤ 파벌주의, 당파심. **~·ist** *n.* 파당을 짓는 사람, 당파에 속하는 사람.

fac·tious[fǽkʃəs] *a.* 당파적인; 당파심이 강한, 당파 본위의; 당쟁을 일삼는. **~·ly** *ad.* **~·ness** *n.*

fac·ti·tious[fæktíʃəs] *a.* 인위〔인공〕적인, 겉꾸민; 부자연스러운(*opp.* natural). **~·ly** *ad.* **~·ness** *n.*

fac·ti·tive[fǽktətiv] *a.* 〔文法〕 작위(作爲)의: ~ verbs 작위 동사《V+O+C 형의 call, make, cause, think 등》. **~·ly** *ad.*

fac·tive[fǽktiv] *a.* 〔文法〕 사실적: a ~ verb 사실성(事實性) 전제 동사《*regret, realize, surprise* 등》/a ~ clause 사실절. — *n.* (종속절이 사실임을 전제로 하는) 사실성 전제 동사.

fac·toid[fǽktɔid] *n.* (활자화됨으로써) 사실로서 받아들여지고 있는 일〔이야기〕, 의사(擬似) 사실.

__fac·tor__[fǽktər] [L] *n.* **1 (어떤 현상의) 요소, 요인, 원인: a ~ of happiness 행복의 요인. **2** 〔數〕 인수, 인자(因子); 〔機〕 계수(係數), 율(率); 〔生〕 인자, 유전 인자(gene). **3** 대리상, 도매상, 중매인; 《스코》 토지 관리인, 마름(land steward). **the factor of safety** 안전율(率). **common factor** 공통 인자, 공약수, 공인수(公因數). **prime factor** 소인수(素因數). **resolution into factors** 인수 분해. — *vt.* 〔數〕 인수 분해하다. **~·ship** *n.*
◇ factórial *a.*; fáctorize *v.*

fac·tor·age[fǽktəridʒ] *n.* Ⓤ 대리업, 도매업; 중매 수수료, 도매상이 받는 구전.

fáctor análysis 〔統〕 인자 분석(因子分析).

fáctor còst 〔經〕 (생산) 요인〔요소〕 비용.

F

fáctor VIII〔**eight**〕[-éit] 〔生化〕 항(抗) 혈우병 인자.

fac·to·ri·al[fæktɔ́:riəl] *a.* **1** 〔數〕 계승(階乘)의. **2** 대리상의, 도매상의. — *n.* 〔數〕 계승.

fac·tor·ing[fǽktəriŋ] *n.* **1** 〔數〕 인수 분해. **2** 〔商〕 (매입) 대리업, 채권 매입업.

fac·tor·i·za·tion[fæ̀ktərizéiʃən] *n.* **1** Ⓤ 〔數〕 인수 분해. **2** 〔法〕 채권 차압 통고.

fac·tor·ize[fǽktəràiz] *vt.* 〔數〕 인수 분해하다.

*****fac·to·ry**[fǽktəri] [L] *n.* (*pl.* **-ries**) **1** a 공장, 제조소(works): an iron ~ 철공소. ◇ 소규모의 것은 workshop이라고 함. **2** = FACTORY SHIP. **3** 《口·경멸》 (획일적인 사물·사람을) 만들어내는 곳《학교 등》. **4** 해외 대리점;(옛) 재외 상관(在外商館). **5** 《俗》 교도소, 경찰서. — *a.* 공장의: a ~ girl 여직공/a ~ hand 공원, 직공/a ~ price 공장도 가격.

Fáctory Àcts (the ~) 〔영史〕 공장법.

fáctory fàrm 공장 방식으로 운영되는 축산 농장.

fáctory shìp 공선(工船)《고래 공선 등》, 모선(母船);(고장 수리용의) 공작선〔함〕.

fáctory sỳstem 공장 제도.

fac·to·tum[fæktóutəm] *n.* 잡역부, 막일꾼.

*****fac·tu·al**[fǽktʃuəl] *a.* 사실의, 실제의, 사실에 입각한〔관한〕. **~·ly** *ad.* **~·ness** *n.*

fac·tu·al·ism[fǽktʃuəlìzəm] *n.* 사실 존중(주의). **-ist** *n.*

fàc·tu·al·ìs·tic[-ístik] *a.*

fac·tum[fǽktəm] [L] *n.* (*pl.* **-ta**[-tə], **~s**) 〔法〕 사실, 행위, 범행;(유언서의) 작성;(사실의) 진술서.

fac·ture[fǽktʃər] *n.* 제작(법), 수법; 제작물, 작품;(작품의) 질; 〔美〕 팩처; 〔商〕 송장.

fac·u·la[fǽkjələ] *n.* (*pl.* **-lae**[-ləːr]) 〔天〕 (태양의) 흰 반점(*cf.* MACULA).

-lar[-lər] *a.* **-lous**[-ləs] *a.*

fac·ul·ta·tive[fǽkəltèitiv] *a.* **1** 허용적인. **2** 수의의, 임의의(*opp.* compulsory); 우발적인. **3** 기능의. **4** 〔生〕 〈기생충 등이〉 다른 환경에서도 살 수 있는.

*****fac·ul·ty**[fǽkəlti] *n.* (*pl.* **-ties**) **1** Ⓒ,Ⓤ 능력, 재능; 《미口》 기능, 수완: one's ~ of observation 관찰력. **2** (신체·정신의) 기능: the ~ of hearing〔speech〕 청각〔언어〕 능력. **3** 자력(資力), 재력(財力), 재산; 지불 능력. **4** 《영》 (대학의) 학부, 학부의 교수단; 《미》(집합적) 대학·고교의 전교직원: the ~ of law 법학부/a ~ meeting 교수회, 직원 회의/The ~ are meeting today. 오늘은 교수회〔직원회〕가 있다. **5** (의사·변호사 등의) 동업자 단체: the ~〔*F*-〕 《영口》 의사회. **6** 〔法〕 특허; 〔영國敎〕 (교회법상의) 허가. **the four faculties** (중세 대학의) 4학부《신학·법학·의학·문학》.

⊕ fácultative *a.*

*****fad**[fæd] *n.* 변덕; 일시적 유행; 일시적 열중, 유별난 취미: have a ~ for …에 열중하다/the latest ~*s* 최신 유행.

fad·a·yee[fæ̀dəjíː] *n.* (*pl.* **-yeen**[-jíːn]) = FEDAYEE.

fad·dish[fǽdiʃ] *a.* 변덕스러운, 별난 것을 좋아하는. **~·ness** *n.* **~·ly** *ad.*

fad·dism[fǽdizəm] *n.* Ⓤ 일시적인 유행을 따름, 별난 것을 좋아함.

fad·dist[fǽdist] *n.* 변덕쟁이, 일시적인 유행을 따르는 사람; 《영》 음식에 까다로운 사람.

fad·dy[fǽdi] *a.* (**-di·er; -di·est**) =FADDISH.

*****fade**[feid] [OF] *vi.* **1** 〈빛깔이〉 바래다; 〈소리가〉 사라지다; 〈안색이〉 나빠지다; 〈꽃이〉 시들다, 쭈그러들다; 〈기력이〉 쇠퇴하다; 〈기억 등이〉 희미해지다《*away, out*》: The idea has ~*d* (*away*) from my memory. 그러한 생각을 나는 서서히 잊어버렸다/The sound ~*d* (*away*) little by little. 소리가 점점 사라져 갔다. **2** 《미》 〈사람이〉 자취를 감추다, 〈물건이〉 차츰 안 보이게 되다, 〈희망이〉 사라지다《*away, out*》: All hope of success soon ~*d away.* 성공의 모든 희망이 이윽고 사라졌다. **3** 〈골프공이〉 코스에서 벗어나다;(자동차의) 브레이크가 차츰 말을 안 듣다. **4** 〔通信〕 (신호의 세기가) 변동하다. — *vt.* 색깔을 바래게 하다; 쭈그러들게 하다, 시들게 하다, 노쇠케 하다; 〈골프공을〉 페이드시키다; 《俗》 (주사위 노름에서) 상대와 같은 액수를 걸다. **fade away** (희미해져) 사라지다; 《命令》 나가라!:《I 副+*v*I》《I 副+*v*I+副》 Old soldiers never die; They only *fade away.* 노병은 죽지 않는다. 다만 사라질 뿐이다. **fade in**〔**out**〕 〔映〕 차차 밝아〔어두워〕지다, 차차 밝게〔어둡게〕 하다, 용명(溶明)〔용암(溶暗)〕하다; 〔라디오·TV〕 수신〔수상〕기의 음량〔영상〕이 점차 뚜렷해〔희미해〕지다; 음향〔영상〕을 점점 뚜렷하게〔희미하게〕 하다. **fade up** =FADE in.

fade·a·way[⌐əwèi] *n.* Ⓤ,Ⓒ **1** 사라져버림, 소실. **2** 〔野〕 =SCREWBALL; =HOOK SLIDE.

fad·ed[féidid] *a.* 시든, 빛깔이 바랜; 쇠퇴한. **~·ly** *ad.* **~·ness** *n.*

fade-in[féidìn] *n.* 〔映·TV〕 페이드인, 용명(溶明); 〔라디오〕 〈음이〉 차차 뚜렷해짐.

fade·less[féidlis] *a.* 시들지 않는, 빛깔이 바래지 않는; 쇠퇴하지 않는, 불변의. **~·ly** *ad.*

fade-out[féidàut] *n.* Ⓤ,Ⓒ **1** 〔映·TV〕 페이드아웃, 용암(溶暗); 〔라디오〕 〈소리가〉 차차 흐려짐. **2** 점점 보이지 않게 됨: take ~*s* 자취를 점점 감추다.

fad·er[féidər] *n.* 〔映〕 음량 조절기《토키 등의》; 광량(光量) 조절기《필름 현상의》; 〔電子〕 페이더《음성〔영상〕 신호의 출력 조절기》.

fad·ing[féidiŋ] *n.* Ⓤ 〔通信〕 페이딩《전파의 강도가 시간적으로 변동하는 현상》.

FAdm, F.Adm., FADM Fleet Admiral 《미》 해군 원수.

fa·do[fáːduː, -dou] *n.* (*pl.* **~s**) 파두《포르투갈의 대표적인 민요·춤》.

FAE fuel air explosive.

fae·cal[fíːkəl] *a.* =FECAL.

fae·ces[fíːsiːz] *n. pl.* =FECES.

fa·e·na[fɑːéinɑː] [Sp] *n.* 〔鬪牛〕 파에나《투우사의 기술을 과시하기 위하여 죽기 직전의 소를 연속해서 찌르는 일》.

fa·er·ie, fa·er·y[féiəri, fέəri] *n.* (*pl.* **-er·ies**) **1** 《古·詩》 요정의 나라(fairyland); 몽환경(夢幻境), 선경. **2** (집합적) 선녀들. — *a.* 요정의, 요정 같은; 몽환적인.

Fáeroe Íslands[fέərou-] *n.* (the ~) 페로 제도《영국과 아이슬란드의 중간에 있는 군도》.

F.A.F., f.a.f. free at field 〔商〕 항공기 인도 조건.

faff[fæf] 《영口》 *vi.* 공연한 법석을 떨다; 빈둥빈둥 지내다. — *n.* 공연한 법석.

Faf·nir[fáːvnər] [ON] *n.* 〔北歐神〕 파브니르《황금을 지킨 용; Sigurd에게 피살됨》.

fag[1][fæg] (**~ged; ~·ging**) *vi.* **1** 열심히 일하다(toil)《*at*》. **2** 《영》 (public school에서) 〈하급생이 상급생의〉 심부름꾼 노릇을 하다. — *vt.* **1** (보통 수동형) 〈일이 사람을〉 피곤하게 하다《*out*》. **2** 《영》 (public school에서) 〈하급생을〉 심부름꾼으로 부리다. **be fagged out** 기진맥진하다. **fag oneself to death** 분골쇄신하다. **fag out** 〔크리켓〕 외야수를 맡다.

F

— *n.* **1** Ⓤ 《영口》 고역(苦役), 노역(勞役); 피로: What a ~! 참으로 지긋지긋한 일이다! **2** 《영口》 상급생 시중드는 하급생.

fag² 《口》 싸구려 궐련: =FAG END.

fag³ *n., a.* 《俗》 (남자) 동성 연애자(의).

fa·ga·ceous[fəgéiʃəs] *a.* 〔植〕 너도밤나무과(科)의.

fág ènd **1** 도려낸 끝 조각; 말단, 남은 허섭쓰레기(remnant); 《영口》 담배 (꽁초). **2** (직물의) 토끝 새끼의 꼬지 않은 끄트머리.

fag·got[fǽgət] *n.* 《俗·경멸》 (남성의) 동성애자.

faggot ⇨ **fagot.**

fag·got·ry[fǽgətri] *n.* 《俗》 (남자) 동성애, 호모 행위.

fággot vòte 〔영史〕 긁어 모으기 투표(재산의 일시적 양도로 선거 자격을 얻은 사람의).

fag·got·y, fag·got·ty[fǽgəti], **fag·gy**[fǽgi] *a.* 《미俗》 동성애의; 남자답지 않은.

fág hàg 《미俗》 동성애 남자만 사귀는 여자.

Fa·gin[féigin] *n.* (어린이를 소매치기·도둑질의 앞잡이로 만드는) 나쁜 노인(Dickens의 *Oliver Twist*에 등장).

fag·ot | fag·got[fǽgət] *n.* **1** 장작뭇〔단〕, 삭정이단. **2** 〔冶〕 (가공용의) 쇠막대 다발; 지금(地金) 뭉치. **3** (수집물의) 한 묶음. **4** 《영》 간(肝) 요리의 하나(고기 만두의 일종). **5** 《미俗》 동성애자(남자), 호모. **6** 《영》 지겨운 여자.
— *vt.* **1** 단으로 묶다, 다발로 만들다. **2** 〈직물을〉 FAGOTING으로 장식하다.

fag·ot·ing[fǽgətiŋ] *n.* Ⓤ,Ⓒ 패고팅(천이나 레이스의 씨실을 날실과 합쳐 다발 모양으로 얽는 매듭 자수 혹은 두 천을 새발뜨기로 연결하기).

fa·got·to[fəgɑ́tou/-gɔ́t-] [It] *n.* (*pl.* **-got·ti** [-ti:]) =BASSOON.

F.A.G.S. Fellow of the American Geographical Society. **Fah.** Fahrenheit.

⁑**Fahr·en·heit**[fǽrənhàit, fɑ́:r-] *a.* 화씨의(略 F., Fah., Fahr.): 32°*F.*=thirty-two degrees *F.* 화씨 32도(*cf.* CENTIGRADE). ◇ 영·미에서 특별한 표시가 없을 때의 온도는 F.

Fáhrenheit thermómeter 화씨 온도계: 95 degrees by the ~ 화씨 95도.

F.A.I. [F] Federation Aeronautique Internationale 국제 항공 연맹. **F.A.I.A.** Fellow of the American Institute of Architects.

fa·ïence[faiɑ́:ns, fei-] [F] *n.* Ⓤ,Ⓒ 파양스 도자기(프랑스 채색 도자기).

★**fail**[feil] *vi.* **1** 실패하다, 실수하다, 낙제하다 (*opp.* succeed): The scheme ~*ed.* 계획은 실패했다/《Ⅰ(부구)+(주)+*v* Ⅰ》 *To* idle like that, you will ~. 그렇게 빈둥거리면 너는 실패할 것이다/~ *in* the exam 낙제하다. **2** 게을리하다(neglect), 안 되다, 그르치다, 하지 않다: (not과 함께) 꼭 …하다: ~ *to* keep one's word 약속을 안 지키다/Don't ~ *to* let me know. 꼭 알려 주게. **3** (목표 따위를) 달성하지 못하다: The policy is likely *to* ~ of its object. 그 정책은 목표를 달성하지 못할 것 같다. **4** 〈공급 등이〉 부족하다, 끊어지다; 흉작이 되다: The crops ~*ed* last year. 작년에 흉작이 되었다/The electric supply ~*ed.* 정전되었다. **5** 〈덕성 등이〉 모자라다, 없다(*in*): He ~*s in* patience. 그는 참을성이 없다. **6** 〈힘 등이〉 약해지다: His health has ~*ed* badly. 몹시 쇠약해졌다/The wind ~*ed.* 바람이 잤다. **7** 파산하다; 〔法〕 패소하다. **8** 〈기계 등이〉 고장나다, 작용〔작동〕하지 않다: The engine ~*ed* suddenly. 갑자기 엔진이 꺼졌다.
— *vt.* **1** …의 기대를 어기다, 실망시키다, (정작 긴요할 때에) …의 도움이 되지 않다, 저버리다; 갑자기 나오지〔작동하지〕 않다: He ~*ed* me when I needed his help. 그의 도움이 필요할 때 그는 나를 저버렸다/She was so frightened that her words ~*ed* her. 그녀는 너무나 놀라서 말이 나오질 않았다/His courage ~*ed* him. 그는 용기가 나지 않았다. **2** 《口》 〈시험에서〉 떨어뜨리다, 〈학생에게〉 낙제점을 매기다; …에서 낙제 점수를 따다: He ~*ed* history〔his examination〕. 그는 역사가 낙제 점수였다〔시험에서 낙제했다〕. **3** …이 없다: I ~ words to express my thanks. 뭐라고 감사드려야 할 지 모르겠습니다. **be unable to fail** 실수할 리가 없다, 꼭 성공하다. **fail of** 〈목적을〉 이루지 못하다; …에 실패하다. **fail safe** (만약의 실수·고장에 대비하여) 안전 장치를 하다(*cf.* FAIL-SAFE). **fail to** do …하지 않다: She *failed to* come〔go〕. 그녀는 오지 않았다〔가지 못하였다〕. **never fail to** do 반드시 …하다: She *never fails to* come on Sunday. 그녀는 일요일에는 반드시 찾아온다.
— *n.* Ⓤ 낙제; 증권 양도 불이행; 실패. ◇ 다음 성구로. **without fail** 틀림 없이, 반드시, 꼭. **failed** *a.* 실패한. ⊕ **fáilure** *n.*

***fail·ing**[féiliŋ] *n.* Ⓤ,Ⓒ **1** 실패; 낙제; 쇠약, 파산. **2** 결점, 약점; 부족.
— *prep.* **1** …이 없을 경우에는: ~ an answer by tomorrow 내일까지 대답이 없을 경우에는. **2** …이 없어서: *F*- a purchaser, he rented the farm. 살 사람이 없어서 농장을 세주었다. **failing all else** 하는 수 없이. **whom failing** =**failing whom** 당사자가 지장이 있을〔부재일〕 경우에는. **~·ly** *ad.*

faille[fail, feil] [F] *n.* Ⓤ,Ⓒ 파유(물결 무늬 비단).

fail-safe[féilsèif] *a.* **1** 〔電子〕 (조기 경보망이나 원자로 등의 고장에 대비한) 안전 보장 장치의, 비상〔이중〕 안전 장치를 한. **2** (때로 **F-**) (핵 장비 폭격기의 오폭에 대비한) 제어 조직의. **3** 절대 안전한, 전혀 문제가 없는.
— *n.* **1** 자동 안전 장치. **2** (때로 **F-**) (핵폭격기가 별도 지시 없이는 넘을 수 없는) 한계선, 진행 제한 지점; (핵 병기의) 기폭 안전 장치; 2중 안전 장치; 우발 방지 기구(機構).
— *vi., vt.* 자동〔이중〕 안전 장치로 하다, 자동〔이중〕 안전 장치가 작동하다.

fáil sòft 〔컴퓨터〕 페일 소프트(고장이나 일부 기능이 저하되어도 주기능을 유지시켜 작동하도록 짠 프로그램; *cf.* fallback).

⁑**fail·ure**[féiljər] *n.* **1** Ⓤ 실패, 실수(*opp.* success): end in〔meet with〕 ~ 실패로 돌아가다. **2** 실패자; 잘못된 것, 실패한 계획: She was a ~ *as* a teacher. 그녀는 교사로서는 실패였다. **3** 태만, 불이행(*in*): a ~ *in* duty 직무 태만/a ~ *to* keep a promise 약속 불이행. **4** Ⓤ,Ⓒ (힘 등의) 감퇴, 쇠퇴(falling off), (신체 기관의) 기능 부전(不全)(*in, of*): a ~ *in* health 건강의 쇠퇴. **5** Ⓤ,Ⓒ 부족, 불충분(*of*): a ~ *of* crops =crop ~*s.* 흉작. **6** Ⓤ,Ⓒ 없음: ~ of issue 자손이 없음. **7** Ⓤ,Ⓒ 지불 정지; 파산. **8** 〔機〕 고장, 정지, 파괴, 파손: an engine〔a mechanical〕 ~ 엔진〔기계〕의 고장. **9** Ⓒ,Ⓤ 낙제; Ⓒ 낙제점(*cf.* F), 낙제생, 낙오자. ⊕ **fail** *v.*

fain¹[fein] 《古·文語》 *a.* (부정사와 함께) **1** 기꺼이 …하는, …하고 싶어 하는(willing): She was ~ *to* come. 그녀는 기꺼이 왔다. **2** 어쩔 수 없이 …하는(obliged): He was ~ *to* apologize. 그는 어쩔 수 없이 사과했다. **3** …하기를 바라는, 하고 싶어하는(eager): She is

~ *to* know the truth. 그녀는 진상을 알고 싶어 한다. — *ad.* (would ~으로) 기꺼이, 쾌히(gladly): I *would* ~ help you. 기꺼이 도와드리고 싶습니다(만).

fain², fains[fein], [feinz], **fen(s)**[fen(z)] *vt.* 《영俗》 …은 싫다: *Fain(s)* I keeping goal. 골키퍼 같은 것은 싫어.

fai·né·ant[féiniənt] [F] *n.* (*pl.* **~s**) 게으름뱅이. — *a.* 게으른, 나태한.

faint[feint][OF feign과 같은 어원] *a.* **1** 〈색·소리·빛깔·생각·희망 등이〉 희미한, 가냘픈, 몽롱한, 어렴풋한, 약한, 엷은; 희박한: ~ light 희미한 빛/~ lines 엷은 괘선(罫線). **2** 쇠약해진, 미약한: ~ breathing 미약한 숨결/《Ⅱ 형+전+명》 The beggar was ~ *with* hunger and cold. 그 거지는 굶주림과 추위로 기진맥진해 있었다. **3** 어질어질한, 인사 불성이 된: feel ~ 어지럽다. **4** 힘 없는, 연약한, 열없은: a ~ effort 내키지 않는 노력. **5** 활기〔용기〕 없는, 뱃심 없는: *F-* heart never won fair lady. 《속담》 용기없는 사람은 미인을 얻지 못한다. — *n.* 기절; 졸도, 실신. **fall into a faint** 기절하다. **in a dead faint** 기절하여.
— *vi.* **1** 졸도하다, 기절하다(swoon)(*away*): (Ⅰ *to* do)He ~*ed to* have overworked. 그는 과로로 졸도했다. **2** 《古》 약해지다, 활기를 잃다.

faint·heart[ˊhɑ̀:rt] *n.* 겁쟁이(coward).

faint·heart·ed[ˊhɑ́:rtid] *a.* 소심한, 겁많은, 뱃심 없는. **~·ly** *ad.* **~·ness** *n.*

faint·ing[féintiŋ] *n.* Ⓤ 기절, 졸도, 실신; 의기 소침. — *a.* 졸도하는, 기절의: a ~ fit 졸도, 기절. **~·ly** *ad.* 인사 불성이 되어.

faint·ish[féintiʃ] *a.* **1** 기절할 것 같은, 아찔한. **2** 좀 희미한; 어렴풋한.

faint·ly[féintli] *ad.* 희미하게, 어렴풋이; 힘없이, 가냘프게; 소심하게, 머뭇거리며.

faint·ness *n.* Ⓤ 약함, 연약함; 희미함, 미약; 심약함; 실신.

faint-ruled[ˊrú:ld] *a.* 〈편지지 등이〉 엷은 괘선이 쳐진.

faints[feints] *n. pl.* (위스키 증류 때 처음과 마지막에 생기는) 불순한 알코올.

★**fair¹**[fɛər] [OE] *a.* **1** 공정한, 올바른; 〈임금·가격 등이〉 온당한, 적정한: a ~ judgment 공정한 판단/~ wages 적정한 임금. **2** (경기에서) 규칙에 어긋나지 않는(*opp.* foul), 〔野〕 〈타구가〉 페어의: a ~ blow〔tackle〕 정당한 타격〔태클〕. **3** 꽤 많은, 상당한; 어지간한, 나쁘지 않은; 〈성적이〉 보통의: a ~ income 상당한 수입/a ~ number of 상당수의…. **4** 맑은, 맑게 갠: ~ or foul weather 청우(晴雨)에 관계없이. **5** 〔海〕 〈바람이〉 순조로운, 알맞은: a ~ wind 순풍(*opp.* a foul wind). **6** 살결이 흰, 금발의(*opp.* dark): ~ hair 금발/a ~ complexion 흰 살결. **7** 〈주로 여자가〉 아름다운: a ~ one 미인/the ~ readers 여성 독자. **8** 깨끗한, 흠 없는; (필적·인쇄가) 읽기 쉬운, 똑똑한: a ~ copy 정서(淨書)/a ~ name 미명(美名), 명성. **9** 정중한; 《古》 친절한. **10** 정말 그럴싸한, 그럴듯한: ~ words 그럴듯한 말, 감언. **11** 장애물이 없는, (시야가) 넓은; (표면 등이) 탄탄한, 평평하고 넓은: a ~ view 탁 트인 전망. **12** 유망한, 가망이 있는 **13** 《口》 철저한, 깔축 없는. **14** (성적의 5단계 평가에서) 미(美)의, C의. **a fair field and no favor** 공명 정대, 치우치지 않음. **a fair treat** 멋진 것〔사람〕. **be fair with** a person …에 대하여 공평하다, 편파적이 아니다. **be in a fair way to** do …할 듯하다, …할 가망이 있다: She is in a ~ way *to* win the first prize. 그녀가 1등 상을 탈 듯하다. **by fair means** 정당한 수단으로. **by fair means or foul** 수단을 가리지 않고. **fair and square** 《口》 공명정대한〔하게〕, 올바른〔르게〕, 정정 당당한〔히〕. **Fair dos**〔**do's**〕**!** 《영口》 공평히 합시다. **Fair enough!** 《口》 (제안에 대하여) 됐어. **fair to middling** 《미口》 〈용모 등이〉 꽤 잘생긴, 쓸만한. **It is only fair to** (do) …하는 것은 아주 당연하다.
— *ad.* **1** 공명 정대하게. **2** 깨끗하게, 말쑥히, 훌륭히: copy〔write out〕 ~ 정서하다(*cf.* FAIR COPY). **3** 정중하게: speak ~ 정중하게 이야기하다. **4** 바로, 똑바로, 정통으로: 《口》 정말로: hit him ~ in the head 그의 머리에 정통으로 맞다. **5** 순조롭게, 유망하게, 잘: promise ~ 유망하다. **bid fair to** do …할 가망이 충분히 있다: The plan bids ~ *to* succeed. 그 계획은 성공할 듯하다. **fair and softly** 그리 덤비지 말고 좀 천천히. **fight fair** 정정당당하게 싸우다. **play fair** 공정히〔정정당당하게〕 겨루다〔처신하다〕. **speak** a person **fair** 《古》 …에게 정중히 말하다.
— *n.* **1** (the ~) 여성(women). **2** (a ~) 《古》 여자, 미인, 애인. **Fair's fair.** 《口》 (서로) 공평하게 하자, 서로 원망하지 말기로 하자. **for fair** 《미俗》 아주, 전혀. **no fair** 규칙에 어긋나는 일; 부정 행위; 《감탄사적》 사기, 교활하다, 추잡하다. **through fair and foul** ⇨foul.
— *vt.* **1** 〈문서를〉 정서하다. **2** 〈항공기·선박을〉 유선형으로 정형(整形)하다(*up, off*). **3** 〈재목 등을〉 반반하게 하다.
— *vi.* 《方》 〈날씨가〉 개다(*up, off*).
◇ fáirly *ad.*: fáirish *a.*: fáirness *n.*

fair²[fɛər] *n.* **1** 《영》 정기시(定期市), 축제일겸 장날. **2** 자선시(慈善市)(bazaar). **3** 박람회, 견본시, 전시회: a world('s) ~ 세계 박람회. **4** 《미》 (농·축산물 등의) 품평회, 공진회(共進會). **(a day) after the fair** =**behind the fair** 사후 약방문.

fáir báll 〔野〕 페어볼《파울선 안쪽에의 타구(*opp.* foul ball)》.

fáir cátch 〔미蹴〕 페어캐치《찬 공을 받기》.

fáir cópy 정서(淨書); 정확한 사본.

Fáir Déal (the ~) 공정 정책《미국의 Truman 대통령이 1949년에 제창한 대내 정책》.

fáir emplóyment (종교·인종·성별에 의한 차별을 하지 않는) 공평 고용.

fair-faced[ˊféist] *a.* **1** 피부가 흰, 미모의. **2** 《영》 〔建〕 〈벽돌벽이〉 회를 바르지 않은. **3** 그럴싸한.

fáir gáme 수렵 해금된 사냥감; (공격·조소의) 좋은 목표, 《比》 '봉'.

fáir grèen 〔골프〕 =FAIRWAY 2.

fair·ground[ˊgràund] *n.* (종종 *pl.*) 정기 장터, 박람회·공진회·서커스 등이 열리는 장소.

fair-haired[ˊhɛ́ərd] *a.* **1** 금발의. **2** 《口》 마음에 드는, 총애받는(favorite).

fáir-háired bóy 《口》 (웃사람에게) 총애받는 청년; 후임자로 지목받는 청년: the ~ of the family 귀염둥이 아들.

fair·i·ly[fɛ́ərili] *ad.* 요정(妖精)같이.

fair·ing¹[fɛ́əriŋ] *n.* 《영》 장에서 산 선물.

fairing² *n.* Ⓤ 유선형으로 함, 정형(整形)《비행기의》; Ⓒ 유선형의 구조 (부분).

fair·ish[fɛ́əriʃ] *a.* 어지간한, 상당한.

Fáir Ísle 《영》 스웨터의 일종《Fair Isle sweater〔pullover〕라고도 함》.

fair·lead[fɛ́ərlì:d] *n.* 〔海〕 페어리드, 페어리더, 도삭기(導索器)(=**fáirleader**); 〔空〕 안테나를 기체 안으로 이끄는 절연 부품; 〔空〕 조종

삭(操縱索)의 마모 방지 부품.

fair·light[fέərlàit] *n.* ⦅영⦆ =TRANSOM window.

*__*fair·ly__[fέərli] *ad.* **1** 공평히, 공명정대하게, 정정 당당히: fight ~ 정정 당당히 싸우다. **2** 올바르게, 공정히. **3** 똑똑하게, 깨끗하게; 분명히; 멋들어지게; 적절히. **4** 꽤, 어지간히, 상당히: ~ good 꽤 좋은. **5** ⦅口⦆ 아주, 완전히; 정말로, 실제로: be ~ exhausted 녹초가 되다. **fairly and squarely** 공정하게, 당당하게.

fáir márket prìce (판매자와 구입자간의) 흥정이 맞아떨어지는 가격.

fair-mind·ed[ˊmáindid] *a.* 공정〔공평〕한, 편견을 갖지 않은; 기탄없는.

*__fair·ness__[fέərnis] *n.* Ⓤ 살결이 흼; 예쁨; (머리칼의) 금빛; 공명 정대, 공평; ⦅古⦆ 청명(淸明), 순조. **in all fairness** ⦅미口⦆ 공평하게 말하면.

fáirness dòctrine 〔放送〕 (중요 문제에 관한 갖가지 견해 방송의) 기회 공평의 원칙.

fáir pláy 1 정정당당한 경기 태도; 공명 정대한 행동, 페어플레이. **2** 공정한 취급.

fáir prìce 적정 가격.

fáir séx (the ~; 집합적) 여성, 여자들.

fáir sháke ⦅俗⦆ 공평한 기회, 공정한 조처.

fair-sized[ˊsáizd] *a.* 꽤 큰〔많은〕.

fair-spo·ken[ˊspóukən] *a.* 정중한(polite), 상냥한; 구변이 좋은.

fair-to-mid·dling[ˊtəmídliŋ] *a.* 평균보다 조금 나은, 웬만한.

fáir tráde 〔經〕 공정 거래, 호혜 무역; 협정 가격 판매.

fair-trade[ˊtréid] 〔經〕 *a.* 공정 거래의. ── *vt.* 공정 거래〔호혜 무역〕 협정의 규정에 따라 팔다.

fáir-tráde agrèement 〔經〕 공정 거래〔호혜 무역〕 협정.

fáir tráder 〔經〕 공정 거래〔호혜 무역〕업자.

fair·way[fέərwèi] *n.* **1** (강·만 등의) 항로, 안전한 뱃길〔통로〕. **2** 〔골프〕 페어웨이(tee와 putting green 사이의 잔디밭).

fair-weath·er[ˊwèðər] *a.* 날씨가 좋을 때만의, 유리할 때만의: a ~ friend 정작 어려운 때에 믿지 못할 친구.

*__*fair·y__[fέəri] *n.* (*pl.* **fáir·ies**) 요정(妖精); ⦅경멸⦆ (여자역의) 동성애 남자; 여성적인 남자. ── *a.* **1** 요정의, 요정에 관한. **2** 요정 같은; 우미(優美)한: a ~ shape 아름다운 모양. ◇ fáirily *ad.*

fair·y-cir·cle *n.* =FAIRY RING; 요정〔선녀〕의 춤.

fáiry cỳcle 어린이용 자전거.

fair·y·dom[fέəridəm] *n.* =FAIRYLAND.

fáiry gódmother (옛날 이야기에서) 주인공을 돕는 요정; (곤란할 때 갑자기 나타나는) 친절한 사람〔아주머니〕.

fáiry grèen 노란 색을 띤 녹색, 황록색.

fair·y·hood[fέərihùd] *n.* Ⓤ 요정임, 마성(魔性); (집합적) 요정(fairies).

fáiry làmp〔**lìght**〕 (빛깔 있는 장식용) 꼬마 전구〔램프〕.

*__fair·y·land__[fέərilæ̀nd] *n.* Ⓤ 요정〔동화〕의 나라, 선경(仙境); Ⓒ 더할 나위 없이 아름다운 곳, 신기한 세계, 도원경.

fair·y·like[fέərilàik] *a.* 요정과 같은.

fáiry mòney 요정에게서 받은 돈; 주운 돈.

fáiry ríng 요정의 테〔고리〕(잔디밭 속에 버섯이 둥그렇게 나서 생긴 검푸른 부분; 요정들이 춤춘 자국이라고 믿어졌음).

fáiry tàle〔**stòry**〕 동화, 옛날 이야기; 꾸민 이야기(⇨fable).

fair·y-tale[fέəritèil] *a.* 동화 같은; 믿을 수 없을 정도로 아름다운: a ~ landscape 믿을 수 없을 정도로 아름다운 경치.

Fai·sal 파이 잘(1904-75)(사우디 아라비아의 왕(1964-75)).

fai·san·dé[féizɑ:ndèi] [F] *a.* 젠체하는, 부자연스러운, 꾸민 듯한.

fait ac·com·pli[fetɑkɔ̃plí:/féitəkɔ́mpli:] [F] *n.* (*pl.* **faits ac·com·plis**) 기정 사실(accomplished fact).

faites vos jeux[fétvoudʒə́:] [F] *int.* 돈을 거십시오(룰렛에서 크루피어(croupier)가 도박 손님에게 하는 말).

*__*faith__[feiθ] [L] *n.* Ⓤ **1** 신념(belief), 확신(*in, that*); Ⓒ 신조, 교지(敎旨), 교의(敎義)(doctrine): I had ~ *that* he was in the right. 나는 그가 옳았다고 확신했다. **2** 신앙; (the ~) 참된 신앙, 그리스도교 (신앙): the Christian 〔Catholic〕 ~ 기독〔천주〕교. **3** 신뢰, 믿음, 신용(*in*): ~ *in* another's ability 남의 능력에 대한 신뢰. **4** 신의, 성실, 충성. **5** 서약, 약속. **bad faith** 불신(不信), 배신. **by one's faith** 맹세코, 단연코. **faith, hope, and charity** 믿음·소망·사랑(기독교의 세 가지 기본 덕). **give**〔**engage, pledge, plight**〕 **one's faith** 맹세하다, 굳게 약속하다. **good faith** 성실(誠實), 성의, 충성. **have faith in** …을 믿고 있다〔신앙하다〕. **in faith** ⦅古⦆ 정말, 참, 실로. **in good faith** 성실하게. **keep**〔**break**〕 **faith with** …에 대한 맹세를 지키다〔깨뜨리다〕. **on the faith of** …을 믿고, …의 보증으로. **pin one's faith to**〔**on**〕 …을 절대로 신뢰하다. **Punic faith** 배신. **put one's faith in** …을 믿다. ── *int.* 정말, 참(*cf.* in FAITH).

fáith cùre 신앙 요법(기도에 의한), 신앙 치료.

fáith cùrer 신앙 요법을 베푸는 사람.

*__*faith·ful__[féiθfəl] *a.* **1** 성실〔충실〕한, 믿을 수 있는, 〈서약 등을〉충실히 지키는; 정숙한(*to*)(Ⅱ 형+전+명) He is faithful ~ *to* his appointment. 그는 약속을 잘 지킨다. **2** 정확한, 사실대로의, 〈사실원본 등에〉충실한; 신뢰할 만한: a ~ copy 원본에 충실한 사본. ── *n.* (the ~; 집합적; 복수 취급) 충실한신자들(특히 기독교도·회교도); 충실한 지지자들: the Father of *the F-* 신자의 아버지(〔聖〕 Abraham을 일컬음); (회교에서) Caliph의 칭호. **~·ness** *n.* Ⓤ 충실, 성실, 신의; 정절(貞節); 정확성, 진실.

*__*faith·ful·ly__[féiθfəli] *ad.* 충실히, 성실하게, 정숙하게; 정확하게; 단단히 보증하여, 굳게. **deal faithfully with** …을 성실히 다루다; …을 엄하게 다루다, 벌하다. **promise faithfully** ⦅口⦆ 단단히〔분명히〕 약속하다. **Yours faithfully** 재배(再拜)(그다지 친하지 않은 사람에게 내는 편지의 맺음말; *cf.* AFFECTIONATELY, TRULY, SINCERELY).

fáith hèaler =FAITH CURER.

fáith hèaling =FAITH CURE.

*__faith·less__[féiθlis] *a.* **1** 신의가 없는, 불성실한, 부정(不貞)한. **2** 믿지 못할(unreliable). **3** 신앙이 없는. **~·ly** *ad.* **~·ness** *n.*

faits di·vers[féidivέər] [F] *n. pl.* 신문기사거리; 잡보; 사소한 사건.

*__fake__[1][féik] *vt.* ⦅口⦆ **1** (겉보기 좋게) 만들어내다. **2** 위조하다; 꾸며내다, 날조하다(*up*): ~ (*up*) news 기사를 날조하다. **3** 속이다; 좀도둑질하다, 훔치다. **4** …인 체하다: ~ illness 꾀병 부리다. **5** 〔스포츠〕 페인트(feint)를 걸다. **6** 즉흥 연주하다. ── *vi.* **1** 위조하다, 속이다, …인 체하다. **2** 〔스포츠〕 페인트(feint)하다. **fake it** 알고〔할 수〕 있는 체하다; 즉흥 연주

하다. **fake off** 《미俗》 꾀피우다. ── *n.* **1** 모조품, 위조품, 가짜, 사기; 맹랑한 거짓말, 헛소문. **2** 《미》 사기꾼. **3** 〔스포츠〕 페인트(feint). ── *a.* 가짜의, 모조의, 위조의: ~ money 위조지폐. **fákement** *n.* 사기, 협잡; 가짜.

fake² 〔海〕 *vt.* 〈밧줄을〉 첩첩이 사리다. ── *n.* (사려놓은 밧줄의) 한 사리.

fáke bòok (해적판) 대중 가요 악보집.

fa·keer[fəkíər] *n.* =FAKIR.

fak·er[féikər] *n.* 《口》 위조자, 《특히》 사기꾼 《미》 노점〔대로〕 상인; 행상인.

fak·er·y[féikəri] *n.* (*pl.* **-er·ies**) 속임수, 사기; 가짜, 모조품.

fa·kir, -quir[fəkíər, féikər] *n.* (회교·바라문교 등의) 고행자(苦行者), 탁발승.

fa·la·fel, fe-[fəlɑ́:fəl] *n.* (*pl.* ~) 팔라펠《중동의 야채 샌드위치》.

Fa·lan·ge[féilændʒ] *n.* (the ~) 팔랑헤당 《스페인의 파시스트 정당》.

Fa·lan·gist[fəlǽndʒist] *n.* 팔랑헤당원.

Fa·la·sha[fɑ:lɑ́:ʃə] *n.* (*pl.* ~, ~**s**) 팔라샤인(人)《에티오피아에 사는, 유대교를 신봉하는 햄(Ham)족》.

fal·ba·la[fǽlbələ] *n.* (여성복의) 옷자락 장식, 옷자락 주름(flounce²).

fal·cate[fǽlkeit, fɔ́:l-] *a.* 〔解·植·動〕 낫 모양의, 갈고리 모양의.

fal·chion[fɔ́:ltʃən] *n.* **1** 언월도(偃月刀)《중세기의 칼날 폭이 넓고 휜 칼》; 청룡도. **2** 《詩》 칼, 검(sword).

fal·ci·form[fǽlsəfɔ̀:rm] *a.* =FALCATE.

*⁎***fal·con**[fǽlkən, fɔ́:l-, fɔ́:k-] *n.* (매사냥에 쓰는) 매, 새매. **~·er**[-ər] *n.* 매사냥꾼, 매부리.

fal·co·net[fǽlkənèt, fɔ́:k-] *n.* 작은 매; 〔史〕 경포(輕砲).

fal·con·ry[fǽlkənri, fɔ:l-, fɔ́:k-] *n.* Ⓤ 매 훈련법; 매사냥.

fal·de·ral, -rol[fǽldərǽl], [-rɑ̀l/-rɔ̀l] *n.* (=FOLDEROL) **1** Ⓒ 겉만 번드레한 싸구려, 굴퉁이, 하찮은 물건(gewgaw). **2** Ⓤ 허튼 수작, 부질없는 생각; (옛 노래의) 무의미한 후렴(refrain).

fald·stool[fɔ́:ldstù:l] *n.* 〔가톨릭〕 (bishop이 앉는) 팔걸이 없는 의자; 예배용 접의자; 〔영國敎〕 연도대(連禱臺)(litany stool).

Fa·ler·ni·an[fələ́:rniən] *n.* Ⓤ 팔레르노 포도주《이탈리아 Falerno 산(産)》.

Fálk·land Íslands[fɔ́:klənd-] *n. pl.* (the ~) 포클랜드 제도《남미에 있는 영국 식민지; 1982년 영국·아르헨티나간에 군사 분쟁이 일어남; Falklands 라고도 함》.

⋆**fall**[fɔ:l] *vi.* (**fell**[fel]; **fall·en**[fɔ́:lən]) **1** 떨어지다, 〈꽃잎이〉 지다, 낙하하다, 〈머리털 등이〉 빠지다: ~ *down* 떨어지다/Ripe apples *fell off* the tree. 익은 사과가 나무에서 떨어졌다. **2** (비·눈·서리 따위가) 내리다: The snow ~*ing.* 눈이 내리고 있다. **3** 〈온도·수은주가〉 내려가다; (수요가) 줄다, (값·가치 따위가) 하락하다; 〈품위 등이〉 떨어지다, 하락하다: The temperature has *fallen* five degree. 온도가 5도 내려갔다/Prices are *falling.* 물가가 하락하고 있다. **4** 정도가 약해지다, 〈목소리가〉 낮아지다, 〈불이〉 꺼지다, 〈바람이〉 자다, 〈물 등이〉 빼다, 〈조수가〉 나가다: Their voices *fell to* a whisper. 그들의 목소리가 낮아져서 속삭임으로 바뀌었다/The wind has *fallen.* 바람이 잤다. **5** 〈토지가〉 경사지다, 낮아지다: The land *falls to* the river. 그 토지는 강쪽으로 경사져 있다. **6** 〈하천이〉 흘러 내리다, 흘러 들어가다《*into*》: Does this river ~ *into* the Atlantic? 강은 바다로 흘러든다. **7** 부상하여 쓰러지다; (전투 등으로) 죽다: ~ *in* battle 전사하다. **8** 〈머리칼·옷·커튼 따위가〉 드리워지다, 흘러내리다; 처지다: Her hair ~*s* loosely to her shoulders. 그녀의 머리는 어깨까지 축 드리워져 있다/The curtain ~*s.* 막이 내렸다. **9** 넘어지다, 자빠지다; 구르다, 전락(轉落)하다; 납죽 엎드리다; 〔크리켓〕 (타자가) 아웃되다: The old man stumbled and fell. 그 노인은 걸려 비틀하고 넘어졌다/~ *downstairs* 위층에서 굴러 떨어지다/~ *at* a person's feet …의 발 아래 엎드리다. **10** 〈건물 등이〉 무너지다, 도괴(倒壞)하다: ~ *to* pieces 산산조각이 나다. **11** 〈요새·도시 등이〉 함락되다: Bagdad *fell to* the Allies. 바그다드는 연합군 측에 함락되었다. **12** 〈국가·정부 등이〉 쓰러지다, 실각(失脚)하다, 전복되다: The government has *fallen.* 그 정부는 무너졌다. **13** 〈유혹 등에〉 넘어가다, 타락하다; 〈여자가〉 정조를 잃다; 〈죄를〉 범하다; 나빠지다, 악화하다: ~ *into* temptation 유혹에 넘어가다. **14** 〈눈시선이〉 아래를 향하다; 어두운 표정이 되다; 〈기가〉 꺾이다, 향하다, 쏠리다: His eyes *fell on* me. 그의 시선이 내게 쏠렸다. **15** (떨어져 내려오듯이) 다가오다; 〈졸음등이〉 덮치다: Darkness *fell upon* the village. 어둠이 마을을 덮었다/Sleep *fell* suddenly *upon* them. 졸음이 갑자기 그들을 엄습했다. **16** 〈사건이〉 일어나다; 이르다, 닿다, 닥치다; (악센트가) …에 있다; (어떤 시대에) 태어나다; 책임〔부담〕이 되다; (적·도적 등이) 습격하다: Christmas ~*s on* Monday this year. 올해 크리스마스는 월요일이다/The accent ~*s on* the last syllable. 악센트는 마지막 음절에 있다〔온다〕/The expense *fell on* me. 비용은 나의 부담이 되었다/The enemy *fell on* them suddenly from the rear. 적은 갑자기 배후에서 습격해 왔다. **17** (보어와 함께)〈어떤 상태로〉 되다: ~ asleep 잠들다/~ ill 병이 나다/~ a victim *to* …의 희생이 되다/~ *in* love *with* …을 사랑하다, …에게 반하다. **18** 〈다른 사람 손에〉 넘어가다, (우연히) 들어맞다, 〈유산 등이〉 굴러들다: The lot *fell upon* her. 그녀가 당첨되었다. **19** 〈음성·말·소식 등이〉 새어 나오다: The news *fell from* her lips. 그 소식이 그녀의 입에서 나왔다. **20** 분류되다, 나뉘다: ~ *into* three classes 세 종류로 분류되다. **21** 〈동물의 새끼가〉 태어나다. ── *vt.* **1** 《미·영古》 베어 넘기다, 벌채하다; 《뉴질·오스》 (관목을) 베어내다. **2** 짐승을 죽이다. **3** (새끼를) 낳다. **4** (수선(垂線))을 내리다.

fall aboard 〔海〕 〈다른 배와〉 충돌하다. **fall about** 《口》 포복절도하다, 몹시 웃다. **fall about a person's ears** 〈새 계획 등이〉 완전히 못쓰게 되다〔틀어지다〕. **fall about laughing** 〔**with laughter**〕=FALL about. **fall across** …와 우연히 마주치다. **fall (a-)doing** …하기 시작하다: *fall a-*weep*ing* 울기 시작하다 《a-가 붙은 형태는 《古·方》》. **fall all over** 《미口》 남을 추어 올리다, 극도로 마음〔신경〕을 쓰다. **fall among** 우연히 …의 속에 들다; 〈도둑을〉 만나다. **fall apart** 산산조각이 나다; 〈계획 등이〉 못쓰게 되다; 안절부절 못하다. **fall a prey** 〔**victim, sacrifice**〕 **to** …의 먹이〔희생〕가 되다. **fall asleep at the switch** 예정 된 일을 놓고 꾀부리다. **fall astern** 〈배가〉 뒤떨어지다. **fall away** 저버리다; 손을 떼다; 배반하다; 쇠약해지다; 미미해지다; 사라져 버리다; 죽다; 파괴되다, 전복

F

되다, 넘어지다. **fall back** 물러나다, 겁이 나서 주춤하다; 〈물등이〉 줄어들다; 약속을 어기다. **fall back on**〔**upon**〕〔軍〕 후퇴하여 …을 거점으로 하다; …에 의지하다. **fall behind** 뒤지다;(지불일이) 늦어지다; 추월당하다. **fall by the wayside** (1) 중도 포기하다. (2) 패배하다. **fall calm** 바람이 자다, 가라앉다. **fall dead** 죽어 넘어지다. **fall down** 넘어지다; 엎드리다; 병들어 눕다; 흘러 내리다; 《미俗》 …에 실패하다(*on*). **fall down and go boom** 〈사람이〉 푹 쓰러지다, 꽈당 넘어지다, (남 앞에서) 창피당하다; 완전히 실패하다. **fall due** 〈어음이〉 만기가 되다. **fall flat** 납죽 엎어지다; 아주 실패로 돌아가다. **fall for** 《미俗》 …에 홀딱 반하다, 매혹되다; 속다. **fall foul**〔**afoul**〕 **of** 〔海〕 〈다른 배와〉 충돌하다; …와 옥신각신하다. **fall from** …에서 전락(轉落)하다; …을 배반하다. **fall from grace** 신의 은총을 잃다, 타락하다, 종교상의 죄를 범하다. **fall home** 〔海〕 〈목재 등이〉 안쪽으로 휘다. **fall in** (1) 〈지붕 등이〉 내려앉다; 〈땅바닥이〉 움푹 들어가다; 〈볼 등이〉 쑥 들어가다. (2) 〔軍〕 정렬하다〔시키다〕; 《口令》 집합!, 정렬! (3) 차용(借用) 기한이 차다. (4) 마주치다. (5) 동의하다. **fall in alongside**〔**beside**〕 (먼저 걷고 있는 사람에) 합류하여 걷다. **fall in for** 〈혜택 등을〉 받다; 〈피해 등을〉 입다. **fall in love with** …와 연애하다, …에게 반하다. **fall in with** …와 우연히 마주치다; …와 일치하다; …에 동의하다; …에 참가하다; …와 조화하다; 〈점·때가〉 부합되다. **fall doing** …하기 시작하다. **fall into** …이 되다, …에 빠지다; …하기 시작하다(begin). **fall into line** 대열에 들어서다; 〈남과〉 행동을 같이하다(*with*). **fall into place** 〈주장이야기 등이〉 앞뒤가 맞다. **fall into step** …와 보조를 맞추어 걷기 시작하다, …에 동조하다(*with*). **fall into the hands of** …의 수중에 들어가다, …의 손에 맡겨지다. **fall off** 떨어져 내려오다; 〈친구 등이〉 떨어지다; 이반(離反)하다; 〈출석자수 등이〉 줄다; 〈건강 등이〉 쇠퇴하다; 타락하다; 〔海〕 〈바람 불어가는 쪽으로〉 배를 돌리다, 침로(針路)를 벗어나다. **fall on**〔**upon**〕 …을 습격하다(attack); 〈행동을〉 시작하다; …와 마주치다; …을 우연히 발견하다; …을 문득 생각해내다; 〈축제일·일요일 등에〉 해당하다; 〈재난 등이〉 들이닥치다; 싸움에 참가하다; …을(게걸스레) 먹기 시작하다; 〈졸음 따위가〉 엄습하다; …의 의무가〔책임이〕 되다. **fall on hard times**〔**evil days**〕 불운〔불황〕을 만나다, 영락하다. **fall on** one's **face** 엎드러지다; 완전히 실패하다. **fall on** one's **knees** 무릎을 꿇다. **fall on**〔**upon**〕 **one's feet**〔**legs**〕 무사히 재난을 면하다; 운이 좋다. **fall on** one's **sword** 칼로 자결하다. **fall out** 《*vi.*+副》 싸우다, 사이가 틀어지다(*with*); 일어나다, 생기다; …이라고 판명되다, …의 결과가 되다(turn out)(*that*…, *to be*…); 《미俗》 방문하다, 찾아오다; 〔軍〕 대열을 떠나다, 낙오하다; 《미俗》 죽다, 잠들다. ── 《*vt.*+副》 (부대를) 해산시키다. **fall out of** 〈습관을〉 버리다. **fall out of bed** 침대에서 떨어지다; 〈물가 등이〉 갑자기 내리다. **fall over** …의 위에 엎어지다; …너머에 떨어지다; 〈머리칼이〉 축 드리워지다. **fall over backward** 열심히 노력하다, 열을 내다. **fall over one another**〔**each other**〕 《미口》 경쟁하다. **fall over** one**self** 《미》 몹시 허둥거리다. **fall overboard** 배에서 물속으로 떨어지다. **fall short** 부족하다; 미달하다, 모자라다(*of*). **fall through** 실패로 끝나다, 수포로 돌아가다. **fall to** 시작하다(begin); 〈일을〉 열심히 하기 시작하다; 주먹질을 시작하다; 먹기 시작하다; 〈문 등이〉 자동적으로 닫히다. **fall to**〔**in**〕 **pieces** 박살이 나다. **fall to the ground** 〈계획 등이〉 완전히 실패해 버리다. **fall under** …의 부류에 들다, 에 해당하다; 〈주목 등을〉 받다. **fall up** 《俗》 방문하다. **fall wide of** 빗나가다. **fall within** …이내에 있다, …의 속에 포함되다. **let fall** 떨어뜨리다; 쓰러뜨리다; (일부러) 누설하다; 〈닻 등을〉 내리다.

── *n.* **1** 낙하, 떨어짐, 흩어짐, 추락, (갑자기) 쓰러짐; 낙하물: a ~ *from* a horse 낙마(落馬). **2** 강우〔강설〕(량): a heavy ~ *of* snow 큰 눈. **3** 《주로 미》 가을(autumn). **4** (온도의) 내림, (가격 등의) 하락; 강하, 침강, 낙차(落差); 감퇴. **5** 〔地質〕 경사, 비탈, 구배. **6** (보통 *pl.*; 고유 명사로서는 단수 취급) 폭포: the Niagara Falls 나이아가라 폭포. **7** 드리워지기; 축 늘어진 옷깃; 헐렁하게 드리워진 베일, 드리워진 머리. **8** 전도(轉倒), 도괴(倒壞); 와해(瓦解). **9** 함락; 항복; 쇠망, 몰락. **10** 타락; 악화; 실추; 죄에 빠짐. **11** 악센트가 있어야 할 곳. **12** (도르래의) 고팻줄. **13** 〔레슬링〕 폴, 한 판 (승부). **14** 함정(fall-trap). **15** 《미俗》 체포(arrest). **16** 벌채(량). **17** (동물의) 출산, 한 배의 새끼. **at the fall of day**〔**year**〕 해질녘〔연말〕에. **take**〔**get**〕 **a fall out of** a person …을 패배시키다(이기다)(get the best of). **the fall of life** 인생의 만년. **the Fall of Man** 인류의 타락(Adam과 Eve의 원죄; *cf.* ORIGINAL SIN). **try a fall** 〔레슬링〕 폴을 시도하다; 한 판 해보다, 싸우다, 승부〔솜씨〕를 겨루다(*with*).

── *a.* 가을의; 가을에 뿌리는; 가을에 여무는; 가을 용의: ~ goods 가을 용품.

fal·la·cious[fəléiʃəs] *a.* **1** 그릇된; 논리적 오류가 있는; 허위의. **2** 사람을 현혹시키는, 믿을 수 없는. **~·ly** *ad.* 오류에 빠져, 허위적으로. **~·ness** *n.*

***fal·la·cy**[fǽləsi] [L] *n.* (*pl.* **-cies**) U,C 그릇된 생각, 그릇 믿음; 오류(誤謬); 〔論〕 허위.

fal-lal[fǽllæl, ─́─́] *n.* (보통 *pl.*) (허울만 좋은) 화려한 장신구, 천하게 번지르르한 물건.

fal·lal·(l)er·y[fællǽləri] *n.* U 야한 장식품.

fall·back[fɔ́:lbæ̀k] *n.* **1** 후퇴. **2** 의지(가 되는 것), 여축(餘蓄), 예비물(금); 〔컴퓨터〕 (고장 시의) 대체 시스템.

★**fall·en**[fɔ́:lən] *v.* FALL의 과거분사. ── *a.* **1** 떨어진: ~ leaves 낙엽. **2** (싸움터에서) 쓰러진, 죽은(dead); (the ~; 집합적; 복수취급) 전몰자(戰沒者). **3** 《古》 타락한: a ~ angel 타락한 천사(지옥에 떨어진 천사). **4** 전복된, 파괴된; 함락된.

fallf·ish[fɔ́:lfìʃ] *n.* (*pl.* ~, ~·**es**) 〔魚〕 잉어과(科)의 담수어.

fáll frónt *n.* =DROP FRONT.

fáll gùy 《미口》 (…대신) 희생이 되는 사람(scapegoat), (사례금을 노려) 죄를 대신 뒤집어 쓰는 사람; 잘 속는 사람.

fal·li·bil·i·ty[fæ̀ləbíləti] *n.* U 오류를 범하기 쉬움(*opp.* infallibility).

fal·li·ble[fǽləbəl] *a.* 오류에 빠지기 쉬운; 〈규칙 등이〉 오류를 면치 못하는. **-bly** *ad.*

fall·in[fɔ́:lin] *n.* (원자력 평화 이용의 결과로 생기는) 방사성 폐기물.

fall·ing[fɔ́:liŋ] *n.* U **1** 낙하, 추락; 강하. **2** 전도(顚倒); 함락; (암석의) 붕괴. **3** 타락.
── *a.* **1** 떨어지는; 내리는, 하락하는; 감퇴하는: a ~ body 낙하체(落下體)/~ market 하락

시장 경기/a ~ tide〔water〕 썰물. **2** 《미方》 눈이〔비가〕 (금방) 올 듯한 〈날씨〉.
fálling dóor =FLAP DOOR.
fálling léaf 〔空〕 낙엽식 강하 비행술.
fall·ing-out[fɔ́:liŋáut] *n.* (*pl.* **fállings-out,** ~**s**) 싸움, 불화, 충돌.
fálling sìckness 《古》 간질(epilepsy).
fálling stár 유성(meteor).
fálling stóne 운석, 별똥.
fáll lìne 《미》 **1** 폭포선. **2** (**F- L-**) Piedmont 평원과 해안 평야와의 한계선. **3** 〔스키〕 최대 경사선.
fall·off[fɔ́:lɔ̀(:)f, -ɑ̀f] *n.* 저하, 쇠퇴, 감소.
Fal·ló·pi·an túbe[fəlóupiən-] 〔解〕 나팔관, 수란관(oviduct).
fall·out, fall-out[fɔ́:làut] *n.* U,C 원자회(灰)의 강하: 방사성 강하물(降下物), 낙진; 《口》 (예기치 않은) 부산물, 결과.
fállout shélter 방사성 강하물 대피소.
*__fal·low__[1] [fǽlou] *a.* **1** 〈토지밭 등이〉 경작하지 않은, 묵혀둔(1년 또는 한 기간): 미개간의. **2** 수양을 쌓지 않은. **leave land fallow** 땅을 놀리다. **lie fallow** 땅이 묵고 있다. — *n.* U 휴경지(休耕地); 휴경, 휴작(休作). **land in fallow** 휴경지. — *vt.* 〈땅을〉 갈아만 놓고 놀리다, 묵혀 두다. ~**·ness** *n.*
fallow[2] *a.* 연한 황갈색의: 연한 회갈색의.
fállow déer 다마사슴(담황갈색의 사슴; 여름에는 흰 얼룩이 생김; 유럽산).
fall-sown[fɔ́:lsóun] *a.* 가을 파종의: ~ crops 가을 파종 작물.
fall-trap[fɔ́:ltræ̀p] *n.* 함정.
FALN, F.A.L.N. [Sp] Fuerzas Armadas de Liberacion Nacional (푸에르토리코의) 민족 해방군.
⁑**false**[fɔ:ls] *a.* **1** 그릇된, 잘못된, 틀린: a ~ judgment 오판/give a ~ impression 그릇된 인상을 주다. **2** 거짓의, 허위의(*opp.* true): a ~ charge 〔法〕 무고(誣告). **3** 가짜의, 위조의; 인조의, 모조의; 부정의, 사기의: a ~ eye 의안/a ~ coin 가짜돈/a ~ balance 부정 저울/~ dice 사기 주사위/a ~ god 사신(邪神)/~ weights 부정 저울추. **4** 〈행동 등이〉 꾸민, 어색한. **5** 불성실한, 부정(不貞)한: a ~ friend 믿지 못할 친구. **6** 임시의, 일시적인; 보조의: a ~ deck 보조 갑판. **7** 〔樂〕 가락이 맞지 않는: a ~ note 가락이 맞지 않는 음. **8** 〔植〕 의사(擬似)의. **be false of heart** 불성실하다. **be false to** …을 배반하다, 에 대하여 불성실〔부정(不貞)〕하다. **bear false witness** 위증하다. **make a false move** (중요한 때에) 서투른 짓을 하다. — *ad.* 거짓으로, 부실하게, 부정하게. **play** a person **false** …을 속이다, 배반하다.
⊕ fálsehood, fálsity *n.*; fálsify *v.*
fálse acácia 〔植〕 개아카시아.
fálse alárm 허위〔잘못된〕 화재 신고; 《口》 (근거없는) 헛 위기〔경고〕, 허보.
fálse arrést 〔法〕 불법 체포.
fálse bóttom (트렁크상자 등의 밑바닥 위에 댄) 덧바닥, (비밀을 위한) 이중 바닥.
fálse cólor 적외선 사진(촬영), 의사(擬似)〔위(僞)〕색채(법)(불가시 광선의 전자 방사 에너지를 계측하여 색합성에 의해 채색 영상으로서 표현하는 기술). **false-col·or** *a.*
fálse cólors 가짜 국기; 정체를 숨기는 것: sail under ~ 〈배가〉 가짜 국기를 달고〔국적을 감추고〕 항해하다; 정체를 가리다.
fálse cóncord 〔文法〕(성수격 등의) 불일치.
fálse fáce 탈, 가면.
false·heart·ed[fɔ́:lshɑ́:rtid] *a.* 성실하지 않은, 신의가 없는. ~**ly** *ad.*
*__false·hood__[fɔ́:lshùd] *n.* U 허위; C 거짓말 (*opp.* truth) (⇨lie[1]): tell a ~ 거짓말하다.
fálse imprísonment 〔法〕 불법 감금.
fálse kéel 〔海〕 가용골(假龍骨).
fálse kéy 대용 열쇠.
false·ly *ad.* 거짓으로, 속여서; 잘못하여; 부정하게; 불성실하게.
false·ness *n.* U 불성실.
fálse posítion 오해받기 쉬운 입장, 자기 의도에 반대되는 입장, 자기 뜻을〔주의를〕 지키기 어려운 입장: put a person in a ~ …을 본의 아닌 입장에 빠뜨리다.
fálse preténses 〔(영) **preténces**〕 〔法〕 사취죄(사취 목적의 거짓 진술).
fálse quántity 〔詩學〕 모음 장단의 잘못.
fálse relátion 〔樂〕 대사(對斜)(cross relation).
fálse retúrn (납세 등의) 부정 신고.
fálse ríb 〔解〕 가(假)늑골; (기익(機翼)의) 보조 소골(小骨).
fálse stárt (경주에서) 부정한 스타트; 그릇된 출발〔첫 발〕.
false step 헛디딤; 실수, 차질: make〔take〕 a ~ 발을 헛디디다; 실수〔착오〕하다.
fálse téeth 의치.
fal·set·tist[fɔ:lsétist] *n.* 가성(假聲) 가수.
fal·set·to[fɔ:lsétou] [It=false] *n.* (*pl.* ~**s**) 가성(본 음성에 대한 꾸민 음성), 가성 가수. — *a., ad.* 가성의〔으로〕.
fálse wíndow 〔建〕 봉창, 붙박이창.
false·work[fɔ́:lswə̀:rk] *n.* U 〔土木〕 비계, 발판.
fals·ies[fɔ́:lsiz] *n. pl.* 《口》 (유방을 크게 보이기 위한) 젖받이; (남자의) 가짜 수염.
fal·si·fi·ca·tion[fɔ̀:lsəfikéiʃən] *n.* U,C 위조, 변조; (사실의) 곡해; 허위임을 입증하기, 반증, 논파; 〔法〕 문서 위조, 위증.
fal·si·fi·er[fɔ́:lsəfàiər] *n.* 위조자; 거짓말쟁이; 곡해자.
fal·si·fy[fɔ́:lsəfài] (**-fied**) *vt.* **1** 〈서류 등을〉 위조하다; 〈사실을〉 속이다, 왜곡하다, 곡필하다. **2** …의 거짓〔잘못〕임을 입증하다, 논파하다. **3** (결과가 기대 등에) 어긋나다. — *vi.* 거짓말하다, 그릇되게 전하다.
fal·si·ty[fɔ́:lsəti] *n.* (*pl.* **-ties**) U,C 사실에 어긋남; 허위(성), 거짓말; 배반.
Fal·staff[fɔ́:lstæf, -stɑ:f] *n.* 폴스타프 Sir John ~(Shakespeare의 *Henry IV*와 *The Merry Wives of Windsor*에 등장하는 술을 좋아하고 재치있는 허풍쟁이 뚱뚱보).
Fal·stáff·i·an[-iən] *a.*
falt·boat[fá:ltbòut, fɔ́:lt-] *n.* 《미》 (고무천으로 만든) 접게 된 보트(foldboat).
*__fa·lter__[fɔ́:ltər] *vi.* **1** (걸려) 넘어지다, 비틀거리다. **2** 말을 더듬다, 중얼거리다: He ~*ed* in his speech. 그는 더듬으면서 말했다. **3** 주춤하다, 움칫하다; 〈용기가〉 꺾이다, 〈활동 등이〉 약해지다: Never ~ *in* doing good. 선을 행하는 데 주저하지 말라. — *vt.* 더듬거리며 말하다(*out, forth*): ~ *out* an excuse 더듬거리면서 변명하다. — *n.* 비틀거림; 주춤〔머뭇〕거림; 말더듬기, 중얼거림; (목소리 등의) 떨림. ~**·er** *n.*
fal·ter·ing *a.* 비틀거리는; 중얼거리는. ~**·ly** *ad.* 비틀거리며; 말을 더듬거리며.
fam. familiar; family; famous. **F.A.M.** foreign airmail; Free and Accepted Masons.
⁑**fame**[feim] [L] *n.* U **1** 명성, 명예, 명망. **2**

F

인기, 평판, 풍문; 《古·稀》 세평(世評), 소문. **come to fame** =**win**〔**achieve**〕 **fame** 유명해지다. **house**〔**woman**〕 **of ill fame** 매춘굴〔창녀〕. **ill fame** 누명, 악평. — *vt.* 유명하게 하다, …의 명성을 높이다《*for*》.

fáme·less *a.* ⇔ fámous *a.*

*****famed**[feimd] *a.* **1** 유명한, 이름이 난(famous)《*for*》. **2** …이라는 소문이 있는《*as*》.

fa·mil·ial[fəmíljəl, -liəl] *a.* 가족의; 〔遺傳〕 가족성의, 〈병이〉 가족 특유의.

⁑fa·mil·iar[fəmíljər] [L] *a.* **1** (자주 여러 번 경험하여) 익숙한《*to*》. **2** 통속적인, 일상의, 드물지 않은, 흔히 있는, 보통의: a ~ voice 귀에 익은 목소리. **3** 잘 알고 있는, 정통한《*with*》: 《Ⅱ형+전+명》 He is familiar ~ *with* American literature. 그는 미국 문학에 정통하다. **4** 친한, 허물 없는《*with*》: a ~ friend 친구. **5** 거리낌〔격의〕 없이 대할 수 있는, 격식을 차리지 않는: ~ letters 일용〔사교〕문《상용문·공문에 대하여》. **6** 정도 이상으로 친하게 구는, 뻔뻔스러운. **7** (성(性)적으로) 관계가 있는《*with*》. **8** 〈동물 등을〉 길들인(domesticated). **be on familiar terms with** …와 친한 사이이다. **make oneself familiar with** …에 정통하다; …와 친해지다, …에 허물 없이 굴다.
— *n.* **1** 친구, 친한 사람. **2** =FAMILIAR SPIRIT. **3** 〔가톨릭〕 (로마 교황 또는 주교의) 심부름꾼. **~·ness** *n.* ⇔ familiárity *n.*; famíliarize *v.*

famíliar ángel 수호신.

*****fa·mil·i·ar·i·ty**[fəmiljǽrəti] *n.* (*pl.* **-ties**) Ⓤ **1** 친함, 친밀, 친교. **2** 허물 없음, 무간함, 스스럼 없음, 임의로움; 치근치근함, 무엄함: *F*- breeds contempt. 《속담》 지나치게 허물 없이 굴면 업신여김을 받게 된다. **3** (보통 *pl.*) (지나치게) 치근치근〔무엄〕하게 구는 짓; (*pl.*) 성적 관계, 애무(caresses). **4** 잘 앎; 정통(精通), 익히 앎《*with*》.

fa·mil·iar·i·za·tion[fəmìljərizéiʃən] *n.* Ⓤ 친하게 함, 익숙하게 함, 정통케 함.

fa·mil·iar·ize[fəmíljəràiz] *vt.* 친하게 하다; 익숙하게 하다《*with*》; 통속화하다, (세상에) 널리 알리다, 보급〔주지〕시키다《*to*》. **familiarize oneself with** …에 정통하다.

fa·mil·iar·ly *ad.* 친하게, 허물 없이; 무엄〔치근치근〕하게.

famíliar spírit 부리는 마귀《사람, 마법사 등을 섬기는 귀신》, (죽은 사람의) 영혼.

fam·i·lism[fǽməlìzəm] *n.* Ⓤ 가족주의.

fa·mille jaune[fəmí:*i*ʒoun] [F] *n.* 노란색을 바탕으로 한 중국의 연채(軟彩) 자기.

★fam·i·ly[fǽməli] [L] *n.* (*pl.* **-lies**) **1** (집합적) 가구, 세대《양친과 그 자녀, 하인도 포함》《◇ 집합체로 생각할 때는 단수, 구성원을 생각할 때는 복수 취급》. **2** (집합적) 가족, 집안, 식구들《양친과 그 자녀》; (한 가정의) 아이들, 자녀: He has a large ~ *to* support. 그는 부양 가족이 많다/How is your ~? 가족은 다들 안녕하십니까《◇ 《영》에서는 are를 쓰기도 함》/My ~ are all very well. 가족이 모두 건강합니다. **3** 종족, 민족(race). **4** 일족(一族), 가문, 친척, 일가, 집안; Ⓤ 《영》 문벌, 명문(名門): a man of (good) ~ 명문 출신/a man of no ~ 가문이 낮은 사람. **5** 〔言〕 어족(語族); 〔動·植〕 과(科)《◇목(order)과 속(genus)의 중간》: *cf.* CLASSIFICATION. **6** (마피아 등의) 조직 단위. **a happy family** 같은 울 속에 들어 있는 이종(異種)의 동물들. **run in a**〔**the, one's**〕 **family** ⇨run. **start a family** 맏아이를 보다. **the Holy Family** 성(聖)가족《특히 어린 예수, 성모 마리아와 성 요셉》.
— *a.* 가족의, 가정의, 가정용의: ~ life 가정생활/a ~ council 친족 회의. **in a family way** 허물없이, 거리낌없이; 《口》 임신하여. **in the family way** 《口》 임신하여.

fámily allówance 가족 수당; 《영》 아동 수당(child benefit)의 구칭.

fámily Bíble 가정용 성경《출생·사망·혼인 등을 기록할 여백 페이지가 달린 큰 성경》.

fámily círcle (보통 the ~; 집합적) 집안 (사람들), 일가; 《미》 (극장 등의) 가족석.

fámily còurt 가정 법원.

Fámily Divìsion 《영》 (고등 법원의) 가정〔가사〕부(部)《입양·이혼 등을 다룸》.

fámily dóctor 가정의(醫).

fámily gáng·ing[-gǽŋiŋ] 《미》 환자의 가족까지 진찰하여 부당 보험료를 청구하는 행위.

fam·i·ly·gram[fǽməligræ̀m] *n.* 《미》 (해군 등의 가족에게서 오는) 가족 전보.

fámily hotél 가족 할인 호텔.

fámily hóur TV 가족 시청 시간(대)《보통 오후 7-9시》.

fámily íncome sùpplement 《영》 (일정 수입액 미만 세대에 대해 국가가 지급하는) 소득 보충 수당.

fámily jéwels 《미卑》 고환(testicles); 《미俗》 집안의 수치스런 비밀.

fámily lífe cỳcle 〔社〕 가족 주기《결혼에서 사망까지의 가정의 규칙적 변화》.

fámily líkeness 가족끼리의 닮은 점.

fámily màn 가족을 거느린 사람; 내 집밖에 모르는 사람, 가정적인 사람.

fámily médicine 가족 의료(community medicine).

⁑fámily náme **1** 성(姓)(surname)(*cf.* CHRISTIAN NAME). **2** 어떤 가계(家系)에서 즐겨 쓰는 세례명.

fámily plánning 가족 계획.

fámily práctice =FAMILY MEDICINE.

fámily practítioner =FAMILY DOCTOR.

fámily ròom 가정 오락실, 거실.

fam·i·ly-size[-sáiz] *a.* (가족 전원이 쓸 수 있는) 대형의, 덕용(德用)의: a ~ car 대형 가족용 차.

fámily skéleton (공표를 꺼리는) 집안의 비밀.

fámily stỳle 가족 방식(의〔으로〕)《담아 놓은 음식을 각자가 자기 접시에 덜어 놓는》.

fámily thérapy 〔精醫〕 (환자의 가족을 포함하여 행하는) 가족 요법.

fámily thérapist *n.*

fámily trée 가계도(家系圖), 족보, 계보.

⁑fam·ine[fǽmin] [L] *n.* Ⓤ,Ⓒ **1** 식량 부족, 기근. **2** 굶주림, 배고픔, 기아: die of ~ 굶어 죽다. **3** (물자의) 고갈, 결핍, 부족: a water〔fuel〕 ~ =a ~ of water〔fuel〕 물〔연료〕 부족. ⇔ fámish *v.*

fámine príces 품귀〔품절〕 시세.

*****fam·ish**[fǽmiʃ] *vt.* 굶주리게 하다(starve). **be famishing**〔**famished**〕 《口》 배고파 죽을 지경이다. ⇔ fámine *n.*

fam·ished[-t] *a.* 굶주린, 몹시 배고픈.

★fa·mous[féiməs] *a.* **1** 유명한, 고명한, 이름난(well-known)《*for*》: 《Ⅱ형+전+명》 He is famous ~ *for* an early riser. 그는 일찍 일어나기로 유명하다. **2** 《口》 멋진, 훌륭한, 뛰어난(excellent): a ~ performance 훌륭한 연기〔연주〕. **3** 《古》 악명 높은. **~·ness** *n.* ⇔ fame *n.*; fámously *ad.*

fa·mous·ly *ad.* **1** 유명하게, 이름 높게. **2** 《口》 뛰어나게, 훌륭하게.

F

fam·u·lus[fǽmjələs] [L] *n.* (*pl.* **-li**[-lài]) (마술사·학자 등의) 제자, 조수.

⁑**fan¹**[fæn] *n.* **1** 부채; 선풍기; 환풍기, 송풍기: an electric ~ 선풍기/a ventilating ~ 환풍기. **2** 부채꼴의 물건《추진기의 날개, 풍차의 날개, 새의 꽁지깃 등》. **3** 키; 풍구(winnowing-fan). **4** 〔地〕 선상지(扇狀地). **5** 〔野〕 삼진(三振). ── (**~ned; ~·ning**) *vt.* **1** 부채로 부치다, 부채질하다; …에 조용히〔살살〕 불어주다: ~ one's face *with* a notebook 노트로 얼굴을 부채질하다. **2** 〈바람이〉 …에 불어치다. **3** 선동하다, 부추기다: Bad treatment ~*ned* their dislike *into* hate. 대우가 나빠서 그들의 혐오는 증오로 변했다. **4** 〈키로 곡식을〉 까부르다; 〈풍구로〉 가려내다. **5** 부채꼴로 펴다(*out*): He ~*ned out* the cards on the table. 그는 카드를 테이블 위에 부채꼴로 펼쳤다. **6** 〈파리 등을〉 부채로 쫓다《*away*》: ~ the flies *away* (*from* a baby) 부채질하여 (아기한테서) 파리를 쫓아버리다. **7** 《미俗》 손바닥으로 (찰싹) 때리다. **8** 〈총을〉 속사하다. **9** 〔野〕 삼진(三振)시키다. ── *vi.* **1** (부채꼴로) 펼쳐지다; 〔軍〕 부채꼴로 산개하다《*out*》. **2** 가볍게 치다. **3** 〔野〕 삼진당하다.
fan oneself 부채질하다. **fan out** 〔軍〕 산개(散開)하다. **fan one's tail** 《미口》 달리다(run). **fan the air** 〔野〕 삼진당하다. **fan the flame** 격정을 돋우다, 선동하다.

⁑**fan²** [fanatic *n.*의 단축형] *n.* 《口》 (영화·스포츠 등의) 팬, …광(狂): a baseball〔film〕 ~ 야구〔영화〕팬.

*__fa·nat·ic__[fənǽtik] *a.* =FANATICAL.
── *n.* 열광자, 광신자. ◇ fanáticize *v.*

*__fa·nat·i·cal__[fənǽtikəl] *a.* 열광〔광신〕적인. **~·ly** *ad.* 열광하여, 광신적으로. **~·ness** *n.*

fa·nat·i·cism[fənǽtəsìzəm] *n.* Ⓤ 열광; 광신; Ⓒ 광신적임.

fa·nat·i·cize[fənǽtəsàiz] *vt., vi.* 열광시키다〔하다〕; 광신시키다〔하다〕.

fán bèlt (자동차의) 팬벨트.

*__fan·cied__[fǽnsid] *a.* **1** 상상의, 공상의, 가공의. **2** 마음에 든. **3** 이길〔잘 될〕 듯한.

fan·ci·er[fǽnsiər] *n.* **1** (음악·미술·꽃·새 등의) 애호가, (상업적) 사육자: a bird ~ 새장수; 애조가. **2** 공상가(dreamer).

*__fan·ci·ful__[fǽnsifəl] *a.* **1** 공상에 잠기는, 상상력이 풍부한; 공상적인; 변덕스러운(whimsical): a ~ scheme 공상적인 계획. **2** 기상천외한; 〈고안 등이〉 색다른, 기발한. **~·ly** *ad.* **~·ness** *n.* ◇ fáncy *n.*

fan·ci·less[fǽnsilis] *a.* 상상〔공상〕(력)이 없는; 무미 건조한.

fan·ci·ness[fǽnsinis] *n.* (지나친) 장식성 《문체 등의》.

fán clùb (가수배우 등의) 후원회, 팬클럽.

Fan·có·ni's anémia[fɑːnkóuniz-, fæn-] 〔病理〕 판코니 빈혈《어린아이의 체질성 빈혈》.

⁑**fan·cy**[fǽnsi] *n.* (*pl.* **-cies**) **1** Ⓤ,Ⓒ 공상, 상상(력); 심상, 이미지. **2** Ⓤ,Ⓒ 기상(奇想), 환상; (근거 없는) 상상, 억측, 가정. **3** 홀연히 내킨 생각; 변덕, 일시적 기분. **4** (a ~) 기호, 애호. **5** 취미, 도락; 안식. **6** 심미안, 감상력. **7** (the ~) 호사가들, 《특히》 권투 애호가들; 동물 애호가들. **8** 반점이 있는 꽃; 그런 꽃이 있는 식물. **9** 〔樂〕 팬시《16-17세기 영국의 대위법을 이용한 기악곡》. **10** 권투. **after**〔**to**〕 **one's fancy** …의 마음에 드는. **catch**〔**strike, please, suit, take**〕 **the fancy of** …의 마음에 들다. **have a fancy for** …을 좋아하다. **a passing fancy** 일시적인 생각, 변덕. **take a fancy to**〔**for**〕 …이 좋아지다.
── *a.* (**-ci·er; -ci·est**) **1** 공상적인; 상상의; 엉뚱한; 〈행동이〉 변덕스러운: a ~ picture 상상화〔도〕. **2** 엄청난: at a ~ price〔rate〕 엄청난 값으로〔속도로〕. **3** 장식적인, 의장(意匠)에 공 들인(*opp.* plain): a ~ button 장식 단추/~ soap 화장 비누. **4** 〈꽃 등이〉 여러 가지 색으로 된; 〈동물 등이〉 변종의, 진종(珍種)의. **5** 극상(極上)의, 특선(特選)의. **6** 〔印〕 팬시체 활자의. **7** 액세서리를 파는, 장신구의. **8** 〈스포츠의 기술 등이〉 고등〔곡예〕 기술의: a ~ flier 곡예 비행가/~ skating 곡예 스케이팅.
── (**-cied**) *vt.* **1** 공상하다, 상상하다, 마음에 그리다: She *fancied* herself (*to be*) still young. 그녀는 자기가 아직 젊다고 생각하고 있었다/I can't ~ him *as* a priest. 그가 목사라고는 상상할 수가 없다. **2** (명령형으로) 생각해 보라《놀람을 나타내거나 주의를 촉구하는 감탄사로 쓰임》: *F*- her driv*ing* a car; I should never have believed it. 생각해 보게나, 그녀가 차를 몰다니 나는 믿을 수가 없단 말이야/*F*- his do*ing* a thing like that! 원 그 사람이 그런 짓을 하다니. **3** (까닭없이 …하다고) 생각하다, …이라고 믿다: He *fancied that* somebody was calling his name. 그는 누군가가 그의 이름을 부르고 있는 것같은 생각이 들었다. **4** 환상에 젖다; (~ one*self*로) (…라고) 자부하다, 자만하다: 《Ⅲ *what*(절)》 He *fancies what* he does (*to be*) right. 그는 자기가 하는 일은 옳다는 환상에 젖어 있다/《Ⅴ (목)+*as*+명》 He *fancies* himself *as* the best man in the world. 그는 자기가 세상에서 가장 선량한 사람이라고 생각한다/《Ⅴ (목)+명》 He *fancies* himself a great philosopher. 그는 자기가 위대한 철학가라는 환상에 젖어 있다/《Ⅴ (목)+(*to be*)+형》 She *fancies* herself (*to be*) beautiful. 그녀는 자신이 예쁘다는 환상에 젖어 있다/He *fancies* himself *as* a golfer. 그는 자기가 어엿한 골퍼라고 자부하고 있다. **5** 애호하다, 좋아하다, 마음에 들다: Don't you ~ anything? 무엇 먹고 싶은 것은 없니《환자 등에게》. **6** 애호물로 색다른 동물〔식물〕 등을 기르다(*cf.* FANCIER). ── *vi.* 공상〔상상〕하다; (명령형으로) 《口》 상상〔생각〕해 보라.
Fancy (that)!=Just fancy! 상상 좀 해봐!, 놀랐어! **fancy up** 겉만 치장하다.
◇ fánciful *a.*

fáncy báll 가장 무도회.

fáncy cáke 장식한 케이크.

fáncy Dán〔**dán**〕 《미口》 멋쟁이; 기교파 권투 선수.

fáncy díving 곡예 다이빙.

fáncy dréss 가장복; 색다른 옷.

fáncy fáir 《영》 (수예품 등을 파는) 자선시(市); 잡화 시장.

fan·cy-free[fǽnsifríː] *a.* 연애를 모르는; 순진한; 자유 분방한; 구애됨이 없는.

fáncy góods 잡화, 장신구.

fáncy màn 《俗》 애인; 창녀의 기둥 서방; 내기하는 사람, 《특히》 경마〔권투〕 애호가.

fáncy pànts 《미》 멋쟁이.

fáncy pìece 《口》 애인.

fan·cy·sick[fǽnsisìk] *a.* 사랑에 고민하는 (lovesick).

fáncy wòman 《俗》 정부, 첩(妾); 창녀.

fan·cy·work[fǽnsiwəːrk] *n.* Ⓤ 수예(품), 편물, 자수.

fán dànce 나체로 추는 부채춤, 부채춤.

fan·dan·gle[fændǽŋgəl] *n.* 기이〔기발〕한

F

장식; 어리석은 짓; 《미口》 기계 기구.
fan·dan·go[fændǽŋgou] [Sp] *n.* (*pl.* ~(**e**)**s**) **1** 판당고《스페인의 춤》; 그 곡(曲). **2** 《미俗》 무도회. **3** (중대 결과를 초래케 하는) 바보같은 짓, 유치한 행위.
fan·dom[fǽndəm] *n.* (스포츠영화 등의) 팬 전체.
fane[fein] *n.* 《古詩》 신전(神殿); 교회당.
fan·fare[fǽnfɛər] [F] *n.* **1** 〔樂〕 화려한 트럼펫《등》의 취주, 팡파르. **2** (화려한) 과시, 허세, 선전, 「나발 불기」.
fan·far·on·ade[fæ̀nfərənéid] *n.* **1** 허세, 허풍. **2** 〔樂〕 =FANFARE 1.
fan·fold[fǽnfòuld] *n.* 복사장(帳)《용지와 카본지를 번갈아 끼워서 철한 것》.
fang[fæŋ] *n.* **1** (육식 동물의) 송곳니, 엄니. **2** (뱀의) 독아(毒牙), (독거미의) 이. **3** 이뿌리; (종종 *pl.*) 《口》 이. **4** (칼창 등의) 슴베.
— *vt.* (펌프에) 마중물을 붓다(prime).
fan·gle[fǽŋgəl] *n.* 유행: new ~*s* of hats 모자의 새 유행.
fán héater 송풍식 전기 스토브.
fan-jet, fan·jet[fǽndʒèt] *n.* 〔空〕 팬제트, 터보팬《송풍기가 달린 제트 엔진》; 팬제트기.
fán lètter 팬레터.
fan·light[fǽnlàit] *n.* 《영》 부채꼴 채광창(《미》 transom)《창문출입문의 위쪽에 있는》.
fán magazìne (스포츠영화 등의) 대중 오락 잡지.
fán màil (집합적) 팬레터(fan letters).
fán màrker 〔空〕 부채꼴 위치 표지.
fan·ner[fǽnər] *n.* 부채질 하는 사람; 키, 풍구(winnowing-fan); 송풍기, 선풍기.
Fan·nie, Fan·ny[fǽni] *n.* 여자 이름《Frances의 애칭》.
fan·ny[fǽni] *n.* (*pl.* **-nies**) 《미俗》 엉덩이(buttocks); 《영俗》 여성의 성기.
Fánnie Máe〔**Máy**〕 《미》 연방 국민 저당 협회(Federal National Mortgage Association)의 통칭; (이 협회가 발행하는) 저당 증권.
Fánny Ádams 1 (때로 **f- a-**) 《海俗》 통조림 고기, 스튜. **2** (종종 Sweet ~) 《俗》 전혀 없음, 전무(nothing at all) 《略: F.A.》.
fan-out[fǽnàut] *n.* 〔軍〕 전개, 산개.
fán pàlm 잎이 부채꼴인 야자수(*cf.* FEATHER PALM).
fan·tab·u·lous[fæntǽbjələs] *a.* 《俗》 믿을 수 없을 만큼 훌륭한.
fan·tad *n.* =FANTOD.
fan·tail[fǽntèil] *n.* **1** 부채 모양의 꼬리. **2** 〔鳥〕 공작비둘기. **3** 〔木工〕 장부촉. **4** 《영》 부채꼴 모자(sou'wester).
fan-tan[fǽntæ̀n] [Chin] *n.* Ⓤ 팬탠《중국 도박의 일종》; 카드 놀이의 일종(sevens).
fan·ta·sia[fæntéiʒiə, -téiziə] *n.* 〔樂〕 환상곡; (잘 알려진 곡의) 접속곡; 환상적 문학 작품.
fan·ta·sist[fǽntəsist, -zist] *n.* 환상곡〔환상적 작품〕을 쓰는 작곡가〔작가〕; 몽상가.
fan·ta·size[fǽntəsàiz] *vt.* 꿈에 그리다.
— *vi.* 몽상하다, 공상에 잠기다.
fan·tasm[fǽntæzəm] *n.* =PHANTASM.
fan·tas·mo[fæntǽzmou] *a.* 《口》 매우 이상한, 기발한; 기막히게 훌륭한〔빠른, 높은〕.
fan·tast[fǽntæst] *n.* 환상가, 몽상가(visionary, dreamer).
***fan·tas·tic, -ti·cal**[fæntǽstik], [-tikəl] *a.* 공상적인, 환상적인; 변덕스러운; 별난, 괴상한, 기이한; 엄청난 〈금액 등〉; 《口》 멋진; 근거없는(unreal): ~ fears 근거 없는 공포.
-ti·cal·ly[-kəli] *ad.* ⊕ fántasy *n.*
fan·tas·ti·cal·i·ty[fæntæ̀stikǽləti] *n.* (*pl.* **-ties**) Ⓤ,Ⓒ 공상적임; 기이, 괴기(한 것); 광상(狂想).
fan·tas·ti·cate[fæntǽstikèit] *vt.* 환상적으로 하다. **fan·tàs·ti·cá·tion**[-kéiʃən] *n.*
fan·tas·ti·cism[fæntǽstəsìzəm] *n.* Ⓤ 괴기〔기이〕함을 좋아하는 마음; 색다름.
***fan·ta·sy, phan-**[fǽntəsi, -zi] [Gk] *n.* (*pl.* **-sies**) **1** Ⓤ,Ⓒ (터무니 없는) 상상, 공상, 환상, 환각; 변덕 **2** 공상 문학 작품; 〔心〕 백일몽; 〔樂〕 환상곡(fantasia). — *vt., vi.* (**-sied**) 공상〔상상〕하다. ⊕ fantástic *a.*
fan·toc·ci·ni[fæ̀ntətʃíːni] [It] *n. pl.* 꼭두각시; 인형극.
fan·tod, -tad[fǽntɑd/-tɔd], [-tæd] *n.* (보통 *pl.*) 안절부절 못함, 심한 근심〔고뇌〕; (만성의) 육체〔정신〕적 장애; 감정의 폭발《초조감 등》.
fan·tom[fǽntəm] *n.* =PHANTOM.
fán tràcery 〔建〕 부채꼴 둥근 천장의 창장식.
fán wìndow 〔建〕 부채꼴 창.
fan·wise[fǽnwàiz] *ad., a.* 부채꼴로(의).
fan·wort *n.* 〔植〕 수련과(科) 수생 식물의 총칭.
F.A.N.Y. First Aid Nursing Yeomanry 《영》 응급 간호원 부대.
fan·zine[fǽnziːn] *n.* 공상 과학 소설 잡지.
FAO, F.A.O. Food and Agriculture Organization (of the United Nations).
F.A.Q. fair average quality 중등품(中等品).
fa·quir[féikər] *n.* =FAKIR.
★**far**[fɑːr] *ad.* (**far·ther, fur·ther; far·thest, fur·thest**) **1** (장소 · 거리 · 공간) **a** (부사 또는 전치사구와 함께) 멀리(에), 아득히, 먼 곳으로: ~ *away*〔*off*〕 멀리 떨어진 곳에/~ *out at* sea 아득히 먼 바다에/wander ~ *from* home 집에서 먼 곳에서 방황하다. **b** (대개 의문문 · 부정문에서 단독적으로) 멀리《구어적인 긍정문에서는 대신에 a long way를 씀》: How ~ did she go? 그녀는 얼마나 멀리 갔을까요/She didn't go so ~. 그녀는 그다지 멀리 가지 않았다《긍정문에서는 She went a long way.가 됨》. **2** (시간) (대개 부사 또는 전치사구와 함께) 멀리, 이슥토록: ~ *back* in the past 아득한 옛날에/~ *into* the future 먼 장래에/~ *into* the night 밤이 이슥하도록. **3** (정도) **a** 훨씬, 크게: ~ different 크게 다른/~ distant 《文語》 훨씬〔아득히〕 먼. **b** (비교급, 때로 최상급의 형용사 · 부사를 수식하여) 훨씬, 단연; 매우, 크게: This is ~ better (than it was). 이 편이 (이전보다) 훨씬 낫다. **as far as** ... (1) (전치사적으로) …까지《부정문에서는 보통 so far as를 씀》: They went *as far as* Alaska. 그들은 알라스카까지 갔다. (2) (접속사적으로) …하는 한 멀리까지; …하는 한은〔에서는〕: Let's swim *as far as* we can. 될 수 있는 대로 멀리까지 헤엄치자/*as far as* I know 내가 아는 한에서는/*as far as* the eye can see〔reach〕 눈길이 미치는 한에는. **as far as** ... **be concerned** ⇨concerned. **as far as it goes** ⇨go. **carry** ... **too far** = take ... too FAR. **far ahead** 멀리 앞쪽에; 먼 앞날〔장래〕에. **far and away** ⇨away *ad.*. **far apart** 멀리 떨어져. **far back** 멀리 뒤쪽에; 먼 옛날에(*cf. ad.* 2). **Far be it from me to do** …하려는 생각 따위는 내게는 전혀 없다《◇ be는 소원을 나타내는 가정법》: *Far be* it from me to call him a liar. 그를 거짓말쟁이라고 부를 생각은 티끌만큼도 없다. **far between** =FEW and far between. **far from** ... (1) ⇨1 a. (2) 조금도 …않다: She is ~ *from* happy. 그녀는 조금도 행복하지 않다.

(3) …이기는 커녕 (전혀 반대로)(*cf.* so¹ far from doing): *Far from* reading the letter, he did not even open it. 그는 그 편지를 읽기는 커녕 뜯어보지도 않았다/*Far from* it! 그런 일은 절대로 없다, 어림도 없다. **far off** ⇨*ad.* 1 a. **far out** 멀리 밖에: ((俗)) 보통이 아닌, 극단적인, 엉뚱한. **few and far between** ⇨few *a.* **go as**〔**so**〕 **far as doing**〔**to do**〕 ⇨go. **go far** ⇨go. **go too far** ⇨go. **How far** (…)? ⇨how. **in so far as** … =INSOFAR as. **so far** 여태〔지금〕까지: *So* ~ he has done nothing to speak of. 지금까지는 그는 이렇다할 행동을 한 것이 없다/*So far* so good. 여태까지는 그런대로 잘됐다. **so far as** =as FAR as. **so far from** =FAR from (3). **take … too far** 〈…의〉 도를 지나치다, 과도하다: You are *taking* your joke *too far*. 자네 농담은 너무 지나치다. **thus far** =so FAR.

— *a.* (비교 변화는 *ad.*와 같음) **1** ((文語·詩)) **a** (거리적으로) 먼, 멀리 떨어진(⇨distant: *opp.* near)(◇ It is two miles *far*.는 잘못이며, 수사를 명시하는 경우에는 distant를 씀): a ~ country 먼 나라. **b** (시간적으로) 먼, 아득한: the ~ future 먼 장래. **c** 장거리〔장시간〕의(long): a ~ journey 원로(遠路)의 여행. **2** (둘 중에서) 먼 쪽의, 저쪽의: the ~ side of the room 방의 저쪽 끝. **3** (정치적으로) 극단적인: the ~ right 극우(極右). **be a far cry from** …와 멀리 떨어져 있다; …와 현격한 차이가 있다.

— *n.* 먼 곳: *from* ~ 먼 곳에서, 멀리(에)서/*from* ~ and near 도처로부터(*cf.* FAR and near). **by far** (1) 대단히, 아주: too easy *by far* 아주 쉬운. (2) (최상급, 때로 비교급을 강조하여) 훨씬, 단연, 월등히: better *by far* 훨씬 좋은/*by far* the best 월등히 좋은, 출중한/Skating and skiing are *by far* the most popular winter sports. 스케이팅과 스키는 단연 인기 있는 겨울 스포츠이다. **far and near** 도처에. **far and wide** 멀리까지 널리, 두루.

far. farad; farthing. **F.A.R.** Federation of Arab Republics.

far·ad[fǽrəd, -æd] *n.* 〔電〕 패러드(정전 용량의 단위).

Far·a·day[fǽrədèi, -di] *n.* **1** 패러디 Michael ~(1791-1867)((영국의 물리학자·화학자)). **2** (**f-**) 〔電〕 패러디((전기 분해에 쓰이는 전기량의 단위; 기호 F)).

Fáraday cùp 〔物〕 패러디컵((하전(荷電) 입자의 종류하전량방향을 결정하는 장치)).

fa·rad·ic, far·a·da·ic[fərǽdik], [fǽrədéiik] *a.* 〔電〕 유도〔감응〕 전류의.

far·a·dism[fǽrədìzəm] *n.* Ⓤ 〔電〕 유도 전류.

far·a·dize[fǽrədàiz] *vt.* 〔醫〕 감응 전류로 자극〔치료〕하다.

*__far·a·way__[fɑ́:rəwèi] *a.* **1** 먼, 멀리의; 먼 옛날의; 멀리서 들리는〈소리 등〉. **2** 〈얼굴눈이〉 멍한, 꿈꾸는 듯한(dreamy).

*__farce__[fɑ:rs] [L] *n.* **1** Ⓤ,Ⓒ 소극(笑劇), 어릿광대극, 익살극(*cf.* COMEDY). **2** Ⓤ 익살, 웃기는 짓〔것〕, 우스개. **3** 어리석은 짓거리, (나쁜 의미의) 「연극」. **4** = FORCEMEAT. — *vt.* **1** 익살〔기지〕을 섞다, 흥미를 돋우다: ~ a speech *with* wit 익살을 섞어 이야기의 흥미를 돋우다. **2** ((古)) (다진 고기향미료 등으로) 소를 넣다. ◈ fárcical *a.*

far·ceur[fɑ:rsə́:r; *F.* farsœ:r] [F] *n.* 광대; 소극(笑劇) 작가; 익살꾼.

far·ci·cal[fɑ́:rsikəl] *a.* 익살맞은; 웃기는. **~·ly**[-kəli] *ad.*

far·ci·cal·i·ty[fɑ̀:rsəkǽləti] *n.* Ⓤ 익살스러움.

fár córner 〔野〕 3루.

far·cy[fɑ́:rsi] *n.* Ⓤ 〔獸醫〕 (말의) 마비저(馬鼻疽); (소의) 치명적 만성 선균증.

far·del[fɑ́:rdl] *n.* ((영古)) 다발; 무거운 짐.

⁑**fare**[fεər] *n.* **1** (기차·전차·버스·배 등의) 운임, 요금: a railway〔taxi〕 ~ 철도 운임〔택시 요금〕/a single〔double〕 ~ 편도〔왕복〕 요금. **2** (기차버스택시 등의) 승객. **3** Ⓤ 음식물, 식사: good〔coarse〕 ~ 훌륭한〔형편 없는〕 음식. **4** ((古)) (사물의) 상태, 사태; 운명. **5** (극장 등의) 상연물, (텔레비전의) 프로. **bill of fare** 메뉴. — *vi.* **1** ((詩)) 가다, 여행하다: ~ *forth* on one's journey 여행길을 떠나다. **2** 먹다; 음식 대접을 받다. **3** ((文語)) 〈사람이 잘·잘못〉 지내다, 살아가다(get on): He ~*s well* in his new position. 그는 새 일자리에서 잘 해나가고 있다. **4** (비인칭 주어 it를 써서) ((文語)) 〈일이 잘·잘못〉 되다, 되어가다(turn out): How ~*s it* with you? 어떻게 지내십니까; 별일 없으십니까/It ~*s well with* me. 잘 지냅니다; 무고합니다/It has ~*d ill with* him. 그는 일이 여의치 않았다. **fare well**〔**ill, badly**〕 편한〔고된〕 생활을 하다; 잘〔잘못〕되다; 성공〔실패〕하다; 훌륭한〔형편 없는〕 음식을 먹다. **Fare you well!** ((古)) =FAREWELL!. **You may go farther and fare worse.** ((속담)) 지나치면 실패한다.

Fár Éast (the ~) 극동((원래 영국에서 보아 한국·중국·일본·타이 등 아시아 동부의 여러 나라)).

Fár Éastern 극동의.

far·er[fέərər] *n.* (보통 복합어를 이루어) 여행자, 길손: a sea ~ 선원, 뱃사람/a way ~ 길손, 나그네.

fare-thee-well, fare-you-well, -ye-[fέərðì:wél], [-ju:-], [-jə-] *n.* ((미口)) (다음 성구로). **to a fare-thee-well** 완벽하게, 최고도로, 철저히.

⁑**fare·well**[fὲərwél] *int.* 안녕!, 잘 가거라!(Goodbye!): *F*- to arms! 무기여 잘 있거라.

— *n.* **1** 작별(leave-taking). **2** 작별의 인사. **bid farewell to** =**take one's farewell of** …에게 작별을 고하다. **make one's farewells** 작별 인사를 하다. — *a.* 고별의, 송별의, 작별의: a ~ address 고별 연설/a ~ performance 작별 공연/a ~ dinner〔party〕 송별연〔회〕/a ~ present 송별 선물. — *vt.* 작별 인사를 하다.

far-famed[fɑ́:rféimd] *a.* 널리 알려진.

far·fetched, far-fetched[⌐fétʃt] *a.* 억지로 갖다 댄, 억지의, 무리한(forced), 부자연한, 당치 않은.

far-flung[⌐flʌ́ŋ] *a.* 광범위한, 널리 퍼진; 간격이 넓은, 멀리 떨어진.

far-forth[⌐fɔ́:rθ] *ad.* 아득히 먼; 극도로.

far-gone[⌐gɔ́:n] *a.* 먼, 먼 곳의; 〈병세 등이〉 꽤 진전된〔심한〕; 몹시 취한; 빚이 누적된.

fa·ri·na[fərí:nə] *n.* Ⓤ 곡식 가루; ((영))〔植〕 꽃가루; 전분, 녹말((특히 감자의)); 분말.

far·i·na·ceous[fæ̀rənéiʃəs] *a.* 곡식 가루의; 가루를 내는; 녹말질의; 가루 같은.

far·i·nose[fǽrənòus] *a.* 가루 모양의, 가루를 내는; 〔植〕 흰 가루로 덮인.

far·kle·ber·ry[fɑ́:rkəlbèri, -bəri] *n.* (*pl.* **-ries**) 〔植〕 월귤나무의 일종.

farl(e)[fɑ:rl] *n.* ((스코)) 연맥·밀가루로 살짝 구워 만든 둥근 케이크.

★**farm**[fɑːrm] [F] *n.* **1** 농장, 농지, 농원(*cf.* RANCH): work on the ~ 농장에서 일하다/a dairy ~ 낙농장. **2** 사육장, 양식장: a chicken ~ 양계장/an oyster ~ 굴 양식장/a fish ~ 양어장. **3** 농가, 농장의 집. **4** Ⓤ 〔史〕 조세 징수 도급 제도; (그 제도에서) 도급 지역. **5** 탁아소(*cf.* BABY FARM). **6** ((미)) 〔野·아이스하키〕 대(大)리그 소속의 제 2군팀(=~ team). **7** (시골의) 요양소. **8** (기름 등의) 저장소〔시설〕. — *vt.* **1** 〈토지를〉 경작하다; 〈농지점포를〉 임대차하다; 소작하다. **2** 〈조세요금 등의 징수를〉 청부 맡다. **3** 〈노동력을〉 돈을 받고 빌려 주다. **4** 〈어린이 등을〉 요금을 받고 맡다. — *vi.* 경작하다, 농사짓다, 농장을 경영하다. **farm out** 〈토지시설 등을〉 빌려주다; 〈조세요금의 징수를〉 도급주다; 〈일을 본점〔원공장〕 등에서〉 도급주다; 〈어린이 등을〉 돈을 주고 맡기다: *farm out* children *to* …에게 어린이를 맡기다; ((미)) 〔野〕 〈1군의 선수를〉 제 2군팀에 맡기다. **fárm·a·ble** *a.*

fárm bèlt 곡창 지대, 대농업 지대.

fárm blòc 농민 이익 대표단((미국 상하원의 각 정당 의원으로 구성)).

★**farm·er**[fɑ́ːrmər] [OF] *n.* **1** 농장 경영자, 농장주, 농부(*cf.* PEASANT): a landed〔tenant〕~ 자작〔소작〕농. **2** 유아 등을 맡는 사람. **3** 수세(收稅) 도급인. **4** 시골 사람.

fármer chèese 파머 치즈(=**fárm chèese**)((전유 또는 일부 탈지한 고형(固形) 치즈))(*cf.* COTTAGE CHEESE).

farm·er·ette[fɑ̀ːrmərét] *n.* ((미구)) 농장에서 일하는 여자.

fárm·ers coóperative 농업 협동 조합.

farm-fresh[fɑ́ːrmfrèʃ] *a.* 〈농산물이〉 농장 직송의, 산지 직송의.

farm·hand[´-hæ̀nd] *n.* **1** 농장 노동자, 머슴. **2** ((미)) 〔野〕 신인 선수(rookie).

＊**farm·house**[fɑ́ːrmhàus] *n.* (*pl.* **-hous·es**[-hàuziz]) 농장 내의 주택((보통 본채를 말하나 창고 등 부속 건물을 포함할 때도 있음)); 농가.

farm·ing[fɑ́ːrmiŋ] *a.* 농업의; 농장의, 농업용의: ~ implements 농구/~ land 농지. — *n.* Ⓤ **1** 농업, 농작; 농장 경영; 사육; 양식. **2** 〔史〕 징수 도급((세금의)).

fárm làborer =FARMHAND 1.

＊**farm·land**[fɑ́ːrmlæ̀nd] *n.* Ⓤ 농지, 농토.

fárm mànagement 농업〔농장〕 경영.

far·most[fɑ́ːrmòust] *a.* ((稀)) 가장 먼.

fárm pròduce 농산물.

farm·stead(·ing)[fɑ́ːrmstèd(iŋ)] *n.* ((영)) 농장((부속 건물도 포함)).

fárm stòck 농장 자산((가축농기구작물 등)).

fárm sỳstem ((미)) 〔野〕 제 2군 리그 합동 운영제(*cf.* FARM *n.* 6).

fárm tèam (야구 등의 1군 선수를 양성하기 위한) 2군팀.

＊**farm·yard**[fɑ́ːrmjɑ̀ːrd] *n.* (주택·창고·우사 등에 둘러싸인) 농장 구내, 농가의 마당.

far·o[féərou] *n.* Ⓤ 「은행」놀이((내기 카드 놀이의 일종)).

Fár·oe Íslands[féərou-] *n.* (the ~) = FAEROE ISLANDS.

‡**far-off**[fɑ́ːrɔ́(ː)f, -ɑ́f] *a.* 아득히 먼.

fa·rouche[fərúːʃ] [F] *a.* 뚱한, 무뚝뚝한; 수줍은; 격렬한, 난폭한.

far-out[fɑ́ːráut] *a.* **1** ((영)) 먼. **2** ((口)) 〈음악 등이〉 참신한, 전위적인, 파격적인; ((口)) 멋진; 극단적인.

farout·er[fɑːráutər] *n.* ((口)) 파격적인 사람, 인습에 구애되지 않는 사람.

fár pòint 〔眼科〕 (눈의) 원점(遠點).

far·ra·gi·nous[fərǽdʒənəs] *a.* 긁어 모은, 뒤섞인.

far·ra·go[fəréigou, -rɑ́ː-] [L] *n.* (*pl.* ~**(e)s**) 뒤섞어놓은 것, 잡동사니(mixture)((*of*)).

far-rang·ing[fɑ́ːréindʒiŋ] *a.* 광범위한, 장거리에 걸친.

＊**far-reach·ing**[fɑ́ːríːtʃiŋ] *a.* 〈효과·영향 등이〉 멀리까지 미치는; 원대한.

far·ri·er[fǽriər] *n.* **1** ((영)) 편자공(工). **2** ((영)) (특히 말의) 수의사. **3** 〔軍〕 군마(軍馬) 담당 하사관.

far·ri·er·y[-əri] *n.* (*pl.* **-er·ies**) 편자(술); 편자 공장.

Fár Ríght (the ~) 극우(極右).

far·row¹[fǽrou] *n.* (돼지의) 분만; 한 배의 돼지 새끼. — *vt.* 〈돼지 새끼를〉 낳다. — *vi.* 〈돼지가〉 새끼를 낳다((*down*)).

farrow² *a.* 〈암소가〉 새끼를 배지 않는.

far·ru·ca[færúːkə] [Sp] *n.* 파루카((플라밍고의 일종)).

far·see·ing[fɑ́ːrsíːiŋ] *a.* 선견지명이 있는; 먼 데를 잘 보는(farsighted).

fár síde (the ~) 먼 쪽, 저편, 저쪽, 건너편: *the* ~ of …의 저편에; …살이 넘어.

far·sight·ed[fɑ́ːrsáitid] *a.* **1** 먼 데를 잘 보는; 〔病理〕 원시안의(*opp.* nearsighted). **2** 선견지명이 있는, 현명한. **~·ly** *ad.* **~·ness** *n.*

fart[fɑːrt] *n., vi.* ((俗)) 방귀(뀌다).

‡**far·ther**[fɑ́ːrðər] *ad.* (FAR의 비교급) **1** 〈거리·공간·시간이〉 더 멀리, 더 앞으로, 더 오래; 〈정도가〉 더 나아가: I can go no ~. 이 이상 더는 갈 수 없다. **2** 더욱이, 또한 게다가(moreover)((◇ 현재는 보통 further를 씀)). **farther back** 더 뒤에〔로〕, 더 오래 전에. **farther on** 더 나아가서〔멀리〕: He is ~ *on* than you 그는 당신보다 앞서 있다. **go farther and fare worse** 지나쳐서 오히려 잘 안되다. **I'll see you farther〔further〕first.** 그건 안 되겠다((그런 소리 들으려면 더 안 만나겠다)). **No farther!** 이제 됐어!, 이제 그만! **wish** a person〔thing〕 **farther** 그곳에 없으면 좋겠다고 생각하다.
— *a.* (FAR의 비교급) **1** (거리적으로) 더 먼〔앞의〕; (시간적으로) 더 뒤〔나중〕의: the ~ shore 대안(對岸). **2** 〈정도가〉 더 앞선(more advanced). **3** 그 위의, 그 이상의(additional, more)((◇ 현재는 보통 further를 씀)): a ~ stage of development 더 발달된 단계/Have you anything ~ *to* do? 더 할일이 있습니까. **until farther notice** =until FURTHER notice.

far·ther·most[fɑ́ːrðərmòust] *a.* 가장 먼.

‡**far·thest**[fɑ́ːrðist] *a.* (FAR의 최상급) 가장 먼. **at (the) farthest** 늦어도; 고작해야.

＊**far·thing**[fɑ́ːrðiŋ] [OE] *n.* ((영)) 파싱((영국의 옛 화폐: $^1/_4$ penny; 1961년 폐지)). **be not worth a (brass) farthing** 동전 한 푼어치의 가치도 없다. **don't care〔matter〕 a farthing** 조금도 개의치 않다.

far·thin·gale[fɑ́ːrðiŋgèil] *n.* (16-17세기에 스커트를 불룩하게 하는 데 썼던) 버팀살; 속 버팀살로 부풀린 스커트.

fartl·ek[fɑ́ːrtlek] [Swed] *n.* 파틀렉((자연 환경 속에서 급주(急走)와 완주(緩走)를 되풀이하는 트레이닝)).

Fár Wèst (the ~) 극서부 지방((미국 로키 산맥 서쪽 태평양 연안 일대)).

FAS flexible assembling system 〔컴퓨터〕 플렉서블 조립 시스템. **f.a.s., F.A.S.** free alongside ship 〔商〕 선측 인도. **F.A.S.** firsts and seconds; Foreign Agricultural Service. **fasc.** fascicle.

fas·ces[fǽsi:z] *n. pl.* (*sing.* **fas·cis**[fǽsis]) (때로 단수 취급) 〔古로〕 (막대기 다발 속에 도끼를 끼운) 권위 표장《집정관 등 고관의》.

Fa·sching[fá:ʃiŋ] *n.* (특히 남부 독일·오스트리아의) 사육제 (주간), 카니발.

fas·ci·a, facia[fǽʃiə, féiʃə] *n.* (*pl.* **~s, -ci·ae**[-ʃii:]) **1** 끈, 띠. **2** 〔建〕 띠 모양의 벽면《처마밑의》. **3** 〔解〕 근막(筋膜); 〔動〕 색대(色帶); 〔醫〕 붕대. **4** (가게의 정면 상부의) 간판. **5** 《영》 자동차의 계기판(=board). **-al**[fǽʃiəl] *a.*

fas·ci·ate, -at·ed[fǽʃièit], [-id] *a.* 〔植〕 〈줄기·가지가〉 이상 발육으로 넓적해진; 〔動〕 띠 모양의 줄무늬가 있는; 색대(色帶)가 있는.

fas·ci·a·tion[fæ̀ʃiéiʃən] *n.* Ⓤ 붕대 감기; 〔植〕 (이상 발육에 의한) 대화(帶化) 현상.

fas·ci·cle[fǽsikəl] *n.* **1** 작은 다발. **2** 분책《계속적으로 간행되는 책의》. **3** 〔植〕 총생(叢生)《꽃잎 등의》. **4** 〔解〕 섬유속(束).

fas·cic·u·lar[fəsíkjələr] *a.* 〔植〕 총생의; 〔解〕 섬유속으로 이루어진.

fas·cic·u·late, -lat·ed[-lit, -lèit], [-lèitid] *a.* 〔植〕 총생의; 밀산(密)의; 〔解〕 섬유속의.

fas·ci·cule[fǽsikjù:l] *n.* **1** 〔解〕 섬유속《신경의》. **2** 분책본(本)(fascicle).

fas·cic·u·lus[fəsíkjələs] *n.* (*pl.* **-li**[-lài]) 〔解〕 =FASCICLE 2, 4.

*__fas·ci·nate__[fǽsənèit] [L] *vt.* **1** 매혹하다, 호리다(charm), 황홀하게 하다; 넋을 빼앗다. **2** 〈뱀이 개구리 등을〉 노려보다, 노려보아 꼼짝 못하게 하다. **be fascinated with**〔**by**〕 …에 매혹되다; …에 얼을 빼앗기다. **-nat·ed·ly** *ad.* ◇ fascinátion *n.*

*__fas·ci·nat·ing__[fǽsənèitiŋ] *a.* 매혹적인, 황홀한; 아주 재미있는.

*__fas·ci·na·tion__[fæ̀sənéiʃən] *n.* **1** Ⓤ 매혹, 마음이 홀린 상태; (뱀의) 노려봄; Ⓒ 매력, 요염; (최면술의) 감응. **2** 매력 있는 것. ◇ fáscinate *v.*

fas·ci·na·tor[fǽsənèitər] *n.* 매혹하는 사람〔것〕; 마법사; 매혹적인 여자; (옛날 여자들이 머리에 쓴) 레이스 두건.

fas·cine[fæsí:n, fəs-] *n.* 장작단; 〔築城〕 막대기 다발《참호벽 등의 보강용》: ~ dwelling 유사 이전의 호상(湖上) 가옥.

fas·cism[fǽʃizəm] [L, It] *n.* Ⓤ (종종 **F-**) 파시즘, 독재적 국가주의《Mussolini를 당수로 한 이탈리아 국수당의 주의; *cf.* NAZISM》.

fa·scis·mo[fəʃízmou] [It] *n.* (*pl.* **~s**) = FASCISM.

fas·cist[fǽʃist] *n.* (종종 **F-**) (이탈리아의) 파시스트 당원; 파시즘 신봉자, 국수주의자, 파쇼.

Fa·scis·ta[fəʃístə] *n.* (*pl.* **-ti**[-ti]) (이탈리아의) 파시스트당원(Fascist); (*pl.*) 파시스트당.

fa·scist·ize[fəʃístaiz] *vt.* 파쇼〔파시즘〕화하다. **fà·scist·i·zá·tion**[fəʃìstizéiʃən, -tai-] *n.* 파쇼화(化).

FASE 〔컴퓨터〕 fundamentally analyzable simplified English 간이 영어.

fash[fæʃ] 《스코》 *vt.* 괴롭히다. **fash oneself** 괴로워하다. ── *n.* Ⓤ 괴로움, 고민.

‡**fash·ion**[fǽʃən] [L] *n.* **1 a** …하는 식〔투〕, 방식, 방법: in European ~ 유럽식으로/in the traditional ~ 전통적인 방식으로/in a leisurely ~ 한가히, 천천히/the ~ of his speech 그의 말투/do a thing in one's own ~ 자기식으로 하다. **b** (복합어로 부사적) …식〔류(流), 풍(風)〕으로: walk crab-~ 게처럼 옆으로 걷다/cook Italian-~ 이탈리아식으로 요리하다/swim dog-~ 개헤엄을 치다. **2** 관습, 습관, 버릇. **3** 양식, 형, 스타일; 만듦새, 생김새; 종류. **4** Ⓤ,Ⓒ 유행(vogue), 유행형, 유행의 양식; (여성복의) 패션; 풍조, 시류; 《특히》 상류 사회의 풍습: follow the latest ~*s* 최신 유행을 따르다/It is the ~ *to* do …하는 것이 지금 유행이다. **5** (the ~) 인기 있는 사람〔물건〕: He is *the* ~. 그는 요즈음 인기를 얻고 있다. **6** (the ~; 집합적) 《古》 상류 사회(의 사람들), 유행계(界); 사교계(의 사람들): All the ~ of the town were present. 사교계 인사들이 모두 참석했다/a man〔woman〕 of ~ 상류 사회〔사교계〕의 남성〔여성〕. **after**〔**in**〕 **a fashion** 그럭저럭, 그런대로. **after the fashion of** …을 본따서, …식으로. **be all the fashion** 아주 인기가 있다, 대유행이다. **bring**〔**come**〕 **into fashion** 유행시키다〔유행하기 시작하다〕. **follow the fashion** 유행을 좇다. **go out of fashion** 유행하지 않게 되다, 한물 가다. **in** (**the**) **fashion** 유행하고 있는; 현대식으로. **lead the fashion** 유행의 앞장을 서다. **set the fashion** 유행을 만들어 내다. ── *vt.* **1** 모양 짓다, 형성하다, 만들다《*into, to, out of*》: ~ clay *into* a vase 진흙으로 꽃병을 만들다/~ a pipe *from* clay 진흙으로 파이프를 만들다. **2** 맞추다, 적합시키다(fit)《*to*》: ~ a theory *to* general understanding 모두 이해할 수 있도록 이론을 펴다. **3** 《廢》 연구하다, 처리하다.

‡**fash·ion·a·ble**[fǽʃənəbəl] *a.* 최신 유행의, 유행하는, 현대풍의, 스마트한; 유행〔사교〕계의; 상류 사회의; 상류 인사가 모이는〔이용하는〕; 일류의: the ~ world 유행계, 사교계/a ~ dress-maker〔tailor〕 일류 양재사〔양복점〕. ── *n.* 유행을 좇는 사람. **~·ness** *n.* **-bly** *ad.* 최신 유행대로, 멋지게.

fáshion bòok 패션 견본집.

fash·ion-con·scious[-kɑ̀nʃəs/-kɔ̀n-] *a.* 유행에 민감한.

fáshion displày =FASHION SHOW.

fash·ioned[fǽʃənd] *a.* (복합어를 이루어) …식〔류, 풍〕의: old-~ 구식의, 케케묵은.

fash·ion·ese[fæ̀ʃəní:z] *n.* 패션계 용어.

fáshion hòuse 고급 양장점.

fáshion mòdel 패션 모델.

fash·ion·mon·ger[fǽʃənmʌ̀ŋgər] *n.* 유행을 따르는 사람, 패션 연구가.

fáshion plàte 유행복의 본; 《口》 최신 유행의 옷을 입는 사람.

fáshion shòw 패션 쇼.

★**fast**¹ [fæst, fɑ:st] [OF] *a.* **1** 빠른, 고속의, 급속한(*opp.* slow): a ~ highway 고속도로/a ~ train 급행 열차. **2** 〈시계가〉 빠른, 빨리 가는: 《Ⅱ (부구)+형》 My watch is one minute fast. 내 시계는 1분 빠르다. **3** 재빠른, 날랜, 민첩한; 속구를 던지는: a ~ reader 속독가/a ~ pitcher 속구(速球) 투수. **4** 빨리 끝나는, 속성의; 간단히 해치울 수 있는〔해치운〕; 단기간의: a ~ reading 속독/a ~ race 단거리 경주/a ~ trip 단기 여행. **5** 고착한, 단단히 붙은, 흔들거리지 않는(*opp.* loose): a stake ~ in the ground 땅 속에 단단히 두드려 박은 말뚝. **6** 단단한《매듭·주먹 쥐기 등》, 굳게 닫힌: The door is ~. 문이 굳게 닫혀 있다/make a door ~ 문을 굳게 닫다/make a boat ~ (to the post) (기둥에) 배를 꽉 잡아매다/take (a) ~ hold on a rope 밧줄을 단단히 붙잡다. **7** 마음

F

이 한결같은, 충실한: ~ friendship 변하지 않는 우정/a ~ friend 친한 친구. **8** 〈빛깔이〉 바래지 않는: a ~ color 불변색. **9** 깊이 든 〈잠〉: ~ sleep 숙면. **10** (약품에 대하여) 내성〔저항력〕이 있는. **11** 〈당구대·정구장 등이〉 공이 잘 튀는, 탄력이 있는: a ~ tennis court 공이 잘 튀는 정구장. **12** 〔寫〕 고속 촬영의: 고감도의 〈필름〉. **13** 《口》 〈말을〉 잘하는. **14** 줄곧 환락을 좇는, 품행이 좋지 못한: a ~ liver 방탕한 사람. **15** 손쉽게 얻은〔번〕. **fast and furious** 〈경기가〉 한창 무르익어. **lead a fast life** 방탕한 생활을 하다. **make** … **fast** …을 고정시키다: 〈배를〉 잡아매다: 〈문 등을〉 꼭 닫다. **take (a) fast hold of〔on〕** …을 단단히 붙잡다.

── *ad.* **1** 빨리, 급속히, 급히: speak ~ 빨리 말하다. **2** 단단히, 굳게, 꽉; 꼼짝도 않고: stand ~ 꼼짝도 않고 서 있다; 고수하다/a door ~ shut=a door shut ~ 꼭 닫혀 있는 문/be ~ bound by the feet 양 다리가 꽉 묶여 있다/hold ~ by a rail 난간에 매달리다. **3** 푹, 깊이(자다): sleep ~ 깊이 잠들다. **4** 줄기차게, 끊이지 않고, 자꾸, 연달아: Her tears fell ~. 그 여자는 눈물이 자꾸 흘렀다. **5** 방탕하게. **6** 《古·詩》 가까이, 임박하여. **as fast as** =《미》 as SOON as. **Fast bind, fast find.** 《속담》 단속을 잘 하면 잃는 법이 없다. **lay fast** …을 도망가지 못하게 하다. **live fast** 방탕한 생활을 하다. **play fast and loose** 행동에 주견이 없다(*with*): 믿음성이 없다. **stick fast** 착 들러붙다, 점착하다. **thick and fast** 끊임없이, 줄기차게.
⊕ fásten *v.*: fástness *n.*

*__fast²__ *vi.* **1** 단식하다, 금식하다, 〈금식하고〉 수도 생활하다: ~ *on* bread and water 빵과 물만으로 수도 생활을 하다. **2** 절식하다(go without food): I have been ~*ing* all day. 오늘 하루 종일 아무 것도 먹지 않았다. ── *vt.* 단식시키다, (병을) 단식으로 고치다: ~ an illness *off* 단식으로 병을 고치다. ── *n.* 단식, 금식; 단식일: 단식 기간. **break one's fast** 단식을 그치다: 조반을 들다.

-fast[fæst/fɑ:st] 《연결형》「…에 견디는」의 뜻: sun*fast*.

fast·back[fǽstbæ̀k] *n.* 《미》 패스트백《지붕에서 뒤끝까지 유선형으로 된 구조(의 자동차)》.

fást bàll[⌐bɔ̀:l] 〔野〕 (변화 없는) 속구; 《캐나다》 파스트볼《소프트볼의 일종》.

fást bàller[-bɔ̀:lər] 〔野〕 속구 투수.

fást bréak (특히 농구의) 속공(速攻)《상대팀이 방어 태세를 갖추기 전에 볼을 코트 끝에서 끝으로 재빠르게 패스해서 공격 하는》.

fást bréeder〔fást-bréeder〕 reàctor 〔物〕 고속 증식로(增殖爐).

fást búck 《미俗》 쉽게 번〔벌리는〕 돈.

fást dày 단식일.

⁑**fas·ten**[fǽsn, fɑ́:sn] *vt.* **1** 묶다, 동이다, 붙들어매다: ~ a boat *to* a tree by a rope 배를 밧줄로 나무에 붙들어 매다. **2** 죄다, 〈지퍼·단추·클립핀 등을〉 잠그다, 채우다, 〈빗장 등을〉 지르다: ~ a glove 장갑의 단추를 채우다/~ a door *with* a bolt 문에 빗장을 지르다. **3** 고정하다, 〈눈·시선을〉 …에 멈추다, 〈주의를〉 쏟다, 〈희망을〉 걸다(*on, upon*): ~ a person *with* a reproachful eye 비난의 눈초리로 아무를 노려보다/The child ~*ed* his eyes *on* the stranger. 그 어린아이는 낯선 사람을 유심히 쳐다보았다. **4** 〈별명을〉 붙이다: 〈누명·죄를〉 씌우다: (비난을) 퍼붓다(*on, upon*): ~ a nickname〔crime, quarrel〕 *on* a person …에게 별명을 붙이다〔죄를 씌우다, 싸움을 걸다〕. **5** 〈사람·동물 따위를〉 가두어 넣다: ~ a dog *in* 개를 가두다. **6** 꽉붙잡다, 매달리다: She ~*ed* herself *to*〔*on*〕 my arm. 그녀는 내 팔을 꽉 붙잡았다. ── *vi.* **1** 〈문 등이〉 닫히다; 〈자물쇠 등이〉 잠기다: This window will not ~. 이 창문은 도무지 안 닫힌다/《 I 🅟》 The door ~*ed* firmly. 문이 단단히 잠겼다. **2** 〈지퍼·단추·훅 따위가〉 채워지다, 〈볼트 따위가〉 죄이다. **3** 달라붙다, 꽉 붙잡다, 매달리다: 〈시선이〉 쏠리다; 주의를 집중하다; 고정되다: Her gaze ~*ed on* the jewels. 그녀의 시선이 그 보석에 멈추었다/She ~*ed on* my arm. 그녀는 내 팔에 매달렸다. **fasten down** 〈상자 뚜껑 등을〉 못질하여 박다: 〈의미 등을〉 확정시키다. **fasten one's eyes on** …을 눈여겨보다. **fasten in** …을 가두다. **fasten off** (매듭 등으로) 걸어 매다. **fasten on〔upon〕** …을 붙잡다, …에 매달리다; 〈구실 등을〉 잡다; 눈독들이다(공격 등을 위하여). **fasten oneself on〔upon〕** …을 귀찮게 굴다. **fasten up** 동여매다; 걸어 매다; 못질해 붙이다. ⊕ fast *a., ad.*

fas·ten·er[fǽsnər, fɑ́:s-] *n.* 잠그는 사람〔물건〕; 죄는 금속구, 잠그개《단추·훅·지퍼·클립·스냅·볼트 등》; 염색의 고착제.

fas·ten·ing[fǽsniŋ, fɑ́:s-] *n.* Ⓤ 죔, 잠금, 닫음, 붙임; Ⓒ 채우는〔걸어 매는〕 (금속) 기구《볼트·빗장·걸쇠·자물쇠·단추·훅·핀 등》.

fást fóod 《미》 (햄버거·통닭 구이 등의) 간이〔즉석〕 음식.

fast-food[⌐fú:d] *a.* 《미》 간이 음식 전문의, 즉석 요리의 〈식당 등〉.

fast·for·ward[fǽstfɔ́:rwərd] *n.* (녹음기·비디오 등의) 고속 되감기《테이프를 앞으로 감는》.

fast-grow·ing[⌐gróuiŋ] *a.* 빨리 성장하는.

fas·tid·i·ous[fæstídiəs, fəs-] *a.* 까다로운; 괴팍스러운, 가리는; 배양 조건이 까다로운 〈균〉: ~ *about* one's food〔clothes〕 음식〔옷〕에 까다로운. **~·ly** *ad.* **~·ness** *n.*

fas·tig·i·ate, -at·ed[fæstídʒiət], [-èitid] *a.* 끝이 원추 모양으로 뾰족한; 〔植·動〕 원추 묶음 모양의.

fas·tig·i·um[fæstídʒiəm] *n.* 〔醫〕 극기(極期)《증상이 가장 현저해지는 시기》; 〔解〕 (제 4뇌실의) 뇌실정(腦室頂).

fast·ing[fǽstiŋ, fɑ́:st-] *n.* Ⓤ 단식, 금식, 절식. ── *a.* 단식의, 금식의: a ~ cure 단식 요법/a ~ day 단식일(fast day).

fast·ish[fǽstiʃ, fɑ́:st-] *a.* 꽤 빠른.

fást láne (도로의) 추월 차선.

fást mótion 〔映〕 지속(遲速) 촬영에 의한 움직임〔동작〕《실제보다 빨라 보임》.

fast·ness[fǽstnis, fɑ́:st-] *n.* Ⓤ **1** 고착, 정착《빛깔의》. **2** 신속, 빠름. **3** 난봉, 방탕. **4** Ⓒ 요새, 성채: a mountain ~ (산적 등의) 산채(山砦).

fást néutron 〔物〕 고속 중성자.

fást óne 《俗》 협잡, 사기, (경기 등에서의) 속임수: pull a ~ 보기좋게 속이다.

fast-talk[fǽsttɔ́:k, fɑ́:st-] *vt.* 《미口》 허튼 수작으로 구슬리다.

fást tálker 《미口》 사기꾼; 말재주가 좋은 사람.

fást tìme 《미口》 =DAYLIGHT-SAVING TIME.

fást tràck, fást-tràck[fǽsttræ̀k, fɑ́:st-] *n.* (빠른 승진 격렬한 경쟁 등의) 현대의 분방한 생활양식〔직업〕. ── *a.* 야심적인, 빠른 승진을 즐기는. ── *vt.* 빠르게 승진 시키다; 서둘러 하다.

fas·tu·ous[fǽstʃuəs] *a.* 오만한, 허세부리는.

★**fat**[fæt] *a.* (**~·ter; ~·test**) **1** 살찐, 뚱뚱한,

F

비만[비대]한(*opp.* lean, thin): a ~ man 뚱뚱한 남자/get ~ 뚱뚱해지다/Laugh and grow ~. 《속담》 일소일소(一笑一少), 소문만복래. **2** 〈고기가〉 지방이 많은(*opp.* lean). **3** 특별히 살찌운(fatted)(전시용 또는 식용으로): a ~ ox [sow] 살찌운 소[돼지]. **4** 〈요리 등이〉 기름기 많은: ~ soup 기름기 많은 수프/a ~ diet 기름기 많은 식사. **5** 〈손가락 등이〉 굵은, 땅딸막한(stumpy), 불룩한; 〈활자 등이〉 획이 굵은. **6** 두둑한; 양이 많은: a ~ salary 고액의 봉급/a ~ purse[pocketbook] 돈이 가득 들어 있는 지갑. **7** 풍부한; 〈땅이〉 기름진, 비옥한(fertile): a ~ year 풍년. **8** 수입이 좋은, 벌이가 잘 되는, 유리한: a ~ job[office] 수지맞는 일[직무]. **9** 〈어떤 성분을〉 많이 함유한, 〈목재가〉 진이 많은: ~ clay 가소성(可塑性) 점토/a ~ pine 송진이 많은 소나무. **10** 〈역(役)이〉 해볼만한. **11** 얼빠진, 굼뜬, 우둔한. **a fat chance** 《미俗》 희박한 가망. **a fat lot** 《俗》 두둑이, 많이; (반어적) 조금도 … 않다(not at all): *A ~ lot* you care! 조금도 개의치 않는군. **cut it (too) fat** 《俗》 드러내 보이다. **cut up fat** 《俗》 많은 재산을 남기고 죽다. **grow fat** 살찌다, 유복해지다. — *n.* Ⓤ **1** 지방, 비계, 기름기, 지육(脂肉)(*opp.* lean); (요리용) 기름(*cf.* LARD). **2** 가장 좋은[양분이 많은] 부분. **3** 비만, 군살; (*pl.*) 《오스》 살찐 소[양]. **4** 윤택, 풍부. **5** 〔劇〕 배우가 재능을 충분히 나타낼 수 있는 장면[역, 대사]. **6** 〔印〕 인쇄하기 쉬운 것. **(All) the fat is in the fire.** 큰 실수를 하였다(무사하지는 못할 것이다). **chew the fat[rag]** 《미口》 장황하게 이야기하다. **live on one's fat** 무위 도식하다. **live on[off] the fat of the land** 〔聖〕 호사스러운 생활을 하다. **run to fat** 살이 너무 찌다. — *vt., vi.* (~·ted; ~·ting) 살찌게 하다, 살찌다(fatten). **fat off** 살찌우다(팔거나 식용으로 하기 위하여). **fat up** (충분히) 살찌우다; 살찌다. **kill the fatted calf** 〔聖〕 환대할 준비를 하다(돌아온 탕아를 위해 살찐 송아지를 잡아 맞이한 아버지의 고사에서: 누가 복음 15:27). **~·less** *a.* ◇ fátten *v.*

‡**fa·tal**[féitl] *a.* **1** 치명적인(*to*); 파멸적인: a ~ disease 불치의 병, 죽을 병/a ~ wound 치명상. **2** 운명의, 운명을 결정짓는; 중대한, 결정적인. **3** 숙명적인, 피할 수 없는. **prove fatal** 치명상이 되다. **the fatal shears** 죽음(운명의 여신 중의 하나가 든 가위에서). **the fatal sisters** 〔그神〕 운명의 3여신(the Fates). **the fatal thread** 《文語》 (인간의)수명(운명의 여신이 쥐고 있는 실에서). — *n.* 치명적인 결말, 《특히》 사고사. **~·ness** *n.* ◇ fatálity, fate *n.*: fátally *ad.*

fa·tal·ism[-təlìzəm] *n.* Ⓤ **1** 〔哲〕 운명론, 숙명론. **2** 숙명관(宿命觀), 체념.

fa·tal·ist *n.* 운명[숙명]론자.

fa·tal·is·tic[fèitəlístik] *a.* 숙명(론)적인, 숙명론자의. **-ti·cal·ly**[-tikəli] *ad.*

*__fa·tal·i·ty__[feitǽləti, fət-] *n.* Ⓤ,Ⓒ (*pl.* **-ties**) **1** 불운, 불행; 재난, 참사. **2** (사고전쟁 등에 의한) 죽음, 사망자(수): Traffic accidents cause many *fatalities.* 교통 사고로 죽는 자가 많다. **3** 숙명, 운명, 인연; 숙명론, (운명적인) 필연성. **4** (병 등의) 치사성, 불치(*of*).

fatálity ràte 사망률.

*__fa·tal·ly__[féitəli] *ad.* 치명적으로; 숙명적으로: be ~ wounded 치명상을 입다.

Fa·ta Mor·ga·na[fɑ́:təmɔ:rgɑ́:nə][It] *n.* 〔中世傳說〕 모르가나 요정(Arthur 왕의 누이동생); (**f- m-**) 신기루(특히 이탈리아 남단 Messina 해협에 나타나는 것).

fat·back[fǽtbæ̀k] *n.* 돼지의 옆구리 위쪽의 비계살(보통 소금을 쳐서 말림).

fát cát 《미俗》 정치 자금을 많이 바치는 부자; 세력가, 유명인, 돈 많은 특권인.

fát cèll 〔解〕 지방 세포(결합 조직 세포 중 속에 지방이 저장되어 있는).

fát cíty 《미俗》 더할 수 없이 좋은 상태[상황, 전망]: I'm in ~. 기분 최고다.

‡**fate**[feit] [L] *n.* **1** 운명, 숙명. **2** 죽음, 비운; 파멸; 종말. **3** (the F-s) 〔그·로神〕 운명의 3여신(인간의 생명의 실을 잣는 Clotho, 그 실의 길이를 정하는 Lachesis, 그 실을 끊는 Atropos의 세 여신). **4** (개인·국가의 종종 불운한) 운명, 운. **as fate would have it** 재수없게. **(as) sure as fate** 틀림없는(quite certain). **decide[fix, seal] one's fate** 운명을 결정짓다. **go to one's fate** 비운[파멸]으로 향하다. **meet one's fate** 최후를 마치다, 죽다; 자기 아내가 될 여자를 만나다. **the master of one's fate** 자기 운명을 개척하는 사람. — *vt.* 운명지우다(⇨fated). ◇ fátal, fáteful *a.*

fat·ed[féitid] *a.* 운명이 정해진; 운이 다 된: He was ~ *to* die young. 그는 젊어서 죽게 될 운명이었다/It was ~ *that* we should fail. 우리는 실패할 운명이었다.

fate·ful[féitfəl] *a.* **1** 숙명적인; 결정적인. **2** (불길한) 운명을 안고 있는. **3** 예언적인. **4** 중대한; 치명적인(fatal). **~·ly** *ad.* **~·ness** *n.*

fát fárm 《미俗》 =HEALTH SPA.

fath. fathom.

fat·head[fǽthèd] *n.* 《口》 등신, 얼간이.

fat·head·ed[-hédid] *a.* 우둔한, 얼뜬.

★**fa·ther**[fɑ́:ðər] *n.* **1** 아버지, 부친; 부성애; (F-; 호칭으로서) 아버지; 《口》 시아버지, 장인; 양아버지. **2** 아버지로 숭상받는 사람, 보호자: the ~ of his country 국부. **3** 시조, 창시자, 원조(founder); (종종 관사 없이) 본원, 원형. **4** (보통 *pl.*) 조상, 선조(forefather). **5** (the F-) 하느님 아버지, 천주, 신(God). **6** (the F-s) (초기 교회의) 교부(敎父)들; 《미》 미국 헌법 제정자들. **7** (존칭으로서) 신부(神父), 수도원장, 고해 사제; …옹; (*pl.*) (시·읍·면 의회 등의) 최연장자; 원로, 고참자: the *F~s* of the House 최고참 의원들/~s of a city 시의 고로(古老)들. **be a father to** …에게 아버지처럼 대하다. **be gathered to one's fathers** =**sleep[lie] with one's fathers** 조상의 묘에 묻히다, 죽다(die). **Like father, like son.** 《속담》 그 아버지에 그 아들, 부전 자전. **Most Reverend Father in God** ARCHBISHOP의 존칭. **Right Reverend Father in God** BISHOP의 존칭. **The child is father of[to] the man.** 《속담》 어린이는 어른의 아버지; 세살적 버릇이 여든까지 간다. **the Early Fathers**=**the Fathers (of the Church)** 초기 기독교의 교부(敎父)들. **the Father of His Country** 《미》=George WASHINGTON. **the Father of lies** 악마. **the Father of the Constitution** 《미》 =James MADISON. **the Father of the Faithful** =the CALIPH. **the Father of Waters** =the MISSISSIPPI River. **the Holy Father** 로마 교황. **The wish is father to the thought.** 《속담》 그렇게 되기를 바라면 그렇다고 믿게 된다. — *vt.* **1** …의 아버지가 되다; (아버지로서) 자식을 보다(beget); 아버지 노릇을 하다, 보호자가 되다. **2** 창시하다, 〈계획 등을〉 시작하다. **3** …의 아버지[작자]라고 나서다; 저작물을 …의 작품이라고 하다, 저작의 책임을 …에

F

게 지우다《*on, upon*》: ～ a child〔a book, a fault〕 *on* a person …를 아이의 아버지〔책의 저자, 과실의 책임자〕로 판정하다. — *vi.* 아버지로서 책임을 다하다, 아버지처럼 남을 돌보다. ◇ fátherly *a.*

Fáther Chrístmas 《영》 =SANTA CLAUS.

fáther conféssor 〔가톨릭〕 고해 신부; 속사정을 털어놓을 수 있는 사람.

fa·ther·hood[fɑ́:ðərhùd] *n.* Ⓤ 아버지임, 아버지의 자격, 부권(父權).

fáther ìmage〔**figure**〕 이상적인 아버지 상을 지닌 사람.

fa·ther-in-law[fɑ́:ðərinlɔ̀:] *n.* (*pl.* **fáthers-**) 시아버지, 장인; 《口·稀》 =STEPFATHER.

fa·ther·land[-lǽnd] *n.* 조국; 선조의 땅.

fa·ther·less[fɑ́:ðərlis] *a.* **1** 아버지가 없는: a ～ child 아버지를 잃은 아이, 아버지를 알 수 없는 사생아. **2** 작자 미상의.

fa·ther·like[fɑ́:ðərlàik] *a., ad.* =FATHERLY.

fa·ther·li·ness *n.* Ⓤ 아버지다움; 아버지의 자애(paternal care), 부성애.

fa·ther·ly[fɑ́:ðərli] *a.* 아버지(로서)의; 아버지다운; 자부(慈父)와 같은(*cf.* PATERNAL). — *ad.* 아버지 같이, 아버지답게.

Fáther's Day 《미》 아버지 날《6월의 제 3 일요일》.

fa·ther·ship[-ʃìp] *n.* Ⓤ 아버지의 신분〔자격〕.

Fáther Thámes *n.* (의인화하여) 템스 강.

Fáther Tíme (의인화하여) 시간 할아버지《대머리에 수염을 길게 기르고, 손에 큰 낫과 물단지〔모래 시계〕를 든 노인으로 나타냄》.

F

*__fath·om__[fǽðəm] [OE] *n.* (*pl.* ～**s**, (집합적) ～) **1** 길《길이의 단위: 6피트: 1.83m; 略: f., fm., fath.》; 《영》 목재의 양명(量名)《단면 6평방 피트의》. **2** 이해, 통찰. — *vt.* 수심을 측정하다(sound); 〈…의 마음속 등을〉 추측〔간파〕하다.

fath·om·a·ble[-əbəl] *a.* 잴〔추측할〕 수 있는.

fa·thom·e·ter[fæðɑ́mitər/-ɔ́-] *n.* 〔海〕 음향 측심기(測深器).

fath·om·less[fǽðəmlis] *a.* 잴 수 없는, 깊이를 알 수 없는; 불가해한. **～·ly** *ad.*

fáthom lìne 〔海〕 측연선(測鉛線).

fa·tid·ic, -i·cal[feitídik, fə-], [-əl] *a.* 예언의.

fa·ti·ga·ble[fǽtigəbəl] *a.* 곧 피로해지는.

‡**fa·tigue**[fətí:g] *n.* **1** Ⓤ 피로, 피곤. **2** (종종 *pl.*) (피로하게 하는) 노동, 노고, 노역. **3** Ⓤ 〔機〕 (금속 재료의) 약화. **4** 〔軍〕 작업, 사역, 잡역; 작업반; (*pl.*) 작업복. — *a.* 〔軍〕 사역〔작업〕의. — *vt.* 피곤하게 하다; 약화시키다. **be fatigued with** …으로 지치다.

fa·tígu·ing *a.*

fatígue clòthes〔**drèss**〕 〔軍〕 작업복.

fatígue dùty 〔軍〕 (정규 근무 이외의) 사역, 작업, 잡역.

fa·tigue·less[fətí:glis] *a.* 지치지 않는, 피로를 모르는.

fatígue pàrty 〔軍〕 작업반.

fatígue tèst 〔物〕 (재료의) 피로 시험.

fát lámb 《뉴질》 (수출 냉동육용) 비육 새끼양.

fát líme 부석회(富石灰).

fat·ling[fǽtliŋ] *n.* 비육 가축《식용으로 살찌운 송아지새끼 염소새끼 돼지 등》.

fat·ly[fǽtli] *ad.* 살쪄서; 서투르게; 크게.

fat-mouth[fǽtmàuð] *vi.* 《미俗》 (행동은 하지 않고) 말만 하다.

fat·ness[fǽtnis] *n.* Ⓤ 뚱뚱함, 비만; 기름기가 많음; 비옥《땅의》.

fat·so[fǽtsou] *n.* (*pl.* ～(**e**)**s**) 《俗》 뚱뚱보.

fat-sol·u·ble[fǽtsɑ̀ljəbəl] *a.* 〔化〕 〈비타민 등이〉 유지에 용해하는, 지용성의.

fat·ted[fǽtid] *a.* 살찌운.

*__fat·ten__[fǽtn] *vt.* 살찌우다《도살하기 위하여》; 〈땅을〉 기름지게 하다; 풍부하게 하다, 크게 하다. — *vi.* 살찌다; 비옥해지다. **～·er** *n.*

fat·ti·ness *n.* Ⓤ 지방질; 기름기가 많음; 지방 과다(성).

fat·tish[fǽtiʃ] *a.* 좀 살찐〔뚱뚱한〕.

fat·tism, fat·ism[fǽtizm] *n.* 뚱뚱보〔비만〕 차별주의.

fat·ty[fǽti] *a.* (**-ti·er; -ti·est**) 지방질의; 기름기가 많은; 지방 과다(증)의. — *n.* (*pl.* **-ties**) 《口》 뚱보 《특히 호칭으로》.

fátty ácid 〔化〕 지방산.

fátty degenerátion 〔病理〕 (세포의) 지방변질.

fa·tu·i·ty[fətjú:əti] *n.* (*pl.* **-ties**) **1** Ⓤ 어리석음, 우둔. **2** 어리석은 짓〔말〕.

fat·u·ous[fǽtʃuəs] *a.* **1** 얼빠진, 우둔한. **2** 바보의, 천치의. **3** 《稀》 실체가 없는: a ～ fire 도깨비불(ignis fatuus). **～·ly** *ad.* 멍청하게, 얼빠진 듯이. **～·ness** *n.*

fat·wa[fǽtwɑ:] *n.* (이슬람교 지도자에 의한) 율법적 결정.

fat-wit·ted[´-wítid] *a.* 우둔한, 어리석은, 멍청한.

fau·bourg[foubúər, fóubuərg] [F] *n.* 교외, 근교(suburb) 《특히 파리의》.

fau·cal[fɔ́:kəl] *a.* 〔解〕 구협(口峽)의, 인두(咽頭)의; 〔音聲〕 인두음의. — *n.* 〔音聲〕 인두음.

fau·ces[fɔ́:si:z] *n. pl.* (보통 단수 취급) 〔解〕 목구멍, 인두.

fau·cet[fɔ́:sit] *n.* 《미》 (수도통의) 물꼭지, 물주둥이(tap, cock).

fau·cial[fɔ́:ʃəl] *a.* 〔解〕 구협의, 구개의.

faugh[fɔ:] [의성어] *int.* 피이! 푸! 체! 홍! 《혐오·경멸을 나타내는 소리》.

Faulk·ner[fɔ́:knər] *n.* 포크너 William ～ (1897-1962)《미국의 소설가》.

‡**fault**[fɔ:lt] [L] *n.* **1** 결점, 흠, 단점, 결함. **2** 과실, 잘못, 실수; 비행; 〔庭球〕 폴트 (서브의 실패): 《Ⅱ *It v* Ⅱ+㊔+*-ing*(*g.*)》 *It*'s a ～ butt*ing* into the line. 새채기하는 것은 잘못이다. **3** (보통 one's ～로) (과실의) 책임, 죄: acknowledge *one's* ～ 자기 잘못을 시인하다. **4** 〔地質〕 단층; 〔電〕 장애, 고장; 누전: a ～ current 누전. **5** Ⓤ 〔사냥〕 (사냥개가) 냄새 자취를 잃음. **at fault** 〈사냥개가〉 냄새 자취를 잃어; 어찌할 바를 모르고, 얼떨떨하여; 틀려, 잘못하여, 죄가 있어(in fault). **find fault** 흠을 잡다《*in*》. **find fault with** …의 흠을 찾다, …을 비난하다. **in fault** 잘못하여, 죄가 있어; 틀려: Who is *in fault*? 누구의 잘못인가(= Whose ～ is it?). **to a fault** 결점이라고 할만큼, 극단적으로. **with all faults** 〔商〕 손상의 보증 없이, 일체 사는 사람의 책임으로《표기용어》. **without fault** 확실히.

— *vt.* **1** 〔地質〕 단층이 생기게 하다. **2** …의 흠을 찾다; 나무라다. — *vi.* **1** 〔地質〕 단층이 생기다. **2** 〔庭球〕 서브에 실패하다. **3** 잘못을 저지르다. ◇ fáulty *a.*

fault·find·er[´-fàindər] *n.* 흠잡는〔탓하는〕 사람, 잔소리꾼; 〔電〕 장애점 발견 장치.

fault·find·ing[´-fàindiŋ] *n., a.* Ⓤ 흠잡기〔탓하기〕(를 일삼는).

fault·i·ly[fɔ́:ltəli] *ad.* 불완전하게; 잘못하여.

fault·i·ness[fɔ́:ltinis] *n.* Ⓤ 결점〔흠〕이 있음; 불완전; 비난할 만함.

*__fault·less__[fɔ́:ltlis] *a.* 과실〔결점〕이 없는, 나무랄 데 없는; (테니스 등에서) 폴트가 없는.

~·ly *ad.*

fáult line 〔地質〕 단층선(斷層線)(지대).

fáult plàne 〔地質〕 단층면.

fáult tòlerance 〔컴퓨터〕 고장 방지 능력《하드웨어적·소프트웨어적인 고장이 발생하더라도 그에 영향받지 않고 설계상에 명시된 기능을 수행할 수 있는 능력》.

fáult-tól·er·ant sýstem 〔컴퓨터〕 고장 방지 시스템《시스템의 설계시에 고장이 발생한 경우를 고려하여 중복 설비를 두는 등의 대처 방안을 마련함으로써, 고장이 발생했을 경우 그에 영향받지 않고 정상적인 수행을 계속할 수 있는 시스템》.

fáult trèe =EVENT TREE.

*__fault·y__[fɔ́:lti] *a.* (**fault·i·er; -i·est**) 결점이 있는, 불완전한; 비난할 만한; 그릇된. ⊕ fault *n.*

faun[fɔ:n] *n.* 〔로神〕 파우니《반인 반양(半人半羊)의 숲들목축의 신; 〔그神〕의 SATYR에 해당》.

fau·na[fɔ́:nə] *n.* (*pl.* **~s, -nae**[-ni:]) (보통 the ~; 집합적) 동물군(群)〔상(相)〕《한 지역 또는 한 시대의》, 동물 구계(區系)《분포상의》; 동물지(誌) (*cf.* FLORA).

fau·nal[-nəl] *a.* 동물지(誌)적인.

fau·nist[fɔ́:nist] *n.* 동물상(相)〔구계(區系)〕 연구자.

fau·nis·tic, -ti·cal[fɔ:nístik], [-tikəl] *a.* 동물 지리학상의; 동물상〔지(誌)〕의.

Fau·nus[fɔ́:nəs] *n.* 〔로神〕 파우누스《동물농경을 수호하는 숲의 신; 〔그神〕의 pan에 해당》.

Faust[faust] *n.* 파우스트《16세기 독일의 전설적인 인물; 전지 전능을 원하여 MEPHISTOPHELES에게 혼을 팔았음; Marlowe나 Goethe의 작품의 주인공》.

Faust·i·an[fáustiən] *a.* 파우스트적인; (물질적 이익을 위해) 정신적 가치를 파는.

faute de mieux[fóutdəmjə́:] [F] *ad., a.* 달리 더 좋은 것이 없어서 (채택된).

fau·teuil[fóutil] [F] *n.* (*pl.* **~s**) 팔걸이〔안락〕 의자; 《영》 (극장 1층의) 1등석.

Fauve[fouv] [F] *n.* 〔美〕 야수파 화가.

Fau·vism[fóuvizəm] *n.* Ⓤ 〔美〕 야수파〔주의〕(1900-1908년). **-vist**[-vist] *n., a.* 야수파 화가(의).

faux[fou] [F] *a.* 인조〔모조, 위조〕의, 가짜의.

faux bon·homme[fóubɔ:nɔ́:m] [F] *n.* 선량해 보이지만 교활한 사람.

faux-na·ïf [fóunɑ:í:f] [F] *a., n.* 순진〔소박〕한 체하는 (사람).

faux pas[fóupɑ́:] [F] *n.* (*pl.* ~) 잘못, 과실, 실책.

fa·va bean[fɑ́:və-bí:n] =BROAD BEAN.

fave[feiv] *n.* 《俗》 =FAVORITE *n.* 1.

fa·ve·la[fəvélə] [Port] *n.* 빈민가.

fa·ve·la·do[fɑ̀:velɑ́:dou] [Port] *n.* 빈민가 사람.

fa·ve·o·late[fəví:əlèit] *a.* 벌집 모양의, 기포가 있는.

fáve ràve 마음에 드는 것(노래 영화 등); 인기 탤런트〔가수〕.

fa·vism[fɑ́:vizəm] *n.* 〔病理〕 급성 용혈성(溶血性) 빈혈《잠두(蠶豆)가 병인》.

⁑**fa·vor | fa·vour**[féivər] *n.* **1** Ⓤ 호의, 친절. **2** 친절한 행위, 돌봐줌, 은혜, 은전; 청, 부탁. **3** Ⓤ 애호, 애고(愛顧); 총애; Ⓤ 편애, 치우친 사랑, 정실. **4** 지원, 조력, 지지; 찬성, 허가. **5** (호의·애정을 나타내는) 선물; 기념장(章); 기념품, 회원장(章)《회·클럽 등의》. **6** (*pl.*) (여자의) 정교(情交)의 승낙: bestow her ~*s* on her lover 〈여자가〉 애인에게 몸을 내맡기다. **7** 《古》 〔商〕 서한: your ~ of May 15 5월 15일자 귀하의 서한. **ask a favor of** a person …에게 부탁하다, 청탁하다: 《Ⅲ (목)+전+명》 May I *ask a ~ of* you? 부탁이 있는데요 (=I have a ~ *to* ask (*of*) you.). **ask the favor of cooperation** (협력을) 요청하다. **by favor** 편파적으로. **by**〔**with**〕 **favor of** …… 편에《겉봉에 쓰는 말》. **by your favor** 미안합니다만, 죄송하오나. **curry favor with** a person=**curry** a person**'s favor** …에게 알랑거리다. **do** a person **a favor** =**do a favor for** a person …을 위하여 힘써 주다, …의 청을 들어주다, …에게 은혜를 베풀다. **find favor in** a person**'s eyes**=**find favor with** a person …의 총애를 받다, 의 눈에 들다. **in** a person**'s favor** …의 마음에 들어; …에게 유리하게〈말하다 등〉. **in favor of** (1) …에 찬성하여, …에 편들어(*for*). (2) …의 이익이 되도록, …을 위하여. (3) …에게 지불되도록 《수표 등》(to be paid to): write a check *in favor of* the bank 그 은행을 수취인으로 하여 수표를 쓰다. **in favor with** …의 마음에 들어. **look with favor on** a person〔**plan**〕 사람〔계획〕에 찬의를 표하다. **lose favor in** a person**'s eyes**=**lose favor with** a person 눈밖에 나다. **out of favor with** a person …의 눈밖에 나, …의 미움을 받아. **stand high in** a person**'s favor** …의 총애를 크게 받고 있다, 아주 …의 마음에 들어 있다. **the last favor** (여자의) 최후의 허락《몸을 허락함》. **under favor**=by your FAVOR. **under favor of** …을 이용하여. **win** a person**'s favor** …의 마음에 들다.

── *vt.* **1** 호의를 보이다. **2** 찬성하다; …에 편들다, 각별히 보아주다; 은근히 장려하다; 조력하다: ~ a proposal 제안에 찬성하다. **3** 베풀다, 주다; …의 영광을 주다. **4** 〈소질 등을〉 부여받다《*with*》. **5** 편애하다, 역성들다; 〈다친 곳 등을〉 감싸다; 아끼다. **6** 〈날씨·사정 등이〉 …에게 유리하다. **7** 《口》 …와 얼굴이 닮다(look like): ~ one's father 아버지를 닮다. **8** 〔新聞〕 즐겨 입다〔착용하다〕. **be favored by** …의 호의를 받다. **favored by** 〈편지를〉 …편에 부쳐.

⁑**fa·vor·a·ble**[féivərəbəl] *a.* **1** 호의를 보이는, 호의적인; 찬성〔승인〕하는《*to*》, 승낙의: a ~ answer 찬성하는 회답/a ~ comment 호평/He is ~ *to* the scheme. 그는 그 계획에 찬성이다. **2** 유망한; 유리한, 형편에 알맞은, 순조로운: a ~ opportunity 호기/~ wind 순풍/soil ~ to roses 장미에 적합한 흙. **take a favorable turn** 호전하다.

fa·vor·a·bly[féivərəbli] *ad.* 호의를 가지고; 유리하게, 순조롭게, (마침) 알맞게, 유망하게: be ~ impressed by a person …에게서 좋은 인상을 받다.

fa·vored[féivərd] *a.* **1** 호의〔호감〕를 사고 있는. **2** 혜택을 받고 있는; 특성재능 등이 있는: the most ~ nation clause 최혜국 조항. **3** (복합어를 이루어) 얼굴이 …한: ill-〔well〕 ~ 못〔잘〕생긴.

fa·vor·er[féivərər] *n.* 호의를 베푸는 사람; 보호자, 보조자; 찬성자.

fa·vor·ing[féivəriŋ] *a.* 형편에 맞는, 순조로운. **~·ly** *ad.*

⁑**fa·vor·ite**[féivərit] *n.* **1** 좋아하는 사람, 인기 있는 사람; 총아; (궁정의) 총신. **2** 《특히》 좋아하는 물건. **3** (the ~) 인기 있는 말《경마의》; (경기에서) 인기 끄는 사람《우승 물망에 오르는 선수》; 〔證券〕 인기주(株). **a fortune's**

favorite 행운아. **be a favorite with** …의 총아이다, …에게 인기가 있다. ── *a.* **1** 마음에 드는, 매우 좋아하는, 총애하는. **2** 특히 잘하는, 장기인. ◈ fávor *n.*
fávorite séntence 〔言〕 애용하는 문형 《사용 빈도가 높은 문형》.
fávorite són 《미》 지방 유지; 인기 후보자 《특히 대통령 후보자로서 출신지〔주〕에서 특별히 추천되는》.
fa·vor·it·ism[féivəritìzəm] *n.* Ⓤ 편애, 편파, 정실(unfair partiality).
fa·vus[féivəs] *n.* Ⓤ 〔病理〕 황선(黃癬), 기계충.
fawn¹[fɔːn] *n.* 새끼 사슴《한 살 이하의》; Ⓤ 엷은 황갈색(=∠**brówn**). **in fawn** 새끼를 배어. ── *vi., vt.* 〈사슴이〉 새끼를 낳다.
fawn² *vi.* 아양떨다《개가 꼬리를 치며》; 비위를 맞추다, 아첨하다《*on, upon*》.
fawn-col·ored[fɔ́ːnkʌ̀lərd] *a.* 엷은 황갈색의.
fawn·ing[fɔ́ːniŋ] *a.* 아양부리는; 알랑거리는, 아첨하는. **~·ly** *ad.*
fax¹[fæks] [facsimile의 단축형] *n.* 팩시밀리, 팩스. ── *vt.* 팩스로 보내다.
fax² 《口》 사실, 정보.
fax-nap·ping =FILOFAX.
fay¹[fei] *n.* 《詩》 요정(fairy).
fay² *vt., vi.* 〔造船〕 접합〔밀착〕시키다〔하다〕.
fay³ *n.* 《俗》 백인(ofay).
Fay, Faye *n.* 여자 이름.
faze[feiz] *vt.* (보통 부정문에서) 《미口》 마음을 어수선하게 하다, 당황케 하다, 어지럽히다: *Nothing* they say could ~ me. 그들이 뭐라해도 나는 개의치 않겠다.
FB freight bill 운임 청구서. **fb.** freight bill; fullback. **F.B.A** Fellow of the British Academy. **FBI, F.B.I.** Federal Bureau of Investigation 《미》 연방 수사국. **FBM** foot board measure. **F.B.O.A.** Fellow of the British Optical Association. **FBR** fast breeder reactor 고속 증식로(增殖爐).
FBS fasting blood sugar 〔醫〕 공복시 혈당; forward-based system 〔軍〕 전진 기지 조직.
f.c. 〔野〕 fielder's choice; 〔印〕 follow copy. **F.C.** Football Club; Free Church. **F.C.A.** Farm Credit Administration; Fellow of the (Institute of) Chartered Accountants. **fcap., fcp.** foolscap. **FCC, F.C.C.** Federal Communications Commission 《미》 연방 통신 위원회. **F.C.I.I.** Fellow of the Chartered Insurance Institute.
F.C.I.S. Fellow of the Chartered Institute of Secretaries.
F clef[éf-klèf] 〔樂〕 저음자리표(bass clef).
F.C.O. 《영》 Foreign and Commonwealth Office《1968년 F.O.와 C.O.가 합병》.
FCS 〔軍〕 fire control system. **F.C.S.** Fellow of the Chemical Society. **F.C.W.A.** Fellow of the Institute of Cost and Works Accountants. **fcy.** fancy. **F.D.** Fidei Defensor《L =Defender of the Faith》 영국왕의 칭호의 하나; Fire Department. **FDA** Food and Drug Administration. **FDC** Fire Direction Center 사격지휘소. **FDF** 〔宇宙〕 flight data file. **FDIC** Federal Deposit Insurance Corporation 《미》 연방 예금 보험 공사. **F.D.R.** Franklin Delano Roosevelt. **FDX** 〔通信〕 full duplex. **Fe** 〔化〕 ferrum《L =iron》. **FEAF** Far Eastern Air Force (미국) 극동 공군.
feal[fiːəl] *a.* 충실한, 성실한(faithful).
fe·al·ty[fíːəlti] *n.* Ⓤ (영주에 대한) 충성의 의무; 충의, 충절; 《詩》《일반적으로》 신의, 성실.
⁑**fear**[fiər] [OE] *n.* **1** Ⓤ 무서움, 공포: with ~ 무서워하며/feel no ~ 무서움을 모르다, 겁이 없다. **2** Ⓤ 근심, 불안, 걱정(anxiety; *opp.* hope), 우려, 염려: There is not the slightest ~ of rain today. 오늘은 비가 올 염려가 조금도 없다. **3** Ⓒ 걱정거리: Cancer is a common ~. 암은 누구에게나 걱정거리이다. **4** Ⓤ 《특히》 신에 대한 두려움, 경외(awe): the ~ of God 경건한 마음. **for fear of** …이 두려워; …을 하지 않도록, …이 없도록. **for fear (that〔lest〕)** one **should** do …하지 않도록; …해서는 안 되겠다고 생각하여. **in fear and trembling** 무서워 떨면서. **in fear of** …을 무서워하여; …을 걱정〔염려〕하여: be 〔stand〕 *in fear of* one's life 생명의 위험을 느끼고 있다. **No fear!** 《俗》 걱정할 것 없어!, 염려 없어! **put the fear of God into 〔in, up〕** a person …을 겁주다, 위협하다. **without fear or favor** 공평하게, 편벽됨이 없이.
── *vt.* **1** 무서워하다, 두려워하다: Man ~*s to* die. 사람은 죽는 것을 두려워한다/I ~ do*ing* it. 나는 그것을 하기가 두렵다. **2** 걱정하다, 근심하다, 염려하다(*opp.* hope): I ~ (*that*) he will not come. 그가 오지 않을까 걱정이다. **3** (두렵게) 생각하다: They are ~*ed* (*to be*) dead. 그들은 죽은 것 같다. **4** 망설이다, 머뭇거리다: I ~ *to* speak in his presence. 그분 앞에서는 주눅이 들어 말하기 두렵다. **5** 경외하다: *Fear* God. 신을 경외하라. **6** (주어와 같은 대명사를 목적어로 하여): I ~ me it's too late. 너무 늦지 않을까. ── *vi.* 걱정하다, 염려하다: I ~*ed for* your safety. 나는 당신의 안부를 걱정했다. **Never fear!** =**Don't you fear!** 걱정마라! 염려 없다! ◈ féarful, féarsome *a.*
⁑**fear·ful**[fíərfəl] *a.* **1** 무서운, 무시무시한(terrible): a ~ railroad accident 무서운 철도 사고. **2** 두려워, 걱정〔염려〕하여(afraid)《*to* do; *of, that*〔*lest*〕… *should*》: She is ~ *to* go. 그녀는 가기를 두려워한다/He was ~ *of* making a mistake. 그는 실수를 할까 걱정하고 있었다/He was ~ *that*〔*lest*〕 he should be scolded by his father. 그는 아버지에게 야단 맞지 않을까 하고 걱정이 되었다. **3** 신을 두려워하는, 경건한: be ~ *of* God 신에 대해서 경건하다. **4** 《口》 심한, 대단한; 굉장한: What a ~ mistake! 큰 실수를 했구나/a ~ noise 굉장한 소리. **~·ness** *n.* 무서움. ◈ féarfully *ad.*
fear·ful·ly[fíərfəli] *ad.* 무서워하며, 걱정스럽게; 《口》 굉장히, 지독하게, 몹시: I'm ~ tired. 몹시 피로하다.
⁑**fear·less**[fíərlis] *a.* 〈아무것도〉 무서워하지 않는《*of*》; 대담 무쌍한, 겁 없는: be ~ *of* danger 위험을 겁내지 않다.
fear·less·ly[fíərlisli] *ad.* 무서워하지 않고, 대담하게, 겁 없이.
fear·less·ness[fíərlisnis] *n.* Ⓤ 대담, 용기.
fear·nought, -naught[fíərnɔ̀ːt] *n.* Ⓤ 두껍고 질긴 모직물; Ⓒ 그것으로 만든 웃옷〔외투〕.
***fear·some**[fíərsəm] *a.* 《익살》 〈얼굴 등이〉 무시무시한(terrible); 무서워하는; 겁내는. **~·ly** *ad.*
fea·sance[fíːzəns] *n.* Ⓤ 〔法〕 (약정·의무·채무 등의) 이행.
fea·si·bil·i·ty[fìːzəbíləti] *n.* Ⓤ 실행할 수 있음, 성부(成否), 가능성.
feasibílity stúdy 타당성 조사, 예비 조사.
***fea·si·ble**[fíːzəbəl] *a.* **1** 실행할 수 있는; 가능한: a ~ plan 실행 가능한 계획. **2** 그럴싸한,

있음직한: a ~ excuse 그럴듯한 구실. **3** 알맞은, 편리한《*for*》. **-bly** *ad.* 실행할 수 있게, (실제로) 쓸 수 있게.

⁑**feast** [fiːst] [L] *n.* **1** 축연, 향연, 잔치, 연회. **2** 〈눈귀를〉 즐겁게 하는 것, …의 기쁨〔즐거움〕, 눈요기, 낙, 재미; 맛있는 음식. **3** 축제일, (종교상의) 축전. **a feast of reason** 유익한 얘기, 명론 탁설. **give〔make〕 a feast** 잔치를 베풀다. **make a feast of** …을 맛있게 먹다. **movable〔immovable〕 feast** 이동〔고정〕 축제일《Christmas는 날짜가 고정된 축제일, Easter는 이동 축제일》. — *vt.* **1** 잔치를 베풀다, 음식을 대접하다: ~ a person *on* duck …에게 오리 요리를 대접하다. **2** 〈눈귀를〉 기쁘게 하다, 즐겁게 하다: ~ one's eyes *on* a landscape 경치를 보며 즐기다/ ~ one's ears *with* music 음악을 들으며 즐기다. — *vi.* **1** 잔치를 베풀다. **2** 잔치에 참석하다, 음식 대접을 받다. **3** 마음껏 즐기다, 구경하다《*on*》: ~ *on* a novel 소설을 읽으며 즐기다.
feast away 〈밤 등을〉 잔치로 보내다.
feast one**'s eyes on** …을 보고 즐기다.

féast dày 축제일; 연회일, 잔칫날.

feast·er [fíːstər] *n.* 연회의 손님.

⁑**feat**[1] [fiːt] *n.* Ⓒ,Ⓤ 위업, 업적, 무훈; 아슬아슬한 재주, 묘기. **a feast of arms〔valor〕** 무공, 무훈.

feat[2] *a.* 《古方》 적당한; 교묘한, 능숙한.

★**feath·er** [féðər] *n.* **1** (집합적) 깃털(plume, plumage), 깃; (모자등의) 깃털 장식; (*pl.*) 의상. **2** Ⓤ (집합적) 조류(birds); 엽조류. **3** (개·말 등의) 깃털 같이 난 털, 일어선 털; (보석·유리의) 깃 모양의 흠, (깃털처럼) 가벼운 〔보잘것없는, 작은〕 물건. **4** 종류; 같은 털빛: Birds of a ~ flock together. 《속담》 유유상종. **5** 〔弓術〕 (화살의) 살깃. **6** Ⓤ 〔競漕〕 노깃을 수평으로 젓기; 〔空〕 페더링. **7** Ⓤ (건강의) 상태, 기분. **8** (잠망경이 남긴) 항적. **9** 물마루. **a feather in one's cap〔hat〕** 공적, 명예, 자랑거리. **(as) light as a feather** 매우 가벼운. **crop** a person**'s feathers** …에게 무안〔창피〕을 주다. **cut a feather** 〈배가〉 물보라를 일으키며 나아가다; 《口》 자기를 돋보이게 하려 하다. **Fine feathers make fine birds.** 《속담》 옷이 날개다. **in feather** 깃이 있는, 깃으로 덮인. **in fine〔good, high〕 feather** 신바람이 나서, 의기 양양하여; 건강하여, 원기 왕성하여. **in full feather** 〈새 새끼 등이〉 깃털이 완전히 난; 성장(盛裝)하여; 기가 나서. **make the feathers fly** 큰 소동을 일으키다. **not care a feather** 조금도 개의치 않다. **show the white feather** 겁내는 티를 보이다, 꽁무니를 빼다. **smooth** one**'s rumpled feather** 마음의 평정을 되찾다. **You could have knocked me〔him, her〕 down with a feather.** 깜짝 놀랐다〔놀라게 했다〕. — *vt.* **1** 깃털로 덮다. **2** 〈모자 등에〉 깃털 장식을 달다; 〈화살에〉 살깃을 붙이다. **3** 수북하게 덮다. **4** 〔競漕〕 〈노깃을〉 수평으로 젓다; 〔空〕 〈프로펠러를〉 페더링시키다; 〔사냥〕 (새를 죽이지 않고) 날개를 쏘아 떨어뜨리다. **5** (사냥개로 하여금) 냄새 자취를 따르게 하다. — *vi.* **1** 깃털이 나다, 깃이 자라다《*out*》; 깃처럼 움직이다〔퍼지다〕. **2** 〈밀 등이〉 바람에 나부끼다: the wave of barley ~*ing* to a gentle breeze 산들바람에 나부끼는 보리 이삭. **3** 〔競漕〕 노깃을 수평으로 젓다; 〔空〕 페더링 하다. **4** 〈사냥개가 냄새 자취를〉 따라가다. **feather into** 《미》 …를 격렬하게 공격하다; (일문제 따위에) 정렬적으로 몰두하다. **feather** one**'s nest** 사복을 채우다, 착복하다. **feather up to** a person 《俗》 …에게 구애하다. ◇ féathery *a.*

féather béd 깃털 침대〔요〕; 안락한 처지.

feath·er·bed [-bèd] (~·**ded**; ~·**ding**) *vt.* **1** 〈일을〉 과잉 고용으로 하다. **2** 〈산업경제 등을〉 정부 보조금으로 원조하다. **3** 〈이익 편의를 제공하여〉 응석을 받아주다. — *vi.* 과잉 고용을 요구하다; 생산을 제한하다. — *a.* (고용주에게) 과잉 고용을 요구하는.

feath·er·bed·ding *n.* Ⓤ 과잉 고용 요구, 생산 제한 행위《실업을 피하기 위한 노동 조합의 관행》.

féatherbed índustry 정부의 보호 육성을 받는 산업.

féather bóa 여자용 깃털 목도리.

féath·er·bòne *n.* 깃뼈《깃가지로 만든 고래뼈 대용품》.

féath·er·bràin *n.* 얼간이, 바보 **~ed** *a.* 어리석은, 경망스러운.

feath·er·cut [féðərkʌ̀t] *n.* 페더커트《컬이 깃처럼 보이는 여성의 머리 모양》.

féather dúster 깃털 총채.

feath·ered [féðərd] *a.* 깃털이 난〔있는〕; 깃이 달린; 깃털 장식이 있는; 깃 모양의; 날개가 있는; 날듯이 빠른: the ~ tribes 조류.

feath·er·edge [féðərèdʒ] *n.* 〔建〕 (판자의) 얇게 깎은 쪽의 가장자리; 페더에지《미장 연장의 하나》; 아주 얇은 날. — *vt.* 〈판자의 한 쪽을〉 얇게 깎다. **-edged** [-d] *a.* 〈한쪽 가장자리를〉 얇게 깎은.

feath·er-foot·ed [féðərfùtid] *a.* 소리 없이 잽싸게 움직이는.

féather gràss 〔植〕 나래새.

feath·er·head [féðərhèd] *n.* =FEATHERBRAIN. **-héad·ed** [-id] *a.*

feath·er·i·ness *n.* Ⓤ 깃털 모양; 깃털처럼 가벼움; 경박.

feath·er·ing [féðəriŋ] *n.* Ⓤ **1** 깃털을 붙임〔댐〕; (집합적) 깃털, 깃. **2** 화살깃; 깃털 모양의 것; (개다리 등의) 깃털 같이 수북한 털; 〔建〕 (장식창의) 장식 호선(弧線)이 교차하는 돌출점. **3** 〔競漕〕 (노를 수면과 수평이 되게 하는) 페더링; 〔空〕 (프로펠러의) 페더링; 〔樂〕 페더링《바이올린 활의 가볍고 미묘한 구사법》.

feath·er·less [féðərlis] *a.* 깃털 없는.

féather mèrchant 《미俗》 책임 회피자; 병역 기피자; 게으름뱅이.

féather pàlm 깃모양의 잎을 가진 야자수(*cf.* FAN PALM).

feath·er·pate [féðərpèit] *n.*=FEATHERBRAIN. **-pat·ed** [-pèitid] *a.*

féather stàr 〔動〕 바다 양치류《극피 동물》.

feath·er·stitch [-stìtʃ] *n.* 페더스티치《깃 모양의 가지가 가지런히 돋게 Z자 꼴로 수놓기》. — *vt., vi.* 페더스티치로 하다〔꾸미다〕.

feath·er·weight [-wèit] *n.* **1** 매우 가벼운 물건〔사람〕; 하찮은 사람〔물건〕. **2** 〔拳·레슬링〕 페더급(의 선수); 〔競馬〕 최경량 핸디캡; 최경량 기수. **3** =FEATHERBRAIN. — *a.* **1** 〔拳·레슬링〕 페더급의. **2** 매우 가벼운; 하찮은.

feath·er·y [féðəri] *a.* 깃이 난, 깃털이 있는; 깃털 같은 〈눈 등〉; 가벼운, 경박한.

feat·ly [fíːtli] *ad.* 적절히, 알맞게; 솜씨 있게; 말끔하게, 말쑥하게. — *a.* 우아한, 품위 있는; 〈옷이〉 꼭 맞는.

⁑**fea·ture** [fíːtʃər] [L] *n.* **1** 얼굴의 생김새《이목구비 등》; 얼굴의 어느 한 부분《눈·코·입·귀·이마·턱 등》(⇨face); (*pl.*) 용모, 얼굴. **2** (산천 등의) 지세, 지형. **3** (두드러진) 특징,

특색; 주안점. **4** 〔TV·라디오·영화·연예〕 주요 프로, 인기프로; 장편 영화(=~ film). **5** (신문·잡지 등의) 특별 기사, 특집 기사(=~ story)《뉴스 이외의 기사·소논문·수필·연재 만화 등》. **make a feature of** …을 주요 프로〔특색〕로 삼다. — *vt.* …의 특색을 이루다; …의 특징을 그리다; 《미俗》 특색〔주요 프로〕으로 삼다; 〈배우를〉 주연시키다; 〈신문·잡지 등이 사건을〉 대서 특필하다.

fea·tured[fíːtʃərd] *a.* 《미》 특색으로 한, 주요 프로로 하는; (복합어를 이루어) …한 용모를 가진: sharp-~ 날카로운 용모의.

féature fìlm〔**pìcture**〕 장편 특작 영화.

fea·ture-length[fíːtʃərléŋθ] *a.* 《미》 (영화·책 등) 장편의.

fea·ture·less[fíːtʃərlis] *a.* 특색이 없는; 아무 재미 없는, 평범한.

féature sìze 〔電子〕 (LSI의) 최소 배선폭.

féature stòry 《미》 (뉴스 이외의) 특집 기사.

fea·tur·ette[fiːtʃərét] *n.* 특작 단편 영화.

feaze[1] [fiːz] *vt., vi.* 〈밧줄 끝을〉 풀다(unravel); 풀리다.

feaze[2] [fiːz, feiz] *n., vt.* =FEEZE.

Feb. February. **FEBA** forward edge of the battle area 〔軍〕 (최)전선.

fe·bric·i·ty[fibrísəti] *n.* 열이 있는 상태.

fe·brif·ic[fibrífik] *a.* 열이 나는, 열이 있는.

feb·ri·fuge[fébrəfjùːdʒ] *a.* 열을 내리는; 해열(성)의. — *n.* 해열제; 청량 음료.

fe·brif·u·gal[fibrífjəgəl, fèbrəfjúːgəl] *a.*

feb·rile[fíːbrəl, féb-/fíːbrail] *a.* 열병의; 열에서 생기는.

fe·bril·i·ty[fiːbríləti] *n.* Ⓤ 발열(發熱).

★**Feb·ru·ar·y** [fébruèri, fébrju-/fébruəri] [L] *n.* (*pl.* **-ar·ies, ~s**) 2월《略: Feb.》.

Fébruary fíll-dike[-fíldàik] ⇨fill-dike.

FEC Far Eastern Commission; Federal Election Commission; Federal Exchange Commission; Freestanding Emergency Clinic 독립 단기 치료소. **fec.** fecit.

fe·cal, fae-[fíːkəl] *a.* 찌끼의; 똥의.

fe·ces, fae-[fíːsiːz] *n. pl.* 찌끼; 똥, 배설물.

fe·cit [fíːsit, féikit] [L=he〔she〕 made (it)] *v.* …작(作), …필, …서《전에 화가 등이 작품의 서명에 덧붙여 썼음; 略: fec.》.

feck·less[féklis] *a.* 허약한; 무능한, 무기력한; 가치 없는; 경솔한, 무책임한, 나태한. **~·ly** *ad.*

fec·u·la[fékjələ] *n.* (*pl.* **-lae**[-lìː]) 전분; (곤충의) 똥; 《일반적으로》 오물.

fec·u·lence[fékjələns] *n.* Ⓤ 더러움; 오물(filth); 찌끼(dregs).

fec·u·lent[fékjələnt] *a.* 더러운, 불결한.

fec·und[fíːkənd, fék-] *a.* 다산의(prolific); 〈땅이〉 기름진, 비옥한(fertile); 창조력〔상상력〕이 풍부한.

fec·un·date[fíːkəndèit, fék-] *vt.* **1** 많이 낳게〔맺게〕 하다, 〈땅을〉 비옥하게 하다. **2** 〔生〕 수태〔수정〕시키다(impregnate).

fec·un·da·tion[-ʃən] *n.* Ⓤ 〔生〕 수태 작용; 수태, 수정.

fe·cun·di·ty[fiːkʌ́ndəti] *n.* Ⓤ 생산력, (동물의 암컷의)생식력; 다산; 비옥; 풍부한 창조력〔상상력〕.

‡**fed**[1] [fed] FEED의 과거과거분사. — *a.* **1** 〈가축이 시장용으로〉 비육된: ~ pigs 비육돈(豚). **2** 《俗》 …에 진저리 난《*with*》. **be fed up** 싫증나다, 물리다. **be fed to death**〔**the gills, the teeth**〕 《俗》 아주 진저리나다〔물리다〕.

fed[2] *n.* (종종 **F-**) 《미口》 연방 정부의 관리, 《특히》 연방 수사관; (the F-) 연방 정부; 연방 준비 제도 (이사회).

fed. federal; federated; federation.

fe·da·yee, fed·ai[fidæjíː, -dɑː-], [fèdɑːíː] *n.* (*pl.* **-yeen**[-jíːn], **-yin**[fèdɑːjíːn]) 페다이, (반이스라엘의) 아랍 무장 게릴라.

fed·er·a·cy[fédərəsi] *n.* (*pl.* **-cies**) 연합, 동맹.

‡**fed·er·al** [fédərəl] [L] *a.* **1** 연합의, 동맹의. **2** 연방의, 연방제의; 연방 정부의. **3** (보통 **F-**) 《미》 연방 정부의, 합중국의(*cf.* STATE); 〔미史〕 (남북전쟁 시대의) 북부 연방 동맹의(*opp.* Confederate). **4** 〔神學〕 성약설(聖約說)의. — *n.* 연방주의자(federalist); (**F-**) 〔미史〕 (남북 전쟁 당시의) 북부 연방 지지자, 북군 병사; 〔神學〕 성약설. **Federal prose** 《미》 완곡한 관청 용어, 정부 용어. **federal question** 연방에 관련된 문제. **the Federal Aviation Administration** 《미》 연방 항공국《운수성의 1국; 略: FAA.》. **the Federal Bureau of Investigation** 《미》 연방 수사국《略: FBI.》. **the Federal City** 워싱턴 시《속칭》. **the Federal Communications Com·mission** 《미》 연방 통신 위원회《略: FCC.》. **the Federal Constitution** 미국 헌법. **the Federal Election Commission** 《미》 연방 선거 위원회. **the Federal Government (of the U.S.)** 미국 연방 정부〔중앙 정부〕《각 주의 state government에 대한》. **the Federal Land Bank** 《미》 연방 토지 은행. **the Federal Mediation and Conciliation Service** 연방 조정 알선국《노사간의 쟁의 중재 기관》. **the Federal Party** 〔미史〕 연방당《독립 전쟁 후 강력한 중앙 정부를 주장한 일파》. **the Federal Reserve Bank** 《미》 연방 준비 은행《略: FRB, F.R.B.》. **the Federal Reserve Board** 《미》 연방 준비 제도 이사회. **the Federal Reserve System** 《미》 연방 준비 은행 제도. **the Federal Security Agency** 《미》 연방 안정국. **the Federal States** 〔미史〕 (남북 전쟁 시대의) 북부연방여러 주(*cf.* CONFEDERATE STATES). **the Federal Trade Commission** 《미》 연방 상업 위원회. **~·ly** *ad.*

⊕ féderacy *n.*: féderalize *v.*

féderal cóurt 연방 법원.

féderal dístrict 연방구《연방 정부가 있는 특별 행정 지구; 미국에서는 Washington, D.C.》.

Fe·de·ral·es[fèdərǽleiz] [Mex. Sp] *n. pl.* (*sing.* Federal) (때로 단수 취급) (멕시코의) 연방 정부군.

féderal fùnds 《미》 연방 준비 은행 준비금.

fed·er·al·ism[fédərəlìzəm] *n.* Ⓤ 연방주의〔제도〕; (**F-**) 〔미史〕 연방당(the Federalist Party)의 주의〔주장〕.

fed·er·al·ist[fédərəlist] *n., a.* 연방주의자(의); (**F-**) 〔미史〕 북부 연맹 지지자(의), 연방당원(의)(*cf.* CONFEDERATE); 세계 연방주의자(의). **the Federalist Party** =the FEDERAL Party. **fèd·er·al·ís·tic** *a.*

fed·er·al·i·za·tion[fèdərəlizéiʃən] *n.* Ⓤ 연방화.

fed·er·al·ize[fédərəlàiz] *vt.* 연방화하다.

Féderal Repúblic of Gérmany (the ~) 독일 연방 공화국《구(舊) West Germany, 수도 Bonn; 통일 후의 독일 공식명, 수도 Berlin》.

fed·er·ate [fédərit] *a.* 연합의; 연방 제도의; 연합〔연방화〕한. — [fédərèit] *v. vt.* 〈독립 제주(諸州)를〉 중앙 정부 밑에 연합시키다; …에 연방제를 펴다; 연방화하다. — *vi.* 연방〔연합〕에 가입하다.
*__fed·er·a·tion__[fèdəréiʃən] *n.* [U,C] 연합, 동맹, 연맹; 연방 정부〔제도〕. ◇ féderate *v., a.*
__fed·er·a·tive__[fédərèitiv, -rə-] *a.* 연합〔연맹〕의; 연방의. __~·ly__ *ad.*
__fedl.__ federal. __fedn.__ federation.
__fe·do·ra__[fidɔ́:rə] *n.* 《미》 중절모(《영》 trilby) 《테가 위로 말린》.
‡__fee__[fi:] *n.* __1__ 보수, 사례금《의사·변호사·가정 교사 등에 주는》(⇨pay); 수수료, 요금; 수업료; 수험료; 입회금, 입장료: tuition *~s* 수업료/an admission ~ 입장료. __2__ 《古》 팁, 행하(行下). __3__ [C,U] =FIEF. __4__ [C,U] 〔法〕 세습지, 상속 재산《특히 부동산》. __at a pin's fee__ (보통 부정적) 핀만큼(의 가치)도. __hold in fee (simple)__ 〈토지를〉 무조건 상속〔세습〕 지로서 보유하다. ── *vt.* (~__d__, ~__'d__; ~__·ing__) 요금을 치르다, 사례하다.
__feeb__[fi:b] *n.* 《미俗》 저능아, 바보, 정신 박약자; (__F-__) =FEEBIE.
__Fee·bie__[fí:bi:] *n.* 《미俗》 연방 수사국원, FBI 요원.
‡__fee·ble__[fí:bəl] [L] *a.* (__-bler; -blest__) __1__ 〈몸이〉 연약한, 허약한(⇨weak). __2__ 〈빛·목소리 등이〉 희미한, 미약한. __3__ 의지가 박약한, 저능한. __-bly__ *ad.* 약하게; 힘없이; 희미하게.
__fee·ble·mind·ed__[-máindid] *a.* 정신 박약의; 저능한; 의지가 약한. __~·ly__ *ad.* __~·ness__ *n.*
__fee·ble·ness__ *n.* [U] 약함; 미약함; 미력, 박약.
__fee·blish__[fí:bliʃ] *a.* 약한 듯한, 좀 허약한.
★__feed__[fi:d] (__fed__[fed]) *vt.* __1__ 〈사람·동물 등에〉 음식물을〔먹이·모이를〕 주다; 〈어린이·환자 등에게〉 음식을 먹이다; 〈아기에게〉 젖을 주다; …의 먹이가 되다: ~ a baby 갓난아이에게 젖을 주다/~ horses *on* oats=~ oats *to* horses 말에 귀리를 먹이다. __2__ 양육하다, 부양하다; 함양하다; 기르다, 치다: ~ a family 가족을 부양하다. __3__ (토지 따위가) …에게 양식을 공급하다; 수확을 낳다: a field that *~s* two cows 소 두 마리를 기르기에 족한 땅. __4__ 〈연료·전력·재료 따위를〉 공급하다; 〈램프에〉 기름을 넣다; 석탄〔장작〕을 지피다; 〈보일러에〉 급수하다; 〈기계에〉 원료를 대다, 〈원료를〉 기계에 보내다: ~ the stove 난로에 연료를 넣다/~ a stove *with* coal = ~ coal *to* a stove 난로에 석탄을 넣다. __5__ 〈강·호수 등이〉 물을 공급하다; 〈내(川)가 강·호수로〉 흘러들다: the two steam *that* ~ the big river 큰 강으로 흘러드는 두 개의 지류. __6__ …에 즐거움을 주다, 만족시키다; 힘을 북돋우다, 조장하다: Praise *fed* her vanity. 칭찬은 그녀의 허영심을 만족시켰다. __7__ 《口》 〔劇〕 〈연기자에게〉 대사를 시작할 계기를 만들어주다. __8__ 〔競〕 …에게 패스하다. ── *vi.* __1__ 〈동물 등이〉 먹이를 먹다; 《口·익살》 〈사람이〉 식사를 하다. __2__ 〈보통 동물이 …을〉 먹이로 하다《*on*》: The tiger *~s on* flesh. 호랑이는 육식을 한다. __feed a cold__ 감기가 들었을 때 많이 먹다, 감기를 먹어서 이기다. __Feed a cold and starve a fever.__ 《속담》 감기에는 먹고 열병에는 굶는 게 좋다. __feed at the high table__=__feed high〔well〕__ 미식(美食)하다. __feed back__ 〈정보를〉 …로 끄집어내다《*to, into*》; 〔컴퓨터〕 〈출력의 일부를〉 입력으로서 앞 단계로 돌리다, 피드백하다. __feed off__ 목초를 다 먹어치우다; …을 정보원(源)〔식료, 연료〕으로 이용하다. __feed on〔upon〕__ 〈짐승새 등이〉 …을 먹이로 하다; …을 먹고 살다(*cf.* LIVE on); 《비유적》 …으로 살고 있다; 〈짐승새 등을〉 …으로 기르다, 으로 키우다. __feed__ one__self__ (남의 손을 빌지 않고) 혼자 먹다. __feed__ one's __face__ 《俗》 잔뜩 먹다. __feed out of__ a person's __hands__ …의 손에서 모이를 먹다; …에게 순종하다. __feed the fishes__ ⇨fish. __feed the flame__ (질투 등의) 불길을 부채질 하다. __feed up__ 맛있는 것을 먹이다; 살찌우다, 물리 도록 먹이다; (보통 수동형으로) 《口》 싫증나게 하다, 물리게 하다. __Well fed, well bred.__ 《속담》 의식이 족해야 예절을 안다.
── *n.* __1__ 식량 공급, 사육(飼育). __2__ [U] 여물, 먹이, 사료(fodder); [C] 여물의 1회분. __3__ 《口》 식사(meal). __4__ 〔機〕 급송(給送) (장치), 공급 재료, 급수. __5__ 《口》 〔劇〕 대사를 시작할 계기를 만들어 주는 역(役). __at one feed__ 한 끼에. __be off__ one's __feed__ 《俗》 〈마소가〉 식욕이 없다; 탈이 나 있다《지금은 사람에게도 씀》. __be on the feed__ 〈물고기가〉 미끼를 물고〔먹고〕 있다. __be out at feed__ 〈소 등이〉 목장에 나가 풀을 먹고 있다. __have a good feed__ 《俗》 맛있는 음식을 양껏 먹다.
__fee'd__[fi:d] *v.* FEE의 과거과거분사.
*__feed·back__[fí:dbæ̀k] *n.* [U,C] __1__ 〔電〕 피드백, 궤환(饋還)《출력측의 에너지 일부를 입력측에 반환하는 조작》. __2__ 〔生·心·社會〕 송환, 피드백. __3__ 〔컴퓨터〕 피드백《출력 신호를 제어 수정의 목적으로 입력측에 돌리기》. __4__ (소비자의) 반응, 의견. ── *a.* 궤환의, 재생의.
__féedback inhibítion__ 〔生化〕 피드백 저해.
__féed bàg__ 꼴망태《사료를 넣어서 말 목에 거는》. __put on the feed bag__ 《미俗》 식사하다.
__feed·er__[fí:dər] *n.* __1__ 먹는 사람〔짐승〕. __2__ 사육자; 가축 사육자. __3__ 여물통, 모이통; 젖병. __4__ 《영》 턱받기. __5__ 지류; 배양 수로(水路); 철도 지선(支線); 항공 지선; 지선 도로; 〔電〕 급전선, 궤전(饋電)선. __6__ 〔機〕 공급기〔장치〕, 급송 장치; 〔鑛山〕 급광기(給鑛器); 급수〔급유〕기.
__féeder lìne__ (항공로철도의) 지선.
__feed·er·lin·er__[fí:dərlàinər] *n.* 지선 운항 여객기.
__feed·for·ward__ [fí:dfɔ̀:rwərd] *n.* 피드포워드《실행 전에 결함을 예기하고 행하는 피드백 과정의 제어》.
__féed gràin__ 사료 곡물.
__feed-in__[fí:dìn] *n.* 무료 급식회.
__feed·ing__[fí:diŋ] *n.* [U] __1__ 섭식(攝食), 급식, 사육. __2__ 〔機〕 급송; 급수; 급전. ── *a.* __1__ 음식물을 섭취하는; 급식의, 사료를 주는. __2__ 〔機〕 급송(給送)하는; 급수의, 급전(給電)의. __3__ (점점) 거세지는: a ~ storm 점점 거세지는 폭풍우.
__féeding bòttle__ 젖병(feeder).
__féeding frènzy__ 《俗》 (특히 매스미디어에 의한) 무자비한 공격, 이기적 이용.
__feed·lot__[fí:dlɑ̀t/-lɔ̀t] *n.* 가축 사육장.
__féed pìpe__ 급수관.
__féed pùmp__ 급수 펌프.
__feed·stock__[fí:dstɑ̀k/-stɔ̀k] *n.* 공급 원료.
__feed·store__[fí:dstɔ̀:r] *n.* 《미》 사료 가게.
__feed·stuff__[fí:dstʌ̀f] *n.* (가축의) 사료(feeding stuff).
__féed tànk〔tròugh〕__ 급수 탱크.
__fee-faw-fum__[fí:fɔ̀:fʌ́m] *int.* 잡아 먹자《동화 속의 귀신이 지르는 소리》. ── *n.* (어린아이를 놀라게 하기 위한) 위협의 말; 식인귀, 도깨비.
__fee-for-ser·vice__[fí:fɔ:rsə́:rvis] *n.* (의료비의) 진료 때마다 하는 지불.
★__feel__[fi:l] *v.* (__felt__[felt]) *vt.* __1__ 만져보다; 손대(어 보)다: The doctor *felt* my pulse. 의사는 나의 맥을 짚어 보았다/*Feel* whether it is hot. 그것이 뜨거운지 만져 보아라. __2__ 손으로 더듬다, 더듬어 찾다(grope); 〈적정 등을〉 정

찰하다: ~ one's way (손으로) 더듬어 나아가다; 일을 신중히 진행시키다. **3** (신체적으로) 느끼다, 감지하다, 지각하다: ~hunger 공복을 느끼다/《Ⅲ (목)+전+명》 I feel a sharp pain *in* my chest. 나는 가슴에 심한 통증을 느낀다/《Ⅴ (목)+-*ing*(*p.*)》 I *felt* the floor quak*ing* under my feet. 나는 디디고 선 마루바닥이 흔들리는 것을 느꼈다/《Ⅴ (목)+*do*》 She *felt* her hands *tremble* a little bit. 그녀는 손이 약간 떨리는 것을 느꼈다. **4** 〈중요성·아름다움 등을〉 깨닫다, 〈입장 등을〉 자각하다. **5** 〈영향·불편 등을〉 받다〔당하다〕: She ~*s* the cold badly in winter. 그녀는 겨울에 몹시 추위를 탄다. **6** 〈희로·애락을〉 느끼다; 절실히 느끼다: 《Ⅴ *it*+명+-*ing*(*g.*)》 They *felt it* great fun rid*ing* in a one-horse open sleigh. 그들은 말 한 마리가 끄는 무개 썰매를 타고 달리는 기분이 정말 신나는 것임을 느꼈다/《Ⅴ (목)+*to be*+명》 We feel it *to be* a comfortable life. 우리는 그것이 편리한 생활임을 느낀다. **7** 〈…하다고〉 느끼다, 어쩐지 〈…이라는〉 느낌이 들다: I ~ *that* some disaster is impending. 재난이 임박한 것 같은 예감이 든다/《Ⅴ (목)+(*to be*)+*done*》 I *felt* myself (*to be*) cheated by the swindler. 나는 사기꾼에게 사기를 당한 것 같은 느낌이었다. **8** 〈무생물이〉 …의 영향을 받다; 〈배 등이〉 …에 느끼는 듯이 움직이다: The ship is still ~*ing* her helm. 그 배의 키는 아직도 듣고 있다.

— *vi.* **1** 감각〔느낌〕이 있다; 느끼는 힘이 있다: 《Ⅱ 형》 The cloth ~*s* smooth. 그 천은 감촉이 부드럽다. **2** (보어와 함께) **a** 〈사람이〉 …한 느낌〔기분〕이 들다: ~ cold〔hot〕 춥다〔덥다〕/~ comfortable 편하게 느끼다/~ well 건강 상태가 좋다/《Ⅱ 형》 The poor boy *felt* ill. 그 가엾은 소년은 병이 들었다/《Ⅱ 형》 I feel good. 나는 기분이 좋다. **b** 〈사람이 …하게〉 느끼다, 〈…하게〉 생각하다: I ~ certain 〔doubtful〕. 틀림 없다〔의심스럽다〕고 생각한다. **c** 〈사물 이 …한〉 감을 주다, 만져보면 〈…한〉 느낌이 들다: Velvet ~*s* soft. 벨벳은 촉감이 보드랍다. **3** 공감하다, 동정하다 (sympathize)《*for, with*》: 불쌍히 여기다《*for*》. **4** 더듬어 찾다; 동정을 살피다《*after, for*》. **5** (양태의 부사와 함께) (…에 대하여 찬·부 등의) 의견을 가지다, 어떤 견해를 가지다《*about, on, toward*》: ~ differently 다르게 생각하다/~ strongly *about* equal rights *for* women 남녀 동등권에 대해 확고한 견해를 갖다. **feel about** 여기저기 더듬어 찾다. **feel after** …을 더듬어 찾다. **feel around** 더듬적거리다. **feel as if**〔**though**〕 …처럼 느껴지다, …같은 느낌이 들다. **feel bad**(**ly**) **about** …으로 기분을 상하다, …을 후회하다. **feel certain** …을 확신하다《*of, that*》. **feel for** (1) 동정하다. (2) 더듬어 찾다. (3) 동정을 살피다. **feel free to** (보통 명령법으로) 마음대로 …해도 좋다. **feel it in one's bones** ⇨bone. **feel like** 어쩐지 …할 것 같다: It *feels* like rain. 어 쩐지 비가 올 것 같다. **feel like doing** …하고 싶어지다: 《Ⅱ 형+-*ing*(*g.*)》 I *feel like being* an astronaut. 나는 우주 비행사가 되고 싶다. **feel** (**like**) **oneself** =FEEL (quite) oneself. **feel of** 《미》 …을 손으로 만져보다. **feel one's legs**〔**feet,** 《稀》 **wings**〕 자신이 생기다; 마음이 편안하다. **feel** a person **out** (1) …의 의향 등을 넌지시 떠보다, 타진하다. (2) 〈이론등을〉 시험해보다. **feel** (**quite**) **oneself** 기분이 좋다, 심신의 상태가 정상적이다. **feel sure** …을 확신하다《*of, that*》. **feel up** 《俗》 (특히) 여자의 국부(언저리)에 손을 대다. **feel up to** (보통 부정 구문에서) …을 해낼 수 있을 것 같다. **feel one's way around** (상황을 보아 가며) 신중히 나아가다. **make oneself**〔**one's presence**〕 **felt** 남에게 자기의 존재〔영향력〕를 인식시키다.

— *n.* **1** 만짐; 감촉, 촉감, 피부〔손〕에 닿는 느낌. **2** 느낌, 기미, 분위기. **3** 《口》 육감, 직감; 센스《*for*》. **by the feel** (**of it**) (만져본) 느낌으로 (판단하여). **get the feel of** 〈사물의〉 감각을 익히다, …에 익숙해지다. **have a feel for** …에 감각이 예민하다, 에 타고난 지식이 있다. **to the feel** 촉감이: It is soft *to the feel.* 촉감이 부드럽다.

feel·er[fíːlər] *n.* **1** 〔動〕 더듬이, 촉각, 촉모(觸毛), 촉수(觸鬚). **2** 떠보기, 타진《떠보는 질문 등》: put out ~*s* 떠보다. **3** (a) 만져보는 사람. (b) 〔軍〕 척후(병), 염탐꾼, 첩자.

feel·good[fíːlgùd] *n.* 《경멸》 시름없는 행복한 상태, 완전한 만족.

feel·ie[fíːli] *n.* 감각 미술품《시각·촉각·후각·청각에 호소하는 예술 작품〔매체〕》.

⁑feel·ing[fíːliŋ] *n.* **1** U,C 촉감; 감각; 지각. **2** U,C 느낌, 기분; 인상. **3** (*pl.*) 감정, 정: hurt a person's ~*s* …의 감정을 해치다. **4** U 동정《*for*》. **5** U 격정; 흥분; 반감, 적의: a man of ~ 감정적인 사람. **6** U 감동; 정서; 정조(情操); 분위기. **7** 의견; 예감《*of*》. **8** U 감수성; (예술 등에 대한) 센스, 적성《*for*》. **class feeling** 계급 감정. **enter into** a person's **feelings** …의 감정을 헤아리다. **give a feeling of**〔**that**〕 …이라는 느낌을 주다. **good**〔**ill**〕 **feeling** 호감〔반감, 악감정〕. **have a feeling** …한 예감이 들다. **have no feeling** (**for** …) (…에 대해) 조금도 인정〔동정심〕이 없다. **market feeling** 시황, 경기. **No hard feelings.** 나쁘게 생각 말게. **speak with feeling** 감동하여〔다감하게〕 이야기하다.

— *a.* **1** 감각이 있는. **2** 민감한, 다감한. **3** 동정심〔인정〕 있는. **4** 감정적인, 감정 서린; 충심으로부터의(heartfelt). **~·ness** *n.*

feel·ing·ly *ad.* 감정을 담아, 다감하게, 실감나게.

feel·thy[fíːlθi] *a.* 《俗》 외설한(filthy).

fee-pay·ing *a.* 회비〔사례비 등〕를 치르는: ~ student 수업료를 내는 학생.

fée símple 〔法〕 무조건 토지 상속권, 단순봉토권(封土權).

fée splitting (의사·변호사가 환자·의뢰인을 소개해 준 동업자에게 주는) 구전.

★feet[fiːt] *n.* FOOT의 복수.

féet of cláy 감춰진 약점, 숨겨진 결점.

fee-TV[fíːtìːvíː] *n.* 유료 텔레비전.

feeze[fiːz, feiz], **feaze**[fiːz] *vt.* 《方》 징계하다, 쫓아내다; 《미方》 겁주다, 동요하게 하다.

— *vi.* 《方·口》 안달하다, 마음 졸이다.

— *n.* 《方》 격돌; 《미口》 놀람, 동요, 흥분.

***feign**[fein] [L] *vt.* **1** …을 가장하다, …인 체하다: ~ *to* be sick 아픈 체하다/He ~*ed that* he was mad. =He ~*ed* himself (*to be*) mad. 그는 미친 체했다. **2** 〈구실 등을〉 꾸며대다; 〈목소리 등을〉 꾸미다, 흉내내다. **3** 《古》 상상하다, 상상하여 그리다. — *vi.* 가장하다, 꾸미다, …인 체하다, 속이다.

feign·er *n.* ⊕ feint *n.*

feigned [-d] *a.* **1** 거짓의, 허위의; 꾸민 〈목소리 등〉. **2** 가공의. **féign·ed·ly**[-idli] *ad.* 꾸며서, 가장하여.

feint[1] [feint] *n.* 가장, 시늉; 공격하는 시늉, 페인트《권투·펜싱·전투 등에서》; 양동 작전,